LE GUIDE
CANADIEN DES
MÉDICAMENTS

SÉLECTION DU READER'S DIGEST
▼

LE GUIDE CANADIEN DES MÉDICAMENTS

Sélection Reader's Digest

Sélection du Reader's Digest (Canada) Ltée • Montréal

RESPONSABLES DU PROJET

Sélection du Reader's Digest

Rédactrice : Agnès Saint-Laurent
Graphiste : Cécile Germain
Lecteur-correcteur : Gilles Humbert
Coordonnatrice administrative : Elizabeth Eastman
Directeur, fabrication : Holger Lorenzen
Coordonnatrice, fabrication : Susan Wong

Collaborateurs externes

Traduction : Geneviève Beullac, René Raymond,
Suzette Thiboutot-Belleau
Index : Suzanne Govaert-Gauthier

Sélection du Reader's Digest
– Livres, musique et vidéos

Vice-présidente : Deirdre Gilbert
Directeur artistique : John McGuffie
Coordonnatrice administrative : Elizabeth Eastman

Association médicale canadienne

Éditrice médicale : Catherine Younger-Lewis, M.D.
Directrice, fabrication : Deborah A. Rupert

Consultant

Global Health Consulting Inc., Toronto

Association médicale canadienne

Président : Henry Haddad, M.D
Secrétaire général et directeur général : William G. Tholl
Directrice, publications : Pat Rich
Éditeur en chef, publications : John Hoey, M.D.

Pour obtenir notre catalogue ou des renseignements sur d'autres produits de Sélection du Reader's Digest
(24 heures sur 24), composez le
1-800-465-0780.

Vous pouvez également nous rendre visite sur notre site Web
http://www.selectionrd.ca.

© 2002 Sélection du Reader's Digest (Canada) Ltée

ISBN 0-88850-752-6

Tous droits de traduction, d'adaptation et de reproduction, sous quelque forme
que ce soit, réservés pour tous pays.

SÉLECTION DU READER'S DIGEST, READER'S DIGEST et le pégase sont des marques
déposées de The Reader's Digest Association, Inc.

IMPRIMÉ AU CANADA

02 03 04 05 / 5 4 3 2 1

Le Guide canadien des médicaments est l'adaptation française
de *Prescription & Over-the-Counter Drugs for Canadians*

Rédaction : Philomena Rutherford
Graphiste : Andrée Payette

Copyright © 2002 The Reader's Digest Association (Canada) Ltd.
Copyright © 2002 The Reader's Digest Association, Inc.

TABLE DES MATIÈRES

▼

Les rédacteurs, les consultants et l'éditeur ont consciencieusement et soigneusement tenté d'assurer que les recommandations et les posologies de ce livre soient exactes et conformes aux normes qui prévalaient au moment de la publication. Toutefois, il est recommandé au lecteur de consulter médecin, pharmacien et personnel soignant, et de se référer aux notices d'emploi qui accompagnent les médicaments, que ceux-ci soient sur ordonnance ou en vente libre. Ce conseil est particulièrement important s'il s'agit d'un nouveau médicament ou d'un médicament rarement utilisé. En raison du caractère unique de chaque patient, de l'existence de nombreux facteurs cliniques, et du fait que l'information sur les médicaments est en constante évolution, n'utilisez ce livre que comme guide général — en tenant compte de l'avis du médecin, du pharmacien et d'autres spécialistes de la santé — pour vous aider à prendre une décision éclairée.

Ce guide présente les données essentielles sur des milliers de médicaments génériques et d'origine dont l'utilisation est courante. Les médicaments d'ordonnance et en vente libre offerts sur le marché étant fort nombreux, il importe plus que jamais de bien savoir les utiliser – que ce soit pour vous-même, pour un parent âgé ou pour un enfant malade. D'où l'utilité du présent ouvrage. Les renseignements y sont présentés en termes faciles à comprendre, dans un contexte qui vous aidera à prendre des décisions éclairées et à utiliser les médicaments efficacement et en toute sûreté.

TROIS GRANDES SECTIONS :

Introduction sur les médicaments. Cette section aborde des renseignements de base. On y trouve (1) des conseils en matière de sécurité, de transport, de conservation, etc., à *Connaître vos médicaments* ; (2) une description des principaux systèmes du corps humain, des maladies qui peuvent les toucher et des nombreuses classes de médicaments servant à les traiter dans *Les médicaments et l'organisme* ; (3) une liste exhaustive de troubles et de médicaments sous *Affections courantes, médicaments pour les traiter* ; et (4) des photographies de médicaments en dimensions réelles, classées par couleurs pour permettre une identification rapide, dans le *Guide couleur d'identification*.

Fiches alphabétiques sur les médicaments. La section principale du GUIDE CANADIEN DES MÉDICAMENTS est un répertoire alphabétique des médicaments qui comprend plus de 650 fiches individuelles de une ou deux pages, couvrant des milliers de médicaments génériques et d'origine. Vous y trouverez l'information essentielle sur chaque médicament : indications, mode d'emploi, posologie, précautions, effets indésirables, mesures à prendre en cas de surdosage, interactions avec d'autres médicaments, avec des aliments et avec des maladies.

Glossaire, annuaires et index général. Le lecteur trouvera aux dernières pages du livre le *Glossaire des termes pharmacologiques*, l'*Annuaire des centres antipoison provinciaux*, l'*Annuaire des organismes d'information sur la santé* et l'*Index général*.

Rappelez-vous que vous faites partie d'une équipe soignante. Ce guide vous aidera à mieux connaître les médicaments que vous prenez. Utilisez-le pour travailler étroitement avec votre médecin, votre pharmacien et d'autres professionnels de la santé, pour trouver des réponses à vos questions sur l'usage de vos médicaments et pour obtenir les meilleurs soins et conseils possibles.

▼

▼ À PROPOS DES FICHES

Chaque médicament dont il est question dans ce livre fait l'objet d'une fiche présentant les données essentielles à son sujet : dénominations et présentations, indications, mode d'administration, effets indésirables, précautions, interactions dangereuses possibles avec des aliments ou d'autres médicaments, etc. Les éléments de chaque fiche, les sujets abordés sous chaque rubrique de même que des conseils généraux et des suggestions relatifs au bon usage des médicaments sont présentés ci-après. Ce survol vous permet de vous familiariser avec la présentation des fiches et de prendre connaissance de détails généraux importants sur les médicaments. Vous pourrez vous y reporter après avoir consulté une fiche pour trouver réponse à des questions sur l'innocuité d'un médicament ou avant d'amorcer un nouveau traitement.

◆ Dénomination

En tête de chaque fiche figure, en gros caractères gras, la dénomination commune du médicament – un nom scientifique unique et normalisé reconnu à l'échelle mondiale. De nombreux médicaments sont connus sous une ou plusieurs dénominations commerciales (noms de marque et noms génériques) – les noms que les fabricants choisissent pour les commercialiser. Ainsi, ibuprofène est la dénomination commune d'un analgésique d'usage courant ; Motrin, Apo-Ibuprofen et Advil sont trois dénominations commerciales de l'ibuprofène. La fiche de chaque médicament comprend les dénominations commerciales généralement utilisées au Canada. Contrairement aux dénominations communes, les dénominations commerciales peuvent varier d'un pays à l'autre.

Les dénominations communes sont présentées par ordre alphabétique dans la section principale du Guide. Si vous connaissez la dénomination commune d'un médicament, vous pouvez consulter ce répertoire alphabétique pour trouver rapidement l'information voulue. Il convient de noter que certaines fiches traitent d'associations médicamenteuses (plusieurs médicaments dans une préparation simple).

MÉDICAMENTS GÉNÉRIQUES

L'usage des génériques se répand de plus en plus depuis les années 1970. Ces médicaments sont moins coûteux que les médicaments d'origine.

Tous les génériques vendus au Canada ont été évalués et homologués par le Programme des produits thérapeutiques (PPT) de Santé Canada. Chaque année, le PPT homologue environ 50 nouveaux médicaments génériques.

Tout médicament générique qu'un fabricant désire faire homologuer par le PPT doit être bioéquivalent au médicament d'origine – c'est-à-dire qu'il doit libérer la même quantité de principe actif dans l'organisme dans à peu près le même laps de temps. Il doit aussi posséder à peu près la même stabilité chimique, de façon à conserver son efficacité pendant une période équivalente.

Les médias diffusent de temps à autre des reportages sur des médicaments génériques ne répondant pas aux normes. Il s'agit là de cas rares. Le PPT maintient des normes et des pratiques d'inspection rigoureuses et veille à tester et à surveiller tous les procédés de fabrication pharmaceutiques. Outre les exigences du PPT, les médicaments génériques doivent satisfaire aux normes strictes des organismes de réglementation provinciaux avant d'être considérés comme des substituts des médicaments d'origine comparables.

Lorsqu'un traitement médicamenteux devient nécessaire, le patient et le médecin peuvent choisir ensemble le médicament qui conviendra le mieux dans les circonstances. En cours de traitement, il est préférable de ne pas changer de médicament, à moins que ce ne soit avec l'accord du médecin.

On doit se rappeler que certains médicaments présentent de subtiles différences pouvant faire en sorte que l'un soit préférable à l'autre dans une situation donnée. Le cas échéant, la substitution d'un médicament à un autre pourrait, par exemple, se traduire par une légère différence entre la dose administrée et celle prescrite par le médecin.

En outre, les termes comme «chlorhydrate» ou «sodique» font parfois partie de la dénomination commune. Dans bien des cas, la formulation modifiée (parfois appelée «sel») n'a pas d'importance, parce que le médicament sera converti en un seul principe actif dans l'organisme. Ainsi, le naproxen (un analgésique) se présente sous deux formes : le naproxen lui-même et un sel sodique (naproxen sodique). Les deux agissent de la même façon une fois que leur principe actif commun (naproxen) est libéré dans l'organisme. Ces deux formes font donc l'objet d'une seule fiche. Dans certains cas, une modification chimique aura de l'importance. Ainsi, le citrate, l'oxyde et le sulfate de magnésium ont des modes d'action suffisamment différents pour qu'on leur consacre des fiches distinctes.

Si vous connaissez un médicament sous sa dénomination commerciale (nom de marque ou générique), vous pouvez trouver rapidement sa fiche en consultant l'index de la fin du Guide. L'index répertorie les dénominations génériques et commerciales des médicaments et renvoie aux fiches correspondantes. (Il indique aussi s'il y a une photo couleur du médicament sous la rubrique *Guide couleur d'identification*. Si c'est le cas, la lettre «C» précède le numéro de la page.) Le guide répertorie plusieurs milliers de dénominations génériques et commerciales de médicaments d'usage courant au Canada.

◆ *Présentation*
Chaque fiche énumère les formes sous lesquelles le médicament est présenté – comprimés, gélules, liquide, etc. Toute présentation a certaines propriétés qui influent sur son utilisation, sa commodité, son innocuité ou

CONSEILS SUR L'USAGE DES MÉDICAMENTS

COMPRIMÉS ET GÉLULES

Les comprimés se présentent sous maintes formes. Certaines personnes préfèrent les gélules et les caplets parce qu'ils sont plus faciles à avaler que les comprimés ronds. Les comprimés à mâcher conviennent aux gens qui ont de la difficulté à avaler tout type de comprimé. On ne doit pas en donner aux enfants de moins de deux ans (ils ne peuvent pas bien les mâcher).

D'aucuns préfèrent broyer les comprimés, puis les dissoudre dans du jus ou de l'eau ou les mélanger avec des aliments mous de façon à les rendre plus faciles à avaler. Certains médicaments ne sont pas conçus pour cela. Ainsi, les comprimés entérosolubles comportent une pellicule protectrice qui leur permet de se dissoudre dans l'intestin plutôt que l'estomac. Les prendre après les avoir broyés pourrait occasionner une irritation gastrique ou la destruction du médicament par les acides gastriques. De même, les comprimés à libération contrôlée sont conçus pour se désintégrer lentement dans l'intestin et doivent être avalés entiers. En général, on doit aussi éviter de fragmenter les gélules. Demandez l'avis de votre médecin ou de votre pharmacien avant de broyer des comprimés.

Quelques trucs
• Le fait de boire de l'eau avant et après la prise d'un comprimé peut rendre celui-ci plus facile à avaler. Il est bon d'être debout quand on avale le comprimé.

• On pourra parfois déloger un comprimé coincé dans la gorge en ingérant un aliment mou, une banane par exemple.

GOUTTES ET POMMADES

Lavez-vous toujours les mains avant et après l'application de préparations ophtalmiques ou otiques. De plus, évitez de mettre le bout du compte-gouttes ou de l'applicateur en contact avec quelque surface que ce soit pour empêcher sa contamination.

Compte-gouttes oculaire
• Renversez la tête.

• Tirez la paupière inférieure vers le bas, en la saisissant avec un seul doigt ou en la pinçant entre le pouce et l'index, afin d'exposer le sac conjonctival.

• Instillez le médicament dans le sac conjonctival.

Pommades ophtalmiques
• Tirez la paupière inférieure vers le bas, en la saisissant avec un seul doigt ou en la pinçant entre le pouce et l'index, afin d'exposer le sac conjonctival.

• Appliquez un mince cordon de pommade de 1 cm (⅓ po) dans le sac conjonctival.

Gouttes otiques
• Allongez-vous ou inclinez la tête de façon que l'oreille malade soit orientée vers le haut.

• Adultes : tirez le lobe vers le haut et l'arrière. Enfants : tirez le lobe vers le bas et l'arrière.

• Instillez le médicament dans le conduit auditif. Le bout du compte-gouttes ne doit pénétrer que dans l'oreille externe.

• Gardez l'oreille orientée vers le haut quelques minutes, de façon que le médicament atteigne le fond du conduit auditif.

SUPPOSITOIRES

Un suppositoire est une préparation conique assez volumineuse qu'on insère dans le rectum (l'anus). La chaleur corporelle le fait fondre, ce qui entraîne la libération du médicament. Ce type de préparation peut être utile chez les grands malades, les jeunes enfants et les gens qui ne peuvent prendre un médicament par voie orale. Les suppositoires lubrifiants et stimulants peuvent servir à traiter la constipation.

Insertion

- Un suppositoire s'avérera difficile à insérer s'il est trop mou. Le cas échéant, on peut le raffermir à l'eau froide ou au frigo (30 min environ) avant de le déballer.

- Mettez des gants de latex, puis déballez le suppositoire et humidifiez-le à l'eau. Allongez-vous sur le côté et ramenez les genoux vers la poitrine. Insérez délicatement le suppositoire dans le rectum en poussant sur le bout plat.

- Enfants : insérez délicatement le suppositoire dans le rectum à 7,5 cm (3 po) de profondeur ou moins.

- Restez allongé sans bouger. Veillez à retenir le suppositoire durant au moins 20 minutes afin que le médicament soit absorbé.

PRÉPARATIONS VAGINALES

Utilisez l'applicateur fourni et suivez les instructions. Allongez-vous sur le dos et ramenez les genoux vers le haut. Insérez l'applicateur aussi loin que possible dans le vagin sans forcer, puis appuyez sur le piston. Retirez l'applicateur et lavez celui-ci à l'eau chaude et au savon.

AÉROSOLS-DOSEURS

Bon nombre de personnes souffrant d'asthme ou de troubles respiratoires apparentés doivent utiliser un aérosol-doseur – dispositif servant à inhaler par la bouche un médicament en aérosol. Lorsque l'aérosol-doseur est bien utilisé, le médicament pénètre en quantité suffisante dans les voies respiratoires et y exerce son effet thérapeutique.

Utilisation de l'aérosol-doseur

- Agitez bien l'aérosol-doseur avant usage.

- Renversez un peu la tête et placez l'aérosol-doseur à la verticale, son embout à 1,5 cm (½ po) de la bouche.

- Expirez normalement. Amorcez ensuite une inspiration et appuyez immédiatement sur la cartouche pour libérer une bouffée de médicament. Continuez à inspirer lentement pendant 5 secondes (la lenteur de l'inhalation est la clé de l'administration d'une dose efficace). Retenez votre respiration de 5 à 10 secondes, puis expirer par le nez.

- Si le médecin a prescrit plus qu'une dose de médicament, attendez quelques minutes et répétez les étapes précédentes.

Le dispositif d'espacement – un cylindre en plastique qu'on adapte à l'aérosol-doseur de façon à retenir le médicament libéré – permet de prolonger la période d'inhalation, ce qui peut faciliter la prise du médicament. Respectez bien la posologie et la fréquence prescrite et revoyez de temps à autre la technique d'inhalation en compagnie de votre médecin.

PRÉPARATIONS NASALES

Mouchez-vous doucement avant l'administration de préparations nasales. Après usage, rincez le bout de l'applicateur à l'eau chaude et séchez-le avec un mouchoir propre. Pour ne pas propager une infection, ne prêtez pas ce type de médicaments à d'autres personnes.

Instillation

- Renversez la tête et instillez la dose recommandée dans chaque narine. Gardez la tête renversée pendant plusieurs minutes pour permettre au médicament de se répandre dans les voies nasales.

Inhalation

- Gardez la tête droite et pressez fermement le flacon (ou enfoncez la cartouche) pour vaporiser le produit dans chaque narine en inspirant fort. Retenez votre respiration quelques secondes, puis expirez par la bouche.

MÉDICAMENTS LIQUIDES

Mesurez les doses avec le doseur fourni ou une cuiller conçue à cette fin, jamais avec une cuiller de cuisine ordinaire.

MÉDICAMENTS INJECTABLES

L'injection est le meilleur mode d'administration pour certains médicaments, comme l'insuline ou un agent anaphylactique. On administre les médicaments injectables par voie intraveineuse, intramusculaire ou sous-cutanée. Revoyez la technique d'injection de temps à autre en compagnie d'un médecin ou d'un éducateur sanitaire si vous devez vous injecter un médicament ou injecter celui-ci à un proche.

son efficacité. Une infection cutanée, par exemple, pourrait nécessiter une crème antibiotique ; une infection oculaire ou auriculaire, des gouttes ou une pommade.

On distingue parfois les médicaments à action locale des médicaments à action générale (systémique). Les premiers, qui comprennent les préparations topiques – appliquées sur la peau, les yeux, les oreilles, les cheveux ou les muqueuses – et certains produits injectables tendent à exercer leurs effets au niveau d'une région restreinte. Cela les distingue des médicaments à action générale – dont font partie des préparations orales (comprimés, capsules ou liquides) et des préparations injectables que la circulation sanguine absorbe et transporte dans de nombreux organes. Les effets indésirables des médicaments à action locale tendent à être moins nombreux et moins graves que ceux associés aux médicaments à action générale. Néanmoins, les médicaments à action locale causent parfois des réactions étendues.

La formulation peut aussi influer sur la vitesse et le degré d'absorption d'un médicament ainsi que sur son délai d'action. Un médicament injecté directement dans une veine exerce presque immédiatement son effet ; il peut jouer un rôle crucial dans les cas urgents. À l'extrême opposé, on trouve les préparations à libération contrôlée, conçues pour offrir une absorption lente et uniforme du médicament sur une période de huit heures ou plus. Elles sont notamment offertes sous forme de gélules et de timbres transdermiques. Les préparations orales entérosolubles résistent à l'action dissolvante des acides gastriques, d'où un moindre risque d'effets gastro-intestinaux indésirables.

MÉDICAMENTS AUX NOMS **SIMILAIRES**

Les spécialistes du marketing ne cessent de trouver de nouvelles dénominations commerciales. Les organismes de réglementation en refusent un certain nombre chaque année à cause de leur trop grande similitude avec des dénominations existantes et du risque d'erreur qui en résulterait au moment de l'exécution des ordonnances.

Néanmoins, on peut confondre certains médicaments. Cela est attribuable en partie au fait que les ordonnances sont généralement rédigées à la main ou transmises par téléphone au pharmacien. Voici quelques médicaments dont les noms sont semblables (et leur indication). Les dénominations commerciales sont présentées en majuscules.

Accutane (acné) .... Accupril (hypertension)
Altace (hypertension) .... Artane (maladie de Parkinson)
Anaprox (anti-inflammatoire) .... Avapro (hypertension)
Artane (maladie de Parkinson) .... Altace (affection cardiovasculaire)
Asacol (entéropathies) .... Os-Cal (supplément de calcium)
Ativan (anxiété) .... Atarax (allergie, anxiété)
Celebrex (anti-inflammatoire) .... Cerebyx (convulsions)
clomiphène (agent ovulatoire) .... clomipramine (dépression)
Clozaril (psychose) .... Clinoril (anti-inflammatoire)
cyclosérine (tuberculose) .... cyclosporine (greffe)
Darvon (analgésique) .... Diovan (hypertension)
Fosamax (ostéoporose) .... Flomax (hypertrophie prostatique)
hydralazine (hypertension) .... hydroxyzine (allergie)
Lamictal (épilepsie) .... Lamisil (infection fongique)
Neurontin (épilepsie) .... Noroxin (infection urinaire)
Nicoderm (arrêt de fumer) .... Nitroderm (angine)
Ocuflox (infection oculaire) .... Ocufen (affection oculaire)
penicillamine (arthrite) .... pénicilline (infection bactérienne)
pindolol (hypertension) .... Plendil (hypertension)
Plendil (hypertension) .... Prinivil (cardiopathie)
Prozac (dépression) .... Proscar (hypertrophie prostatique)
quinine (crampes aux jambes) .... quinidine (arythmie cardiaque)
Taxol (cancer) .... Paxil (dépression)
Xanax (anxiété) .... Zantac (acide gastrique)
Zyprexa (psychose) .... Celexa (dépression)

Il existe aussi des préparations sublinguales (conçues pour être vite absorbées sous la langue), des préparations nasales et à inhaler (par le nez ou par la bouche), des suppositoires (à insérer dans le rectum) ainsi que des préparations vaginales présentées sous forme de crèmes et d'ovules. Bien d'autres préparations existent. Vous consulterez votre médecin pour savoir quelle présentation convient le mieux dans un cas donné.

CHOIX **D'UN MÉDICAMENT EN VENTE LIBRE**

Les médicaments en vente libre sont ceux qu'on peut acheter sans ordonnance. Cela ne signifie pas qu'on peut les prendre sans précaution. Tous les médicaments ont des effets indésirables et doivent être utilisés conformément aux directives du médecin, du pharmacien ou du fabricant. Pour éviter les situations fâcheuses, tenez compte des points suivants à l'achat d'un médicament en vente libre.

1. Lisez l'étiquette. L'étiquetage de tous les médicaments en vente libre distribués au Canada est strictement encadré. Suivez bien toutes les directives du fabricant.

2. Vérifiez les ingrédients. Bien des produits dont les dénominations commerciales sont semblables contiennent en réalité des principes actifs différents. Il faut aussi vérifier les ingrédients inactifs. Certains produits renferment des colorants ou des excipients susceptibles d'être allergènes.

3. Sachez identifier les associations. Maints médicaments en vente libre renferment plusieurs principes actifs qui peuvent ne pas convenir à tous. Ainsi, les personnes qui ont une maladie du foie doivent se méfier des produits contenant de l'acétaminophène – lequel entre dans la composition de nombreux médicaments en vente libre.

4. Décelez la violation de produit. Consultez l'étiquette pour connaître les caractéristiques du produit. Examinez aussi le conditionnement pour reconnaître d'éventuels signes de violation : bris de sceaux, perfora-tions, ouverture ou déchirure de l'emballage, etc. Ne prenez jamais un médicament qui est décoloré, qui dégage une odeur inhabituelle ou qui semble suspect de quelque autre façon. Rapportez au point de vente tout médicament d'aspect douteux.

5. Économisez grâce aux génériques. Ces médicaments sont sûrs et efficaces.

6. Faites preuve de prudence à l'étranger. Dans de nombreux pays, la qualité des médicaments n'est pas contrôlée strictement comme au Canada.

7. Vérifiez la date de péremption. Évitez d'acheter un produit qui sera périmé après peu de temps.

8. Choisissez le bon dosage. Bon nombre de médicaments en vente libre se présentent sous de multiples dosages. Demandez conseil à votre médecin.

9. Repérez les reformulations. Les fabricants modifient à l'occasion la composition des médicaments en vente libre, tout en conservant leur dénomination si elle est connue. Avant d'acheter un médicament en vente libre que vous avez l'habitude d'utiliser, assurez-vous que ses ingrédients n'ont pas changé.

10. Ne confondez pas les produits. Outre qu'elles produisent des médicaments différents dont les dénominations commerciales se ressemblent, certaines sociétés pharmaceutiques utilisent des conditionnements similaires. Lisez donc l'étiquette deux fois plutôt qu'une pour être bien certain d'acheter et de prendre le bon médicament.

◆ *En vente libre ?*

Chaque fiche indique si le médicament est en vente libre, c'est-à-dire vendu sans ordonnance, ou pas. Les laxatifs, les vitamines, les remèdes contre le rhume, les analgésiques et les anti-pyrétiques comme l'acide acétyl-salicylique (AAS), les antitussifs, les antiallergiques, les antiacides et les somnifères font partie des médicaments en vente libre courants.

La plupart des nouveaux médicaments sont d'abord vendus sur ordonnance. Ils peuvent ensuite être offerts en vente libre. À cet effet, un comité d'experts doit avoir déterminé qu'on peut prendre un médicament de façon sûre et efficace sans surveillance médicale. Reste que l'usage de tout médicament comporte au moins quelques risques. Bien des médicaments restent vendus sur ordonnance après leur lancement en vente libre : en général, la version en vente libre est offerte sous une autre dénomination commerciale, à plus faible dose et pour des indications plus limitées. On doit être tout aussi prudent avec les médicaments en vente libre qu'avec les médicaments sur ordonnance.

◆ *Générique disponible ?*

Chaque fiche précise également si une (ou plusieurs) version générique du médicament existe. La version générique est une copie exacte du médicament d'origine. Tous les médicaments ne sont pas offerts en versions génériques. En général, une société pharmaceutique mène des recherches et des essais approfondis avant de lancer un médicament princeps (première version d'un nouveau médicament). En retour, elle obtient d'ordinaire des brevets et une licence lui permettant de vendre en exclusivité son nouveau médicament pendant une période pré-déterminée : environ 20 ans à partir des premiers tests. Le médicament est généralement vendu sous un nom de marque (dénomination commerciale), que les médias et le public utilisent souvent à la place de la dénomination commune (ou principe actif). C'est le cas de Prozac et Aspirin notamment. Une fois la licence expirée, d'autres sociétés pharmaceutiques peuvent fabriquer des versions génériques du médicament – sous réserve que la copie soit aussi sûre et efficace que le médicament d'origine.

Beaucoup de génériques sont produits par la société qui fabrique le médicament d'origine. La dénomination commerciale des génériques est généralement une variante de la dénomination commune, et leur prix s'avère souvent inférieur à celui des médicaments d'origine. Il est fréquent de trouver plusieurs versions génériques d'un médicament d'origine, disponibles sur ordonnance ou en vente libre.

◆ Classe de médicaments

Les médicaments sont répertoriés en fonction de leur classe – groupe de médicaments dont les structures chimiques ou les modes d'action sont semblables. Ainsi, un médicament qui réduit la tension artérielle appartient à la classe des antihypertenseurs ; tel autre qui tue les bactéries infectieuses, à la classe des antibiotiques. Certains médicaments ont de nombreux usages et peuvent donc appartenir à plus d'une classe. En général, les médicaments qui présentent des structures chimiques semblables ont sensiblement le même mode d'action.

D'autres renseignements sur les classes de médicaments figurent sous la rubrique « Les médicaments et l'or-

ganisme » (p. 21). On peut s'y reporter pour se familiariser avec les différentes classes de médicaments et leurs modes d'action. On trouvera là aussi une liste des classes les plus courantes.

▼ GÉNÉRALITÉS

◆ Indications

Les états, les affections ou les symptômes pour lesquels on prescrit un médicament constituent les indications de celui-ci. Tout médicament – d'ordonnance ou en vente libre – doit faire l'objet d'une homologation visant une ou plusieurs indications avant d'être mis sur le marché ; Santé Canada peut ensuite approuver des indications supplémentaires au terme d'études appropriées.

Dans le cas des médicaments en vente libre, toutes les indications figurant sur l'étiquette doivent être approuvées par Santé Canada. D'où la mention « usages approuvés » qui désigne parfois leurs indications.

La situation diffère un peu dans le cas des médicaments d'ordonnance. Une fois qu'un médicament a été homologué au regard d'au moins une indication, les médecins peuvent le prescrire à toute fin qui leur semble appropriée. C'est une pratique courante qu'on appelle « usage non approuvé ». Ainsi, la minocycline, un antibiotique homologué en vue du traitement des infections, sert parfois à traiter la polyarthrite rhumatoïde. Environ la moitié des ordonnances visent des usages non approuvés.

Ce sont les indications approuvées qui figurent dans chaque fiche du Guide. En outre, à partir de la page 53, sous la rubrique « Affections courantes, médicaments pour les traiter »,

il suffit de repérer le nom d'une affection pour trouver la liste des médicaments qui servent généralement à la traiter. Si vous avez des inquiétudes sur votre médication, parlez-en très ouvertement avec votre médecin ou votre pharmacien.

◆ Mode d'action

Une brève description du mode d'action du médicament (façon dont celui-ci produit l'effet thérapeutique voulu) figure sous cette rubrique. Certains modes d'action sont bien compris. Toutefois, le mode d'action exact de bien des médicaments n'a pas encore été élucidé. D'autres renseignements sur le mode d'action des médicaments sont présentés à partir de la page 21, sous la rubrique « Les médicaments et l'organisme ».

▼ MODE D'EMPLOI

Quel que soit le médicament que l'on utilise, la première règle de sécurité à respecter consiste à prendre la bonne dose à la bonne fréquence. Conformez-vous scrupuleusement aux directives du médecin, du pharmacien ou du fabricant. Ne modifiez jamais la posologie d'un médicament sans en avoir parlé à votre médecin.

◆ Posologie

L'éventail des doses d'usage courant figure sur la fiche de chaque médicament. On ne doit pas s'alarmer si la dose prescrite par un médecin se situe au-delà ou en deçà des doses indiquées dans la fiche. La posologie adéquate varie d'une personne à l'autre et dépend de nombreux facteurs : âge, poids, état de santé, fonctions hépatique et rénale, utilisation d'autres médicaments, etc.

Tous ces facteurs peuvent influer sur l'absorption, la distribution et la persistance d'un médicament dans l'organisme de même que sur le choix de la dose thérapeutique.

Il faut noter que les posologies sont souvent exprimées en unités métriques de poids, comme le gramme (g), le milligramme (mg) et le microgramme (µg), parfois en unités internationales (U.I.). Dans certains cas, elles seront exprimées en unités par kilogramme (2,2 lb) de poids corporel ; ce rapport est particulièrement utile pour déterminer la posologie optimale d'un médicament destiné à un usage pédiatrique.

◆ Début d'action
Beaucoup de médicaments agissent en quelques minutes. Ainsi, les analgésiques d'usage courant comme l'AAS ou l'acétaminophène commencent à soulager la douleur en moins d'une heure. Cependant, on doit souvent prendre de multiples doses d'un médicament avant que sa concentration dans l'organisme soit suffisante pour procurer l'effet voulu. En général, cette concentration est atteinte en un jour ou deux. Certains médicaments peuvent néanmoins mettre plusieurs semaines à produire un effet sensible.

◆ Durée d'action
La durée d'action est fonction du médicament. Certains médicaments demeurent dans l'organisme pendant des jours ou plus longtemps encore ; d'autres, pendant quelques heures seulement. La vitesse à laquelle les médicaments sont métabolisés par l'organisme varie de l'un à l'autre. En général, plus un médicament est rapidement métabolisé, plus on doit le prendre souvent. Les fiches du Guide indiquent la durée d'action moyenne des médicaments. Des facteurs

POUR ÉVITER **LES ERREURS D'ORDONNANCE**

Des erreurs d'ordonnance se produisent parfois. Plusieurs mesures faciles à prendre peuvent aider à les prévenir. Avant tout, assurez-vous de bien comprendre l'ordonnance : but du traitement, dénominations du médicament, etc. Portez également attention aux renouvellements. Les médecins utilisent des abréviations latines et d'autres notations pour rédiger leurs ordonnances ; quelques-unes figurent ci-dessous. Demandez aussi à votre médecin d'inscrire l'usage des médicaments sur l'ordonnance (p. ex. : « Traitement du diabète » ou « Contre l'hypertension »).

LECTURE D'UNE ORDONNANCE

TERME	ABRÉVIATION	SIGNIFICATION
ante cibum	ac	avant les repas
bis in die	bid	2 fois par jour
gutta	gt	goutte
hora somni	hs	au coucher
milligrammes	mg	milligrammes
millilitres	ml	millilitres
oculus dexter	od	œil droit
oculus sinister	os	œil gauche
per os	po	par voie orale
post cibum	pc	après les repas
pro re nata	prn	au besoin
quaque 3 hora	q3h	aux 3 heures
quaque die	qd/od	tous les jours/ une fois par jour
quattuor in die	qid	4 fois par jour
ter in die	tid	3 fois par jour

Bilan médicamenteux

Pour prévenir les erreurs d'ordonnance, faites un bilan médicamenteux annuel, surtout si vous prenez régulièrement plusieurs médicaments. Il vous suffit d'apporter tous vos médicaments à votre médecin afin que celui-ci puisse évaluer l'utilité de chacun et, au besoin, modifier le traitement prescrit. Tenez aussi une liste détaillée des médicaments que vous prenez et présentez-la à tout médecin que vous consultez pour la première fois. En outre, contrôlez les renouvellements d'ordonnance. La couleur, la forme ou la taille d'un médicament générique peuvent différer selon le fabricant ; néanmoins, une différence de cette nature peut aussi révéler une erreur d'ordonnance. En cas de doute, n'hésitez pas à poser des questions à votre médecin ou à votre pharmacien.

comme l'état de santé général, la fonction rénale ou hépatique et les interactions avec les aliments ou d'autres médicaments peuvent augmenter ou diminuer considérablement la durée d'action d'un médicament.

◆ Conseils nutritionnels
Les fiches indiquent si on doit prendre un médicament avec ou sans nourriture. Les aliments influent parfois sur le degré et la vitesse d'absorption d'un médicament dans l'organisme.

Certains médicaments doivent être pris avec des aliments contenant des protéines et des graisses. Ces médicaments se dissolvent mieux dans des solutions huileuses que dans l'eau. De plus, quelques médicaments peuvent irriter la muqueuse gastrique si on les prend à jeun. En les prenant avec de la nourriture, on peut limiter le risque de maux gastro-intestinaux.

D'autres médicaments doivent être pris alors qu'on est à jeun, soit au moins une heure avant ou deux heures après les repas. En général, ces médicaments sont mal absorbés en présence de nourriture. Il faut néanmoins boire un verre d'eau en même temps qu'on les prend.

Une interaction peut survenir si on prend un médicament avec certains aliments ou boissons (dont l'alcool). Cet effet est abordé sous les rubriques « Précautions » (p. 16) et « Interactions médicament-aliment » (p. 20).

◆ *Mode de conservation*

On recommande généralement de conserver les médicaments au frais et au sec. Il faut donc éviter de les placer dans la pharmacie de la salle de bains, où le taux d'humidité tend à être élevé, ou près d'une source de chaleur. Un placard de la chambre à coucher ou de la cuisine (loin du four et de la plaque de cuisson), d'ordinaire plus frais et plus sec, pourrait être préférable.

Certains médicaments liquides doivent être réfrigérés : c'est le cas de l'insuline et des antibiotiques liquides pour enfants. Sauf avis contraire du médecin ou du pharmacien, il n'est toutefois pas nécessaire de réfrigérer la plupart des médicaments.

Il est toujours bon de conserver les médicaments dans leurs contenants d'origine. Jetez la ouate qui se trouve dans la partie supérieure des flacons

EN VOYAGE **AVEC VOS MÉDICAMENTS**

• Emportez une provision de médicaments suffisante pour toute la durée du voyage, plus une réserve d'urgence. Mieux vaut placer vos médicaments ailleurs que dans les bagages qui seront enregistrés ; ceux-ci pourraient être livrés en retard ou perdus. Si vous utilisez des seringues ou des médicaments tels que les analgésiques narcotiques, vous ferez bien de vous munir d'un certificat médical ; autrement, vous vous exposez à une confiscation par la douane de certains pays.

• Conservez les médicaments dans leurs contenants d'origine étiquetés. Les flacons de pilules doivent contenir une boule d'ouate destinée à amortir les chocs. Placez les médicaments liquides dans des sacs plastiques hermétiques.

• Ayez une copie de chaque ordonnance, tapée à la machine et indiquant la dénomination commune des médicaments. Les dénominations commerciales peuvent varier d'un pays à l'autre.

• Six semaines au moins avant de partir en voyage, consultez un médecin pour vous renseigner sur les nouveaux vaccins ou médicaments dont peuvent avoir besoin les voyageurs dans certains lieux exotiques. L'Association internationale pour l'assistance médicale aux voyageurs (voir l'Annuaire des organismes d'information sur la santé) peut fournir des renseignements sur les services d'urgence offerts à l'étranger.

• Un changement de climat peut faire en sorte qu'un médicament produise des effets indésirables. Par exemple, les diurétiques risquent de causer des étourdissements en cas de déshydratation provoquée par une transpiration excessive. Certains médicaments rendent plus sensible au soleil.

• Si vous prenez des médicaments à heure fixe, il vous faudra peut-être faire des ajustements posologiques si vous traversez plusieurs fuseaux horaires. Votre médecin pourra vous renseigner à ce sujet avant votre départ.

de pilules ; des bactéries présentes sur la peau peuvent rapidement la contaminer après qu'on y a touché. Avant d'utiliser un pilulier, montrez-le au pharmacien pour qu'il vous assure que la quantité de lumière ou d'humidité qu'il laisse passer ne sera pas nuisible aux médicaments.

S'il y a de jeunes enfants dans la maison, conservez les médicaments hors de leur portée dans des contenants dotés d'un bouchon à leur épreuve. De plus, il faut éviter de placer les médicaments près de substances dangereuses avec lesquelles on pourrait les confondre.

◆ *Oubli d'une dose*

Tout le monde peut omettre de prendre un médicament. Les fiches du Guide indiquent ce qu'il faut faire si cela arrive. Dans certains cas, il faudra prendre sans tarder la dose oubliée. Dans d'autres cas, on pourra modifier l'horaire des prises ou attendre jusqu'à la prise suivante. En général, mieux vaut ne pas doubler une dose pour compenser une dose oubliée, car la concentration du médicament risque alors d'augmenter de façon excessive.

On trouve sur le marché des produits conçus pour rappeler l'heure des prises. Ces « aide-mémoire posolo-

TROUSSE MÉDICALE DE VOYAGE

Il est toujours bon d'avoir une trousse médicale à portée de la main lorsque vous voyagez. Bien entendu, son contenu dépend de la destination choisie, de la durée du voyage et de l'état de santé général des voyageurs. Néanmoins, certains articles sont pratiquement indispensables. Une liste d'articles pouvant faire partie de la trousse médicale de base est présentée ici. Consultez-la pour composer une trousse convenable en fonction de vos besoins. Mieux vaut être prêt dès le départ à remédier aux problèmes de santé que de voir ceux-ci gâcher un voyage tant espéré.

USAGES	ARTICLES À EMPORTER
Allergies et réactions allergiques	Antihistaminique (diphenhydramine)
Maux pédiatriques	Sirop d'ipéca, charbon activé (antidotes dans certains cas d'intoxication) ; réhydratants ; gouttes otiques ; antibiotiques (en cas d'infection bactérienne). Conservez les médicaments hors de la portée des enfants, dans des contenants à leur épreuve.
Constipation	Laxatif
Rhume, toux ou congestion des sinus	Pastilles pour la gorge ; antitussif. Voyage en avion : la prise d'un décongestionnant une demi-heure avant le décollage et l'atterrissage peut aider à dégager les sinus et à soulager les maux d'oreille.
Coupures, éraflures et infections cutanées	Onguent antibiotique topique (antiseptique iodé, solution de gluconate de chlorhexidine, bacitracine, etc.).
Diarrhée, indigestion	Sous-salicylate de bismuth, chlorhydrate de lopéramide, antiacides, et/ou antiflatulent
Soins des yeux	Lunettes et/ou lentilles cornéennes de rechange et produits de nettoyage, copie de l'ordonnance de l'optométriste
Fièvre, céphalées, courbatures bénignes	AAS, acétaminophène ou ibuprofène
Premiers soins	Bandages, gaze, sparadrap, ciseaux, brucelles, canif, épingles de nourrice, tampons imbibés d'alcool, thermomètre – dans un étui étanche. Aussi : cartes d'assurance-maladie ou d'alerte médicale.
Insectes	Insectifuge contenant du diéthyltoluamide ou de la perméthrine
Démangeaisons, morsures, piqûres, éruptions cutanées	Corticostéroïde topique en crème (hydrocortisone à 1 %) ; antihistaminique
Mal des transports	Antihistaminique en vente libre (dimenhydrinate ou méclizine) ou timbres transdermiques contenant de la scopolamine
Congestion nasale causée par le rhume ou les allergies	Décongestionnant (pseudoéphédrine) et/ou antihistaminique
Entorses et foulures	Bandage élastique, analgésique anti-inflammatoire (AAS ou ibuprofène)
Protection contre le soleil	Filtre solaire et baume labial ayant un FPS de 15 ou plus
Impuretés dans l'eau	Comprimés pour purifier l'eau nécessaires dans certaines régions

giques » comprennent les calendriers à cocher, les piluliers (informatisés ou non) et les avertisseurs sonores électroniques. Le pharmacien est à même de conseiller ses clients sur le choix d'un produit de ce genre.

◆ *Arrêt de la médication*

Il ne faut jamais cesser de prendre un médicament d'ordonnance sans consulter d'abord son médecin. Même une infection bénigne qui semble résolue après quelques jours d'antibiothérapie est justiciable d'un traitement complet (qui dure souvent de 7 à 10 jours). L'arrêt prématuré d'une antibiothérapie se traduit par une élimination incomplète des bactéries infectieuses qui peut donner lieu à un échec thérapeutique et à une rechute. Il peut aussi être dangereux de cesser abruptement de prendre certains médicaments : par exemple, on diminuera graduellement la prise d'un antidépresseur pour éviter les symptômes de sevrage.

Quel que soit le médicament, il importe de suivre le traitement recommandé. Certains médicaments peuvent mettre plusieurs mois à produire leur plein effet thérapeutique. D'autres doivent être pris indéfiniment. Si un médicament provoque des effets indésirables incommodants ou ne semble pas avoir l'effet voulu, consultez votre médecin ou votre pharmacien et ne modifiez pas de vous-même la posologie.

◆ *Usage prolongé*

Pour traiter une affection chronique, il faut parfois prendre un médicament pendant de longues périodes, voire à vie. Un bilan de santé régulier ou encore des tests ou des analyses périodiques seront nécessaires dans certains cas pour déceler d'éventuels effets indésirables du médicament.

▼ EFFETS INDÉSIRABLES

Outre leurs effets thérapeutiques, les médicaments produisent généralement des effets non recherchés, dont un bon nombre sont indésirables. Pratiquement tous les médicaments d'ordonnance et en vente libre peuvent avoir des effets indésirables, même si on les prend comme il se doit. Il importe cependant de se rappeler que seulement un faible pourcentage de patients médicamentés subissent des effets indésirables, y compris ceux qui sont relativement courants.

Les effets indésirables sont divisés en trois catégories dans les fiches du Guide : graves, courants et moins courants. Les **effets indésirables graves** peuvent menacer l'existence du malade ou avoir un effet considérable sur son bien-être. Ils **constituent une urgence médicale**. Bien entendu, même un effet indésirable léger a de l'importance s'il diminue la qualité de vie. N'hésitez pas à consulter votre médecin si un effet indésirable, même bénin en apparence, est source d'inquiétude.

▼ PRÉCAUTIONS

◆ *Plus de 60 ans*

La prudence est particulièrement de mise chez les patients qui ont plus de 60 ans. Les changements physiologiques qu'entraîne le vieillissement — notamment la diminution des fonctions rénale et hépatique, l'augmentation de la masse adipeuse au détriment de la masse musculaire et la diminution de la quantité d'eau dans les tissus organiques — concourent à la concentration des médicaments et s'opposent à leur élimination rapide.

Par conséquent, les aînés peuvent devoir prendre leurs médicaments à des posologies inférieures à celles qui sont habituellement recommandées.

Une recherche indique que 17 % des hospitalisations de personnes âgées découlent des effets indésirables des médicaments d'ordonnance – un pourcentage six fois plus élevé que dans la population générale. Les effets indésirables des médicaments, les interactions avec les médicaments et la nourriture, de même que le surdosage sont plus fréquents chez les patients âgés. Cela est en partie attribuable au fait que ces patients sont au départ beaucoup plus susceptibles de prendre des médicaments que les jeunes. La polypharmacie complique la situation, en particulier si différents médecins prescrivent les médicaments, les prescripteurs n'étant par toujours au fait du profil médicamenteux du patient. En outre, des études révèlent qu'un pourcentage étonnamment important de patients âgés prennent des médicaments contre-indiqués dans leur groupe d'âges.

Le patient âgé doit dire à ses médecins quels médicaments il prend (y compris les produits naturels et les médicaments en vente libre) et connaître aussi bien que possible sa médication. De façon générale, il faut se garder de mettre sur le compte du vieillissement des changements d'humeur ou des manifestations nouvelles ou inhabituelles, car il pourrait en fait s'agir d'effets indésirables ou d'interactions de médicaments.

◆ *Conduite automobile, travaux dangereux*

Certains médicaments peuvent causer de la somnolence ou de la confusion. Le cas échéant, voyez avec votre médecin s'il est possible de les prendre vers l'heure du coucher ou de leur trouver des substituts. Avant d'accomplir des activités où un manque de vigilance peut avoir des conséquences sérieuses, assurez-vous que les médicaments que vous prenez ne risquent pas d'avoir ces effets indésirables.

◆ *Alcool*

Certains médicaments, y compris les médicaments en vente libre, peuvent être dangereux si on les prend avec de l'alcool. Il importe donc de se renseigner à ce sujet lorsqu'on doit prendre un nouveau médicament. Les signes courants d'interactions entre l'alcool et un médicament comprennent la somnolence excessive, la dyspnée et l'irritation gastrique. En cas de doute, il est toujours préférable de renoncer à l'alcool durant un traitement médicamenteux. Une recherche indique que « plus de la moitié des 100 médicaments les plus souvent prescrits contiennent au moins une substance qui réagit mal avec l'alcool ».

◆ *Grossesse*

La femme enceinte doit carrément éviter de prendre certains médicaments en raison de leur toxicité reconnue durant la grossesse. L'innocuité de quelques médicaments a été démontrée. En général, on dispose de trop peu d'études pour affirmer qu'un médicament est toxique pour le fœtus.

Dans la plupart des cas, il est bon de limiter l'usage des médicaments d'ordonnance ou en vente libre durant la grossesse. Il faut aussi consommer moins d'alcool (présent dans certains médicaments) ; la plupart des spécialistes recommandent de ne pas en prendre du tout. Certains états rendent la prise de médicaments indispensable. On ne doit pas oublier que

CONSIGNES DE SÉCURITÉ **ÉLÉMENTAIRES**

1. Respectez le mode d'emploi. Il est essentiel de prendre la dose prescrite suivant la fréquence recommandée et d'éviter les interactions possibles avec des aliments et des médicaments.

2. Tenez une liste des médicaments que vous prenez et donnez vos antécédents médicamenteux et médicaux au médecin traitant. Une fois par an, révisez votre médication en compagnie du médecin de premier recours.

3. Faites exécuter vos ordonnances dans la même pharmacie. Le pharmacien en vient à bien connaître le dossier de ses clients fidèles et est alors plus susceptible de déceler d'éventuelles erreurs d'ordonnance.

4. Conservez les médicaments dans un lieu approprié, à l'abri du soleil, de la chaleur et de l'humidité. La pharmacie de la salle de bains est à éviter en raison de l'humidité ambiante. L'idéal est un placard qui ferme à clé – hors de la portée et de la vue des enfants.

5. Jetez les médicaments périmés. Il ne faut pas prendre un médicament d'ordonnance périmé. Tous les médicaments perdent de leur efficacité avec le

temps. Consultez un pharmacien en cas de doute sur la durée de conservation d'un médicament.

6. Évitez de partager vos médicaments ou de prendre ceux des autres. Ce qui convient à une personne peut nuire à une autre.

7. Évitez de prendre un médicament alors que vous êtes pressé. Vous risquez autrement de vous tromper de pilule. Lisez bien l'étiquette chaque fois que vous penez un médicament pour être certain de prendre le bon.

8. Conservez les numéros d'appel des secours à portée de la main : médecin traitant, services médicaux d'urgence et centre antipoison le plus proche.

9. Posez des questions. Il faut en savoir le plus possible sur ses médicaments : indication, mode d'administration, posologie, contre-indications, etc. Les gens qui posent des questions sont plus satisfaits de leur traitement.

10. Signalez tout effet indésirable ou toute évolution du mal à votre médecin traitant. Il pourra éventuellement ajuster la posologie ou faire une substitution de médicaments.

les avantages de bien des médicaments l'emportent de loin sur le faible risque qu'ils présentent pour la mère ou le fœtus.

◆ *Allaitement*

La femme qui allaite doit consulter son médecin avant de prendre tout médicament. En général, les médicaments passent en partie dans le lait maternel (certains plus facilement que d'autres).

La plupart ont peu d'effet apparent sur le nourrisson, sinon aucun. Néanmoins, on sait que certains médicaments, tels les anticancéreux ou le lithium, sont dangereux.

Les fiches du Guide identifient les médicaments contre-indiqués chez la femme qui allaite. En général, il est bon de limiter l'usage des médicaments pendant la période d'allaitement. Les spécialistes recommandent de renoncer à l'alcool ou d'en limiter la consommation. La plupart des analgésiques sont relativement sûrs durant la période d'allaitement ; vérifiez avec votre médecin lequel choisir.

La femme qui allaite peut devoir suivre un traitement médicamenteux en raison de son état de santé. Le cas échéant, son médecin sera en mesure de l'aider à en soupeser les risques et les avantages. Parfois, on pourra abandonner une médication pendant la période d'allaitement, suspendre l'allaitement si un médicament doit être pris sur une courte période, modifier un schéma posologique ou substituer un médicament à un autre.

◆ Nourrissons et enfants

Les enfants sont plus sensibles que les adultes à de nombreux médicaments. Si un médicament est indiqué chez l'enfant, il faut se montrer particulièrement attentif aux effets indésirables.

On doit faire preuve de jugement dans l'usage pédiatrique des médicaments, en vente libre ou non. Il faut lire leur mode d'emploi en entier pour s'assurer de leur innocuité chez l'enfant. En l'absence de dose pédiatrique, on ne peut tenir pour acquis qu'un médicament est sans danger pour les jeunes de moins de 12 ans. Avant d'administrer un médicament en vente libre à un enfant de moins de 2 ans, consultez un médecin ou un pharmacien. En outre, évitez de donner plusieurs médicaments en vente libre : maintes préparations ont plus d'un principe actif, d'où un risque accru d'effets indésirables ou de surdosage en cas d'association chez l'enfant.

Important : l'AAS et les autres salicylés ne doivent être administrés aux enfants de moins de 16 ans qu'à la demande d'un médecin. Ces médicaments ont été associés au syndrome de Reye chez des enfants qui les avaient pris pour traiter la varicelle ou la grippe. Utilisez plutôt l'acétaminophène ou l'ibuprofène.

Il importe aussi de savoir que les médicaments en vente libre contiennent souvent de l'alcool, qui peut être dangereux pour les jeunes enfants.

◆ À surveiller

Les fiches du Guide comportent aussi des mises en garde, notamment dans le cas des médicaments susceptibles de causer une réaction allergique. Pratiquement tous les médicaments peuvent entraîner ce type de réaction, mais les allergies sont particulièrement fréquentes avec la pénicilline ou des antibiotiques apparentés. Les sulfamides, les barbituriques, les anticonvulsivants et les anesthésiques locaux s'avèrent souvent allergènes eux aussi.

Les signes courants de la réaction allergique d'origine médicamenteuse comprennent le rash cutané (éruption), l'urticaire et le prurit (démangeaison). Une grave réaction, appelée anaphylaxie, peut donner lieu à un œdème du visage, de la langue, des lèvres, des bras ou des jambes. L'œdème s'étend parfois aux voies respiratoires ; le cas échéant, la respiration devient difficile — la réaction allergique menace alors la vie et constitue une urgence médicale.

Consultez un médecin sans tarder si des signes de réaction allergique apparaissent. Les allergies d'origine médicamenteuse répondent bien au traitement dans l'ensemble. Les antihistaminiques et les corticostéroïdes topiques peuvent être indiqués en cas de rash, d'urticaire ou de prurit. Les bronchodilatateurs peuvent faciliter la respiration. L'adrénaline sert à traiter les réactions graves. Pour améliorer la tolérance à un médicament, le médecin peut administrer celui-ci de façon répétée à doses croissantes. Cela s'appelle la désensibilisation.

Un médicament allergène risque de provoquer une réaction plus grave si on le reprend. Aussi doit-on signaler tout antécédent de réaction allergique d'origine médicamenteuse aux professionnels de la santé. Un bracelet, un collier ou une carte d'alerte médicale peut être utile. Lisez attentivement l'étiquette des médicaments en vente libre afin de savoir s'ils contiennent des ingrédients allergènes.

◆ Surdosage : symptômes et quoi faire

Presque tous les médicaments peuvent être toxiques si on les prend à des doses excessives. La gravité de l'intoxication variera selon l'utilisateur et le médicament. Chaque fiche aborde les symptômes du surdosage et les mesures à prendre au besoin.

La prise de suppléments contenant du fer est une des grandes causes de décès chez les jeunes enfants, qui ne peuvent bien métaboliser ce minéral. L'ingestion d'anorexiques, de stimulants, de décongestionnants et d'antidépresseurs est aussi une cause fréquente d'intoxications pédiatriques. Dans le cas de certains médicaments, un seul comprimé suffit pour mettre en danger la vie d'un enfant. Donc rangez les médicaments hors de portée et de vue des enfants, dans des contenants à leur épreuve. Un contenant à l'épreuve des enfants est conçu de façon que 80 % des enfants de 5 ans mettent plus de 5 minutes à l'ouvrir ; il n'est donc pas totalement à leur épreuve !

Les personnes âgées sont aussi plus exposées au surdosage. Elles sont plus sensibles à certains médicaments et peuvent ne pas se rappeler quand une dose a été prise.

Le surdosage intentionnel, souvent associé aux tentatives de suicide, est problématique chez les patients déprimés de tous âges, qui peuvent avoir accès à de grandes quantités d'antidépresseurs pouvant causer la mort.

La plupart des intoxications d'origine médicamenteuse se manifestent assez rapidement, bien que parfois les effets du surdosage mettent des semaines à apparaître. Les signes et les symptômes de surdosage varient grandement et peuvent comprendre apathie, confusion, roulement des yeux, difficultés respiratoires, somnolence inhabituelle ou maux gastriques. Si un enfant semble intoxiqué, recherchez des indices : contenants de médicaments ouverts, taches autour de la bouche, haleine étrange.

En cas de surdosage apparent, il faut demeurer calme et communiquer sans tarder avec un médecin ou un centre antipoison. Selon le médicament, un antidote comme le sirop d'ipéca peut être indiqué. Il est bon d'avoir en réserve un flacon de ce sirop émétique qui aide à éliminer les substances toxiques. Certains spécialistes recommandent également le charbon activé, qui absorbe les substances toxiques et empêche ainsi leur dispersion. (On ne peut prendre à la fois du charbon activé et du sirop d'ipéca, car le premier absorberait le second.) Le patient qui reçoit l'un ou l'autre antidote doit être conscient. Une victime inconsciente doit être vue sans tarder par un professionnel de la santé. Comme l'ipéca et le char-bon peuvent aggraver certains états, il ne faut pas les administrer avant d'avoir parlé à un médecin ou à un intervenant d'un centre antipoison.

▼ INTERACTIONS

Les médicaments peuvent interagir avec d'autres médicaments ou des aliments. Certaines maladies peuvent aussi influer sur les propriétés des médicaments. Les fiches du Guide soulignent les interactions possibles.

◆ *Médicament-médicament*

Il y a interaction médicamenteuse quand au moins deux médicaments réagissent l'un avec l'autre, causant des effets indésirables. Certains médicaments diminuent l'efficacité de l'autre ; d'autres peuvent renforcer ses effets. Une interaction peut être ressentie de façon quasi immédiate ou au bout de quelques jours, semaines ou mois. Les effets des interactions médicamenteuses varient d'une personne à une autre. La plupart des patients traités par des médicaments qui pourraient interagir ne présentent pas d'effets indésirables notables. Quelques-uns par contre subissent des réactions qui mettent leur vie en danger. La polypharmacie commande la prudence, surtout si les médicaments sont prescrits par différents médecins. Parfois, après avoir déterminé que les avantages d'un traitement l'emportent sur les désavantages d'une éventuelle interaction, un médecin prescrira sciemment deux agents qui risquent d'interagir.

Le patient qui craint de possibles interactions médicamenteuses ou qui remarque des symptômes inhabituels doit en parler à son médecin. La prudence est autant de mise si on prend

MÉDICATION PÉDIATRIQUE : **PRÉCAUTIONS**

• Conservez tous vos médicaments hors de portée des enfants. Certains médicaments, les suppléments de fer par exemple, sont très toxiques pour les jeunes.

• Utilisez des bouchons à l'épreuve des enfants et voyez à toujours refermer les contenants.

• Ne donnez un médicament à un enfant que si cela est recommandé par le fabricant (voir l'étiquette) ou un médecin.

• Consultez un médecin ou un pharmacien avant de traiter un enfant à l'aide de plusieurs médicaments à la fois.

• Examinez soigneusement les contenants gradués. Ils peuvent porter les symboles de diverses unités de mesure. Suivez le mode d'emploi imprimé sur l'étiquette.

• Jetez le capuchon des seringues de dosage après l'avoir retiré.

• Évitez toute approximation dans la conversion d'unités de mesure.

• Évitez de doser de mémoire un médicament. Lisez le mode d'emploi avant chaque usage.

• Respectez les indications des médicaments (voir l'étiquette), sauf avis contraire d'un médecin.

• Consultez un médecin avant de donner des produits à base d'AAS à un enfant. Évitez d'en donner à un enfant ou à un adolescent qui souffre ou se remet de la varicelle, de symptômes grippaux (nausées, vomissements ou fièvre) ou de la grippe : dans ces cas-là, l'AAS peut être associé à un risque accru de syndrome de Reye, une maladie rare mais grave.

D'après *FDA Consumer*

des médicaments en vente libre : par exemple, une interaction peut survenir entre un antiacide en vente libre ou des suppléments vitaminiques ou minéraux et d'autres médicaments.

◆ *Médicament-aliment*

Certains médicaments se prennent à jeun, d'autres avec de la nourriture. Il y a aussi des médicaments que l'on peut prendre indifféremment avec ou sans nourriture. Les recommandations alimentaires sont abordées dans les fiches du Guide sous la rubrique « Conseils nutritionnels » (voir p. 13).

Ici, on énumère les aliments et les boissons susceptibles d'interagir avec un médicament. Par exemple, les produits laitiers peuvent diminuer l'absorption de certains antibiotiques. On a aussi noté des interactions entre certains médicaments et des aliments comme le jus de pamplemousse (mais pas le jus d'orange). La liste des interactions possibles avec les aliments est longue et varie selon le médicament. Faites bien attention aux interactions entre les médicaments et les aliments ou les boissons pour vous assurer qu'elles ne nuisent pas au traitement.

◆ *Médicament-maladie*

La dernière section de chaque fiche du Guide est consacrée aux maladies qui peuvent avoir un effet significatif sur les propriétés d'un médicament. Par exemple, les maladies du foie et du rein peuvent modifier de façon spectaculaire les concentrations des médicaments dans l'organisme. De nombreux médicaments sont métabolisés dans le foie et excrétés par voie rénale. En cas d'insuffisance hépatique ou rénale, la concentration d'un médicament dans l'organisme peut devenir excessive. Bien d'autres affections, telles que le diabète sucré ou une car-

MÉDICAMENTS ET **SUPPLÉMENTS NATURELS**

Interactions

Contrairement aux médicaments d'ordonnance et aux médicaments en vente libre, les suppléments naturels ne sont pas étroitement réglementés. Aussi beaucoup de consommateurs ne connaissent-ils pas les risques d'interactions graves entre ces suppléments et les produits pharmaceutiques.

Les médicaments à marge thérapeutique étroite sont les plus préoccupants. Ils doivent être dosés avec précision pour être efficaces plutôt que toxiques. La warfarine, un anticoagulant, en est un exemple : inefficace à trop faible dose, elle peut provoquer des hémorragies mettant la vie en danger à trop forte dose. Les suppléments naturels comme la grande camomille, l'huile de poisson, l'ail, le pau d'arco, la griffe du diable, l'angélique chinoise, la papaye et les vitamines E et K peuvent modifier dangereusement les effets des anticoagulants.

Autres exemples significatifs

Le cayenne peut augmenter le risque de toux associé aux inhibiteurs de l'ECA (indiqués dans l'hypertension). Le Ginkgo biloba peut provoquer l'hyphéma ou un ACV si on le prend avec des antiplaquettaires, de l'AAS ou des anticoagulants. La réglisse peut causer une rétention hydrosodée et ainsi nuire à l'équilibre de la tension artérielle ou aggraver l'insuffisance cardiaque. Le ginseng peut augmenter le risque d'hypoglycémie chez les diabétiques insulinodépendants. Le millepertuis peut être dange-

reux chez les gens qui prennent des inhibiteurs sélectifs du recaptage de la sérotonine contre la dépression et il peut inhiber l'action de la warfarine, de la digoxine, des contraceptifs oraux et de la cyclosporine.

Certains suppléments naturels présentent des risques si grands qu'il vaut mieux les éviter. Il s'agit notamment de la grande consoude, du tussilage, du chaparral, de l'éphèdra, du sassafras et du yohimbehe.

Éviter les problèmes

• Si vous prenez des suppléments naturels, dites-le à votre médecin. Les risques d'interaction doivent être abordés avec lui ou le pharmacien. Il faut être particulièrement prudent si on prend des médicaments pour soigner des états chroniques tels que le diabète et l'hypertension.

• La femme enceinte, susceptible de l'être ou qui allaite doit éviter de prendre des suppléments naturels. Consultez un médecin avant d'en donner à un enfant.

• Cessez de prendre des suppléments naturels de deux à trois semaines avant une intervention chirurgicale, car ils risquent de favoriser les hémorragies.

• Ne prenez pas un supplément naturel et un médicament pour traiter la même affection.

• En cas d'effets indésirables, cessez immédiatement de prendre des suppléments naturels.

diopathie, peuvent aussi influer sur une médication. Il importe de signaler à votre médecin toutes les affections

dont vous souffrez, même s'il n'y a pas de rapport entre elles et un problème de santé immédiat.

Cœur et appareil circulatoire

Le cœur bat de 60 à 80 fois par minute. C'est une merveilleuse pompe qui propulse continuellement le sang dans les poumons, puis dans tout le corps de façon à fournir de l'oxygène et des éléments nutritifs essentiels à toutes les cellules. D'un poids variant de 200 à 285 g (7 à 10 oz), cet organe musculaire comporte quatre cavités : les oreillettes gauche et droite et les ventricules gauche et droit. Des valvules règlent le cours du sang dans le cœur en empêchant tout reflux.

Chaque fois que le cœur se contracte, le ventricule gauche expulse environ 90 ml (3 oz) de sang riche en oxygène dans l'aorte, la plus grosse artère du corps. De l'aorte, le sang passe dans un réseau complexe d'ar-

tères, d'artérioles et de capillaires qui le distribuent dans toutes les parties du corps. Le sang qui circule dans les tissus cède son oxygène et se charge de gaz carbonique et d'autres déchets. Le sang pauvre en oxygène retourne au cœur par un réseau de veines. Il pénètre dans l'oreillette droite par une très grosse veine, la veine cave supérieure, passe ensuite dans le ventricule droit, puis dans les poumons, où il absorbe de l'oxygène. Le sang ainsi oxygéné revient dans l'oreillette gauche par la veine pulmonaire, traverse la valvule mitrale et passe dans le ventricule gauche, d'où il amorce un nouveau cycle circulatoire. Chaque jour, le cœur fait circuler en moyenne plus de 7 500 litres (1 600 gal) de

sang dans un réseau de vaisseaux sanguins dont la longueur totale avoisine 97 000 km (60 000 mi).

Pour jouer sans arrêt son rôle de pompe, le cœur a besoin d'un apport constant de sang riche en oxygène. Les artères coronaires, qui entourent le cœur, satisfont ce besoin. Ces petits vaisseaux sanguins qui naissent à la base de l'aorte acheminent sang et oxygène dans tout le myocarde.

▼ MÉDICAMENTS CARDIO-VASCULAIRES

Bien des anomalies peuvent perturber le fonctionnement d'un organe dynamique comme le cœur, lequel se contracte et se dilate pratiquement chaque seconde la vie durant. L'hypertension artérielle et la coronaropathie sont deux des affections qui touchent le plus fréquemment le cœur et les vaisseaux sanguins. L'hypertension artérielle est un important facteur de risque d'infarctus du myocarde et la principale cause d'accident cérébrovasculaire (ACV). La coronaropathie, première cause de l'infarctus du myocarde, résulte de l'athérosclérose – accumulation de dépôts lipidiques dans et sous la tunique interne des artères. Les gens dont les artères coronaires sont malades peuvent aussi éprouver une douleur thoracique constrictive appelée angine de poitrine. Il y a infarctus du myocarde quand un caillot obstrue une artère coronaire rétrécie et empêche l'irrigation sanguine d'une partie du

LES QUATRE CAVITÉS DU CŒUR

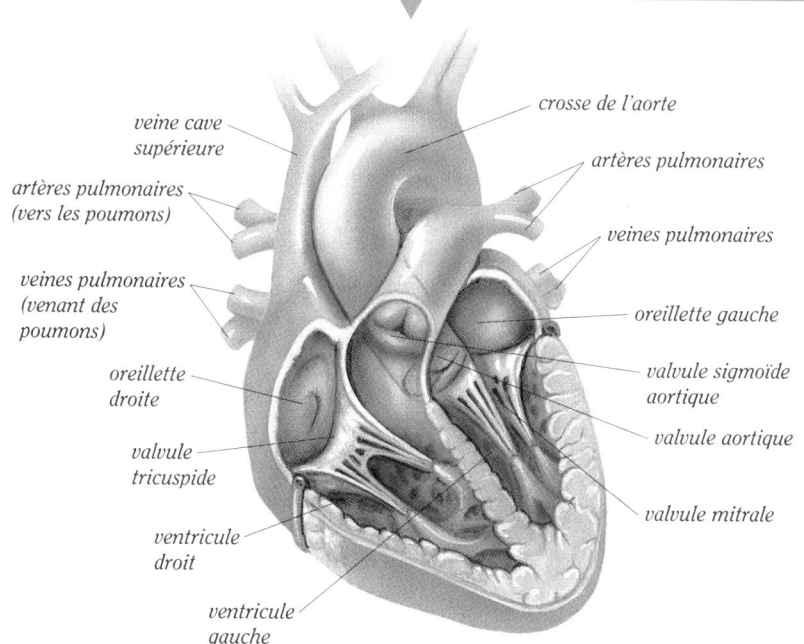

veine cave supérieure

crosse de l'aorte

artères pulmonaires

artères pulmonaires (vers les poumons)

veines pulmonaires

veines pulmonaires (venant des poumons)

oreillette gauche

oreillette droite

valvule sigmoïde aortique

valvule tricuspide

valvule aortique

valvule mitrale

ventricule droit

ventricule gauche

myocarde, causant ainsi la nécrose du tissu dans la région privée de sang. Parmi les affections cardiovasculaires graves figurent aussi l'arythmie cardiaque, soit l'irrégularité des battements du cœur, et l'insuffisance cardiaque, caractérisée par l'incapacité du myocarde de répondre aux besoins circulatoires de l'organisme. Diverses classes de médicaments peuvent être prescrites si des modifications du style de vie ne permettent pas de maîtriser une affection cardiovasculaire.

◆ Diurétiques

Les diurétiques agissent sur le rein de façon à favoriser l'excrétion de quantités d'eau supérieures à la normale. La diminution du volume d'eau corporelle entraîne une réduction du volume total du sang circulant, d'où une baisse de la tension artérielle.

Trois classes de diurétiques sont d'usage courant dans le traitement de l'hypertension artérielle : les diurétiques de l'anse, les thiazidiques et les antikaliurétiques. Tous trois inhibent la réabsorption sanguine du sodium et de l'eau, ce qui entraîne une augmentation du volume urinaire. Comme les thiazidiques et les diurétiques de l'anse peuvent induire une déperdition excessive de potassium susceptible de causer de la faiblesse et de la confusion ou de l'arythmie cardiaque, la prise d'un supplément potassique peut être indiquée. Autrement, le médecin traitant peut prescrire un antikaliurétique (diurétique doux qui prévient la déperdition excessive de potassium) en association avec un thiazidique ou un diurétique de l'anse.

On prescrit aussi les diurétiques pour traiter l'insuffisance cardiaque parce qu'ils aident à éliminer l'œdème et à alléger le travail cardiaque.

◆ Bêtabloquants

On prescrit fréquemment les bêtabloquants pour traiter l'hypertension artérielle parce qu'ils diminuent la fréquence et la puissance des battements du cœur. Les bêtabloquants servent aussi à soulager ou à prévenir l'angine, à traiter diverses arythmies et à prévenir l'infarctus du myocarde récidivant. Ces médicaments se lient à des structures cellulaires appelées récepteurs bêta, situés dans le cœur, les vaisseaux sanguins et les voies respiratoires. Outre leur effet sur le cœur, les bêtabloquants peuvent entraîner une constriction des voies respiratoires. On les prescrit donc avec prudence aux gens souffrant d'asthme, de bronchite ou d'autres troubles respiratoires. Un bêtabloquant peut être administré seul ou en association avec un autre médicament, généralement un diurétique thiazidique.

◆ Inhibiteurs calciques

Les inhibiteurs calciques, généralement prescrits pour traiter l'hypertension artérielle, sont de puissants vasodilatateurs qui provoquent le relâchement des muscles lisses qui entourent les vaisseaux sanguins. Pour que ces muscles se contractent, et diminuent de ce fait la lumière des vaisseaux sanguins, une petite quantité de calcium doit traverser des canaux situés dans les membranes des cellules musculaires. Les inhibiteurs calciques limitent le déplacement du calcium, ce qui entraîne le relâchement des muscles lisses, la vasodilatation et une baisse de la tension artérielle. Comme ces agents peuvent alléger le travail du cœur et ralentir la conduction intracardiaque, on les utilise pour traiter certains cas d'angine de même que les arythmies.

◆ Inhibiteurs de l'ECA

Les inhibiteurs de l'ECA (enzyme de conversion de l'angiotensine) empêchent la formation d'une substance naturelle vasoconstrictrice appelée angiotensine II. Ils exercent leur effet en inhibant l'enzyme (ECA) qui convertit l'angiotensine I, un composé inactif, en angiotensine II. Cette dernière agit directement sur les artères de façon à provoquer leur constriction, laquelle entraîne une hausse de la tension artérielle. En l'absence d'angiotensine II, les vaisseaux sanguins se dilatent et la tension artérielle diminue rapidement. On prescrit les inhibiteurs de l'ECA pour traiter l'insuffisance cardiaque et l'hypertension artérielle.

◆ Antihypertenseurs divers

Il existe d'autres catégories d'antihypertenseurs, notamment les antihypertenseurs à action centrale et les antihypertenseurs à action périphérique. Les premiers agissent au niveau du cerveau de façon à réduire l'activité du système nerveux sympathique. Ils provoquent une baisse de la tension artérielle en diminuant la fréquence cardiaque et la quantité de sang pompée à chaque battement : la clonidine appartient à cette catégorie.

Les antihypertenseurs à action périphérique, ou sympatholytiques, bloquent les influx nerveux qui déclenchent la vasoconstriction, ce qui amène les vaisseaux sanguins à se dilater et fait baisser la tension artérielle. Les sympatholytiques peuvent aider à soulager les symptômes de l'insuffisance cardiaque.

◆ Nitrates

Les nitrates soulagent l'angine en raison de leur effet vasodilatateur, qui permet au cœur surmené d'assurer

PRINCIPALES CLASSES DE MÉDICAMENTS CARDIOVASCULAIRES

DIURÉTIQUES

Thiazidiques
Chlorthalidone
Hydrochlorothiazide
Indapamide
Métolazone

Diurétiques de l'anse
Bumétanide
Acide éthacrynique
  (éthacrynate)
Furosémide

Antikaliurétiques
Amiloride, chlorhydrate
Spironolactone
Triamtérène

HYPOLIPIDÉMIANTS

Statines
Atorvastatine
Fluvastatine
Lovastatine
Pravastatine
Simvastatine

Autres
Bezafibrate
Cholestyramine
Clofibrate
Colestipol, chlorhydrate

Fénofibrate
Gemfibrozil

ANTIHYPERTENSEURS À ACTION CENTRALE
Clonidine, chlorhydrate
Méthyldopa

ANTIHYPERTENSEURS À ACTION PÉRIPHÉRIQUE
Doxazosine
Guanéthidine, monosulfate
Prazosine
Térazosine

GLUCOSIDES DIGITALIQUES
Digoxine

INHIBITEURS DE L'ECA
Benazépril, chlorhydrate
Captopril
Cilazapril
Énalapril, maléate
Fosinopril sodique
Lisinopril
Perindopril erbumine
Quinapril, chlorhydrate
Ramipril
Trandolapril

INHIBITEURS CALCIQUES
Amlodipine
Diltiazem, chlorhydrate
Félodipine
Flunarizine
Nicardipine orale,
  chlorhydrate
Nifédipine
Nimodipine
Vérapamil

NITRATES (ANTIANGINEUX)
Isosorbide, dinitrate
Isosorbide, mononitrate
Nitroglycérine

BÊTABLOQUANTS
Acébutolol, chlorhydrate
Aténolol
Bisoprolol, fumarate
Labétalol, chlorhydrate
Métoprolol
Nadolol
Pindolol
Propranolol, chlorhydrate
Sotalol, chlorhydrate
Timolol oral, maléate

---

une circulation sanguine suffisante. Un nitrate à action rapide comme la nitroglycérine peut être administré par voie sublinguale pour soulager une crise d'angine. Les nitrates à action prolongée comme le dinitrate d'isosorbide peuvent être pris par voie orale en vue de prévenir les crises d'angine.

La nitroglycérine transdermique à libération lente est administrée au moyen d'un timbre adhésif ; elle peut procurer un soulagement prolongé de la douleur angineuse. Les nitrates sont parfois administrés pour aider à soulager les symptômes de l'insuffisance cardiaque.

◆ Hypolipidémiants
L'hyperlipidémie (niveau sanguin élevé de gras ou lipides) constitue un des principaux facteurs de risque d'athérosclérose. Un hypolipidémiant (parfois appelé hypocholestérolémiant) sert à ramener la lipidémie dans les limites de la normale.

Certains hypolipidémiants, comme la cholestyramine et le chlorhydrate de colestipol, se lient aux sels biliaires (sels qui transportent le cholestérol) dans l'intestin et empêchent leur réabsorption dans la circulation sanguine. Pour compenser cet effet, le foie convertit davantage de cholestérol en

sels biliaires, ce qui entraîne une baisse du cholestérol sanguin.

Les autres hypolipidémiants, comme les statines, diminuent la lipidémie en inhibant la conversion des acides gras en lipides dans le foie.

Le choix d'un médicament dépend en partie des anomalies lipidiques existantes et de leur gravité.

◆ Digitaliques
Les digitaliques (ou glucosides cardiotoniques) diminuent le rythme cardiaque en limitant la conduction intracardiaque. Ils favorisent aussi des transformations chimiques qui renfor-

cent les battements cardiaques, d'où une irrigation sanguine accrue au niveau du rein qui permet de réduire l'œdème chez les gens en insuffisance cardiaque. Les digitaliques servent aussi à diminuer la fréquence ventriculaire dans certains cas d'arythmie.

◆ Antiplaquettaires et anticoagulants

Les caillots sanguins et les emboles (fragment de caillot sanguin emporté par le courant sanguin) sont dangereux. Deux grandes classes de médi-

caments servent à les prévenir : les antiplaquettaires et les anticoagulants.

Les antiplaquettaires comme l'acide acétylsalicylique ou AAS (généralement pris à faibles doses) empêchent les plaquettes (petites cellules sanguines) de s'agglutiner et de former ainsi des caillots dans des régions où la circulation sanguine normale est interrompue, notamment autour des dépôts lipidiques dans les artères coronaires malades.

Les anticoagulants comme l'héparine ou la warfarine inhibent certains

facteurs de la coagulation sanguine et peuvent s'opposer à la formation de caillots sanguins ou empêcher qu'un caillot existant ne se détache et n'interrompe la circulation sanguine dans un organe vital.

Les fibrinolytiques forment une troisième classe de médicaments contre les caillots sanguins. On les administre généralement en milieu hospitalier pour lyser les caillots existants, tels que ceux qui causent l'infarctus du myocarde en oblitérant une artère coronaire.

Os, articulations et muscles

Le corps humain comporte 206 os, totalisant environ le dixième du poids corporel. Les os forment la charpente qui abrite les organes vitaux internes. Ainsi, les côtes entourent et protègent les poumons, le cœur, le foie et les reins, alors que le crâne renferme les tissus délicats du cerveau. La colonne vertébrale – composée de 33 vertèbres, dont le sacrum et le coccyx – protège la moelle épinière, principale voie de transmission des influx nerveux qui vont et viennent entre l'encéphale et le reste du corps. Les os du bassin protègent la vessie et les organes génitaux de la femme.

Bien que nous concevions en général les os comme des éléments durs et inertes, ce sont en fait des tissus vivants sans cesse remodelés. Les os sont aussi le lieu de stockage de minéraux essentiels comme le calcium et le phosphate, alors que la moelle osseuse, noyau tissulaire spongieux de certains os, assure la formation des cellules sanguines.

Les os sont interreliés au niveau des articulations. Certaines articulations, comme le coude, sont essentiellement des charnières qui permettent le mouvement dans un seul plan. En revanche, les articulations orbiculaires comme la hanche et l'épaule se prêtent à une gamme de mouvements beaucoup plus étendue.

Quelque 600 muscles recouvrent le squelette et confèrent au corps humain sa forme caractéristique. Il en existe trois types : les muscles lisses, présents dans des organes comme l'estomac, l'intestin et la vessie ainsi que dans les parois des vaisseaux sanguins ; le myocarde, uniquement présent dans le cœur ; et les muscles striés (ou squelettiques). Les muscles striés s'insèrent sur les os par l'intermédiaire des tendons, bandes de tissu fibreux résistantes. Ces muscles sont les seuls que l'on puisse volontairement tendre et relâcher. Leurs fibres élastiques permettent les mouvements articulaires.

▼ MÉDICAMENTS MUSCULO-SQUELETTIQUES

Les affections musculosquelettiques sont fréquentes et ont un retentissement considérable sur la qualité de vie. Les affections osseuses telles que ostéoporose, ostéomalacie et maladie de Paget sont souvent caractérisées par une fragilité ou une déformation des os qui favorisent les fractures. Les affections articulaires telles que arthrose, polyarthrite rhumatoïde et goutte peuvent se traduire par une douleur, une enflure ou une inflammation au niveau des articulations. Les affections musculaires telles que entorses, élongations et spasmes peuvent déterminer soudainement une douleur ou une raideur intenses, alors que la myasthénie peut causer une grande faiblesse musculaire.

La consommation d'aliments riches en calcium et en vitamine D, la pratique d'exercices mobilisant les articulations (comme la marche) et l'évitement du tabac jouent un rôle important dans le maintien de la santé musculosquelettique. En plus de ces habitudes de vie, la prise de médicaments est souvent nécessaire lorsqu'un état nuit aux activités quotidiennes.

◆ Ostéopathies

Suppléments d'œstrogènes. L'hormonothérapie de substitution (HS) est la méthode la plus efficace pour prévenir ou traiter l'accroissement de la perte osseuse qui survient durant et après la ménopause. Diverses hormones, les œstrogènes notamment, assurent la régulation du métabolisme osseux normal. Durant la ménopause, le taux d'œstrogènes décline, ce qui a pour effet d'accélérer la déminéralisation des os et, donc, de diminuer la densité et la résistance de ceux-ci. L'HS peut prévenir la perte osseuse et les complications de l'ostéoporose, qui peuvent être graves.

Inhibiteurs de la résorption osseuse. Les médicaments qui inhibent la résorption osseuse peuvent être très efficaces pour traiter l'ostéoporose. L'alendronate, un médicament qui se lie à une substance présente dans les os et inhibe les ostéoclastes (cellules qui causent la résorption osseuse), peut augmenter considérablement la masse osseuse et réduire l'incidence des fractures vertébrales, une des plus graves complications de l'ostéoporose.

PRINCIPAUX OS ET MUSCLES DU CORPS HUMAIN

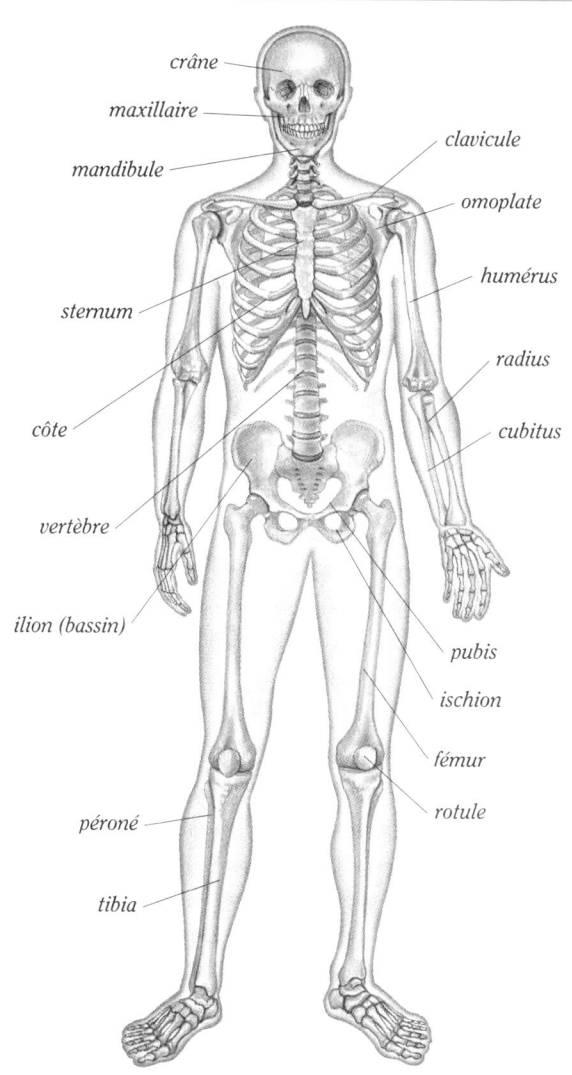

crâne
maxillaire
mandibule
clavicule
omoplate
humérus
sternum
radius
côte
cubitus
vertèbre
ilion (bassin)
pubis
ischion
fémur
rotule
péroné
tibia

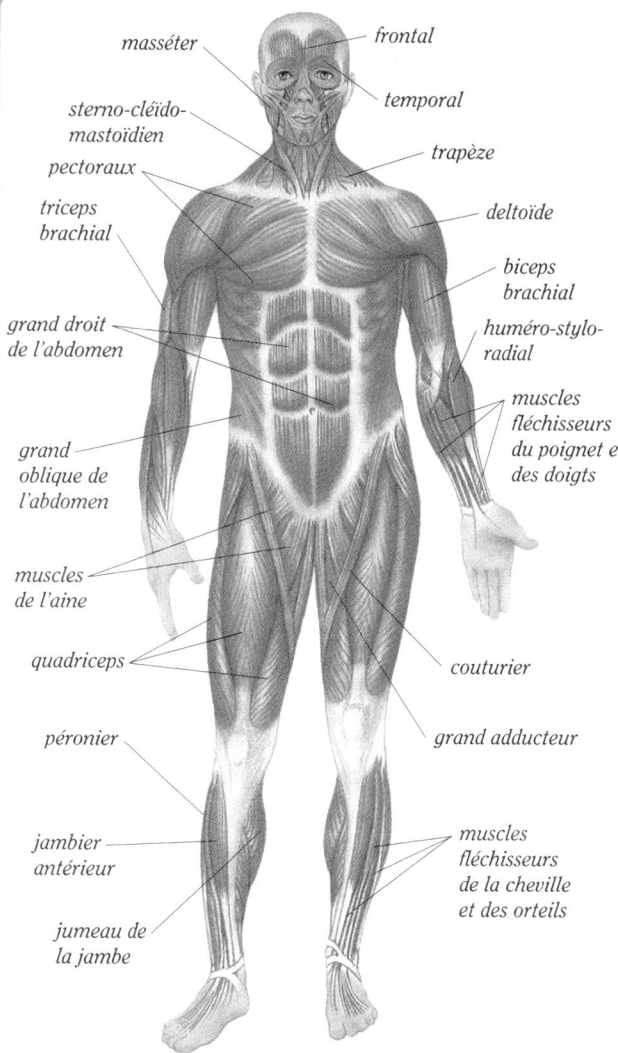

masséter
frontal
sterno-cléïdo-mastoïdien
temporal
pectoraux
trapèze
triceps brachial
deltoïde
biceps brachial
grand droit de l'abdomen
huméro-stylo-radial
muscles fléchisseurs du poignet et des doigts
grand oblique de l'abdomen
muscles de l'aine
quadriceps
couturier
péronier
grand adducteur
jambier antérieur
muscles fléchisseurs de la cheville et des orteils
jumeau de la jambe

Les médicaments comme l'étidronate ou une forme synthétique de la calcitonine, hormone produite par la thyroïde qui contribue à stabiliser les taux sanguins de calcium en inhibant la résorption osseuse, servent à ralentir le renouvellement accéléré des os qui caractérise la maladie de Paget.

Vitamines et minéraux. On peut prendre du calcium et de la vitamine D avec de la calcitonine ou d'autres médicaments pour prévenir la diminution progressive de la masse osseuse que provoque l'ostéoporose. Par ailleurs, le traitement de l'ostéomalacie vise surtout à corriger la cause sous-jacente de cette affection attribuable à une carence en vitamine D ; au besoin, il peut faire appel à des suppléments de calcium et de vitamine D.

◆ *Arthropathies*

AINS. Les anti-inflammatoires non stéroïdiens (AINS) sont souvent prescrits en première intention contre la polyarthrite rhumatoïde. Ces médicaments ne modifient pas l'évolution de la maladie, mais ils diminuent l'inflammation et soulagent ainsi la douleur et l'œdème articulaires.

De nombreux médicaments sont des AINS, notamment l'AAS, l'ibuprofène, l'indométhacine, le naproxen, l'oxaprozine, le piroxicam, et le sulindac. La réponse à un AINS variant d'un patient à l'autre, le médecin doit parfois procéder par essais successifs pour trouver l'AINS qui convient dans un cas donné.

Les prostaglandines, substances hormonoïdes libérées au siège des lésions, joueraient un rôle crucial dans la genèse de la douleur et de l'inflammation articulaires. Tous les AINS diminuent la douleur et l'inflammation en inhibant la production des prosta-

AINS ET CORTICOSTÉROÏDES **D'USAGE COURANT**

ANTI-INFLAMMATOIRES NON STÉROÏDIENS (AINS)

Acide acétylsalicylique (AAS)	Ibuprofène	Nabumétone
	Indométhacine	Naproxen
Célécoxib	Kétoprofène	Oxaprozine
Diclofénac systémique	Kétorolac systémique, trométhamine	Piroxicam
Diflunisal		Rofécoxib
Étodolac	Méclofenamate sodique	Salsalate
Fénoprofène calcique		Sulindac
Flurbiprofène oral	Acide méfénamique	Tolmétine sodique

CORTICOSTÉROÏDES À ACTION GÉNÉRALE

Bétaméthasone systémique	Méthylprednisolone
Cortisone orale	Prednisolone systémique
Dexaméthasone systémique	Prednisone
Hydrocortisone systémique	Triamcinolone systémique

glandines. La plupart commencent à soulager les symptômes en moins d'une heure. Le soulagement est temporaire, et la plupart des AINS doivent être pris plusieurs fois par jour pour produire leur effet optimal. Cependant, certains nouveaux AINS sont efficaces à raison de une ou deux prises quotidiennes. Le traitement par un AINS ne répare pas les lésions articulaires, et les symptômes risquent de réapparaître si on cesse de prendre le médicament.

Les AINS servent aussi à traiter la douleur et l'inflammation légères à modérées causées par la tendinite, l'arthrose, une bursite, la goutte, les lésions des tissus mous, la migraine et les céphalées vasculaires, la dysménorrhée et d'autres affections.

On utilise parfois l'acétaminophène (un analgésique qui n'est pas un AINS) au lieu d'un AINS pour traiter l'arthrite légère, les douleurs musculaires (myalgies), les céphalées et d'autres affections semblables.

Inhibiteurs de la cyclo-oxygénase-2. Les inhibiteurs de la cyclo-oxygénase-2 (COX-2), un nouveau type d'AINS,

sont prescrits contre l'arthrite et la douleur (menstruelle notamment). Ils risquent moins de causer les effets gastro-intestinaux indésirables souvent associés aux AINS, hémorragies et ulcères par exemple.

Corticostéroïdes. Les corticostéroïdes servent à traiter la polyarthrite rhumatoïde et beaucoup d'autres affections. Ce sont des variantes synthétiques d'hormones corticosurrénales ou des dérivés de celles-ci. Ils éliminent l'inflammation en freinant l'activité des leucocytes inflammatoires et en inhibant la synthèse des prostaglandines, lesquelles peuvent déclencher la réaction inflammatoire. Pour traiter efficacement l'arthrite, on peut administrer les corticostéroïdes par voie générale ou par injection intra-articulaire. L'administration par voie générale peut donner lieu à un soulagement spectaculaire de la douleur, de l'œdème et de l'inflammation associés à la polyarthrite rhumatoïde. Les bienfaits des corticostéroïdes tendent toutefois à être temporaires, et la corticothérapie au long cours peut entraîner divers effets indésirables, parfois graves.

L'injection locale de corticostéroïdes ne provoque en général aucun des effets indésirables graves associés au traitement oral, car les médicaments tendent à se concentrer dans la région touchée. Souvent, une seule injection dans une articulation enflammée peut soulager la douleur et l'œdème et améliorer la mobilité du patient de façon saisissante.

Antirhumatismaux. Les médicaments à base d'or comme l'auranofine et l'aurothiomalate de sodium sont souvent très efficaces contre la polyarthrite rhumatoïde. Le mode d'action des sels d'or n'est pas élucidé, mais ceux-ci semblent inhiber le processus pathologique à un niveau très fondamental. D'ordinaire, on doit administrer les sels d'or pendant trois à quatre mois avant d'obtenir un effet salutaire. Une fois cet effet obtenu, le patient amorce en général un traitement d'entretien d'une durée indéfinie, à raison d'une injection aux trois ou quatre semaines.

La pénicillamine, un médicament d'action lente comme les sels d'or, peut aussi servir à traiter l'arthrite qui évolue rapidement. Quand l'or devient inefficace ou n'est plus toléré, on peut lui substituer la pénicillamine.

Les immunosuppresseurs comme le méthotrexate et l'azathioprine, normalement utilisés en chimiothérapie anticancéreuse, peuvent s'avérer très efficaces pour traiter la polyarthrite rhumatoïde. Le méthotrexate semble avoir un effet anti-inflammatoire. Une recrudescence de l'arthrite peut survenir si on cesse de prendre le méthotrexate, d'où la nécessité de poursuivre le traitement indéfiniment.

Antigoutteux. La goutte est attribuable à l'hyperuricémie (taux sanguins d'acide urique trop élevés). En cas d'accès aigu de goutte, on peut utiliser la colchicine ou un AINS pour soulager la douleur et l'inflammation associées. En cas d'accès récurrents et fréquents, on instaurera probablement un traitement prophylactique par un uricosurique ou l'allopurinol.

La colchicine est un antigoutteux très spécifique. En fait, les médecins l'administrent souvent pour confirmer leur diagnostic : si la colchicine soulage de façon spectaculaire un accès aigu d'arthralgie, il s'agit presque certainement d'arthrite goutteuse. On n'a pas encore élucidé le mode d'action de la colchicine.

Les uricosuriques comme le probénécide et la sulfinpyrazone favorisent l'excrétion urinaire de l'acide urique en inhibant la réabsorption tubulaire de celui-ci dans les reins. En diminuant l'uricémie, ces médicaments peuvent prévenir les récurrences de la goutte. Les personnes qui les prennent doivent boire régulièrement beaucoup de liquide pour empêcher la formation de cristaux d'acide urique dans les reins.

L'allopurinol diminue l'uricémie en inhibant l'enzyme qui catalyse la formation de l'acide urique. C'est parfois le médicament de choix chez les goutteux atteints de néphropathies concomitantes qui ne peuvent prendre un uricosurique. Dans certains cas, on associera l'allopurinol et un uricosurique pour normaliser l'uricémie.

◆ *Myopathies*

Myorelaxants. Lorsque les analgésiques et les AINS ne soulagent pas les maux musculaires ou les spasmes résultant d'une entorse, d'une foulure ou d'une autre forme de lésion physique, le médecin peut prescrire un court traitement par un myorelaxant (relaxant musculaire) pour obtenir un soulagement symptomatique. Les myorelaxants se divisent en deux grandes catégories : myorelaxants à action centrale et myorelaxants à action directe (dantrolène).

Les myorelaxants à action centrale (diazépam, chlorzoxazone, méthocarbamol) ralentissent la transmission des influx nerveux entre le SNC et les muscles, ce qui diminue la stimulation et permet la décontraction musculaire.

Le dantrolène provoque la décontraction musculaire en diminuant la réponse contractile des muscles. Il réduit la sensibilité des muscles aux influx nerveux, probablement en modifiant les mécanismes de libération du calcium (essentiel à la contraction musculaire) depuis les cellules musculaires. On utilise le dantrolène pour traiter la spasmodicité chronique qui découle fréquemment de troubles neurologiques tels que la sclérose en plaques, l'ACV et la paralysie cérébrale (par encéphalopathie).

Stimulants musculaires. La myasthénie est une maladie auto-immune qui entraîne la destruction de nombreux récepteurs au niveau des cellules musculaires et qui, de ce fait, perturbe la transmission de l'influx nerveux à la jonction neuromusculaire, causant une grande faiblesse musculaire. On la traite généralement à l'aide de stimulants musculaires comme la néostigmine et la pyridostigmine. Comme ces agents augmentent le taux d'acétylcholine (neurotransmetteur qui se lie aux récepteurs des cellules musculaires et provoque la contraction musculaire), les récepteurs épargnés peuvent jouer leur rôle plus efficacement et la fonction musculaire peut redevenir quasi normale. Les stimulants musculaires sont parfois associés à des immunosuppresseurs comme l'azathioprine et les corticostéroïdes.

Appareil digestif

Tous les aliments que l'on ingère doivent d'abord être dissociés en leurs constituants élémentaires, ou molécules, avant d'être absorbés et convertis en énergie servant au fonctionnement du corps. La digestion a lieu dans le tractus gastro-intestinal (GI), lequel est essentiellement un tube de 8 m (25 pi) de long comprenant la bouche, l'œsophage, l'estomac, l'intestin grêle et le gros intestin. D'autres organes, comme les glandes salivaires, le foie, le pancréas et la vésicule biliaire, sont annexés à l'appareil digestif et fournissent des enzymes essentielles et d'autres substances assurant une saine digestion.

La digestion débute dans la bouche avec la mastication des aliments. Alors que ceux-ci s'imprègnent de salive, sécrétée par les glandes salivaires, une enzyme appelée ptyaline commence à dissocier les amidons en oses (sucres), sources d'énergie pour l'organisme. Après la déglutition, la bouchée d'aliments mastiqués (bol alimentaire) passe dans le pharynx, puis dans l'œsophage, conduit musculaire d'environ 25 cm (10 po) de long doté d'une épaisse paroi. Des ondes de contractions musculaires successives (péristaltisme) font progresser le bol alimentaire dans l'œsophage. Le sphincter œsophagien (muscle entourant la portion inférieure de l'œsophage) s'ouvre à l'approche du bol alimentaire pour permettre son passage dans l'estomac. Il se referme ensuite pour empêcher tout reflux (régurgitation), qui endommagerait la fragile membrane de l'œsophage.

Après que le bol alimentaire est passé dans l'estomac, les puissants muscles de cet organe se contractent. S'ensuit un malaxage qui a pour effet de dissocier le bol alimentaire et de le mélanger avec le suc gastrique, lequel renferme des enzymes digestives. L'acide chlorhydrique, libéré par des cellules de la muqueuse gastrique, élimine la plupart des bactéries présentes dans le bol alimentaire et facilite aussi l'action de la pepsine, une enzyme qui dégrade les protéines. Le bol alimentaire partiellement digéré, appelé chyme, quitte ensuite l'estomac par le pylore et passe dans l'intestin grêle, conduit contourné de 3,5 à 6,5 m (12 à 22 pi) de long, où la digestion s'achève et où la plupart des nutriments du chyme sont absorbés.

L'intestin grêle se divise en trois segments : duodénum, jéjunum et iléon. Dans le duodénum, le chyme se dissocie en plus petites particules et sa digestion se poursuit sous l'action de diverses enzymes pancréatiques. La bile venant du foie et de la vésicule biliaire se déverse aussi dans le duodénum, où elle augmente la solubilité des molécules lipidiques pour permettre leur absorption dans la circulation sanguine. La dissociation des constituants du chyme se poursuit dans le jéjunum et donne notamment des oses, des acides aminés, de la glycérine et des acides gras. Ces molé-

ORGANES DE L'APPAREIL DIGESTIF

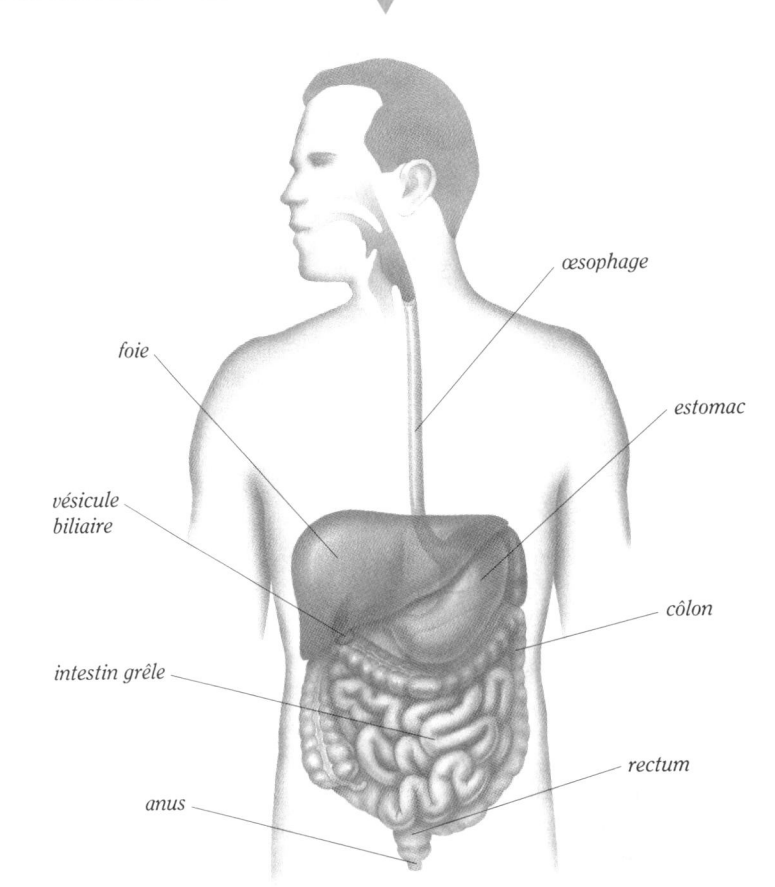

œsophage

foie

estomac

vésicule biliaire

côlon

intestin grêle

rectum

anus

cules ainsi que les vitamines, les minéraux (comme le sodium et le calcium) et l'eau sont ensuite absorbés dans la circulation sanguine depuis les villosités intestinales, minuscules saillies filiformes de la muqueuse de l'intestin grêle.

L'absorption des nutriments nécessaires aux fonctions corporelles a déjà eu lieu lorsque le chyme, plus liquide, passe de l'iléon au gros intestin, ou côlon. L'eau et le sel que contient le chyme sont alors absorbés dans la circulation sanguine à travers la muqueuse du côlon, ce qui a pour effet de concentrer les résidus de la digestion sous forme de fèces. Les bactéries de la flore intestinale poursuivent la dégradation des résidus durant le transit par le côlon. Les ondes péristaltiques poussent les fèces vers le rectum, d'où elles seront finalement évacuées par l'anus.

Outre qu'il assure la digestion des aliments, le tractus GI joue un rôle clé dans la régulation de l'absorption des médicaments. Tout médicament pris par voie orale (comprimé, gélule, sirop) ne peut exercer son effet thérapeutique qu'après avoir été absorbé dans la circulation sanguine depuis l'appareil digestif. Certains médicaments liposolubles faiblement acides peuvent être absorbés dans l'estomac, mais le gros de l'absorption des médicaments survient dans l'intestin grêle. Il y a des médicaments que l'on doit prendre à jeun parce que les aliments peuvent ralentir la vidange gastrique et l'absorption des médicaments au niveau de l'intestin grêle.

Trois autres organes – le foie, la vésicule biliaire et le pancréas – jouent aussi des rôles cruciaux dans la digestion et d'autres processus corporels. Le foie produit le cholestérol et

la bile, des facteurs de coagulation, d'autres protéines complexes et de la vitamine A ; il stocke aussi le fer, des vitamines liposolubles et le glycogène. Le foie détoxifie l'alcool et d'autres substances chimiques potentiellement nuisibles, dont les médicaments. De plus, il métabolise les médicaments qui ne peuvent être excrétés directement dans l'urine, et qui sont alors excrétés dans les selles.

La vésicule biliaire concentre et stocke la bile, puis la déverse dans le duodénum par les canaux cystique et cholédoque pour aider à la digestion des lipides.

Le pancréas produit un suc qu'il déverse dans le duodénum par le canal pancréatique. Le suc pancréatique est riche en enzymes qui dégradent les protéines, les lipides et les glucides. Le pancréas sécrète aussi l'insuline et le glucagon, deux substances qui contribuent à la régulation du métabolisme des glucides et des protéines dans le foie et dans d'autres tissus.

▼ MÉDICAMENTS DES TROUBLES DIGESTIFS COURANTS

Comme le tractus GI forme une structure complexe, il n'est pas étonnant que de nombreux maux puissent perturber son fonctionnement. Les ulcères (au niveau des muqueuses gastrique et duodénale), le pyrosis (brûlements et acidité), les nausées, les vomissements, la diarrhée et la constipation figurent parmi les plus courants. Les manifestations pathologiques GI comprennent aussi la diverticulose (formation de petites cavités en forme de sac dans la paroi intestinale), les hémorroïdes (dilatation de

veines dans la partie inférieure du rectum) et les affections intestinales inflammatoires (caractérisées par une diarrhée persistante, des rectorragies, des crampes, de la fièvre et une perte pondérale). L'hépatite virale et la cholélithiase (calculs de la vésicule biliaire) font partie des autres troubles pouvant toucher l'appareil digestif. Les maux GI qui répondent souvent bien à la pharmacothérapie comprennent l'ulcère gastro-duodénal, le pyrosis, les affections intestinales inflammatoires, la diarrhée et la constipation.

◆ *Ulcère gastro-duodénal*
L'arsenal antiulcéreux comprend différents types de médicaments.

Antibiotiques/inhibiteurs de la sécrétion acide. Plusieurs traitements visent à éliminer l'infection à *Helicobacter pylori* sous-jacente à la plupart des cas d'ulcère gastro-duodénal. Dans le cadre de ces traitements, un ou deux antibiotiques sont pris en association avec un inhibiteur de la sécrétion d'acide gastrique (oméprazole ou lansoprazole). Ces traitements se sont révélés efficaces chez 90 % des patients.

Antiacides. L'ulcère gastroduodénal traduit une perte de substance de la muqueuse gastrique ou duodénale au niveau d'une lésion exposant les tissus sous-jacents à l'action érosive de l'acide gastrique. Les antiacides neutralisent l'acide gastrique, ce qui aide à soulager la douleur et l'inflammation associées à l'ulcération et favorise la guérison de la muqueuse.

Antagonistes des récepteurs H2. L'histamine, une substance produite par des cellules du système immunitaire, stimule la sécrétion d'acide par certaines cellules de la paroi gastrique en se fixant sur les récepteurs H2. Les antagonistes des récepteurs H2, comme la cimétidine, la famotidine, la nizatidine et la ranitidine, se fixent sur les récepteurs H2 et empêchent l'histamine de déclencher la sécrétion d'acide, ce qui favorise la guérison de l'ulcère gastro-duodénal.

◆ *Reflux gastro-œsophagien*

On peut traiter le pyrosis, ou œsophagite par reflux gastro-œsophagien, avec des antiacides, des antagonistes des récepteurs H2 ou un inhibiteur de la sécrétion acide.

◆ *Inflammation gastro-intestinale*

On traite souvent les affections intestinales inflammatoires telles que la maladie de Crohn et la rectocolite hémorragique avec des corticostéroïdes à action générale (voir p. 26), qui aident à éliminer l'inflammation en inhibant le mouvement des leucocytes (globules blancs) dans la paroi intestinale. La sulfasalazine, qui inhibe la formation des prostaglandines autour des tissus lésés dans la paroi intestinale, s'est aussi avérée efficace.

◆ *Diarrhée*

Bien des cas de diarrhée se résolvent rapidement et ne nécessitent aucun traitement médicamenteux. Si les remèdes simples sont inefficaces pour soulager la diarrhée et que celle-ci n'est pas causée par une infection ni une toxine, un médecin peut prescrire un antidiarrhéique narcotique (chlorhydrate de diphénoxylate par exemple). Ce type de médicament diminue le péristaltisme en réduisant la transmission des influx nerveux vers les muscles intestinaux. Ainsi, l'absorption de l'eau contenue dans les résidus alimentaires est plus grande et le transit intestinal plus lent, d'où un soulagement de la diarrhée. Le lopéramide, un médicament en vente libre, peut être efficace. En cas de douleur intense, un spasmolytique comme la belladone peut aussi être prescrit.

◆ *Constipation*

On peut souvent traiter efficacement la constipation en ingérant plus de liquides et de fibres – fruits, légumes, céréales et pains complets – et en faisant plus d'exercice. Si cela échoue, le médecin peut prescrire un laxatif. Il existe diverses classes de laxatifs. Les laxatifs stimulants augmentent le péristaltisme, ce qui accélère le transit colique. Comme l'absorption de l'eau dure moins longtemps, les selles deviennent plus liquides et plus fréquentes. Les laxatifs de lest absorbent de grandes quantités d'eau dans l'intestin, ce qui augmente le volume des matières fécales et facilite l'évacuation. Les laxatifs salins, ou osmotiques, augmentent la quantité d'eau dans l'intestin, ce qui rend les selles plus fluides, tandis que les laxatifs lubrifiants rendent la paroi intestinale et les matières fécales plus glissantes. Les laxatifs émollients se mélangent avec les matières fécales, ce qui a pour effet de les amollir.

Reins et voies urinaires

Les reins et les voies urinaires forment un système complexe ayant pour fonction d'éliminer les surplus liquidiens ainsi que les déchets sanguins et de maintenir ainsi le fragile équilibre hydro-chimique de l'organisme. Les principaux éléments de ce système sont les reins, les uretères, la vessie et l'urètre. Les reins sont des organes pairs en forme de haricot situés au fond de la cavité abdominale, de chaque côté de la colonne vertébrale, sous la cage thoracique. Chaque rein d'un adulte mesure environ 10 cm (4 po) de long sur 5 cm (2 po) de large et pèse de 142 à 170 g (5 à 6 oz). Le sang est filtré lorsqu'il passe dans les reins. L'urine, formée dans les reins, descend jusqu'à la vessie par des tubes musculaires longs et fins appelés uretères. Elle s'accumule dans la vessie jusqu'à ce que celle-ci soit à peu près mi-pleine. À ce moment-là, des nerfs envoient un signal de plénitude au cerveau, les sphincters situés à la sortie de la vessie se relâchent et l'urine est évacuée par l'urètre. Tous les processus vitaux de filtration se déroulent dans les reins : ces structures complexes éliminent les déchets toxiques ainsi que les surplus liquidiens et maintiennent l'équilibre essentiel du sel, du potassium et des acides dans l'organisme. Presque le quart du sang pompé à chaque battement du cœur passe dans les reins. Le sang pénètre dans chaque rein par l'artère rénale, née de l'aorte. Une fois dans le rein, il traverse des unités de filtration complexes appelées néphrons ; chaque rein comprend plus d'un million de néphrons.

Chaque néphron se compose d'un glomérule, peloton capillaire, et d'un tubule rénal, long et fin. Le sang qui passe dans le glomérule est filtré sous pression. Les cellules sanguines, les protéines, d'autres grosses particules et une certaine quantité d'eau demeurent dans le sang qui passe dans les capillaires. Le reste du liquide, qui contient un grand volume d'eau, de sodium, de potassium, de glucose, d'urée et d'acide urique, est filtré et passe dans le tubule rénal. Alors que le filtrat descend les tubes contournés, environ 99 % de l'eau, des sels et des nutriments vitaux d'abord filtrés dans le glomérule sont réabsorbés. Ces substances regagnent ensuite la circulation sanguine, tandis que les déchets comme l'urée et l'acide urique et les

surplus de sels, d'eau et de calcium restent dans le tubule jusqu'à ce qu'ils soient éliminés sous forme d'urine.

Les reins (avec le foie) jouent aussi un rôle primordial dans l'élimination des médicaments. Dans le rein, les médicaments sont filtrés par le glomérule et peuvent aussi être sécrétés dans un segment du tubule rénal. La possibilité qu'un médicament soit réabsorbé alors qu'il passe dans le néphron dépend de deux facteurs : sa liposolubilité et sa charge. Les médicaments liposolubles non ionisés sont presque complètement réabsorbés, tandis que les médicaments hydrosolubles ionisés sont plus susceptibles d'être éliminés dans l'urine. Bien des médicaments liposolubles sont d'abord convertis dans le foie en

métabolites plus hydrosolubles, qui sont par la suite excrétés dans l'urine. Le taux d'élimination d'un médicament dépend de la fonction rénale. Un médecin doit donc ajuster les posologies en présence d'une dysfonction rénale ou d'une insuffisance rénale chronique afin d'éviter que la concentration sanguine des médicaments n'atteigne un niveau toxique.

Outre qu'il débarrasse le corps de ses déchets toxiques, le rein synthétise d'importantes hormones comme l'érythropoïétine (laquelle stimule la production d'érythrocytes) ainsi que des substances qui aident à réguler la tension artérielle et l'ostéogenèse.

▼ MÉDICAMENTS DU REIN ET DES VOIES URINAIRES

Certaines affections touchant le rein et les voies urinaires répondent aux traitements médicamenteux, d'autres nécessitent un traitement chirurgical ; la plus grave – l'insuffisance rénale – est souvent prise en charge au moyen de la dialyse ou d'une greffe.

◆ Reflux vésico-urétéral
Le reflux vésico-urétéral bénin, affection des voies urinaires la plus fréquente chez l'enfant, se résout souvent avec l'âge. Elle se caractérise par le reflux du contenu de la vessie dans les voies excrétrices. On peut instaurer une antibiothérapie pour prévenir l'infection entre-temps et éviter toute lésion rénale permanente. Les cas graves peuvent nécessiter un traitement chirurgical.

◆ Polykystose rénale
La polykystose rénale est une affection héréditaire actuellement incurable

LE SYSTÈME RÉNAL

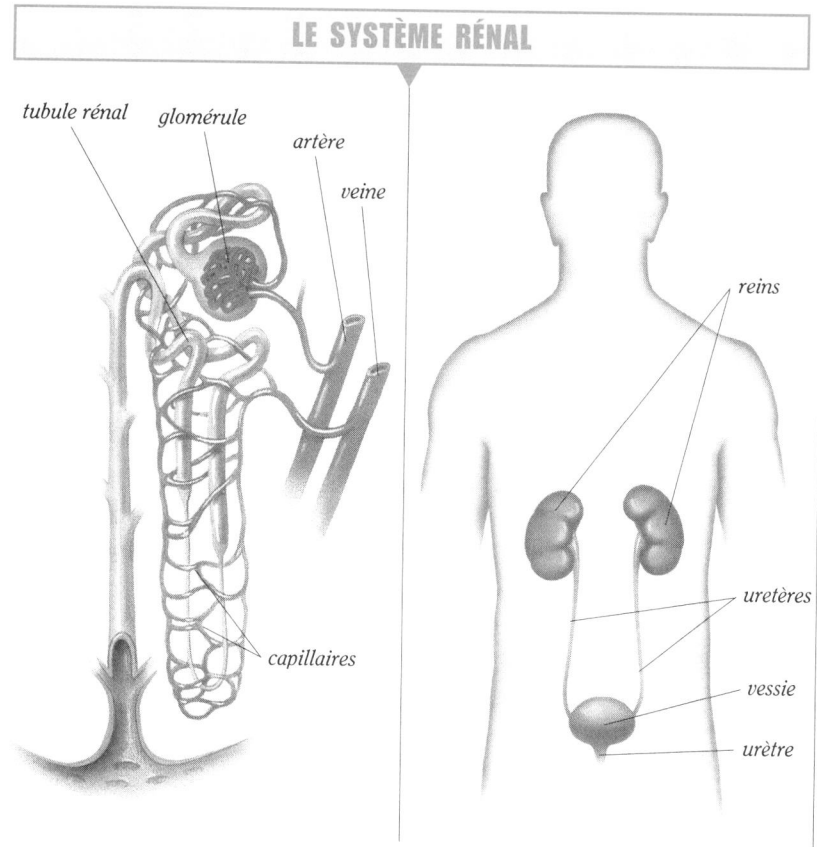

tubule rénal — glomérule — artère — veine — capillaires — reins — uretères — vessie — urètre

caractérisée par la présence de multiples kystes dans le rein. Presque la moitié des gens qui en sont atteints finissent par souffrir d'insuffisance rénale chronique, généralement après 50 ans. Une médication antihypertensive adéquate ainsi qu'une antibiothérapie visant à contrer l'infection de la vessie ou du rein peuvent aider à prolonger la vie du malade.

◆ Glomérulonéphrite

La glomérulonéphrite se caractérise par l'inflammation du glomérule, l'organe de filtration du rein. Si une infection évolutive cause une glomérulonéphrite aiguë, le médecin traitant prescrira un antibiotique et, au besoin, un diurétique et un antihypertenseur. Dans les cas de glomérulonéphrite chronique, un régime pauvre en protéines et en phosphate peut être recommandé. Certains types de lésions glomérulaires répondent à une corticothérapie par voie générale (voir p. 26). Les diabétiques pourraient prendre du captopril, car des observations indiquent que cet inhibiteur de l'ECA (voir p. 22) peut freiner ou prévenir l'évolution des néphropathies causées par le diabète.

◆ Syndrome néphrotique

Le syndrome néphrotique se caractérise par la protéinurie (excrétion de trop grandes quantités de protéines dans l'urine), l'hypoprotéinémie (taux sanguin insuffisant de protéines) et la rétention hydrique. On prescrit des corticostéroïdes à action générale (voir p. 26) pour diminuer la protéinurie et accroître les chances de rémission. Si les corticostéroïdes s'avèrent inefficaces, des diurétiques seront probablement administrés pour maîtriser l'hypertension artérielle et l'œdème résultant de la rétention hydrique.

◆ Lithiase

Il y a lithiase quand des calculs se forment dans les tubules rénaux, les uretères ou la vessie par suite de la précipitation de substances chimiques concentrées dans l'urine. Comme environ 90 % des calculs s'évacuent de façon naturelle, le traitement consiste notamment à boire beaucoup pour favoriser leur excrétion. Des antibiotiques seront prescrits en cas d'infection, et on pourra recourir à des analgésiques pour soulager la douleur intense typique. La chirurgie au laser, un traitement chirurgical percutané (réalisé à partir d'une petite incision dans la peau) ou une lithotripsie (désintégration des calculs au moyen d'ultrasons) peuvent servir à éliminer les calculs volumineux. La prophylaxie de la lithiase dépend de la composition des calculs. On pourra recourir à un diurétique thiazidique (voir p. 22) pour diminuer la calciurie et ainsi prévenir les calculs calciques, tandis qu'on pourra opter pour l'allopurinol (voir p. 27), un antigoutteux, contre les calculs uriques.

◆ Infections urinaires

Les infections urinaires sont très fréquentes et touchent le plus souvent la vessie (cystite) ou l'urètre (urétrite). La plupart sont causées par *Escherichia coli,* une bactérie souvent présente dans la région rectale. Leur fréquence est beaucoup plus grande chez la femme, probablement parce que l'urètre féminin est court — 4 cm (1,5 po) de long, comparativement à 20 cm (8 po) chez l'homme — et permet donc aux bactéries présentes dans le vagin et le rectum d'envahir la vessie plus facilement. Certains cas de cystite sont attribuables à la bactérie sexuellement transmissible *Chlamydia* : une antibiothérapie de courte durée (3 à 7 jours) en aura généralement raison. Les médecins préconisent parfois une antibiothérapie à faibles doses en guise de prophylaxie continue chez les femmes souffrant de cystites récurrentes. Il arrive que l'infection progresse jusqu'aux uretères et atteigne les reins : la pyélonéphrite, dont l'issue peut être fatale chez les personnes âgées ou affaiblies, nécessite un traitement rapide et, dans certains cas, une hospitalisation. Un traitement de plusieurs semaines associant des antibiotiques peut être instauré pour prévenir la récurrence de l'infection.

◆ Incontinence urinaire

On peut traiter efficacement certaines formes d'incontinence urinaire par des exercices de renforcement des muscles du plancher pelvien ou par un traitement chirurgical visant à tendre les ligaments étirés. L'incontinence à l'effort, miction involontaire survenant lorsqu'une personne pratique une activité physique, éternue ou tousse, peut répondre à l'hormonothérapie de substitution (voir p. 25). Un spasmolytique comme le flavoxate, qui entrave la transmission des influx nerveux au muscle vésical, peut aider à diminuer la fréquence des mictions dans les cas d'incontinence dite impérieuse.

Poumons et appareil respiratoire

Le corps humain peut survivre s'il est privé de nourriture et d'eau pendant une longue période, mais les cellules commenceront à mourir en quelques minutes si l'apport normal d'oxygène assuré par la respiration vient à cesser.

L'appareil respiratoire oxygène constamment le sang et élimine le gaz carbonique qui constitue un déchet des processus corporels. Les principaux organes de la respiration sont les poumons, structures coniques situées dans la cavité thoracique. Le poumon droit est divisé en trois lobes, le gauche en deux lobes seulement, ce qui laisse suffisamment de place pour le cœur. Outre les poumons, les prin-cipales composantes de l'appareil respiratoire sont les voies respiratoires (conduisant l'air inspiré par la bouche et le nez jusqu'aux poumons) ainsi que le diaphragme et d'autres muscles thoraciques conditionnant la respiration.

L'air inspiré est filtré, réchauffé et humidifié durant son passage dans les voies nasales. Il traverse ensuite le pharynx, le larynx et la trachée, principale voie respiratoire menant aux poumons. La trachée se divise en deux bronches souches, situées de part et d'autre du poumon. Ces bronches se ramifient en voies respiratoires de plus petit calibre qui se subdivisent elles-mêmes en un réseau de conduits tou-jours plus fins jusqu'à former de petits tubes, les bronchioles, dont l'extrémité prend la forme de minuscules sacs d'air élastiques appelés alvéoles. La structure de l'appareil respiratoire évoque un arbre renversé, la trachée formant le tronc, les bronches et les bronchioles les branches, et les alvéoles les bourgeons aux extrémités des ramilles.

Les poumons contiennent plusieurs centaines de millions d'alvéoles, qui se remplissent d'air riche en oxygène apporté par les bronchioles. Les alvéoles sont entourées de capillaires si fins que les cellules sanguines y passent souvent à la file. L'échange vital d'oxygène et de gaz carbonique a lieu dans les alvéoles. L'oxygène qui se trouve dans l'air inspiré traverse la membrane des alvéoles et est absorbé par les érythrocytes qui circulent dans les capillaires. Le gaz carbonique, cir-culant en sens inverse, diffuse dans les alvéoles à partir du sang, puis il passe dans l'arbre bronchique avant d'être expiré. Des macrophages, cellules qui éliminent les impuretés, tapissent l'intérieur de chaque alvéole et purifient l'air inspiré en absorbant et en détruisant les irritants aériens tels que les bactéries, les substances chimiques et la poussière.

La respiration normale est assurée par des muscles situés autour de la cavité thoracique. Lorsque le diaphrag-me se contracte et enfonce l'abdo-men, le volume de la cavité thoracique augmente. Simultanément, les muscles intercostaux se contractent, ce qui rapproche et soulève les côtes et distend la cage thoracique. Ce double jeu musculaire crée dans la cavité thoracique une pression négati-ve qui provoque une entrée d'air dans

COMPOSANTES DE L'APPAREIL RESPIRATOIRE

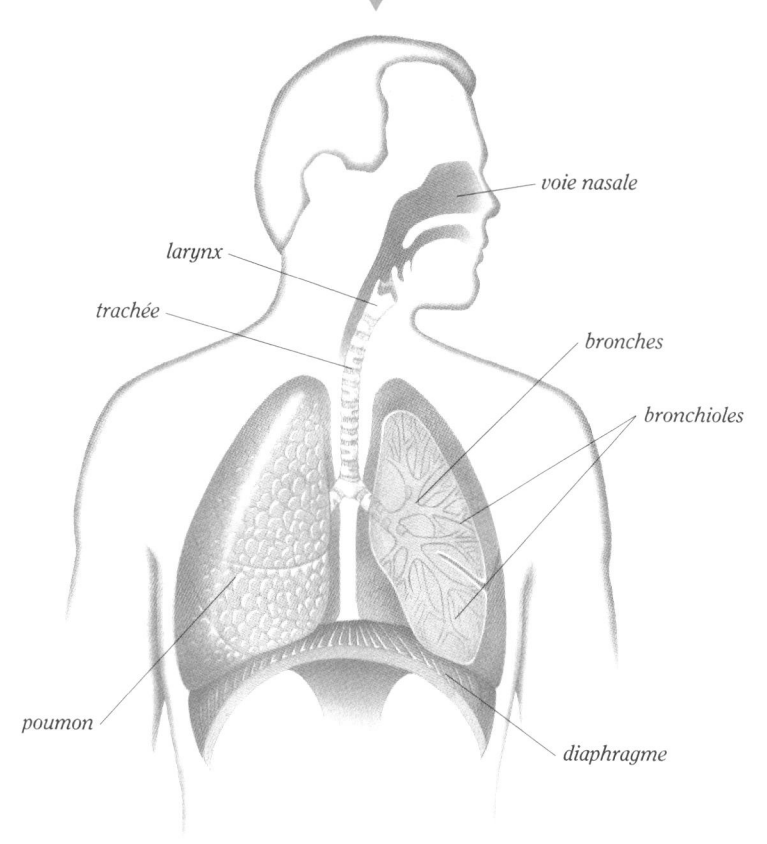

voie nasale

larynx

trachée

bronches

bronchioles

poumon

diaphragme

les poumons. Lorsque le diaphragme et les muscles intercostaux se relâchent, le volume de la cavité thoracique diminue, ce qui entraîne la compression des poumons et l'expulsion de l'air chargé de gaz carbonique qui s'y trouve. Un liquide lubrifiant, sécrété par les feuillets de la plèvre, facilite les mouvements respiratoires des poumons. Chez l'adulte, la respiration se répète de 12 à 17 fois par minute et chaque inspiration apporte environ 0,5 litre d'air frais. La respiration constitue normalement un processus involontaire placé sous la dépendance des centres respiratoires, situés dans le tronc cérébral.

Plusieurs éléments des voies respiratoires protègent les poumons contre les corps étrangers aériens, à commencer par les vibrisses et les muqueuses de la cavité nasale, qui retiennent et filtrent les grosses particules. Plus loin, les amygdales et les végétations adénoïdes débarrassent l'air inspiré des agents infectieux avant son passage dans le pharynx. En outre, des cellules tapissant les voies respiratoires sécrètent un mucus qui retient les bactéries, la poussière et d'autres impuretés. Ce mucus humidifie et lubrifie aussi les voies respiratoires et s'oppose au dessèchement des tissus fragiles du poumon. Pour finir, de minuscules cils saillant de la muqueuse des voies respiratoires battent sans arrêt pour empêcher les particules aériennes de pénétrer dans les poumons. Leur battement aide aussi à débarrasser les poumons du mucus en le faisant remonter jusqu'au pharynx, d'où il est expectoré ou avalé.

Beaucoup de médicaments servant à traiter les affections respiratoires sont pris par inhalation. Comme ce mode d'administration permet au

médicament d'atteindre directement les poumons, on obtient un effet thérapeutique maximal au niveau de la muqueuse bronchique, sans trop d'effets indésirables. D'autres médicaments sont administrés par voie intranasale. Ils exercent principalement un effet local sur la muqueuse nasale.

▼ MÉDICAMENTS DES TROUBLES RESPIRATOIRES COURANTS

Certaines affections respiratoires peuvent faire l'objet d'un traitement chirurgical (cancer du poumon) ou d'une oxygénothérapie (maladies pulmonaires obstructives chroniques), mais il est possible de traiter efficacement des affections courantes avec des médicaments, notamment les infec-

tions (pneumonie, tuberculose, etc.) et les affections inflammatoires (asthme, bronchite chronique, etc.).

◆ *Asthme*

Les crises d'asthme sont souvent déclenchées par l'exposition à un allergène qui cause de l'inflammation, une hypersécrétion de mucus et la bronchoconstriction, le tout menant à l'obstruction des voies respiratoires. En général, le traitement de l'asthme consiste à éviter ou à limiter l'exposition à l'allergène soupçonné et à prendre divers agents – bronchodilatateur, corticostéroïde, stabilisateur de membrane – seul ou en association.

Bronchodilatateurs. Les bronchodilatateurs soulagent les symptômes d'obstruction des voies respiratoires. Ces agents sont de trois types : sym-

PRINCIPALES CLASSES D'AGENTS RESPIRATOIRES

BRONCHODILATATEURS SYMPATHOMIMÉTIQUES

Épinéphrine, chlorhydrate
Fénotérol
Formotérol
Isoprotérénol
Orciprénaline
Salbutamol
Salmétérol, xinafoate
Terbutaline, sulfate

BRONCHODILATATEURS XANTHIQUES

Aminophylline
Oxtriphylline
Théophylline

ANTAGONISTES DU RÉCEPTEUR DES LEUCOTRIÈNES

Montélukast
Zafirlukast

DÉCONGESTIONNANTS/ ANTITUSSIFS

Acétylcystéine
Guaifénésine
Phényléphrine systémique, chlorhydrate
Pseudoéphédrine

CORTICOSTÉROÏDES

Béclométhasone à inhaler/nasale
Budésonide
Dexaméthasone nasale
Fluticasone
Triamcinolone à inhaler/nasale

AGENTS À INHALER/ BRONCHODILATATEURS DIVERS

Cromoglycate sodique à inhaler/nasal
Ipratropium, bromure
Nédocromil sodique à inhaler

pathomimétiques, anticholinergiques et xanthiques. Tous provoquent le relâchement de la musculature qui entoure les bronchioles, ce qui entraîne la dilatation des voies respiratoires. On utilise surtout les agents sympathomimétiques pour soulager rapidement la crise d'asthme, tandis que les agents anticholinergiques et xanthiques servent plus fréquemment à prévenir l'asthme à long terme. Les bronchodilatateurs sympathomimétiques améliorent la transmission des influx nerveux qui favorisent le relâchement des muscles bronchiolaires. Les bronchodilatateurs anticholinergiques, comme le bromure d'ipratropium, inhibent les neurotransmetteurs qui stimulent la contraction de ces muscles. Les bronchodilatateurs xanthiques, comme la théophylline ou l'aminophylline, exercent un effet myorelaxant direct sur les muscles lisses bronchiolaires, mais leur mode d'action exact est inconnu.

Corticostéroïdes. Les bronchodilatateurs dilatent les voies respiratoires, mais ils ne diminuent pas l'inflammation de la muqueuse des bronchioles. On utilise les corticostéroïdes dans le cadre d'un traitement au long cours pour prévenir le processus sous-jacent qui conduit à l'obstruction des voies respiratoires. Les corticostéroïdes en inhalation comme la triamcinolone et le flunisolide dilatent les bronchioles en diminuant l'inflammation. On pense que ces agents exercent leur effet en inhibant la synthèse de certaines substances qui causent l'inflammation.

Stabilisateurs de membrane. Les mastocytes présents dans les bronchioles jouent un rôle crucial dans la réaction allergique sous-jacente à la plupart des crises d'asthme. Les allergènes se fixent sur ces cellules et stimulent la libération d'histamine par celles-ci. Les stabilisateurs de membrane comme le cromoglycate sodique empêchent les mastocytes bronchiolaires de libérer de l'histamine, ce qui entraîne une diminution de l'inflammation des voies respiratoires. Comme les corticostéroïdes en inhalation, les stabilisateurs de membrane servent au traitement d'entretien de l'asthme.

◆ Infections respiratoires

Le rhume banal, la grippe et la plupart des cas de bronchite aiguë sont d'origine virale et s'accompagnent en général de symptômes comme la congestion nasale et la toux. Décongestionnants, mucolytiques, expectorants et antitussifs servent couramment à traiter ces symptômes.

Décongestionnants. L'inflammation d'origine virale de la muqueuse nasale provoque une vasodilatation au niveau de celle-ci. La sécrétion accrue de liquides qui en résulte entraîne un œdème et une rhinorrhée. Les décongestionnants comme la pseudoéphédrine diminuent ces symptômes du fait qu'ils stimulent la vasoconstriction.

Mucolytiques, expectorants, antitussifs. On opte habituellement pour un mucolytique ou un expectorant pour favoriser l'élimination des sécrétions en cas d'infection respiratoire donnant lieu à une toux productive. Par contre, en présence d'une toux sèche, un antitussif peut être recommandé.

Les mucolytiques, généralement pris en inhalation, exercent dans les voies respiratoires un effet direct qui permet de diminuer la viscosité des sécrétions de façon à faciliter l'expectoration ; on dit aussi qu'ils liquéfient ou « éclaircissent » les mucosités. Les expectorants favorisent la toux du fait qu'ils diminuent l'adhérence des sécrétions pulmonaires au niveau des voies respiratoires inférieures. Des antitussifs narcotiques (codéine) ou non narcotiques (dextrométhorphane, antihistaminiques) peuvent servir à réprimer la toux sèche. Les antitussifs agissent au niveau du centre de la toux dans le cerveau de façon à inhiber le réflexe tussigène. Les antihistaminiques (voir p. 52) ont un effet sédatif sur le mécanisme de la toux. On les utilise souvent pour traiter la toux bénigne, en particulier chez l'enfant. Les narcotiques faibles comme la codéine sont prescrits en cas de toux persistante.

Anti-infectieux. De nombreux microorganismes infectieux peuvent attaquer l'appareil pulmonaire, déterminant le cas échéant des affections comme l'histoplasmose, la maladie des légionnaires et diverses formes de pneumonie bactérienne ou virale. Une antibiothérapie (voir p. 51) peut servir à combattre ces affections.

La tuberculose, une infection chronique qui touche d'ordinaire les poumons, fait généralement l'objet d'un traitement associant plusieurs agents, comme l'isoniazide, la rifampine, la streptomycine, l'aminosalicylate de sodium, la rifabutine ou le pyrazinamide. La pharmacothérapie vise à juguler l'infection évolutive ou à empêcher sa survenue chez les sujets infectés par le bacille de Koch.

Pour prévenir la grippe, on recommande souvent de se faire vacciner contre cette infection avant le début de la saison grippale. Il arrive qu'on traite la grippe à l'aide d'un antiviral appelé chlorhydrate d'amantadine. La plupart des antibiotiques sont toutefois inefficaces contre le rhume, la grippe et les autres infections virales.

Hormones et système endocrinien

Les hormones sont des messagers chimiques du système de communication interne du corps humain. Ces puissantes substances règlent et coordonnent la fonction de presque tous les tissus et cellules de l'organisme. Le système endocrinien, agencement complexe de glandes réparties partout dans le corps, produit des hormones et les libère dans le sang. Les hormones régulent, conjointement avec le système nerveux, des fonctions comme la croissance et la réparation tissulaires, le métabolisme, la tension artérielle, le développement sexuel, la reproduction et la réaction au stress. Grâce aux hormones, le corps peut réagir efficacement aux changements dans les environnements interne et externe.

Les glandes endocrines comprennent l'hypophyse, la thyroïde, les parathyroïdes, les surrénales, le thymus et l'épiphyse, de même que le pancréas, les ovaires (chez la femme) et les testicules (chez l'homme). Des cellules spécialisées, situées notamment dans le rein, le cœur, le poumon et le tractus gastro-intestinal, sécrètent aussi des hormones. Après avoir été libérées dans la circulation sanguine, les hormones sont transportées jusqu'à leurs tissus cibles, où elles déclenchent certaines réactions. Il existe deux grands types d'hormones : les hormones stéroïdes, comme les corticostéroïdes, et les hormones protéiques ou peptidiques, comme l'insuline. Les hormones stéroïdes étant assez petites pour traverser la membrane de la cellule cible, elles peuvent agir directement sur le matériel génétique cellulaire de façon à produire l'effet nécessaire. Les hormones protéiques, au contraire, ne pénètrent pas dans la cellule cible. Elles se fixent sur des récepteurs de la membrane cellulaire qui déclenchent ensuite une réaction spécifique.

Chaque glande endocrine libère des hormones qui déclenchent des réactions dans des tissus cibles. Ainsi, la thyroïde, située à l'avant de la gorge, sécrète la thyroxine et la tri-iodothyronine, des hormones qui stimulent le métabolisme et la synthèse des protéines. Elle sécrète aussi la calcitonine, une hormone qui diminue la calcémie (taux sanguin de calcium). À l'opposé, la parathormone, sécrétée par quatre glandes adjacentes à la thyroïde appelées parathyroïdes, augmente la calcémie. L'épiphyse, minuscule glande située dans le cerveau, sécrète la mélatonine, une hormone qui règle notamment le cycle veille-sommeil. Le thymus, organe glandulaire lymphoïde situé dans le médiastin, sécrète la thymosine, une hormone qui influe sur le développement des défenses immunitaires.

Le pancréas, glande placée en travers de la cavité abdominale derrière l'estomac, sécrète l'insuline et le glucagon, des hormones qui agissent sur

GLANDES ENDOCRINES

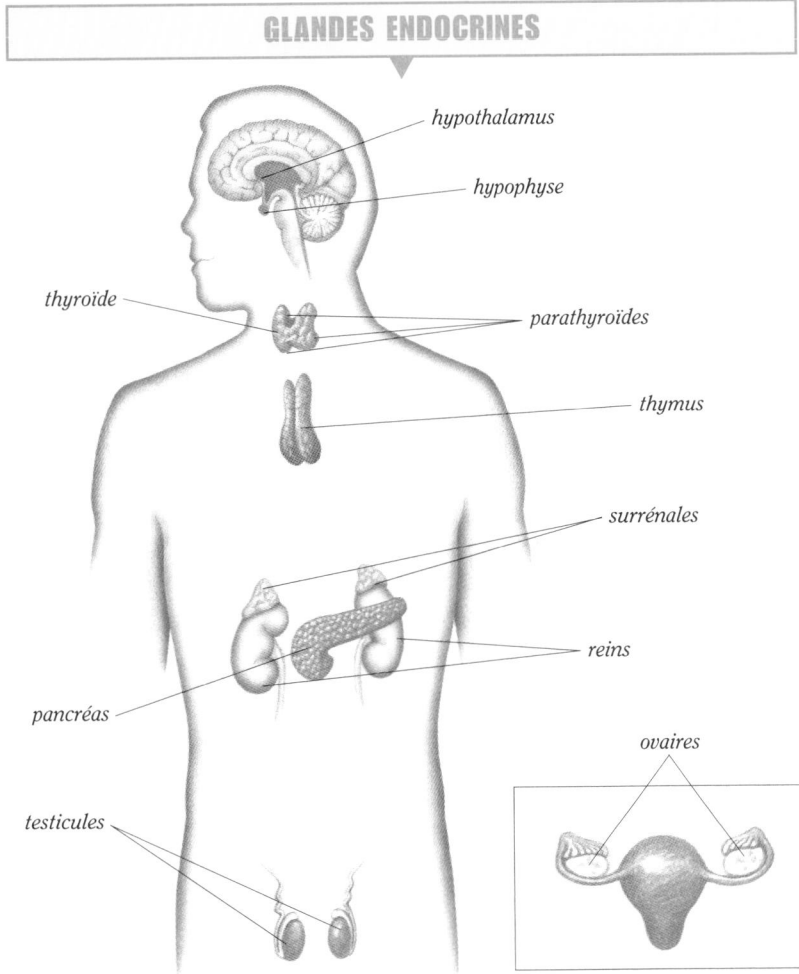

hypothalamus

hypophyse

thyroïde

parathyroïdes

thymus

surrénales

reins

pancréas

ovaires

testicules

le métabolisme du glucose. Les surrénales coiffent les reins. Leur portion centrale, ou médullaire, sécrète l'adrénaline et la noradrénaline, des hormones qui influent sur la réaction de l'organisme au stress. Leur portion externe, ou corticale, sécrète les corticostéroïdes (notamment les hormones sexuelles), les glucocorticoïdes (qui aident à contrôler le métabolisme des lipides, des protéines et des glucides et à diminuer l'inflammation) et l'aldostérone (qui assure l'équilibre hydrique et minéral de l'organisme). Les testicules, contenus dans le scrotum, sécrètent les hormones sexuelles mâles, dont la testostérone, qui contrôle le développement des caractéristiques sexuelles et physiques masculines. Les ovaires, situés de chaque côté de l'utérus, sécrètent l'œstrogène et la progestérone, des hormones qui aident à réguler le développement sexuel féminin et préparent l'utérus à la grossesse.

L'hypophyse, située à la base du cerveau, sécrète un grand nombre d'hormones aux fonctions variées, dont la prolactine, la somatotrophine (hormone de croissance), la corticotrophine, la vasopressine, l'ocytocine, la mélanostimuline et les gonadotrophines. Certaines hormones hypophysaires agissent directement sur leur tissu cible pour produire l'effet nécessaire. Ainsi, la prolactine stimule le tissu mammaire de façon à déclencher la lactation dans le postpartum. D'autres hormones hypophysaires, comme la thyrotrophine, agissent indirectement en stimulant une glande cible (dans ce cas-ci, la thyroïde) de façon à provoquer la libération d'autres hormones.

L'hypophyse joue un rôle crucial dans le fonctionnement du système endocrinien. Un mécanisme complexe de rétroaction placé sous la dépendance de l'hypothalamus coordonne l'hormonogenèse en sécrétant des « hormones de libération ». Ces hormones influent sur la sécrétion de certaines hormones hypophysaires qui contrôlent les activités d'autres glandes endocrines. Par exemple, si les taux d'hormones thyroïdiennes augmentent trop, une rétroaction négative signale à l'hypothalamus de diminuer la sécrétion de thyréolibérine (TRH). En réaction à la baisse du taux de TRH, l'hypophyse sécrète moins de thyrotrophine, et par conséquent la thyroïde sécrète moins d'hormones thyroïdiennes. Inversement, si les taux d'hormones thyroïdiennes diminuent trop, le mécanisme de rétroaction se met aussi en branle pour corriger la situation. Ainsi, l'hypothalamus et l'hypophyse concourent au bon fonctionnement des autres principales glandes endocrines et, donc, au maintien de taux d'hormones adéquats.

▼ MÉDICAMENTS DES DÉSORDRES ENDOCRINIENS

Les troubles endocriniens sont généralement causés par l'hypersécrétion ou l'hyposécrétion d'une hormone. L'hyperthyroïdie, par exemple, résulte de l'hypersécrétion de thyroxine, tandis que l'hypothyroïdie découle de l'hyposécrétion de cette hormone. Comme le système endocrinien influe largement sur les processus corporels, un trouble qui touche une des glandes endocrines peut perturber maintes fonctions de l'organisme. Ainsi, le diabète sucré est causé par une carence en insuline (type 1) ou par l'incapacité de l'organisme de bien utiliser cette hormone pancréatique (type 2). Il donne lieu à des symptômes variés : soif, fatigue, perte pondérale, infections, vision trouble, engourdissement des mains et des pieds et, à long terme, cardiopathies et néphropathies.

En général, la prise en charge des troubles endocriniens caractérisés par une carence hormonale passe par une hormonothérapie substitutive, tandis que les troubles résultant de l'hypersécrétion d'une hormone peuvent être justiciables d'une intervention chirurgicale, d'une radiothérapie ou d'un traitement médicamenteux visant à diminuer l'activité de la glande endocrine qui en est la cause.

Divers médicaments ont des principes actifs hormonaux. Certains sont d'origine naturelle et agissent comme les hormones de l'organisme. D'autres sont synthétisés en laboratoire ; souvent, on modifie ou on améliore leur structure chimique pour augmenter leur puissance ou les rendre utilisables sous une forme donnée. Il existe aussi des médicaments qui inhibent certaines hormones ou en ajustent les taux.

◆ *Diabète sucré*

La prise en charge du diabète fait appel à des mesures axées sur le style de vie — diète, perte pondérale (au besoin), exercice. Dans certains cas de diabète de type 2, ces mesures suffiront à normaliser la glycémie. Dans tous les cas de diabète de type 1 et dans les cas de diabète de type 2 que la diète et l'exercice n'équilibrent pas, un traitement médicamenteux est aussi nécessaire.

Insuline. Il faut prendre de l'insuline injectable durant toute la vie pour combler la carence insulinique en cas de diabète de type 1. On peut aussi devoir en prendre si le traitement du diabète de type 2 par un antidiabétique oral ne permet pas de stabiliser la glycémie. L'insuline est offerte sous diverses formes, présentant selon le cas une durée d'action courte, moyenne ou longue. On les associe parfois pour une maîtrise quotidienne plus précise de la glycémie.

Sulfonylurées. Les sulfonylurées sont les antidiabétiques oraux les plus fréquemment administrés. Ces agents stimulent les îlots pancréatiques de façon qu'ils sécrètent davantage d'insuline pour satisfaire aux besoins de l'organisme. Ils ne sont efficaces que si quelques cellules insulinosécrétrices demeurent actives, comme dans les cas de diabète de type 2. En augmentant l'insulinémie, les sulfonylurées favorisent la captation du glucose par les tissus de l'organisme et donc aident à normaliser la glycémie.

◆ *Affections thyroïdiennes*
Hypothyroïdie (hypofonctionnement de la thyroïde). Cette affection est justiciable d'un traitement à vie par des préparations synthétiques d'hormones thyroïdiennes. Ces suppléments normalisent les taux d'hormones thyroïdiennes et éliminent les symptômes d'hypothyroïdie. Des symptômes d'hyperthyroïdie (perte pondérale, hypertension artérielle, nervosité et tremblements) peuvent apparaître si la dose d'hormones substitutives est trop élevée : votre médecin le vérifiera par des tests sanguins.
Hyperthyroïdie (hyperfonctionnement de la thyroïde). Cette affection peut faire l'objet d'un traitement chirurgical, d'une radiothérapie (iode radioactif) ou d'un traitement par des antithyroïdiens. Dans la thyroïde, l'iode se combine avec la tyrosine (un acide aminé) pour former des hormo-

TRAITEMENT MÉDICAMENTEUX DU DIABÈTE SUCRÉ

INSULINES
Insuline (ordinaire)
Insuline (isophane)
Insuline (ultralente)
Insuline (lispro, ADN rec.)
Insuline aspart
Insuline glargine (ADN rec.)

SULFONYLURÉES
Chlorpropamide

Gliclazide
Glyburide
Tolbutamide

AUTRES ANTIDIABÉTIQUES
Acarbose
Glucagon
Metformine
Pioglitazone
Rosiglitazone

nes thyroïdiennes. Les antithyroïdiens diminuent la sécrétion d'hormones thyroïdiennes en empêchant la combinaison de l'iode et de la tyrosine. Si ces agents n'améliorent pas suffisamment l'hyperthyroïdie, la radiothérapie ou un traitement chirurgical peuvent aider à normaliser les taux d'hormones thyroïdiennes.

◆ *Corticostéroïdes*
La thérapie substitutive par des corticostéroïdes oraux pris régulièrement constitue le traitement habituel de la maladie d'Addison, causée par une grave carence en corticostéroïdes résultant de la destruction graduelle des surrénales. En général, le traitement fait appel à un glucocorticoïde comme la prednisone et à un minéralocorticoïde comme la fludrocortisone, substitut de l'aldostérone. Le glucocorticoïde aide à maintenir une glycémie normale et favorise la récupération des lésions et du stress. Le minéralocorticoïde aide à équilibrer les taux de sodium et de potassium et le volume d'eau corporelle. Ces médicaments ont peu d'effets indésirables si on les prend à faible dose par voie orale pour traiter la maladie d'Addison. Les corticostéroïdes à action générale ser-

vent aussi à éliminer l'inflammation que causent d'autres affections, dont le cancer, l'asthme et la polyarthrite rhumatoïde (voir p. 26). Pris à fortes doses durant une longue période, les corticostéroïdes peuvent provoquer des effets débilitants.

◆ *Somatotrophine*
Une carence en somatotrophine peut entraver la croissance normale de l'enfant. Pour y remédier, on utilise une somatotrophine synthétique produite par la technique de l'ADN recombinant (somatrem ou somatropine), injectée régulièrement du début de l'enfance à la fin de l'adolescence.

◆ *Diabète insipide*
Les reins des sujets atteints de diabète insipide ne peuvent retenir l'eau et en excrètent beaucoup dans l'urine. Ce type de diabète, qui peut être causé par une tumeur au niveau de l'hypophyse, est attribuable à une carence en vasopressine (aussi appelée hormone antidiurétique ou ADH [*antidiuretic hormone*]). Le traitement du diabète insipide consiste à prendre un analogue synthétique de la vasopressine, comme la desmopressine, par voie orale ou intranasale ou par injection.

Appareil génital

▼ ORGANES DE REPRODUCTION MASCULINS

Les organes génitaux masculins produisent, stockent et libèrent les spermatozoïdes, cellules reproductrices mâles. Les principaux organes de reproduction sont les testicules, le pénis, l'épididyme, le canal déférent, les vésicules séminales et la prostate. Les testicules accomplissent deux fonctions importantes : la production de spermatozoïdes et la sécrétion des hormones sexuelles mâles, comme la testostérone, qui favorise le développement des caractéristiques physiques masculines. Situés hors de la cavité abdominale dans un sac appelé scrotum, les testicules sont maintenus à une température légèrement inférieure à la température corporelle normale, ce qui est essentiel à la production de spermatozoïdes viables.

Après la puberté, la production de spermatozoïdes se fait à l'intérieur des testicules dans de fins conduits appelés tubes séminifères ; au cours de sa vie, un homme produit 12 trillions de spermatozoïdes. Les spermatozoïdes nouvellement formés passent dans l'épididyme, tube contourné se trouvant sur le dessus du testicule, où ils parviennent à maturité en deux à quatre semaines. Un conduit long et fin, le canal déférent, leur permet de passer de l'épididyme aux vésicules séminales, où ils sont stockés jusqu'à l'éjaculation. Le sperme éjaculé par l'urètre durant l'acte sexuel est un mélange de spermatozoïdes et de liquides sécrétés par les glandes séminales et la prostate.

▼ ORGANES DE REPRODUCTION FÉMININS

Les principaux organes de reproduction de la femme sont l'utérus, les ovaires, les trompes de Fallope, le col utérin et le vagin. L'utérus, organe creux doté de parois musculaires, est situé au centre de la cavité pelvienne. Les ovaires sont de petits organes ovales situés de chaque côté de l'utérus. Chaque ovaire est fixé à l'utérus par un court ligament de soutien. Les trompes de Fallope, de 10 cm (4 po) de long chacune, s'étendent de chaque côté de la portion supérieure de l'utérus et se terminent par des prolongements frangés adjacents aux ovaires. Le col utérin, extrémité inférieure étroite de l'utérus, présente une très petite ouverture centrale qui se dilate fortement durant la parturition pour permettre le passage du bébé. Il rejoint le canal vaginal, tapissé d'une muqueuse et doté d'une paroi externe musculaire. Le vagin constitue normalement un milieu acide, qui est une barrière naturelle contre l'infection. Bien des médicaments sont administrés directement dans le vagin pour traiter les infections vaginales. Comme ils sont généralement peu absorbés par la muqueuse vaginale, on peut les utiliser à des doses fortes sans provoquer de toxicité générale significative.

Durant la puberté, les ovaires commencent à synthétiser les œstrogènes

---

APPAREILS GÉNITAUX DE L'HOMME ET DE LA FEMME

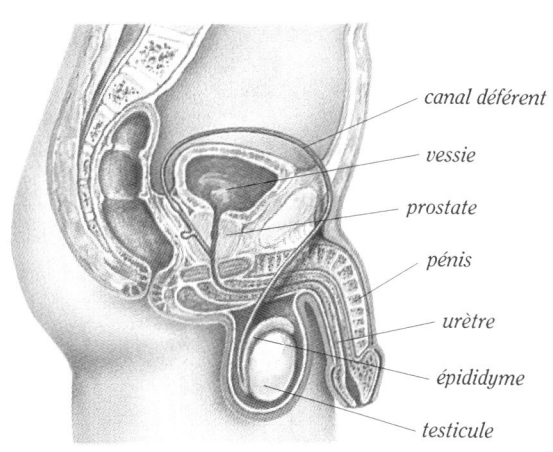

canal déférent

vessie

prostate

pénis

urètre

épididyme

testicule

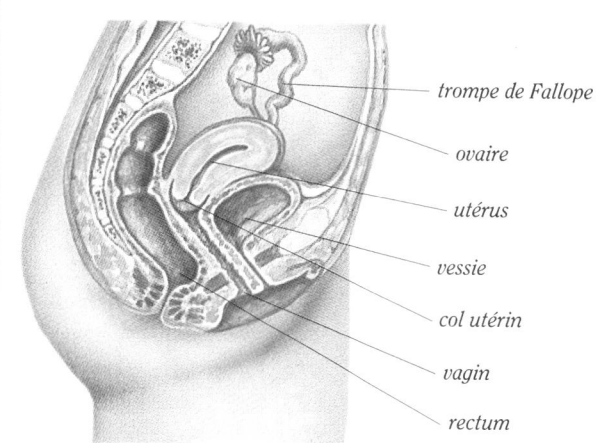

trompe de Fallope

ovaire

utérus

vessie

col utérin

vagin

rectum

et la progestérone, des hormones sexuelles qui influent sur le développement des caractéristiques physiques de la femme, notamment l'augmentation du volume des seins et les cycles menstruels. À ce moment, l'hypophyse se met aussi à sécréter deux hormones, la lutéostimuline (LH) et la folliculostimuline (FSH), qui stimulent l'ovulation, soit la libération mensuelle de un ovule (parfois deux ou trois) par les ovaires au milieu du cycle menstruel. Les ovaires, qui renferment plus de 500 000 ovules immatures à la naissance, libéreront environ 400 ovules mûrs entre la puberté et la ménopause. Une fois libéré, l'ovule migre vers l'utérus par une trompe de Fallope. L'endomètre s'épaissit pour préparer l'utérus à l'implantation d'un ovule fécondé. En l'absence de fécondation, les cellules endométriales superficielles se détachent et sont éliminées durant la menstruation.

▼ FÉCONDATION

Les deux jours qui suivent l'ovulation définissent la période de fertilité, au cours de laquelle la conception peut avoir lieu. Il y a conception quand un spermatozoïde éjaculé dans le vagin remonte l'utérus et féconde l'ovule dans la trompe de Fallope. Sur les 250 à 500 millions de spermatozoïdes que renferme généralement un éjaculat, seulement 200 environ finissent par atteindre la région de la trompe de Fallope où se trouve l'ovule. Un seul spermatozoïde pénètre et féconde l'ovule. L'ovule fécondé se divise continuellement alors qu'il descend la trompe de Fallope. Après plusieurs jours, il s'implante dans l'endomètre et devient un embryon.

▼ MÉDICAMENTS DES TROUBLES DE LA REPRODUCTION

L'intervention chirurgicale permet de traiter le plus efficacement un grand nombre d'affections touchant les organes de reproduction, notamment les cas de fibrome (tumeur bénigne de la paroi utérine), de varicocèle (enflure du scrotum causée par la dilatation anormale d'une veine), de kyste de l'ovaire et de cancers (siégeant au niveau du sein, de l'ovaire, de l'utérus, du col utérin, du testicule et de la prostate), bien qu'on associe souvent pharmacothérapie et chirurgie.

Les médicaments servent souvent à prévenir la conception et à traiter des troubles tels que l'infécondité, l'endométriose, l'hypertrophie prostatique bénigne (non cancéreuse) et les maladies transmissibles sexuellement.

◆ Contraceptifs oraux

La pilule s'avère le moyen de contraception le plus fiable pour la plupart des femmes. Trois formes sont actuellement offertes : pilule combinée, progestatif et pilule séquentielle. Toutes contiennent de la progestine (progestérone synthétique) ; les pilules combinées et séquentielles contiennent aussi des œstrogènes. Les pilules combinées renferment une dose fixe d'œstrogènes et de progestine. Dans les pilules séquentielles, la proportion d'œstrogènes et de progestine varie à différents moments du mois, de façon à reproduire les fluctuations du cycle menstruel normal. Les trois types de pilules sont prises en fonction d'un cycle mensuel.

Les œstrogènes et la progestérone contenus dans les pilules combinées et séquentielles agissent surtout en inhibant la sécrétion de FSH et de LH par l'hypophyse, empêchant de ce fait l'ovulation. Les progestatifs peuvent aussi empêcher l'ovulation chez certaines femmes, mais on croit que leur effet contraceptif tient surtout au fait qu'ils provoquent un épaississement de la glaire cervicale, la rendant impénétrable pour les spermatozoïdes, et modifient l'endomètre de façon à diminuer les possibilités d'implantation. Les pilules combinées et séquentielles peuvent produire ces effets, mais de façon moins marquée.

◆ Fécondostimulants

On ne peut poser un diagnostic d'infécondité que si un couple n'est pas parvenu à concevoir un enfant malgré des rapports sexuels réguliers étalés sur plus d'un an. Si la possibilité d'une anomalie touchant la spermatogenèse a été écartée et qu'on trouve chez la femme une anomalie hormonale

---

MÉDICAMENTS À BASE **D'HORMONES SEXUELLES**

ŒSTROGÈNES	CONTRACEPTIFS
Estradiol	Contraceptifs oraux (produits combinés)
Estropipate	
Éthinylœstradiol	Contraceptifs oraux (progestatifs)
Œstrogènes conjugués	Implants de lévonorgestrel

empêchant l'ovulation, un traitement par un fécondostimulant peut être recommandé.

Le choix du médicament est fonction de la cause présumée d'infécondité. Chez les femmes qui n'ovulent pas en raison d'une hypersécrétion de prolactine, hormone hypophysaire qui stimule la lactation après la parturition, le mésylate de bromocriptine est le médicament de choix parce qu'il interagit avec les récepteurs de la dopamine de façon à inhiber la sécrétion de prolactine. Chez d'autres femmes, dont celles atteintes du syndrome de Stein-Leventhal, qui n'ovulent pas en raison d'une production inadéquate de FSH et de LH, on optera pour le citrate de clomiphène. Ce médicament s'oppose à l'action des œstrogènes, qui inhibent d'ordinaire la sécrétion de FSH et de LH. Il normalise ainsi la production de ces hormones de façon à déclencher l'ovulation.

Divers autres médicaments hormonoïdes sont aussi disponibles. Si le traitement par le citrate de clomiphène échoue, on peut essayer le traitement par des ménotropines et la gonadotrophine chorionique humaine (HCG). Les ménotropines, qui contiennent de la FSH et de la LH, stimulent la croissance et la maturation des follicules ovariens. Après la maturation des follicules, on administre la HCG, qui reproduit l'action de la LH, pour stimuler l'ovulation et favoriser la production ovarienne de progestérone.

Les femmes qui n'ovulent pas en raison d'un trouble hypothalamique peuvent répondre à un traitement par la gonadoréline, forme synthétique de la LH-RH, une hormone hypothalamique. La gonadoréline normalise la libération hypophysaire de FSH et de LH et déclenche ainsi l'ovulation.

◆ *Endométriose*

L'endométriose, affection pouvant causer dysménorrhée et infécondité, résulte du transport de fragments de tissu endométrial hors de l'utérus et de leur implantation sur des organes pelviens, dont les ovaires, les trompes de Fallope, l'utérus dans sa partie externe ou les ligaments de soutien de l'utérus. La femme qui en souffre peut (pour atrophier le tissu anormal) suivre un traitement au long cours par des médicaments inhibant la fonction ovarienne et la croissance du tissu endométrial. Ces médicaments comprennent le danazol, androgène de synthèse qui inhibe l'ovulation, et les agonistes de la LH-RH, comme l'acétate de nafaréline et l'acétate de leuprolide, qui inhibent la production ovarienne d'œstrogènes et diminuent la croissance du tissu endométrial.

◆ *Hypertrophie de la prostate*

Bien des hommes de plus de 50 ans présentent une hypertrophie bénigne de la prostate, donnant lieu à une compression de l'urètre qui diminue le débit urinaire.

Alphabloquants. Une augmentation du tonus de la musculature lisse de la prostate et du col vésical contribue à la diminution du débit urinaire et à d'autres symptômes. Des agents comme le mésylate de doxazosine et la térazosine bloquent les récepteurs alpha-adrénergiques qui régulent l'augmentation du tonus musculaire. Ils peuvent donc soulager l'obstruction urétrale et les symptômes de l'hypertrophie prostatique bénigne.

Antiandrogènes. La dihydrotestostérone est une puissante hormone qui stimule l'hypertrophie de la prostate. Le finastéride, un antiandrogène, inhibe la formation de cette hormone.

Son administration permet de réduire l'hypertrophie prostatique et d'augmenter le débit urinaire.

◆ *Impuissance (dysfonctionnement érectile)*

Le traitement de l'impuissance (incapacité persistante d'obtenir ou de maintenir une érection) dépend de la cause sous-jacente et peut comprendre aussi bien la consultation psychologique qu'une intervention chirurgicale, des mesures axées sur le style de vie ou la prise de médicaments. Des agents comme le sildénafil, la papavérine ou l'alprostadil, qui dilatent les vaisseaux sanguins du pénis, peuvent être utiles. Les déséquilibres hormonaux sont une cause d'impuissance ; l'injection de testostérone peut être nécessaire si le taux de cette hormone est faible, et on peut devoir prendre du mésylate de bromocriptine pour corriger un taux élevé de prolactine. La yohimbine, un médicament réputé soutenir l'influx nerveux, peut aussi être prescrite. Il importe de savoir que l'impuissance constitue également un effet indésirable de nombreux médicaments.

◆ *Maladies transmissibles sexuellement (MTS)*

Les maladies transmissibles sexuellement courantes comprennent des infections bactériennes (blennorragie, syphilis, chlamydiose) de même que des infections virales (herpès génital, condylome acuminé, sida). Un traitement anti-infectieux amorcé en temps opportun guérit généralement les infections bactériennes, alors qu'un traitement par les antiviraux actuels permet souvent de prendre en charge, mais non de guérir, des infections virales telles que l'herpès et le sida.

Peau, poils et ongles

La peau, organe le plus volumineux du corps humain, couvre une surface d'environ 2 m² (20 pi²) chez un adulte de taille moyenne. Formant le revêtement externe du corps, elle accomplit plusieurs fonctions essentielles. Ainsi, elle sert de barrière protégeant les organes vitaux internes contre les infections et les lésions ; elle aide à dissiper la chaleur et à réguler la température corporelle ; elle synthétise la vitamine D quand on l'expose aux ultraviolets. En outre, les divers récepteurs sensoriels présents partout dans la peau permettent à celle-ci de réagir à des sensations telles que la chaleur, le froid, la douleur et la pression.

On trouve dans quelques centimètres carrés de peau des millions de cellules, de nombreuses terminaisons nerveuses spécialisées, des follicules pileux, des muscles, des glandes sudoripares destinées à rafraîchir le corps et des glandes sébacées sécrétant une huile qui lubrifie la peau. Ces structures et ces glandes sont nourries par un réseau de vaisseaux sanguins complexe. La peau est plus ou moins épaisse selon la région du corps qu'elle recouvre.

La peau se divise en trois couches : l'épiderme, couche mince superficielle ; le derme, couche plus épaisse située sous l'épiderme, où se concentre environ 90 % de la masse de la peau ; et l'hypoderme, composé principalement de tissu adipeux. La formation des nouvelles cellules cutanées (kératinocytes) a lieu dans la couche basale de l'épiderme. Ces cellules sont refoulées vers la couche cornée, couche la plus superficielle de l'épiderme, qu'elles atteignent au bout d'environ quatre semaines. Pendant ce temps, elles s'aplatissent, prennent un aspect plus écailleux et finissent par perdre leur noyau et mourir. Les cellules cutanées mortes contiennent une protéine inerte appelée kératine. La kératine constitue la couche cornée. Elle forme une barrière protectrice qui aide à limiter la déperdition de l'eau corporelle. Avec le temps, la couche cornée se détache sous l'effet de la friction. Les poils et les ongles, composés de kératine, sont également issus de l'épiderme.

Environ 95 % des cellules de l'épiderme sont des kératinocytes. Les autres sont des cellules pigmentaires, ou mélanocytes ; elles produisent la mélanine, une protéine qui colore la peau et protège le corps contre les ultraviolets. La couleur de la peau dépend non du nombre total de mélanocytes − relativement constant d'une race à une autre −, mais plutôt de la vitesse à laquelle les mélanocytes produisent la mélanine.

Le derme contient des fibres telles que le collagène et l'élastine, de même que de l'eau et des substances gélatineuses qui rendent la peau compressible. Les fibres collagènes aident à prévenir la déchirure de la peau, tandis que l'élastine confère son élasticité à la peau. Dans l'ensemble du derme sont répartis des vaisseaux sanguins, des canaux lymphatiques, des fibres nerveuses, des cellules musculaires, des follicules pileux, des glandes sébacées et des glandes sudoripares.

L'hypoderme, couche qui produit le tissu adipeux, joue le rôle d'un isolant et sert de lieu de stockage des calories. La répartition du tissu sous-cutané est inégale. Avec l'âge, l'hypoderme s'amincit considérablement.

La peau est aussi la voie d'administration de différents types de médicaments : agents topiques appliqués sur la peau sous forme de crème, de pommade ou de liquide (la plupart pénètrent peu les couches de la peau et tendent donc à causer moins

VUE EN COUPE DE LA PEAU

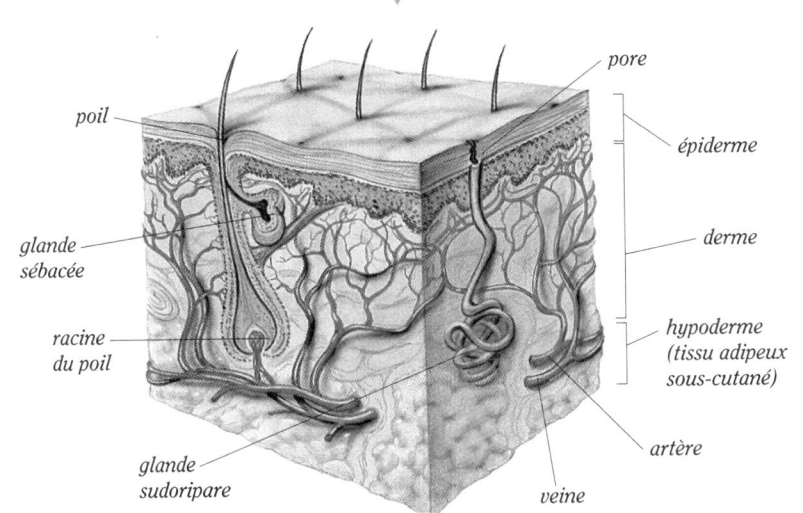

poil

pore

épiderme

glande sébacée

derme

racine du poil

hypoderme (tissu adipeux sous-cutané)

glande sudoripare

artère

veine

d'effets indésirables que les médicaments à action générale, administrés par voie orale ou intraveineuse) ; timbres transdermiques que l'on fixe sur la peau et qui libèrent des quantités dosées de médicament ; médicaments injectés dans les couches profondes de la peau, où ils sont absorbés par la circulation sanguine ; implants souscutanés, assurant la libération lente d'hormones ou d'autres substances.

▼ MÉDICAMENTS DES TROUBLES DERMATOLOGIQUES

La peau peut être le siège d'affections très variées, prenant notamment la forme d'inflammations, de réactions allergiques, d'infections et de tumeurs. Certaines éruptions cutanées (les rashs) traduisent une réaction allergique à un médicament et surviennent d'ordinaire durant les premiers jours suivant son administration. L'urticaire résulte généralement d'allergies à des aliments tels que les crustacés et les coquillages, le chocolat et les noix, mais il peut aussi être causé par certains médicaments, comme la pénicilline ou l'AAS. Bien des affections cutanées se résolvent spontanément, d'autres doivent faire l'objet d'une prise en charge se fondant sur la pharmacothérapie. Dans certains cas, en présence de tumeurs, de kystes volumineux ou de naevi par exemple, le traitement peut devoir être chirurgical.

◆ Antiacnéiques
L'acné est une affection cutanée très courante caractérisée par la présence de points blancs, de comédons, de boutons et de kystes sur la figure, le dos et la poitrine. On la traite parfois avec des kératolytiques topiques, des

antibiotiques topiques ou à action générale ou des dérivés de la vitamine A.
Kératolytiques. Les préparations topiques de peroxyde de benzoyle, de résorcinol ou de soufre sont toutes kératolytiques. (Le peroxyde de benzoyle et le soufre ont en outre des propriétés antibactériennes.) Elles exercent sur la couche cornée un effet exfoliant qui permet de dégager les follicules pileux, dont l'obstruction est apparemment acnégène.
Antibiotiques. Un antibiotique comme l'érythromycine ou la clindamycine est parfois administré sous forme de crème topique dans les cas d'acné persistante. En cas d'échec du traitement topique, on peut prescrire un traitement au long cours par un antibiotique oral comme la tétracycline.
Dérivés de la vitamine A. En cas d'acné grave, on peut recourir à la trétinoïne ou à l'isotrétinoïne, de puissants dérivés de la vitamine A (rétinoïdes). La trétinoïne est un agent topique offert sous forme de gel, de crème ou de liquide. L'isotrétinoïne se prend par voie orale ; on la réserve d'ordinaire aux cas d'acné kystique profonde grave. Elle diminue l'hypersécrétion du sébum, matière grasse sécrétée par les glandes sébacées qui favorise l'acné. Les femmes doivent recourir à des moyens contraceptifs efficaces durant le traitement par l'isotrétinoïne, car ce médicament est tératogène.

◆ Anti-infectieux topiques
La peau peut être le siège de diverses infections. Des anti-infectieux topiques (ou parfois à action générale) peuvent servir à éliminer les microorganismes infectieux. On peut utiliser des antibiotiques pour traiter l'acné (voir plus haut) ou l'impétigo, infection bactérienne pédiatrique fréquente caractéri-

sée par la formation de lésions rouges couvertes et de bulles et de croûtes jaunes au niveau de la figure, des bras ou des jambes. Les antifongiques aident à combattre les infections fongiques unguéales ou cutanées telles que le pied d'athlète, l'eczéma marginé ou la teigne (infection pédiatrique superficielle causant généralement un prurit intense et une desquamation au niveau du cuir chevelu). Les infections virales sont à l'origine des verrues et d'affections cutanées courantes telles que l'herpès labial et le zona ; on peut les traiter avec divers antiviraux. Les antiparasitaires permettent de traiter les parasitoses telles que la pédiculose de la tête (poux) et la scabiose.

◆ Corticostéroïdes topiques
Desquamation, éruptions cutanées et prurit caractérisent la dermatite, ou eczéma, terme générique désignant toute inflammation cutanée. Une corticothérapie topique s'avère généralement efficace contre l'eczéma. D'ordinaire, les corticostéroïdes topiques ne causent pas les effets indésirables graves associés aux corticostéroïdes à action générale. Un usage prolongé risque toutefois de provoquer un amincissement de la peau, conduisant à l'apparition de vergetures et augmentant la visibilité des vaisseaux sanguins superficiels.

◆ Antipsoriasiques
Le psoriasis est une affection cutanée courante caractérisée par la présence de plaques rouges sèches couvertes de squames argentées. On pense que des facteurs génétiques favorisant la surproduction de cellules cutanées sont à l'origine du psoriasis. L'exposition au soleil ou à des ultraviolets et l'application d'une crème émolliente

peuvent aider à résoudre les cas bénins. Si ces mesures s'avèrent inefficaces, des préparations topiques telles que les pommades au goudron de houille peuvent être salutaires. Si la desquamation persiste, on peut utiliser des corticostéroïdes topiques. Le méthotrexate (immunosuppresseur) ou l'acitrétine (dérivé de la vitamine A) peuvent être utiles pour maîtriser les

cas graves de psoriasis. Les cas graves réfractaires peuvent répondre à la puvathérapie, forme de traitement combinant un médicament avec des ultraviolets de type A.

◆ *Antialopéciques*

L'hypertrichose (hirsutisme) a d'abord constitué un effet indésirable du minoxidil, agent prescrit à l'origine

pour traiter l'hypertension modérée à grave. Aujourd'hui, les indications approuvées du minoxidil comprennent le traitement de certains types de calvitie (alopécie), notamment la calvitie hippocratique, caractérisée par la dénudation partielle ou totale du sommet du crâne. Le mécanisme d'action par lequel le minoxidil stimule la repousse des cheveux n'est pas élucidé.

Les sens : yeux, oreilles et nez

Nos sens – vue, ouïe, odorat, goût et toucher – nous mettent en contact avec notre environnement. Ils nous aident à glaner des renseignements que le cerveau traite et interprète pour nous informer sur le monde extérieur.

▼ LES YEUX

Des cinq sens, la vue est de loin le plus complexe, et sa complexité se reflète dans la structure anatomique de l'œil lui-même. Chaque œil se compose de plusieurs membranes. Une muqueuse appelée conjonctive couvre et humidifie la surface interne de la paupière ainsi que la sclérotique, membrane blanche résistante qui entoure la plus grande partie du globe oculaire et contribue à maintenir sa forme. Le centre de la partie antérieure de l'œil est occupé par la cornée, membrane transparente courbe qui réfracte la lumière avant qu'elle ne traverse le cristallin. Directement derrière la cornée se trouve la chambre antérieure, espace rempli par un liquide transparent appelé humeur aqueuse. Une membrane située derrière la

chambre antérieure contient l'iris (partie colorée de l'œil) et la pupille, orifice occupant le centre de l'iris que la lumière traverse avant d'atteindre le fond de l'œil. La pupille peut se dilater ou se contracter, de façon à laisser passer plus ou moins de lumière. Le cristallin, situé directement derrière l'iris, est une structure courbe transparente qui se dilate et se contracte pour focaliser la lumière sur la rétine. Derrière le cristallin se trouve le corps vitré, cavité ronde remplie d'un gel transparent appelé humeur vitrée.

Derrière le corps vitré se trouve la rétine, membrane constituée de tissus nerveux qui contient des cellules photosensibles appelées bâtonnets et cônes, qui convertissent la lumière en influx nerveux. Le nerf optique transmet ces influx au cerveau, qui les interprète de façon à créer une image tridimensionnelle en couleurs.

▼ LES OREILLES

L'oreille accomplit deux fonctions essentielles, soit la perception des sons et le maintien de l'équilibre. Cet

organe de l'ouïe se divise en trois parties : oreille externe, oreille moyenne et oreille interne. L'oreille externe, qui comprend le pavillon (cartilage externe recouvert de peau) et le canal auditif externe, canalise les sons jusqu'à l'oreille moyenne. L'oreille moyenne est une cavité située entre le tympan et l'oreille interne. Trois osselets situés dans l'oreille moyenne – le marteau, l'enclume et l'étrier – transmettent les vibrations sonores du tympan à l'oreille interne. La trompe d'Eustache, conduit étroit reliant l'oreille moyenne et la partie postérieure de la cavité nasale, permet de rendre la pression de l'air dans l'oreille moyenne égale à la pression atmosphérique.

Les structures assurant l'audition et l'équilibre occupent des régions distinctes dans l'oreille interne. Dans les trois canaux semi-circulaires, des récepteurs répondent au mouvement et contrôlent le sens de l'équilibre. Les vibrations sonores passent de l'oreille moyenne à la cochlée (en forme de coquille d'escargot), qui les convertit en influx nerveux, lesquels sont perçus comme des sons quand le nerf auditif les transmet au cerveau.

▼ LE NEZ

Le nez est le principal point d'entrée de l'air dans l'appareil respiratoire. Des cils et du mucus présents dans les voies nasales filtrent, réchauffent et humidifient l'air inspiré avant qu'il ne passe dans la gorge, puis dans les poumons. Le nez est divisé en deux cavités par une cloison formée de cartilage et d'os. Les sinus, cavités entourant le nez, sont tapissés de mucus. La muqueuse nasale et les sinus voisins aident à purifier l'air inspiré en retenant les bactéries et les particules de saleté en suspension.

Polyvalent, le nez est aussi l'organe de l'odorat et, dans une grande mesure, du goût. Des cils saillant de l'extrémité du nerf olfactif, situé dans la partie supérieure de la cavité nasale, détectent les molécules chargées d'odeur dissoutes dans le mucus nasal. Lorsqu'ils sont stimulés, les cils produisent un influx nerveux qui est transmis au cerveau, ce qui permet de percevoir et de reconnaître plus de 10 000 odeurs différentes.

▼ MÉDICAMENTS ORL

Les yeux, les oreilles et le nez sont vulnérables à de nombreuses affections, rarement fatales, mais parfois extrêmement débilitantes. Certaines affections ne nécessitent pas de traitement médicamenteux (épistaxis ou saignements du nez) ou peuvent faire l'objet d'un traitement chirurgical (cataractes) ; cependant, un bon nombre d'entre elles répondent à la pharmacothérapie. Divers médicaments sont offerts sous forme de gouttes, de pommades, d'aérosols ou de solutions. Beaucoup de préparations ont une action locale et ne causent donc pas normalement d'effets indésirables généraux ; il arrive néanmoins qu'elles soient absorbées à des concentrations suffisamment élevées pour causer des réactions générales. Certaines préparations nasales (hormones) sont conçues pour être

ANATOMIE DE L'ŒIL, DE L'OREILLE ET DU NEZ

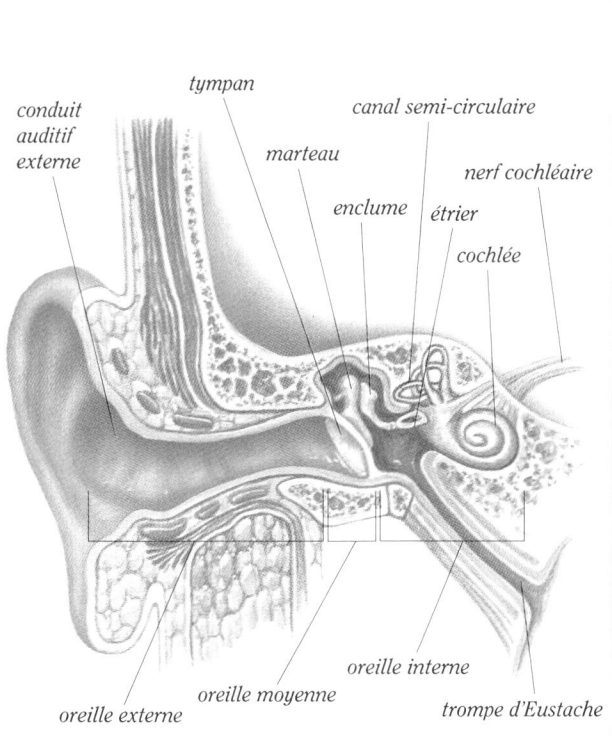

conduit auditif externe
tympan
marteau
enclume
canal semi-circulaire
étrier
nerf cochléaire
cochlée
oreille externe
oreille moyenne
oreille interne
trompe d'Eustache

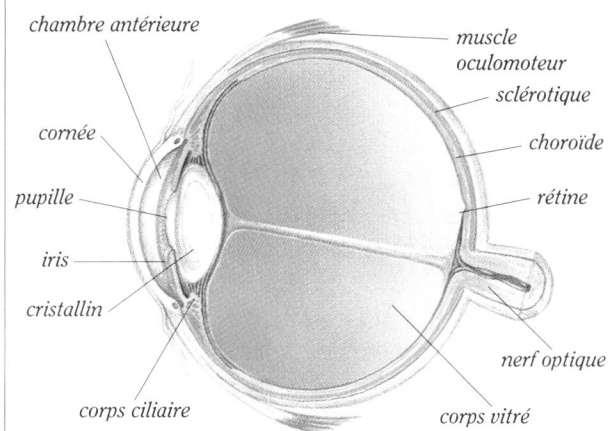

chambre antérieure
muscle oculomoteur
sclérotique
cornée
choroïde
pupille
rétine
iris
cristallin
corps ciliaire
nerf optique
corps vitré

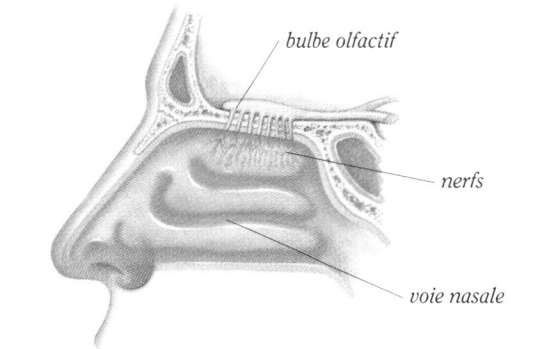

bulbe olfactif
nerfs
voie nasale

absorbées dans la circulation générale. Dans certains cas, les médicaments oraux ou injectables à action générale peuvent aussi servir à traiter les affections touchant l'œil, l'oreille ou le nez.

◆ *Antiglaucomes*

Le glaucome, causé par l'élévation de la pression dans l'humeur aqueuse, peut provoquer une lésion progressive du nerf optique conduisant à la cécité. Trois grandes classes de médicaments servent à diminuer la pression intra-oculaire : bêtabloquants, myotiques et inhibiteurs de l'anhydrase carbonique. Des signaux transmis par le biais de récepteurs bêta stimulent la sécrétion de l'humeur aqueuse par des cellules situées dans le corps ciliaire. Les bêta-bloquants comme le maléate de timolol empêchent la transmission de ces signaux, ce qui a pour effet de diminuer la production de l'humeur aqueuse et la pression intraoculaire. Les myotiques comme la pilocarpine provoquent la contraction des pupilles (myosis) et diminuent la pression intraoculaire en augmentant le drainage de l'humeur aqueuse. Les mydriatiques qu'on utilise parfois dans l'examen de l'œil peuvent aggraver le glaucome. Les inhibiteurs de l'anhydrase carbonique tels que l'acétazolamide exercent leur effet en inhibant l'anhydrase carbonique, une enzyme qui intervient dans la production de l'humeur aqueuse.

◆ *Anti-infectieux et anti-inflammatoires*

Divers groupes de médicaments servent à traiter les infections ou les inflammations oculaires, auriculaires ou nasales. La conjonctivite, caractérisée par une rougeur et des démangeaisons oculaires, est une inflammation de la conjonctive qui peut résulter d'une infection bactérienne ou virale ou encore d'une réaction allergique. Un collyre antibiotique peut être prescrit si la conjonctivite est causée par une infection bactérienne. On peut traiter une conjonctivite d'origine allergique avec un antihistaminique et un collyre corticostéroïde pour diminuer l'inflammation.

L'otite externe se caractérise par des démangeaisons et de la douleur au niveau du conduit auditif externe. Elle peut être causée par l'eczéma ou une rétention d'eau dans le conduit auditif externe. Si l'eczéma est le seul facteur favorisant, on peut instiller un corticostéroïde pour diminuer l'inflammation. En présence d'une infection et d'une inflammation, on prescrira probablement l'instillation d'un corticostéroïde et d'antibiotiques, généralement de la néomycine associée à de la polymyxine B ou à de la gramicidine.

L'otite moyenne est une infection de l'oreille moyenne qui cause généralement une forte otalgie, de la fièvre, une impression de plénitude ou d'obstruction auriculaires et une hypoacousie. En raison de la position et de la petitesse de leurs trompes d'Eustache, les enfants y sont particulièrement vulnérables. Les infections bactériennes de l'oreille moyenne causent souvent l'obstruction des trompes d'Eustache, et l'accumulation de pus et de mucus qui en résulte derrière l'oreille présente un risque de perforation. On pourra prescrire un décongestionnant ou un antihistaminique contre l'enflure au niveau des trompes d'Eustache et un antibiotique oral contre l'infection.

On appelle sinusite toute infection ou réaction allergique causant une inflammation de la muqueuse des sinus. La sinusite peut donner lieu à des symptômes tels que douleur autour des yeux et des joues, fièvre et respiration nasale laborieuse. La sinusite aiguë résulte généralement d'une infection bactérienne et doit faire l'objet d'une antibiothérapie orale. La prise d'un décongestionnant peut favoriser le drainage des sinus.

La rhinite chronique, une inflammation des muqueuses nasales, peut être associée à l'hypersécrétion de mucus, à la congestion nasale et à un écoulement post-nasal. Elle peut survenir par suite d'une exposition à certains irritants chimiques ou être due à une réaction allergique. Des corticostéroïdes ou des antihistaminiques peuvent soulager les réactions allergiques.

◆ *Antinauséeux et antivertigineux*

La maladie de Ménière perturbe l'équilibre et l'ouïe. Elle se caractérise par des épisodes de vertige accompagnés de nausées, de vomissements, d'acouphènes et d'hypoacousie. On croit qu'elle est causée par un surplus de liquide dans les canaux semi-circulaires de l'oreille interne. Son traitement fait appel à un antihistaminique ou à un sédatif, pris pour soulager le vertige. Un diurétique peut servir à diminuer le surplus de liquide dans l'oreille interne.

Encéphale, système nerveux et émotions

Fonctionnant tel un ordinateur central complexe, l'encéphale reçoit sans cesse des milliards de « données » prenant la forme d'influx nerveux, qui le renseignent sur ce qui se passe à l'intérieur et à l'extérieur du corps. Il analyse l'information reçue et transmet aux organes, aux glandes et aux muscles des messages leur permettant de répondre de façon adéquate. L'encéphale, en particulier sa portion appelée cerveau, est le siège de la conscience, des émotions, de la mémoire, du langage et de la pensée.

À la base de l'encéphale émerge un cordon de tissu nerveux appelé moelle épinière, qui s'étend du tronc cérébral au bas du dos (43 cm/17 po). Ensemble, l'encéphale et la moelle épinière forment le système nerveux central (SNC). Ils sont renfermés dans des structures osseuses qui les protègent : le crâne (encéphale) et le canal rachidien (moelle épinière).

Naissant de l'encéphale et de la moelle épinière, le système nerveux périphérique s'étend à l'ensemble du corps. Il se compose principalement des nerfs rachidiens et crâniens et du système nerveux autonome. Les nerfs rachidiens assurent la transmission bidirectionnelle de l'information entre l'encéphale et le reste du corps. Ils émergent de la moelle épinière et sortent par des trous situés entre les vertèbres. Les fibres sensitives des nerfs rachidiens reçoivent les stimuli de la peau et des organes internes, et les fibres motrices de ces nerfs déclenchent la contraction des muscles squelettiques. Les nerfs crâniens naissent sous la base de l'encéphale. Ils acheminent l'information sensorielle et contrôlent différents muscles, surtout dans les régions de la tête et du cou.

Le système nerveux autonome joue le rôle clé dans l'accomplissement des fonctions involontaires. La respiration, les battements du cœur, la sudation, la circulation et la digestion en dépendent, tout comme les muscles des vaisseaux sanguins et des viscères et les activités de diverses glandes. Il se compose des systèmes nerveux sympathique et parasympathique. Le sympathique augmente la fréquence cardiaque, diminue le calibre des vaisseaux sanguins et dilate les voies respiratoires. Le parasympathique lui est antagoniste : il ralentit la fréquence cardiaque, diminue le calibre des voies respiratoires et augmente la sécrétion de sucs digestifs.

L'ENCÉPHALE ET LES PRINCIPAUX NERFS

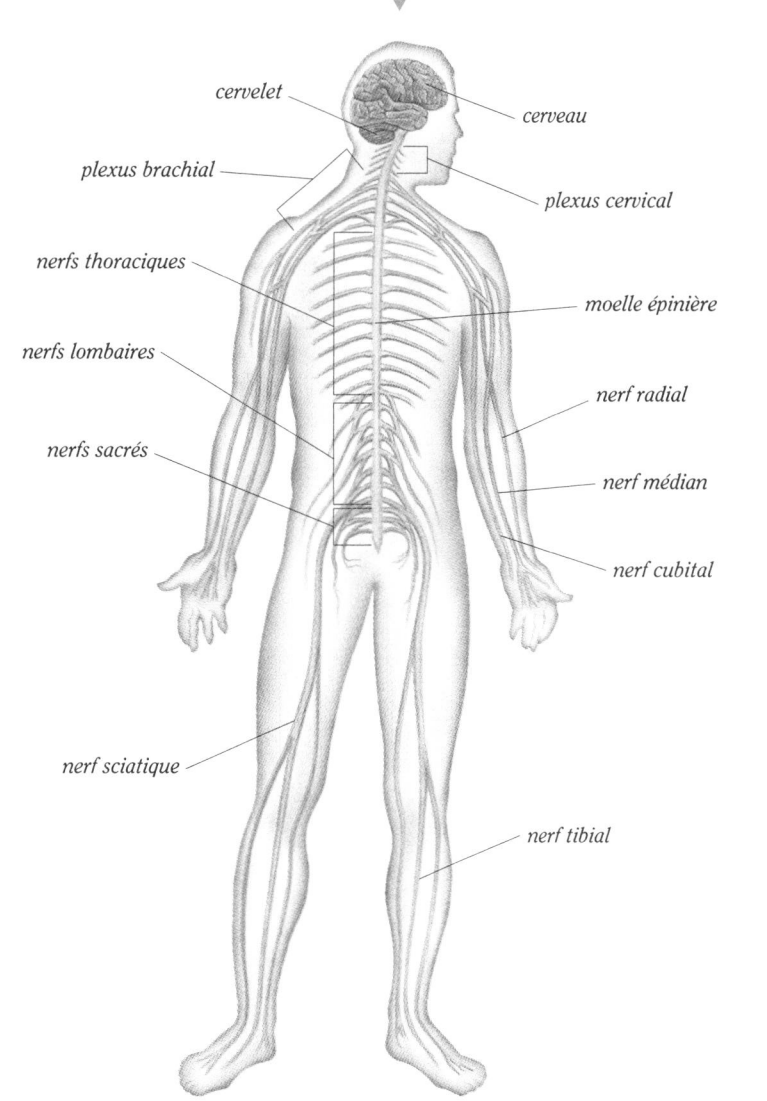

cervelet

cerveau

plexus brachial

plexus cervical

nerfs thoraciques

moelle épinière

nerfs lombaires

nerf radial

nerfs sacrés

nerf médian

nerf cubital

nerf sciatique

nerf tibial

L'élément fondamental du système nerveux est la cellule nerveuse, ou neurone. Le cerveau, qui pèse 1,5 kg (3 lbs), renferme des milliards de neurones. Chaque neurone présente un corps cellulaire nucléé, un axone et des dendrites. L'axone, qui peut mesurer 1 m (3 pi), est un prolongement du neurone ; il transmet les influx nerveux issus du corps cellulaire. Les dendrites sont aussi des prolongements du neurone ; elles reçoivent les influx nerveux provenant d'autres neurones. Chaque neurone entre en contact avec un neurone adjacent en un point appelé synapse. Quand un neurone est stimulé, un influx nerveux parcourt l'axone jusqu'à la synapse. À la synapse, l'influx déclenche la libération de neurotransmetteurs, substances chimiques qui se lient à des sites récepteurs sur une cellule cible et stimulent une réponse à l'intérieur de celle-ci. Les influx, de nature électrique ou chimique, cheminent rapidement de neurone en neurone jusqu'à ce que le message parvienne à destination et produise l'effet utile.

La stabilité de la fonction cérébrale est assurée par une barrière dite hémato-encéphalique. Cette barrière limite l'afflux de molécules au cerveau. Elle est formée d'une couche cellulaire très imperméable située dans les capillaires cérébraux, qu'entoure une couche d'astrocytes (cellules nerveuses de soutien). Les molécules relativement petites (oxygène, eau et de glucose) traversent facilement la barrière hémato-encéphalique, alors que bien des médicaments et des substances chimiques ne peuvent la traverser. Une encéphalite peut cependant rendre la barrière davantage perméable à de nombreux médicaments qui ne pourraient la traverser.

PRINCIPALES CLASSES DE PSYCHOTROPES

BENZODIAZÉPINES
Alprazolam
Chlordiazépoxide
Clonazépam
Clorazépate dipotassique
Diazépam
Flurazépam, chlorhydrate
Lorazépam
Oxazépam
Témazépam
Triazolam

ANTIPSYCHOTIQUES
Chlorpromazine, chlorhydrate
Clozapine
Fluphénazine
Halopéridol
Loxapine
Olanzapine
Perphénazine
Prochlorpérazine
Rispéridone
Thioridazine, chlorhydrate
Thiothixène
Trifluopérazine, chlorhydrate

ANTIMANIAQUES
Lithium

BARBITURIQUES
Amobarbital sodique
Amobarbital/Sécobarbital
Pentobarbital sodique
Phénobarbital

ANTIDÉPRESSEURS
Antidépresseurs tricycliques
Amitriptyline, chlorhydrate
Amoxapine
Clomipramine, chlorhydrate
Désipramine, chlorhydrate
Doxépine, chlorhydrate
Imipramine
Nortriptyline, chlorhydrate
Protriptyline, chlorhydrate

Inhibiteurs de la MAO
Phénelzine, sulfate
Tranylcypromine, sulfate

ISRS
Citalopram, bromhydrate
Fluoxétine, chlorhydrate
Fluvoxamine, maléate
Paroxétine, chlorhydrate
Sertraline, chlorhydrate

▼ MÉDICAMENTS NEUROLOGIQUES ET PSYCHIATRIQUES

Bon nombre d'affections touchant le système nerveux sont très complexes. Les modifications biochimiques, électriques et structurales du tissu nerveux et les anomalies vasculaires cérébrales sont à l'origine de la plupart des troubles neurologiques. L'amélioration des critères diagnostiques et une meilleure compréhension de la fonction cérébrale ont mené à des progrès thérapeutiques considérables ces dernières années. Néanmoins, la pharmacothérapie n'offre encore qu'un soulagement partiel des symptômes de certains troubles neurologiques.

◆ Analgésiques

Les tissus endommagés par un trauma, une infection ou une inflammation produisent des substances chimiques : les prostaglandines. Stimulés par ces substances, les neurones des tissus lésés envoient des influx nerveux au cerveau, qui les interprète comme de la douleur. Les analgésiques narcotiques et les analgésiques non narcotiques forment les principales classes de médicaments qu'on utilise pour soulager la douleur. Les analgésiques non narcotiques comme l'AAS et d'autres anti-inflammatoires non stéroïdiens (voir AINS, p. 26) inhibent la production de prostaglandines au niveau des tissus lésés ; ainsi, aucun message nociceptif ne parvient au cerveau. L'acétaminophène, analgésique non narcotique qui n'est pas un AINS, réduit la production de prostaglandines dans le cerveau, mais pas ailleurs dans le corps ; il ne diminue donc pas l'inflammation. Les analgésiques narcotiques, ou opioïdes, se lient à des récepteurs dans le cerveau et entravent la transmission des messages nociceptifs dans le cerveau et dans la moelle épinière.

◆ *Antimigraineux*

La migraine se caractérise par une intense douleur pulsatile causée par une constriction initiale des vaisseaux sanguins entourant le cerveau, suivie d'une dilatation des vaisseaux sanguins du cuir chevelu. Les médicaments qui servent à prévenir la migraine, comme le méthysergide, inhibent certaines substances chimiques qui provoquent la vasoconstriction initiale conduisant à la crise migraineuse. Les agents pris pour réprimer une crise aiguë, comme le sumatriptan, soulagent la douleur intense en exerçant un effet vasoconstricteur.

◆ *Anticonvulsivants*

Les crises épileptiques sont caractérisées par des épisodes d'activité électrique intracérébrale excessive, entraînant convulsions et altération de la conscience. Les anticonvulsivants peuvent prévenir les crises ou les interrompre. Ils inhibent les neurones cérébraux et préviennent l'activité électrique qui provoque les crises.

◆ *Antiparkinsoniens*

La maladie de Parkinson, trouble neurologique dégénératif caractérisé par le tremblement de la tête et des membres, la rigidité et l'aspect figé du faciès, résulte d'un déséquilibre de la dopamine et de l'acétylcholine dans le cerveau. Les antiparkinsoniens visent à rétablir l'équilibre normal de ces deux neurotransmetteurs. Les anticholinergiques diminuent les effets de l'acétylcholine en inhibant ses récepteurs dans le cerveau et en rétablissant l'équilibre normal entre elle et la dopamine. Les dopaminergiques augmentent l'activité de la dopamine et rétablissent l'équilibre naturel entre elle et l'acétylcholine.

◆ *Anxiolytiques*

L'anxiété, état de peur ou d'appréhension suscité par un danger mal défini, est la conséquence du déséquilibre de certaines substances chimiques dans le cerveau. Benzodiazépines et bêtabloquants forment les principales classes de médicaments servant à traiter cette affection. Les benzodiazépines semblent soulager l'anxiété en favorisant l'effet de l'acide gamma-aminobutyrique (GABA), une substance chimique du cerveau qui inhibe normalement l'activité cérébrale dans la portion du cerveau contrôlant les émotions. Les bêtabloquants, qui servent à traiter l'hypertension (voir p. 22), soulagent aussi les symptômes physiques de l'anxiété tels que tremblements et palpitations.

◆ *Sédatifs et hypnotiques*

Un sédatif ou un hypnotique peut servir à traiter une insomnie persistante réfractaire aux remèdes simples. La plupart des sédatifs diminuent les communications interneuronales, ce qui a pour effet de réduire l'activité cérébrale et de faciliter le sommeil. Les benzodiazépines sont les hypnotiques les plus fréquemment prescrits. Les barbituriques, déjà largement utilisés comme sédatifs, sont prescrits rarement contre l'insomnie de nos jours (risques de dépendance et de toxicité en cas de surdosage).

◆ *Antidépresseurs*

On utilise trois grands types de médicaments pour traiter la dépression majeure : les antidépresseurs tricycliques, les inhibiteurs sélectifs du recaptage de la sérotonine (ISRS) et les inhibiteurs de la monoamine-oxydase (IMAO). Chez les dépressifs, l'activité réduite des neurotransmetteurs se traduit par une stimulation insuffisante des neurones cérébraux. Les antidépresseurs tricycliques renforcent l'action des neurotransmetteurs en inhibant leur réabsorption, ce qui prolonge l'effet stimulateur de ces substances chimiques sur les neurones cérébraux. Les ISRS ralentissent le captage de la sérotonine par les neurones cérébraux. Les IMAO augmentent l'action des neurotransmetteurs excitateurs en inhibant la monoamine-oxydase, enzyme cérébrale qui dissocie ces substances chimiques.

◆ *Antipsychotiques*

Les psychoses (schizophrénie, trouble bipolaire et paranoïa) se caractérisent par l'altération de la pensée, des réactions émotionnelles et un comportements inapproprié. Dans certaines formes de psychoses, les neurones libèrent des quantités excessives de dopamine. On pense que l'hyperstimulation des neurones qui en résulte perturbe les processus de pensée et conduit à un comportement anormal. Les antipsychotiques se lient aux récepteurs de la dopamine sur les neurones cérébraux, ce qui a pour effet de rendre ces cellules moins sensibles à la dopamine et de diminuer la transmission des influx nerveux.

Système immunitaire et infections

Le système immunitaire défend le corps contre les microorganismes qui cherchent à l'envahir et même contre le comportement anormal de ses propres cellules. Le corps est constamment exposé à des millions de microbes, notamment des virus, des bactéries, des champignons et des protozoaires. (Ces organismes ne sont pas tous nuisibles : bien des bactéries inoffensives vivent à la surface de la peau, et certaines bactéries intestinales sont salutaires, car elles aident à produire des vitamines essentielles.)

Le corps a plusieurs moyens de défense contre les microorganismes pathogènes. Par exemple, la peau forme une barrière mécanique contre les invasions, alors que les sécrétions acides de l'estomac de même que les enzymes présentes dans les larmes et la salive constituent une barrière chimique contre l'infection. Les organismes infectieux qui parviennent à percer ces défenses sont attaqués.

Dans bien des cas, les organismes pathogènes provoquent une réaction inflammatoire initiale qui empêche la dissémination de l'infection. Ce type de réaction traduit la libération de prostaglandines et d'histamine par des tissus en réponse à une lésion causée par un organisme étranger. Ces deux substances chimiques attirent les leucocytes appelés neutrophiles, qui absorbent et détruisent les organismes envahisseurs.

Si la réaction inflammatoire rapide n'arrête pas l'infection, le système immunitaire peut mobiliser des leucocytes spécialisés appelés lymphocytes en vue d'éliminer les organismes étrangers. On connaît deux grandes classes de lymphocytes, soit celle des lymphocytes B et celle des lymphocytes T. Les lymphocytes B produisent des anticorps qui reconnaissent et neutralisent les organismes infectieux. Les lymphocytes T attaquent et détruisent directement les organismes envahisseurs en sécrétant de puissantes substances chimiques appelées lymphokines. Ils attaquent aussi les cellules cancéreuses, aidant de ce fait à prévenir la croissance des tumeurs. Après un premier contact avec un envahisseur, le système immunitaire produit des lymphocytes à mémoire T et B. Ces derniers reconnaîtront l'envahisseur en cas de contact ultérieur, ce qui permettra une réaction immunitaire plus rapide.

ORGANES DU SYSTÈME IMMUNITAIRE

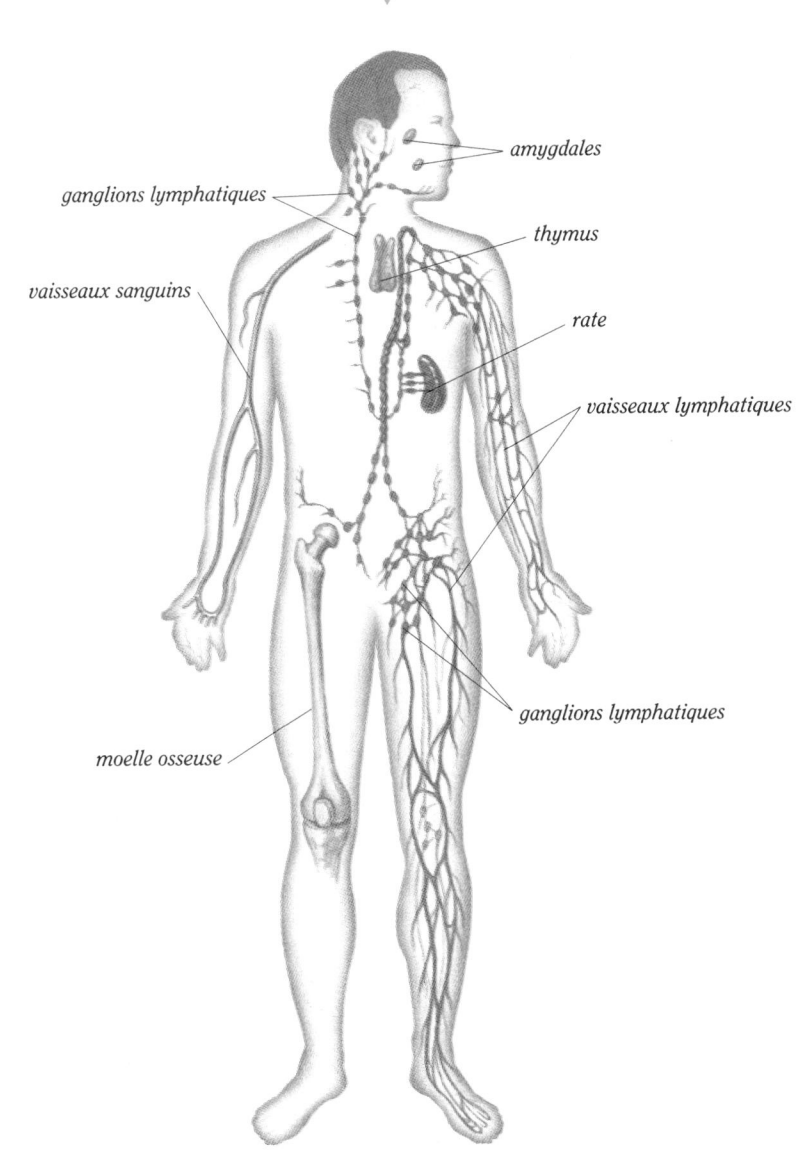

amygdales

ganglions lymphatiques

thymus

vaisseaux sanguins

rate

vaisseaux lymphatiques

ganglions lymphatiques

moelle osseuse

Les lymphocytes circulent dans le sang et sont présents dans la moelle osseuse, la rate, le thymus et les ganglions lymphatiques. On les trouve aussi dans la lymphe, liquide clair presque incolore qui circule dans les vaisseaux lymphatiques et est filtré par les ganglions lymphatiques, masses de tissu lymphoïde renfermées dans une capsule fibreuse. Tous les lymphocytes proviennent de cellules souches issues de la moelle osseuse. Certaines cellules souches migrent jusqu'aux ganglions lymphatiques et s'y transforment en lymphocytes B ; d'autres gagnent le thymus, s'y répliquent et y deviennent des lymphocytes T.

Les agents infectieux déjouent parfois les défenses de l'organisme. En outre, le système immunitaire peut se dérégler et s'attaquer aux tissus du corps, déterminant ainsi une affection auto-immune telle que la polyarthrite rhumatoïde. Il arrive aussi qu'il réagisse de façon excessive à la présence de substances relativement inoffensives. Les réactions allergiques sont caractérisées par la libération de quantités excessives de substances chimiques comme l'histamine, pouvant provoquer rashs, enflure et diminution du calibre des voies respiratoires.

Le vieillissement et divers médicaments peuvent porter atteinte au système immunitaire. Le VIH sape aussi la réaction immunitaire normale en envahissant et en détruisant peu à peu les lymphocytes T.

▼ MÉDICAMENTS DES MALADIES IMMUNITAIRES

◆ *Antibiotiques*

Les antibiotiques servent à combattre les germes pathogènes. Depuis la

---

PRINCIPALES CLASSES D'ANTIBACTÉRIENS

CÉPHALOSPORINES
Céfaclor
Céfadroxil
Céfazoline
Céfépime
Céfixime
Céfotétane disodique
Cefprozil
Céfuroxime
Céphalexine

AMINOSIDES
Gentamicine
Tobramycine

SULFAMIDES
Sulfasalazine
Sulfisoxazole systémique

PÉNICILLINES
Amoxicilline
Ampicilline
Bacampicilline, chlorhydrate
Pénicilline G
Pénicilline V

MACROLIDES/AZALIDES
Azithromycine
Clarithromycine
Érythromycine systémique

TÉTRACYCLINES
Doxycycline
Minocycline
Tétracycline, chlorhydrate

---

découverte de la pénicilline vers 1930, des centaines d'antibiotiques ont été mis au point. Dans bien des cas, ils constituent un moyen rapide, efficace et relativement peu coûteux de guérir des infections dont l'issue pourrait être fatale.

En général, le terme antibiotique désigne les médicaments qui détruisent les bactéries infectieuses ou inhibent leur croissance et leur propagation. Il existe toutefois d'autres types d'anti-infectieux. Les antiviraux, par exemple, exercent leur action contre les virus tels que le VIH, responsable du sida. Les antifongiques servent à traiter les infections fongiques, dont le pied d'athlète et la teigne. Les antiparasitaires sont efficaces contre la malaria, les vers de l'intestin, les poux et d'autres types de parasites.

Antibactériens. Les antibactériens servent à traiter de nombreuses infections attribuables à des bactéries pathogènes, dont les pneumonies

bactériennes ; certaines infections des yeux, des oreilles, de la peau, du sang ou des os ; et diverses maladies transmissibles sexuellement. Ils sont inefficaces contre les infections virales, comme le rhume et la grippe.

On divise les antibactériens en plusieurs classes, suivant leur structure chimique et leur activité contre des types particuliers de bactéries. Un sujet allergique à un antibiotique d'une classe donnée risque de l'être également aux antibiotiques apparentés.

Malheureusement, on continue de prescrire des antibiotiques pour traiter le rhume, la bronchite ou des infections des voies respiratoires supérieures d'origine virale, contre lesquels ils sont inefficaces. Le recours abusif à l'antibiothérapie a contribué à l'émergence de bactéries pharmacorésistantes insensibles à la plupart — voire à l'ensemble — des antibiotiques. Le fait que les patients cessent prématurément de suivre le traitement prescrit (souvent d'une durée de 10 jours ou plus) aggrave le problème. C'est une pratique dangereuse qui peut permettre la multiplication des bactéries les plus robustes, soit celles qui n'ont pas été éliminées au début de l'antibiothérapie. Il ne faut prendre un antibiotique que lorsque c'est nécessaire.

Antiviraux. Bien qu'il n'y ait toujours pas de remède contre le rhume banal, l'émergence du sida a stimulé la mise au point de nouveaux médicaments actifs contre différents virus, dont le VIH, le cytomégalovirus (CMV) et les herpèsvirus. Les pharmacothérapies antivirales s'avèrent particulièrement ardues, car les virus, contrairement aux autres organismes infectieux, s'insinuent dans des cellules par ailleurs saines, dites cellules hôtes, et utilisent leurs mécanismes génétiques pour se multiplier. La plupart des tentatives d'inhibition ou d'élimination des virus sont aussi très susceptibles de léser les cellules hôtes normales.

Les inhibiteurs de la protéase (mésylate de saquinavir, ritonavir et sulfate d'indinavir) forment un nouveau groupe prometteur d'agents antisida. Ils inhibent la production de la protéase, enzyme virale essentielle à la réplication du VIH.

◆ *Antihistaminiques et antiallergiques*

Un large éventail de substances ou de facteurs (allergènes) sont susceptibles de déclencher une réaction allergique. Les pollens, la poussière et les moisissures, par exemple, déclenchent fréquemment les allergies saisonnières et le rhume des foins (rhinite allergique). Certains aliments, médicaments ou plantes et même le froid ou l'exercice peuvent aussi déclencher une réaction allergique.

En général, les allergies se constituent au fil du temps après des expositions répétées à un allergène donné. Le corps se protège contre celui-ci en libérant une substance inflammatoire appelée histamine. S'ensuivent des symptômes familiers : éternuement, reniflement, rougeur oculaire et larmoiement, respiration sifflante, asthme, prurit et urticaire. Les réactions allergiques graves peuvent mettre la vie en danter (voir À surveiller, p. 18).

Les antihistaminiques, médicaments qui empêchent l'effet irritant de l'histamine sur les tissus, peuvent être très efficaces pour soulager les symptômes d'allergie. Ils sont souvent associés à un décongestionnant, qui diminue l'œdème des muqueuses nasales. Certains antihistaminiques causent de la somnolence ; cet effet peut les rendre utiles si on cherche à favoriser le sommeil. On utilise également les antihistaminiques pour soulager le mal des transports et le vertige.

Il y a d'autres médicaments qui servent à traiter les allergies. Le cromoglycate sodique empêche la libération de l'histamine. Pris avant l'exposition à un allergène, il peut prévenir les symptômes d'allergie. Les corticostéroïdes (voir p. 35 et 46) peuvent aussi être efficaces contre les allergies.

◆ *Immunosuppresseurs*

Les médicaments qui suppriment ou diminuent la réaction immunitaire sont essentiels à la réussite des greffes d'organes. Les cellules du système immunitaire cherchent à détruire tout organe étranger introduit dans l'organisme, comme s'il s'agissait d'un virus ou d'une bactérie. Presque tous les greffés doivent prendre de nombreux médicaments pendant le reste de leur vie pour court-circuiter ce mécanisme.

ANTIHISTAMINIQUES

ANTIHISTAMINIQUES

Bromphéniramine, maléate
Cétirizine
Chlorphéniramine orale, maléate
Clémastine, fumarate
Cyproheptadine, chlorhydrate
Dimenhydrinate
Diphenhydramine, chlorhydrate
Fexofénadine
Hydroxyzine
Lévocabastine
Loratadine
Olopatadine
Prométhazine, chlorhydrate
Triprolidine, chlorhydrate

Les piliers du traitement postgreffe sont la cyclosporine et le tacrolimus, un nouveau médicament plus puissant. Tous deux inhibent les lymphocytes T qui détruisent les tissus, mais ils ont un effet minime sur les lymphocytes B, producteurs d'anticorps.

Les greffés peuvent également prendre des médicaments comme la prednisone, l'azathioprine et le cyclophosphamide, qui modifient certains phénomènes chimiques intervenant dans la réaction immunitaire. Il y a aussi les nouveaux médicaments tels que le mofétilmycophénolate. Pris avec la cyclosporine ou le tacrolimus, ils préviennent le rejet sans empêcher l'organisme de combattre la maladie.

Les corticostéroïdes et les autres agents dotés d'effets immunosuppresseurs servent en outre à traiter certains cancers, la polyarthrite rhumatoïde, le lupus et d'autres affections associées à une réaction immunitaire excessive.

En principe, le médecin dispose d'un certain nombre de médicaments pour traiter une affection donnée. Il choisira un médicament ou une association de médicaments en fonction de la durée et de la gravité de l'affection, des traitements médicamenteux en cours, de l'âge et de l'état de santé général du patient et des affections coexistantes. Au moment de prescrire un médicament, le médecin doit également tenir compte d'autres facteurs, dont les allergies aux médicaments et les antécédents médicamenteux.

Le patient qui croit que son médicament est inefficace ou qui ne peut tolérer les effets indésirables de celui-ci doit en parler à son médecin. Des options médicamenteuses de rechange peuvent exister. Le patient ne doit pas interrompre son traitement à l'insu du médecin ni prendre les médicaments d'ordonnance d'une autre personne.

Les médicaments mentionnés dans le Guide sont groupés ici en fonction des maladies qu'ils servent normalement à traiter. La présente section constitue une liste non exhaustive destinée à donner une idée générale des indications des médicaments.

Il ne faut pas s'alarmer si le médicament que l'on prend contre une affection ne figure pas parmi ceux qui servent à la traiter ou si cette affection ne fait pas partie des indications officielles du médicament. Dès qu'un médicament est homologué au regard d'une indication, les médecins peuvent le prescrire à d'autres fins. C'est une pratique courante souvent efficace appelée « usage non approuvé ».

Il faut aussi savoir que le Programme d'accès spécial de Santé Canada permet, dans certaines circonstances, de se procurer des médicaments non commercialisés au pays.

ABANDON DU TABAC
Bupropion
Nicotine

ACNÉ
Adapalène
Benzoyle, peroxyde
Clindamycine
Doxycycline
Érythromycine/trétinoïne topique
Éthinylœstradiol/cyprotérone, acétate
Isotrétinoïne
Minocycline
Soufre topique
Tazarotène
Tétracycline, HCl
Trétinoïne

AFFECTION INTESTINALE INFLAMMATOIRE
Aminosalicylate de sodium
Bétaméthasone systémique
Budésonide
Cortisone orale
Dexaméthasone systémique
Hydrocortisone systémique

Hydrocortisone topique
Mesalamine
Méthylprednisolone
Olsalazine sodique
Prednisolone systémique
Prednisone
Sulfasalazine
Triamcinolone systémique

ALCOOLISME
Disulfirame
Naltrexone

ALLERGIES ET RÉACTIONS ALLERGIQUES
Béclométhasone à inhaler et nasale
Bétaméthasone systémique
Bromphéniramine
Budésonide
Cétirizine
Chlorphéniramine orale, maléate
Clémastine, fumarate
Cortisone orale
Cromoglycate sodique ophtalmique
Cyproheptadine, HCl
Dexaméthasone systémique

Dexaméthasone ophtalmique
Diphenhydramine, HCl
Épinéphrine, HCl
Fexofénadine, HCl
Fexofénadine/pseudo-éphédrine
Flunisolide
Hydrocortisone systémique
Hydroxyzine, HCl
Loratadine
Loratadine/pseudoéphédrine
Méthylprednisolone
Mométasone nasale, furoate
Olopatadine, HCl
Oxymétazoline nasale
Prednisolone systémique
Prednisolone ophtalmique
Prednisone
Prométhazine, HCl
Triamcinolone systémique
Triamcinolone à inhaler et nasale
Triprolidine, HCl

ALLERGIES AU VENIN D'ABEILLE
Épinéphrine, HCl

ALOPÉCIE
Finastéride
Minoxidil topique

AMIBIASES
Chloroquine
Métronidazole

AMYGDALITE
Céfaclor
Céfadroxil
Céfépime
Céfixime
Cefprozil
Céfuroxime

ANALGÉSIQUES
AAS
AAS/caféine
Acétaminophène
Acétaminophène/codéine, phosphate
Acide méfénamique
Benzocaïne
Butorphanol, tartrate
Clonidine, HCl
Codéine
Diclofénac systémique
Diflunisal

Étodolac
Fénoprofène calcique
Fentanyl transdermique
Hydromorphone, HCl
Ibuprofène
Kétoprofène
Kétorolac systémique, trométhamine
Lidocaïne topique, HCl
Mépéridine, HCl
Méthadone, HCl
Morphine
Nalbuphine, HCl
Naproxen
Nifédipine
Oxycodone, HCl
Oxycodone/AAS
Oxycodone/ acétaminophène
Pentazocine
Prométhazine, HCl
Propoxyphène
Propoxyphène/ acétaminophène
Rofécoxib
Ropivacaïne, HCl monohydraté
Salsalate
Siméthicone
Sulindac
Tolmétine sodique

ANÉMIE
Acide folique
Bétaméthasone systémique
Cortisone orale
Dexaméthasone systémique
Époétine alfa
Fluoxymestérone
Hydrocortisone systémique
Leucovorine calcique
Méthylprednisolone
Prednisolone systémique

Prednisone
Sels ferreux
Triamcinolone systémique

ANGINE DE POITRINE
Amlodipine
Aténolol
Diltiazem, HCl
Isosorbide, dinitrate
Isosorbide, mononitrate
Métoprolol
Nadolol
Nicardipine orale, HCl
Nifédipine
Nitroglycérine
Propranolol, HCl
Vérapamil, HCl

ANGINE STREPTOCOCCIQUE
Azithromycine
Clarithromycine
Doxycycline
Érythromycine systémique

ANOREXIE
Mégestrol, acétate

ANXIÉTÉ
Alprazolam
Amobarbital sodique
Amobarbital/sécobarbital
Buspirone, HCl
Chlordiazépoxide
Clorazépate dipotassique
Diazépam
Hydroxyzine, HCl
Lorazépam
Maprotiline, HCl
Méprobamate
Oxazépam
Pentobarbital sodique
Perphénazine/amitriptyline

APHTES
Benzocaïne
Lidocaïne topique, HCl

ARTHRITE
AAS
AAS/caféine
Acétaminophène/caféine
Auranofine
Aurothiomalate de sodium
Azathioprine
Capsaïcine
Célécoxib
Cortisone orale
Dexaméthasone systémique
Diclofénac systémique
Diclofénac/misoprostol
Diflunisal
Étodolac
Fénoprofène calcique
Flurbiprofène oral
Hydrocortisone systémique
Hydroxychloroquine, sulfate
Ibuprofène
Indométhacine
Kétoprofène
Leflunomide
Méloxicam
Méthotrexate
Méthylprednisolone
Nabumétone
Naproxen
Oxaprozine
Pénicillamine
Piroxicam
Prednisolone systémique
Prednisone
Rofécoxib
Salsalate
Sulindac
Tolmétine sodique
Triamcinolone systémique

ARTHROSE
(voir Arthrite)

ARYTHMIE CARDIAQUE
Amiodarone
Digoxine
Diltiazem, HCl
Disopyramide
Flécaïnide, acétate
Mexilétine, HCl
Procaïnamide, HCl
Propafénone
Propranolol, HCl
Quinidine
Sotalol, HCl
Vérapamil, HCl

ASTHME
Aminophylline
Béclométhasone à inhaler et nasale
Bétaméthasone systémique
Budésonide
Cortisone orale
Cromoglycate sodique à inhaler et nasal
Dexaméthasone systémique
Éphédrine
Épinéphrine, HCl
Fénotérol
Flunisolide
Formotérol, fumarate
Kétotifène, fumarate
Métaprotérénol, sulfate
Méthylprednisolone
Montélukast
Nédocromil sodique à inhaler
Nifédipine
Prednisolone systémique
Prednisone
Salbutamol
Salmétérol, xinafoate
Salmétérol/fluticasone

Terbutaline, sulfate
Théophylline
Triamcinolone systémique
Triamcinolone à inhaler
Zafirlukast
Zileuton

BLENNORRAGIE

Amoxicilline
Céfépime
Céfixime
Céfotétane disodique
Céfuroxime
Érythromycine systémique
Gatifloxacine
Norfloxacine
Ofloxacine orale
Trovafloxacine

BOUTON DE FIÈVRE

Benzocaïne
Lidocaïne topique, HCl

BOUTONS

(voir Acné)

BRONCHITE

Acétylcystéine
Aminophylline
Amoxicilline
Ampicilline
Azithromycine
Céfépime
Céfixime
Cefprozil
Céfuroxime
Ciprofloxacine systémique
Clarithromycine
Doxycycline
Éphédrine
Épinéphrine, HCl
Érythromycine systémique
Fénotérol
Gatifloxacine
Ipratropium, bromure

Lévofloxacine
Minocycline
Moxifloxacine, HCl
Ofloxacine orale
Orciprénaline
Pénicilline V
Salbutamol
Salbutamol/ipratropium
Terbutaline, sulfate
Tétracycline, HCl
Théophylline
Triméthoprime/
   sulfaméthoxazole

BRÛLURES

Benzocaïne
Lidocaïne topique, HCl

BURSITE ET INFLAMMATION ARTICULAIRE

Bétaméthasone systémique
Cortisone orale
Dexaméthasone systémique
Hydrocortisone systémique
Méthylprednisolone
Prednisolone systémique
Triamcinolone systémique

CAILLOTS ET TROUBLES SANGUINS

Acide aminocaproïque
Clopidogrel, bisulfate
Daltéparine sodique
Dipyridamole
Énoxaparine sodique
   injectable
Ticlopidine, HCl
Warfarine

CALCULS

Ursodiol

CALVITIE

Minoxidil topique

CANCER

Alitrétinoïne
Altrétamine
Anastrozole
Capécitabine
Carmustine
Chlorambucil
Cyclophosphamide
Dacarbazine
Diéthylstilbœstrol
Estradiol
Estramustine, phosphate
   sodique
Étoposide
Exémestane
Fluorouracile (5-FU)
Fluoxymestérone
Flutamide
Goséréline, acétate
Hydroxyurée
Interféron alfa-2a
Interféron alfa-2b
Interféron bêta-1b
Interféron gamma-1b
Létrozole
Leucovorine calcique
Leuprolide, acétate
Lévamisole, HCl
Lévothyroxine sodique
Lomustine
Médroxyprogestérone,
   acétate
Mégestrol, acétate
Melphalan
Méthotrexate
Mitotane
Nilutamide
Octréotide, acétate
Œstrogènes conjugués
Paclitaxel injectable
Tamoxifène, citrate
Testostérone

CAPACITÉ MENTALE, DÉCLIN DE LA

Ergoloïdes, mésylates

CARENCE EN HORMONES THYROÏDIENNES

Lévothyroxine
   sodique

CARENCE VITAMINIQUE ET MINÉRALE/SUPPLÉMENTS ALIMENTAIRES

Bêta-carotène
Biotine
Calcitriol
Calcium
Folacine (acide folique,
   folate)
Potassium, chlorure
Vitamine A
Vitamine B1
Vitamine B2
Vitamine B3
Vitamine B6
Vitamine B12
Vitamine C
Vitamine D
Vitamine E
Vitamine K1

CÉPHALÉES (TENSIONNELLES, VASCULAIRES OU DUES À LA SINUSITE, MIGRAINES)

*(pour soulager les
   céphalées banales,
   voir Analgésiques)*
Acide valproïque
   (divalproex)
Butalbital/AAS/caféine
Butalbital/AAS/caféine/
   codéine
Dihydroergotamine,
   mésylate

Ergotamine/belladone/
   phénobarbital
Ergotamine/caféine
Méthysergide, mésylate
Naratriptan, HCl
Propranolol, HCl
Rizatriptan, benzoate
Sumatriptan, succinate
Timolol oral, maléate
Zolmitriptan

CHANCRE
Lindane
Pyréthrines et butoxyde de
   pipéronyle

CHLAMYDIOSE
Azithromycine
Érythromycine systémique
Ofloxacine orale
Sulfacétamide
Trovafloxacine

COLITE
(*voir Affection intestinale
   inflammatoire*)

COLITE SPASMODIQUE
(*voir Syndrome du côlon
   irritable*)

CONDYLOMES ACUMINÉS
Imiquimod
Interféron alfa-2b
Podofilox

CONGESTION, NEZ ET SINUS
Bromphéniramine
Chlorphéniramine orale,
   maléate
Clémastine, fumarate
Diphenhydramine, HCl
Éphédrine
Loratadine
Mométasone nasale, furoate

Oxymétazoline nasale
Phényléphrine systémique,
   HCl
Prométhazine, HCl
Pseudoéphédrine
Triprolidine, HCl

CONJONCTIVITE ALLERGIQUE
Bromphéniramine
Cétirizine
Chlorphéniramine orale,
   maléate
Clémastine, fumarate
Cyproheptadine, HCl
Dexaméthasone systémique
Dexaméthasone
   ophtalmique
Diphenhydramine, HCl
Émédastine, difumarate
Hydrocortisone systémique
Hydrocortisone ophtalmique
Kétorolac ophtalmique,
   trométhamine
Loratadine
Médrysone
Mométasone, furoate
Nédocromil sodique
   ophtalmique
Olopatadine
Prednisolone ophtalmique
Prométhazine, HCl

CONJONCTIVITE À BACILLE DE WEEKS
(*voir Infections et inflammation oculaires,
   Conjonctivite infectieuse*)

CONJONCTIVITE INFECTIEUSE
Ciprofloxacine ophtalmique
Érythromycine ophtalmique
Norfloxacine

Ofloxacine ophtalmique
Sulfacétamide

CONSTIPATION
Bisacodyl
Docusate
Glycérine rectale
Huile de ricin
Lactulose
Magnésium, citrate
Magnésium, oxyde
Phosphate de sodium/
   diphosphate de sodium
Psyllium
Séné

CONTRACEPTION
Contraceptifs oraux
   (produits combinés)
Contraceptifs oraux
   (progestatifs)
Implants de lévonorgestrel
Médroxyprogestérone,
   acétate

CONTRACEPTION, URGENCE
Lévonorgestrel

CONVULSIONS
(*voir Épilepsie*)

COQUELUCHE
Érythromycine systémique
Vaccin DCT

CRAMPES DES JAMBES
Pentoxifylline

CRISE PANIQUE
Alprazolam
Paroxétine, HCl

CRISES ÉPILEPTIQUES
(*voir Épilepsie*)

CYSTITE
(*voir Infections urinaires*)

DÉMENCE
Ergoloïdes, mésylates

DÉPRESSION
Amitriptyline, HCl
Amoxapine
Bupropion, HCl
Citalopram, bromhydrate
Désipramine, HCl
Doxépine, HCl
Fluoxétine, HCl
Fluvoxamine, maléate
Imipramine
Maprotiline, HCl
Mirtazapine
Néfazodone, HCl
Nortriptyline, HCl
Paroxétine, HCl
Phénelzine, sulfate
Sertraline, HCl
Tranylcypromine, sulfate
Trazodone
Venlafaxine

DIABÈTE
Acarbose
Chlorpropamide
Glyburide
Insuline aspart
Insuline glargine (ADN
   recombinant)
Insuline isophane
Insuline lispro (ADN
   recombinant)
Insuline ordinaire
Insuline ultralente
Metformine
Pioglitazone, HCl
Répaglinide
Rosiglitazone
Tolbutamide

DIABÈTE INSIPIDE
Desmopressine, acétate
Vasopressine

DIARRHÉE
Attapulgite
Bismuth, subsalicylate
Charbon activé
Diphénoxylate, HCl/
  atropine, sulfate
Lopéramide, HCl
Lopéramide/siméthicone

DIARRHÉE
DES VOYAGEURS
Lopéramide, HCl
Triméthoprime/
  sulfaméthoxazole

DIPHTÉRIE
Érythromycine systémique
Pénicilline G
Pénicilline V
Vaccin DCT

DOULEUR ET TROUBLES
DES VOIES URINAIRES
Béthanéchol, chlorure
Flavoxate
Méthénamine
Oxybutynine, chlorure
Pentosan sodique,
  polysulfate
Phénazopyridine, HCl

DRÉPANOCYTOSE
Hydroxyurée

DYSFONCTIONNEMENT
ÉRECTILE
(voir Impuissance)

DYSMÉNORRHÉE
Acide méfénamique
Diclofénac systémique
Ibuprofène

Kétoprofène
Naproxen

ECZÉMA
*(voir Irritations, inflam-
  mation et éruptions
  cutanées)*

ECZÉMA MARGINÉ
Acide undécylénique
Clotrimazole
Éconazole, nitrate
Griséofulvine
Kétoconazole topique
Miconazole
Terbinafine, HCl
Tolnaftate

ENDOMÉTRIOSE
Danazol
Goséréline, acétate
Leuprolide, acétate
Nafaréline, acétate
Noréthindrone

ÉNURÉSIE NOCTURNE
Desmopressine, acétate
Imipramine, HCl

ÉPILEPSIE
Acétazolamide
Acide valproïque
  (divalproex)
Carbamazépine
Clonazépam
Clorazépate dipotassique
Éthosuximide
Gabapentine
Lamotrigine
Pentobarbital sodique
Phénobarbital
Phénytoïne
Primidone
Topiramate

ÉRAFLURES
ET COUPURES
Bacitracine
Benzocaïne
Iode topique
Lidocaïne topique, HCl
Néomycine/polymyxine B/
  bacitracine topique

ÉRUPTIONS CUTANÉES
*(voir Irritations, inflam-
  mation et éruptions
  cutanées)*

ÉRYTHÈME FESSIER
Acide undécylénique
Clotrimazole
Éconazole, nitrate
Nystatine
Triamcinolone topique
Zinc, oxyde de

ÉTERNUEMENTS
Bromphéniramine
Chlorphéniramine orale,
  maléate
Clémastine, fumarate
Cyproheptadine, HCl
Diphenhydramine, HCl
Fexofénadine
Fexofénadine/
  pseudoéphédrine
Hydroxyzine, HCl
Loratadine
Loratadine/pseudoéphédrine
Mométasone nasale, furoate
Prométhazine, HCl

FATIGUE
Caféine

FIÈVRE
AAS
AAS/caféine
Acétaminophène

Ibuprofène
Naproxen
Salsalate

FIÈVRE POURPRÉE DES
MONTAGNES ROCHEUSES
Chloramphénicol oral
Doxycycline
Minocycline
Tétracycline, HCl

FIÈVRE TYPHOÏDE
Chloramphénicol oral
Ciprofloxacine systémique

GALE
Lindane
Perméthrine
Soufre topique

GAZ
Charbon activé
Lopéramide/siméthicone
Siméthicone

GINGIVITE
ET GINGIVOPATHIE
Chlorhexidine, gluconate
Doxycycline
Minocycline
Pénicilline G
Pénicilline V
Tétracycline, HCl

GLAUCOME
Acétazolamide
Bétaxolol ophtalmique
Brimonidine, tartrate
Brinzolamide
Dipivéfrine
Dorzolamide, HCl
Épinéphrine, HCl
Glycérine orale
Latanoprost
Lévobunolol
Pilocarpine ophtalmique

Timolol ophtalmique, maléate

GOITRE
Lévothyroxine sodique
Liothyronine sodique

GOUTTE
Allopurinol
Bétaméthasone systémique
Colchicine
Cortisone orale
Dexaméthasone systémique
Hydrocortisone systémique
Indométhacine
Méthylprednisolone
Naproxen
Prednisolone systémique
Prednisone
Probénécide
Sulfinpyrazone
Sulindac
Triamcinolone systémique

GRIPPE
Amantadine, HCl
Oseltamivir, phosphate
Vaccin antigrippal
Zanamivir

HÉMORRAGIES UTÉRINES ANORMALES
Estradiol
Médroxyprogestérone, acétate
Noréthindrone
Œstrogènes conjugués
Œstrogènes conjugués/ médroxyprogestérone
Progestérone systémique

HÉMORROÏDES
Benzocaïne
Hydrocortisone topique

HÉPATITE
Interféron alfa-2b
Interféron bêta-1b
Vaccin contre l'hépatite A
Vaccin contre l'hépatite A et l'hépatite B
Vaccin contre l'hépatite B

HERPÈS GÉNITAL
Acyclovir
Famciclovir
Valacyclovir

HERPÈS LABIAL
Acyclovir topique
Benzocaïne
Lidocaïne topique, HCl

HOQUET INCOERCIBLE
Chlorpromazine, HCl

HYPERACTIVITÉ AVEC DÉFICIT D'ATTENTION
Dexamphétamine, sulfate
Méthylphénidate, HCl

HYPERCHOLESTÉROLÉMIE
Atorvastatine
Cholestyramine
Colestipol, HCl
Fluvastatine
Gemfibrozil
Lovastatine
Pravastatine sodique
Simvastatine

HYPERTENSION ARTÉRIELLE
Acébutolol, HCl
Amiloride, HCl
Amlodipine
Aténolol
Aténolol/chlorthalidone
Benazépril, HCl
Bisoprolol, fumarate
Candésartan cilexétil

Captopril
Carvédilol
Chlorthalidone
Clonidine, HCl
Diltiazem, HCl
Doxazosine, mésylate
Énalapril/ hydrochlorothiazide
Énalapril, maléate
Félodipine
Fosinopril sodique
Furosémide
Guanéthidine, monosulfate
Hydralazine, HCl
Hydrochlorothiazide
Hydrochlorothiazide/ amiloride, HCl
Hydrochlorothiazide/ triamtérène
Indapamide
Irbesartan
Labétalol, HCl
Lisinopril
Lisinopril/ hydrochlorothiazide
Losartan potassique
Méthyldopa et méthyl- dopate, HCl
Métolazone
Métoprolol
Minoxidil oral
Nadolol
Nicardipine orale, HCl
Nifédipine
Perindopril erbumine
Pindolol
Pindolol/ hydrochlorothiazide
Prazosine
Propranolol, HCl
Quinapril, HCl
Quinapril, HCl/ hydrochlorothiazide

Ramipril
Spironolactone
Spironolactone/ hydrochlorothiazide
Telmisartan
Térazosine
Timolol/hydrochlorothiazide
Timolol oral, maléate
Trandolapril
Triamtérène
Valsartan
Valsartan/hydrochlorothiazide
Vérapamil, HCl

HYPERTROPHIE BÉNIGNE DE LA PROSTATE
Doxazosine, mésylate
Finastéride
Térazosine

HYPERTHYROÏDIE
Méthimazole
Propylthiouracil
Solution forte de Lugol

HYPOGLYCÉMIE
Diazoxide
Glucagon

HYPOTENSION ARTÉRIELLE
Midodrine, HCl

HYPOTHYROÏDIE
Lévothyroxine sodique
Liothyronine sodique

IMPÉTIGO
Mupirocine

IMPUISSANCE
Alprostadil injectable
Papavérine, HCl
Sildénafil, citrate
Yohimbine

INDIGESTION

(voir Reflux gastro-oesophagien et dyspepsie)

INFÉCONDITÉ

Bromocriptine, mésylate
Clomiphène, citrate
Progestérone systémique

INFECTION PAR LE VIH

(voir Sida)

INFECTIONS AURICULAIRES

Amoxicilline
Amoxicilline/clavulanate, potassium
Ampicilline
Bacampicilline, HCl
Céfépime
Céfixime
Cefprozil
Céfuroxime
Céphalexine
Chloramphénicol otique
Clarithromycine
Colistine/néomycine/ hydrocortisone otique
Dexaméthasone/ framycétine/gramicidine
Doxycycline
Érythromycine systémique
Gentamicine
Minocycline
Pénicilline G
Pénicilline V
Tétracycline, HCl
Triméthoprime/ sulfaméthoxazole

INFECTIONS ET INFLAMMATION OCULAIRES

Atropine ophtalmique, sulfate

Bromphéniramine
Chloramphénicol ophtalmique
Chlorphéniramine orale, maléate
Ciprofloxacine ophtalmique
Clémastine, fumarate
Cortisone orale
Cromoglycate sodique ophtalmique
Cyclosporine
Cyproheptadine, HCl
Dexaméthasone systémique
Dexaméthasone/ framycétine/gramicidine
Dexaméthasone ophtalmique
Diclofénac ophtalmique
Dimenhydrinate
Diphenhydramine, HCl
Érythromycine ophtalmique
Fexofénadine
Fexofénadine/ pseudoéphédrine
Foscarnet, sodium
Ganciclovir sodique
Gentamicine
Hydrocortisone systémique
Hydroxyzine, HCl
Idoxuridine
Kétorolac ophtalmique, trométhamine
Loratadine
Loratadine/pseudoéphédrine
Médrysone
Méthylprednisolone
Mométasone, furoate
Néomycine/polymyxine B/ bacitracine ophtalmique
Néomycine/polymyxine B/ hydrocortisone ophtalmique
Norfloxacine

Ofloxacine ophtalmique
Olopatadine
Oxymétazoline ophtalmique
Pilocarpine ophtalmique
Prednisolone systémique
Prednisolone ophtalmique
Prednisone
Prométhazine, HCl
Sulfacétamide
Triamcinolone systémique
Zinc en solution ophtalmique, sulfate

INFECTIONS PELVIENNES

Céfotétane disodique
Clindamycine
Gatifloxacine
Métronidazole
Trovafloxacine

INFECTIONS DES SINUS

Amoxicilline
Amoxicilline/clavulanate, potassium
Ampicilline
Bacampicilline, HCl
Clarithromycine
Doxycycline
Érythromycine systémique
Gatifloxacine
Lévofloxacine
Loracarbef
Minocycline
Moxifloxacine
Tétracycline, HCl

INFECTIONS URINAIRES

Acide nalidixique
Amoxicilline
Amoxicilline/clavulanate, potassium
Ampicilline
Bacampicilline, HCl
Céfaclor

Céfadroxil
Céfazoline
Céfépime
Céfixime
Céfotétane disodique
Céfuroxime
Céphalexine
Ciprofloxacine systémique
Doxycycline
Flavoxate
Flucytosine
Fosfomycine trométhamine
Gatifloxacine
Gentamicine
Lévofloxacine
Méthénamine et sels de méthénamine
Minocycline
Nitrofurantoïne
Norfloxacine
Ofloxacine orale
Pentosan sodique, polysulfate
Tétracycline, HCl
Tobramycine
Triméthoprime
Triméthoprime/ sulfaméthoxazole

INFECTIONS VÉSICALES

(voir Infections urinaires)

INSOMNIE

Chloral, hydrate
Diazépam
Diphenhydramine, HCl
Flurazépam, HCl
Lorazépam
Pentobarbital sodique
Témazépam
Triazolam
Zaleplon
Zolpidem

INSUFFISANCE CARDIAQUE

Captopril
Carvédilol
Digoxine
Énalapril, maléate
Lisinopril
Métoprolol
Nitroglycérine
Spironolactone

INSUFFISANCE PANCRÉATIQUE

Pancrélipase

INTERRUPTION DE LA LACTATION

Bromocriptine, mésylate

INTOXICATION

Charbon activé
Sirop d'ipéca

IRRITATION OU INFECTION VAGINALES

(voir aussi Levuroses)
Clindamycine
Estradiol
Estropipate
Médroxyprogestérone, acétate
Métronidazole
Œstrogènes conjugués
Œstrogènes conjugués/ médroxyprogestérone, acétate

IRRITATIONS, INFLAMMATION ET ÉRUPTIONS CUTANÉES

Benzocaïne
Bétaméthasone systémique
Bétaméthasone/clotrimazole
Bétaméthasone topique
Calamine

Cortisone orale
Dexaméthasone systémique
Fluticasone
Goudron de houille
Hydrocortisone systémique
Hydrocortisone topique
Lidocaïne topique, HCl
Méthylprednisolone
Mométasone topique, furoate
Prednisolone systémique
Prednisone
Soufre topique
Triamcinolone systémique
Triamcinolone topique

LEUCÉMIE

Bétaméthasone systémique
Busulfan
Chlorambucil
Cortisone orale
Cyclophosphamide
Dexaméthasone systémique
Hydrocortisone systémique
Hydroxyurée
Interféron alfa-2a
Interféron alfa-2b
Mercaptopurine
Méthotrexate
Méthylprednisolone
Mitoxantrone, HCl
Prednisolone systémique
Prednisone
Thioguanine
Trétinoïne
Triamcinolone systémique

LEVUROSES VAGINALES

Clotrimazole
Éconazole, nitrate
Fluconazole
Miconazole
Nystatine

Terconazole
Tioconazole

LISTÉRIOSE

Érythromycine systémique
Pénicilline G

LUPUS

Bétaméthasone systémique
Cortisone orale
Cyclophosphamide
Dexaméthasone
Fluticasone
Hydrocortisone topique
Hydroxychloroquine, sulfate
Méthylprednisolone
Mométasone topique, furoate
Prednisolone systémique
Triamcinolone systémique

MAL D'ALTITUDE

Acétazolamide

MAL DES MONTAGNES (MALADIE DE LA HAUTE ALTITUDE)

Acétazolamide

MAL DES TRANSPORTS

Dimenhydrinate
Diphenhydramine, HCl
Méclizine
Prométhazine, HCl
Scopolamine systémique

MALADIE D'ALZHEIMER

Donépézil, HCl
Rivastigmine, tartrate

MALADIE DE CROHN

(voir Affection intestinale inflammatoire)

MALADIE DE GILLES DE LA TOURETTE

Halopéridol

MALADIE DES LÉGIONNAIRES

Érythromycine systémique

MALADIE DE LOU GEHRIG

(voir Sclérose latérale amyotrophique)

MALADIE DE LYME

Céfuroxime
Vaccin contre la maladie de Lyme (lipoprotéine OspA recombinante)

MALADIE DE PAGET

Alendronate sodique
Calcitonine saumon
Étidronate disodique
Risédronate sodique

MALADIE DE PARKINSON

Amantadine, HCl
Benztropine, mésylate
Bipéridène
Bromocriptine, mésylate
Diphenhydramine, HCl
Lévodopa
Lévodopa/carbidopa
Pergolide, mésylate
Pramipexole
Procyclidine
Ropinirole, HCl
Sélégiline, HCl
Trihexyphénidyle, HCl

MALADIE DE LA THYROÏDE

(voir Hyperthyroïdie, Hypothyroïdie)

MALADIE/SYNDROME DE CUSHING

Dexaméthasone systémique

MALARIA
Chloroquine
Doxycycline
Hydroxychloroquine, sulfate
Méfloquine, HCl
Primaquine
Quinidine

MASTOSE SCLÉROKYSTIQUE
Danazol

MÉLANOME
Hydroxyurée
Interféron bêta-1b
Melphalan

MÉNOPAUSE
Ergotamine/belladone/
  phénobarbital
Estradiol
Estropipate
Œstrogènes conjugués
Œstrogènes conjugués/
  médroxyprogestérone,
  acétate

MENSTRUATIONS, RÉGULATION DES
Bromocriptine, mésylate
Médroxyprogestérone,
  acétate
Noréthindrone
Progestérone systémique

MIGRAINES
(voir Céphalées)

MORSURES ET PIQÛRES D'INSECTES
Benzocaïne
Calamine
Épinéphrine, HCl
Lidocaïne topique, HCl

MUCOVISCIDOSE
Acétylcystéine
Amiloride, HCl
Dornase alfa
Tobramycine

MUGUET
Clotrimazole
Fluconazole
Kétoconazole oral
Miconazole
Nystatine

MYASTHÉNIE
Néostigmine

MYCOSES
Amphotéricine B
Bétaméthasone/clotrimazole
Clotrimazole
Éconazole, nitrate
Fluconazole
Itraconazole
Kétoconazole oral
Kétoconazole topique
Miconazole
Nystatine
Terbinafine, HCl
Terconazole
Tolnaftate

NARCOLEPSIE
Dexamphétamine, sulfate
Éphédrine
Méthylphénidate, HCl

NAUSÉES ET VOMISSEMENTS
(voir aussi Mal des
  transports)
Bismuth, subsalicylate
Chlorpromazine, HCl
Dronabinol
Hydroxyzine, HCl
Métoclopramide, HCl

Ondansétron, HCl
Perphénazine
Prochlorpérazine
Prométhazine, HCl

NÉVRALGIE/DYSFONC-TIONNEMENT NERVEUX
(voir aussi Névralgie
  faciale)
Capsaïcine
Nimodipine

NÉVRALGIE FACIALE (TIC DOULOUREUX DE LA FACE)
Carbamazépine

NÉPHROLITHES
Allopurinol

OBÉSITÉ
Diéthylpropion, HCl
Orlistat
Phentermine
Sibutramine, HCl
  monohydraté

ODONTALGIE
Benzocaïne

ŒDÈME
(voir Rétention hydrique)

ONYCHOMYCOSES
Griséofulvine
Terbinafine, HCl

OREILLONS
Vaccin contre la rougeole,
  les oreillons et la rubéole

OSTÉOPOROSE
Alendronate sodique
Calcitonine saumon
Estradiol
Estropipate
Étidronate disodique/
  calcium, carbonate

Œstrogènes conjugués
Œstrogènes conjugués/
  médroxyprogestérone,
  acétate
Raloxifène, HCl
Risédronate sodique

OXYUROSE
Mébendazole
Pipérazine, citrate
Pyrantel, pamoate

PARASITOSES
(voir aussi Malaria)
Atovaquone
Mébendazole
Pentamidine, iséthionate
Pipérazine, citrate
Praziquantel
Pyrantel, pamoate

PÉDICULOSE
Lindane
Perméthrine
Pyréthrines et butoxyde de
  pipéronyle

PÉDICULOSE DU CUIR CHEVELU
Lindane
Perméthrine
Pyréthrines et butoxyde de
  pipéronyle

PELLICULES
Goudron de houille
Kétoconazole topique

PERTE PONDÉRALE
(voir Obésité)

PIED D'ATHLÈTE
Acide undécylénique
Buténafine, HCl
Clotrimazole
Éconazole, nitrate
Griséofulvine

Kétoconazole oral
Kétoconazole topique
Miconazole
Terbinafine, HCl
Tolnaftate

PLAIES ET COUPURES

Bacitracine
Benzocaïne
Iode topique
Lidocaïne topique, HCl
Néomycine/polymyxine B/
bacitracine topique

PNEUMONIE

Acétylcystéine
Amoxicilline
Amoxicilline/clavulanate,
potassium
Ampicilline
Atovaquone
Azithromycine
Bacampicilline, HCl
Céfaclor
Céfazoline
Céfépime
Céfotétane disodique
Céfuroxime
Céphalexine
Ciprofloxacine systémique
Clarithromycine
Clindamycine
Doxycycline
Érythromycine systémique
Flucytosine
Gatifloxacine
Gentamicine
Lévofloxacine
Linézolide
Métronidazole
Minocycline
Moxifloxacine
Ofloxacine orale
Pénicilline G

Pentamidine, iséthionate
Primaquine
Tétracycline, HCl
Tobramycine
Triméthoprime/
sulfaméthoxazole
Trovafloxacine
Vaccin antipneumo-
coccique

PNEUMOPATHIE

Aminophylline
Éphédrine
Épinéphrine, HCl
Fénotérol
Ipratropium, bromure
Orciprénaline
Phényléphrine systémique
Salbutamol
Salbutamol/ipratropium
Terbutaline, sulfate
Théophylline

POLYARTHRITE RHUMATOÏDE

(voir Arthrite)

POLYPES NASAUX

Béclométhasone à inhaler
et nasale
Bétaméthasone systémique
Budésonide
Cortisone orale
Dexaméthasone systémique
Flunisolide
Hydrocortisone systémique
Méthylprednisolone
Prednisolone systémique
Prednisone
Triamcinolone systémique

POULS IRRÉGULIER

(voir Arythmie
cardiaque)

PRÉVENTION DE L'INFARCTUS DU MYOCARDE

AAS
Aténolol
Clopidogrel, bisulfate
Dipyridamole
Métoprolol
Propranolol, HCl
Timolol oral, maléate
Warfarine

PROBLÈMES DE COMPORTEMENT CHEZ L'ENFANT

Halopéridol

PSORIASIS

Acitrétine
Bétaméthasone topique
Calcipotriène
Fluticasone
Goudron de houille
Hydrocortisone topique
Mométasone topique, furoate
Tazarotène

PYROSIS

Aluminium, sels
Cimétidine
Famotidine
Magaldrate
Magnésium, oxyde
Métoclopramide, HCl
Nizatadine
Oméprazole
Pantoprazole sodique
Ranitidine

REFLUX GASTRO-ŒSOPHAGIEN ET DYSPEPSIE

Aluminium, sels
Bismuth, sous-salicylate
Cimétidine

Famotidine
Lait de magnésie
Magaldrate
Magnésium
Nizatidine
Oméprazole
Pantoprazole sodique
Ranitidine
Siméthicone
Sodium, bicarbonate

REJET DE GREFFE

Azathioprine
Cyclosporine
Mofétilmycophénolate
Muromonab-CD3
Tacrolimus (FK506)

RESPIRATION SIFFLANTE

(voir Asthme)

RETARD DE CROISSANCE

Somatrem
Somatropine
Testostérone

RÉTENTION HYDRIQUE

Bumétanide
Étacrynate et acide
étacrynique
Furosémide
Hydrochlorothiazide
Hydrochlorothiazide/
amiloride, HCl
Hydrochlorothiazide/
triamtérène
Indapamide
Métolazone
Spironolactone
Triamtérène

RHINORRHÉE ET ÉCOULE-MENT POSTNASAL

Bromphéniramine
Cétirizine

Chlorphéniramine orale,
maléate
Clémastine, fumarate
Cyproheptadine, HCl
Dimenhydrinate
Diphenhydramine, HCl
Hydroxyzine, HCl
Ipratropium, bromure
Loratadine
Mométasone nasale, furoate
Oxymétazoline nasale
Prométhazine, HCl

RHUMATISME ARTICULAIRE AIGU

AAS
Érythromycine systémique
Pénicilline G
Pénicilline V
Salsalate

RHUME DES FOINS

(voir Allergies et réactions
allergiques)

RHUME ET TOUX

Acétaminophène
Bromphéniramine
Chlorphéniramine orale,
maléate
Codéine
Cyproheptadine, HCl
Dextrométhorphane
Diphenhydramine, HCl
Éphédrine
Guaifénésine
Phényléphrine systémique,
HCl
Phényléphrine ophtalmo-
logique, HCl
Prométhazine, HCl
Pseudoéphédrine
Pseudoéphédrine/
guaifénésine

RIDES

Trétinoïne

ROUGEOLE

Vaccin contre la rougeole,
les oreillons et la rubéole

RUBÉOLE

Vaccin contre la rougeole,
les oreillons et la rubéole

SCHIZOPHRÉNIE

(voir aussi Troubles
psychotiques)
Clozapine
Olanzapine
Quétiapine, fumarate

SCLÉROSE LATÉRALE AMYOTROPHIQUE

Riluzole

SCLÉROSE EN PLAQUES

Baclofène
Bétaméthasone systémique
Colchicine
Cortisone orale
Dexaméthasone systémique
Glatiramère, acétate
Hydrocortisone systémique
Interféron bêta-1a
Interféron bêta-1b
Méthylprednisolone
Prednisolone systémique
Prednisone
Triamcinolone systémique

SÉBORRHÉE

(voir Irritations, inflammation et éruptions
cutanées)

SENSATION VERTIGINEUSE

Dimenhydrinate
Méclizine
Prométhazine, HCl

SEVRAGE ALCOOLIQUE

Chlordiazépoxide
Clorazépate dipotassique
Diazépam
Hydroxyzine, HCl
Oxazépam

SIDA (INFECTION PAR LE VIH)

Abacavir, sulfate
Amprénavir
Cidofovir
Delavirdine
Didanosine (ddl)
Éfavirenz
Foscarnet, sodium
Ganciclovir sodique
Indinavir, sulfate
Interféron bêta-1b
Lamivudine
Lamivudine/zidovudine
Lopinavir/ritonavir
Nelfinavir
Névirapine
Rifabutine
Ritonavir
Saquinavir, mésylate
Stavudine
Zalcitabine (ddC)
Zidovudine

SOMNOLENCE

Caféine

SPASMES

Carisoprodol
Chlorzoxazone
Cyclobenzaprine
Dantrolène sodique
Méthocarbamol
Orphénadrine, citrate
Tizanidine, HCl

SYNDROME DU CÔLON IRRITABLE

Atropine/scopolamine/hyos
cyamine/phénobarbital
Dicyclomine, HCl
Lopéramide, HCl
Phénobarbital
Psyllium

SYNDROME DE DÉPÉRISSEMENT (CHEZ LE SIDÉEN)

Dronabinol
Mégestrol, acétate
Somatropine
Testostérone

SYPHILIS

Doxycycline
Érythromycine systémique
Minocycline
Pénicilline G
Tétracycline, HCl

TEIGNE

Acide undécylénique
Clotrimazole
Éconazole, nitrate
Griséofulvine
Kétoconazole topique
Miconazole
Terfénadine, HCl
Tolnaftate

TÉTANOS

Amobarbital sodique
Chlorpromazine, HCl
Pénicilline G
Pentobarbital sodique
Phénobarbital
Vaccin DCT

TOUX

Bromphéniramine,
maléate

Chlorphéniramine orale, maléate
Codéine
Dextrométhorphane
Diphenhydramine, HCl
Éphédrine
Guaifénésine
Hydromorphone, HCl
Morphine
Prométhazine, HCl
Pseudoéphédrine/ guaifénésine
Triprolidine, HCl

TOXICOMANIE
Méthadone, HCl
Naltrexone

TREMBLEMENTS
Propranolol, HCl

TROUBLE BIPOLAIRE
Lithium

TROUBLE BIPOLAIRE (PSYCHOSE MANIACO-DÉPRESSIVE)
Carbamazépine
Divalproex sodique
Lithium

TROUBLES OBSESSIONNELS COMPULSIFS
Clomipramine, HCl
Fluoxétine, HCl
Fluvoxamine, maléate
Paroxétine, HCl

TROUBLES PSYCHOTIQUES
Chlorpromazine, HCl
Clozapine
Fluphénazine
Halopéridol
Loxapine
Olanzapine
Perphénazine
Prochlorpérazine
Quétiapine, fumarate
Rispéridone
Thioridazine, HCl
Thiothixène
Trifluopérazine, HCl

TROUBLES DU SOMMEIL
(voir Insomnie, Narcolepsie)

TUBERCULOSE
Acétylcystéine
Aminosalicylate de sodium
Bétaméthasone systémique
Cortisone orale
Dexaméthasone systémique
Hydrocortisone systémique
Isoniazide
Méthylprednisolone
Prednisolone systémique
Prednisone
Pyrazinamide
Rifabutine
Rifampine
Rifapentine
Triamcinolone systémique

TYPHUS
Chloramphénicol oral
Doxycycline
Minocycline
Tétracycline, HCl

ULCÈRES
Aluminium, sels
Bicarbonate de sodium
Cimétidine
Clarithromycine
Famotidine
Glycopyrrolate
Lait de magnésie
Lansoprazole
Magaldrate
Magnésium, oxyde
Misoprostol
Nizatidine
Oméprazole
Pantoprazole sodique
Propanthéline, bromure
Ranitidine
Sucralfate

URTICAIRE
Bromphéniramine
Cétirizine
Chlorphéniramine orale, maléate
Clémastine, fumarate
Cyproheptadine, HCl
Dimenhydrinate
Diphenhydramine, HCl
Fexofénadine
Fexofénadine/ pseudoéphédrine
Hydroxyzine, HCl
Loratadine
Loratadine/pseudoéphédrine
Mométasone nasale, furoate
Prométhazine, HCl

VARICELLE
Acyclovir
Vaccin contre la varicelle

VERMINOSES
(voir Parasitoses)

VERTIGE
(voir Sensation vertigineuse)

VOMISSEMENTS
(voir aussi Nausées et vomissements)
Métoclopramide, HCl
Ondansétron, HCl
Prochlorpérazine
Prométhazine, HCl
Sirop d'ipéca (émétique)

ZONA
Acyclovir
Famciclovir
Valacyclovir, HCl

GUIDE COULEUR D'IDENTIFICATION

▼

Utilisation du guide couleur d'identification

La présente section est conçue pour aider les patients, leurs familles et leurs aidants à identifier certains médicaments en un clin d'œil.

Les 470 comprimés et gélules présentés dans ces 24 pages montrent un éventail de médicaments couramment prescrits. Diverses présentations peuvent être montrées.

Chaque médicament est photographié en dimensions réelles, et tous sont classés par couleurs pour faciliter la consultation. Commencez par chercher la couleur de la pilule que vous voulez identifier, puis sa forme et sa taille jusqu'à ce que vous en trouviez la reproduction exacte. (Parfois, un bleu est difficile à différencier d'un vert, ou un orange d'un rouge : n'oubliez pas de regarder les couleurs apparentées.)

Sous chaque médicament apparaît la dénomination commune (ou nom générique), suivie de la concentration du principe actif (en grammes, en milligrammes ou en microgrammes [μg]), du nom commercial et du nom du fabricant. Les médicaments qui ont leur photo couleur dans les tables d'identification sont signalés par la lettre « C » dans l'index principal. Il importe de noter que la reproduction d'un médicament ici n'implique aucunement que l'Association médicale canadienne, non plus que l'éditeur, recommande ce médicament de préférence à quelque autre produit semblable.

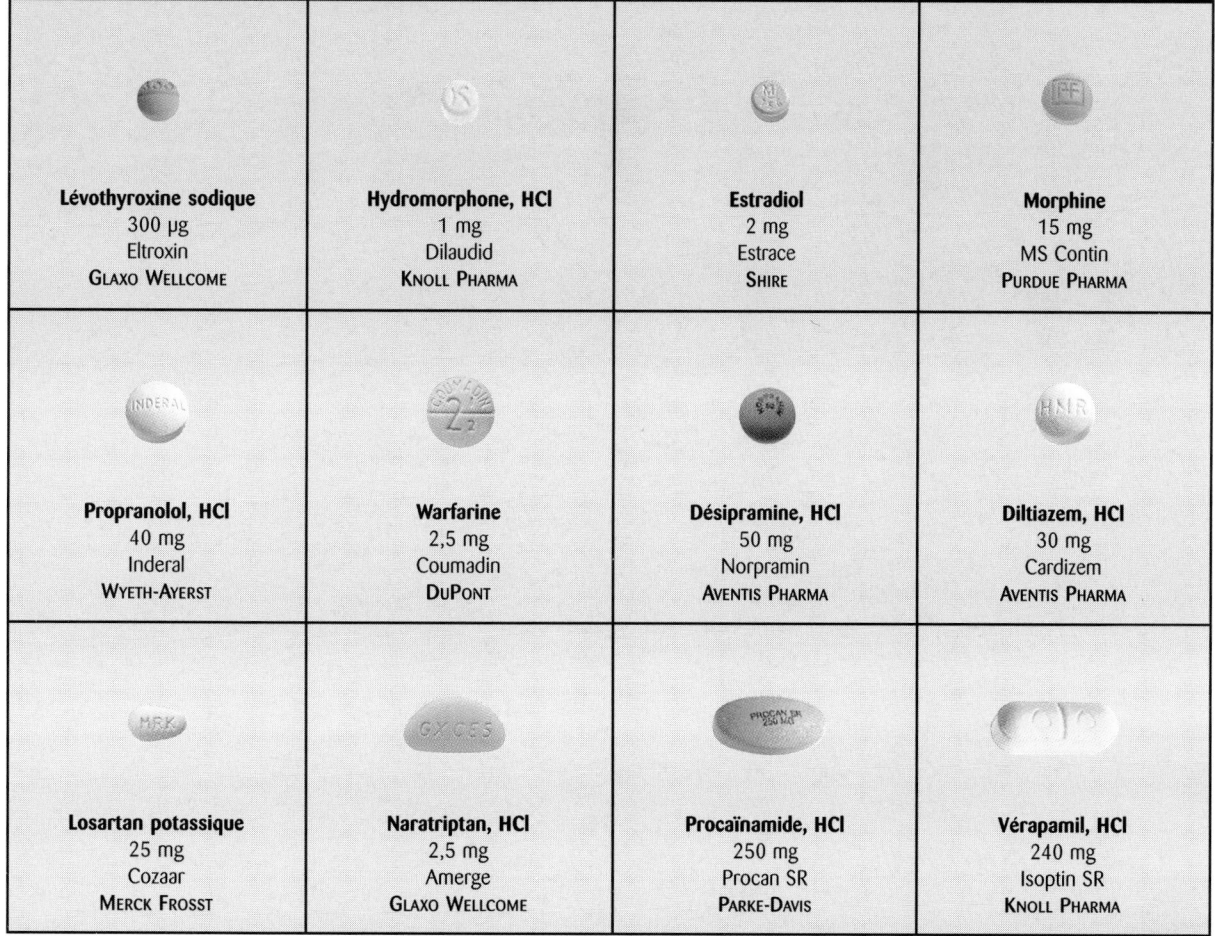

Lévothyroxine sodique 300 μg Eltroxin GLAXO WELLCOME	**Hydromorphone, HCl** 1 mg Dilaudid KNOLL PHARMA	**Estradiol** 2 mg Estrace SHIRE	**Morphine** 15 mg MS Contin PURDUE PHARMA
Propranolol, HCl 40 mg Inderal WYETH-AYERST	**Warfarine** 2,5 mg Coumadin DuPONT	**Désipramine, HCl** 50 mg Norpramin AVENTIS PHARMA	**Diltiazem, HCl** 30 mg Cardizem AVENTIS PHARMA
Losartan potassique 25 mg Cozaar MERCK FROSST	**Naratriptan, HCl** 2,5 mg Amerge GLAXO WELLCOME	**Procaïnamide, HCl** 250 mg Procan SR PARKE-DAVIS	**Vérapamil, HCl** 240 mg Isoptin SR KNOLL PHARMA

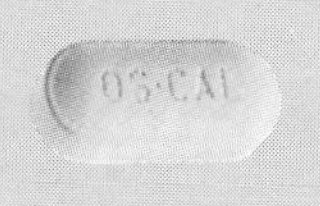

Calcium, carbonate 500 mg Os-Cal WYETH-AYERST	**Œstrogènes conjugués** 0,3 mg Premarin WYETH-AYERST	**Hydroxyurée** 500 mg Hydrea SQUIBB	**Disopyramide** 100 mg Rythmodan AVENTIS PHARMA
Ganciclovir sodique 250 mg Cytovene ROCHE	**Ganciclovir sodique** 500 mg Cytovene ROCHE	**Fluoxétine, HCl** 20 mg PMS-Fluoxetine PHARMASCIENCE	**Saquinavir** 200 mg Invirase ROCHE
Méthylphénidate, HCl 10 mg Ritalin NOVARTIS PHARMA	**Médroxyprogestérone, acétate** 5 mg Novo-Medrone NOVOPHARM	**Amitriptyline, HCl** 10 mg Elavil MERCK FROSST	**Métolazone** 5 mg Zaroxolyn AVENTIS PHARMA
Lévothyroxine sodique 150 µg Synthroid KNOLL PHARMA	**Bupropion, HCl** 100 mg Wellbutrin SR GLAXO WELLCOME	**Mégestrol, acétate** 40 mg Megace BRISTOL	**Lovastatine** 20 mg Apo-Lovastatin APOTEX
Propranolol, HCl 20 mg Inderal WYETH-AYERST	**Cyclophosphamide** 25 mg Cytoxan BRISTOL-MYERS SQUIBB	**Finastéride** 5 mg Proscar MERCK FROSST	**Triazolam** 0,25 mg Halcion PHARMACIA & UPJOHN

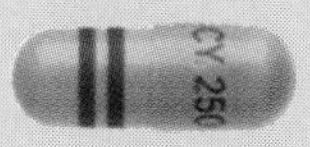

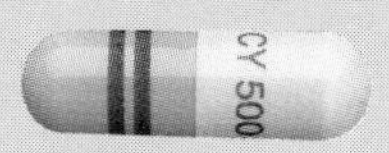

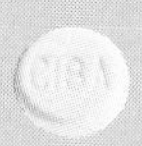

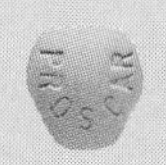

GUIDE COULEUR D'IDENTIFICATION

Lévodopa/Carbidopa
100/10 mg
Sinemet
DUPONT PHARMA

Flurbiprofène
100 mg
Ansaid
PHARMACIA & UPJOHN

Lévodopa/Carbidopa
250/25 mg
Sinemet
DUPONT PHARMA

Diphenhydramine, HCl
50 mg
Unisom
PFIZER

Sildénafil, citrate
50 mg
Viagra
PFIZER

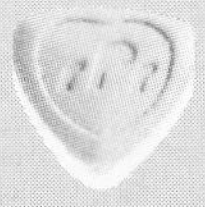

Acébutolol, HCl
200 mg
Sectral
AVENTIS PHARMA

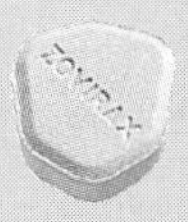

Acyclovir
200 mg
Zovirax
GLAXO WELLCOME

Sotalol, HCl
80 mg
Sotacor
BRISTOL

Estropipate
2,5 mg
Ogen
PHARMACIA & UPJOHN

Ramipril
10 mg
Altace
AVENTIS PHARMA

Sibutramine, HCl
10 mg
Meridia
KNOLL PHARMA

Méfénamique, acide
250 mg
Ponstan
PARKE-DAVIS

Vancomycine
125 mg
Vancocin
LILLY

Nelfinavir
250 mg
Viracept
AGOURON

Orlistat
120 mg
Xenical
ROCHE

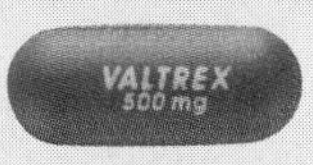

Valacyclovir, HCl
500 mg
Valtrex
GLAXO WELLCOME

Célécoxib
100 mg
Celebrex
SEARLE

Mofétilmycophénolate
250 mg
CellCept
ROCHE

Diltiazem, HCl
180 mg
Apo-Diltiaz CD
APOTEX

Itraconazole
100 mg
Sporanox
JANSSEN-ORTHO

Céfaclor 500 mg Apo-Cefaclor APOTEX	**Séné** 8,6 mg Senokot PURDUE PHARMA	**Diphenhydramine, HCl** 50 mg Nytol Ultra-fort (gélules-rapides) BLOCK DRUG	**Diltiazem HCl** 60 mg Cardizem SR AVENTIS PHARMA
Auranofine 3 mg Ridaura PALADIN	**Diltiazem, HCl** 120 mg Cardizem SR HOECHST MARION ROUSSEL	**Fludrocortisone** 0,1 mg Florinef SHIRE	**Estradiol** 1 mg Estrace SHIRE
Morphine 100 mg MS Contin PURDUE PHARMA	**Morphine** 30 mg MS Contin PURDUE PHARMA	**Warfarine** 2 mg Coumadin DUPONT PHARMA	**Acétaminophène** 80 mg Tylenol Croq'en bouche (saveur de raisin) MCNEIL, SOINS-SANTÉ GRAND PUBLIC
Bupropion, HCl 150 mg Wellbutrin SR GLAXO WELLCOME	**Acétaminophène** 160 mg Tylenol Comprimés à croquer pour enfants plus âgés MCNEIL, SOINS-SANTÉ GRAND PUBLIC	**Cyclosporine** 25 mg Neoral NOVARTIS PHARMA	**Pénicillamine** 125 mg Cuprimine MERCK FROSST
Rifampine 300 mg Rifadin AVENTIS PHARMA	**Cyclosporine** 100 mg Neoral NOVARTIS PHARMA	**Noréthindrone** 5 mg Norlutate PARKE-DAVIS	**Propanthéline, bromure** 15 mg Pro-Banthine SHIRE

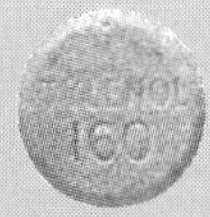

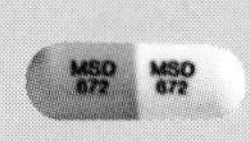

GUIDE COULEUR D'IDENTIFICATION

 **Indapamide** 2,5 mg Lozide SERVIER	 **Métolazone** 2,5 mg Zaroxolyn FISONS	 **Répaglinide** 2 mg GlucoNorm NOVO NORDISK	 **Médroxyprogestérone, acétate** 2,5 mg Provera PHARMACIA & UPJOHN
 **Lévothyroxine sodique** 200 µg Eltroxin GLAXO WELLCOME	 **Morphine** 60 mg MS Contin PURDUE PHARMA	 **Hydrochlorothiazide** 25 mg Apo-Hydro APOTEX	 **Oxycodone, HCl** 20 mg OxyContin PURDUE PHARMA
 **Quétiapine, fumarate** 25 mg Seroquel ASTRAZENECA	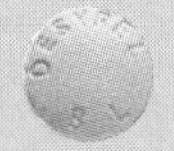 **Trazodone** 50 mg Desyrel BRISTOL	 **Bisoprolol, fumarate** 5 mg Monocor CRYSTAAL	 **Lévothyroxine sodique** 25 µg Synthroid KNOLL PHARMA
 **Midodrine, HCl** 5 mg Amatine KNOLL PHARMA	 **Candésartan cilexétil** 16 mg Atacand ASTRAZENECA	 **Primaquine, phosphate** 26,3 mg Primaquine SANOFI WINTHROP	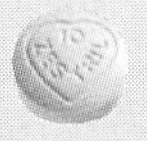 **Lisinopril** 10 mg Zestril ASTRAZENECA
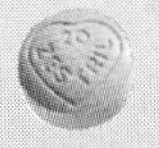 **Lisinopril** 20 mg Zestril ASTRAZENECA	 **Doxycycline** 100 mg Vibra-Tabs PFIZER	 **Amitriptyline, HCl** 50 mg Elavil MERCK FROSST	 **Oméprazole** 20 mg Losec ASTRAZENECA

GUIDE COULEUR D'IDENTIFICATION

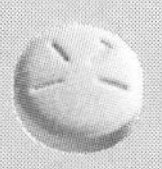 **Clopidogrel, bisulfate** 75 mg Plavix SANOFI-SYNTHELABO/BMS	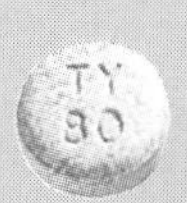 **Acétaminophène** 80 mg Tylenol Croq'en bouche (saveur de gomme à bulles) McNEIL, SOINS-SANTÉ GRAND PUBLIC	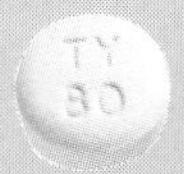 **Acétaminophène** 80 mg Tylenol Croq'en bouche (éclats de fruits) McNEIL, SOINS-SANTÉ GRAND PUBLIC	 **Félodipine** 5 mg Plendil ASTRAZENECA
 **Félodipine** 10 mg Plendil ASTRAZENECA	 **Fexofénadine** 60 mg Allegra AVENTIS PHARMA	 **Amiodarone** 200 mg Cordarone WYETH-AYERST	 **Nifédipine** 60 mg Adalat XL BAYER
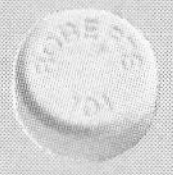 **Béthanéchol, chlorure** 10 mg Duvoid SHIRE	 **Carbamazépine** 100 mg Tegretol Chewtabs NOVARTIS PHARMA	 **Simvastatine** 10 mg Zocor MERCK FROSST	 **Venlafaxine** 37,5 mg Effexor WYETH-AYERST
 **Famotidine** 20 mg Pepcid MERCK FROSST	 **Lisinopril** 20 mg Prinivil MERCK FROSST	 **Diclofénac** 75 mg Voltaren SR NOVARTIS PHARMA	 **Enalapril, maléate** 10 mg Vasotec MERCK FROSST
 **Famotidine** 10 mg Pepcid AC JOHNSON & JOHNSON/MERCK	 **Ranitidine** 75 mg Zantac 75 GLAXO WELLCOME	 **Venlafaxine** 75 mg Effexor WYETH-AYERST	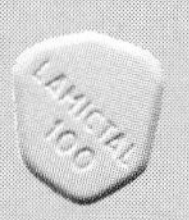 **Lamotrigine** 100 mg Lamictal GLAXO WELLCOME

 **Simvastatine** 40 mg Zocor MERCK FROSST	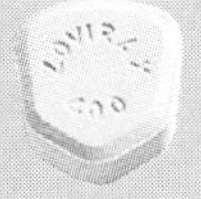 **Acyclovir** 400 mg Zovirax GLAXO WELLCOME	 **Fluconazole** 100 mg Apo-Fluconazole APOTEX	 **Rosiglitazone, maléate** 2 mg Avandia SMITHKLINE BEECHAM
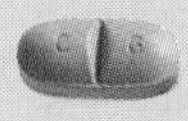 **Bénazépril, HCl** 20 mg Lotensin NOVARTIS PHARMA	 **Énalapril/Hydrochlorothiazide** 10/25 mg Vaseretic MERCK FROSST	**Valsartan/Hydrochlorothiazide** 80/12,5 mg Diovan-HCT NOVARTIS PHARMA	 **Néfazodone, HCl** 150 mg Serzone-5HT$_2$ BRISTOL-MYERS SQUIBB
 **Zalcitabine** 0,375 mg Hivid ROCHE	 **Paroxétine, HCl** 20 mg Paxil SMITHKLINE BEECHAM	 **Estropipate** 1,25 mg Ogen PHARMACIA & UPJOHN	 **Métoprolol** 50 mg Lopresor NOVARTIS PHARMA
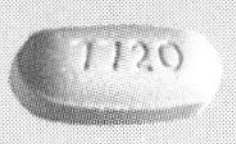 **Cefprozil** 250 mg Cefzil BRISTOL-MYERS SQUIBB	 **Lévofloxacine** 250 mg Levaquin JANSSEN-ORTHO	 **Diphenhydramine, HCl** 25 mg Benadryl WARNER-LAMBERT, SANTÉ GRAND PUBLIC	 **Lévofloxacine** 500 mg Levaquin JANSSEN-ORTHO
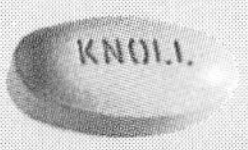 **Vérapamil, HCl** 180 mg Isoptin SR KNOLL PHARMA	 **Valproïque, acide** 250 mg Epival ABBOTT	 **Pentoxifylline** 400 mg Trental AVENTIS PHARMA	 **Acétylsalicylique, acide (AAS)** 500 mg Entrophen Extra-fort JOHNSON & JOHNSON/MERCK

GUIDE COULEUR D'IDENTIFICATION

Bismuth, sous-salicylate 262 mg Pepto-Bismol (caplets) PROCTER & GAMBLE	**Valproïque, acide** 500 mg Epival ABBOTT	**Nicotine** 2 mg Nicorette HOECHST MARION ROUSSEL	**Venlafaxine** 37,5 mg Effexor XR WYETH-AYERST
Diphenhydramine, HCl 50 mg Benadryl WARNER-LAMBERT, SANTÉ GRAND PUBLIC	**Doxépine, HCl** 50 mg Sinequan PFIZER	**Venlafaxine** 75 mg Effexor XR WYETH-AYERST	**Lithium, carbonate** 300 mg PMS-Lithium Carbonate PHARMASCIENCE
Imipramine 25 mg Tofranil NOVARTIS PHARMA	**Imipramine** 50 mg Tofranil NOVARTIS PHARMA	**Pseudoéphédrine** 30 mg Sudafed WARNER-LAMBERT, SANTÉ GRAND PUBLIC	**Phénazopyridine, HCl** 100 mg Pyridium PARKE-DAVIS
Tranylcypromine, sulfate 10 mg Parnate SMITHKLINE BEECHAM	**Chlorphéniramine, maléate** 12 mg Chlor-Tripolon SCHERING	**Phénelzine, sulfate** 15 mg Nardil PARKE-DAVIS	**Fluphénazine** 10 mg Moditen HCl SQUIBB
Acétylsalicylique, acide (AAS) 325 mg Entrophen JOHNSON & JOHNSON/MERCK	**Ibuprofène** 400 mg Motrin MCNEIL, SOINS-SANTÉ GRAND PUBLIC	**Siméthicone** 95 mg Ovol-95 CARTER HORNER	**Calcitriol** 0,25 µg Rocaltrol ROCHE

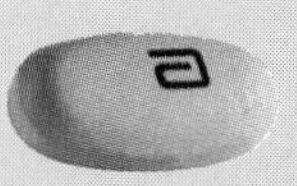

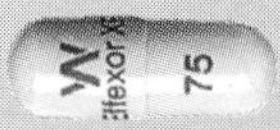

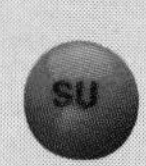

GUIDE COULEUR D'IDENTIFICATION

Œstrogènes conjugués 0,625 mg Premarin WYETH-AYERST	**Docusate** 100 mg Docusate Sodium TARO	**Prazosine** 1 mg Minipress PFIZER	**Amantadine, HCl** 100 mg Symmetrel DUPONT
Ibuprofène 200 mg Advil, caplets (gel) WHITEHALL	**Ibuprofène** 200 mg Advil WHITEHALL	**Éthosuximide** 250 mg Zarontin PARKE-DAVIS	**Ramipril** 5 mg Altace AVENTIS PHARMA
Doxépine, HCl 25 mg Sinequan PFIZER	**Ramipril** 2,5 mg Altace AVENTIS PHARMA	**Témazépam** 15 mg Restoril NOVARTIS PHARMA	**Piroxicam** 20 mg Feldene PFIZER
Piroxicam 10 mg Feldene PFIZER	**Fluvastatine** 20 mg Lescol NOVARTIS PHARMA	**Sertraline, HCl** 100 mg Apo-Sertraline APOTEX	**Clindamycine** 150 mg Dalacin C PHARMACIA & UPJOHN
Céfadroxil 500 mg Duricef BRISTOL	**Amoxicilline** 500 mg Amoxil WYETH-AYERST	**Venlafaxine** 150 mg Effexor XR WYETH-AYERST	**Amoxicilline** 500 mg Apo-Amoxi APOTEX

Docusate 240 mg Docusate Calcium ALBERT PMS	**Rifabutine** 150 mg Mycobutin PHARMACIA	**Hydromorphone, HCl** 2 mg Dilaudid KNOLL PHARMA	**Propranolol, HCl** 10 mg Inderal WYETH-AYERST
Dimenhydrinate 50 mg Gravol à croquer pour adultes CARTER HORNER	**Diclofénac** 50 mg Voltaren NOVARTIS PHARMA	**Maprotiline, HCl** 50 mg Ludiomil NOVARTIS PHARMA	**Clonazépam** 0,5 mg Rivotril ROCHE
Prochlorpérazine 10 mg Stemetil AVENTIS PHARMA	**Perphénazine/Amitriptyline** 4/10 mg Etrafon-A SCHERING	**Amoxapine** 50 mg Asendin WYETH-AYERST	**Warfarine** 5 mg Coumadin DUPONT
Quinapril, HCl 20 mg Accupril PARKE-DAVIS	**HCTZ/Triamtérène** 25/50 mg Dyazide SMITHKLINE BEECHAM	**Allopurinol** 300 mg Zyloprim GLAXO WELLCOME	**Ibuprofène** 50 mg Motrin pour enfants MCNEIL, SOINS-SANTÉ GRAND PUBLIC
Pénicilline V potassique 300 mg Novo-Pen-VK NOVOPHARM	**Simvastatine** 5 mg Zocor MERCK FROSST	**Simvastatine** 20 mg Zocor MERCK FROSST	**Énalapril** 2,5 mg Vasotec MERCK FROSST

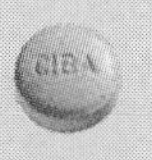

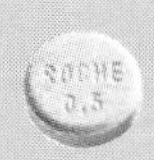

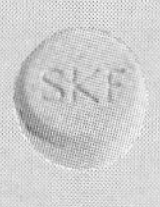

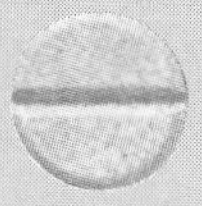

 **Lisinopril** 10 mg Prinivil MERCK FROSST	 **Cyclobenzaprine** 10 mg Flexeril MERCK FROSST	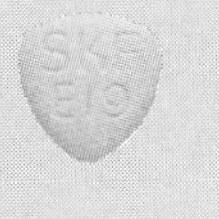 **Dextroamphétamine, sulfate** 5 mg Dexedrine SMITHKLINE BEECHAM	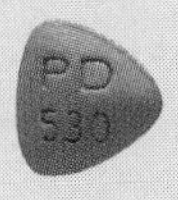 **Quinapril, HCl** 10 mg Accupril PARKE-DAVIS
 **Hydroxyzine** 10 mg Atarax PFIZER	 **Labétalol, HCl** 100 mg Trandate SHIRE	 **Quinapril, HCl** 5 mg Accupril PARKE-DAVIS	 **Ondansétron, HCl** 8 mg Zofran GLAXO WELLCOME
 **Lévodopa/Carbidopa** 200/50 mg Sinemet CR DUPONT	 **Mésalamine** 500 mg Mesasal SMITHKLINE BEECHAM	 **Valproïque, acide** 250 mg Depakene ABBOTT	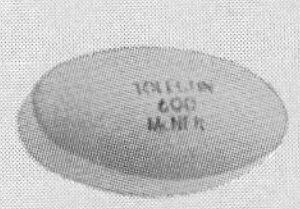 **Tolmétine sodique** 600 mg Tolectin JANSSEN-ORTHO
 **Céphalexine** 500 mg Novo-Lexin NOVOPHARM	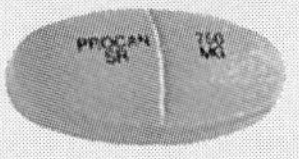 **Procaïnamide, HCl** 750 mg Procan SR PARKE-DAVIS	 **Acétazolamide** 500 mg Diamox « Sequels » WYETH-AYERST	 **Thiothixène** 5 mg Navane PFIZER
 **Phénytoïne** 100 mg Dilantin PARKE-DAVIS	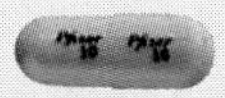 **Thiothixène** 10 mg Navane PFIZER	 **Zaleplon** 5 mg Starnoc SERVIER	 **Procaïnamide, HCl** 375 mg Pronestyl SQUIBB

GUIDE COULEUR D'IDENTIFICATION

Tamsulosine, HCl 0,4 mg Flomax BOEHRINGER INGELHEIM	**Dantrolène sodique** 100 mg Dantrium PROCTER & GAMBLE	**Stavudine** 20 mg Zerit BRISTOL-MYERS SQUIBB	**Érythromycine** 250 mg Eryc PARKE-DAVIS
Clomipramine, HCl 25 mg Anafranil NOVARTIS PHARMA	**Hydromorphone, HCl** 4 mg Dilaudid KNOLL PHARMA	**Létrozole** 2,5 mg Femara NOVARTIS PHARMA	**Digoxine** 0,125 mg Lanoxin GLAXO WELLCOME
Clozapine 25 mg Clozaril NOVARTIS PHARMA	**Amitriptyline, HCl** 25 mg Elavil MERCK FROSST	**Lévothyroxine sodique** 0,1 mg Eltroxin GLAXO WELLCOME	**Triamtérène** 50 mg Dyrenium-50 SMITHKLINE BEECHAM
Zolmitriptan 2,5 mg Zomig ASTRAZENECA	**Fluoxymestérone** 5 mg Halotestin PHARMACIA & UPJOHN	**Méthylphénidate, HCl** 20 mg Ritalin NOVARTIS PHARMA	**Oxazépam** 15 mg Serax WYETH-AYERST
Diazépam 5 mg Apo-Diazepam APOTEX	**Rofécoxib** 25 mg Vioxx MERCK FROSST	**Désipramine, HCl** 25 mg Norpramin AVENTIS PHARMA	**Diazépam** 5 mg Valium Roche ROCHE

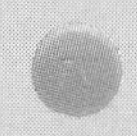

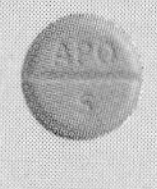

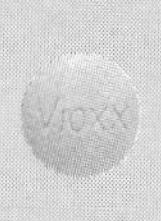

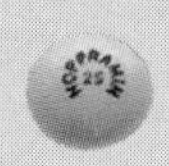

Félodipine 2,5 mg Plendil AstraZeneca	**Chlorphéniramine, Maléate** 4 mg Chlor-Tripolon Schering	**Furosémide** 40 mg Lasix Aventis Pharma	**Donépézil** 10 mg Aricept Pfizer
Thioguanine 40 mg Lanvis Glaxo Wellcome	**Propranolol, HCl** 80 mg Inderal Wyeth-Ayerst	**Vérapamil, HCl** 80 mg Isoptin Knoll Pharma	**Diltiazem, HCl** 60 mg Cardizem Aventis Pharma
Vérapamil, HCl 120 mg Isoptin Knoll Pharma	**Topiramate** 100 mg Topamax Janssen-Ortho	**Méthyldopa** 250 mg Aldomet Merck Frosst	**Sulfasalazine** 500 mg Salazopyrin Pharmacia & Upjohn
Flutamide 250 mg Euflex Schering	**Montélukast sodique** 10 mg Singulair Merck Frosst	**Amiloride, HCl** 5 mg Midamor Merck Frosst	**Chlorpropamide** 100 mg Diabinese Pfizer
Ondansétron, HCl 4 mg Zofran Glaxo Wellcome	**Pantoprazole sodique** 40 mg Pantoloc Solvay Pharma	**Isorbide, Mononitrate** 60 mg Imdur AstraZeneca	**Vitamine D** 50 000 UI Ostoforte Merck Frosst

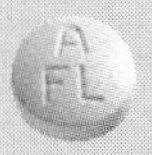

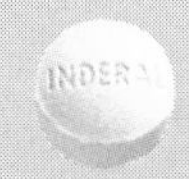

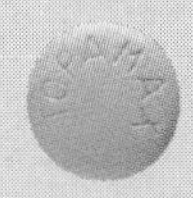

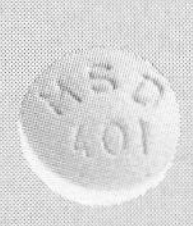

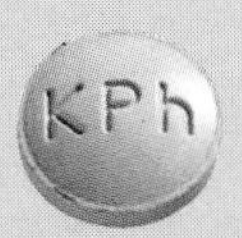

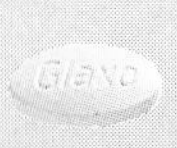

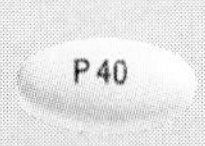

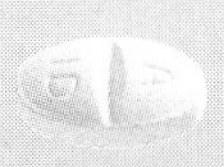

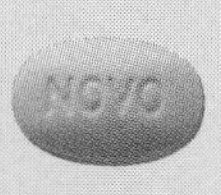 **Naproxène** 250 mg Novo-Naprox NOVOPHARM	 **Lévodopa/Carbidopa** 100/25 mg Sinemet DUPONT PHARMA	 **Œstrogènes conjugués** 1,25 mg Premarin WYETH-AYERST	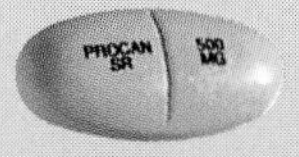 **Procaïnamide, HCl** 500 mg Procan PARKE-DAVIS
 **Clarithromycine** 250 mg Biaxin ABBOTT	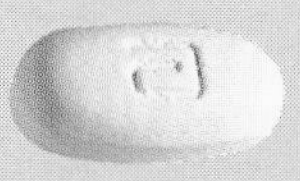 **Clarithromycine** 500 mg Biaxin ABBOTT	 **Ibuprofène** 600 mg Motrin MCNEIL, SOINS-SANTÉ GRAND PUBLIC	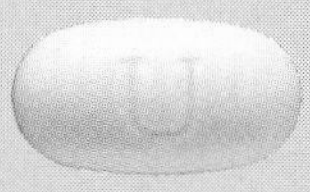 **Colestipol, HCl** 1 g Colestid PHARMACIA & UPJOHN
 **Bénazépril, HCl** 10 mg Lotensin NOVARTIS PHARMA	 **Bénazépril, HCl** 5 mg Lotensin NOVARTIS PHARMA	 **Azathioprine** 50 mg Imuran GLAXO WELLCOME	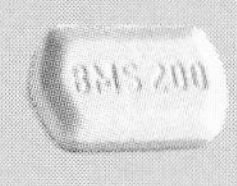 **Néfazodone, HCl** 200 mg Serzone-5HT$_2$ BRISTOL-MYERS SQUIBB
 **Naltrexone** 50 mg ReVia DUPONT	 **Abacavir, sulfate** 300 mg Ziagen GLAXO WELLCOME	 **Phentermine** 15 mg Ionamin AVENTIS PHARMA	 **Phentermine** 30 mg Ionamin AVENTIS PHARMA
 **Diltiazem, HCl** 90 mg Cardizem SR AVENTIS PHARMA	 **Lithium, carbonate** 300 mg Lithane PFIZER	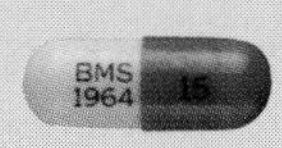 **Stavudine** 15 mg Zerit BRISTOL-MYERS SQUIBB	 **Olsalazine sodique** 250 mg Dipentum PHARMACIA

Procaïnamide, HCl 500 mg Pronestyl SQUIBB	**Érythromycine** 333 mg Eryc PARKE-DAVIS	**Amoxicilline** 250 mg Amoxil WYETH-AYERST	**Éfavirenz** 200 mg Sustiva DUPONT
Sertraline, HCl 50 mg Zoloft PFIZER	**Nitroglycérine** 0,3 mg Nitrostat PARKE-DAVIS	**Nitroglycérine** 0,6 mg Nitrostat PARKE-DAVIS	**Isosorbide, dinitrate** 5 mg Isordil (sublingual) WYETH-AYERST
Estradiol 0,5 mg Estrace SHIRE	**Anastrozole** 1 mg Arimidex ASTRAZENECA	**Lévothyroxine sodique** 50 µg Eltroxin GLAXO WELLCOME	**Glyburide** 2,5 mg Diaβeta AVENTIS PHARMA
Lorazépam 0,5 mg Ativan WYETH-AYERST	**Lorazépam** 0,5 mg Novo-Lorazem NOVOPHARM	**Diphénoxylate, HCl/ Atropine, sulfate** 2,5/0,025 mg Lomotil SEARLE	**Benztropine, mésylate** 2 mg Cogentin MERCK FROSST
Toltérodine, tartrate 1 mg Detrol PHARMACIA & UPJOHN	**Mépéridine, HCl** 50 mg Demerol SANOFI-SYNTHELABO	**Topiramate** 25 mg Topamax JANSSEN-ORTHO	**Prednisone** 5 mg Apo-Prednisone APOTEX

Furosémide 20 mg Lasix AVENTIS PHARMA	**Donépézil** 5 mg Aricept PFIZER	**Pilocarpine** 5 mg Salagen PHARMACIA & UPJOHN	**Pioglitazone, HCl** 15 mg Actos LILLY
Léflunomide 10 mg Arava AVENTIS PHARMA	**Tamoxifène, citrate** 10 mg Tamofen AVENTIS PHARMA	**Médroxyprogestérone, acétate** 10 mg Provera PHARMACIA & UPJOHN	**Acarbose** 50 mg Prandase BAYER
Sumatriptan, succinate 25 mg Imitrex GLAXO WELLCOME	**Lévamisole, HCl** 50 mg Ergamisol JANSSEN-ORTHO/NOVOPHARM	**Digoxine** 0,25 mg Lanoxin VIRCO	**Chlorambucil** 2 mg Leukeran GLAXO WELLCOME
Procyclidine 5 mg Kemadrin GLAXO WELLCOME	**Oxycodone, HCl** 10 mg Oxycontin PURDUE PHARMA	**Busulfan** 2 mg Myleran GLAXO WELLCOME	**Lopéramide, HCl** 2 mg Imodium Vit-dissous MCNEIL, SOINS-SANTÉ GRAND PUBLIC
Cortisone 5 mg Cortone MERCK FROSST	**Térazosine** 1 mg Hytrin ABBOTT	**Isosorbide, dinitrate** 10 mg Isordil « titradose » WYETH-AYERST	**Melphalan** 2 mg Alkeran GLAXO WELLCOME

GUIDE COULEUR D'IDENTIFICATION

Isosorbide, Dinitrate 30 mg Isordil «titradose» WYETH-AYERST	**Lisinopril/HCTZ** 20/12,5 mg Zestoretic ASTRAZENECA	**Dicyclomine, HCl** 10 mg Bentylol AVENTIS PHARMA	**Dicyclomine, HCl** 20 mg Bentylol AVENTIS PHARMA
Minoxidil 2,5 mg Loniten PHARMACIA & UPJOHN	**Clomipramine, HCl** 50 mg Anafranil NOVARTIS PHARMA	**Éthacrynique, acide** 50 mg Edecrin MERCK FROSST	**Bumétanide** 1 mg Burinex LEO
Pindolol 10 mg Visken NOVARTIS PHARMA	**Prazosine** 2 mg Minipress PFIZER	**Ergoloïdes, mésylates** 1 mg Hydergine NOVARTIS PHARMA	**Cyproheptadine, HCl** 4 mg Periactin JOHNSON & JOHNSON/MERCK
Propylthiouracil 50 mg Propyl-Thyracil MERCK FROSST	**Triméthoprime** 100 mg Proloprim GLAXO WELLCOME	**Hydrocortisone** 10 mg Cortef PHARMACIA & UPJOHN	**Kétorolac, trométhamine** 10 mg Toradol ROCHE
Aténolol 50 mg Apo-Atenol APOTEX	**Zafirlukast** 20 mg Accolate ASTRAZENECA	**Olanzapine** 5 mg Zyprexa LILLY	**Tizanidine, HCl** 4 mg Zanaflex DRAXIS HEALTH

GUIDE COULEUR D'IDENTIFICATION

Bipéridène 2 mg Akineton KNOLL PHARMA	**Cortisone** 25 mg Cortone MERCK FROSST	**Carbamazépine** 200 mg Tegretol NOVARTIS PHARMA	**Allopurinol** 100 mg Zyloprim GLAXO WELLCOME
Méclizine 25 mg Bonamine PFIZER, SOINS DE LA SANTÉ	**Propafénone** 150 mg Rythmol KNOLL PHARMA	**Spironolactone/HCTZ** 25/25 mg Aldactazide SEARLE	**Allopurinol** 200 mg Zyloprim GLAXO WELLCOME
Flécaïnide, acétate 50 mg Tambocor PRODUITS PHARMACEUTIQUES 3M	**Aminophylline** 225 mg Phyllocontin PURDUE PHARMA	**Fluvoxamine, maléate** 50 mg Luvox SOLVAY PHARMA	**Acarbose** 100 mg Prandase BAYER
Alendronate sodique 10 mg Fosamax MERCK FROSST	**Néostigmine** 15 mg Prostigmin ICN	**Nadolol** 40 mg Corgard SQUIBB	**Warfarine** 10 mg Coumadin DUPONT
Mercaptopurine 50 mg Purinethol GLAXO WELLCOME	**Ranitidine** 150 mg Zantac GLAXO WELLCOME	**Ibuprofène** 200 mg Motrin IB MCNEIL, SOINS-SANTÉ GRAND PUBLIC	**Acétaminophène/Codéine** 300/15 mg Tylenol n° 2 avec codéine JANSSEN-ORTHO/MCNEIL

Métoprolol
100 mg
Apo-Metoprolol
APOTEX

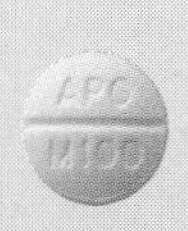

Olanzapine
10 mg
Zyprexa
LILLY

Chloroquine
250 mg
Aralen
SANOFI-SYNTHELABO

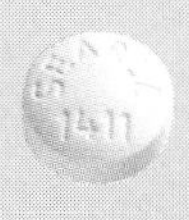

Diclofénac/Misoprostol
50 mg/200 µg
Arthrotec 50
SEARLE

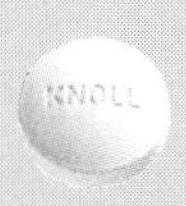

Vérapamil, HCl
120 mg
Isoptin SR
KNOLL PHARMA

Spironolactone
25 mg
Aldactone
SEARLE

Acétaminophène
325 mg
Atasol
CARTER HORNER

Clomiphène, citrate
50 mg
Clomid
AVENTIS PHARMA

Triméthoprime/Sulfaméthoxazole
80/400 mg
Apo-Sulfatrim
APOTEX

Ciprofloxacine
250 mg
Cipro
BAYER

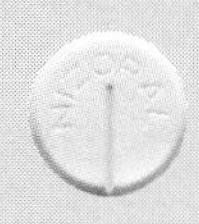

Kétoconazole
200 mg
Nizoral
JANSSEN-ORTHO

Acétaminophène
325 mg
Tylenol régulier
McNEIL, SOINS-SANTÉ GRAND PUBLIC

Propafénone
300 mg
Rythmol
KNOLL PHARMA

Acétaminophène/Codéine
300/30 mg
Tylenol n° 3 avec codéine
JANSSEN-ORTHO/McNEIL

Loratadine/Pseudoéphédrine
5/120 mg
Claritin Extra
SCHERING

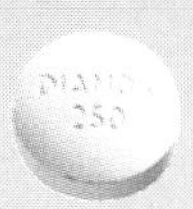

Acétazolamide
250 mg
Diamox
WYETH-AYERST

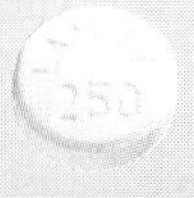

Terbinafine, HCl
250 mg
Lamisil
NOVARTIS PHARMA

Griséofulvine
250 mg
Fulvicin U/F
SCHERING

Acétaminophène/Codéine
300/60 mg
Tylenol n° 4 avec codéine
JANSSEN-ORTHO/McNEIL

Diclofénac/Misoprostol
75 mg/200 µg
Arthrotec
SEARLE

Siméthicone 40 mg Ovol-40 CARTER-HORNER	**Méfloquine, HCl** 250 mg Lariam ROCHE	**Acétylsalicylique, acide (AAS)** 500 mg Aspirin Extra-fort BAYER, PRODUITS GRAND PUBLIC	**Acétaminophène** 500 mg Tylenol MCNEIL, SOINS-SANTÉ GRAND PUBLIC
Metformine 500 mg Gen-Metformin GENPHARM	**Oxycodone/Acétaminophène** 5/325 mg Oxycocet TECHNILAB	**Quinidine** 300 mg Quinidex Extentabs WYETH-AYERST	**Siméthicone** 160 mg Ovol-160 CARTER-HORNER
Aminocaproïque, acide 500 mg Amicar WYETH-AYERST	**Siméthicone** 80 mg Ovol-80 CARTER-HORNER	**Mitotane** 500 mg Lysodren BRISTOL-MYERS SQUIBB	**Didanosine** 100 mg Videx BRISTOL-MYERS SQUIBB
Captopril 12,5 mg Capoten SQUIBB	**Carvédilol** 3,125 mg Coreg ROCHE	**Méthylprednisolone** 4 mg Medrol PHARMACIA & UPJOHN	**Dexaméthasone** 0,5 mg Decadron MERCK FROSST
Lamotrigine 25 mg Lamictal GLAXO WELLCOME	**Loratidine** 10 mg Claritin SCHERING	**Lisinopril** 5 mg Prinivil MERCK FROSST	**Captopril** 25 mg Capoten SQUIBB

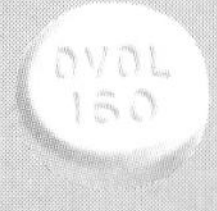

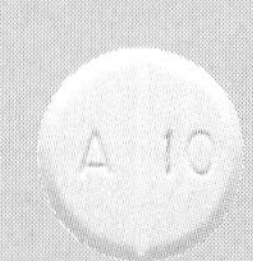

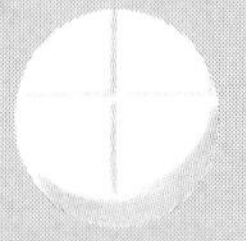

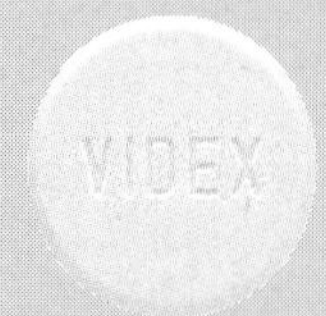

GUIDE COULEUR D'IDENTIFICATION

Dexaméthasone 4 mg Decadron MERCK FROSST	**Énalapril, maléate** 5 mg Vasotec MERCK FROSST	**Ropinirole, HCl** 0,25 mg Requip SMITHKLINE BEECHAM	**Doxazosine, mésylate** 4 mg Cardura-4 ASTRAZENECA
Lamivudine 150 mg 3TC GLAXO WELLCOME	**Prazosine** 5 mg Minipress PFIZER	**Misoprostol** 200 µg Cytotec SEARLE	**Phénytoïne** 50 mg Dilantin Infatabs PARKE-DAVIS
Bromocriptine, mésylate 2,5 mg Parlodel NOVARTIS PHARMA	**Pramipexole, dichlorhydrate** 0,25 mg Mirapex BOEHRINGER INGELHEIM	**Fosinopril sodique** 10 mg Monopril BRISTOL-MYERS SQUIBB	**Alprazolam** 0,25 mg Xanax PHARMACIA & UPJOHN
Cétirizine 10 mg Reactine PFIZER	**Citalopram, bromhydrate** 20 mg Celexa LUNDBECK	**Baclofen** 10 mg Lioresal NOVARTIS PHARMA	**Glyburide** 5 mg Diaβeta AVENTIS PHARMA
Fosinopril sodique 20 mg Monopril BRISTOL-MYERS SQUIBB	**Buspirone, HCl** 10 mg BuSpar BRISTOL	**Amlodipine** 5 mg Norvasc PFIZER	**Néfazodone, HCl** 100 mg Serzone-5HT$_2$ BRISTOL-MYERS SQUIBB

GUIDE COULEUR D'IDENTIFICATION

Ibuprofène 100 mg Motrin pour enfants McNeil, Soins-santé grand public	**Hydroxychloroquine, sulfate** 200 mg Plaquenil Sanofi-Synthelabo	**Thiothixène** 2 mg Navane Pfizer	**Riluzole** 50 mg Rilutek Aventis Pharma
Raloxifène, HCl 60 mg Evista Lilly	**Tacrolimus** 1 mg Prograf Fujisawa	**Rispéridone** 1 mg Risperdal Janssen-Ortho	**Théophylline** 200 mg Theo-Dur AstraZeneca
Telmisartan 40 mg Micardis Boehringer-Ingelheim	**Atorvastatine** 20 mg Lipitor Parke-Davis	**Pseudoéphédrine** 120 mg Eltor 120 Aventis Pharma	**Labétalol, HCl** 200 mg Trandate Shire
Ticlopidine, HCl 250 mg Ticlid Roche	**Captopril** 100 mg Capoten Squibb	**Zaleplon** 10 mg Starnoc Servier	**Ibuprofène** 200 mg Motrin IB McNeil, Soins-santé grand public
Étidronate disodique 200 mg Didronel Procter & Gamble	**Irbesartan** 150 mg Avapro Bristol-Myers Squibb/Sanofi	**Acétaminophène** 325 mg Atasol Carter Horner	**Amlodipine** 10 mg Norvasc Pfizer

Norfloxacine 400 mg Noroxin MERCK FROSST	**Céfuroxime** 250 mg Ceftin GLAXO WELLCOME	**Metformine** 850 mg Glucophage AVENTIS PHARMA	**Amoxicilline/Clavunalate** 500/125 mg Clavulin-500F SMITHKLINE BEECHAM
Amoxicilline/Clavunalate 250/125 mg Clavulin-250 SMITHKLINE BEECHAM	**Potassium, chlorure** 20 mmol K-Dur KEY	**Nabumétone** 500 mg Relafen SMITHKLINE BEECHAM	**Gatifloxacine** 400 mg Tequin BRISTOL-MYERS SQUIBB
Ursodiol 250 mg Urso AXCAN PHARMA	**Fluvoxamine, maléate** 100 mg Luvox SOLVAY PHARMA	**Théophylline** 300 mg Theo-Dur ASTRAZENECA	**Gemfibrozil** 600 mg Lopid PARKE-DAVIS
Cefprozil 500 mg Cefzil BRISTOL-MYERS SQUIBB	**Sucralfate** 1 g Sulcrate AVENTIS PHARMA	**Triméthoprime/Sulfaméthoxazole** 160/800 mg Septra DS GLAXO WELLCOME	**Diéthylpropion, HCl** 75 mg Tenuate Dospan AVENTIS PHARMA
Céfuroxime 500 mg Ceftin GLAXO WELLCOME	**Praziquantel** 600 mg Biltricide BAYER	**Amoxicilline/Clavunalate** 875/125 mg Clavulin-875 SMITHKLINE BEECHAM	**Lomustine** 10 mg CeeNU BRISTOL-MYERS SQUIBB

GUIDE COULEUR D'IDENTIFICATION

Gabapentine 100 mg Neurontin PARKE-DAVIS	**Altrétamine** 50 mg Hexalen LILLY	**Pentosan sodique, polysulfate** 100 mg Elmiron ALZA	**Lamivudine/Zidovudine** 150/300 mg Combivir GLAXO WELLCOME
Indinavir, sulfate 200 mg Crixivan MERCK FROSST	**Pseudoéphédrine** 120 mg Sudafed Décongestionnant 12 heures WARNER-LAMBERT, SANTÉ GRAND PUBLIC	**Ciprofloxacine** 500 mg Cipro BAYER	**Famciclovir** 500 mg Famvir SMITHKLINE BEECHAM
Fexofénadine/Pseudoéphédrine 60/120 mg Allegra-D AVENTIS PHARMA	**Acétaminophène** 650 mg Tylenol Douleurs arthritiques Caplets longue durée MCNEIL, SOINS-SANTÉ GRAND PUBLIC	**Théophylline** 450 mg Theo-Dur ASTRAZENECA	**Oxaprozine** 600 mg Daypro SEARLE
Névirapine 200 mg Viramune BOEHRINGER INGELHEIM	**Azithromycine** 600 mg Zithromax PFIZER	**Nimodipine** 30 mg Nimotop BAYER	**Céfixime** 400 mg Suprax AVENTIS PHARMA
Ciprofloxacine 750 mg Cipro BAYER			

ABACAVIR (SULFATE D')

NOM COMMERCIAL

Ziagen

Présentation : Comprimés, suspension orale
En vente libre ? Non **Générique disponible ?** Non
Classe de médicaments : Antiviral/inhibiteur nucléosidique de la transcriptase inverse

▼ GÉNÉRALITÉS

INDICATIONS
Traitement du virus de l'immunodéficience humaine (VIH), en association avec d'autres médicaments. Sans amener la guérison, l'abacavir peut empêcher la prolifération du virus et retarder la progression de la maladie.

MODE D'ACTION
L'abacavir empêche la reproduction du VIH de deux façons. Un métabolite de l'abacavir inhibe l'activité d'une enzyme indispensable à la reproduction de l'ADN dans les cellules virales. En outre, ce métabolite s'intègre à l'ADN viral et l'empêche de se compléter.

▼ MODE D'EMPLOI

POSOLOGIE
L'abacavir doit être pris en association avec d'autres antirétroviraux pour retarder l'apparition de souches résistantes du VIH. Adultes :
300 mg 2 fois par jour. Enfants de 3 mois à 16 ans : 8 mg par kilogramme (2,2 lb) de poids corporel, 2 fois par jour, sans dépasser 300 mg 2 fois par jour.

DÉBUT D'ACTION
Inconnu. Avec les antirétroviraux, on observe un effet dès les premières semaines, mais l'effet maximal peut prendre 12 à 16 semaines de traitement.

DURÉE D'ACTION
Inconnue.

CONSEILS NUTRITIONNELS
L'abacavir se prend avec ou sans nourriture.

MODE DE CONSERVATION
Dans un contenant étanche, à la température ambiante, à l'abri de la chaleur, de l'humidité et de la lumière. La suspension orale peut être réfrigérée, mais pas congelée.

OUBLI D'UNE DOSE
Prenez-la dès que vous y pensez. S'il est presque l'heure de la suivante, sautez la dose oubliée et revenez à la fréquence normale. Ne doublez pas la dose suivante. La prise à heures fixes est importante pour conserver un niveau constant du médicament dans le sang.

ARRÊT DE LA MÉDICATION
La décision d'interrompre le traitement doit être prise en consultation avec le médecin.

USAGE PROLONGÉ
Voyez votre médecin régulièrement pour un suivi de tests et d'examens médicaux.

▼ PRÉCAUTIONS

Plus de 60 ans. On ignore si les effets indésirables diffèrent ou s'intensifient.

Conduite automobile, travaux dangereux. Abstenez-vous tant que vous ne connaissez pas vos réactions à ce médicament.

Alcool. L'alcool peut augmenter le niveau du médicament dans le sang.

Grossesse. On a observé des malformations congénitales chez les animaux, mais aucune recherche n'a été faite chez les humains. L'abacavir ne devrait être administré à une femme enceinte que si les bénéfices escomptés justifient les risques pour le fœtus.

Allaitement. Une femme atteinte du VIH doit s'abstenir d'allaiter pour ne pas transmettre le virus à son enfant.

Nourrissons et enfants. Le pédiatre détermine la posologie appropriée en fonction du poids de l'enfant. Appelez aussitôt le médecin si vous notez un rash cutané ou tout autre effet indésirable. Ce médicament n'a pas été testé chez les moins de 3 mois.

À surveiller. Voir Effets indésirables graves. Si vous avez dû interrompre le traitement à cause d'effets indésirables graves, ne reprenez jamais plus d'abacavir car vous risqueriez d'avoir en quelques heures des effets extrêmement graves incluant une baisse marquée de la tension ou la mort. L'abacavir n'élimine aucunement le risque de transmettre le virus du sida : prenez des mesures de prévention appropriées.

SURDOSAGE
Symptômes. Aucun cas de surdosage n'a été rapporté.

Quoi faire. Si vous soupçonnez un surdosage ou si la dose a été largement dépassée, appelez aussitôt le médecin ou le centre antipoison, ou allez à l'urgence.

▼ INTERACTIONS

MÉDICAMENT-MÉDICAMENT
On ne connaît pour l'instant aucune interaction médicamenteuse significative. Les recherches se poursuivent.

MÉDICAMENT-ALIMENT
Aucune interaction connue.

MÉDICAMENT-MALADIE
On ne connaît pour l'instant aucune interaction avec d'autres maladies. Les recherches se poursuivent.

 EFFETS INDÉSIRABLES

GRAVES
Rare réaction d'hypersensibilité (environ 3 %), potentiellement mortelle avec pour symptômes : fièvre, rash cutané, fatigue, nausées, vomissements, diarrhée, douleur abdominale, faiblesse, léthargie, douleurs musculaires et articulaires, enflure, essoufflement, engourdissement, fourmillement ou picotement, conjonctivite et ulcères buccaux. Rarement, l'abacavir peut entraîner une acidose lactique (souvent mortelle) ou une hypertrophie marquée du foie.

COURANTS
Nausées, vomissements, faiblesse, fatigue, céphalées, perte d'appétit et diarrhée.

MOINS COURANTS
Insomnie et autres troubles du sommeil.

ACARBOSE

Présentation : Comprimés
En vente libre ? Non   **Générique disponible ?** Non
Classe de médicaments : Antidiabétique

▼ GÉNÉRALITÉS

INDICATIONS
Traitement d'appoint pour les diabétiques qui n'ont pas besoin d'injections d'insuline, mais ne parviennent pas à assurer un taux normal de glucose dans leur sang avec leur régime alimentaire ou d'autres médicaments.

MODE D'ACTION
L'acarbose inhibe l'activité des enzymes qui convertissent les glucides en sucres simples dans l'intestin. Cette digestion ralentie des glucides diminue l'hyperglycémie (taux excessif de glucose dans le sang) qui survient après les repas.

▼ MODE D'EMPLOI

POSOLOGIE
Dose d'attaque : 25 mg 1 à 3 fois par jour. La dose peut être augmentée (à intervalles de 4 à 8 semaines) jusqu'à un maximum de 100 mg 3 fois par jour.

DÉBUT D'ACTION
En moins de 1 heure.

DURÉE D'ACTION
Jusqu'à 2 heures.

CONSEILS NUTRITIONNELS
Prenez ce médicament matin, midi et soir avec la première bouchée de votre repas. Suivez les conseils de votre médecin en matière de régime, de perte de poids et d'exercices.

MODE DE CONSERVATION
Dans un contenant étanche, à l'abri de la chaleur et de la lumière.

OUBLI D'UNE DOSE
Si vous avez terminé votre repas, sautez la dose oubliée et prenez votre prochaine dose au repas suivant, sans la doubler.

ARRÊT DE LA MÉDICATION
Effectuez le traitement au complet tel que prescrit.

USAGE PROLONGÉ
Puisque le diabète de type 2 (non insulinodépendant) est une maladie chronique, l'acarbose se prescrit sur une base continue. Les taux sanguins de glucose doivent être mesurés régulièrement pour pouvoir ajuster la posologie au besoin.

▼ PRÉCAUTIONS

Plus de 60 ans. Aucune précaution spéciale.

Conduite automobile, travaux dangereux. L'acarbose ne devrait pas vous empêcher d'effectuer de telles activités en toute sécurité.

Alcool. À ne prendre qu'avec modération.

Grossesse. Demandez l'avis de votre médecin. L'insuline est généralement le traitement de première ligne pour la femme diabétique enceinte.

Allaitement. De faibles quantités d'acarbose ont été décelées dans le lait maternel, mais on n'a pas signalé d'effet nocif chez un nourrisson. Demandez l'avis du médecin.

Nourrissons et enfants. L'innocuité et l'efficacité de ce médicament n'ont pas été établies pour les moins de 18 ans. Suivez l'avis de votre médecin.

À surveiller. Ne prenez pas d'acarbose si vous avez déjà eu une réaction allergique à ce médicament.

SURDOSAGE
Symptômes. Flatulences accrues, diarrhée, douleurs abdominales.

Quoi faire. Évitez de consommer des hydrates de carbone pendant 4 à 6 heures. Les symptômes s'estompent habituellement assez vite ; dans le cas contraire, consultez votre médecin. Les symptômes d'hypoglycémie ne devraient pas survenir quand vous prenez l'acarbose seul, mais pourraient se produire lors de la prise concomitante de sulfonylurées ou d'insuline.

▼ INTERACTIONS

MÉDICAMENT-MÉDICAMENT
Demandez l'avis du médecin si vous prenez l'un des médicaments suivants qui risquent d'interagir avec l'acarbose : préparation à base d'enzymes pour stimuler la digestion, renfermant de l'amylase ou de la pancréatine ; absorbant intestinal (comme du charbon activé) ; digoxine.

MÉDICAMENT-ALIMENT
Évitez les aliments qui renferment beaucoup de sucre (gâteaux, biscuits, bonbons, agrumes). Suivez scrupuleusement le régime prescrit par votre médecin.

MÉDICAMENT-MALADIE
Ce médicament ne convient pas aux personnes ayant souffert d'acidocétose diabétique, de troubles intestinaux (malabsorption, obstruction), d'une affection intestinale inflammatoire (maladie de Crohn, la colite ulcéreuse), d'une affection du foie ou des reins, ou d'ulcères gastriques.

 EFFETS INDÉSIRABLES

GRAVES
Il n'y a pas d'effet indésirable grave associé à l'acarbose.

COURANTS
Sensation de ballonnements, gaz intestinaux, maux de ventre, diarrhée. Ces symptômes diminuent avec le temps.

MOINS COURANTS
Élévation des enzymes du foie causant le jaunissement du blanc des yeux ou de la peau (jaunisse), si l'on dépasse la dose maximale. Combiné à des sulfonylurées, l'acarbose peut produire des symptômes d'hypoglycémie : sueurs, tremblements, anxiété, faim, confusion, convulsions, pouls accéléré, troubles de la vision, étourdissement, maux de tête, évanouissements. Dans ce cas, il faut consommer du glucose (dextrose) ; le saccharose (sucre de table), de même que les boissons et aliments contenant du sucre ou de l'amidon sont inefficaces parce que l'acarbose empêche leur décomposition et leur absorption.

ACÉBUTOLOL (CHLORHYDRATE D')

Présentation : Gélules
En vente libre ? Non   **Générique disponible ?** Oui
Classe de médicaments : Bêtabloquant

▼ GÉNÉRALITÉS

INDICATIONS
Traitement de l'hypertension légère à modérée ; prévention ou contrôle de la douleur thoracique dans l'angine de poitrine.

MODE D'ACTION
En bloquant certaines impulsions nerveuses, l'acébutolol ralentit le rythme et la contractilité du cœur, réduisant ainsi la tension artérielle et prévenant le surmenage du cœur, cause possible d'une crise d'angine.

▼ MODE D'EMPLOI

POSOLOGIE
Hypertension : 100 mg 2 fois par jour ; selon la réponse, on peut augmenter la dose, sans dépasser 400 mg 2 fois par jour. Angine : dose d'attaque, 200 mg 2 fois par jour ; peut être portée à 300 mg 2 fois par jour après 2 semaines.

DÉBUT D'ACTION
En 1 à 1½ heure.

DURÉE D'ACTION
Jusqu'à 24 heures.

CONSEILS NUTRITIONNELS
Suivez les conseils de votre médecin pour mieux contrôler l'hypertension et la condition cardiaque.

MODE DE CONSERVATION
À l'abri de la chaleur, de l'humidité et de la lumière.

OUBLI D'UNE DOSE
Prenez-la dès que vous y pensez. Si vous êtes à moins de 4 heures de la suivante, sautez la dose oubliée et reprenez la fréquence normale. Ne doublez pas la dose suivante.

ARRÊT DE LA MÉDICATION
L'arrêt brusque de la médication peut faire monter la tension artérielle (rebond) jusqu'à des niveaux élevés et même dangereux, suscepti-bles de déclencher une crise d'angine ou une attaque cardiaque chez les patients ayant le cœur très malade. On recommande de réduire progressivement la posologie sur 2 ou 3 semaines, sous surveillance étroite du médecin.

USAGE PROLONGÉ
Un suivi médical s'impose pour évaluer l'efficacité du traitement à long terme.

▼ PRÉCAUTIONS

Plus de 60 ans. Les personnes âgées sont plus sensibles au médicament que les plus jeunes. Plus petites doses et contrôles fréquents de la tension artérielle.

Conduite automobile, travaux dangereux. Soyez prudent tant que vous ne connaissez pas votre réaction au médicament.

Alcool. Buvez modérément.

Grossesse. Analysez avec le médecin les bienfaits du médicament et ses risques.

Allaitement. On peut trouver des traces du médicament dans le lait maternel, mais on ne signale pas d'effets néfastes sur le nourrisson. Demandez l'avis du médecin.

Nourrissons et enfants. Non recommandé.

À surveiller. La médication doit faire partie d'un programme thérapeutique global incluant : perte de poids, cessation de fumer, exercice régulier et régime alimentaire sain, pauvre en sel et en matières grasses.

SURDOSAGE
Symptômes. Rythme cardiaque anormalement lent, étourdissements graves ou évanouissements, mauvaise circulation dans les mains (peau bleuâtre), difficultés respiratoires, convulsions.

Quoi faire. Cherchez immédiatement de l'aide médicale.

▼ INTERACTIONS

MÉDICAMENT-MÉDICAMENT
Informez-en le médecin si vous prenez : amphétamines, antidiabétiques oraux, médicaments contre l'asthme (aminophylline ou théophylline), décongestionnants, anticalciques, clonidine, injections antiallergiques, insuline, IMAO, réserpine ou autres bêtabloquants.

MÉDICAMENT-ALIMENT
Aucune interaction connue.

MÉDICAMENT-MALADIE
L'acébutolol doit être prescrit avec prudence aux diabétiques, surtout insulinodépendants, l'aténolol pouvant masquer les symptômes d'hypoglycémie. Dites au médecin si vous avez des antécédents de : allergies ou asthme, maladie du cœur ou des vaisseaux sanguins (insuffisance cardiaque ou maladie vasculaire périphérique), hyperthyroïdie, arythmie cardiaque (rythme lent), myasthénie grave, psoriasis, problèmes respiratoires (bronchite ou emphysème), maladies du foie ou des reins, ou dépression mentale.

  EFFETS INDÉSIRABLES

GRAVES
Essoufflement grave et tachycardie (symptômes d'insuffisance cardiaque), aggravation de l'asthme, réactions allergiques sévères (rash cutané, démangeaisons, respiration sifflante, enflure des lèvres, de la langue et de la gorge).

COURANTS
Toux, diarrhée, baisse de la performance sexuelle, dépression, somnolence, étourdissements, fatigue, besoins fréquents d'uriner, gaz, mauvaise digestion, nausées, difficultés à dormir, mains et pieds froids, engourdissements ou picotements des doigts et des orteils.

MOINS COURANTS
Fièvre, mal de gorge, douleurs abdominales, céphalées, anxiété, douleurs articulaires ou mal de dos, yeux secs ou brûlants, ecchymoses ou saignements inhabituels, urine foncée, cauchemars ou rêves particulièrement vifs.

ACÉTAMINOPHÈNE

Présentation : Gélules, caplets, comprimés, liquide, suppositoires
En vente libre ? Oui   **Générique disponible ?** Oui
Classe de médicaments : Analgésique, antipyrétique (pour réduire la fièvre)

▼ GÉNÉRALITÉS

INDICATIONS
Traitement de la douleur ou de la fièvre d'intensité faible à moyenne : céphalées simples, douleurs musculaires et formes bénignes d'arthrite. L'acétaminophène est utile aux patients qui ne peuvent prendre d'AAS, notamment parce qu'ils reçoivent des anticoagulants ou souffrent d'ulcères gastro-intestinaux ou de saignements.

MODE D'ACTION
L'acétaminophène semble entraver l'action des prostaglandines, substances qui causent l'inflammation et rendent les nerfs plus sensibles aux impulsions douloureuses. Son effet antipyrétique proviendrait de son action sur les centres cérébraux qui régissent la température du corps. Contrairement à l'AAS, il ne réduit pas l'inflammation.

▼ MODE D'EMPLOI

POSOLOGIE
Adultes et adolescents : 650 à 1 000 mg aux 4 à 6 heures, 3 à 4 fois par jour, au besoin. Caplets à action prolongée : 2 caplets (1 300 mg) aux 8 heures. Un traitement de faible durée ne devrait pas dépasser 4 g par jour. Enfants de 12 ans et moins : demandez au médecin ou au pharmacien la dose à donner (si elle n'est pas inscrite sur le conditionnement). La forme liquide peut être recommandée aux jeunes enfants.

DÉBUT D'ACTION
En 30 minutes.

DURÉE D'ACTION
3 à 4 heures. Forme à action prolongée : 8 heures.

CONSEILS NUTRITIONNELS
À prendre avec ou sans nourriture, ou avec du lait pour diminuer les malaises d'estomac. Les personnes soumises à un régime hyposodique devront tenir compte du sodium présent dans la poudre.

MODE DE CONSERVATION
Dans un contenant étanche, à l'abri de la chaleur et de la lumière. Réfrigérez les formes liquides ainsi que les suppositoires. Ne les congelez pas.

OUBLI D'UNE DOSE
Prenez-la dès que vous y pensez. S'il est presque l'heure de la suivante, sautez la dose oubliée et reprenez la fréquence normale. Ne doublez pas la dose qui suit.

ARRÊT DE LA MÉDICATION
À moins d'avis contraire du médecin, limitez le traitement à 5 jours pour les enfants de moins de 10 ans et à 10 jours pour les adultes.

USAGE PROLONGÉ
Peut donner lieu à des troubles hépatiques et rénaux ou à de l'anémie chez certains patients. Demandez au médecin s'il y a lieu d'instaurer un suivi médical.

▼ PRÉCAUTIONS

Plus de 60 ans. Réactions indésirables plus probables et plus graves : il peut être opportun de réduire les doses.

Conduite automobile, travaux dangereux. Pas de risques connus.

Alcool. À éviter. Ensemble, alcool et acétaminophène peuvent entraîner de graves troubles hépatiques. Les patients avec des antécédents d'alcoolisme ne devraient prendre de l'acétaminophène que sous la surveillance étroite du médecin.

Grossesse. Aucun problème n'a été signalé. Dites au médecin que vous êtes enceinte ou désirez le devenir.

Allaitement. Aucun problème n'a été signalé.

Nourrissons et enfants. Pas de problèmes prévus ; mais les formulations sucrées à l'aspartame ne devraient pas être administrées aux enfants souffrant de phénylcétonurie.

SURDOSAGE
Symptômes. Nausées, vomissements, perte d'appétit, douleur abdominale, sudation excessive, confusion, somnolence ou épuisement, endolorissement de l'estomac, arythmie cardiaque, jaunissement de la peau et des yeux.

Quoi faire. En cas de surdose appréhendée, demandez les secours médicaux, même en l'absence de symptômes, pour éviter des lésions potentiellement fatales du foie.

▼ INTERACTIONS

MÉDICAMENT-MÉDICAMENT
Demandez l'avis du médecin si vous prenez : anticoagulants (warfarine), phénytoïne, primidone, barbituriques, carbamazépine, rifampine, isoniazide ou zidovudine.

MÉDICAMENT-ALIMENT
Pas d'interaction connue.

MÉDICAMENT-MALADIE
Avertissez le médecin en cas de : maladie du foie ou des reins, diabète sucré, phénylcétonurie ou antécédents d'alcoolisme.

 EFFETS INDÉSIRABLES

GRAVES
Réaction allergique avec rash cutané, démangeaisons, urticaire, enflure ou difficultés à respirer ; jaunissement de la peau et des yeux (signe de lésion au foie).

COURANTS
Aucun effet courant n'a été signalé.

MOINS COURANTS
Mal de gorge et fièvre (après le début du traitement et non reliés à celui-ci), fatigue ou faiblesse extrêmes, ecchymoses ou saignements anormaux, sang dans l'urine, mictions douloureuses ou fréquentes, baisse du débit urinaire.

ACÉTAMINOPHÈNE ET PHOSPHATE DE CODÉINE

Présentation : Gélules, comprimés, solution orale, suspension orale
En vente libre ? Non **Générique disponible ?** Oui
Classe de médicaments : Analgésique opioïde (narcotique)/antipyrétique

▼ GÉNÉRALITÉS

INDICATIONS

Soulagement de la douleur d'intensité faible à grave quand les analgésiques en vente libre ne donnent pas les résultats souhaités. L'association d'un analgésique narcotique comme la codéine et de l'acétaminophène est plus efficace que chacun des deux composants employé seul. Par ailleurs, l'association médicamenteuse permet de les employer à des doses plus faibles.

MODE D'ACTION

L'acétaminophène semble entraver l'action des prostaglandines, substances naturelles qui causent l'inflammation et rendent les nerfs plus sensibles aux impulsions douloureuses. Son effet antipyrétique proviendrait de son action sur les centres cérébraux qui régissent la température du corps. Contrairement à l'AAS, cependant, l'acétaminophène ne réduit pas l'inflammation. Quant à la codéine, cet analgésique narcotique soulagerait la douleur en agissant sur certaines zones de la moelle épinière et du cerveau qui traitent les signaux de douleur émis par les nerfs de tout le corps.

▼ MODE D'EMPLOI

POSOLOGIE

Adultes – Gélules ou comprimés : 1 ou 2 gélules de 15 ou 30 mg de codéine avec de l'acétaminophène ou 1 gélule de 60 mg de codéine avec de l'acétaminophène aux 4 heures, si c'est nécessaire. Solution ou suspension orale : 10 à 20 ml aux 4 heures, au besoin. Enfants – Consultez votre médecin.

DÉBUT D'ACTION

En 30 minutes.

DURÉE D'ACTION

Jusqu'à 4 heures.

CONSEILS NUTRITIONNELS

Vous pouvez prendre le médicament au repas ou avec du lait pour réduire les maux d'estomac. Il peut aussi se prendre sans aliment.

MODE DE CONSERVATION

Dans un contenant étanche, à l'abri de la chaleur, de l'humidité et de la lumière. Ne congelez pas les formes liquides.

OUBLI D'UNE DOSE

Si vous prenez de l'acétaminophène avec codéine régulièrement, prenez la dose oubliée aussitôt que vous y pensez. Si c'est presque l'heure de la suivante, sautez la dose oubliée et reprenez la fréquence normale. Ne doublez pas la dose suivante.

ARRÊT DE LA MÉDICATION

Effectuez le traitement au complet, comme il vous a été prescrit, mais vous pouvez l'interrompre si vous vous sentez mieux avant qu'il ne prenne fin. Néanmoins, il ne faut pas arrêter abruptement le traitement après une utilisation prolongée.

USAGE PROLONGÉ

Les narcotiques, comme la codéine, peuvent entraîner de la dépendance physique. Abuser de l'acétaminophène peut causer des troubles hépatiques.

▼ PRÉCAUTIONS

Plus de 60 ans. Risques de réactions indésirables plus probables et plus graves.

Conduite automobile, travaux dangereux. Le médicament peut causer des vertiges et de la somnolence : soyez prudent.

Alcool. À éviter. Associé à ce médicament, l'alcool peut en augmenter les effets dépressifs. Consommer des boissons alcooliques tout en prenant de l'acétaminophène peut augmenter les risques de troubles hépatiques.

Grossesse. Demandez des directives et des conseils à votre médecin ; évaluez avec lui les risques et les bienfaits du médicament durant la grossesse.

Allaitement. L'acétaminophène avec codéine passe dans le lait maternel. Parlez-en avec votre médecin.

Nourrissons et enfants. Ce médicament ne devrait pas être administré aux nourrissons. Il peut l'être aux enfants de plus de 2 ans sous la surveillance étroite du médecin. On prescrit généralement aux enfants une solution ou une suspension orales plutôt que les gélules ou les comprimés.

À surveiller. L'administration d'un narcotique comme la codéine durant une longue période peut entraîner de la dépendance physique. Après un traitement de longue durée, il est important de réduire graduellement les doses sous la surveillance du médecin pour éviter d'avoir des symptômes de sevrage. Appelez le médecin si les symptômes suivants se produisent après l'arrêt de la médication : frissons ou tremblements ; insomnie ; chair de poule ; nausées ou vomissements ; douleurs corporelles ; perte de l'appétit ; crampes d'estomac ; faiblesse ; diarrhée ; agitation motrice,

---

 EFFETS INDÉSIRABLES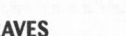

GRAVES

Voir les rubriques Surdosage et À surveiller.

COURANTS

Vertiges, étourdissements, nausées ou vomissements, somnolence, constipation, fatigue anormale.

MOINS COURANTS

Douleur gastrique, réaction allergique, euphorie, dépression, perte de l'appétit, altération de la vision ou vue embrouillée, cauchemars ou rêves anormaux, sécheresse de la bouche, malaise généralisé, céphalées, nervosité, insomnie.

nervosité ou irritabilité ; tachycardie ; rhinite, éternuements ou fièvre ; bâillements fréquents ; sudation accrue. Un surdosage d'acétaminophène avec codéine peut également entraîner de l'anémie, des troubles hépatiques ou des problèmes du système nerveux central. Communiquez avec le médecin si vous ressentez les symptômes suivants durant la médication ou après : urine foncée, sanglante ou trouble ; douleur grave dans le bas du dos ou le flanc ; besoin fréquent d'uriner ; mictions douloureuses ou difficiles ; baisse soudaine du débit urinaire ; selles pâles ou noires, goudronneuses ; jaunissement des yeux ou de la peau (jaunisse) ; halluci-

nations ; ecchymoses ou saignements anormaux ; rash cutané, urticaire ou démangeaisons ; petits points rouges sur la peau ; mal de gorge et fièvre ; excitabilité anormale ; mouvements incontrôlables ; rougeur, bouffées congestives ou enflure du visage.

SURDOSAGE

Symptômes. Vertiges ou somnolence graves ; peau froide et moite ; respiration difficile´ou lente, ou essoufflement ; confusion grave ; convulsions ; crampes ou douleurs gastriques ; diarrhée ; hypotension ; sudation accrue ; pupilles contractées ; nausées ou vomissements ; arythmie cardiaque ; faiblesse grave.

Quoi faire. Allez immédiatement à l'urgence.

▼ INTERACTIONS

MÉDICAMENT-MÉDICAMENT
Certains médicaments entrent en interaction avec l'acétaminophène avec codéine. Demandez l'avis du médecin sur tous les médicaments que vous prenez avec ou sans ordonnance, surtout s'ils renferment de l'acétaminophène, mais aussi sur les suivants : dépresseurs du système nerveux central (antihistaminiques ou médicaments contre le rhume des foins, les allergies ou les rhumes), barbituriques, anticonvulsivants, relaxants musculaires, anes-

thésiques ou tranquillisants, sédatifs ou somnifères.

MÉDICAMENT-ALIMENT
Aucune interaction significative n'a été rapportée.

MÉDICAMENT-MALADIE
Avertissez le médecin dans les cas suivants : blessure à la tête ou maladie cérébrale, hypothyroïdie, hypertrophie de la prostate, convulsions, maladie rénale ou hépatique, troubles de la vésicule biliaire, maladie du sang, antécédents d'alcoolisme ou de toxicomanie. Ces états pathologiques peuvent augmenter les risques d'effets indésirables associés à l'acétaminophène avec codéine.

ACÉTAMINOPHÈNE/CAFÉINE

Excedrin,
Excedrin Extra-Fort

Présentation : Caplets
En vente libre ? Oui **Générique disponible ?** Non
Classe de médicaments : Analgésique

▼ GÉNÉRALITÉS

INDICATIONS
Soulagement temporaire de la douleur d'intensité faible à moyenne.

MODE D'ACTION
L'acétaminophène semble entraver l'action des prostaglandines, substances naturelles qui causent l'inflammation et rendent les nerfs plus sensibles aux impulsions douloureuses. On croit que la caféine accroît l'efficacité des analgésiques.

▼ MODE D'EMPLOI

POSOLOGIE
Excedrin – Adultes : 1 à 2 caplets aux 4 heures, au besoin, sans dépasser 12 caplets par jour. Enfants de 12 ans et plus : même dose que pour les adultes. Excedrin Extra-Fort – Adultes : 1 à 2 caplets aux 4 heures, au besoin, sans dépasser 8 caplets par jour. Enfants de 12 ans et plus : même dose que pour les adultes. Enfants de moins de 12 ans : selon les directives de votre médecin.

DÉBUT D'ACTION
En 30 à 60 minutes.

DURÉE D'ACTION
4 à 6 heures.

CONSEILS NUTRITIONNELS
Peut se prendre avec ou sans aliments.

MODE DE CONSERVATION
Dans un contenant étanche, à l'abri de la chaleur, de l'humidité et de la lumière.

OUBLI D'UNE DOSE
Sautez la dose oubliée et reprenez la fréquence normale. Ne doublez pas la dose suivante.

ARRÊT DE LA MÉDICATION
Vous pouvez arrêter ce médicament quand vous le déciderez.

USAGE PROLONGÉ
Cette association médicamenteuse n'est indiquée que pour un traitement de courte durée. Un usage prolongé peut accroître le risque d'effets indésirables.

▼ PRÉCAUTIONS

Plus de 60 ans. Risques de réactions indésirables plus probables et plus graves.

Conduite automobile, travaux dangereux. Pas de précaution nécessaire.

Alcool. À éviter.

Grossesse. Évaluez avec votre médecin les avantages et les risques que présente ce médicament durant la grossesse.

Allaitement. Le médicament peut passer dans le lait maternel ; demandez spécifiquement l'avis du médecin.

Nourrissons et enfants. Consultez le médecin. La caféine n'est pas recommandée aux enfants de moins de 12 ans.

À surveiller. Ne prenez pas le médicament près de l'heure du coucher pour ne pas souffrir d'insomnie.

SURDOSAGE
Symptômes. Nausées et vomissements, désorientation, convulsions, respiration rapide, tintements ou bourdonnements d'oreilles, fièvre, perte de l'appétit, douleur abdominale, sudation excessive, somnolence ou épuisement, endolorissement de l'estomac, arythmie cardiaque, jaunissement de la peau et des yeux, agitation, anxiété, agitation motrice, délire.

Quoi faire. Il faut administrer immédiatement un antidote. Allez à l'urgence.

▼ INTERACTIONS

MÉDICAMENT-MÉDICAMENT
Avertissez le médecin si vous prenez l'un des médicaments suivants : antihypertenseurs, anticonvulsivants, nicotine, zidovudine (AZT), isoniazide, stimulants du système nerveux central (SNC), inhibiteur de la monoamine-oxydase (IMAO), amantadine ou médicaments en vente libre contre le rhume et les allergies.

MÉDICAMENT-ALIMENT
N'abusez pas des boissons renfermant de la caféine : café, thé, cola, cacao ou lait au chocolat.

MÉDICAMENT-MALADIE
Consultez votre médecin en cas de : maladie du foie, phénylcétonurie, antécédents d'alcoolisme, hypertension, maladie thyroïdienne, anxiété ou crises de panique, agoraphobie ou insomnie.

 EFFETS INDÉSIRABLES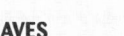

GRAVES
Difficulté à avaler ; vertiges, étourdissements ou évanouissement ; bouffées congestives, rougeur ou changement de la couleur de la peau ; difficulté à respirer, essoufflement, sensation de constriction thoracique ou respiration sifflante ; baisse soudaine du débit urinaire ; enflure du visage, des paupières ou des lèvres ; ecchymoses ou saignements anormaux ; jaunissement de la peau et des yeux (signe de lésion au foie).

COURANTS
Indigestion, nausées et vomissements, douleur à l'estomac.

MOINS COURANTS
Difficulté à dormir, nervosité, irritabilité.

ACÉTAZOLAMIDE

Présentation : Comprimés, gélules à libération progressive
En vente libre ? Non   **Générique disponible ?** Oui
Classe de médicaments : Inhibiteur de l'anhydrase carbonique ; anticonvulsivant

▼ GÉNÉRALITÉS

INDICATIONS
Traitement de glaucome, convulsions, paralysie périodique ; prévention ou traitement du mal des montagnes (altitude) ; prévention d'un type de calculs rénaux.

MODE D'ACTION
Glaucome : bloque l'action d'une enzyme, l'anhydrase carbonique, réduisant ainsi la sécrétion normale de liquide dans le globe oculaire. Convulsions : semble réduire les décharges de neurones dans le cerveau. Paralysie : stabilise les membranes musculaires. Mal de l'altitude : favorise l'apport d'oxygène, stimule le flux sanguin vers le cerveau et accroît la libération d'oxygène par les globules rouges du sang. Calculs rénaux : augmente l'alcalinité de l'urine, inhibant ainsi la formation de certains types de calculs.

▼ MODE D'EMPLOI

POSOLOGIE
Comprimés – Glaucome : Adultes : 250 mg 1 à 4 fois par jour. Enfants : 8 à 30 mg par kilogramme (2,2 lb) de poids par jour en doses fractionnées. Convulsions : 4 à 30 mg par kilogramme par jour en doses fractionnées. Mal de l'altitude : 250 mg 2 à 4 fois par jour. Gélules à libération progressive – Glaucome : 500 mg 2 fois par jour, matin et soir. Mal de l'altitude : 500 mg 1 ou 2 fois par jour.

DÉBUT D'ACTION
Comprimés : 60 à 90 minutes. Gélules à libération progressive : 2 heures.

DURÉE D'ACTION
Comprimés : 8 à 12 heures. Gélules à libération progressive : 18 à 24 heures.

CONSEILS NUTRITIONNELS
À prendre avec des aliments ou du lait pour protéger l'estomac. Les comprimés peuvent être broyés (pas les gélules) et mélangés à des aliments sucrés pour en masquer le goût. Mangez des aliments riches en potassium.

MODE DE CONSERVATION
Dans un contenant étanche, à l'abri de la chaleur, de l'humidité et de la lumière.

OUBLI D'UNE DOSE
Prenez-la dès que vous y pensez. S'il est presque l'heure de la dose suivante, sautez la dose oubliée et reprenez la fréquence normale. Ne doublez pas la dose suivante.

ARRÊT DE LA MÉDICATION
La décision d'interrompre le traitement doit être prise par le médecin. Ne l'arrêtez pas abruptement.

USAGE PROLONGÉ
Pourrait exiger des apports accrus de potassium.

▼ PRÉCAUTIONS

Plus de 60 ans. Risques de réactions indésirables plus fréquentes et plus graves.

Conduite automobile, travaux dangereux. À déconseiller tant que vous ne connaissez pas votre réaction au médicament.

Alcool. Peut réduire l'effet du médicament sur les convulsions.

Grossesse. Il n'y a pas d'études adéquates. Analysez avec le médecin les bienfaits du médicament et ses risques.

Allaitement. Changez de médicament ou cessez d'allaiter.

Nourrissons et enfants. Aucun risque connu.

À surveiller. Peut augmenter le débit urinaire, surtout au début du traitement, pendant que l'organisme s'y habitue. Pour ne pas perturber votre sommeil, prenez la dernière dose avant 18 heures, à moins d'un avis différent du médecin.

SURDOSAGE
Symptômes. Somnolence, engourdissements, nausées, soif, vomissements, convulsions, coma.

Quoi faire. Appelez immédiatement le médecin ou le centre antipoison, ou allez à l'urgence.

▼ INTERACTIONS

MÉDICAMENT-MÉDICAMENT
Il peut être toxique de prendre ce médicament avec de fortes doses d'AAS ou d'amphétamines. N'en prenez pas si vous êtes allergique aux sulfamides. Consultez le médecin si vous prenez quinidine, lithium, méthénamine ou hypoglycémiants oraux.

MÉDICAMENT-ALIMENT
Évitez la réglisse noire. Mangez des aliments riches en potassium (bananes, agrumes).

MÉDICAMENT-MALADIE
Ne prenez pas d'acétazolamide en cas de troubles graves du foie ou des reins, maladie d'Addison, taux sanguins bas de potassium ou de sodium, diabète sucré. En cas de goutte, maladie pulmonaire (emphysème) ou antécédents de calculs rénaux : parlez-en au médecin.

 **EFFETS INDÉSIRABLES**

GRAVES
Problèmes respiratoires, convulsions, réactions allergiques graves (urticaire, démangeaisons, gonflement des yeux, des lèvres et de la gorge).

COURANTS
Fatigue inusitée ; diarrhée ; débit urinaire accru et mictions fréquentes ; perte d'appétit et de poids ; arrière-goût métallique ; engourdissements, picotements ou démangeaisons des mains, pieds, doigts, orteils, lèvres, ou autres.

MOINS COURANTS
Myopie accrue ; urine foncée ou sanglante ; mictions douloureuses ; dépression ; douleurs dans le bas du dos ou les flancs ; débit urinaire subitement moindre ; ecchymoses ou saignements anormaux ; sang dans les selles ou selles noires, pâles ou goudronneuses ; confusion ; maladresse.

ACÉTYLCYSTÉINE

NOMS COMMERCIAUX

Mucomyst, Parvolex

Présentation : Solution à inhaler
En vente libre ? Non   **Générique disponible ?** Non
Classe de médicaments : Décongestionnant/médicament pour la toux

▼ GÉNÉRALITÉS

INDICATIONS
Pour soulager la congestion et faciliter la respiration dans les troubles pulmonaires accompagnés d'une production importante de mucus épais : bronchectasie (destruction irréversible des parois des bronches), bronchite, pneumonie et fibrose kystique. S'emploie aussi pour les patients qui ont subi une trachéotomie (ouverture chirurgicale du cou pour créer une voie aérienne quand la gorge est obstruée) ou qui souffrent d'un affaissement d'un lobe pulmonaire à la suite d'un bouchon muqueux logé dans une voie aérienne.

MODE D'ACTION
L'acétylcystéine liquéfie et éclaircit le mucus de sorte qu'il puisse être expulsé par la toux (ou enlevé par succion, si nécessaire).

▼ MODE D'EMPLOI

POSOLOGIE
1 à 10 ml de solution à 20 %
par nébulisation toutes les 2 à 6 heures. (Le médicament peut être inhalé à travers un masque facial, un embout buccal ou par trachéotomie.) Ou 1 à 2 ml de solution à 20 % placée directement dans la trachée par canule toutes les 1 à 4 heures. La posologie diffère d'un patient à l'autre ; suivez soigneusement les directives de votre médecin.

DÉBUT D'ACTION
En 1 minute.

DURÉE D'ACTION
Jusqu'à plusieurs heures.

CONSEILS NUTRITIONNELS
Ce médicament ne doit pas se prendre en mangeant. Buvez beaucoup.

MODE DE CONSERVATION
Jusqu'à ce qu'il soit ouvert, gardez le médicament à l'abri de la chaleur et de la lumière. Après l'avoir ouvert, gardez-le au réfrigérateur, mais ne le faites pas congeler. Jetez-le 96 heures après qu'il a été ouvert.

 EFFETS INDÉSIRABLES

GRAVES
Respiration sifflante, constriction thoracique et difficultés respiratoires (surtout chez les asthmatiques), crachats sanguinolents.

COURANTS
Il n'y en a pas habituellement.

MOINS COURANTS
Peau moite, fièvre, production accrue de mucus dans les poumons, douleur ou irritation de la bouche ou de la gorge, nausées et vomissements, écoulements nasals, somnolence. Ces symptômes ont tendance à s'atténuer à mesure que l'organisme s'habitue au médicament.

OUBLI D'UNE DOSE
Prenez-la dès que vous y pensez. Prenez le reste des doses quotidiennes à intervalles réguliers.

ARRÊT DE LA MÉDICATION
La décision d'interrompre le traitement doit être prise par le médecin.

USAGE PROLONGÉ
Aucun risque connu.

▼ PRÉCAUTIONS

Plus de 60 ans. Aucun risque connu.

Conduite automobile, travaux dangereux. À déconseiller tant que vous ne connaissez pas votre réaction au médicament.

Alcool. À consommer avec grande modération.

Grossesse. Les effets de l'acétylcystéine sur le fœtus humain n'ont pas été étudiés. Demandez spécifiquement l'avis de votre médecin si vous êtes enceinte ou souhaitez le devenir.

Allaitement. On ne sait pas si l'acétylcystéine passe dans le lait maternel ; la question n'a pas été étudiée. Demandez spécifiquement l'avis de votre médecin avant de décider d'allaiter tout en prenant ce médicament.

Nourrissons et enfants. Aucun risque connu.

À surveiller. N'oubliez pas de prévenir votre médecin si vous avez déjà eu des réactions inhabituelles ou allergiques à l'acétylcystéine ou si
vous êtes allergique à d'autres substances, incluant aliments, agents de conservation, latex ou teintures. Si vous employez un nébulisateur, nettoyez-le immédiatement après chaque usage : le médicament laisse des résidus qui deviennent collants et peuvent obstruer l'appareil. La solution nébulisée peut être inhalée directement du nébulisateur ; on peut aussi placer le nébulisateur dans un masque facial ou un embout buccal en plastique. Quand l'acétylcystéine est prescrite à des patients souffrant d'asthme ou d'autres types d'hypersensibilité des voies aériennes, il faudrait leur administrer d'abord un bronchodilatateur pour prévenir les bronchospasmes.

SURDOSAGE
Symptômes. Difficultés respiratoires inhabituelles.

Quoi faire. Appelez le médecin immédiatement ou allez à l'urgence.

▼ INTERACTIONS

MÉDICAMENT-MÉDICAMENT
Il faudrait éviter d'utiliser simultanément, dans la même solution que l'acétylcystéine, tétracycline et lactobionate d'érythromycine ; ces deux derniers médicaments doivent être pris à un autre moment.

MÉDICAMENT-ALIMENT
Aucune interaction connue.

MÉDICAMENT-MALADIE
L'acétylcystéine peut aggraver l'asthme ou d'autres maladies respiratoires.

ACÉTYLSALICYLIQUE (ACIDE) (AAS)

Présentation : Comprimés
En vente libre ? Oui   **Générique disponible ?** Oui
Classe de médicaments : Anti-inflammatoire non stéroïdien (AINS) ; analgésique ; anticoagulant

▼ GÉNÉRALITÉS

INDICATIONS
Soulagement de la douleur et de l'inflammation légères ou modérées ; réduction de la fièvre ; prévention des caillots sanguins, cause principale de crises cardiaques, accidents cérébrovasculaires et autres problèmes circulatoires ; soulagement de l'inflammation, des douleurs articulaires et de la raideur liées à l'arthrite.

MODE D'ACTION
Les anti-inflammatoires non stéroïdiens (AINS) comme l'AAS entravent la libération de prostaglandines – éléments chimiques de l'organisme reliés à l'inflammation. On ne sait pas exactement comment ils exercent leur action analgésique, anti-inflammatoire et fébrifuge.

▼ MODE D'EMPLOI

POSOLOGIE
Douleur et fièvre : 325 à 650 mg aux 4 heures, au besoin. Maximum : 4 grammes (g) par jour. Prévention des caillots sanguins : 80 à 325 mg par jour. Arthrite : jusqu'à 4 g par jour, en 4 doses fractionnées.

DÉBUT D'ACTION
En 30 minutes.

DURÉE D'ACTION
Effet analgésique, jusqu'à 4 heures.

CONSEILS NUTRITIONNELS
À prendre en même temps que des aliments ou qu'un grand verre d'eau pour réduire l'irritation de l'estomac.

MODE DE CONSERVATION
Dans un contenant étanche, à l'abri de la chaleur et de la lumière.

OUBLI D'UNE DOSE
Douleur et fièvre : prenez la dose oubliée dès que vous y pensez, puis attendez 4 heures avant de prendre la suivante. Arthrite : prenez la dose oubliée dès que vous y pensez si le retard ne dépasse pas 2 heures, puis revenez à la fréquence normale.

ARRÊT DE LA MÉDICATION
Douleur et fièvre : arrêtez quand vous êtes soulagé. Arthrite et prévention des caillots sanguins : consultez le médecin avant d'arrêter.

USAGE PROLONGÉ
Demandez au médecin si vous devez subir des examens médicaux et des analyses de laboratoire quand vous devez prendre de l'AAS pour une période prolongée.

▼ PRÉCAUTIONS

Plus de 60 ans. Irritation et saignements gastro-duodénaux sont plus susceptibles de se produire.

Conduite automobile, travaux dangereux. L'AAS ne devrait pas vous empêcher d'exécuter de telles tâches en toute sécurité.

Alcool. L'alcool augmente les risques d'irritation et de saignements gastro-duodénaux : consommez-en peu.

Grossesse. Ne prenez pas d'AAS durant les 3 derniers mois de la grossesse, à moins que le médecin ne vous en prescrive.

Allaitement. L'AAS passe dans le lait maternel. Évitez d'en prendre ou cessez d'allaiter.

Nourrissons et enfants. Ne donnez pas d'AAS aux enfants de moins de 16 ans à moins que le médecin ne le prescrive, car l'AAS peut causer une maladie très rare mais potentiellement fatale, le syndrome de Reye.

SURDOSAGE
Symptômes. Nausées, désorientation, convulsions, vomissements, essoufflement, fièvre.

Quoi faire. Appelez immédiatement le médecin ou le centre antipoison, ou allez à l'urgence.

▼ INTERACTIONS

MÉDICAMENT-MÉDICAMENT
Demandez l'avis du médecin avant de prendre de l'AAS si vous prenez : médicaments pour contrôler la pression artérielle, médicaments contre la goutte ou l'arthrite, anticoagulants (warfarine), antidiabétiques, stéroïdes ou anticonvulsivants.

MÉDICAMENT-ALIMENT
Pas d'interaction connue. La prise d'AAS avec des aliments ou des boissons contenant de la caféine peut même augmenter les effets analgésiques du médicament.

MÉDICAMENT-MALADIE
Avant de prendre de l'AAS, avertissez le médecin si vous souffrez d'asthme, saignements, insuffisance cardiaque, diabète sucré, goutte, hémophilie, hypertension, maladie des reins, du foie ou de la thyroïde, ulcère gastroduodénal.

EFFETS INDÉSIRABLES

GRAVES
Vomissements, agitation, lassitude extrême, confusion ; réaction allergique entraînant difficulté à respirer, rougeur du visage, démangeaisons, enflure du visage, des lèvres ou des paupières. Ce sont les symptômes du syndrome de Reye, maladie rare mais grave qui affecte plus souvent les patients de moins de 16 ans. Demandez immédiatement les secours médicaux.

COURANTS
Dérangements d'estomac, rash cutané, nausées, bourdonnements d'oreilles.

MOINS COURANTS
Insomnie.

ACÉTYLSALICYLIQUE (ACIDE) (AAS)/CAFÉINE

Présentation : Comprimés
En vente libre ? Oui   **Générique disponible ?** Oui
Classe de médicaments : Anti-inflammatoire non stéroïdien (AINS) ; analgésique ; antirhumatismal

▼ GÉNÉRALITÉS

INDICATIONS
Pour calmer la douleur et l'inflammation légères ou modérées, réduire la fièvre et soulager l'inflammation, les douleurs articulaires et la raideur associées à l'arthrite.

MODE D'ACTION
L'AAS semble entraver la production de prostaglandines, substances naturelles de l'organisme qui causent l'inflammation et rendent les nerfs plus réceptifs aux impulsions douloureuses. La caféine peut augmenter l'effet des analgésiques.

▼ MODE D'EMPLOI

POSOLOGIE
Adultes – Douleur et fièvre (le dosage porte sur l'AAS) : 325 à 1 000 mg aux 4 heures, au besoin. Maximum : 4 g par jour. Enfants – Consultez le médecin. Cette association médicamenteuse n'est pas habituellement utilisée sur une base régulière ou durant une période prolongée.

DÉBUT D'ACTION
Douleur, inflammation ou fièvre : en 30 minutes.

DURÉE D'ACTION
Effet analgésique : jusqu'à 4 heures.

CONSEILS NUTRITIONNELS
À prendre avec des aliments ou avec un grand verre d'eau pour réduire l'irritation de l'estomac.

MODE DE CONSERVATION
Dans un contenant étanche, à l'abri de la chaleur, de l'humidité et de la lumière.

OUBLI D'UNE DOSE
Douleur et fièvre : prenez la dose oubliée dès que vous y pensez, puis atttendez 4 heures avant de prendre la suivante.

ARRÊT DE LA MÉDICATION
Douleur et fièvre : arrêtez le médicament quand vous êtes soulagé.

USAGE PROLONGÉ
Ce médicament, qui est destiné à procurer un soulagement rapide de la douleur, est utilisé au besoin. Il n'est donc pas conçu pour un usage prolongé.

▼ PRÉCAUTIONS

Plus de 60 ans. Irritation et saignements gastro-duodénaux sont plus susceptibles de se produire.

Conduite automobile, travaux dangereux. Pas de précautions spéciales.

Alcool. L'alcool augmente les risques d'irritation et de saignements gastro-duodénaux : consommez-en peu.

Grossesse. Ne prenez pas ce médicament durant les 3 derniers mois de la grossesse, à moins que le médecin ne vous le prescrive.

Allaitement. L'AAS passe dans le lait maternel. Évitez d'en prendre ou cessez d'allaiter.

Nourrissons et enfants. Ne donnez pas de médicaments à l'AAS aux enfants de moins de 16 ans à moins que le médecin ne le prescrive, car l'AAS est la cause d'une maladie très rare mais potentiellement fatale, le syndrome de Reye. Les médicaments renfermant de la caféine ne sont pas destinés aux enfants.

SURDOSAGE
Symptômes. Nausées, désorientation, convulsions, vomissements, essoufflement, fièvre.

Quoi faire. Appelez immédiatement le médecin ou le centre antipoison, ou allez à l'urgence.

▼ INTERACTIONS

MÉDICAMENT-MÉDICAMENT
Demandez l'avis du médecin avant de prendre ce médicament si vous prenez : médicaments pour contrôler la pression sanguine, médicaments contre la goutte ou l'arthrite, anticoagulants (warfarine), antidiabétiques, stéroïdes ou anticonvulsivants.

MÉDICAMENT-ALIMENT
Pas d'interaction connue.

MÉDICAMENT-MALADIE
Avant de prendre ce médicament, consultez votre médecin si vous souffrez de : asthme, saignements, insuffisance cardiaque, diabète sucré, goutte, hémophilie, hypertension, maladie des reins, du foie ou de la thyroïde, ulcère gastro-duodénal.

≡ EFFETS INDÉSIRABLES ≡

GRAVES
Vomissements, agitation, lassitude extrême, confusion, réaction allergique entraînant difficultés à respirer, rougeur du visage, démangeaisons, enflure du visage, des lèvres ou des paupières. Ce sont les symptômes du syndrome de Reye, maladie rare mais grave qui affecte plus souvent les patients de moins de 16 ans. Demandez immédiatement les secours médicaux.

COURANTS
Dérangements d'estomac, rash cutané, nausées.

MOINS COURANTS
Insomnie, bourdonnements d'oreilles.

ACITRÉTINE

Présentation : Gélules
En vente libre ? Non   **Générique disponible ?** Non
Classe de médicaments : Rétinoïde

▼ GÉNÉRALITÉS

INDICATIONS
Traitement du psoriasis sévère, quand d'autres médicaments n'ont pas été efficaces.

MODE D'ACTION
Son mode d'action n'est pas connu. Il semble que l'acitrétine instaure un mode plus normal de croissance et d'élimination des cellules de l'épiderme.

▼ MODE D'EMPLOI

POSOLOGIE
Dose d'attaque : 25 mg 1 fois par jour. Dose d'entretien après la réponse initiale : 25 à 50 mg 1 fois par jour. Si la réponse est insuffisante après 4 semaines et si les effets indésirables sont bénins, le médecin peut augmenter la posologie selon votre état et votre poids.

DÉBUT D'ACTION
Le plein effet thérapeutique peut prendre 2 à 3 mois pour s'installer.

DURÉE D'ACTION
Inconnue.

CONSEILS NUTRITIONNELS
Se prend de préférence au repas principal.

MODE DE CONSERVATION
Dans un contenant étanche, à l'abri de la chaleur, de l'humidité et de la lumière.

OUBLI D'UNE DOSE
Prenez-la dès que vous y pensez. S'il est presque l'heure de la dose suivante, sautez la dose oubliée et reprenez la fréquence normale. Ne doublez pas la dose suivante.

ARRÊT DE LA MÉDICATION
Vous devriez effectuer le traitement au complet, comme il vous a été prescrit, mais vous pouvez l'interrompre si les symptômes ont suffisamment disparus. Consultez votre médecin.

USAGE PROLONGÉ
L'acitrétine est généralement prescrite pour 1 mois à la fois. Le suivi médical, fait d'examens et d'analyses, vérifie l'efficacité et l'innocuité du médicament.

▼ PRÉCAUTIONS

Plus de 60 ans. Risque de réactions indésirables plus fréquentes et plus graves.

Conduite automobile, travaux dangereux. À déconseiller tant que vous ne connaissez pas votre réaction au médicament.

Alcool. Ne buvez pas d'alcool durant le traitement et jusqu'à 2 mois après.

Grossesse. L'acitrétine peut entraîner des anomalies congénitales graves. Vous devez signer un document dans lequel vous acceptez d'utiliser des mesures contraceptives 1 mois avant le traitement et jusqu'à 3 mois après. Vous devez avoir reçu un résultat négatif à un test de grossesse.

Allaitement. L'acitrétine peut passer dans le lait maternel avec des conséquence graves. N'allaitez pas durant le traitement.

Nourrissons et enfants. Il n'y a pas d'études concernant les enfants ; on estime cependant que l'acitrétine pourrait gravement affecter leur croissance.

À surveiller. Vous pouvez observer une sensibilité accrue aux verres de contact. Si l'acitrétine provoque une sensibilité accrue au soleil, protégez-vous avec des vêtements longs et un écran solaire et évitez de vous exposer au soleil. Ne donnez pas de sang durant la thérapie ni pendant les 3 ans suivants. Des patients ont une rechute après avoir arrêté l'acitrétine et doivent reprendre le traitement.

SURDOSAGE
Symptômes. Aucun cas n'a été signalé.

Quoi faire. Une surdose ne devrait pas mettre votre vie en danger. Néanmoins, si une personne prend une dose bien supérieure à ce qui a été prescrit, appelez aussitôt le médecin ou le centre antipoison, ou allez à l'urgence.

▼ INTERACTIONS

MÉDICAMENT-MÉDICAMENT
Certains médicaments contenant des rétinoïdes (vitamine A) ou du méthotrexate interagissent avec l'acitrétine. Indiquez au médecin tout médicament que vous prenez, avec ou sans ordonnance.

MÉDICAMENT-ALIMENT
Aucune interaction connue.

MÉDICAMENT-MALADIE
Prévenez le médecin si vous avez le diabète sucré, une maladie des reins ou du foie, ou tout autre problème médical.

EFFETS INDÉSIRABLES

GRAVES
Céphalées sévères, lésions au foie, lésions aux yeux, douleurs articulaires, hyperostose vertébrale, raideur, tremblements violents avec frissons et fièvre.

COURANTS
Bouche sèche, lèvres sèches qui fendillent, écoulements nasals, saignements de nez, desquamation de la peau, chute de cheveux, peau sèche, troubles des ongles, démangeaisons, rash cutané, sensibilité accrue au toucher, engourdissements ou picotements, inflammation des doigts ou des orteils, peau moite, yeux secs, irritation des yeux, chute des sourcils et des cils.

MOINS COURANTS
Saignement des gencives, salivation accrue, soif, inflammation de la bouche, odeur cutanée anormale, ampoules, peau moite et froide, sudation accrue, infections cutanées, ulcérations, coups de soleil, vision anormale ou brouillée, vision nocturne réduite, douleurs articulaires, mal de dos, douleurs musculaires, céphalées légères, douleurs abdominales, diarrhée, nausées, goût étrange dans la bouche, bourdonnements d'oreilles, dépression, insomnie.

ACYCLOVIR

Présentation : Gélules, comprimés, liquide, onguent, injection
En vente libre ? Non   **Générique disponible ?** Oui
Classe de médicaments : Antiviral

▼ GÉNÉRALITÉS

INDICATIONS
Traitement des infections virales herpétiques : herpès génital, zona, herpès simplex et varicelle.

MODE D'ACTION
L'acyclovir entrave l'activité des enzymes nécessaires à la duplication de l'ADN viral dans les cellules, empêchant ainsi le virus de se multiplier.

▼ MODE D'EMPLOI

POSOLOGIE
Voie orale – Herpès génital : jusqu'à 1 200 mg par jour en doses égales prises toutes les 4 ou 8 heures. Zona : jusqu'à 4 000 mg par jour en doses égales prises toutes les 4 heures. Varicelle : jusqu'à 800 mg, 4 fois par jour, sans dépasser 3 200 mg par jour. Usage topique – Symptômes de l'herpès simplex : appliquez-en un peu sur les lésions toutes les 3 heures, 6 fois par jour, pendant au plus 10 jours ; enfilez un gant ou un doigtier.

DÉBUT D'ACTION
En 2 heures ou plus.

DURÉE D'ACTION
Jusqu'à 5 heures après la dernière dose.

CONSEILS NUTRITIONNELS
Gélules, comprimés et liquide doivent se prendre en mangeant, avec un grand verre d'eau (240 ml/8 oz).

MODE DE CONSERVATION
Dans un endroit sec, à la température ambiante et à l'abri du soleil.

OUBLI D'UNE DOSE
Comprimés, gélules, liquide : prenez la dose oubliée dès que vous y pensez si vous avez moins de 2 heures de retard. Autrement, attendez la prochaine prise et ne la doublez pas. Onguent : appliquez-le dès que vous y pensez et reprenez ensuite la fréquence normale.

ARRÊT DE LA MÉDICATION
Effectuez le traitement au complet, même si vous vous sentez mieux avant la fin de la thérapie, mais ne prolongez pas le traitement au-delà de la période recommandée.

USAGE PROLONGÉ
Les femmes atteintes d'herpès génital ont un risque accru de développer un cancer du col de l'utérus. Un frottis Pap est recommandé chaque année.

▼ PRÉCAUTIONS

Plus de 60 ans. Risques de réactions indésirables plus fréquentes et plus graves. On peut diminuer les risques en buvant 2 ou 3 litres (8 à 12 tasses) de liquide par jour.

Conduite automobile, travaux dangereux. L'acyclovir ne devrait pas vous empêcher d'exécuter de telles tâches en toute sécurité.

Alcool. L'alcool peut accentuer les vertiges et étourdissements causés par la thérapie.

Grossesse. L'acyclovir a été prescrit à des femmes enceintes sans qu'aucune malformation congénitale ni trouble connexe n'aient été rapportés ; néanmoins la recherche sur les êtres humains est limitée et non concluante. Consultez le médecin si vous êtes enceinte ou souhaitez le devenir.

Allaitement. Le médicament, pris par voie orale, peut passer dans le lait maternel : il vaut mieux éviter l'allaitement durant un traitement oral. Aucun problème ne semble relié aux applications topiques.

Nourrissons et enfants. L'acyclovir ne doit pas être prescrit à des enfants de moins de 2 ans. Chez les enfants de moins de 12 ans, le traitement doit être surveillé de près par le médecin.

À surveiller. Avertissez le médecin si vous avez déjà eu des réactions allergiques ou autres à l'acyclovir. Rappelez-vous que le médicament ne vous guérit pas ; il ne vous empêche donc pas de transmettre des infections herpétiques à d'autres personnes.

SURDOSAGE
Symptômes. Rien de spécifique n'a été signalé.

Quoi faire. Une surdose ne devrait pas mettre votre vie en danger. Néanmoins, si la surdose est considérable, appelez le médecin ou le centre antipoison tout de suite, ou allez à l'urgence. Un surdosage prolongé peut entraîner des troubles rénaux.

▼ INTERACTIONS

MÉDICAMENT-MÉDICAMENT
Consultez le médecin si vous prenez l'un ou l'autre des médicaments suivants : cyclosporine, probénécide, mépéridine ou zidovudine.

MÉDICAMENT-ALIMENT
Aucune interaction alimentaire grave n'a été signalée.

MÉDICAMENT-MALADIE
L'acyclovir peut entraîner des complications chez les patients souffrant d'une maladie du foie ou des reins, puisque ces organes contribuent ensemble à éliminer le médicament de l'organisme.

≡ EFFETS INDÉSIRABLES ≡

GRAVES
Aucun effet indésirable grave n'a été signalé.

COURANTS
Rashs cutanés, nausées et vomissements. L'onguent peut causer douleur, brûlure ou démangeaisons locales. Si ces effets persistent, parlez-en au médecin. L'administration par injection peut entraîner une inflammation de la veine (phlébite) ; appelez le médecin le cas échéant.

MOINS COURANTS
Diarrhée, douleur gastrique, étourdissements, vertiges, confusion, tremblements. Dans de rares cas d'administration par injection, il peut y avoir altération de la fonction rénale, notamment une diminution de la sécrétion urinaire.

ADAPALÈNE

Présentation : Crème topique, gel
En vente libre ? Non   **Générique disponible ?** Non
Classe de médicaments : Anti-acnéique topique

▼ GÉNÉRALITÉS

INDICATIONS
Traitement de l'acné.

MODE D'ACTION
Bien que son mode d'action ne soit pas élucidé, il semble que l'adapalène se lie à des récepteurs spécifiques dans les cellules de la peau, stimulant ainsi la formation de cellules normales tout en limitant la formation de lésions acnéiques.

▼ MODE D'EMPLOI

POSOLOGIE
Après avoir lavé les zones atteintes, appliquez une mince couche d'adapalène 1 fois par jour, avant le coucher.

DÉBUT D'ACTION
On observe des effets après 4 à 8 semaines. L'acné peut d'abord s'intensifier avant de se résorber. Cela s'explique du fait que le médicament fait ressortir des lésions jusqu'alors invisibles. Si c'est le cas, le traitement ne devrait pas être interrompu.

DURÉE D'ACTION
Inconnue.

CONSEILS NUTRITIONNELS
Aucune précaution spéciale.

MODE DE CONSERVATION
Dans un contenant étanche, à l'abri de la chaleur et de la lumière.

OUBLI D'UNE DOSE
Prenez-la dès que vous y pensez. S'il est presque l'heure de la suivante, sautez la dose oubliée et revenez à la fréquence normale. Ne doublez pas la dose suivante.

ARRÊT DE LA MÉDICATION
Cette décision devrait être prise par votre médecin.

USAGE PROLONGÉ
Aucun problème prévu.

▼ PRÉCAUTIONS

Plus de 60 ans. Aucune précaution spéciale.

Conduite automobile, travaux dangereux. Aucune précaution spéciale.

Alcool. Aucune précaution spéciale.

Grossesse. Des malformations congénitales mineures (un nombre excessif de côtes) ont été signalées chez les animaux à des doses élevées d'adapalène. Théoriquement, de telles doses pourraient se traduire par des malformation congénitales majeures. Des études chez les humains n'ont pas été menées. En général, on doit éviter l'adapalène pendant une grossesse. Demandez l'avis de votre médecin.

Allaitement. L'adapalène peut passer dans le lait maternel. La prudence s'impose. Demandez l'avis de votre médecin.

Nourrissons et enfants. L'innocuité et l'efficacité de l'adapalène chez les enfants de moins de 12 ans n'ont pas encore été établies.

À surveiller. Toute personne ayant souffert d'une allergie à l'adapalène ou à l'un des ingrédients de la crème topique ou du gel ne devrait plus l'utiliser. En début de traitement, il est normal que l'acné paraisse s'intensifier : on devrait observer une amélioration après 4 à 8 semaines. Évitez d'appliquer l'adapalène sur les yeux, les lèvres, les narines et les muqueuses. Cessez l'application en présence d'une coupure, d'une égratignure, de desquamation, ou de brûlure par le soleil. Les excès climatiques de l'hiver comme le vent et le froid peuvent exacerber la sécheresse ou la sensibilité de la peau. Par temps ensoleillé, protégez la région atteinte avec un écran solaire ayant un facteur de protection (FPS) d'au moins 15 et portez des vêtements couvrants. Limitez votre exposition au soleil. En cas de coup de soleil, cessez la médication à l'adapalène et ne la reprenez qu'après guérison. N'employez pas de produits pour la peau contenant de l'alcool, un astringent, des épices ou de la lime.

SURDOSAGE
Symptômes. L'application de quantités excessives d'adapalène peut entraîner des rougeurs, de la douleur ou une desquamation.

Quoi faire. Interrompez le traitement et consultez le médecin. En cas d'ingestion accidentelle du produit, demandez immédiatement de l'aide médicale.

▼ INTERACTIONS

MÉDICAMENT-MÉDICAMENT
Il pourrait y avoir interaction avec d'autres médicaments : informez votre médecin de tous les médicaments que vous prenez, par la bouche ou sous forme topique. Demandez aussi son avis si vous vous servez de produits potentiellement irritants : savons médicamentés ou abrasifs, nettoyants pour la peau, ou produits contenant des sulfures, du résorcinol ou de l'acide salicylique. À moins d'avis contraire du médecin, de tels produits devraient être évités pendant un traitement à l'adapalène.

MÉDICAMENT-ALIMENT
Pas d'interaction connue.

MÉDICAMENT-MALADIE
La prudence est de mise avec l'adapalène. Consultez votre médecin si vous souffrez de toute autre maladie de la peau.

  EFFETS INDÉSIRABLES

GRAVES
Aucun effet indésirable grave n'a été signalé.

COURANTS
Rougeur, dessèchement et desquamation de la peau ; démangeaison ou sensation de brûlure à l'application.

MOINS COURANTS
Irritations cutanées, coups de soleil, crises d'acné. Ces symptômes apparaissent d'habitude au cours du premier mois du traitement et finissent par se résorber.

ALENDRONATE MONOSODIQUE

Présentation : Comprimés
En vente libre ? Non **Générique disponible ?** Non
Classe de médicaments : Inhibiteur bisphosphonate de la résorption osseuse

▼ GÉNÉRALITÉS

INDICATIONS
Prévention et traitement de l'ostéoporose chez les femmes postménopausées. Aussi traitement de l'ostéoporose cortisonique ainsi que de la maladie de Paget (caractérisée par la dégradation et la reformation rapides des os pouvant amener fragilité et malformation osseuse).

MODE D'ACTION
Les os en bonne santé sont en constant renouvellement (ils se dégradent et se reforment) ; un groupe de cellules (ostéoclastes) absorbent les sels minéraux et autres éléments constitutifs des os ; un autre groupe s'emploie à reformer le tissu osseux. L'alendronate supprime l'activité des ostéoclastes : la dégradation des tissus osseux se fait plus lentement que la formation du nouveau tissu osseux, protégeant ainsi la densité et la résistance des os.

▼ MODE D'EMPLOI

POSOLOGIE
Prévention de l'ostéoporose : 5 mg 1 fois par jour. Traitement de l'ostéoporose : 10 mg 1 fois par jour. Ostéoporose cortisonique : 5 mg 1 fois par jour ; les femmes ménopausées ne prenant pas d'œstrogènes devraient recevoir 10 mg 1 fois par jour. Maladie de Paget : 40 mg 1 fois par jour. La dose se prend le matin. Avalez le comprimé sans le briser ; ne le sucez pas, ne le mâchez pas. Ne vous allongez pas pendant 30 minutes après avoir pris le médicament. Prenez-le avec un verre d'eau de 230 ml (8 oz), au moins 30 minutes avant toute ingestion de boisson, d'aliment ou de médicament.

DÉBUT D'ACTION
En 2 heures.

DURÉE D'ACTION
Très longue.

CONSEILS NUTRITIONNELS
Prenez le médicament le matin, au moins 30 minutes avant toute ingestion de boisson ou d'aliment et avec un grand verre d'eau. Si vous avez des carences alimentaires, prenez des suppléments de calcium ou de vitamine D pour favoriser la formation de nouveaux tissus osseux.

MODE DE CONSERVATION
Dans un contenant étanche, à l'abri de la chaleur, de l'humidité et de la lumière.

OUBLI D'UNE DOSE
Prenez-la dès que vous y pensez. S'il est presque l'heure de la dose suivante, sautez la dose oubliée et reprenez la fréquence normale. Ne doublez pas la dose suivante.

ARRÊT DE LA MÉDICATION
La décision doit être prise par le médecin. Pour la maladie de Paget, le traitement dure 6 mois dans la majorité des cas, après quoi il cesse. Il peut être nécessaire de reprendre le traitement s'il y a rechute après 6 mois d'observation.

USAGE PROLONGÉ
Aucune précaution spéciale.

▼ PRÉCAUTIONS

Plus de 60 ans. Aucun risque connu.

Conduite automobile, travaux dangereux. Pas de recommandation spéciale.

Alcool. On recommande aux femmes à haut risque d'en faire un usage modéré, l'alcool étant un facteur aggravant de l'ostéoporose.

Grossesse. Non prescrit en règle générale aux femmes susceptibles d'être enceintes.

Allaitement. L'alendronate peut passer dans le lait maternel : la prudence s'impose. Demandez l'avis du médecin.

Nourrissons et enfants. Non recommandé.

À surveiller. On conseille aux patients traités à l'alendronate de faire régulièrement des exercices sous charge, de ne pas fumer et de limiter leur consommation d'alcool, ce dernier inhibant la production de tissu osseux.

SURDOSAGE
Symptômes. Sévères aigreurs d'estomac, crampes à l'estomac ou irritation de la gorge si la surdose perturbe l'équilibre électrolytique (minéral) de l'organisme.

Quoi faire. On a rapporté peu de cas de surdoses. Néanmoins, si la dose est beaucoup plus forte, appelez aussitôt le médecin ou le centre antipoison.

▼ INTERACTIONS

MÉDICAMENT-MÉDICAMENT
Consultez le médecin si vous prenez : antiacides, suppléments de calcium, AAS ou autres anti-inflammatoires non stéroïdiens (AINS) ou suivez un traitement hormono-supplétif. Attendez au moins 30 minutes avant de prendre tout autre médicament.

MÉDICAMENT-ALIMENT
Tout aliment ingéré moins de 30 minutes après le médicament en diminue les effets. Eau minérale, café, thé et jus de fruit peuvent entraver l'absorption de l'alendronate.

MÉDICAMENT-MALADIE
Insuffisance rénale ou maladie gastro-intestinale peuvent augmenter les risques d'effets indésirables. Taux bas de calcium sanguin et carence en vitamine D doivent être corrigés avant le traitement.

EFFETS INDÉSIRABLES

GRAVES
Aucun effet indésirable grave n'a été signalé.

COURANTS
Douleur abdominale (aviser le médecin si elle persiste) ou flatulence, digestion difficile, aigreurs d'estomac, nausées.

MOINS COURANTS
Céphalées, constipation, diarrhée, gaz, déglutition difficile, irritation de la gorge, ballonnement ou constriction abdominale, douleurs musculaires ou osseuses, goût dérangé.

ALITRÉTINOÏNE

NOM COMMERCIAL

Panretin

Présentation : Gel topique
En vente libre ? Non   **Générique disponible ?** Non
Classe de médicaments : Rétinoïde

▼ GÉNÉRALITÉS

INDICATIONS
Traitement topique des lésions cutanées chez les patients atteints d'un sarcome de Kaposi associé au sida (cancer de la peau fréquent chez les immunodépressifs). Ne s'emploie pas si une thérapie systémique contre le sarcome de Kaposi est requise.

MODE D'ACTION
L'alitrétinoïne, rétinoïde apparenté à la vitamine A qui se trouve naturellement dans l'organisme, s'oppose au développement des cellules sarcomateuses de la maladie de Kaposi.

▼ MODE D'EMPLOI

POSOLOGIE
Au début, appliquez une couche généreuse de gel sur les lésions cutanées 2 fois par jour. Le médecin peut augmenter peu à peu la fréquence des applications jusqu'à 3 ou 4 fois par jour.

DÉBUT D'ACTION
Après 2 semaines seulement chez certains patients. Néan-moins, d'autres patients doivent attendre jusqu'à 14 semaines avant de remarquer une amélioration.

DURÉE D'ACTION
Inconnue.

CONSEILS NUTRITIONNELS
Aucune restriction spéciale.

MODE DE CONSERVATION
Dans un contenant étanche, à l'abri de la chaleur, de l'humidité et de la lumière.

OUBLI D'UNE DOSE
Si vous oubliez d'appliquer le gel une journée, reprenez la fréquence normale le lendemain ; n'augmentez pas la dose pour compenser votre oubli.

ARRÊT DE LA MÉDICATION
Appliquez le gel aussi longtemps que vous en retirez des bienfaits. Consultez votre médecin avant de mettre fin au traitement.

USAGE PROLONGÉ
La thérapie est souvent à long terme.

▼ PRÉCAUTIONS

Plus de 60 ans. L'information n'est pas encore disponible, mais aucun problème particulier ne semble se produire.

Conduite automobile, travaux dangereux. L'alitrétinoïne ne devrait pas vous empêcher d'exécuter de telles tâches en toute sécurité.

Alcool. Aucune précaution spéciale n'est nécessaire.

Grossesse. Vous ne devriez pas employer l'alitrétinoïne si vous êtes enceinte ou souhaitez le devenir. Des mesures contraceptives sont recommandées aux femmes en âge d'avoir des enfants.

Allaitement. L'alitrétinoïne peut passer dans le lait maternel. Toutefois, les femmes atteintes du VIH ne devraient pas allaiter, pour ne pas transmettre le virus à un nourrisson non infecté.

Nourrissons et enfants. Non recommandé.

À surveiller. N'appliquez pas de gel là où il n'y a pas de lésion : il pourrait se produire de l'irritation. Laissez le gel sécher pendant 3 à 5 minutes avant de remettre un vêtement. N'en appliquez pas près des muqueuses : nez, yeux et bouche. Les patients atteints de lymphome cutané à lymphocytes T tolèrent moins bien le médicament.

SURDOSAGE
Symptômes. Un emploi abusif du médicament peut faire rougir la peau, causer de la desquamation et de l'inconfort.

Quoi faire. Il est rare qu'on abuse du médicament. Si quelqu'un, par accident, ingère de l'alitrétinoïne, appelez le médecin.

▼ INTERACTIONS

MÉDICAMENT-MÉDICAMENT
Si vous employez de l'alitrétinoïne, n'utilisez aucun produit renfermant du DEET, ingrédient qu'on retrouve fréquemment dans certains insectifuges.

MÉDICAMENT-ALIMENT
Aucune interaction connue.

MÉDICAMENT-MALADIE
Avant d'employer le médicament, avertissez le médecin si vous souffrez d'une autre affection de la peau.

 EFFETS INDÉSIRABLES

GRAVES
Aucun effet indésirable grave n'est associé à l'alitrétinoïne.

COURANTS
Rougeur, éruptions cutanées, démangeaisons, engour-dissements, fourmillements, fendillements de la peau, croûtes, enflure, sensation de brûlure et douleurs au site d'application.

MOINS COURANTS
Aucun n'est associé à l'alitrétinoïne.

ALLOPURINOL

Présentation : Comprimés
En vente libre ? Non   **Générique disponible ?** Oui
Classe de médicaments : Médicament contre la goutte

▼ GÉNÉRALITÉS

INDICATIONS
Traitement de la goutte chronique ou de l'accumulation d'acide urique causée par une dysfonction rénale, un cancer ou une chimiothérapie antinéoplasique. L'allopurinol est aussi prescrit pour prévenir la formation de calculs rénaux d'acide urique. Il ne faut pas l'employer pour soigner une crise de goutte aiguë.

MODE D'ACTION
L'allopurinol inhibe l'action de la xanthine-oxydase, enzyme essentielle à la production d'acide urique, réduisant ainsi les taux d'acide urique dans le sang.

▼ MODE D'EMPLOI

POSOLOGIE
Adultes : 100 mg par jour en dose d'attaque ; la posologie peut être augmentée de 100 mg par jour à intervalle d'une semaine jusqu'à un maximum de 800 mg. Les doses quotidiennes de 300 mg et moins sont données en 1 prise ; au-delà de 300 mg par jour, on fractionne en 2 ou 3 prises égales. Enfants de 6 à 10 ans : 300 mg par jour pour certains types de cancers. Enfants de moins de 6 ans : 150 mg par jour en 3 doses fractionnées.

DÉBUT D'ACTION
Réduction des taux d'acide urique en 2 à 3 jours ; le plein effet thérapeutique peut prendre 6 mois.

DURÉE D'ACTION
1 à 2 semaines.

CONSEILS NUTRITIONNELS
Se prend avec de la nourriture ou du lait pour prévenir l'irritation de l'estomac. Buvez 10 à 12 verres (240 ml) d'eau par jour.

MODE DE CONSERVATION
Dans un contenant étanche, à l'abri de la chaleur et de la lumière.

EFFETS INDÉSIRABLES

GRAVES
Anémie ou autre affection du sang ou de la moelle entraînant fatigue, saignements ou ecchymoses ; jaunissement des yeux ou de la peau (symptôme d'hépatite ou de dommages au foie) ; réactions cutanées marquées (rash, ulcères, urticaire, intenses démangeaisons) ; oppression thoracique ; faiblesse.

COURANTS
Éruptions légères, somnolence, nausées, diarrhées. Crises de goutte plus fréquentes au cours des premières semaines de traitement.

MOINS COURANTS
Céphalées, douleurs abdominales, furoncles au visage, frissons ou fièvre, vomissements, chute de cheveux.

OUBLI D'UNE DOSE
Prenez-la dès que vous y pensez. S'il est presque l'heure de la suivante, sautez la dose oubliée et revenez à la fréquence normale. Ne doublez pas la dose suivante.

ARRÊT DE LA MÉDICATION
Poursuivez le traitement jusqu'à la fin, tel que prescrit, même si vous vous sentez mieux.

USAGE PROLONGÉ
Consultez votre médecin pour qu'il puisse faire des contrôles des fonctions hépatique et rénale, et des analyses de sang et d'urine.

▼ PRÉCAUTIONS

Plus de 60 ans. Risques de réactions indésirables plus fréquentes et plus graves.

Conduite automobile, travaux dangereux. L'allopurinol peut causer la somnolence. Abstenez-vous-en si c'est votre cas.

Alcool. Aucune précaution spéciale.

Grossesse. La prudence est de mise. Voyez avec votre médecin si les bénéfices escomptés justifient les risques pour le fœtus.

Allaitement. L'allopurinol passe dans le lait maternel : évitez de prendre de l'allopurinol ou interrompez le traitement pendant que vous allaitez.

Nourrissons et enfants. Suivez bien les directives du pédiatre.

SURDOSAGE
Symptômes. Aucun symptôme identifié.

Quoi faire. Une surdose d'allopurinol ne devrait pas mettre votre vie en danger. Toutefois, si la surdose est considérable, appelez le médecin ou le centre antipoison, ou allez à l'urgence.

▼ INTERACTIONS

MÉDICAMENT-MÉDICAMENT
Demandez l'avis du médecin si vous prenez : antibiotique (amoxicilline, ampicilline ou bacampicilline), anticoagulant (warfarine, dicumarol), anticancéreux (en chimiothérapie), chlorpropamide, diurétique, théophylline, cyclosporine, azathioprine.

MÉDICAMENT-ALIMENT
Les interactions sont peu probables, mais on recommande un régime à faible taux de purine pour éviter les crises de goutte. Légumineuses, anchois, sardines et tous les abats sont donc à éviter.

MÉDICAMENT-MALADIE
La prudence s'impose avec l'allopurinol. Demandez l'avis de votre médecin si vous souffrez de : hypertension, diabète sucré ou affection rénale.

ALPRAZOLAM

NOMS COMMERCIAUX

Alti-Alprazolam, Apo-Alpraz, Gen-Alprazolam, Novo-Alprazol, Nu-Alpraz, Xanax

Présentation : Comprimés
En vente libre ? Non **Générique disponible ?** Oui
Classe de médicaments : Tranquillisant (groupe des benzodiazépines) ; anxiolytique

▼ GÉNÉRALITÉS

INDICATIONS
Soulagement de l'anxiété et du trouble panique.

MODE D'ACTION
L'alprazolam produit un léger effet sédatif en diminuant l'activité du système nerveux central. Plus spécifiquement, il semble intensifier l'effet de l'acide gamma-amino-butyrique (AGAB), élément chimique naturel qui inhibe les décharges des neurones et réduit la transmission des signaux nerveux, diminuant ainsi l'excitation nerveuse.

▼ MODE D'EMPLOI

POSOLOGIE
Anxiété – Adultes : pour commencer 0,25 mg, 2 ou 3 fois par jour ; la posologie peut être augmentée graduellement, sans dépasser 3 mg par jour. Adultes âgés : dose initiale de 0,125 mg, 2 ou 3 fois par jour. Panique – Dose initiale : 0,5 mg, 3 fois par jour, ou 0,5 à 1 mg au coucher ; la posologie peut être augmentée peu à peu, sans dépasser 10 mg par jour. Enfants : non prescrit habituellement.

DÉBUT D'EFFET
En 2 heures.

DURÉE D'ACTION
Jusqu'à 12 heures.

CONSEILS NUTRITIONNELS
Peut se prendre à jeun ou avec un aliment ou du lait.

MODE DE CONSERVATION
Dans un contenant étanche, à l'abri de la chaleur et de la lumière.

OUBLI D'UNE DOSE
Si vous prenez le médicament 3 fois par jour et oubliez une dose, prenez-la si vous y pensez dans l'heure qui suit. Sinon, sautez-la et prenez la dose suivante au moment prévu sans la doubler.

EFFETS INDÉSIRABLES

GRAVES
Difficulté à se concentrer, accès de colère, autres problèmes de comportement, dépression, hallucinations, hypotension (causant évanouissement ou confusion), troubles de la mémoire, faiblesse musculaire, rash cutané ou démangeaisons, mal de gorge, fièvre et frissons, lésions ou ulcères dans la gorge ou la bouche, ecchymoses ou saignements inhabituels, fatigue extrême, jaunissement des yeux ou de la peau.

COURANTS
Somnolence, incoordination, démarche mal assurée, vertiges, étourdissements, diction empâtée.

MOINS COURANTS
Modification du désir sexuel ou de la libido, constipation, euphorie, nausées et vomissements, troubles urinaires, fatigue inhabituelle.

ARRÊT DE LA MÉDICATION
N'arrêtez pas abruptement le traitement : vous pourriez éprouver des symptômes de sevrage (convulsions, insomnie, nervosité, irritabilité, diarrhée, crampes abdominales, douleurs musculaires, troubles de la mémoire). La posologie doit être réduite progressivement selon l'avis du médecin.

USAGE PROLONGÉ
La thérapie est généralement de courte durée (8 semaines ou moins) ; ne la prolongez pas sans l'avis du médecin.

▼ PRÉCAUTIONS

Plus de 60 ans. Soyez prudent : certains effets, comme la somnolence ou les vertiges, peuvent être plus accusés.

Conduite automobile, travaux dangereux. À déconseiller : l'alprazolam peut diminuer les réflexes et la coordination.

Alcool. Consommez-en très peu durant la médication.

Grossesse. À éviter autant que possible durant la grossesse. N'oubliez pas d'aviser le médecin si vous êtes enceinte ou voulez le devenir.

Allaitement. L'alprazolam passe dans le lait maternel ; n'en prenez pas si vous allaitez.

Nourrissons et enfants. L'efficacité et l'innocuité n'ont pas été établies chez les enfants de moins de 18 ans.

À surveiller. Ce médicament peut entraîner de la dépendance psychologique et physique. La thérapie est généralement de courte durée (8 semaines ou moins). Ne la prolongez pas sans l'avis du médecin. Ne dépassez jamais la dose quotidienne prescrite.

SURDOSAGE
Symptômes. Grande somnolence, confusion, diction empâtée, réflexes lents, manque de coordination, démarche chancelante, tremblements, respiration lente, perte de conscience.

Quoi faire. Appelez immédiatement le médecin ou le centre antipoison, ou allez à l'urgence.

▼ INTERACTIONS

MÉDICAMENT-MÉDICAMENT
Demandez l'avis spécifique du médecin si vous prenez : érythromycine, itraconazole, kétoconazole, néfazodone, tout dépresseur du système nerveux central – antihistaminiques, agents psychiatriques, barbituriques, sédatifs et analgésiques. Signalez aussi au médecin les médicaments en vente libre que vous prenez.

MÉDICAMENT-ALIMENT
Pas d'interaction connue.

MÉDICAMENT-MALADIE
Avertissez le médecin en cas de : antécédents d'alcoolisme ou de toxicomanie, accident cérébrovasculaire (ACV) ou autre maladie du cerveau, maladie pulmonaire chronique, hyperactivité, dépression ou autre maladie mentale, myasthénie grave, apnée du sommeil, épilepsie, porphyrie, maladie des reins ou du foie.

ALPROSTADIL

Caverject, Prostin VR

Présentation : Injection
En vente libre ? Non   **Générique disponible ?** Non
Classe de médicaments : Vasodilatateur

▼ GÉNÉRALITÉS

INDICATIONS
Traitement de la dysfonction érectile (impuissance). Chez les nourrissons, l'alprostadil sert à maintenir le flot sanguin pendant une chirurgie cardiaque.

MODE D'ACTION
En dilatant certains vaisseaux sanguins, l'alprostadil favorise l'afflux de sang vers les tissus que ces vaisseaux irriguent. Injecté dans le pénis, l'alprostadil dilate les artères qui parcourent cet organe et cause une érection.

▼ MODE D'EMPLOI

POSOLOGIE
Hommes : injection de 0,001 à 0,06 mg autoadministrée à la base du pénis selon les besoins, au maximum 1 fois par jour. Nourrissons : perfusion intraveineuse.

DÉBUT D'ACTION
En 5 à 20 minutes.

DURÉE D'ACTION
De 30 minutes à 3 heures.

CONSEILS NUTRITIONNELS
Aucune restriction spéciale.

MODE DE CONSERVATION
La solution d'alprostadil doit être conservée au réfrigérateur, jamais au congélateur.

OUBLI D'UNE DOSE
Les injections sont faites uniquement lorsque la personne en sent le besoin.

ARRÊT DE LA MÉDICATION
Consultez votre médecin avant d'abandonner les injections d'alprostadil ou si vous avez l'impression qu'elles ne font plus effet.

USAGE PROLONGÉ
L'alprostadil ne doit pas être injecté plus souvent que spécifié dans l'ordonnance du médecin, c'est-à-dire en général pas plus de 3 fois par semaine, les injections devant être espacées d'au moins 24 heures. Tout homme qui s'administre des injections d'alprostadil doit consulter son médecin tous les trois mois pour faire renouveler sa prescription et ajuster la posologie au besoin. Il ne faut jamais augmenter la dose sans demander l'avis de votre médecin.

▼ PRÉCAUTIONS

Plus de 60 ans. Il n'existe pas de données par rapport à l'âge des patients, mais puisque, en vieillissant, ceux-ci ont davantage tendance à éprouver des problèmes circulatoires, il se pourrait qu'ils répondent moins bien à la médication. Le médecin pourra ajuster les doses en conséquence.

Conduite automobile, travaux dangereux. Aucune précaution spéciale.

Alcool. Aucune précaution spéciale.

Grossesse. Ce médicament ne concerne que les hommes et les jeunes enfants. On n'a rapporté aucune complication de grossesse chez les femmes dont le partenaire avait pris de l'alprostadil.

Allaitement. Ce médicament ne concerne que les hommes et les jeunes enfants.

Nourrissons et enfants. Le Prostin VR n'est administré qu'en milieu hospitalier.

À surveille. Votre médecin vous expliquera comment faire vos propres injections : attendez d'avoir reçu ses directives. L'alprostadil s'adresse uniquement aux hommes dont on a diagnostiqué l'impuissance et qui sont suivis pour cette raison par un médecin.

SURDOSAGE
Symptômes. Érection douloureuse ou qui persiste plus de 3 heures.

Quoi faire. Présentez-vous à l'urgence immédiatement. Une érection prolongée peut endommager les tissus du pénis de façon permanente et empêcher toute érection par la suite.

▼ INTERACTIONS

MÉDICAMENT-MÉDICAMENT
Aucune interaction chez les jeunes enfants. Les adultes doivent faire rapport à leur médecin de tous les autres médicaments qu'ils prennent.

MÉDICAMENT-ALIMENT
On n'a signalé aucune interaction significative.

MÉDICAMENT-MALADIE
Si vous avez des problèmes de coagulation, une maladie du foie, une affection des cellules falciformes (drépanocytes) ou des antécédents de priapisme (érections qui durent 3 heures et plus), informez-en votre médecin avant qu'il vous prescrive de l'alprostadil.

EFFETS INDÉSIRABLES

GRAVES
Érection douloureuse ou prolongée (3 heures et plus), habituellement causée par un dosage excessif. Si l'érection ne se résorbe pas d'elle-même dans un délai raisonnable, obtenez sans tarder une aide médicale ; si l'érection se résorbe d'elle-même, il faut néanmoins réduire la dose lors de l'injection suivante. Demandez conseil au médecin.

COURANTS
Douleurs, démangeaisons ou brûlures au site d'injection.

MOINS COURANTS
Ecchymoses ou hémorragies au site d'injection.

ALTRÉTAMINE

NOM COMMERCIAL

Hexalen

Présentation : Gélules
En vente libre ? Non   **Générique disponible ?** Non
Classe de médicaments : Agent antinéoplasique (anticancéreux)

▼ GÉNÉRALITÉS

INDICATIONS
Traitement du cancer ovarien persistant ou récurrent. Ce médicament est généralement utilisé après un traitement en première intention avec d'autres agents de chimiothérapie.

MODE D'ACTION
Le mécanisme d'action de l'altrétamine n'est pas entièrement compris. Elle semble entraver la synthèse du matériel génétique intracellulaire, inhibant ainsi la croissance des cellules cancéreuses.

▼ MODE D'EMPLOI

POSOLOGIE
260 mg par mètre carré de surface corporelle (ou 6 à 8 mg par kilogramme/2,2 lb de poids), en 3 ou 4 doses fractionnées par jour (aux repas et au coucher), généralement durant 14 ou 21 jours consécutifs dans un cycle de 28 jours. La dose dépend des effets indésirables et de l'usage concomitant d'autres agents antinéoplasiques.

DÉBUT D'ACTION
Le pic sanguin est atteint en 3 heures.

DURÉE D'ACTION
Jusqu'à 10 heures.

CONSEILS NUTRITIONNELS
À prendre après les repas pour réduire les nausées et les vomissements. Mangez et buvez normalement.

MODE DE CONSERVATION
Dans un contenant étanche, à l'abri de la chaleur et de la lumière.

OUBLI D'UNE DOSE
Prenez-la dès que vous y pensez. S'il est presque l'heure de la dose suivante, sautez la dose oubliée et reprenez la fréquence normale. Si vous oubliez plus d'une dose, appelez le médecin.

ARRÊT DE LA MÉDICATION
La décision d'interrompre le traitement doit être prise en consultation avec le médecin.

USAGE PROLONGÉ
Un usage prolongé augmente les risques de nausées et de vomissements qu'on peut traiter avec des antiémétiques. Des analyses du sang doivent être effectuées chaque semaine durant le traitement à l'altrétamine et avant d'entreprendre un nouveau cycle. Des examens neurologiques doivent aussi être effectués régulièrement pour déterminer si l'altrétamine cause des lésions nerveuses.

▼ PRÉCAUTIONS

Plus de 60 ans. Aucun risque connu.

Conduite automobile, travaux dangereux. L'altrétamine peut entraîner vertiges ou nausées. N'entreprenez pas d'activités potentiellement dangereuses tant que vous ne connaissez pas votre réaction au médicament.

Alcool. Consommation limitée : buvez avec modération pendant que vous prenez ce médicament.

Grossesse. L'altrétamine ne devrait pas être prise durant la grossesse parce qu'elle peut entraîner des malformations congénitales. Durant le traitement, il est recommandé de recourir à des méthodes contraceptives efficaces.

Allaitement. Non recommandé ; l'altrétamine passe dans le lait maternel et peut nuire au nourrisson.

Nourrissons et enfants. Il n'existe pas d'études spécifiques sur les emplois pédiatriques du médicament.

À surveiller. Ce médicament peut réduire votre résistance aux infections. Dans la mesure du possible, évitez tout contact avec des personnes souffrant d'infection, quelle qu'elle soit. Utilisez brosse à dents, soie dentaire ou cure-dents avec prudence et consultez le médecin avant d'entreprendre des travaux dentaires. Évitez de vous porter les mains aux yeux, au nez ou à la bouche sans vous les être lavées soigneusement. Prenez soin de ne pas vous couper avec des objets comme des rasoirs ou des coupe-ongles ; évitez les sports de contact ou toute activité susceptible de vous causer des blessures.

SURDOSAGE
Symptômes. Ils ne sont pas clairement définis, mais une surdose peut mettre votre vie en danger.

Quoi faire. Si vous prenez une dose bien supérieure à celle prescrite, allez immédiatement à l'urgence.

▼ INTERACTIONS

MÉDICAMENT-MÉDICAMENT
Ne vous faites pas vacciner contre des bactéries ou des virus pendant que vous prenez de l'altrétamine.

MÉDICAMENT-ALIMENT
Aucune interaction connue.

MÉDICAMENT-MALADIE
L'altrétamine exige la prudence. Consultez le médecin si vous souffrez de : myélodépression, varicelle, zona, infection quelconque ou insuffisance de la fonction rénale.

  EFFETS INDÉSIRABLES

GRAVES
Anémie ou tout autre problème sanguin causant fatigue, saignements, ecchymoses, fièvre et frissons ; anxiété, confusion, vertiges, faiblesse, manque d'équilibre ou de coordination ; engourdissements ou picotements des bras et des jambes.

COURANTS
Étourdissements, somnolence, sautes d'humeur, nausées, vomissements.

MOINS COURANTS
Diarrhée, anorexie, crampes abdominales, rash cutané, chute temporaire des cheveux.

ALUMINIUM (SELS D')

Présentation : Comprimés, liquide
En vente libre ? Oui   **Générique disponible ?** Oui
Classe de médicaments : Antiacide

▼ GÉNÉRALITÉS

INDICATIONS
Soulagement des symptômes en cas de : aigreurs d'estomac, mauvaise digestion, ulcères gastro-duodénaux, gastrite, œsophagite et reflux œsophagien.

MODE D'ACTION
Les sels d'aluminium neutralisent l'acide gastrique, inactivent une enzyme digestive appelée pepsine et soulagent ainsi les malaises liés à un excès d'acide gastrique dans l'estomac.

▼ MODE D'EMPLOI

POSOLOGIE
1 à 2 comprimés ou 10 à 30 ml de liquide aux 2 heures, au besoin, sans dépasser 6 doses par jour. Prenez le médicament entre les repas, à moins d'avis contraire du médecin. Croquez les comprimés.

DÉBUT D'ACTION
En quelques minutes.

DURÉE D'ACTION
20 minutes à 3 heures.

CONSEILS NUTRITIONNELS
Évitez d'adopter un régime pauvre en phosphate durant une période prolongée, à moins d'avis contraire du médecin. Viande rouge, volaille, poisson, œufs, légumes feuillus vert foncé, produits laitiers et noix sont des aliments riches en phosphate.

MODE DE CONSERVATION
Dans un contenant étanche, à l'abri de la chaleur, de l'humidité et de la lumière. Gardez le liquide au réfrigérateur.

OUBLI D'UNE DOSE
Prenez-la dès que vous y pensez. Ne doublez pas la dose suivante.

ARRÊT DE LA MÉDICATION
Effectuez le traitement comme on vous l'a recommandé.

 EFFETS INDÉSIRABLES

GRAVES
Constipation grave ou soutenue, vertiges, étourdissements, arythmie cardiaque. Fonte osseuse possible, surtout chez les patients sous dialyse. Hypophosphatémie possible (carence du sang en phosphate) dans les cas de médication prolongée ou régime pauvre en phosphate ; les symptômes incluent douleurs osseuses, fractures, faiblesse musculaire, perte d'appétit, changement d'humeur, malaise généralisé, enflure des poignets et des chevilles, perte inhabituelle de poids et anémie (manque de globules rouges du sang, avec symptômes de faiblesse et de fatigue).

COURANTS
Goût crayeux.

MOINS COURANTS
Constipation légère, crampes d'estomac, selles tachetées ou blanchâtres, soif accrue, nausées et vomissements.

USAGE PROLONGÉ
Ne prenez pas ce médicament durant plus de 2 semaines, à moins que le médecin vous le recommande.

▼ PRÉCAUTIONS

Plus de 60 ans. Constipation et troubles intestinaux sont plus fréquents. Les patients âgés à haut risque d'ostéoporose ou autres troubles des os devraient éviter de prendre ce médicament souvent.

Conduite automobile, travaux dangereux. Pas de précautions nécessaires.

Alcool. Il diminue l'effet des antiacides.

Grossesse. Consultez le médecin avant d'en prendre.

Allaitement. Le médicament passe dans le lait maternel ; on ne sait pas si cela constitue un risque pour le nourrisson. Consultez le médecin.

Nourrissons et enfants. On ne devrait pas donner d'antiacides aux enfants de moins de 6 ans, à moins d'avis contraire du médecin.

À surveiller. N'ayez recours aux antiacides en vente libre que de temps à autre, à moins d'avis contraire du médecin. Des aigreurs d'estomac que ne soulagent pas les antiacides peuvent être l'indice d'une crise cardiaque ou d'un autre problème grave. Dans de tels cas, consultez rapidement un médecin.

SURDOSAGE
Symptômes. Respiration superficielle, bouche sèche, constipation ou diarrhée, confusion, céphalées, faiblesse ou fatigue, douleurs osseuses, stupeur.

Quoi faire. Demandez des secours d'urgence.

▼ INTERACTIONS

MÉDICAMENT-MÉDICAMENT
Pris moins de 1 heure avant ou après des antiacides, certains médicaments peuvent perdre de leur efficacité. Demandez l'avis du médecin si vous prenez : bisacodyl, citrates, digoxine, médicaments à enrobage entérosoluble, sels de fer, isoniazide, kétoconazole, méthénamine, pénicillamine, phosphates, nitrofurantoïne, quinidine, salicylates ou tétracyclines.

MÉDICAMENT-ALIMENT
Pris avec de la nourriture, les sels d'aluminium perdent de leur efficacité : attendez 60 minutes après avoir mangé.

MÉDICAMENT-MALADIE
Ne prenez pas de sels d'aluminium si vous avez des symptômes d'appendicite ou d'inflammation de l'intestin (douleur abdominale, coliques, sensibilité, flatulence, nausées, vomissements). Ils ne sont pas recommandés chez les patients souffrant de la maladie d'Alzheimer. Consultez le médecin si vous avez : constipation chronique, colite, iléostomie, colostomie, occlusion intestinale ou gastrique, fractures osseuses, diarrhée, maladie des reins, hypophosphatémie, maladie cardiaque, maladie du foie, œdème, saignements d'estomac ou d'intestin.

AMANTADINE (CHLORHYDRATE D')

DOM-Amantadine, Endantadine, Gen-Amantadine, Med-Amantadine, PMS-Amantadine, Symmetrel

Présentation : Gélules, sirop
En vente libre ? Non   **Générique disponible ?** Oui
Classe de médicaments : Antiviral/antiparkinsonien

▼ GÉNÉRALITÉS

INDICATIONS
Prévention ou traitement de l'influenza de type A et traitement de la maladie de Parkinson. Également traitement de la raideur et des tremblements causés par certains médicaments prescrits contre les troubles nerveux, psychiques ou émotifs.

MODE D'ACTION
Son mécanisme d'action est mal connu, mais on croit que l'amantadine empêche le virus de l'influenza de type A d'entrer dans les cellules saines. Dans la maladie de Parkinson, il augmente la libération et l'activité de la dopamine qui joue un rôle clé dans la maîtrise des mouvements musculaires. La libération accrue de dopamine dans le cerveau aide à compenser la carence engendrée par la maladie et peut ainsi en atténuer les symptômes.

▼ MODE D'EMPLOI

POSOLOGIE
Traitement ou prévention de l'influenza – Adultes : 200 mg par jour en 1 ou 2 doses. Adultes âgés : 100 mg par jour. Enfants (1 à 9 ans) : 4,5 à 9 mg par kilogramme (2,2 lb) de poids par jour (sans dépasser 150 mg) en 2 ou 3 doses fractionnées. Maladie de Parkinson : 100 mg, 2 fois par jour. Dans certains cas, la dose maximale peut atteindre 300 mg par jour. Aux patients âgés ou ayant des antécédents de convulsions, on prescrit des doses réduites, soit 100 mg par jour.

DÉBUT D'ACTION
Influenza A : 2 heures. Maladie de Parkinson : 48 heures.

DURÉE D'ACTION
Jusqu'à 24 heures.

CONSEILS NUTRITIONNELS
À prendre aux repas ou après les repas.

MODE DE CONSERVATION
Dans un contenant étanche, à l'abri de la chaleur et de la lumière.

OUBLI D'UNE DOSE
Prenez-la dès que vous y pensez. S'il est presque l'heure de la suivante, sautez la dose oubliée et reprenez la fréquence normale. Ne doublez pas la dose suivante.

ARRÊT DE LA MÉDICATION
Influenza – Prévention : effectuez le traitement au complet, comme il vous a été prescrit. Traitement : ne mettez pas fin au traitement sans consulter votre médecin. Maladie de Parkinson : les doses doivent être réduites progressivement selon les instructions de votre médecin.

USAGE PROLONGÉ
Un suivi médical est nécessaire en usage prolongé.

▼ PRÉCAUTIONS

Plus de 60 ans. Ces patients sont en général plus sensibles à l'amantadine et plus susceptibles de ressentir des effets indésirables. Il leur faut des doses initiales plus faibles.

Conduite automobile, travaux dangereux. À déconseiller tant que vous ne connaissez pas votre réaction au médicament. L'amantadine peut causer somnolence, vertiges, vision embrouillée ou confusion.

Alcool. À éviter ; l'alcool peut aggraver certains effets indésirables du médicament (vertiges et vision embrouillée).

Grossesse. Des études sur les animaux ont montré que l'amantadine cause des anomalies congénitales ; il n'y a pas d'études sur les humains. Le médicament devrait être écarté durant les 3 premiers mois d'une grossesse. Avisez le médecin que vous êtes enceinte ou voulez le devenir.

Allaitement. L'amantadine passe dans le lait maternel : n'en prenez pas si vous allaitez.

Nourrissons et enfants. Innocuité non établie pour les enfants de moins de 1 an.

À surveiller. Les patients atteints d'une maladie des reins doivent recevoir des doses réduites et être surveillés étroitement.

SURDOSAGE
Symptômes. Hyperactivité, désorientation, confusion, hallucinations visuelles, convulsions, chute de la tension artérielle, palpitations ou arythmie cardiaque.

Quoi faire. Appelez immédiatement le médecin ou le centre antipoison, ou allez à l'urgence.

▼ INTERACTIONS

MÉDICAMENT-MÉDICAMENT
L'action de l'amantadine peut être modifiée par : anorexiants, médicaments pour l'asthme et le rhume, méthylphénidate, nabilone et pémoline. Les anticholinergiques peuvent augmenter ses effets indésirables.

MÉDICAMENT-ALIMENT
Pas d'interaction connue.

MÉDICAMENT-MALADIE
La prudence s'impose. Avisez le médecin si vous souffrez d'eczéma, d'épilepsie, de maladie cardiaque, circulatoire, rénale ou d'un trouble émotif.

 **EFFETS INDÉSIRABLES**

GRAVES
Rash cutané, confusion, convulsions, hallucinations, pieds ou bras enflés, difficultés respiratoires.

COURANTS
Vertiges, irritabilité, manque de concentration, insomnie.

MOINS COURANTS
Rash cutané bénin, faiblesse, dépression, fatigue, anxiété, céphalées, étourdissements, perte d'appétit, nausées, constipation, bouche sèche. Consultez le médecin si ces effets persistent.

AMILORIDE (CHLORHYDRATE D')

Présentation : Gélules, comprimés
En vente libre ? Non   **Générique disponible ?** Non
Classe de médicaments : Diurétique d'épargne potassique

▼ GÉNÉRALITÉS

INDICATIONS
Traitement adjuvant (d'appoint), en association avec d'autres diurétiques, pour augmenter l'excrétion de sodium et d'eau dans l'urine tout en conservant le potassium.

MODE D'ACTION
L'amiloride favorise l'élimination du sodium et de l'eau en modifiant les enzymes du rein qui contrôlent le débit d'urine. À la différence des autres diurétiques, l'amiloride et les médicaments de sa classe stimulent l'élimination des surplus d'eau sans abaisser le taux normal de potassium. Associé à un thiazidique ou à un diurétique dit « de l'anse », l'amiloride réduit le volume des liquides dans le corps et aide à maîtriser les symptômes de certaines maladies du cœur, du foie et des reins.

▼ MODE D'EMPLOI

POSOLOGIE
Dans la plupart des cas, 5 mg par jour, et 10 mg en cas de besoin. Dose maximale : 20 mg par jour. Le médicament est généralement administré en 1 dose unique par jour, de préférence le matin.

DÉBUT D'ACTION
En 2 à 4 heures.

DURÉE D'ACTION
Jusqu'à 24 heures.

CONSEILS NUTRITIONNELS
L'amiloride peut se prendre avec des liquides ou de la nourriture pour diminuer le risque d'irritation de l'estomac. Évitez les grandes quantités d'aliments à contenu élevé de potassium (voir Interactions médicament-aliment).

MODE DE CONSERVATION
Dans un contenant étanche, à l'abri de la chaleur et de la lumière.

OUBLI D'UNE DOSE
Prenez-la dès que vous y pensez. S'il est presque l'heure de la dose suivante, sautez la dose oubliée et revenez à la fréquence normale. Ne doublez pas la dose suivante.

ARRÊT DE LA MÉDICATION
La décision d'interrompre le traitement doit être prise par votre médecin.

USAGE PROLONGÉ
Aucun problème connu.

▼ PRÉCAUTIONS

Plus de 60 ans. Aucune précaution spéciale.

Conduite automobile, travaux dangereux. Aucune précaution spéciale.

Alcool. Aucune précaution spéciale.

Grossesse. Les recherches sur les animaux n'ont rapporté aucune malformation congénitale. Il n'existe pas de recherches sur les humains. Demandez conseil à votre médecin si vous devez prendre de l'amiloride pendant votre grossesse.

Allaitement. On ignore si le médicament passe dans le lait maternel. Demandez l'avis de votre médecin.

Nourrissons et enfants. La posologie n'a pas été établie.

SURDOSAGE
Symptômes. Pouls accéléré et irrégulier, souffle court, nervosité, confusion, faiblesse, stupeur.

Quoi faire. Présentez-vous à l'urgence sans tarder.

▼ INTERACTIONS

MÉDICAMENT-MÉDICAMENT
Indiquez à votre médecin tous les médicaments que vous prenez et en particulier : inhibiteurs de l'ECA (enzyme de conversion de l'angiotensine), AINS (anti-inflammatoires non stéroïdiens), digoxine, lithium, suppléments de potassium, autres diurétiques.

MÉDICAMENT-ALIMENT
Évitez de consommer en trop grande quantité des aliments à haute teneur en potassium, c'est-à-dire les fruits en général, surtout bananes, agrumes (fruits et jus), melons et prunes, de même que les avocats, les pommes de terre, les noix, les fèves et les haricots, les choux de Bruxelles et le lait écrémé.

MÉDICAMENT-MALADIE
Il faut être prudent lorsqu'on prend de l'amiloride. Demandez l'avis de votre médecin si vous souffrez d'une des affections suivantes : diabète sucré, goutte, calculs rénaux, maladie du foie ou des reins.

 EFFETS INDÉSIRABLES

GRAVES
Battements cardiaques irréguliers, sensation de vide (causée par un excès de potassium dans le sang).

COURANTS
Il n'y a pas d'effets indésirables courants avec l'amiloride.

MOINS COURANTS
Céphalées, nausées, perte d'appétit, perte de poids, diarrhées, vomissements, faiblesse, étourdissements, somnolence, douleurs abdominales, constipation, impuissance, sensibilité accrue au soleil, nervosité, arythmie, essoufflement, picotements dans les mains, les pieds ou les lèvres.

AMINOCAPROÏQUE (ACIDE)

Présentation : Comprimés, sirop, injection
En vente libre ? Non   **Générique disponible ?** Non
Classe de médicaments : Inhibiteur de la fibrinolyse (prévention des saignements)

▼ GÉNÉRALITÉS

INDICATIONS
Traitement de saignements graves après une chirurgie ou un travail dentaire ou prévention de saignements qui pourraient être fatals durant une chirurgie chez un patient qui souffre d'hémophilie, de déficit plaquettaire ou de troubles similaires.

MODE D'ACTION
L'acide aminocaproïque inhibe l'action biochimique de certaines enzymes dont le plasminogène, enzyme naturelle qui dissout les caillots sanguins. Le sang se met à se coaguler plus facilement, ce qui permet d'éviter des épisodes d'hémorragie incontrôlable.

▼ MODE D'EMPLOI

POSOLOGIE
Adultes – Dose d'attaque : 5 g par voie orale ou intraveineuse, suivie de 1 ou 1,25 g à intervalles de 1 heure, 3 ou 4 fois par jour, sans dépasser 30 g par jour. Enfants – Dose d'attaque : 100 mg par kilogramme (2,2 lb) de poids, suivis de 33 mg par kilogramme, 3 ou 4 fois par jour, pendant 2 à 8 jours.

DÉBUT D'ACTION
En 1 heure.

DURÉE D'ACTION
3 à 4 heures.

CONSEILS NUTRITIONNELS
Peut se prendre en mangeant contre l'irritation d'estomac.

MODE DE CONSERVATION
Dans un contenant étanche, à l'abri de la chaleur et de la lumière.

OUBLI D'UNE DOSE
Prenez-la dès que vous y pensez à moins qu'il ne soit presque l'heure de la dose suivante. Dans ce cas, doublez cette dose et reprenez ensuite la fréquence normale.

ARRÊT DE LA MÉDICATION.
N'arrêtez pas la médication sans le consentement du médecin, à moins d'un problème grave. Dans ce cas, cessez immédiatement de prendre le médicament. Il peut être nécessaire de réduire graduellement les doses si vous êtes sous médication depuis longtemps. Demandez des directives précises au médecin.

USAGE PROLONGÉ
Un suivi médical avec examens et analyses peut être nécessaire. Parlez-en au médecin.

▼ PRÉCAUTIONS

Plus de 60 ans. Aucun risque connu.

Conduite automobile, travaux dangereux. À déconseiller tant que vous ne connaissez pas votre réaction au médicament.

Alcool. À éviter ; l'alcool diminue l'effet thérapeutique du médicament.

Grossesse. On ne sait pas si l'acide aminocaproïque peut nuire au fœtus. On ne devrait l'utiliser durant une grossesse que s'il est manifestement nécessaire, après en avoir parlé en détail avec le médecin.

Allaitement. L'acide aminocaproïque passe dans le lait maternel, mais on n'a pas signalé de problèmes de santé chez les nourrissons. Demandez l'avis du médecin.

Nourrissons et enfants. L'innocuité et l'efficacité du médicament n'ont pas été établies chez les jeunes patients. Il ne faut l'utiliser pour les enfants que sous étroite surveillance médicale.

SURDOSAGE
Symptômes. Peu de surdoses ont été signalées. Les symptômes faisant suite à de hautes doses par injection sont : étourdissements, confusion, battements de cœur lent, évanouissement, indolence, fatigue, convulsions, fréquence urinaire accrue, saignement gastro-intestinal.

Quoi faire. Cessez le traitement et allez immédiatement à l'urgence.

▼ INTERACTIONS

MÉDICAMENT-MÉDICAMENT
Contraceptifs oraux et œstrogènes augmentent l'effet coagulant de l'acide aminocaproïque et du fait même le risque potentiellement dangereux de formation de caillots sanguins. Les agents thrombolytiques (ou inhibiteurs de la coagulation du sang), comme la streptokinase, diminuent l'efficacité de l'acide aminocaproïque.

MÉDICAMENT-ALIMENT
Pas d'interaction significative connue.

MÉDICAMENT-MALADIE
Les patients ayant des antécédents de coagulation intravasculaire disséminée (CIVD), trouble rare caractérisé par une coagulation excessive du sang, ne devraient pas prendre d'acide aminocaproïque. Si vous êtes enceinte ou si vous souffrez de maladie du cœur, des reins ou du foie, les risques d'effets indésirables augmentent.

≡ EFFETS INDÉSIRABLES ≡

GRAVES
Essoufflement ; faiblesse ou engourdissement du bras ou de la jambe ; diction empâtée ; céphalée soudaine et violente ; douleur aiguë dans la poitrine, le haut du bras ou les jambes ; altération de la vue. Bien que rares, ces effets peuvent signaler un ACV ou un infarctus. Autres effets rares mais graves : saignements, convulsions et hallucinations.

COURANTS
Nausées, diarrhée, douleurs menstruelles graves, crampes et douleurs musculaires, vomissements. Prévenez le médecin si ces effets persistent.

MOINS COURANTS
Étourdissements, céphalées, faiblesse musculaire et fatigue, bourdonnements d'oreilles, rash cutané, douleur abdominale, gain de poids rapide, enflure des pieds, du visage et des jambes, congestion nasale, délire, confusion.

AMINOPHYLLINE

NOM COMMERCIAL

Phyllocontin

Présentation : Comprimés, injection
En vente libre ? Non   **Générique disponible ?** Oui
Classe de médicaments : Bronchodilatateur/xanthine

▼ GÉNÉRALITÉS

INDICATIONS
Pour dilater les voies aériennes (bronchodilatation) et prévenir les sifflements et constrictions associés à l'asthme et aux autres troubles respiratoires, comme la bronchite chronique, l'emphysème et la maladie pulmonaire obstructive chronique.

MODE D'ACTION
La crise d'asthme éclate quand les muscles lisses des bronchioles des poumons sont en proie à des spasmes (bronchospasmes). L'aminophylline détend ces muscles, aidant ainsi à dilater les bronchioles et à rétablir une respiration normale.

▼ MODE D'EMPLOI

POSOLOGIE
Adultes et enfants de plus de 1 an : la moindre de ces deux doses – 400 mg par jour ou 16 mg par kilogramme (2,2 lb) de poids par jour, pris oralement en 3 ou 4 doses fractionnées, aux 6 à 8 heures. Des comprimés à libération progressive peuvent être administrés à intervalles de 12 heures durant le traitement d'entretien.

DÉBUT D'ACTION
En 15 à 60 minutes.

DURÉE D'ACTION
Plusieurs heures, selon la posologie et la forme.

CONSEILS NUTRITIONNELS
Pas de recommandations spéciales. Peut se prendre à un repas ou pas.

MODE DE CONSERVATION
Dans un contenant étanche, à l'abri de la chaleur, de l'humidité et de la lumière.

OUBLI D'UNE DOSE
Prenez-la dès que vous y pensez, dans les 2 heures qui suivent. Au-delà de 2 heures de retard, sautez la dose oubliée et reprenez la fréquence normale. Ne doublez pas la dose suivante.

ARRÊT DE LA MÉDICATION
Suivez le traitement aussi longtemps que le médecin le conseille. Un suivi médical est recommandé.

USAGE PROLONGÉ
S'il est effectué selon l'avis du médecin, le traitement peut durer la vie entière sans danger ; aucun problème spécifique n'est à prévoir.

▼ PRÉCAUTIONS

Plus de 60 ans. Réactions indésirables plus probables et plus graves.

Conduite automobile, travaux dangereux. À déconseiller tant que vous ne connaissez pas votre réaction au médicament. Si vous ressentez des vertiges et des étourdissements, soyez extrêmement prudent.

Alcool. Pas de précautions spéciales.

Grossesse. On ne sait pas si l'aminophylline nuit au fœtus ; examinez avec le médecin les risques que présente le médicament. En général, on conseille d'utiliser ce médicament seulement en cas d'absolue nécessité et si aucun autre ne peut lui être substitué.

Allaitement. L'aminophylline passe dans le lait maternel et peut être toxique pour le nourrisson ; cessez d'en prendre ou cessez d'allaiter.

Nourrissons et enfants. Attention aux symptômes suivants : agitation, irritabilité, fièvre, léthargie, tachycardie, respiration rapide ou convulsions.

À surveiller. L'aminophylline ne devrait pas être administrée aux patients ayant déjà eu des réactions allergiques au médicament ou à l'un de ses composants (sans oublier l'éthylènediamine).

SURDOSAGE
Symptômes. Agitation motrice aiguë, irritabilité, confusion, difficultés respiratoires, arythmies cardiaques, délire, convulsions.

Quoi faire. Cessez de prendre le médicament et allez immédiatement à l'urgence.

▼ INTERACTIONS

MÉDICAMENT-MÉDICAMENT
L'aminophylline peut interagir avec divers médicaments : allopurinol, cimétidine, ciprofloxacine, érythromycine, lithium, contraceptifs oraux, phénytoïne, propranolol ou rifampine. Donnez au médecin les noms de tous les médicaments avec ou sans ordonnance que vous prenez.

MÉDICAMENT-ALIMENT
Évitez de boire en grande quantité des boissons renfermant de la caféine.

MÉDICAMENT-MALADIE
Vous ne devriez pas prendre d'aminophylline si vous avez les problèmes médicaux suivants : ulcère gastrique actif ou maladie produisant des convulsions (à moins de prendre les anticonvulsivants appropriés). Prenez de l'aminophylline avec prudence si vous souffrez de maladie du cœur ou du foie ou d'hypothyroïdisme. Consultez le médecin à ce propos.

 EFFETS INDÉSIRABLES

GRAVES
Bien que ce soit rare, l'aminophylline peut amener de l'arythmie cardiaque, des convulsions ou des difficultés respiratoires aiguës. Appelez immédiatement l'urgence.

COURANTS
Céphalées, irritabilité, nervosité, nausées, vomissements, respirations ou battements cardiaques rapides, agitation motrice, insomnie, douleur gastrique, mictions fréquentes.

MOINS COURANTS
Urticaire ou rash cutané, diarrhée, vertiges, étourdissements, perte d'appétit, fatigue.

AMINOSALICYLATE DE SODIUM

Présentation : Comprimés
En vente libre ? Non **Générique disponible ?** Non
Classe de médicaments : Anti-infectieux/antituberculeux

▼ GÉNÉRALITÉS

INDICATIONS
Traitement de la tuberculose active ; s'emploie conjointement avec d'autres antituberculeux, comme l'isoniazide, l'éthambutol ou la rifampine.

MODE D'ACTION
L'aminosalicylate de sodium détruit les bactéries de la tuberculose en les empêchant d'utiliser l'acide folique, vitamine nécessaire à la croissance et à la reproduction des cellules.

▼ MODE D'EMPLOI

POSOLOGIE
Adultes et adolescents : 3,5 à 4 g (grammes) aux 8 heures ou 5 à 6 g aux 12 heures, sans dépasser 20 g par jour. Enfants de 12 ans et moins : 50 à 75 mg par kilogramme (2,2 lb) de poids aux 6 heures, ou 67 à 100 mg par kilogramme aux 8 heures, sans dépasser 12 g par jour.

DÉBUT D'ACTION
Inconnu.

DURÉE D'ACTION
Inconnue.

CONSEILS NUTRITIONNELS
À prendre en mangeant ou après les repas, ou encore avec un antiacide, pour réduire l'irritation gastrique.

MODE DE CONSERVATION
Dans un contenant étanche, à l'abri de la chaleur, de l'humidité et de la lumière.

OUBLI D'UNE DOSE
Prenez-la dès que vous y pensez pour maintenir la concentration du médicament dans l'organisme. S'il est presque l'heure de la dose suivante, sautez la dose oubliée et reprenez la fréquence normale. Ne doublez pas la dose suivante.

ARRÊT DE LA MÉDICATION
Effectuez le traitement au complet, comme il vous a été prescrit, même si vous vous sentez mieux avant qu'il prenne fin : il peut se poursuivre durant des mois et des années. La décision d'arrêter la médication doit être prise par votre médecin.

USAGE PROLONGÉ
Un usage prolongé à fortes doses peut causer de l'enflure sur le devant du cou, des modifications menstruelles chez la femme, une baisse de l'activité sexuelle chez l'homme, un gain de poids anormal et une peau sèche et bouffie. Demandez au médecin s'il y a lieu d'instaurer un suivi médical si la thérapie se prolonge.

▼ PRÉCAUTIONS

Plus de 60 ans. Réactions indésirables plus probables et plus graves.

Conduite automobile, travaux dangereux. À déconseiller tant que vous ne connaissez pas votre réaction au médicament.

Alcool. Pas de précautions spéciales.

Grossesse. Il n'existe pas d'études concluantes sur l'utilisation de l'aminosalicylate durant la grossesse. Demandez spécifiquement l'avis du médecin si vous êtes enceinte ou souhaitez le devenir.

Allaitement. L'aminosalicylate passe dans le lait maternel, mais aucun problème n'a été signalé.

Nourrissons et enfants. Rien à signaler ; les enfants peuvent tolérer le médicament mieux que les adultes.

À surveiller. Ne prenez pas les comprimés s'ils sont bruns ou mauves.

SURDOSAGE
Symptômes. Une surdose est peu probable.

Quoi faire. Appelez le médecin ou le centre antipoison.

▼ INTERACTIONS

MÉDICAMENT-MÉDICAMENT
Attendez 6 heures après l'ingestion d'aminosalicylate avant de prendre de la rifampine. D'autres médicaments peuvent interagir avec l'aminosalicylate. Demandez conseil à votre médecin si vous prenez des aminobenzoates ou d'autres médicaments vendus avec ou sans ordonnance.

MÉDICAMENT-ALIMENT
Aucune interaction n'est signalée, bien que l'aminosalicylate puisse entraver l'absorption de la vitamine B12 et d'autres nutriments ; il faudra peut-être prendre des suppléments vitaminiques.

MÉDICAMENT-MALADIE
La prudence s'impose quand on prend de l'aminosalicylate. Prévenez le médecin si vous avez l'un des troubles suivants : ulcères gastriques, épilepsie, maladie cardiaque, cancer, hyperthyroïdie ou insuffisance surrénale. L'aminosalicylate peut entraîner des complications chez les patients ayant une maladie du foie ou des reins, car ces organes travaillent ensemble à éliminer le médicament de l'organisme.

 EFFETS INDÉSIRABLES

GRAVES
Douleur aux articulations, fièvre, fatigue anormale, rash cutané ou démangeaisons, douleur lombaire, jaunissement des yeux ou de la peau, douleur abdominale forte, mal de gorge, pâleur, céphalées, douleur ou sensation de brûlure durant la miction.

COURANTS
Malaise abdominal, nausées et vomissements, diarrhée, perte de poids et d'appétit.

MOINS COURANTS
Ulcère gastro-duodénal, saignement intestinal, baisse du nombre de globules blancs et rouges dans le sang.

AMIODARONE

Présentation : Comprimés, injection
En vente libre ? Non   **Générique disponible ?** Oui
Classe de médicaments : Antiarythmique

▼ GÉNÉRALITÉS

INDICATIONS
Prévention et traitement des arythmies cardiaques (fibrillation auriculaire et tachycardie ventriculaire). Les risques possibles du médicament doivent être évalués par rapport à ses bienfaits : l'amiodarone peut être toxique, surtout prise à fortes doses ou durant une période prolongée.

MODE D'ACTION
L'amiodarone ralentit et aide à régulariser les impulsions nerveuses dans le cœur ; elle agit sur le tissu du cœur, rendant le muscle cardiaque moins sensible aux stimulations anormales.

▼ MODE D'EMPLOI

POSOLOGIE
Adultes : 800 à 1 600 mg par jour pendant 1 à 3 semaines ; puis 600 à 800 mg par jour pendant 1 mois ; puis 200 à 400 mg par jour. Enfants : la posologie varie selon la gravité de l'arythmie et l'avis du médecin.

DÉBUT D'ACTION
En 3 jours à 3 semaines.

DURÉE D'ACTION
10 jours à plusieurs mois selon la durée et la posologie totales de la médication.

CONSEILS NUTRITIONNELS
Comprimés : à prendre avec une boisson ou un aliment pour diminuer les risques de maux d'estomac.

MODE DE CONSERVATION
Dans un contenant étanche, à l'abri de la chaleur, de l'humidité et de la lumière.

OUBLI D'UNE DOSE
Sautez la dose oubliée et reprenez la fréquence normale. Ne doublez pas la dose suivante.

ARRÊT DE LA MÉDICATION
Doit être décidé par votre médecin. Signalez-lui tout symptôme anormal qui suivrait l'arrêt de la médication.

USAGE PROLONGÉ
On doit utiliser la plus petite dose efficace pour réduire les risques d'effets indésirables.

▼ PRÉCAUTIONS

Plus de 60 ans. Réactions indésirables plus probables et plus graves : possibilités d'hypo ou d'hyperthyroïdie, de difficulté à marcher, d'engourdissements, picotements, tremblements ou faiblesse des mains et des pieds.

Conduite automobile, travaux dangereux. Soyez prudent tant que vous ne connaissez pas votre réaction au médicament.

Alcool. La plus stricte modération est conseillée.

Grossesse. Des études indiquent que l'amiodarone peut causer des problèmes thyroïdiens ou cardiaques au fœtus, mais peut être nécessaire si une arythmie cardiaque grave menace la vie de la mère. Évaluez avec le médecin les bienfaits du médicament par rapport à ses risques.

Allaitement. L'amiodarone passe dans le lait maternel ; demandez l'avis du médecin.

Nourrissons et enfants. L'amiodarone peut être prescrite dans les cas d'arythmie symptomatique ou potentiellement mortelle. Évaluez avec le médecin les bienfaits du médicament et ses risques.

À surveiller. Pour dépister les signes précoces d'effets secondaires, la plupart des patients devraient subir des analyses régulières du sang pour surveiller les fonctions hépatiques, thyroïdiennes et respiratoires et au moins un examen de la vue par an. Avant tout travail dentaire, traitement d'urgence ou chirurgie exigeant une anesthésie générale, avisez le praticien que vous prenez de l'amiodarone.

SURDOSAGE
Symptômes. Convulsions, battements de cœur irréguliers ou lents, perte de conscience.

Quoi faire. Allez immédiatement à l'urgence.

▼ INTERACTIONS

MÉDICAMENT-MÉDICAMENT
Demandez l'avis du médecin si vous prenez : anticoagulants, autres médicaments pour le cœur, théophylline ou phénytoïne. L'amiodarone peut décupler en quelques jours les effets anticoagulants de la warfarine dont la posologie est souvent réduite ; le temps de prothrombine doit être surveillé attentivement.

MÉDICAMENT-ALIMENT
Pas d'interaction connue.

MÉDICAMENT-MALADIE
Consultez le médecin si vous avez une maladie du foie, des reins ou de la thyroïde.

EFFETS INDÉSIRABLES

GRAVES
Toux, essoufflement, palpitations accrues, aphonie (rare). Nausées, vomissements et jaunissement de la peau et des yeux (jaunisse) indiquant un trouble hépatique grave.

COURANTS
Maux d'estomac, nausées, vomissements, constipation, perte d'appétit, fièvre bénigne, sensibilité accrue de la peau au soleil (risques accrus de coups de soleil), engourdissements ou picotements des doigts ou des orteils, tremblements ou frissons, démarche incertaine, céphalées.

MOINS COURANTS
Goût métallique ou amer, coloration de la peau en bleu-gris, troubles de la vue, yeux secs, peau sèche et bouffie, sensation de froid ou frissons, vertiges, nervosité ou agitation motrice, baisse de la libido chez l'homme, douleur et enflure du scrotum, battements de cœur lents, sudation inusitée ou abondante, insomnie, fatigue, perte ou gain de poids inattendus.

AMITRIPTYLINE (CHLORHYDRATE D')

Présentation : Comprimés
En vente libre ? Non   **Générique disponible ?** Oui
Classe de médicaments : Antidépresseur tricyclique ; agent antimaniaque

▼ GÉNÉRALITÉS

INDICATIONS
Soulagement des symptômes de la dépression grave.

MODE D'ACTION
L'amitriptyline modifie les niveaux d'éléments chimiques spécifiques du cerveau (sérotonine, norépinéphrine et acétylcholine) qu'on croit liés aux humeurs, aux émotions et aux états psychiques.

▼ MODE D'EMPLOI

POSOLOGIE
Adultes : Dose d'attaque : 25 mg, 3 fois par jour ; la posologie peut être portée à 150 mg par jour. Personnes âgées : Dose d'attaque : 25 mg par jour au coucher ; la posologie peut être portée à 100 mg par jour. Adolescents : 10 mg, 3 fois par jour, et 20 mg au coucher. Enfants de 6 à 12 ans : 10 à 30 mg par jour.

DÉBUT D'ACTION
En 1 à 6 semaines.

DURÉE D'ACTION
Inconnue.

CONSEILS NUTRITIONNELS
Pour atténuer les malaises gastriques, prenez le médicament avec un aliment, à moins d'avis contraire du médecin. Mangez plus de fibres et buvez davantage.

MODE DE CONSERVATION
Dans un contenant étanche, à l'abri de la chaleur, de l'humidité et de la lumière.

OUBLI D'UNE DOSE
Si vous prenez une seule dose par jour, au coucher, ne prenez pas la dose oubliée le lendemain matin ; vous souffririez de somnolence. Si vous prenez plus qu'une dose par jour, prenez-la dès que vous y pensez. S'il est presque l'heure de la dose suivante, sautez la dose oubliée et reprenez la fréquence normale. Ne doublez pas la dose suivante.

ARRÊT DE LA MÉDICATION
Effectuez le traitement au complet, comme il vous a été prescrit, même si vous vous sentez mieux avant la fin. La décision d'interrompre la thérapie doit être prise en consultation avec votre médecin. La posologie devrait être réduite graduellement sur une période de 5 à 7 jours.

USAGE PROLONGÉ
Le traitement dure normalement de 6 mois à 1 an ; quelques patients peuvent tirer profit d'un usage prolongé.

▼ PRÉCAUTIONS

Plus de 60 ans. Risques de réactions indésirables plus fréquentes et plus graves.

Conduite automobile, travaux dangereux. Soyez prudent tant que vous ne connaissez pas votre réaction au médicament, qui peut causer somnolence et étourdissements.

Alcool. À éviter.

Grossesse. Il n'existe pas d'études concluantes sur les femmes enceintes. Demandez l'avis du médecin.

Allaitement. L'amitriptyline passe dans le lait maternel ; n'en prenez pas pendant que vous allaitez.

Nourrissons et enfants. Non prescrite aux enfants de moins de 6 ans.

À surveiller. Une surdose de ce médicament peut être dangereuse. Les antidépresseurs tricycliques ne doivent pas être laissés à la portée des personnes suicidaires. Contre la sécheresse de la bouche, utilisez de la gomme ou des bonbons sans sucre.

SURDOSAGE
Symptômes. Difficultés à respirer, fièvre, fatigue grave, manque de concentration, confusion, hallucinations, pupilles dilatées, arythmie cardiaque ou palpitations, convulsions.

Quoi faire. Allez immédiatement à l'urgence.

▼ INTERACTIONS

MÉDICAMENT-MÉDICAMENT
Demandez spécifiquement l'avis de votre médecin si vous prenez : antithyroïdiens, cimétidine, clonidine, anorexiants, isoprotérénol, éphédrine, épinéphrine, phényléphrine, antipsychotiques, pimozide, méthyldopa, métoclopramide, prométhazine, triméprazine, inhibiteurs de la monoamine-oxydase (IMAO) ou tout dépresseur du système nerveux central.

MÉDICAMENT-ALIMENT
Pas d'interaction connue.

MÉDICAMENT-MALADIE
Consultez le médecin dans les cas suivants : antécédents d'alcoolisme, mictions difficiles, asthme, maladie bipolaire, hypertension, troubles gastriques ou intestinaux, glaucome, hyperthyroïdie, hypertrophie de la prostate, schizophrénie, convulsions, troubles sanguins, maladie des reins, du cœur ou du foie.

 EFFETS INDÉSIRABLES

GRAVES
Confusion, arythmie cardiaque, hallucinations, convulsions, fatigue ou somnolence extrêmes, vision trouble ou modifiée, difficulté à respirer, constipation, manque de concentration, mictions difficiles, fièvre, agitation motrice extrême et soutenue, manque de coordination ou d'équilibre, difficultés à avaler ou à parler, pupilles dilatées, douleur oculaire, évanouissement. Aussi tremblements, instabilité, faiblesse et raideur des extrémités ; démarche traînante.

COURANTS
Somnolence, vertiges ou étourdissements, céphalées, bouche sèche ou mauvais goût, fatigue, sensibilité accrue à la lumière, gain anormal de poids, appétit accru, nausées.

MOINS COURANTS
Aigreurs d'estomac, insomnie ou agitation motrice, diarrhée, sudation accrue, vomissements.

AMLODIPINE

Présentation : Comprimés
En vente libre ? Non   **Générique disponible ?** Non
Classe de médicaments : Inhibiteur calcique (antagoniste du calcium)

▼ GÉNÉRALITÉS

INDICATIONS
Soulagement de l'angine de poitrine (douleur thoracique associée à la maladie cardiaque) et traitement de l'hypertension.

MODE D'ACTION
L'amlodipine entrave le mouvement du calcium dans les cellules du muscle cardiaque et dans celles des muscles lisses des parois artérielles. Cette action, qui dilate les vaisseaux sanguins, a pour effet de faire baisser la tension artérielle, d'accroître l'irrigation du cœur et de diminuer le travail cardiaque.

▼ MODE D'EMPLOI

POSOLOGIE
5 à 10 mg par jour en 1 seule dose quotidienne (généralement le matin, au petit déjeuner).

DÉBUT D'ACTION
En 1 à 2 heures.

DURÉE D'ACTION
24 heures.

CONSEILS NUTRITIONNELS
Peut se prendre sans tenir compte des repas, mais aussi durant ou après les repas pour réduire l'irritation gastrique. Si votre médecin vous conseille un régime pauvre en sel et en matières grasses, suivez ses directives.

MODE DE CONSERVATION
Dans un contenant étanche, à l'abri de la chaleur et de la lumière.

OUBLI D'UNE DOSE
Prenez-la dès que vous y pensez. Si vous êtes à moins de 2 heures de la suivante, sautez la dose oubliée et reprenez la fréquence normale. Ne doublez pas la dose suivante.

ARRÊT DE LA MÉDICATION
Effectuez le traitement au complet comme il vous a été prescrit. N'arrêtez pas brusquement de prendre ce médicament sous peine de vous exposer à de graves problèmes de santé. S'il faut interrompre la thérapie, la posologie devrait être diminuée progressivement, selon les directives du médecin.

USAGE PROLONGÉ
Dans certains cas, le traitement à l'amlodipine se prolonge durant des années ou même toute la vie. Demandez au médecin s'il y a lieu d'instaurer un suivi médical et des analyses pour vérifier l'activité cardiaque, la tension artérielle, ainsi que les fonctions rénale et hépatique.

▼ PRÉCAUTIONS

Plus de 60 ans. Risques de réactions indésirables plus probables et plus graves. De plus petites doses (2,5 mg par jour) sont généralement prescrites.

Conduite automobile, travaux dangereux. À déconseiller tant que vous ne connaissez pas votre réaction au médicament. Soyez prudent : l'amlodipine peut causer de la somnolence.

Alcool. À consommer avec prudence : l'alcool peut intensifier les effets du médicament et entraîner une chute excessive de la tension artérielle.

Grossesse. L'amlodipine ne devrait pas être administrée durant la grossesse à moins que les bienfaits du médicament, à la fois pour la mère et pour le fœtus, l'emportent sur ses dangers. Parlez-en avec le médecin.

Allaitement. L'amlodipine ne devrait pas être administrée aux femmes qui allaitent.

Nourrissons et enfants. L'amlodipine n'est généralement pas prescrite aux enfants de moins de 12 ans.

À surveiller. L'amlodipine ne devrait pas être administrée aux personnes qui ont mal réagi antérieurement au médicament. Durant le traitement, évitez de changer de position brusquement et en particulier de vous lever rapidement après avoir été allongé ou assis ; ces mouvements peuvent amener des vertiges.

SURDOSAGE
Symptômes. Chute grave de tension artérielle causant faiblesse, vertiges, somnolence, confusion ou difficultés d'élocution.

Quoi faire. Allez immédiatement à l'urgence.

▼ INTERACTIONS

MÉDICAMENT-MÉDICAMENT
D'autres médicaments pour le cœur pris en même temps que l'amlodipine peuvent perturber le nombre et le rythme des battements cardiaques. En général, faites connaître au médecin tous les médicaments que vous prenez avec ou sans ordonnance.

MÉDICAMENT-ALIMENT
N'abusez pas des aliments très salés.

MÉDICAMENT-MALADIE
Avertissez le médecin si vous souffrez de maladie des reins ou du foie, d'hypertension ou de toute maladie cardiaque autre que l'insuffisance coronarienne.

 EFFETS INDÉSIRABLES

GRAVES
Crises plus fréquentes d'angine de poitrine, vertiges en vous mettant debout après avoir été assis ou couché, essoufflement, faiblesse, rythme cardiaque très lent.

COURANTS
Céphalées, bouffées congestives au visage et sur le corps, rétention hydrique entraînant une baisse du débit urinaire, enflure des pieds et des chevilles, gain de poids.

MOINS COURANTS
Fatigue, vertiges, somnolence, palpitations, nausées, douleurs abdominales.

AMOBARBITAL/SÉCOBARBITAL

Présentation : Gélules
En vente libre ? Non   **Générique disponible ?** Non
Classe de médicaments : Barbiturique ; dépresseur du système nerveux central

▼ GÉNÉRALITÉS

INDICATIONS
L'amobarbital/sécobarbital servait au traitement de courte durée de l'insomnie. Aujourd'hui, les médecins ne le prescrivent que rarement et, généralement, pour obtenir un effet sédatif.

MODE D'ACTION
Le médicament associe deux barbituriques, l'amobarbital et le sécobarbital, qui exercent tous deux un puissant effet sédatif sur le système nerveux central.

▼ MODE D'EMPLOI

POSOLOGIE
100 ou 200 mg au coucher.

DÉBUT D'ACTION
En 15 minutes.

DURÉE D'ACTION
3 à 8 heures.

CONSEILS NUTRITIONNELS
On peut ouvrir les gélules et mélanger la poudre qui se trouve à l'intérieur avec un aliment ou une boisson.

MODE DE CONSERVATION
Dans un contenant étanche, à l'abri de la chaleur, de l'humidité et de la lumière.

OUBLI D'UNE DOSE
Le médicament ne se prend qu'une fois par jour, au coucher. Si un soir vous ne le prenez pas, reprenez la fréquence normale le lendemain soir, sans doubler la dose.

ARRÊT DE LA MÉDICATION
N'arrêtez jamais abruptement de prendre ce médicament, sous peine d'éprouver des symptômes de sevrage : convulsions, sommeil morcelé, nervosité, irritabilité, diarrhée, crampes abdominales, douleurs musculaires, troubles de la mémoire. La posologie doit être réduite graduellement, selon les directives du médecin.

USAGE PROLONGÉ
Les barbituriques créent de la dépendance : un usage prolongé accroît ce risque. Ce médicament ne doit pas être prescrit en traitement de longue durée car il existe des médicaments moins dangereux et plus efficaces que lui.

▼ PRÉCAUTIONS

Plus de 60 ans. Risques de réactions indésirables plus fréquentes et plus graves.

Conduite automobile, travaux dangereux. L'amobarbital/sécobarbital peut vous empêcher d'exécuter ces tâches en toute sécurité.

Alcool. N'en consommez pas du tout : la combinaison de barbituriques et d'alcool est potentiellement fatale.

Grossesse. Évaluez avec le médecin les bienfaits et les risques du médicament durant la grossesse.

Allaitement : N'en prenez pas pendant que vous allaitez.

Nourrissons et enfants. Non recommandé.

À surveiller. L'amobarbital/sécobarbital est un médicament potentiellement dangereux. Les barbituriques ne devraient pas servir à traiter l'anxiété ou le stress.

SURDOSAGE
Symptômes. Léthargie, somnolence excessive, difficultés d'élocution, maladresse grave, difficultés à marcher, confusion, respiration extrêmement lente et bruyante, perte de conscience. Certains patients peuvent devenir agités et très excités (ce qu'on appelle l'excitation paradoxale). Les pupilles peuvent rétrécir beaucoup, mais dans les cas de surdosage important, elles peuvent au contraire devenir très dilatées.

Quoi faire. Allez immédiatement à l'urgence.

▼ INTERACTIONS

MÉDICAMENT-MÉDICAMENT
Les risques d'interactions médicamenteuses sont augmentés quand l'amobarbital/sécobarbital est pris en même temps que l'un des médicaments suivants : remèdes contenant de l'alcool, antihistaminiques, antiallergiques, sédatifs, anticonvulsivants, analgésiques et narcotiques vendus sur ordonnance, relaxants musculaires et antidépresseurs. L'amobarbital/sécobarbital peut entraver l'action des médicaments suivants : anticoagulants, contraceptifs en comprimés et médicaments semblables à la cortisone.

MÉDICAMENT-ALIMENT
Aucune interaction connue.

MÉDICAMENT-MALADIE
Les patients souffrant de maladie des reins ou du foie devraient éviter de prendre de l'amobarbital/sécobarbital. Le médicament peut aussi aggraver les maladies suivantes : asthme, emphysème et autres maladies respiratoires ; dépression ; et porphyrie.

 EFFETS INDÉSIRABLES

GRAVES
Confusion extrême, somnolence grave, essoufflement, respiration difficile ou sifflante, fièvre, saignements, rash cutané, urticaire, hallucinations.

COURANTS
Maladresse ou manque d'équilibre, vertiges ou étourdissements, somnolence, sensation d'ébriété.

MOINS COURANTS
Nausées, vomissements, constipation, céphalées, irritabilité, troubles du sommeil incluant cauchemars et difficultés à s'endormir.

AMOXAPINE

NOM COMMERCIAL

Asendin

Présentation : Comprimés
En vente libre ? Non   **Générique disponible ?** Non
Classe de médicaments : Antidépresseur tricyclique

▼ GÉNÉRALITÉS

INDICATIONS
Traitement des symptômes de la dépression grave.

MODE D'ACTION
L'amoxapine modifie les taux de norépinéphrine, élément chimique du cerveau qu'on croit relié à l'humeur, aux émotions et aux états psychiques.

▼ MODE D'EMPLOI

POSOLOGIE
Adultes : dose d'attaque, 50 mg, 2 fois par jour. Personnes âgées : dose d'attaque, 12,5 mg, 3 fois par jour. Le médecin peut augmenter graduellement la posologie.

DÉBUT D'ACTION
En 1 à 6 semaines.

DURÉE D'ACTION
Inconnue.

CONSEILS NUTRITIONNELS
Pour réduire les maux d'estomac, prenez le médicament en mangeant, à moins d'avis contraire du médecin. Mangez plus de fibres et buvez davantage.

MODE DE CONSERVATION
Dans un contenant étanche, à l'abri de la chaleur, de l'humidité et de la lumière.

OUBLI D'UNE DOSE
Si vous prenez une seule dose au coucher et l'oubliez, ne la prenez pas le lendemain matin pour ne pas souffrir de somnolence. Si vous prenez plusieurs doses par jour, prenez la dose oubliée dès que vous y pensez, à moins qu'il ne soit presque l'heure de la suivante. Dans ce cas, sautez la dose oubliée et reprenez la fréquence normale sans doubler la dose suivante.

ARRÊT DE LA MÉDICATION
Effectuez le traitement au complet, tel que prescrit. La décision d'interrompre le médicament doit être prise en consultation avec le médecin. Les doses seront alors graduellement réduites sur plusieurs jours.

USAGE PROLONGÉ
Un traitement dure habituellement de 6 mois à 1 an ; quelques patients peuvent tirer profit d'une thérapie prolongée. L'usage prolongé accroît les risques de dyskinésie.

▼ PRÉCAUTIONS

Plus de 60 ans. Risques de réactions indésirables plus fréquentes et plus graves. Il peut y avoir lieu de réduire les doses au début.

Conduite automobile, travaux dangereux. Faites-le prudemment tant que vous ne connaissez pas votre réaction au médicament. L'amoxapine peut causer somnolence et étourdissements.

Alcool. À éviter.

Grossesse. Il n'y a pas d'études pertinentes sur les humains. Consultez le médecin.

Allaitement. L'amoxapine passe dans le lait maternel ; n'en prenez pas si vous allaitez.

Nourrissons et enfants. Non prescrit.

À surveiller. Une surdose de ce médicament est potentiellement dangereuse. Les antidépresseurs tricycliques ne doivent pas être laissés à la portée des personnes suicidaires. En cas de sécheresse de la bouche, mâchez de la gomme ou sucez des bonbons sans sucre.

SURDOSAGE
Symptômes. Difficulté à respirer, fatigue extrême, convulsions, confusion, hallucinations, pupilles dilatées, arythmie cardiaque, palpitations, fièvre, manque de concentration.

Quoi faire. Allez immédiatement à l'urgence.

▼ INTERACTIONS

MÉDICAMENT-MÉDICAMENT
Demandez l'avis du médecin si vous prenez : antithyroïdiens, cimétidine, clonidine, métrizamide, anorexiants, isoprotérénol, éphédrine, épinéphrine, phényléphrine, antipsychotiques, pimozide, méthyldopa, métoclopramide, pémoline, prométhazine, triméprazine, inhibiteurs de la monoamine-oxydase (IMAO), dépresseurs du système nerveux central.

MÉDICAMENT-ALIMENT
Pas d'interaction connue.

MÉDICAMENT-MALADIE
Consultez le médecin en cas de : antécédents d'alcoolisme, mictions difficiles, asthme, maladie bipolaire, hypertension, troubles de l'estomac ou de l'intestin, glaucome, hyperthyroïdie, hypertrophie de la prostate, schizophrénie, convulsions, troubles du sang, maladie des reins, du cœur ou du foie.

 **EFFETS INDÉSIRABLES**

GRAVES
Confusion ; dysfonctionnement sexuel ; arythmie cardiaque ; hallucinations ; convulsions ; fatigue ou somnolence extrêmes ; vue brouillée ou altérée ; difficultés à respirer ; constipation ; regard fixe et absence d'expression ; manque de concentration ; mictions difficiles ; fièvre ; agitation motrice très marquée et persistante ; incoordination et perte d'équilibre ; difficulté à avaler ou à parler ; pupilles dilatées ; douleur oculaire ; évanouissement ; tremblements, frissons, faiblesse et raideur des extrémités ; démarche traînante ; mouvements incontrôlables des mâchoires, des lèvres ou de la langue ; dyskinésies incluant tics, contractions brèves, mouvements de torsion, et spasmes musculaires du visage, des bras, des mains et des jambes.

COURANTS
Somnolence ou vertiges, céphalées, sécheresse de la bouche ou arrière-goût, fatigue, sensibilité accrue à la lumière, nausées, gain de poids, augmentation de l'appétit.

MOINS COURANTS
Dyspepsie, insomnie, diarrhée, sudation, vomissements.

AMOXICILLINE

Amoxil, Apo-Amoxi, Gen-Amoxicillin, Lin-Amox, Novamoxin, Nu-Amoxi

Présentation : Gélules, suspension orale, comprimés à croquer
En vente libre ? Non **Générique disponible ?** Oui
Classe de médicaments : Pénicilline (antibiotique)

▼ GÉNÉRALITÉS

INDICATIONS
Traitement d'infections bactériennes – oreilles, nez, gorge, tractus génito-urinaire, peau, tissus mous et voies respiratoires inférieures. En prévention avant une chirurgie ou une intervention dentaire aux patients à risque d'endocardite (infection de la tunique interne du cœur). Traitement de certains stades de la maladie de Lyme et, en association avec d'autres médicaments, traitement de l'infection par H. pylori (cause d'ulcères gastriques).

MODE D'ACTION
L'amoxicilline empêche la bactérie de former la membrane cellulaire qui lui permet de se multiplier et de se répandre.

▼ MODE D'EMPLOI

POSOLOGIE
Infections – Adultes : 250 à 500 mg aux 8 heures (3 doses par jour). Enfants de plus de 20 kg (45 lb) : 250 à 500 mg aux 8 heures. Enfants de moins de 20 kg : 20 à 40 mg par kilogramme (2,2 lb) de poids par jour en doses fractionnées, aux 8 heures.

DÉBUT D'ACTION
Rapide ; en moins de 2 heures.

DURÉE D'ACTION
8 heures.

CONSEILS NUTRITIONNELS
À prendre de préférence à jeun, mais peut se prendre en mangeant contre l'irritation gastrique et la diarrhée.

MODE DE CONSERVATION
Dans un contenant étanche, à l'abri de la chaleur et de la lumière. Gardez la forme liquide au réfrigérateur, mais ne la faites pas congeler et jetez-la après 14 jours.

OUBLI D'UNE DOSE
Prenez-la dès que vous y pensez. S'il est presque l'heure de la suivante, sautez la dose oubliée et reprenez la fréquence normale. Ne doublez pas la dose suivante.

ARRÊT DE LA MÉDICATION
Effectuez le traitement au complet, comme il a été prescrit, même si vous vous sentez mieux avant la fin. Un arrêt prématuré peut différer la guérison ou mener à une infection de rebond, ou surinfection, dans laquelle les souches plus vigoureuses de la bactérie survivent et se multiplient, amenant une infection plus grave et plus rebelle à la médication.

USAGE PROLONGÉ
Attention : l'usage prolongé d'un antibiotique augmente le risque de surinfection.

▼ PRÉCAUTIONS

Plus de 60 ans. Aucun risque connu.

Conduite automobile, travaux dangereux. L'amoxicilline ne devrait pas vous empêcher d'exécuter de telles tâches en toute sécurité.

Alcool. Pas de précautions spéciales.

Grossesse. Il n'existe pas d'études concluantes sur l'amoxicilline durant la grossesse ; néanmoins, aucun problème n'a été signalé.

Allaitement. L'amoxicilline passe dans le lait maternel et peut causer de la diarrhée, des infections fongiques et des réactions allergiques chez le nourrisson ; évitez d'en prendre si vous allaitez.

Nourrissons et enfants. Pas de problèmes additionnels.

À surveiller. L'amoxicilline peut fausser les tests d'urine pour mesurer le glucose des diabétiques. Les personnes sujettes à l'asthme, au rhume des foins, à l'urticaire ou aux allergies sont plus exposées que d'autres à avoir des réactions allergiques aux pénicillines. L'amoxicilline peut réduire l'efficacité des contraceptifs oraux : utilisez d'autres méthodes contraceptives pour éviter une grossesse non planifiée.

SURDOSAGE
Symptômes. Nausées graves, vomissements, diarrhée, spasticité musculaire, convulsions.

Quoi faire. Appelez le médecin ou le centre antipoison, ou allez immédiatement à l'urgence.

▼ INTERACTIONS

MÉDICAMENT-MÉDICAMENT
Faites connaître au médecin les médicaments que vous prenez. Demandez spécifiquement son avis si vous prenez : cholestyramine, contraceptifs oraux, probénécide ou allopurinol.

MÉDICAMENT-ALIMENT
Pas d'interaction connue.

MÉDICAMENT-MALADIE
Consultez votre médecin en cas de : antécédents d'allergies, asthme, insuffisance cardiaque congestive, troubles gastro-intestinaux (spécialement une colite associée aux antibiotiques) ou insuffisance rénale.

☰ EFFETS INDÉSIRABLES ☰

GRAVES
Respiration irrégulière, rapide ou laborieuse ; étourdissements ou évanouissements soudains ; douleur articulaire ; fièvre ; douleur abdominale et crampes graves avec selles liquides ou sanguinolentes ; réaction allergique grave (enflure subite des lèvres, de la langue, du visage ou de la gorge ; difficultés à respirer ; rash cutané, démangeaisons ou urticaire), ecchymoses ou saignements anormaux, jaunissement des yeux ou de la peau.

COURANTS
Rash cutané, diarrhée bénigne, nausées, vomissements, céphalées, pertes vaginales, douleur ou taches blanches dans la bouche ou sur la langue.

MOINS COURANTS
Baisse du débit urinaire, frissons, faiblesse, fatigue.

AMOXICILLINE/CLAVULANATE DE POTASSIUM

Présentation : Comprimés, suspension orale
En vente libre ? Non **Générique disponible ?** Oui
Classe de médicaments : Pénicilline (association antibiotique)

Alti-Amoxi Clav,
Clavulin

▼ GÉNÉRALITÉS

INDICATIONS
Traitement d'infections bactériennes variées – sinus et oreille moyenne, peau et tissus mous, tractus génito-urinaire et voies respiratoires. Cet antibiotique n'a d'effet que contre les bactéries et n'est d'aucune utilité contre les virus, champignons et autres micro-organismes.

MODE D'ACTION
L'amoxicilline bloque la formation de la paroi de la cellule bactérienne, la rendant incapable de se multiplier et de se répandre. Le clavulanate augmente l'efficacité de l'amoxicilline en inhibant l'action d'une enzyme spécifique (la bêta-lactamase) produite par certaines souches de bactéries rebelles aux médicaments.

▼ MODE D'EMPLOI

POSOLOGIE
Comprimés – Adultes et enfants pesant plus de 40 kg (88 lb) : 250 à 500 mg d'amoxicilline (avec 125 mg de clavulanate) aux 8 à 12 heures, ou 875 mg d'amoxicilline (avec 125 mg de clavulanate) aux 12 heures. Enfants de moins de 40 kg : 25 à 45 mg par kilogramme (2,2 lb) de poids par jour, en doses fractionnées, aux 12 heures (il s'agit de la dose d'amoxicilline) ou 20 à 40 mg par kilogramme par jour, en doses fractionnées, aux 8 heures (il s'agit de la dose d'amoxicilline).

DÉBUT D'ACTION
En 1 à 2 heures.

DURÉE D'ACTION
6 à 8 heures.

CONSEILS NUTRITIONNELS
Peut se prendre avec de la nourriture pour diminuer l'irritation gastrique et la diarrhée.

MODE DE CONSERVATION
Dans un contenant étanche, à l'abri de la chaleur et de la lumière. Gardez la forme liquide au réfrigérateur, mais ne la faites pas congeler.

OUBLI D'UNE DOSE
Prenez-la dès que vous y pensez. S'il est presque l'heure de la suivante, sautez la dose oubliée et reprenez la fréquence normale. Ne doublez pas la dose suivante.

ARRÊT DE LA MÉDICATION
Effectuez le traitement au complet, comme il vous a été prescrit, même si vous vous sentez mieux avant la fin.

USAGE PROLONGÉ
Peut vous rendre plus vulnérable aux infections bactériennes ou fongiques (y compris par levures).

▼ PRÉCAUTIONS

Plus de 60 ans. Aucun risque connu.

Conduite automobile, travaux dangereux. À déconseiller tant que vous ne connaissez pas votre réaction au médicament.

Alcool. Pas de précautions spéciales.

Grossesse. On ne connaît pas le degré d'innocuité du médicament. Prévenez le médecin si vous êtes enceinte ou souhaitez le devenir.

Allaitement. L'amoxicilline/clavulanate peut passer dans le lait maternel et poser des problèmes au nourrisson. Évitez d'en prendre pendant que vous allaitez.

Nourrissons et enfants. Pas de problèmes additionnels.

À surveiller. Les personnes sujettes à l'asthme, au rhume des foins, à l'urticaire ou aux allergies sont plus exposées que d'autres à avoir des réactions allergiques aux pénicillines. Si le médicament vous donne une diarrhée grave, ne prenez pas de médicament contre la diarrhée ; demandez plutôt conseil au médecin. Le médicament peut fausser les résultats des tests d'urine pour mesurer le glucose chez les diabétiques.

SURDOSAGE
Symptômes. Diarrhée grave, nausées, excitabilité anormale, convulsions, vomissements.

Quoi faire. Appelez aussitôt le médecin ou le centre anti-poison, ou allez à l'urgence.

▼ INTERACTIONS

MÉDICAMENT-MÉDICAMENT
Demandez l'avis de votre médecin si vous prenez les médicaments suivants : érythromycines, disulfiram, anticoagulants, tétracyclines, contraceptifs oraux ou agents contre la goutte.

MÉDICAMENT-ALIMENT
Pas d'interaction connue.

MÉDICAMENT-MALADIE
Consultez le médecin en cas de : antécédents d'allergies, asthme, insuffisance cardiaque congestive, troubles gastro-intestinaux (spécialement une colite associée aux antibiotiques) ou insuffisance rénale.

EFFETS INDÉSIRABLES

GRAVES
Respiration irrégulière, rapide ou laborieuse ; étourdissements ou évanouissements soudains ; convulsions ; douleur articulaire ; fièvre ; douleur abdominale et crampes graves avec selles liquides ou sanguinolentes, réaction allergique grave (enflure subite des lèvres, de la langue, du visage ou de la gorge ; difficultés à respirer ; rash cutané, démangeaisons ou urticaire) ; ecchymoses ou saignements anormaux ; jaunissement des yeux ou de la peau.

COURANTS
Rash cutané, diarrhée bénigne, nausées, vomissements, céphalées, pertes vaginales, douleur ou taches blanches dans la bouche ou sur la langue.

MOINS COURANTS
Faiblesse, fatigue.

AMPHOTÉRICINE B

Présentation : Injection
En vente libre ? Non   **Générique disponible ?** Non
Classe de médicaments : Antifongique

▼ GÉNÉRALITÉS

INDICATIONS
Traitement d'infections fongiques graves et potentiellement mortelles.

MODE D'ACTION
L'amphotéricine B empêche les organismes fongiques de produire les substances indispensables à leur croissance et à leur fonctionnement. Ce médicament n'est efficace que sur les infections causées par des champignons ; il n'est d'aucune utilité pour les infections virales ou bactériennes.

▼ MODE D'EMPLOI

POSOLOGIE
La posologie est établie par le médecin en fonction de plusieurs facteurs.

DÉBUT D'ACTION
Immédiate.

DURÉE D'ACTION
Inconnue.

CONSEILS NUTRITIONNELS
Buvez 2 ou 3 litres de liquides par jour.

MODE DE CONSERVATION
Les injections se conservent 24 heures à la température ambiante ou 7 jours au réfrigérateur, dans un contenant étanche, à l'abri de la chaleur, de l'humidité et de la lumière directe. Ne congelez pas.

OUBLI D'UNE DOSE
Informez votre médecin si vous avez sauté une injection.

ARRÊT DE LA MÉDICATION
Effectuez le traitement au complet, tel qu'il vous a été prescrit, même si vous vous sentez mieux avant qu'il ne prenne fin. La décision d'arrêter le traitement à l'amphotéricine B doit être prise par votre médecin.

USAGE PROLONGÉ
Les injections peuvent être prescrites pour un maximum de 12 mois. C'est le médecin qui décide de la durée du traitement.

▼ PRÉCAUTIONS

Plus de 60 ans. Risques de réactions indésirables plus fréquentes et plus graves.

Conduite automobile, travaux dangereux. À déconseiller tant que vous ne connaissez pas votre réaction au médicament.

Alcool. À éviter.

Grossesse. Il n'y a pas eu d'études spécifiques sur l'administration de l'amphotéricine B chez les femmes enceintes. Demandez l'avis de votre médecin si vous êtes enceinte ou projetez de l'être.

Allaitement. L'amphotéricine B peut passer dans le lait maternel. Soyez prudente ; demandez l'avis de votre médecin.

Nourrissons et enfants. Aucune complication prévue.

SURDOSAGE
Symptômes. Arythmie, respiration difficile.

Quoi faire. Cessez de prendre le médicament. Appelez immédiatement votre médecin ou le centre antipoison, ou allez à l'urgence.

▼ INTERACTIONS

MÉDICAMENT-MÉDICAMENT
Demandez l'avis du médecin si vous prenez : corticostéroïdes, corticotrophine, digitaliques, diurétiques d'épargne potassique, dépresseurs de la moelle osseuse, médicaments ayant une incidence néphrotoxique, et tout autre médicament à usage topique sur ordonnance ou en vente libre. Consultez aussi votre médecin si vous suivez une radiothérapie.

MÉDICAMENT-ALIMENT
Aucune interaction connue.

MÉDICAMENT-MALADIE
Soyez prudent si vous comptez prendre de l'amphotéricine B. Rapportez au médecin tout problème de santé que vous pourriez avoir, surtout une affection rénale.

  EFFETS INDÉSIRABLES

GRAVES
Injection intraveineuse : céphalées, fièvre, douleurs ou crampes musculaires, fatigue, frissons, arythmie, convulsions, modification dans le débit d'urine, nausées, vomissements, douleur au site d'injection, troubles de la vue, urticaire ou démangeaisons, difficultés respiratoires, oppression thoracique, saignements ou ecchymoses inhabituels, mal de gorge. Injection dans la moelle épinière : difficulté à uriner, troubles de la vue, engourdissements, picotements, fatigue ou faiblesse.

COURANTS
Maux de tête légers, diarrhées, maux de ventre, maux d'estomac, perte d'appétit, nausées légères ou vomissements.

MOINS COURANTS
Injection dans la moelle épinière : nausées ou vomissements graves, étourdissements ou sensation de vide, céphalées, douleurs dans le dos, les jambes ou le cou.

AMPICILLINE

Présentation : Gélules, suspension orale, injection (seulement en milieu hospitalier)
En vente libre ? Non **Générique disponible ?** Oui
Classe de médicaments : Pénicilline (antibiotique)

▼ GÉNÉRALITÉS

INDICATIONS
L'ampicilline est administrée par voie orale pour traiter les infections suivantes — peau, tractus urinaire, voies respiratoires (sinus, amygdales et poumons) — causées par certaines bactéries connues pour leur vulnérabilité à cet antibiotique. L'ampicilline est administrée par injection pour traiter des infections plus graves chez les patients hospitalisés.

MODE D'ACTION
L'ampicilline bloque la formation de la paroi de la cellule bactérienne, la rendant incapable de se multiplier et de se répandre.

▼ MODE D'EMPLOI

POSOLOGIE
Adultes ou enfants pesant plus de 40 kg (88 lb) : 250 à 500 mg, 4 fois par jour. La posologie des enfants plus petits est ajustée en fonction de leur poids.

DÉBUT D'ACTION
En 2 heures par voie orale.

DURÉE D'ACTION
6 à 8 heures par voie orale.

CONSEILS NUTRITIONNELS
À prendre à jeun avec beaucoup d'eau.

MODE DE CONSERVATION
Dans un contenant étanche, à l'abri de la chaleur et de la lumière. Gardez la suspension au réfrigérateur, mais ne la congelez pas.

OUBLI D'UNE DOSE
Prenez-la dès que vous y pensez. Si vous êtes à moins de 60 à 90 minutes de la suivante, sautez la dose oubliée et reprenez la fréquence normale. Ne doublez pas la dose suivante.

ARRÊT DE LA MÉDICATION
Effectuez le traitement au complet, tel que prescrit, même si vous vous sentez mieux avant la fin. Un arrêt prématuré du traitement peut retarder la guérison ou mener à une infection de rebond (surinfection), dans laquelle les souches plus vigoureuses de la bactérie survivent et se multiplient, amenant une infection plus grave et plus rebelle à la médication.

USAGE PROLONGÉ
Un traitement à l'ampicilline dure normalement entre 7 et 10 jours. Un usage prolongé peut favoriser une infection par des bactéries résistantes à la médication (surinfection).

▼ PRÉCAUTIONS

Plus de 60 ans. Pas de risques connus.

Conduite automobile, travaux dangereux. Pas de risques connus.

Alcool. Aucune interaction n'est à redouter, mais l'alcool peut inhiber la réponse du système immunitaire aux infections et augmenter le risque de maux d'estomac qui accompagne ce médicament.

Grossesse. L'ampicilline peut être administrée durant la grossesse à certaines conditions. Demandez des instructions à votre médecin.

Allaitement. L'ampicilline peut passer dans le lait maternel et nuire au nourrisson ; évitez d'en prendre si vous allaitez.

Nourrissons et enfants. Pas de problèmes additionnels.

À surveiller. Si le médicament vous donne une diarrhée grave, ne prenez pas de médicament contre la diarrhée ; demandez plutôt conseil au médecin. L'ampicilline peut réduire l'efficacité des contraceptifs oraux : utilisez d'autres méthodes contraceptives. Les personnes sujettes à l'asthme, au rhume des foins, à l'urticaire ou aux allergies sont plus exposées que d'autres à avoir des réactions allergiques aux pénicillines.

SURDOSAGE
Symptômes. Nausées graves, vomissements, diarrhée, spasticité musculaire, convulsions.

Quoi faire. Appelez aussitôt le médecin ou le centre antipoison, ou allez à l'urgence.

▼ INTERACTIONS

MÉDICAMENT-MÉDICAMENT
Faites connaître au médecin tous les médicaments que vous prenez. Demandez spécifiquement son avis si vous prenez : cholestyramine, contraceptifs oraux, probénécide ou allopurinol.

MÉDICAMENT-ALIMENT
Les jus de fruit acides ou les fruits acides peuvent nuire à l'action thérapeutique du médicament.

MÉDICAMENT-MALADIE
Consultez le médecin en cas de : antécédents d'allergies, asthme, insuffisance cardiaque congestive, troubles gastro-intestinaux (spécialement une colite associée aux antibiotiques), mononucléose infectieuse ou insuffisance rénale.

≡ EFFETS INDÉSIRABLES ≡

GRAVES
Respiration irrégulière, rapide ou laborieuse ; étourdissements ou évanouissements soudains ; douleur articulaire ; fièvre ; douleur abdominale et crampes graves avec selles liquides ou sanguinolentes ; réaction allergique grave (enflure des lèvres, de la langue, du visage ou de la gorge ; difficulté à respirer ; rash cutané, démangeaisons ou urticaire) ; ecchymoses ou saignements anormaux ; jaunissement des yeux ou de la peau.

COURANTS
Rash cutané, diarrhée bénigne, nausées, vomissements, céphalées, pertes vaginales, douleur ou taches blanches dans la bouche ou sur la langue.

MOINS COURANTS
Baisse du débit urinaire, frissons, faiblesse, fatigue, convulsions.

AMPRÉNAVIR

Présentation : Gélules, solution orale
En vente libre ? Non   **Générique disponible ?** Non
Classe de médicaments : Antiviral/inhibiteur de la protéase

▼ GÉNÉRALITÉS

INDICATIONS
Traitement de l'infection au VIH (virus de l'immunodéficience humaine) et du sida (syndrome de l'immunodéficience acquise), généralement en association avec d'autres médicaments. L'amprénavir ne traite pas la maladie mais il peut supprimer la réplication du virus et retarder la progression de la maladie.

MODE D'ACTION
L'amprénavir entrave l'activité d'une protéase virale, enzyme indispensable à la reproduction du VIH, ce qui entraîne la formation de particules virales non infectieuses.

▼ MODE D'EMPLOI

POSOLOGIE
Gélules – Adultes et enfants de plus de 12 ans : 1 200 mg (8 gélules) 2 fois par jour, en association avec d'autres antirétroviraux. La posologie peut varier. Solution orale – Recommandée pour les enfants de 4 ans et plus : le pédiatre déterminera la posologie. Ne passez pas des gélules à la solution orale ou inversement sans consulter le médecin : elles ne sont pas substituables.

DÉBUT D'ACTION
Inconnu. La réponse à la plupart des antirétroviraux se vérifie dès les premières semaines du traitement, mais l'effet thérapeutique maximal peut mettre 12 à 16 semaines à s'installer.

DURÉE D'ACTION
Inconnue.

CONSEILS NUTRITIONNELS
Se prend avec ou sans aliments. Néanmoins, l'absorption du médicament dans l'intestin est réduite s'il est pris avec un repas très gras.

MODE DE CONSERVATION
À l'abri de la chaleur, de l'humidité et de la lumière. Ne mettez pas au réfrigérateur.

OUBLI D'UNE DOSE
Prenez la dose oubliée dès que vous y pensez. S'il est presque l'heure de la suivante, sautez la dose oubliée et reprenez la fréquence normale. Ne doublez pas la dose suivante. Il est important de prendre l'amprénavir à heure fixe pour maintenir sa concentration dans le sang.

ARRÊT DE LA MÉDICATION
La décision doit être prise en consultation avec le médecin.

USAGE PROLONGÉ
Un suivi médical s'impose.

▼ PRÉCAUTIONS

Plus de 60 ans. On ignore si le médicament cause des effets différents ou plus graves.

Conduite automobile, travaux dangereux. À éviter tant que vous ne connaissez pas votre réaction au médicament.

Alcool. À éviter en cas de dysfonction hépatique.

Grossesse. L'amprénavir entraîne des anomalies congénitales chez l'animal ; il n'existe pas d'études concluantes sur les humains. Consultez le médecin. Il ne semble pas que l'amprénavir réduise le risque de transmettre le virus de la mère au fœtus.

Allaitement. On ne sait pas s'il passe dans le lait maternel. Les femmes infectées au VIH ne devraient pas allaiter.

Nourrissons et enfants. Innocuité et efficacité non établies chez les moins de 4 ans.

À surveiller. N'interchangez pas gélules et solution orale sans consulter le médecin : les taux d'absorption diffèrent. L'amprénavir n'élimine pas le risque de contaminer d'autres personnes : adoptez des mesures préventives. Ne prenez pas d'amprénavir si vous êtes allergique aux sulfamides.

SURDOSAGE
Symptômes. Aucun cas de surdosage n'a été signalé.

Quoi faire. En présence de surdose appréhendée, appelez immédiatement le médecin ou le centre antipoison, ou allez à l'urgence.

▼ INTERACTIONS

MÉDICAMENT-MÉDICAMENT
Ne prenez pas l'amprénavir en même temps que : astémizole, bépridil, dihydroergotamine, ergotamine, midazolam, triazolam, rifampine, contraceptifs oraux et suppléments de vitamine E. Soyez prudents si vous prenez : amiodarone, lidocaïne systémique, antidépresseurs tricycliques, quinidine, warfarine, sildénafil, phénobarbital, phénytoïne, carbamazépine et statines (hypocholestérolémiants). Prenez antiacides ou didanosine au moins 1 heure avant ou après l'amprénavir. La posologie de la rifabutine devra peut-être être rajustée. Informez le médecin des médicaments que vous prenez avec ou sans ordonnance.

MÉDICAMENT-ALIMENT
Les repas gras réduisent l'absorption de l'amprénavir.

MÉDICAMENT-MALADIE
Informez le médecin de tout ce dont vous souffrez, surtout d'hémophilie. L'amprénavir peut entraîner des complications chez les patients qui ont une maladie du foie, cet organe contribuant à l'élimination du médicament.

 EFFETS INDÉSIRABLES

GRAVES
Rash cutané grave ou modéré et autres symptômes. Des taux de sucre (diabète) ou de cholestérol élevés dans le sang ont été observés chez des patients prenant ce type de médicament, sans qu'on n'ait pu établir de rapport de causalité. Consultez le médecin si vous avez ces effets ou en présence de soif ardente et de débit urinaire accru.

COURANTS
Nausées, vomissements, douleur abdominale, rash cutané, diarrhée.

MOINS COURANTS
Goût modifié, engourdissement ou picotement, dépression.

ANASTROZOLE

NOM COMMERCIAL

Arimidex

Présentation : Comprimés
En vente libre ? Non   **Générique disponible ?** Non
Classe de médicaments : Antiœstrogène ; antinéoplasique (anticancéreux)

▼ GÉNÉRALITÉS

INDICATIONS
L'anastrozole s'administre en chimiothérapie pour les cancers du sein. Ce médicament est généralement prescrit aux femmes ménopausées atteintes d'un cancer du sein et qui ont déjà été traitées avec un autre antiœstrogène comme le tamoxifène.

MODE D'ACTION
Certaines tumeurs cancéreuses sont stimulées par l'estradiol, hormone naturellement produite par les femmes adultes. En réduisant les taux d'estradiol dans le sang, l'anastrozole, sans véritablement détruire les cellules cancéreuses, empêche la croissance de telles tumeurs.

▼ MODE D'EMPLOI

POSOLOGIE
Un comprimé de 1 mg 1 fois par jour.

DÉBUT D'ACTION
Inconnu.

≣ EFFETS INDÉSIRABLES ≣

GRAVES
On n'a rapporté aucun effet indésirable grave.

COURANTS
Céphalées, diarrhées, nausées, bouffées de chaleur, douleurs dans le dos, faiblesse, sensation d'épuisement (asthénie).

MOINS COURANTS
Étourdissements ; douleurs dans la poitrine ; picotements ou engourdissements des extrémités (paresthésie) ; gain de poids ; douleurs abdominales ; prurit, sécheresse et saignements occasionnels du vagin ; enflures des doigts et du tour des yeux ; urticaire ; formation de caillots sanguins.

DURÉE D'ACTION
Inconnue.

CONSEILS NUTRITIONNELS
Il faut boire et manger en quantité suffisante. Les besoins en calories, en protéines et en vitamines augmentent chez les personnes atteintes de cancer. Une bonne nutrition aide à répondre à la chimiothérapie.

MODE DE CONSERVATION
À l'abri de la chaleur et de la lumière.

OUBLI D'UNE DOSE
L'anastrozole se prend une fois par jour et pas plus. Si vous sautez une journée, contentez-vous de reprendre votre horaire régulier le lendemain. Ne doublez jamais la dose suivante.

ARRÊT DE LA MÉDICATION
Ce médicament sert à traiter un état chronique. Il faudra peut-être le prendre pendant longtemps et vous devez respecter scrupuleusement la posologie pour toute la durée du traitement. La décision d'arrêter la médication devrait être prise en consultation avec votre médecin : au besoin, discutez-en avec lui. N'interrompez pas le traitement sans son avis, même si vous vous sentez mieux. Si vous désirez arrêter parce que vous vous sentez mal ou à cause d'un effet indésirable du médicament, parlez-en avec votre médecin.

USAGE PROLONGÉ
Il n'y a pas de limite de temps pour le traitement à l'anastrozole et il faut attendre plusieurs semaines avant d'évaluer son efficacité chez la patiente. Votre médecin décidera si vous répondez ou non à ce médicament et c'est lui qui décidera de continuer ou d'interrompre le traitement.

▼ PRÉCAUTIONS

Plus de 60 ans. Risques de réactions indésirables plus fréquentes et plus graves.

Conduite automobile, travaux dangereux. L'anastrozole est susceptible d'affecter vos réflexes. Abstenez-vous de faire ces activités.

Alcool. À éviter lorsque vous prenez de l'anastrozole.

Grossesse. L'anastrozole ne doit pas être administré à une femme enceinte. Bien qu'il s'adresse en principe aux femmes déjà ménopausées, il faut s'assurer que la patiente n'est pas enceinte avant de commencer le traitement.

Allaitement. Ce médicament n'est pas recommandé pendant l'allaitement, à moins que les bénéfices escomptés ne justifient les risques. Demandez l'avis de votre médecin.

Nourrissons et enfants. L'anastrozole n'est pas administré aux enfants.

À surveiller. Les personnes atteintes de cancer sont souvent affaiblies par la maladie, une mauvaise nutrition et les effets de la chimiothérapie, de la radiothérapie ou de la chirurgie. En conséquence, elles sont plus sensibles aux effets indésirables de la médication et ceux-ci peuvent être plus marqués. Il faut donc respecter scrupuleusement la posologie.

SURDOSAGE
Symptômes. On n'a rapporté aucun cas de surdosage avec l'anastrozole.

Quoi faire. Une surdose est peu probable. Néanmoins, en cas de surdose appréhendée, appelez immédiatement le médecin ou le centre antipoison, ou allez à l'urgence.

▼ INTERACTIONS

MÉDICAMENT-MÉDICAMENT
Pas d'interaction significative.

MÉDICAMENT-ALIMENT
Pas d'interaction significative.

MÉDICAMENT-MALADIE
Pas d'interaction significative.

ATÉNOLOL

NOMS COMMERCIAUX

Apo-Atenol,
Gen-Atenolol,
Novo-Atenol, Nu-Atenol,
PMS-Atenolol,
Rhoxal-atenolol,
Scheinpharm Atenolol,
Tenolin, Tenormin

Présentation : Comprimés
En vente libre ? Non   **Générique disponible ?** Oui
Classe de médicaments : Bêtabloquant

▼ GÉNÉRALITÉS

INDICATIONS
Traitement de l'hypertension bénigne à modérée et traitement de l'angine.

MODE D'ACTION
L'aténolol ralentit le rythme et l'intensité des contractions du cœur en bloquant certaines impulsions nerveuses, ce qui a pour effet de réduire la tension artérielle. De ce fait, le médicament réduit l'effort cardiaque et les risques d'angine.

▼ MODE D'EMPLOI

POSOLOGIE
50 à 150 mg, 1 fois par jour. On recommande parfois de plus petites doses pour les personnes âgées ou celles qui souffrent d'une affection rénale. Dans le traitement de l'angine, les doses peuvent atteindre 200 mg par jour.

DÉBUT D'ACTION
En 1 à 2 heures. Le plein effet thérapeutique peut prendre 1 à 2 semaines avant de s'établir.

DURÉE D'ACTION
Jusqu'à 24 heures.

CONSEILS NUTRITIONNELS
L'aténolol se prend avec ou sans nourriture.

MODE DE CONSERVATION
Dans un contenant étanche, à l'abri de la chaleur et de la lumière.

OUBLI D'UNE DOSE
Prenez-la dès que vous y pensez. Si vous êtes à moins de 8 heures de la suivante, sautez la dose oubliée et revenez à la fréquence normale. Ne doublez pas la dose suivante.

ARRÊT DE LA MÉDICATION
Un sevrage brusque peut causer de graves problèmes de santé. Il faut procéder graduellement sur une période de 2 à 3 semaines et sous surveillance médicale.

USAGE PROLONGÉ
L'aténolol est souvent prescrit à vie ; les effets indésirables risquent de s'intensifier.

▼ PRÉCAUTIONS

Plus de 60 ans. Risques de réactions indésirables plus fréquentes et plus graves ; il convient parfois de réduire la posologie.

Conduite automobile, travaux dangereux. L'aténolol est susceptible d'affecter vos réflexes. La prudence s'impose, surtout en début du traitement.

Alcool. À ne prendre qu'avec modération.

Grossesse. Demandez à votre médecin s'il juge que les avantages du médicament en justifient les risques.

Allaitement. L'aténolol passe dans le lait maternel. Évitez d'en prendre ou interrompez le traitement pendant que vous allaitez.

Nourrissons et enfants. Le pédiatre déterminera la posologie appropriée.

À surveiller. Il faut considérer l'aténolol comme l'un des éléments d'une thérapie globale qui consiste à surveiller son poids, cesser de fumer, faire régulièrement des exercices et suivre un régime hyposodique et hypolipidique.

SURDOSAGE
Symptômes. Pouls ralenti ; étourdissements graves, sensation de vide ou évanouissements ; pouls accéléré ou irrégulier ; difficultés respiratoires ; faiblesse extrême ; convulsions ; confusion ; coma.

Quoi faire. Appelez immédiatement votre médecin ou un centre antipoison, ou présentez-vous à l'urgence.

▼ INTERACTIONS

MÉDICAMENT-MÉDICAMENT
Demandez l'avis du médecin si vous prenez : amphétamine, antidiabétiques oraux, antiasthmatiques (aminophylline et théophylline), bloqueurs du canal calcique, clonidine, injections contre les allergies, insuline, IMAO, réserpine et tout autre bêtabloquant.

MÉDICAMENT-ALIMENT
Aucune interaction connue.

MÉDICAMENT-MALADIE
La prudence est de mise si vous souffrez de diabète, surtout insulinodépendant, car l'aténolol peut masquer les symptômes d'hypoglycémie. Informez votre médecin si vous souffrez de : asthme ou allergie ; maladie cardiaque ou circulatoire (insuffisance cardiaque congestive et troubles vasculaires périphériques) ; pouls irrégulier (trop lent) ; hyperthyroïdisme ; myasthénie grave ; psoriasis ; problèmes respiratoires (bronchite, emphysème) ; maladie des reins ou du foie ; antécédents de dépression mentale.

EFFETS INDÉSIRABLES

GRAVES
Dépression ; essoufflement ; respiration sifflante ; pouls ralenti (50 battements ou moins à la minute) ; douleur ou pression dans la poitrine ; enflure des chevilles, des pieds ou du bas des jambes.

COURANTS
Baisse de la libido ; capacité diminuée pour les activités et les exercices physiques ; étourdissements ou sensation de vide surtout en passant à la position verticale ; somnolence, fatigue ou faiblesse ; insomnie.

MOINS COURANTS
Anxiété, irritabilité ; constipation ; diarrhée ; sécheresse des yeux ; démangeaisons ; nausée ou vomissements ; cauchemars ou rêves vifs ; engourdissements, picotements ou sensations bizarres dans les doigts et les orteils ; douleurs abdominales ; congestion nasale.

ATÉNOLOL/CHLORTHALIDONE

Présentation : Comprimés
En vente libre ? Non   **Générique disponible ?** Oui
Classe de médicaments : Bêtabloquant/diurétique

▼ GÉNÉRALITÉS

INDICATIONS
Traitement de l'hypertension.

MODE D'ACTION
En bloquant certaines impulsions nerveuses, l'aténolol ralentit la fréquence et la contractilité du cœur, diminuant ainsi la tension artérielle. La chlorthalidone (un diurétique) accroît l'élimination hydrique. En diminuant le volume hydrique total et l'excès de sodium dans l'organisme, les diurétiques réduisent le volume sanguin, diminuant ainsi la pression dans les vaisseaux sanguins.

▼ MODE D'EMPLOI

POSOLOGIE
Dose initiale : 1 comprimé par jour (chaque comprimé renferme 50 mg d'aténolol et 25 mg de chlorthalidone). La dose peut être augmentée à 2 comprimés par jour (ou à 1 comprimé renfermant 100 mg d'aténolol et 25 mg de chlorthalidone).

DÉBUT D'ACTION
En 1 heure.

DURÉE D'ACTION
24 heures.

CONSEILS NUTRITIONNELS
Le médicament peut se prendre avec ou sans aliment, selon la recommandation de votre médecin.

MODE DE CONSERVATION
Dans un contenant étanche, à l'abri de la chaleur et de la lumière.

OUBLI D'UNE DOSE
Prenez-la dès que vous y pensez, sauf s'il reste moins de 8 heures avant la dose suivante. Dans ce cas, sautez la dose oubliée et reprenez la fréquence normale. Ne doublez pas la dose suivante.

ARRÊT DE LA MÉDICATION
L'arrêt brusque de la médication peut entraîner de graves problèmes de santé. On recommande une diminution progressive de la posologie sur 2 à 3 semaines, sous surveillance étroite du médecin.

USAGE PROLONGÉ
Le traitement à l'aténolol peut durer la vie entière ; un usage prolongé peut augmenter les risques d'effets indésirables.

▼ PRÉCAUTIONS

Plus de 60 ans. Il peut être nécessaire de réduire la posologie en présence d'insuffisance rénale.

Conduite automobile, travaux dangereux. Soyez prudent devant des tâches exigeant de la vigilance : la médication peut causer de la somnolence et diminuer la concentration.

Alcool. Buvez modérément.

Grossesse. Étudiez avec votre médecin l'utilité du médicament par rapport aux risques qu'il présente.

Allaitement. Le médicament passe dans le lait maternel : abstenez-vous d'allaiter.

Nourrissons et enfants. Ordinairement non prescrit.

À surveiller. La médication doit faire partie d'un programme thérapeutique global qui amène le patient à maîtriser son poids, à cesser de fumer, à faire de l'exercice régulièrement et à adopter un régime alimentaire sain, pauvre en sel et en matières grasses.

SURDOSAGE
Symptômes. Bradycardie ; étourdissements graves, vertiges ou évanouissements ; tachycardie ou palpitations ; difficultés respiratoires ; grande faiblesse ; convulsions ; confusion ; coma.

Quoi faire. Appelez le médecin ou un centre antipoison immédiatement, ou allez à l'urgence.

▼ INTERACTIONS

MÉDICAMENT-MÉDICAMENT
Informez le médecin si vous prenez l'un des médicaments suivants : amphétamines, antidiabétiques oraux, médicaments contre l'asthme (tels que aminophylline ou théophylline), anticalciques, clonidine, antiallergiques en injection, insuline, inhibiteurs de la monoamine-oxydase (IMAO), réserpine, ou d'autres bêtabloquants.

MÉDICAMENT-ALIMENT
Rien à signaler.

MÉDICAMENT-MALADIE
L'association aténolol/chlorthalidone doit être prescrite avec prudence aux diabétiques souffrant en particulier d'insulinodépendance, l'aténolol pouvant masquer les symptômes d'hypoglycémie. Informez le médecin en cas de : asthme, maladie du cœur ou des vaisseaux sanguins (insuffisance cardiaque congestive, athérosclérose), arythmie cardiaque (bradycardie), hyperthyroïdie, myasthénie grave, psoriasis, troubles respiratoires (bronchite, emphysème), maladie du foie ou des reins, antécédents de dépression.

 EFFETS INDÉSIRABLES

GRAVES
Dépression ; dyspnée, respiration sifflante ; bradycardie (rythme cardiaque lent, à moins de 50 battements à la minute) ; douleur ou serrement thoracique ; enflure des chevilles, des pieds ou du bas des jambes.

COURANTS
Performance sexuelle réduite ; manque d'énergie pour les activités physiques normales ou l'exercice ; étourdissements, vertiges, accompagnant particulièrement une hypotension orthostatique ; somnolence, fatigue ou faiblesse ; insomnie.

MOINS COURANTS
Angoisse, irritabilité ; constipation ; diarrhée ; sécheresse des yeux ; démangeaisons ; nausées ou vomissements ; cauchemars, rêves marquants ; engourdissements, fourmillements dans les doigts et les orteils ; douleurs abdominales ; troubles visuels.

ATORVASTATINE

Présentation : Comprimés
En vente libre ? Non   **Générique disponible ?** Non
Classe de médicaments : Régulateur du métabolisme lipidique (hypocholestérolémiant)

▼ GÉNÉRALITÉS

INDICATIONS
Traitement de l'hypercholestérolémie. Généralement prescrite quand les traitements de première ligne − rectification du régime alimentaire, perte de poids et exercice − n'ont pas ramené le cholestérol lipoprotéinique total et celui de faible densité (LDL) à des taux acceptables.

MODE D'ACTION
L'atorvastatine bloque l'action d'une enzyme nécessaire à la production du cholestérol, entravant par là sa formation. En diminuant la quantité de cholestérol dans le foie, elle augmente la formation des récepteurs de LDL et réduit ainsi les taux sanguins de cholestérol total et de LDL. En outre, elle abaisse modérément les taux de triglycérides et augmente ceux du cholestérol HDL (ou bon cholestérol).

▼ MODE D'EMPLOI

POSOLOGIE
Dose de départ : 10 mg par jour, 1 fois par jour. Cette dose peut être augmentée au besoin par le médecin, sans dépasser 80 mg par jour.

DÉBUT D'ACTION
En 2 à 4 semaines.

DURÉE D'ACTION
L'effet persiste pendant toute la durée du traitement.

CONSEILS NUTRITIONNELS
À prendre avec ou sans aliment, de préférence le soir. Manger des pamplemousses ou boire du jus de pamplemousse peut entraîner une accumulation d'atorvastatine. Les hypocholestérolémiants ne sont qu'un volet d'un programme qui doit inclure des exercices physiques faits régulièrement et un régime alimentaire sain, pauvre en matières grasses et en cholestérol et riche en fibres.

MODE DE CONSERVATION
Dans un contenant étanche, à l'abri de l'humidité, de la chaleur et de la lumière.

OUBLI D'UNE DOSE
Prenez-la dès que vous y pensez. Prenez la suivante au moment requis et reprenez votre fréquence normale. Ne doublez pas la dose suivante.

ARRÊT DE LA MÉDICATION
La décision doit être prise en consultation avec votre médecin. L'arrêt de la médication entraîne un retour possible de la cholestérolémie aux taux élevés d'avant traitement.

USAGE PROLONGÉ
La probabilité d'effets indésirables augmente. Si le traitement à l'atorvastatine se prolonge, le médecin ordonnera périodiquement des analyses du sang pour évaluer la fonction hépatique.

▼ PRÉCAUTIONS

Plus de 60 ans. Aucun risque connu.

Conduite automobile, travaux dangereux. L'atorvastatine ne devrait pas vous empêcher d'exécuter de telles tâches en toute sécurité.

Alcool. Pas de précautions spéciales.

Grossesse. L'atorvastatine ne devrait pas être utilisée durant la grossesse ou par les femmes qui se proposent de devenir bientôt enceintes.

Allaitement. L'atorvastatine n'est pas recommandée aux femmes qui allaitent.

Nourrissons et enfants. Sécurité et innocuité non connues ; le médicament est rarement utilisé pour les enfants. Consultez le pédiatre.

À surveiller. Il est important d'avoir un bon régime alimentaire, de surveiller son poids, de faire de l'exercice sans exagération mais de façon régulière et d'éviter certains médicaments qui peuvent augmenter les taux de cholestérol.

SURDOSAGE
Symptômes. Une surdose d'atorvastatine est peu probable.

Quoi faire. Appelez le médecin ou le centre antipoison.

▼ INTERACTIONS

MÉDICAMENT-MÉDICAMENT
Consultez le médecin si vous prenez les médicaments suivants : cyclosporine, gemfibrozil, niacine, antibiotiques (surtout érythromycine) ou antifongiques. Tous ces médicaments, associés à l'atorvastatine, peuvent augmenter les risques de myosite (inflammation des muscles) et mener à une insuffisance rénale.

MÉDICAMENT-ALIMENT
Pas d'interaction connue.

MÉDICAMENT-MALADIE
Avertissez le médecin dans les cas suivants : maladie du foie, des reins ou des muscles, alcoolisme, antécédents médicaux impliquant une greffe d'organe, ou intervention chirurgicale récente.

 EFFETS INDÉSIRABLES

GRAVES
Fièvre, douleur thoracique, douleur ou sensibilité anormales et inexplicables dans les muscles.

COURANTS
Des effets indésirables se produisent seulement chez 1 à 2 % des patients : constipation ou diarrhée, vertiges ou étourdissements, ballonnement ou gaz, aigreurs d'estomac, nausées, réactions allergiques, douleurs gastriques, hausse des enzymes du foie.

MOINS COURANTS
Difficultés à dormir, éruptions cutanées.

ATOVAQUONE

Présentation : Suspension orale
En vente libre ? Non   **Générique disponible ?** Non
Classe de médicaments : Agent anti-infectieux/antiprotozoaire

▼ GÉNÉRALITÉS

INDICATIONS
Traitement de la pneumonie à Pneumocystis carinii (PPC) d'intensité légère à modérée chez les patients intolérants à l'antibiotique triméthoprime-sulfaméthoxazole (thérapie usuelle de la PPC). Ce type grave de pneumonie se rencontre particulièrement chez les patients atteints du sida.

MODE D'ACTION
L'atovaquone empêche les cellules infectieuses de produire l'ADN et les autres substances nécessaires à leur croissance et à leur reproduction.

▼ MODE D'EMPLOI

POSOLOGIE
Adultes et adolescents : 750 mg 2 fois par jour, aux repas, pendant 21 jours.

DÉBUT D'ACTION
Inconnu.

DURÉE D'ACTION
Inconnue.

CONSEILS NUTRITIONNELS
Prenez le médicament en même temps que des aliments riches en matières grasses pour en faciliter l'absorption.

MODE DE CONSERVATION
Dans un contenant étanche, à l'abri de la chaleur, de l'humidité, de la lumière et des températures extrêmes. Ne le congelez pas.

OUBLI D'UNE DOSE
Prenez-la dès que vous y pensez pour que la concentration du médicament dans l'organisme demeure constante. Si vous êtes près de la dose suivante, sautez celle que vous avez oubliée et reprenez la fréquence normale. Ne doublez pas la dose suivante.

ARRÊT DE LA MÉDICATION
Effectuez le traitement au complet, comme il vous a été prescrit, même si vous vous sentez mieux avant la fin de la thérapie. La décision d'arrêter la médication doit être prise conjointement avec le médecin. Un arrêt prématuré peut ralentir la guérison ou amener une infection de rebond.

USAGE PROLONGÉ
La thérapie à l'atovaquone est de 21 jours. Un usage prolongé du médicament, au-delà de cette période, augmente les risques d'effets indésirables.

▼ PRÉCAUTIONS

Plus de 60 ans. Le médicament n'a pas fait l'objet d'études spécifiques chez les personnes âgées ; risques de réactions indésirables plus fréquentes et plus graves.

Conduite automobile, travaux dangereux. Ne vous adonnez pas à de telles activités sans avoir évalué vos réactions au médicament.

Alcool. Aucune précaution spéciale n'est nécessaire.

Grossesse. Aucune étude adéquate sur les effets du médicament chez les femmes enceintes n'a été menée. Avant de prendre de l'atovaquone, avertissez le médecin que vous êtes enceinte ou avez l'intention de le devenir. Voyez avec lui si les avantages du traitement l'emportent sur les risques.

Allaitement. L'atovaquone peut passer dans le lait maternel : il y a lieu d'être prudent. Consultez votre médecin.

Nourrissons et enfants. Aucune étude adéquate sur les effets du médicament chez les enfants n'a été menée. Consultez votre pédiatre.

À surveiller. Une cuiller à thé ordinaire ne contient peut-être pas la quantité requise de médicament. Utilisez une cuiller à mesurer pour calculer chaque dose.

SURDOSAGE
Symptômes. Aucun cas de surdose n'a été signalé.

Quoi faire. Si une personne absorbe une dose bien supérieure à celle qui est prescrite, appelez le médecin ou le centre antipoison le plus vite possible, ou allez à l'urgence.

▼ INTERACTIONS

MÉDICAMENT-MÉDICAMENT
Diverses médications peuvent provoquer des interactions avec l'atovaquone. Informez le médecin si vous prenez l'un ou l'autre des médicaments suivants : rifampine, rifabutine, sulfaméthoxazole et triméthoprime en association, ou zidovudine.

MÉDICAMENT-ALIMENT
Aucune interaction connue.

MÉDICAMENT-MALADIE
L'atovaquone peut avoir des effets réduits chez les patients souffrant d'une affection gastrique ou intestinale (comme la colite) qui réduit l'absorption des médicaments. Renseignez-vous auprès de votre médecin.

 EFFETS INDÉSIRABLES

GRAVES
Rashs cutanés, fièvre.

COURANTS
Insomnie, diarrhée, toux, maux de tête, nausées ou vomissements.

MOINS COURANTS
Apathie, fatigue, démangeaisons, malaises gastriques ou douleurs abdominales, constipation, étourdissements.

ATROPINE (SULFATE D')/SCOPOLAMINE (BROMHYDRATE DE)/ HYOSCYAMINE (SULFATE D')/PHÉNOBARBITAL

Présentation : Comprimés, comprimés à libération lente
En vente libre ? Non **Générique disponible ?** Non
Classe de médicaments : Anticholinergique ; antispasmodique

▼ GÉNÉRALITÉS

INDICATIONS
Soulagement des symptômes du syndrome du côlon irritable, des ulcères gastriques et duodénaux et des crampes gastro-intestinales.

MODE D'ACTION
L'acétylcholine, élément chimique naturellement présent dans l'organisme, participe à diverses activités physiologiques, dont celles des nerfs, des muscles et des glandes. L'atropine, la scopolamine et l'hyoscyamine contrecarrent cette action et produisent ainsi toute une gamme d'effets dont le tarissement de diverses sécrétions (salive, sueur), le soulagement des spasmes musculaires de l'intestin et la modification de la taille des pupilles. Le phénobarbital est un sédatif barbiturique.

▼ MODE D'EMPLOI

POSOLOGIE
Adultes et adolescents – Comprimés : 1 ou 2 comprimés, 3 ou 4 fois par jour.

Comprimés à libération lente : 1 comprimé aux 8 à 12 heures. Enfants – Consultez le pédiatre.

DÉBUT D'ACTION
Inconnu.

DURÉE D'ACTION
Inconnue.

CONSEILS NUTRITIONNELS
À prendre 30 à 60 minutes avant les repas, à moins d'avis contraire du médecin.

MODE DE CONSERVATION
Dans un contenant étanche, à l'abri de la chaleur, de l'humidité et de la lumière.

OUBLI D'UNE DOSE
Prenez-la dès que vous y pensez. S'il est presque l'heure de la suivante, sautez la dose oubliée et reprenez la fréquence normale. Ne doublez pas la dose suivante.

ARRÊT DE LA MÉDICATION
La décision doit être prise en consultation avec le médecin.

USAGE PROLONGÉ
Le phénobarbital crée de l'accoutumance.

▼ PRÉCAUTIONS

Plus de 60 ans. Risque de réactions indésirables plus fréquentes et plus graves.

Conduite automobile, travaux dangereux. À déconseiller tant que vous ne connaissez pas votre réaction au médicament.

Alcool. À éviter.

Grossesse. Avisez le médecin que vous êtes enceinte ou désirez le devenir avant de prendre ce médicament.

Allaitement. Le médicament peut passer dans le lait maternel : la prudence s'impose. Demandez l'avis du médecin.

Nourrissons et enfants. Ce médicament ne devrait pas être prescrit aux enfants de moins de 2 ans. Réactions indésirables plus fréquentes et plus graves chez les bébés et les jeunes enfants, surtout s'ils souffrent d'encéphalopathie congénitale ou de paralysie spastique.

À surveiller. Le phénobarbital est un médicament potentiellement dangereux. Son usage prolongé peut entraîner de l'accoutumance ; un arrêt brusque peut provoquer des symptômes de sevrage.

SURDOSAGE
Symptômes. Nausées, vomissements, céphalées, vision embrouillée, pupilles dilatées, pouls faible, fièvre, hallucinations, convulsions, inconscience, confusion, peau et bouche sèches.

Quoi faire. Appelez immédiatement le médecin ou le centre antipoison, ou allez à l'urgence.

▼ INTERACTIONS

MÉDICAMENT-MÉDICAMENT
Il peut y avoir interaction avec d'autres médicaments. Demandez spécifiquement l'avis du médecin si vous prenez : anticholinergiques, corticostéroïdes, antiacides, antidiarrhéiques contenant du kaolin ou de l'attapulgite, kétoconazole, anticoagulants, dépresseurs du système nerveux central (tels que antihistaminiques, médicaments contre le rhume, somnifères ou tranquillisants), inhibiteurs de la monoamine-oxydase (IMAO) ou halopéridol.

MÉDICAMENT-ALIMENT
Pas d'interaction connue.

MÉDICAMENT-MALADIE
Ce médicament exige de la prudence. Consultez votre médecin si vous souffrez de : troubles nerveux, asthme ou autre problème pulmonaire, hypertrophie de la prostate, sécheresse de la bouche accusée et soutenue, maladie du foie ou des reins, syndrome de Down, blocage ou autre trouble intestinal, hyperthyroïdie, maladie cardiaque, hypertension, glaucome ou rectocolite hémorragique.

EFFETS INDÉSIRABLES

GRAVES
Jaunissement des yeux ou de la peau, rash cutané ou urticaire, douleur oculaire, ecchymoses ou saignements inusités, mal de gorge et fièvre.

COURANTS
Constipation ; peau, bouche, gorge ou nez secs ; diminution de la sudation ; vertiges ; somnolence.

MOINS COURANTS
Perte de mémoire, mictions difficiles, vision trouble, nausées ou vomissements, ballonnement, faiblesse ou fatigue inusitées, déglutition difficile, diminution de la lactation.

ATROPINE OPHTALMIQUE (SULFATE D')

Présentation : Solution ophtalmique, onguent
En vente libre ? Non   **Générique disponible ?** Oui
Classe de médicaments : Relaxant des muscles de l'œil, agent mydriatique

▼ GÉNÉRALITÉS

INDICATIONS
S'emploie durant les examens de l'œil, avant et après une chirurgie oculaire, et pour traiter certains troubles de l'œil, comme l'uvéite (inflammation de l'uvée ou région centrale de l'œil) et la synéchie postérieure (trouble susceptible d'entraîner la cécité). Peut aider à déterminer la bonne prescription de lunettes aux jeunes enfants.

MODE D'ACTION
Le sulfate d'atropine provoque la relaxation des muscles ciliaires régissant l'accommodation du cristallin à la lumière et celle du sphincter de l'iris qui commande les mouvements de la pupille : le cristallin est incapable de faire la mise au point et la pupille se dilate, permettant au médecin d'examiner les structures internes de l'œil durant une intervention ophtalmologique. En immobilisant les minuscules structures internes de l'œil, l'atropine empêche la formation de cicatrices sur les tissus oculaires et peut également diminuer quelque peu la douleur.

▼ MODE D'EMPLOI

POSOLOGIE
Examen de l'œil – Adultes : dose à déterminer par le médecin. Enfants : solution ophtalmique : 1 goutte dans l'œil, 2 fois par jour, durant les 2 jours qui précèdent l'examen. Onguent : un fin ruban d'onguent appliqué dans l'œil, 3 fois par jour, pendant au plus 3 jours avant l'examen. Uvéite – Adultes : 1 goutte dans l'œil ou un fin ruban d'onguent, 1 à 4 fois par jour. Enfants : 1 goutte dans l'œil ou un fin ruban d'onguent jusqu'à 3 fois par jour.

DÉBUT D'ACTION
Inconnu.

DURÉE D'ACTION
6 à 12 jours. L'effet du médicament sur l'accommodation du cristallin peut durer plus longtemps que son effet sur la dilatation de la pupille.

CONSEILS NUTRITIONNELS
Pas de restrictions spéciales.

MODE DE CONSERVATION
Dans un contenant étanche, à l'abri de la chaleur, de l'humidité et de la lumière.

OUBLI D'UNE DOSE
Faites l'application dès que vous y pensez. S'il est presque l'heure de la suivante, sautez la dose oubliée et revenez à la fréquence normale. Ne doublez pas la dose suivante.

ARRÊT DE LA MÉDICATION
La décision d'arrêter le traitement doit être prise par le médecin.

USAGE PROLONGÉ
Le médicament n'est pas destiné à un usage prolongé.

▼ PRÉCAUTIONS

Plus de 60 ans. Somnolence et agitation plus fréquentes.

Conduite automobile, travaux dangereux. À éviter tant que la vision reste brouillée.

Alcool. Pas de précautions spéciales.

Grossesse. Il n'existe pas d'études pertinentes. Avertissez le médecin que vous êtes enceinte ou avez l'intention de le devenir.

Allaitement. De petites quantités d'atropine peuvent passer dans le lait maternel ; soyez très prudente.

Nourrissons et enfants. Les jeunes enfants aux cheveux blonds ou aux yeux bleus risquent d'être plus sensibles au médicament et d'avoir des effets indésirables plus marqués. Utilisez le médicament avec la plus grande prudence.

À surveiller. Avant l'application, lavez-vous les mains. Renversez la tête en arrière.

Appuyez doucement dans l'angle interne de la paupière et avec l'index de la même main, tirez la paupière inférieure vers le bas. Laissez tomber 1 goutte du médicament ou appliquez un ruban d'environ 1 cm (⅓ po) dans l'espace ainsi créé et fermez l'œil. Appuyez pendant 1 ou 2 minutes tout en gardant l'œil fermé sans cligner. Enfin, lavez-vous les mains. Le bout de l'applicateur ne doit toucher ni l'œil, ni votre doigt, ni rien d'autre.

SURDOSAGE
Symptômes. Baisse de l'acuité visuelle, très grande sensibilité à la lumière, confusion, maladresse, vertiges, hallucinations, arythmies cardiaques, somnolence ou faiblesse graves, peau ou bouche anormalement sèches.

Quoi faire. Appelez aussitôt le médecin ou le centre antipoison, ou allez à l'urgence.

▼ INTERACTIONS

MÉDICAMENT-MÉDICAMENT
Consultez votre médecin si vous prenez : tranquillisants, médicaments contre le glaucome ou la myasthénie grave, d'autres gouttes ou médicaments pour les yeux.

MÉDICAMENT-ALIMENT
Aucune interaction connue.

MÉDICAMENT-MALADIE
N'employez pas ce médicament sans aviser le médecin que vous souffrez de glaucome (surtout par fermeture de l'angle). L'atropine peut augmenter les douleurs abdominales dans les troubles gastro-intestinaux.

 EFFETS INDÉSIRABLES

GRAVES
Hallucinations, confusion, somnolence grave, palpitations cardiaque.

COURANTS
Vision embrouillée, sensibilité accrue des yeux à la lumière.

MOINS COURANTS
Croûtes ou écoulements oculaires, démangeaisons et rougeur de l'œil, enflure dans l'œil, douleur oculaire, sécheresse des yeux, sécheresse de la peau, sécheresse de la bouche, irritabilité, agitation, bouffées congestives, fièvre.

ATTAPULGITE

NOMS COMMERCIAUX

Fowler's Antidiarrheal,
Fowler's Attapulgite,
Kaopectate

Présentation : Suspension orale, comprimés, comprimés à croquer
En vente libre ? Oui **Générique disponible ?** Oui
Classe de médicaments : Antidiarrhéique

▼ GÉNÉRALITÉS

INDICATIONS
Traitement de la diarrhée.

MODE D'ACTION
On croit que l'attapulgite se fixe à de grandes quantités de bactéries et de toxines des voies digestives et les élimine. Elle réduirait aussi la fluidité des selles associées à la diarrhée. Il n'y a pas accord sur son efficacité.

▼ MODE D'EMPLOI

POSOLOGIE
Adultes et adolescents – Suspension orale et comprimés : 1 200 à 1 500 mg après chaque selle molle ou liquide, sans dépasser 9 000 mg en 24 heures. Comprimés à croquer : 1 200 mg après chaque selle molle ou liquide, sans dépasser 8 400 mg en 24 heures. Enfants de 6 à 12 ans – Suspension orale et comprimés à croquer : 600 mg après chaque selle molle ou liquide sans dépasser 4 200 mg en 24 heures. Comprimés : 750 mg après chaque selle molle ou liquide sans dépasser 4 500 mg en 24 heures. Enfants de 3 à 6 ans – Suspension orale et comprimés à croquer : 300 mg après chaque selle molle ou liquide, sans dépasser 2 100 mg en 24 heures. Comprimés : ne devraient pas être administrés à des enfants de ce groupe d'âge.

DÉBUT D'ACTION
Inconnu.

DURÉE D'ACTION
Inconnue.

CONSEILS NUTRITIONNELS
On recommande un régime léger ; bananes, riz, compote de pommes, toasts secs sont de bons choix. Buvez beaucoup.

MODE DE CONSERVATION
Dans un contenant étanche, à l'abri de la chaleur, de l'humidité et de la lumière.

OUBLI D'UNE DOSE
Prenez-la dès que vous y pensez. S'il est presque l'heure de la dose suivante, sautez la dose oubliée et reprenez la fréquence normale. Ne doublez pas la dose suivante.

ARRÊT DE LA MÉDICATION
Vous pouvez y mettre fin dès que vous vous sentez mieux sans attendre que le traitement soit terminé.

USAGE PROLONGÉ
Si la diarrhée ne régresse pas ou s'aggrave après 2 jours de médication, si elle est sanguinolente ou si vous faites de la fièvre, appelez votre médecin.

▼ PRÉCAUTIONS

Plus de 60 ans. Ces patients risquent davantage de se déshydrater et doivent, par conséquent, augmenter leur absorption de liquides.

Conduite automobile, travaux dangereux. L'attapulgite ne devrait pas vous empêcher d'exécuter de telles tâches en toute sécurité.

Alcool. À éviter.

Grossesse. N'étant pas absorbée par l'organisme, l'attapulgite ne devrait pas causer de problèmes aux femmes enceintes.

Allaitement. N'étant pas absorbée par l'organisme, l'attapulgite ne devrait pas causer de problèmes aux femmes qui allaitent.

Nourrissons et enfants. Le médicament ne doit pas être donné aux enfants de moins de 3 ans sans consultation avec votre médecin. Assurez-vous que l'enfant boit suffisamment.

À surveiller. En plus de prendre de l'attapulgite, il est important de remplacer les pertes liquidiennes causées par la diarrhée. Le premier jour, vous devriez boire beaucoup de liquides clairs – colas et thé décaféinés ou soda au gingembre – et manger de la gélatine. Le lendemain, vous devriez continuer à boire beaucoup mais vous devriez aussi manger des aliments légers : compote de pommes, céréales cuites et pain. Ne prenez pas d'attapulgite si la diarrhée comporte du sang ou du mucus.

SURDOSAGE
Symptômes. Aucune surdose n'a été signalée.

Quoi faire. Il est peu probable qu'une surdose mette votre vie en danger. Néanmoins, si la dose est très forte, demandez immédiatement de l'aide médicale.

▼ INTERACTIONS

MÉDICAMENT-MÉDICAMENT
Comme divers médicaments peuvent interagir avec l'attapulgite, prenez-les 2 ou 3 heures avant ou après l'attapulgite.

MÉDICAMENT-ALIMENT
Les aliments frits ou épicés, le son, les fruits, les légumes, les boissons contenant de la caféine ou de l'alcool peuvent aggraver la diarrhée.

MÉDICAMENT-MALADIE
Si vous souffrez de dysenterie ou de tout autre trouble médical, consultez votre médecin.

 EFFETS INDÉSIRABLES

GRAVES
Aucun effet indésirable grave n'est associé à l'attapulgite. Néanmoins, les pertes liquidiennes causées par la diarrhée peuvent entraîner sécheresse de la bouche, soif accrue, vertiges, étourdissements, baisse du débit urinaire et plissement de la peau. Appelez le médecin aussitôt.

COURANTS
Constipation.

MOINS COURANTS
Il n'y a pas d'effet indésirable moins courant.

AURANOFINE

Présentation : Gélules
En vente libre ? Non   **Générique disponible ?** Non
Classe de médicaments : Antirhumatismal

▼ GÉNÉRALITÉS

INDICATIONS

Traitement de la polyarthrite rhumatoïde. Étant donné les risques d'effets indésirables très pénibles qu'elle présente, l'auranofine n'est générale-ment prescrite qu'aux patients qui n'ont pas répondu aux médicaments traditionnels tels que les anti-inflammatoires non stéroïdiens (AINS), les corticostéroïdes et l'AAS. (L'auranofine ne convient pas au traitement de l'arthrose, maladie beaucoup plus répandue.)

MODE D'ACTION

L'auranofine renferme des sels d'or. On ne sait pas avec précision comment ils agis-sent, mais on a observé qu'ils réduisent l'inflammation arti-culaire associée à l'arthrite. L'auranofine peut retarder les progrès de la polyarthrite rhu-matoïde sévère, empêchant de nouveaux dommages aux articulations ; dans certains cas, elle peut amener une rémission.

▼ MODE D'EMPLOI

POSOLOGIE

Adultes: 6 mg 1 fois par jour, ou 3 mg 2 fois par jour. Au bout de 4 mois de traite-ment, le médecin peut aug-menter la dose à 3 mg, 3 fois par jour. Enfants : consultez le pédiatre.

DÉBUT D'ACTION

En 3 à 4 mois.

DURÉE D'ACTION

Inconnue.

CONSEILS NUTRITIONNELS

Mangez et buvez comme à votre habitude.

MODE DE CONSERVATION

Dans un contenant étanche, à l'abri de la chaleur et de la lumière.

OUBLI D'UNE DOSE

Prenez la dose oubliée dès que vous y pensez, sauf si vous êtes à moins de 2 heures de la suivante. Dans ce cas, sautez la dose oubliée et reprenez la fréquence nor-male. Ne doublez pas la dose suivante.

ARRÊT DE LA MÉDICATION

Respectez la posologie et la durée du traitement prescrit par le médecin. Ne l'inter-rompez pas de vous-même parce que vous vous sentez mieux, à moins d'éprouver un effet indésirable grave.

USAGE PROLONGÉ

Il faut parfois attendre plu-sieurs mois avant de savoir si la médication vous aide. Un usage prolongé de l'aurano-fine peut augmenter les risques d'effets indésirables.

▼ PRÉCAUTIONS

Plus de 60 ans. Risques de réactions indésirables plus fréquentes et plus graves.

Conduite automobile, tra-vaux dangereux. Le traite-ment ne devrait pas vous empêcher d'exécuter de tel-les tâches en toute sécurité.

Alcool. Évitez de prendre de l'alcool durant la thérapie.

Grossesse. Évitez de devenir enceinte durant la thérapie et les six mois qui suivent.

Allaitement. L'auranofine passe dans le lait maternel : arrêtez le traitement pendant que vous allaitez.

Nourrissons et enfants. Non recommandé.

À surveiller. Les sels d'or peuvent avoir plusieurs effets secondaires attribuables à la toxicité de l'or. Le médecin prescrira des analyses pério-diques du sang pour détermi-ner si vous réagissez mal à l'auranofine, par exemple si vous faites de l'anémie ou si vous avez moins de globules blancs. Communiquez avec le médecin si votre état vous inquiète. L'auranofine peut augmenter la sensibilité au soleil : évitez les heures de grand ensoleillement, portez des vêtements couvrants et utilisez un écran solaire.

SURDOSAGE

Symptômes. Aucun cas de surdose n'a été signalé.

Quoi faire. Si vous pensez avoir pris une surdose, appe-lez aussitôt le médecin ou le centre antipoison le plus près, ou allez à l'urgence.

▼ INTERACTIONS

MÉDICAMENT-MÉDICAMENT

Si vous prenez de la pénicilla-mine, dites-le au médecin.

MÉDICAMENT-ALIMENT

Aucune interaction connue.

MÉDICAMENT-MALADIE

Informez le médecin si vous souffrez de : anémie ou autre maladie du sang, maladies de la peau, colite ou autre mala-die intestinale, ulcères ou gas-trite, maladie rénale ou lupus érythémateux disséminé.

 EFFETS INDÉSIRABLES

GRAVES

Douleurs abdominales vives, rash cutané étendu, troubles neurologiques causant confusion ou convulsions.

COURANTS

Prurit, urticaire, ulcères ou taches dans la bouche ou la gorge, anorexie, diarrhée, nausées, vomissements, érup-tions, fièvre, maux d'estomac, digestion difficile, aigreurs d'estomac, constipation.

MOINS COURANTS

Toux, enrouement, respiration difficile ou sifflante ; urine foncée ou moins abondante ; vision amoindrie; déglutition difficile ; mal de gorge ; fièvre et frissons ; chute de che-veux ; hallucinations ; miction douloureuse ; douleurs lom-baires ; yeux rouges, douloureux, irrités ; ecchymoses ou saignements anormaux ; plaques cutanées rouges, épaisses ou squameuses ; enflure du visage, des jambes ou des pieds ; ganglions enflés ou douloureux ; fatigue ou faiblesse excessives ; jaunissement du blanc des yeux ou de la peau (jaunisse).

AUROTHIOMALATE DE SODIUM (SELS D'OR)

Présentation : Injection (i.m.)
En vente libre ? Non   **Générique disponible ?** Non
Classe de médicaments : Antirhumatismal

▼ GÉNÉRALITÉS

INDICATIONS
Traitement de la polyarthrite rhumatoïde. Les sels d'or sont prescrits en général aux patients qui n'ont pas répondu aux médicaments traditionnels – AAS, anti-inflammatoires non stéroïdiens (AINS) et corticostéroïdes.

MODE D'ACTION
L'aurothiomalate de sodium renferme des sels d'or. On ne sait pas avec précision comment ils agissent, mais on a observé qu'ils réduisent l'inflammation articulaire associée à l'arthrite. Le médicament peut retarder les progrès de la polyarthrite rhumatoïde grave et empêcher ainsi de nouveaux dommages aux articulations ; dans certains cas, il peut amener une rémission.

▼ MODE D'EMPLOI

POSOLOGIE
Adultes : 1 injection intramusculaire (i.m.) de 10 mg durant la première semaine, suivie de 1 injection de 25 mg durant la deuxième semaine, puis de 1 injection de 25 à 50 mg 1 fois par semaine jusqu'à obtention du soulagement désiré, ou jusqu'à ce qu'on ait atteint 1 000 mg. Si la réponse est satisfaisante, le médecin mettra en place une dose d'entretien de 25 à 50 mg donnée en 1 injection, aux 2 à 4 semaines. Enfants : 1 injection de 10 mg durant la première semaine, suivie d'une dose de 1 mg par kilogramme (2,2 lb) de poids (sans dépasser 50 mg) donnée en 1 seule injection durant la deuxième semaine. Les doses subséquentes sont espacées selon une fréquence semblable à celle de l'adulte, la posologie étant déterminée par le poids de l'enfant.

DÉBUT D'ACTION
Pas avant 6 à 8 semaines.

DURÉE D'ACTION
Inconnue.

CONSEILS NUTRITIONNELS
Mangez et buvez de façon normale.

MODE DE CONSERVATION
Sans objet.

OUBLI D'UNE DOSE
Consultez le médecin.

ARRÊT DE LA MÉDICATION
Le médecin arrêtera le traitement selon que vous y répondez bien, ou que vous ressentez des effets indésirables qui l'obligent à y mettre fin, ou que vous arrivez près de la dose maximale qu'il est dangereux de dépasser.

USAGE PROLONGÉ
Il faut parfois attendre plusieurs mois avant de savoir si ce médicament vous aide. Un usage prolongé peut augmenter les risques d'effets indésirables.

▼ PRÉCAUTIONS

Plus de 60 ans. Risques de réactions indésirables plus fréquentes et plus graves.

Conduite automobile, travaux dangereux. À déconseiller tant que vous ne connaissez pas votre réaction au médicament.

Alcool. À éviter.

Grossesse. Ne prenez pas ce médicament durant la grossesse.

Allaitement. Le médicament peut passer dans le lait maternel : la prudence s'impose. Parlez-en au médecin.

Nourrissons et enfants. Consultez le pédiatre.

À surveiller. Les sels d'or peuvent avoir de nombreux effets indésirables. Le médecin peut prescrire des analyses périodiques du sang pour déterminer si vous réagissez mal, par exemple si vous faites de l'anémie, si vous avez moins de globules blancs dans le sang ou si vous avez des protéines dans l'urine. Le médicament peut augmenter votre sensibilité au soleil : évitez les heures de grand ensoleillement, portez des vêtements couvrants et utilisez un écran solaire.

SURDOSAGE
Symptômes. Aucun symptôme spécifique n'a été signalé.

Quoi faire. Sans objet. Le médicament est administré par un professionnel de la santé.

▼ INTERACTIONS

MÉDICAMENT-MÉDICAMENT
Avertissez le médecin que vous prenez de la pénicillamine ou des médicaments qui diminuent la production de moelle épinière, comme les anticonvulsivants ou les traitements de chimiothérapie contre le cancer.

MÉDICAMENT-ALIMENT
Aucune interaction connue.

MÉDICAMENT-MALADIE
Avertissez le médecin si vous avez les problèmes suivants : anémie ou autres maladies du sang, maladie de la peau, colite ou autres maladies intestinales, ulcères ou aigreurs d'estomac, maladie rénale ou lupus érythémateux disséminé.

 EFFETS INDÉSIRABLES

GRAVES
Douleur abdominale grave ou selles sanglantes, noires ou goudronneuses ; confusion ; convulsions.

COURANTS
Douleurs articulaires passagères peu après l'injection, démangeaisons, rash cutané, mauvaise digestion, aigreurs d'estomac, constipation.

MOINS COURANTS
Urticaire, urine sanguinolente ou trouble, langue douloureuse ; gencives rouges, sensibles, enflées, saignant facilement ; aphtes douloureux dans la bouche ou la gorge.

AZATHIOPRINE

Présentation : Comprimés
En vente libre ? Non   **Générique disponible ?** Oui
Classe de médicaments : Immunosuppresseur

▼ GÉNÉRALITÉS

INDICATIONS

Pour ralentir ou réduire la tendance naturelle du système immunitaire à rejeter les organes greffés et pour traiter la polyarthrite rhumatoïde.

MODE D'ACTION

L'azathioprine empêche le système immunitaire d'attaquer les organes greffés et ralentit l'activité des cellules immunitaires, qui causent l'inflammation dans les articulations et ailleurs.

▼ MODE D'EMPLOI

POSOLOGIE

Rejet de greffes : Dose initiale : 3 à 5 mg par kilogramme (2,2 lb) de poids par jour. Dose d'entretien : 1 à 3 mg par kilogramme par jour. Arthrite rhumatoïde : 1 mg par kilogramme par jour. La dose peut être augmentée, sans dépasser 2,5 mg par kilogramme par jour.

DÉBUT D'ACTION

En 4 à 8 semaines.

DURÉE D'ACTION

L'effet immunosuppresseur peut persister longtemps après que le médicament a été éliminé de l'organisme.

CONSEILS NUTRITIONNELS

À prendre en mangeant ou tout de suite après un repas pour réduire l'irritation gastrique.

MODE DE CONSERVATION

Dans un contenant étanche, à l'abri de l'humidité, de la chaleur et de la lumière.

OUBLI D'UNE DOSE

Dans le cas d'une dose quotidienne, ne prenez pas la dose oubliée. Prenez la suivante au moment voulu et revenez à la fréquence normale. Ne doublez pas la dose suivante. Si vous prenez plusieurs doses par jour, prenez la dose oubliée dès que vous y pensez. S'il est presque l'heure de la suivante, prenez les deux doses ensemble et revenez à la fréquence normale. Si vous oubliez plus qu'une dose dans la même journée, appelez votre médecin.

ARRÊT DE LA MÉDICATION

Effectuez le traitement au complet, comme il vous a été prescrit, même si vous vous sentez mieux avant la fin.

USAGE PROLONGÉ

Augmente les risques d'effets indésirables et les possibilités de cancer.

▼ PRÉCAUTIONS

Plus de 60 ans. Risques de réactions indésirables plus fréquentes et plus graves.

Conduite automobile, travaux dangereux. À déconseiller tant que vous ne connaissez pas votre réaction au médicament.

Alcool. À éviter.

Grossesse. Ne prenez pas ce médicament si vous êtes enceinte. Si vous désirez le devenir, ni votre partenaire, ni vous ne devriez en prendre.

Allaitement. L'azathioprine passe dans le lait maternel : n'allaitez pas.

Nourrissons et enfants. Le médicament cause chez eux les mêmes effets que chez les adultes. Consultez le pédiatre.

À surveiller. Les patients immunodéprimés sont toujours exposés à faire des infections graves. L'azathioprine peut diminuer votre résistance aux infections en réduisant le nombre des globules blancs du sang. Ne vous faites pas vacciner sans l'approbation du médecin. Évitez les gens contagieux. L'azathioprine peut aussi réduire le nombre des plaquettes (cellules qui contrôlent la coagulation du sang) et entraîner ainsi des saignements. Soyez prudent quand vous vous servez de rasoirs, brosse à dents, soie dentaire ou cure-dents. Prévenez le dentiste que vous prenez de l'azathioprine.

SURDOSAGE

Symptômes. Saignements inhabituels, vulnérabilité accrue aux infections.

Quoi faire. Appelez aussitôt le médecin ou le centre antipoison, ou allez à l'urgence.

▼ INTERACTIONS

MÉDICAMENT-MÉDICAMENT

Avertissez le médecin si vous prenez : allopurinol, inhibiteurs de l'ECA, chlorambucil, corticostéroïdes, cotrimoxazole, cyclophosphamide, cyclosporine, mercaptopurine, muromonab-CD3, aminosalicylates ou warfarine.

MÉDICAMENT-ALIMENT

Pas d'interaction connue.

MÉDICAMENT-MALADIE

La prudence s'impose quand on prend de l'azathioprine. Consultez le médecin si vous souffrez des maladies suivantes : varicelle, zona, goutte, infection active, maladie des reins ou du foie, pancréatite.

 EFFETS INDÉSIRABLES

GRAVES

Tachycardie ; fièvre ou frissons soudains ; douleur dans le dos, les flancs, les muscles ou les articulations ; fatigue ou faiblesse inusitées ; toux ou voix rauque ; essoufflement ; selles noires ; sang dans les selles ou l'urine ; mictions difficiles ou douloureuses ; douleur gastrique grave ou subite avec nausées, vomissements ou diarrhée ; points rouges, plaques rouges ou vésicules sur la peau ; ecchymoses ou saignements inhabituels ; sensation inhabituelle et soudaine de malaise. Ce sont des symptômes possibles d'infection, d'hémorragie ou de troubles gastro-intestinaux graves.

COURANTS

Nausées et vomissements modérés, perte d'appétit.

MOINS COURANTS

Troubles du foie, rash cutané, ulcères buccaux, maux d'estomac, enflure des pieds ou du bas des jambes, essoufflement.

AZITHROMYCINE

NOMS COMMERCIAUX

Zithromax,
Z-PAK (Zithromax)

Présentation : Comprimés, poudre pour suspension orale, injection
En vente libre ? Non   **Générique disponible ?** Non
Classe de médicaments : Antibiotique du groupe des azalides

▼ GÉNÉRALITÉS

INDICATIONS
Traitement de différentes infections bactériennes, en particulier des sinus, de la gorge et des voies respiratoires (bronchite et pneumonie) ; infections de l'oreille ; maladies transmises sexuellement (MTS) comme l'infection au chlamydia, la gonorrhée et les chancres mous ; infections de la peau. Également prévention et traitement d'une maladie ressemblant à la tuberculose, l'infection à Mycobacterium avium-intracellulaire (MAI), chez les patients souffrant d'une infection au VIH à un stade avancé.

MODE D'ACTION
L'azithromycine empêche les cellules bactériennes de produire certaines protéines essentielles à leur vie.

▼ MODE D'EMPLOI

POSOLOGIE
Bronchite, infection streptococcique de la gorge, pneumonie et infections de la peau : 500 mg (2 comprimés)

pris en une seule dose, le premier jour du traitement ; puis 250 mg (1 comprimé) par jour du 2e au 5e jour. Chlamydia et chancres mous : 1 000 mg (4 comprimés) pris en une seule et unique dose. Gonorrhée : 2 000 mg (8 comprimés) en une seule et unique dose. Prévention du MAI : 1 200 mg 1 fois par semaine. Traitement du MAI : 500 mg, 2 fois par jour.

DÉBUT D'ACTION
Inconnu.

DURÉE D'ACTION
Inconnue.

CONSEILS NUTRITIONNELS
Les comprimés peuvent être pris avec ou sans aliments.

MODE DE CONSERVATION
Dans un contenant étanche, à l'abri de la chaleur et de la lumière.

OUBLI D'UNE DOSE
Prenez-la dès que vous y pensez. Si vous oubliez une journée entière, sautez la dose oubliée et reprenez la fréquence normale le lendemain, sans doubler la dose.

ARRÊT DE LA MÉDICATION
Il est très important d'effectuer le traitement au complet, comme il a été prescrit, même si vous vous sentez mieux avant la fin de la thérapie.

USAGE PROLONGÉ
Infections aiguës : le traitement avec les comprimés est généralement complété en 5 jours. Prévention ou traitement du MAI : la thérapie peut durer la vie entière. Un usage prolongé peut donner lieu à un risque accru d'effets indésirables.

▼ PRÉCAUTIONS

Plus de 60 ans. Réactions indésirables plus probables et plus graves.

Conduite automobile, travaux dangereux. Le traitement à l'azithromycine ne devrait pas vous empêcher d'exécuter de telles tâches en toute sécurité.

Alcool. Pas de précautions spéciales.

Grossesse. Il n'y a pas eu d'études concluantes sur l'utilisation de l'azithromycine durant la grossesse ; demandez à votre médecin son avis.

Allaitement. On ne sait pas si l'azithromycine passe dans le lait maternel ; demandez l'avis du médecin.

Nourrissons et enfants. L'innocuité et l'efficacité de l'azithromycine n'ont pas été établies chez les enfants de moins de 2 ans, même si on ne prévoit aucun problème spécial.

À surveiller. Avant de prendre un antibiotique quelconque, renseignez le médecin sur les allergies dont vous souffrez. Si vous êtes allergique à l'érythromycine, vous risquez de l'être à l'azithromycine. L'azithromycine n'est efficace que contre les bactéries vulnérables à son action. Il est donc important d'aviser le médecin si votre état ne s'améliore pas ou s'aggrave quelques jours après le début du traitement. La bactérie en cause dans votre maladie peut être résistante à l'azithromycine.

SURDOSAGE
Symptômes. Aucune surdose n'a été signalée.

Quoi faire. Appelez immédiatement le médecin ou le centre antipoison.

▼ INTERACTIONS

MÉDICAMENT-MÉDICAMENT
D'autres médicaments peuvent entrer en interaction avec l'azithromycine. Demandez l'avis du médecin si vous prenez des anticoagulants (comme la warfarine). Les antiacides renfermant de l'aluminium ou du magnésium peuvent nuire à l'absorption de l'azithromycine ; laissez passer 2 heures entre la prise d'azithromycine et d'un antiacide.

MÉDICAMENT-ALIMENT
Pas d'interaction spéciale.

MÉDICAMENT-MALADIE
Consultez le médecin si vous avez des antécédents de maladie du foie.

 EFFETS INDÉSIRABLES

GRAVES
Difficultés à respirer, fièvre, urticaire, démangeaisons, rash cutané, enflure du visage, de la bouche, des lèvres, de la gorge ou de la langue, transpiration, jaunissement des yeux ou de la peau : voilà des signes d'une réaction allergique rare mais potentiellement grave.

COURANTS
Aucun effet indésirable courant n'a été signalé.

MOINS COURANTS
Nausées et vomissements, malaises abdominaux, diarrhée (généralement bénigne), céphalées, vertiges.

BACAMPICILLINE (CHLORHYDRATE DE)

Présentation : Comprimés
En vente libre ? Non   **Générique disponible ?** Non
Classe de médicaments : Pénicilline (antibiotique)

▼ GÉNÉRALITÉS

INDICATIONS
Traitement d'une variété d'infections bactériennes – gonorrhée, infections des voies respiratoires, de la peau, des tissus mous et du tractus urinaire. La bacampicilline n'a d'effet que contre les infections bactériennes ; elle n'est d'aucune utilité contre les virus, champignons ou autres micro-organismes.

MODE D'ACTION
La bacampicilline bloque la formation de la paroi de la cellule bactérienne, la rendant incapable de se multiplier et de se répandre.

▼ MODE D'EMPLOI

POSOLOGIE
Adultes et enfants pesant 25 kg (55 lb) et plus : 400 à 800 mg aux 12 heures (2 fois par jour). Enfants pesant moins de 25 kg : 12,5 à 25 mg par kilogramme (2,2 lb) de poids, aux 12 heures.

DÉBUT D'ACTION
Inconnu.

DURÉE D'ACTION
Inconnue.

CONSEILS NUTRITIONNELS
Peut se prendre avec ou sans nourriture.

MODE DE CONSERVATION
Dans un contenant étanche, à l'abri de la chaleur et de la lumière.

OUBLI D'UNE DOSE
Prenez-la dès que vous y pensez. S'il est presque l'heure de la suivante, sautez la dose oubliée et reprenez la fréquence normale. Ne doublez pas la dose suivante.

ARRÊT DE LA MÉDICATION
Effectuez le traitement au complet, comme il vous a été prescrit, même si vous vous sentez mieux avant qu'il prenne fin. Un arrêt prématuré du traitement peut ralentir votre guérison ou mener à une infection de rebond appelée surinfection.

USAGE PROLONGÉ
L'usage prolongé de n'importe quel antibiotique augmente le risque de surinfection. Soyez prudent.

▼ PRÉCAUTIONS

Plus de 60 ans. Pas de risques connus.

Conduite automobile, travaux dangereux. Pas de précautions spéciales.

Alcool. À éviter.

Grossesse. L'utilisation des antibiotiques à la pénicilline durant la grossesse est considérée sans danger.

Allaitement. La bacampicilline peut passer dans le lait maternel. Consultez le médecin.

Nourrissons et enfants. Pas de problèmes additionnels.

À surveiller. Les personnes sujettes à l'asthme, au rhume des foins, à l'urticaire ou aux allergies sont plus exposées que d'autres à avoir des réactions allergiques aux pénicillines. Si le médicament entraîne une diarrhée grave, ne prenez pas de médicament contre la diarrhée ; appelez le médecin.

SURDOSAGE
Symptômes. Nausées graves, vomissements, diarrhée, spasticité musculaire, convulsions.

Quoi faire. Appelez immédiatement le médecin ou le centre antipoison.

▼ INTERACTIONS

MÉDICAMENT-MÉDICAMENT
Demandez spécifiquement l'avis du médecin si vous prenez : contraceptifs oraux, probénécide, allopurinol ou disulfiram.

MÉDICAMENT-ALIMENT
Pas d'interactions connues.

MÉDICAMENT-MALADIE
Consultez le médecin en cas de : antécédents d'allergies, asthme, troubles gastro-intestinaux (spécialement une colite associée aux antibiotiques), mononucléose infectieuse ou insuffisance rénale.

  **EFFETS INDÉSIRABLES**

GRAVES
Respiration irrégulière, rapide ou laborieuse, étourdissements ou évanouissement soudains, douleur articulaire, fièvre, douleur abdominale et crampes graves avec selles liquides ou sanguinolentes, réaction allergique grave (avec enflure subite des lèvres, de la langue, du visage ou de la gorge ; difficultés à respirer ; rash cutané grave, démangeaisons ou urticaire), ecchymoses ou saignements anormaux, jaunissement des yeux ou de la peau.

COURANTS
Rash cutané, diarrhée bénigne, maux de tête, langue ou bouche douloureuses, pertes vaginales, plaques blanches dans la bouche.

MOINS COURANTS
Baisse du débit urinaire, frissons, faiblesse, fatigue.

BACITRACINE

Présentation : Onguent dermatologique (topique)
En vente libre ? Oui   **Générique disponible ?** Oui
Classe de médicaments : Antibiotique

▼ GÉNÉRALITÉS

INDICATIONS
L'onguent dermatologique (topique) est offert en vente libre et s'applique sur des coupures ou des éraflures légères pour les empêcher de s'infecter. La bacitracine entre également dans la composition de plusieurs onguents antibiotiques pour la peau, ainsi que des onguents et des solutions ophtalmiques, qui sont offerts en vente libre.

MODE D'ACTION
La bacitracine empêche les bactéries de se fabriquer des parois cellulaires, ce qui entraîne la mort des cellules.

▼ MODE D'EMPLOI

POSOLOGIE
Onguent topique : s'applique 2 fois par jour sur une coupure ou éraflure légère.

DÉBUT D'ACTION
Inconnu.

DURÉE D'ACTION
Inconnue.

CONSEILS NUTRITIONNELS
Pas de restrictions spéciales.

MODE DE CONSERVATION
Dans un contenant étanche, à l'abri de la chaleur et de la lumière.

OUBLI D'UNE DOSE
Appliquez-la dès que vous y pensez et reprenez la fréquence normale.

ARRÊT DE LA MÉDICATION
Vous pouvez interrompre le traitement sitôt que la coupure ou l'éraflure est suffisamment cicatrisée.

USAGE PROLONGÉ
Soyez attentif à l'évolution de la lésion, quand vous utilisez cet onguent, de façon à détecter toute apparition de bactéries non vulnérables au médicament (ou surinfection).

▼ PRÉCAUTIONS

Plus de 60 ans. Aucun risque connu.

Conduite automobile, travaux dangereux. Pas de précautions spéciales.

Alcool. Pas de précautions spéciales.

Grossesse. Avant d'employer de la bacitracine, avertissez le médecin si vous êtes enceinte ou désirez le devenir.

Allaitement. La bacitracine peut passer dans le lait maternel. Demandez spécifiquement l'avis du médecin.

Nourrissons et enfants. Aucun problème spécial à signaler.

À surveiller. N'utilisez pas de préparations à la bacitracine si vous avez déjà souffert d'allergie ou de sensibilité à la bacitracine ou à tout autre ingrédient contenu dans l'onguent.

SURDOSAGE
Symptômes. Une surdose de l'onguent topique est peu probable.

Quoi faire. Appelez le médecin ou le centre antipoison.

▼ INTERACTIONS

MÉDICAMENT-MÉDICAMENT
Aucun autre médicament topique ne devrait être utilisé en même temps que la bacitracine à moins d'instructions contraires du médecin. La bacitracine ne semble pas créer d'interaction avec des médicaments pris oralement.

MÉDICAMENT-ALIMENT
Pas de restrictions spéciales.

MÉDICAMENT-MALADIE
La prudence est de mise avec la bacitracine. Consultez le médecin s'il se développe une surinfection au cours du traitement (voir Usage prolongé), avec des bactéries non vulnérables au médicament, afin qu'il lance immédiatement le traitement approprié.

 EFFETS INDÉSIRABLES

GRAVES
Onguent topique : réaction allergique très grave mais rare causant de l'urticaire et des difficultés respiratoires. Allez immédiatement à l'urgence.

COURANTS
Aucun effet indésirable courant n'a été signalé.

MOINS COURANTS
Onguent topique : Irritation ou allergie cutanée au point d'application, signalée par les symptômes suivants : rougeur, sensation de brûlure, démangeaison ou rash cutané.

BACLOFÈNE

Présentation : Comprimés
En vente libre ? Non   **Générique disponible ?** Oui
Classe de médicaments : Relaxant musculaire

▼ GÉNÉRALITÉS

INDICATIONS
Pour détendre les muscles et soulager les crampes et les spasmes musculaires douloureux. Les spasmes musculaires chroniques peuvent être associés à la sclérose en plaques ou à des lésions de la moelle épinière.

MODE D'ACTION
Le baclofène semble réduire la transmission des impulsions nerveuses, en provenance de la moelle épinière vers les muscles.

▼ MODE D'EMPLOI

POSOLOGIE
Dose d'attaque : 5 mg, 3 fois par jour pendant 3 jours. On peut alors augmenter la dose de 5 mg aux 3 jours jusqu'à obtention de l'effet voulu, sans dépasser 80 mg par jour.

DÉBUT D'ACTION
En quelques heures à quelques semaines.

DURÉE D'ACTION
Inconnue.

CONSEILS NUTRITIONNELS
À prendre avec du lait ou en mangeant pour réduire les maux d'estomac.

MODE DE CONSERVATION
Dans un contenant étanche, à l'abri de la chaleur, de l'humidité et de la lumière.

OUBLI D'UNE DOSE
Prenez-la dès que vous y pensez dans l'heure qui suit. Si plus de 1 heure s'est écoulée, sautez la dose oubliée, prenez la suivante au moment voulu et reprenez la fréquence normale. Ne doublez pas la dose suivante.

ARRÊT DE LA MÉDICATION
Ne l'arrêtez pas brusquement. Demandez au médecin s'il y a lieu de réduire les doses progressivement pour ne pas avoir de symptômes de sevrage, comme des hallucinations ou des convulsions.

USAGE PROLONGÉ
Demandez au médecin s'il y a lieu de réduire peu à peu les doses.

▼ PRÉCAUTIONS

Plus de 60 ans. Les effets indésirables affectant le système nerveux central comme confusion, vertiges et somnolence sont plus probables.

Conduite automobile, travaux dangereux. À déconseiller tant que vous ne connaissez pas votre réaction au médicament, qui peut causer de la somnolence.

Alcool. À éviter.

Grossesse. Certaines études sur les animaux ont montré que de fortes doses de baclofène peuvent causer des anomalies congénitales. Il n'existe pas d'études sur les humains. Avant d'en prendre, prévenez le médecin que vous êtes enceinte ou désirez le devenir.

Allaitement. Le baclofène passe dans le lait maternel ; la prudence s'impose. Demandez spécifiquement l'avis du médecin.

Nourrissons et enfants. L'efficacité et l'innocuité du médicament n'ont pas été établies chez les moins de 12 ans.

À surveiller. Le baclofène peut causer vertiges, étourdissements ou évanouissement quand le patient se lève après avoir été assis ou couché. Évitez de changer brusquement de position. Certains effets indésirables peuvent se manifester à l'arrêt du traitement ; appelez le médecin en présence de : hallucinations, convulsions, confusion ou changements d'humeur, augmentation des spasmes musculaires, crampes ou sensation de constriction, agitation motrice ou nervosité inhabituelles.

SURDOSAGE
Symptômes. Vue embrouillée, perte de vision, somnolence, perte de conscience, faiblesse musculaire, mouvements saccadés, convulsions, respiration lente, vomissements.

Quoi faire. Appelez aussitôt le médecin ou le centre antipoison, ou allez à l'urgence.

▼ INTERACTIONS

MÉDICAMENT-MÉDICAMENT
Demandez l'avis du médecin si vous prenez : antidépresseurs, inhibiteurs de la monoamine-oxydase (IMAO), tranquillisants, sédatifs, barbituriques, autres relaxants musculaires, antihypertenseurs ou analgésiques narcotiques.

MÉDICAMENT-ALIMENT
Pas d'interaction connue.

MÉDICAMENT-MALADIE
Consultez le médecin en cas d'antécédents de : ACV, diabète sucré, problèmes psychiques ou émotifs, épilepsie ou maladie des reins.

≡ EFFETS INDÉSIRABLES ≡

GRAVES
Douleur thoracique, urine sanguinolente ou foncée, rash cutané ou démangeaisons, hallucinations, évanouissement, dépression ou sautes d'humeur, tintements ou bourdonnements d'oreilles.

COURANTS
Vertiges, somnolence, faiblesse (surtout musculaire), fatigue, nausées, céphalées, insomnie.

MOINS COURANTS
Douleur musculaire ou articulaire ; engourdissement ou picotements des mains ou des pieds ; manque de stabilité, maladresse, tremblements ou autres problèmes de maîtrise musculaire ; douleur ou malaise gastriques ; diarrhée ; constipation ; euphorie ; perte d'appétit ; problèmes sexuels (hommes) ; enflure des chevilles ; besoin fréquent d'uriner ou incontinence ; mictions difficiles, douloureuses ou moins productives ; gain de poids inexplicable ; excitabilité.

BÉCAPLERMINE

NOM COMMERCIAL

Regranex

Présentation : Gel topique
En vente libre ? Non   **Générique disponible ?** Non
Classe de médicaments : Facteur de croissance favorisant la cicatrisation

▼ GÉNÉRALITÉS

INDICATIONS
Traitement des ulcères diabétiques qui se développent sur les membres inférieurs.

MODE D'ACTION
Recombinaison génétique d'un facteur de croissance naturel des plaquettes sanguines, la bécaplermine accélère la cicatrisation des ulcères en activant la migration et la prolifération des cellules qui participent à la réparation des plaies et à la formation de nouveaux tissus.

▼ MODE D'EMPLOI

POSOLOGIE
Appliquez une couche mince et uniforme d'environ 1,5 mm (¹⁄₁₆ po) d'épaisseur de bécaplermine, ou selon l'ordonnance du médecin, 1 fois par jour, sur toute la région ulcérée. Recouvrez d'un pansement humidifié avec une solution saline. Avant l'application du lendemain, lavez la région avec de l'eau ou une solution saline pour enlever tout résidu de gel. Puis faites la nouvelle application. Le médecin vous dira quelle quantité de gel appliquer et comment procéder.

DÉBUT D'ACTION
Inconnu.

DURÉE D'ACTION
Inconnue.

CONSEILS NUTRITIONNELS
Aucune restriction spéciale.

MODE DE CONSERVATION
Gardez le tube au réfrigérateur ; ne le congelez pas. Jetez ce qui reste après la date de péremption.

OUBLI D'UNE DOSE
Si vous oubliez d'appliquer le gel une journée, reprenez la fréquence normale le lendemain, en respectant la quantité recommandée par votre médecin.

ARRÊT DE LA MÉDICATION
N'arrêtez pas le traitement sans consulter d'abord votre médecin.

USAGE PROLONGÉ
Consultez votre médecin si l'ulcère n'a pas diminué de 30 p. 100 après 10 semaines ou si la plaie n'est pas complètement cicatrisée après 20 semaines.

▼ PRÉCAUTIONS

Plus de 60 ans. Aucun risque connu.

Conduite automobile, travaux dangereux. Le traitement à la bécaplermine ne devrait pas vous empêcher d'exécuter de telles tâches en toute sécurité.

Alcool. Aucune précaution spéciale n'est nécessaire.

Grossesse. Aucune étude adéquate sur l'être humain n'a été menée. Si vous êtes enceinte ou avez l'intention de le devenir, informez-en le médecin avant de commencer un traitement à la bécaplermine.

Allaitement. La bécaplermine peut être absorbée par le sang et passer dans le lait maternel : il y a lieu d'être prudent. Demandez l'avis de votre médecin.

Nourrissons et enfants. Non recommandé pour les enfants de moins de 16 ans.

À surveiller. Lavez-vous les mains soigneusement avant et après l'application de bécaplermine. Faites en sorte que le goulot du tube ne vienne en contact ni avec l'ulcère, ni avec votre doigt, ni avec une autre surface. Mesurez soigneusement la quantité à appliquer chaque jour. Le médecin vous indiquera comment déterminer la quantité voulue de gel en fonction de la taille de la région ulcérée. Pressez le tube pour faire sortir le cylindre de gel désiré sur une surface propre (par exemple, du papier ciré). Étalez ensuite la bécaplermine sur la zone ulcérée au moyen d'un applicateur propre, comme un coton-tige ou un abaisse-langue. La quantité de bécaplermine à

appliquer doit être recalculée toutes les semaines ou toutes les deux semaines par votre médecin. Le traitement à la bécaplermine doit être utilisé conjointement avec de bons soins des plaies, incluant le soulagement des points d'appui.

SURDOSAGE
Symptômes. Aucun cas de surdosage n'a été signalé.

Quoi faire. Une surdose de bécaplermine est peu probable. Si vous appliquez beaucoup plus de gel que la dose recommandée ou si vous en ingérez accidentellement, appelez votre médecin.

▼ INTERACTIONS

MÉDICAMENT-MÉDICAMENT
Consultez le médecin si vous appliquez tout autre médicament topique sur la zone ulcérée.

MÉDICAMENT-ALIMENT
Aucune interaction alimentaire n'est connue.

MÉDICAMENT-MALADIE
Vous ne devriez pas appliquer de bécaplermine sur la zone ulcérée s'il s'y trouve des tumeurs cancéreuses ou toute autre excroissance anormale. Parlez-en spécifiquement à votre médecin et demandez son avis.

▒ EFFETS INDÉSIRABLES ▒

GRAVES
Aucun effet indésirable grave n'a été signalé.

COURANTS
Une irritation au site d'application.

MOINS COURANTS
Rien n'a été signalé.

BÉCLOMÉTHASONE (INHALATION NASALE ET ORALE)

Présentation : Inhalateur nasal, inhalation orale
En vente libre ? Non   **Générique disponible ?** Oui
Classe de médicaments : Corticostéroïde respiratoire

▼ GÉNÉRALITÉS

INDICATIONS
Traitement de l'asthme bronchique, de la rhinite allergique (allergies saisonnières et permanentes comme le rhume des foins) ; prévention de la récurrence des polypes nasaux après qu'ils aient été enlevés par chirurgie.

MODE D'ACTION
Les corticostéroïdes respiratoires comme la béclométhasone réduisent d'abord ou préviennent l'inflammation chronique de la muqueuse des voies aériennes (cause sous-jacente de l'asthme), réduisent la réponse allergique aux allergènes inhalés et inhibent la sécrétion de mucus dans les voies aériennes.

▼ MODE D'EMPLOI

POSOLOGIE
Adultes et adolescents – Inhalateur nasal : 1 ou 2 inhalations dans chaque narine, 3 ou 4 fois par jour. Inhalation orale : 2 inhalations, 3 ou 4 fois par jour. Asthme grave : 12 à 16 inhalations par jour (sans dépasser 20 inhalations par jour). Enfants de 6 à 12 ans – Inhalateur nasal : 1 inhalation dans chaque narine, 3 ou 4 fois par jour. Inhalation orale : 1 à 2 inhalations, 3 ou 4 fois par jour, sans dépasser 10 inhalations par jour.

DÉBUT D'ACTION
En 5 à 7 jours, mais le plein effet thérapeutique peut mettre 3 semaines à s'installer.

DURÉE D'ACTION
6 heures ou plus.

CONSEILS NUTRITIONNELS
À prendre avant ou après les repas.

MODE DE CONSERVATION
Loin du feu et de la lumière.

OUBLI D'UNE DOSE
Prenez-la dès que vous y pensez. S'il est presque l'heure de la suivante, sautez la dose oubliée et reprenez la fréquence normale. Ne doublez pas la dose suivante.

ARRÊT DE LA MÉDICATION
Effectuez le traitement au complet, comme il vous a été prescrit, même si vous vous sentez mieux avant la fin.

USAGE PROLONGÉ
Demandez au médecin s'il y a lieu d'instaurer un suivi médical avec des analyses de laboratoire si vous devez prendre le médicament longtemps.

▼ PRÉCAUTIONS

Plus de 60 ans. Aucun risque connu.

Conduite automobile, travaux dangereux. La béclométhasone ne devrait pas vous empêcher d'exécuter de telles tâches en toute sécurité.

Alcool. Pas de précautions spéciales.

Grossesse. On n'a pas rapporté d'anomalies congénitales dues à des stéroïdes pris par inhalation nasale ou orale durant la grossesse. Mais avant d'utiliser ces médicaments, avertissez le médecin que vous êtes enceinte ou souhaitez le devenir.

Allaitement. La béclométhasone peut passer dans le lait maternel ; la prudence s'impose. Demandez l'avis du médecin.

Nourrissons et enfants. L'innocuité et l'efficacité du médicament n'ont pas été établies pour les jeunes enfants.

À surveiller. Les stéroïdes par inhalation n'arrêtent pas une crise d'asthme déjà en cours. Ils peuvent réduire la résistance aux infections par levures de la bouche, de la gorge ou de l'appareil vocal. Pour prévenir les infections aux levures, gargarisez-vous ou rincez-vous la bouche après chaque usage ; n'avalez pas l'eau. Apprenez à utiliser correctement l'inhalateur nasal ; lisez et suivez les directives qui l'accompagnent. Avant toute chirurgie, dites au médecin ou au dentiste que vous prenez des stéroïdes.

SURDOSAGE
Symptômes. Aucune surdose n'a été signalée.

Quoi faire. Il est peu probable qu'une surdose de béclométhasone mette votre vie en danger. Néanmoins, si la dose est très forte, appelez immédiatement le médecin ou le centre antipoison.

▼ INTERACTIONS

MÉDICAMENT-MÉDICAMENT
Demandez conseil au médecin si vous prenez : corticostéroïdes systémiques, autres corticostéroïdes par inhalation ou immunosuppresseurs.

MÉDICAMENT-ALIMENT
Pas d'interaction connue.

MÉDICAMENT-MALADIE
Avertissez le médecin en cas de : maladie des poumons comme la tuberculose ; infection de la bouche, du nez, des sinus, de la gorge ou des poumons ; infection herpétique de l'œil ; toute autre infection non traitée.

 EFFETS INDÉSIRABLES

GRAVES
Aucun effet grave n'est associé à la béclométhasone.

COURANTS
Forme nasale : saignements de nez ou sécrétions nasales sanguinolentes, sensation de brûlure ou d'irritation dans le nez, mal de gorge. Inhalation orale : mal de gorge, plaques blanches dans la bouche ou la gorge, voix rauque.

MOINS COURANTS
Douleur oculaire, larmoiement, altération graduelle de la vision, douleur gastrique et troubles digestifs.

BÉNAZÉPRIL (CHLORHYDRATE DE)

Présentation : Comprimés
En vente libre ? Non **Générique disponible ?** Non
Classe de médicaments : Inhibiteur de l'enzyme de conversion de l'angiotensine (ECA)

▼ GÉNÉRALITÉS

INDICATIONS
Contrôle de l'hypertension.

MODE D'ACTION
Les inhibiteurs de l'enzyme de conversion de l'angiotensine (ECA) entravent une enzyme produisant l'angiotensine, substance naturelle qui provoque la constriction des vaisseaux sanguins. En conséquence, les inhibiteurs de l'ECA détendent les vaisseaux sanguins, les faisant dilater et abaissant ainsi la tension artérielle.

▼ MODE D'EMPLOI

POSOLOGIE
Dose initiale si vous ne prenez pas de diurétique : 10 mg 1 fois par jour. Dose initiale si vous prenez un diurétique : 5 mg par jour. La dose peut être augmentée, sans dépasser 40 mg par jour.

DÉBUT D'ACTION
En 60 à 90 minutes.

DURÉE D'ACTION
Jusqu'à 24 heures.

CONSEILS NUTRITIONNELS
À prendre avec ou sans aliment. Suivez les conseils nutritionnels du médecin (régime pauvre en sel ou en gras) pour mieux maîtriser l'hypertension et la maladie cardiaque. Évitez les aliments riches en potassium, comme les bananes et les agrumes, fruits et jus, à moins de prendre aussi des médicaments, comme les diurétiques, qui font baisser les taux de potassium.

MODE DE CONSERVATION
Dans un contenant étanche, à l'abri de la chaleur et de la lumière.

OUBLI D'UNE DOSE
Prenez-la dès que vous y pensez. Si vous êtes à moins de 10 heures de la dose suivante, sautez la dose oubliée et reprenez la fréquence normale. Ne doublez pas la dose suivante.

ARRÊT DE LA MÉDICATION
L'arrêt brusque de la médication peut donner lieu à des problèmes graves de santé. On recommande de réduire progressivement les doses selon les instructions du médecin.

USAGE PROLONGÉ
Un suivi médical avec examens et tests est nécessaire si vous devez prendre ce médicament durant une période prolongée. N'oubliez pas que le bénazépril aide à maîtriser l'hypertension, mais ne la guérit pas. Le traitement peut donc durer toute la vie.

▼ PRÉCAUTIONS

Plus de 60 ans. Risques de réactions indésirables plus fréquentes et plus graves.

Conduite automobile, travaux dangereux. À déconseiller tant que vous ne connaissez pas votre réaction au médicament.

Alcool. À consommer seulement avec modération.

Grossesse. Avant de prendre ce médicament, avisez le médecin que vous êtes enceinte ou désirez le devenir. Pris durant les 6 derniers mois de la grossesse, il peut entraîner des anomalies congénitales graves chez le fœtus et peut même lui être fatal.

Allaitement. Le bénazépril passe dans le lait maternel ; si c'est possible, évitez d'en prendre pendant que vous allaitez.

Nourrissons et enfants. Le bénazépril n'est généralement pas prescrit à ce groupe d'âge ; les bienfaits du traitement doivent être analysés par rapport à ses risques. Demandez l'avis du pédiatre.

SURDOSAGE
Symptômes. On n'en connaît pas.

Quoi faire. En cas de surdose appréhendée, appelez immédiatement le médecin ou le centre antipoison, ou allez à l'urgence.

▼ INTERACTIONS

MÉDICAMENT-MÉDICAMENT
Consultez le médecin si vous prenez : diurétiques (surtout d'épargne potassique), suppléments de potassium ou médicaments contenant du potassium (vérifiez les ingrédients sur l'étiquette), lithium, anticoagulants (warfarine), indométhacine ou autres anti-inflammatoires, médicaments en vente libre (surtout les médicaments contre le rhume et les anorexiants).

MÉDICAMENT-ALIMENT
Évitez le lait hyposodique et les succédanés du sel : plusieurs d'entre eux renferment du potassium.

MÉDICAMENT-MALADIE
Consultez le médecin en cas de : lupus érythémateux aigu disséminé ou réactions allergiques aux inhibiteurs de l'ECA. Ce médicament doit être utilisé avec prudence chez les patients atteints d'une grave maladie des reins ou de sténose des artères rénales (rétrécissement de l'une des artères amenant le sang aux reins, ou des deux).

EFFETS INDÉSIRABLES

GRAVES
Fièvre et frissons, mal de gorge et voix rauque, difficulté subite à respirer et à déglutir, enflure du visage, de la bouche ou des extrémités, insuffisance rénale (enflure des chevilles, diminution des mictions), confusion, jaunissement des yeux ou de la peau (indice d'un trouble du foie), démangeaisons intenses, douleur thoracique ou palpitations, douleur abdominale. Les effets graves sont rares.

COURANTS
Toux sèche et persistante.

MOINS COURANTS
Vertiges ou évanouissement, rash cutané, engourdissement ou picotements des mains, pieds ou lèvres, fatigue ou faiblesse musculaires inhabituelles, nausées, somnolence, perte du goût, céphalées.

BENZOCAÏNE

Présentation : Crème, onguent, atomiseur, pâte dentaire, pastilles, solution topique
En vente libre ? Oui **Générique disponible ?** Oui
Classe de médicaments : Anesthésique topique

▼ GÉNÉRALITÉS

INDICATIONS
Soulagement des douleurs et démangeaisons bénignes causées par des brûlures légères, piqûres d'insectes, coupures, meurtrissures et dermatites de contact (inflammation de la peau par des substances irritantes comme le sumac vénéneux ou par réaction allergique à certains métaux ou autres substances). Formes dentaires : contre la douleur causée par maux de dents, pousse dentaire, ulcères, aphtes, prothèses ou autres appareils dentaires.

MODE D'ACTION
La benzocaïne inhibe la conduction de signaux électriques par certains nerfs, entravant la transmission des impulsions nerveuses porteuses de messages de douleur.

▼ MODE D'EMPLOI

POSOLOGIE
Crème, onguent, atomiseur : appliquez-en 3 ou 4 fois par jour aux endroits voulus, si c'est nécessaire. Pâte dentaire : appliquez-en au besoin. Pastilles : laissez fondre 1 pastille dans la bouche aux 2 heures, au besoin. Atomiseur dentaire : 1 ou 2 vaporisations d'au moins 1 seconde chaque fois, au besoin.

DÉBUT D'ACTION
En quelques minutes.

DURÉE D'ACTION
Inconnue.

CONSEILS NUTRITIONNELS
Formes pour la peau : pas de restrictions alimentaires. Formes orales et dentaires : ne buvez et ne mangez rien pendant 1 heure après la prise du médicament.

MODE DE CONSERVATION
Dans un contenant étanche, à l'abri de la chaleur et de la lumière.

OUBLI D'UNE DOSE
Prenez-la dès que vous y pensez. S'il est presque l'heure de la suivante, sautez la dose oubliée et reprenez la fréquence normale. Ne doublez pas la dose suivante.

ARRÊT DE LA MÉDICATION
Il est recommandé d'effectuer le traitement au complet, comme il vous a été prescrit, mais vous pouvez l'interrompre si vous vous sentez mieux avant la fin.

USAGE PROLONGÉ
Douleurs ou malaises cutanés : consultez le médecin si votre état ne s'améliore pas dans les 7 jours. Maux de dents : appelez le dentiste pour prendre rendez-vous. Mal de gorge : consultez le médecin si la douleur persiste au-delà de 2 jours.

▼ PRÉCAUTIONS

Plus de 60 ans. Peau : aucun renseignement disponible. Usage dentaire : risques de réactions indésirables plus fréquentes et plus graves.

Conduite automobile, travaux dangereux. Pas de précautions spéciales.

Alcool. Pas de précautions spéciales.

Grossesse. On n'a pas fait état de problèmes avec la benzocaïne.

Allaitement. Aucun risque connu.

Nourrissons et enfants. La pâte dentaire peut être utilisée pour soulager les bébés de 4 mois et plus qui font leurs dents. Les autres formes du médicament ne sont pas recommandées pour les enfants de moins de 2 ans, sauf sur prescription du médecin.

À surveiller. N'avalez pas les formes dentaires à moins que le médecin ne vous ait donné instruction de le faire.

SURDOSAGE
Symptômes. Formes dentaires et cutanées : vision double ou embrouillée ; confusion ; convulsions ; vertiges ou étourdissements ; somnolence ; sensation de chaud, de froid ou d'engourdissement ; céphalées ; sudation accrue ; tintements ou bourdonnements d'oreilles ; frissons ou tremblements ; battements de cœur lents ou irréguliers ; difficultés à respirer ; anxiété, nervosité ou agitation motrice ; teint pâle ; fatigue inhabituelle.

Quoi faire. Appelez immédiatement le médecin ou le centre antipoison, ou allez à l'urgence.

▼ INTERACTIONS

MÉDICAMENT-MÉDICAMENT
Formes dentaires de la benzocaïne : demandez spécifiquement l'avis du médecin si vous prenez des inhibiteurs de la cholinestérase ou des sulfamides.

MÉDICAMENT-ALIMENT
Pas d'interaction connue.

MÉDICAMENT-MALADIE
Consultez le médecin si vous avez tout autre maladie de la peau ou de la bouche.

EFFETS INDÉSIRABLES

GRAVES
Usage cutané : réaction allergique grave caractérisée par de grandes plaques rouges et enflées, ressemblant à de l'urticaire. Usage dentaire : grandes plaques enflées dans la bouche ou la gorge.

COURANTS
Formes cutanées ou dentaires : aucun effet indésirable.

MOINS COURANTS
Dermatite de contact (irritation de la peau) : sensation légère de brûlure, picotements, enflure, démangeaisons, rougeur ou sensibilité apparaissant avec le traitement ; urticaire autour de la bouche ou à l'intérieur.

BENZOYLE (PEROXYDE DE)

Présentation : Lotion, crème, gel, tampons, pain nettoyant, masque facial, bâton
En vente libre ? Oui **Générique disponible ?** Oui
Classe de médicaments : Médicament contre l'acné

▼ GÉNÉRALITÉS

INDICATIONS
Traitement de l'acné bénin ou modéré. Dans les cas sévères, le peroxyde de benzoyle peut être associé à d'autres traitements contre l'acné – antibiotiques, préparations à base d'acide rétinoïque ou médicaments renfermant du soufre ou de l'acide salicylique. Il peut aussi servir à traiter les plaies par frottement et d'autres affections de la peau.

MODE D'ACTION
Le peroxyde de benzoyle dégage lentement de l'oxygène qui a un effet antibactérien (les bactéries sont une cause principale d'acné). Il entraîne aussi une desquamation et un assèchement de la peau, ce qui aide à éliminer les points noirs et les points blancs.

▼ MODE D'EMPLOI

POSOLOGIE
Crème, gel, lotion ou bâton : lavez la région affectée avec un savon médical et de l'eau et épongez avec une ser-viette. Une ou deux fois par jour, appliquez assez de médicament pour couvrir la région affectée et faites-le pénétrer. Crème à raser : mouillez la région à raser, étendez un peu de crème et faites-la pénétrer ; rasez-vous, rincez et épongez doucement. Demandez à votre médecin si vous pouvez utiliser des lotions après-rasage. Si vous avez le teint clair, commencez par une seule application par jour, au coucher. Évitez tout contact avec les yeux, le nez ou la bouche.

DÉBUT D'ACTION
Une à plusieurs semaines.

DURÉE D'ACTION
Jusqu'à 24 heures.

CONSEILS NUTRITIONNELS
Rien à signaler.

MODE DE CONSERVATION
Gardez dans un contenant étanche, à l'abri de la chaleur et de la lumière.

OUBLI D'UNE DOSE
Appliquez-la aussitôt que vous y pensez.

ARRÊT DE LA MÉDICATION
Vous pouvez arrêter la thérapie quand votre état s'améliore, mais cela entraîne d'ordinaire une récurrence de l'acné.

USAGE PROLONGÉ
Consultez le médecin si votre état ne s'améliore pas en 4 à 6 semaines. D'autres médicaments peuvent être nécessaires pour maîtriser l'acné et prévenir la formation de cicatrices permanentes.

▼ PRÉCAUTIONS

Plus de 60 ans. Rien à signaler.

Conduite automobile, travaux dangereux. Aucun risque connu.

Alcool. Aucun risque connu.

Grossesse. L'innocuité du médicament pendant la grossesse n'a pas fait l'objet d'études, mais le fabricant recommande aux femmes enceintes de ne pas l'utiliser à moins que ce ne soit jugé essentiel.

Allaitement. Le peroxyde de benzoyle peut passer dans le lait maternel. Demandez l'avis de votre médecin.

Nourrissons et enfants. Les études portant sur ce médicament n'ont été menées que sur des adolescents et des adultes : on ne dispose pas de renseignements précis pour les autres groupes d'âges. Mais on ne prévoit aucun effet indésirable spécial chez les plus de 12 ans. Aucune étude n'a été menée sur les moins de 12 ans : il faut consulter le médecin.

SURDOSAGE
Symptômes. Appliquer trop de produit peut causer démangeaisons, desquamation, enflure, rougeurs et sensations de brûlure.

Quoi faire. Interrompez le traitement et consultez le médecin. Si le médicament est ingéré accidentellement, appelez le médecin ou un centre antipoison immédiatement, ou allez à l'urgence.

▼ INTERACTIONS

MÉDICAMENT-MÉDICAMENT
L'emploi du médicament avec des agents de desquamation – acide salicylique, soufre, trétinoïne ou résorcinol – peut causer des irritations cutanées vives. Consultez le médecin si vous prenez des contraceptifs oraux, utilisez un autre médicament contre l'acné vendu avec ou sans ordonnance ou employez des cosmétiques médicamenteux ou des nettoyants abrasifs pour la peau.

MÉDICAMENT-ALIMENT
Voir ci-dessous.

MÉDICAMENT-MALADIE
Les personnes allergiques à la cannelle et aux aliments renfermant de l'acide benzoïque risquent davantage d'avoir des rashs cutanés de nature allergique. Si vous avez de telles allergies, avisez votre médecin. Si vous souffrez de problèmes dermatologiques autres que l'acné, consultez votre médecin avant d'utiliser du peroxyde de benzoyle.

▬ EFFETS INDÉSIRABLES ▬

GRAVES
Réactions allergiques : sensations de brûlure, ampoules, croûtes, démangeaisons, rougeur sévère et enflure.

COURANTS
Sécheresse bénigne de la peau et desquamation légère.

MOINS COURANTS
Sécheresse excessive de la peau, sensation anormale de chaleur, picotements, rougeur, irritations. Le médicament peut causer des rashs cutanés ou aggraver les coups de soleil là où la peau est exposée au soleil ou aux rayons ultraviolets ; n'abusez pas du soleil et consultez le médecin en cas de réaction anormale de la peau.

BENZTROPINE (MÉSYLATE DE)

Apo-Benztropine,
Benztropine Omega,
Bensylate, Cogentin,
PMS-Benztropine

Présentation : Comprimés, liquide, injection
En vente libre ? Non   **Générique disponible ?** Oui
Classe de médicaments : Antiparkinsonien

▼ GÉNÉRALITÉS

INDICATIONS
Traitement de la maladie de Parkinson ainsi que des effets indésirables de certains médicaments qui, agissant sur le système nerveux central, produisent des symptômes parkinsoniens ou affectent la maîtrise des mouvements musculaires.

MODE D'ACTION
Le mécanisme d'action est inconnu, mais on croit que la benztropine favorise la libération de certains éléments chimiques neurologiques qui améliorent la maîtrise des mouvements musculaires.

▼ MODE D'EMPLOI

POSOLOGIE
Maladie de Parkinson : 0,5 à 6 mg par jour en 1 dose au coucher ou en doses fractionnées, 2 à 4 fois par jour. Symptômes parkinsoniens d'origine médicamenteuse : 1 à 4 mg par jour, en 1, 2 ou 3 doses.

DÉBUT D'ACTION
Comprimés, liquide : en 1 à 2 heures. Injection : en quelques minutes.

DURÉE D'ACTION
Jusqu'à 24 heures.

CONSEILS NUTRITIONNELS
La benztropine peut se prendre en mangeant pour réduire l'irritation gastrique.

MODE DE CONSERVATION
Dans un contenant étanche, à l'abri de la chaleur et de la lumière.

OUBLI D'UNE DOSE
Si vous prenez des doses fractionnées et en oubliez une, prenez-la dès que vous y pensez. Si vous êtes à moins de 2 heures de la dose suivante, sautez la dose oubliée et reprenez la fréquence normale. Ne doublez pas la dose suivante.

ARRÊT DE LA MÉDICATION
N'arrêtez pas le traitement à la benztropine soudainement. Si vous devez l'interrompre, la posologie doit être réduite progressivement, selon les directives du médecin.

USAGE PROLONGÉ
Peut augmenter la pression intraoculaire et par suite le risque de glaucome, surtout chez les personnes âgées.

▼ PRÉCAUTIONS

Plus de 60 ans. Les effets indésirables peuvent être plus fréquents. On recommande de prescrire de plus petites doses initiales.

Conduite automobile, travaux dangereux. À éviter tant que vous ne savez pas si le médicament vous cause de la somnolence.

Alcool. À éviter ou à consommer avec prudence : l'alcool peut augmenter l'effet sédatif du médicament.

Grossesse. La benztropine peut léser les voies intestinales du fœtus. N'en prenez pas pendant la grossesse.

Allaitement. On ne sait pas si la benztropine passe dans le lait maternel. N'en prenez pas pendant que vous allaitez.

Nourrissons et enfants. Non prescrit en général chez les enfants de moins de 3 ans. C'est au médecin de déterminer la posologie pour les enfants plus âgés.

À surveiller. Limitez votre activité physique par temps chaud.

SURDOSAGE
Symptômes. Maladresse, somnolence, battements de cœur rapides ou lents, bouf-
fées congestives, difficultés respiratoires, convulsions, perte de conscience, faiblesse musculaire, absence de sudation, incoordination des mouvements.

Quoi faire. Appelez immédiatement le médecin ou le centre antipoison, ou allez à l'urgence.

▼ INTERACTIONS

MÉDICAMENT-MÉDICAMENT
Il y a de nombreuses interactions médicamenteuses possibles avec la benztropine. Faites connaître au médecin tous les médicaments que vous prenez, particulièrement les phénothiazines, les antidépresseurs tricycliques et l'amantadine.

MÉDICAMENT-ALIMENT
Pas d'interaction connue.

MÉDICAMENT-MALADIE
Avertissez le médecin si vous souffrez de : glaucome, hypertension, maladie cardiaque, insuffisance hépatique, maladie des reins ou myasthénie grave.

 EFFETS INDÉSIRABLES

GRAVES
Battements de cœur anormalement rapides ou lents, palpitations, comportement anormal, confusion, obstruction intestinale.

COURANTS
Constipation. On peut y remédier en buvant davantage et en consommant des aliments riches en fibres.

MOINS COURANTS
Agitation motrice, irritabilité, désorientation, céphalées, somnolence, dépression, faiblesse musculaire, sensibilité des yeux à la lumière, bouche sèche, aigreurs d'estomac, nausées, vomissements, déglutition difficile, fièvre, diminution de la sudation.

BÊTA-CAROTÈNE

Présentation : Gélules, comprimés
En vente libre ? Oui **Générique disponible ?** Oui
Classe de médicaments : Supplément alimentaire

Le bêta-carotène n'est offert qu'en association médicamenteuse.

▼ GÉNÉRALITÉS

INDICATIONS
Le bêta-carotène est une source naturelle de vitamine A. La plupart des Nord-Américains en trouvent suffisamment dans leur alimentation. Néanmoins, certains états de santé peuvent en exiger davantage, notamment : fibrose kystique, maladies chroniques prolongées, diarrhée chronique et malabsorption intestinale. Une carence grave en vitamine A (chose rare) peut provoquer de la cécité nocturne, des troubles cutanés, la sécheresse des yeux, des infections oculaires et des retards de croissance. Le bêta-carotène peut aussi se prescrire en doses importantes pour réduire la gravité de la photosensibilité (sensibilité accrue à la lumière solaire) dont peuvent souffrir les rares patients atteints de protoporphyrie érythopoïétique, une maladie génétique. Le bêta-carotène est un antioxydant qui a été prescrit pour prévenir l'athérosclérose et la maladie coronarienne ; néanmoins, des suppléments de bêta-carotène n'ont pas réduit l'incidence de crises cardiaques au cours de trois grandes études cliniques.

MODE D'ACTION
La moitié environ du bêta-carotène est converti en vitamine A dans l'intestin. Le reste est absorbé sans modification et emmagasiné dans les tissus, et notamment la graisse.

▼ MODE D'EMPLOI

POSOLOGIE
Supplément – Adultes et adolescents : 6 à 15 mg par jour. Enfants : 3 à 6 mg par jour. Protoporphyrie érythopoïétique – 30 à 300 mg par jour.

DÉBUT D'ACTION
Inconnu.

DURÉE D'ACTION
Inconnue.

CONSEILS NUTRITIONNELS
À prendre de préférence en mangeant.

MODE DE CONSERVATION
Dans un contenant étanche, à l'abri de la chaleur, de l'humidité et de la lumière. Ne réfrigérez pas le bêta-carotène ; ne le faites pas congeler.

OUBLI D'UNE DOSE
Il n'y a pas de danger à doubler la dose suivante si vous en oubliez une.

ARRÊT DE LA MÉDICATION
Suivez les recommandations du médecin ou du pharmacien. Si le bêta-carotène vous a été prescrit pour un trouble médical précis, la décision d'arrêter le traitement doit être prise en consultation avec le médecin.

USAGE PROLONGÉ
Aucun risque connu.

▼ PRÉCAUTIONS

Plus de 60 ans. Pas de précautions spéciales.

Conduite automobile, travaux dangereux. Pas de précautions spéciales.

Alcool. Pas de précautions spéciales.

Grossesse. Le bêta-carotène n'a pas fait l'objet d'études chez les femmes enceintes, mais aucun problème de fertilité ni de grossesse n'ont été signalé chez les femmes prenant jusqu'à 30 mg de bêta-carotène par jour. Les effets de doses quotidiennes plus fortes ne sont pas connus.

Allaitement. Le bêta-carotène peut passer dans le lait maternel, mais on n'a pas rencontré de problèmes associés à la prise des doses normales recommandées. Demandez l'avis du médecin.

Nourrissons et enfants. Aucun problème n'a été signalé avec les doses recommandées de bêta-carotène.

À surveiller. On trouve du bêta-carotène dans les carottes, les feuillus vert foncé comme les épinards et la laitue, les tomates, les patates douces, le brocoli, le cantaloup et les courges d'hiver. Adoptez un régime alimentaire équilibré et vous y trouverez les quantités voulues de bêta-carotène. L'organisme absorbe mieux le bêta-carotène avec un peu de gras. Le bêta-carotène présente moins de risque que la vitamine A qui, à forte dose, peut être nocive. En présence de grandes quantités de vitamine A, l'organisme convertit moins de bêta-carotène en vitamine A.

SURDOSAGE
Symptômes. Aucun symptôme n'a été signalé.

Quoi faire. Une surdose de bêta-carotène est peu susceptible d'être grave. Appelez le médecin.

▼ INTERACTIONS

MÉDICAMENT-MÉDICAMENT
Demandez spécifiquement l'avis du médecin si vous prenez de la cholestyramine ou du colestipol (hypocholestérolémiants), de l'huile minérale, de la néomycine (un antibiotique) ou de la vitamine E.

MÉDICAMENT-ALIMENT
Pas d'interaction connue.

MÉDICAMENT-MALADIE
Si vous avez un trouble médical quelconque, consultez le médecin avant de prendre du bêta-carotène. De fortes doses peuvent entraîner des complications chez les patients affligés d'une maladie du foie ou des reins.

EFFETS INDÉSIRABLES

GRAVES
Aucun effet grave n'est associé au bêta-carotène.

COURANTS
Jaunissement des paumes, des mains et de la plante des pieds et, parfois, du visage.

MOINS COURANTS
Aucun effet moins courant n'est associé au bêta-carotène.

BÉTAMÉTHASONE SYSTÉMIQUE

Présentation : Comprimés, injection, lavement
En vente libre ? Non   **Générique disponible ?** Oui
Classe de médicaments : Corticostéroïde

▼ GÉNÉRALITÉS

INDICATIONS
Traitement de nombreux troubles entraînant de l'inflammation (réaction des tissus produisant rougeur, chaleur, enflure et douleur) : arthrite, réactions allergiques, asthme, certaines maladies de la peau, poussées de sclérose en plaques et autres maladies auto-immunes. Traitement de certaines carences en hormones stéroïdes naturelles.

MODE D'ACTION
La bétaméthasone imite les effets des corticostéroïdes de l'organisme. Elle inhibe la synthèse, la libération et l'activité des éléments chimiques qui produisent l'inflammation. Et elle déprime l'activité du système immunitaire.

▼ MODE D'EMPLOI

POSOLOGIE
Adultes – Comprimés : 0,25 à 1 mg, 3 ou 4 fois par jour.

Injection : 6 à 12 mg, 1 ou 2 fois par semaine. Lavement : 5 mg, le soir. Enfants – Consultez le pédiatre.

DÉBUT DE L'ACTION
Il faut parfois compter 2 à 4 jours avant que le plein effet thérapeutique s'installe.

DURÉE D'ACTION
Plus de 3 jours pour la forme orale ; 1 semaine ou plus pour l'injection.

CONSEILS NUTRITIONNELS
À prendre avec un aliment ou du lait contre les dérangements d'estomac. Le médecin peut vous recommander un régime alimentaire spécial.

MODE DE CONSERVATION
Dans un contenant étanche, à l'abri de la chaleur, de l'humidité et de la lumière.

OUBLI D'UNE DOSE
Prenez-la dès que vous y pensez. Si vous prenez plusieurs doses par jour et qu'il est presque l'heure de la suivante, doublez cette dose. Si vous ne prenez que 1 dose par jour et que vous l'oubliez, ne doublez pas la dose du lendemain.

ARRÊT DE LA MÉDICATION
Si le traitement est de longue durée, ne l'arrêtez pas abruptement ; la posologie doit être réduite progressivement.

USAGE PROLONGÉ
Un suivi médical régulier avec examens et analyses est nécessaire. L'usage prolongé peut entraîner cataractes, diabète, hypertension ou ostéoporose.

▼ PRÉCAUTIONS

Plus de 60 ans. Réactions indésirables plus probables et plus graves.

Conduite automobile, travaux dangereux. Pas de précautions spéciales.

Alcool. Peut causer des troubles d'estomac. À prendre avec modération.

Grossesse. Un usage excessif durant la grossesse peut retarder la croissance de l'enfant et causer d'autres problèmes de développement. Parlez-en au médecin.

Allaitement. N'en prenez pas si vous allaitez.

Nourrissons et enfants. La bétaméthasone peut retarder la croissance normale, ainsi que le développement des os et d'autres tissus. Demandez l'avis du médecin.

À surveiller. Évitez les immunisations aux vaccins vivants.

Le médicament peut diminuer votre résistance à l'infection. Les patients en traitement prolongé devraient porter un bracelet médic-alerte. Appelez le médecin si vous faites de la fièvre.

SURDOSAGE
Symptômes. Fièvre, douleur musculaire ou articulaire, nausées, vertiges, évanouissement, difficultés respiratoires. Surdosage prolongé : faciès lunaire, obésité, pilosité accrue, acné, perte de libido, fonte musculaire.

Quoi faire. Demandez de l'aide médicale sans tarder.

▼ INTERACTIONS

MÉDICAMENT-MÉDICAMENT
Demandez l'avis du médecin si vous prenez : antiacides, barbituriques, carbamazépine, griséofulvine, mitotane, phénylbutazone, phénytoïne, primidone, rifampine, amphotéricine B injectable, antidiabétiques oraux, insuline, digitaliques, diurétiques ou médicaments renfermant du potassium ou du sodium.

MÉDICAMENT-ALIMENT
Évitez les excès de sodium.

MÉDICAMENT-MALADIE
Consultez le médecin si vous avez souffert de : maladie osseuse, varicelle, rougeole, troubles gastro-intestinaux, diabète, infection grave récente, tuberculose, glaucome, maladie cardiaque, hypertension, troubles du foie ou des reins, hypercholestérolémie, hyper ou hypothyroïdie, myasthénie grave ou lupus.

 EFFETS INDÉSIRABLES

GRAVES
Troubles de la vision, mictions fréquentes, soif accrue, saignement rectal, vésicules sur la peau, confusion, hallucinations, paranoïa, euphorie, dépression, sautes d'humeur, rougeur et enflure au point d'injection.

COURANTS
Augmentation de l'appétit, digestion difficile, nervosité, insomnie, plus grande vulnérabilité aux infections, tension artérielle plus haute, cicatrisation plus lente, gain de poids anormal, ecchymoses fréquentes, rétention hydrique.

MOINS COURANTS
Changement de couleur de la peau, vertiges, céphalées, sudation accrue, pilosité anormale, augmentation du taux sanguin de sucre, ulcère gastrique, insuffisance surrénale, faiblesse musculaire, cataractes, glaucome, ostéoporose.

BÉTAMÉTHASONE TOPIQUE

Présentation : Crème, gel, lotion, onguent
En vente libre ? Non **Générique disponible ?** Oui
Classe de médicaments : Corticostéroïde topique

▼ GÉNÉRALITÉS

INDICATIONS
Traitement des éruptions et des inflammations de la peau.

MODE D'ACTION
La bétaméthasone topique semble entraver la formation dans l'organisme de substances naturelles responsables du processus inflammatoire qui engendre enflure, rougeur et démangeaisons.

▼ MODE D'EMPLOI

POSOLOGIE
Appliquez une couche mince 2 (parfois 3) fois par jour sur les zones où c'est nécessaire. Lavez ou faites tremper ces zones au préalable pour améliorer l'absorption du médicament.

DÉBUT D'ACTION
Rapide, mais il faut parfois compter 24 à 48 heures avant de constater un effet.

DURÉE D'ACTION
Inconnue.

CONSEILS NUTRITIONNELS
Pas de restrictions spéciales.

MODE DE CONSERVATION
Dans un contenant étanche, à l'abri de la chaleur et de la lumière.

OUBLI D'UNE DOSE
Appliquez-la dès que vous y pensez. S'il est presque l'heure de la suivante, sautez la dose oubliée et reprenez la fréquence normale.

ARRÊT DE LA MÉDICATION
Effectuez le traitement au complet, comme il vous a été prescrit, même si vous vous sentez mieux avant la fin.

USAGE PROLONGÉ
À éviter, particulièrement près des yeux, sur le visage en général, sur les régions génitales ou rectales ou dans les replis de la peau (par exemple sous les seins).

▼ PRÉCAUTIONS

Plus de 60 ans. Réactions indésirables plus probables et plus graves ; un traitement aux corticostéroïdes topiques doit être de courte durée.

Conduite automobile, travaux dangereux. Pas de précautions spéciales.

Alcool. Pas de précautions spéciales.

Grossesse. Ne devrait pas être utilisé pour une longue période par les femmes enceintes ou désirant le devenir.

Allaitement. Bien qu'on ne connaisse pas de problèmes causés par le médicament, la prudence est conseillée. N'en mettez pas sur les seins avant l'allaitement. Demandez spécifiquement l'avis du médecin.

Nourrissons et enfants. Non recommandé pour plus de 2 semaines chez les enfants et les adolescents, à moins d'avis contraire du médecin. Ne mettez pas de couche ajustée ou de culotte de plastique aux enfants si la zone traitée se situe près du siège.

À surveiller. Lavez-vous les mains avant l'application. Ne couvrez pas la région traitée d'un pansement ou de vêtements ajustés à moins d'avis contraire du médecin : vous risquez d'aggraver des infections de la peau. Il faudrait alors interrompre la thérapie aux corticostéroïdes pendant qu'on traite l'infection et la reprendre par la suite. Notez que la bétaméthasone ne sert pas à traiter l'acné, les brûlures, les infections ou les troubles de pigmentation.

SURDOSAGE
Symptômes. Aucun symptôme spécifique n'a été signalé.

Quoi faire. Il est peu probable qu'une surdose de corticostéroïde topique mette votre vie en danger. Néanmoins, si la dose est très forte ou si le médicament est ingéré par accident, appelez immédiatement le médecin ou le centre antipoison.

▼ INTERACTIONS

MÉDICAMENT-MÉDICAMENT
N'associez pas la bétaméthasone à d'autres produits, surtout s'ils contiennent de l'alcool (eaux de Cologne, après-rasage ou lotions hydratantes), parce que ceci peut causer sécheresse et irritation ou accroître les risques de réaction allergique.

MÉDICAMENT-ALIMENT
Pas d'interaction connue.

MÉDICAMENT-MALADIE
La bétaméthasone exige la prudence. Demandez conseil au médecin en cas de : cataractes, diabète sucré, glaucome, infection, ulcères ou ulcérations de la peau, infection ailleurs sur le corps ou tuberculose.

 EFFETS INDÉSIRABLES

GRAVES
Les effets graves associés au médicament sont rares.

COURANTS
Sensation de brûlure, démangeaisons, irritation, rougeur, sécheresse, acné, élancements et fendillement de la peau, engourdissement ou picotements des extrémités chez 0,5 à 1 % des patients. Les risques sont plus grands avec la lotion et le gel qu'avec l'onguent et la crème. (La concentration des produits varie d'une marque à l'autre ; les plus concentrés sont les plus susceptibles de provoquer des effets indésirables.)

MOINS COURANTS
Ampoules et pus près des follicules pileux, saignement anormal ou ecchymoses plus fréquentes, noircissement et gonflement des petites veines superficielles, vulnérabilité accrue aux infections.

BÉTAMÉTHASONE/CLOTRIMAZOLE

Présentation : Crème
En vente libre ? Non   **Générique disponible ?** Non
Classe de médicaments : Antifongique topique

▼ GÉNÉRALITÉS

INDICATIONS
Traitement des infections fongiques de la peau qui s'accompagnent de complications telles que fortes démangeaisons et enflure.

MODE D'ACTION
Le clotrimazole empêche les micro-organismes fongiques de fabriquer les protéines essentielles à leur croissance et à leur fonctionnement. Le dipropionate de bétaméthasone est un stéroïde qui entrave la formation de substances naturelles de l'organisme qui sont directement responsables du processus inflammatoire provoquant enflure, rougeur et douleur. L'association de ces deux médicaments dans le traitement des infections fongiques de la peau, avec démangeaisons et enflure, semble plus efficace que si on utilise seulement le clotrimazone. Le médicament n'agit que contre les infections fongiques ; il est sans effet contre les infections bactériennes et virales.

▼ MODE D'EMPLOI

POSOLOGIE
Adultes et enfants de plus de 12 ans : appliquez une mince couche de crème sur la région infectée et la zone environnante 2 fois par jour pendant 2 à 4 semaines. Cette association médicamenteuse renferme un stéroïde topique puissant qui ne doit pas être utilisé dans les plis de la peau ou avec un pansement occlusif sauf sous étroite surveillance médicale.

DÉBUT D'ACTION
Le clotrimazole se met à tuer les champignons peu après le contact. Ses effets sont souvent visibles en 3 à 5 jours.

DURÉE D'ACTION
Inconnue.

CONSEILS NUTRITIONNELS
Pas de restriction spéciale.

MODE DE CONSERVATION
Dans un contenant étanche, à l'abri de la chaleur, de la lumière, de l'humidité et des températures extrêmes.

OUBLI D'UNE DOSE
Appliquez-la dès que vous y pensez. S'il est presque l'heure de la suivante, sautez la dose oubliée et reprenez la fréquence normale. Ne doublez pas la dose suivante ; n'appliquez pas non plus une couche plus épaisse.

ARRÊT DE LA MÉDICATION
Effectuez le traitement au complet, comme il vous a été prescrit, même si l'infection fongique semble avoir disparu. Il est difficile de dire à quel moment le médicament a donné les résultats escomptés puisqu'il supprime la rougeur et l'inflammation de la peau avant que l'infection ne soit complètement disparue ; la réapparition d'une infection fongique parce que le traitement n'a pas été assez long demeure toujours un risque.

USAGE PROLONGÉ
Le traitement ne devrait pas dépasser 4 semaines.

▼ PRÉCAUTIONS

Plus de 60 ans. Risques de réactions indésirables plus fréquentes et plus graves.

Conduite automobile, travaux dangereux. Pas de précautions spéciales.

Alcool. Pas de précautions spéciales.

Grossesse. Aucun effet dangereux n'est à redouter.

Allaitement. Aucun effet dangereux n'est à redouter.

Nourrissons et enfants. Non recommandé aux enfants de moins de 12 ans.

À surveiller. Évitez tout contact du médicament avec les yeux. Lavez-vous les mains soigneusement après l'application. Prévenez le médecin si votre état ne s'améliore pas après quelques jours de traitement. Comme il en est de tous les antifongiques, le dipropionate de bétaméthasone/clotrimazole n'est efficace que contre les organismes vulnérables à son action. Il est donc important d'avertir le médecin si votre état ne s'est pas amélioré – ou s'est aggravé – après quelques jours de traitement : l'organisme qui provoque l'infection dont vous souffrez peut résister à la médication.

SURDOSAGE
Symptômes. On n'en a pas signalé.

Quoi faire. Il est peu probable qu'une surdose de ce médicament mette votre vie en danger. Néanmoins, si la dose est très forte ou si le médicament est ingéré, appelez aussitôt le médecin ou le centre antipoison, ou allez à l'urgence.

▼ INTERACTIONS

MÉDICAMENT-MÉDICAMENT
Pas d'interaction documentée.

MÉDICAMENT-ALIMENT
Pas d'interaction connue.

MÉDICAMENT-MALADIE
Consultez votre médecin si vous avez déjà eu des réactions allergiques à des médicaments topiques ou des réactions indésirables à un stéroïde ou à une préparation contenant un stéroïde.

≡ EFFETS INDÉSIRABLES ≡

GRAVES
Vésication ou ulcération de la peau ; vésication des lèvres, du nez et de la bouche.

COURANTS
Brève sensation de brûlure ou d'irritation de la peau après l'application ; desquamation.

MOINS COURANTS
Sensation de brûlure, démangeaisons, enflure, rougeur accrue ou malaises accrus au lieu d'application, non présents avant le traitement ; peau sèche ; pus ou inflammation à la base des follicules pileux ; altération de la couleur de la peau au lieu d'application ; acné.

BÉTAMÉTHASONE/GENTAMICINE

Présentation : Solution oto/ophtalmique, pommade ophtalmique
En vente libre ? Non   **Générique disponible ?** Non
Classe de médicaments : Corticostéroïde/antibiotique topique

▼ GÉNÉRALITÉS

INDICATIONS

Usage ophtalmique : traitement de l'inflammation oculaire lorsque l'emploi concomitant d'un agent antimicrobien est jugé nécessaire ; traitement d'une infection de l'œil lorsque l'emploi concomitant d'un anti-inflammatoire est jugé nécessaire. Usage otique : traitement des lésions du conduit auditif externe (« otite du nageur »).

MODE D'ACTION

Le médicament associe l'action anti-inflammatoire de la bétaméthasone à l'action bactéricide à large spectre de la gentamicine : celle-ci empêche les micro-organismes bactériens de produire les protéines dont ils ont besoin pour leur croissance et leur fonctionnement.

▼ MODE D'EMPLOI

POSOLOGIE

Usage ophtalmique : 2 gouttes 3 ou 4 fois par jour. Au début de l'infection, le médecin peut vous recommander de mettre 2 gouttes aux 2 heures pendant le jour. Pommade ophtalmique : appliquez un mince ruban 3 ou 4 fois par jour et diminuez la fréquence des applications à mesure que vous prenez du mieux. La pommade ophtalmique peut s'utiliser durant la nuit et les gouttes, durant le jour. Usage otique : 3 ou 4 gouttes dans l'oreille, 3 fois par jour.

DÉBUT D'ACTION

On observe un soulagement significatif en 48 heures.

DURÉE D'ACTION

Inconnue. L'administration du médicament 3 ou 4 fois par jour suffit à son efficacité.

CONSEILS NUTRITIONNELS

Pas de restrictions spéciales.

MODE DE CONSERVATION

À la température ambiante, à l'abri de la chaleur et de l'humidité.

OUBLI D'UNE DOSE

Prenez-la dès que vous y pensez. S'il est presque l'heure de la suivante, sautez la dose oubliée et reprenez la fréquence normale. Ne doublez pas la dose suivante ; n'appliquez pas non plus davantage de médicament.

ARRÊT DE LA MÉDICATION

N'interrompez pas le traitement si ce n'est sur les instructions du médecin. Effectuez-le comme il vous a été prescrit même si vous vous sentez mieux avant la fin.

USAGE PROLONGÉ

Si le traitement se prolonge au-delà de 10 jours, de nouveaux examens médicaux peuvent être requis pour vérifier qu'il ne se produit pas d'effets indésirables. Arrêtez le traitement et voyez le médecin en présence de perte d'acuité auditive, d'acouphènes, de vertige ou de perte d'équilibre.

▼ PRÉCAUTIONS

Plus de 60 ans. Pas de risques connus.

Conduite automobile, travaux dangereux. Pas de précautions spéciales pour la solution. La pommade peut brouiller la vue au début.

Alcool. Pas de précautions spéciales.

Grossesse. L'innocuité du médicament pendant la grossesse n'est pas connue. Consultez le médecin.

Allaitement. L'innocuité du médicament durant l'allaitement n'est pas connue. Consultez le médecin.

Nourrissons et enfants. Médicament non indiqué pour les enfants de moins de 8 ans.

À surveiller. Évitez de toucher l'œil ou l'oreille avec le compte-gouttes du flacon pour ne pas le contaminer. Il ne faut pas porter de verres de contact souples durant le traitement.

SURDOSAGE

Symptômes. Étant donné la nature du produit, il est peu probable qu'une surdose mette votre vie en danger. En théorie, un usage abusif et prolongé pourrait diminuer la fonction des surrénales.

Quoi faire. Un surdosage est peu probable. Néanmoins, si la dose est bien supérieure à celle prescrite ou si le médicament est ingéré, appelez le médecin ou le centre antipoison, ou allez à l'urgence.

▼ INTERACTIONS

MÉDICAMENT-MÉDICAMENT

Si vous utilisez d'autres gouttes pour les yeux, laissez s'écouler 5 minutes entre les applications des deux produits. Pour ce qui est de la pommade ophtalmique, elle doit être appliquée après l'instillation d'autres gouttes.

MÉDICAMENT-ALIMENT

Aucune interaction connue.

MÉDICAMENT-MALADIE

N'utilisez pas ce médicament si vous souffrez d'autres infections fongiques/virales de l'œil.

EFFETS INDÉSIRABLES

GRAVES

Gouttes/pommade ophtalmiques : augmentation de la pression oculaire, enflure dans l'œil, sensation de brûlure dans l'œil, altération de la vue. Gouttes otiques : des dommages au nerf ayant une répercussion sur l'acuité auditive et l'équilibre peuvent se produire s'il y a perforation du tympan, mais ils sont rares. Il peut y avoir des réactions allergiques à l'élément antibiotique.

COURANTS

Pommade ophtalmique : vision brouillée (effet bénin).

MOINS COURANTS

Picotements ou rougeur. Consultez le médecin si ces symptômes persistent ou nuisent à vos activités.

BÉTAXOLOL OPHTALMIQUE

Betoptic S,
Sab-Betaxolol

Présentation : Suspension ophtalmique
En vente libre ? Non   **Générique disponible ?** Oui
Classe de médicaments : Antiglaucomateux ; bêtabloquant ophtalmique

▼ GÉNÉRALITÉS

INDICATIONS
Traitement du glaucome.

MODE D'ACTION
Le glaucome, trouble menaçant la vision, se produit quand un mauvais drainage de l'humeur aqueuse (liquide à l'intérieur de l'œil) fait monter la pression dans le globe oculaire (ou pression intraoculaire). L'augmentation de la pression intraoculaire (PIO) peut léser le nerf optique et mener à une perte progressive de la vue. Le bétaxolol diminue la production d'humeur aqueuse, réduisant ainsi la pression intraoculaire.

▼ MODE D'EMPLOI

POSOLOGIE
1 goutte dans l'œil affecté ou les yeux, 2 fois par jour.

DÉBUT D'ACTION
En 30 minutes.

DURÉE D'ACTION
12 heures ou plus.

CONSEILS NUTRITIONNELS
Pas de restrictions spéciales.

MODE DE CONSERVATION
Dans un contenant étanche, à l'abri de la chaleur, de l'humidité et de la lumière. Ne faites pas congeler.

OUBLI D'UNE DOSE
Instillez la dose oubliée dès que vous y pensez. S'il est presque l'heure de la suivante, sautez la dose oubliée et reprenez la fréquence normale. Ne doublez pas la dose suivante.

ARRÊT DE LA MÉDICATION
La décision de mettre fin au traitement doit être prise par le médecin. Il peut réduire graduellement les doses plutôt que d'interrompre la médication subitement.

USAGE PROLONGÉ
Demandez au médecin si un suivi ophtalmologique avec contrôle régulier de la pression intraoculaire (la pression dans le globe oculaire) est nécessaire.

▼ PRÉCAUTIONS

Plus de 60 ans. Risques de réactions indésirables plus fréquentes et plus graves.

Conduite automobile, travaux dangereux. Soyez prudent tant que vous ne connaissez pas votre réaction au médicament.

Alcool. Pas de précautions spéciales.

Grossesse. Le bétaxolol ophtalmique n'a pas semblé causer d'anomalies congénitales chez les animaux ; il n'existe pas d'études chez les humains. Avant d'en prendre, avisez le médecin que vous êtes enceinte ou désirez le devenir.

Allaitement. Le bétaxolol ophtalmique peut passer dans le lait maternel. Demandez spécifiquement l'avis du médecin.

Nourrissons et enfants. Non recommandé aux enfants de moins de 12 ans.

À surveiller. Avant de mettre les gouttes, lavez-vous les mains. Agitez bien la suspension avant de l'utiliser. Renversez la tête vers l'arrière. Appuyez doucement dans l'angle interne de la paupière et avec l'index de la même main, tirez la paupière inférieure vers le bas. Laissez tomber le médicament dans l'espace ainsi créé et fermez l'œil. Appuyez pendant 1 ou 2 minutes tout en gardant l'œil fermé sans cligner. Enfin, lavez-vous les mains de nouveau. Assurez-vous que le bout du compte-gouttes ne touche ni l'œil, ni votre doigt, ni rien d'autre. Le bétaxolol peut rendre vos yeux plus sensibles à la lumière. Le cas échéant, portez des lunettes de soleil ou évitez la lumière vive.

SURDOSAGE
Symptômes. Vision double, pouls lent, étourdissements et faiblesse causées par de l'hypotension, fatigue inhabituelle, somnolence, convulsions, hallucinations, perte de conscience.

Quoi faire. Il est peu probable qu'une surdose de bétaxolol mette votre vie en danger. Néanmoins, si la dose est très forte, lavez-vous les yeux à grande eau. Si quelqu'un ingère accidentellement le médicament, demandez immédiatement de l'assistance médicale.

▼ INTERACTIONS

MÉDICAMENT-MÉDICAMENT
Il n'est pas recommandé d'utiliser deux bêtabloquants ophtalmiques en même temps. On conseille la plus grande prudence aux patients qui prennent des antidiabétiques, car le bétaxolol ophtalmique peut masquer les symptômes d'hypoglycémie. Enfin, d'autres médicaments peuvent interagir avec le bétaxolol ophtalmique. Indiquez au médecin le nom des médicaments vendus avec ou sans ordonnance que vous prenez.

MÉDICAMENT-ALIMENT
Pas d'interaction connue.

MÉDICAMENT-MALADIE
Le bétaxolol ophtalmique exige qu'on soit prudent. Avertissez le médecin si vous souffrez de : diabète, hypoglycémie, maladie cardiaque, hypertension, problèmes pulmonaires, arythmie cardiaque ou hyperthyroïdie.

≡ EFFETS INDÉSIRABLES ≡

GRAVES
Palpitations, troubles respiratoires, étourdissements et faiblesse par suite d'hypotension.

COURANTS
Irritation temporaire de l'œil, larmoiement, inflammation de l'œil, sensation de brûlure, enflure.

MOINS COURANTS
Vision embrouillée, mauvaise vision nocturne et sensibilité accrue à la lumière ; céphalées ; insomnie ; irritation des sinus ; goût bizarre ou amer.

BÉTHANÉCHOL (CHLORURE DE)

Présentation : Comprimés, injection
En vente libre ? Non **Générique disponible ?** Oui
Classe de médicaments : Parasympathomimétique

▼ GÉNÉRALITÉS

INDICATIONS
Traitement des troubles de la vessie ou des voies urinaires qui rendent les mictions difficiles. Pour aider à déclencher la miction après une intervention chirurgicale. S'utilise également contre le reflux gastro-œsophagien (aigreurs d'estomac) réfractaire aux autres traitements.

MODE D'ACTION
Le béthanéchol augmente le pouvoir de contraction des muscles de la vessie, facilitant ainsi la miction. Il favorise également le passage des aliments de l'estomac dans l'intestin.

▼ MODE D'EMPLOI

POSOLOGIE
Troubles urinaires : Comprimés – Adultes : 10 à 50 mg, 3 ou 4 fois par jour. Enfants : 0,6 mg par kilogramme (2,2 lb) de poids, en 3 ou 4 doses par jour. Injection – Adultes : 2,5 à 5 mg par injection sous-cutanée 3 ou 4 fois par jour. Enfants : 0,2 mg par kilogramme de poids par jour, en 3 ou 4 injections quotidiennes, selon l'ordonnance du pédiatre. Reflux gastro-œsophagien : Comprimés – Adultes : 25 mg, 4 fois par jour (avant les repas et au coucher). Enfants : 0,1 à 0,2 mg par kilogramme de poids et par dose, avant les repas et le soir.

DÉBUT D'ACTION
Comprimés : en 30 à 90 minutes. Injection : en 5 à 15 minutes.

DURÉE D'ACTION
Jusqu'à 6 heures.

CONSEILS NUTRITIONNELS
À prendre à jeun avec une boisson, 1 heure avant ou 2 heures après les repas, pour éviter les nausées et les vomissements.

MODE DE CONSERVATION
Dans un contenant étanche, à l'abri de la chaleur et de la lumière.

OUBLI D'UNE DOSE
Prenez-la dès que vous y pensez. S'il est presque l'heure de la suivante, sautez la dose oubliée et reprenez la fréquence normale. Ne doublez pas la dose qui suit.

ARRÊT DE LA MÉDICATION
Il n'est pas toujours nécessaire de prendre le médicament durant toute la période prévue. Ne l'interrompez pas sans l'avis du médecin et suivez ses directives.

USAGE PROLONGÉ
Aucun risque connu.

▼ PRÉCAUTIONS

Plus de 60 ans. Risques de réactions indésirables plus probables et plus graves.

Conduite automobile, travaux dangereux. À déconseiller tant que vous ne connaissez pas votre réaction au médicament.

Alcool. La consommation d'alcool devrait être limitée à 1 ou 2 verres par jour ; l'alcool peut accentuer la perte de réflexes causée par le médicament. Parlez-en au médecin.

Grossesse. Il n'existe pas d'étude sur les animaux et sur les humains. Demandez au médecin s'il y a lieu de prendre du béthanéchol alors que vous êtes enceinte ou souhaitez le devenir.

Allaitement. On ne sait pas si le béthanéchol passe dans le lait maternel. Demandez au médecin ce qu'il en pense si vous allaitez.

Nourrissons et enfants. Le béthanéchol n'est recommandé aux nourrissons et aux enfants que sous étroite surveillance médicale.

À surveiller. Le béthanéchol fausse les résultats des études diagnostiques en laboratoire des fonctions hépatique et pancréatique. Pendant le traitement, soyez prudent quand vous vous levez subitement ; vertiges et étourdissements sont des effets indésirables courants du médicament.

SURDOSAGE
Symptômes. Malaise abdominal, salivation, bouffées congestives, sueur, nausées, vomissements.

Quoi faire. Appelez immédiatement le médecin ou le centre antipoison, ou allez à l'urgence.

▼ INTERACTIONS

MÉDICAMENT-MÉDICAMENT
Avertissez le médecin si vous prenez d'autres médicaments vendus avec ou sans ordonnance pendant un traitement au béthanéchol. Attention surtout aux médicaments suivants : sympathomimétiques, nitrates, procaïnamide, quinidine ou autres agents cholinergiques (parasympathomimétiques).

MÉDICAMENT-ALIMENT
Pas d'interaction connue.

MÉDICAMENT-MALADIE
Consultez le médecin en cas de : hypotension, troubles quelconques des vaisseaux sanguins, faiblesse des parois de la vessie, troubles des voies urinaires, problèmes de digestion, hyperthyroïdie, asthme, convulsions ou maladie de Parkinson.

 EFFETS INDÉSIRABLES

GRAVES
Difficultés à respirer, respiration sifflante, crampes abdominales graves ou persistantes, diarrhée.

COURANTS
Vertiges ou étourdissements : levez-vous lentement après avoir été assis ou couché.

MOINS COURANTS
Céphalées, vision embrouillée, nausées, malaise d'estomac, besoin aigu d'uriner.

BIOTINE

Présentation : Gélules, comprimés
En vente libre ? Oui   **Générique disponible ?** Oui
Classe de médicaments : Vitamine

▼ GÉNÉRALITÉS

INDICATIONS

La biotine est une vitamine du complexe B qu'on trouve dans divers aliments (voir Conseils nutritionnels). La plupart des gens en absorbent suffisamment dans leur alimentation. Néanmoins, on peut en prescrire aux personnes soumises à des régimes alimentaires déficients ou exceptionnels ou affligés de problèmes qui exigent davantage de biotine : carence génétique de biotinidase, enzyme nécessaire à la métabolisation de la biotine, malabsorption intestinale, dermite séborrhéique infantile et incapacité d'absorber la biotine par suite d'une ablation chirurgicale de l'estomac. Une carence en biotine peut causer dermatite, chute des cheveux, hypercholestérolémie et problèmes cardiaques.

MODE D'ACTION

La biotine est l'une des vitamines du complexe B nécessaires à la formation de glucose et d'acides gras, à la métabolisation des acides aminés et des hydrates de carbone ainsi qu'au bon fonctionnement des systèmes cardiovasculaires et nerveux.

▼ MODE D'EMPLOI

POSOLOGIE

Apport quotidien recommandé – Adultes, 19 ans et plus : 30 µg (microgrammes). Adolescents, 14 à 18 ans : 25 µg. Enfants, 9 à 13 ans : 20 µg ; 4 à 8 ans : 12 µg ; 1 à 3 ans : 8 µg ; 7 à 12 mois : 6 µg. De la naissance à 6 mois : 5 µg.

DÉBUT D'ACTION

Inconnu.

DURÉE D'ACTION

Inconnue.

CONSEILS NUTRITIONNELS

À prendre en mangeant ou entre les repas. Aliments renfermant de la biotine : choufleur, foie, saumon, carottes, bananes, céréales, levure et farine de soja. La teneur en biotine des aliments est réduite par la cuisson et la mise en conserve.

MODE DE CONSERVATION

Dans un contenant étanche, à l'abri de la chaleur, de l'humidité et de la lumière.

OUBLI D'UNE DOSE

Prenez-la dès que vous y pensez.

ARRÊT DE LA MÉDICATION

Si vous prenez de la biotine pour une carence vitaminique ou un problème médical, effectuez le traitement au complet, comme il vous a été prescrit.

USAGE PROLONGÉ

Si le traitement est prescrit pour combler une carence, un suivi périodique des taux sanguins de biotine peut être nécessaire.

▼ PRÉCAUTIONS

Plus de 60 ans. Il ne devrait y avoir aucun problème chez les personnes qui prennent les doses recommandées.

Conduite automobile, travaux dangereux. La prise de biotine ne devrait pas vous empêcher d'exécuter de telles tâches en toute sécurité.

Alcool. Pas de précautions spéciales.

Grossesse. Il ne devrait y avoir aucun problème à la dose quotidienne recommandée pendant la grossesse.

Allaitement. Il ne devrait y avoir aucun problème relié à la dose quotidienne recommandée pendant l'allaitement. Celle-ci est de 35 µg par jour pour la femme qui allaite.

Nourrissons et enfants. Il ne devrait y avoir aucun problème à la dose quotidienne recommandée.

À surveiller. Certains régimes amaigrissants très sévères peuvent ne pas fournir suffisamment de biotine. Demandez l'avis du médecin. La biotine se trouve généralement dans les suppléments multivitaminiques.

SURDOSAGE

Symptômes. Aucun cas de surdose n'a été signalé.

Quoi faire. Sans objet.

▼ INTERACTIONS

MÉDICAMENT-MÉDICAMENT

On ne connaît pas d'interaction médicamenteuse avec la biotine.

MÉDICAMENT-ALIMENT

Pas d'interaction connue.

MÉDICAMENT-MALADIE

Pas d'interaction rapportée.

 EFFETS INDÉSIRABLES

GRAVES

Aucun effet grave n'a été signalé en relation avec les doses quotidiennes recommandées. Néanmoins, consultez le médecin si vous notez la présence d'effets anormaux.

COURANTS

Aucun effet courant n'a été signalé en relation avec les doses quotidiennes recommandées.

MOINS COURANTS

Aucun effet moins courant n'a été signalé.

BIPÉRIDÈNE

NOM COMMERCIAL

Akineton

Présentation : Comprimés
En vente libre ? Non   **Générique disponible ?** Non
Classe de médicaments : Antiparkinsonien

▼ GÉNÉRALITÉS

INDICATIONS
Traitement de la maladie de Parkinson ou des effets indésirables de certains médicaments qui agissent sur le système nerveux central et produisent des symptômes de type parkinsonien : ralentissement des mouvements, raideur et perte d'équilibre.

MODE D'ACTION
Le mécanisme d'action du médicament est inconnu, mais on croit que la bipéridène favorise la libération de certains éléments chimiques neurologiques qui donnent plus de maîtrise sur les mouvements.

▼ MODE D'EMPLOI

POSOLOGIE
Maladie de Parkinson : dose d'attaque : 1 mg 2 fois par jour. La posologie est augmentée par paliers de 2 mg par jour, sans dépasser 16 mg par jour ; on la divise en 3 ou 4 prises quotidiennes. Effets indésirables d'autres médicaments : 2 mg 1 à 3 fois par jour. Vous pouvez broyer les comprimés si vous avez de la difficulté à les avaler.

DÉBUT D'ACTION
En 1 heure.

DURÉE D'ACTION
6 à 12 heures.

CONSEILS NUTRITIONNELS
Prenez ce médicament en mangeant ou immédiatement après un repas, à moins d'avis contraire de votre médecin.

MODE DE CONSERVATION
Dans un contenant étanche, à l'abri de la chaleur et de la lumière.

OUBLI D'UNE DOSE
Prenez-la dès que vous y pensez. Si vous êtes à moins de 2 heures de la suivante, sautez la dose oubliée et reprenez la fréquence normale. Ne doublez pas la dose suivante.

ARRÊT DE LA MÉDICATION
N'arrêtez pas le traitement subitement. Si la thérapie doit être interrompue, la posologie devrait être réduite graduellement, conformément aux directives du médecin, pour éviter une réaction de sevrage.

USAGE PROLONGÉ
Un suivi médical permettra d'ajuster la posologie si c'est nécessaire.

▼ PRÉCAUTIONS

Plus de 60 ans. Risque d'effets indésirables accrus. Il peut être nécessaire de réduire les doses. Le médicament peut aggraver les symptômes d'hypertrophie de la prostate et causer des troubles de la pensée, des hallucinations et des cauchemars.

Conduite automobile, travaux dangereux. N'entreprenez pas de telles activités avant de connaître votre réaction au médicament.

Alcool. À éviter ; le médicament en augmente les effets.

Grossesse. Ne prenez pas ce médicament si vous êtes enceinte.

Allaitement. Ne prenez pas ce médicament pendant que vous allaitez.

Nourrissons et enfants. L'innocuité et l'efficacité du médicament n'ont pas été établies pour ce groupe d'âge.

À surveiller. Surveillez attentivement votre hygiène dentaire : la bipéridène tend à réduire la salivation, ce qui peut favoriser l'apparition de caries et d'autres problèmes dentaires.

SURDOSAGE
Symptômes. Agitation, anxiété, désorientation, hallucinations, vision trouble, pouls rapide, difficulté à avaler et miction difficile.

Quoi faire. Appelez immédiatement le médecin ou le centre antipoison, ou allez à l'urgence.

▼ INTERACTIONS

MÉDICAMENT-MÉDICAMENT
Indiquez au médecin le nom de tous les autres médicaments que vous prenez, et surtout : amantadine, digoxine, tout médicament pour traiter une maladie mentale, antidépresseurs ou antiacides.

MÉDICAMENT-ALIMENT
Aucune interaction connue.

MÉDICAMENT-MALADIE
Glaucome non traité, convulsions, pouls irrégulier, obstruction intestinale ou hypertrophie de la prostate peuvent vous empêcher de prendre ce médicament.

 EFFETS INDÉSIRABLES

GRAVES
Rétention d'urine (baisse du débit urinaire), confusion, désorientation.

COURANTS
Vision trouble, somnolence, agitation, sécheresse de la bouche, constipation, rétention d'urine. On peut lutter contre la constipation en buvant davantage et en ingérant plus de fibres alimentaires. On peut soulager la sécheresse de la bouche avec des boissons froides, de la gomme à mâcher sans sucre ou des bonbons durs.

MOINS COURANTS
Agitation, irritabilité, euphorie, étourdissements, tremblements, irritation d'estomac, nausées.

BISACODYL

Présentation : Comprimés, suppositoires, micro-lavement
En vente libre ? Oui   **Générique disponible ?** Oui
Classe de médicaments : Laxatif stimulant

▼ GÉNÉRALITÉS

INDICATIONS
Pour soulager la constipation occasionnelle ou libérer l'intestin avant des examens exploratoires, une intervention chirurgicale ou un accouchement.

MODE D'ACTION
Le bisacodyl agit sur les muscles lisses de l'intestin pour en augmenter le péristaltisme.

▼ MODE D'EMPLOI

POSOLOGIE
Constipation – Adultes et adolescents : Comprimés : 5 à 15 mg au coucher. Enfants de 6 à 12 ans : 5 mg au coucher ou au petit déjeuner. Avalez les comprimés en entier ; ne les broyez pas. Suppositoires ou micro-lavement – Adultes et adolescents : 10 mg par voie rectale. Enfants de 6 à 12 ans : 5 mg par voie rectale. Pour un examen médical, demandez l'avis du pharmacien ou du médecin.

DÉBUT D'ACTION
Comprimés : En 6 à 12 heures. Suppositoires/micro-lavement : En 15 à 60 minutes.

DURÉE D'ACTION
Variable.

CONSEILS NUTRITIONNELS
Prenez les comprimés à jeun : l'effet sera plus rapide. Buvez davantage et mangez plus de fibres alimentaires.

MODE DE CONSERVATION
Dans un contenant étanche, à l'abri de la chaleur, de l'humidité et de la lumière.

OUBLI D'UNE DOSE
Prenez-la dès que vous y pensez. S'il est presque l'heure de la suivante, sautez la dose oubliée et reprenez la fréquence normale. Ne doublez pas la dose suivante.

ARRÊT DE LA MÉDICATION
Effectuez le traitement au complet, comme il vous a été prescrit, mais vous pouvez l'interrompre si vous vous sentez mieux avant la fin de la thérapie.

USAGE PROLONGÉ
Ne prenez pas ce médicament durant plus qu'une semaine, à moins que le médecin ne vous le prescrive.

▼ PRÉCAUTIONS

Plus de 60 ans. Un usage excessif de ce médicament peut entraîner une carence de liquides organiques causant faiblesse et incoordination.

Conduite automobile, travaux dangereux. Le médicament ne devrait pas vous empêcher d'effectuer de telles tâches en toute sécurité.

Alcool. Aucune précaution spéciale n'est nécessaire.

Grossesse. On ne prend généralement pas de bisacodyl durant la grossesse, sinon juste avant l'accouchement. Demandez l'avis du médecin.

Allaitement. Le bisacodyl peut passer dans le lait maternel. Demandez spécifiquement l'avis du médecin.

Nourrissons et enfants. Ne donnez pas ce médicament à un enfant de moins de 6 ans sans l'autorisation du médecin. N'en donnez pas à un enfant qui refuse d'aller à la selle : il risquerait d'en éprouver des douleurs qui augmenteraient ses réticences.

À signaler. N'oubliez pas que le recours chronique au bisacodyl, comme à d'autres laxatifs, peut entraîner une dépendance à ce type de médicaments. Mettez à votre menu des aliments riches en fibres alimentaires : céréales de son ou de grains entiers, fruits et légumes.

SURDOSAGE
Symptômes. Faiblesse, selles liquides, sudation accrue, douleurs dans le bas de l'abdomen, crampes musculaires, arythmie cardiaque.

Quoi faire. Il est peu probable qu'une surdose de bisacodyl mette votre vie en danger. Néanmoins, si la dose est beaucoup plus forte que celle qui vous a été prescrite, demandez immédiatement l'aide d'un médecin.

▼ INTERACTIONS

MÉDICAMENT-MÉDICAMENT
Attendez 2 heures avant de prendre un antiacide.

MÉDICAMENT-ALIMENT
Attendez 2 heures avant de prendre du lait.

MÉDICAMENT-MALADIE
Le bisacodyl exige de la prudence. Consultez le médecin si vous souffrez de : constipation aiguë, douleurs vives dans l'estomac ou le bas de l'abdomen, crampes, ballonnement, nausées ou saignements rectaux inexpliqués. L'absence de défécation ou l'occurrence de saignements rectaux peuvent être l'indice d'un problème médical grave.

EFFETS INDÉSIRABLES

GRAVES
Douleur d'estomac vive, dépendance aux laxatifs.

COURANTS
Crampes abdominales, sensation de brûlure dans le rectum (avec les suppositoires), diarrhée.

MOINS COURANTS
Nausées ; vomissements ; faiblesse musculaire ; douleurs, saignements, brûlures ou démangeaisons au rectum. Si vos habitudes de défécation changent subitement et se maintiennent ainsi plus de 2 semaines, voyez le médecin.

BISMUTH (SOUS-SALICYLATE DE)

NOMS COMMERCIAUX

Bismed, Bismuth,
Bismylate, Pepto-Bismol,
Pink Bismuth
(bismuth rose)

Présentation : Comprimés, suspension orale
En vente libre ? Oui   **Générique disponible ?** Oui
Classe de médicaments : Antidiarrhéique/antiacide

▼ GÉNÉRALITÉS

INDICATIONS
Traitement des aigreurs d'estomac, de la dyspepsie, de la diarrhée et des ulcères du duodénum ; prévention de la diarrhée du voyageur.

MODE D'ACTION
Le sous-salicylate de bismuth accélère le passage des liquides et des électrolytes à travers les parois des voies intestinales et capte ou neutralise les toxines de certaines bactéries qui deviennent ainsi non toxiques. Il réduit l'inflammation intestinale et augmente l'activité des muscles et des muqueuses de l'intestin.

▼ MODE D'EMPLOI

POSOLOGIE
Concentration normale.
Adultes − Dyspepsie et diarrhée bénigne : 2 comprimés ou 2 c. à soupe de liquide aux 30 à 60 minutes, sans dépasser 8 doses (16 comprimés ou 16 c. à soupe) par jour durant un maximum de 2 jours. Enfants de 10 à 14 ans − 1 comprimé ou 1 c. à soupe aux 30 à 60 mi-nutes, sans dépasser 8 doses par jour, durant un maximum de 2 jours. Enfants de 5 à 9 ans − 1½ c. à thé aux 30 à 60 minutes, sans dépasser 8 doses par jour, durant un maximum de 2 jours. Enfants de 2 à 4 ans − 1 c. à thé ou ½ comprimé aux 30 à 60 minutes, sans dépasser 8 doses par jour, durant un maximum de 2 jours. Enfants de moins de 2 ans − Consultez le médecin.

DÉBUT D'ACTION
En 30 à 60 minutes.

DURÉE D'ACTION
Inconnue.

CONSEILS NUTRITIONNELS
Un régime léger est conseillé pour se remettre d'une diarrhée. Bananes, riz, compote de pommes et toasts secs sont de bons choix. Il faut prendre beaucoup de liquides.

MODE DE CONSERVATION
Dans un contenant étanche, à l'abri de la chaleur et de la lumière.

OUBLI D'UNE DOSE
Prenez-la dès que vous y pensez. S'il est presque l'heu-re de la suivante, sautez la dose oubliée et reprenez la fréquence normale. Ne doublez pas la dose suivante.

ARRÊT DE LA MÉDICATION
Effectuez le traitement au complet, comme il vous a été prescrit, mais vous pouvez l'interrompre si vous vous sentez mieux avant la fin.

USAGE PROLONGÉ
Peut causer de la constipation. Consultez le médecin si vous n'obtenez pas de soulagement au bout de 2 jours.

▼ PRÉCAUTIONS

Plus de 60 ans. Risques de réactions indésirables plus fréquentes et plus graves.

Conduite automobile, travaux dangereux. Pas de précautions spéciales.

Alcool. Limitez votre consommation d'alcool.

Grossesse. L'emploi régulier de ce médicament en fin de grossesse peut nuire au fœtus ou compliquer l'accouchement. Consultez le médecin si vous êtes enceinte ou désirez le devenir.

Allaitement. Le sous-salicylate de bismuth passe dans le lait maternel ; évitez ou cessez d'en prendre si vous allaitez.

Nourrissons et enfants. Consultez le médecin avant de donner ce médicament à un enfant ou un adolescent qui a eu ou vient d'avoir la varicelle ou la grippe.

À surveiller. Ne prenez pas de sous-salicylate de bismuth si vous êtes allergique à l'AAS ou à d'autres salicylates. Consultez le médecin si vous prenez un anticoagulant ou un médicament pour le diabète ou la goutte.

SURDOSAGE
Symptômes. Convulsions, confusion, respirations rapides ou profondes, perte de l'ouïe, tintements ou bourdonnements d'oreilles, excitation ou nervosité très marquées, somnolence grave, perte de conscience.

Quoi faire. Appelez immédiatement le médecin ou le centre antipoison, ou allez à l'urgence.

▼ INTERACTIONS

MÉDICAMENT-MÉDICAMENT
Demandez spécifiquement conseil au médecin si vous prenez : anticoagulants, AAS et autres salicylates, antidiabétiques oraux, probénécide, tétracycline par voie orale ou sulfinpyrazone.

MÉDICAMENT-ALIMENT
Pas d'interaction connue.

MÉDICAMENT-MALADIE
Le sous-salicylate de bismuth exige de la prudence. Avant d'en prendre, prévenez votre médecin si vous avez : antécédents d'allergies, diabète, maladie des reins, déshydratation, ulcères de l'estomac, dysenterie, goutte ou problèmes d'hémorragie.

EFFETS INDÉSIRABLES

GRAVES
Bourdonnements d'oreilles.

COURANTS
Selles noires, langue foncée.

MOINS COURANTS
Nausées, vomissements (avec de fortes doses), douleur abdominale, sudation accrue, faiblesse musculaire, perte d'acuité auditive, soif, confusion, étourdissements, troubles de la vision, difficultés à respirer.

BISOPROLOL (FUMARATE DE)

Présentation : Comprimés
En vente libre ? Non   **Générique disponible ?** Non
Classe de médicaments : Bêtabloquant

▼ GÉNÉRALITÉS

INDICATIONS
Traitement de l'hypertension (haute tension artérielle).

MODE D'ACTION
Le bisoprolol ralentit le rythme et la contractilité du cœur en bloquant certaines impulsions nerveuses, faisant ainsi baisser la tension artérielle.

▼ MODE D'EMPLOI

POSOLOGIE
Dose d'attaque : 5 mg, 1 fois par jour. Si c'est nécessaire, on peut augmenter peu à peu les doses toutes les 2 semaines jusqu'à 20 mg, 1 fois par jour. Ne pas dépasser 20 mg (dose maximale) par jour.

DÉBUT D'ACTION
En 1 à 4 heures.

DURÉE D'ACTION
24 heures.

CONSEILS NUTRITIONNELS
À prendre avec ou sans aliments.

MODE DE CONSERVATION
Dans un contenant étanche, à l'abri de la chaleur et de la lumière.

OUBLI D'UNE DOSE
Prenez-la dès que vous y pensez. S'il est presque l'heure de la suivante, sautez la dose oubliée et reprenez la fréquence normale. Ne doublez pas la dose suivante.

ARRÊT DE LA MÉDICATION
N'arrêtez pas le traitement sans consulter le médecin. Il peut être nécessaire de réduire graduellement les doses pour diminuer des risques de symptômes de sevrage potentiellement graves.

USAGE PROLONGÉ
Demandez au médecin s'il y a lieu d'effectuer un suivi médical du cœur, de la tension artérielle, de la fonction rénale et du sucre sanguin, incluant des analyses de laboratoire. Vérifiez souvent votre tension artérielle.

▼ PRÉCAUTIONS

Plus de 60 ans. Risques de réactions indésirables plus probables et plus graves.

Conduite automobile, travaux dangereux. N'entreprenez pas de telles activités avant de connaître votre réaction au médicament.

Alcool. À éviter ou à consommer avec grande modération.

Grossesse. Prévenez le médecin sans tarder si vous êtes enceinte ou voulez le devenir. Ne prenez de bisoprolol durant la grossesse que si les bienfaits du médicament l'emportent sur ses risques.

Allaitement. Le bisoprolol passe dans le lait maternel. N'allaitez pas si vous en prenez.

Nourrissons et enfants. Le pédiatre déterminera la posologie qui convient à l'enfant.

À surveiller. Avant toute intervention médicale ou dentaire, dites que vous prenez du bisoprolol. Le médicament peut dissimuler les douleurs thoraciques induites par l'exercice (angine). Demandez l'avis du médecin sur les exercices à faire en toute sécurité. Habillez-vous chaudement par temps froid.

SURDOSAGE
Symptômes. Crises ressemblant à des crises d'asthme (respiration sifflante, essoufflement), pouls très lent, souffle très court associé à de l'insuffisance cardiaque.

Quoi faire. Appelez immédiatement le médecin ou le centre antipoison, ou allez à l'urgence.

▼ INTERACTIONS

MÉDICAMENT-MÉDICAMENT
Avertissez le médecin si vous prenez d'autres hypertenseurs ou bêtabloquants, s'il y a lieu. Ne prenez pas de médicaments en vente libre, surtout ceux contre le rhume, sans demander l'avis du médecin : ils peuvent renfermer des ingrédients qui font des interactions nocives avec le bisoprolol.

MÉDICAMENT-MALADIE
Pas d'interaction connue, à moins que vous ne soyez allergique à certains aliments, le bisoprolol pouvant aggraver les réactions allergiques.

MÉDICAMENT-MALADIE
Le bisoprolol devrait être utilisé avec prudence chez les patients souffrant de diabète, surtout de type insulinodépendant, le médicament pouvant masquer les symptômes d'hypoglycémie. Dites-le au médecin si vous avez des antécédents de maladie cardiaque, asthme, maladie vasculaire (ou des vaisseaux sanguins), maladie de la thyroïde. Les diabétiques doivent surveiller étroitement leur taux sanguin de glucose.

EFFETS INDÉSIRABLES

GRAVES
Essoufflement, respiration sifflante ; battements de cœur irréguliers ou lents (50 battements ou moins à la minute) ; douleur ou sensation de constriction ou de pression dans la poitrine ; enflure des chevilles, des pieds et du bas des jambes ; dépression. Devant de tels symptômes, demandez immédiatement de l'aide médicale.

COURANTS
Vertiges ou étourdissements, surtout quand vous vous levez après avoir été assis ou couché ; tachycardie ou palpitations ; baisse de libido ; fatigue, faiblesse ou somnolence inhabituelles ; insomnie.

MOINS COURANTS
Anxiété, irritabilité, nervosité ; constipation ; diarrhée ; yeux secs et douloureux ; démangeaisons ; nausées ou vomissements ; cauchemars ou rêves très vifs ; engourdissement, picotements ou autres sensations anormales dans les doigts et les orteils ou sur le cuir chevelu.

BRIMONIDINE (TARTRATE DE)

Présentation : Solution ophtalmique
En vente libre ? Non   **Générique disponible ?** Non
Classe de médicaments : Agent antiglaucomateux

▼ GÉNÉRALITÉS

INDICATIONS
Traitement du glaucome ou de l'hypertension oculaire (trouble apparenté au glaucome).

MODE D'ACTION
Glaucome et hypertension oculaire, deux troubles menaçant la vision, se produisent quand un mauvais drainage de l'humeur aqueuse fait monter la pression dans le globe oculaire (ou pression intra-oculaire). L'augmentation de la pression peut endommager le nerf optique et mener à une perte progressive de la vue. La brimonidine inhibe la production d'humeur aqueuse et favorise son évacuation, réduisant ainsi la pression intra-oculaire.

▼ MODE D'EMPLOI

POSOLOGIE
1 goutte de brimonidine dans chaque œil 2 fois par jour à 12 heures d'intervalle.

DÉBUT D'ACTION
En 60 minutes.

DURÉE D'ACTION
12 heures ou davantage.

CONSEILS NUTRITIONNELS
Aucune restriction spéciale.

MODE DE CONSERVATION
À la température ambiante, dans un contenant étanche, à l'abri de la chaleur, de l'humidité et de la lumière. Ne faites pas congeler la solution.

OUBLI D'UNE DOSE
Instillez-la dès que vous y pensez. S'il est presque l'heure de la dose suivante, sautez la dose oubliée et reprenez la fréquence normale. Ne doublez pas la dose suivante.

ARRÊT DE LA MÉDICATION
La décision d'arrêter la médication doit être prise par votre médecin.

USAGE PROLONGÉ
Vous devriez voir votre médecin régulièrement, en cas de traitement prolongé, pour un suivi de votre glaucome avec examens et analyses.

▼ PRÉCAUTIONS

Plus de 60 ans. Risques de réactions indésirables plus fréquentes et plus graves.

Conduite automobile, travaux dangereux. N'entreprenez pas de telles activités tant que vous ne connaissez pas votre réaction au médicament.

Alcool. À consommer avec prudence.

Grossesse. Dans les études sur les animaux, la brimonidine est entrée dans la circulation fœtale. Aucune étude sur les femmes enceintes n'a été faite. Avant de prendre de la brimonidine, dites au médecin que vous êtes enceinte ou souhaitez le devenir.

Allaitement. La brimonidine peut passer dans le lait maternel ; la prudence est de mise. Demandez l'avis du médecin.

Nourrissons et enfants. L'innocuité et l'efficacité du médicament n'ont pas été établies.

À surveiller. Avant l'application, lavez-vous les mains. Renversez la tête en arrière. Appuyez doucement dans l'angle interne de la paupière et avec l'index de la même main, tirez la paupière inférieure vers le bas. Laissez tomber le médicament dans l'espace ainsi créé et fermez l'œil. Appuyez pendant 1 ou 2 minutes tout en gardant l'œil fermé sans cligner. Relevez-vous les mains. Le bout du compte-gouttes ne doit toucher ni l'œil, ni votre doigt, ni rien d'autre. Si vous portez des verres de contact souples, attendez 15 minutes après l'instillation avant de les poser. La brimonidine peut rendre vos yeux plus sensibles à la lumière solaire. Le cas échéant, portez des lunettes de soleil ou évitez la lumière vive.

SURDOSAGE
Symptômes. Aucun symptôme spécifique n'a été signalé.

Quoi faire. Il est peu probable qu'une surdose de brimonidine mette votre vie en danger. Néanmoins, si la dose est très forte ou si le médicament est ingéré par accident, appelez immédiatement le médecin ou le centre antipoison, ou allez à l'urgence.

▼ INTERACTIONS

MÉDICAMENT-MÉDICAMENT
Demandez l'avis du médecin si vous prenez : IMAO, antidépresseurs tricycliques, dépresseurs du système nerveux central, bêtabloquants, antihypertenseurs ou médicaments digitaliques (digoxine).

MÉDICAMENT-ALIMENT
Aucune interaction connue.

MÉDICAMENT-MALADIE
La prudence s'impose avec la brimonidine. Consultez le médecin en cas de : maladie cardiovasculaire, maladie des reins ou du foie, dépression, insuffisance cérébrale ou coronarienne, phénomène de Raynaud, hypotension orthostatique ou thromboangéite oblitérante.

  EFFETS INDÉSIRABLES

GRAVES
Évanouissement.

COURANTS
Yeux qui brûlent ou picotent, fatigue, bouche sèche, malaises oculaires, somnolence, céphalées, vision brouillée.

MOINS COURANTS
Larmoiement abondant, rougeur des yeux ou de l'intérieur des paupières, enflure de l'œil ou des paupières, douleurs oculaires, changements de la vision, vertiges, dépression mentale, insomnie, douleur ou faiblesse musculaire, nausées, hypertension, vomissements, anxiété, cœur qui bat fort, modification du goût, croûtes dans le coin de l'œil ou sur la paupière, coloration du globe oculaire, intérieur des paupières pâle, yeux secs, sensibilité à la lumière.

BRINZOLAMIDE

Présentation : Suspension ophtalmique
En vente libre ? Non   **Générique disponible ?** Non
Classe de médicaments : Agent antiglaucomateux ; inhibiteur de l'anhydrase carbonique

▼ GÉNÉRALITÉS

INDICATIONS
Traitement du glaucome ou de l'hypertension oculaire (trouble apparenté au glaucome).

MODE D'ACTION
Glaucome et hypertension oculaire, deux troubles menaçant la vision, se produisent quand un mauvais drainage de l'humeur aqueuse (liquide logé à l'avant de l'œil) fait monter la pression dans le globe oculaire (ou pression intra-oculaire). Cette augmentation de pression peut endommager le nerf optique et mener à une perte progressive de la vue. En inhibant l'activité de l'anhydrase carbonique, une enzyme, la brinzolamide diminue la production d'humeur aqueuse, abaissant ainsi la pression intra-oculaire.

▼ MODE D'EMPLOI

POSOLOGIE
Adultes et adolescents : Dose d'attaque : 1 goutte 2 fois par jour dans l'œil malade. Après 4 semaines, on peut aller jusqu'à 3 fois par jour.

DÉBUT D'ACTION
Inconnu.

DURÉE D'ACTION
Inconnue.

CONSEILS NUTRITIONNELS
Aucune restriction spéciale.

MODE DE CONSERVATION
Dans un contenant étanche, à l'abri de la chaleur, de l'humidité et de la lumière. Ne réfrigérez pas la suspension ophtalmique ; ne la faites pas congeler.

OUBLI D'UNE DOSE
Mettez-la dès que vous y pensez. S'il est presque l'heure de la suivante, sautez la dose oubliée et reprenez la fréquence normale. Ne doublez pas la dose suivante.

ARRÊT DE LA MÉDICATION
La décision d'arrêter la médication doit être prise par votre médecin.

USAGE PROLONGÉ
Prévoyez un suivi médical avec des rendez-vous réguliers pour contrôler l'évolution du glaucome ou de l'hypertension oculaire.

 EFFETS INDÉSIRABLES

GRAVES
Graves réactions généralisées touchant la peau, le foie et les cellules du sang.

COURANTS
Sensations de brûlure, picotements et malaises dans les yeux ou vue brouillée au moment de l'administration du médicament ; goût amer dans la bouche, yeux secs.

MOINS COURANTS
Douleurs oculaires, larmoiement important ou persistant, nausées, céphalées, écoulement nasal.

▼ PRÉCAUTIONS

Plus de 60 ans. Aucun risque connu.

Conduite automobile, travaux dangereux. N'entreprenez pas de telles tâches tant que vous ne connaissez pas votre réaction au médicament.

Alcool. Aucune précaution particulière.

Grossesse. Une étude sur des animaux a révélé que de très fortes doses du médicament pouvaient entraîner des malformations congénitales. Aucune étude n'a été menée sur les femmes enceintes. Avant d'utiliser ce médicament, avertissez le médecin que vous êtes enceinte ou avez l'intention de le devenir.

Allaitement. On ne sait pas si la brinzolamide passe dans le lait maternel. La prudence s'impose. Demandez spécifiquement au médecin si vous devez prendre un autre médicament ou cesser d'allaiter.

Nourrissons et enfants. L'innocuité et la posologie n'ont pas été établies pour les enfants. Il faudrait administrer la brinzolamide aux nourrissons et aux enfants seulement sous étroite surveillance médicale.

À surveiller. Avant l'application, lavez-vous les mains. Renversez la tête en arrière. Appuyez doucement dans l'angle interne de la paupière et avec l'index de la même main, tirez la paupière inférieure vers le bas. Laissez tomber le médicament dans l'espace ainsi créé et fermez

---

l'œil. Appuyez pendant 1 à 2 minutes tout en gardant l'œil fermé sans cligner. Lavez-vous à nouveau les mains. Le bout du compte-gouttes ne doit toucher ni l'œil, ni votre doigt, ni rien d'autre. Si vous portez des verres de contact souples, attendez 15 minutes après l'instillation avant de les poser.

SURDOSAGE
Symptômes. Aucun symptôme spécifique n'a été signalé.

Quoi faire. Il est peu probable qu'une surdose de brinzolamide mette votre vie en danger. Néanmoins, si la dose dans l'œil est très forte, lavez-le à grande eau. Si le médicament est ingéré par accident, appelez immédiatement le médecin ou le centre anti-poison ou allez à l'urgence.

▼ INTERACTIONS

MÉDICAMENT-MÉDICAMENT
Attendez 10 minutes avant d'utiliser tout autre médicament pour les yeux. La brinzolamide ne devrait pas être utilisée en même temps que des inhibiteurs oraux de l'anhydrase carbonique. Les personnes allergiques aux sulfamides ne devraient pas utiliser la brinzolamide.

MÉDICAMENT-ALIMENT
Aucune interaction connue.

MÉDICAMENT-MALADIE
N'utilisez pas ce médicament si vous présentez une insuffisance rénale accentuée. Utilisez-le avec prudence si vous avez une maladie du foie.

BROMOCRIPTINE (MÉSYLATE DE)

Présentation : Comprimés, gélules
En vente libre ? Non **Générique disponible ?** Oui
Classe de médicaments : Alcaloïde de l'ergot de seigle

▼ GÉNÉRALITÉS

INDICATIONS
Traitement de l'hyperprolactinémie, trouble engendré par une surproduction d'une hormone, la prolactine. L'hyperprolactinémie peut survenir seule ou en association avec une tumeur (prolactinome) de l'hypophyse. Ses effets : production anormale et écoulement persistant de lait (chez l'homme et la femme), stérilité, arrêt des périodes menstruelles (femmes), rétrécissement testiculaire et impuissance (hommes). La bromocriptine peut servir à traiter l'acromégalie (surproduction d'hormone de croissance entraînant l'hypertrophie des mains, pieds, maxillaires et organes internes). S'emploie aussi dans la maladie de Parkinson.

MODE D'ACTION
La bromocriptine empêche l'hypophyse de libérer la prolactine, hormone jouant un rôle dans les cycles menstruels, la reproduction et la production de lait, ainsi que l'hormone de croissance, et active des récepteurs chimiques dans les cellules du cerveau pour réduire les symptômes parkinsoniens.

▼ MODE D'EMPLOI

POSOLOGIE
Hyperprolactinémie : dose d'attaque : 1,25 à 2,5 mg par jour, au coucher, avec augmentation de 1,25 mg par jour à intervalles de 3 à 7 jours, jusqu'à obtention de l'effet thérapeutique voulu. Entretien : 1,25 à 15 mg par jour, en 2 ou 3 prises fractionnées. Acromégalie : 1,25 à 20 mg par jour, en 2 ou 3 prises fractionnées. Maladie de Parkinson : dose d'attaque de 1,25 à 2,5 mg par jour au coucher, augmentée de 2,5 mg par jour à intervalles de 14 à 28 jours, sans dépasser 40 mg par jour, en 2 ou 3 prises fractionnées.

DÉBUT D'ACTION
En 30 à 90 minutes. Mais le plein effet thérapeutique n'apparaît qu'après quelques semaines.

DURÉE D'ACTION
Hyperprolactinémie et acromégalie : 8 heures. Parkinsonisme : 12 à 18 heures.

CONSEILS NUTRITIONNELS
Pour de meilleurs résultats, prenez la bromocriptine avec des aliments ou du lait.

MODE DE CONSERVATION
Dans un endroit sec, à l'abri de la chaleur et de la lumière. Jetez le médicament passé la date de péremption.

OUBLI D'UNE DOSE
Prenez-la dès que vous y pensez dans les 2 heures suivantes. Sinon, sautez la dose oubliée et reprenez la fréquence normale. Ne doublez pas la dose qui suit.

ARRÊT DE LA MÉDICATION
Suivez le traitement prescrit, même si les symptômes s'atténuent ou disparaissent. Consultez le médecin avant d'arrêter.

USAGE PROLONGÉ
Un usage prolongé à fortes doses peut entraîner des mouvements incontrôlés du visage, de la bouche, des bras ou des jambes (dyskinésie tardive). Consultez le médecin le cas échéant.

▼ PRÉCAUTIONS

Plus de 60 ans. Risque plus grand d'effets indésirables.

Conduite automobile, travaux dangereux. À déconseiller tant que vous ne connaissez pas votre réaction à la bromocriptine.

Alcool. La bromocriptine réduit la tolérance à l'alcool.

Grossesse. Avant d'en prendre, avertissez le médecin que vous êtes enceinte ou souhaitez le devenir.

Allaitement. N'en prenez pas si vous allaitez : le médicament réduit la production de lait maternel.

Nourrissons et enfants. Non recommandé pour quiconque a moins de 15 ans.

SURDOSAGE
Symptômes. Étourdissements et fatigue extrêmes, nausées, vomissements, somnolence, hypotension et hallucinations.

Quoi faire. Appelez le médecin immédiatement.

▼ INTERACTIONS

MÉDICAMENT-MÉDICAMENT
Consultez le médecin si vous prenez un des médicaments suivants : médicaments susceptibles d'agir sur la tension artérielle, contraceptifs oraux, érythromycine, phénothiazine, IMAO, progestine, lévodopa, octréotide ou alcaloïdes de la Rauwolfia.

MÉDICAMENT-ALIMENT
Aucune interaction connue.

MÉDICAMENT-MALADIE
Consultez le médecin si vous souffrez de : diabète, épilepsie, maladie cardiaque, maladie pulmonaire, ulcère gastrique ou hypertension. Prévenez le médecin si vous devez subir une chirurgie, même une chirurgie dentaire, dans les 2 mois qui suivent.

☰ EFFETS INDÉSIRABLES ☰

GRAVES
Convulsions, douleur thoracique, nausées et vomissements sévères, céphalées et vision brouillée causées par une hypertension, accident cérébrovasculaire, toux grasse et essoufflement dus à du liquide dans les poumons.

COURANTS
Étourdissements, faiblesse et évanouissements causés par une hypotension ; congestion nasale et céphalées ; crampes ou douleurs abdominales ; nausées, vomissements, diarrhée ou constipation.

MOINS COURANTS
Confusion, fatigue, nervosité, dépression, bourdonnements d'oreilles, sécheresse de la bouche, vision brouillée, hallucinations, chute des cheveux, anémie ou impuissance.

BROMPHÉNIRAMINE (MALÉATE DE)

Disponible seulement dans des associations médicamenteuses, généralement contre la toux et le rhume.

Présentation : Comprimés
En vente libre ? Oui   **Générique disponible ?** Non
Classe de médicaments : Antihistaminique

▼ GÉNÉRALITÉS

INDICATIONS
Prévention ou soulagement des symptômes de la rhinite allergique, d'autres allergies, du prurit ou de l'urticaire.

MODE D'ACTION
La bromphéniramine bloque les effets de l'histamine, substance naturellement présente dans l'organisme causant enflure, démangeaisons, éternuements, larmoiement, urticaire et autres symptômes de réactions allergiques.

▼ MODE D'EMPLOI

POSOLOGIE
Adultes et adolescents : 4 mg toutes les 4 à 6 heures. Enfants de 6 à 12 ans : 2 mg toutes les 4 à 6 heures. Enfants de moins de 6 ans : consultez votre médecin.

DÉBUT D'ACTION
En 15 à 60 minutes.

DURÉE D'ACTION
3 à 6 heures.

CONSEILS NUTRITIONNELS
À prendre avec des aliments ou du lait pour réduire les maux d'estomac.

MODE DE CONSERVATION
Dans un contenant étanche, à l'abri de la chaleur et de la lumière.

OUBLI D'UNE DOSE
Prenez-la dès que vous y pensez. S'il est presque l'heure de la dose suivante, sautez la dose oubliée et reprenez la fréquence normale. Ne doublez pas la dose suivante.

ARRÊT DE LA MÉDICATION
Effectuez le traitement au complet, tel que prescrit. Mais vous pouvez l'interrompre si vous vous sentez mieux. La bromphéniramine peut se prendre au besoin.

USAGE PROLONGÉ
Rien à signaler.

▼ PRÉCAUTIONS

Plus de 60 ans. Les personnes âgées sont plus sensibles aux effets indésirables des antihistaminiques : confusion, vertiges, somnolence, agitation, irritabilité, cauchemars, sécheresse de la bouche, de la gorge et du nez.

Conduite automobile, travaux dangereux. La bromphéniramine peut vous donner une sensation de fatigue et réduire la concentration. Évitez de conduire ou d'effectuer des travaux dangereux tant que vous ne connaissez pas votre réaction au médicament.

Alcool. L'alcool augmente la probabilité et la gravité des effets indésirables, comme la somnolence et la confusion.

Grossesse. Des études sur les animaux n'ont révélé aucune malformation congénitale mais il n'existe pas d'études sur les femmes enceintes. Avant de prendre ce médicament, avertissez le médecin que vous êtes enceinte ou désirez le devenir.

Allaitement. La bromphéniramine passe dans le lait maternel ; abstenez-vous ou arrêtez d'en prendre pendant que vous allaitez.

Nourrissons et enfants. La bromphéniramine ne devrait être administrée aux enfants de 6 ans ou moins que sur l'ordonnance du médecin.

SURDOSAGE
Symptômes. Convulsions, perte de conscience, hallucinations, somnolence grave.

Quoi faire. Le patient doit être amené immédiatement à la salle d'urgence d'un hôpital.

▼ INTERACTIONS

MÉDICAMENT-MÉDICAMENT
Les inhibiteurs de la mono-amine-oxydase (IMAO) peuvent augmenter les effets sédatifs de la bromphéniramine. Dépresseurs du système nerveux central, alcool, sédatifs ou narcotiques ne doivent être pris qu'avec l'approbation d'un médecin.

MÉDICAMENT-ALIMENT
Aucune interaction connue.

MÉDICAMENT-MALADIE
Avant de prendre de la bromphéniramine, consultez le médecin si vous portez des verres de contact ou si vous souffrez de : glaucome, hypertrophie de la prostate, difficulté à uriner, sécheresse de la bouche ou des yeux, ou maladie pulmonaire chronique.

☰ EFFETS INDÉSIRABLES ☰

GRAVES
Saignements ; petits points rouges sur la peau ; fièvre ; fatigue extrême ; ulcères saignants dans le rectum, la bouche et le vagin ; nombre réduit de globules blancs sanguins (rare).

COURANTS
Somnolence, excitabilité inhabituelle, sécheresse de la bouche, du nez ou de la gorge. La somnolence tend à cesser après quelques jours, à mesure que l'organisme s'habitue au médicament.

MOINS COURANTS
Modification de la vue, perte d'appétit, vertiges, mictions douloureuses ou difficiles, moindre tolérance aux verres de contact.

BUDÉSONIDE

Présentation : Vaporisateur nasal, inhalateur, poudre pour inhalateur, suspension pour inhalateur, gélules, lavements
En vente libre ? Non **Générique disponible ?** Oui, pour l'inhalateur
Classe de médicaments : Corticostéroïde

▼ GÉNÉRALITÉS

INDICATIONS
Vaporisateur nasal : traitement des symptômes de la rhinite allergique (allergies saisonnières comme le rhume des foins) et prévention des polypes nasaux après une chirurgie. Inhalation : traitement de l'asthme. Lavements : traitement de la colite ulcéreuse distale.

MODE D'ACTION
Les corticostéroïdes comme le budésonide réduisent ou préviennent l'inflammation de la paroi des voies respiratoires ; ils diminuent les réactions allergiques aux allergènes inhalés ; ils inhibent la sécrétion de mucus dans les voies respiratoires et ils réduisent l'inflammation de la paroi intestinale.

▼ MODE D'EMPLOI

POSOLOGIE
Vaporisation nasale : 1 jet (64 µg) dans chaque narine matin et soir ou 2 jets par narine le matin seulement.

Inhalation orale : 200 à 400 µg 2 fois par jour. Enfants : maximum de 400 µg (2 jets) par jour. Le médecin peut modifier la posologie selon la réponse du patient. Lavements : suivez les directives de votre médecin.

DÉBUT D'ACTION
Habituellement en quelques jours ; le plein effet peut prendre 3 semaines.

DURÉE D'ACTION
Jusqu'à 12 heures.

CONSEILS NUTRITIONNELS
Pas de restrictions spéciales.

MODE DE CONSERVATION
Au sec, à l'abri de la chaleur et de la lumière, hors de la portée des enfants.

OUBLI D'UNE DOSE
Prenez-la si vous y pensez dans les 6 heures qui suivent. Autrement, sautez la dose oubliée et reprenez la fréquence régulière. Ne doublez pas la dose suivante.

ARRÊT DE LA MÉDICATION
Vaporisation nasale : aucun problème prévu. Inhalation : n'interrompez pas le traitement sans demander l'avis du médecin. Il pourra recommander une diminution progressive des doses.

USAGE PROLONGÉ
Consultez votre médecin pour un suivi régulier d'examens médicaux et de laboratoire.

▼ PRÉCAUTIONS

Plus de 60 ans. Aucun risque connu.

Conduite automobile, travaux dangereux. Le budésonide ne devrait pas vous empêcher d'exécuter de telles activités en toute sécurité.

Alcool. Aucune précaution spéciale.

Grossesse. On n'a rapporté aucun cas de malformation congénitale attribuable aux stéroïdes absorbés par le nez ou par inhalation. Avant de commencer le traitement, avertissez votre médecin que vous êtes enceinte ou souhaitez le devenir.

Allaitement. Le budésonide peut passer dans le lait maternel. Consultez votre médecin avant d'en prendre sous une forme ou une autre.

Nourrissons et enfants. Vaporisation nasale : sous étroite supervision médicale. Inhalation : non recommandé aux moins de 6 ans. Forme orale : de fortes doses augmentent les risques de maladie infectieuse chez l'enfant. Un traitement prolongé peut affecter les surrénales.

À surveiller. Les stéroïdes en inhalation sont administrés sur une base continue et non pas pour soulager une crise d'asthme. Ils peuvent abaisser la résistance aux candidoses de la bouche, de la gorge ou du larynx. Comme mesure de prévention, après chaque prise, gargarisez-vous ou rincez-vous la bouche en recrachant l'eau. Lisez les directives pour faire bon usage de la pompe. Avant toute chirurgie, avertissez le médecin ou le dentiste que vous prenez un stéroïde.

SURDOSAGE
Symptômes. Aucun symptôme spécifique.

Quoi faire. Appelez le médecin ou le centre antipoison si vous craignez une surdose.

▼ INTERACTIONS

MÉDICAMENT-MÉDICAMENT
Demandez conseil à votre médecin si vous prenez des corticostéroïdes systémiques, un autre corticostéroïde par inhalation ou toute médication qui inhibe le système immunitaire.

MÉDICAMENT-ALIMENT
Aucune interaction connue.

MÉDICAMENT-MALADIE
Signalez tout problème de santé à votre médecin, en particulier : glaucome, herpès de l'œil, antécédents de tuberculose, maladie du foie, hypothyroïdie, ostéoporose.

 EFFETS INDÉSIRABLES

GRAVES
Le budésonide ne cause aucun effet indésirable grave.

FRÉQUENTS
Vaporisation nasale : saignements de nez ou sécrétions sanguinolentes, sensation de brûlure ou irritation du nez, maux de gorge. Inhalation orale : maux de gorge, plaques blanchâtres dans la bouche ou la gorge, enrouement.

PEU FRÉQUENTS
Douleurs dans l'œil, larmoiement, baisse progressive de la vision, maux de ventre et troubles de la digestion, candidose buccale (muguet).

BUMÉTANIDE

Présentation : Comprimés
En vente libre ? Non   **Générique disponible ?** Non
Classe de médicaments : Diurétique de l'anse

▼ GÉNÉRALITÉS

INDICATIONS
Diminution de l'accumulation de liquide (sels et eau) susceptible de causer de l'œdème (enflure) et de l'essoufflement chez les patients atteints de maladie cardiaque, de cirrhose du foie et de maladie rénale.

MODE D'ACTION
Les diurétiques de l'anse agissent sur une portion spécifique du rein, l'anse de Henle, pour augmenter l'excrétion d'eau et de sodium dans l'urine.

▼ MODE D'EMPLOI

POSOLOGIE
0,5 à 2 mg par jour, habituellement le matin ; la dose maximale recommandée est de 10 mg par jour.

DÉBUT D'ACTION
L'élimination de l'eau (diurèse) commence au bout de 1 à 2 heures.

DURÉE D'ACTION
Jusqu'à 4 heures.

CONSEILS NUTRITIONNELS
Pour diminuer l'irritation gastrique, le bumétanide peut se prendre pendant les repas ou après.

MODE DE CONSERVATION
Se garde à la température ambiante dans un contenant étanche, à l'abri de la chaleur et de la lumière.

OUBLI D'UNE DOSE
Prenez-la dès que vous y pensez, à moins qu'il ne soit presque l'heure de la dose suivante. Dans ce cas, prenez seulement cette dose, sans la doubler, et revenez à votre fréquence régulière.

ARRÊT DE LA MÉDICATION
Effectuez le traitement au complet, tel qu'il vous a été prescrit, même si vous vous sentez mieux avant qu'il ne prenne fin. La décision d'arrêter la médication doit être prise par votre médecin.

USAGE PROLONGÉ
L'usage prolongé du bumétanide exige des examens médicaux périodiques, car il peut perturber les niveaux de sodium, de potassium, de magnésium et de liquide dans l'organisme.

▼ PRÉCAUTIONS

Plus de 60 ans. Aucun risque connu.

Conduite automobile, travaux dangereux. Aucune précaution spéciale.

Alcool. Aucune précaution spéciale.

Grossesse. L'usage du bumétanide durant la grossesse n'a pas encore fait l'objet d'études pertinentes. Avant le traitement, informez votre médecin si vous êtes enceinte ou souhaitez le devenir. Si un traitement diurétique s'impose, il est préférable de recourir à d'autres médicaments.

Allaitement. Le bumétanide peut passer dans le lait maternel. Parlez-en à votre médecin.

Nourrissons et enfants. Ce médicament n'est généralement pas prescrit aux enfants. Son innocuité et son efficacité chez les moins de 18 ans n'ont pas encore été établies.

À surveiller. Vous devrez peut-être prendre des suppléments de potassium ou consommer des aliments ou des boissons riches en potassium durant le traitement. Pour ne pas nuire à votre sommeil, évitez de prendre le médicament le soir.

SURDOSAGE
Symptômes. Fatigue grave, faiblesse, léthargie, confusion, crampes musculaires, nausées, vomissements, pouls faible et rapide, perte de conscience.

Quoi faire. Appelez le médecin ou un centre antipoison immédiatement, ou allez à l'urgence.

▼ INTERACTIONS

MÉDICAMENT-MÉDICAMENT
Informez le médecin des médicaments que vous prenez, surtout s'il s'agit de ceux-ci : antibiotiques, antihypertenseurs (surtout les inhibiteurs de l'ECA), analgésiques, lithium, corticoïdes, digitaliques, ou anti-inflammatoires non stéroïdiens (AINS). Les patients allergiques aux sulfamides peuvent être hypersensibles au bumétanide.

MÉDICAMENT-ALIMENT
Aucune interaction alimentaire n'a été signalée.

MÉDICAMENT-MALADIE
La prudence s'impose dans un traitement au bumétanide. Informez le médecin si vous souffrez de diabète ou de goutte, si vous avez des problèmes de surdité ou si vous avez fait une crise cardiaque récemment.

  EFFETS INDÉSIRABLES

GRAVES
Tachycardie ou arythmie cardiaque, sécheresse de la bouche, soif intense, changement d'humeur, crampes ou douleurs musculaires, nausées ou vomissements, fatigue inhabituelle, fèces noires, tintements ou bourdonnements d'oreilles, perte d'acuité auditive, rashs cutanés.

COURANTS
Crampes musculaires. Déplétion hydrique : le patient peut souffrir de vertiges quand il se lève après avoir été assis ou couché. Carence bénigne en potassium : faiblesse légère et tachycardie ou arythmie cardiaque.

MOINS COURANTS
Goutte, taux accru de sucre (glucose) dans le sang, surdité partielle.

BUPROPION (CHLORHYDRATE DE)

NOMS COMMERCIAUX

Wellbutrin SR (dépression), Zyban (cessation de fumer)

Présentation : Comprimés, comprimés à libération prolongée
En vente libre ? Non   **Générique disponible ?** Non
Classe de médicaments : Antidépresseur/aide antitabagique

▼ GÉNÉRALITÉS

INDICATIONS
Soulagement symptomatique de la dépression grave. Également traitement de substitution de la nicotine pour aider à cesser de fumer ; dans ce cas, le traitement doit faire partie d'un programme antitabagique complet et s'effectuer sous surveillance médicale.

MODE D'ACTION
Le mécanisme d'action du bupropion n'est pas parfaitement connu ; il semble aider à équilibrer les niveaux de neurotransmetteurs (éléments chimiques du cerveau) qu'on croit reliés aux états mentaux, aux émotions et aux humeurs. À la différence d'autres agents antitabagiques, le bupropion ne renferme pas de nicotine. On estime que son action aide le patient à lutter contre le besoin de nicotine et accroît son aptitude à s'abstenir de fumer.

▼ MODE D'EMPLOI

POSOLOGIE
Dépression (Wellbutrin SR) — Adultes : dose d'attaque : 100 à 150 mg par jour. La posologie peut aller jusqu'à 300 mg par jour, divisée en 2 prises, administrées à au moins 8 heures d'intervalle. Adultes âgés : dose d'attaque : 100 mg par jour. Enfants : à déterminer par le médecin. Tabagisme (Zyban) — Adultes : durant les 3 premiers jours du traitement, 150 mg par jour. La posologie peut être augmentée à 150 mg, 2 fois par jour ; les doses doivent être espacées d'au moins 8 heures. Ne dépassez pas 300 mg par jour. Vous ne devriez pas arrêter de fumer tant que vous n'avez pas pris du Zyban pendant 1 semaine. En général, le traitement dure entre 7 et 12 semaines.

DÉBUT D'ACTION
En 1 à 3 semaines. Le plein effet thérapeutique contre la dépression peut prendre plus de temps.

DURÉE D'ACTION
Inconnue.

CONSEILS NUTRITIONNELS
Peut être pris en mangeant pour réduire le risque d'irritation gastrique. Avalez le comprimé en entier, sans le mâcher, parce qu'il est amer et peut causer une sensation d'engourdissement déplaisante dans la bouche.

MODE DE CONSERVATION
Dans un contenant étanche, à l'abri de la chaleur, de l'humidité et de la lumière.

OUBLI D'UNE DOSE
Prenez-la dès que vous y pensez. Si vous êtes à moins de 8 heures de la suivante, sautez la dose oubliée, attendez la prochaine prise et reprenez la fréquence normale. Ne doublez pas la dose suivante.

ARRÊT DE LA MÉDICATION
Dépression : suivez le traitement au complet, tel que prescrit, même si vous vous sentez mieux avant la fin. Une interruption subite peut donner lieu à des symptômes de sevrage désagréables. La posologie doit être réduite graduellement, selon les instructions du médecin. La décision d'arrêter le traitement doit être prise en consultation avec votre médecin. Tabagisme : si vous n'avez pas fait de progrès significatifs vers l'abstinence à la fin de la septième semaine de traitement, consultez le médecin. Il faudra probablement mettre fin au traitement. Dans ce cas, vous n'avez pas besoin de réduire graduellement les doses avant d'arrêter.

USAGE PROLONGÉ
Dépression : une thérapie normale dure de 6 mois à 1 an ; certains patients peuvent tirer profit d'une thérapie plus longue. Tabagisme : le traitement dure en général de 7 à 12 semaines.

▼ PRÉCAUTIONS

Plus de 60 ans. La posologie peut être réduite en raison d'une diminution des fonctions hépatique ou rénale liée au vieillissement.

Conduite automobile, travaux dangereux. À déconseiller tant que vous ne connaissez pas votre réaction au médicament. Il peut causer somnolence et étourdissements.

Alcool. Augmente les risques de convulsions. On recommande de ne pas consommer d'alcool ou d'en consommer très peu durant le traitement au bupropion. Si votre consommation d'alcool est normalement très forte et que vous y mettez fin subitement, cela peut accroître les risques de convulsions : réduisez progressivement votre consommation d'alcool.

Grossesse. Le bupropion n'a pas entraîné de malformations congénitales chez l'animal. Il n'existe pas d'études satisfaisantes sur les humains. Le bupropion n'est pas recommandé aux femmes enceintes. Avant d'en prendre, dites au médecin si vous êtes enceinte ou avez l'intention de le devenir.

 EFFETS INDÉSIRABLES

GRAVES
Traitement de la dépression : hallucinations, arythmie cardiaque, confusion, rash cutané, insomnie, céphalées intenses, excitation ou agitation, convulsions. Tabagisme : aucun effet grave n'a été signalé.

COURANTS
Traitement de la dépression : nausées ou vomissements, constipation, perte de poids inusitée, sécheresse de la bouche, perte d'appétit, étourdissements, sudation accrue, tremblements ou frissons. Tabagisme : sécheresse de la bouche, insomnie.

MOINS COURANTS
Traitement de la dépression : fièvre ou frissons, difficultés de concentration, somnolence, fatigue, vision trouble ou modifiée, euphorie inhabituelle, hostilité ou colère. Tabagisme : rash cutané bénin, tremblements.

(à suivre)

BUPROPION (CHLORHYDRATE DE) (fin)

Allaitement. Le bupropion passe dans le lait maternel ; évitez ou cessez d'en prendre pendant que vous allaitez.

Nourrissons et enfants. Il n'existe pas d'études spécifiques sur les enfants. Le bupropion n'est pas recommandé aux enfants de moins de 18 ans.

À surveiller. Le bupropion est un médicament potentiellement dangereux, surtout à très forte dose : on ne doit pas laisser les antidépresseurs à la portée des personnes suicidaires. Pour prévenir l'insomnie, prenez la dernière dose plusieurs heures avant le coucher. Quand le médicament est pris contre le tabagisme, on recommande de continuer à fumer durant la première semaine du traitement. Fixez-vous une date cible pour arrêter de fumer, sans dépasser la deuxième semaine de la thérapie. Si vous continuez à fumer au-delà de cette date cible, vous réduisez vos chances d'arrêter complètement. L'utilisation concomitante au Zyban de patchs transdermiques (voir Nicotine) est permise, mais consultez le médecin avant de le faire. L'association de nicotine et de bupropion augmente les risques d'hypertension ; on doit donc surveiller votre tension artérielle durant le traitement. Le Zyban n'est qu'un des éléments d'un programme thérapeutique complet comportant assistance psychologique, sociale et médicale. L'objectif d'une thérapie au Zyban, c'est d'en arriver à une abstinence complète à l'égard de la cigarette. Ne broyez pas, ne divisez pas et ne mâchez pas les comprimés ordinaires, ni ceux à libération prolongée.

SURDOSAGE

Symptômes. Hallucinations, convulsions, tachycardie, douleur thoracique, difficultés respiratoires, perte de conscience. Autres symptômes connus : vomissements, vision trouble, étourdissements, confusion, léthargie, nausées, agitation et somnolence.

Quoi faire. Appelez immédiatement le médecin ou le centre antipoison, ou allez à l'urgence.

▼ INTERACTIONS

MÉDICAMENT-MÉDICAMENT

Le bupropion ne doit pas être pris en même temps que d'autres médicaments renfermant du bupropion ni pris à moins de 14 jours de la prise d'un inhibiteur de la monoamine-oxydase (IMAO). Demandez l'avis du médecin si vous prenez : loxapine, antidépresseurs, phénothiazines, clozapine, molindone, thioxanthènes, halopéridol, lithium, trazodone, maprotiline, lévodopa ou théophylline.

MÉDICAMENT-ALIMENT

Aucune interaction connue.

MÉDICAMENT-MALADIE

Ne prenez pas de bupropion si vous avez des antécédents de convulsions, anorexie ou boulimie nerveuses. La prudence s'impose avec un traitement au bupropion. Consultez le médecin si vous souffrez de tumeur au cerveau ou à la moelle épinière, maladie cardiaque ou blessure à la tête. Comme le foie et les reins travaillent ensemble à éliminer le bupropion de l'organisme, une posologie plus faible peut être prescrite aux patients ayant une dysfonction hépatique ou rénale.

BUSPIRONE (CHLORHYDRATE DE)

Présentation : Comprimés
En vente libre ? Non   **Générique disponible ?** Oui
Classe de médicaments : Anxiolytique

▼ GÉNÉRALITÉS

INDICATIONS
Traitement de courte durée de l'anxiété excessive chez les patients souffrant d'anxiété généralisée.

MODE D'ACTION
La buspirone modifie l'activité de certaines substances chimiques du cerveau (la dopamine, mais surtout la sérotonine), étroitement liées aux humeurs, aux émotions et aux états mentaux. Contrairement à plusieurs autres anxiolytiques, elle n'a pas d'effets myorelaxants ni sédatifs et ne semble pas entraîner de dépendance physique.

▼ MODE D'EMPLOI

POSOLOGIE
Dose d'attaque : 5 mg 2 ou 3 fois par jour (soit 10 à 15 mg par jour en tout). La posologie peut être portée à 45 mg par jour en doses fractionnées, prises toutes les 6 à 8 heures.

DÉBUT D'ACTION
Le plein effet thérapeutique de la buspirone peut mettre 1 ou 2 semaines à s'établir.

DURÉE D'ACTION
8 heures ou plus.

CONSEILS NUTRITIONNELS
Aucune restriction spéciale.

MODE DE CONSERVATION
Dans un contenant étanche, à l'abri de la chaleur, de l'humidité et de la lumière.

OUBLI D'UNE DOSE
Prenez-la dès que vous y pensez. S'il est presque l'heure de la dose suivante, sautez la dose oubliée et reprenez la fréquence normale. Ne doublez pas la dose suivante.

ARRÊT DE LA MÉDICATION
La décision d'interrompre la médication doit être prise en consultation avec le médecin.

USAGE PROLONGÉ
Aucun risque connu.

▼ PRÉCAUTIONS

Plus de 60 ans. Risques de réactions et d'effets indésirables plus fréquents et plus graves.

Conduite automobile, travaux dangereux. La buspirone peut réduire votre capacité à conduire un véhicule ou à exécuter un travail dangereux en toute sécurité. Le danger croît si vous buvez de l'alcool et prenez d'autres médicaments qui peuvent affecter vos réflexes, comme des antihistaminiques, des analgésiques ou des médicaments qui altèrent votre humeur.

Alcool. Évitez d'en boire quand vous prenez ce médicament.

Grossesse. On n'envisage aucun problème, mais il n'existe pas d'études adéquates sur les effets de la buspirone durant la grossesse. Consultez le médecin si vous êtes enceinte ou désirez le devenir.

Allaitement. La buspirone peut passer dans le lait maternel. Évitez de prendre ce médicament ou cessez d'allaiter.

Nourrissons et enfants. L'innocuité et l'efficacité du médicament n'ont pas été établies chez les moins de 18 ans.

À surveiller. Avant de subir une chirurgie sous anesthésie, avertissez bien le chirurgien que vous prenez de la buspirone.

SURDOSAGE
Symptômes. Somnolence grave, vertiges, nausées et vomissements, myosis (constriction des pupilles).

Quoi faire. Appelez immédiatement le médecin ou le centre antipoison ou allez à l'urgence.

▼ INTERACTIONS

MÉDICAMENT-MÉDICAMENT
Il peut y avoir interaction entre la buspirone et d'autres médicaments. Demandez spécifiquement l'avis du médecin si vous prenez l'un des médicaments suivants : antihistaminiques, barbituriques, érythromycine, itraconazole, inhibiteurs de la monoamine-oxydase (IMAO), relaxants musculaires, narcotiques, néfazodone, sédatifs ou autres tranquillisants.

MÉDICAMENT-ALIMENT
Aucune interaction connue.

MÉDICAMENT-MALADIE
La buspirone peut entraîner des complications chez les patients souffrant d'une maladie du foie ou des reins, car ces organes travaillent ensemble à éliminer le médicament de l'organisme. Elle peut exacerber la maladie de Parkinson et n'est pas recommandée aux patients ayant des antécédents de convulsions.

EFFETS INDÉSIRABLES

GRAVES
Aucun effet indésirable grave n'est associé à la buspirone.

COURANTS
Vertiges ou étourdissements, nausées, augmentation paradoxale de la nervosité et de l'excitabilité, agitation, maux de tête, sudation.

MOINS COURANTS
Vue brouillée, difficulté à se concentrer, somnolence, sécheresse de la bouche, difficulté à dormir, crampes ou spasmes musculaires, fatigue ou faiblesse, bourdonnements d'oreilles, rêves inhabituels, troublants ou très vifs.

BUSULFAN

Busulfex, Myleran

Présentation : Comprimés, injections
En vente libre ? Non **Générique disponible ?** Non
Classe de médicaments : Agent alkylant

▼ GÉNÉRALITÉS

INDICATIONS
Traitement de certaines formes de leucémie chronique (leucémies myéloïde, myélocytaire et granulocytaire). Le busulfan ralentit leur progression, atténue les symptômes et améliore l'état général du patient, mais il ne le guérit pas. On l'utilise aussi en conjonction avec une transplantation de la moelle osseuse pour traiter d'autres formes de cancer.

MODE D'ACTION
La leucémie dans toutes ses formes est un cancer caractérisé par la prolifération et la formation de globules blancs anormaux, produits dans la moelle osseuse. Le busulfan entrave la croissance et le fonctionnement de toutes les cellules, y compris celles de la moelle osseuse. En gênant le fonctionnement de la moelle osseuse, il ralentit la production de globules blancs anormaux.

▼ MODE D'EMPLOI

POSOLOGIE
Comprimés : 4 mg par jour, jusqu'à obtention de la réponse désirée.

DÉBUT D'ACTION
En 1 à 2 semaines.

DURÉE D'ACTION
Jusqu'à 24 heures.

CONSEILS NUTRITIONNELS
Avalez le comprimé avec une boisson après un repas léger. Évitez les aliments sucrés ou gras. Ne buvez pas aux repas. Buvez beaucoup entre les repas.

MODE DE CONSERVATION
Dans un contenant étanche, à température ambiante, à l'abri de la chaleur et de la lumière.

OUBLI D'UNE DOSE
Prenez-la dès que vous y pensez. S'il est presque l'heure de la suivante, sautez la dose oubliée et revenez à la fréquence normale. Ne doublez pas la dose suivante.

ARRÊT DE LA MÉDICATION
N'interrompez le traitement que sur les conseils de votre médecin.

USAGE PROLONGÉ
Une surveillance médicale étroite et continue est nécessaire.

▼ PRÉCAUTIONS

Plus de 60 ans. Rien à signaler.

Conduite automobile, travaux dangereux. Ne vous adonnez pas à de telles activités avant de connaître les effets du traitement sur vos capacités physiques et votre concentration.

Alcool. Ne consommez pas d'alcool durant le traitement.

Grossesse. Des malformations congénitales sont possibles ; mieux vaut recourir à la contraception durant le traitement. Informez votre médecin immédiatement si vous devenez enceinte pendant la thérapie.

Allaitement. On ne sait pas si le médicament passe dans le lait maternel. Mais l'allaitement n'est pas recommandé durant le traitement au busulfan.

Nourrissons et enfants. Il n'y a pas lieu de croire que le médicament cause chez eux des effets indésirables différents de ceux qu'il provoque chez l'adulte.

À surveiller. Le busulfan accroît les risques d'infection puisqu'il diminue le nombre des globules blancs du sang. Évitez d'être en contact avec des gens souffrant d'infections. Il peut aussi réduire le nombre de plaquettes nécessaires à la coagulation du sang. Évitez de vous blesser avec une brosse à dents, de la soie dentaire, un cure-dent, un couteau, un rasoir ou tout autre objet tranchant.

SURDOSAGE
Symptômes. Saignements, frissons, fièvre, fatigue, évanouissement, perte de conscience.

Quoi faire. Obtenez d'urgence de l'assistance médicale ; allez à l'urgence.

▼ INTERACTIONS

MÉDICAMENT-MÉDICAMENT
Évitez tous les médicaments en vente libre contenant de l'AAS : ils augmentent les risques de saignements ; lisez attentivement les étiquettes des produits en vente libre. Nommez au médecin tous les médicaments que vous prenez, y compris anticoagulants, anticancéreux, antithyroïdiens, anticonvulsivants, antibiotiques et antiviraux.

MÉDICAMENT-ALIMENT
Évitez les aliments sucrés ou gras.

MÉDICAMENT-MALADIE
Consultez le médecin si vous avez d'autres troubles de santé : convulsions, varicelle (ou si vous avez récemment été en contact avec quelqu'un atteint de varicelle), zona, goutte, calculs rénaux, blessures à la tête ou infection quelconque.

▤ EFFETS INDÉSIRABLES ▤

GRAVES
Saignements inhabituels – selles noires, d'aspect goudronneux ou sanguinolentes ; sang dans l'urine ; points rouges minuscules sur la peau ; ecchymoses inhabituelles ; saignements excessifs des gencives ; saignements incontrôlables ; essoufflement ; toux. Convulsions aux fortes doses.

COURANTS
Pigmentation accrue de la peau (noircissement) ; menstruations irrégulières ou aménorrhée.

MOINS COURANTS
Douleurs articulaires ; vertiges ; perte soudaine et sans raison de poids ou d'appétit ; ulcères labiaux ou buccaux ; enflure des jambes, des chevilles et des pieds ; nausées et vomissements ; diarrhée ; fatigue ou faiblesse inhabituelles.

BUTALBITAL/AAS/CAFÉINE

Présentation : Gélules, comprimés
En vente libre ? Non   **Générique disponible ?** Non
Classe de médicaments : Analgésique-sédatif non narcotique

▼ GÉNÉRALITÉS

INDICATIONS
Traitement des céphalées ou migraines, douleurs menstruelles et du post-partum.

MODE D'ACTION
Le butalbital est un barbiturique qui agit de façon sédative sur le système nerveux central. L'AAS semble entraver l'action des prostaglandines, substances naturellement présentes dans l'organisme qui causent de l'inflammation et rendent les nerfs plus sensibles aux impulsions douloureuses. La caféine est censée renforcer l'efficacité des analgésiques.

▼ MODE D'EMPLOI

POSOLOGIE
Adultes : 2 gélules ou 2 comprimés en dose d'attaque, suivis au besoin de 1 gélule ou de 1 comprimé toutes les 3 à 4 heures sans dépasser 6 gélules ou 6 comprimés par jour.

DÉBUT D'ACTION
En 1 heure.

DURÉE D'ACTION
4 heures.

CONSEILS NUTRITIONNELS
À prendre en mangeant ou avec un grand verre d'eau contre l'irritation gastrique.

MODE DE CONSERVATION
Dans un contenant étanche, à l'abri de la chaleur, de l'humidité et de la lumière.

OUBLI D'UNE DOSE
Si le médecin vous a ordonné de prendre le médicament régulièrement, prenez la dose oubliée dès que vous y pensez. S'il est presque l'heure de la dose suivante, sautez la dose oubliée et reprenez la fréquence normale. Ne doublez pas la dose suivante.

ARRÊT DE LA MÉDICATION
Effectuez le traitement au complet, tel que prescrit, mais vous pouvez l'interrompre si vous vous sentez mieux avant la fin. Le traitement ne doit pas cesser abruptement après un usage prolongé.

USAGE PROLONGÉ
Les barbituriques comme le butalbital peuvent entraîner de la dépendance physique et causer des lésions aux reins. Il est recommandé de faire des tests périodiques de la fonction rénale. Un usage prolongé peut rendre l'exposition au froid plus risquée.

▼ PRÉCAUTIONS

Plus de 60 ans. Risques de réactions indésirables plus fréquentes et plus graves.

Conduite automobile, travaux dangereux. N'entreprenez pas ces tâches tant que vous ne connaissez pas votre réaction au médicament.

Alcool. À éviter.

Grossesse. La prise du médicament en fin de grossesse peut provoquer une dépendance chez le fœtus. Dites au médecin que vous êtes enceinte ou désirez le devenir.

Allaitement. Le butalbital et l'AAS passent dans le lait maternel ; évitez ou cessez d'en prendre.

Nourrissons et enfants. Consultez le médecin avant de donner ce médicament à un jeune de moins de 18 ans atteint d'une maladie virale, comme la varicelle ou la grippe. L'AAS peut induire une maladie grave, le syndrome de Reye.

À surveiller. Avertissez tout médecin ou dentiste que vous prenez ce médicament. Il agit mieux s'il est pris au premier signe de mal de tête. Avisez le médecin si vous avez mal à la tête plus souvent qu'avant de le prendre ou si son efficacité diminue : ce peut être le signe d'une dépendance. Ne cherchez pas un soulagement accru en augmentant la dose. Ne le prenez pas s'il a une forte odeur de vinaigre.

SURDOSAGE
Symptômes. Sommeil profond, pouls faible, acouphènes, nausées, vomissements, vertiges, respiration profonde et rapide, convulsions, perte de conscience.

Quoi faire. Appelez immédiatement le médecin ou le centre antipoison, ou allez à l'urgence.

▼ INTERACTIONS

MÉDICAMENT-MÉDICAMENT
Consultez le médecin si vous prenez : acétazolamide, agents antigoutte, bêtabloquants, anticoagulants, méthotrexate, analgésiques narcotiques, AINS, contraceptifs oraux, antidiabétiques oraux, stéroïdes, tranquillisants ou acide valproïque.

MÉDICAMENT-ALIMENT
Aucune interaction connue.

MÉDICAMENT-MALADIE
Ulcères gastro-duodénaux, asthme, épilepsie, anémie, goutte ou antécédents d'alcoolisme ou de toxicomanie : avisez le médecin. Complications possibles chez les patients souffrant de maladie du foie ou des reins, car ces organes contribuent à éliminer le médicament de l'organisme.

EFFETS INDÉSIRABLES

GRAVES
Difficultés respiratoires, constriction thoracique, toux ou respiration sifflante ; ulcères ou points blancs dans la bouche ; coloration en bleu, bouffées congestives ou rougeur de la peau ; congestion nasale ; micropupilles ; fièvre ; paupières, lèvres, langue ou visage enflés ; difficultés à avaler ; croûtes ou saignements des lèvres ; brûlure et endolorissement de la peau, desquamation.

COURANTS
Somnolence, étourdissements, aigreurs d'estomac, nausées, vomissements, rash cutané.

MOINS COURANTS
Insomnie, cauchemars, céphalées, constipation, sudation accrue, fatigue inhabituelle.

BUTALBITAL/AAS/CAFÉINE/CODÉINE (PHOSPHATE DE)

NOMS COMMERCIAUX

Tecnal-C¼, Tecnal-C½, Trianal-C½, Fiorinal-C¼, Fiorinal-C½

Présentation : Gélules, comprimés
En vente libre ? Non   **Générique disponible ?** Oui
Classe de médicaments : Analgésique opioïde (narcotique)

▼ GÉNÉRALITÉS

INDICATIONS
Traitement de la douleur aiguë et chronique, accompagnée de tension ou d'anxiété, comme dans les céphalées de tension ou les migraines.

MODE D'ACTION
Le butalbital est un barbiturique qui agit sur le système nerveux central pour soulager la douleur. L'AAS semble entraver l'action des prostaglandines, substances présentes naturellement dans l'organisme, qui causent de l'inflammation et rendent les nerfs plus sensibles aux impulsions douloureuses. La caféine est censée renforcer l'efficacité des analgésiques. La codéine est un narcotique censé bloquer les signaux de la douleur vers le cerveau.

▼ MODE D'EMPLOI

POSOLOGIE
1 ou 2 gélules ou comprimés en dose d'attaque, suivis au besoin de 1 gélule ou comprimé toutes les 3 à 4 heures sans dépasser 6 gélules ou comprimés par jour.

DÉBUT D'ACTION
En 1 heure.

DURÉE D'ACTION
4 heures.

CONSEILS NUTRITIONNELS
À prendre avec des aliments ou de l'eau pour réduire l'irritation gastrique.

MODE DE CONSERVATION
Dans un contenant étanche, à l'abri de la chaleur, de l'humidité et de la lumière.

OUBLI D'UNE DOSE
Prenez-la dès que vous y pensez. S'il est presque l'heure de la dose suivante, sautez la dose oubliée et reprenez la fréquence normale. Ne doublez pas la dose suivante.

ARRÊT DE LA MÉDICATION
Effectuez le traitement au complet, tel que prescrit, mais vous pouvez l'interrompre si vous vous sentez mieux avant la fin. Le traitement ne doit pas cesser abruptement après un usage prolongé.

USAGE PROLONGÉ
Les narcotiques, comme la codéine, et les barbituriques, comme le butalbital, peuvent entraîner de la dépendance. Un usage prolongé peut causer une dysfonction rénale.

▼ PRÉCAUTIONS

Plus de 60 ans. Risques de réactions indésirables plus fréquentes et plus graves.

Conduite automobile, travaux dangereux. N'entreprenez pas ces tâches tant que vous ne connaissez pas votre réaction au médicament.

Alcool. À éviter.

Grossesse. La prise de ce médicament en fin de grossesse peut provoquer une dépendance chez le fœtus. Avertissez le médecin que vous êtes enceinte ou désirez le devenir.

Allaitement. N'en prenez pas pendant que vous allaitez.

Nourrissons et enfants. Non prescrit en général aux moins de 12 ans. Consultez le médecin avant de donner ce médicament à un enfant de moins de 18 ans atteint d'une maladie virale, spécialement la varicelle ou l'influenza. L'AAS peut induire le syndrome de Reye, une maladie grave.

À surveiller. Avertissez tout médecin ou dentiste que vous prenez ce médicament. Il agit mieux s'il est pris au premier signe de mal de tête. Avisez le médecin si vous avez mal à la tête plus souvent qu'avant de le prendre ou si son efficacité diminue. Ne cherchez pas un soulagement accru en augmentant la dose. Ne le prenez pas s'il a une forte odeur de vinaigre.

SURDOSAGE
Symptômes. Bourdonnements d'oreilles, pouls lent et faible, sommeil profond, vertiges, nausées, vomissements, hallucinations, respiration profonde et rapide, convulsions, perte de conscience.

Quoi faire. Appelez immédiatement le médecin ou le centre antipoison, ou allez à l'urgence.

▼ INTERACTIONS

MÉDICAMENT-MÉDICAMENT
Demandez l'avis du médecin si vous prenez : acétazolamide, agents antigoutte, bêta-bloquants, anticoagulants, méthotrexate, analgésiques narcotiques, anti-inflammatoires non stéroïdiens (AINS), contraceptifs oraux, antidiabétiques oraux, agents stéroïdiens, tranquillisants ou acide valproïque.

MÉDICAMENT-ALIMENT
Aucune interaction connue.

MÉDICAMENT-MALADIE
Consultez le médecin si vous souffrez de : ulcère gastroduodénal, asthme, épilepsie, anémie, goutte ou antécédents d'alcoolisme ou de toxicomanie. Complications possibles chez les patients souffrant d'une maladie du foie ou des reins, car ces organes contribuent ensemble à éliminer le médicament de l'organisme.

EFFETS INDÉSIRABLES

GRAVES
Respiration sifflante, constriction thoracique, myosis, coloration jaune de la peau et des yeux, tendance aux ecchymoses, vomissements de sang, mal de gorge, fièvre, ulcères buccaux, miction difficile, perte d'acuité auditive, sang dans l'urine.

COURANTS
Somnolence, vertiges, étourdissements, congestion du visage, dépression, mictions fréquentes, nausées, vomissements, constipation, rash cutané.

MOINS COURANTS
Insomnie, cauchemars, céphalées, constipation, sudation accrue, fatigue inhabituelle.

BUTÉNAFINE (HYDROCHLORURE DE)

Présentation : Crème
En vente libre ? Oui **Générique disponible ?** Non
Classe de médicaments : Antifongique topique

▼ GÉNÉRALITÉS

INDICATION
Traitement de tinea pedis (pied d'athlète), une infection fongique.

MODE D'ACTION
La buténafine empêche les champignons de produire les substances vitales essentielles à leur croissance et à leurs fonctions. Elle n'agit que contre les infections fongiques et n'est d'aucune utilité contre les infections bactériennes ou virales.

▼ MODE D'EMPLOI

POSOLOGIE
Nettoyez la région avec du savon et de l'eau ; séchez. Appliquez une mince couche de crème dessus et tout autour. Une fois tous les symptômes disparus, prolongez le traitement de 1 à 2 semaines sans dépasser 4 semaines.

DÉBUT D'ACTION
Inconnu.

DURÉE D'ACTION
Inconnue.

EFFETS INDÉSIRABLES

GRAVES
Aucun effet indésirable grave n'est associé à l'utilisation de la buténafine.

COURANTS
Brûlure, picotements, irritation, démangeaisons, rougeur, enflure ou ampoules au lieu d'application.

MOINS COURANTS
Aucun effet indésirable moins courant n'est associé à l'utilisation de la buténafine.

CONSEILS NUTRITIONNELS
Aucune restriction spéciale.

MODE DE CONSERVATION
Dans un contenant étanche, à l'abri de la chaleur, de l'humidité et de la lumière. Ne faites pas congeler la crème.

OUBLI D'UNE DOSE
Prenez-la dès que vous y pensez. S'il est presque l'heure de la dose suivante, sautez la dose oubliée et reprenez la fréquence normale. Ne doublez pas la dose suivante et n'appliquez pas non plus une couche plus épaisse pour compenser votre oubli.

ARRÊT DE LA MÉDICATION
Effectuez le traitement au complet, tel que prescrit, même si l'infection fongique semble disparaître avant la fin. Malheureusement, il est difficile de savoir si le traitement a donné les effets attendus parce que la rougeur et l'inflammation disparaissent avant que l'infection soit totalement guérie ; la récurrence de l'infection après l'interruption prématurée du traitement est un risque certain.

USAGE PROLONGÉ
Si l'infection ne s'améliore pas mais s'aggrave après 2 semaines de traitement, consultez votre médecin.

▼ PRÉCAUTIONS

Plus de 60 ans. Aucun risque connu.

Conduite automobile, travaux dangereux. Le traitement à la buténafine ne devrait pas vous empêcher d'exécuter de telles tâches en toute sécurité.

Alcool. Pas de précaution spéciale.

Grossesse. Aucune étude adéquate sur l'être humain n'a été menée. Avant le traitement, dites au médecin que vous êtes enceinte ou avez l'intention de le devenir.

Allaitement. On ne sait pas si le médicament passe dans le lait maternel. La prudence s'impose. Parlez-en spécifiquement à votre médecin.

Nourrissons et enfants. L'innocuité et l'efficacité du médicament n'ont pas été établies chez les moins de 12 ans. Il n'a causé aucun problème chez les patients de 12 à 16 ans et s'est révélé efficace.

À surveiller. La buténafine ne s'emploie qu'en usage externe. Lavez-vous les mains après en avoir appliqué. Évitez tout contact avec les yeux, le nez et la bouche. Si vous l'appliquez après la douche, commencez par sécher la région affectée. Ne mettez pas de pansement serré à moins que le médecin ne le recommande. Portez des chaussures de la bonne pointure, bien aérées, et des chaussettes en coton. N'utilisez pas de buténafine pour d'autres problèmes que ceux auxquels elle est destinée. Comme il en est de tous les antifongiques, le médicament n'est efficace que contre les organismes vulnérables à ses effets. Il est donc important d'aviser le médecin si votre état ne s'est pas amélioré – ou s'il s'est aggravé – dans les 2 semaines suivant le début du traitement à la buténafine : l'organisme responsable de vos problèmes peut résister au médicament.

SURDOSAGE
Symptômes. Aucun cas n'a été rapporté.

Quoi faire. Il est peu probable qu'une surdose de buténafine mette votre vie en danger. Néanmoins, si la dose appliquée est beaucoup plus importante que celle prescrite ou si le médicament est ingéré par accident, demandez immédiatement de l'aide médicale.

▼ INTERACTIONS

MÉDICAMENT-MÉDICAMENT
Demandez l'avis spécifique du médecin si vous prenez des antifongiques à l'allylamine. Avisez-le de tous les médicaments avec ou sans ordonnance que vous prenez.

MÉDICAMENT-ALIMENT
Aucune interaction connue.

MÉDICAMENT-MALADIE
La prudence s'impose avec la buténafine. Consultez le médecin si vous souffrez de tout autre trouble.

BUTORPHANOL (TARTRATE DE)

NOM COMMERCIAL

Stadol NS

Présentation : Vaporisateur nasal
En vente libre ? Non   **Générique disponible ?** Non
Classe de médicaments : Analgésique opioïde (narcotique)

▼ GÉNÉRALITÉS

INDICATIONS
Soulagement ponctuel de la douleur modérée ou sévère.

MODE D'ACTION
Le butorphanol bloque les impulsions douloureuses émises dans des zones spécifiques de la moelle épinière et du cerveau.

▼ MODE D'EMPLOI

POSOLOGIE
Un jet dans une narine seulement et non dans les deux, à moins d'avis contraire du médecin. La dose peut être répétée après 60 à 90 minutes et aux 3 à 4 heures au besoin.

DÉBUT D'ACTION
En 15 minutes.

DURÉE D'ACTION
4 à 5 heures.

CONSEILS NUTRITIONNELS
Pas de restrictions spéciales.

MODE DE CONSERVATION
Dans un contenant étanche, à l'abri de la chaleur, de l'humidité et de la lumière.

OUBLI D'UNE DOSE
Sans objet ; le butorphanol ne se prend pas sur une base régulière.

ARRÊT DE LA MÉDICATION
Vous pouvez arrêter la médication si vous vous sentez mieux.

USAGE PROLONGÉ
L'efficacité du médicament au-delà de 3 jours de traitement n'est pas établie. Comme le butorphanol provoque de l'accoutumance, on ne recommande pas d'en faire un usage prolongé.

▼ PRÉCAUTIONS

Plus de 60 ans. Risques de réactions indésirables plus fréquentes et plus graves, surtout des étourdissements.

Conduite automobile, travaux dangereux. À déconseiller tant que vous ne connaissez pas votre réaction au médicament.

Alcool. À éviter ; l'alcool peut diminuer davantage votre lucidité et ralentir vos réflexes.

Grossesse. Avant de prendre le butorphanol durant la grossesse, évaluez-en les bienfaits et les risques avec le médecin.

Allaitement. Le butorphanol peut passer dans le lait maternel ; la prudence est de mise. Demandez l'avis du médecin.

Nourrissons et enfants. Le butorphanol n'est pas recommandé chez les moins de 18 ans.

À surveiller. Lorsque vous utilisez ce médicament pour la première fois, levez-vous lentement, si vous étiez assis ou allongé, pour éviter d'avoir le vertige. Dites au médecin et au dentiste que vous prenez du butorphanol. N'augmentez pas ou ne diminuez pas la posologie sans consulter le médecin. Avec un flacon neuf, dirigez le jet loin de vous et amorcez le vaporisateur en pompant 3 fois. Après chaque utilisation, essuyez la canule avec un mouchoir de papier ou un tissu propre. Tous les 3 ou 4 jours, rincez le bout de la canule à l'eau chaude et essuyez-le pendant 15 secondes avant de le sécher. Administration du médicament : mouchez-vous doucement. Inclinez un peu la tête vers l'avant, introduisez la canule dans une narine et visez le fond. Bouchez l'autre narine avec le doigt. Pompez rapidement et fermement. Reniflez doucement en gardant la bouche fermée. Ensuite, inclinez la tête vers l'arrière et restez ainsi quelques secondes. Ne vous mouchez pas.

SURDOSAGE
Symptômes. Battements de cœur irréguliers, difficultés respiratoires, convulsions, peau froide et moite, perte de conscience, pupilles très rétrécies, somnolence grave, agitation motrice, faiblesse, étourdissements, nervosité.

Quoi faire. Allez immédiatement à l'urgence.

▼ INTERACTIONS

MÉDICAMENT-MÉDICAMENT
Les médicaments suivants peuvent entrer en interaction avec le butorphanol : tranquillisants, somnifères, barbituriques, autres analgésiques narcotiques, antihistaminiques, médicaments pour le cœur, antidiabétiques oraux et antidépresseurs. Demandez l'avis du médecin sur tout médicament que vous prenez.

MÉDICAMENT-ALIMENT
Pas d'interaction connue.

MÉDICAMENT-MALADIE
Avertissez le médecin si vous avez déjà eu une blessure à la tête ou une crise cardiaque ou si vous souffrez de maladie cardiaque ou respiratoire, de troubles rénaux ou hépatiques ou d'antécédents d'alcoolisme ou de toxicomanie.

 EFFETS INDÉSIRABLES

GRAVES
Respiration superficielle ou lente, congestion des sinus, changement d'humeur, saignements de nez, fièvre, éternuements, nez qui coule, vision embrouillée ou déformée, maux d'oreille, bronchite, démangeaisons, hallucinations, mictions difficiles, rash cutané, évanouissements.

COURANTS
Céphalées, torpeur, étourdissements, insomnie, irritation nasale, confusion, bouche sèche, nausées, vomissements, constipation, perte d'appétit, peau moite, goût déplaisant.

MOINS COURANTS
Nervosité, rêves anormaux, indolence, agitation, euphorie, sensation de flotter, tremblements, douleur gastrique, transpiration, démangeaisons.

CAFÉINE

Présentation : Comprimés, gélules, gélules à libération progressive, liquide
En vente libre ? Oui   **Générique disponible ?** Oui
Classe de médicaments : Stimulant du système nerveux central

▼ GÉNÉRALITÉS

INDICATIONS
Pour rétablir la vigilance et aider à rester éveillé.

MODE D'ACTION
La caféine est un stimulant qui agit à tous les paliers du système nerveux central.

▼ MODE D'EMPLOI

POSOLOGIE
Comprimés : 100 à 200 mg ; à répéter après 3 ou 4 heures au besoin. Gélules à libération progressive : 200 à 250 mg ; à répéter après 3 ou 4 heures au besoin. Caféine citratée : 65 à 325 mg, 3 fois par jour au besoin. Ne pas dépasser 1 000 mg par jour.

DÉBUT D'ACTION
En 30 minutes à 2 heures.

DURÉE D'ACTION
Inconnue.

CONSEILS NUTRITIONNELS
À prendre avec des aliments pour minimiser les dérangements d'estomac.

MODE DE CONSERVATION
Dans un contenant étanche, à l'abri de la chaleur, de la lumière, de l'humidité et des températures extrêmes.

OUBLI D'UNE DOSE
Sans objet. Ce médicament n'est pas destiné à un traitement suivi.

ARRÊT DE LA MÉDICATION
Prenez-en selon vos besoins.

USAGE PROLONGÉ
La caféine n'est pas destinée à un usage prolongé.

▼ PRÉCAUTIONS

Plus de 60 ans. Aucun risque connu.

Conduite automobile, travaux dangereux. La caféine ne devrait pas vous empêcher d'exécuter de telles tâches en toute sécurité.

Alcool. Pas de précautions spéciales.

Grossesse. De fortes doses peuvent entraîner avortement, retard dans la croissance du fœtus et troubles du rythme cardiaque chez le fœtus. Il ne faut pas consommer plus de 300 mg de caféine par jour (soit l'équivalent de 3 tasses de café) durant la grossesse. Demandez l'avis du médecin.

Allaitement. La caféine passe dans le lait maternel : la prudence s'impose. Demandez spécifiquement l'avis du médecin.

Nourrissons et enfants. La caféine n'est pas recommandée pour les enfants de moins de 12 ans.

À surveiller. Pour ne pas souffrir d'insomnie, ne prenez pas de caféine ni de boisson contenant de la caféine près de l'heure du coucher. Après avoir cessé de prendre de la caféine, vous pouvez éprouver les effets suivants : anxiété, vertiges, maux de tête, irritabilité, tension musculaire, nausées, nervosité, congestion nasale et fatigue inhabituelle. Dans ces cas, consultez votre médecin.

SURDOSAGE
Symptômes. Douleurs gastriques ou abdominales, agitation, anxiété, excitation, agitation motrice, confusion, délire, fièvre, convulsions. Une très forte dose peut causer : arythmie cardiaque, vision d'éclairs lumineux, mictions fréquentes, sensibilité accrue au toucher, secousses musculaires, nausées et vomissements (parfois avec sang), insomnie, bourdonnements d'oreilles.

Quoi faire. Il est peu probable qu'une surdose de caféine mette votre vie en danger. Néanmoins, si la dose est très forte, appelez immédiatement le médecin ou le centre antipoison, ou allez à l'urgence.

▼ INTERACTIONS

MÉDICAMENT-MÉDICAMENT
Demandez spécifiquement l'avis du médecin si vous prenez les médicaments suivants : stimulants du système nerveux central ; inhibiteurs de la monoamine-oxydase (IMAO) ; amantadine ; ciprofloxacine et norfloxacine (antibiotiques) ; médicaments pour soigner rhume, sinus, rhume des foins ou allergies ; antiasthmatiques ; amphétamines ; nabilone ou méthylphénidate.

MÉDICAMENT-ALIMENT
Ne buvez pas de grandes quantités de boissons renfermant de la caféine : café, thé, boissons gazeuses, cacao ou lait au chocolat.

MÉDICAMENT-MALADIE
La caféine exige qu'on soit prudent. Consultez le médecin si vous avez : anxiété, crises de panique, maladie du cœur, hypertension, agoraphobie (peur des espaces ouverts), insomnie ou antécédents d'ulcère gastrique. La caféine peut provoquer des complications chez les patients atteints d'une maladie du foie puisque cet organe contribue à éliminer le médicament de l'organisme.

 **EFFETS INDÉSIRABLES**

GRAVES
Diarrhée, insomnie, étourdissements, tachycardie, nausées importantes, vomissements, irritabilité, agitation inhabituelle, tremblements.

COURANTS
Nausées légères ou énervement.

MOINS COURANTS
Il n'y a pas d'effets indésirables moins courants qui soient associés à la caféine.

CALAMINE/ZINC (OXYDE DE)

NOMS COMMERCIAUX

Lotion de calamine,
Lotion de calamine
certifiée, Lotion de
calamine CF,
Calmoseptine,
Soothenol

Présentation : Lotion, onguent
En vente libre ? Oui   **Générique disponible ?** Oui
Classe de médicaments : Antiprurigineux ; astringent

▼ GÉNÉRALITÉS

INDICATIONS
Soulagement de la déman-geaison, de la douleur et de l'inconfort qui accompagnent les irritations de la peau cau-sées par l'herbe à puce et d'autres sumacs vénéneux. En outre, la calamine assèche le suintement des éruptions cutanées causées par ces irritants.

MODE D'ACTION
On ne connaît pas les méca-nismes exacts de son action, mais la calamine paraît être dotée de propriétés lénitives naturelles.

▼ MODE D'EMPLOI

POSOLOGIE
Appliquez la calamine sur les surfaces de peau affectées dès que le besoin s'en fait sentir. Lotion : agitez d'abord le flacon ; versez un peu de lotion sur de la ouate et appliquez-en sur les régions affectées ; laissez sécher. Onguent : frottez en douceur pour faire pénétrer dans la région affectée.

DÉBUT D'ACTION
En moins de 1 heure.

DURÉE D'ACTION
Inconnue.

CONSEILS NUTRITIONNELS
Aucune restriction spéciale.

MODE DE CONSERVATION
Dans un contenant étanche, à l'abri de la chaleur, de l'humidité et de la lumière directe.

OUBLI D'UNE DOSE
Si vous utilisez la calamine selon une fréquence fixe, appliquez la dose oubliée dès que vous y pensez. S'il est presque l'heure de la dose suivante, sautez la dose oubliée et reprenez la fré-quence normale. N'utilisez pas plus de lotion ou d'on-guent que nécessaire.

ARRÊT DE LA MÉDICATION
Poursuivez le traitement pour la durée prescrite. Toutefois, il n'y a aucun inconvénient à l'interrompre si vous vous sentez mieux avant qu'il ne prenne fin.

USAGE PROLONGÉ
Communiquez avec votre médecin si votre état ne s'est pas amélioré ou s'il a empiré après 7 jours de traitement.

▼ PRÉCAUTIONS

Plus de 60 ans. Aucun risque connu.

Conduite automobile, tra-vaux dangereux. La calamine ne devrait pas vous empêcher d'exécuter de telles activités en toute sécurité.

Alcool. Aucune précaution spéciale.

Grossesse. On n'a rapporté aucun problème lié à l'usage de la calamine en cours de grossesse.

Allaitement. Vous pouvez vous servir de la calamine en toute sécurité si vous allaitez. On n'a pas rapporté de problème chez un nourrisson dont la mère utilisait de la calamine.

Nourrissons et enfants. Aucune recherche n'a été menée concernant l'utilisation de calamine dans ce groupe d'âge ; aucun problème pédiatrique n'a, par ailleurs, été rapporté.

À surveiller. Lavez d'abord la peau affectée à l'eau et au savon et asséchez-la avant d'y appliquer la calamine. Ce pro-duit est réservé à l'usage externe ; il ne faut pas l'ingé-rer. Ne l'utilisez pas sur les yeux ou les muqueuses, par exemple dans la bouche, le nez, les organes génitaux ou l'anus. On a rapporté des cas d'ingestion de calamine ayant causé une gastrite (inflamma-tion de la paroi de l'estomac) et des vomissements. Le cas échéant, on traite la gastrite avec du lait ou des anti-acides.

SURDOSAGE
Symptômes. Inexistants.

Quoi faire. Il n'y a aucune directive concernant le surdo-sage puisque aucun cas n'a été rapporté. Toutefois, une personne qui ingère de la calamine par accident doit se faire soigner immédiatement.

▼ INTERACTIONS

MÉDICAMENT-MÉDICAMENT
On n'a rapporté aucune inter-action entre la calamine et d'autres médicaments. Cepen-dant, vous devriez informer votre médecin de toute autre médication que vous vous êtes procuré, en vente libre ou sur ordonnance, pour soigner la région de peau sur laquelle vous comptez appliquer de la calamine.

MÉDICAMENT-ALIMENT
Aucune interaction connue.

MÉDICAMENT-MALADIE
On n'a rapporté aucune inter-action entre la calamine et une maladie quelconque. Cependant, si vous souffrez d'une maladie de peau, informez-en votre médecin.

EFFETS INDÉSIRABLES

GRAVES
La calamine ne cause pas d'effet indésirable grave.

COURANTS
La calamine ne cause pas d'effet indésirable courant.

MOINS COURANTS
Rash cutané, irritation ou hypersensibilité de la peau traitée qui n'existaient pas avant le traitement. Communiquez rapi-dement avec votre médecin si ces symptômes persistent.

CALCIPOTRIOL

Présentation : Crème, onguent, solution pour le cuir chevelu
En vente libre ? Non   **Générique disponible ?** Non
Classe de médicaments : Agent antipsoriasique topique non stéroïdien

▼ GÉNÉRALITÉS

INDICATIONS
Crème et onguent servent à traiter un psoriasis bénin à modéré chez l'adulte. La solution s'utilise pour traiter le psoriasis du cuir chevelu.

MODE D'ACTION
Le calcipotriol est une forme synthétique de vitamine D. Bien que son mode d'action ne soit pas élucidé, il semblerait que ce médicament freine la prolifération des cellules de la peau.

▼ MODE D'EMPLOI

POSOLOGIE
Crème et onguent : appliquez une mince couche 1 ou 2 fois par jour sur la région affectée (mais jamais sur le visage) et faites pénétrer en frottant. Solution pour cuir chevelu : peignez vos cheveux pour éliminer les squames. Appliquez le calcipotriol sur les lésions seulement et faites pénétrer uniformément. Ne laissez pas la solution couler sur votre front ou sur les régions saines. Lavez-vous très bien les mains après le traitement.

DÉBUT D'ACTION
En moins de 24 heures ; le plein effet thérapeutique s'obtient en 2 semaines.

DURÉE D'ACTION
Inconnue.

CONSEILS NUTRITIONNELS
Aucune restriction spéciale.

MODE DE CONSERVATION
Dans un contenant étanche, à l'abri de la chaleur, de l'humidité et de la lumière. Ne le congelez pas. N'approchez pas la solution d'une flamme vive.

OUBLI D'UNE DOSE
Appliquez-la dès que vous y pensez.

ARRÊT DE LA MÉDICATION
La décision d'interrompre l'utilisation de ce médicament doit être prise en consultation avec votre médecin.

USAGE PROLONGÉ
La durée du traitement, qui dépend de la gravité de l'atteinte de psoriasis, est généralement de 8 semaines, mais peut aller jusqu'à 1 an. On peut cesser la médication après une amélioration satisfaisante et recommencer le traitement en cas de récidive.

▼ PRÉCAUTIONS

Plus de 60 ans. Risques de réactions indésirables plus fréquentes et plus graves.

Conduite automobile, travaux dangereux. Le calcipotriol ne devrait pas vous empêcher d'exécuter de telles activités en toute sécurité.

Alcool. Aucune précaution spéciale.

Grossesse. Il n'y a pas eu de recherche concluante chez les humains. Avant de commencer le traitement, consultez votre médecin si vous êtes enceinte ou souhaitez le devenir.

Allaitement. Le calcipotriol peut passer dans le lait maternel ; la prudence s'impose. Demandez des directives précises à votre médecin.

Nourrissons et enfants. Crème et onguent : s'utilisent chez les enfants de 2 à 14 ans. On n'a pas encore de données suffisantes pour les enfants de moins de 2 ans. Lotion pour cuir chevelu : il n'y a pas de données concernant son utilisation chez les enfants de moins de 2 ans.

SURDOSAGE
Symptômes. De petites quantités du médicament sont absorbées par la peau. Les symptômes d'un surdosage sont dus à des taux élevés de calcium dans le sang (hypercalcémie). Signes avant-coureurs d'hypercalcémie : diarrhée, constipation (surtout chez les enfants), sécheresse de la bouche, augmentation de la soif et fréquentes envies d'uriner, maux de tête tenaces, perte d'appétit, goût métallique, nausées et vomissements, fatigue inhabituelle. Manifestations avancées : douleurs dans les os et les muscles, arythmie, démangeaisons constantes, extrême somnolence, capacités mentales altérées.

Quoi faire. Appelez immédiatement votre médecin ou le centre antipoison.

▼ INTERACTIONS

MÉDICAMENT-MÉDICAMENT
Aucune interaction connue.

MÉDICAMENT-ALIMENT
Aucune interaction connue.

MÉDICAMENT-MALADIE
Vous ne devriez pas prendre de calcipotriol si vous avez des concentrations élevées de calcium dans le sang (hypercalcémie) ou des manifestations de toxicité à la vitamine D.

 EFFETS INDÉSIRABLES

GRAVES
Aucun effet indésirable grave n'a été signalé dans le cadre d'un traitement au calcipotriol.

COURANTS
Sensations passagères de brûlure, picotements, élancements ; rash cutané ; desquamation. Communiquez avec votre médecin si ces symptômes persistent.

MOINS COURANTS
Irritation de la peau, sécheresse de la peau, aggravation du psoriasis, amincissement de la peau, noircissement de la peau.

CALCITONINE SAUMON

Présentation : Injection, atomiseur nasal
En vente libre ? Non   **Générique disponible ?** Non
Classe de médicaments : Hormone/inhibiteur de la résorption osseuse

▼ GÉNÉRALITÉS

INDICATIONS
Traitement des symptômes de la maladie osseuse de Paget. Cette maladie consiste en une détérioration du tissu osseux suivie d'une restauration trop rapide de ce tissu, provoquant fragilité et dans certains cas malformation des os. Traitement des taux anormalement élevés de calcium dans le sang (hypercalcémie). Le Miacalcin est également indiqué dans le traitement de l'ostéoporose post-ménopausique chez les femmes qui ont une faible masse osseuse.

MODE D'ACTION
La calcitonine empêche les ostéoclastes (cellules osseuses) d'absorber les sels minéraux des os ; elle augmente l'excrétion de calcium par les reins et ralentit la résorption osseuse (ou vitesse à laquelle les os se détériorent avant d'être remplacés ou restaurés).

▼ MODE D'EMPLOI

POSOLOGIE
Injection – Maladie de Paget : 100 U.I. (unités internationales) en sous-cutanée, 1 fois par jour au début. La posologie peut être réduite selon la réponse. Hypercalcémie : 4 U.I. par kilogramme (2,2 lb) de poids, aux 12 heures au début. Le médecin peut augmenter ou diminuer la dose. Atomiseur nasal – 200 U.I. (1 jet) par jour en faisant alterner les fosses nasales d'un jour à l'autre.

DÉBUT D'ACTION
En 15 minutes.

DURÉE D'ACTION
8 à 24 heures.

CONSEILS NUTRITIONNELS
Si le médicament est pris pour abaisser le taux de calcium dans le sang, le médecin vous recommandera sans doute un régime pauvre en calcium. Il est préférable d'administrer l'injection au coucher. Si la calcitonine sert à traiter l'ostéoporose, on recommande d'absorber des quantités pertinentes de calcium et de vitamine D.

MODE DE CONSERVATION
Atomiseur nasal : une fois amorcé, l'atomiseur doit être gardé debout, à la température ambiante. Injection : se garde au réfrigérateur.

OUBLI D'UNE DOSE
Si vous prenez 2 doses par jour : prenez la dose oubliée si vous vous le rappelez dans les 2 heures. Sinon, ne la prenez pas et revenez à la fréquence habituelle. Si vous prenez 1 dose par jour : prenez la dose oubliée si vous vous en souvenez dans la même journée ; si vous ne vous en souvenez que le lendemain, sautez la dose oubliée et reprenez la fréquence habituelle. Si vous prenez 1 dose tous les 2 jours : prenez la dose oubliée si vous vous en souvenez le même jour. Sinon, prenez-la le lendemain, sautez une journée et revenez à la fréquence normale. Ne doublez jamais la dose suivante.

ARRÊT DE LA MÉDICATION
Cette décision doit être prise par le médecin.

USAGE PROLONGÉ
L'apparition d'anticorps peut diminuer à la longue l'efficacité du médicament.

▼ PRÉCAUTIONS

Plus de 60 ans. Équilibre hydrique à surveiller si le médicament vise à réduire le taux de calcium dans le sang.

Conduite automobile, travaux dangereux. La calcitonine ne devrait pas mettre votre sécurité en péril.

Alcool. À éviter.

Grossesse. Chez les animaux, de fortes doses de calcitonine ont réduit le poids des petits à la naissance. Avant d'en prendre, dites au médecin que vous êtes enceinte ou voulez le devenir.

Allaitement. La calcitonine peut passer dans le lait maternel : la prudence s'impose. Demandez l'avis du médecin.

Nourrissons et enfants. Il n'y a pas eu d'études. Demandez l'avis du médecin.

À surveiller. Ne prenez pas le médicament si vous avez eu une récente fracture.

SURDOSAGE
Symptômes. Rien de spécifique n'a été signalé.

Quoi faire. Il est peu probable qu'une surdose de calcitonine mette votre vie en danger. Néanmoins, si la dose est très forte, appelez le médecin ou le centre antipoison, ou allez à l'urgence.

▼ INTERACTIONS

MÉDICAMENT-MÉDICAMENT
Aucune interaction connue.

MÉDICAMENT-ALIMENT
Aucune interaction connue.

MÉDICAMENT-MALADIE
Soyez prudent. Demandez l'avis du médecin en cas de : troubles rénaux ou antécédents d'allergies.

≡ EFFETS INDÉSIRABLES ≡

GRAVES
Rash cutané ou urticaire, difficulté à respirer, enflure de la langue.

COURANTS
Diarrhée, perte d'appétit, nausées ou vomissements, douleur d'estomac, douleur et rougeur au point d'injection, bouffées congestives ou rougeur du visage, des oreilles, des mains ou des pieds, nez qui coule, fosses nasales sèches.

MOINS COURANTS
Augmentation du débit urinaire, céphalées, vertiges, pression dans la poitrine, difficultés à respirer, congestion nasale, saignement du nez ou croûtes dans le nez, picotement des mains ou des pieds, faiblesse, mal de dos, douleurs articulaires, frissons, goût métallique.

CALCITRIOL

Présentation : Gélules, solution orale, injection
En vente libre ? Non   **Générique disponible ?** Non
Classe de médicaments : Analogue de la vitamine D

▼ GÉNÉRALITÉS

INDICATIONS
Traitement des taux anormalement bas de calcium dans le sang (hypocalcémie) chez les insuffisants rénaux chroniques soumis à la dialyse ou les personnes souffrant de troubles entraînant une baisse du taux sanguin de calcium, comme l'insuffisance parathyroïdienne (hypoparathyroïdie).

MODE D'ACTION
La vitamine D doit être modifiée par le foie et les reins avant d'être active. Forme synthétique de la vitamine D active, le calcitriol favorise l'absorption et l'utilisation du calcium et du phosphore par l'organisme. Leur niveau sanguin est alors assez élevé pour alimenter le renouvellement des os et fournir aux cellules le calcium qu'exigent leurs fonctions essentielles.

▼ GÉNÉRALITÉS

POSOLOGIE
De fréquentes analyses du sang pour mesurer les taux de calcium et de phosphore sont nécessaires au début du traitement pour déterminer la posologie. Hypocalcémie de patients sous dialyse – Adultes et enfants de 6 ans et plus : dose initiale de 0,25 µg (microgramme), 1 fois par jour. La dose peut être augmentée peu à peu aux 4 à 8 semaines, sans dépasser 1 µg par jour. Dose d'entretien : 0,25 µg aux 2 jours, et jusqu'à 1,25 µg par jour. Hypoparathyroïdie – Adultes et enfants de 6 ans et plus : dose initiale de 0,25 µg, 1 fois par jour. La dose peut être augmentée graduellement aux 2 à 4 semaines, sans dépasser 0,5 à 2 µg par jour. Enfants de 1 à 5 ans : 0,03 à 0,05 µg par kilogramme (2,2 lb) de poids, 1 fois par jour.

DÉBUT D'ACTION
En 2 à 6 heures.

DURÉE D'ACTION
3 à 5 jours.

CONSEILS NUTRITIONNELS
Pas de restrictions spéciales.

MODE DE CONSERVATION
Dans un contenant étanche, à l'abri de la chaleur, de l'humidité et de la lumière.

≣ EFFETS INDÉSIRABLES ≣

GRAVES
Fatigue, céphalées, perte d'appétit, goût métallique, nausées, vomissements, crampes abdominales, constipation ou diarrhée, vertiges, somnolence, sécheresse de la bouche, bourdonnements d'oreilles, douleurs musculaires ou articulaires, irritabilité.

COURANTS
Aucun effet indésirable courant n'est associé au calcitriol.

MOINS COURANTS
Aucun effet moins courant n'est associé au calcitriol.

OUBLI D'UNE DOSE
Prenez-la dès que vous y pensez. S'il est presque l'heure de la suivante, sautez la dose oubliée et reprenez la fréquence normale. Ne doublez pas la dose suivante.

ARRÊT DE LA MÉDICATION
La décision d'interrompre la médication doit être prise par le médecin.

USAGE PROLONGÉ
Un suivi médical avec analyses est nécessaire.

▼ PRÉCAUTIONS

Plus de 60 ans. Risques de réactions indésirables plus fréquentes et plus graves.

Conduite automobile, travaux dangereux. À déconseiller tant que vous ne connaissez pas votre réaction au médicament.

Alcool. Évitez toute consommation excessive d'alcool.

Grossesse. Aucun problème n'a été signalé en rapport avec la dose quotidienne recommandée. Par contre, le calcitriol peut nuire au fœtus si la dose quotidienne recommandée est dépassée, surtout si la mère se met à faire de l'hypercalcémie (taux élevé de calcium dans le sang). Avant le traitement, avisez le médecin que vous êtes enceinte ou souhaitez le devenir.

Allaitement. Le calcitriol peut passer dans le lait maternel ; la plus grande prudence s'impose. Certains spécialistes recommandent que la mère s'abstienne alors d'allaiter. Consultez votre médecin.

Nourrissons et enfants. Le calcitriol n'est pas recommandé aux enfants de moins de 1 an. Consultez le médecin.

SURDOSAGE
Symptômes. Les symptômes sont le fait de l'hypercalcémie qui en résulte. Manifestations précoces : constipation (surtout chez les enfants), diarrhée, sécheresse de la bouche, soif, mictions fréquentes, céphalées persistantes, perte de l'appétit, goût métallique, nausées et vomissements, fatigue anormale. Manifestations tardives : douleur osseuse et musculaire, arythmies cardiaques, démangeaisons persistantes, somnolence grave, altération de l'humeur.

Quoi faire. Appelez le médecin si ces symptômes se manifestent. Si la surdose est très forte, demandez immédiatement de l'aide médicale.

▼ INTERACTIONS

MÉDICAMENT-MÉDICAMENT
Consultez le médecin si vous prenez : antiacides, glucosides cardiotoniques, cholestyramine, colestipol, huile minérale, phénobarbital, phénytoïne, primidone, diurétiques thiazidiques, autres formes de vitamine D, ou calcium.

MÉDICAMENT-ALIMENT
Aucune interaction connue.

MÉDICAMENT-MALADIE
Consultez le médecin en cas de : maladie des vaisseaux sanguins ou du cœur, hypercalcémie, hypervitaminose D, hypoparathyroïdie, maladie des reins, hyperphosphatémie ou sarcoïdose.

CALCIUM

Présentation : Gélules, comprimés, comprimés à croquer, liquide
En vente libre ? Oui   **Générique disponible ?** Oui
Classe de médicaments : Antihypocalcémiques ; suppléments diététiques ; antiacides

▼ GÉNÉRALITÉS

INDICATIONS

Pour assurer un apport suffisant de calcium à ceux qui n'en absorbent pas assez dans leur alimentation. Le calcium est essentiel à plusieurs fonctions de l'organisme : transmission des influx nerveux, régulation de la contraction et de la relaxation musculaires (incluant le cœur), coagulation du sang et activités métaboliques diverses. Le calcium est aussi nécessaire au maintien d'une ossature robuste et se prescrit pour prévenir et traiter l'ostéoporose postménopausique (transparence osseuse) ; dans ce cas, on donne souvent des suppléments de calcium renfermant de la vitamine D, qui favorise l'absorption du calcium dans l'intestin. Enfin, le calcium est également prescrit aux personnes qui souffrent d'hypocalcémie persistante, ou taux anormalement bas de calcium dans le sang, provoquée notamment par une carence d'hormone parathyroïdienne dans le sang (hypoparathyroïdie).

MODE D'ACTION

Les suppléments de calcium compensent les apports insuffisants de calcium alimentaire. Les formes que prend ce sel minéral essentiel sont les suivantes : carbonate de calcium (la plus courante et la moins chère), citrate de calcium (la plus facilement absorbée mais la plus chère), phosphate de calcium, lactate de calcium et gluconate de calcium. Comme le carbonate de calcium et le phosphate de calcium sont difficiles à absorber, d'autres formes sont recommandées aux personnes dont l'estomac sécrète peu d'acide gastrique.

▼ MODE D'EMPLOI

POSOLOGIE

Apport quotidien de calcium recommandé selon l'âge – De la naissance à 4 mois : 250 mg. De 5 à 12 mois : 400 mg. À 1 an : 500 mg. 2 à 3 ans : 550 mg. 4 à 6 ans : 600 mg. 7 à 9 ans : 700 mg. 10 à 18 ans : 1 300 mg. À partir de 19 ans : 1 000 à 1 200 mg. Femmes enceintes ou qui allaitent : 1 200 à 1 500 mg. Prévention de l'ostéoporose chez la femme ménopausée : 1 000 à 1 500 mg. N'oubliez pas d'ajouter le calcium alimentaire aux suppléments de calcium pour établir votre apport quotidien total. N'oubliez pas non plus que la teneur en calcium d'un comprimé ne constitue qu'une fraction de son poids nominal. Dans un comprimé de carbonate de calcium, par exemple, le calcium ne représente que 40 % du poids de ce comprimé ; en d'autres termes, un comprimé de carbonate de calcium de 500 mg ne fournit que 200 mg de calcium.

DÉBUT D'ACTION

Inconnu.

DURÉE D'ACTION

Aussi longtemps que vous prenez le supplément.

CONSEILS NUTRITIONNELS

Les suppléments de carbonate de calcium et de phosphate de calcium sont mieux absorbés s'ils sont pris 60 à 90 minutes après les repas avec 1 grand verre (230 ml/8 oz) d'eau ou de jus. Respectez les directives alimentaires du médecin.

MODE DE CONSERVATION

Dans un contenant étanche, à l'abri de la chaleur, de l'humidité et de la lumière.

OUBLI D'UNE DOSE

Si vous prenez régulièrement des suppléments de calcium et oubliez une dose, prenez-la dès que vous y pensez et revenez à la fréquence normale.

ARRÊT DE LA MÉDICATION

La décision doit être prise en consultation avec le médecin.

USAGE PROLONGÉ

Des effets indésirables sont plus susceptibles de se produire si vous prenez plus de 2 000 à 2 500 mg par jour durant une longue période. Le médecin devrait régulièrement vérifier votre taux de calcium sanguin si vous prenez des suppléments pour traiter une hypocalcémie.

▼ PRÉCAUTIONS

Plus de 60 ans. Pas de risque connu.

Conduite automobile, travaux dangereux. Pas de précaution spéciale.

Alcool. Pour favoriser une bonne absorption du calcium, limitez votre consommation d'alcool : n'en prenez pas plus de 2 verres par jour.

Grossesse. Il est essentiel de maintenir les apports quotidiens recommandés de calcium durant toute la grossesse et de trouver ces apports de préférence dans l'alimentation. Des apports excessifs de calcium durant la grossesse peuvent être nuisibles à la mère comme au fœtus et doivent être évités.

EFFETS INDÉSIRABLES

GRAVES

Les effets indésirables graves sont associés à des doses excessives (voir Surdosage).

COURANTS

Aucun effet indésirable courant n'est associé aux doses recommandées de calcium.

MOINS COURANTS

Constipation, diarrhée, somnolence, perte d'appétit, sécheresse de la bouche et faiblesse musculaire sont au nombre des symptômes associés à des taux trop élevés de calcium dans le sang (hypercalcémie).

Allaitement. Des apports excessifs de calcium durant l'allaitement peuvent nuire à la mère comme au nourrisson et doivent être évités.

Nourrissons et enfants.
Aucun problème spécial à signaler.

SURDOSAGE
Symptômes. Manifestations précoces : constipation (surtout chez les enfants), diarrhée, sécheresse de la bouche, grande soif, mictions fréquentes, mal de tête persistant, perte de l'appétit, goût métallique, nausées et vomissements, fatigue anormale. Manifestations tardives : douleur osseuse ou musculaire, arythmies cardiaques, démangeaisons persistantes, somnolence extrême, altération de l'humeur. Une toxicité calcique grave peut être fatale.

Quoi faire. Appelez immédiatement le médecin ou le centre antipoison, ou allez à l'urgence.

▼ INTERACTIONS

MÉDICAMENT-MÉDICAMENT
Demandez l'avis spécifique du médecin si vous prenez : autres préparations contenant du calcium, phosphate sodique de cellulose, digitaliques, étidronate, nitrate de gallium, phénytoïne ou antibiotiques à la tétracycline. L'association concomitante de diurétiques thiazidiques ou de vitamine D à des suppléments de calcium peut entraîner des taux excessifs de calcium dans le sang.

MÉDICAMENT-ALIMENT
Une surconsommation de protéines peut augmenter l'excrétion de calcium dans l'urine. Dans les repas qui précèdent l'ingestion du calcium, évitez de manger des épinards et de la rhubarbe (riches en acide oxalique) ainsi que du son et des céréales entières (riches en acide phytique), car ces substances peuvent entraver l'absorption du calcium.

MÉDICAMENT-MALADIE
Avertissez le médecin si vous souffrez souvent de diarrhée, et aussi si vous avez : problèmes gastriques ou intestinaux, maladie cardiaque, sarcoïdose, maladie des reins ou calculs rénaux.

CANDÉSARTAN CILEXÉTIL

Présentation : Comprimés
En vente libre ? Non **Générique disponible ?** Non
Classe de médicaments : Antihypertenseur/antagoniste de l'angiotensine II

▼ GÉNÉRALITÉS

INDICATIONS
Traitement de l'hypertension. Le médicament semble avoir les mêmes avantages que les antihypertenseurs appelés «inhibiteurs de l'ECA (enzyme de conversion de l'angiotensine)», sans provoquer l'effet indésirable courant, que l'on retrouve chez 30 % des patients : une toux sèche. Le candésartan peut être utilisé seul ou en association avec d'autres antihypertenseurs.

MODE D'ACTION
Le candésartan bloque les effets de l'angiotensine II, substance naturellement présente dans l'organisme qui provoque le rétrécissement des vaisseaux sanguins. Le candésartan entraîne la dilatation des vaisseaux, diminuant ainsi la tension artérielle et le travail cardiaque.

▼ MODE D'EMPLOI

POSOLOGIE
Dose initiale : 8 mg 1 fois par jour contre l'hypertension. La posologie peut être portée à 16 mg par jour si la tension artérielle demeure élevée.

DÉBUT D'ACTION
En 2 semaines.

DURÉE D'ACTION
Jusqu'à 24 heures.

CONSEILS NUTRITIONNELS
Aucune restriction spéciale, à moins que votre médecin ne vous recommande un régime hyposodique ou d'autres modifications diététiques pour vous aider à contrôler votre hypertension.

MODE DE CONSERVATION
Dans un contenant étanche, à l'abri de la chaleur, de l'humidité et de la lumière.

OUBLI D'UNE DOSE
Prenez-la dès que vous y pensez. S'il est presque l'heure de la dose suivante, sautez la dose oubliée et reprenez la fréquence normale. Ne doublez pas la dose suivante.

ARRÊT DE LA MÉDICATION
Effectuez le traitement au complet, tel que prescrit. La décision d'interrompre la médication doit être prise en consultation avec le médecin.

USAGE PROLONGÉ
Le traitement peut durer toute votre vie. Néanmoins, si vous modifiez votre mode de vie (si vous faites plus d'exercice, par exemple, ou perdez du poids), il peut être possible de diminuer la posologie sous la surveillance du médecin.

▼ PRÉCAUTIONS

Plus de 60 ans. Aucun risque connu.

Conduite automobile, travaux dangereux. N'entreprenez pas de telles activités tant que vous ne connaissez pas votre réaction au médicament.

Alcool. Aucune précaution spéciale.

Grossesse. Le candésartan est à éviter. Cessez de prendre le médicament aussitôt que vous savez que vous êtes enceinte et discutez avec votre médecin d'une thérapeutique de rechange.

Allaitement. Le candésartan peut passer dans le lait maternel ; la prudence s'impose. Demandez l'avis du médecin.

Nourrissons et bébés. L'innocuité et l'efficacité du médicament n'ont pas été établies chez les enfants.

À signaler. Le candésartan peut provoquer une hypotension grave, avec vertiges et étourdissements, en particulier aux changements de position, menant à des évanouissements, des chutes et des blessures. Étendez-vous ou asseyez-vous dès que vous vous sentez étourdi. Cet effet indésirable peut être accentué par l'alcool, le temps chaud, la déshydratation, la déplétion de sel qui accompagne la prise d'un diurétique, la fièvre, une station debout ou assise prolongée ou l'exercice.

SURDOSAGE
Symptômes. Peu de cas ont été rapportés. Néanmoins, une dose beaucoup plus forte que prescrite peut causer évanouissements, vertiges, pouls faible qui peut être très lent ou très rapide.

Quoi faire. Appelez immédiatement le médecin ou le centre antipoison, ou allez à l'urgence.

▼ INTERACTIONS

MÉDICAMENT-MÉDICAMENT
Consultez le médecin si vous prenez tout autre médicament et spécialement du lithium ou des antihypertenseurs. Le candésartan peut être pris en concomitance avec des diurétiques ou d'autres antihypertenseurs, sur approbation du médecin. Consultez celui-ci avant de prendre des suppléments de potassium.

MÉDICAMENT-ALIMENT
Aucune interaction connue.

MÉDICAMENT-MALADIE
Les patients qui ont une maladie modérée ou grave du foie ou des reins sont invités à la prudence quand ils prennent du candésartan.

 EFFETS INDÉSIRABLES

GRAVES
Aucun effet indésirable grave n'est associé à l'utilisation du candésartan. (Dans les essais cliniques, l'incidence des effets indésirables n'a pas été notablement plus grande avec le médicament qu'avec un placebo.)

COURANTS
Aucun effet indésirable courant n'est associé à l'utilisation du candésartan.

MOINS COURANTS
Céphalées, vertiges, mal de dos, infection des voies respiratoires supérieures, mal de gorge et congestion nasale.

CAPÉCITABINE

Présentation : Comprimés
En vente libre ? Non   **Générique disponible ?** Non
Classe de médicaments : Agent antinéoplasique (anticancéreux)

▼ GÉNÉRALITÉS

INDICATIONS
Traitement du cancer avancé (métastasique) du sein. Traitement secondaire, quand d'autres thérapies n'ont pas donné de résultats satisfaisants. L'oncologue décidera si la capécitabine convient à votre état.

MODE D'ACTION
En intervenant dans les phases essentielles de la division des cellules du cancer, la capécitabine les empêchent de se multiplier, mais elle peut entraîner des effets indésirables en s'attaquant aussi aux autres cellules de l'organisme.

▼ MODE D'EMPLOI

POSOLOGIE
2 500 mg par mètre carré (10 pieds carrés) de surface corporelle par jour, en 2 doses fractionnées, à 12 heures d'intervalle. La capécitabine se prend en cycles de 3 semaines :

2 semaines avec traitement, 1 semaine sans traitement. L'oncologue déterminera la posologie et le nombre de cycles nécessaires.

DÉBUT D'ACTION
Inconnu.

DURÉE D'ACTION
Inconnue.

CONSEILS NUTRITIONNELS
À prendre avec de l'eau dans les 30 minutes après le petit déjeuner et le repas du soir.

MODE DE CONSERVATION
À la température ambiante, dans un contenant étanche, à l'abri de la chaleur, de l'humidité et de la lumière.

OUBLI D'UNE DOSE
Il est impératif de ne pas oublier de dose. Le cas échéant, sautez la dose oubliée et revenez à la fréquence habituelle. Ne doublez pas la dose qui suit. Si vous oubliez plus d'une dose, communiquez avec l'oncologue.

ARRÊT DE LA MÉDICATION
Effectuez le traitement au complet, tel que prescrit. La décision d'interrompre la thérapie doit être prise par l'oncologue.

USAGE PROLONGÉ
Voyez votre oncologue régulièrement si vous devez prendre le médicament durant une période prolongée.

▼ PRÉCAUTIONS

Plus de 60 ans. Des effets secondaires gastro-intestinaux graves peuvent survenir plus fréquemment chez les patients de 80 ans et plus.

Conduite automobile, travaux dangereux. N'entreprenez pas de telles activités tant que vous ne connaissez pas votre réaction au médicament.

Alcool. Aucune précaution spéciale.

Grossesse. Évitez de devenir enceinte pendant que vous prenez ce médicament. Avertissez immédiatement le médecin si vous devenez enceinte pendant que vous prenez de la capécitabine.

Allaitement. La capécitabine peut passer dans le lait maternel ; évitez d'allaiter pendant que vous en prenez.

Nourrissons et enfants. L'innocuité et l'efficacité du traitement à la capécitabine n'ont pas été établies chez les moins de 18 ans.

À surveiller. Prenez le médicament selon la posologie

exacte que l'oncologue vous a prescrite pour les doses du matin et du soir.

SURDOSAGE
Symptômes. Nausées, vomissements, diarrhée, irritation et saignements gastriques, fatigue et pâleur.

Quoi faire. Appelez immédiatement l'oncologue ou le centre antipoison, ou allez à l'urgence.

▼ INTERACTIONS

MÉDICAMENT-MÉDICAMENT
Demandez l'avis de l'oncologue si vous prenez de l'acide folique, des anticoagulants (comme la warfarine) ou de la phénytoïne.

MÉDICAMENT-ALIMENT
Aucune interaction connue.

MÉDICAMENT-MALADIE
Consultez l'oncologue si vous avez des antécédents de maladie cardiaque. Les patients qui souffrent d'une maladie du foie ou des reins devraient être suivis de près par leur médecin pendant qu'ils prennent de la capécitabine.

 EFFETS INDÉSIRABLES

GRAVES
Fièvre qui dépasse 38 °C (100,5 °F) ; diarrhée, nausées et vomissements sévères ; anorexie ou perte d'appétit ; douleurs, rougeurs, enflure et ulcères dans la bouche et la gorge ; douleurs, engourdissements, picotements, enflure et rougeur de la paume des mains ou de la plante des pieds (syndrome d'érythème palmo-plantaire).

COURANTS
Douleurs abdominales, diarrhée, nausées, vomissements, constipation, déshydratation, rash cutané, peau sèche ou qui démange, faiblesse, céphalées, somnolence, étourdissements, fièvre modérée, fatigue.

MOINS COURANTS
De nombreux effets indésirables moins courants peuvent se produire avec ce médicament.

CAPSAÏCINE

Présentation : Crème, gel, liquide, lotion
En vente libre ? Oui   **Générique disponible ?** Oui
Classe de médicaments : Analgésique (topique)

▼ GÉNÉRALITÉS

INDICATIONS
Soulagement de la névralgie (douleur dans les terminaisons nerveuses superficielles de la peau). Souvent prescrite contre la névralgie associée au zona, maladie très douloureuse causée par une infection au virus de l'herpès zoster qui provoque aussi la variole. Soulagement de l'arthrite faible à modérée, ainsi que de la douleur engendrée par la neuropathie diabétique (lésions des cellules nerveuses, complication du diabète).

MODE D'ACTION
En application topique, la capsaïcine (dérivée du piment) semble réduire la concentration d'un élément chimique naturel appelé substance P, présent dans les articulations douloureuses. La substance P serait impliquée dans la libération d'enzymes qui, dans l'arthrite, provoquent l'inflammation, et dans la transmission d'impulsions douloureuses depuis les articulations jusqu'au système nerveux central. En entravant la production et la libération de la substance P, la capsaïcine peut réduire la douleur associée à l'arthrite et limiter la transmission au cerveau des messages de la douleur.

▼ MODE D'EMPLOI

POSOLOGIE
En appliquer aux endroits voulus 3 à 4 fois par jour, sauf si la peau est crevassée ou irritée. Ne mettez pas de pansement.

DÉBUT D'ACTION
Le soulagement se produit généralement en 1 à 2 semaines, mais peut prendre jusqu'à 4 semaines.

DURÉE D'ACTION
Jusqu'à 6 heures.

CONSEILS NUTRITIONNELS
Pas de restrictions spéciales.

MODE DE CONSERVATION
Dans un contenant étanche, à l'abri de la chaleur et de la lumière.

OUBLI D'UNE DOSE
Appliquez-la dès que vous y pensez. S'il est presque l'heure de la suivante, sautez la dose oubliée et reprenez la fréquence normale. Ne doublez pas la dose suivante.

ARRÊT DE LA MÉDICATION
L'effet analgésique dure tant que vous prenez de la capsaïcine. Si vous arrêtez le traitement et que la douleur revient, vous pouvez le reprendre en toute sécurité.

USAGE PROLONGÉ
Aucun risque connu. Les sensations de brûlure et de picotement qui accompagnent l'application disparaissent souvent avec le temps. Si votre état s'aggrave ou ne s'améliore pas au bout de 1 mois, cessez de prendre le médicament et consultez le médecin.

▼ PRÉCAUTIONS

Plus de 60 ans. Aucun risque connu.

Conduite automobile, travaux dangereux. Aucun risque connu.

Alcool. Pas de précautions spéciales.

Grossesse. On n'a rapporté aucun problème.

Allaitement. Aucun risque connu.

Nourrissons et enfants. Non recommandé pour les moins de 2 ans. Aucun risque pour les enfants plus âgés.

À surveiller. Vous pouvez être incapable d'utiliser de la capsaïcine si vous êtes allergique au médicament ou au piment. Lavez-vous les mains après l'application. Si vous souffrez d'arthrite dans les mains, attendez 30 minutes avant de les laver. Le médicament provoque une sensation de brûlure si vous vous en mettez, si peu que ce soit, dans les yeux ou sur tout endroit sensible du corps. Soyez surtout prudent si vous portez des verres de contact. Si vous vous en mettez dans les yeux, lavez-les à grande eau. S'il s'agit d'une autre région du corps, lavez-la à l'eau tiède et savonneuse. Après vous être appliqué de la capsaïcine, évitez de toucher aux enfants ou aux animaux tant que vous ne vous êtes pas lavé les mains.

SURDOSAGE
Symptômes. Aucun cas de surdosage n'a été signalé.

Quoi faire. Il est peu probable qu'une surdose de capsaïcine mette votre vie en danger. Néanmoins, si la dose est très forte ou si le médicament est ingéré, appelez le médecin ou le centre antipoison pour demander conseil.

▼ INTERACTIONS

MÉDICAMENT-MÉDICAMENT
La capsaïcine peut altérer l'action d'autres médicaments ou déclencher des effets indésirables. Signalez au médecin tous les médicaments que vous prenez, sans oublier ceux offerts en vente libre.

MÉDICAMENT-ALIMENT
Pas d'interaction connue.

MÉDICAMENT-MALADIE
Consultez le médecin si la peau est abîmée ou irritée à l'endroit où vous devriez appliquer de la capsaïcine, ou si vous avez une maladie susceptible de causer des lésions cutanées.

 EFFETS INDÉSIRABLES

GRAVES
Aucun effet indésirable grave n'est associé à la capsaïcine.

COURANTS
Sensation de brûlure ou de picotement quand le médicament est appliqué. Un traitement régulier fait disparaître cet effet, le corps s'ajustant à la médication.

MOINS COURANTS
Rougeur de la peau ; toux, éternuements ou essoufflement si vous inhalez les résidus secs du médicament.

CAPTOPRIL

Présentation : Comprimés
En vente libre ? Non   **Générique disponible ?** Oui
Classe de médicaments : Inhibiteur de l'enzyme de conversion de l'angiotensine (ECA)

▼ GÉNÉRALITÉS

INDICATIONS
Contrôle de l'hypertension ; traitement de l'insuffisance cardiaque congestive (ICC) et de la dysfonction ventriculaire gauche (lésions à la chambre de pompage du cœur) ; réduction des lésions rénales chez les diabétiques de type I souffrant d'une maladie des reins bénigne.

MODE D'ACTION
Le médicament bloque une enzyme productrice de l'angiotensine (qui provoque la constriction des vaisseaux sanguins et stimule la sécrétion d'aldostérone favorisant la rétention du sodium). Par suite, le médicament dilate les vaisseaux sanguins et réduit la rétention sodique, ce qui diminue la tension artérielle.

▼ MODE D'EMPLOI

POSOLOGIE
Adultes – Hypertension : 12,5 à 150 mg, 2 ou 3 fois par jour. ICC : 6,25 à 100 mg, 2 ou 3 fois par jour. Dysfonction ventriculaire gauche : 6,25 à 50 mg, 2 ou 3 fois par jour. Troubles rénaux associés au diabète : 25 mg, 3 fois par jour. Enfants – Consultez votre pédiatre.

DÉBUT D'ACTION
En 15 à 60 minutes.

DURÉE D'ACTION
6 à 12 heures.

CONSEILS NUTRITIONNELS
À prendre à jeun, 1 heure avant un repas. Suivez les conseils du médecin (régime faible en sel et en cholestérol) pour mieux maîtriser l'hypertension et la maladie cardiaque. Évitez les aliments riches en potassium (bananes et agrumes) à moins que vous ne preniez par ailleurs des médicaments qui font baisser les taux de potassium.

MODE DE CONSERVATION
Dans un contenant étanche, à l'abri de la chaleur, de la lumière et de l'humidité.

OUBLI D'UNE DOSE
Prenez-la dès que vous y pensez. S'il est presque l'heure de la suivante, sautez la dose oubliée et reprenez la fréquence normale. Ne doublez pas la dose suivante.

ARRÊT DE LA MÉDICATION
Un arrêt brusque de la médication peut entraîner de graves problèmes de santé. Il est recommandé de réduire graduellement la posologie selon les instructions du médecin.

USAGE PROLONGÉ
Il faut un suivi médical régulier. Gardez à l'esprit que le captopril aide à maîtriser l'hypertension, mais ne la guérit pas. Le traitement peut donc durer toute la vie.

▼ PRÉCAUTIONS

Plus de 60 ans. Risques de réactions indésirables plus fréquentes et plus graves.

Conduite automobile, travaux dangereux. À éviter tant que vous ne connaissez pas votre réaction au médicament.

Alcool. Peut augmenter l'effet du médicament et provoquer une chute excessive de la tension artérielle. Demandez conseil à votre médecin.

Grossesse. Il ne faut pas utiliser de captopril durant les 6 derniers mois de la grossesse. Prévenez immédiatement votre médecin si vous devenez enceinte.

Allaitement. Le médicament passe dans le lait maternel. Si possible, n'en prenez pas si vous allaitez.

Nourrissons et enfants. Seulement s'il n'y a pas d'autres moyens de maîtriser l'hypertension ; les bienfaits doivent l'emporter sur les risques.

SURDOSAGE
Symptômes. Vertiges ou évanouissement, pouls faible et rapide, nausées et vomissements, douleur thoracique.

Quoi faire. Appelez aussitôt le médecin ou le centre antipoison, ou allez à l'urgence.

▼ INTERACTIONS

MÉDICAMENT-MÉDICAMENT
Consultez votre médecin si vous prenez : diurétiques (surtout d'épargne potassique), suppléments de potassium ou médicaments contenant du potassium, lithium, anticoagulants, anti-inflammatoires, médicaments en vente libre (surtout contre le rhume).

MÉDICAMENT-ALIMENT
Évitez lait hyposodique et succédanés du sel : ils peuvent renfermer du potassium.

MÉDICAMENT-MALADIE
Consultez le médecin en cas de : lupus érythémateux disséminé ou antécédents de réactions allergiques à des inhibiteurs de l'ECA. Le captopril doit s'utiliser avec précaution chez les patients qui ont une maladie rénale grave ou une sténose des artères rénales (rétrécissement de l'une ou des deux artères conduisant le sang aux reins).

≡ EFFETS INDÉSIRABLES ≡

GRAVES
Fièvre et frissons ; mal de gorge et voix rauque ; difficulté à respirer et à déglutir ; bouche, extrémités ou visage enflés ; insuffisance rénale (enflure des chevilles, baisse du débit urinaire) ; confusion, jaunissement des yeux ou de la peau (indice d'un trouble du foie) ; démangeaisons intenses ; douleur thoracique ou palpitations ; douleur abdominale.

COURANTS
Toux sèche et persistante.

MOINS COURANTS
Vertiges ou évanouissement ; rash cutané ; engourdissement ou picotements des mains, des pieds ou des lèvres ; fatigue ou faiblesse musculaires inhabituelles ; nausées ; somnolence ; perte du goût ; céphalées.

CARBAMAZÉPINE

NOMS COMMERCIAUX

Apo-Carbamazepine, Gen-Carbamazepine/CR, Mazepine, Novo-Carbamaz, Nu-Carbamazepine, PMS-Carbamazepine, Taro-Carbamazepine/CR, Tegretol, Tegretol CR

Présentation : Suspension orale, comprimés (ordinaires, à libération lente, à mâcher)
En vente libre ? Non   **Générique disponible ?** Oui
Classe de médicaments : Anticonvulsivant/analgésique/antimaniaque

▼ GÉNÉRALITÉS

INDICATIONS
Contrôle de certaines convulsions épileptiques. Traitement de la douleur faciale causée par la névralgie du trijumeau (tic douloureux). Traitement des troubles bipolaires (maniaco-dépressifs) et de la manie aiguë.

MODE D'ACTION
La carbamazépine semble entraver les décharges répétées et incontrôlables des neurones (causes de convulsions).

▼ MODE D'EMPLOI

POSOLOGIE
Elle dépend des cas. La dose initiale est faible, puis augmentée peu à peu au besoin. On peut donner les formes à libération lente 2 fois par jour.

DÉBUT D'ACTION
En plusieurs heures ou plus.

DURÉE D'ACTION
Effet maximal : 12 heures ou davantage ; après quoi, l'effet diminue graduellement.

CONSEILS NUTRITIONNELS
À prendre en mangeant pour diminuer les risques de dérangements d'estomac.

MODE DE CONSERVATION
Dans un contenant étanche, à l'abri de la chaleur, de l'humidité et de la lumière.

OUBLI D'UNE DOSE
Prenez-la dès que vous y pensez. S'il est presque l'heure de la dose suivante, sautez la dose oubliée et reprenez la fréquence normale. Ne doublez pas la dose suivante, sauf avis contraire du médecin.

ARRÊT DE LA MÉDICATION
N'arrêtez pas abruptement : il y a risque de convulsions. Le médecin réduira graduellement la posologie sur plusieurs semaines.

USAGE PROLONGÉ
La thérapie peut durer plusieurs années et même davantage. Certains effets indésirables peuvent diminuer après quelques semaines.

▼ PRÉCAUTIONS

Plus de 60 ans. Il peut falloir réduire les doses.

Conduite automobile, travaux dangereux. À déconseiller tant que vous ne connaissez pas votre réaction au médicament.

Alcool. Peut entraîner une somnolence excessive.

Grossesse. Augmente les risques d'anomalies congénitales, mais les convulsions augmentent aussi les risques pour le fœtus. Étudiez avec le médecin les avantages de la médication par rapport à ses dangers. Des suppléments de folate sont conseillés 1 ou 2 mois avant la conception et durant toute la grossesse, ainsi que de vitamine K1 durant les 4 dernières semaines.

Allaitement. Le médicament passe dans le lait maternel, mais en faible quantité. Demandez l'avis du médecin.

Nourrissons et enfants. Probabilité accrue de troubles indésirables du comportement.

À signaler. Des analyses du sang peuvent être nécessaires pour vérifier les taux sanguins du médicament et les signes d'effets indésirables reliés au sang. Le médecin peut vous suggérer de porter une carte signalant que vous prenez de la carbamazépine.

SURDOSAGE
Symptômes. Confusion, diploplie, convulsions, somnolence, perte de conscience, mauvais contrôle des muscles, spasmes, tremblements, difficulté à marcher, rythme cardiaque anormal, respiration lente ou irrégulière.

Quoi faire. Demandez immédiatement de l'aide médicale.

▼ INTERACTIONS

MÉDICAMENT-MÉDICAMENT
Il y a interaction possible avec : autres anticonvulsivants (clonazépam, éthosuximide, primidone, acide valproïque, phénytoïne et phénobarbital), anticoagulants, anti-infectieux (érythromycine, doxycycline, troléandomycine, isoniazide), contraceptifs oraux, cimétidine, corticostéroïdes, danazol, diltiazem, lithium, nicotinamide, propoxyphène, théophylline, hormone thyroïdiennes, vérapamil.

MÉDICAMENT-ALIMENT
Aucune interaction connue.

MÉDICAMENT-MALADIE
La prudence s'impose en présence de : lupus ; maladie du cœur, des reins ou du foie ; diabète ; glaucome ; antécédents d'insuffisance médullaire ou de troubles sanguins.

▼ EFFETS INDÉSIRABLES

GRAVES
Fièvre, mal de gorge, ganglions enflés, éruptions en forme de points, ampoules, desquamation, ecchymoses, pâleur, faiblesse, confusion, asthénie et convulsions sont les symptômes possibles d'une réaction sanguine potentiellement fatale (anémie aplasique).

COURANTS
Somnolence, rash cutané, démangeaisons, photosensibilité, vertiges, vue brouillée, incoordination, nausées, vomissements, douleur ou dérangement d'estomac, diarrhée, constipation, perte d'appétit, bouche sèche ou enflammée.

MOINS COURANTS
Difficultés d'élocution ; mouvements involontaires du visage, des membres ou de la langue ; picotements ou engourdissement des extrémités ; dépression ; agitation ; psychose ; loquacité ; mouvements anormaux des yeux ; bourdonnements d'oreilles ; rythme anormal du cœur ; impuissance ; chute ou pousse excessive des cheveux, etc.

CARISOPRODOL

Présentation : Comprimés
En vente libre ? Non   **Générique disponible ?** Non
Classe de médicaments : Relaxant musculaire

▼ GÉNÉRALITÉS

INDICATIONS
Les relaxants musculo-squelettiques servent à soulager la raideur et la gêne causés par les entorses et foulures sévères, les spasmes et autres troubles musculaires. Ils peuvent être prescrits en association avec d'autres méthodes de traitement, comme la physiothérapie.

MODE D'ACTION
Les relaxants musculaires (ou myorelaxants), comme le carisoprodol, réduisent l'activité du système nerveux central (SNC), ce qui a pour effet de ralentir la transmission des influx nerveux de la moelle épinière vers les muscles.

▼ MODE D'EMPLOI

POSOLOGIE
Adultes et adolescents : 350 mg, 3 ou 4 fois par jour.

Non recommandé pour les enfants de moins de 12 ans.

DÉBUT D'ACTION
En 30 minutes.

DURÉE D'ACTION
4 à 6 heures.

CONSEILS NUTRITIONNELS
Adoptez un régime alimentaire équilibré : la cicatrisation des tissus blessés accroît les besoins en protéines et en calories. Si vous avez la bouche sèche, buvez de l'eau et sucez de la glace concassée.

MODE DE CONSERVATION
À l'abri de la chaleur et de la lumière.

OUBLI D'UNE DOSE
Prenez-la dès que vous y pensez. Si vous êtes à moins de 2 heures de la suivante, sautez la dose oubliée et reprenez la fréquence normale. Ne doublez pas la dose suivante.

ARRÊT DE LA MÉDICATION
Effectuez le traitement au complet, tel que prescrit. Ne l'interrompez pas abruptement, sauf sur la recommandation du médecin.

USAGE PROLONGÉ
Le traitement normal dure de plusieurs jours à plusieurs semaines. Un traitement prolongé peut donner lieu à des effets indésirables accrus.

▼ PRÉCAUTIONS

Plus de 60 ans. Avec des médicaments comme le carisoprodol, les risques de réactions indésirables sont plus fréquents et plus graves.

Conduite automobile, travaux dangereux. Le carisoprodol peut nuire à l'exercice de telles activités en toute sécurité.

Alcool. À éviter ; l'alcool peut décupler l'effet sédatif du médicament et entraîner des troubles hépatiques.

Grossesse. Il n'existe pas d'études adéquates sur le carisoprodol durant la grossesse. Évaluez avec votre médecin les bienfaits du traitement par rapport à ses risques.

Allaitement. Non recommandé durant la thérapie.

Nourrissons et enfants. Demandez l'avis du médecin. Le médicament n'est pas recommandé pour les enfants de moins de 12 ans.

À surveiller. Le carisoprodol intensifie les effets de l'alcool, des sédatifs et d'autres dé-presseurs du système nerveux central sur le cerveau. Il n'est pas un substitut à d'autres thérapies non médicales et sans danger contre la raideur musculaire, par exemple le repos, les exercices doux sous surveillance et la physiothérapie.

SURDOSAGE
Symptômes. Vertiges ; maux de tête ; somnolence excessive ou difficulté à se réveiller, même quand on secoue ou pince le patient ; confusion ; faiblesse ; respiration lente ; coma.

Quoi faire. Appelez immédiatement le centre antipoison le plus proche ou allez à l'urgence.

▼ INTERACTIONS

MÉDICAMENT-MÉDICAMENT
Demandez spécifiquement l'avis du médecin si vous prenez : antihistaminiques et décongestionnants, antidépresseurs, sédatifs, tranquillisants, médicaments favorisant le sommeil, analgésiques, barbituriques ou anticonvulsivants.

MÉDICAMENT-ALIMENT
Aucune interaction connue.

MÉDICAMENT-MALADIE
La prudence s'impose avec le carisoprodol. Consultez votre médecin si vous avez des antécédents de : allergies, toxicomanie, maladies des reins ou du foie, porphyrie, épilepsie ou tout autre trouble donnant lieu à des convulsions.

EFFETS INDÉSIRABLES

GRAVES
Évanouissements ; palpitations ou tachycardie ; fièvre ; urticaire ou œdème important du visage, des lèvres ou de la langue, avec essoufflement, constriction thoracique ou respiration sifflante (signes d'une réaction allergique menaçant la vie du patient) ; dépression.

COURANTS
Somnolence, étourdissements, sécheresse de la bouche.

MOINS COURANTS
Impossibilité d'uriner ; lésions sur les lèvres, ulcères buccaux ; crampes ou douleurs abdominales ; maladresse ; démarche instable ; confusion ; constipation ; diarrhée ; excitabilité, nervosité, agitation ou irritabilité ; rougeur du visage ; céphalées ; aigreurs d'estomac ; hoquet ; faiblesse musculaire ; nausées et vomissements ; tremblements ; insomnie ou accès de sommeil ; irritation et rougeur des yeux ; écoulement nasal.

CARMUSTINE

NOM COMMERCIAL

BiCNU

Présentation : Injection
En vente libre ? Non   **Générique disponible ?** Non
Classe de médicaments : Agent alkylant

▼ GÉNÉRALITÉS

INDICATIONS
Traitement des cancers du cerveau et du tractus gastro-intestinal, ainsi que des lymphomes (cancers du système lymphatique) et du myélome multiple.

MODE D'ACTION
La carmustine inhibe la croissance des cellules cancéreuses en les empêchant de se reproduire. Elle peut aussi entraver la croissance et le développement des cellules normales, entraînant des effets indésirables.

▼ MODE D'EMPLOI

POSOLOGIE
Adultes et enfants : le dosage dépend du type de tumeur, du poids du patient et de l'usage concomitant d'autres agents chimiothérapeutiques. L'oncologue déterminera la posologie. Le médicament est généralement administré en 1 seule injection ou en 2 injections données sur 2 jours. Le traitement se répète toutes les 6 semaines.

DÉBUT D'ACTION
Presque immédiatement après la première injection.

DURÉE D'ACTION
Inconnue.

CONSEILS NUTRITIONNELS
Mangez bien et buvez. Les cancéreux doivent prendre plus de calories, de protéines et de vitamines et avoir une excellente alimentation s'ils veulent mieux supporter la chimiothérapie.

EFFETS INDÉSIRABLES

GRAVES
Selles noires ou goudronneuses ; urine ou selles sanguinolentes (roses ou rouge foncé) ; toux ou essoufflement ; fièvre et frissons ; douleur lombaire ou douleur dans les flancs ; miction douloureuse ou difficile ; petits points rouges sur la peau ; saignement des gencives, du nez ou d'endroits inhabituels ; tendance aux ecchymoses. Ces effets peuvent signifier que les cellules normales du sang et celles qui régissent la coagulation, ou les cellules immunes normales ont été affectées et qu'une infection se développe dans le corps. Note : Ces effets peuvent survenir 4 à 6 semaines après l'administration de la carmustine.

COURANTS
Nausées et vomissements, faiblesse, fatigue, perte d'appétit, douleur ou rougeur au site d'injection (avisez l'infirmière immédiatement si cela se produit durant l'injection).

MOINS COURANTS
Mictions réduites, œdème (enflure) des pieds et des chevilles, vertiges, changement de couleur de la peau au lieu de l'injection, rash cutané ou démangeaisons, difficultés à avaler, difficulté à marcher, chute des cheveux.

MODE DE CONSERVATION
Au réfrigérateur.

OUBLI D'UNE DOSE
Prévenez l'oncologue.

ARRÊT DE LA MÉDICATION
La décision d'interrompre l'administration de carmustine doit être prise par le médecin.

USAGE PROLONGÉ
Traitement non recommandé pour plus de 1 ou 2 jours.

▼ PRÉCAUTIONS

Plus de 60 ans. Risques de réactions indésirables plus fréquentes et plus graves.

Conduite automobile, travaux dangereux. Le médicament peut vous empêcher d'exécuter de telles activités en toute sécurité.

Alcool. À éviter.

Grossesse. La carmustine peut entraîner des malformations congénitales. Les femmes en âge d'enfanter devraient prendre des mesures contraceptives durant le traitement.

Allaitement. Non recommandé pendant le traitement.

Nourrissons et enfants. Consultez le pédiatre.

À surveiller. Cancer, mauvaise alimentation, chimiothérapie, radiothérapie et chirurgie affaiblissent très souvent les cancéreux qui sont alors plus exposés aux effets indésirables des médicaments. Suivez à la lettre le mode d'emploi des médicaments que vous prenez.

Connaissez-en tous les effets indésirables et les interactions médicamenteuses possibles. L'infection est la pire menace pour les patients en chimiothérapie. La carmustine peut réduire votre résistance aux infections en diminuant le nombre des globules blancs du sang ; en conséquence, ne prenez aucun vaccin sans l'approbation de votre médecin. Évitez les personnes souffrant d'infections. Avertissez immédiatement le médecin en cas de fièvre, frissons, diarrhée ou toux. L'essoufflement peut apparaître des années après un traitement à hautes doses pendant l'enfance ou l'adolescence.

SURDOSAGE
Symptômes. Aucun cas n'a été signalé.

Quoi faire. En présence d'une surdose appréhendée, appelez le médecin.

▼ INTERACTIONS

MÉDICAMENT-MÉDICAMENT
Demandez conseil à votre médecin si vous prenez : amphotéricine B, médicaments pour la thyroïde, azathioprine, chloramphénicol, colchicine, flucytosine, ganciclovir, interféron, plicamycine ou zidovudine (AZT).

MÉDICAMENT-ALIMENT
Aucune interaction connue.

MÉDICAMENT-MALADIE
Consultez le médecin si vous souffrez de : varicelle (ou avez eu des contacts récents avec quelqu'un souffrant de varicelle), zona, infection, maladie des reins, du foie ou des poumons.

CARVÉDILOL

Présentation : Comprimés
En vente libre ? Non   **Générique disponible ?** Non
Classe de médicaments : Bêtabloquant

▼ GÉNÉRALITÉS

INDICATIONS
Traitement de l'insuffisance cardiaque congestive (ICC) en concomitance avec un diurétique et un inhibiteur de l'ECA, avec ou sans digoxine.

MODE D'ACTION
On ne sait pas comment le carvédilol améliore l'ICC. On sait qu'il dilate les vaisseaux sanguins, ce qui fait baisser la tension artérielle.

▼ MODE D'EMPLOI

POSOLOGIE
Elle doit être ajustée pour chaque patient, à partir des directives suivantes. Dose d'attaque, 3,125 mg, 2 fois par jour, durant 2 semaines. On augmente ensuite la posologie peu à peu pour atteindre la plus haute dose tolérée par le patient. La dose maximale ne doit pas dépasser 50 mg par jour.

DÉBUT D'ACTION
En 1 à 2 heures.

DURÉE D'ACTION
Inconnue.

CONSEILS NUTRITIONNELS
À prendre en mangeant pour réduire le risque d'une chute potentiellement dangereuse de la tension artérielle. Suivez les conseils du médecin sur votre alimentation.

MODE DE CONSERVATION
Dans un contenant étanche, à l'abri de la chaleur, de l'humidité et de la lumière.

OUBLI D'UNE DOSE
Prenez-la dès que vous y pensez. Si vous êtes à moins de 4 heures de la suivante, sautez la dose oubliée et reprenez la fréquence normale. Ne doublez pas la dose suivante.

ARRÊT DE LA MÉDICATION
N'interrompez pas brusquement le traitement : les patients souffrant d'une maladie cardiaque avancée risquent de faire une crise d'angine ou une crise cardiaque. On conseille de réduire les doses sur 1 ou 2 semaines.

USAGE PROLONGÉ
Un suivi médical est nécessaire pour évaluer l'efficacité du médicament à long terme.

▼ PRÉCAUTIONS

Plus de 60 ans. Les patients âgés sont souvent plus sensibles au traitement que les jeunes. On peut recommander des doses réduites et des vérifications fréquentes de la tension artérielle.

Conduite automobile, travaux dangereux. Faites preuve de prudence tant que vous ne connaissez pas votre réaction au médicament.

Alcool. L'alcool peut interagir avec le médicament et provoquer une chute dangereuse de la tension artérielle.

Grossesse. Examinez avec le médecin les bienfaits du médicament en fonction de ses risques.

Allaitement. On a découvert des traces du médicament dans le lait maternel : l'allaitement n'est pas recommandé. Demandez spécifiquement l'avis du médecin.

Nourrissons et enfants. Non recommandé.

À surveiller. Le médicament doit faire partie d'un programme thérapeutique global comprenant : contrôle du poids, arrêt de fumer, exercices réguliers et régime alimentaire sain, pauvre en sel et en gras.

SURDOSAGE
Symptômes. Rythme cardiaque anormalement lent, vertiges graves ou évanouissements, vomissements, difficultés respiratoires, convulsions.

Quoi faire. Allez immédiatement à l'urgence.

▼ INTERACTIONS

MÉDICAMENT-MÉDICAMENT
Prévenez le médecin si vous prenez : amphétamines, antidiabétiques oraux, insuline, médicaments contre l'asthme, bloqueurs du canal calcique, clonidine, injections antiallergiques, inhibiteurs de la monoamine-oxydase (IMAO), réserpine, cyclosporine, autres bêtabloquants et tout médicament pris sans ordonnance.

MÉDICAMENT-ALIMENT
Aucune interaction connue.

MÉDICAMENT-MALADIE
À administrer avec prudence aux diabétiques, surtout insulinodépendants, car le carvédilol peut masquer les symptômes d'hypoglycémie. Demandez l'avis du médecin en cas de : allergies ou asthme, maladie cardiaque ou circulatoire (incluant maladie vasculaire périphérique), hyperthyroïdie, fréquence cardiaque lente (irrégulière), antécédents de dépression, myasthénie grave, psoriasis, troubles respiratoires (bronchite ou emphysème), maladie hépatique ou rénale.

EFFETS INDÉSIRABLES

GRAVES
Respiration haletante ou sifflante ; pouls irrégulier ou ralenti (50 battements ou moins à la minute) ; douleur ou oppression thoraciques ; enflure des chevilles, des pieds et du bas des jambes ; dépression mentale.

COURANTS
Étourdissements ou vertiges, en particulier quand on se lève brusquement ; diminution de la performance sexuelle ; fatigue inhabituelle, faiblesse ou somnolence ; insomnies ; diarrhée ; nausées ou vomissements.

MOINS COURANTS
Anxiété, irritabilité, nervosité ; constipation ; sécheresse ou sensibilité des yeux ; cauchemars ou rêves très vifs ; enflure des jambes ; engourdissements, picotements ou autres sensations inhabituelles dans les doigts, les orteils ou le cuir chevelu.

CÉFACLOR

Présentation : Gélules, suspension orale
En vente libre ? Non   **Générique disponible ?** Oui
Classe de médicaments : Antibiotique, groupe des céphalosporines

▼ GÉNÉRALITÉS

INDICATIONS
Traitement de diverses infections bactériennes du nez, des amygdales et de la gorge, de la peau et des tissus mous, des voies génito-urinaires et des voies respiratoires. Le céfaclor est efficace uniquement contre les bactéries ; il n'est d'aucune utilité si l'infection est causée par un virus, un champignon ou tout autre microorganisme.

MODE D'ACTION
Le céfaclor inhibe la synthèse de la paroi cellulaire.

▼ MODE D'EMPLOI

POSOLOGIE
Adultes et adolescents : 250 à 500 mg toutes les 8 heures. Enfants de 1 mois à 12 ans : 20 mg par kilogramme (2,2 lb) de poids corporel par jour, en doses fractionnées administrées toutes les 8 heures. Infection des oreilles ou de la gorge : toutes les 12 heures.

DÉBUT D'ACTION
En 30 à 60 minutes.

DURÉE D'ACTION
1 à 2 heures.

CONSEILS NUTRITIONNELS
Le céfaclor se prend à jeun ou avec un repas, mais le prendre avec de la nourriture réduit l'irritation de l'estomac.

MODE DE CONSERVATION
Dans un contenant étanche, à l'abri de la chaleur, de l'humidité et de la lumière. La suspension orale se conserve au réfrigérateur, pas au congélateur.

OUBLI D'UNE DOSE
Prenez-la dès que vous y pensez pour maintenir un taux constant de médicament dans l'organisme. Sautez la dose suivante si elle est trop rapprochée et reprenez ensuite l'horaire régulier. Ne doublez pas la dose suivante.

ARRÊT DE LA MÉDICATION
Poursuivez le traitement pour la durée prescrite par le médecin, même si vous allez mieux. Une interruption précoce du céfaclor peut freiner la guérison ou mener à une infection de rebond (surinfection) : les bactéries qui ont survécu se multiplient sous une forme résistante à l'antibiotique. Ceci est particulièrement dangereux dans le cas d'une infection à streptocoque. L'arrêt précoce de la médication risque aussi d'entraîner plus tard des dommages au cœur et aux reins.

USAGE PROLONGÉ
Le céfaclor est généralement prescrit pour de courtes périodes (de 10 à 14 jours). Au-delà, il y a un risque accru d'effets indésirables et de surinfection.

▼ PRÉCAUTIONS

Plus de 60 ans. Risques de réactions indésirables plus fréquentes et plus graves.

Conduite automobile, travaux dangereux. À déconseiller tant que vous ne connaissez pas votre réaction au médicament.

Alcool. À éviter.

Grossesse. Il n'y a pas de recherche probante sur l'utilisation des céphalosporines chez les femmes enceintes. Avant de prendre du céfaclor, prévenez le médecin que vous êtes enceinte ou souhaitez le devenir.

Allaitement. Le céfaclor passe dans le lait maternel ; la prudence s'impose : demandez l'avis de votre médecin.

Nourrissons et enfants. Cet antibiotique peut être prescrit aux bébés dès l'âge de 1 mois. Demandez l'avis de votre médecin.

À surveiller. Les personnes allergiques à la pénicilline le seront probablement aussi à une céphalosporine comme le céfaclor. Cet antibiotique combat des bactéries spécifiques : il n'est d'aucune utilité contre le rhume, la grippe et autres infections virales. Si, après quelques jours de traitement au céfaclor, votre état ne s'améliore pas ou empire, parlez-en à votre médecin.

SURDOSAGE
Symptômes. Convulsions, fortes crampes abdominales, diarrhées sanguinolentes, vomissements.

Quoi faire. Appelez aussitôt le médecin ou le centre anti-poison, ou allez à l'urgence.

▼ INTERACTIONS

MÉDICAMENT-MÉDICAMENT
Demandez spécifiquement l'avis de votre médecin si vous prenez : héparine, divalproex, anticoagulants, sulfinpyrazone, dipyridamole, pentoxifylline, ticarcilline, probénécid ou acide valproïque.

MÉDICAMENT-ALIMENT
Aucune interaction connue.

MÉDICAMENT-MALADIE
Le céfaclor exige la prudence. Consultez votre médecin si vous avez des antécédents d'une affection des reins ou de colite.

 EFFETS INDÉSIRABLES

GRAVES
Réactions allergiques graves (difficultés à respirer, confusion, urticaire, démangeaisons, œdème du visage ou de la gorge, sueurs, étourdissements), fortes crampes ou douleurs dans l'estomac, fièvre, fortes diarrhées parfois sanguinolentes.

COURANTS
Diarrhées ou crampes à l'estomac d'intensité moyenne, ulcères linguaux ou buccaux, nausées et vomissements.

MOINS COURANTS
Prurit vaginal ou pertes inhabituelles, anémie, rash cutané, diminution des globules blancs avec, comme conséquence, sensibilité accrue aux infections.

CÉFADROXIL

Présentation : Gélules, comprimés
En vente libre ? Non   **Générique disponible ?** Oui
Classe de médicaments : Antibiotique (groupe des céphalosporines)

▼ GÉNÉRALITÉS

INDICATIONS

Traitement de diverses infections bactériennes, dont celles de la gorge, de la peau, des tissus mous et du tractus génito-urinaire. Le céfadroxil n'a d'effet que contre les infections bactériennes ; il est inefficace contre les virus, les champignons ou d'autres micro-organismes.

MODE D'ACTION

Le céfadroxil empêche la bactérie de former la paroi cellulaire nécessaire à sa survie.

▼ MODE D'EMPLOI

POSOLOGIE

Adultes et adolescents : 500 mg toutes les 12 heures, ou 1 à 2 g 1 fois par jour. Enfants : 15 mg par kilogramme (2,2 lb) de poids toutes les 12 heures, ou 30 mg par kilogramme 1 fois par jour.

DÉBUT D'ACTION

En 12 heures.

DURÉE D'ACTION

20 à 22 heures.

CONSEILS NUTRITIONNELS

Se prend à jeun, ou après un repas pour réduire les risques d'irritation gastrique.

MODE DE CONSERVATION

Dans un contenant étanche, à l'abri de la chaleur, de l'humidité et de la lumière.

OUBLI D'UNE DOSE

Prenez-la dès que vous y pensez pour maintenir la concentration du médicament dans l'organisme. S'il est presque l'heure de la dose suivante, sautez la dose oubliée et reprenez la fréquence normale. Ne doublez pas la dose suivante.

ARRÊT DE LA MÉDICATION

Poursuivez le traitement jusqu'au bout, comme il vous a été prescrit, même si vous vous sentez mieux avant la fin de la thérapie. L'arrêt prématuré du céfadroxil peut ralentir la guérison ou mener à une infection de rebond, ou surin-fection, dans laquelle les souches les plus vigoureuses de la bactérie se multiplient, amenant une infection plus grave et plus résistante à la médication. Lorsque le médicament est prescrit contre une infection à streptocoque, il est encore plus important de suivre le traitement au complet. Des troubles graves du cœur et des reins peuvent survenir par la suite si le traitement est interrompu prématurément.

USAGE PROLONGÉ

Le céfadroxil est habituellement prescrit à court terme (10 à 14 jours). Au-delà de cette période, les risques d'effets indésirables et de surinfection augmentent.

▼ PRÉCAUTIONS

Plus de 60 ans. Risques de réactions indésirables plus fréquentes et plus graves chez les patients plus âgés.

Conduite automobile, travaux dangereux. À déconseiller tant que vous ne connaissez pas votre réaction au médicament.

Alcool. À éviter.

Grossesse. Il n'existe pas d'études adéquates sur les effets des céphalosporines chez les femmes enceintes. Avant de prendre du céfadroxil, avisez votre médecin que vous êtes enceinte ou avez l'intention de le devenir.

Allaitement. Le céfadroxil passe dans le lait maternel : la prudence s'impose. Parlez-en spécifiquement au médecin.

Nourrissons et enfants. Ce médicament convient aux enfants de 1 an et plus. Consultez votre médecin.

À surveiller. Les personnes allergiques à la pénicilline peuvent avoir de graves réactions allergiques aux céphalosporines comme le céfadroxil. Ce médicament est utile contre les bactéries sensibles à son action, et non dans les cas de rhumes, grippes ou autres infections virales. Si votre état ne s'est pas amélioré après quelques jours ou s'il s'est aggravé, parlez-en à votre médecin.

SURDOSAGE
Symptômes. Convulsions, douleurs abdominales graves, diarrhée sanglante, vomissements.

Quoi faire. Appelez le médecin ou le centre antipoison immédiatement, ou allez à l'urgence.

▼ INTERACTIONS

MÉDICAMENT-MÉDICAMENT
Consultez le médecin si vous prenez les médicaments suivants : héparine, divalproex, anticoagulants, sulfinpyrazone, dipyridamole, pentoxifylline, ticarcilline, probénécide ou acide valproïque.

MÉDICAMENT-ALIMENT
Aucune interaction connue.

MÉDICAMENT-MALADIE
La prudence s'impose avec le céfadroxil. Consultez le médecin si vous avez des antécédents de maladie des reins ou de colite.

≡ EFFETS INDÉSIRABLES ≡

GRAVES
Réactions allergiques graves (difficultés respiratoires, confusion, urticaire, démangeaisons, enflure du visage ou de la gorge, sueurs et étourdissements), douleurs et crampes vives de l'estomac, fièvre, diarrhée grave, parfois sanguinolente.

COURANTS
Diarrhée bénigne ou douleurs peu graves de l'estomac, bouche ou langue sensibles, nausées et vomissements.

MOINS COURANTS
Démangeaisons vaginales ou écoulements, anémie, rashs cutanés, baisse du nombre des globules blancs augmentant les risques d'infection, baisse du nombre des plaquettes du sang augmentant les risques de saignement.

CÉFAZOLINE SODIQUE

Présentation : Injection
En vente libre ? Non   **Générique disponible ?** Oui
Classe de médicaments : Céphalosporine (antibiotique)

▼ GÉNÉRALITÉS

INDICATIONS
Traitement d'infections bactériennes moyennes ou graves impliquant : cœur, poumons, tractus génito-urinaire, os, articulations, peau et tissus mous, sang. La céfazoline sodique n'est efficace que contre les infections bactériennes ; elle est sans utilité contre les virus, champignons et autres micro-organismes. Les céphalosporines, comme la céfazoline sodique, sont administrées lorsque d'autres antibiotiques n'ont pas réussi à traiter l'infection. La céfazoline sodique est utilisée aussi avant certaines chirurgies pour prévenir l'infection.

MODE D'ACTION
La céfazoline sodique empêche les bactéries de se former des parois cellulaires protectrices.

▼ MODE D'EMPLOI

POSOLOGIE
Adultes et adolescents : 250 à 1 000 mg aux 6 à 8 heures, par voie intraveineuse. Enfants de 1 mois à 12 ans : 25 mg à 50 mg par kilogramme (2,2 lb) de poids par jour, en 3 ou 4 doses fractionnées également.

DÉBUT D'ACTION
Immédiatement.

DURÉE D'ACTION
4 heures.

CONSEILS NUTRITIONNELS
Mangez 115 g (4 oz) de yogourt ou buvez 115 ml (4 oz) de babeurre par jour pour vous protéger contre une surinfection intestinale. Buvez beaucoup.

MODE DE CONSERVATION
Sans objet ; le médicament n'est administré que dans un centre de soins de santé.

OUBLI D'UNE DOSE
Sans objet ; le médicament est administré par un professionnel de la santé.

ARRÊT DE LA MÉDICATION
La décision d'arrêter le traitement doit être prise par votre médecin.

EFFETS INDÉSIRABLES

GRAVES
Réactions allergiques graves (difficultés à respirer, confusion, démangeaisons, urticaire, enflure du visage ou de la gorge, sudation et étourdissements), douleurs et crampes vives à l'estomac, fièvre, diarrhée grave parfois sanguinolente.

COURANTS
Diarrhée ou crampes gastriques d'intensité moyenne, bouche ou langue douloureuses, nausées et vomissements.

MOINS COURANTS
Prurit vulvaire ou pertes vaginales inhabituelles, douleur ou démangeaisons au point d'injection.

USAGE PROLONGÉ
La céfazoline sodique est habituellement prescrite pour une courte durée (10 à 14 jours). Au-delà de cette période, les risques d'effets indésirables et de surinfection – infection de rebond causée par des souches de bactéries plus vigoureuses et rebelles à la médication – augmentent.

▼ PRÉCAUTIONS

Plus de 60 ans. Risques de réactions indésirables plus fréquentes et plus graves.

Conduite automobile, travaux dangereux. Sans objet. Le médicament est administré dans un centre de soins de santé.

Alcool. À éviter.

Grossesse. Il n'y a pas eu d'études pertinentes sur l'administration de céphalosporines durant la grossesse. Avant de prendre de la céfazoline sodique, avertissez le médecin que vous êtes enceinte ou désirez le devenir.

Allaitement. La céfazoline sodique passe dans le lait maternel ; la prudence s'impose. Demandez spécifiquement conseil au médecin.

Nourrissons et enfants. Ce médicament peut être administré aux enfants à partir de l'âge de 1 mois. Demandez conseil au pédiatre.

À surveiller. Les personnes allergiques à la pénicilline peuvent avoir des réactions allergiques tout aussi graves aux céphalosporines. La céfazoline sodique est utile uniquement contre les bactéries vulnérables à son action ; elle est sans effet contre les rhumes, grippes ou autres infections virales. Si votre état ne s'améliore pas après quelques jours de traitement ou s'il s'aggrave, avertissez votre médecin.

SURDOSAGE
Symptômes. Une surdose de céfazoline sodique est peu probable.

Quoi faire. Sans objet.

▼ INTERACTIONS

MÉDICAMENT-MÉDICAMENT
Faites connaître au médecin les autres médicaments que vous prenez. Demandez spécifiquement son avis si vous prenez du probénécide.

MÉDICAMENT-ALIMENT
Aucune interaction connue.

MÉDICAMENT-MALADIE
La prudence est recommandée quand on prend de la céfazoline. Si vous avez des antécédents de maladie des reins ou de colite, avertissez-en le médecin.

CÉFÉPIME

NOM COMMERCIAL

Maxipime

Présentation : Injection
En vente libre ? Non   **Générique disponible ?** Non
Classe de médicaments : Céphalosporine (antibiotique)

▼ GÉNÉRALITÉS

INDICATIONS
Traitement d'infections bactériennes d'intensité moyenne à grave impliquant : oreilles, nez, amygdales et gorge, peau et tissus mous, tractus génito-urinaire, voies respiratoires. Le céfépime n'est efficace que contre les infections bactériennes ; il n'est d'aucune utilité contre celles causées par des virus, champignons et autres micro-organismes. Les céphalosporines, comme le céfépime, ne sont administrées que lorsque d'autres antibiotiques n'ont pas réussi à traiter l'infection.

MODE D'ACTION
Le céfépime empêche les bactéries de produire des parois cellulaires.

▼ MODE D'EMPLOI

POSOLOGIE
Adultes et adolescents – Infections bénignes ou modérées des voies urinaires : 500 à 1 000 mg aux 12 heures. Infections graves :

2 000 mg aux 12 heures. Les injections sont généralement données par voie intraveineuse, mais pour les infections bénignes ou modérées des voies urinaires, le céfépime peut être administré par voie intramusculaire. Enfants de 2 mois à 12 ans pesant moins de 40 kg (88 lb) : 50 mg par kilogramme (2,2 lb) de poids aux 12 heures. La dose ne doit pas dépasser celle recommandée pour les adultes.

DÉBUT D'ACTION
Immédiatement.

DURÉE D'ACTION
Inconnue.

CONSEILS NUTRITIONNELS
Mangez 115 g (4 oz) de yogourt ou buvez 115 ml (4 oz) de babeurre par jour pour vous protéger contre une surinfection intestinale. Buvez beaucoup.

MODE DE CONSERVATION
Sans objet ; le médicament est administré dans un centre de soins de santé seulement.

▲ EFFETS INDÉSIRABLES ▲

GRAVES
Réactions allergiques graves (difficultés à respirer, confusion, urticaire, enflure du visage ou de la gorge, sudation et étourdissements), douleurs et crampes vives à l'estomac, fièvre, diarrhée grave parfois sanguinolente, ecchymoses ou saignements anormaux.

COURANTS
Diarrhée ou crampes gastriques d'intensité moyenne, bouche ou langue douloureuses, nausées et vomissements.

MOINS COURANTS
Prurit vulvaire ou pertes vaginales inhabituelles, douleur au point d'injection, démangeaisons.

OUBLI D'UNE DOSE
Sans objet ; le médicament est administré par un professionnel de la santé.

ARRÊT DE LA MÉDICATION
Cette décision doit être prise par le médecin.

USAGE PROLONGÉ
Le céfépime est habituellement prescrit pour une courte durée (10 à 14 jours). Au-delà de cette période, les risques d'effets indésirables et de surinfection – infection de rebond causée par des souches de bactéries plus vigoureuses et rebelles à la médication – augmentent.

▼ PRÉCAUTIONS

Plus de 60 ans. Risques de réactions indésirables plus fréquentes et plus graves.

Conduite automobile, travaux dangereux. Sans objet. Le médicament est administré dans un centre de soins de santé seulement.

Alcool. Aucune interaction n'est à redouter, mais l'alcool peut inhiber la réponse du système immunitaire aux infections.

Grossesse. Il n'y a pas eu d'études pertinentes sur l'administration de céphalosporines durant la grossesse. Avant de prendre du céfépime, avertissez le médecin que vous êtes enceinte ou désirez le devenir.

Allaitement. Le céfépime passe dans le lait maternel ; la prudence s'impose. Demandez spécifiquement conseil à votre médecin.

Nourrissons et enfants. Ce médicament n'est pas recommandé pour les bébés de moins de 2 mois.

À surveiller. Les personnes allergiques à la pénicilline peuvent avoir des réactions allergiques tout aussi graves aux céphalosporines comme le céfépime. Ce médicament est utile uniquement contre les bactéries vulnérables à son action. Les céphalosporines sont sans effet contre les rhumes, grippes ou autres infections virales. Si votre état ne s'améliore pas après quelques jours de traitement au céfépime ou s'il s'aggrave, parlez-en au médecin.

SURDOSAGE
Symptômes. Une surdose de céfépime est peu probable.

Quoi faire. Sans objet.

▼ INTERACTIONS

MÉDICAMENT-MÉDICAMENT
Faites connaître au médecin les autres médicaments que vous prenez. Demandez-lui spécifiquement son avis si vous prenez du probénécide.

MÉDICAMENT-ALIMENT
Pas d'interactions connues.

MÉDICAMENT-MALADIE
Consultez votre médecin si vous avez des antécédents de maladie des reins, de saignements ou de colite.

CÉFIXIME

Suprax

Présentation : Comprimés, suspension orale
En vente libre ? Non   **Générique disponible ?** Non
Classe de médicaments : Céphalosporine (antibiotique)

▼ GÉNÉRALITÉS

INDICATIONS

Traitement d'infections bactériennes impliquant : oreilles, nez, amygdales et gorge, peau et tissus mous, tractus génito-urinaire, voies respiratoires. Le céfixime est également utilisé pour traiter la gonorrhée. Efficace contre les infections bactériennes, il n'est d'aucune utilité contre celles causées par les virus, champignons et autres micro-organismes.

MODE D'ACTION

Le céfixime empêche les bactéries de former les parois cellulaires nécessaires à leur survie.

▼ MODE D'EMPLOI

POSOLOGIE

Adultes et adolescents : 400 mg, 1 fois par jour. Gonorrhée sans complication : 1 seule dose de 400 mg. Enfants de 6 mois à 12 ans pesant moins de 50 kg (110 lb) : 8 mg par kilogramme (2,2 lb) de poids, 1 fois par jour.

DÉBUT D'ACTION

En 2 à 4 heures.

DURÉE D'ACTION

6 à 18 heures.

CONSEILS NUTRITIONNELS

À prendre avec un aliment pour diminuer l'irritation gastrique.

MODE DE CONSERVATION

Dans un contenant étanche, à l'abri de la chaleur, de l'humidité et de la lumière. La suspension orale n'a pas besoin d'être réfrigérée.

OUBLI D'UNE DOSE

Prenez-la dès que vous y pensez. S'il est presque l'heure de la suivante, sautez la dose oubliée et reprenez la fréquence normale. Ne doublez pas la dose suivante.

ARRÊT DE LA MÉDICATION

Effectuez le traitement au complet, comme il vous a été prescrit, même si vous vous sentez mieux avant la fin. Un arrêt prématuré peut retarder la guérison ou mener à une infection de rebond, ou surinfection, dans laquelle les souches plus vigoureuses de la bactérie survivent et se multiplient, amenant une infection plus grave et rebelle à la médication. Lorsque le céfixime est prescrit contre une infection streptococcique, il est particulièrement important d'effectuer le traitement au complet. Des troubles graves du cœur et des reins peuvent survenir par la suite s'il y a interruption prématurée.

USAGE PROLONGÉ

Contre la gonorrhée, le céfixime est prescrit en une seule dose. Contre les autres infections bactériennes, il est habituellement prescrit pour une courte durée (10 à 14 jours). Au-delà de cette période, les risques d'effets indésirables et de surinfection augmentent.

▼ PRÉCAUTIONS

Plus de 60 ans. Risques de réactions indésirables plus fréquentes et plus graves.

Conduite automobile, travaux dangereux. À déconseiller tant que vous ne connaissez pas votre réaction au médicament.

Alcool. À éviter.

Grossesse. Il n'y a pas eu d'études pertinentes sur l'administration de céphalosporines durant la grossesse. Avant de prendre du céfixime, avertissez le médecin que vous êtes enceinte ou désirez le devenir.

Allaitement. Le céfixime passe dans le lait maternel ; la prudence s'impose. Demandez spécifiquement conseil à votre médecin.

Nourrissons et enfants. Peut être administré aux enfants de 6 mois et plus. Demandez spécifiquement l'avis du pédiatre.

À surveiller. Les personnes allergiques à la pénicilline peuvent avoir des réactions allergiques tout aussi graves aux céphalosporines comme le céfixime. Ce médicament est utile uniquement contre les bactéries vulnérables à son action, et non contre les rhumes, grippes ou autres infections virales. Si votre état ne s'améliore pas après quelques jours ou s'il s'aggrave, parlez-en au médecin.

SURDOSAGE

Symptômes. Convulsions, fortes douleurs abdominales, diarrhée sanguinolente, vomissements.

Quoi faire. Appelez aussitôt le médecin ou le centre anti-poison, ou allez à l'urgence.

▼ INTERACTIONS

MÉDICAMENT-MÉDICAMENT

Faites connaître au médecin les autres médicaments que vous prenez. Demandez-lui spécifiquement son avis si vous prenez du probénécide.

MÉDICAMENT-ALIMENT

Aucune interaction connue.

MÉDICAMENT-MALADIE

Si vous avez des antécédents de maladie des reins ou de colite, avisez-en le médecin.

 EFFETS INDÉSIRABLES

GRAVES

Réactions allergiques graves (difficultés à respirer, confusion, urticaire, démangeaisons, enflure du visage ou de la gorge, sudation et étourdissements), douleurs et crampes vives à l'estomac, fièvre, diarrhée grave parfois sanguinolente.

COURANTS

Diarrhée ou douleurs gastriques d'intensité moyenne, bouche ou langue douloureuses, nausées et vomissements.

MOINS COURANTS

Prurit vulvaire ou pertes vaginales inhabituelles, baisse du nombre de globules blancs augmentent les risques d'infection, baisse du nombre des plaquettes du sang augmentant les risques de saignement, démangeaisons.

CÉFOTÉTANE DISODIQUE

NOM COMMERCIAL

Cefotan

Présentation : Injection
En vente libre ? Non   **Générique disponible ?** Non
Classe de médicaments : Céphalosporine (antibiotique)

▼ GÉNÉRALITÉS

INDICATIONS
Traitement d'infections bactériennes graves impliquant : poumons, tractus génito-urinaire, sang, os, articulations, peau et tissus mous, et autres organes. Le céfotétane disodique est aussi utilisé dans le traitement de la gonorrhée. Il n'est efficace que contre les infections causées par certaines souches de bactéries, mais n'est d'aucune utilité contre les virus, champignons et autres micro-organismes. Les céphalosporines, comme le céfotétane disodique, sont administrées lorsque d'autres antibiotiques n'ont pas réussi à traiter l'infection. Le céfotétane disodique peut être utilisé avant certaines chirurgies majeures pour réduire les risques d'infection.

MODE D'ACTION
Le céfotétane disodique empêche les bactéries de former les parois cellulaires nécessaires à leur survie.

▼ MODE D'EMPLOI

POSOLOGIE
1 à 3 g par voie intraveineuse ou intramusculaire aux 12 heures.

DÉBUT D'ACTION
Voie intraveineuse : immédiatement. Voie intramusculaire : en 1 heure.

DURÉE D'ACTION
6 à 9 heures.

CONSEILS NUTRITIONNELS
Mangez 115 g (4 oz) de yogourt ou buvez 115 ml (4 oz) de babeurre par jour pour vous protéger contre une surinfection intestinale. Buvez beaucoup.

MODE DE CONSERVATION
Sans objet ; le médicament n'est administré que dans un centre de soins de santé.

OUBLI D'UNE DOSE
Sans objet ; le médicament est administré par un professionnel de la santé.

ARRÊT DE LA MÉDICATION
Cette décision doit être prise par le médecin.

USAGE PROLONGÉ
Le céfotétane disodique est habituellement prescrit pour une courte durée (10 à 14 jours). Au-delà de cette période, les risques d'effets indésirables et de surinfection – infection de rebond par des souches de bactéries plus vigoureuses et rebelles à la médication – augmentent.

▼ PRÉCAUTIONS

Plus de 60 ans. Risques de réactions indésirables plus fréquentes et plus graves.

Conduite automobile, travaux dangereux. Sans objet. Le médicament est administré dans un centre de soins de santé seulement.

Alcool. À éviter.

Grossesse. Il n'y a pas eu d'études pertinentes sur l'administration de céphalosporines durant la grossesse. Avant de prendre du céfotétane disodique, avertissez le médecin si vous êtes enceinte ou désirez le devenir.

Allaitement. Le céfotétane disodique passe dans le lait maternel ; la prudence s'impose. Demandez spécifiquement conseil au médecin.

Nourrissons et enfants. Ce médicament n'est pas recommandé pour les enfants de moins de 12 ans.

À surveiller. Les personnes allergiques à la pénicilline peuvent avoir des réactions allergiques tout aussi graves aux céphalosporines comme le céfotétane disodique. Ce médicament est utile uniquement contre les bactéries vulnérables à son action ; il est sans effet contre les rhumes, grippes ou autres infections virales. Si votre état ne s'améliore pas après quelques jours de traitement ou s'il s'aggrave, parlez-en au médecin.

SURDOSAGE
Symptômes. Une surdose de céfotétane disodique est peu probable.

Quoi faire. Sans objet.

▼ INTERACTIONS

MÉDICAMENT-MÉDICAMENT
Faites connaître au médecin les autres médicaments que vous prenez. Demandez spécifiquement son avis si vous prenez du probénécide.

MÉDICAMENT-ALIMENT
Aucune interaction connue.

MÉDICAMENT-MALADIE
La prudence est de règle avec le céfotétane disodique. Consultez le médecin si vous avez des antécédents de maladie des reins, de saignement ou de colite.

EFFETS INDÉSIRABLES

GRAVES
Réactions allergiques graves (difficultés à respirer, confusion, urticaire, enflure du visage ou de la gorge, sudation et étourdissements), douleurs et crampes vives à l'estomac, fièvre, diarrhée grave parfois sanguinolente, ecchymoses ou saignements anormaux.

COURANTS
Diarrhée ou douleurs gastriques d'intensité moyenne, bouche ou langue douloureuses, nausées et vomissements.

MOINS COURANTS
Prurit vulvaire ou pertes vaginales inhabituelles, douleur au point d'injection, baisse du nombre de globules blancs augmentant les risques d'infection, baisse du nombre des plaquettes du sang augmentant les risques de saignement.

CEFPROZIL

NOM COMMERCIAL

Cefzil

Présentation : Suspension orale, comprimés
En vente libre ? Non   **Générique disponible ?** Non
Classe de médicaments : Céphalosporine (antibiotique)

▼ GÉNÉRALITÉS

INDICATIONS
Traitement d'infections bactériennes impliquant : oreilles, nez, amygdales et gorge, peau et tissus mous, voies respiratoires. Le cefprozil n'est efficace que contre les infections bactériennes ; il n'est d'aucune utilité contre les virus, champignons et autres micro-organismes.

MODE D'ACTION
Empêche les bactéries de former les parois cellulaires nécessaires à leur survie.

▼ MODE D'EMPLOI

POSOLOGIE
Adultes et adolescents : 250 à 500 mg aux 12 à 24 heures. Enfants de 2 à 12 ans : 7,5 à 15 mg par kilogramme (2,2 lb) de poids aux 12 heures, ou 20 mg par kilogramme aux 24 heures. Enfants de 6 mois à 2 ans : 7,5 à 15 mg par kilogramme aux 12 heures.

DÉBUT D'ACTION
En 90 minutes environ.

DURÉE D'ACTION
Inconnue.

CONSEILS NUTRITIONNELS
À prendre en mangeant contre les maux d'estomac.

MODE DE CONSERVATION
Dans un contenant étanche, à l'abri de la chaleur, de l'humidité et de la lumière. Réfrigérez la forme liquide, mais ne la congelez pas.

OUBLI D'UNE DOSE
Prenez-la dès que vous y pensez pour maintenir la concentration du médicament dans l'organisme. S'il est presque l'heure de la dose suivante, sautez la dose oubliée et reprenez la fréquence normale. Ne doublez pas la dose suivante.

ARRÊT DE LA MÉDICATION
Effectuez le traitement au complet, comme il vous a été prescrit, même si vous vous sentez mieux avant la fin. Un arrêt prématuré peut retarder la guérison ou mener à une infection de rebond, ou surinfection, dans laquelle des souches plus vigoureuses de la bactérie se multiplient, amenant une infection plus grave et rebelle à la médication. Lorsque le médicament est prescrit contre une infection streptococcique, il est encore plus important d'effectuer la thérapie au complet. Des troubles graves du cœur et des reins peuvent survenir par la suite si elle est interrompue prématurément.

USAGE PROLONGÉ
Le cefprozil est habituellement prescrit pour une courte durée (10 à 14 jours). Au-delà de cette période, les risques d'effets indésirables et de surinfection augmentent.

▼ PRÉCAUTIONS

Plus de 60 ans. Risques de réactions indésirables plus fréquentes et plus graves.

Conduite automobile, travaux dangereux. À déconseiller tant que vous ne connaissez pas votre réaction au médicament.

Alcool. À éviter.

Grossesse. Il n'y a pas eu d'études pertinentes sur l'administration de céphalosporines durant la grossesse. Avant d'en prendre, avertissez le médecin que vous êtes enceinte ou désirez le devenir.

Allaitement. Le cefprozil passe dans le lait maternel ; la prudence s'impose. Demandez spécifiquement conseil à votre médecin.

Nourrissons et enfants. Le cefprozil peut être administré aux enfants de plus de 6 mois. Demandez spécifiquement l'avis du pédiatre.

À surveiller. Les personnes allergiques à la pénicilline peuvent avoir des réactions allergiques tout aussi graves aux céphalosporines comme le cefprozil. Ce médicament est utile uniquement contre les bactéries vulnérables à son action, et non contre les rhumes, grippes ou autres infections virales. Si votre état ne s'améliore pas après quelques jours ou s'il s'aggrave, parlez-en au médecin.

SURDOSAGE
Symptômes. Convulsions, fortes douleurs abdominales, diarrhée sanguinolente, vomissements.

Quoi faire. Appelez aussitôt le médecin ou le centre anti-poison, ou allez à l'urgence.

▼ INTERACTIONS

MÉDICAMENT-MÉDICAMENT
Demandez spécifiquement l'avis du médecin si vous prenez : héparine, divalproex, anticoagulants, sulfinpyrazone, dipyridamole, pentoxifylline, ticarcilline, probénécide ou acide valproïque.

MÉDICAMENT-ALIMENT
Aucune interaction connue.

MÉDICAMENT-MALADIE
La prudence est de règle quand on prend du cefprozil. Consultez votre médecin si vous avez des antécédents de maladie des reins, de phénylcétonurie ou de colite.

  EFFETS INDÉSIRABLES

GRAVES
Réactions allergiques graves (difficultés à respirer, confusion, étourdissements, démangeaisons, urticaire, enflure du visage ou de la gorge, sudation anormale), douleurs et crampes vives à l'estomac, fièvre, diarrhée grave parfois sanguinolente.

COURANTS
Diarrhée ou crampes gastriques d'intensité moyenne, bouche ou langue douloureuses, nausées et vomissements.

MOINS COURANTS
Prurit vulvaire ou pertes vaginales inhabituelles, baisse du nombre de globules blancs augmentent les risques d'infection, baisse du nombre des plaquettes du sang augmentant les risques de saignement.

CÉFUROXIME

NOMS COMMERCIAUX

Ceftin, Kefurox, Zinacef

Présentation : Comprimés, injection, suspension orale
En vente libre ? Non   **Générique disponible ?** Oui
Classe de médicaments : Céphalosporine (antibiotique)

▼ GÉNÉRALITÉS

INDICATIONS
Traitement d'infections bactériennes affectant : oreilles, nez, amygdales et gorge, peau et tissus mous, appareil génito-urinaire, voies respiratoires, sang, os, articulations et autres organes. Le céfuroxime est aussi utilisé pour traiter la gonorrhée et est administré avant certaines chirurgies pour prévenir l'infection. Il n'est efficace que contre des infections bactériennes.

MODE D'ACTION
Le céfuroxime empêche les bactéries de se doter de parois cellulaires.

▼ MODE D'EMPLOI

POSOLOGIE
Adultes et adolescents – Comprimés : 250 à 500 mg aux 12 heures pendant 5 à 10 jours. Injection : 750 à 1 500 mg aux 8 heures en intraveineuse ou en intramusculaire. Enfants de 3 mois à 12 ans – Injection : 10 à 33,3 mg par kilogramme (2,2 lb) de poids aux 8 heures, en intraveineuse ou en intramusculaire. Suspension orale : 10 à 15 mg par kilogramme aux 12 heures pendant 10 jours. Gonorrhée : 1 comprimé de 1 000 mg ou 1 injection intramusculaire de 1 500 mg administrée en 2 points distincts du corps et accompagnée de 1 seule dose orale de 1 000 mg de probénécide.

DÉBUT D'ACTION
Intraveineuse : immédiatement. Intramusculaire : en 15 à 60 minutes. Formes orales : inconnu.

DURÉE D'ACTION
5 à 8 heures.

CONSEILS NUTRITIONNELS
À prendre avec ou sans aliment. Prenez la solution orale en mangeant pour mieux l'absorber. Buvez normalement.

MODE DE CONSERVATION
Dans un contenant étanche, à l'abri de la chaleur, de l'humidité et de la lumière. Gardez la suspension au réfrigérateur.

OUBLI D'UNE DOSE
Prenez-la dès que vous y pensez. S'il est presque l'heure de la suivante, sautez la dose oubliée et reprenez la fréquence normale. Ne doublez pas la dose suivante.

ARRÊT DE LA MÉDICATION
Effectuez le traitement au complet, tel que prescrit. Un arrêt prématuré peut retarder la guérison ou mener à une infection de rebond (surinfection) dans laquelle les souches plus vigoureuses de la bactérie se multiplient, amenant une infection plus grave et rebelle à la médication. Lorsque le médicament est prescrit contre une infection streptococcique, il est particulièrement important d'effectuer le traitement au complet. Des troubles graves du cœur et des reins peuvent survenir par la suite si le traitement est interrompu prématurément.

USAGE PROLONGÉ
Le céfuroxime est habituellement prescrit pour une courte durée (5 à 14 jours). Au-delà de cette période, les risques d'effets indésirables et de surinfection augmentent.

▼ PRÉCAUTIONS

Plus de 60 ans. Risques de réactions indésirables plus fréquentes et plus graves.

Conduite automobile, travaux dangereux. À déconseiller tant que vous ne connaissez pas votre réaction au médicament.

Alcool. À éviter.

Grossesse. Il n'existe pas d'études pertinentes sur l'utilisation pendant la grossesse. Demandez l'avis du médecin.

Allaitement. Le céfuroxime passe dans le lait maternel ; la prudence s'impose. Demandez conseil à votre médecin.

Nourrissons et enfants. Les formes orales peuvent être administrées aux enfants à partir de l'âge de 3 mois. Demandez l'avis du médecin.

À surveiller. Les personnes allergiques à la pénicilline peuvent avoir des réactions tout aussi graves aux céphalosporines comme le céfuroxime. Si votre état ne s'est pas amélioré après quelques jours ou s'il s'est aggravé, avertissez votre médecin. Ne remplacez pas les comprimés par la suspension (ou vice versa) : la posologie est différente.

SURDOSAGE
Symptômes. Convulsions, douleurs abdominales sévères, diarrhée sanguinolente, vomissements.

Quoi faire. Demandez immédiatement de l'aide médicale.

▼ INTERACTIONS

MÉDICAMENT-MÉDICAMENT
Faites connaître au médecin les médicaments que vous prenez ; demandez son avis s'il s'agit de probénécide.

MÉDICAMENT-ALIMENT
Pas d'interaction connue.

MÉDICAMENT-MALADIE
Prévenez le médecin si vous avez des antécédents de maladie des reins ou de colite.

 EFFETS INDÉSIRABLES

GRAVES
Réactions allergiques graves (difficultés à respirer, confusion, urticaire, enflure du visage ou de la gorge, étourdissements), douleurs et crampes vives à l'estomac, fièvre, diarrhée grave parfois sanguinolente.

COURANTS
Diarrhée ou douleurs gastriques d'intensité moyenne, bouche ou langue douloureuses, nausées et vomissements.

MOINS COURANTS
Prurit vulvaire ou pertes vaginales, douleur au point d'injection, rash cutané, baisse du nombre de globules blancs augmentant les risques d'infection, baisse du nombre des plaquettes du sang augmentant les risques de saignement.

CÉLÉCOXIB

NOM COMMERCIAL

NOM COMMERCIAL

Celebrex

Présentation : Gélules
En vente libre ? Non   **Générique disponible ?** Non
Classe de médicaments : Anti-inflammatoire non stéroïdien (AINS)/Inhibiteur de la COX-2

▼ GÉNÉRALITÉS

INDICATIONS
Soulagement de la douleur, de l'inflammation et de la raideur causées par l'arthrose et la polyarthrite rhumatoïde.

MODE D'ACTION
En inhibant l'activité de l'enzyme cyclo-oxygénase-2 (COX-2), le célécoxib freine la synthèse des prostaglandines qui jouent un rôle dans la douleur et l'inflammation arthritiques. Il n'inhibe pas l'activité de l'enzyme COX-1, impliquée dans la synthèse des prostaglandines qui aident à protéger des ulcères de l'estomac et d'autres problèmes de santé.

▼ MODE D'EMPLOI

POSOLOGIE
Arthrose : 200 mg par jour. Polyarthrite rhumatoïde : 100 à 200 mg 2 fois par jour. Pour réduire les risques de troubles gastro-intestinaux, on recommande de prescrire la dose efficace la plus faible pour la durée la plus courte.

DÉBUT D'ACTION
En 24 à 48 heures.

DURÉE D'ACTION
Inconnue.

CONSEILS NUTRITIONNELS
Le célécoxib se prend à jeun ou avec des aliments.

MODE DE CONSERVATION
À la température ambiante dans un contenant étanche, à l'abri de la chaleur, de l'humidité et de la lumière.

OUBLI D'UNE DOSE
Prenez-la dès que vous y pensez. S'il est presque l'heure de la dose suivante, sautez la dose oubliée et reprenez la fréquence normale. Ne doublez pas la dose suivante.

ARRÊT DE LA MÉDICATION
La décision d'arrêter le traitement doit se prendre en consultation avec le médecin.

USAGE PROLONGÉ
Peut augmenter les risques d'effets gastro-intestinaux indésirables.

▼ PRÉCAUTIONS

Plus de 60 ans. Risques de réactions indésirables plus fréquentes et plus graves.

Conduite automobile, travaux dangereux. À déconseiller tant que vous ne connaissez pas votre réaction au médicament.

Alcool. À éviter. L'alcool accroît les risques d'irritation gastrique.

Grossesse. Analysez avec le médecin les avantages du médicament par rapport à ses risques. Ne prenez pas de célécoxib durant le dernier trimestre de la grossesse.

Allaitement. Le célécoxib peut passer dans le lait maternel : la prudence s'impose. Le médecin pour savoir si vous devez interrompre l'allaitement ou le traitement.

Nourrissons et enfants. L'innocuité et l'efficacité du médicament n'ont pas été établies chez les moins de 18 ans.

SURDOSAGE
Symptômes. Aucun cas de surdose n'a été signalé. Les symptômes peuvent inclure : léthargie, somnolence, nausées, vomissements, douleurs abdominales, selles d'aspect goudronneux, difficultés respiratoires et coma.

Quoi faire. En cas de surdose appréhendée ou réelle, appelez le médecin ou le centre antipoison immédiatement, ou allez à l'urgence.

▼ INTERACTIONS

MÉDICAMENT-MÉDICAMENT
Avec ce médicament, ne prenez ni AAS ni aucun autre AINS sans en parler au préalable avec votre médecin. Informez votre médecin si vous prenez l'un ou l'autre des médicaments suivants : furosémide, inhibiteurs de l'ECA, fluconazole, lithium, warfarine ou corticostéroïdes.

MÉDICAMENT-ALIMENT
Aucune interaction connue.

MÉDICAMENT-MALADIE
Le célécoxib ne doit pas être administré aux personnes ayant des antécédents d'asthme, d'urticaire ou de réactions de type allergique à l'AAS ou aux AINS. Informez le médecin si vous avez déjà eu l'un des troubles suivants : saignements, inflammation ou ulcère de l'estomac et de l'intestin, asthme, hypertension ou défaillance cardiaque.
Le célécoxib peut entraîner des complications chez les patients souffrant d'une maladie du foie ou des reins, car ces organes contribuent à éliminer le médicament de l'organisme.

 EFFETS INDÉSIRABLES

GRAVES
Ulcères gastriques. Selles d'aspect goudronneux pouvant signaler des saignements gastriques. Symptômes de maladie du foie (nausées, fatigue, léthargie, démangeaisons, jaunissement des yeux et de la peau, rétention hydrique).

COURANTS
Maux d'estomac, nausées, diarrhée et douleurs abdominales sans gravité.

MOINS COURANTS
Flatulences, enflure bénigne, maux de gorge, infection des voies respiratoires supérieures.

CÉPHALEXINE

NOMS COMMERCIAUX

Apo-Cephalex, Novo-Lexin, Nu-Cephalex, PMS-Cephalexin

Présentation : Gélules, suspension orale, comprimés
En vente libre ? Non **Générique disponible ?** Oui
Classe de médicaments : Céphalosporine (antibiotique)

▼ GÉNÉRALITÉS

INDICATIONS
Traitement d'infections bactériennes impliquant : oreilles, nez, amygdales et gorge, os, articulations, peau et tissus mous, appareil génito-urinaire et voies respiratoires. Efficace contre les infections bactériennes, la céphalexine n'est d'aucune utilité contre les virus, champignons et autres micro-organismes.

MODE D'ACTION
Empêche les bactéries de se doter de parois cellulaires.

▼ MODE D'EMPLOI

POSOLOGIE
Adultes et adolescents : 250 à 500 mg aux 6 à 12 heures. Enfants : 6,25 à 12,5 mg par kilogramme (2,2 lb) de poids aux 6 heures, ou 12,5 à 25 mg par kilogramme aux 12 heures.

DÉBUT D'ACTION
En 1 heure.

DURÉE D'ACTION
Inconnue.

CONSEILS NUTRITIONNELS
Se prend à jeun ou après un repas pour réduire les risques d'irritation gastrique.

MODE DE CONSERVATION
Dans un contenant étanche, à l'abri de la chaleur, de l'humidité et de la lumière. Gardez la forme liquide au réfrigérateur, mais ne la congelez pas.

OUBLI D'UNE DOSE
Prenez-la dès que vous y pensez pour maintenir la concentration du médicament dans votre organisme. S'il est presque l'heure de la suivante, sautez la dose oubliée et reprenez la fréquence normale. Ne doublez pas la dose suivante.

ARRÊT DE LA MÉDICATION
Effectuez le traitement au complet, tel que prescrit, même si vous vous sentez mieux avant la fin. Un arrêt prématuré peut retarder la guérison ou mener à une infection de rebond (surinfection) dans laquelle les souches plus vigoureuses de la bactérie se multiplient, amenant une infection plus grave et rebelle à la médication. Lorsque la céphalexine est prescrite contre une infection streptococcique, il est particulièrement important d'effectuer le traitement au complet. Des troubles graves du cœur et des reins peuvent survenir par la suite s'il est interrompu prématurément.

USAGE PROLONGÉ
La céphalexine est habituellement prescrite pour une courte durée (10 à 14 jours). Au-delà de cette période, les risques d'effets indésirables et de surinfection augmentent.

▼ PRÉCAUTIONS

Plus de 60 ans. Risques de réactions indésirables plus fréquentes et plus graves.

Conduite automobile, travaux dangereux. À déconseiller tant que vous ne connaissez pas votre réaction au médicament.

Alcool. Aucune interaction n'est à redouter, mais l'alcool peut inhiber la réponse du système immunitaire aux infections et augmenter les risques de maux d'estomac qui peuvent accompagner la prise de ce médicament.

Grossesse. Il n'y a pas eu d'études pertinentes sur l'administration de céphalosporines durant la grossesse. Avant de prendre de la céphalexine, avertissez le médecin que vous êtes enceinte ou désirez le devenir.

Allaitement. La céphalexine passe dans le lait maternel ; la prudence s'impose. Demandez conseil à votre médecin.

Nourrissons et enfants. Il n'existe pas d'études pertinentes sur l'administration de céphalexine aux enfants. Consultez le médecin.

À surveiller. Les personnes allergiques à la pénicilline peuvent avoir des réactions allergiques tout aussi graves aux céphalosporines comme la céphalexine. Celle-ci est utile uniquement contre les bactéries vulnérables à son action, et non contre les rhumes, grippes ou autres infections virales. Si votre état ne s'améliore pas après quelques jours ou s'il s'aggrave, parlez-en au médecin.

SURDOSAGE
Symptômes. Convulsions, fortes douleurs abdominales, diarrhée sanguinolente, vomissements.

Quoi faire. Appelez aussitôt le médecin ou le centre anti-poison, ou allez à l'urgence.

▼ INTERACTIONS

MÉDICAMENT-MÉDICAMENT
Faites connaître au médecin les autres médicaments que vous prenez. Demandez-lui spécifiquement son avis si vous prenez du probénécide.

MÉDICAMENT-ALIMENT
Aucune interaction connue.

MÉDICAMENT-MALADIE
La prudence est de règle. Consultez le médecin si vous avez des antécédents de maladie des reins ou de colite.

EFFETS INDÉSIRABLES

GRAVES
Réactions allergiques graves (difficultés à respirer, confusion, urticaire, démangeaisons, enflure du visage ou de la gorge, sudation anormale et étourdissements), douleurs et crampes vives à l'estomac, fièvre, diarrhée grave, parfois sanguinolente.

COURANTS
Diarrhée ou douleurs gastriques d'intensité moyenne, bouche ou langue douloureuses, nausées et vomissements.

MOINS COURANTS
Prurit vulvaire ou pertes vaginales inhabituelles, rash cutané, baisse du nombre de globules blancs augmentant les risques d'infection, baisse du nombre des plaquettes du sang augmentant les risques de saignement.

CÉTIRIZINE

Présentation : Comprimés, sirop
En vente libre ? Oui   **Générique disponible ?** Oui
Classe de médicaments : Inhibiteur des récepteurs H1 de l'histamine

▼ GÉNÉRALITÉS

INDICATIONS
Soulagement symptomatique des allergies permanentes ou saisonnières (rhume des foins), du prurit de la peau et de l'urticaire chronique.

MODE D'ACTION
La cétirizine bloque les effets de l'histamine, substance naturellement présente dans l'organisme qui cause enflure, démangeaisons, éternuements, larmoiement, urticaire et autres symptômes de réactions allergiques.

▼ MODE D'EMPLOI

POSOLOGIE
Adultes et adolescents : 5 à 10 mg 1 fois par jour. N'augmentez pas la dose pour obtenir un soulagement plus rapide des symptômes. Une dose plus faible (pas plus de 5 mg par jour) est recommandée aux patients affligés d'insuffisance rénale ou hépatique. Enfants de 2 à 6 ans : 5 mg 1 fois par jour ou 2,5 mg 2 fois par jour. Enfants de 6 à 12 ans : 10 mg 1 fois par jour ou 5 mg 2 fois par jour.

DÉBUT D'ACTION
En 20 à 60 minutes.

DURÉE D'ACTION
Environ 24 heures.

CONSEILS NUTRITIONNELS
Aucune précaution spéciale.

MODE DE CONSERVATION
Dans un contenant étanche, à l'abri de la chaleur, de l'humidité et de la lumière. Ne congelez pas le sirop.

OUBLI D'UNE DOSE
Le médicament est prescrit pour être pris une fois par jour. Si vous sautez une journée, reprenez la fréquence habituelle le lendemain, sans doubler la dose.

ARRÊT DE LA MÉDICATION
Effectuez le traitement au complet, tel que prescrit, même si vous vous sentez mieux avant la fin de la thérapie.

USAGE PROLONGÉ
L'innocuité et l'efficacité d'un traitement prolongé n'ont pas encore été établies.

▼ PRÉCAUTIONS

Plus de 60 ans. Des doses réduites peuvent être nécessaires, surtout si la personne âgée souffre d'insuffisance de la fonction rénale.

Conduite automobile, travaux dangereux. N'entreprenez pas de telles activités tant que vous ne connaissez pas votre réaction au médicament.

Alcool. À éviter ; l'alcool peut aggraver certains effets indésirables, comme la somnolence et la fatigue.

Grossesse. Il n'existe pas d'études adéquates sur les effets de ce médicament sur les femmes enceintes. La prudence s'impose. Avant de prendre de la cétirizine, avertissez votre médecin que vous êtes enceinte ou désirez le devenir.

Allaitement. La cétirizine passe dans le lait maternel ; abstenez-vous d'en prendre ou interrompez le traitement pendant que vous allaitez.

Nourrissons et enfants. Les enfants de moins de 2 ans ne devraient pas prendre de cétirizine. Ne donnez pas de cétirizine aux enfants durant plus de 14 jours, à moins que ce ne soit sur la recommandation du médecin.

À surveiller. La cétirizine a souvent pour effet d'assécher la bouche. Le cas échéant, utilisez de la gomme à mâcher sans sucre, des fondants acides et sans sucre ou de la glace concassée pour obtenir du soulagement.

SURDOSAGE
Symptômes. Aucun cas de surdose n'a été signalé en Amérique du Nord.

Quoi faire. Il est peu probable qu'une surdose de cétirizine mette votre vie en danger. Néanmoins, si la dose est très forte, appelez immédiatement le médecin ou le centre antipoison, ou allez à l'urgence.

▼ INTERACTIONS

MÉDICAMENT-MÉDICAMENT
Aucune interaction médicamenteuse appréciable n'a été signalée. La cétirizine peut néanmoins augmenter les effets dépresseurs des tranquillisants, analgésiques, barbituriques ou autres antihistaminiques sur le système nerveux central. Demandez spécifiquement l'avis du médecin.

MÉDICAMENT-ALIMENT
Aucune interaction alimentaire n'a été signalée.

MÉDICAMENT-MALADIE
Les taux sanguins de cétirizine peuvent augmenter chez les patients atteints d'une maladie du foie ou des reins puisque ces organes contribuent à éliminer le médicament de l'organisme. Il y aurait peut-être lieu de réduire les doses pour ces patients.

≡ EFFETS INDÉSIRABLES ≡

GRAVES
Aucun effet indésirable grave n'est associé à la cétirizine.

COURANTS
Somnolence, fatigue, céphalées, sécheresse de la bouche.

MOINS COURANTS
Nausées et vomissements, étourdissements.

CHARBON ACTIVÉ

Présentation : Suspension orale, poudre, comprimés, gélules
En vente libre ? Oui   **Générique disponible ?** Oui
Classe de médicaments : Antidote

NOMS COMMERCIAUX

Acti-Charcoal Cap,
Activated Charcoal,
Charac-25, Charac-50,
Charactol-50,
Charcodote,
Charcodote Aqueux,
Charcodote TFS,
Char-Flo

▼ GÉNÉRALITÉS

INDICATIONS

S'emploie comme antidote d'urgence dans la plupart des cas d'intoxication par des médicaments ou des produits chimiques ou, à l'occasion, pour soulager la diarrhée ou la flatulence.

MODE D'ACTION

Le charbon activé empêche l'absorption par l'organisme d'un certain nombre de médicaments et de produits chimiques.

▼ MODE D'EMPLOI

POSOLOGIE

Intoxication – Suspension orale et poudre : Adultes et adolescents : 25 à 100 g (grammes). Enfants : 1 g par kilogramme (2,2 lb) de poids, ou 10 à 25 g. Dissoudre la poudre dans de l'eau. N'en prendre que 1 fois. Diarrhée – Gélules : Adultes et enfants de 3 ans et plus : 450 à 520 mg aux 30 à 60 minutes, au besoin. Ne pas dépasser 4,16 g par jour. Flatulence – Comprimés et gélules : Adultes et adolescents : 900 mg à 3,9 g, 3 fois par jour.

DÉBUT D'ACTION

Immédiatement.

DURÉE D'ACTION

Sans objet. Le charbon activé n'est pas absorbé par l'organisme.

CONSEILS NUTRITIONNELS

Antidote : aucune restriction spéciale. Diarrhée : il faut remplacer les pertes hydriques et surveiller son alimentation. Le premier jour, buvez beaucoup de boissons claires sans caféine : eau, bouillon, soda au gingembre et thé décaféiné. Le lendemain, vous pouvez manger des aliments légers : compote de pommes, pain, craquelins et gruau d'avoine. Évitez caféine, aliments frits ou épicés, son, bonbons, fruits et légumes : ils pourraient aggraver votre état.

MODE DE CONSERVATION

Dans un contenant étanche, à l'abri de la chaleur, de l'humidité et de la lumière. Les suspensions prémélangées se gardent jusqu'à 1 an. Ne faites pas congeler la forme liquide.

OUBLI D'UNE DOSE

Antidote : sans objet. Diarrhée et flatulence : prenez la dose oubliée dès que vous y pensez. S'il est presque l'heure de la suivante, sautez la dose oubliée et reprenez la fréquence normale. Ne doublez pas la dose suivante.

ARRÊT DE LA MÉDICATION

Antidote : sans objet. Diarrhée et flatulence : effectuez le traitement au complet, comme il vous a été prescrit, mais vous pouvez l'interrompre si vous vous sentez mieux avant la fin.

USAGE PROLONGÉ

Antidote : sans objet. Diarrhée : si la diarrhée n'a pas régressé ou si vous faites de la fièvre après 2 jours, appelez le médecin. Flatulence : si votre état ne s'est pas amélioré après 3 ou 4 jours, appelez le médecin.

▼ PRÉCAUTIONS

Plus de 60 ans. Pas de risque connu.

Conduite automobile, travaux dangereux. Le charbon activé ne devrait pas vous empêcher d'exécuter de telles tâches en toute sécurité.

Alcool. Pas de précautions spéciales.

Grossesse. On n'a signalé aucun cas de problème causé à un fœtus par du charbon activé. Demandez spécifiquement l'avis de votre médecin.

Allaitement. Aucun problème n'a été signalé.

Nourrissons et enfants. À n'utiliser dans cette catégorie d'âge que sous étroite surveillance médicale.

À surveiller. Il est très important d'appeler le médecin, le centre antipoison ou l'urgence avant d'administrer du charbon activé à titre d'antidote. Dans certains cas d'empoisonnement, il peut aggraver l'intoxication.

SURDOSAGE

Symptômes. Aucun symptôme n'est appréhendé.

Quoi faire. Les conseils d'urgence ne s'appliquent pas.

▼ INTERACTIONS

MÉDICAMENT-MÉDICAMENT

Le charbon activé peut nuire à l'absorption de tout médicament pris dans les 2 heures suivant son administration. L'acétylcystéine et le sirop d'ipéca peuvent réduire l'efficacité du charbon activé.

MÉDICAMENT-ALIMENT

Ne mangez pas de sirop au chocolat, de crème glacée ou de sorbet en prenant du charbon activé. Ces aliments font baisser la quantité de substances toxiques que le charbon activé peut absorber.

MÉDICAMENT-MALADIE

Soyez prudent avec le charbon activé si vous souffrez en même temps de dysenterie ou de déshydratation.

  EFFETS INDÉSIRABLES

GRAVES

Enflure ou douleur à l'estomac. Si ces symptômes persistent, recherchez de l'aide médicale sans tarder.

COURANTS

Selles noires, goudronneuses.

MOINS COURANTS

Nausées, constipation. Si les effets indésirables courants ou moins courants persistent, appelez votre médecin.

CHLORAL (HYDRATE DE)

Présentation : Gélules, sirop
En vente libre ? Non   **Générique disponible ?** Oui
Classe de médicaments : Sédatif/hypnotique

▼ GÉNÉRALITÉS

INDICATIONS
Traitement de courte durée de l'insomnie ou de l'anxiété. L'hydrate de chloral est de plus en plus remplacé à cette fin par des médicaments plus sûrs et plus efficaces. On peut également utiliser l'hydrate de chloral avant une chirurgie ou une autre intervention médicale.

MODE D'ACTION
Les médicaments comme l'hydrate de chloral dépriment l'activité du système nerveux central (cerveau et moelle épinière), produisant ainsi un léger effet sédatif.

▼ MODE D'EMPLOI

POSOLOGIE
Adultes – Sommeil : 250 à 1 000 mg, 30 minutes avant le coucher. Sédatif : 250 mg, 3 fois par jour après les repas ; maximum 2 g par jour.

DÉBUT D'ACTION
En 30 minutes.

DURÉE D'ACTION
4 à 8 heures.

CONSEILS NUTRITIONNELS
L'hydrate de chloral doit se prendre avec un grand verre de liquide : eau, jus de fruit ou soda au gingembre, pour en masquer le goût et réduire les risques de dérangements d'estomac.

MODE DE CONSERVATION
Dans un contenant étanche, à l'abri de la chaleur, de l'humidité et de la lumière. Évitez d'exposer les contenants à des températures extrêmes.

OUBLI D'UNE DOSE
S'il est presque l'heure de la dose suivante, sautez la dose oubliée et reprenez la fréquence normale. Ne doublez pas la dose suivante.

ARRÊT DE LA MÉDICATION
Il y a lieu de réduire graduellement les doses, quand on veut interrompre le traitement, pour éviter les symptômes de sevrage.

USAGE PROLONGÉ
L'hydrate de chloral peut entraîner l'accoutumance. Un usage prolongé augmente les risques de dépendance au médicament.

▼ PRÉCAUTIONS

Plus de 60 ans. Risques de réactions indésirables plus fréquentes et plus graves.

Conduite automobile, travaux dangereux. À déconseiller tant que vous ne connaissez pas votre réaction au médicament.

Alcool. À éviter.

Grossesse. Il n'existe pas d'études adéquates sur l'utilisation de l'hydrate de chloral durant la grossesse. Avant d'en prendre, avertissez votre médecin que vous êtes enceinte ou avez l'intention de le devenir.

Allaitement. L'hydrate de chloral passe dans le lait maternel ; la prudence s'impose. Demandez l'avis du médecin.

Nourrissons et enfants. Les enfants ne devraient prendre de l'hydrate de chloral que sous étroite surveillance médicale.

À surveiller. Avalez les gélules entières ; ne les mastiquez pas : l'hydrate de chloral a mauvais goût. Assurez-vous que le médecin a clairement indiqué au pharmacien combien de milligrammes et combien de gélules ou de cuillerées à thé vous ou votre enfant devez prendre par dose.

SURDOSAGE
Symptômes. Nausées, vomissements ou douleurs gastriques importants ; déglutition difficile ; somnolence grave ; état de confusion ; convulsions ; basse température ; difficultés à respirer ou souffle court ; arythmie cardiaque ; faiblesse grave ; démarche titubante ; diction empâtée ; coma.

Quoi faire. Appelez immédiatement le médecin ou le centre anti-poison ou allez à l'urgence.

▼ INTERACTIONS

MÉDICAMENT-MÉDICAMENT
Il peut y avoir interactions entre l'hydrate de chloral et les médicaments suivants. Demandez conseil au médecin si vous prenez : anticoagulants, antidépresseurs tricycliques ou dépresseurs du système nerveux central.

MÉDICAMENT-ALIMENT
Aucune interaction alimentaire n'a été signalée.

MÉDICAMENT-MALADIE
Il faut être prudent quand on prend de l'hydrate de chloral. Prévenez le médecin si vous avez : troubles des reins, du foie ou du cœur, ulcères ou autres problèmes intestinaux, œsophagite, apnée du sommeil, dépression ou antécédents de toxicomanie ou de dépendance.

 EFFETS INDÉSIRABLES

GRAVES
Hallucinations, confusion, excitabilité, rash cutané, urticaire.

COURANTS
Nausées, vomissements, douleurs gastriques ou malaises abdominaux, sensations d'ébriété, somnolence, diarrhée.

MOINS COURANTS
Perte de coordination, vertiges, étourdissements, flatulence, malaises.

CHLORAMBUCIL

Présentation : Comprimés
En vente libre ? Non   **Générique disponible ?** Non
Classe de médicaments : Agent alkylant

▼ GÉNÉRALITÉS

INDICATIONS
Traitement de certains types de cancers, en particulier leucémie et lymphome (cancer du système lymphatique). Plus précisément, le chlorambucil s'utilise pour traiter la leucémie lymphoïde chronique (surproduction et anomalies des globules blancs qui jouent un rôle capital dans le système immunitaire) et la maladie de Hodgkin (cancer du système lymphatique caractérisé par un gonflement indolore des ganglions lymphatiques).

MODE D'ACTION
Le chlorambucil détruit les cellules cancéreuses en agissant sur leur bagage génétique pour empêcher leur reproduction. Il peut affecter en même temps la croissance et le développement des cellules saines, et causer ainsi des effets indésirables.

▼ MODE D'EMPLOI

POSOLOGIE
Dose initiale : 0,1 à 0,2 mg par jour par kilogramme (2,2 lb) de poids corporel, soit 4 à 10 mg par jour, pendant 4 à 8 semaines. La fréquence des doses et la durée du traitement varient selon le type de cancer.

DÉBUT D'ACTION
En 3 ou 4 semaines.

DURÉE D'ACTION
Inconnue.

CONSEILS NUTRITIONNELS
À prendre avec un liquide 2 heures après un repas léger. Buvez souvent.

MODE DE CONSERVATION
Au réfrigérateur dans un contenant étanche.

OUBLI D'UNE DOSE
Prenez-la dès que vous y pensez. S'il est presque l'heure de la suivante, sautez la dose oubliée et revenez à la fréquence normale. Ne doublez pas la dose suivante.

ARRÊT DE LA MÉDICATION
Cette décision devrait être prise par votre médecin.

USAGE PROLONGÉ
Consultez votre médecin régulièrement pour un suivi d'examens médicaux et de tests sanguins, car un usage prolongé augmente les risques d'effets indésirables.

▼ PRÉCAUTIONS

Plus de 60 ans. Risque de réactions indésirables plus fréquentes et plus graves.

Conduite automobile, travaux dangereux. Ce médicament ne devrait pas affecter vos réflexes.

Alcool. À éviter.

Grossesse. Le chlorambucil peut causer des malformations chez le fœtus. Les femmes en âge de procréer devraient avoir recours à des moyens contraceptifs pendant leur traitement.

Allaitement. Non recommandé durant le traitement.

Nourrissons et enfants. L'innocuité et l'efficacité du chlorambucil n'ont pas été établies chez les enfants.

À surveiller. L'infection est le plus grand danger d'une chimiothérapie. Le chlorambucil peut abaisser votre capacité à résister à l'infection en réduisant le nombre des globules blancs dans le sang. Par conséquent, ne vous faites donner aucun vaccin sans l'autorisation de votre médecin. Évitez le voisinage de personnes malades. Appelez votre médecin aux premiers signes de fièvre, de frissons, de diarrhée ou de toux.

SURDOSAGE
Symptômes. Fièvre, frissons, saignements inexplicables, convulsions, agitation.

Quoi faire. Appelez immédiatement le médecin ou le centre antipoison, ou allez à l'urgence.

▼ INTERACTIONS

MÉDICAMENT-MÉDICAMENT
Demandez spécifiquement l'avis du médecin si vous prenez : amphotéricine B (par injection), autre médicament antinéoplasique (anticancéreux), antithyroïdiens, chloramphénicol, colchicine ou autre médicament antigoutte, corticostéroïdes ou immunosuppresseurs (azathioprine, cyclosporine, ganciclovir ou interféron).

MÉDICAMENT-ALIMENT
Ne consommez pas trop d'aliments riches en lipides ou en glucides.

MÉDICAMENT-MALADIE
La prudence est conseillée. Demandez l'avis de votre médecin en cas de : goutte, antécédents de calculs rénaux, infection active, exposition récente à la varicelle ou au zona, problèmes de foie ou de reins, symptômes épileptiques, ou antécédents de traumatisme crânien.

▼ EFFETS INDÉSIRABLES

GRAVES
Selles noires ou goudronneuses ; urines ou selles teintées de sang rose ou brun ; toux ou enrouement ; fièvre ; frissons ; douleurs dans les lombes ou les flancs ; mictions douloureuses et difficiles ; petits boutons rouges sur la peau ; saignements des gencives, du nez ou autres endroits inusités ; tendance aux ecchymoses ; souffle court. Ces effets indésirables peuvent indiquer que les globules sanguins ou les plaquettes sont affectés, ou que les cellules chargées d'assurer l'immunité ne jouent plus leur rôle et qu'une infection s'est installée quelque part dans votre corps. Rash cutané important.

COURANTS
Nausées et vomissements.

MOINS COURANTS
Douleurs articulaires, rash cutané, enflure des pieds ou des chevilles (œdème), menstruations déréglées, diarrhées.

CHLORAMPHÉNICOL OPHTALMIQUE ET OTIQUE

Présentation : Solution et onguent ophtalmiques, solution otique
En vente libre ? Non   **Générique disponible ?** Oui
Classe de médicaments : Antibiotique

▼ GÉNÉRALITÉS

INDICATIONS
Traitement des infections de l'œil ou de l'oreille externe.

MODE D'ACTION
Le chloramphénicol inhibe la prolifération des bactéries en prévenant la synthèse des protéines dans les cellules bactériennes, ce qui les empêche de se multiplier.

▼ MODE D'EMPLOI

POSOLOGIE
Solution et onguent ophtalmiques : 1 goutte ou 1 application toutes les 3 heures pendant 48 heures, après quoi on peut espacer les doses. Solution otique : 2 ou 3 gouttes toutes les 6 à 8 heures.

DÉBUT D'ACTION
Inconnu.

DURÉE D'ACTION
Inconnue.

CONSEILS NUTRITIONNELS
Aucune restriction spéciale.

MODE DE CONSERVATION
Dans un contenant étanche, à l'abri de la chaleur, de l'humidité et de la lumière. Ce médicament ne se congèle pas. La solution otique peut être réfrigérée.

OUBLI D'UNE DOSE
Prenez-la dès que vous y pensez. S'il est presque l'heure de la suivante, sautez la dose oubliée et revenez à la fréquence normale. Ne doublez pas la dose suivante.

ARRÊT DE LA MÉDICATION
Poursuivez le traitement pour la durée prescrite, même si vous commencez à vous sentir mieux dans l'intervalle.

USAGE PROLONGÉ
Voyez votre médecin régulièrement pour des examens et des tests.

▼ PRÉCAUTIONS

Plus de 60 ans. Aucun risque connu.

Conduite automobile, travaux dangereux. À décon-seiller tant que vous ne connaissez pas votre réaction au médicament.

Alcool. À éviter.

Grossesse. Le chloramphéni-col n'entraîne pas de malfor-mation congénitale ni d'autres problèmes. Avant d'en pren-dre, avertissez votre médecin si vous êtes enceinte ou pré-voyez le devenir.

Allaitement. Il n'y a pas eu d'incidence sur les bébés nourris au sein.

Nourrissons et enfants. Ne donnez pas ce médicament à un enfant sans directives pré-cises du médecin.

À surveiller. Avant d'appli-quer les gouttes ou l'onguent, lavez-vous les mains. Renver-sez un peu la tête. Appuyez légèrement sur le coin interne de la paupière et, avec l'index de la même main, tirez la paupière inférieure vers le bas. Pressez sur le compte-gouttes ou appliquez une petite ligne d'onguent (1 cm/ ⅓ po) dans cette ouverture. Fermez l'œil et appuyez pen-dant 1 ou 2 minutes en vous efforçant de ne pas ciller. Pour les gouttes otiques, étendez-vous la tête sur le côté pour que l'oreille soit à l'horizontale. Tirez doucement sur le lobe, vers le haut et l'arrière pour les adultes (le bas et l'arrière pour les en-fants). Laissez tomber la dose dans l'oreille et restez immo-bile 1 ou 2 minutes. Vous pouvez insérer une boule de coton pour l'empêcher de couler. Assurez-vous que le compte-gouttes n'entre pas en contact avec l'œil, l'oreille, le doigt ou toute autre surface.

SURDOSAGE
Symptômes. Aucun symp-tôme identifié.

Quoi faire. Une surdose de chloramphénicol ophtalmique ou otique ne risque pas de mettre votre vie en danger. Si vous en renversez une grande quantité dans l'œil, rincez avec beaucoup d'eau. Pour ce qui est de l'oreille, ou en cas d'ingestion accidentelle, appe-lez aussitôt le médecin ou le centre antipoison.

▼ INTERACTIONS

MÉDICAMENT-MÉDICAMENT
Il peut y avoir interaction entre le chloramphénicol oph-talmique ou otique et d'autres médicaments. Demandez l'avis du médecin si vous pre-nez d'autres médicaments sur prescription ou en vente libre.

MÉDICAMENT-ALIMENT
Pas d'interaction connue.

MÉDICAMENT-MALADIE
La prudence est de mise. Consultez votre médecin si vous avez un tympan perforé (pour la solution otique) ou tout autre problème médical.

EFFETS INDÉSIRABLES

GRAVES
Dépression de la moelle osseuse (complication rare de l'utilisation du chloramphénicol). Autres effets graves : pâleur de la peau, maux de gorge et fièvre, saignements ou ecchymoses inhabituels, fatigue inhabituelle, démangeai-sons, rougeurs, enflure, rash ou irritation cutanée.

COURANTS
Il n'y a pas d'effets indésirables courants avec le chloram-phénicol otique. Le chloramphénicol ophtalmique peut retarder la cicatrisation de la surface de la cornée.

MOINS COURANTS
Sensation de piqûre ou de brûlure.

CHLORAMPHÉNICOL ORAL

Présentation : Gélules
En vente libre ? Non   **Générique disponible ?** Oui
Classe de médicaments : Antibiotique

▼ GÉNÉRALITÉS

INDICATIONS
Traitement d'infections bactériennes graves. À cause du danger potentiel de ses effets indésirables, on ne prescrit ce médicament que si les antibiotiques moins toxiques n'ont été d'aucun recours.

MODE D'ACTION
Le chloramphénicol bloque la prolifération des bactéries en prévenant la synthèse des protéines dans les cellules bactériennes, ce qui les empêche de se multiplier.

▼ MODE D'EMPLOI

POSOLOGIE
Adultes et enfants : 50 mg pour chaque kilogramme (2,2 lb) de poids corporel par jour, en doses fractionnées toutes les 6 heures.

DÉBUT D'ACTION
Inconnu.

DURÉE D'ACTION
Inconnue.

CONSEILS NUTRITIONNELS
À prendre l'estomac vide, au moins 1 heure avant les repas, ou 2 heures après, avec un grand verre d'eau.

MODE DE CONSERVATION
Dans un contenant étanche, à l'abri de la chaleur, de l'humidité et de la lumière.

OUBLI D'UNE DOSE
Prenez-la dès que vous y pensez. S'il est presque l'heure de la suivante, sautez la dose oubliée et revenez à la fréquence normale. Ne doublez pas la dose suivante.

ARRÊT DE LA MÉDICATION
Poursuivez le traitement pour la durée prescrite, même si vous commencez à vous sentir mieux dans l'intervalle.

USAGE PROLONGÉ
Vous devriez consulter votre médecin régulièrement pour qu'il fasse un suivi avec des examens et des analyses.

▼ PRÉCAUTIONS

Plus de 60 ans. On ignore si le chloramphénicol cause des effets différents ou plus prononcés chez les patients plus âgés.

Conduite automobile, travaux dangereux. À déconseiller tant que vous ne connaissez pas vos réactions au médicament.

Alcool. Il vaut mieux s'abstenir de boire de l'alcool quand on combat une infection.

Grossesse. On n'a pas noté de malformation congénitale attribuable au chloramphénicol. Mais son usage n'est pas recommandé au cours des semaines qui précèdent l'accouchement, car il peut momentanément causer des effets indésirables chez le nouveau-né. Consultez votre médecin avant de prendre ce médicament pendant la grossesse.

Allaitement. Le chloramphénicol passe dans le lait maternel ; évitez d'en prendre ou cessez le traitement si vous allaitez.

Nourrissons et enfants. Risques d'effets indésirables plus fréquents et plus graves chez les nouveau-nés.

À surveiller. Le chloramphénicol peut causer de l'anémie et augmente de ce fait le risque d'infections et d'autres problèmes de gencives. Il faut surveiller souvent la formule sanguine lorsqu'on prend ce médicament. Soyez prudent avec la brosse à dents et la soie dentaire. Autant que possible, attendez la fin du traitement pour vous faire soigner les dents. Chez les diabétiques, le chloramphénicol peut fausser les données des taux sanguins de glucose. L'utilisation du chloramphénicol pendant une radiothérapie peut augmenter le risque de problèmes sanguins.

SURDOSAGE
Symptômes. Nausées, vomissements, mauvais goût dans la bouche, diarrhées.

Quoi faire. Une surdose de chloramphénicol ne devrait pas mettre votre vie en danger. Néanmoins, appelez immédiatement le médecin ou le centre antipoison.

▼ INTERACTIONS

MÉDICAMENT-MÉDICAMENT
Demandez l'avis du médecin si vous utilisez l'un des médicaments suivants : alfentanil, amphotéricine B, antithyroïdiens, azathioprine, chimiothérapie anticancéreuse, colchicine, clindamycine, cyclophosphamide, érythromycines, antidiabétiques oraux, ganciclovir, interféron, mercaptopurine, méthotrexate, phénytoïne ou zidovudine (AZT).

MÉDICAMENT-ALIMENT
Pas d'interaction connue.

MÉDICAMENT-MALADIE
Il faut être prudent lorsqu'on prend du chloramphénicol. Consultez votre médecin si vous souffrez d'anémie ou d'une autre affection du sang, d'une maladie du foie, ou si vous suivez des traitements de radiothérapie.

  EFFETS INDÉSIRABLES

GRAVES
Pâleur ou apparence maladive ; maux de gorge ; fièvre ; saignements ou ecchymoses inexplicables ; fatigue inhabituelle ; confusion ; délire ; céphalées ; douleurs oculaires ; diminution de la vue ou vision embrouillée ; faiblesse ; engourdissements, picotements ou douleurs aux mains et aux pieds ; rash cutané ; respiration difficile.

COURANTS
Pas d'effet indésirable courant avec le chloramphénicol.

MOINS COURANTS
Diarrhées, nausées et vomissements.

CHLORDIAZÉPOXIDE

Présentation : Gélules, comprimés, injections
En vente libre ? Non   **Générique disponible ?** Oui
Classe de médicaments : Anxiolytique, groupe des benzodiazépines

▼ GÉNÉRALITÉS

INDICATIONS
Traitement de l'anxiété.

MODE D'ACTION
En général, le chlordiazépoxide produit une légère sédation en réduisant l'activité du système nerveux central. Il semble avoir la particularité d'intensifier l'effet de l'acide gamma-aminobutyrique (GABA), élément chimique naturel qui inhibe la décharge neuronale et la transmission des impulsions, diminuant ainsi l'excitation nerveuse.

▼ MODE D'EMPLOI

POSOLOGIE
Adultes : 5 à 25 mg, 3 ou 4 fois par jour. Pour les plus de 60 ans ou les malades chroniques : dose initiale de 5 à 10 mg, 2 à 4 fois par jour. La posologie peut être augmentée par le médecin jusqu'à 25 mg, 3 ou 4 fois par jour.

DÉBUT D'ACTION
En 1 à 3 heures.

DURÉE D'ACTION
Jusqu'à 48 heures.

CONSEILS NUTRITIONNELS
Aucune restriction spéciale.

MODE DE CONSERVATION
Dans un contenant étanche, à l'abri de la chaleur, de l'humidité et de la lumière.

OUBLI D'UNE DOSE
Prenez-la dès que vous y pensez. S'il est presque l'heure de la dose suivante, sautez la dose oubliée et revenez à la fréquence normale. Ne doublez pas la dose suivante.

ARRÊT DE LA MÉDICATION
Ne cessez pas de prendre le chlordiazépoxide abruptement ou sans l'approbation de votre médecin. La posologie devrait être réduite graduellement pour prévenir les symptômes de sevrage, y compris les convulsions.

USAGE PROLONGÉ
À la longue, le chlordiazépoxide peut perdre son efficacité. Si le traitement se prolonge, vous devriez consulter votre médecin pour des évaluations périodiques.

▼ PRÉCAUTIONS

Plus de 60 ans. Risques de réactions indésirables plus fréquentes et plus graves.

Conduite automobile, travaux dangereux. Ce médicament est susceptible d'affecter vos réflexes.

Alcool. À éviter.

Grossesse. Autant que possible, il faut éviter de prendre ce médicament en cours de grossesse. Ne manquez pas d'avertir votre médecin si vous êtes enceinte ou comptez le devenir.

Allaitement. Ce médicament passe dans le lait maternel ; n'en prenez pas si vous allaitez.

Nourrissons et enfants. Ce médicament n'est pas recommandé aux enfants de moins de 6 ans.

À surveiller. Le chlordiazépoxide peut créer de la dépendance physique ou psychique. Ne dépassez jamais la dose prescrite.

SURDOSAGE
Symptômes. Somnolence extrême, confusion, embarras de la parole, réflexes ralentis, mauvaise coordination, démarche hésitante, tremblements, respiration lente, pertes de connaissance.

Quoi faire. Appelez immédiatement votre médecin ou le centre antipoison, ou allez à l'urgence.

▼ INTERACTIONS

MÉDICAMENT-MÉDICAMENT
Demandez l'avis du médecin si vous utilisez un médicament qui déprime le système nerveux central, notamment : antihistaminiques, antidépresseurs ou autres médicaments psychiatriques, barbituriques, sédatifs, antitussifs, décongstionnants et analgésiques. Signalez à votre médecin tous les médicaments en vente libre que vous prenez.

MÉDICAMENT-ALIMENT
Pas d'interaction connue.

MÉDICAMENT-MALADIE
Avisez votre médecin si vous avez l'un des antécédents suivants : alcoolisme ou toxicomanie, accident cérébrovasculaire (ACV) ou autre trouble cérébral, maladie pulmonaire chronique, hyperactivité, dépression ou autre trouble psychique, myasthénie grave, apnée du sommeil, épilepsie, porphyrie, maladie du rein ou du foie.

 EFFETS INDÉSIRABLES

GRAVES
Difficultés de concentration, crises de colère, autres problèmes de comportement, dépression, hallucinations, confusion, trous de mémoire, évanouissements, faiblesse musculaire, rash cutané ou démangeaisons, maux de gorge, fièvre et frissons, ulcères dans la bouche ou la gorge, saignements ou ecchymoses inexplicables, fatigue extrême, jaunissement de la peau ou des yeux.

COURANTS
Somnolence, manque de coordination, démarche hésitante, vertiges, embarras de la parole.

MOINS COURANTS
Modification de la libido ou de la performance sexuelle, constipation, euphorie, nausées et vomissements, problèmes urinaires, fatigue inexplicable.

CHLORHEXIDINE (GLUCONATE DE)

Présentation : Détersif pour la peau, désinfectant pour les plaies, rince-bouche
En vente libre ? Topique, oui ; rince-bouche, non   **Générique disponible ?** Oui
Classe de médicaments : Antiseptique topique ; anti-infectieux ; antigingivite

▼ GÉNÉRALITÉS

INDICATIONS
Détersif et désinfectant : prévention de l'infection. Rince-bouche : traitement de la gingivite (inflammation des gencives avec rougeur, sensibilité, enflure et saignement).

MODE D'ACTION
Sur la peau, la chlorhexidine prévient l'infection en détruisant les bactéries de surface. Dans la bouche, elle tue les bactéries qui causent la plaque et la gingivite. Néanmoins, elle n'empêche pas la plaque de se former ni n'enlève celle qui est là. Il faut donc se brosser les dents, utiliser la soie dentaire et voir le dentiste régulièrement.

▼ MODE D'EMPLOI

POSOLOGIE
Peau : faites mousser 5 ml (1 c. à thé), appliquez durant 30 secondes à 3 minutes et rincez. Rince-bouche : Posologie moyenne (elle est variable) pour adultes : 15 ml (1 capuchon), en gargarisme pendant 30 secondes, 2 fois par jour, après vous être brossé les dents et avoir passé la soie. Ne diluez pas le médicament. Rincez-vous la bouche soigneusement avant le traitement, prenez soin de ne pas avaler de produit et ne vous rincez pas la bouche après le traitement.

DÉBUT D'ACTION
En 1 heure.

DURÉE D'ACTION
Inconnue.

CONSEILS NUTRITIONNELS
Abstenez-vous de boire ou de manger durant 30 minutes, après avoir utilisé le produit en gargarisme.

MODE DE CONSERVATION
Dans un contenant étanche, à l'abri de la chaleur et de la lumière. Ne pas congeler.

EFFETS INDÉSIRABLES

GRAVES
Réaction allergique rare mais sévère avec enflure, difficultés à respirer et même fermeture complète des voies aériennes accompagnée d'un choc anaphylactique potentiellement fatal.

COURANTS
Coloration (parfois importante) des dents, gencives, obturations, prothèses et autres surfaces buccales (en particulier chez les patients ayant déjà des accumulations de plaque) ; altération du goût (qui se corrige à la fin du traitement) ; accroissement paradoxal de tartre sur les dents.

MOINS COURANTS
Irritation ou réaction allergique : rougeur, sensation de brûlure ou de piqûre ou éruptions sur la peau, les gencives, la langue et les autres surfaces buccales ; ganglions enflés dans le cou ou de chaque côté du visage.

OUBLI D'UNE DOSE
Prenez-la dès que vous y pensez. S'il est presque l'heure de la suivante, sautez la dose oubliée et reprenez la fréquence normale. Ne doublez pas la dose suivante.

ARRÊT DE LA MÉDICATION
Suivez le traitement au complet, à moins d'avis contraire du médecin ou du dentiste.

USAGE PROLONGÉ
Voyez le médecin selon ses instructions ; voyez le dentiste tous les 6 mois pour faire nettoyer vos dents et évaluer les progrès du traitement.

▼ PRÉCAUTIONS

Plus de 60 ans. Pas de précautions spéciales.

Conduite automobile, travaux dangereux. Pas de précautions spéciales.

Alcool. Pas de restrictions. Mais les personnes ayant des antécédents d'alcoolisme ne devraient pas utiliser de chlorhexidine en rince-bouche ; elle renferme assez d'alcool pour provoquer une rechute.

Grossesse. Il n'y a pas eu d'études pertinentes sur les humains ; voyez le médecin.

Allaitement. Aucun problème n'a été signalé ; dites bien au médecin que vous allaitez.

Nourrissons et enfants. Non prescrit d'ordinaire aux moins de 18 ans. Innocuité et efficacité non établies.

À surveiller. Si la peau ou la plaie traitée avec de la chlorhexidine semble s'infecter, avisez immédiatement le médecin. Ne vous en mettez pas dans les yeux ou les oreilles : cela peut provoquer des blessures permanentes. Ne l'employez pas si vous avez des antécédents d'allergie au même médicament. Des traitements dentaires peuvent être utilisés pour corriger la coloration des dents.

SURDOSAGE
Symptômes. Difficultés d'élocution, démarche chancelante, somnolence ou stupeur, maux d'estomac, nausées (les patients jeunes ou maigres sont plus à risque).

Quoi faire. Appelez aussitôt le médecin ou allez à l'urgence si une personne — surtout un enfant — ingère plus de 115 g (4 oz) de chlorhexidine ou présente les symptômes ci-dessus.

▼ INTERACTIONS

MÉDICAMENT-MÉDICAMENT
N'employez aucun autre médicament avec ou sans ordonnance sur la peau traitée ou dans la bouche sans en aviser le médecin ou le dentiste.

MÉDICAMENT-ALIMENT
Aucune interaction connue.

MÉDICAMENT-MALADIE
Ne prenez pas de chlorhexidine si vous souffrez de parodontolyse (troubles variés des os de la mâchoire et des tissus qui entourent et supportent les dents).

CHLOROQUINE

Aralen,
Novo-Chloroquine

Présentation : Comprimés
En vente libre ? Non   **Générique disponible ?** Oui
Classe de médicaments : Antipaludéen

▼ GÉNÉRALITÉS

INDICATIONS
Prévention et traitement de la malaria causée par certaines souches de plasmodium (le parasite à son origine) qui sont sensibles à la chloroquine. (D'autres souches de plasmodium ne le sont pas.)

MODE D'ACTION
La chloroquine est un poison pour le parasite de la malaria.

▼ MODE D'EMPLOI

POSOLOGIE
Adultes et adolescents – Prévention de la malaria : 500 mg (300 mg de base) 1 fois par semaine. Traitement de la malaria : dose initiale de 1 000 mg (600 mg de base), suivie, au bout de 6 à 8 heures, d'une dose de 500 mg (300 mg de base), puis d'une dose quotidienne de 500 mg les deux jours suivants. Pour les enfants, suivez les directives du pédiatre.

DÉBUT D'ACTION
Inconnu.

DURÉE D'ACTION
Inconnue.

CONSEILS NUTRITIONNELS
Prenez ce médicament avec de la nourriture ou du lait pour diminuer les risques d'irritation de l'estomac.

MODE DE CONSERVATION
Dans un contenant étanche, à l'abri de la chaleur, de l'humidité et de la lumière.

OUBLI D'UNE DOSE
Si vous prenez 1 dose ou plus par jour, prenez-la dès que vous y pensez. S'il est presque l'heure de la suivante, sautez la dose oubliée et revenez à la fréquence normale. Ne doublez pas la dose suivante. Si vous prenez 1 dose par semaine, prenez la dose oubliée dès que vous y pensez, et revenez ensuite à la fréquence normale.

ARRÊT DE LA MÉDICATION
Poursuivez le traitement complet de la façon prescrite.

USAGE PROLONGÉ
Si vous prenez ce médicament à titre préventif, votre médecin vous conseillera peut-être de commencer 1 à 2 semaines avant votre départ pour une destination où la malaria est endémique. Continuez à prendre de la chloroquine pendant la durée du séjour et les 4 semaines qui suivront votre retour.

▼ PRÉCAUTIONS

Plus de 60 ans. Risques de réactions indésirables plus fréquentes et plus graves.

Conduite automobile, travaux dangereux. À déconseiller tant que vous ne connaissez pas votre réaction au médicament.

Alcool. Aucune précaution spéciale.

Grossesse. On ne conseille pas la chloroquine aux femmes enceintes à cause des risques potentiels pour le fœtus. Il y a toutefois des cas où on peut le prescrire pour prévenir ou traiter la malaria, car cette maladie présente des risques plus graves que le médicament. Demandez l'avis de votre médecin.

Allaitement. La chloroquine passe dans le lait maternel ; il faut être extrêmement prudent. Demandez l'avis de votre médecin.

Nourrissons et enfants. La prudence s'impose chez les enfants.

À surveiller. Si vous prenez de la chloroquine 1 fois par semaine, prenez-la toujours le même jour. La malaria est diffusée par les moustiques. Il faut donc commencer par les éloigner, par exemple en se couvrant d'un filet protecteur.

SURDOSAGE
Symptômes. Plus grande excitabilité, céphalées, somnolence, convulsions, troubles de la vision, nausées, vomissements, pouls irrégulier, étourdissements, évanouissements, arrêt cardiaque ou respiratoire.

Quoi faire. Trouvez immédiatement du secours médical.

▼ INTERACTIONS

MÉDICAMENT-MÉDICAMENT
Demandez l'avis du médecin si vous utilisez l'un des médicaments suivants : sels de magnésium, antiacides, cimétidine ou pénicillamine. Le vaccin intradermique contre la rage peut perdre son efficacité si la personne prend de la chloroquine au moment où il est administré.

MÉDICAMENT-ALIMENT
Pas d'interaction connue.

MÉDICAMENT-MALADIE
Demandez l'avis de votre médecin si vous souffrez de : problème sanguin grave, problème oculaire, maladie du foie, dérèglement important du système nerveux, déficit en G6PD, porphyrie ou psoriasis.

EFFETS INDÉSIRABLES

GRAVES
Vision embrouillée ou altérée ; problèmes sanguins – formule sanguine basse en globules blancs (maux de gorge, fièvre), anémie (fatigue, faiblesse) et formule sanguine basse en plaquettes (hémorragies et ecchymoses fréquentes). Les effets indésirables de cette nature sont très rares.

COURANTS
Il n'y a pas d'effet indésirable courant avec la chloroquine.

MOINS COURANTS
Diarrhée, perte d'appétit, céphalées, crampes ou douleurs à l'estomac, nausées ou vomissements, démangeaisons, étourdissements, fatigue, confusion, chute ou décoloration des cheveux, rash cutané. Aussi décoloration en bleu-noir de la peau, de l'intérieur de la bouche ou des ongles.

CHLORPHÉNIRAMINE (MALÉATE DE) ORAL

Présentation : Comprimés, dragées à libération lente, sirop
En vente libre ? Oui   **Générique disponible ?** Oui
Classe de médicaments : Antihistaminique

▼ GÉNÉRALITÉS

INDICATIONS
Soulagement symptomatique du rhume des foins et autres allergies ainsi que l'urticaire et le prurit de la peau.

MODE D'ACTION
Le maléate de chlorphéniramine bloque les effets de l'histamine, substance naturellement présente dans l'organisme qui cause enflure, démangeaisons, éternuements, larmoiement, urticaire et autres symptômes de réactions allergiques.

▼ MODE D'EMPLOI

POSOLOGIE
Comprimés – Adultes et adolescents : 4 mg, 3 ou 4 fois par jour, au besoin, sans dépasser 24 mg par jour. Dragées à libération lente – 8 mg toutes les 8 heures, ou 12 mg toutes les 12 heures, au besoin. Sirop – Enfants de 6 à 12 ans : 1,25 à 2,5 mg, 3 ou 4 fois par jour, sans dépasser 12 mg par jour. Enfants de moins de 6 ans : seulement sur ordonnance du médecin.

DÉBUT D'ACTION
En 15 à 60 minutes.

DURÉE D'ACTION
Comprimés et sirop : 3 à 6 heures ; dragées à libération lente : 8 à 12 heures.

CONSEILS NUTRITIONNELS
La chlorphéniramine peut se prendre avec des aliments ou du lait pour réduire les maux d'estomac. Contre la sécheresse de la bouche, utilisez de la gomme sans sucre, des fondants acides et sans sucre ou de la glace concassée.

MODE DE CONSERVATION
Dans un contenant étanche, à l'abri de la chaleur et de la lumière.

OUBLI D'UNE DOSE
Prenez-la dès que vous y pensez si vous n'avez pas plus de 2 heures de retard. Sinon, sautez la dose oubliée et reprenez la fréquence normale. Ne doublez pas la dose qui suit.

ARRÊT DE LA MÉDICATION
Vous devriez effectuer le traitement au complet, tel que prescrit, mais vous pouvez l'interrompre si vous vous sentez mieux. La chlorphéniramine peut se prendre au besoin.

USAGE PROLONGÉ
Aucune précaution spéciale.

▼ PRÉCAUTIONS

Plus de 60 ans. Les personnes âgées sont plus sensibles aux effets indésirables des antihistaminiques, en particulier à ceux-ci : confusion, vertiges, somnolence, agitation, irritabilité, cauchemars, sécheresse de la bouche, du nez et de la gorge.

Conduite automobile, travaux dangereux. N'entreprenez pas de telles activités tant que vous ne connaissez pas votre réaction au médicament. Son utilisation rend inapte à piloter un avion.

Alcool. Augmente la probabilité et la gravité des effets indésirables, comme la somnolence et la confusion.

Grossesse. Des études sur les animaux n'ont révélé aucune malformation congénitale ; aucune recherche n'a été faite chez les humains. Avant de prendre ce médicament, avertissez le médecin que vous êtes enceinte ou désirez le devenir.

Allaitement. La chlorphéniramine passe dans le lait maternel ; évitez d'en prendre ou cessez le traitement pendant que vous allaitez.

Nourrissons et enfants. Pour les enfants de moins de 6 ans, n'employez le médicament que sur l'ordonnance du médecin.

À surveiller. Ne brisez pas, ne broyez pas et ne mastiquez pas les dragées à libération lente.

SURDOSAGE
Symptômes. Somnolence marquée, fixité et dilatation des pupilles, agressivité, excitabilité excessive, confusion, incoordination, pouls faible, convulsions, perte de conscience.

Quoi faire. Appelez immédiatement le centre antipoison le plus proche ou allez à l'urgence.

▼ INTERACTIONS

MÉDICAMENT-MÉDICAMENT
Demandez l'avis du médecin si vous prenez les médicaments suivants : anticholinergiques, bépridil, médicaments contenant de l'alcool ou IMAO.

MÉDICAMENT-ALIMENT
Aucune interaction connue.

MÉDICAMENT-MALADIE
Avant de prendre de la chlorphéniramine, consultez le médecin si vous portez des verres de contact ou si vous souffrez de : glaucome, hypertrophie de la prostate, difficulté à uriner, maladie pulmonaire chronique ou sécheresse de la bouche ou des yeux.

▼ EFFETS INDÉSIRABLES

GRAVES
Saignements ; petits points rouges sur la peau ; fièvre ; fatigue extrême ; ulcères saignants dans le rectum, la bouche et le vagin ; nombre réduit de globules blancs sanguins (rare).

COURANTS
Somnolence ; excitabilité inhabituelle ; sécheresse de la bouche, du nez ou de la gorge. La somnolence tend à cesser après quelques jours à mesure que l'organisme s'habitue au médicament.

MOINS COURANTS
Modifications de la vue, perte d'appétit, vertiges, mictions douloureuses ou difficiles, tolérance moindre aux verres de contact.

CHLORPROMAZINE (CHLORHYDRATE DE)

Présentation : Comprimés, concentré liquide, sirop, suppositoires
En vente libre ? Non **Générique disponible ?** Oui
Classe de médicaments : Neuroleptique ; antipsychotique

Apo-Chlorpromazine, Chlorpromanyl, Largactil, Novo-Chlorpromazine

▼ GÉNÉRALITÉS

INDICATIONS
Traitement de troubles psychotiques comme la schizophrénie. Sert aussi à traiter nausées et vomissements graves et hoquet incoercible.

MODE D'ACTION
La chlorpromazine inhibe l'activité de la dopamine dans le cerveau, aidant ainsi à prévenir la stimulation excessive des centres nerveux soupçonnés de causer certains troubles psychiatriques. Elle supprime aussi l'activité des zones du cerveau et du tractus gastro-intestinal qui déclenchent le réflexe du vomissement et le hoquet.

▼ MODE D'EMPLOI

POSOLOGIE
Dose, forme et fréquence varient selon l'âge, la maladie, le poids, la tolérance aux effets indésirables et la réponse générale du patient. Dose habituelle pour adultes : dose d'attaque, 10 à 25 mg 3 ou 4 fois par jour. Le médecin peut la modifier selon vos besoins et votre tolérance ; la dose maximale peut atteindre 200 mg par jour, ou même 900 mg par jour pour les grands psychotiques. Enfants : consultez le pédiatre.

DÉBUT D'ACTION
Troubles psychotiques : 4 à 6 semaines pour un plein effet. Nausées et vomissements : 1 heure ou moins.

DURÉE D'ACTION
Inconnue.

CONSEILS NUTRITIONNELS
À prendre aux repas pour ménager l'estomac.

MODE DE CONSERVATION
Dans un contenant étanche, à l'abri de la chaleur, de l'humidité et de la lumière.

 EFFETS INDÉSIRABLES

GRAVES
Syndrome malin des neuroleptiques ; agitation grave et persistante ; mouvements incontrôlés incluant tics, secousses, torsions et spasmes musculaires dans le visage, le cou et le dos ; manque de coordination et d'équilibre ; démarche traînante ; tremblements, faiblesse ou raideur des extrémités ; difficultés à avaler et à parler ; claquements des lèvres, clappements de la langue ; fixité ; évanouissement ; mictions difficiles ; photosensibilité accrue de la peau ; rash cutané ; coloration jaune des yeux et de la peau (symptôme de troubles hépatiques).

COURANTS
Constipation, sudation diminuée, étourdissements, vertiges ou évanouissements, somnolence, bouche sèche.

MOINS COURANTS
Irrégularité menstruelle ; dysfonction sexuelle ; douleur, enflure des seins ; gain de poids; vision brouillée.

OUBLI D'UNE DOSE.
Prenez-la dès que vous y pensez. S'il est presque l'heure de la dose suivante, sautez la dose oubliée et reprenez la fréquence normale. Ne doublez pas la dose suivante.

ARRÊT DE LA MÉDICATION
N'arrêtez pas le traitement abruptement ou sans l'approbation du médecin. Les doses devraient être réduites graduellement pour vous éviter des symptômes de sevrage.

USAGE PROLONGÉ
Peut provoquer de la dyskinésie tardive (mouvements involontaires des mâchoires, des lèvres et de la langue). Consultez le médecin sur la pertinence de tests et d'analyses en usage prolongé.

▼ PRÉCAUTIONS

Plus de 60 ans. Certaines réactions indésirables (somnolence et hypotension) sont plus courantes. Il peut y avoir lieu de réduire les doses.

Conduite automobile, travaux dangereux. L'utilisation de ce médicament peut vous empêcher d'effectuer ces tâches en toute sécurité.

Alcool. À éviter.

Grossesse. Évitez de prendre ce médicament si vous êtes enceinte ou désirez l'être.

Allaitement. Évitez de prendre le médicament ou n'allaitez pas.

Nourrissons et enfants. Ce médicament ne doit pas être donné aux enfants de moins de 2 ans. Pour les autres, il faut l'utiliser seulement sous la surveillance du pédiatre.

SURDOSAGE
Symptômes. Somnolence extrême, arythmie cardiaque, bouche sèche, agitation, convulsions, perte de conscience.

Quoi faire. Appelez immédiatement le médecin ou le centre antipoison, ou allez à l'urgence.

▼ INTERACTIONS

MÉDICAMENT-MÉDICAMENT
Demandez conseil au médecin si vous prenez : amantadine, antihypertensifs, bromocriptine, déféroxamine, diurétiques, lévobunolol, médicaments pour le cœur, métoprolol, nabilone, autres antipsychotiques, pentamidine, pimozide, prométhazine, triméprazine, agents thyroïdiens, dépresseurs du système nerveux central, antihistaminiques, narcotiques, barbituriques, épinéphrine, lithium, lévodopa, méthyldopa, métoclopramide, métyrosine, pémoline, alcaloïde de rauwolfia ou métrizamide.

MÉDICAMENT-ALIMENT
Aucune interaction connue.

MÉDICAMENT-MALADIE
Prévenez votre médecin si vous avez : antécédents d'alcoolisme, troubles sanguins, cancer du sein, hyperplasie bénigne de la prostate (HBP), épilepsie ou convulsions, glaucome, maladie du cœur, des poumons ou des vaisseaux sanguins, maladie du foie, maladie de Parkinson, ulcère gastrique ou mictions difficiles.

CHLORPROPAMIDE

Présentation : Comprimés
En vente libre ? Non   **Générique disponible ?** Oui
Classe de médicaments : Antidiabétique/sulfonylurée

▼ GÉNÉRALITÉS

INDICATIONS
Aide à contrôler le diabète sucré bénin ou moyen non insulinodépendant (type 2) chez les patients qui ne parviennent pas à abaisser leurs taux sanguins de sucre par l'alimentation, la perte de poids et l'exercice.

MODE D'ACTION
Le chlorpropamide stimule la sécrétion additionnelle d'insuline dans le pancréas et rend les tissus de l'organisme plus réceptifs à l'insuline.

▼ MODE D'EMPLOI

POSOLOGIE
Dose d'attaque : 250 mg 1 fois par jour. Après 5 à 7 jours, la dose peut être augmentée de 50 à 125 mg, tous les 3 à 5 jours si nécessaire, jusqu'à un maximum de 500 mg par jour. Adultes de plus de 65 ans : commencez par 100 à 125 mg par jour, puis augmentez la dose comme ci-dessus.

DÉBUT D'ACTION
En 1 heure.

DURÉE D'ACTION
Jusqu'à 60 heures.

CONSEILS NUTRITIONNELS
Prenez 1 dose par jour au petit déjeuner ; en cas d'intolérance gastrique, divisez la dose quotidienne en deux portions égales et prenez-les avant les repas du matin et du soir. On peut broyer les comprimés. Suivez les conseils nutritionnels du médecin et limitez votre consommation de friandises sucrées.

MODE DE CONSERVATION
Dans un contenant étanche, à l'abri de la chaleur et de la lumière.

OUBLI D'UNE DOSE
Prenez-la dès que vous y pensez. S'il est presque l'heure de la dose suivante, sautez la dose oubliée et reprenez la fréquence normale. Ne doublez pas la dose suivante.

ARRÊT DE LA MÉDICATION
N'arrêtez pas le traitement sans l'approbation de votre médecin. Poursuivez le traitement jusqu'au bout, tel qu'il vous a été prescrit, même si vous vous sentez mieux.

USAGE PROLONGÉ
Il augmente les risques d'effets indésirables. Des examens et des analyses de sang et d'urine périodiques sont nécessaires pour déterminer les taux sanguins de sucre.

▼ PRÉCAUTIONS

Plus de 60 ans. Risques de réactions indésirables plus fréquentes et plus graves.

Conduite automobile, travaux dangereux. À déconseiller tant que vous ne connaissez pas votre réaction au médicament.

Alcool. À éviter. Associé à l'alcool, le chlorpropamide peut entraîner des réactions graves : nausées, vomissements, bouffées de chaleur, étourdissements, maux de tête et essoufflement.

Grossesse. Ne prenez pas de chlorpropamide si vous êtes enceinte ou avez l'intention de le devenir.

Allaitement. Le chlorpropamide passe dans le lait maternel et peut être dangereux pour le nourrisson. Évitez ou cessez d'en prendre pendant que vous allaitez.

Nourrissons et enfants. Non recommandé.

SURDOSAGE
Symptômes. Faim incontrôlable, nausées, anxiété, peau froide, sueurs froides, somnolence, tachycardie, fourmillements des lèvres et de la langue, faiblesse, perte de conscience, confusion, convulsions.

Quoi faire. Appelez aussitôt le médecin ou le centre antipoison ou allez à l'urgence.

▼ INTERACTIONS

MÉDICAMENT-MÉDICAMENT
Avisez le médecin si vous prenez les médicaments suivants : stéroïdes anabolisants ou corticostéroïdes, allopurinol, AAS et médicaments contre la toux, le rhume et pour freiner l'appétit contenant de l'AAS, anticoagulants, barbituriques, bêtabloquants, inhibiteurs des canaux calciques, cimétidine, ranitidine, pentamidine, chloramphénicol, ciprofloxacine, cyclosporine, œstrogènes, éthanol, diurétiques thiazidiques, antituberculeux, kétoconazole, lithium, IMAO, probénécide, rifampine, sélégiline ou procarbazine, sulfinpyrazone, quinidine.

MÉDICAMENT-ALIMENT
Aucune interaction connue.

MÉDICAMENT-MALADIE
La prudence est de mise. Dites-le au médecin si vous souffrez de : malnutrition, problèmes cardiaques, maladie du foie ou des reins, maladie de la thyroïde, infection, fièvre ou insuffisance de l'hypophyse ou des surrénales.

  **EFFETS INDÉSIRABLES**

GRAVES
Hypoglycémie ; transpiration ou sueurs froides ; agitation ; pouls rapide ; anxiété ; nausées ; respiration difficile ; vertiges, faiblesse générale ou étourdissements ; incoordination, diction pâteuse, confusion ; somnolence ; convulsions ; faiblesse dans un bras, une jambe ou une moitié du corps ; évanouissement. Donnez des substances sucrées uniquement si la personne est consciente et lucide.

COURANTS
Étourdissements légers, diarrhée, fringales fréquentes ou inhabituelles, nausées, aigreurs d'estomac, démangeaisons, goût bizarre, constipation, rétention hydrique, rash cutané.

MOINS COURANTS
Fatigue, sensibilité accrue de la peau à la lumière, jaunissement de la peau et des yeux, bourdonnements d'oreilles.

CHLORTHALIDONE

Présentation : Comprimés
En vente libre ? Non   **Générique disponible ?** Oui
Classe de médicaments : Diurétique thiazidique

▼ GÉNÉRALITÉS

INDICATIONS
Traitement de l'hypertension et des états qui causent de l'œdème (gonflement des tissus corporels par suite d'une rétention excessive de sel et d'eau).

MODE D'ACTION
Les diurétiques augmentent l'excrétion de sel et d'eau dans l'urine. En réduisant le volume total de fluides dans le corps, ces médicaments diminuent le volume sanguin en même temps que la pression dans les vaisseaux sanguins.

▼ MODE D'EMPLOI

POSOLOGIE
Adultes – Hypertension : 12,5 à 50 mg par jour (100 mg au maximum). Œdème : 50 à 100 mg par jour ou tous les deux jours (200 mg par jour au maximum).

DÉBUT D'ACTION
En 2 à 3 heures.

DURÉE D'ACTION
2 à 3 jours.

CONSEILS NUTRITIONNELS
Prenez ce médicament avec de la nourriture pour éviter les maux d'estomac.

MODE DE CONSERVATION
Dans un contenant étanche, à l'abri de la chaleur, de l'humidité et de la lumière directe.

OUBLI D'UNE DOSE
Prenez-la dès que vous y pensez. S'il est presque l'heure de la suivante, sautez la dose oubliée et revenez à la fréquence normale. Ne doublez pas la dose suivante.

ARRÊT DE LA MÉDICATION
À moins que vous n'ayez reçu des indications contraires de votre médecin, poursuivez le traitement pour toute la durée de la prescription, même si vous commencez à vous sentir mieux dans l'intervalle.

USAGE PROLONGÉ
Si vous devez prendre de la chlorthalidone pendant une longue période, consultez régulièrement votre médecin pour subir examens et tests.

▼ PRÉCAUTIONS

Plus de 60 ans. Risque de réactions indésirables plus fréquentes et plus graves.

Conduite automobile, travaux dangereux. Pas de précautions spéciales.

Alcool. À éviter.

Grossesse. La chlorthalidone ne doit pas être prise en cours de grossesse à moins que votre médecin ne vous la prescrive.

Allaitement. La chlorthalidone passe dans le lait maternel ; évitez d'en prendre ou cessez le traitement pendant que vous allaitez.

Nourrissons et enfants. Bien que la chlorthalidone soit rarement prescrite aux enfants, on ne prévoit aucun effet indésirable particulier. La posologie doit être établie par un pédiatre.

À surveiller. La chlorthalidone se prend normalement une fois par jour, de préférence le matin pour ne pas nuire au sommeil. Si vous la prenez pour traiter l'hypertension, suivez le régime et les mesures recommandées par votre médecin pour contrôler votre poids. Évitez le soleil, couvrez-vous adéquatement ou bien utilisez un bon écran solaire. Ce médicament peut entraîner des pertes de potassium. Selon les directives de votre médecin, mangez des aliments riches en potassium, ou prenez des suppléments.

SURDOSAGE
Symptômes. Évanouissements, étourdissements, apathie, somnolence, confusion, irritation gastro-intestinale.

Quoi faire. Appelez immédiatement votre médecin ou le centre antipoison, ou allez à l'urgence.

▼ INTERACTIONS

MÉDICAMENT-MÉDICAMENT
Demandez l'avis spécifique du médecin si vous prenez l'un des médicaments suivants : anticoagulants, cholestyramine, colestipol, antidiabétiques, anti-inflammatoires non stéroïdiens (AINS), digoxine ou lithium.

MÉDICAMENT-ALIMENT
Pas d'interaction connue.

MÉDICAMENT-MALADIE
Il faut être prudent lorsqu'on prend de la chlorthalidone. Demandez l'avis de votre médecin si vous souffrez d'une des affections suivantes : diabète sucré, goutte, lupus erythémateux, pancréatite, diabète, maladie cardiaque, maladie vasculaire, affection rénale ou maladie du foie.

EFFETS INDÉSIRABLES

GRAVES
Rash cutané, urticaire, démangeaisons intenses, enflure de la bouche et de la gorge, difficultés respiratoires, arythmie prononcée ou palpitations, vertiges ou étourdissements, saignements ou ecchymoses inhabituels.

COURANTS
la déplétion potassique (manque de potassium) peut causer des palpitations et de la faiblesse. La déplétion liquidienne peut causer des étourdissements, surtout lorsqu'on passe de la position assise ou horizontale à la position verticale.

MOINS COURANTS
Performance sexuelle diminuée, photosensibilisation accrue, perte d'appétit, goutte, élévation du glucose sanguin (patients atteints de diabète).

CHLORZOXAZONE/ACÉTAMINOPHÈNE

Présentation : Caplets, comprimés
En vente libre ? Oui   **Générique disponible ?** Oui
Classe de médicaments : Relaxant musculaire/analgésique

▼ GÉNÉRALITÉS

INDICATIONS
Les myorelaxants soulagent la raideur et l'inconfort en cas d'entorse, de foulure, de spasmes et autres problèmes musculaires importants. On les prescrit comme adjuvants à d'autres méthodes de traitement comme la physiothérapie. L'acétaminophène aide à soulager la douleur.

MODE D'ACTION
Les myorelaxants tels que la chlorzoxazone diminuent l'activité du système nerveux central, lequel ralentit à son tour la transmission des influx nerveux de la moelle épinière aux muscles squelettiques. L'acétaminophène inhibe la transmission de la douleur au cerveau.

▼ MODE D'EMPLOI

POSOLOGIE
Adultes et adolescents :
2 comprimés aux 4 heures au besoin. (Le comprimé renferme 250 mg de chlorzoxazone et, selon les marques, 300 à 500 mg d'acétaminophène.)

DÉBUT D'ACTION
En 15 minutes à 1 heure.

DURÉE D'ACTION
Jusqu'à 4 heures.

CONSEILS NUTRITIONNELS
À prendre avec des aliments pour éviter les maux d'estomac. Soignez votre régime : la guérison des tissus augmente les besoins en protéines et en calories. Contre la sécheresse de la bouche, buvez beaucoup et sucez des glaçons.

MODE DE CONSERVATION
Dans un contenant étanche, à l'abri de la chaleur, de l'humidité et de la lumière.

OUBLI D'UNE DOSE
Prenez-la dès que vous y pensez. S'il est presque l'heure de la suivante, sautez la dose oubliée et revenez à la fréquence normale. Ne doublez pas la dose suivante.

ARRÊT DE LA MÉDICATION
Cette décision doit être prise par votre médecin. Si vous prenez ce médicament depuis longtemps, il faudra peut-être réduire la posologie de façon graduelle.

USAGE PROLONGÉ
Chez l'adulte, le traitement se limite en général à 10 jours. Votre médecin vous dira si vous avez besoin de faire un suivi avec examens médicaux et analyses en laboratoire. On recommande des tests hépatiques en cours de traitement.

▼ PRÉCAUTIONS

Plus de 60 ans. Risques de réactions indésirables plus fréquentes et plus graves.

Conduite automobile, travaux dangereux. À déconseiller tant que vous ne connaissez pas vos réactions au médicament.

Alcool. À éviter car l'alcool intensifie l'effet sédatif de ce médicament et peut entraîner des lésions au foie.

Grossesse. Si vous êtes enceinte ou projetez de l'être, informez-en le médecin avant de commencer un traitement à la chlorzoxazone.

Allaitement. La chlorzoxazone passe dans le lait maternel. Évitez ou cessez d'en prendre quand vous allaitez.

Nourrissons et enfants. Non recommandé aux enfants de moins de 12 ans.

À surveiller. Si vos symptômes ne s'améliorent pas en 2 jours de traitement, appelez votre médecin. Un traitement à la chlorzoxazone doit s'accompagner de repos, physiothérapie et autres mesures pour soulager les malaises. Ne prenez pas ce médicament si vous êtes allergique à d'autres myorelaxants.

SURDOSAGE
Symptômes. Nausées, vomissements, diarrhée, perte d'appétit, céphalées, faiblesse générale, transpiration inhabituelle, évanouissement, difficultés à respirer, irritabilité, convulsions, sensation de paralysie, perte de conscience, jaunissement de la peau et du blanc des yeux.

Quoi faire. Si vous avez lieu de craindre une surdose, demandez immédiatement l'aide d'un médecin. Il faut agir promptement pour éviter des lésions au foie potentiellement mortelles.

▼ INTERACTIONS

MÉDICAMENT-MÉDICAMENT
Prévenez votre médecin si vous prenez : anticoagulants, antidépresseurs, antihistaminiques, clozapine, dronabinol, tout médicament affectant les facultés mentales, inhibiteurs de la monoamine-oxydase (IMAO), autres relaxants musculaires, narcotiques de tout genre, phénobarbital, sertraline, somnifères ou antibiotique du groupe des tétracyclines.

MÉDICAMENT-ALIMENT
Pas d'interaction connue.

MÉDICAMENT-MALADIE
Ce médicament peut entraîner des complications chez les patients atteints d'une affection du foie ou des reins, car ces organes contribuent à son élimination.

EFFETS INDÉSIRABLES

GRAVES
Évanouissement ; palpitations ou pouls rapide ; fièvre ; urticaire ou enflure marquée de la face, des lèvres ou de la langue, avec essoufflement, oppression thoracique, ou respiration sifflante (signes d'allergie potentiellement fatale) ; dépression mentale ; perte temporaire de la vue.

COURANTS
Somnolence, étourdissement, sécheresse de la bouche.

MOINS COURANTS
Ecchymoses, malaise général, excitabilité, maux d'estomac, urine décolorée, selles sanguinolentes ou noires, hoquet.

CHOLESTYRAMINE

Présentation : Poudre
En vente libre ? Non **Générique disponible ?** Oui
Classe de médicaments : Régulateur du métabolisme lipidique (hypocholestérolémiant)

▼ GÉNÉRALITÉS

INDICATIONS
Traitement d'appoint au régime alimentaire et à l'exercice physique pour abaisser les taux de cholestérol chez les patients présentant des taux sanguins élevés de lipoprotéines de faible densité (LDL). Soulagement du prurit causé par des taux élevés d'acides biliaires dans le sang, reliés à une obstruction biliaire partielle. Prévention de certains types de diarrhée.

MODE D'ACTION
La cholestyramine absorbe les acides biliaires et s'y associe dans l'intestin pour former avec eux un complexe insoluble qui est excrété dans les selles. Ceci a pour effet de diminuer la présence d'acides biliaires dans le sang. En réponse à la diminution d'acides biliaires, le foie convertit plus de cholestérol en acides biliaires. Il en résulte une diminution de cholestérol dans les cellules du foie ; celui-ci y réagit en produisant plus de récepteurs des LDL. L'élimination accrue de LDL sanguins abaisse les taux sanguins de cholestérol à lipoprotéines de faible densité (LDL).

▼ MODE D'EMPLOI

POSOLOGIE
Dose initiale : 4 g 1 fois par jour. Dose d'entretien : 4 g 1 à 6 fois par jour. Toujours bien mélanger la poudre avec un liquide approprié (eau, lait ou jus de fruit, mais jamais de boissons gazeuses), attendre quelques minutes, bien mélanger et boire. La posologie sera augmentée ou diminuée selon la réponse du patient.

DÉBUT D'ACTION
En 1 à 3 semaines.

DURÉE D'ACTION
Les effets de la cholestyramine persistent durant 2 à 4 semaines après la dose finale.

CONSEILS NUTRITIONNELS
Respectez les restrictions et directives diététiques que vous donne le médecin.

MODE DE CONSERVATION
Dans un contenant étanche, à l'abri de la chaleur, de la lumière et surtout de l'humidité.

OUBLI D'UNE DOSE
Prenez-la dès que vous y pensez. S'il est presque l'heure de la dose suivante, sautez la dose oubliée et reprenez la fréquence normale. Ne doublez pas la dose suivante.

ARRÊT DE LA MÉDICATION
Le traitement peut être interrompu après 1 à 3 mois si son effet thérapeutique n'est pas adéquat. La décision doit être prise par votre médecin.

USAGE PROLONGÉ
La cholestyramine peut être employée en toute sécurité durant plusieurs années ; cependant, il est nécessaire d'évaluer périodiquement son efficacité.

▼ PRÉCAUTIONS

Plus de 60 ans. Risques de réactions indésirables (surtout la constipation) plus fréquentes et plus graves.

Conduite automobile, travaux dangereux. Aucune précaution spéciale.

Alcool. Aucune précaution spéciale.

Grossesse. On ne connaît pas les effets du médicament sur le fœtus. Consultez le médecin si vous devenez enceinte ou désirez le devenir.

Allaitement. À très forte dose, la cholestyramine peut entraver l'absorption des vitamines A, D, E et K et modifier ainsi les apports nutritionnels que reçoit le nourrisson. Demandez l'avis spécifique du médecin.

Nourrissons et enfants. Prescrit pour les enfants seulement en de rares circonstances. Dans ces cas, respectez à la lettre les instructions et la posologie indiquées par le médecin.

À surveiller. À très forte dose, la cholestyramine peut entraver l'absorption des lipides et des vitamines solubles dans les corps gras (vitamines A, D, E et K) ; on peut recommander des suppléments vitaminiques.

SURDOSAGE
Symptômes. Aucun n'a été signalé.

Quoi faire. Communiquez avec votre médecin.

▼ INTERACTIONS

MÉDICAMENT-MÉDICAMENT
La cholestyramine peut se combiner à d'autres médicaments et modifier leur absorption. C'est pourquoi, prenez tout autre médicament 1 ou 2 heures avant de prendre la cholestyramine ou 4 heures après.

MÉDICAMENT-ALIMENT
Aucune interaction connue.

MÉDICAMENT-MALADIE
Ne prenez pas ce médicament si vous avez déjà eu une réaction allergique à celui-ci. Ne prenez pas de Questran léger sans sucre si vous souffrez de phénylcétonurie. Une médication à la cholestyramine peut aggraver les troubles suivants : calculs biliaires, ulcère gastroduodénal, troubles hémorragiques intestinaux, hémorroïdes, malabsorption, constipation.

 EFFETS INDÉSIRABLES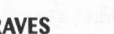

GRAVES
Douleurs abdominales intenses (réaction très rare, symptôme d'obstruction intestinale).

COURANTS
Constipation, aigreurs gastriques, ballonnement, éructations, malaises abdominaux, irritation dans la région anale.

MOINS COURANTS
Urticaire, rash cutané, gaz, diarrhée, nausées, vomissements, calculs biliaires, perte d'appétit.

CIDOFOVIR INTRAVEINEUX

Présentation : Injection intraveineuse
En vente libre ? Non   **Générique disponible ?** Non
Classe de médicaments : Antiviral

▼ GÉNÉRALITÉS

INDICATIONS
Traitement de la rétinite (infection de l'œil), causée par le cytomégalovirus (CMV), ou d'autres formes de maladies au CMV chez les patients atteints du virus de l'immuno-déficience humaine (VIH). Le cidofovir est donné en association avec le probénécide, médicament qui intensifie l'efficacité des antimicrobiens.

MODE D'ACTION
Le cidofovir entrave l'activité des enzymes essentielles à la réplication de l'ADN dans les cellules virales, empêchant ainsi le CMV de se multiplier.

▼ MODE D'EMPLOI

POSOLOGIE
Patients avec fonction rénale normale : dose initiale, 5 mg par kilogramme (2,2 lb) de poids en perfusion intraveineuse durant 60 minutes, 1 fois par semaine, 2 semaines de suite. Le probénécide est administré à raison d'une dose de 2 g, 3 heures avant la perfusion de cidofovir, suivie de 1 g, 2 heures après la perfusion et de nouveau 8 heures plus tard. Dose d'entretien du cidofovir : 5 mg par kilogramme, 1 fois aux 2 semaines, toujours accompagné des doses de probénécide décrites précédemment. Patients avec insuffisance rénale : dose réduite, déterminée par le médecin.

DÉBUT D'ACTION
Inconnu.

DURÉE D'ACTION
Inconnue.

CONSEILS NUTRITIONNELS
On n'a pas besoin de tenir compte de l'alimentation avec le cidofovir. Mais le probénécide devrait se prendre après avoir mangé. Buvez beaucoup.

MODE DE CONSERVATION
Sans objet ; la perfusion est administrée en milieu hospitalier ou à domicile par une infirmière.

OUBLI D'UNE DOSE
Si vous sautez une dose pour quelque raison que ce soit, communiquez avec le médecin et voyez à recevoir le traitement le plus vite possible.

ARRÊT DE LA MÉDICATION
La décision de mettre fin au traitement doit être prise en consultation avec le médecin.

USAGE PROLONGÉ
Un suivi médical régulier, avec examens et analyses, est nécessaire si le traitement se prolonge. Voyez un ophtalmologiste régulièrement.

▼ PRÉCAUTIONS

Plus de 60 ans. Risque plus grand de dysfonction rénale exigeant un ajustement de la posologie.

Conduite automobile, travaux dangereux. À déconseiller tant que vous ne connaissez pas votre réaction au médicament.

Alcool. À éviter en cas d'insuffisance hépatique.

Grossesse. Il a été établi que le cidofovir entraînait des anomalies congénitales chez l'animal. Il n'existe pas d'études sur les humains. Le médicament ne doit être administré durant la grossesse que si ses bienfaits l'emportent sur les risques qu'il fait courir au fœtus.

Allaitement. On ne sait pas si le cidofovir passe dans le lait maternel ; de toute façon, les femmes infectées au VIH ne devraient pas allaiter, pour éviter de transmettre le virus à un nourrisson non infecté.

Nourrissons et enfants. L'innocuité et l'efficacité du cidofovir n'ont pas été établies chez les enfants de moins de 18 ans.

À surveiller. Le risque de souffrir de nausées graves quand on prend du probénécide peut être réduit en prenant un médicament contre les nausées, comme le chlorhydrate de diphenhydramine.

SURDOSAGE
Symptômes. Aucun cas de surdosage n'a été signalé.

Quoi faire. Un surdosage de cidofovir est peu probable, mais en cas de surdose appréhendée, appelez immédiatement le médecin ou le centre antipoison, ou allez à l'urgence.

▼ INTERACTIONS

MÉDICAMENT-MÉDICAMENT
D'autres médicaments peuvent entrer en interaction avec le cidofovir. Demandez l'avis du médecin si vous prenez d'autres médicaments susceptibles de causer des lésions aux reins, tels que : aminosides, amphotéricine B, foscarnet, anti-inflammatoires non stéroïdiens (AINS), pentamidine et vancomycine. Il est préférable de laisser s'écouler 7 jours entre la fin d'un traitement avec ces médicaments et le début d'un traitement au cidofovir.

MÉDICAMENT-ALIMENT
Aucune interaction n'est connue ; néanmoins, les effets indésirables du probénécide sont atténués quand on prend ce médicament avec de la nourriture.

MÉDICAMENT-MALADIE
Avertissez le médecin de tout problème de santé qui pourrait nuire à la fonction rénale.

▼ EFFETS INDÉSIRABLES

GRAVES
Lésions rénales entraînant : baisse ou augmentation du débit urinaire, soif et essoufflement. Diminution de l'acuité visuelle ou autre altération de la vue.

COURANTS
Le probénécide, qui est associé au cidofovir, peut causer fièvre, frissons, céphalées, rash cutané, nausées ou vomissements.

MOINS COURANTS
Fatigue et faiblesse persistantes ou perte de vigueur.

CIMÉTIDINE

Présentation : Comprimés, solution orale, injection
En vente libre ? Oui (mais surtout sur ordonnance) **Générique disponible ?** Oui
Classe de médicaments : Antagoniste du récepteur H2 de l'histamine

▼ GÉNÉRALITÉS

INDICATIONS
Traitement des ulcères gastro-duodénaux et du reflux œsophagien (remontée du contenu acide de l'estomac dans l'œsophage qui cause des brûlures d'estomac).

MODE D'ACTION
La cimétidine inhibe l'action de l'histamine (substance naturelle de l'organisme), ce qui entraîne la diminution des sécrétions d'acide gastrique dans l'estomac. Le corps est alors mieux armé pour effectuer sa propre guérison.

▼ MODE D'EMPLOI

POSOLOGIE
Ulcère duodénal ou gastrique aigu (avec symptômes marqués) – Adultes et adolescents : posologies variées, dont 300 mg 4 fois par jour au repas et au coucher, ou 400 à 600 mg 2 fois par jour, ou encore dose unique de 800 mg au coucher. Pré-vention des ulcères du duodénum – Adultes et adolescents : habituellement 300 mg 2 fois par jour, ou bien dose unique de 400 mg au coucher. Traitement ponctuel des brûlures d'estomac et de l'acidité – Adultes et adolescents : 200 mg avec de l'eau, dès l'apparition des symptômes ; une seconde dose de 200 mg, au besoin, avec un maximum de 400 mg en 24 heures. Reflux œsophagien – Adultes : 800 à 1 200 mg par jour, en doses fractionnées, durant environ 12 semaines.

DÉBUT D'ACTION
En moins d'une heure.

DURÉE D'ACTION
Au moins 4 à 5 heures.

CONSEILS NUTRITIONNELS
Évitez les aliments qui irritent l'estomac.

MODE DE CONSERVATION
À l'abri de la chaleur et de la lumière. Ne congelez pas la forme liquide.

OUBLI D'UNE DOSE
Prenez-la dès que vous y pensez. S'il est presque l'heure de la suivante, sautez la dose oubliée et revenez à la fréquence normale. Ne doublez pas la dose suivante.

ARRÊT DE LA MÉDICATION
Poursuivez le traitement jusqu'au bout, même si vous commencez à vous sentir mieux dans l'intervalle.

USAGE PROLONGÉ
Ne prenez pas de cimétidine vendue sans ordonnance pendant plus de 2 semaines sans l'accord de votre médecin.

▼ PRÉCAUTIONS

Plus de 60 ans. Risques de réactions indésirables plus fréquentes et plus graves.

Conduite automobile, travaux dangereux. À déconseiller tant que vous ne connaissez pas votre réaction au médicament.

Alcool. À éviter.

Grossesse. Évitez d'utiliser le médicament ou cessez le traitement si vous êtes enceinte ou voulez le devenir.

Allaitement. La cimétidine passe dans le lait maternel : évitez ou interrompez le traitement si vous allaitez.

Nourrissons et enfants. Suivez l'avis du pédiatre.

À surveiller. Évitez la cigarette car elle favorise la sécrétion d'acide dans l'estomac et peut aggraver la maladie. Ne prenez pas de cimétidine si vous avez déjà éprouvé une allergie à un antagoniste du récepteur H2 de l'histamine. Si vos douleurs d'estomac s'intensifient en cours de traitement, avertissez immédiatement votre médecin.

SURDOSAGE
Symptômes. Aucun symptôme n'a été rapporté.

Quoi faire. Une surdose ne devrait pas mettre votre vie en danger. Néanmoins, si la dose est considérable, appelez le médecin ou le centre antipoison immédiatement.

▼ INTERACTIONS

MÉDICAMENT-MÉDICAMENT
Demandez l'avis du médecin si vous prenez : aminophylline, anticoagulants, caféine, métropolol, oxtriphylline, phénytoïne, propranolol, théophylline, antidépresseurs tricycliques, itraconazole, kétoconazole, métronidazole.

MÉDICAMENT-ALIMENT
Les boissons gazeuses ou contenant de la caféine, les agrumes et jus d'agrumes, et tous les aliments et liquides acides peuvent irriter l'estomac ou diminuer l'action bénéfique de la cimétidine.

MÉDICAMENT-MALADIE
Les personnes souffrant d'une maladie du foie ou des reins, ou ayant un système immunitaire déficient, ne devraient pas prendre de cimétidine ou bien s'en tenir à des doses plus petites et moins fréquentes sous étroite surveillance médicale.

EFFETS INDÉSIRABLES

GRAVES
Palpitations (tachycardie), pouls lent, problèmes sanguins majeurs se traduisant par des saignements et des ecchymoses inhabituels, de la fièvre et des frissons, et une sensibilité accrue aux infections.

COURANTS
Céphalées, lassitude, somnolence, étourdissements, nausées, vomissements, douleurs abdominales, diarrhée.

MOINS COURANTS
Vision embrouillée, diminution de la libido ou de la performance sexuelle, gonflement des seins tant chez les hommes que chez les femmes, pertes temporaires de cheveux, hallucinations, dépression, confusion, insomnie, rash cutané, urticaire ou rougeurs de la peau.

CIPROFLOXACINE OPHTALMIQUE

NOM COMMERCIAL

Ciloxan

Présentation : Suspension ophtalmique, onguent ophtalmique
En vente libre ? Non   **Générique disponible ?** Non
Classe de médicaments : Fluoroquinolone (antibiotique)

▼ GÉNÉRALITÉS

INDICATIONS
Traitement ou prévention des infections bactériennes de l'œil, telles que la conjonctivite ou la kératite (infection de la cornée). Sert souvent dans la prévention d'infection pendant qu'une éraflure de la cornée se cicatrise.

MODE D'ACTION
La ciprofloxacine entrave l'activité de certaines enzymes nécessaires à la croissance et à la réplication des bactéries.

▼ MODE D'EMPLOI

POSOLOGIE
Dépend de la nature de l'infection et de sa réponse au traitement. Suivez à la lettre les instructions du médecin. Voici une dose typique pour conjonctivite. Adultes et adolescents : 1 goutte dans l'œil aux 2 heures pendant 2 jours, puis 1 goutte aux 4 heures pendant les 5 jours suivants (durant les heures d'éveil).

DÉBUT D'ACTION
Inconnu.

DURÉE D'ACTION
Inconnue.

CONSEILS NUTRITIONNELS
Pas de restriction spéciale.

MODE DE CONSERVATION
Dans un contenant étanche, à l'abri de la chaleur, de l'humidité et de la lumière. Ne réfrigérez pas la suspension ophtalmique ; ne la faites pas congeler.

OUBLI D'UNE DOSE
Appliquez-la dès que vous y pensez. S'il est presque l'heure de la suivante, sautez la dose oubliée et reprenez la fréquence normale. Ne doublez pas la dose suivante.

ARRÊT DE LA MÉDICATION
Effectuez le traitement au complet, comme il vous a été prescrit, même si vous vous sentez mieux avant qu'il ne prenne fin.

USAGE PROLONGÉ
Les cas graves d'infection peuvent exiger un traitement prolongé, conformément à la prescription du médecin. Dans ce cas, un suivi médical est nécessaire.

≡ EFFETS INDÉSIRABLES ≡

GRAVES
Nausées, baisse d'acuité visuelle ou vision embrouillée, rash cutané, irritation grave ou rougeur de l'œil.

COURANTS
Sensation de brûlure ou croûtes dans l'œil ou sur la paupière.

MOINS COURANTS
Rougeur sur le bord des paupières, mauvais goût, larmoiement ou démangeaison de l'œil, enflure de la paupière, sensation de corps étranger dans l'œil, sensibilité accrue des yeux à la lumière vive.

▼ PRÉCAUTIONS

Plus de 60 ans. Risques de réactions indésirables plus fréquentes et plus graves.

Conduite automobile, travaux dangereux. À déconseiller tant que vous ne connaissez pas votre réaction au médicament.

Alcool. Pas de précautions spéciales.

Grossesse. Il n'y a pas eu d'études pertinentes sur les humains. Avant de prendre de la ciprofloxacine ophtalmique, avisez le médecin que vous êtes enceinte ou voulez le devenir.

Allaitement. La ciprofloxacine ophtalmique peut passer dans le lait maternel, car on a trouvé dans le lait maternel des traces de ciprofloxacine prise par voie orale ; la prudence s'impose donc. Demandez l'avis du médecin.

Nourrissons et enfants. Ce médicament n'est pas recommandé aux enfants de moins de 12 ans.

À surveiller. Avant l'application, lavez-vous les mains. Renversez la tête en arrière. Appuyez doucement dans l'angle interne de la paupière et avec l'index de la même main, tirez la paupière inférieure vers le bas. Laissez tomber le médicament dans l'espace ainsi créé et fermez l'œil. Appuyez pendant 1 ou 2 minutes tout en gardant l'œil fermé sans cligner. Enfin, lavez-vous les mains. Le bout du compte-gouttes ou du tube ne doit toucher ni l'œil, ni votre doigt, ni rien d'autre.

Si les symptômes ne s'atténuent pas ou s'ils s'aggravent, vérifiez avec votre médecin. Ne laissez personne utiliser votre médicament, vos serviettes ou vos débarbouillettes. Appelez le médecin si des symptômes semblables aux vôtres se manifestent chez vos proches.

SURDOSAGE
Symptômes. Aucun symptôme spécifique n'a été signalé.

Quoi faire. Il est peu probable qu'une surdose de ciprofloxacine ophtalmique mette votre vie en danger. Néanmoins, si la dose est très forte ou si le médicament est ingéré, demandez immédiatement de l'aide médicale.

▼ INTERACTIONS

MÉDICAMENT-MÉDICAMENT
D'autres médicaments peuvent interagir avec la ciprofloxacine ophtalmique. Demandez l'avis du médecin si vous prenez tout autre médicament vendu avec ou sans ordonnance.

MÉDICAMENT-ALIMENT
Aucune interaction connue.

MÉDICAMENT-MALADIE
La ciprofloxacine ophtalmique exige que vous soyez prudent. Consultez votre médecin si vous avez déjà eu des réactions allergiques à la ciprofloxacine ou à d'autres antibiotiques du groupe des fluoroquinolones.

CIPROFLOXACINE SYSTÉMIQUE

Présentation : Comprimés, suspension orale, injection
En vente libre ? Non **Générique disponible ?** Non
Classe de médicaments : Fluoroquinolone (antibiotique)

▼ GÉNÉRALITÉS

INDICATION
Traitement d'infections bactériennes moyennes ou graves impliquant : tractus urinaire, voies respiratoires inférieures, os et articulations, peau. Aussi traitement de certaines maladies transmises sexuellement (chancre mou et gonorrhée) et de la diarrhée d'origine bactérienne.

MODE D'ACTION
La ciprofloxacine inhibe l'action d'une enzyme bactérienne (la gyrase) essentielle à la formation et à la réplication de l'ADN. Elle lutte ainsi contre l'infection en empêchant les cellules bactériennes de se reproduire.

▼ MODE D'EMPLOI

POSOLOGIE
Voie orale : 100 à 750 mg aux 12 heures (2 fois par jour) pendant 3 à 14 jours, selon la fonction rénale et l'infection traitée. Gonorrhée : 1 seule dose de 500 mg est le traitement habituel.

DÉBUT D'ACTION
Dépend de l'infection traitée.

DURÉE D'ACTION
Inconnue.

CONSEILS NUTRITIONNELS
Buvez beaucoup, mais évitez le lait et les produits laitiers.

MODE DE CONSERVATION
Dans un contenant étanche, à l'abri de la chaleur et de la lumière.

OUBLI D'UNE DOSE
Prenez-la dès que vous y pensez. S'il est presque l'heure de la suivante, sautez la dose oubliée et reprenez la fréquence normale. Ne doublez pas la dose suivante.

ARRÊT DE LA MÉDICATION
Effectuez le traitement au complet, comme il vous a été prescrit, même si vous vous sentez mieux avant la fin.

USAGE PROLONGÉ
Un suivi médical périodique est essentiel si vous avez à poursuivre le traitement durant une période prolongée.

▼ PRÉCAUTIONS

Plus de 60 ans. Pas de risques connus.

Conduite automobile, travaux dangereux. À déconseiller tant que vous ne connaissez pas votre réaction au médicament.

Alcool. Il est préférable de s'abstenir de consommer de l'alcool quand on lutte contre une infection.

Grossesse. La ciprofloxacine a entraîné des anomalies congénitales chez certains animaux. Il n'y a pas eu d'études pertinentes sur les humains. On ne devrait en donner aux femmes enceintes que si les bienfaits du médicament l'emportent manifestement sur ses risques. Avant de prendre de la ciprofloxacine, dites au médecin que vous êtes enceinte ou voulez le devenir.

Allaitement. La ciprofloxacine passe dans le lait maternel et peut causer des effets secondaires graves chez le nourrisson ; on ne recommande pas l'usage du médicament durant l'allaitement.

Nourrissons et enfants. La ciprofloxacine n'est pas recommandée aux moins de 18 ans : elle entrave la croissance squelettique.

À surveiller. Si la ciprofloxacine vous rend sensible à la lumière solaire, interrompez le traitement, consultez le médecin ; évitez de vous exposer au soleil durant les 5 jours suivants ; portez des vêtements couvrants et utilisez un écran solaire. La ciprofloxacine ne doit pas être administrée aux patients que leur travail expose au soleil. Buvez beaucoup lors du traitement.

SURDOSAGE
Symptômes. Aucun symptôme spécifique n'a été signalé.

Quoi faire. En cas de surdose possible, appelez le médecin ou le centre antipoison.

▼ INTERACTIONS

MÉDICAMENT-MÉDICAMENT
Demandez spécifiquement l'avis du médecin si vous prenez : aminophylline, antiacides, didanosine, suppléments de fer, oxtriphylline, sucralfate, théophylline, warfarine ou sels de zinc. Faites connaître au médecin les autres médicaments vendus avec ou sans ordonnance que vous prenez.

MÉDICAMENT-ALIMENT
La ciprofloxacine augmente les effets de la caféine. Le lait et les produits laitiers peuvent réduire de moitié les taux sanguins de ciprofloxacine.

MÉDICAMENT-MALADIE
La prudence est de règle avec la ciprofloxacine. Faites connaître au médecin tous vos problèmes de santé. La ciprofloxacine peut entraîner des complications chez les patients souffrant de maladie rénale, car les reins contribuent à éliminer le médicament de l'organisme.

EFFETS INDÉSIRABLES

GRAVES
Les réactions graves à la ciprofloxacine sont rares : convulsions, confusion, hallucinations, agitation, cauchemars, dépression, essoufflement, enflure du visage ou des extrémités, perte de conscience. Aussi brûlures de la peau, rougeurs, cloques, éruptions cutanées ou démangeaisons à la suite d'une exposition au soleil.

COURANTS
Sensibilité accrue au soleil (et risque accru de coups de soleil) durant plusieurs jours après le traitement.

MOINS COURANTS
Diarrhée, nausées et vomissements, douleur et dérangement d'estomac, gaz, céphalées, vertiges, insomnie, altération du goût, somnolence, démangeaisons, sécheresse de la bouche, douleurs ou malaises corporels anormaux.

CITALOPRAM (BROMHYDRATE DE)

Présentation : Comprimés
En vente libre ? Non   **Générique disponible ?** Non
Classe de médicaments : Antidépresseur inhibiteur sélectif du recaptage de la sérotonine (ISRS).

▼ GÉNÉRALITÉS

INDICATIONS
Traitement des symptômes de la dépression grave.

MODE D'ACTION
Le citalopram augmente les taux de sérotonine dans le cerveau ; la sérotonine est un élément chimique qui serait relié à l'humeur, aux émotions et aux états mentaux.

▼ MODE D'EMPLOI

POSOLOGIE
Dose d'attaque : 20 mg 1 fois par jour, le matin ou le soir ; le médecin peut augmenter graduellement cette dose jusqu'à 40 mg par jour.

DÉBUT D'ACTION
Les symptômes de la dépression peuvent commencer à diminuer après 2 semaines ; l'action du médicament est complète en 4 à 8 semaines.

DURÉE D'ACTION
Inconnue.

CONSEILS NUTRITIONNELS
Pas de restriction spéciale.

MODE DE CONSERVATION
Dans un contenant étanche, à l'abri de la chaleur, de l'humidité et de la lumière.

OUBLI D'UNE DOSE
Si vous oubliez de prendre une dose une journée, ne doublez pas celle du lendemain.

ARRÊT DE LA MÉDICATION
Effectuez le traitement au complet, comme il vous a été prescrit, même si vous vous sentez mieux. Au moment de mettre fin au traitement, le médecin le fera en réduisant graduellement les doses.

USAGE PROLONGÉ
Le traitement normal de la dépression dure de 6 mois à 1 an ; quelques patients peuvent tirer profit d'une thérapie prolongée.

▼ PRÉCAUTIONS

Plus de 60 ans. Risques de réactions indésirables plus fréquentes et plus graves. Il peut y avoir lieu de réduire les doses.

Conduite automobile, travaux dangereux. À déconseiller tant que vous ne connaissez pas votre réaction au médicament.

Alcool. À éviter.

Grossesse. Le citalopram ne doit être utilisé durant la grossesse que si les bienfaits potentiels pour la patiente justifient les risques éventuels pour le fœtus. Avant de prendre ce médicament, avertissez le médecin que vous êtes enceinte ou avez l'intention de le devenir.

Allaitement. Le citalopram passe dans le lait maternel : la prudence s'impose. Parlez-en spécifiquement à votre médecin.

Nourrissons et enfants. L'innocuité et l'efficacité du médicament n'ont pas été établies chez les moins de 18 ans.

SURDOSAGE
Symptômes. Étourdissements, transpiration, nausées, vomissements, tremblements, somnolence, tachycardie.

Quoi faire. Appelez le médecin ou le centre antipoison immédiatement, ou allez à l'urgence.

▼ INTERACTIONS

MÉDICAMENT-MÉDICAMENT
Les patients soumis à une thérapie aux IMAO doivent attendre 14 jours avant de prendre du citalopram et vice versa. Il pourrait autrement en résulter des effets indésirables graves : myoclonie (spasmes musculaires incontrôlables), hyperthermie (élévation excessive de la température du corps) et rigidité aiguë. Les médicaments suivants peuvent aussi interagir avec le citalopram : cimétidine, warfarine, lithium, carbamazépine, antifongiques (tels que kétoconazole, itraconazole et fluconazole), antibiotiques à l'érythromycine, oméprazole, antidépresseurs tricycliques, agents antimigraineux et tout médicament en vente libre ou sur prescription qui déprime le système nerveux central (dont antihistaminiques, barbituriques, sédatifs, remèdes contre la toux et décongestionnants). Parlez-en au médecin.

MÉDICAMENT-ALIMENT
Aucune interaction connue.

MÉDICAMENT-MALADIE
La prudence s'impose pour le citalopram, surtout si vous souffrez de maladie cardiaque ou de convulsions. Le citalopram peut entraîner des complications chez les patients affligés d'une maladie du foie ou des reins.

EFFETS INDÉSIRABLES

GRAVES
Douleur thoracique, tachycardie, arythmie cardiaque, vertiges ou évanouissement.

COURANTS
Troubles d'éjaculation, sécheresse buccale, transpiration, nausées, tremblements, diarrhée, somnolence, engourdissements, fourmillements ou picotements, insomnie, vomissements, étourdissements.

MOINS COURANTS
Fatigue, fièvre, anorexie, agitation, congestion nasale, infection des sinus, dysfonction érectile (impuissance).

CLARITHROMYCINE

NOMS COMMERCIAUX

Biaxin, Biaxin BID

Présentation : Comprimés, suspension buvable
En vente libre ? Non   **Générique disponible ?** Non
Classe de médicaments : Antibiotique, groupe des macrolides

▼ GÉNÉRALITÉS

INDICATIONS
Traitement de diverses infections bactériennes, notamment celles des sinus, des amygdales, des oreilles et des voies respiratoires (bronchites et pneumonies). La clarithromycine sert aussi à traiter certaines infections cutanées et les ulcères duodénaux causés par la bactérie Helicobacter pylori. On l'utilise enfin pour la prévention ou, associée à d'autres médicaments, pour le traitement d'une infection mycobactérienne disséminée à MAC (complexe M. avium), semblable à la tuberculose et affectant les personnes atteintes de sida.

MODE D'ACTION
La clarithromycine empêche les cellules bactériennes de fabriquer certaines protéines nécessaires à leur survie.

▼ MODE D'EMPLOI

POSOLOGIE
Infections bactériennes – Adultes : en général, 250 à 500 mg aux 12 heures pendant 7 à 14 jours. Enfants : 15 mg par kilogramme (2,2 lb) de poids corporel, par jour, en doses fractionnées aux 12 heures, pendant 5 à 10 jours. Prévention des infections mycobactériennes à MAC – Adultes : 500 mg 2 fois par jour en association avec d'autres médicaments.

DÉBUT D'ACTION
En moins de 2 heures ; le plein effet thérapeutique peut prendre 2 à 5 jours.

DURÉE D'ACTION
Inconnue.

CONSEILS NUTRITIONNELS
La clarithromycine se prend avec ou sans nourriture.

⇊ EFFETS INDÉSIRABLES ⇊

GRAVES
Colite (inflammation du côlon causant notamment d'importantes douleurs abdominales, des selles liquides ou sanguinolentes, de sévères diarrhées et de la fièvre) ; toxicité du foie (fièvre, nausées, vomissements, jaunissement du blanc des yeux ou de la peau) ; réactions allergiques (enflure des lèvres, de la langue, du visage et de la gorge, difficultés respiratoires, rash cutané ou urticaire) ; problèmes de coagulation du sang (saignements et ecchymoses inhabituels) ; confusion ou changements de comportement ; arythmie chez les patients souffrant déjà d'un dérèglement cardiaque. Ces effets sont rares, mais s'ils se produisent, il faut cesser la médication et voir un médecin sans délai.

COURANTS
Il n'y a aucun effet indésirable courant.

MOINS COURANTS
Altérations du goût ; malaises abdominaux ; légère diarrhée ; nausées et vomissements sans gravité ; céphalées ; infection fongique (candidose) dans la bouche et la gorge.

Cependant il faut absorber beaucoup de liquide.

MODE DE CONSERVATION
Dans un contenant étanche, à l'abri de la chaleur, de l'humidité et de la lumière.

OUBLI D'UNE DOSE
Prenez-la dès que vous y pensez. S'il est presque l'heure de la dose suivante, sautez la dose oubliée et revenez à la fréquence normale. Ne doublez pas la dose suivante. Si vous prenez 2 doses par jour, il faut prévoir au moins 5 à 6 heures entre les doses.

ARRÊT DE LA MÉDICATION
S'il s'agit d'une infection aiguë, poursuivez le traitement pour la durée exacte de la prescription, même si vous vous sentez mieux. Pour la prévention des infections à MAC, le traitement est à vie.

USAGE PROLONGÉ
Vous risquez de développer des infections causées par des bactéries qui ne répondent pas à la clarithromycine. En cas d'usage prolongé, il peut aussi se produire des problèmes gastro-intestinaux liés à la prise du médicament.

▼ PRÉCAUTIONS

Plus de 60 ans. Chez les patients plus âgés, surtout en présence d'une affection des reins, il faut parfois réduire la posologie.

Conduite automobile, travaux dangereux. Pas de précaution spéciale.

Alcool. Pas de précaution spéciale.

Grossesse. Il n'existe pas de recherches sur l'utilisation de la clarithromycine en cours de grossesse. Discutez avec votre médecin des risques et des bénéfices.

Allaitement. On ignore si la clarithromycine passe dans le lait maternel. Demandez l'avis de votre médecin.

Nourrissons et enfants. Pas de risque connu.

SURDOSAGE
Symptômes. Nausées sévères, vomissements, diarrhée, malaises abdominaux.

Quoi faire. Appelez immédiatement votre médecin ou le centre antipoison, ou allez à l'urgence.

▼ INTERACTIONS

MÉDICAMENT-MÉDICAMENT
Ce médicament ne devrait pas être administré à un patient qui a déjà eu une allergie à l'érythromycine ou à tout autre antibiotique du groupe des macrolides. Ne prenez pas de clarithromycine en même temps que du pimozide. Par ailleurs, avertissez votre médecin si vous prenez : carbamazépine, digoxine, théophylline, warfarine, cyclosporine, ergotamines, rifabutine, rifampine ou zidovudine.

MÉDICAMENT-ALIMENT
Pas d'interaction connue.

MÉDICAMENT-MALADIE
Consultez votre médecin si vous avez des antécédents de maladie du sang, une maladie de foie ou une allergie à un médicament.

CLÉMASTINE

Présentation : Comprimés
En vente libre ? Oui **Générique disponible ?** Non
Classe de médicaments : Antihistaminique

▼ GÉNÉRALITÉS

INDICATIONS
Prévention ou soulagement des symptômes liés au rhume des foins et à d'autres allergies, ainsi que soulagement des démangeaisons et de l'urticaire.

MODE D'ACTION
La clémastine inhibe les effets de l'histamine, substance présente dans l'organisme qui peut causer des réactions allergiques telles que enflure, démangeaisons, éternuements, larmoiements, urticaire et autres symptômes.

▼ MODE D'EMPLOI

POSOLOGIE
Adultes et adolescents : 1 mg 2 fois par jour (rhume des foins) ou 2 mg 1 à 3 fois par jour (urticaire). Enfants de 6 à 12 ans : 0,5 à 1 mg 2 fois par jour.

DÉBUT D'ACTION
En 15 à 60 minutes.

DURÉE D'ACTION
Jusqu'à 12 heures.

CONSEILS NUTRITIONNELS
Prenez la clémastine avec de la nourriture, de l'eau ou du lait pour ne pas irriter l'estomac. Contre la sécheresse de la bouche, mâchez de la gomme sans sucre ou sucez des bonbons durs sans sucre, ou encore des glaçons.

MODE DE CONSERVATION
Dans un contenant étanche, à l'abri de la chaleur et de la lumière.

OUBLI D'UNE DOSE
Prenez-la dès que vous y pensez. S'il est presque l'heure de la dose suivante, sautez la dose oubliée et revenez à la fréquence normale. Ne doublez pas la dose suivante.

ARRÊT DE LA MÉDICATION
Vous devriez poursuivre le traitement pour toute la durée de la prescription, mais vous pouvez l'interrompre si vous vous sentez mieux. La clémastine peut être prise au besoin.

USAGE PROLONGÉ
Aucun problème connu.

▼ PRÉCAUTIONS

Plus de 60 ans. Risques de réactions indésirables plus fréquentes et plus graves.

Conduite automobile, travaux dangereux. La clémastine peut affecter vos réflexes. Ne vous engagez pas dans de telles activités tant que vous ne connaissez pas votre réaction au médicament.

Alcool. L'alcool favorise l'apparition d'effets indésirables comme la somnolence et la confusion et les intensifie.

Grossesse. Les recherches effectuées sur les animaux avec de fortes doses de clémastine n'ont pas rapporté de malformations congénitales. Aucune recherche n'a été faite chez les humains. En l'absence de données concluantes, ce médicament ne devrait être administré à une femme enceinte qu'en cas de besoin réel.

Allaitement. La clémastine passe dans le lait maternel. Il ne faut pas en prendre si vous allaitez.

Nourrissons et enfants. Les enfants sont plus sensibles que les adultes aux effets des antihistaminiques : ils peuvent devenir excités, agités et faire des cauchemars. L'innocuité et l'efficacité de la clémastine n'ont pas été établies pour eux. Chez les enfants de 6 à 12 ans, l'utilisation de la clémastine devrait être supervisée par un médecin.

SURDOSAGE
Symptômes. Hallucinations, convulsions, somnolence, léthargie, coma.

Quoi faire. Appelez immédiatement le médecin ou le centre antipoison, ou allez à l'urgence.

▼ INTERACTIONS

MÉDICAMENT-MÉDICAMENT
Somnifères, sédatifs, tranquillisants, inhibiteurs de la monoamine-oxydase (IMAO) et antidépresseurs peuvent intensifier les effets sédatifs de la clémastine. Les anticholinergiques peuvent aussi augmenter les risques d'effets secondaires de dessèchement des muqueuses et d'obstruction des voies urinaires.

MÉDICAMENT-ALIMENT
Pas d'interaction connue.

MÉDICAMENT-MALADIE
Demandez l'avis de votre médecin si vous souffrez d'une des affections suivantes : asthme, hypertrophie de la prostate, miction difficile, glaucome, apnée du sommeil, sécheresse des yeux ou de la bouche.

 EFFETS INDÉSIRABLES

GRAVES
Confusion, hallucinations, convulsions, vision embrouillée, difficulté à la miction (obstruction des voies urinaires).

COURANTS
Somnolence ; nausées ; mucus épais ; sécheresse de la bouche, du nez et de la gorge ; étourdissements ; manque de coordination.

MOINS COURANTS
Frissons, céphalées, lassitude, vomissements, agitation, irritabilité, congestion nasale, transpiration excessive, diarrhée, constipation.

CLINDAMYCINE

NOMS COMMERCIAUX

Alti-Clindamycin, Dalacin C, Dalacin C Phosphate, Dalacin C granulés aromatisés, Dalacin T, Dalacin crème vaginale, Riva-Clindamycin

Présentation : Gélules, forme liquide, injection, solution topique, crème vaginale
En vente libre ? Non   **Générique disponible ?** Oui
Classe de médicaments : Antibiotique

▼ GÉNÉRALITÉS

INDICATIONS
Par voie orale ou par injection, la clindamycine sert à traiter certaines infections bactériennes graves. Son usage topique est réservé à l'acné et aux infections vaginales.

MODE D'ACTION
La clindamycine inhibe la synthèse des protéines dans les micro-organismes bactériens.

▼ MODE D'EMPLOI

POSOLOGIE
Infections systémiques (formes orales) – Adultes et adolescents : 150 à 450 mg 4 fois par jour. Enfants de 1 mois et plus : consultez le pédiatre. Infections systémiques (injections) – Le médecin établit la posologie. Acné (solution topique) –

Adultes et adolescents : 2 applications par jour. Enfants de moins de 12 ans : le pédiatre détermine la posologie. Infections vaginales (crème vaginale) – Adultes et adolescentes : 100 mg insérés dans le vagin 1 fois par jour au coucher pendant 7 jours. Enfants : le pédiatre établit la posologie.

DÉBUT D'ACTION
Inconnu.

DURÉE D'ACTION
Inconnue.

CONSEILS NUTRITIONNELS
Les formes orales se prennent avec les repas pour minimiser les dérangements d'estomac. Il faut prendre les gélules avec de l'eau.

MODE DE CONSERVATION
Dans un contenant étanche, à l'abri de la chaleur, de l'humidité et de la lumière. Ne réfri-

gérez ni les formes liquides ni la crème.

OUBLI D'UNE DOSE
Prenez-la dès que vous y pensez. S'il est presque l'heure de la dose suivante, sautez la dose oubliée et revenez à la fréquence normale. Ne doublez pas la dose suivante.

ARRÊT DE LA MÉDICATION
Poursuivez le traitement pour toute la durée prescrite.

USAGE PROLONGÉ
Consultez votre médecin régulièrement pour un suivi à l'aide de tests et d'examens médicaux.

▼ PRÉCAUTIONS

Plus de 60 ans. Aucun risque connu.

Conduite automobile, travaux dangereux. Aucun risque connu.

Alcool. Il vaut toujours mieux s'abstenir de boire lorsqu'on combat une infection.

Grossesse. Si vous êtes enceinte, demandez l'avis de votre médecin avant de prendre cet antibiotique.

Allaitement. Il se pourrait que la clindamycine passe dans le lait maternel. Demandez l'avis de votre médecin.

Nourrissons et enfants. Ce médicament n'est pas recommandé pour les bébés avant 1 mois.

À surveiller. Lavez et séchez soigneusement la peau avant d'appliquer la solution topi-

que. Si vous utilisez la crème vaginale, abstenez-vous d'avoir des relations sexuelles. La clindamycine peut affaiblir la résistance des produits à base de latex ou de caoutchouc comme les condoms et les diaphragmes ; on ne recommande pas d'utiliser ces contraceptifs dans les 72 heures qui suivent l'application des formes topiques de la clindamycine. Enfin, il faut faire ce traitement en dehors des périodes de menstruation.

SURDOSAGE
Symptômes. Aucun symptôme n'a été rapporté.

Quoi faire. Contactez le médecin ou le centre antipoison si vous avez lieu de craindre une surdose.

▼ INTERACTIONS

MÉDICAMENT-MÉDICAMENT
Demandez l'avis de votre médecin si vous prenez : chloramphénicol, érythromycine ou médicaments contre la diarrhée renfermant du kaopectate ou de l'attapulgite.

MÉDICAMENT-ALIMENT
Pas d'interaction connue.

MÉDICAMENT-MALADIE
Demandez l'avis de votre médecin si vous avez des antécédents de maladie des reins, du foie, des intestins ou de l'estomac, et spécialement de colite.

EFFETS INDÉSIRABLES

GRAVES
Formes orales, solution et injection : douleurs ou crampes graves à l'estomac ou à l'abdomen, perte de poids, fortes diarrhées, fièvre, maux de gorge, rash cutané, démangeaisons et rougeurs de la peau, saignements ou ecchymoses inhabituels. Crème vaginale : démangeaisons de la région génitale, douleurs pendant le coït, pertes blanches, diarrhées, étourdissements, céphalées, nausées, vomissements, crampes ou douleurs à l'estomac.

COURANTS
Formes orales : légères diarrhées, nausées, vomissements, maux d'estomac. Solution topique : peau sèche ou rugueuse, desquamation.

MOINS COURANTS
Formes orales : démangeaisons du rectum ou de la région génitale. Formes topiques : maux d'estomac, diarrhées légères, peau irritée ou huileuse, picotements ou brûlures, étourdissements (crème), céphalées (crème).

CLOBAZAM

Présentation : Comprimés
En vente libre ? Non   **Générique disponible ?** Oui
Classe de médicaments : Anticonvulsivant

▼ GÉNÉRALITÉS

INDICATIONS

Traitement de l'épilepsie chez les patients dont l'état n'est pas adéquatement stabilisé par le traitement anticonvulsivant utilisé. Le clobazam est donné en association avec un autre antiépileptique.

MODE D'ACTION

Inconnu. Néanmoins, on croit que le clobazam, en modifiant un élément chimique du cerveau, réduit les décharges de neurones dans certaines régions cérébrales et, de ce fait, diminue le risque d'une crise convulsive.

▼ MODE D'EMPLOI

POSOLOGIE

Adultes : dose de départ, 5 à 15 mg par jour. La posologie peut être augmentée au besoin, sans dépasser 80 mg par jour. Jusqu'à 30 mg, il est possible de prendre le médicament en une seule dose, le soir au coucher. Au-delà de 30 mg, la dose peut être fractionnée, la plus grosse partie étant prise le soir. Enfants de moins de 2 ans : 0,5 à 1 mg par kilogramme (2,2 lb) de poids par jour. Enfants de 2 à 16 ans : 5 mg par jour ; à augmenter au besoin tous les 5 jours, sans dépasser 40 mg par jour.

DÉBUT D'ACTION

En 1 à 4 heures.

DURÉE D'ACTION

Plus de 24 heures.

CONSEILS NUTRITIONNELS

Pas de restrictions spéciales.

MODE DE CONSERVATION

Dans un contenant étanche, à l'abri de la chaleur, de l'humidité et de la lumière.

OUBLI D'UNE DOSE

Prenez-la dès que vous y pensez. S'il est presque l'heure de la suivante, sautez la dose oubliée et reprenez la fréquence normale. Ne doublez pas la dose suivante, à moins que le médecin ne vous recommande de le faire.

ARRÊT DE LA MÉDICATION

N'interrompez pas le traitement sans consulter le médecin. Un arrêt brusque pourrait provoquer des crises convulsives. On recommande de réduire progressivement les doses selon les directives du médecin.

USAGE PROLONGÉ

Un suivi médical est nécessaire en traitement prolongé.

▼ PRÉCAUTIONS

Plus de 60 ans. Le médicament étant éliminé plus lentement, il peut être nécessaire de réduire la dose.

Conduite automobile, travaux dangereux. Le clobazam peut réduire la vigilance. Évitez de conduire tant que vous ne connaissez pas votre réaction au médicament.

Alcool. N'en consommez pas durant le traitement : l'alcool modifie le taux sanguin de clobazam.

Grossesse. Le clobazam ne devrait pas être pris durant le premier trimestre de la grossesse. Pour ce qui est des deuxième et troisième trimestres, consultez le médecin.

Allaitement. N'allaitez pas durant le traitement.

Nourrissons et enfants. La posologie doit être étroitement surveillée par le médecin.

À surveiller. Le clobazam peut entraîner de la dépendance physiologique ou psychologique. Ne prenez jamais plus que la dose prescrite quotidiennement.

SURDOSAGE

Symptômes. Somnolence, confusion, léthargie, incoordination musculaire, réflexes réduits, insuffisance respiratoire, hypotension, coma. Le patient peut sembler surexcité quand l'effet du médicament commence à passer.

Quoi faire. Appelez aussitôt le médecin ou le centre anti-poison, ou allez à l'urgence.

▼ INTERACTIONS

MÉDICAMENT-MÉDICAMENT

Le clobazam peut interagir avec d'autres antiépileptiques : carbamazépine, phénytoïne, acide valproïque, phénobarbital. Prévenez le médecin si vous prenez des médicaments pouvant provoquer de la somnolence : antipsychotiques, anxiolytiques, certains antidépresseurs, antihistaminiques sédatifs, hypnotiques, anesthésiques, narcotiques, relaxants musculaires. Le lithium peut aussi provoquer une interaction.

MÉDICAMENT-ALIMENT

Aucune interaction significative n'a été signalée.

MÉDICAMENT-MALADIE

Les personnes affligées des troubles suivants doivent faire preuve de prudence : myasthénie grave, glaucome à angle fermé, antécédents de toxicomanie ou d'alcoolisme, insuffisance respiratoire grave, psychose et dépression. Avisez le médecin si vous souffrez d'une maladie du rein ou du foie : il peut être nécessaire de modifier la posologie.

 EFFETS INDÉSIRABLES

GRAVES

Agitation motrice, irritabilité, surexcitation, agressivité, cauchemars, hallucinations, réactions psychotiques, tendances suicidaires, spasmes musculaires fréquents.

COURANTS

Somnolence, vertiges, fatigue.

MOINS COURANTS

Troubles du comportement, vision brouillée, hostilité, gain de poids, perte de libido, chute des cheveux, tremblements, incoordination musculaire.

CLOMIFÈNE (CITRATE DE)

Présentation : Comprimés
En vente libre ? Non   **Générique disponible ?** Non
Classe de médicaments : Anti-œstrogène/agent ovulatoire

▼ GÉNÉRALITÉS

INDICATIONS
Stimulation de la libération d'ovules par les ovaires (ovulation) chez les femmes qui ont une dysfonction ovulatoire, mais veulent devenir enceintes.

MODE D'ACTION
Le clomifène stimule la production d'hormones hypophysaires, ce qui amène les ovaires à libérer des œufs.

▼ MODE D'EMPLOI

POSOLOGIE
La posologie habituelle est de 50 mg 1 fois par jour pendant 5 jours, à partir du cinquième jour du cycle menstruel. En l'absence de cycle menstruel, le traitement peut être amorcé en tout temps. Si l'ovulation ne s'est pas produite après le premier traitement, la posologie passe à 100 mg par jour, de nouveau pendant 5 jours. Le traitement est généralement prescrit pour trois cycles menstruels et on l'interrompt s'il y a grossesse.

DÉBUT D'ACTION
L'ovulation a lieu 6 à 12 jours après le dernier jour du traitement au clomifène. Il peut y avoir d'importantes variations dans cette donnée selon la sensibilité de la patiente au clomifène.

DURÉE D'ACTION
Inconnue.

CONSEILS NUTRITIONNELS
Aucune restriction spéciale.

MODE DE CONSERVATION
Dans un contenant étanche, à l'abri de la chaleur, de la lumière et de l'humidité.

OUBLI D'UNE DOSE
Prenez-la dès que vous y pensez, à moins que la prochaine dose soit prévue dans moins de 2 heures. Dans ce cas, prenez une double dose à l'heure prévue. Reprenez ensuite votre fréquence normale. Si vous avez sauté plus d'une journée de traitement, avertissez votre médecin.

ARRÊT DE LA MÉDICATION
Pour être efficace, ce médicament doit être pris tel que prescrit pour toute la durée prescrite. Ne décidez pas de vous-même de cesser la prise de clomifène.

USAGE PROLONGÉ
À moins d'indication contraire de la part de votre médecin, ne prenez pas de clomifène pour plus de 5 jours. Le clomifène est normalement prescrit pour 3 cycles. N'en prenez pas plus longtemps sans l'approbation de votre médecin.

▼ PRÉCAUTIONS

Plus de 60 ans. Le clomifène s'adresse à des femmes en âge de procréer.

Conduite automobile, travaux dangereux. À déconseiller tant que vous ne connaissez pas votre réaction au médicament. Vous pouvez avoir la vision brouillée pendant le traitement ou les jours qui suivent.

Alcool. Buvez peu d'alcool ou pas du tout.

Grossesse. Ce médicament ne doit pas être pris pendant la grossesse. Cessez immédiatement d'en prendre si vous devenez enceinte.

Allaitement. Le clomifène empêche la lactation et ne doit pas être pris pendant l'allaitement.

Nourrissons et enfants. Il ne convient pas aux enfants.

À surveiller. Il est indispensable de suspendre le traitement si vous devenez enceinte. Vous devez donc adopter une méthode pour vérifier l'ovulation (en consignant la température du corps, par exemple, ou avec une trousse pour faire vos propres tests d'urine). Faites-vous examiner par le médecin à chaque cycle menstruel et avant de refaire un traitement. Essayez de prendre votre médicament tous les jours à la même heure et ne sautez pas une dose. Le cas échéant, vous pouvez doubler la dose le lendemain.

SURDOSAGE
Symptômes. Aucun cas de surdosage n'a été rapporté.

Quoi faire. Consultez votre médecin ou un centre anti-poison si vous avez lieu de craindre une surdose.

▼ INTERACTIONS

MÉDICAMENT-MÉDICAMENT
Pas d'interaction connue.

MÉDICAMENT-ALIMENT
Pas d'interaction connue.

MÉDICAMENT-MALADIE
Demandez l'avis de votre médecin si vous souffrez d'une des affections suivantes : ovaire de taille excessive, kyste ovarien, endométriose ou règles très douloureuses, fibromes (excroissances dans l'utérus), thrombophlébite (inflammation douloureuse des veines, en général de la jambe), maladie du foie, dépression, saignement vaginal inhabituel.

EFFETS INDÉSIRABLES

GRAVES
Ballonnements, douleurs à l'estomac ou douleurs pelviennes, altération de la vue ou photosensibilité, jaunissement du blanc des yeux ou de la peau (jaunisse). Les effets indésirables graves dus au clomifène sont rares, mais à signaler immédiatement au médecin.

COURANTS
Bouffées de chaleur, malaises abdominaux, syndrome prémenstruel. Grossesses multiples (jumaux).

MOINS COURANTS
Seins gonflés ou très sensibles ; étourdissements ; céphalées ; règles très abondantes ou saignements vaginaux inhabituels ; dépression ; nausée et vomissements ; nervosité ; agitation ; lassitude ; insomnie.

CLOMIPRAMINE (CHLORHYDRATE DE)

Présentation : Comprimés
En vente libre ? Non   **Générique disponible ?** Oui
Classe de médicaments : Antidépresseur tricyclique, anti-obsessionnel

▼ GÉNÉRALITÉS

INDICATIONS
Traitement de la dépression et des troubles obsessionnels compulsifs.

MODE D'ACTION
La clomipramine affecte les niveaux de sérotonine, élément chimique du cerveau qu'on croit lié à l'humeur, aux émotions et à l'état psychique.

▼ MODE D'EMPLOI

POSOLOGIE
Adultes : en début de traitement, 25 mg 1 fois par jour pouvant être augmentés jusqu'à 250 mg par jour. Enfants de 10 ans et plus : 25 mg 1 fois par jour pour commencer jusqu'à un maximum de 200 mg par jour. Personnes âgées : 25 mg par jour, avec augmentation progressive des doses sous surveillance médicale.

DÉBUT D'ACTION
En 1 à 6 semaines.

DURÉE D'ACTION
Inconnue.

CONSEILS NUTRITIONNELS
À prendre aux repas pour éviter d'irriter l'estomac, à moins d'avis contraire du médecin. Augmentez votre consommation de fibres et de liquides.

MODE DE CONSERVATION
Dans un contenant étanche, à l'abri de la chaleur, de l'humidité et de la lumière.

OUBLI D'UNE DOSE
Si vous prenez une dose unique au coucher, ne compensez pas le lendemain matin car vous risqueriez la somnolence ; communiquez avec votre médecin. Si vous prenez plus d'une dose par jour, prenez-la dès que vous y pensez. S'il est presque temps de la suivante, sautez la dose oubliée et revenez à la fréquence normale. Ne doublez pas la dose suivante.

ARRÊT DE LA MÉDICATION
Poursuivez le traitement pour la durée prescrite, même si vous vous sentez mieux. La décision d'arrêter doit être prise en consultation avec votre médecin. La posologie sera réduite progressivement.

USAGE PROLONGÉ
Un traitement pour la dépression dure de 6 mois à 1 an, parfois plus ; pour les troubles obsessionnels compulsifs, au moins 1 an.

▼ PRÉCAUTIONS

Plus de 60 ans. Risques d'effets indésirables, en particulier confusion et constipation, plus fréquents et plus graves : il faudra peut-être réduire la posologie.

Conduite automobile, travaux dangereux. À déconseiller tant que vous ne savez pas votre réaction au médicament (vertiges, somnolence et confusion).

Alcool. À éviter.

Grossesse. Il n'y a pas eu de recherche adéquate chez les humains. Demandez l'avis de votre médecin.

Allaitement. Ne prenez pas de clomipramine.

Nourrissons et enfants. Non prescrit aux moins de 10 ans.

À surveiller. La clomipramine est dangereuse, surtout à doses excessives. Tout antidépresseur tricyclique doit être tenu à l'abri des personnes suicidaires. Si vous avez la bouche sèche, mâchez de la gomme ou des bonbons sans sucre.

SURDOSAGE
Symptômes. Respiration difficile, grande fatigue, convulsions, confusion, hallucinations, distractions, pupilles dilatées, arythmie, fièvre.

Quoi faire. Présentez-vous immédiatement à l'urgence.

▼ INTERACTIONS

MÉDICAMENT-MÉDICAMENT
Consultez le médecin si vous prenez : antithyroïdiens, cimétidine, clonidine, antidépresseurs, moclobémide, sédatifs, antihistaminiques, quinidine, méthylphénidate, warfarine, médicament pour couper la faim, isoprotérénol, éphédrine, épinéphrine, amphétamines, phényléphrine, antipsychotiques, pimozide, méthyldopa, métoclopramide, prométhazine, triméprazine, IMAO, ou tout médicament qui déprime le SNC.

MÉDICAMENT-ALIMENT
Pas d'interaction connue.

MÉDICAMENT-MALADIE
Demandez l'avis de votre médecin si vous avez : antécédents d'alcoolisme, miction difficile, asthme, maladie bipolaire, hypertension, problèmes d'estomac ou d'intestin, glaucome, hyperthyroïdie, inflammation de la prostate, schizophrénie, épilepsie, affection sanguine, rénale, cardiaque ou hépatique.

  EFFETS INDÉSIRABLES

GRAVES
Confusion, dysfonction sexuelle, arythmie, hallucinations, convulsions, fatigue ou somnolence extrêmes, problèmes de vision, difficultés à respirer, fixité ou absence d'expression faciale, concentration affaiblie, difficulté à uriner, fièvre, agitation marquée et persistante, manque d'équilibre et de coordination, gorge nouée, pupilles dilatées, douleurs oculaires, évanouissements. Aussi tremblements, faiblesse, raideur des extrémités et démarche traînante.

COURANTS
Somnolence ou étourdissements, céphalées, sécheresse de la bouche ou modification du goût, fatigue, intolérance à la lumière, gain de poids, nausées, augmentation de l'appétit, constipation.

MOINS COURANTS
Mal d'estomac, insomnie, diarrhées, sueurs, vomissements.

CLONAZÉPAM

Présentation : Comprimés
En vente libre ? Non **Générique disponible ?** Oui
Classe de médicaments : Anticonvulsivant

▼ GÉNÉRALITÉS

INDICATIONS
Pour maîtriser les convulsions.

MODE D'ACTION
Le clonazépam produit un léger effet sédatif en diminuant l'activité du système nerveux central (cerveau et moelle épinière). Plus précisément, il semble intensifier l'effet de l'acide gamma-aminobutyrique (GABA), élément chimique naturel qui inhibe la décharge des neurones et réduit la transmission des signaux nerveux, modérant ainsi l'excitation nerveuse.

▼ MODE D'EMPLOI

POSOLOGIE
Adultes : au début, 0,5 mg, 3 fois par jour. Les patients souffrant de convulsions peuvent exiger des doses beaucoup plus fortes. Le médecin déterminera la dose optimale. La dose maximale dépasse rarement 20 mg par jour. Enfants : selon l'âge et le poids.

DÉBUT D'ACTION
En 1 à 2 heures.

DURÉE D'ACTION
Moins de 24 heures.

CONSEILS NUTRITIONNELS
Pas de restriction spéciale.

MODE DE CONSERVATION
Dans un contenant étanche, à l'abri de la chaleur, de l'humidité et de la lumière.

OUBLI D'UNE DOSE
Prenez-la dès que vous y pensez. Si vous êtes à moins de 2 heures de la dose suivante, sautez la dose oubliée et reprenez la fréquence normale. Ne doublez pas la dose suivante.

ARRÊT DE LA MÉDICATION
Un arrêt brusque du traitement peut provoquer des symptômes de sevrage (insomnie, nervosité, irritabilité, diarrhée, crampes abdominales, douleurs musculaires, troubles de la mémoire). La posologie doit être réduite graduellement conformément aux directives du médecin.

USAGE PROLONGÉ
Le traitement est en général de courte durée (8 semaines ou moins). Ne le prolongez pas à moins que le médecin ne le conseille.

▼ PRÉCAUTIONS

Plus de 60 ans. Risques de réactions indésirables plus probables et plus graves.

Conduite automobile, travaux dangereux. Le clonazépam peut nuire à la vigilance et diminuer la coordination. Ajustez vos activités en conséquence.

Alcool. À éviter.

Grossesse. Le clonazépam n'est pas recommandé durant la grossesse.

Allaitement. Le clonazépam passe dans le lait maternel et peut nuire au nourrisson ; n'en prenez pas si vous allaitez.

Nourrissons et enfants. Rarement prescrit aux jeunes patients.

À surveiller. Le clonazépam peut entraîner de la dépendance psychologique et physique. Ne dépassez jamais la dose quotidienne prescrite.

SURDOSAGE
Symptômes. Grande somnolence, confusion, difficultés d'élocution, réflexes lents, incoordination, démarche chancelante, tremblements, respiration lente, perte de conscience.

Quoi faire. Appelez aussitôt le médecin ou le centre anti-poison, ou allez à l'urgence.

▼ INTERACTIONS

MÉDICAMENT-MÉDICAMENT
Plusieurs médicaments interagissent avec le clonazépam : dépresseurs du système nerveux central (antihistaminiques, antidépresseurs et autres antipsychotiques, barbituriques, sédatifs, médicaments contre la toux, décongestionnants et analgésiques ; demandez l'avis du médecin si vous en prenez. Signalez-lui aussi les médicaments en vente libre que vous prenez.

MÉDICAMENT-ALIMENT
Aucune interaction connue.

MÉDICAMENT-MALADIE
Le clonazépam exige qu'on soit prudent. Avertissez le médecin en cas de : antécédents d'alcoolisme ou de toxicomanie, accident cérébrovasculaire ou autre maladie du cerveau, maladie pulmonaire chronique, hyperactivité, dépression ou autre maladie mentale, myasthénie grave, apnée du sommeil, épilepsie, porphyrie, glaucome, maladie des reins ou du foie.

EFFETS INDÉSIRABLES

GRAVES
Difficulté à se concentrer, accès de colère, autres problèmes du comportement, dépression, hallucinations, hypotension (causant évanouissement ou confusion), troubles de la mémoire, faiblesse musculaire, rash cutané ou démangeaisons, mal de gorge, fièvre et frissons, lésions ou ulcères dans la gorge ou la bouche, ecchymoses ou saignements inhabituels, fatigue extrême, jaunissement des yeux ou de la peau.

COURANTS
Somnolence, incoordination, démarche incertaine, vertiges, étourdissements, difficultés d'élocution.

MOINS COURANTS
Modification du désir sexuel ou de la libido, constipation, euphorie, nausées et vomissements, troubles urinaires, fatigue inhabituelle.

CLONIDINE (CHLORHYDRATE DE)

Présentation : Comprimés
En vente libre ? Non   **Générique disponible ?** Oui
Classe de médicaments : Antihypertenseur à action centrale/stabilisateur vasculaire

▼ GÉNÉRALITÉS

INDICATIONS
Traitement de l'hypertension. Également soulagement des bouffées de chaleur de la ménopause.

MODE D'ACTION
La clonidine agit sur certaines régions du système nerveux central (le cerveau et la moelle épinière) qui régissent l'activité du cœur et des muscles lisses entourant les artères. Elle entraîne un relâchement et un élargissement des vaisseaux, ce qui diminue la pression sanguine. Elle réduit la réponse des vaisseaux sanguins périphériques aux stimulis.

▼ MODE D'EMPLOI

POSOLOGIE
Hypertension – Adultes : dose initiale, 0,1 mg 2 fois par jour. Votre médecin peut l'augmenter à 0,3 mg 2 fois par jour. La plupart du temps, on obtient le contrôle adéquat de la pression sanguine avec 0,6 mg ou moins par jour. Enfants : le pédiatre établira la posologie. Bouffées de chaleur : 0,05 mg 2 fois par jour.

DÉBUT D'ACTION
Hypertension : en 30 à 60 minutes. Bouffées de chaleur : en 2 à 4 semaines.

DURÉE D'ACTION
Jusqu'à 8 heures.

CONSEILS NUTRITIONNELS
Suivez le régime pauvre en sel, en gras et en cholestérol que vous recommandera votre médecin pour maîtriser l'hypertension et prévenir les ennuis cardiaques.

MODE DE CONSERVATION
Dans un contenant étanche, à l'abri de la chaleur, de l'humidité et de la lumière.

OUBLI D'UNE DOSE
Prenez-la dès que vous y pensez, sauf si vous êtes à moins de 2 heures de la dose suivante. Si c'est le cas, sautez la dose oubliée et prenez la suivante à l'heure prévue sans la doubler. Reprenez la fréquence normale. Si vous oubliez de prendre votre clonidine pendant plus d'un jour, informez votre médecin.

ARRÊT DE LA MÉDICATION
Un arrêt brusque de la clonidine peut entraîner une dangereuse augmentation de la tension artérielle. Ne cessez pas le traitement de votre propre chef, même si vous vous sentez mieux. Consultez votre médecin qui réduira la posologie de façon adéquate.

USAGE PROLONGÉ
L'usage prolongé, qui s'avère souvent nécessaire, risque d'augmenter le risque d'effets indésirables.

▼ PRÉCAUTIONS

Plus de 60 ans. Risque de réactions indésirables plus fréquentes et plus graves.

Conduite automobile, travaux dangereux. La clonidine peut causer des étourdissements et de la somnolence. Abstenez-vous de toute activité à risque tant que vous ne connaissez pas votre réaction au médicament.

Alcool. À éviter.

Grossesse. L'utilisation de la clonidine n'est pas recommandée pendant la grossesse.

Allaitement. La clonidine passe dans le lait maternel ; demandez l'avis spécifique de votre médecin.

Nourrissons et enfants. Ce médicament n'est pas recommandé aux jeunes patients.

À surveiller. La pression artérielle peut s'élever brusquement si l'on saute plus d'une dose. Signaux d'alerte : douleur dans la poitrine, étourdissements, céphalées, vision embrouillée, confusion, agitation, tremblements dans les mains et les doigts, anxiété, maux d'estomac, nausées et vomissements. Assurez-vous toujours d'avoir suffisamment de clonidine sur vous en voyage, en vacances, ou tout simplement en prévision de la fin de semaine.

SURDOSAGE
Symptômes. Hypotension, pouls lent, difficultés à respirer, vertiges, confusion, faiblesse ou évanouissement, contraction de la pupille.

Quoi faire. Présentez-vous immédiatement à l'urgence.

▼ INTERACTIONS

MÉDICAMENT-MÉDICAMENT
Demandez l'avis du médecin si vous utilisez l'un des médicaments suivants : bêta-bloquants, inhibiteur de la monoamine-oxydase (IMAO), digoxine ou antidépresseurs tricycliques.

MÉDICAMENT-ALIMENT
Pas d'interaction connue.

MÉDICAMENT-MALADIE
Prévenez votre médecin si vous souffrez d'une des affections suivantes : maladie du cœur ou des vaisseaux sanguins, incluant accident cérébrovasculaire (ACV) et arythmie ; maladie rénale ; dépression mentale ; syndrome de Raynaud ; lupus.

EFFETS INDÉSIRABLES

GRAVES
Il y a moins de risques d'effets indésirables graves si vous utilisez la clonidine comme prescrit.

COURANTS
Sécheresse de la bouche, salivation réduite, larmoiement réduit (un inconvénient pour les utilisateurs de lentilles souples), somnolence, étourdissements, constipation.

MOINS COURANTS
Dépression mentale, œdème des pieds et du bas des jambes, doigts et orteils pâles ou froids, cauchemars ou rêves intenses, chute des cheveux.

CLOPIDOGREL (BISULFATE DE)

Présentation : Comprimés
En vente libre ? Non   **Générique disponible ?** Non
Classe de médicaments : Inhibiteur de l'agrégation plaquettaire

▼ GÉNÉRALITÉS

INDICATIONS
Prévention des risques de récurrence d'infarctus du myocarde ou d'accident vasculaire cérébral chez les patients ayant des antécédents de maladie artérielle grave (athérosclérose).

MODE D'ACTION
L'infarctus du myocarde et l'accident vasculaire cérébral se produisent quand un caillot de sang, formé dans la partie étroite d'une artère, bloque la circulation du sang et prive d'oxygène et de nutriments les tissus situés derrière le caillot. Le clopidogrel peut agir préventivement en empêchant l'agrégation des plaquettes sanguines impliquées dans la formation de caillots.

▼ MODE D'EMPLOI

POSOLOGIE
75 mg 1 fois par jour.

DÉBUT D'ACTION
En 2 heures ou davantage.

DURÉE D'ACTION
Inconnue.

CONSEILS NUTRITIONNELS
Le clopidogrel peut se prendre avec ou sans aliments.

MODE DE CONSERVATION
Dans un contenant étanche, à l'abri de la chaleur, de l'humidité et de la lumière.

OUBLI D'UNE DOSE
Si vous avez oublié une dose une journée, ne doublez pas celle du lendemain, mais revenez à la fréquence prescrite.

ARRÊT DE LA MÉDICATION
Effectuez le traitement au complet, comme il vous a été prescrit.

USAGE PROLONGÉ
Risques accrus d'effets indésirables.

▼ PRÉCAUTIONS

Plus de 60 ans. Aucun problème particulier ne semble se produire.

Conduite automobile, travaux dangereux. Le clopidogrel ne devrait pas vous empêcher d'exécuter de telles tâches en toute sécurité.

Alcool. Aucune précaution spéciale n'est nécessaire.

Grossesse. Des études spécifiques sur les femmes enceintes n'ont pas été effectuées. Avant de prendre du clopidogrel, informez le médecin que vous êtes enceinte ou avez l'intention de le devenir.

Allaitement. Le médicament passe dans le lait maternel : la plus grande prudence s'impose. Parlez-en spécifiquement à votre médecin.

Nourrissons et enfants. L'innocuité et l'efficacité du médicament n'ont pas été établies.

À surveiller. Avant toute chirurgie, dites au médecin ou au dentiste que vous prenez ce médicament, car il risque de prolonger le saignement. Avisez votre médecin de tout saignement inhabituel ou prolongé.

SURDOSAGE
Symptômes. Aucun symptôme de surdosage n'a été signalé.

Quoi faire. Néanmoins, si vous avez absorbé une dose excessive du médicament, appelez le médecin ou le centre antipoison immédiatement, ou allez à l'urgence.

▼ INTERACTIONS

MÉDICAMENT-MÉDICAMENT
Consultez le médecin si vous prenez l'un ou l'autre des médicaments suivants qui peuvent avoir une interaction avec le clopidogrel : AAS ou tout autre anti-inflammatoire non stéroïdien (AINS), phénytoïne, tamoxifen, tolbutamide, torsémide, fluvastatine ou warfarine.

MÉDICAMENT-ALIMENT
Aucune interaction connue.

MÉDICAMENT-MALADIE
Le clopidogrel ne devrait pas être prescrit aux patients qui souffrent d'ulcère gastrique ou qui ont des antécédents d'hémorragie cérébrale. Il faut être prudent quand on prend du clopidogrel. Consultez votre médecin si vous avez des antécédents de saignements ou si des saignements se produisent pendant que vous prenez le médicament. Le clopidogrel peut entraîner des complications chez les patients souffrant d'une maladie hépatique, puisque le foie contribue à éliminer le médicament de l'organisme.

 EFFETS INDÉSIRABLES

GRAVES
Saignements gastro-intestinaux, évanouissement, palpitations, fatigue extrême, essoufflement, douleur thoracique. Dans de rares cas, le médicament peut inhiber la production de globules blancs (élément majeur du système immunitaire), entraînant ainsi des infections potentiellement graves. Voyez le médecin aux premiers signes d'infection, et notamment une forte fièvre.

COURANTS
Douleurs et maux d'estomac, diarrhée, éruption cutanée, démangeaisons, symptômes de grippe, douleurs musculaires ou articulaires, maux de tête, étourdissements, maux de dos, risque accru d'infections des voix respiratoires supérieures.

MOINS COURANTS
Faiblesse générale, hernie, crampes dans les jambes, fourmillements ou engourdissements des membres, vomissements, goutte, arthrite, anxiété, insomnie, anémie, dermatite et rashs cutanés, infection de la vessie, cataracte, conjonctivite.

CLORAZÉPATE DIPOTASSIQUE

NOMS COMMERCIAUX

Apo-Clorazepate,
Novo-Clopate,
Tranxene

Présentation : Gélules
En vente libre ? Non **Générique disponible ?** Oui
Classe de médicaments : Sédatif, groupe des benzodiazépines ; anxiolytique

▼ GÉNÉRALITÉS

INDICATIONS
Soulagement de l'anxiété et des crises de panique.

MODE D'ACTION
De façon générale, le clorazépate produit une légère sédation en réduisant l'activité du système nerveux central. Il semble avoir la particularité d'intensifier l'effet de l'acide gamma-aminobutyrique (GABA), élément chimique naturel qui diminue l'excitation nerveuse en inhibant les émissions de neurones et la transmission des impulsions.

▼ MODE D'EMPLOI

POSOLOGIE
Contre l'anxiété : 7,5 à 15 mg, 2 à 4 fois par jour ; le médecin ajuste la posologie à la réponse du patient. Pour les personnes âgées, la posologie initiale est de 7,5 à 15 mg au total par jour.

DÉBUT D'ACTION
En 1 à 2 heures.

DURÉE D'ACTION
Moins de 48 heures.

CONSEILS NUTRITIONNELS
Aucune restriction spéciale.

MODE DE CONSERVATION
Dans un contenant étanche, à l'abri de la chaleur, de l'humidité et de la lumière.

OUBLI D'UNE DOSE
Prenez-la dès que vous y pensez, sauf si vous êtes à moins de 2 heures de la dose suivante. Si c'est le cas, sautez la dose oubliée et prenez la suivante à l'heure prévue sans la doubler et revenez à la fréquence normale.

ARRÊT DE LA MÉDICATION
N'interrompez pas le traitement brusquement, vous risqueriez d'éprouver des symptômes de sevrage (convulsions, insomnie, nervosité, irritabilité, diarrhées, crampes abdominales, douleurs musculaires, trous de mémoire). Il faut réduire les doses progressivement, sous la surveillance de votre médecin.

USAGE PROLONGÉ
À la longue, le clorazépate peut perdre son efficacité. Si le traitement se prolonge, vous devriez consulter votre médecin pour des évaluations périodiques.

▼ PRÉCAUTIONS

Plus de 60 ans. Risque d'effets indésirables plus fréquents et plus graves.

Conduite automobile, travaux dangereux. L'utilisation du clorazépate est susceptible d'affecter vos réflexes.

Alcool. À éviter.

Grossesse. Évitez l'utilisation de ce médicament ou cessez le traitement si vous êtes enceinte.

Allaitement. Ne prenez pas ce médicament pendant que vous allaitez.

Nourrissons et enfants. Le clorazépate n'est pas recommandé aux enfants de moins de 9 ans.

À surveiller. Ce médicament peut créer de la dépendance physique ou psychique. Ne dépassez jamais la dose quotidienne prescrite.

SURDOSAGE
Symptômes. Somnolence extrême, confusion, embarras de la parole, réflexes lents, mauvaise coordination, démarche hésitante, tremblements, respiration ralentie, pertes de connaissance.

Quoi faire. Appelez immédiatement votre médecin ou le centre antipoison, ou allez à l'urgence.

▼ INTERACTIONS

MÉDICAMENT-MÉDICAMENT
Demandez spécifiquement l'avis du médecin si vous prenez un médicament qui déprime le système nerveux central, notamment l'un des suivants : antihistaminiques, antidépresseurs ou autres médicaments psychiatriques, barbituriques, sédatifs, antitussifs, décongestionnants et analgésiques. Signalez-lui tous vos médicaments, y compris ceux que vous vous procurez en vente libre.

MÉDICAMENT-ALIMENT
Pas d'interaction connue.

MÉDICAMENT-MALADIE
Prévenez votre médecin si vous avez : antécédents d'alcoolisme ou de toxicomanie, accident cérébrovasculaire (ACV) ou autre trouble cérébral, maladie pulmonaire chronique, hyperactivité, dépression ou autre trouble psychique, myasthénie grave, apnée du sommeil, épilepsie, porphyrie, maladie du rein ou du foie.

⇊ EFFETS INDÉSIRABLES ⇊

GRAVES
Difficultés de concentration, crises de colère et autres problèmes de comportement, dépression, hallucinations, hypotension (entraînant faiblesse ou confusion), trous de mémoire, faiblesse musculaire, rash cutané ou démangeaisons, maux de gorge, fièvre et frissons, ulcères dans la bouche ou la gorge, saignements ou ecchymoses inexplicables, fatigue extrême, jaunissement de la peau ou des yeux.

COURANTS
Somnolence, manque de coordination, démarche hésitante, vertiges, embarras de la parole.

MOINS COURANTS
Modification de la libido ou de la performance sexuelle, constipation, euphorie, nausées et vomissements, problèmes urinaires, fatigue inexplicable.

CLOTRIMAZOLE

Présentation : Crème topique, crème vaginale et comprimés vaginaux
En vente libre ? Oui   **Générique disponible ?** Oui
Classe de médicaments : Antifongique

▼ GÉNÉRALITÉS

INDICATIONS
Traitement des infections fongiques de la région vaginale (candidoses) et de la peau comme tinea corporis (herpès circiné), tinea cruris (eczéma marginé), tinea pedis (pied d'athlète) et pityriasis versicolor (caractérisée par de fines plaques squameuses de différentes tailles, formes et couleurs).

MODE D'ACTION
Le clotrimazole empêche les organismes fongiques de produire des substances vitales indispensables à leur croissance et à leur fonctionnement.

▼ MODE D'EMPLOI

POSOLOGIE
Crèmes, lotions et solutions topiques (pour infections cutanées) – Adultes et enfants : 2 applications par jour, matin et soir, pendant plusieurs semaines, selon les directives du médecin. Crème vaginale (candidoses) – Adultes et adolescentes : le soir au coucher, insérer un plein applicateur de crème à 1 % 6 soirs de suite, de crème à 2 % 3 soirs de suite, de crème à 10 % 1 soir seulement. Comprimés vaginaux – Femmes non enceintes et adolescentes : le soir au coucher, insérer 1 comprimé de 200 mg pendant 3 soirs de suite, ou 1 comprimé de 500 mg 1 soir seulement. Les comprimés se présentent dans un « combi-pak » incluant une crème topique qui peut être appliquée sur les parties irritées de la vulve une ou deux fois par jour, au besoin.

DÉBUT D'ACTION
Inconnu.

DURÉE D'ACTION
Inconnue.

CONSEILS NUTRITIONNELS
Aucune restriction spéciale.

MODE DE CONSERVATION
Gardez dans un contenant étanche, à l'abri de la chaleur, de l'humidité et de la lumière. Le clotrimazole ne doit pas être congelé.

OUBLI D'UNE DOSE
Prenez-la dès que vous y pensez. S'il est presque l'heure de la dose suivante, sautez la dose oubliée et revenez à la fréquence normale. Ne doublez pas la dose suivante.

ARRÊT DE LA MÉDICATION
Poursuivez le traitement pour toute la durée de la prescription, même si vous commencez à vous sentir mieux dans l'intervalle. Il y a un risque de récurrence de l'infection si vous cessez le traitement avant le temps.

USAGE PROLONGÉ
Le clotrimazole est généralement prescrit pour de courtes périodes (1 à 14 jours). Dans le cas des infections de peau, il risque néanmoins d'être plus long. Consultez votre médecin pour en savoir davantage.

▼ PRÉCAUTIONS

Plus de 60 ans. Aucun risque connu.

Conduite automobile, travaux dangereux. Aucune précaution spéciale n'est nécessaire.

Alcool. Aucune précaution spéciale n'est nécessaire.

Grossesse. Il n'existe pas d'études adéquates sur l'administration du clomitrazole chez les femmes enceintes. En cas de grossesse, consultez votre médecin avant d'utiliser ce médicament.

Allaitement. Il se pourrait que le clotrimazole passe dans le lait maternel. La prudence est recommandée. Demandez l'avis de votre médecin.

Nourrissons et enfants. Formes topiques : pas de précautions spéciales. Formes vaginales : ne sont généralement pas administrées aux enfants de moins de 12 ans.

SURDOSAGE
Symptômes. Une surdose de clotrimazole est improbable.

Quoi faire. Advenant le cas où quelqu'un avalerait une forte dose de clotrimazole, contactez le médecin ou un centre antipoison.

▼ INTERACTIONS

MÉDICAMENT-MÉDICAMENT
Pas d'interaction connue.

MÉDICAMENT-ALIMENT
Pas d'interaction connue.

MÉDICAMENT-MALADIE
Pas d'interaction connue.

EFFETS INDÉSIRABLES

GRAVES
Usage topique : urticaire, rash cutané, démangeaisons, brûlures, desquamation, picotements, rougeurs ou toute autre irritation de la peau qui n'existait pas avant le traitement.

COURANTS
Usage topique : aucun effet courant connu. Formes vaginales : sensation de brûlure au vagin, démangeaisons, pertes, ou toute autre irritation qui n'existait pas avant le traitement.

MOINS COURANTS
Topique : aucun effet connu. Formes vaginales : céphalées, crampes ou douleur à l'estomac, irritation ou brûlure sur le pénis du partenaire sexuel.

CLOZAPINE

NOM COMMERCIAL

Clozaril

Présentation : Comprimés
En vente libre ? Non   **Générique disponible ?** Non
Classe de médicaments : Neuroleptique ; antipsychotique

▼ GÉNÉRALITÉS

INDICATIONS
Traitement de la schizophrénie réfractaire aux autres médicaments classiques.

MODE D'ACTION
La clozapine inhibe l'activité de la dopamine, un élément chimique du cerveau, aidant ainsi à prévenir la surstimulation des centres nerveux soupçonnés de causer des troubles psychiatriques.

▼ MODE D'EMPLOI

POSOLOGIE
Adultes : 12,5 mg, 1 à 2 fois par jour ; le médecin peut augmenter graduellement la dose jusqu'à 900 mg par jour. Enfants : consultez votre médecin.

DÉBUT D'ACTION
Entre 2 et 4 semaines. Le plein effet peut mettre 3 mois à s'établir complètement.

DURÉE D'ACTION
Inconnue.

CONSEILS NUTRITIONNELS
Aucune restriction spéciale.

MODE DE CONSERVATION
Dans un contenant étanche, à l'abri de la chaleur et de la lumière.

OUBLI D'UNE DOSE
Prenez-la dès que vous y pensez. Si la dose suivante est dans moins de 2 heures, sautez la dose oubliée et revenez à la fréquence normale avec la dose qui suit, sans doubler celle-ci.

ARRÊT DE LA MÉDICATION
N'arrêtez pas la médication abruptement ou sans l'approbation de votre médecin : il faut réduire graduellement les doses pour vous éviter d'éprouver des symptômes de sevrage.

USAGE PROLONGÉ
Risques accrus d'effets indésirables.

▼ PRÉCAUTIONS

Plus de 60 ans. Risques de réactions indésirables plus fréquentes et plus graves.

Conduite automobile, travaux dangereux. La clozapine peut réduire vos facultés et vous empêcher d'exécuter ces tâches en toute sécurité.

Alcool. À éviter.

Grossesse. Il n'existe pas d'études adéquates sur l'utilisation de la clozapine durant la grossesse. Parlez-en spécifiquement à votre médecin.

Allaitement. La clozapine passe dans le lait maternel ; n'en prenez pas si vous allaitez.

Nourrissons et enfants. L'innocuité et l'efficacité du médicament n'ont pas été établies chez les moins de 16 ans.

À surveiller. La médication exige de fréquentes analyses du sang. Elle peut amener une diminution marquée du nombre de globules blancs dans le sang. Il arrive que l'ordonnance ne soit renouvelable chaque semaine que si le patient a subi une analyse du sang pour vérifier la numération des globules blancs. Avertissez le médecin si les symptômes suivants se produisent durant le traitement à la clozapine : fièvre, frissons, nausées, vomissements, diarrhée, miction douloureuse ou toux.

SURDOSAGE
Symptômes. Confusion, agitation, nervosité, somnolence grave, hallucinations, évanouissement, perte de conscience, coma ; état d'excitation ou d'agitation inhabituel ; respiration lente et profonde ou courte et rapide, ou difficultés respiratoires ; salivation accrue ; pouls rapide ou irrégulier.

Quoi faire. Appelez aussitôt le médecin ou le centre antipoison, ou allez à l'urgence.

▼ INTERACTIONS

MÉDICAMENT-MÉDICAMENT
Prévenez le médecin si vous prenez : somnifères ou sédatifs, antidépresseurs, amphotéricine B, anticancéreux, médicaments pour la thyroïde, azathioprine, chlorambucil, chloramphénicol, colchicine, cyclophosphamide, flucytosine, halopéridol, interféron, lithium, mercaptopurine, méthotrexate, plicamycine, zidovudine (AZT), cimétidine ou érhythromycine. Par ailleurs, si vous fumez, dites-le aussi au médecin.

MÉDICAMENT-ALIMENT
Rien à signaler.

MÉDICAMENT-MALADIE
Informez le médecin de vos antécédents : maladie du sang, hypertrophie de la prostate, miction difficile, troubles gastriques ou intestinaux, problèmes cardiaques ou vasculaires, épilepsie ou convulsions, maladie du rein ou du foie.

≣ EFFETS INDÉSIRABLES ≣

GRAVES
Signes d'infection grave incluant forte fièvre, frissons et transpiration, ulcères buccaux, ecchymoses ou saignements inhabituels, fatigue ou faiblesse importante. Aussi convulsions, coloration jaune des yeux et de la peau, tachycardie ou arythmie cardiaque, vertiges graves, hypotension artérielle grave (causant étourdissements et évanouissements, surtout quand vous vous levez soudainement après avoir été assis ou couché) ; hyperglycémie (taux élevé de glucose dans le sang) signalée par un besoin accru de boire, de manger et d'uriner.

COURANTS
Salivation accrue, vertige, somnolence, mal de tête léger, constipation, nausées ou vomissements, gain de poids.

MOINS COURANTS
Douleurs abdominales, aigreurs d'estomac, mal de gorge, diarrhée, douleurs, spasmes ou faiblesse musculaires, perte de coordination.

CODÉINE

Présentation : Comprimés, solution buvable
En vente libre ? Non   **Générique disponible ?** Oui
Classe de médicaments : Analgésique opioïde (narcotique)

▼ GÉNÉRALITÉS

INDICATIONS
Traitement des douleurs modérées, de même qu'apaisement des accès de toux.

MODE D'ACTION
Les narcotiques comme la codéine soulagent la douleur en exerçant leur action à des endroits précis du cerveau et de la moelle épinière qui traitent les signaux de douleur du corps transmis par les nerfs. La codéine amortit aussi le réflexe de la toux.

▼ MODE D'EMPLOI

POSOLOGIE
Adultes – Douleur : 15 à 60 mg aux 3 à 6 heures au besoin. La dose habituelle est de 30 mg. Toux : 10 à 20 mg aux 3 à 6 heures au besoin. Enfants – Solution buvable : Douleur : 0,5 mg par kilogramme (2,2 lb) de poids corporel aux 4 à 6 heures. Toux : enfants de 2 ans : 3 mg aux 4 à 6 heures, sans dépasser 12 mg par jour ; enfants de 3 ans : 3,5 mg aux 4 à 6 heures, sans dépasser

14 mg par jour ; enfants de 4 ans : 4 mg aux 4 à 6 heures, sans dépasser 16 mg par jour ; enfants de 5 ans : 4,5 mg aux 4 à 6 heures, sans dépasser 18 mg par jour ; 6 à 12 ans : 5 à 10 mg aux 4 à 6 heures, sans dépasser 60 mg par jour.

DÉBUT D'ACTION
En 15 à 45 minutes.

DURÉE D'ACTION
4 à 6 heures.

CONSEILS NUTRITIONNELS
La codéine constipe. Assurez-vous de consommer de bonnes quantités de fibres et de légumes. Buvez beaucoup de liquides.

MODE DE CONSERVATION
Dans un contenant étanche, à l'abri de la chaleur, de l'humidité et de la lumière.

OUBLI D'UNE DOSE
Prenez-la dès que vous y pensez. S'il est presque l'heure de la dose suivante, sautez la dose oubliée et revenez à la fréquence normale. Ne doublez pas la dose suivante.

ARRÊT DE LA MÉDICATION
Poursuivez le traitement pour la durée prescrite, mais vous pouvez l'interrompre si vous commencez à vous sentir mieux dans l'intervalle.

USAGE PROLONGÉ
La durée des traitements varie selon la cause. Si vous avez besoin d'une thérapie narcotique à long terme, votre médecin établira une forme de codéine à action prolongée. En usage prolongé, les effets indésirables risquent d'être plus marqués.

▼ PRÉCAUTIONS

Plus de 60 ans. Risque de réactions indésirables plus fréquentes et plus graves.

Conduite automobile, travaux dangereux. La codéine peut diminuer vos capacités d'effectuer de telles activités en toute sécurité.

Alcool. À éviter.

Grossesse. Il n'y a pas eu d'études adéquates. Prévenez votre médecin que vous êtes enceinte ou souhaitez l'être.

Allaitement. La codéine passe dans le lait maternel. Soyez prudente et demandez l'avis de votre médecin.

Nourrissons et enfants. Risque d'effets indésirables plus fréquents et plus graves.

À surveiller. La codéine peut entraîner de la dépendance. Certains patients peuvent avoir un symptôme de sevrage à l'arrêt du médicament : douleurs dans tout le corps, crampes abdominales, diar-

rhée, nez qui coule, chair de poule, nervosité, agitation, transpiration, bâillements, perte d'appétit, frissons, insomnie, pupilles dilatées et faiblesse. Ne dépassez pas la dose recommandée et ne prenez pas vous-même la décision de l'augmenter.

SURDOSAGE
Symptômes. Confusion, envie de dormir, embarras de la parole, perte de conscience, pupilles rétractées, peau froide et moite, respiration lente, convulsions, somnolence grave, faiblesse ou étourdissement.

Quoi faire. Appelez aussitôt le médecin ou un centre anti-poison, ou allez à l'urgence.

▼ INTERACTIONS

MÉDICAMENT-MÉDICAMENT
Demandez l'avis du médecin si vous utilisez : carbamazépine ou autre anticonvulsivant, barbituriques, sédatifs, antitussifs, décongestionnants, antidépresseurs, autres analgésiques vendus sur ordonnance, IMAO, naltrexone, rifampine, warfarine ou zidovudine.

MÉDICAMENT-ALIMENT
Pas d'interaction connue.

MÉDICAMENT-MALADIE
Demandez l'avis du médecin en cas de : maladie psychique, troubles du cerveau ou blessure à la tête ; convulsions ; maladie pulmonaire ; problème de prostate ou de miction ; calculs biliaires ; colite ; maladie du cœur, des reins, du foie ou de la thyroïde ; antécédents d'alcoolisme ou de toxicomanie.

 EFFETS INDÉSIRABLES

GRAVES
Ils sont les mêmes que pour un surdosage : confusion ; hallucinations ; envie de dormir ; embarras de la parole ; perte de conscience ; myosis ; peau froide et moite ; respiration lente ; convulsions ; somnolence grave, faiblesse ou étourdissements ; difficulté à la miction.

COURANTS
Étourdissements ou vertiges, nausées ou vomissements, constipation, somnolence, démangeaison ; bouche sèche.

MOINS COURANTS
Maux de tête, transpiration, euphorie.

COLCHICINE

NOM COMMERCIAL

Colchicine

Présentation : Comprimés
En vente libre ? Non   **Générique disponible ?** Oui
Classe de médicaments : Traitement de la goutte

▼ GÉNÉRALITÉS

INDICATIONS
Traitement des crises doulou-reuses de goutte et préven-tion des rechutes. La colchicine orale s'utilise en cas de crise modérée.

MODE D'ACTION
Des cristaux d'acide urique nommés urates se déposent dans les articulations où ils causent l'inflammation et la douleur aiguë caractéristiques de la goutte. La colchicine sert à empêcher l'inflamma-tion de s'installer.

▼ MODE D'EMPLOI

POSOLOGIE
Crise aiguë : 1 à 1,2 mg immédiatement, puis 0,5 à 0,6 mg aux 2 heures, jusqu'à un maximum de 8 mg. Ces-sez le traitement dès que vous sentez du soulagement. État chronique ou à titre pré-ventif : 0,5 mg, 1 à 4 fois par semaine, jusqu'à 1,8 mg par jour, selon la fréquence des attaques. La dose habituelle est de 1 mg par jour.

DÉBUT D'ACTION
En 6 à 12 heures.

DURÉE D'ACTION
Inconnue.

CONSEILS NUTRITIONNELS
Aucune restriction spéciale.

MODE DE CONSERVATION
Dans un contenant étanche, à l'abri de la chaleur et de la lumière. Évitez l'humidité et les températures extrêmes.

OUBLI D'UNE DOSE
Prenez-la dès que vous y pensez. S'il est presque l'heure de la suivante, sautez la dose oubliée et revenez à la fréquence normale. Ne doublez pas la dose suivante.

ARRÊT DE LA MÉDICATION
Vous pouvez cesser de prendre ce médicament si vous vous sentez mieux avant la fin du traitement. S'il vous a été prescrit à long terme, toutefois, il ne faut pas arrêter de le prendre sans consulter d'abord votre médecin.

USAGE PROLONGÉ
Le traitement d'un accès de goutte dure généralement un seul jour. Ne prenez pas de colchicine plus longtemps sans l'approbation de votre médecin.

▼ PRÉCAUTIONS

Plus de 60 ans. Risque de réactions indésirables plus fréquentes et plus graves.

Conduite automobile, tra-vaux dangereux. À décon-seiller tant que vous ne connaissez pas votre réaction au médicament.

Alcool. À éviter.

Grossesse. Évitez ce médica-ment ou arrêtez d'en prendre si vous êtes enceinte ou essayez de le devenir.

Allaitement. Évitez ou cessez de prendre ce médicament pendant que vous allaitez.

Nourrissons et enfants. Non recommandé.

À surveiller. Assurez-vous de bien comprendre comment vous servir de la colchicine car les traitements varient. La posologie pour une crise aiguë peut porter à confusion. Lisez attentivement vos indications ; déterminez le nombre de comprimés qui constituent la dose appro-priée. Beaucoup de patients inscrivent leur posologie sur une carte qu'ils gardent tou-jours sur eux. Au cours d'une crise, cessez de prendre de la colchicine si vous êtes pris de nausée, de vomissements ou de diarrhée. Appelez votre médecin. Toujours en cours de crise, ne dépassez pas 6 mg si vous ne sentez pas d'amélioration et appelez votre médecin pour savoir si vous devez continuer à aug-menter la dose (il y a eu des cas de surdosage à 7 mg).

SURDOSAGE
Symptômes. Fièvre ; convul-sions ; confusion, désorienta-tion, délire ; respiration rapide ou irrégulière ; brûlure aiguë à l'estomac ; diarrhée, parfois sanguinolente.

Quoi faire. Présentez-vous immédiatement à l'urgence.

▼ INTERACTIONS

MÉDICAMENT-MÉDICAMENT
Demandez l'avis du médecin si vous prenez : phénylbuta-zone ou médicaments pou-vant affecter votre moelle épinière tels que anticonvulsi-vants, certains antibiotiques ou les chimiothérapies anti-cancéreuses.

MÉDICAMENT-ALIMENT
Il n'y a pas d'interaction à craindre, mais on recom-mande d'éviter les purines pour réduire les accès de goutte. Anchois, sardines, fèves et pois secs, volaille, ris de veau, foie, rognons et autres abats contiennent beaucoup de purines.

MÉDICAMENT-MALADIE
Demandez l'avis de votre médecin si vous souffrez de : maladie du cœur, du foie ou des reins ; troubles sanguins ; problème gastro-intestinal tel que ulcère, colite ou malabsorption.

EFFETS INDÉSIRABLES

GRAVES
Réactions allergiques causant rash ou urticaire, enflure du visage, des lèvres, de la langue, des paupières et de la gorge. Ce type de réaction peut entraver la respiration ; cherchez immédiatement les secours médicaux. Fièvre inhabituelle ou persistante, lassitude, frissons, maux de gorge, ecchymoses ou saignements peuvent être les signes d'une anémie sévère ou de la dépression du sys-tème immunitaire.

COURANTS
Diarrhée, vomissements, nausées, maux d'estomac.

MOINS COURANTS
Faiblesse musculaire ; engourdissements, fourmillements ou picotements dans les mains et les pieds.

COLESTIPOL (CHLORHYDRATE DE)

Présentation : Poudre, comprimés
En vente libre ? Non   **Générique disponible ?** Non
Classe de médicaments : Régulateur du métabolisme lipidique (hypocholestérolémiant)

▼ GÉNÉRALITÉS

INDICATIONS

Traitement d'appoint au régime alimentaire et à l'exercice physique pour abaisser les teneurs en cholestérol chez les patients présentant des taux sanguins élevés de lipoprotéines de faible densité (LDL).

MODE D'ACTION

Le colestipol se combine aux acides biliaires dans l'intestin pour former avec eux un complexe insoluble qui est excrété dans les selles. Ceci a pour effet de diminuer la présence d'acides biliaires dans le sang. En réponse à la diminution d'acides biliaires, le foie convertit plus de cholestérol en acides biliaires. Il en résulte une diminution de cholestérol dans les cellules du foie, qui se met à produire plus de récepteurs des LDL. La plus grande élimination des LDL sanguins qui en découle fait baisser le cholestérol LDL.

▼ MODE D'EMPLOI

POSOLOGIE

Poudre – Dose initiale : 5 g 1 ou 2 fois par jour. Dose d'entretien : 10 à 30 g en 2 doses fractionnées égales. Toujours bien mélanger la poudre avec un liquide approprié (eau, lait ou jus de fruit, mais jamais de boissons gazeuses) avant de boire. Peut aussi être mélangée à certains aliments. Comprimés – Dose initiale : 2 mg. Dose d'entretien : 2 à 16 mg 1 fois par jour ou en doses fractionnées. La posologie sera augmentée ou diminuée selon la réponse du patient.

DÉBUT D'ACTION

En 1 à 3 semaines.

DURÉE D'ACTION

Les effets du colestipol persistent durant 2 à 4 semaines après la dose finale.

CONSEILS NUTRITIONNELS

Respectez les restrictions et directives diététiques que vous donne le médecin.

MODE DE CONSERVATION

Dans un contenant étanche, à l'abri de la chaleur, de l'humidité et de la lumière.

OUBLI D'UNE DOSE

Prenez-la dès que vous y pensez. S'il est presque l'heure de la dose suivante, sautez la dose oubliée et reprenez la fréquence normale. Ne doublez pas la dose qui suit.

ARRÊT DE LA MÉDICATION

Le traitement peut être interrompu après 1 à 3 mois si son effet thérapeutique n'est pas adéquat. La décision doit être prise par votre médecin.

USAGE PROLONGÉ

Le colestipol peut être employé en toute sécurité durant plusieurs années ; cependant, il est nécessaire d'évaluer périodiquement son efficacité.

▼ PRÉCAUTIONS

Plus de 60 ans. Risques de réactions indésirables (surtout la constipation) plus fréquentes et plus graves.

Conduite automobile, travaux dangereux. Le colestipol ne devrait pas vous empêcher d'exécuter de telles tâches en toute sécurité.

Alcool. Aucune précaution spéciale.

Grossesse. Consultez le médecin si vous devenez enceinte ou désirez le devenir.

Allaitement. À très forte dose, le colestipol peut entraver l'absorption des vitamines A, D et K et modifier ainsi les apports nutritionnels que reçoit le nourrisson. Demandez l'avis spécifique du médecin.

Nourrissons et enfants. Prescrit pour les enfants seulement en de rares circonstances. Dans ces cas, respectez à la lettre les instructions et la posologie indiquées par le médecin.

À surveiller. À très forte dose, le colestipol peut entraver l'absorption des lipides et des vitamines solubles dans les corps gras (vitamines A, D et K) ; on peut recommander des suppléments vitaminiques.

SURDOSAGE

Symptômes. Aucun n'a été signalé.

Quoi faire. Les mesures d'urgence ne s'appliquent pas.

▼ INTERACTIONS

MÉDICAMENT-MÉDICAMENT

Le colestipol peut se combiner à d'autres médicaments et modifier leur absorption. C'est pourquoi, prenez tout autre médicament 1 ou 2 heures avant de prendre le colestipol ou 4 heures après.

MÉDICAMENT-ALIMENT

Aucune interaction connue.

MÉDICAMENT-MALADIE

Ne prenez pas ce médicament si vous avez déjà eu une réaction allergique à celui-ci. Une médication au colestipol peut aggraver les troubles suivants : calculs biliaires, ulcère gastroduodénal, troubles hémorragiques intestinaux, hémorroïdes, malabsorption, constipation. Ne devrait pas être prescrit aux patients souffrant d'une obstruction biliaire complète.

EFFETS INDÉSIRABLES

GRAVES

Douleurs abdominales intenses (réaction très rare, symptôme d'obstruction intestinale).

COURANTS

Constipation, aigreurs gastriques, ballonnement, éructations, malaises abdominaux, irritation dans la région anale, gaz, diarrhée, nausées, vomissements.

MOINS COURANTS

Urticaire, rash cutané, calculs biliaires, douleurs musculaires et articulaires, analyses anormales du sang du foie.

CONTRACEPTIFS ORAUX (ASSOCIATIONS MÉDICAMENTEUSES)

Présentation : Comprimés
En vente libre ? Non   **Générique disponible ?** Oui
Classe de médicaments : Hormones ; œstrogènes avec progestérone

▼ GÉNÉRALITÉS

INDICATIONS
Prévention de la grossesse.

MODE D'ACTION
De telles associations médicamenteuses empêchent l'ovule de la femme d'arriver à maturité chaque mois.

▼ MODE D'EMPLOI

POSOLOGIE
Cycle de 21 jours : 1 comprimé par jour pendant 21 jours. Sautez 7 jours ; recommencez le cycle. Cycle de 28 jours : 1 comprimé par jour pendant 28 jours. Répétez le cycle. Chaque conditionnement renferme 21 comprimés seulement ou 21 comprimés actifs et 7 placebos. Quand on prend les placebos ou qu'on ne prend aucun comprimé, la menstruation se déclenche.

DÉBUT D'ACTION
En 7 jours au moins.

DURÉE D'ACTION
Aussi longtemps qu'on prend la médication.

CONSEILS NUTRITIONNELS
À prendre avec des aliments s'il se produit des maux d'estomac.

MODE DE CONSERVATION
Dans un contenant étanche, à l'abri de la chaleur et de la lumière.

OUBLI D'UNE DOSE
Si vous oubliez de prendre le premier comprimé d'un nouveau cycle ou 1 comprimé durant le cycle, prenez-le dès que vous y pensez et prenez la dose suivante à l'heure habituelle. Si vous oubliez de prendre 2 comprimés d'affilée durant la première ou la deuxième semaine, prenez 2 comprimés le jour où vous y pensez et 2 comprimés le lendemain, puis reprenez la fréquence normale et ayez recours à une autre méthode contraceptive jusqu'au nouveau cycle. Si vous oubliez 2 comprimés durant la troisième semaine ou 3 comprimés n'importe quand, commencez un nouveau cycle le jour prévu, mais utilisez une autre méthode contraceptive jusqu'après les 7 premiers jours du nouveau cycle.

ARRÊT DE LA MÉDICATION
En tout temps à la fin d'un cycle.

USAGE PROLONGÉ
Voyez le médecin 1 fois par an ou selon ses directives.

▼ PRÉCAUTIONS

Plus de 60 ans. Sans objet.

Conduite automobile, travaux dangereux. Pas de précautions spéciales.

Alcool. Pas de précautions spéciales.

Grossesse. Cessez d'en prendre si vous devenez enceinte ou croyez l'être.

Allaitement. Les hormones passent dans le lait maternel ; évitez d'en prendre.

Nourrissons et enfants. Aucun problème n'a été signalé chez les adolescentes.

À surveiller. Limitez votre exposition au soleil tant que vous ne savez pas comment vous y réagissez. Le tabac peut réduire l'efficacité des contraceptifs oraux et augmenter le risque de dangereux caillots sanguins.

SURDOSAGE
Symptômes. Saignements vaginaux inexpliqués.

Quoi faire. Une surdose met rarement la vie en danger. Néanmoins, si la dose est très forte, appelez le médecin ou le centre antipoison aussitôt.

▼ INTERACTIONS

MÉDICAMENT-MÉDICAMENT
Consultez le médecin si vous prenez les médicaments suivants : amiodarone, stéroïdes anabolisants, corticostéroïdes, androgènes, anti-infectieux, barbituriques, carbamazépine, carmustine, dantrolène, daunorubicine, disulfiram, divalproex, œstrogènes, étrétinate, sels d'or, griséofulvine, hydroxychloroquine, mercaptopurine, méthotrexate, naltrexone, phénothiazines, phénylbutazone, phénytoïne, plicamycine, primidone, rifabutine, rifampine, troléandomycine, théophylline, cyclosporine ou ritonavir.

MÉDICAMENT-ALIMENT
Aucune interaction connue.

MÉDICAMENT-MALADIE
Avisez le médecin si vous souffrez de : endométriose, fibromes de l'utérus, maladie du cœur ou de la circulation sanguine, antécédents d'accident cérébrovasculaire, maladie des seins, cancer, maladie de la vésicule biliaire, hypercholestérolémie, maladie du foie, dépression, diabète, épilepsie ou migraines.

≡ EFFETS INDÉSIRABLES ≡

GRAVES
Douleur gastrique subite, grave ou persistante ; céphalée ou migraine subite ou grave ; incoordination ; perte ou altération de la vision ; douleurs dans la poitrine, l'aine ou la jambe ; difficultés d'élocution ; faiblesse, engourdissement ou douleur dans le bras ou la jambe ; altération des saignements utérins ; saignements menstruels prolongés.

COURANTS
Crampes abdominales ou ballonnement ; acné ; seins douloureux, sensibles ou gonflés ; vertiges ; nausées ; chevilles ou pieds enflés ; fatigue anormale ; vomissements ; absence de menstruations normales. Appelez le médecin si vous n'avez pas de menstruation à la fin d'un cycle.

MOINS COURANTS
Rougeurs sur la peau, gain ou perte de cheveux, sensibilité accrue au soleil, modification de la libido.

CONTRACEPTIFS ORAUX ET INJECTABLES (PROGESTÉRONE SEULEMENT)

Présentation : Comprimés, injection
En vente libre ? Non **Générique disponible ?** Non
Classe de médicaments : Progestatif (progestérone ; hormone)

▼ GÉNÉRALITÉS

INDICATIONS
Prévention de la grossesse.

MODE D'ACTION
La progestérone empêche l'ovule de se développer normalement et modifie la muqueuse utérine et la glaire cervicale, rendant plus difficile la progression des spermatozoïdes vers l'ovule.

▼ MODE D'EMPLOI

POSOLOGIE
Comprimés : au début, prenez le premier comprimé le premier jour de la menstruation. Prenez ensuite 1 comprimé chaque jour. Quand un conditionnement est terminé, commencez le suivant le lendemain. Injection (Depo-Provera) : 150 mg par injection dans le bras ou la fesse aux 13 semaines.

DÉBUT D'ACTION
Comprimés : la protection commence après le premier comprimé, s'il est pris le premier jour du cycle menstruel. Injection : immédiatement si l'injection est donnée durant les 5 jours précédant le début d'un cycle menstruel.

DURÉE D'ACTION
Comprimés : 24 heures.
Injection : 13 semaines.

CONSEILS NUTRITIONNELS
Les comprimés peuvent se prendre avec de la nourriture pour prévenir les dérangements gastro-intestinaux.

MODE DE CONSERVATION
Dans un contenant étanche, à l'abri de la chaleur et de la lumière.

OUBLI D'UNE DOSE
Prenez le comprimé oublié dès que vous y pensez ; revenez à la fréquence habituelle et utilisez une autre méthode contraceptive pendant 2 jours.

ARRÊT DE LA MÉDICATION
Vous pouvez cesser le traitement dès que vous le désirez.

Vous serez évidemment susceptible de devenir enceinte si vous n'utilisez pas une autre méthode contraceptive.

USAGE PROLONGÉ
Un suivi médical périodique, avec examens et analyses, est nécessaire si vous prenez ces contraceptifs durant une période prolongée.

▼ PRÉCAUTIONS

Plus de 60 ans. Généralement pas utilisé par des patientes de ce groupe d'âge.

Conduite automobile, travaux dangereux. Pas de précautions spéciales.

Alcool. Pas de précautions spéciales.

Grossesse. De faibles doses de progestérone à des fins contraceptives ne semblent pas causer de problème le jour où vous êtes enceinte.

Allaitement. La progestérone passe dans le lait maternel, mais aucun problème n'a été signalé. Elle est recommandée aux mères nourricières qui veulent prendre un contraceptif oral.

Nourrissons et enfants. Les contraceptifs à la progestérone n'ont pas causé de problème chez les adolescentes.

À surveiller. Aucune méthode contraceptive n'est parfaite. Si vous croyez être enceinte, appelez immédiatement le médecin. Si vous passez des analyses en laboratoire, avisez le technicien que vous prenez ces contraceptifs. Le tabagisme et l'abus

de l'alcool peuvent augmenter les risques d'ostéoporose et de caillots sanguins.

SURDOSAGE
Symptômes. Aucun symptôme spécifique n'a été signalé.

Quoi faire. Une surdose de ces contraceptifs est peu susceptible d'être fatale, mais si la dose est très forte, appelez le médecin ou le centre antipoison immédiatement.

▼ INTERACTIONS

MÉDICAMENT-MÉDICAMENT
Les médicaments suivants peuvent interagir avec les progestatifs : aminoglutéthimide, benzodiazépines, carbamazépine, hydrate de chloral, phénobarbital, phénytoïne, primidone, rifabutine ou rifampine. Consultez le médecin si vous en prenez.

MÉDICAMENT-ALIMENT
Aucune interaction connue.

MÉDICAMENT-MALADIE
La prudence est de mise avec les progestatifs. Consultez le médecin en cas de : asthme, épilepsie, problèmes cardiaques ou circulatoires, maladie des reins ou du foie, migraine, maladie des seins, saignements, diabète, hypercholestérolémie ou troubles du système nerveux central comme la dépression.

  EFFETS INDÉSIRABLES

GRAVES
Modification ou arrêt des saignements menstruels, lactation inattendue ou accrue, dépression, rash cutané, perte ou modification de l'élocution, incoordination ou troubles de la vision, essoufflement grave et soudain.

COURANTS
Douleur gastrique, enflure du visage, des chevilles ou des pieds, maux de tête légers, altération de l'humeur, fatigue anormale, gain de poids, douleur ou irritation au point d'injection.

MOINS COURANTS
Acné, seins sensibles ou douloureux, bouffées congestives, insomnie, baisse de libido, perte ou gain de cheveux ou de poils, taches brunes sur la peau.

CORTISONE ORALE

Présentation : Comprimés
En vente libre ? Non **Générique disponible ?** Oui
Classe de médicaments : Corticostéroïde

▼ GÉNÉRALITÉS

INDICATIONS
Traitement des troubles qui s'accompagnent d'inflammation (rougeur, chaleur, gonflement et douleur des tissus) : arthrite, réactions allergiques, asthme, certaines maladies de la peau, poussées de sclérose en plaques et autres maladies auto-immunes. Aussi traitement des carences en hormones stéroïdes naturelles.

MODE D'ACTION
Cette hormone a les mêmes effets que les corticostéroïdes naturels. Elle inhibe la synthèse, la libération et l'activité des éléments chimiques générateurs d'inflammation. Elle freine également l'activité du système immunitaire.

▼ MODE D'EMPLOI

POSOLOGIE
Adultes et adolescents : 25 à 300 mg par jour, en 1 ou plu-sieurs doses et selon le cas traité. Les doses pédiatriques, fondées sur le poids ou la surface du corps de l'enfant, doivent être établies par le médecin.

DÉBUT D'ACTION
Variable.

DURÉE D'ACTION
Variable.

CONSEILS NUTRITIONNELS
À prendre avec des aliments ou du lait pour réduire les malaises gastriques. Le médecin peut recommander un régime pauvre en sel, riche en potassium et en protéines.

MODE DE CONSERVATION
Dans un contenant étanche, à l'abri de la chaleur, de l'humidité et de la lumière.

OUBLI D'UNE DOSE
Prenez-la dès que vous y pensez. Si vous prenez plusieurs doses par jour et qu'il est presque l'heure de la sui-vante, doublez celle-ci. Si vous ne prenez qu'une dose par jour et l'oubliez complètement, sautez-la sans doubler la dose suivante.

ARRÊT DE LA MÉDICATION
N'arrêtez pas abruptement un traitement à long terme ; il doit être réduit graduellement.

USAGE PROLONGÉ
Des analyses et des examens médicaux périodiques sont nécessaires. Un usage prolongé peut entraîner cataractes, diabète, hypertension ou ostéoporose. Autres effets : faciès lunaire, obésité, croissance inhabituelle du poil, acné, impuissance sexuelle, atrophie musculaire.

▼ PRÉCAUTIONS

Plus de 60 ans. Risques accrus et plus graves d'effets indésirables.

Conduite automobile, travaux dangereux. À déconseiller tant que vous ne connaissez pas votre réaction au médicament.

Alcool. Peut causer des troubles d'estomac. À éviter à moins que le médecin n'en autorise un usage modéré.

Grossesse. Prise en grande quantité, peut inhiber la croissance chez l'enfant et causer d'autres troubles du développement. Voyez le médecin.

Allaitement. À ne pas utiliser durant l'allaitement.

Nourrissons et enfants. Peut retarder la croissance et le développement des os et des tissus. Consultez le médecin.

À surveiller. Évitez les immunisations avec des vaccins vivants. La cortisone peut diminuer votre résistance à l'infection. Les patients en thérapie prolongée devraient porter un bracelet médic-alert. Appelez le médecin si vous avez de la fièvre.

SURDOSAGE
Symptômes. Fièvre, douleurs musculaires ou articulaires, nausées, étourdissements, évanouissement, difficultés respiratoires.

Quoi faire. Appelez aussitôt le médecin ou le centre anti-poison, ou allez à l'urgence.

▼ INTERACTIONS

MÉDICAMENT-MÉDICAMENT
Avertissez le médecin si vous prenez : aminoglutéthimide, antiacides, barbituriques, carbamazépine, griséofulvine, mitotane, phénylbutazone, phénytoïne, phénobarbital, éphédrine, primidone, rifampine, amphotéricine B injectable, antidiabétiques oraux, warfarine, insuline, digitaliques, diurétiques ou médicaments renfermant du potassium ou du sodium.

MÉDICAMENT-ALIMENT
Évitez le sodium en excès.

MÉDICAMENT-MALADIE
Prévenez le médecin de vos antécédents : maladie des os, troubles gastriques ou intestinaux, diabète sucré, infection grave récente, tuberculose, glaucome, maladie du cœur, hypertension, troubles du foie ou des reins, hypercholestérolémie, hyper ou hypothyroïdie, myasthénie grave ou lupus.

 EFFETS INDÉSIRABLES

GRAVES
Troubles de la vue, mictions fréquentes, soif accrue, saignements rectaux, ampoules sur la peau, confusion, hallucinations, paranoïa, euphorie, dépression, humeur instable.

COURANTS
Stimulation de l'appétit, maux d'estomac, nervosité, insomnie, plus grande sensibilité aux infections, hausse de la tension artérielle, cicatrisation lente des plaies, gain de poids, ecchymoses nombreuses, rétention hydrique.

MOINS COURANTS
Modification de la pigmentation de la peau, vertiges, maux de tête, transpiration accrue, croissance inhabituelle du poil sur le corps ou le visage, hausse du taux de sucre sanguin, ulcères gastriques, carence en adrénaline, faiblesse musculaire, cataractes, glaucome, ostéoporose, peau mince et fragile.

COSYNTROPHINE

Présentation : Injection
En vente libre ? Non   **Générique disponible ?** Non
Classe de médicaments : Hormone ; agent diagnostique

▼ GÉNÉRALITÉS

INDICATIONS

La cosyntrophine est utilisée à des fins diagnostiques quand on soupçonne que les glandes surrénales, qui produisent des stéroïdes essentiels à la santé en général, ne fonctionnent pas correctement. L'injection de cosyntrophine constitue la base d'un test très simple, fiable, de toute sécurité et qui ne demande que 30 à 60 minutes pour mesurer la fonction surrénale.

MODE D'ACTION

La cosyntrophine est une forme synthétique de corticotropine, substance produite naturellement dans le corps humain, qui incite les surrénales à sécréter du cortisol, une hormone. Après injection de cosyntrophine, on procède à des analyses du sang pour mesurer si les surrénales ont fait preuve d'une stimulation adéquate les incitant à produire du cortisol.

▼ MODE D'EMPLOI

POSOLOGIE

Adultes : injection de 0,25 mg dans une veine (i.v.) ou un muscle (i.m.). Enfants de 2 ans ou moins : injection de 0,125 mg dans une veine ou un muscle.

DÉBUT D'ACTION

En 30 minutes.

DURÉE D'ACTION

Quelques heures.

CONSEILS NUTRITIONNELS

On vous donnera peut-être quelques instructions nutritionnelles spéciales avant un test à des fins diagnostiques. Sinon, mangez et buvez comme à l'accoutumée. Ou respectez les restrictions que vous aura recommandées le médecin, s'il y a lieu.

MODE DE CONSERVATION

Sans objet.

OUBLI D'UNE DOSE

Sans objet.

ARRÊT DE LA MÉDICATION

Sans objet. Ce médicament a été conçu pour n'être administré qu'une fois. Le médecin décidera s'il y a lieu de recourir à d'autres injections par la suite.

USAGE PROLONGÉ

La cosyntrophine n'est jamais prescrite pour des périodes prolongées. Elle n'est généralement administrée qu'une seule fois.

▼ PRÉCAUTIONS

Plus de 60 ans. Aucun effet indésirable n'est appréhendé.

Conduite automobile, travaux dangereux. L'injection de cosyntrophine ne devrait pas vous empêcher d'exécuter de telles tâches en toute sécurité.

Alcool. À éviter la veille ou les deux jours précédant le test.

Grossesse. La cosyntrophine peut être utilisée durant la grossesse ; demandez au médecin de vous faire les recommandations spécifiques.

Allaitement. On ne sait pas si la cosyntrophine passe dans le lait maternel. Néanmoins, aucun trouble grave n'a été signalé.

Nourrissons et enfants. La cosyntrophine ne présente pas de danger pour les enfants.

SURDOSAGE
Symptômes. Aucun symptôme spécifique n'a été signalé.

Quoi faire. Une surdose de cosyntrophine est peu probable puisqu'elle est administrée sous la surveillance étroite du médecin. Aucun cas de surdosage n'a été signalé.

▼ INTERACTIONS

MÉDICAMENT-MÉDICAMENT
Aucune interaction connue.

MÉDICAMENT-ALIMENT
Aucune interaction connue.

MÉDICAMENT-MALADIE
Aucune interaction connue.

EFFETS INDÉSIRABLES

GRAVES

Aucun effet indésirable grave n'est associé au médicament de synthèse qu'est la cosyntrophine.

COURANTS

Aucun effet courant puisque la cosyntrophine est utilisée à des fins diagnostiques et non thérapeutiques.

MOINS COURANTS

On ignore si la cosyntrophine produit des effets indésirables mineurs ou rares. Dans un très petit nombre de cas, on a noté des réactions de type allergique : fièvre bénigne, nausées, vomissements, rash cutané et rougeur de la peau sur le site d'injection.

CROMOGLYCATE SODIQUE (INHALATEUR ET SOLUTION NASALE)

Présentation : Atomiseur nasal, inhalateur, solution nasale, cartouches Spincap
En vente libre ? Atomiseurs : oui ; inhalateurs : non   **Générique disponible ?** Oui
Classe de médicaments : Agent d'inhalation respiratoire

▼ GÉNÉRALITÉS

INDICATIONS
Inhalation : prophylaxie de l'asthme bronchique chronique ; peut s'employer préventivement avant exposition à certaines situations ou substances (allergènes comme pollen et acariens de la poussière, mais aussi air froid, produits chimiques, exercices ou pollution de l'air) qui peuvent déclencher une crise d'asthme aiguë (bronchospasme). Solution nasale : prophylaxie de la rhinite saisonnière.

MODE D'ACTION
Le cromoglycate sodique inhibe la libération d'histamine, substance naturelle dans l'organisme qui engendre enflure, démangeaisons, éternuements, larmoiement, urticaire et autres symptômes de réactions allergiques, y compris ceux qui accompagnent une crise d'asthme.

▼ MODE D'EMPLOI

POSOLOGIE
Prévention des symptômes de l'asthme (atomiseur) – Adultes et enfants de 6 ans et plus : 2 inhalations toutes les 8 à 12 heures. Prévention du bronchospasme (atomiseur) – Adultes et enfants de 6 ans et plus : 2 inhalations, au moins 10 à 15 minutes avant la pratique d'exercices ou l'exposition à des allergènes. Prévention des symptômes de l'asthme (solution nasale) – Adultes et enfants de 6 ans et plus : 2 ml de solution à 1 %, 4 fois par jour, à 4 à 6 heures d'intervalle. Rhume des foins (solution nasale) – Adultes et enfants de 6 ans et plus : 1 vaporisation dans chaque narine toutes les 8 à 12 heures.

DÉBUT D'ACTION
Inhalation : en 4 semaines ou moins. Solution nasale : inconnu.

DURÉE D'ACTION
Inconnue.

CONSEILS NUTRITIONNELS
À prendre 30 minutes avant les repas.

MODE DE CONSERVATION
Dans un contenant étanche, à l'abri de la chaleur et de la lumière.

OUBLI D'UNE DOSE
Prenez-la dès que vous y pensez. S'il est presque l'heure de la suivante, sautez la dose oubliée et reprenez la fréquence normale. Ne doublez pas la dose suivante.

ARRÊT DE LA MÉDICATION
La décision d'interrompre la thérapie doit être prise en consultation avec le médecin. N'arrêtez pas subitement.

USAGE PROLONGÉ
Consultez le médecin si les symptômes ne s'améliorent pas après 4 semaines.

▼ PRÉCAUTIONS

Plus de 60 ans. Aucun risque connu.

Conduite automobile, travaux dangereux. Aucun risque connu.

Alcool. Aucune précaution spéciale.

Grossesse. Avant de prendre du cromoglycate sodique, dites à votre médecin que vous êtes enceinte ou avez l'intention de le devenir.

Allaitement. On ne sait pas si le cromoglycate sodique passe dans le lait maternel. Si vous désirez allaiter tout en prenant ce médicament, parlez-en avec votre médecin.

Nourrissons et enfants. L'atomiseur de cromoglycate sodique ne semble pas causer de problèmes aux enfants. La solution nasale n'a pas été étudiée dans ce groupe d'âge.

Demandez spécifiquement l'avis du pédiatre.

À surveiller. Nettoyez l'inhalateur et autres appareils au moins une fois par semaine.

SURDOSAGE
Symptômes. Aucun n'a été signalé.

Quoi faire. Il est peu probable qu'une surdose de cromoglycate sodique mette votre vie en danger. Néanmoins, si la dose est très forte, appelez immédiatement le médecin ou le centre antipoison, ou allez à l'urgence.

▼ INTERACTIONS

MÉDICAMENT-MÉDICAMENT
Avant de prendre du cromoglycate sodique, demandez l'avis de votre médecin en lui indiquant tous les médicaments que vous prenez, avec ou sans ordonnance.

MÉDICAMENT-ALIMENT
Aucune interaction connue.

MÉDICAMENT-MALADIE
Avant de prendre du cromoglycate sodique, demandez l'avis de votre médecin si vous suivez un traitement pour quelque état de santé que ce soit.

EFFETS INDÉSIRABLES

GRAVES
Déglutition difficile ; urticaire ; démangeaisons ; enflure du visage, des lèvres ou des paupières ; rash cutané ; saignements de nez.

COURANTS
Inhalation : irritation ou sécheresse de la gorge. Solution nasale : éternuements accrus ; sensation de brûlure, de picotement ou d'irritation dans le nez.

MOINS COURANTS
Solution nasale : toux, céphalées, écoulements nasaux, mauvais goût dans la bouche.

CROMOGLYCATE SODIQUE (OPHTALMIQUE)

NOMS COMMERCIAUX

Cromolyn – solution ophtalmique, Opticrom, Solu-Crom

Présentation : Solution ophtalmique
En vente libre ? Oui **Générique disponible ?** Oui
Classe de médicaments : Agent antiallergique

▼ GÉNÉRALITÉS

INDICATIONS
Traitement des troubles ophtalmiques associés aux allergies saisonnières, dont la conjonctivite (inflammation de la muqueuse qui tapisse la surface interne des paupières et le blanc des yeux).

MODE D'ACTION
Le médicament entrave la libération de certains éléments chimiques reliés aux allergies comme l'histamine, substance naturelle de l'organisme qui engendre enflure, démangeaisons, éternuements, larmoiement, urticaire et autres symptômes de réactions allergiques.

▼ MODE D'EMPLOI

POSOLOGIE
Adultes et enfants de plus de 5 ans : 1 goutte 4 à 6 fois par jour, à intervalles réguliers. Enfants de 4 ans et moins : l'utilisation éventuelle et la posologie doivent être déterminées par le médecin.

DÉBUT D'ACTION
On devrait constater une amélioration des symptômes en 2 à 3 jours.

DURÉE D'ACTION
Inconnue.

CONSEILS NUTRITIONNELS
Aucune précaution spéciale.

MODE DE CONSERVATION
Dans un contenant étanche, à l'abri de la chaleur, de l'humidité et de la lumière. Ne faites pas congeler la solution. Jetez ce qui en reste 4 semaines après l'ouverture du flacon.

OUBLI D'UNE DOSE
Appliquez-la dès que vous y pensez. S'il est presque l'heure de la suivante, sautez la dose oubliée et reprenez la fréquence normale. Ne doublez pas la dose suivante.

ARRÊT DE LA MÉDICATION
Effectuez le traitement au complet, comme il vous a été prescrit.

USAGE PROLONGÉ
Vous devriez voir votre médecin régulièrement pour des examens médicaux et des analyses en cas d'usage prolongé. Le traitement peut durer jusqu'à 6 semaines.

 EFFETS INDÉSIRABLES

GRAVES
Rarement : éruption cutanée ou rougeur autour des yeux, enflure de la membrane recouvrant le blanc des yeux, yeux rouges ou injectés de sang, ou autres irritations de l'œil.

COURANTS
Sensation bénigne et passagère de brûlure ou de picotement dans les yeux.

MOINS COURANTS
Incidence accrue de picotements oculaires et de larmoiement, sécheresse ou gonflement autour des yeux.

▼ PRÉCAUTIONS

Plus de 60 ans. Aucun risque connu.

Conduite automobile, travaux dangereux. Le cromoglycate sodique ne devrait pas vous empêcher d'accomplir de telles activités en toute sécurité.

Alcool. Aucune précaution spéciale.

Grossesse. Il n'existe pas d'études adéquates sur les humains. Avant de prendre le médicament, dites au médecin que vous êtes enceinte ou désirez le devenir.

Allaitement. Le cromoglycate sodique peut passer dans le lait maternel : la prudence est de mise. Demandez spécifiquement l'avis du médecin.

Nourrissons et enfants. L'utilisation du médicament et sa posologie pour les enfants de moins de 5 ans doivent être déterminées par votre médecin.

À surveiller. Avant l'application, lavez-vous les mains. Renversez la tête en arrière. Appuyez doucement dans l'angle interne de la paupière et, avec l'index de la même main, tirez la paupière inférieure vers le bas. Laissez tomber le médicament dans l'espace ainsi créé et fermez l'œil. Appuyez pendant 1 ou 2 minutes tout en gardant l'œil fermé sans cligner. Relavez-vous les mains. Le bout du compte-gouttes ne doit toucher ni l'œil, ni votre doigt, ni rien d'autre. Si les symptômes ne s'améliorent pas ou s'aggravent, communiquez avec votre médecin. On ne doit pas porter de verres de contact souples durant le traitement.

SURDOSAGE
Symptômes. Rien de spécifique n'a été signalé.

Quoi faire. Il est peu probable qu'une surdose de cromoglycate sodique mette votre vie en danger. Néanmoins, si la dose est très forte ou si le médicament est ingéré par accident, appelez le médecin ou le centre antipoison, ou allez à l'urgence.

▼ INTERACTIONS

MÉDICAMENT-MÉDICAMENT
Aucune interaction n'a été signalée à l'égard d'autres préparations ophtalmiques.

MÉDICAMENT-ALIMENT
Aucune interaction connue.

MÉDICAMENT-MALADIE
Soyez prudent. Demandez conseil à votre médecin si vous avez tout autre problème de santé.

CYCLOBENZAPRINE

Présentation : Comprimés
En vente libre ? Non   **Générique disponible ?** Oui
Classe de médicaments : Relaxant musculaire

Alti-Cyclobenzaprine,
Apo-Cyclobenzaprine,
Dom-Cyclobenzaprine,
Flexeril, Flexitec,
Gen-Cyclobenzaprine,
Novo-Cycloprine,
Nu-Cyclobenzaprine,
Riva-Cycloprine

▼ GÉNÉRALITÉS

INDICATIONS
Pour soulager la raideur et les spasmes temporaires et douloureux des muscles, quand ils ne sont pas causés par de graves maladies chroniques du système nerveux et des muscles, telles qu'une lésion de la moelle épinière ou une infirmité motrice cérébrale.

MODE D'ACTION
La cyclobenzaprine semble réduire les impulsions nerveuses issues du cerveau et de la moelle épinière qui causent des spasmes ou de la raideur musculaires.

▼ MODE D'EMPLOI

POSOLOGIE
Adultes et adolescents de plus de 15 ans : la dose normale est de 10 mg, 3 fois par jour. Le médecin peut l'augmenter sans dépasser 60 mg par jour. Enfants et adolescents de moins de 15 ans : consultez le pédiatre.

DÉBUT D'ACTION
En 1 heure, mais le plein effet peut prendre 1 ou 2 semaines à s'établir complètement.

DURÉE D'ACTION
De 12 à 24 heures après chaque dose.

CONSEILS NUTRITIONNELS
Les patients se plaignent souvent que les myorelaxants assèchent la bouche ; buvez beaucoup et, au besoin, sucez de la glace concassée.

MODE DE CONSERVATION
Dans un contenant étanche, à l'abri de la chaleur, de la lumière et de l'humidité. Évitez les températures extrêmes.

OUBLI D'UNE DOSE
Prenez-la dès que vous y pensez. S'il est presque l'heure de la suivante, sautez la dose oubliée et revenez à la fréquence normale. Ne doublez pas la dose suivante.

ARRÊT DE LA MÉDICATION
Vous devriez effectuer le traitement au complet, comme il vous a été prescrit, mais vous pouvez y mettre fin plus vite si vous vous sentez mieux.

USAGE PROLONGÉ
Le traitement dure habituellement 14 à 21 jours. Ne le prolongez pas sans l'approbation de votre médecin. Quand la douleur et la raideur musculaires ne s'améliorent pas en 14 à 21 jours, Il peut y avoir lieu de faire une évaluation plus poussée.

▼ PRÉCAUTIONS

Plus de 60 ans. Risques de réactions indésirables plus fréquentes et plus graves.

Conduite automobile, travaux dangereux. La cyclobenzaprine peut vous empêcher d'exécuter de telles tâches en toute sécurité. Soyez prudent.

Alcool. À éviter.

Grossesse. L'innocuité de la cyclobenzaprine chez les femmes enceintes n'a pas fait l'objet d'études spécifiques. Analysez avec le médecin les bienfaits du médicament par rapport à ses risques.

Allaitement. La cyclobenzaprine passe dans le lait maternel : la prudence s'impose. Consultez votre médecin.

Nourrissons et enfants. La cyclobenzaprine n'est pas recommandée aux moins de 15 ans.

À surveiller. La cyclobenzaprine ne doit pas être le seul traitement contre la raideur ou la douleur musculaires. Elle doit s'accompagner de repos au lit, de physiothérapie et d'autres mesures susceptibles de soulager le patient, telles que l'application de chaleur ou de froid (suivez l'avis du médecin).

SURDOSAGE
Symptômes. État de confusion grave, agitation, manque de concentration, difficulté à marcher ou à rester debout, dilatation des pupilles, somnolence grave, vomissements, forte fièvre, coma.

Quoi faire. Appelez immédiatement le médecin ou le centre antipoison, ou allez à l'urgence.

▼ INTERACTIONS

MÉDICAMENT-MÉDICAMENT
Demandez l'avis du médecin si vous prenez les médicaments suivants : sédatifs, tranquillisants ou autres médicaments pouvant causer de la somnolence (sans oublier l'alcool) ; antidépresseurs tricycliques ; ou IMAO.

MÉDICAMENT-ALIMENT
Aucune interaction connue.

MÉDICAMENT-MALADIE
Avertissez le médecin de vos antécédents : glaucome, miction difficile, troubles de la prostate, maladie cardiaque ou hyperthyroïdie.

≡ EFFETS INDÉSIRABLES ≡

GRAVES
Battements de cœur inhabituels (pulsations rapides, fortes ou désordonnées), confusion, convulsions, hallucinations.

COURANTS
Somnolence, sécheresse buccale, étourdissements.

MOINS COURANTS
Fatigue ou lassitude extrême, faiblesse, nausées, constipation, aigreurs d'estomac, goût amer ou métallique, troubles de la vue, maux de tête, agitation, nervosité, miction difficile, ecchymoses ou saignements inhabituels.

CYCLOPENTOLATE

Présentation : Solution ophtalmique
En vente libre ? Non   **Générique disponible ?** Oui
Classe de médicaments : Relaxant des muscles de l'œil, mydriatique

▼ GÉNÉRALITÉS

INDICATIONS
Sert à dilater la pupille et à paralyser temporairement certaines structures internes de l'œil pour faciliter les examens aux fins de prescrire des lunettes ou à des fins diagnostiques. On peut recourir au cyclopentolate au besoin, avant ou après une chirurgie oculaire.

MODE D'ACTION
Le cyclopentolate provoque la relaxation du muscle ciliaire régissant l'accommodation du cristallin à la lumière, et celle du sphincter de l'iris qui commande les mouvements de la pupille : le cristallin est incapable de faire la mise au point et la pupille se dilate, permettant au médecin d'examiner les structures internes de l'œil. Après une chirurgie, le cyclopentolate, en immobilisant les minuscules structures internes de l'œil, prévient la formation de tissu cicatriciel sur l'œil et peut diminuer la douleur.

▼ MODE D'EMPLOI

POSOLOGIE
1 ou 2 gouttes, 3 fois par jour ou au besoin, selon la recommandation de l'ophtalmologiste.

DÉBUT D'ACTION
L'effet maximal se produit en 25 à 75 minutes.

DURÉE D'ACTION
8 heures, bien que certains effets puissent durer plusieurs jours. Consultez le médecin si l'effet dure au-delà de 48 heures.

CONSEILS NUTRITIONNELS
Aucune restriction spéciale.

MODE DE CONSERVATION
Dans un contenant étanche, à l'abri de la chaleur, de l'humidité et de la lumière. Ne faites pas congeler.

OUBLI D'UNE DOSE
Faites l'application dès que vous y pensez. S'il est presque l'heure de la dose qui suit, sautez la dose oubliée et revenez à la fréquence normale. Ne doublez pas la dose suivante.

ARRÊT DE LA MÉDICATION
La décision d'arrêter le traitement doit être prise par l'ophtalmologiste.

USAGE PROLONGÉ
Non recommandé.

▼ PRÉCAUTIONS

Plus de 60 ans. Risques de réactions indésirables plus fréquentes et plus graves.

Conduite automobile, travaux dangereux. À déconseiller tant que vous ne connaissez pas les effets du médicament sur la vision. Soyez extrêmement prudent à l'égard des activités qui exigent une excellente vision de près (à la distance du bras tendu).

Alcool. Aucune précaution spéciale n'est nécessaire.

Grossesse. Il n'existe pas d'études spécifiques. Avertissez le médecin que vous êtes enceinte ou avez l'intention de le devenir.

Allaitement. On ne sait pas si le cyclopentolate passe dans le lait maternel : la prudence s'impose. Parlez-en spécifiquement à votre médecin.

Nourrissons et enfants. Les jeunes enfants aux cheveux blonds ou aux yeux bleus risquent d'être plus sensibles au médicament et d'avoir des effets indésirables plus marqués. Observez la plus grande prudence. Les bébés devraient rester à jeun pendant 4 heures après l'instillation.

À surveiller. Le médicament peut provoquer un glaucome aigu chez les patients atteints de glaucome ou prédisposés au glaucome. Avant l'application, lavez-vous les mains. Renversez la tête vers l'arrière. Appuyez doucement dans l'angle interne de la paupière et, avec l'index de la même main, tirez la paupière inférieure vers le bas. Laissez tomber le médicament dans l'espace ainsi créé et fermez l'œil. Appuyez pendant 1 ou 2 minutes tout en gardant l'œil fermé sans cligner. Relavez-vous les mains. Le bout du compte-gouttes ne doit toucher ni l'œil, ni votre doigt, ni rien d'autre.

SURDOSAGE
Symptômes. Somnolence, hallucinations, trous de mémoire, sécheresse de la bouche, peau sèche, agitation, palpitations, étourdissements, désorientation, délire.

Quoi faire. Appelez immédiatement le médecin ou le centre antipoison, ou allez à l'urgence.

▼ INTERACTIONS

MÉDICAMENT-MÉDICAMENT
Avisez le médecin de tous les médicaments que vous prenez avec ou sans ordonnance, et surtout de ceux que vous vous mettez dans les yeux.

MÉDICAMENT-ALIMENT
Pas d'interaction connue.

MÉDICAMENT-MALADIE
Avisez le médecin si vous avez des antécédents de glaucome, de syndrome de Down ou de paralysie spastique.

▓ EFFETS INDÉSIRABLES ▓

GRAVES
Effets systémiques : maladresse ou manque d'équilibre, confusion ou changement de comportement, hallucinations, diction empâtée, pouls rapide ou irrégulier, bouffées congestives, fièvre, fatigue excessive, étourdissements, peau très sèche, rashs cutanés, sécheresse de la bouche. Bébés : enflure abdominale.

COURANTS
Irritation et rougeur de l'œil consécutives au traitement, enflure des paupières, vision brouillée, sensibilité accrue à la lumière vive.

MOINS COURANTS
Il n'y en a pas.

CYCLOPHOSPHAMIDE

Présentation : Comprimés, liquide à injecter
En vente libre ? Non   **Générique disponible ?** Non
Classe de médicaments : Agent antinéoplasique (anticancéreux) ; immunosuppresseur

▼ GÉNÉRALITÉS

INDICATIONS
Traitement d'un certain nombre de cancers : lymphomes malins, myélome multiple, sarcome, rétinoblastome, leucémies, cancer du sein et cancer des ovaires.

MODE D'ACTION
Le cyclophosphamide tue les cellules cancéreuses en intervenant dans la synthèse de leur matériel génétique, empêchant ainsi les cellules malignes de se multiplier.

▼ MODE D'EMPLOI

POSOLOGIE
Adultes – Voie orale : 1 à 5 mg par kilogramme (2,2 lb) de poids corporel, 1 fois par jour, selon la tolérance du patient. Injection : 10 à 20 mg par kilogramme par jour, en doses fractionnées, pendant 2 à 5 jours, selon le type de cancer. Ce médicament ne doit jamais être administré par voie intraveineuse sans addition d'un diluant approprié. Les doses peuvent varier considérablement selon la maladie, le patient et les médicaments qu'il prend. Enfants – Consultez le pédiatre oncologue.

DÉBUT D'ACTION
En 2 à 3 heures.

DURÉE D'ACTION
Inconnue.

CONSEILS NUTRITIONNELS
Se prend à jeun. Il peut se prendre avec une petite quantité d'aliment ou de lait en présence d'irritation gastrique. Buvez beaucoup.

MODE DE CONSERVATION
Dans un contenant étanche, à l'abri de la chaleur et de la lumière.

 EFFETS INDÉSIRABLES

GRAVES
Essoufflement, constriction ou douleur thoracique, douleur abdominale, toux persistante ou voix rauque, fièvre et frissons, douleur dans le bas du dos ou les flancs, miction douloureuse ou difficile, petits points rouge vif sur la peau, ecchymoses ou saignements inhabituels, difficultés respiratoires, sang dans l'urine ou les selles.

COURANTS
Nausées et vomissements, perte d'appétit et de poids, chute temporaire des cheveux, vulnérabilité accrue à l'infection, surdité partielle ou bourdonnements d'oreilles, stérilité (généralement temporaire) chez l'homme, fatigue inhabituelle, pigmentation accrue de la peau et des ongles de doigts, étourdissements, confusion.

MOINS COURANTS
Diarrhée, maux d'estomac, bouffées congestives, rashs cutanés, démangeaisons, urticaire, tachycardie, enflure des pieds ou du bas des jambes.

OUBLI D'UNE DOSE
Sautez la dose oubliée et reprenez ensuite la fréquence normale. Ne doublez pas la dose suivante.

ARRÊT DE LA MÉDICATION
Effectuez le traitement tel que prescrit, même si vous avez des effets indésirables (nausées et vomissements). La décision d'arrêter la thérapie doit être prise par le médecin.

USAGE PROLONGÉ
Risques accrus d'effets indésirables. Demandez au médecin s'il y a lieu de subir examens et tests périodiques.

▼ PRÉCAUTIONS

Plus de 60 ans. Effets indésirables plus courants.

Conduite automobile, travaux dangereux. À déconseiller tant que vous ne connaissez pas votre réaction au médicament.

Alcool. Usage modéré.

Grossesse. Pris par la mère ou le père, le médicament peut entraîner des malformations congénitales graves. Utilisez des méthodes contraceptives sûres durant la thérapie et jusqu'à 4 mois après.

Allaitement. Non recommandé durant la thérapie.

Nourrissons et enfants. Le cyclophosphamide peut leur être administré sous surveillance médicale étroite.

À surveiller. Attention aux signes d'infection : fièvre, mal de gorge et fatigue. Si votre température dépasse 38 °C (100 °F), appelez le médecin. Pour ne pas avoir de troubles urinaires, buvez au moins 3 litres (12 tasses) d'eau par jour. Ne vous faites pas vacciner contre un virus ou une bactérie durant la thérapie.

SURDOSAGE
Symptômes. Essoufflement, palpitations, douleur ou malaise thoracique, sang dans l'urine, rétention hydrique, gain de poids marqué, infection grave.

Quoi faire. Allez à l'urgence pour que votre cas soit évalué et traité.

▼ INTERACTIONS

MÉDICAMENT-MÉDICAMENT
Avisez le médecin si vous prenez les médicaments suivants : allopurinol ou autres médicaments contre la goutte, médicaments oraux contre l'hypoglycémie, clozapine, cyclosporine, digoxine ou autres agents antiarythmiques, autres immunosuppresseurs, insuline, lévamisole, lovastatine, phénobarbital, probénécide, sulfinpyrazone, tiopronine, ciprofloxacine ou warfarine.

MÉDICAMENT-ALIMENT
Aucune interaction connue.

MÉDICAMENT-MALADIE
Consultez le médecin si vous avez récemment souffert de : varicelle, zona, goutte, calculs rénaux ou infections. Le cyclophosphamide peut entraîner des complications chez les patients souffrant d'une maladie du foie ou des reins, puisque ces organes contribuent à éliminer le médicament de l'organisme.

CYCLOSPORINE

NOMS COMMERCIAUX

Neoral,
Sandimmune

Présentation : Gélules, solution orale, injection
En vente libre ? Non **Générique disponible ?** Non
Classe de médicaments : Immunosuppresseur

▼ GÉNÉRALITÉS

INDICATIONS
Pour ralentir ou réduire la tendance naturelle du système immunitaire à rejeter un organe transplanté ou une greffe de moelle osseuse. Traitement de la polyarthrite rhumatoïde ou du psoriasis graves qui ne répondent pas aux autres médicaments. Utilisé aussi en cas de syndrome néphrotique réfractaire aux stéroïdes.

MODE D'ACTION
La cyclosporine bloque le fonctionnement du système immunitaire. C'est ainsi qu'elle empêche le corps de réagir normalement en rejetant comme corps étranger une greffe d'organe ou de moelle osseuse. Dans le cas de la polyarthrite rhumatoïde et du psoriasis – classés comme des maladies autoimmunes – le système immunitaire s'attaque à des tissus sains.

▼ MODE D'EMPLOI

POSOLOGIE
Votre médecin établira votre posologie en fonction de divers facteurs. Les doses peuvent être ajustées en cours de traitement après vérification des taux sanguins du médicament. Les diverses marques de cyclosporine ne sont pas interchangeables.

DÉBUT D'ACTION
Inconnu.

DURÉE D'ACTION
Inconnue.

CONSEILS NUTRITIONNELS
Prenez ce médicament aux repas pour éviter les maux d'estomac. Le liquide peut être mêlé, dans un récipient en verre, à du jus d'orange à température ambiante, pas à du jus de pamplemousse.

MODE DE CONSERVATION
Dans un contenant étanche, à l'abri de la chaleur et de la lumière. Ne réfrigérez pas la solution orale. Injections : ne s'applique pas.

OUBLI D'UNE DOSE
Puisque les fréquences varient, contactez votre médecin ou votre pharmacien si vous sautez une dose.

ARRÊT DE LA MÉDICATION
Cette décision devrait être prise par votre médecin.

USAGE PROLONGÉ
L'usage prolongé de la cyclosporine peut léser la fonction rénale. Examens et analyses périodiques sont nécessaires.

▼ PRÉCAUTIONS

Plus de 60 ans. La posologie doit être ajustée en fonction d'un déclin éventuel de la fonction rénale.

Conduite automobile, travaux dangereux. À déconseiller tant que vous ne connaissez pas votre réaction au médicament.

Alcool. À éviter.

Grossesse. La cyclosporine a causé de graves malformations congénitales chez les animaux. N'en prenez pas si vous êtes enceinte, à moins que ce ne soit indispensable.

Allaitement. La cyclosporine passe dans le lait maternel. Évitez d'en prendre ou cessez le traitement si vous allaitez.

Nourrissons et enfants. Pas de risque spécial.

À surveiller. Ne vous faites donner aucun vaccin sans l'approbation de votre médecin. Pour prendre ce médicament, n'utilisez pas de gobelet de plastique ou de carton ciré. Comme la cyclosporine peut causer des problèmes de gencives, surveillez votre hygiène dentaire. Enfin, elle peut augmenter la photosensibilité : limitez votre exposition au soleil tant que vous ne savez pas comment le médicament vous affecte.

SURDOSAGE
Symptômes. Ictère de la peau et du blanc des yeux (jaunisse), léthargie, confusion, œdème.

Quoi faire. Contactez aussitôt le médecin ou un centre antipoison, ou allez à l'urgence.

▼ INTERACTIONS

MÉDICAMENT-MÉDICAMENT
Consultez le médecin si vous prenez : androgènes, cimétidine, danazol, diltiazem, diurétiques, érythromycine, œstrogènes, autres immunosuppresseurs, kétoconazole, statines (pour abaisser le cholestérol) ou vaccins anti-virus. Beaucoup d'autres produits interagissent avec la cyclosporine. Consultez le médecin avant de prendre un nouveau médicament sur ordonnance ou en vente libre.

MÉDICAMENT-ALIMENT
Ne mêlez pas la cyclosporine et le jus de pamplemousse.

MÉDICAMENT-MALADIE
Demandez l'avis du médecin en cas de : varicelle, zona, hypertension, infection, dérèglement gastro-intestinal chronique, problème sanguin, maladie des reins ou du foie.

≡ EFFETS INDÉSIRABLES ≡

GRAVES
Envie fréquente d'uriner ; fièvre ou frissons ; jaunissement des yeux et de la peau causé par un dérèglement du foie ; saignements anormaux ; lassitude ; hypertension. Les patients atteints de psoriasis et ayant déjà subi d'autres traitements (lampe ultraviolette, méthotrexate) sont plus exposés aux cancers de peau ; ils doivent rapporter immédiatement à leur médecin toute nouvelle lésion cutanée.

COURANTS
Céphalées, tremblements, croissance inhabituelle de poils sur le corps ou sur le visage ; gonflement ou saignement des gencives.

MOINS COURANTS
Nausées, vomissements, diarrhée, acné ou séborrhée, inflammation ou infection des sinus, crampes dans les jambes, grossissement ou hypersensibilité des seins chez les hommes (gynécomastie).

CYPROHEPTADINE (CHLORHYDRATE DE)

Présentation : Sirop, comprimés
En vente libre ? Oui   **Générique disponible ?** Oui
Classe de médicaments : Antihistaminique ; antagoniste de la sérotonine

▼ GÉNÉRALITÉS

INDICATIONS

Prévention ou soulagement des symptômes de la rhinite (inflammation de la muqueuse des voies nasales, souvent associée au rhume des foins et à d'autres allergies saisonnières), des démangeaisons, des crises d'urticaire et de l'inflammation des tissus (œdème angioneurotique). La cyproheptadine s'utilise aussi dans le traitement des migraines et céphalées vasculaires.

MODE D'ACTION

La cyproheptadine bloque les effets de l'histamine, substance naturelle de l'organisme qui cause enflure, démangeaisons, éternuements, larmoiement, urticaire et autres symptômes allergiques. Elle soulage aussi les symptômes des céphalées vasculaires en bloquant la sérotonine, un élément chimique du cerveau.

▼ MODE D'EMPLOI

POSOLOGIE

Allergies et démangeaisons – Adultes et enfants de plus de 14 ans : 4 mg aux 8 heures (le médecin peut augmenter progressivement les doses). Enfants de 2 à 6 ans : 2 mg aux 8 à 12 heures. Enfants de 6 à 14 ans : 4 mg aux 8 à 12 heures. Migraines et céphalées vasculaires – Adultes : 4 mg en dose d'attaque et 4 mg après une demi-heure, au besoin ; jamais plus de 8 mg sur une période de 4 à 6 heures.

DÉBUT D'ACTION

En 15 à 60 minutes.

DURÉE D'ACTION

4 à 6 heures.

CONSEILS NUTRITIONNELS

Alimentez-vous comme à l'habitude. Augmentez l'ingestion de liquides si la crise d'allergie se prolonge ou si vous faites de la diarrhée ou de la fièvre.

MODE DE CONSERVATION

Rangez les comprimés dans un contenant étanche, à l'abri de la chaleur et de la lumière. Évitez l'humidité et les températures extrêmes. Gardez le sirop au réfrigérateur, mais ne le congelez pas.

OUBLI D'UNE DOSE

Prenez-la dès que vous y pensez. S'il est presque l'heure de la suivante, sautez la dose oubliée et revenez à la fréquence normale. Ne doublez pas la dose suivante.

ARRÊT DE LA MÉDICATION

Suivez le traitement pour la durée prescrite, mais n'hésitez pas à l'interrompre si vous vous sentez mieux dans l'intervalle.

USAGE PROLONGÉ

Un traitement à la cyproheptadine peut s'étendre sur plusieurs jours ou plusieurs semaines, selon la gravité de l'allergie. Les effets indésirables sont plus susceptibles de surgir à long terme.

▼ PRÉCAUTIONS

Plus de 60 ans. Risque de réactions indésirables plus fréquentes et plus graves.

Conduite automobile, travaux dangereux. Comme la cyproheptadine peut causer de la somnolence, son utilisation peut affecter vos réflexes et vous empêcher de faire ces activités en toute sécurité.

Alcool. À éviter

Grossesse. Il n'y a pas eu de malformations congénitales chez les animaux avec de fortes doses, mais aucune recherche n'a été effectuée sur les humains. En l'absence de preuves d'innocuité, une femme enceinte ne devrait prendre ce médicament que s'il s'avère indispensable.

Allaitement. La cyproheptadine peut passer dans le lait maternel : soyez prudente. Dans le doute, discutez-en avec votre médecin.

Nourrissons et enfants. Non recommandé aux enfants de moins de 2 ans.

À surveiller. Il faut surveiller étroitement l'apparition de symptômes indésirables graves chez les jeunes enfants car ils y sont davantage exposés et sont souvent incapables de les exprimer.

SURDOSAGE

Symptômes. Hallucinations ; convulsions ; excitabilité ou sédation prononcée ; vision brouillée ; rougeurs ou rougissement de la peau ; peau chaude et très sèche ; pupilles dilatées.

Quoi faire. Appelez le médecin ou un centre antipoison, ou allez à l'urgence.

▼ INTERACTIONS

MÉDICAMENT-MÉDICAMENT

Demandez spécifiquement l'avis du médecin si vous prenez un médicament contenant de l'alcool ou pouvant causer de la somnolence : barbituriques, sédatifs, antitussifs, autres antihistaminiques, médications psychiatriques (IMAO en particulier) ou analgésiques sur ordonnance.

MÉDICAMENT-ALIMENT

Pas d'interaction connue.

MÉDICAMENT-MALADIE

Demandez l'avis de votre médecin si vous souffrez de glaucome ou d'autre trouble oculaire, ou si vous avez des ennuis de prostate ou des problèmes de miction.

  **EFFETS INDÉSIRABLES**

GRAVES

Confusion, hallucinations, convulsions, agitation, vision embrouillée, évanouissements, pouls inhabituel ou irrégulier, respiration asthmatique.

COURANTS

Sécheresse de la bouche et du nez, somnolence (souvent passagère).

MOINS COURANTS

Difficultés à la miction, étourdissements, photosensibilité accrue, rash cutané, gain de poids, excitabilité, irritabilité ou euphorie.

DACARBAZINE

Présentation : Injection
En vente libre ? Non   **Générique disponible ?** Oui
Classe de médicaments : Agent antinéoplasique (anticancéreux)

▼ GÉNÉRALITÉS

INDICATIONS
Traitement du mélanome malin (un type de cancer de la peau), de la maladie de Hodgkin (un type de cancer des ganglions) et parfois des sarcomes (cancers peu courants des tissus mous).

MODE D'ACTION
La dacarbazine tue les cellules cancéreuses en intervenant dans la synthèse de leur matériel génétique, les empêchant ainsi de se multiplier.

▼ MODE D'EMPLOI

POSOLOGIE
Le dosage de la dacarbazine dépend du type de tumeur, du poids du patient et de l'association à une autre chimiothérapie. L'oncologue (spécialiste du cancer) déterminera la dose appropriée.

DÉBUT D'ACTION
Tout de suite après l'injection.

DURÉE D'ACTION
Inconnue.

CONSEILS NUTRITIONNELS
Mangez bien et buvez beaucoup. Les besoins en calories, en protéines et en vitamines augmentent chez les cancéreux. Aussi ceux-ci doivent-ils avoir une bonne alimentation s'ils veulent bien supporter la chimiothérapie.

MODE DE CONSERVATION
Au réfrigérateur mais non au congélateur.

OUBLI D'UNE DOSE
Avisez-en l'oncologue. Les ajustements dépendront des autres agents chimiothérapeutiques que vous recevez.

ARRÊT DE LA MÉDICATION
La décision doit être prise en consultation avec le médecin.

USAGE PROLONGÉ
La prolongation du traitement au-delà de 5 à 10 jours par cycle de 28 jours n'est pas recommandée.

▼ PRÉCAUTIONS

Plus de 60 ans. Risques de réactions indésirables plus fréquentes et plus graves.

Conduite automobile, travaux dangereux. Associée à d'autres agents chimiothérapeutiques, la dacarbazine peut vous empêcher d'exécuter de telles tâches en toute sécurité.

Alcool. Usage très modéré.

Grossesse. La chimiothérapie peut entraîner des malformations congénitales chez le fœtus ou sa mort. On recommande d'avoir recours à des méthodes contraceptives sûres.

Allaitement. La dacarbazine passe dans le lait maternel ; vous devriez éviter ou interrompre la thérapie durant l'allaitement.

Nourrissons et enfants. Consultez le pédiatre oncologue.

À surveiller. La dacarbazine peut inhiber les fonctions rénale et hépatique et diminuer votre résistance aux infections en réduisant le nombre de globules blancs du sang. Ne vous faites pas vacciner contre des bactéries ou des virus sans l'approba-tion du médecin. Évitez d'être en contact avec des personnes contagieuses. Soyez prudent quand vous vous rasez, vous vous coupez les ongles ou vous utilisez des objets coupants. Avisez immédiatement le médecin en cas de fièvre, frissons, ecchymoses ou saignements inhabituels, diarrhée ou toux.

SURDOSAGE
Symptômes. Il n'existe pas de données spécifiques.

Quoi faire. Si vous vous inquiétez de la possibilité d'une surdose de dacarbazine, allez à l'urgence pour que votre cas soit évalué et traité.

▼ INTERACTIONS

MÉDICAMENT-MÉDICAMENT
Avisez le médecin si vous prenez les médicaments suivants : AAS, ibuprofène, phénobarbital, phénytoïne, amphotéricine B, médicaments pour la thyroïde, azathioprine, chloramphénicol, colchicine, flucytosine, ganciclovir, interféron, plicamycine, ou zidovudine.

MÉDICAMENT-ALIMENT
Pas d'interaction connue.

MÉDICAMENT-MALADIE
Prévenez le médecin si vous souffrez de : varicelle (ou avez été récemment exposé à la maladie), zona, autres infections quel qu'en soit le siège, maladie des reins, du foie ou des poumons.

 EFFETS INDÉSIRABLES ▼ ▼

GRAVES
Selles noires, goudronneuses ou sanguinolentes ; urine tachée de sang (rose ou marron) ; toux ou voix rauque ; fièvre ; frissons ; douleur lombaire ou dans les flancs ; miction douloureuse ou difficile ; petits points rouge vif sur la peau ; saignements des gencives, du nez ou d'endroits inhabituels ; ecchymoses ; essoufflement. On peut en déduire que la thérapie modifie les cellules normales du sang et les plaquettes ou attaque les cellules immunes normales et qu'une infection se développe quelque part.

COURANTS
Nausées, vomissements, faiblesse, perte d'appétit. Si le point d'injection rougit ou devient douloureux, avisez-en le médecin ou l'infirmière immédiatement.

MOINS COURANTS
Bouffées congestives, engourdissements ou fourmillements du visage, symptômes semblables à ceux de la grippe (douleurs musculaires ou articulaires, fièvre) apparaissant environ 7 jours après le début de la thérapie.

DALTÉPARINE SODIQUE

Présentation : Injection
En vente libre ? Non   **Générique disponible ?** Non
Classe de médicaments : Anticoagulant/antithrombotique

▼ GÉNÉRALITÉS

INDICATIONS
Prévention ou inhibition de la formation de caillots sanguins dangereux dans un vaisseau sanguin, par exemple avant une chirurgie majeure, surtout dans les cas de longues opérations chirurgicales exigeant une anesthésie générale. Le médicament est également utilisé pour traiter les caillots dans les veines profondes de la jambe et certains troubles de l'artère coronarienne.

MODE D'ACTION
La coagulation et donc la formation de caillots sanguins est régie par l'interaction de plusieurs protéines spécialisées appelées facteurs de coagulation. La daltéparine inhibe le fonctionnement normal de plusieurs facteurs de coagulation : elle réduit ainsi le risque de formation d'un caillot dans un vaisseau sanguin et aide à réduire un caillot qui se serait déjà formé dans des veines profondes. On dit souvent des anticoagulants comme la daltéparine qu'ils éclaircissent le sang.

▼ MODE D'EMPLOI

POSOLOGIE
Adultes : dosage et durée du traitement varient selon les circonstances. Le médicament est donné par injection souscutanée 1 fois par jour et le patient peut se l'administrer lui-même à la maison.

DÉBUT D'ACTION
Rapide ; en quelques minutes.

DURÉE D'ACTION
L'effet thérapeutique persiste environ 24 heures.

CONSEILS NUTRITIONNELS
Respectez à la lettre les directives diététiques et autres que vous donne le médecin.

MODE DE CONSERVATION
À la température ambiante.

OUBLI D'UNE DOSE
Demandez à votre médecin quoi faire.

ARRÊT DE LA MÉDICATION
La décision doit être prise par le médecin.

USAGE PROLONGÉ
Le traitement à la daltéparine dure d'ordinaire 5 à 10 jours. Dans certains cas, le traitement doit être prolongé.

▼ PRÉCAUTIONS

Plus de 60 ans. Risques de réactions indésirables possiblement plus graves.

Conduite automobile, travaux dangereux. Consultez le médecin sur l'opportunité d'exécuter de telles tâches pendant que vous prenez un anticoagulant.

Alcool. Pas de précautions spéciales.

Grossesse. Il n'y a pas eu d'études pertinentes sur l'administration de daltéparine pendant la grossesse ; elle ne doit être prise que si ses bienfaits l'emportent sur ses dangers possibles. Une forme de daltéparine renferme de l'alcool benzylique : elle ne devrait pas être prise par une femme enceinte.

Allaitement. La daltéparine peut passer dans le lait maternel ; la prudence s'impose. Demandez l'avis du médecin.

Nourrissons et enfants. Non recommandée.

À surveiller. Bien dosée, la daltéparine entrave la formation de caillots sanguins indésirables sans nuire à l'aptitude de l'organisme d'arrêter les saignements provoqués par des blessures mineures, des éraflures ou des meurtrissures. Avant de prendre le médicament, avertissez le médecin si vous avez déjà eu des problèmes de saignements anormaux. Il peut arriver que des saignements internes se produisent sans être visibles ; les symptômes précoces sont les suivants : vertiges et faiblesse, surtout quand vous êtes en mouvement ou changez de position. De tels symptômes peuvent se manifester après une chirurgie pour plusieurs raisons (recours à des analgésiques ou à d'autres médicaments, séjour prolongé au lit). Il est important d'avertir le médecin de tout changement que vous remarquez dans votre état durant la convalescence.

SURDOSAGE
Symptômes. Saignements anormaux ou incontrôlables, ecchymoses inhabituelles, faiblesse, vertiges.

Quoi faire. Cessez de prendre le médicament et allez aussitôt à l'urgence.

▼ INTERACTIONS

MÉDICAMENT-MÉDICAMENT
Consultez le médecin si vous prenez de l'AAS, des anti-inflammatoires non stéroïdiens (AINS) ou d'autres anticoagulants.

MÉDICAMENT-ALIMENT
Aucune interaction connue.

MÉDICAMENT-MALADIE
La daltéparine exige que vous soyez prudent. Consultez le médecin en cas de : allergie au porc ou aux produits dérivés du porc, ecchymoses ou saignements anormaux, antécédents de complications causées par l'héparine, ulcères gastro-duodénaux, hypertension ou chirurgie récente.

⬇ EFFETS INDÉSIRABLES ⬇

GRAVES
Ecchymoses ou saignements fréquents ou anormaux, surtout du nez ou des gencives, selles noires ou goudronneuses, vomissements ou rejet par la toux de sang rouge vif, sang dans l'urine, faiblesse anormale, vertiges.

COURANTS
Douleur ou meurtrissure au point d'injection.

MOINS COURANTS
Essoufflement, respiration sifflante ou difficile, confusion, urticaire, démangeaisons, rash cutané, douleur abdominale, enflure du visage, sudation, faiblesse, étourdissements (symptômes d'anaphylaxie : réaction allergique grave).

DANAZOL

Présentation : Gélules
En vente libre ? Non   **Générique disponible ?** Non
Classe de médicaments : Inhibiteur de la gonadotrophine hypophysaire

▼ GÉNÉRALITÉS

INDICATIONS
Traitement de l'endométriose, de la maladie fibrokystique du sein et de la ménorragie (saignement menstruel excessif).

MODE D'ACTION
Le danazol inhibe la production d'œstrogènes par les ovaires. Sans cette hormone, le tissu endométrien (qui tapisse l'utérus) s'atrophie et devient inactif. En conséquence, les cycles menstruels s'interrompent, ainsi que les poussées d'endométriose et de maladie fibrokystique du sein.

▼ MODE D'EMPLOI

POSOLOGIE
Endométriose : 100 à 200 mg, 2 à 4 fois par jour, en commençant pendant la menstruation, durant 3 à 6 mois. Maladie fibrokystique du sein : 50 à 200 mg, 2 fois par jour, en commençant pendant la menstruation, durant 6 mois. Ménorragie : 100 à 200 mg, 2 fois par jour, sans dépasser 6 mois.

DÉBUT D'ACTION
L'effet du danazol peut mettre plusieurs mois à s'établir.

DURÉE D'ACTION
Le cycle menstruel reprend 60 à 90 jours après interruption du traitement ; les malaises provoqués par une maladie fibrokystique du sein peuvent revenir dans l'année.

CONSEILS NUTRITIONNELS
Mangez et buvez comme à l'ordinaire. Buvez davantage si vous faites de la fièvre ou de la diarrhée.

MODE DE CONSERVATION
Dans un contenant étanche, à l'abri de la chaleur, de la lumière, de l'humidité et des températures extrêmes.

OUBLI D'UNE DOSE
Prenez-la dès que vous y pensez. S'il est presque l'heure de la suivante, sautez la dose oubliée et reprenez la fréquence normale. Ne doublez pas la dose suivante.

ARRÊT DE LA MÉDICATION
Effectuez le traitement au complet, comme il vous a été prescrit, même si vous vous sentez mieux avant qu'il ne prenne fin.

USAGE PROLONGÉ
Un traitement au danazol dure ordinairement de 3 à 6 mois, mais il peut aller jusqu'à 9 mois au besoin. Un usage prolongé entraîne un risque accru d'effets indésirables.

▼ PRÉCAUTIONS

Plus de 60 ans. Risques de réactions indésirables plus fréquentes et plus graves.

Conduite automobile, travaux dangereux. À déconseiller tant que vous ne connaissez pas votre réaction au médicament.

Alcool. À consommer avec modération.

Grossesse. Ne prenez pas de danazol si vous êtes enceinte.

Allaitement. Ne prenez pas de danazol si vous allaitez.

Nourrissons et enfants. Non recommandé.

À surveiller. Une méthode non hormonale de contraception (condoms ou autre contraceptif-barrière) doit être utilisée durant le traitement au danazol. Le médicament peut provoquer de graves anomalies chez le fœtus. Signalez sans faute au médecin tout mal de tête inhabituel ou toute altération de la vue. Pour certaines patientes, un seul traitement au danazol suffit à régler leur problème tandis que, pour d'autres, il faut répéter le traitement.

SURDOSAGE
Symptômes. Aucun symptôme spécifique n'a été signalé.

Quoi faire. Il est peu probable qu'une surdose de danazol mette votre vie en danger. Néanmoins, si la dose est très forte, appelez immédiatement le médecin ou le centre antipoison, ou allez à l'urgence.

▼ INTERACTIONS

MÉDICAMENT-MÉDICAMENT
Demandez l'avis du médecin si vous prenez les médicaments suivants : anticoagulants, phénobarbital, phénytoïne, cyclosporine, insuline, hypoglycémiants oraux ou carbamazépine.

MÉDICAMENT-ALIMENT
Aucune interaction connue.

MÉDICAMENT-MALADIE
Avertissez le médecin si vous avez l'un des troubles suivants : maladie du cœur, du foie ou des reins ; épilepsie ou autres troubles convulsifs ; antécédents de caillots sanguins ; hypertension ; diabète ; céphalées, tout particulièrement migraines ; ou tout saignement vaginal inexpliqué. Le médecin doit, dans ces cas, évaluer votre état avant de lancer un traitement au danazol.

 EFFETS INDÉSIRABLES

GRAVES
Jaunissement des yeux ou de la peau (jaunisse) ; céphalée, parfois accompagnée de nausées, vomissements et altération de la vue ; douleur abdominale grave ; fatigue ; rash cutané qui peut être généralisé et affecter la bouche et le nez ; saignements anormaux du nez, du vagin ou des gencives ou autres ecchymoses ou saignements.

COURANTS
Interruption des menstruations, saignements vaginaux irréguliers ou imprévus, diminution du volume des seins, gain de poids, œdème (par rétention hydrique), bouffées congestives, sudation, sécheresse du vagin, acné.

MOINS COURANTS
Cataractes, douleur ou picotements dans les doigts, sensibilité accrue au soleil, augmentation du poil, hypertrophie du clitoris, voie rauque ou basse, mal de gorge, peau et cheveux huileux, humeur instable.

DANTROLÈNE SODIQUE

Présentation : Gélules, injection
En vente libre ? Non   **Générique disponible ?** Non
Classe de médicaments : Relaxant musculaire

▼ GÉNÉRALITÉS

INDICATIONS
Pour maîtriser les crampes et les spasmes musculaires récurrents, imputables notamment à la sclérose en plaques, à la paralysie cérébrale, à l'accident cérébrovasculaire et à des lésions de la moelle épinière. Le dantrolène sert parfois à prévenir ou à maîtriser l'hyperthermie maligne (haute température du corps).

MODE D'ACTION
Le calcium étant nécessaire à la contraction des muscles, le dantrolène agit directement sur la libération de calcium dans les tissus musculaires squelettiques, inhibant par là les crampes et spasmes musculaires.

▼ MODE D'EMPLOI

POSOLOGIE
Spasmes musculaires – Adultes : 25 mg 1 fois par jour en dose d'attaque, avec augmentation de 25 mg à la fois jusqu'à 100 mg 2 à 4 fois par jour, sans dépasser 400 mg par jour. Enfants : 0,5 mg par kilogramme (2,2 lb) de poids, 2 fois par jour en dose d'attaque, sans dépasser 100 mg 4 fois par jour. Hyperthermie maligne – Le traitement d'urgence se fait par voie intraveineuse, puis par gélules à raison de 4 à 8 mg par kilogramme de poids, 3 ou 4 fois par jour.

DÉBUT D'ACTION
En 1 ou 2 semaines (gélules).

DURÉE D'ACTION
Jusqu'à 24 heures.

CONSEILS NUTRITIONNELS
Pour prévenir l'irritation gastrique, prenez les gélules avec du lait ou en mangeant.

MODE DE CONSERVATION
Dans un contenant étanche, à l'abri de la chaleur, de la lumière et de l'humidité.

OUBLI D'UNE DOSE
Prenez-la si vous y pensez dans les 2 heures qui suivent. Sinon, sautez la dose oubliée et revenez à la fréquence normale. Ne doublez pas la dose suivante.

ARRÊT DE LA MÉDICATION
La décision de mettre fin à la thérapie doit être prise par le médecin. Il réduira graduellement les doses si vous prenez le médicament depuis longtemps.

USAGE PROLONGÉ
Des analyses du sang, des études de la fonction hépatique et des tests G6PD doivent être périodiquement effectués.

▼ PRÉCAUTIONS

Plus de 60 ans. Risques de réactions indésirables plus fréquentes et plus graves.

Conduite automobile, travaux dangereux. À déconseiller tant que vous ne connaissez pas votre réaction au médicament.

Alcool. À éviter.

Grossesse. On n'a pas établi que le dantrolène entraînait des malformations congénitales chez le fœtus. Mais discutez-en avec le médecin.

Allaitement. Le dantrolène passe dans le lait maternel. Évitez ou interrompez la thérapie pendant que vous allaitez.

Nourrissons et enfants. À utiliser seulement sous surveillance médicale étroite.

À surveiller. Vous pouvez avoir de la difficulté à déglutir durant la thérapie : prenez garde de vous étouffer. Suivez les conseils du médecin en matière de repos et de physiothérapie.

SURDOSAGE
Symptômes. Sang dans l'urine, douleurs thoraciques, essoufflement, convulsions, perte de conscience.

Quoi faire. Appelez immédiatement le médecin ou le centre antipoison, ou allez à l'urgence.

▼ INTERACTIONS

MÉDICAMENT-MÉDICAMENT
Prévenez le médecin si vous prenez : acétaminophène, acide valproïque, agents anti-infectieux, agents antithyroïdiens, amiodarone, androgènes, antidépresseurs tricycliques, bloquants du canal calcique (vérapamil en particulier), carbamazépine, chloroquine, contraceptifs oraux, daunorubicine, dépresseurs du SNC, disulfiram, divalproex, étrétinate, hydroxychloroquine, mercaptopurine, méthotrexate, méthyldopa, naltrexone, œstrogènes, phénothiazines, phénytoïne, plicamycine, sels d'or, stéroïdes anabolisants.

MÉDICAMENT-ALIMENT
Aucune interaction connue.

MÉDICAMENT-MALADIE
La prudence s'impose. Prévenez le médecin si vous souffrez de : emphysème, asthme, bronchite, autre maladie pulmonaire chronique, maladie cardiaque ou maladie du foie.

EFFETS INDÉSIRABLES

GRAVES
Convulsions, coloration jaune de la peau et des yeux (troubles hépatiques), respiration difficile causée par un épanchement pleural, saignements inhabituels, urine ou selles sanguinolentes, fièvre, diarrhée grave, faiblesse, éruptions cutanées, démangeaisons, urticaire.

COURANTS
Faiblesse musculaire, somnolence, vertiges, maux de tête.

MOINS COURANTS
Nervosité, confusion, insomnie, hallucinations, tachycardie ou arythmie cardiaque, larmoiements, modification de la tension artérielle, diplopie (vision double), perte de poids, constipation, crampes, déglutition difficile, mictions fréquentes, photosensibilité, transpiration, croissance anormale du poil, douleurs musculaires, frissons.

DELAVIRDINE

Présentation : Comprimés
En vente libre ? Non   **Générique disponible ?** Non
Classe de médicaments : Antiviral/inhibiteur non nucléoside de la transcriptase inverse

▼ GÉNÉRALITÉS

INDICATIONS
Traitement de l'infection au VIH. La delavirdine ne guérit pas le VIH, mais elle peut supprimer la réplication du virus et retarder la progression de la maladie.

MODE D'ACTION
La delavirdine entrave l'activité d'enzymes indispensables à la reproduction de l'ADN dans les cellules virales, empêchant ainsi le virus de l'immunodéficience humaine (VIH) de se reproduire.

▼ MODE D'EMPLOI

POSOLOGIE
400 mg, 3 fois par jour. Le comprimé peut être dissous dans de l'eau avant d'être administré. Rincez le verre et buvez l'eau de rinçage pour bien prendre toute la dose.

DÉBUT D'ACTION
Inconnu. Une réponse à la plupart des antirétroviraux s'observe dès les premières semaines de traitement, mais le plein effet thérapeutique peut mettre 12 à 16 semaines à s'installer.

DURÉE D'ACTION
Inconnue. Elle peut être plus longue si la delavirdine est associée à des médicaments dont l'action combinée contre le virus est maximale.

CONSEILS NUTRITIONNELS
La delavirdine exige un milieu acide pour bien s'absorber. Prenez-la au moins 1 heure avant ou après tout antiacide. Si vous prenez des antiacides, prenez chaque dose de delavirdine avec une boisson acide (un cola par exemple).

MODE DE CONSERVATION
À l'abri de la chaleur et de la lumière.

≡ EFFETS INDÉSIRABLES ≡

GRAVES
Rash cutané grave, fièvre, vésicules, lésions buccales, douleurs musculaires ou articulaires.

COURANTS
Rash cutané.

MOINS COURANTS
Douleurs ou crampes abdominales, douleur thoracique, mal de dos, frissons, fatigue, léthargie, cou raide, respiration rapide, migraine, évanouissement, perte d'appétit, gain ou perte de poids, sang dans les selles, constipation ou diarrhée, flatulence, soif accrue, langue enflée ou ulcérée, crampes dans les jambes, enflure des bras ou des jambes, incoordination, amnésie, anxiété, perte de la performance sexuelle, dépression, désorientation, vertiges, hallucinations, manque de concentration, insomnie, cauchemars, agitation motrice, tremblement, toux, difficultés respiratoires, chute de cheveux, yeux secs, mal d'oreilles, bourdonnements d'oreilles, douleur dans le flanc, sang dans l'urine.

OUBLI D'UNE DOSE
Prenez-la dès que vous y pensez. S'il est presque l'heure de la suivante, sautez la dose oubliée et reprenez la fréquence normale. Ne doublez pas la dose suivante. Il est important de prendre le médicament à heure fixe.

ARRÊT DE LA MÉDICATION
Respectez fidèlement l'ordonnance. La décision d'arrêter le traitement doit être prise en consultation avec le médecin.

USAGE PROLONGÉ
Un suivi médical s'impose durant tout le traitement.

▼ PRÉCAUTIONS

Plus de 60 ans. Il faudra peut-être réduire les doses.

Conduite automobile, travaux dangereux. À déconseiller tant que vous ne connaissez pas votre réaction au médicament.

Alcool. À éviter en présence d'insuffisance hépatique.

Grossesse. La delavirdine provoque des anomalies congénitales chez les animaux. Néanmoins, elle est de plus en plus souvent administrée avec d'autres antirétroviraux pour traiter les femmes enceintes infectées au VIH.

Allaitement. On ne sait pas si la delavirdine passe dans le lait maternel ; néanmoins, les femmes infectées au VIH ne devraient pas nourrir pour éviter de transmettre le virus à un nourrisson non infecté.

Nourrissons et enfants. Innocuité et efficacité non éta-

blies chez les enfants de moins de 16 ans.

À surveiller. La delavirdine n'élimine pas le risque de transmettre le virus du sida. Prenez les mesures préventives qui s'imposent.

SURDOSAGE
Symptômes. Aucun cas de surdosage n'a été signalé.

Quoi faire. Un surdosage est peu probable. Mais en cas de surdose appréhendée, demandez immédiatement de l'aide médicale.

▼ INTERACTIONS

MÉDICAMENT-MÉDICAMENT
L'administration concomitante de delavirdine et de certains médicaments peut causer de graves lésions du foie : antihistaminiques non sédatifs, hypnotiques sédatifs, inhibiteurs calciques, préparations d'alcaloïdes de l'ergot de seigle et amphétamines. D'autres interactions possibles peuvent exiger une modification de la posologie ; consultez le médecin à l'égard de tous les médicaments que vous prenez, avec ou sans ordonnance, en particulier : antiacides, clarithromycine, fluoxétine, kétoconazole, phénytoïne, phénobarbital, carbamazépine, rifabutine, rifampine, cimétidine, famotidine, nizatidine, ranitidine, didanosine, indinavir, ritonavir, nelfinavir ou saquinavir.

MÉDICAMENT-ALIMENT
Aucune interaction connue.

MÉDICAMENT-MALADIE
Aucune interaction signalée.

DÉSIPRAMINE (CHLORHYDRATE DE)

Présentation : Comprimés
En vente libre ? Non   **Générique disponible ?** Oui
Classe de médicaments : Antidépresseur tricyclique

▼ GÉNÉRALITÉS

INDICATIONS
Soulagement des symptômes de la dépression grave.

MODE D'ACTION
La désipramine abaisse les taux de norépinéphrine et de sérotonine dans le cerveau, substances reliées à l'humeur et aux émotions.

▼ MODE D'EMPLOI

POSOLOGIE
Adultes : 100 à 200 mg 1 fois par jour ; jusqu'à 300 mg par jour. Personnes âgées : 25 à 100 mg par jour ; jusqu'à 150 mg par jour.

DÉBUT D'ACTION
En 4 à 6 semaines.

DURÉE D'ACTION
Inconnue.

CONSEILS NUTRITIONNELS
Pour diminuer l'inconfort gastrique, prenez le médicament en mangeant, à moins d'avis contraire du médecin. Pour prévenir la constipation, mangez plus de fibres et buvez beaucoup.

MODE DE CONSERVATION
Dans un contenant étanche, à l'abri de la chaleur, de l'humidité et de la lumière.

OUBLI D'UNE DOSE
Si vous prenez une seule dose au coucher et l'oubliez, ne la prenez pas le matin suivant pour éviter de souffrir de somnolence. Appelez le médecin. Si vous prenez plusieurs doses par jour, prenez la dose oubliée dès que vous y pensez, à moins qu'il ne soit presque l'heure de la suivante. Dans ce cas, sautez la dose oubliée et reprenez la fréquence normale sans doubler la dose qui suit.

ARRÊT DE LA MÉDICATION
Effectuez le traitement au complet, comme il vous a été prescrit, même si vous vous sentez mieux. La décision d'interrompre le traitement doit être prise en consultation avec le médecin qui diminuera graduellement les doses pendant 5 à 7 jours.

USAGE PROLONGÉ
Une thérapie normale dure de 6 mois à 1 an ; quelques patients peuvent tirer profit d'une thérapie prolongée.

▼ PRÉCAUTIONS

Plus de 60 ans. Réactions indésirables plus fréquentes et plus graves. Il peut y avoir lieu de réduire les doses.

Conduite automobile, travaux dangereux. À déconseiller tant que vous ne connaissez pas votre réaction au médicament, qui peut causer somnolence et étourdissements.

Alcool. À éviter.

Grossesse. Il n'existe pas d'études adéquates. Discutez-en avec le médecin.

Allaitement. La désipramine passe dans le lait maternel ; n'en prenez pas pendant que vous allaitez.

Nourrissons et enfants. Non prescrite aux moins de 16 ans. Ne devrait pas être prescrite aux enfants car des décès inexpliqués se sont déjà produits.

À surveiller. Médicament potentiellement dangereux, surtout en surdose. Les antidépresseurs tricycliques ne doivent pas être laissés à portée des patients suicidaires.

SURDOSAGE
Symptômes. Difficulté à respirer, fatigue grave, convulsions, confusion, hallucinations, faible concentration, pupilles dilatées, arythmie cardiaque, fièvre.

Quoi faire. Appelez immédiatement le médecin ou le centre antipoison, ou allez à l'urgence.

▼ INTERACTIONS

MÉDICAMENT-MÉDICAMENT
Prévenez le médecin si vous prenez : agents antithyroïdiens, clonidine, guanadrel, guanéthidine, métrizamide, anorexigènes, isoprotérénol, éphédrine, épinéphrine, amphétamines, phényléphrine, antipsychotiques, pimozide, méthyldopa, métyrosine, métoclopramide, pémoline, prométhazine, triméprazine, rauwolfia, alcaloïdes, IMAO, tout dépresseur du système nerveux central.

MÉDICAMENT-ALIMENT
Aucune interaction connue.

MÉDICAMENT-MALADIE
Prévenez le médecin si vous avez : antécédents d'alcoolisme, miction difficile, asthme, maladie bipolaire, hypertension, troubles de l'estomac ou de l'intestin, glaucome, hyperthyroïdie, hypertrophie de la prostate, schizophrénie, convulsions, troubles du sang ou maladie du rein, du cœur ou du foie.

≣ EFFETS INDÉSIRABLES ≣

GRAVES
Confusion, arythmie cardiaque, hallucinations, convulsions, grande fatigue ou somnolence, troubles de la vision, difficultés respiratoires, constipation, manque de concentration, miction difficile, fièvre, agitation marquée et persistante, perte de coordination et d'équilibre, déglutition ou élocution difficiles, pupilles dilatées, douleurs oculaires, évanouissements. Aussi tremblements, faiblesse et rigidité des extrémités ; démarche traînante.

COURANTS
Somnolence ou étourdissements, céphalées, sécheresse de la bouche ou goût désagréable, fatigue, sensibilité accrue à la lumière, gain de poids, nausées, appétit accru.

MOINS COURANTS
Aigreurs gastriques, insomnie, diarrhée, transpiration, vomissements.

DESMOPRESSINE (ACÉTATE DE)

NOMS COMMERCIAUX

Apo-Desmopressin (vaporisateur), DDAVP, Minirin, Octostim

Présentation : Injection, solution nasale, comprimés
En vente libre ? Non   **Générique disponible ?** Oui
Classe de médicaments : Antidiurétique ; antihémorragique

▼ GÉNÉRALITÉS

INDICATIONS
Traitement du diabète insipide, maladie rare, caractérisée par une perte abondante d'eau dans l'urine. La desmopressine aide aussi à lutter contre l'incontinence nocturne. Elle sert à augmenter le taux de facteur VIII dans le plasma sanguin, protéine essentielle à la coagulation du sang : une carence en facteur VIII peut donner lieu à des saignements incontrôlables, caractéristique primaire de l'hémophilie A et de la maladie de von Willebrand type 1.

MODE D'ACTION
Elle stimule l'activité de la vasopressine, hormone qui favorise l'équilibre hydrique en aidant les reins à réabsorber l'eau de l'urine, et qui augmente le taux de facteur VIII dans le plasma sanguin.

▼ MODE D'EMPLOI

POSOLOGIE
Diabète insipide. Adultes – Injection : 1 à 4 µg (microgrammes) par jour. Solution nasale : 1 à 4 jets par jour. Comprimés : 0,1 mg, 3 fois par jour ; maximum : 1,2 mg par jour. Incontinence, patients de 6 ans et plus – Comprimés : 0,2 mg au coucher, sans dépasser 0,6 mg. Maladie de von Willebrand type 1 – Injection : Dose maximale, 20 µg par jour. La posologie efficace la plus faible est déterminée par le médecin à partir de la réponse du patient.

DÉBUT D'ACTION
En 1 heure.

DURÉE D'ACTION
Injection ou vaporisateur nasal : 12 à 24 heures. Comprimés : environ 8 heures.

CONSEILS NUTRITIONNELS
À prendre aux repas ou entre les repas.

MODE DE CONSERVATION
Gardez la forme injectable au réfrigérateur ; ne la congelez pas. En voyage, elle demeure stable jusqu'à 3 semaines à la température ambiante. Vaporisateur nasal : à la température ambiante. Comprimés : à la température ambiante, à l'abri de la chaleur et de la lumière.

OUBLI D'UNE DOSE
Prenez-la dès que vous y pensez. S'il est presque l'heure de la suivante, sautez la dose oubliée et reprenez la fréquence normale. Ne doublez pas la dose suivante.

ARRÊT DE LA MÉDICATION
La décision doit être prise par le médecin.

USAGE PROLONGÉ
Aucun problème apparent.

▼ PRÉCAUTIONS

Plus de 60 ans. Risques de réactions indésirables plus fréquentes et plus graves.

Conduite automobile, travaux dangereux. À déconseiller tant que vous ne connaissez pas votre réaction au médicament.

Alcool. À consommer avec modération.

Grossesse. La desmopressine n'a pas causé d'anomalies congénitales chez les animaux. Aucune étude n'a été faite sur les humains : on croit qu'il n'y a pas de danger.

Allaitement. On ne sait pas si la desmopressine passe dans le lait maternel. Demandez conseil au médecin.

Nourrissons et enfants. Réactions indésirables plus probables et plus graves chez les moins de 18 ans.

À surveiller. Analyses périodiques nécessaires pour mesurer l'équilibre hydrique. Prise contre l'incontinence nocturne, la desmopressine peut être associée à d'autres thérapies non médicales, comme le conditionnement comportemental.

SURDOSAGE
Symptômes. Somnolence, apathie, céphalées, confusion, impossibilité d'uriner, gain de poids inexpliqué ou rétention hydrique.

Quoi faire. Il est peu probable qu'une surdose mette votre vie en danger, mais elle peut causer une surcharge hydrique (menant aux symptômes ci-dessus) et des spasmes des vaisseaux sanguins. Si la dose est beaucoup plus forte que ce qui est prescrit, appelez aussitôt le médecin ou le centre antipoison, ou allez à l'urgence.

▼ INTERACTIONS

MÉDICAMENT-MÉDICAMENT
De fortes doses de desmopressine associées à d'autres agents vasopresseurs exigent une étroite surveillance médicale. Demandez l'avis du médecin si vous prenez : carbamazépine, chlorpropamide, déméclocycline, éthanol, fludrocortisone, héparine, lithium, norépinéphrine ou antidépresseurs tricycliques.

MÉDICAMENT-ALIMENT
Aucune interaction connue.

MÉDICAMENT-MALADIE
Prévenez le médecin en cas de : convulsions, migraines, asthme, maladie du cœur ou des vaisseaux sanguins, insuffisance cardiaque congestive ou troubles rénaux.

EFFETS INDÉSIRABLES

GRAVES
Réaction allergique grave et rare (rash cutané, démangeaisons, respiration sifflante, enflure des lèvres, de la langue et de la gorge). Surcharge hydrique causant léthargie, nausées, vomissements, troubles mentaux et, dans les cas extrêmes, convulsions ou coma.

COURANTS
Aucun effet courant n'est associé au médicament.

MOINS COURANTS
Céphalées, bouffées congestives, nausées, crampes abdominales, légère hausse de la tension artérielle et malaises au nez (symptômes associés à des doses trop fortes).

DEXAMÉTHASONE OPHTALMIQUE

Présentation : Solution ophtalmique, suspension
En vente libre ? Non **Générique disponible ?** Oui
Classe de médicaments : Corticostéroïde

▼ GÉNÉRALITÉS

INDICATIONS
Contrôle de l'inflammation et prévention de dommages potentiellement permanents causés par des troubles inflammatoires variés touchant les tissus de l'œil.

MODE D'ACTION
La dexaméthasone entrave la libération de substances naturelles qui stimulent une réaction inflammatoire.

▼ MODE D'EMPLOI

POSOLOGIE
Solution ou suspension : 1 à 2 gouttes dans chaque œil, habituellement aux 4 à 8 heures.

DÉBUT D'ACTION
Inconnu.

DURÉE D'ACTION
Inconnue.

CONSEILS NUTRITIONNELS
Il n'y a aucune restriction alimentaire avec la dexaméthasone ophtalmique.

MODE DE CONSERVATION
Dans un contenant étanche, à l'abri de la chaleur, de l'humidité et de la lumière. Ne faites pas congeler.

OUBLI D'UNE DOSE
Administrez-la dès que vous y pensez. S'il est presque l'heure de la suivante, sautez la dose oubliée et reprenez la fréquence normale. Ne doublez pas la dose suivante.

ARRÊT DE LA MÉDICATION
Effectuez le traitement au complet, tel qu'il a été prescrit, même si les symptômes diminuent avant que celui-ci ne prenne fin.

USAGE PROLONGÉ
Un suivi médical, avec tests et analyses, doit être effectué périodiquement si la médication doit se prolonger.

▼ PRÉCAUTIONS

Plus de 60 ans. Aucun risque connu.

Conduite automobile, travaux dangereux. À éviter jusqu'à ce que vous sachiez si le médicament modifie ou non votre vision.

Alcool. Pas de précautions spéciales.

Grossesse. On ne croit pas que la dexaméthasone ophtalmique augmente le risque d'anomalies congénitales chez le fœtus. Néanmoins, avant d'utiliser le médicament, avertissez votre médecin que vous êtes enceinte ou désirez le devenir.

Allaitement. Aucun problème n'a été signalé chez les nourrissons. Demandez spécifiquement l'avis du médecin.

Nourrissons et enfants. Les enfants de moins de 2 ans peuvent être particulièrement sensibles aux effets du médicament.

À surveiller. Avant l'application, lavez-vous les mains. Renversez la tête en arrière. Appuyez doucement dans l'angle interne de la paupière et avec l'index de la même main, tirez la paupière inférieure vers le bas. Laissez tomber le médicament dans l'espace ainsi créé et fermez l'œil. Appuyez pendant 1 ou 2 minutes tout en gardant l'œil fermé sans cligner. Puis lavez-vous de nouveau les mains. Le bout du compte-gouttes ne doit toucher ni l'œil, ni votre doigt, ni rien d'autre. Si les symptômes ne s'atténuent pas en 5 à 7 jours ou s'ils s'aggravent, consultez votre médecin. Le port de verres de contact durant le traitement peut augmenter les risques d'infection. Le médecin peut vous recommander de ne pas les porter durant le traitement et pendant un ou deux jours après.

SURDOSAGE
Symptômes. En usage topique, un surdosage de dexaméthasone ophtalmique est peu probable. Si le médicament est ingéré par inadvertance, il peut causer fièvre, faiblesse musculaire, nausées, perte d'appétit, vertiges, évanouissement ou difficultés à respirer.

Quoi faire. Il est peu probable qu'une surdose de ce médicament mette votre vie en danger. Néanmoins, si la dose est très forte ou si le médicament est ingéré, appelez le médecin ou le centre antipoison.

▼ INTERACTIONS

MÉDICAMENT-MÉDICAMENT
Divers médicaments peuvent interagir avec la dexaméthasone ophtalmique. Demandez l'avis du médecin si vous prenez d'autres médicaments avec ou sans ordonnance.

MÉDICAMENT-ALIMENT
Pas d'interaction connue.

MÉDICAMENT-MALADIE
La prudence est recommandée avec la dexaméthasone ophtalmique. Consultez votre médecin si vous souffrez de : diabète, infection herpétique de l'œil, glaucome, cataractes, tuberculose des yeux ou toute autre infection de l'œil.

▼ EFFETS INDÉSIRABLES

GRAVES
Vue diminuée ou brouillée (à cause de la cataracte) ; douleur dans les yeux, nausées, vomissements (à cause d'une pression intraoculaire accrue) ; douleur, rougeur, photosensibilité, écoulements (à cause d'une infection de l'œil). Le médicament peut provoquer une récidive d'infection herpétique ou fongique de l'œil ; si vous avez déjà souffert d'infection de ce type, dites-le à votre médecin.

COURANTS
Aucun effet indésirable courant n'a été signalé.

MOINS COURANTS
Sensation de brûlure, picotements, rougeur, larmoiement.

DEXAMÉTHASONE SYSTÉMIQUE

Présentation : Élixir, solution orale, comprimés, injection
En vente libre ? Non   **Générique disponible ?** Oui
Classe de médicaments : Corticostéroïde

▼ GÉNÉRALITÉS

INDICATIONS
Traitement de troubles caractérisés par de l'inflammation (rougeur, chaleur, gonflement et douleur) : arthrite, réactions allergiques, asthme, certaines maladies de la peau, poussées de sclérose en plaques et autres maladies auto-immunes. Aussi traitement des carences en hormones stéroïdes naturelles.

MODE D'ACTION
Cette hormone a les mêmes effets que les corticostéroïdes naturels. Elle inhibe la synthèse, la libération et l'activité des éléments chimiques générateurs d'inflammation. Elle supprime également l'activité du système immunitaire.

▼ MODE D'EMPLOI

POSOLOGIE
Adultes et adolescents –
Toutes formes : la dose de départ est de 0,5 à 15 mg par jour et elle est augmentée selon le cas traité. Les formes orales sont administrées 2 à 4 fois par jour. Enfants – Consultez le médecin.

DÉBUT D'ACTION
Formes orales : en 2 heures.
Injection : en 1 heure.

DURÉE D'ACTION
Formes orales : au-delà de 2 jours. Injection : 6 jours.

CONSEILS NUTRITIONNELS
Peut se prendre avec un aliment ou du lait pour réduire les maux d'estomac. Le médecin peut recommander un régime pauvre en sel et riche en potassium et en protéines.

MODE DE CONSERVATION
Dans un contenant étanche, à l'abri de la chaleur, de l'humidité et de la lumière.

OUBLI D'UNE DOSE
Prenez-la dès que vous y pensez. Si vous prenez plusieurs doses par jour et qu'il est presque l'heure de la suivante, doublez-la. Si vous ne prenez qu'une dose par jour et ne vous en souvenez que le lendemain, sautez-la et ne doublez pas la dose suivante.

ARRÊT DE LA MÉDICATION
N'arrêtez pas abruptement un traitement de longue durée ; il doit être réduit graduellement.

USAGE PROLONGÉ
Un suivi médical est nécessaire. Un usage prolongé peut entraîner acné, cataractes, diabète, hypertension, dysfonction sexuelle, faciès lunaire, fonte musculaire, obésité, ostéoporose ou hirsutisme.

▼ PRÉCAUTIONS

Plus de 60 ans. Risques de réactions indésirables plus probables et plus graves.

Conduite automobile, travaux dangereux. À déconseiller tant que vous ne connaissez pas votre réaction au médicament.

Alcool. Peut causer des troubles d'estomac. À éviter à moins que le médecin n'en autorise un usage modéré.

Grossesse. De fortes doses peuvent ralentir la croissance de l'enfant et lui valoir divers problèmes de développement : consultez le médecin.

Allaitement. N'en prenez pas pendant que vous allaitez.

Nourrissons et enfants. Peut inhiber la croissance normale ainsi que le développement des os et autres tissus.

À surveiller. Évitez les immunisations aux vaccins vivants. Votre résistance aux infections peut diminuer. Les patients en traitement prolongé devraient porter un bracelet médic-alert. Appelez le médecin en cas de fièvre.

SURDOSAGE
Symptômes. Fièvre, douleurs musculaires ou articulaires, nausées, vertiges, évanouissement, difficultés à respirer.

Quoi faire. Appelez aussitôt le médecin ou le centre anti-poison, ou allez à l'urgence.

▼ INTERACTIONS

MÉDICAMENT-MÉDICAMENT
Demandez l'avis du médecin si vous prenez : antiacides, barbituriques, carbamazépine, griséofulvine, anti-inflammatoires non stéroïdiens (AINS), phénylbutazone, phénytoïne, primidone, rifampine, amphotéricine B injectable, antidiabétiques oraux, insuline, digitaliques, diurétiques ou médicaments renfermant du potassium ou du sodium.

MÉDICAMENT-ALIMENT
Évitez les excès de sodium.

MÉDICAMENT-MALADIE
Dites-le au médecin si vous avez des antécédents de : maladie des os, varicelle, rougeole, troubles gastro-intestinaux, diabète, infection grave récente, tuberculose, glaucome, maladie du cœur, hypertension, troubles du foie ou des reins, hypercholestérolémie, hyper ou hypothyroïdie, myasthénie grave ou lupus.

▓ EFFETS INDÉSIRABLES ▓

GRAVES
Troubles de la vue, mictions fréquentes, soif accrue, saignements rectaux, peau vésicante, confusion, hallucinations, paranoïa, euphorie, dépression, sautes d'humeur, rougeur et enflure au point d'injection.

COURANTS
Appétit accru, mauvaise digestion, nervosité, insomnie, vulnérabilité aux infections, hausse de la tension artérielle, cicatrisation lente des plaies, gain de poids, ecchymoses nombreuses, rétention hydrique.

MOINS COURANTS
Changement de couleur de la peau, vertiges, céphalées, sudation accrue, croissance inhabituelle du poil sur le visage ou le corps, hausse du taux de sucre sanguin, ulcères gastro-duodénaux, insuffisance surrénale, faiblesse musculaire, cataractes, glaucome, ostéoporose.

DEXAMÉTHASONE/FRAMYCÉTINE (SULFATE DE)/ GRAMICIDINE OPHTALMIQUE ET OTIQUE

Présentation : Gouttes oto/ophtalmiques, onguent oto/ophtalmique
En vente libre ? Non **Générique disponible ?** Non
Classe de médicaments : Antibiotique/corticostéroïde en association

<table>
<tr><td>NOM COMMERCIAL</td></tr>
<tr><td>Sofracort</td></tr>
</table>

▼ GÉNÉRALITÉS

INDICATIONS
Traitement ou prévention des inflammations de l'œil ou de l'oreille quand un antibiotique est nécessaire.

MODE D'ACTION
La dexaméthasone inhibe la libération de substances naturelles qui stimulent des réactions inflammatoires. Le sulfate de framycétine et la gramicidine sont des antibiotiques qui tuent les bactéries.

▼ MODE D'EMPLOI

POSOLOGIE
Gouttes – Oreille : 2 ou 3 gouttes dans l'oreille, 3 ou 4 fois par jour. Œil : 1 ou 2 gouttes, aux 1 à 2 heures, peuvent être nécessaires durant les 2 ou 3 premiers jours du traitement. Par la suite, la posologie peut être réduite à 1 ou 2 gouttes, 3 ou 4 fois par jour. Onguent – Oreille : appliquez-en 2 ou 3 fois par jour aux parties externes et internes du canal auditif (ainsi qu'aux régions environnantes si l'infection s'est répandue). Œil : appliquez l'onguent 2 ou 3 fois par jour.

DÉBUT D'ACTION
Inconnu.

DURÉE D'ACTION
Inconnue.

CONSEILS NUTRITIONNELS
Pas de restrictions spéciales.

MODE DE CONSERVATION
Gardez à la température ambiante. Jetez les gouttes et l'onguent 4 semaines après l'ouverture du contenant.

OUBLI D'UNE DOSE
Appliquez-la dès que vous y pensez. S'il est presque l'heure de la suivante, sautez la dose oubliée et reprenez la fréquence normale. Ne doublez pas la dose suivante.

ARRÊT DE LA MÉDICATION
Effectuez le traitement au complet, comme il vous a été prescrit, même si vous vous sentez mieux avant la fin.

USAGE PROLONGÉ
N'utilisez pas ce médicament plus longtemps que ne l'a prescrit le médecin. Si vous l'utilisez pour les yeux durant une période prolongée, un suivi médical sera nécessaire.

▼ PRÉCAUTIONS

Plus de 60 ans. Pas de risques connus.

Conduite automobile, travaux dangereux. À déconseiller tant que vous ne savez pas si le médicament modifie votre vision.

Alcool. Pas de précautions spéciales.

Grossesse. Il n'y a pas eu d'études concluantes. Consultez le médecin.

Allaitement. Il n'existe pas d'études pertinentes. Consultez le médecin.

Nourrissons et enfants. Il n'y a pas eu d'études concluantes. En utilisation prolongée, les nourrissons peuvent devenir très sensibles à certains effets indésirables.

À surveiller. Avant l'application des gouttes ou de l'onguent ophtalmiques, lavez-vous les mains. Renversez la tête en arrière. Appuyez doucement dans l'angle interne de la paupière et, avec l'index de la même main, tirez la paupière inférieure vers le bas. Instillez les gouttes ou appliquez un court ruban d'onguent (environ 1 cm ou ⅓ po de longueur) dans l'espace ainsi créé et fermez l'œil. Appuyez pendant 1 ou 2 minutes tout en gardant l'œil fermé sans cligner. Pour l'administration des gouttes otiques, étendez-vous ou penchez la tête de côté de façon à bien exposer l'oreille infectée. Tirez doucement le lobe de l'oreille vers le haut et l'arrière (adultes), vers le bas et l'arrière (enfants) pour tendre le canal auditif. Instillez les gouttes dans l'oreille. Gardez cette position pendant 5 minutes (2 minutes pour les enfants) après l'instillation pour permettre au médicament d'atteindre le lieu d'infection. Le bout du compte-gouttes ou du tube ne doit toucher ni l'œil, ni l'oreille, ni votre doigt, ni rien d'autre.

SURDOSAGE
Symptômes. En application topique, une surdose est peu probable.

Quoi faire. Il est peu probable qu'une surdose mette votre vie en danger. Néanmoins, si la dose est très forte ou si le médicament est ingéré, appelez le médecin ou le centre antipoison.

▼ INTERACTIONS

MÉDICAMENT-MÉDICAMENT
Demandez l'avis du médecin sur tout autre médicament que vous prenez, avec ou sans ordonnance.

MÉDICAMENT-ALIMENT
Aucune interaction connue.

MÉDICAMENT-MALADIE
Un traitement à cette association antibiotique exige de la prudence. Consultez le médecin si vous avez une autre infection de l'œil ou de l'oreille ou tout autre problème médical. En général, vous ne devriez pas porter de verres de contact durant une infection de l'œil.

EFFETS INDÉSIRABLES

GRAVES
Démangeaisons, rash cutané, rougeur, enflure ou toute irritation de l'œil ou de l'oreille non présente avant le traitement.

COURANTS
Aucun effet courant n'a été signalé avec cette association.

MOINS COURANTS
Gouttes ophtalmiques : sensation de brûlure ou de picotement. Il n'y a pas d'effets moins courants associés aux préparations otiques.

DEXAMPHÉTAMINE (SULFATE DE)

Présentation : Spansules (gélules à libération prolongée), comprimés
En vente libre ? Non **Générique disponible ?** Non
Classe de médicaments : Stimulant du système nerveux central/amphétamine

▼ GÉNÉRALITÉS

INDICATIONS
Traitement de l'hyperactivité avec déficit de l'attention. La dexamphétamine sert aussi à traiter la narcolepsie (tendance irrésistible au sommeil).

MODE D'ACTION
La dexamphétamine stimule les cellules nerveuses du cerveau et de la moelle épinière pour augmenter l'activité motrice et l'attention tout en réduisant la somnolence et la fatigue. Dans les troubles de l'hyperactivité ou dans la narcolepsie, les amphétamines stimulent l'activité mentale et la capacité à demeurer éveillé ou à se concentrer.

▼ MODE D'EMPLOI

POSOLOGIE
Hyperactivité avec déficit de l'attention – Adultes : 5 à 60 mg par jour. Enfants de 6 ans et plus : dose initiale, 5 mg, 1 ou 2 fois par jour. Narcolepsie – Adultes : 5 à 60 mg par jour. Adolescents :

dose initiale, 10 mg, 1 fois par jour. Enfants de 6 à 12 ans : dose initiale, 5 mg 1 fois par jour.

DÉBUT D'ACTION
Comprimés ordinaires : en 30 à 45 minutes. Gélules à libération prolongée : en un peu plus de temps.

DURÉE D'ACTION
Adultes, 8 à 12 heures ; enfants, 6 à 10 heures. Gélules à libération prolongée : durée d'action un peu plus longue.

CONSEILS NUTRITIONNELS
À prendre avec un liquide 30 à 45 minutes avant un repas. Évitez les boissons contenant de la caféine : thé, café et certains colas.

MODE DE CONSERVATION
Dans un contenant étanche, à l'abri de la chaleur, de l'humidité et de la lumière.

OUBLI D'UNE DOSE
Prenez-la dès que vous y pensez. S'il est presque l'heure de la suivante, sautez la dose oubliée et reprenez la

fréquence normale. Ne doublez pas la dose suivante.

ARRÊT DE LA MÉDICATION
Effectuez le traitement au complet, comme il vous a été prescrit, même si vous vous sentez mieux avant la fin. L'arrêt du traitement doit être décidé par le médecin. Il peut réduire graduellement les doses pour diminuer le risque de symptômes de sevrage.

USAGE PROLONGÉ
Les amphétamines peuvent entraîner de l'accoutumance : un usage prolongé augmente le risque de dépendance.

▼ PRÉCAUTIONS

Plus de 60 ans. Risques de réactions indésirables plus fréquentes et plus graves.

Conduite automobile, travaux dangereux. À déconseiller tant que vous ne connaissez pas votre réaction au médicament.

Alcool. À éviter.

Grossesse. Il n'y a pas actuellement d'études pertinentes sur les humains. Avant de prendre de la dexamphétamine, avertissez le médecin que vous êtes enceinte ou désirez le devenir.

Allaitement. La dexamphétamine passe dans le lait maternel : la prudence s'impose. Demandez l'avis du médecin.

Nourrissons et enfants. Non recommandé pour les enfants de moins de 6 ans.

À surveiller. Suivez la posologie à la lettre ; n'augmentez

pas les doses de votre propre chef. Fatigue, somnolence excessive, endormissement ou dépression pendant un traitement aux stimulants peuvent signaler l'émergence d'un cas d'urgence. On peut faciliter le sommeil en prenant la dernière dose plusieurs heures avant le coucher.

SURDOSAGE
Symptômes. Agitation motrice extrême, surexcitation ou comportement inusité ; crises de panique ; forte fièvre ; respiration rapide ; confusion ; hallucinations ; convulsions ; coma.

Quoi faire. Appelez aussitôt le médecin ou le centre anti-poison, ou allez à l'urgence.

▼ INTERACTIONS

MÉDICAMENT-MÉDICAMENT
Demandez l'avis du médecin si vous prenez : antidépresseurs tricycliques, caféine, bêtabloquants, digitaliques, stimulants du système nerveux central, mépéridine, inhibiteurs de la monoamine-oxydase (IMAO), sympathomimétiques, ou hormones thyroïdiennes.

MÉDICAMENT-ALIMENT
Interactions possibles avec les jus d'agrumes et les boissons et les aliments contenant de la caféine.

MÉDICAMENT-MALADIE
Demandez l'avis du médecin en cas de : maladie avancée des vaisseaux sanguins, maladie cardiaque, hyperthyroïdie, hypertension, anxiété grave, syndrome de Gilles de La Tourette, glaucome ou antécédents de toxicomanie.

 EFFETS INDÉSIRABLES

GRAVES
Arythmies cardiaques, douleur thoracique, augmentation de la tension artérielle, rash cutané, mouvements incontrôlables des bras et des jambes, changements d'humeur, faiblesse inhabituelle, très forte fièvre.

COURANTS
Humeur instable, insomnie, somnolence, agitation motrice, sécheresse de la bouche.

MOINS COURANTS
Vision trouble, constipation, diarrhée, perte d'appétit, céphalées, sudation accrue, crampes ou douleur d'estomac, nausées ou vomissements, modifications de la libido ou diminution de la fonction sexuelle.

DEXTROMÉTHORPHANE

Présentation : Gélules, losanges, comprimés, suspension orale, sirop
En vente libre ? Oui   **Générique disponible ?** Oui
Classe de médicaments : Antitussif

▼ GÉNÉRALITÉS

INDICATIONS
Soulagement de la toux sèche ou peu productive (c'est-à-dire une toux moyenne qui libère les poumons d'une petite quantité de mucus ou de glaire seulement) communément associée aux allergies, aux rhumes, à la grippe et à certains troubles pulmonaires. Le médicament est utile dans les cas où une toux légère ou pénible peut nuire au sommeil ou aux activités quotidiennes.

MODE D'ACTION
Le dextrométhorphane inhibe la sensibilité des centres de la toux — portion du cerveau qui déclenche le réflexe de la toux en réponse à des stimuli dus à l'irritation des voies respiratoires inférieures.

▼ MODE D'EMPLOI

POSOLOGIE
Adultes : 30 mg aux 6 à 8 heures ; 30 à 60 mg de liquide à action prolongée, 2 fois par jour. Enfants de 6 à 12 ans : 15 mg aux 6 heures ou 30 mg de liquide à action prolongée, 2 fois par jour. Enfants de 2 à 5 ans : 7,5 mg aux 6 à 8 heures, ou 15 mg de liquide à action prolongée, 2 fois par jour. Enfants de moins de 2 ans : posologie à déterminer dans chaque cas.

DÉBUT D'ACTION
En 15 à 30 minutes.

DURÉE D'ACTION
Jusqu'à 6 heures.

CONSEILS NUTRITIONNELS
Pas de restrictions spéciales.

MODE DE CONSERVATION
Dans un contenant étanche, à l'abri de la chaleur, de l'humidité et de la lumière.

OUBLI D'UNE DOSE
Prenez-la dès que vous y pensez. S'il est presque l'heure de la suivante, sautez la dose oubliée et reprenez la fréquence normale. Ne doublez pas la dose suivante.

ARRÊT DE LA MÉDICATION
Effectuez le traitement au complet ; néanmoins, vous pouvez l'interrompre si vous vous sentez mieux avant la fin. Par contre, s'il n'y a pas d'amélioration après 7 jours, voyez le médecin.

USAGE PROLONGÉ
Pas de problèmes prévus.

▼ PRÉCAUTIONS

Plus de 60 ans. Réactions indésirables plus fréquentes et plus graves. Il faut parfois prescrire de plus petites doses pour des périodes plus courtes. Si le médicament est utilisé contre la toux, d'autres mesures prophylactiques peuvent être nécessaires pour liquéfier le mucus épais qui peut s'accumuler dans les bronchioles.

Conduite automobile, travaux dangereux. Déterminez si le médicament vous cause somnolence ou étourdissements avant d'entreprendre de telles activités.

Alcool. À éviter : l'alcool peut augmenter l'effet sédatif du dextrométhorphane.

Grossesse. Demandez au médecin si les bienfaits du médicament justifient les risques qu'il fait courir au fœtus.

Allaitement. Le dextrométhorphane peut passer dans le lait maternel ; la prudence s'impose. Demandez spécifiquement l'avis du médecin avant d'en prendre pendant que vous allaitez.

Nourrissons et enfants. Pour les enfants de moins de 2 ans, la posologie doit être déterminée par le médecin.

À surveiller. Ne prenez pas de dextrométhorphane pour soulager la toux causée par l'asthme, l'emphysème ou le tabac.

SURDOSAGE
Symptômes. Nausées, vomissements, somnolence ou vertiges extrêmes, nervosité et agitation, irritabilité extrême ou sautes d'humeur, hallucinations, vision embrouillée, mouvements incontrôlables des yeux, incapacité d'uriner, confusion, perte de conscience, coma.

Quoi faire. Appelez aussitôt le médecin ou le centre antipoison, ou allez à l'urgence.

▼ INTERACTIONS

MÉDICAMENT-MÉDICAMENT
La prise concomitante d'un sédatif ou d'un autre dépresseur peut intensifier les effets sédatifs des deux médicaments ; la doxépine augmente les effets toxiques des deux. Les IMAO peuvent provoquer forte fièvre, désorientation ou perte de conscience. La quinidine augmente les risques d'effets indésirables du dextrométhorphane.

MÉDICAMENT-MALADIE
Aucune interaction connue.

MÉDICAMENT-MALADIE
La prudence est de mise. Dites-le au médecin si vous avez déjà souffert d'asthme ou d'insuffisance hépatique.

≡ EFFETS INDÉSIRABLES ≡

GRAVES
Il n'y a d'effet indésirable grave que dans les cas de surdosage (voir Surdosage).

COURANTS
Aucun effet courant n'est associé au médicament.

MOINS COURANTS
Vertiges légers ou sédation, nausées ou vomissements, douleur abdominale. Ces effets se produisent plutôt au début du traitement et ont tendance à s'atténuer quand l'organisme s'habitue au médicament. Consultez le médecin s'ils persistent ou nuisent à vos activités quotidiennes.

DIAZÉPAM

NOMS COMMERCIAUX

Apo-Diazepam,
Diazemuls, Valium,
Vivol

Présentation : Comprimés, injections
En vente libre ? Non   **Générique disponible ?** Oui
Classe de médicaments : Sédatif, groupe des benzodiazépines ; anxiolytique/
relaxant musculaire

▼ GÉNÉRALITÉS

INDICATIONS
Traitement de l'anxiété, des crises de panique et des spasmes musculaires ; aussi traitement aigu de l'épilepsie.

MODE D'ACTION
Le diazépam produit une sédation légère en réduisant l'activité du système nerveux central (SNC). Il semble avoir la particularité d'intensifier l'effet de l'acide gamma-aminobutyrique (GABA), élément chimique naturel qui inhibe la décharge neuronale et la transmission des signaux, diminuant l'excitation nerveuse.

▼ MODE D'EMPLOI

POSOLOGIE
Anxiété – Adultes, 2 à 10 mg, 4 fois par jour. Enfants : 1 à 2,5 mg, 3 ou 4 fois par jour. Spasmes musculaires – 2 à 10 mg, 2 à 4 fois par jour. Crises épileptiques – injections sur ordonnance du médecin.

DÉBUT D'ACTION
30 minutes.

DURÉE D'ACTION
Jusqu'à 48 heures.

CONSEILS NUTRITIONNELS
Aucune restriction spéciale.

MODE DE CONSERVATION
Dans un contenant étanche, à l'abri de la chaleur, de l'humidité et de la lumière.

OUBLI D'UNE DOSE
Prenez-la si vous y pensez dans les deux heures. Autrement, sautez-la et retournez à votre fréquence normale. Ne doublez pas la dose suivante.

ARRÊT DE LA MÉDICATION
L'interruption brusque du traitement peut entraîner des symptômes de sevrage : convulsions, insomnie, nervosité, irritabilité, diarrhées, crampes abdominales, douleurs musculaires, pertes de mémoire. Il faut réduire la posologie progressivement, sous la surveillance de votre médecin.

EFFETS INDÉSIRABLES

GRAVES
Difficultés de concentration, crises de colère et autres problèmes de comportement, dépression, hallucinations, hypotension (avec faiblesse ou confusion), trous de mémoire, faiblesse musculaire, rash cutané, démangeaisons, maux de gorge, fièvre et frissons, ulcères dans la bouche ou la gorge, saignements ou ecchymoses inexplicables, fatigue extrême, jaunissement de la peau ou des yeux.

COURANTS
Somnolence, manque de coordination, démarche hésitante, vertiges, embarras de la parole.

MOINS COURANTS
Modification de la libido, constipation, euphorie, nausées et vomissements, problèmes urinaires, fatigue inexplicable.

USAGE PROLONGÉ
À la longue, le diazépam perd lentement son efficacité. Si vous avez à prendre ce médicament pour une période prolongée, vous devriez consulter votre médecin pour des évaluations périodiques.

▼ PRÉCAUTIONS

Plus de 60 ans. Il faut souvent réduire la posologie parce que les effets indésirables sont plus fréquents et plus prononcés avec l'âge.

Conduite automobile, travaux dangereux. Ce médicament peut diminuer la vigilance et la coordination des mouvements. Ajustez vos activités en conséquence.

Alcool. Il faut boire très peu d'alcool lorsqu'on prend du diazépam ou, mieux encore, n'en pas boire du tout.

Grossesse. Autant que possible, évitez ce médicament en cours de grossesse. Avertissez votre médecin si vous êtes enceinte ou comptez le devenir.

Allaitement. Le diazépam passe dans le lait maternel ; si vous allaitez, n'en prenez pas.

Nourrissons et enfants. Le diazépam ne doit être donné aux enfants que sous surveillance médicale très stricte.

À surveiller. Le diazépam peut créer de la dépendance physique ou psychique. Ne dépassez jamais la dose quotidienne prescrite.

SURDOSAGE
Symptômes. Somnolence extrême, confusion, embarras de la parole, réflexes ralentis, mauvaise coordination, démarche chancelante, tremblements, respiration lente, perte de connaissance.

Quoi faire. Contactez aussitôt le médecin ou un centre antipoison, ou présentez-vous à l'urgence sans tarder.

▼ INTERACTIONS

MÉDICAMENT-MÉDICAMENT
Il y a danger d'interaction entre le diazépam et d'autres médicaments. Demandez l'avis de votre médecin si vous utilisez un médicament qui déprime le système nerveux central, notamment : antihistaminiques, antidépresseurs ou autres médicaments psychiatriques, barbituriques, sédatifs, antitussifs, décongestionnants et analgésiques. Votre médecin doit également savoir quels médicaments vous vous procurez en vente libre.

MÉDICAMENT-ALIMENT
Pas d'interaction connue.

MÉDICAMENT-MALADIE
Ne prenez pas de diazépam si vous souffrez d'un glaucome aigu à angle étroit. Le cas échéant, mentionnez à votre médecin : antécédents d'alcoolisme ou de toxicomanie, d'ACV ou d'autre trouble cérébral ; maladie pulmonaire chronique, hyperactivité, dépression et autre trouble psychique, myasthénie grave, apnée du sommeil, épilepsie, porphyrie, maladie du rein ou du foie.

DIAZOXIDE

NOM COMMERCIAL

Proglycem

Présentation : Gélules, suspension
En vente libre ? Non   **Générique disponible ?** Non
Classe de médicaments : Hyperglycémiant

▼ GÉNÉRALITÉS

INDICATIONS
Correction de l'hypoglycémie à la suite d'une surproduction d'insuline par le pancréas. Cette situation peut survenir en présence d'une tumeur du pancréas qui produit de l'insuline et ne peut être extraite par chirurgie, ou advenant la prolifération d'une tumeur maligne.

MODE D'ACTION
L'insuline, hormone fabriquée par les cellules bêta du pancréas, abaisse les taux de glucose (sucre) dans le sang en favorisant le captage du glucose par les muscles et en réduisant sa libération par le foie. Trop d'insuline abaisse le taux de glucose sanguin. Le diazoxide empêche le pancréas de produire de l'insuline et empêche ainsi les niveaux de glucose de trop s'abaisser dans le sang.

▼ MODE D'EMPLOI

POSOLOGIE
Le médecin établit la posologie en fonction du poids du patient. Adultes, adolescents et enfants : dose initiale de 1 mg par kilogramme (2,2 lb) de poids corporel aux 8 heures ; peut être augmentée à 3 à 8 mg par kilogramme de poids, répartis en 2 ou 3 doses quotidiennes. Nourrissons et bébés : dose initiale de 3,3 mg par kilogramme de poids corporel aux 8 heures ; peut être augmentée à 8 à 15 mg par kilogramme, en 2 ou 3 doses quotidiennes.

DÉBUT D'ACTION
En 1 heure.

DURÉE D'ACTION
8 heures.

CONSEILS NUTRITIONNELS
Ce médicament se prend avec ou entre les repas. Un régime riche en glucides favorise le maintien de glucose dans le sang.

MODE DE CONSERVATION
Dans un endroit sec, à l'abri de la chaleur et de la lumière. La suspension ne doit pas être congelée.

OUBLI D'UNE DOSE
Prenez-la dès que vous y pensez. S'il est presque l'heure de la suivante, sautez la dose oubliée et revenez à la fréquence normale. Ne doublez pas la dose suivante.

ARRÊT DE LA MÉDICATION
N'interrompez pas un traitement au diazoxide sans consulter votre médecin.

USAGE PROLONGÉ
Il faut surveiller étroitement les taux de glucose dans le sang. Effets à long terme : raidissement des membres ; agitation et tremblement des mains et des doigts ; croissance de poils sur le front, le dos, les bras et les jambes.

▼ PRÉCAUTIONS

Plus de 60 ans. En présence de dysfonction rénale, la dose doit être réduite.

Conduite automobile, travaux dangereux. À déconseiller tant que vous ne connaissez pas votre réaction au diazoxide.

Alcool. Suivez les directives de votre médecin à ce sujet.

Grossesse. Le diazoxide peut avoir des effets nocifs sur le fœtus. Demandez l'avis de votre médecin si vous êtes enceinte ou voulez le devenir.

Allaitement. On ignore si le médicament passe dans le lait maternel. Si vous allaitez, évaluez avec votre médecin les risques du traitement par rapport à ses bénéfices.

Nourrissons et enfants. Sous supervision médicale étroite.

À surveiller. Suivez le régime prescrit par votre médecin. Appelez celui-ci si vous constatez de l'œdème (enflure, surtout des extrémités), une forte augmentation du taux sanguin de glucose ou une chute de la tension artérielle.

SURDOSAGE
Symptômes. Une importante élévation du glucose dans le sang peut causer somnolence, rougeurs, sécheresse de la peau, miction accrue, soif inhabituelle, signalant une acidocétose diabétique ou un coma hyperosmolaire.

Quoi faire. Appelez aussitôt le médecin ou un centre antipoison, ou allez à l'urgence.

▼ INTERACTIONS

MÉDICAMENT-MÉDICAMENT
Interactions possibles avec le diazoxide : alpha- et bêtabloquants, chlorpromazine, anticoagulants, médicaments antigoutte, anticonvulsivants et diurétiques thiazidiques.

MÉDICAMENT-ALIMENT
Pas d'interaction connue.

MÉDICAMENT-MALADIE
Votre médecin doit connaître tout autre problèmes de santé : angine ; goutte ; maladies du cœur, des artères, des reins ou du foie ; ou ACV récent.

EFFETS INDÉSIRABLES

GRAVES
Rétention d'eau et de sel (œdème) entraînant une miction réduite, un gain de poids rapide (ballonnement), l'enflure des pieds et du bas de la jambe. Dans certains cas, cet état peut mener à l'insuffisance cardiaque ; contactez immédiatement votre médecin. Un diurétique peut combattre l'œdème, mais l'association du diazoxide et d'un diurétique de type thiazidique risque d'augmenter les taux de glucose. Possibilité d'accès de goutte puisque le diazoxide peut augmenter le niveau d'acide urique.

COURANTS
Pouls accéléré.

MOINS COURANTS
Fièvre, rash cutané, raideur dans les bras ou les jambes, saignements ou ecchymoses inexplicables, constipation, perte d'appétit, douleur dans l'estomac, nausées et vomissements, À long terme, croissance de poils sur le front, le dos, les bras et les jambes.

DICLOFÉNAC OPHTALMIQUE

Présentation : Solution ophtalmique
En vente libre ? Non   **Générique disponible ?** Non
Classe de médicaments : Anti-inflammatoire non stéroïdien (AINS)

▼ GÉNÉRALITÉS

INDICATIONS
Traitement de l'inflammation et des problèmes oculaires à la suite d'une chirurgie de cataracte. La solution sert aussi à calmer les douleurs aux yeux après une chirurgie réfractive de la cornée (telle une kératectomie radiale pour corriger la myopie) de même qu'à soigner les conjonctivites non infectieuses.

MODE D'ACTION
Le diclofénac ophtalmique empêche la production de substances naturelles qui stimulent l'inflammation et entraînent de la douleur dans les tissus de l'œil.

▼ MODE D'EMPLOI

POSOLOGIE
Adultes : les gouttes peuvent être appliquées immédiatement avant ou après la chirurgie et ensuite à raison de 1 goutte dans chaque œil 3 à 5 fois par jour pendant le temps recommandé par le médecin. Enfants : le pédiatre déterminera comment utiliser ce médicament et la posologie de celui-ci.

DÉBUT D'ACTION
Inconnu.

DURÉE D'ACTION
Inconnue.

CONSEILS NUTRITIONNELS
Pas de restrictions spéciales.

MODE DE CONSERVATION
Dans un contenant étanche, à l'abri de la chaleur et de la lumière. La solution ne doit être ni réfrigérée ni congelée.

OUBLI D'UNE DOSE
Appliquez-la dès que vous y pensez. S'il est presque l'heure de la suivante, sautez la dose oubliée et revenez à la fréquence normale. Ne doublez pas la dose suivante.

ARRÊT DE LA MÉDICATION
Poursuivez le traitement pour toute la durée prescrite par votre médecin, même si vous commencez à vous sentir mieux avant la fin prévue du traitement.

USAGE PROLONGÉ
Vous devriez vous rendre régulièrement chez votre médecin pour des analyses et des examens si vous prenez ce médicament pendant une période prolongée.

▼ PRÉCAUTIONS

Plus de 60 ans. Aucun risque connu.

Conduite automobile, travaux dangereux. L'utilisation de diclofénac ophtalmique ne devrait pas vous empêcher d'effectuer de telles activités en toute sécurité.

Alcool. Aucune précaution particulière.

Grossesse. Il n'y a pas eu d'études adéquates chez les humains. Avant de prendre du diclofénac ophtalmique, prévenez votre médecin que vous êtes enceinte ou projetez le devenir.

Allaitement. Il est possible que le diclofénac ophtalmique passe dans le lait maternel ; la prudence s'impose. Demandez l'avis de votre médecin.

Nourrissons et enfants. Le pédiatre déterminera l'utilisation et la posologie.

À surveiller. Avant d'appliquer les gouttes, commencez par vous laver les mains. Renversez un peu la tête. Appuyez légèrement sur le coin interne de la paupière et, avec l'index de la même main, tirez la paupière inférieure vers le bas pour ménager une ouverture. Pressez sur le compte-gouttes. Fermez l'œil et appuyez pendant 1 ou 2 minutes en vous efforçant de ne pas ciller. Lavez-vous à nouveau les mains. Prenez garde que le compte-gouttes n'entre en contact avec l'œil, le doigt ou toute autre surface. Si vos symptômes ne s'améliorent pas ou s'ils empirent, avisez votre médecin.

On a rapporté de graves irritations causées par le diclofénac ophtalmique chez des personnes portant des lentilles souples. N'en utilisez pas pendant votre traitement.

SURDOSAGE
Symptômes. Aucun symptôme spécifique connu.

Quoi faire. Une surdose de diclofénac ophtalmique ne mettra pas votre vie en danger. Mais si la surdose est importante, ou s'il y a eu ingestion accidentelle, appelez votre médecin ou un centre antipoison.

▼ INTERACTIONS

MÉDICAMENT-MÉDICAMENT
Demandez l'avis du médecin si vous prenez : AAS ou autre salicylate, diflusinal, étodolac, fénoprofène, floctafénine, flurbiprofène, ibuprofène, indométhacine, kétoprofène, kétorolac, méclofénamate, acide méfénamique, nabumétone, naproxène, oxyphenbutazone, phénylbutazone, piroxicam, sulindac, suprofen, ténoxicam, acide tiaprofénique, tolmétine ou zomépirac. Si l'on veut mettre un autre médicament dans les yeux, il faut laisser passer 5 minutes.

MÉDICAMENT-ALIMENT
Pas d'interaction connue.

MÉDICAMENT-MALADIE
Il faut être prudent lorsqu'on utilise du diclofénac ophtalmique. Demandez l'avis de votre médecin si vous êtes hémophile ou si vous saignez facilement.

 EFFETS INDÉSIRABLES

GRAVES
Dans de rares cas : saignements dans l'œil, rougeur ou enflure de l'œil ou de la paupière qui n'y étaient pas avant le traitement ; larmoiement important ou démangeaisons.

COURANTS
Sensation brève et légère de brûlure ou de picotement tout de suite après l'application.

MOINS COURANTS
Il n'y a pas d'effet moins courant connu.

DICLOFÉNAC SYSTÉMIQUE

Présentation : Comprimés, comprimés à libération prolongée, suppositoires
En vente libre ? Non **Générique disponible ?** Oui
Classe de médicaments : Anti-inflammatoire non stéroïdien (AINS)

▼ GÉNÉRALITÉS

INDICATIONS
Traitement de la douleur et de l'inflammation bénignes à modérées : tendinite, arthrite, bursite, goutte, lésions des tissus mous, migraines et céphalées vasculaires, crampes menstruelles. Lorsqu'un patient ne répond pas à un AINS, on lui en fait essayer d'autres jusqu'à ce qu'il en trouve un qui lui convienne.

MODE D'ACTION
Les AINS empêchent la formation de prostaglandines, substances qui causent l'inflammation et rendent les nerfs plus sensibles aux influx de la douleur. Les AINS ont d'autres modes d'action moins bien compris.

▼ MODE D'EMPLOI

POSOLOGIE
Adultes – Arthrose et polyarthrite rhumatoïde : 75 à 150 mg par jour répartis en 3 doses. Spondylarthrite ankylosante : 25 mg 4 fois par jour plus 25 mg au coucher si nécessaire. Crampes menstruelles : 50 mg 3 fois par jour ; la dose d'attaque peut être de 100 mg.

DÉBUT D'ACTION
En 30 minutes.

DURÉE D'ACTION
Jusqu'à 8 heures.

CONSEILS NUTRITIONNELS
Prenez ce médicament avec de la nourriture.

MODE DE CONSERVATION
Dans un contenant étanche, à l'abri de la chaleur, de l'humidité et de la lumière.

OUBLI D'UNE DOSE
Prenez-la dès que vous y pensez. S'il est presque l'heure de la suivante, sautez la dose oubliée et revenez à la fréquence normale. Ne doublez pas la dose suivante.

ARRÊT DE LA MÉDICATION
Cette décision devrait être prise en consultation avec votre médecin.

USAGE PROLONGÉ
L'usage prolongé peut causer problèmes gastro-intestinaux (saignements, ulcères), dysfonction rénale et inflammation du foie. Votre médecin vous dira s'il y a lieu de subir des examens et des analyses.

▼ PRÉCAUTIONS

Plus de 60 ans. À cause des risques plus graves de problèmes gastro-intestinaux, les doses d'AINS sont généralement réduites de moitié à partir de 70 ans.

Conduite automobile, travaux dangereux. Abstenez-vous tant que vous ne connaissez pas votre réaction au médicament.

Alcool. À éviter pendant le traitement pour ne pas irriter davantage l'estomac.

Grossesse. Ne prenez pas ce médicament si vous êtes enceinte ou désirez l'être.

Allaitement. Le diclofénac passe dans le lait maternel ; n'en prenez pas tant que vous allaitez.

Nourrissons et enfants. Le diclofénac peut être administré dans des cas exceptionnels ; demandez l'avis spécifique d'un pédiatre.

À surveiller. Parce que les AINS peuvent retarder la coagulation du sang, il faut cesser d'en prendre au moins 3 jours avant une chirurgie.

N'écrasez pas les comprimés et ne les mâchez pas.

SURDOSAGE
Symptômes. Nausée, vomissements, céphalées sévères, confusion, convulsions.

Quoi faire. Appelez aussitôt le médecin ou un centre antipoison, ou allez à l'urgence.

▼ INTERACTIONS

MÉDICAMENT-MÉDICAMENT
Ne prenez pas ce médicament avec de l'AAS ou un autre AINS sans l'approbation de votre médecin. Demandez aussi son avis si vous utilisez : antihypertenseurs, digoxine, stéroïdes, anticoagulants, antibiotiques, itraconazole ou kétoconazole, plicamycine, pénicillamine, acide valproïque, phénytoïne, cyclosporine, antidiabétiques, lithium, méthotrexate, probénécide, triamtérène ou zidovudine.

MÉDICAMENT-ALIMENT
Pas d'interaction connue.

MÉDICAMENT-MALADIE
Demandez l'avis de votre médecin si vous souffrez d'une des affections suivantes : saignements, inflammation ou ulcères de l'estomac ou de l'intestin, diabète sucré, lupus érythémateux disséminé (LED), anémie, asthme, épilepsie, parkinsonisme, calculs rénaux, antécédents de maladie cardiaque ou d'alcoolisme. Le diclofénac peut causer des complications chez les patients qui souffrent d'une maladie du foie ou des reins car ces organes contribuent ensemble à éliminer le médicament de l'organisme.

≣ EFFETS INDÉSIRABLES ≣

GRAVES
Essoufflement ou respiration sifflante, accompagnés ou non d'enflure des jambes ou d'autres signes de défaillance cardiaque ; douleur thoracique ; ulcère d'estomac avec vomissements sanguinolents ; selles noires et visqueuses ; fonction rénale diminuée.

COURANTS
Nausées, vomissements, brûlures d'estomac, diarrhée, constipation, céphalées, étourdissements.

MOINS COURANTS
Ulcères ou aphtes dans la bouche, dépression, rash ou lésions de la peau, acouphènes, fourmillements ou engourdissement dans les mains et les pieds, convulsions, vision embrouillée. Également des effets décelables uniquement par un médecin, comme une élévation du niveau de potassium ou une diminution des globules rouges.

DICLOFÉNAC/MISOPROSTOL

Présentation : Comprimés
En vente libre ? Non   **Générique disponible ?** Non
Classe de médicaments : Anti-inflammatoire

▼ GÉNÉRALITÉS

INDICATIONS
Soulagement symptomatique de l'arthrose ou de la polyarthrite rhumatoïde chez les patients à haut risque d'ulcères gastriques liés aux AINS.

MODE D'ACTION
Le diclofénac (AINS) freine la formation des prostaglandines qui causent douleur et inflammation. Un traitement aux AINS peut irriter et abîmer la muqueuse stomacale en augmentant le risque d'ulcères gastro-duodénaux. Le misoprostol (prostaglandine de synthèse) aide à prévenir les ulcères et favorise la cicatrisation en augmentant le mucus protecteur et en inhibant la sécrétion d'acides gastriques.

▼ MODE D'EMPLOI

POSOLOGIE
1 comprimé d'Arthrotec 50 (50 mg de diclofénac/200 µg de misoprostol) 2 à 3 fois par jour ou 1 comprimé d'Arthrotec 75 (75 mg de diclofénac/200 µg de misoprostol) 2 fois par jour. La posologie varie selon la réponse du patient.

DÉBUT D'ACTION
Inconnu.

DURÉE D'ACTION
Inconnue.

CONSEILS NUTRITIONNELS
À prendre en mangeant pour réduire les troubles gastriques et la diarrhée.

MODE DE CONSERVATION
Dans un contenant étanche, à l'abri de la chaleur, de l'humidité et de la lumière.

OUBLI D'UNE DOSE
Prenez-la dès que vous y pensez. S'il est presque l'heure de la suivante, sautez la dose oubliée et reprenez la fréquence normale. Ne doublez pas la dose suivante.

ARRÊT DE LA MÉDICATION
Effectuez le traitement au complet, tel que prescrit.

USAGE PROLONGÉ
Plus d'effets indésirables probables ; un suivi médical est important. On recommande de prescrire la dose efficace la plus faible pour la durée la plus courte (le misoprostol n'est généralement pas prescrit pour plus de 4 semaines).

▼ PRÉCAUTIONS

Plus de 60 ans. Aucun risque connu.

Conduite automobile, travaux dangereux. À déconseiller tant que vous ne connaissez pas votre réaction.

Alcool. À éviter : risques d'irritation de l'estomac.

Grossesse. Cette association médicamenteuse induit des contractions et des saignements utérins et peut provoquer un avortement. Les patientes doivent avoir obtenu un résultat négatif à un test de grossesse dans les 2 semaines précédant la thérapie qui ne commencera que le deuxième ou troisième jour de la menstruation qui suit. Des méthodes contraceptives devraient être adoptées durant le traitement. Si vous pensez être enceinte, arrêtez aussitôt le traitement et consultez votre médecin.

Allaitement. Le médicament passe dans le lait maternel et peut être nocif : n'en prenez pas durant l'allaitement.

Nourrissons et enfants. Non recommandé chez les moins de 18 ans.

SURDOSAGE
Symptômes. Nausées, vomissements, céphalées graves, confusion, convulsions, tremblements, somnolence, difficultés respiratoires, maux d'estomac, diarrhée grave, fièvre, hypotension avec étourdissements ou évanouissement, palpitations, battements du cœur lents.

Quoi faire. Appelez aussitôt le médecin ou le centre antipoison, ou allez à l'urgence.

▼ INTERACTIONS

MÉDICAMENT-MÉDICAMENT
Attention aux médicaments : AAS, digoxine, antihypertenseurs, warfarine, méthotrexate, cyclosporine, antidiabétiques oraux, lithium, antiacides, diurétiques ou tout médicament en vente libre. Consultez le médecin. Pour diminuer le risque de diarrhée, évitez les antiacides renfermant du magnésium.

MÉDICAMENT-ALIMENT
Aucune interaction connue.

MÉDICAMENT-MALADIE
Vous ne devriez pas prendre ce médicament si vous avez eu : difficultés respiratoires, urticaire, enflure du visage, de la langue ou de la gorge, réactions allergiques à l'AAS ou aux autres AINS. La prudence est de mise en cas d'antécédents d'hypertension ou d'asthme. Il y a risque de complications chez les patients souffrant de maladie du foie ou des reins.

 EFFETS INDÉSIRABLES

GRAVES
Arythmie cardiaque, évanouissement, coma, convulsions, jaunissement des yeux ou de la peau, douleur ou sensibilité dans le haut de l'abdomen, à droite.

COURANTS
Troubles ou douleur d'estomac, diarrhée, mauvaise digestion, nausées, gaz.

MOINS COURANTS
Fatigue, fièvre, tremblements, étourdissements, perte d'appétit, difficultés respiratoires, besoin persistant d'uriner ou de déféquer sans résultat, hémorroïdes, douleur thoracique, menstruations douloureuses ou irrégulières, urticaire, impuissance, changement de poids non prévu, douleurs musculaires et articulaires, dépression mentale, difficultés à dormir, cauchemars ou rêves anormalement vifs, hallucinations, irritabilité, nervosité, ecchymoses, rash cutané, vision brouillée ou anormale.

DICYCLOMINE (CHLORHYDRATE DE)

Présentation : Comprimés, sirop, gélules
En vente libre ? Oui **Générique disponible ?** Oui
Classe de médicaments : Antidiarrhéique/antispasmodique

▼ GÉNÉRALITÉS

INDICATIONS
Traitement du syndrome du côlon irritable et réduction des spasmes de l'appareil gastro-intestinal.

MODE D'ACTION
La dicyclomine ralentit les mouvements du côlon et réduit les spasmes des muscles du côlon.

▼ MODE D'EMPLOI

POSOLOGIE
Comprimés et gélules – Adultes et adolescents : 10 à 20 mg, 3 ou 4 fois par jour. Enfants à partir de 2 ans : 10 mg, 3 ou 4 fois par jour. Sirop – Enfants de 6 mois à 2 ans : 5 à 10 mg, 3 ou 4 fois par jour. Le sirop doit être dilué dans une quantité égale d'eau.

DÉBUT D'ACTION
Inconnu.

DURÉE D'ACTION
Inconnue.

CONSEILS NUTRITIONNELS
Prenez ce médicament 30 à 60 minutes avant les repas et le coucher, à moins d'avis contraire du médecin. La dose au coucher doit être prise au moins 2 heures après le dernier repas de la journée.

MODE DE CONSERVATION
Dans un contenant étanche, à l'abri de la chaleur, de l'humidité et de la lumière. Gardez le sirop au réfrigérateur, mais ne le faites pas congeler.

OUBLI D'UNE DOSE
Prenez-la dès que vous y pensez. Si vous êtes à moins de 2 heures de la suivante, sautez la dose oubliée et reprenez la fréquence normale. Ne doublez pas la dose suivante.

ARRÊT DE LA MÉDICATION
Effectuez le traitement au complet, comme il vous a été prescrit. Cependant, vous pouvez l'interrompre si vous vous sentez mieux avant la fin de la thérapie. Le docteur peut vous demander de réduire graduellement les doses.

USAGE PROLONGÉ
Peut entraîner constipation chronique et fécalome. Consultez immédiatement le médecin.

▼ PRÉCAUTIONS

Plus de 60 ans. Risques de réactions indésirables plus fréquentes et plus graves chez les personnes âgées.

Conduite automobile, travaux dangereux. N'entreprenez pas de telles activités tant que vous ne connaissez pas votre réaction au médicament. Un traitement à la dicyclomine rend inapte à piloter un avion.

Alcool. Aucune précaution spéciale.

Grossesse. Demandez l'avis du médecin si vous êtes enceinte ou désirez le devenir.

Allaitement. La dicyclomine passe dans le lait maternel et diminue la lactation. Évitez de prendre ce médicament ou cessez d'allaiter pendant le traitement. Demandez au médecin comment maintenir votre niveau de lactation si vous allaitez.

Nourrissons et enfants. La dicyclomine n'est administrée aux nourrissons et aux enfants que sous étroite surveillance médicale. Ne se prescrit pas aux bébés de moins de 6 mois.

À surveiller. Avertissez tout autre médecin que le vôtre de même que votre dentiste que vous prenez de la dicyclomine. Des exercices exigeants, des bains chauds ou un sauna pendant que vous êtes sous médication peuvent provoquer des étourdissements ou un évanouissement.

SURDOSAGE
Symptômes. Vision brouillée, pupilles dilatées, étourdissements, pouls rapide, peau chaude et sèche, diction empâtée, confusion, nausées, maux de tête, perte de conscience.

Quoi faire. Appelez immédiatement le médecin ou le centre antipoison, ou allez à l'urgence.

▼ INTERACTIONS

MÉDICAMENT-MÉDICAMENT
Avertissez le médecin de tous les autres médicaments que vous prenez et spécialement : antiacides, antihistaminiques, analgésiques narcotiques, antiarythmiques, antiparkinsoniens, antidépresseurs ou antipsychotiques (comme les phénothiazines).

MÉDICAMENT-ALIMENT
Aucune interaction connue.

MÉDICAMENT-MALADIE
Il est possible que vous ne puissiez prendre de la dicyclomine si vous souffrez de : troubles intestinaux, maladie cardiaque, saignements, hypertension, glaucome, bronchite chronique, hypertrophie de la prostate, hernie, maladie du foie ou des reins, fièvre, lésions cérébrales (chez les enfants), hyperthyroïdie ou troubles urinaires.

EFFETS INDÉSIRABLES

GRAVES
Aucun effet indésirable grave n'est associé à la dicyclomine.

COURANTS
Maux de tête, étourdissements, constipation, sécheresse de la bouche, du nez, de la gorge ou de la peau, mictions difficiles, palpitations.

MOINS COURANTS
Somnolence, diminution de la sudation, confusion, nervosité, pouls rapide, vision trouble, nausées, vomissements.

DIDANOSINE (DIDEOXYINOSINE ; DDI)

Présentation : Comprimés, poudre à dissoudre
En vente libre ? Non **Générique disponible ?** Non
Classe de médicaments : Antiviral/inhibiteur nucléosidique de la transcriptase inverse

▼ GÉNÉRALITÉS

INDICATIONS
Traitement des infections au VIH. Sans guérir, ce médicament peut empêcher la prolifération du virus et retarder la progression de la maladie.

MODE D'ACTION
La didanosine entrave l'activité d'enzymes indispensables à la reproduction de l'ADN dans les cellules virales.

▼ MODE D'EMPLOI

POSOLOGIE
Comprimés – Adultes et adolescents de 60 kg (132 lb) et plus : 200 mg aux 12 heures. Adultes et adolescents de moins de 60 kg (132 lb) : 125 mg aux 12 heures. Enfants : De 40 à 120 mg aux 12 heures. Mastiquez les comprimés ou faites-les dissoudre dans de l'eau ou du jus de pommes. Prenez toujours deux comprimés en même temps. Poudre – À dissoudre dans de l'eau. Enfants (formule pédiatrique spéciale) : De 40 à 120 mg aux 12 heures. La didanosine peut être donnée en une dose quotidienne complète (400 mg pour les adultes).

DÉBUT D'ACTION
Inconnu. La plupart des antirétroviraux entrent en action dès les premières semaines, mais l'effet maximal peut demander 12 à 16 semaines.

DURÉE D'ACTION
Inconnue.

CONSEILS NUTRITIONNELS
La didanosine doit se prendre à jeun, au moins 1 heure avant le repas ou 2 heures après. Si vous suivez un régime hyposodique, sachez que le médicament contient beaucoup de sodium.

MODE DE CONSERVATION
Comprimés : dans un endroit sec, à l'abri de la chaleur et de la lumière. Solution orale : au réfrigérateur.

OUBLI D'UNE DOSE
S'il est presque l'heure de la dose suivante, sautez la dose oubliée et revenez à la fréquence normale. Ne doublez pas la dose suivante. Il est très important de prendre la didanosine à l'heure dite.

ARRÊT DE LA MÉDICATION
N'arrêtez pas le médicament sans consulter le médecin.

USAGE PROLONGÉ
Exige analyses et examens réguliers. Voyez votre médecin.

▼ PRÉCAUTIONS

Plus de 60 ans. Rien à signaler.

Conduite automobile, travaux dangereux. À éviter tant que vous ignorez votre réaction au médicament.

Alcool. À éviter si la fonction hépatique est altérée. Une forte consommation d'alcool augmente les risques de pancréatite, effet indésirable peu courant de la didanosine.

Grossesse. Bien que la didanosine ait entraîné des malformations congénitales chez les animaux, elle est de plus en plus utilisée en association avec d'autres antirétroviraux pour traiter les femmes enceintes atteintes du VIH.

Allaitement. Les femmes atteintes du VIH ne devraient pas allaiter.

Nourrissons et enfants. L'innocuité et l'efficacité du médicament n'ont pas été établies chez les enfants de moins de 3 mois.

À surveiller. La didanosine n'élimine pas le risque de transmettre le virus du sida à d'autres personnes. Prenez les mesures préventives qui s'imposent.

SURDOSAGE
Symptômes. Convulsions, nausées ou vomissements graves, fatigue ou faiblesse extrêmes, ecchymoses et saignements inhabituels, maladresse, mouvements involontaires des yeux.

Quoi faire. Voyez le médecin immédiatement.

▼ INTERACTIONS

MÉDICAMENT-MÉDICAMENT
Prévenez le médecin si vous prenez : antibiotiques ou anti-infectieux, antidépresseurs, antifongiques, antipaludiques, antiparkinsoniens, antihypertensifs, anticancéreux, diurétiques, œstrogènes, lithium, protoxyde d'azote, phénytoïne ou zalcitabine.

MÉDICAMENT-ALIMENT
Les aliments ou des boissons acides peuvent nuire à l'absorption du médicament.

MÉDICAMENT-MALADIE
Il est possible que vous ne puissiez pas prendre de la didanosine si vous avez des antécédents de pancréatite (inflammation du pancréas), hépatite (inflammation du foie), autres troubles du foie et des reins, hypertension artérielle, maladies du sang, goutte, œdème des chevilles, engourdissement et fourmillement des mains et des pieds.

 EFFETS INDÉSIRABLES

GRAVES
Troubles nerveux causant engourdissements, fourmillements, picotements ou douleurs dans les mains et les pieds ; pancréatite (inflammation du pancréas) causant douleurs abdominales, nausées et vomissements.

COURANTS
Toxicité temporaire du système nerveux central causant céphalées, anxiété, irritabilité, agitation ou insomnie ; troubles gastro-intestinaux avec douleurs gastriques, gaz, nausées, vomissements et diarrhée ; bouche sèche.

MOINS COURANTS
Enflure des mains ou des jambes, essoufflement, jaunissement des yeux ou de la peau, rash, prurit, faiblesse, troubles de la vue, douleurs ou spasmes musculaires, fonte musculaire, douleurs, pneumonie, toux, chute des cheveux.

DIÉTHYLPROPION (CHLORHYDRATE DE)

Présentation : Comprimés, comprimés à libération continue
En vente libre ? Non **Générique disponible ?** Non
Classe de médicaments : Anorexigène (modérateur de l'appétit)

▼ GÉNÉRALITÉS

INDICATIONS
Traitement d'appoint à un régime amaigrissant pour modérer l'appétit chez des patients obèses ; ne devrait jamais être prescrit comme seule méthode pour perdre du poids. Indiqué pour les patients à indice de masse corporelle (IMC) de 30 ou plus (voir À surveiller), ou de 27 et plus en présence d'autres facteurs de risque (comme le diabète).

MODE D'ACTION
Le centre anorexigène est dans l'hypothalamus. Le diéthylpropion modifie probablement la transmission des influx nerveux dans cette région.

▼ MODE D'EMPLOI

POSOLOGIE
Comprimés : 25 mg, 3 fois par jour, avant les repas. Comprimés à libération continue : 75 mg, 1 fois par jour, au milieu de la matinée.

DÉBUT D'ACTION
En quelques heures.

DURÉE D'ACTION
Comprimés : 4 heures. À libération continue : 12 heures.

CONSEILS NUTRITIONNELS
Prenez le médicament une heure avant les repas. Vous ne perdrez pas beaucoup de poids si vous ne suivez pas le régime alimentaire strict que vous auront prescrit le médecin ou le diététicien.

MODE DE CONSERVATION
Dans un contenant étanche, à l'abri de la chaleur, de la lumière, de l'humidité et des températures excessives.

OUBLI D'UNE DOSE
Prenez-la dès que vous y pensez. S'il est presque l'heure de la suivante, sautez la dose oubliée et reprenez la fréquence normale. Ne doublez pas la dose suivante.

ARRÊT DE LA MÉDICATION
Suivez le traitement au complet. Il peut y avoir lieu de réduire les doses graduellement pour éviter des symptômes de sevrage ou une augmentation en rebond de l'appétit.

USAGE PROLONGÉ
Généralement prescrit pour plusieurs semaines : la probabilité d'effets indésirables s'accroît. Peut alors donner lieu à de la dépendance psychique ou physique.

▼ PRÉCAUTIONS

Plus de 60 ans. Non recommandé. Risques de réactions indésirables plus fréquentes et plus graves.

Conduite automobile, travaux dangereux. À éviter tant que vous ne savez pas votre réaction au médicament.

Alcool. À éviter.

Grossesse. Évitez ou cessez de prendre du diéthylpropion si vous êtes enceinte ou essayez de le devenir.

Allaitement. Le diéthylpropion passe dans le lait maternel ; évitez ou cessez d'en prendre si vous allaitez.

Nourrissons et enfants. Non recommandé pour les enfants de moins de 12 ans.

À surveiller. L'action anorexigène peut diminuer après quelques semaines. On parle alors d'accoutumance au médicament et vous devriez en informer votre médecin. N'augmentez pas la dose. Pour calculer votre IMC, divisez votre poids en kilogrammes par votre taille en mètres au carré (ou votre poids en livres par votre taille en pouces au carré et multipliez le résultat par 705).

SURDOSAGE
Symptômes. Agitation, tremblements ou frissons, confusion, hallucinations, coma, peur panique, respiration rapide, comportement violent, nausées, vomissements, évanouissement.

Quoi faire. Appelez immédiatement le médecin ou le centre antipoison, ou allez à l'urgence.

▼ INTERACTIONS

MÉDICAMENT-MÉDICAMENT
Demandez l'avis du médecin si vous prenez : amantadine ; amphétamines, médicaments contre l'hyperactivité ou autres agents anorexigènes ; caféine ; chlophédianol ; médicaments contre l'asthme ; décongestionnants ou médicaments pour le rhume, les sinus ou les allergies saisonnières comme le rhume des foins (y compris en gouttes ou vaporisateurs nasaux) vendus avec ou sans ordonnance ; méthylphénidate ; nabilone ; pémoline ; insuline ou IMAO.

MÉDICAMENT-ALIMENT
Évitez aliments et boissons renfermant de la caféine.

MÉDICAMENT-MALADIE
Consultez le médecin en cas de : antécédents d'alcoolisme ou de toxicomanie ; diabète sucré ; glaucome ; maladie du cœur ; maladie des vaisseaux sanguins surtout des artères ; ACV ou cardiopathie ischémique transitoire ; hypertension ; maladie mentale ; maladie de la thyroïde ou des reins. Une augmentation des convulsions a été rapportée chez les épileptiques.

EFFETS INDÉSIRABLES

GRAVES
Douleur thoracique ; vertiges graves ; céphalées (si associées à des nausées et des vomissements) ; convulsions ; rash cutané ; battements désordonnés du cœur.

COURANTS
Étourdissements ; irritabilité ou nervosité, difficulté à s'endormir, euphorie exagérée, tachycardie, palpitations, hypertension, sécheresse de la bouche.

MOINS COURANTS
Fièvre persistante ou inhabituelle, frissons, mal de gorge ou toux ; ecchymoses ou saignements persistants ou inusités ; troubles gastro-intestinaux.

DIÉTHYLSTILBŒSTROL (DES)

Présentation : Comprimés, injection
En vente libre ? Non   **Générique disponible ?** Oui
Classe de médicaments : Agent antinéoplasique (anticancéreux) ; hormonothérapie

▼ GÉNÉRALITÉS

INDICATIONS
Pour ralentir la progression des cancers avancés de la prostate.

MODE D'ACTION
Le diéthylstilbœstrol est une forme d'œstrogène. Il est capable de bloquer l'action de certaines hormones qui favorisent la croissance des tumeurs, ralentissant ainsi la progression du cancer.

▼ MODE D'EMPLOI

POSOLOGIE
Comprimés – Dose d'attaque : 1 mg par jour. La posologie peut être augmentée à 3 mg par jour. Injection – 500 mg par jour en perfusion intraveineuse pendant 5 à 10 jours, après quoi la posologie et la fréquence peuvent être graduellement réduites sur quelques mois jusqu'à une dose d'entretien de 250 mg, 1 fois par semaine, en perfusion intraveineuse.

DÉBUT D'ACTION
Inconnu.

DURÉE D'ACTION
Inconnue.

CONSEILS NUTRITIONNELS
Buvez beaucoup.

MODE DE CONSERVATION
Dans un contenant étanche, à l'abri de la chaleur et de la lumière.

OUBLI D'UNE DOSE
Prenez-la dès que vous y pensez. S'il est presque l'heure de la dose suivante, sautez la dose oubliée et reprenez la fréquence normale. Ne doublez pas la dose suivante.

ARRÊT DE LA MÉDICATION
La décision d'interrompre le traitement doit être prise en consultation avec le médecin.

USAGE PROLONGÉ
Un suivi médical avec examens et analyses devrait accompagner un traitement prolongé.

▼ PRÉCAUTIONS

Plus de 60 ans. On n'a pas décelé chez les personnes âgées plus de problèmes ou d'effets indésirables que chez des patients plus jeunes.

Conduite automobile, travaux dangereux. N'entreprenez pas de telles activités tant que vous ne connaissez pas votre réaction au médicament.

Alcool. À éviter.

Grossesse. Sans objet.

Allaitement. Sans objet.

Nourrissons et enfants. Sans objet.

À surveiller. Le diéthylstilbœstrol peut provoquer sensibilité, enflure ou saignement des gencives. Brossez-vous les dents, utilisez de la soie dentaire et voyez votre dentiste régulièrement. Les patients qui prennent du DES ont un risque accru de cancer. Avertissez le chirurgien que vous prenez ce médicament si vous devez subir une intervention chirurgicale.

SURDOSAGE
Symptômes. Perte d'appétit, nausées, vomissements, crampes abdominales, diarrhée.

Quoi faire. Appelez immédiatement le médecin ou le centre antipoison, ou allez à l'urgence.

▼ INTERACTIONS

MÉDICAMENT-MÉDICAMENT
Demandez spécifiquement l'avis du médecin si vous prenez les médicaments suivants : acétaminophène, amiodarone, stéroïdes anabolisants, androgènes, médications anti-infectieuses, agents antithyroïdiens, carbamazépine, carmustine, chloroquine, dantrolène, daunorubicine, disulfiram, divalproex, étrétinate, sels d'or, hydroxychloroquine, mercaptopurine, méthotrexate, méthyldopa, naltrexone, phénothiazines, phénytoïne, plicamycine, tamoxifène, acide valproïque, bromocriptine, caféine, warfarine ou cyclosporine.

MÉDICAMENT-ALIMENT
Aucune interaction connue.

MÉDICAMENT-MALADIE
Le diéthylstilbœstrol demande qu'on soit prudent. Consultez votre médecin si vous avez des antécédents de : caillots sanguins, maladie de la vésicule biliaire ou calculs biliaires, jaunisse, maladie du foie, porphyrie, maladie cardiaque ou circulatoire, accident cérébrovasculaire, hypertension, diabète sucré, asthme, maladie des reins ou dépression.

≡ EFFETS INDÉSIRABLES ≡

GRAVES
Douleur au sein ou hypertrophie du sein, enflure des pieds et du bas des jambes, gain de poids rapide, masses dans le sein, douleur dans l'estomac, un flanc ou l'abdomen, mouvements saccadés des muscles, coloration jaune des yeux et de la peau (jaunisse), maux de tête soudains ou violents, incoordination, perte ou changement de vision, douleur dans la poitrine, l'aine ou la jambe, essoufflement soudain, diction empâtée, faiblesse ou engourdissements dans un bras ou une jambe.

COURANTS
Gaz ou crampes à l'estomac, perte d'appétit, nausées, rash cutané, taches rousses sur le visage.

MOINS COURANTS
Chute ou croissance anormale des cheveux, douleurs articulaires, dépression, vertiges, céphalées, problèmes avec le port des verres de contact, libido modifiée, vomissements, diarrhée.

DIFLUNISAL

Présentation : Comprimés
En vente libre ? Non   **Générique disponible ?** Oui
Classe de médicaments : Anti-inflammatoire non stéroïdien (AINS)

▼ GÉNÉRALITÉS

INDICATIONS
Contre la douleur et l'inflammation modérées causées par : tendinite, arthrite, bursite, goutte, lésions des tissus mous, migraines et autres céphalées vasculaires, douleurs menstruelles et autres états douloureux. Quand un AINS se révèle inefficace, on peut en essayer d'autres jusqu'à obtention du soulagement recherché.

MODE D'ACTION
Les AINS entravent la formation des prostaglandines, substances produites naturellement dans l'organisme qui causent l'inflammation et rendent les nerfs plus réceptifs aux impulsions douloureuses. Les AINS ont d'autres modes d'action moins bien connus.

▼ MODE D'EMPLOI

POSOLOGIE
Adultes et adolescents : 500 à 1 000 mg par jour en 2 doses égales. Adultes de plus de 65 ans : 250 à 500 mg par jour en 2 doses égales.

DÉBUT D'ACTION
En 1 heure ; il faut parfois jusqu'à 3 semaines pour que l'effet maximal s'installe.

DURÉE D'ACTION
8 à 12 heures.

CONSEILS NUTRITIONNELS
Se prend en mangeant ; mangez et buvez normalement.

MODE DE CONSERVATION
Dans un contenant étanche, à l'abri de la chaleur, de l'humidité et de la lumière.

OUBLI D'UNE DOSE
Prenez-la dès que vous y pensez. S'il est presque l'heure de la suivante, sautez la dose oubliée et revenez à la fréquence normale. Ne doublez pas la dose suivante.

ARRÊT DE LA MÉDICATION
La décision d'interrompre la thérapie doit être prise en consultation avec le médecin.

USAGE PROLONGÉ
Peut entraîner des troubles gastro-intestinaux incluant ulcération et saignements, une dysfonction rénale et une inflammation du foie. Examens médicaux et analyses peuvent être nécessaires : parlez-en au médecin.

▼ PRÉCAUTIONS

Plus de 60 ans. Étant donné les risques potentiellement plus grands d'effets indésirables gastro-intestinaux chez les patients âgés, surtout chez les plus de 70 ans, la posologie est souvent coupée de moitié.

Conduite automobile, travaux dangereux. À déconseiller tant que vous ne connaissez pas votre réaction au médicament.

Alcool. À éviter : l'alcool augmente les risques de troubles gastriques.

Grossesse. Évitez ou cessez de prendre le diflunisal si vous êtes enceinte ou souhaitez le devenir.

Allaitement. Le diflunisal passe dans le lait maternel ; évitez ou cessez d'en prendre pendant que vous allaitez.

Nourrissons et enfants. Non prescrit en règle générale aux moins de 12 ans, sauf dans des circonstances exceptionnelles. Parlez-en au médecin.

À surveiller. Les AINS pouvant modifier la coagulation du sang, la médication devrait être interrompue au moins 3 jours avant toute chirurgie.

SURDOSAGE
Symptômes. Nausées, vomissements, maux de tête graves, confusion, convulsions.

Quoi faire. Appelez immédiatement le médecin ou le centre antipoison, ou allez à l'urgence.

▼ INTERACTIONS

MÉDICAMENT-MÉDICAMENT
Ne prenez pas ce médicament avec de l'AAS ou un autre AINS sans l'approbation du médecin. Prévenez le médecin si vous prenez : antihypertenseurs, stéroïdes, anticoagulants, antibiotiques, itraconazole ou kétoconazole, plicamycine, pénicillamine, acide valproïque, phénytoïne, cyclosporine, agents digitaliques, lithium, méthotrexate, probénécide, triamtérène ou zidovudine.

MÉDICAMENT-ALIMENT
Aucune interaction connue.

MÉDICAMENT-MALADIE
La prudence est de mise. Dites-le au médecin si vous souffrez de : saignements, inflammation ou ulcères de l'estomac et des intestins, diabète sucré, lupus, anémie, asthme, épilepsie, maladie de Parkinson, calculs rénaux ; ou si vous avez des antécédents de : maladie cardiaque ou alcoolisme. Le diflunisal peut entraîner des complications chez les patients atteints d'une maladie du foie ou des reins, puisque ces organes contribuent à éliminer le médicament de l'organisme.

EFFETS INDÉSIRABLES

GRAVES
Essoufflement ou respiration sifflante, avec ou sans enflure des jambes ou autres signes d'insuffisance cardiaque ; douleur thoracique ; ulcère gastro-intestinal avec vomissements de sang, selles noires, goudronneuses ; dysfonction rénale.

COURANTS
Nausées, vomissements, aigreurs d'estomac, diarrhée, constipation, céphalées, vertiges, somnolence, rash cutané.

MOINS COURANTS
Plaies ou ulcères buccaux, dépression, rash ou ampoules, bourdonnements d'oreilles, engourdissements ou fourmillements des mains ou des pieds, convulsions, vision brouillée. Le médecin vérifiera si vous avez des niveaux élevés de potassium et un manque de globules blancs.

DIGOXINE

Présentation : Comprimés, élixir, injection
En vente libre ? Non   **Générique disponible ?** Oui
Classe de médicaments : Agent digitalique (glucoside cardiotonique)

▼ GÉNÉRALITÉS

INDICATIONS
Traitement de l'insuffisance cardiaque congestive et des arythmies auriculaires (irrégularités du rythme cardiaque).

MODE D'ACTION
Les digitaliques comme la digoxine renforcent les contractions cardiaques et aident à régulariser le rythme des battements du cœur.

▼ MODE D'EMPLOI

POSOLOGIE
Adultes – Attaque : 0,5 à 0,75 mg. Entretien : 0,125 à 0,25 mg par jour (rarement plus) 1 fois par jour. Des analyses périodiques du sang sont nécessaires pour bien ajuster le dosage. Enfants – Consultez le médecin.

DÉBUT DE L'ACTION
Comprimés, élixir : en 30 minutes à 2 heures. Injection : en 5 à 30 minutes.

DURÉE D'ACTION
3 à 4 jours.

CONSEILS NUTRITIONNELS
Se prend à jeun, à la même heure chaque jour. Le niveau d'absorption et la concentration de pointe peuvent diminuer si on prend la digoxine en mangeant.

MODE DE CONSERVATION
Dans un contenant étanche, à l'abri de la chaleur, de l'humidité et de la lumière.

OUBLI D'UNE DOSE
Prenez-la dès que vous y pensez. Si vous êtes à moins de 12 heures de la suivante, sautez la dose oubliée et reprenez la fréquence normale. Ne doublez pas la dose suivante.

ARRÊT DE LA MÉDICATION
N'arrêtez pas le traitement à moins que le médecin ne l'ordonne. Un arrêt subit peut entraîner de graves troubles cardiaques. La plupart des patients prennent de la digoxine durant de longues périodes de temps, sinon pour toute la vie.

USAGE PROLONGÉ
Un suivi médical et des évaluations périodiques sont nécessaires pour vérifier que le traitement est toujours nécessaire. Le taux sanguin de digoxine doit être contrôlé régulièrement pour que la posologie demeure appropriée.

▼ PRÉCAUTIONS

Plus de 60 ans. Les patients maigres ou frêles peuvent demander une dose d'entretien plus faible.

Conduite automobile, travaux dangereux. À déconseiller tant que vous ne connaissez pas votre réaction au médicament. La digoxine peut causer de la somnolence ou modifier la vision.

Alcool. Aucune interaction connue.

Grossesse. La digoxine ne devrait s'employer que si le médecin le juge nécessaire.

Allaitement. La digoxine passe dans le lait maternel : le nourrisson doit être surveillé étroitement. Cessez de prendre le médicament ou d'allaiter si des effets indésirables se manifestent.

Nourrissons et enfants. La posologie doit être déterminée par le pédiatre.

À surveiller. Vous devriez porter une carte indiquant que vous prenez de la digoxine. Ne prenez pas d'antiacides ni de médicaments en vente libre contre le rhume ou les allergies sans consulter le médecin. Les changements d'humeur induits par le médicament peuvent être pris à tort pour un signe de psychose ou de sénilité.

SURDOSAGE
Symptômes. Palpitations, douleur abdominale, diarrhée, nausées, vomissements, pouls très faible.

Quoi faire. Appelez immédiatement le médecin ou le centre antipoison, ou allez à l'urgence.

▼ INTERACTIONS

MÉDICAMENT-MÉDICAMENT
De nombreux médicaments pris avec de la digoxine peuvent modifier les taux sanguins de ce médicament jusqu'à les rendre toxiques. Demandez l'avis du médecin surtout si vous prenez : antiarythmiques (quinidine ou procaïnamide), bronchodilatateurs, antiacides, antibiotiques (néomycine ou tétracycline), anticholinergiques (atropine), hypocholestérolémiants, diurétiques, stéroïdes, indométhacine, sulfasalazine, phénytoïne ou autres médicaments pour le cœur.

MÉDICAMENT-ALIMENT
Demandez au médecin s'il ne serait pas approprié de manger des aliments riches en potassium.

MÉDICAMENT-MALADIE
Avertissez le médecin si vous souffrez d'autres maladies et surtout d'une maladie pulmonaire ou rénale ou de déficience thyroïdienne.

≣ EFFETS INDÉSIRABLES ≣

GRAVES
Arythmie cardiaque causant étourdissements, palpitations, essoufflement, sudation ou évanouissement. Autres effets graves : hallucinations, confusion, changement d'humeur ; somnolence marquée ; troubles visuels comme vision double ou cernes colorés autour des objets ; faiblesse, fatigue, vision embrouillée ; nausées ; ou agitation.

COURANTS
Aucun effet indésirable courant n'est associé à la digoxine.

MOINS COURANTS
Impuissance, céphalées, vertiges, engourdissements ou picotements, développement des seins chez l'homme, malaise généralisé, photosensibilité, diarrhée, vomissements. Appelez le médecin si ces effets persistent.

DIHYDROERGOTAMINE (MÉSYLATE DE)

Présentation : Injection, vaporisateur nasal
En vente libre ? Non   **Générique disponible ?** Non
Classe de médicaments : Antimigraineux

▼ GÉNÉRALITÉS

INDICATIONS
Traitement de la migraine. Sans effet contre les autres types de douleurs ou de maux de tête. À cause de la possibilité d'effets indésirables graves, ce médicament n'est prescrit que lorsque d'autres traitements ont échoué.

MODE D'ACTION
Agit par constriction des vaisseaux sanguins qui amènent le sang au cerveau. Peut aussi inhiber l'activité de certaines parties du cerveau, supprimant ainsi directement le mal de tête. Comme la constriction peut toucher tous les vaisseaux sanguins, de graves troubles peuvent survenir si d'autres systèmes organiques sont insuffisamment irrigués.

▼ MODE D'EMPLOI

POSOLOGIE
Injection : 1 mg par injection, jusqu'à 3 mg par crise, en laissant 30 à 60 minutes d'intervalle entre les injections. Dosage maximal par semaine : 6 mg. Allongez-vous dans un lieu calme et obscur après l'injection. Vaporisateur nasal : 1 vaporisation (0,5 mg) dans chaque narine, suivie, 15 minutes plus tard, d'une autre vaporisation dans chaque narine, soit 4 vaporisations (2 mg) en tout. Dosage quotidien maximal : 3 mg ; dosage hebdomadaire maximal : 4 mg. Ne reniflez pas après l'administration : le liquide doit rester dans le nez pour passer dans le sang à travers la muqueuse nasale. Pour obtenir les meilleurs effets, il est préférable de prendre le médicament dès les premiers signes d'une crise, mais non préventivement.

DÉBUT D'ACTION
Injection – Intraveineuse : en 5 minutes. Intramusculaire : en 15 à 30 minutes. Vaporisateur nasal – En 30 minutes.

DURÉE D'ACTION
Injection : environ 8 heures. Vaporisateur nasal : inconnue.

EFFETS INDÉSIRABLES

GRAVES
Vision trouble, céphalées, douleur thoracique, mains ou pieds pâles, froids ou bleuâtres, engourdissements ou picotements des doigts et orteils, gangrène. Ces symptômes peuvent être le signe d'une circulation sanguine insuffisante causée par une constriction excessive des vaisseaux sanguins. Aussi battements de cœur rapides ou lents, démangeaisons, faiblesse des jambes, douleurs musculaires, anxiété grave ou confusion, rétention hydrique excessive.

COURANTS
Constipation, sudation réduite, vertiges ou étourdissements, somnolence.

MOINS COURANTS
Nausées, vomissements.

CONSEILS NUTRITIONNELS
Ne jeûnez pas, ne sautez pas de repas : c'est une cause de migraine. Essayez de prendre 3 repas par jour, à heures fixes. Évitez les aliments contenant des conservateurs, du glutamate de sodium, de la caféine ou beaucoup de sel.

MODE DE CONSERVATION
Dans un contenant étanche, à l'abri de l'humidité, de la chaleur et de la lumière. Ne réfrigérez pas, ne congelez pas le vaporisateur.

OUBLI D'UNE DOSE
Sans objet.

ARRÊT DE LA MÉDICATION
Risque d'aggraver les migraines. Parlez-en au médecin.

USAGE PROLONGÉ
Peut mener à la dépendance ou à l'accoutumance. Voyez le médecin si la dose usuelle ne vous soulage plus ou si la fréquence ou la gravité des migraines augmentent.

▼ PRÉCAUTIONS

Plus de 60 ans. Risques de réactions indésirables plus fréquentes et plus graves.

Conduite automobile, travaux dangereux. La prudence est de mise tant que vous ne connaissez pas votre réaction au médicament.

Alcool. Usage limité. L'alcool peut accroître l'effet constrictif du médicament sur les vaisseaux sanguins.

Grossesse. Ne devrait pas être utilisé : il peut entraîner un avortement ou nuire gravement au fœtus.

Allaitement. Le médicament passe dans le lait maternel et peut causer vomissements, diarrhée, convulsions chez le nourrisson ; n'en prenez pas.

Nourrissons et enfants. Consultez le pédiatre.

SURDOSAGE
Symptômes. Convulsions, nausées, vomissements, douleurs gastriques ou ballonnement, battements du cœur très rapides ou très lents, céphalées sévères, vertiges, somnolence, constipation, essoufflement, excitation.

Quoi faire. Appelez aussitôt le médecin ou le centre anti-poison, ou allez à l'urgence.

▼ INTERACTIONS

MÉDICAMENT-MÉDICAMENT
N'en prenez pas dans les 24 heures suivant la prise de sumatriptan ou autres antimigraineux de type « triptan ». N'en prenez pas avec des remèdes contre les allergies ou le rhume vendus avec ou sans ordonnance. Demandez l'avis du médecin si vous prenez : érythromycine, nicotine, insuline ou bêtabloquants.

MÉDICAMENT-ALIMENT
Limitez les apports de caféine et de sel.

MÉDICAMENT-MALADIE
Prévenez le médecin si vous êtes très sensible à ce médicament ou à d'autres dérivés de l'ergot (l'ergotamine par exemple) ou si vous avez des problèmes de santé : hypertension, maladie des vaisseaux sanguins, infection, ou troubles du foie, du cœur ou des reins.

DILTIAZEM (CHLORHYDRATE DE)

Présentation : Comprimés, gélules à libération progressive, injection
En vente libre ? Non   **Générique disponible ?** Oui
Classe de médicaments : Bloqueur des canaux calciques

▼ GÉNÉRALITÉS

INDICATIONS
Soulagement et contrôle de l'angine (douleur thoracique associée à la maladie cardiaque), réduction de la tension artérielle et correction de l'arythmie cardiaque.

MODE D'ACTION
Le diltiazem inhibe le flux du calcium dans les cellules du muscle cardiaque et dans celles des muscles lisses des parois artérielles : les vaisseaux sanguins se relâchent et donc se dilatent. En conséquence, la tension artérielle baisse, le cœur est mieux irrigué et le travail cardiaque diminue.

▼ MODE D'EMPLOI

POSOLOGIE
Elle varie selon les problèmes traités et la présentation du médicament utilisé. (Pour l'arythmie cardiaque : le médicament est administré par injection par un professionnel de la santé.)

DÉBUT D'ACTION
Comprimés : en 30 à 60 minutes. Gélules à libération progressive : en 2 à 3 heures.

DURÉE D'ACTION
Comprimés : 5 à 7 heures. Gélules à libération progressive : 10 à 14 heures.

CONSEILS NUTRITIONNELS
À prendre de préférence avant les repas ou au coucher.

MODE DE CONSERVATION
Dans un contenant étanche, à l'abri de la chaleur, de l'humidité et de la lumière.

OUBLI D'UNE DOSE
Prenez-la dès que vous y pensez. S'il est presque l'heure de la suivante, sautez la dose oubliée et reprenez la fréquence normale. Ne doublez pas la dose suivante.

ARRÊT DE LA MÉDICATION
N'arrêtez pas brusquement le diltiazem sous peine de vous exposer à de graves problèmes de santé. S'il faut interrompre le traitement, la posologie sera diminuée progressivement, selon les directives du médecin.

USAGE PROLONGÉ
Aucun risque d'effets secondaires inhabituels.

▼ PRÉCAUTIONS

Plus de 60 ans. Risques accrus de faiblesse, étourdissement et évanouissement.

Conduite automobile, travaux dangereux. N'entreprenez pas de telles tâches tant que vous ne connaissez pas votre réaction au médicament : le diltiazem peut causer étourdissements ou somnolence.

Alcool. Faites preuve de prudence : l'alcool peut potentialiser (intensifier) les effets du médicament et entraîner une chute excessive de la tension artérielle.

Grossesse. Des anomalies congénitales sont survenues durant des études sur les animaux. Il n'existe pas d'études adéquates sur les humains. Évitez de prendre du diltiazem durant les 3 premiers mois de la grossesse et n'en prenez durant les 6 derniers mois que si le médecin le juge vraiment nécessaire.

Allaitement. Le diltiazem passe dans le lait maternel ; évitez d'en prendre ou cessez le traitement pendant que vous allaitez.

Nourrissons et enfants. Généralement non prescrit ; l'innocuité et l'efficacité du médicament n'ont pas été établies chez les enfants de moins de 12 ans.

À surveiller. Il est important de vous nettoyer les dents avec une brosse et de la soie dentaire et de voir régulièrement le dentiste, car le diltiazem peut amener des problèmes dentaires. Le médicament peut aussi vous rendre sensible à la lumière solaire.

SURDOSAGE
Symptômes. Bloc cardiaque entraînant essoufflement anormal, fatigue, vertiges graves, évanouissements.

Quoi faire. Appelez aussitôt le médecin ou le centre anti-poison, ou allez à l'urgence.

▼ INTERACTIONS

MÉDICAMENT-MÉDICAMENT
Demandez l'avis du médecin si vous prenez : AAS, bêta-bloquants, agents digitaliques, carbamazépine, cyclosporine, digoxine, lithium, antidiabétiques oraux, phénytoïne, rifampine, cimétidine, fluvoxamine, triazolam, midazolam ou ranitidine.

MÉDICAMENT-ALIMENT
Évitez les excès de sel.

MÉDICAMENT-MALADIE
Avertissez le médecin si vous souffrez de : maladie des reins ou du foie, hypertension, ou toute maladie du cœur ou des vaisseaux sanguins.

EFFETS INDÉSIRABLES

GRAVES
Rythme cardiaque irrégulier ou lent, essoufflement, fatigue due à une insuffisance cardiaque.

COURANTS
Céphalées, somnolence, enflure des pieds et des chevilles, constipation, nausées, gain rapide de poids, fatigue.

MOINS COURANTS
Étourdissements, faiblesse, dépression, nervosité, insomnie, confusion, pouls lent, vomissements, diarrhée, débit urinaire excessif, démangeaisons, photosensibilité, jaunissement des yeux ou de la peau imputable à une insuffisance hépatique, rash cutané, hyperplasie gingivale.

DIMENHYDRINATE

Présentation : Gélules, gélules à libération continue, comprimés, élixir, sirop, injection
En vente libre ? Oui **Générique disponible ?** Oui
Classe de médicaments : Antiémétique/antivertige

▼ GÉNÉRALITÉS

INDICATIONS
Soulagement des nausées et vomissements, ainsi que traitement ou prévention du mal des transports.

MODE D'ACTION
Le dimenhydrinate inhibe directement la stimulation de certains nerfs du cerveau et de l'oreille interne supprimant ainsi nausées, vomissements, étourdissements et vertiges.

▼ MODE D'EMPLOI

POSOLOGIE
Gélules, comprimés, liquides – Adultes : 50 à 100 mg aux 4 à 6 heures (maximum 400 mg par jour). Enfants de 6 à 12 ans : 25 à 50 mg aux 6 à 8 heures. Enfants de 2 à 6 ans : 15 à 25 mg aux 6 à 8 heures. Injection – Adultes : 25 à 50 mg aux 4 heures. Enfants : 1,25 mg par kilogramme (2,2 lb) de poids aux 6 heures, dans une veine ou un muscle. Gélules à libération continue – 1 à 2 gélules aux 8 heures. Suppositoires – Adultes : 50 à 100 mg aux 6 à 8 heures. Enfants de plus de 12 ans : 50 mg aux 8 à 12 heures.

Enfants de 8 à 12 ans : 25 à 50 mg aux 8 à 12 heures. Enfants de 6 à 8 ans : 12,5 à 25 mg aux 8 à 12 heures. Enfants de 2 à 6 ans : 12,5 à 25 mg ; ne pas répéter sauf sur avis du médecin. Contre le mal des transports, prenez le médicament au moins 30 minutes et, de préférence, 1 à 2 heures avant le voyage.

DÉBUT D'ACTION
Voie orale : en 20 à 30 minutes. Injection : en 2 à 20 minutes. Suppositoires : en 30 à 45 minutes.

DURÉE D'ACTION
3 à 6 heures.

CONSEILS NUTRITIONNELS
À prendre en mangeant ou avec du lait pour réduire au minimum les troubles gastro-intestinaux.

MODE DE CONSERVATION
Dans un contenant étanche, à l'abri de l'humidité, de la chaleur et de la lumière.

OUBLI D'UNE DOSE
Prenez-la dès que vous y pensez. S'il est presque l'heure de la suivante, sautez la dose oubliée et reprenez la fréquence normale. Ne doublez pas la dose suivante.

ARRÊT DE LA MÉDICATION
Effectuez le traitement au complet, tel que prescrit, mais vous pouvez l'interrompre si vous vous sentez mieux avant la fin.

USAGE PROLONGÉ
Prenez le médicament aussi longtemps qu'il vous est utile, mais pas davantage.

▼ PRÉCAUTIONS

Plus de 60 ans. Ces personnes sont plus sensibles aux effets du dimenhydrinate. Étourdissements, somnolence, confusion, miction difficile ou douloureuse et autres effets indésirables sont plus probables.

Conduite automobile, travaux dangereux. À déconseiller tant que vous ne connaissez pas votre réaction au médicament.

Alcool. À éviter.

Grossesse. Dans des études à hautes doses de dimenhydrinate chez les animaux, on n'a trouvé aucune anomalie congénitale. Il n'y pas eu d'étude de faite sur les humains. Comme il demeure un risque, le médicament ne devrait être pris durant la grossesse que s'il est manifestement utile.

Allaitement. Le dimenhydrinate peut passer dans le lait maternel ; la prudence s'impose. Évitez d'en prendre ou cessez le traitement tant que vous allaitez.

Nourrissons et enfants. Ne donnez pas de dimenhydrinate aux enfants de moins de

1 an. Pour les moins de 2 ans, suivez les directives du médecin à la lettre.

À surveiller. Observez bien les enfants pour dépister tout signe d'effet indésirable ; ils sont plus susceptibles que les adultes d'avoir des complications graves et sont souvent malhabiles à décrire les malaises qu'ils ressentent.

SURDOSAGE
Symptômes. Convulsions, hallucinations, somnolence, difficulté respiratoire, inconscience.

Quoi faire. Il est peu probable qu'une surdose de dimenhydrinate mette votre vie en danger. Néanmoins, si la dose est très forte, appelez immédiatement le médecin ou le centre antipoison, ou allez à l'urgence.

▼ INTERACTIONS

MÉDICAMENT-MÉDICAMENT
Demandez l'avis spécifique du médecin si vous prenez : analgésiques narcotiques, sédatifs, tranquillisants, antidépresseurs, antibiotiques, AAS, barbituriques, cisplatine, diurétiques ou théophylline.

MÉDICAMENT-ALIMENT
Aucune interaction connue.

MÉDICAMENT-MALADIE
Le dimenhydrinate exige de la prudence. Avisez le médecin si vous souffrez de : maladie pulmonaire chronique, glaucome ou hypertrophie de la prostate.

  EFFETS INDÉSIRABLES

GRAVES
Aucun effet indésirable grave n'est associé au médicament.

COURANTS
Somnolence.

MOINS COURANTS
Céphalées, vision brouillée, palpitations, incoordination, sécheresse de la bouche, hypotension causant étourdissements et faiblesse, bourdonnements d'oreilles.

DIPHENHYDRAMINE (CHLORHYDRATE DE)

Présentation : Gélules, comprimés à croquer, élixir, liquide, comprimés, injection, crème

En vente libre ? Oui **Générique disponible ?** Oui

Classe de médicaments : Antihistaminique

▼ GÉNÉRALITÉS

INDICATIONS
Traitement des réactions allergiques : rhume des foins, prurit de la peau et urticaire ; mal des transports ; difficultés à dormir.

MODE D'ACTION
Bloque les effets de l'histamine, substance naturellement présente dans l'organisme causant enflure, démangeaisons, éternuements et larmoiement.

▼ MODE D'EMPLOI

POSOLOGIE
Allergies – Gélules, élixir, comprimés : Adultes et adolescents : 25 à 50 mg aux 4 à 6 heures. Liquide : Enfants de 2 à 5 ans : 12,5 mg aux 4 à 6 heures. Enfants de 6 à 12 ans : 25 à 50 mg aux 4 à 6 heures. Ne pas dépasser 4 doses par jour. Injection : Adultes : 25 à 50 mg, en intraveineuse ou intramusculaire. Enfants : 1,25 mg par kilogramme (2,2 lb) de poids, en intramusculaire, 4 fois par jour. Nausées, vomissements et vertiges – Gélules, élixir, comprimés : Adultes : 25 à 50 mg aux 4 à 6 heures. Liquide : Enfants de moins de 12 ans : 1 à 1,5 mg par kilogramme aux 4 à 6 heures. Injection : Adultes : 10 mg, en intraveineuse ou intramusculaire. Peut être augmenté à 25 à 50 mg aux 2 à 3 heures. Enfants : 1 à 1,5 mg par kilogramme de poids, aux 6 heures. Sédatif – Gélules, élixir, comprimés : Adultes : 50 mg, 20 à 30 minutes avant le coucher. Crème : 3 ou 4 fois par jour.

DÉBUT D'ACTION
Gélules, élixir, liquide ou comprimés : en 15 minutes. Injection : Inconnu.

DURÉE D'ACTION
6 à 8 heures.

CONSEILS NUTRITIONNELS
À prendre avec des aliments ou du lait pour réduire les troubles gastro-intestinaux.

MODE DE CONSERVATION
À l'abri de l'humidité, de la chaleur et de la lumière. Ne congelez pas les formes liquides.

OUBLI D'UNE DOSE
Prenez-la dès que vous y pensez. S'il est presque l'heure de la dose suivante, sautez la dose oubliée et reprenez la fréquence normale. Ne doublez pas la dose suivante.

ARRÊT DE LA MÉDICATION
Interrompez la médication et appelez le médecin si elle n'est pas efficace après 5 jours.

USAGE PROLONGÉ
Aucun risque connu.

▼ PRÉCAUTIONS

Plus de 60 ans. Risques de réactions indésirables plus fréquentes et plus graves.

Conduite automobile, travaux dangereux. N'entreprenez pas de telles tâches tant que vous ne connaissez pas votre réaction au médicament. L'usage de la diphenhydramine rend inapte à piloter un avion.

Alcool. Augmente la probabilité et la gravité des effets indésirables, comme la somnolence et la confusion.

Grossesse. Les études sur les animaux n'ont révélé aucune malformation congénitale. Les études sur les femmes enceintes n'ont montré aucune augmentation appréciable de malformations congénitales. Parlez-en avec votre médecin.

Allaitement. La diphenhydramine passe dans le lait maternel ; évitez d'allaiter ou arrêtez le traitement pendant que vous allaitez.

Nourrissons et enfants. La diphenhydramine ne devrait être administrée aux enfants de moins de 2 ans que sur l'ordonnance du médecin.

À surveiller. Observez bien les enfants au cas où apparaî-traient des effets indésirables : ils sont plus exposés à des complications graves et les jeunes enfants sont souvent incapables de décrire ce qu'ils ressentent.

SURDOSAGE
Symptômes. Somnolence marquée, pupilles dilatées et sans réaction, fièvre, excitabilité, respirations interrompues, combativité, confusion, incoordination, pouls faible, convulsions, perte de conscience.

Quoi faire. Appelez immédiatement le médecin ou le centre antipoison, ou allez à l'urgence.

▼ INTERACTIONS

MÉDICAMENT-MÉDICAMENT
Demandez l'avis spécifique du médecin si vous prenez : anticholinergiques, alcool, disopyramide, dépresseurs du système nerveux central ou inhibiteurs de la monoamine-oxydase (IMAO).

MÉDICAMENT-ALIMENT
Aucune interaction connue.

MÉDICAMENT-MALADIE
Consultez le médecin si vous avez : antécédents de maladie respiratoire grave, glaucome, obstruction des voies urinaires ou hypertrophie de la prostate.

 EFFETS INDÉSIRABLES

GRAVES
Aucun effet indésirable grave n'est associé au médicament.

COURANTS
Somnolence, bouche sèche, nausées, mucosités épaisses.

MOINS COURANTS
Confusion, miction difficile, vision brouillée.

DIPHÉNOXYLATE (CHLORHYDRATE DE)/ATROPINE (SULFATE D')

NOM COMMERCIAL

Lomotil

Présentation : Comprimés
En vente libre ? Non   **Générique disponible ?** Non
Classe de médicaments : Antidiarrhéique

▼ GÉNÉRALITÉS

INDICATIONS
Contre la diarrhée grave et les crampes intestinales.

MODE D'ACTION
Le diphénoxylate inhibe l'activité nerveuse du tractus intestinal, ce qui réduit les contractions de propulsion dans l'intestin (péristaltisme) et diminue les sécrétions intestinales.

▼ MODE D'EMPLOI

POSOLOGIE
Adultes et adolescents : 5 mg (2 comprimés), 3 ou 4 fois par jour. Le médecin peut réduire la dose quand la diarrhée diminue. Enfants : consultez le pédiatre.

DÉBUT D'ACTION
En 45 à 60 minutes.

DURÉE D'ACTION
3 ou 4 heures.

CONSEILS NUTRITIONNELS
Pour prévenir l'irritation gastrique, prenez les comprimés avec un liquide ou un aliment. Adoptez un régime léger quand vous êtes en convalescence d'une diarrhée : bananes, riz, compote de pommes et toasts secs sont de bons choix. Buvez beaucoup.

MODE DE CONSERVATION
Dans un contenant étanche, à l'abri de la chaleur, de l'humidité et de la lumière.

OUBLI D'UNE DOSE
Prenez-la dès que vous y pensez. S'il est presque l'heure de la suivante, sautez la dose oubliée et revenez à la fréquence normale. Ne doublez pas la dose suivante.

ARRÊT DE LA MÉDICATION
Prolongez le traitement durant 24 à 36 heures après la fin de la diarrhée. Consultez le médecin si la diarrhée continue après 2 jours ou si vous faites de la fièvre.

USAGE PROLONGÉ
De fortes doses de l'association diphénoxylate/atropine sur de longues périodes peuvent causer de l'accoutumance. Demandez au médecin s'il y a lieu de faire un suivi avec des examens médicaux ou des analyses de la fonction hépatique si vous devez prendre ce médicament durant une longue période.

▼ PRÉCAUTIONS

Plus de 60 ans. Risques de réactions indésirables plus fréquentes et plus graves.

Conduite automobile, travaux dangereux. À déconseiller tant que vous ne connaissez pas votre réaction au médicament.

Alcool. Évitez l'alcool pendant que vous prenez ce médicament.

Grossesse. Si vous êtes enceinte ou souhaitez le devenir, examinez avec le médecin l'utilité du médicament par rapport aux risques possibles pour le fœtus.

Allaitement. Le médicament passe dans le lait maternel : la prudence s'impose. Parlez-en spécifiquement à votre médecin.

Nourrissons et enfants. Non recommandé aux enfants de moins de 2 ans. Surveillance médicale exigée pour les enfants de plus de 2 ans.

À surveiller. Durant les 24 premières heures, buvez beaucoup de liquides clairs sans caféine : bouillon, soda au gingembre, thé décaféiné. Durant les 24 heures qui suivent, mangez des aliments simples : compote de pommes, pain, toasts, craquelins, riz et gruau. Évitez la caféine, les mets frits ou épicés, le son, les bonbons, les fruits et les légumes. Ils peuvent aggraver votre état.

SURDOSAGE
Symptômes. Somnolence, vertiges et faiblesse causés par une hypotension ; convulsions ; essoufflement ou dépression respiratoire ; vision brouillée ; visage rouge ; sécheresse de la bouche ; comportement inusité.

Quoi faire. Appelez immédiatement le médecin ou le centre antipoison, ou allez à l'urgence.

▼ INTERACTIONS

MÉDICAMENT-MÉDICAMENT
Il peut y avoir interaction entre l'association diphénoxylate/atropine et les médicaments qui suivent. Demandez l'avis du médecin si vous prenez : antibiotiques, dépresseurs du système nerveux central, IMAO, naltrexone, ou anticholinergiques contre l'acidité, les spasmes ou les douleurs d'estomac.

MÉDICAMENT-ALIMENT
Aucune interaction connue.

MÉDICAMENT-MALADIE
La prudence est de mise. Avant de commencer le traitement, prévenez le médecin si vous souffrez de : troubles hépatiques, syndrome de Down, colite ulcéreuse, maladie de Crohn, glaucome, maladie pulmonaire chronique (comme l'emphysème), maladie cardiaque, antécédents d'alcoolisme ou de toxicomanie, hypertrophie de la prostate, maladie de la vésicule biliaire ou calculs biliaires, hypertension, hypo ou hyperthyroïdie, maladie des reins, dysenterie, myasthénie grave, blocage du tractus intestinal ou urinaire.

EFFETS INDÉSIRABLES

GRAVES
Œdème des mains, pieds, visage, lèvres et gorge ; douleur gastrique grave avec nausées et vomissements.

COURANTS
Étourdissements, sécheresse buccale, sédation, nausées.

MOINS COURANTS
Somnolence, léthargie, céphalées, agitation, dépression, pouls rapide, pupilles dilatées, nausées, vomissements, malaises abdominaux, perte d'appétit, respiration lente, rash cutané, démangeaisons, incapacité d'uriner.

DIPIVÉFRINE

Présentation : Solution ophtalmique
En vente libre ? Non **Générique disponible ?** Oui
Classe de médicaments : Médicament contre le glaucome

▼ GÉNÉRALITÉS

INDICATIONS
Traitement du glaucome.

MODE D'ACTION
Le glaucome, une maladie de l'œil très menaçante pour la vision, se produit lorsque l'humeur aqueuse (le fluide à l'intérieur de l'œil) n'est pas drainée convenablement. Il en résulte une augmentation de la pression dans l'œil (pression intraoculaire). Une pression excessive peut léser le nerf optique entraînant une détérioration progressive de la vision. La dipivéfrine se transforme à l'intérieur de l'œil en épinéphrine, laquelle diminue la production de l'humeur aqueuse et favorise son écoulement.

▼ MODE D'EMPLOI

POSOLOGIE
Dose de départ : 1 goutte dans chaque œil toutes les 12 heures. La posologie peut varier en fonction de la réponse du patient.

DÉBUT D'ACTION
En 30 minutes.

DURÉE D'ACTION
12 heures ou plus.

CONSEILS NUTRITIONNELS
Aucune restriction spéciale concernant les aliments.

MODE DE CONSERVATION
Dans un contenant étanche, à l'abri de la chaleur, de l'humidité et de la lumière. Ne laissez pas congeler.

OUBLI D'UNE DOSE
Appliquez-la dès que vous y pensez. S'il est presque l'heure de la suivante, sautez la dose oubliée et revenez à la fréquence normale. Ne doublez pas la dose suivante.

ARRÊT DE LA MÉDICATION
Cette décision devrait être prise par votre médecin.

USAGE PROLONGÉ
Si le traitement se prolonge, consultez régulièrement votre médecin pour subir des examens et des analyses.

▼ PRÉCAUTIONS

Plus de 60 ans. Pas de risque connu.

Conduite automobile, travaux dangereux. L'utilisation de dipivéfrine ne devrait pas vous empêcher de faire ces activités en toute sécurité.

Alcool. Pas de précautions spéciales.

Grossesse. On n'a observé aucune malformation congénitale chez les animaux, mais il n'y a pas eu de recherche chez les humains. Avant de prendre de la dipivéfrine, avertissez votre médecin si vous êtes enceinte ou projetez de le devenir.

Allaitement. Il est possible que la dipivéfrine passe dans le lait maternel ; soyez prudente. Demandez l'avis de votre médecin.

Nourrissons et enfants. Pas de précautions spéciales.

À surveiller. Ce médicament ne convient pas aux personnes souffrant d'un glaucome par fermeture de l'angle. Avant d'appliquer les gouttes, commencez par vous laver les mains. Renversez un peu la tête. Appuyez légèrement sur le coin interne de la paupière et, avec l'index de la même main, tirez la paupière inférieure vers le bas pour ménager une ouverture. Pressez sur le compte-gouttes. Fermez l'œil et appuyez pendant 1 ou 2 minutes en vous efforçant de ne pas ciller. Lavez-vous à nouveau les mains. Prenez garde que le compte-gouttes n'entre en contact avec l'œil, le doigt ou toute autre surface. Si vous utilisez le flacon muni d'un bouchon spécial appelé C Cap, vérifiez la première fois si le numéro « 1 » ou le

---

bon jour de la semaine apparaît dans le carreau du bouchon désigné à cet effet. Après chaque dose, tournez le bouchon jusqu'à ce qu'il produise un déclic et se fixe en position pour vous signaler la dose suivante.

SURDOSAGE
Symptômes. Pouls accéléré ou irrégulier.

Quoi faire. Une surdose de dipivéfrine ne risque pas de mettre votre vie en danger. Si vous en renversez dans un œil, rincez avec beaucoup d'eau. En cas d'ingestion accidentelle, appelez votre médecin ou un centre antipoison, ou rendez-vous à l'urgence.

▼ INTERACTIONS

MÉDICAMENT-MÉDICAMENT
D'autres médicaments peuvent entrer en interaction avec la dipivéfrine. Demandez l'avis du médecin si vous prenez : antidépresseurs tricycliques, maprotiline, nomifensine, bêtabloquants ophtalmiques, digitaliques ou sympathomimétiques systémiques.

MÉDICAMENT-ALIMENT
Pas d'interaction connue.

MÉDICAMENT-MALADIE
La prudence est de mise avec la dipivéfrine. Consultez votre médecin si vous souffrez d'un glaucome par fermeture d'angle ou d'une aphakie (absence totale ou partielle du cristallin).

EFFETS INDÉSIRABLES

GRAVES
Pouls rapide ou irrégulier.

COURANTS
Chez les personnes ayant subi une chirurgie de la cataracte, ce médicament peut causer de l'enflure au centre de la rétine, entraînant une perte de vision qui est, la plupart du temps, réversible.

MOINS COURANTS
Sensibilité accrue à la lumière ; sensation de brûlure, picotements ou autre irritation dans l'œil.

DIPYRIDAMOLE

Présentation : Comprimés, injections
En vente libre ? Non   **Générique disponible ?** Oui
Classe de médicaments : Inhibiteur plaquettaire/vasodilatateur coronarien

▼ GÉNÉRALITÉS

INDICATIONS
Prévention des caillots à la suite d'une intervention chirurgicale pour remplacer une valve cardiaque. Sous forme d'injection, il provoque la vasodilatation permettant d'effectuer des explorations coronariennes.

MODE D'ACTION
On croit que le dipyridamole augmente les taux sanguins d'adénosine. Ce produit métabolique favorise l'expansion des vaisseaux sanguins et empêche les cellules appelées plaquettes d'adhérer les unes aux autres pour former un caillot.

▼ MODE D'EMPLOI

POSOLOGIE
Comprimés : 100 mg 4 fois par jour. Alternativement, dose quotidienne de 100 mg associée à 1 g d'AAS. Injections : la posologie est établie par le médecin.

DÉBUT D'ACTION
En 10 minutes environ. Il faut 3 mois de traitement continu pour obtenir le plein effet thérapeutique.

DURÉE D'ACTION
Environ 6 heures.

CONSEILS NUTRITIONNELS
Prenez ce médicament 1 heure avant les repas. Avalez le comprimé avec 200 ml (6 à 8 oz) d'eau. Vous pouvez prendre du lait pour diminuer l'irritation de l'estomac.

MODE DE CONSERVATION
Dans un contenant étanche, à l'abri de l'humidité, de la chaleur et de la lumière.

OUBLI D'UNE DOSE
Prenez-la dès que vous y pensez. S'il est presque l'heure de la suivante, sautez la dose oubliée et revenez à la fréquence normale. Ne doublez pas la dose suivante.

ARRÊT DE LA MÉDICATION
Poursuivez le traitement jusqu'au bout tel que prescrit.

USAGE PROLONGÉ
En cas de traitement prolongé, votre médecin vous dira si vous devriez subir des examens médicaux et des analyses en laboratoire.

▼ PRÉCAUTIONS

Plus de 60 ans. Il est conseillé de commencer par de plus petites doses. On ne prévoit pas de complication spécifique.

Conduite automobile, travaux dangereux. Le dipyridamole peut donner des étourdissements. Abstenez-vous des activités à risque tant que vous ne connaissez pas vos réactions au médicament.

Alcool. À éviter pendant un traitement au dipyridamole car l'alcool risque de trop abaisser la tension artérielle.

Grossesse. Il n'y a pas eu de recherches concluantes sur l'administration de dipyridamole chez les femmes enceintes. Consultez votre médecin pour en savoir davantage.

Allaitement. Bien que le dipyridamole passe dans le lait maternel, on ne rapporte aucun problème chez les enfants nourris au sein. Demandez spécifiquement l'avis de votre médecin.

Nourrissons et enfants. Non recommandé chez les moins de 12 ans.

À surveiller. Si votre médecin vous fait prendre du dipyridamole avec de l'AAS, tenez-vous-en aux quantités d'AAS prescrites. Il faut toujours avertir le médecin ou le dentiste que vous consultez que vous prenez du dipyridamole.

SURDOSAGE
Symptômes. Étourdissements et faiblesse causés par une très basse pression artérielle (hypotension).

Quoi faire. Cessez de prendre votre médicament. Une surdose de dipyridamole ne devrait pas mettre votre vie en danger. Néanmoins, si la surdose est considérable, appelez le médecin ou le centre antipoison tout de suite, ou allez à l'urgence.

▼ INTERACTIONS

MÉDICAMENT-MÉDICAMENT
Demandez l'avis du médecin si vous utilisez l'un des médicaments suivants : anticoagulants (warfarine, AAS, ticlopidine, clopidrel), acide valproïque, théophylline, inhibiteurs de la cholinestérase, et tous les AINS (en particulier l'indométhacine).

MÉDICAMENT-ALIMENT
Le dipyridamole s'absorbe moins bien s'il est pris à moins d'une heure d'un repas (avant ou après). Si possible, prenez le dipyridamole à jeun.

MÉDICAMENT-MALADIE
La prudence est de mise lorsqu'on prend du dipyridamole. Demandez l'avis de votre médecin si vous souffrez de basse pression, d'une maladie du foie ou si vous avez subi récemment une crise cardiaque.

 EFFETS INDÉSIRABLES

GRAVES
Étourdissements et faiblesse causés par une basse tension artérielle (hypotension) ; douleur thoracique.

COURANTS
Céphalées, nausées, rash cutané.

MOINS COURANTS
Vomissements, diarrhées, rougeurs, démangeaisons, troubles hépatiques causant nausées, vomissements, jaunissement du blanc des yeux et de la peau, œdème, ballonnement.

DISOPYRAMIDE

Présentation : Gélules, comprimés à libération lente
En vente libre ? Non   **Générique disponible ?** Non
Classe de médicaments : Antiarythmique

▼ GÉNÉRALITÉS

INDICATIONS
Traitement des rythmes cardiaques irréguliers (arythmie) ou anormaux.

MODE D'ACTION
Le disopyramide ralentit l'action du régulateur naturel du cœur et retarde la transmission des impulsions électriques au muscle cardiaque, ce qui a pour effet de stabiliser le pouls.

▼ MODE D'EMPLOI

POSOLOGIE
Adultes : la posologie varie entre 400 et 800 mg par jour, en 4 doses fractionnées, ou encore 1 comprimé de 250 mg à libération lente aux 12 heures. La posologie doit être adaptée au patient.

DÉBUT D'ACTION
En 30 minutes à 3,5 heures.

DURÉE D'ACTION
Jusqu'à 8,5 heures (davantage chez les patients qui ont une dysfonction rénale).

CONSEILS NUTRITIONNELS
Ce médicament se prend indifféremment avec ou entre les repas.

MODE DE CONSERVATION
Dans un contenant étanche, à l'abri de l'humidité, de la chaleur et de la lumière.

OUBLI D'UNE DOSE
Prenez-la dès que vous y pensez. Toutefois, si votre dose suivante est à moins de 4 heures (quand vous y pensez), sautez la dose oubliée et revenez à la fréquence normale. Ne doublez pas la dose suivante.

ARRÊT DE LA MÉDICATION
La décision d'interrompre le traitement devrait être prise par votre médecin.

USAGE PROLONGÉ
En cas de traitement prolongé, il faudra que votre médecin fasse un suivi périodique.

▼ PRÉCAUTIONS

Plus de 60 ans. Effets indésirables (en particulier sécheresse de la bouche et difficulté à uriner) pouvant être plus fréquents et plus prononcés avec l'âge. Il faut parfois réduire la posologie.

Conduite automobile, travaux dangereux. À déconseiller tant que vous ne connaissez pas vos réactions au médicament.

Alcool. À éviter.

Grossesse. Avant de commencer le traitement, prévenez votre médecin que vous êtes enceinte ou projetez de le devenir. Renseignez-vous auprès de lui pour juger si les avantages du disopyramide justifient les risques possibles pour le fœtus.

Allaitement. Le disopyramide passe dans le lait maternel. Cessez cette médication ou évitez d'en prendre pendant que vous allaitez.

Nourrissons et enfants. L'innocuité de ce médicament n'a pas été établie chez les enfants. Il ne devrait être donné aux enfants que sous surveillance médicale étroite.

À surveiller. Efforcez-vous de prendre ce médicament à heures fixes. Au besoin, pour les doses de nuit, faites sonner le réveil. Si vous avez déjà eu des réactions néfastes à d'autres antiarythmiques, il faut en parler à votre médecin. Les comprimés à libération lente ne sont pas recommandés dans les cas de dysfonction rénale.

SURDOSAGE
Symptômes. Pouls irrégulier, chute importante de tension artérielle, perte de conscience, difficulté à respirer.

Quoi faire. Présentez-vous immédiatement à l'urgence.

▼ INTERACTIONS

MÉDICAMENT-MÉDICAMENT
Demandez l'avis du médecin si vous prenez : autres arythmiques, anticholinergiques, anticoagulants, insuline, antihypertenseurs, érythromycine, nimopidine, phénobarbital, phénytoïne, pimozide, propafénone ou rifampine.

MÉDICAMENT-ALIMENT
Pas d'interaction connue.

MÉDICAMENT-MALADIE
Il faut être prudent lorsqu'on prend du disopyramide. Demandez l'avis de votre médecin si vous souffrez de : maladie ou bloc cardiaque, diabète sucré, hypertrophie de la prostate, glaucome, myasthénie grave, maladie des reins ou du foie.

 EFFETS INDÉSIRABLES

GRAVES
Douleur thoracique, souffle court, pouls irrégulier ou accéléré (palpitations), évanouissement, gain de poids subit, enflure des doigts ou des chevilles, anxiété. Appelez votre médecin dès l'apparition de l'un de ces symptômes.

COURANTS
Étourdissements, défaillance, faiblesse causés par une chute de pression ; vision embrouillée, constipation, sécheresse des yeux, du nez ou de la bouche, difficulté à uriner. Contactez votre médecin si ces symptômes persistent.

MOINS COURANTS
Dépression, agitation, fatigue, faiblesse musculaire, miction réduite, nausées, vomissements, perte marquée d'appétit et brusque chute de poids, douleur abdominale, jaunissement du blanc des yeux et de la peau, chute des taux sanguins de glucose entraînant somnolence, céphalées, sueurs froides, nervosité, confusion, rash cutané.

DISULFIRAME

Présentation : Comprimés
En vente libre ? Non   **Générique disponible ?** Non
Classe de médicaments : Antialcoolique

▼ GÉNÉRALITÉS

INDICATIONS
Traitement de l'alcoolisme chronique.

MODE D'ACTION
En bloquant l'activité de l'enzyme qui métabolise l'alcool dans le foie, le disulfirame favorise la libération d'une substance chimique, l'acétaldéhyde. Une accumulation d'acétaldéhyde dans le corps entraîne des réactions extrêmement désagréables, dont nausées et vomissements. Ainsi, même s'il ne guérit pas de l'alcoolisme, le disulfirame décourage la consommation d'alcool.

▼ MODE D'EMPLOI

POSOLOGIE
Dose initiale : 250 à 500 mg, en dose unique le matin ou le soir. Dose d'entretien : 125 à 500 mg une fois par jour. Il faut attendre au moins 12 heures après avoir consommé de l'alcool avant de commencer le traitement.

DÉBUT D'ACTION
En 1 à 2 heures.

DURÉE D'ACTION
L'effet dure généralement 3 ou 4 jours, mais peut s'étirer sur 2 semaines.

CONSEILS NUTRITIONNELS
Prenez ce médicament avec ou après un repas pour éviter d'irriter l'estomac.

MODE DE CONSERVATION
Dans un contenant étanche, à l'abri de la chaleur, de l'humidité et de la lumière.

OUBLI D'UNE DOSE
Prenez-la dès que vous y pensez. Mais si la dose suivante est à moins de 12 heures, sautez la dose oubliée et revenez à la fréquence normale. Ne doublez pas la dose suivante.

ARRÊT DE LA MÉDICATION
Cette décision devrait être prise en consultation avec votre médecin.

USAGE PROLONGÉ
Le traitement au disulfirame doit se poursuivre pendant plusieurs mois jusqu'à ce que le patient maîtrise complètement son alcoolisme. Il faut faire des analyses périodiques de la fonction hépatique. Après un traitement prolongé, il peut être bon de réduire graduellement la posologie.

▼ PRÉCAUTIONS

Plus de 60 ans. Risque de réactions indésirables plus fréquentes et plus graves.

Conduite automobile, travaux dangereux. À déconseiller tant que vous ne connaissez pas votre réaction au médicament.

Alcool. Ce médicament ne doit pas être pris tant qu'il subsiste des traces d'alcool dans votre sang.

Grossesse. Des études ont indiqué que le disulfirame pouvait causer des malformations congénitales ; l'abus d'alcool aussi. Demandez à votre médecin de vous aider à évaluer les bénéfices par rapport aux risques pour le fœtus.

Allaitement. On ne sait si le disulfirame passe dans le lait maternel. Demandez conseil à votre médecin.

Nourrissons et enfants. Non recommandé aux enfants de moins de 12 ans.

À surveiller. Vérifiez qu'il n'y a pas d'alcool dans les substances que vous buvez ou que vous appliquez sur votre peau. Le disulfirame peut diminuer la performance sexuelle chez l'homme. Si vous devez subir une chirurgie sous anesthésie générale, avertissez votre médecin que vous prenez du disulfirame.

SURDOSAGE
Symptômes. Pertes de mémoire, problèmes de comportement, confusion, céphalées, léthargie, élévation de tension artérielle, nausées, vomissements, douleur à l'estomac, diarrhée, démarche chancelante, paralysie temporaire.

Quoi faire. Appelez aussitôt le médecin ou un centre anti-poison, ou allez à l'urgence.

▼ INTERACTIONS

MÉDICAMENT-MÉDICAMENT
D'autres médicaments peuvent interagir avec le disulfirame. Demandez l'avis du médecin si vous prenez : anticoagulants, anticonvulsivants, antidépresseurs (amitriptyline), barbituriques, clozapine, fluoxétine, guanéthidine, guanfacine, isoniazide, leucovorine, méthyprion, métronidazole, paraldéhyde, sédatifs, sulfamides ou théophylline.

MÉDICAMENT-ALIMENT
Tout aliment cuisiné à l'alcool – sauces, vinaigres fermentés, marinades ou desserts – peut donner les désagréments caractéristiques du disulfirame.

MÉDICAMENT-MALADIE
La prudence est recommandée avec le disulfirame. Demandez l'avis de votre médecin si vous avez : diabète sucré, épilepsie, maladie des reins ou du foie, hypothyroïdie, maladie pulmonaire ou antécédents de psychose.

▼ EFFETS INDÉSIRABLES

GRAVES
Confusion et désorientation, rash cutané grave, convulsions, névrite (inflammation des nerfs avec douleur, engourdissement ou paralysie), hypothyroïdie, hausse ou baisse de la tension artérielle, syndrome du canal carpien.

COURANTS
Somnolence.

MOINS COURANTS
Douleur oculaire, vision altérée, malaises abdominaux, maux de tête lancinants, changements d'humeur, engourdissements dans les mains et les pieds, performance sexuelle diminuée chez l'homme, goût désagréable dans la bouche, haleine fétide et odeur corporelle désagréable.

DOCUSATE

Présentation : Gélules, sirop
En vente libre ? Oui   **Générique disponible ?** Oui
Classe de médicaments : Émollient fécal

▼ GÉNÉRALITÉS

INDICATIONS
Prévention (et non traitement) de la constipation. Ce médicament est recommandé aux personnes qui doivent s'abstenir de forcer en allant à la selle parce qu'elles ont, par exemple, subi une chirurgie rectale ou cardiaque, ou en cas de constipation après un accouchement.

MODE D'ACTION
Le docusate ramollit les selles en y faisant pénétrer les liquides.

▼ MODE D'EMPLOI

POSOLOGIE
Docusate sodium – Adultes et adolescents : 100 à 200 mg 1 fois par jour jusqu'au retour de selles normales. Enfants de 6 à 12 ans : 40 à 120 mg 1 fois par jour. Les formes liquides devraient être mêlées à du lait ou du jus de fruits. Docusate calcium – Adultes : 1 gélule de 240 mg par jour.

DÉBUT D'ACTION
En 24 à 72 heures.

DURÉE D'ACTION
Jusqu'à 72 heures.

CONSEILS NUTRITIONNELS
Ajoutez à votre régime des fibres comme le son, des fruits et des légumes frais. Buvez chaque jour au moins 6 verres (230 ml/8 oz chacun) d'eau ou autre liquide pour aider à ramollir les selles.

MODE DE CONSERVATION
Dans un contenant étanche, à l'abri de la chaleur, de l'humidité et de la lumière.

OUBLI D'UNE DOSE
Prenez-la dès que vous y pensez. S'il est presque l'heure de la dose suivante, sautez la dose oubliée et revenez à la fréquence normale. Ne doublez pas la dose suivante.

ARRÊT DE LA MÉDICATION
Poursuivez le traitement pour toute la durée prescrite. Vous pouvez toutefois interrompre la prise de docusate si vous vous sentez mieux et si les mouvements intestinaux sont revenus à la normale.

USAGE PROLONGÉ
Il ne faut pas prendre du docusate pendant plus d'une semaine à moins que ce soit sous supervision de votre médecin.

▼ PRÉCAUTIONS

Plus de 60 ans. Pas de risque connu.

Conduite automobile, travaux dangereux. Le docusate ne devrait pas vous empêcher d'effectuer ces activités en toute sécurité.

Alcool. Aucune précaution spéciale.

Grossesse. Avant de commencer le traitement, avertissez votre médecin si vous êtes enceinte ou projetez de le devenir.

Allaitement. Pas de risque connu.

Nourrissons et enfants. Ne donnez pas de docusate à un enfant de moins de 6 ans, sauf sur avis du pédiatre.

À surveiller. Ne prenez pas d'huile minérale en même temps que vous prenez du docusate.

SURDOSAGE
Symptômes. Faiblesse, sueurs, crampes musculaires, pouls irrégulier.

Quoi faire. Une surdose de docusate ne devrait pas mettre votre vie en danger. Néanmoins, si la surdose est considérable, appelez le médecin ou le centre antipoison tout de suite.

▼ INTERACTIONS

MÉDICAMENT-MÉDICAMENT
Un certain nombre de médicaments risquent d'interagir avec le docusate s'ils sont ingérés presque en même temps. Demandez l'avis de votre médecin si vous devez prendre un autre médicament sous forme orale dans les 2 heures qui précèdent ou qui suivent la prise de docusate.

MÉDICAMENT-ALIMENT
Pas d'interaction connue.

MÉDICAMENT-MALADIE
Ce médicament ne doit pas être utilisé en cas d'obstruction intestinale ou d'appendicite, qui se caractérisent par les symptômes suivants : vomissements, abdomen dur et sensible, fièvre. En présence de ces symptômes, ne prenez pas de docusate.

≣ **EFFETS INDÉSIRABLES** ≣

GRAVES
Fortes crampes.

COURANTS
Diarrhée, crampes légères à l'estomac.

MOINS COURANTS
Irritation de la gorge. Consultez votre médecin si vos selles ne sont pas redevenues normales sans docusate après 2 semaines de traitement.

DONÉPÉZIL

Présentation : Comprimés
En vente libre ? Non   **Générique disponible ?** Non
Classe de médicaments : Inhibiteur de l'acétylcholinestérase

▼ GÉNÉRALITÉS

INDICATIONS
Traitement de la maladie d'Alzheimer d'intensité légère à modérée.

MODE D'ACTION
Le donépézil inhibe la dégradation de l'acétylcholine, substance chimique essentielle à la mémoire. On estime qu'une déficience en acétylcholine conduit à la perte de mémoire associée à la maladie d'Alzheimer.

▼ MODE D'EMPLOI

POSOLOGIE
Dose d'attaque : 5 mg au coucher. La dose peut être augmentée à 10 mg au bout de 4 à 6 semaines.

DÉBUT D'ACTION
Inconnu.

DURÉE D'ACTION
Inconnue.

CONSEILS NUTRITIONNELS
Aucune restriction alimentaire spéciale.

MODE DE CONSERVATION
Dans un contenant étanche, à l'abri de la chaleur, de l'humidité et de la lumière.

OUBLI D'UNE DOSE
Sautez la dose oubliée et reprenez la fréquence normale. Ne doublez pas la dose suivante.

ARRÊT DE LA MÉDICATION
La décision d'arrêter le traitement doit être prise par votre médecin.

USAGE PROLONGÉ
Aucun risque connu.

▼ PRÉCAUTIONS

Plus de 60 ans. Aucun risque connu.

Conduite automobile, travaux dangereux. À déconseiller tant que vous ne connaissez pas votre réaction au médicament.

Alcool. Évitez l'alcool pendant que vous prenez ce médicament.

Grossesse. Dans certaines études cliniques sur des animaux, de fortes doses de donépézil ont causé des problèmes. Avant de prendre le médicament, avertissez le médecin que vous êtes enceinte ou souhaitez le devenir.

Allaitement. On ne sait pas si le donépézil passe dans le lait maternel : la prudence s'impose. Parlez-en spécifiquement à votre médecin.

Nourrissons et enfants. Le donépézil n'est pas destiné aux enfants.

À surveiller. Avant toute chirurgie, traitement dentaire ou traitement d'urgence, avertissez le médecin ou le dentiste que vous prenez du donépézil. Le médicament ne guérit pas la maladie d'Alzheimer et ne l'empêche pas de s'aggraver, mais il améliore la compétence cognitive de certains patients.

SURDOSAGE
Symptômes. Convulsions, nausées graves, ralentissement du rythme cardiaque, faiblesse musculaire accrue, vomissements, sudation excessive, salivation excessive, pouls faible, respiration irrégulière, dilatation des pupilles.

Quoi faire. Appelez immédiatement le médecin ou le centre antipoison, ou allez à l'urgence.

▼ INTERACTIONS

MÉDICAMENT-MÉDICAMENT
Les médicaments suivants peuvent interagir avec le donépézil : carbamazépine, cimétidine, dexaméthasone, kétoconazole, phénobarbital, phénytoïne, quinidine, rifampine, théophylline ou warfarine ; avisez-en le médecin si vous en prenez. Énumérez aussi au médecin tous les autres médicaments, en vente libre ou sur prescription, que vous prenez.

MÉDICAMENT-ALIMENT
Aucune interaction connue.

MÉDICAMENT-MALADIE
La prudence s'impose avec le donépézil. Prévenez le médecin si vous souffrez de : asthme, bronchopneumopathie chronique obstructive, difficulté à uriner, maladie cardiaque, maladie du foie, crises de convulsions, ulcères gastriques ou blocage des voies urinaires.

EFFETS INDÉSIRABLES

GRAVES
Aucun effet indésirable grave n'est associé à l'utilisation du donépézil.

COURANTS
Nausées, vomissements, diarrhée, céphalées, étourdissements, fatigue, insomnie.

MOINS COURANTS
Rêves vifs ou inhabituels, somnolence, dépression, perte d'appétit, ecchymoses ou saignements inhabituels, évanouissement, crampes musculaires, mictions fréquentes, douleurs, raideur ou enflure aux articulations.

DORNASE ALFA

Présentation : Solution à inhaler
En vente libre ? Non   **Générique disponible ?** Non
Classe de médicaments : Médicament pour la fibrose kystique

▼ GÉNÉRALITÉS

INDICATIONS
La dornase alfa recombinant facilite la respiration et prévient les infections pulmonaires chez les patients atteints de fibrose kystique. On l'utilise en conjonction avec d'autres médicaments – antibiotiques, bronchodilatateurs et anti-inflammatoires – servant à traiter cette maladie.

MODE D'ACTION
Chez les personnes souffrant de fibrose kystique, les sécrétions pulmonaires renferment de grandes quantités d'ADN, ce qui les rend plus épaisses. La dornase alfa, en fragmentant l'ADN, rend les muquosités moins collantes et plus faciles à recracher.

▼ MODE D'EMPLOI

POSOLOGIE
Adultes et enfants de 5 ans et plus : 2,5 mg dans un nébuliseur 1 fois par jour. Certains patients ont intérêt à prendre 2 doses par jour. Utilisez uniquement les nébuliseurs et compresseurs suivants : nébuliseur à pression jetable Hudson T Up-Draft II avec compresseur Pulmo-Aide ; nébuliseur à pression jetable Marquest Acorn II avec compresseur Pulmo-Aide ; ou nébuliseur réutilisable PARI LC jet+ avec compresseur PARI PRONEB.

DÉBUT D'ACTION
Les tests de la fonction pulmonaire indiquent des progrès significatifs au bout de 3 jours à 1 semaine. On peut constater une réduction des infections respiratoires au cours des semaines ou des mois qui suivent.

DURÉE D'ACTION
Ce médicament n'est efficace que si on l'emploie quotidiennement.

CONSEILS NUTRITIONNELS
Pas de restrictions spéciales.

MODE DE CONSERVATION
Réfrigérez le médicament, dans son emballage protecteur en aluminium, à l'abri de la chaleur, de l'humidité et de la lumière. Ne le faites pas congeler. Si le médicament vous paraît trouble ou décoloré, jetez-le.

OUBLI D'UNE DOSE
Prenez-la dès que vous y pensez. S'il est presque l'heure de la dose suivante, sautez la dose oubliée et revenez à la fréquence normale. Ne doublez pas la dose suivante.

ARRÊT DE LA MÉDICATION
Poursuivez le traitement pour toute la durée prescrite, même si vous commencez à vous sentir mieux dans l'intervalle. La décision d'interrompre le traitement devrait être prise en consultation avec votre médecin.

USAGE PROLONGÉ
L'usage prolongé requiert une évaluation périodique de votre réponse au médicament et un ajustement de la posologie au besoin. La dornase alfa est normalement prescrite pour un usage prolongé.

▼ PRÉCAUTIONS

Plus de 60 ans. Pas de risque connu.

Conduite automobile, travaux dangereux. Ce médicament ne devrait pas vous empêcher d'effectuer de telles activités en toute sécurité.

Alcool. Pas de précautions spéciales.

Grossesse. Il n'y a pas eu de recherches concluantes sur l'administration de dornase alfa chez les femmes enceintes. Avant de commencer un traitement, demandez l'avis de votre médecin si vous êtes enceinte ou projetez de l'être.

Allaitement. La dornase alpha peut passer dans le lait maternel ; la prudence est de mise. Demandez l'avis de votre médecin quant aux risques et aux bénéfices du médicament si vous allaitez.

Nourrissons et enfants. La dornase alpha n'est pas recommandée aux enfants de moins de 5 ans.

À surveiller. Pendant que vous utilisez le nébuliseur, respirez uniquement par la bouche ; au besoin, bouchez-vous le nez avec une pince. Le nébuliseur s'accompagne d'un embout buccal : servez-vous-en de préférence à un masque, qui ne permet pas au médicament de pénétrer tout entier dans les poumons. Si vous vous mettez à tousser pendant le traitement, fermez délicatement le nébuliseur pour ne pas perdre de médicament et attendez que la toux soit passée. Ne diluez pas la dornase alfa et n'utilisez pas le même nébuliseur pour d'autres médicaments.

SURDOSAGE
Symptômes. Une surdose de dornase alfa risque peu de se produire et ne présente pas de danger.

Quoi faire. Contactez le médecin ou un centre antipoison, ou allez à l'urgence si vous avez lieu de craindre une surdose.

▼ INTERACTIONS

MÉDICAMENT-MÉDICAMENT
N'utilisez pas ce médicament si vous êtes allergique aux produits des cellules d'ovaire de hamster chinois. Il n'y a pas d'autre interaction médicamenteuse connue.

MÉDICAMENT-ALIMENT
Pas d'interaction connue.

MÉDICAMENT-MALADIE
Pas d'interaction connue.

 EFFETS INDÉSIRABLES

GRAVES
Douleur thoracique.

COURANTS
Maux de gorge, altération de la voix (voix rauque).

MOINS COURANTS
Rash cutané ; rougeur, démangeaison, enflure, douleur ou autre symptôme d'irritation oculaire.

DORZOLAMIDE (CHLORHYDRATE DE)

Présentation : Solution ophtalmique
En vente libre ? Non   **Générique disponible ?** Non
Classe de médicaments : Médicament contre le glaucome ; inhibiteur de l'anhydrase carbonique

▼ GÉNÉRALITÉS

INDICATIONS
Traitement du glaucome.

MODE D'ACTION
Le glaucome, qui peut être fatal à la vision, se produit lorsque l'humeur aqueuse (le fluide à l'intérieur de l'œil) ne s'élimine pas convenablement. Le résultat est une augmentation de la pression dans l'œil (pression intraoculaire). Une pression excessive peut endommager le nerf optique et la vision se détériore progressivement. Le dorzolamide entrave l'activité de l'anhydrase carbonique, enzyme indispensable à la production d'humeur aqueuse, ce qui réduit en conséquence la pression intraoculaire.

▼ MODE D'EMPLOI

POSOLOGIE
Adultes et adolescents :
1 goutte dans chaque œil 3 fois par jour (si vous n'employez pas d'autres gouttes ophtalmiques).

DÉBUT D'ACTION
Inconnu.

DURÉE D'ACTION
8 heures.

CONSEILS NUTRITIONNELS
Pas de restrictions spéciales.

MODE DE CONSERVATION
Dans un contenant étanche, à l'abri de la chaleur, de l'humidité et de la lumière. Ne réfrigérez pas la solution et ne la faites pas congeler.

OUBLI D'UNE DOSE
Appliquez les gouttes dès que vous y pensez. S'il est presque l'heure de la dose suivante, sautez la dose oubliée et revenez à la fréquence normale. Ne doublez pas la dose suivante.

ARRÊT DE LA MÉDICATION
Cette décision devrait être prise par votre médecin.

USAGE PROLONGÉ
Faites-vous examiner les yeux régulièrement par le médecin pour bien vérifier que le médicament fait l'effet escompté sur le glaucome.

 EFFETS INDÉSIRABLES

GRAVES
Réactions allergiques se traduisant par des rougeurs, des démangeaisons et l'enflure des paupières ; sensibilité intense ou tenace à la lumière ; sensation d'avoir quelque chose dans l'œil.

COURANTS
Brûlure, élancement ou inconfort dans l'œil pendant l'instillation des gouttes ; goût déplaisant dans la bouche.

MOINS COURANTS
Douleur oculaire, larmoiement intense ou tenace, nausées ou vomissements, sang dans les urines.

▼ PRÉCAUTIONS

Plus de 60 ans. Pas de risque connu.

Conduite automobile, travaux dangereux. À déconseiller tant que vous ne connaissez pas votre réaction au médicament.

Alcool. Pas de précautions spéciales.

Grossesse. À très fortes doses, on a observé des malformations congénitales chez les animaux, mais aucune recherche n'a été faite chez les humains. Avant d'utiliser ce médicament, consultez votre médecin si vous êtes enceinte ou projetez de le devenir.

Allaitement. Le dorzolamide peut passer dans le lait maternel ; soyez prudente. Demandez à votre médecin s'il vous recommande d'utiliser un autre médicament ou de ne pas allaiter.

Nourrissons et enfants. L'innocuité de ce médicament n'a pas été établie chez les enfants. Le dorzolamide ne devrait leur être donné que sous étroite surveillance médicale.

À surveiller. Avant d'appliquer les gouttes, lavez-vous les mains. Renversez un peu la tête. Appuyez légèrement sur le coin interne de la paupière et, avec l'index de la même main, tirez la paupière inférieure vers le bas pour ménager une ouverture. Pressez sur le compte-gouttes. Fermez l'œil et appuyez pendant 1 ou 2 minutes en vous efforçant de ne pas ciller. Lavez-vous à nouveau les mains. Prenez garde que le compte-gouttes n'entre pas en contact avec l'œil, le doigt ou toute autre surface. Ne conservez pas le flacon ouvert plus de 28 jours : jetez ce qui reste. Aucune étude n'a encore été faite sur les patients qui portent des lentilles cornéennes. Si vous portez des verres de contact, retirez-les avant de mettre les gouttes, et attendez 15 minutes avant de remettre vos lentilles.

SURDOSAGE
Symptômes. Aucun symptôme n'a été rapporté.

Quoi faire. Une surdose de dorzolamide ne risque pas de mettre votre vie en danger. Si vous en renversez trop dans un œil, rincez avec beaucoup d'eau. En cas d'ingestion accidentelle, appelez aussitôt le médecin ou un centre antipoison.

▼ INTERACTIONS

MÉDICAMENT-MÉDICAMENT
Attendez 10 minutes avant d'administrer toute autre préparation ophtalmique. Une personne allergique aux sulfamides ne devrait pas utiliser le dorzolamide.

MÉDICAMENT-ALIMENT
Pas d'interaction connue.

MÉDICAMENT-MALADIE
Le dorzolamide peut entraîner des complications chez les patients atteints d'une affection du foie ou des reins, car ces organes contribuent ensemble à éliminer le médicament du système.

DOXAZOSINE (MÉSYLATE DE)

Présentation : Comprimés
En vente libre ? Non   **Générique disponible ?** Oui
Classe de médicaments : Antihypertenseur ; traitement de l'HBP

▼ GÉNÉRALITÉS

INDICATIONS
Traitement de l'hypertension légère ou modérée. S'emploie aussi pour soulager les symptômes urinaires de l'hyperplasie bénigne de la prostate (HBP) – l'hypertrophie non cancéreuse de la prostate très commune chez les hommes de 50 ans et plus.

MODE D'ACTION
Dans le cas de l'hypertension artérielle, le médicament relâche et élargit les vaisseaux qui peuvent ainsi laisser passer le flot sanguin plus aisément. Dans le cas de l'HBP, le médicament relâche les muscles de la prostate et de la vessie. La doxazosine ne réduit pas la taille de la prostate. Elle n'empêche pas les symptômes de s'aggraver et ne représente donc pas une alternative à la chirurgie.

▼ MODE D'EMPLOI

POSOLOGIE
Hypertension : dose initiale de 1 mg 1 fois par jour ; la dose peut être augmentée graduellement jusqu'à un maximum de 16 mg par jour. Hyperplasie bénigne de la prostate (HBP) : dose initiale de 1 mg 1 fois par jour, pouvant être augmentée jusqu'à un maximum de 8 mg par jour.

DÉBUT D'ACTION
Hypertension : en 1 à 2 heures. HBP : en 1 à 2 semaines.

DURÉE D'ACTION
Hypertension : 24 heures. HBP : donnée inconnue.

CONSEILS NUTRITIONNELS
Pas de restrictions spéciales.

MODE DE CONSERVATION
Dans un contenant étanche, à l'abri de la chaleur, de l'humidité et de la lumière.

OUBLI D'UNE DOSE
Prenez-la dès que vous y pensez. S'il est presque l'heure de la suivante, sautez la dose oubliée et revenez à la fréquence normale. Ne doublez pas la dose suivante.

ARRÊT DE LA MÉDICATION
Poursuivez le traitement pour la durée prescrite, même si vous commencez à vous sentir mieux dans l'intervalle.

USAGE PROLONGÉ
En cas de traitement prolongé à la doxazosine, demandez à votre médecin s'il vous conseille de subir des examens médicaux et des tests de laboratoire.

▼ PRÉCAUTIONS

Plus de 60 ans. Risque d'effets indésirables plus fréquents et plus prononcés. Il faut augmenter les doses lentement chez les patients de plus de 60 ans.

Conduite automobile, travaux dangereux. À déconseiller tant que vous ne connaissez pas votre réaction au médicament.

Alcool. À éviter quand on prend ce médicament car l'alcool peut entraîner une chute excessive de tension et davantage d'étourdissements.

Grossesse. Les recherches font état de malformations congénitales chez les animaux quand le médicament est donné à de très fortes doses. Avant de commencer le traitement, avertissez votre médecin que vous êtes enceinte ou projetez de le devenir.

Allaitement. La doxazosine peut passer dans le lait maternel ; soyez prudente. Demandez l'avis de votre médecin.

Nourrissons et enfants. Non recommandé.

À surveiller. La première dose peut causer des étourdissements ou des vertiges. Prenez le médicament au coucher et, le lendemain matin, levez-vous lentement. Soyez prudent si vous faites de l'exercice ou par grandes chaleurs. Si vous devez subir, dans les 2 mois, une chirurgie ou des soins dentaires nécessitant une anesthésie générale, signalez-le à votre médecin.

SURDOSAGE
Symptômes. Peau froide et moite, pouls rapide, faiblesse, perte de conscience.

Quoi faire. Contactez votre médecin ou allez à l'urgence.

▼ INTERACTIONS

MÉDICAMENT-MÉDICAMENT
Demandez l'avis du médecin si vous utilisez : amphétamines, autres antihypertenseurs, anti-inflammatoires non stéroïdiens (AINS) ou sympathomimétiques.

MÉDICAMENT-ALIMENT
Pas d'interaction connue.

MÉDICAMENT-MALADIE
La doxazosine peut entraîner des complications chez des patients atteints d'une affection du foie ou des reins car ces organes contribuent à éliminer le médicament du système. Demandez aussi l'avis de votre médecin si vous souffrez d'une maladie coronarienne, d'une mauvaise irrigation du cerveau ou de dépression mentale.

EFFETS INDÉSIRABLES

GRAVES
Pouls irrégulier. Autre effet indésirable grave, quoique rare, le priapisme, qui est une érection douloureuse ou se prolongeant indûment (au-delà de 4 heures).

COURANTS
Étourdissements, somnolence.

MOINS COURANTS
Céphalées, faiblesse, palpitations, pouls rapide, douleurs ou picotements dans les doigts et les orteils, diarrhée ou constipation, nez qui coule, rash cutané ou démangeaisons, douleurs musculaires ou articulaires, dépression mentale.

DOXÉPINE (CHLORHYDRATE DE)

Présentation : Gélules
En vente libre ? Non   **Générique disponible ?** Oui
Classe de médicaments : Antidépresseur tricyclique

▼ GÉNÉRALITÉS

INDICATIONS
Soulagement des symptômes de la dépression majeure.

MODE D'ACTION
La doxépine affecte les niveaux de sérotonine, de norépinéphrine et d'acétylcholine, éléments chimiques présents dans le cerveau et qu'on croit responsables de l'humeur, des émotions et de l'état psychique.

▼ MODE D'EMPLOI

POSOLOGIE
Adultes : 25 mg 3 fois par jour pour commencer ; jusqu'à 150 mg par jour ensuite. Personnes âgées : 25 à 50 mg par jour avec augmentation progressive de la dose sur prescription du médecin.

DÉBUT D'ACTION
En 2 à 6 semaines.

DURÉE D'ACTION
Inconnue.

CONSEILS NUTRITIONNELS
À moins d'avis contraire du médecin, ce médicament se prend avec des liquides ou des solides pour minimiser l'irritation de l'estomac. Augmentez votre consommation de fibres et de liquides.

MODE DE CONSERVATION
Dans un contenant étanche, à l'abri de la chaleur, de l'humidité et de la lumière.

OUBLI D'UNE DOSE
Si vous prenez habituellement une seule dose au coucher, ne prenez pas la dose oubliée le lendemain matin à cause de la somnolence ; appelez votre médecin. Si vous prenez plus d'une dose par jour, prenez-la aussitôt que vous y pensez. Sautez la suivante si elle est trop rapprochée, puis reprenez l'horaire régulier. Ne doublez pas la dose suivante.

EFFETS INDÉSIRABLES

GRAVES
Confusion, arythmie, hallucinations, convulsions, fatigue ou somnolence extrême, vision embrouillée ou modifiée, difficultés à respirer, constipation, concentration affaiblie, difficulté à uriner, fièvre, agitation marquée et persistante, perte d'équilibre et de coordination, difficultés à avaler ou à parler, pupilles dilatées, douleurs dans les yeux, évanouissements. On a aussi observé le tremblement des membres ou de tout le corps, la faiblesse, la raideur des extrémités et une démarche traînante.

COURANTS
Somnolence ou étourdissements, céphalées, sécheresse de la bouche ou goût désagréable, fatigue, photosensibilité, gain de poids, nausées, augmentation de l'appétit.

MOINS COURANTS
Brûlures d'estomac, insomnie, diarrhées, transpiration accrue, vomissements.

ARRÊT DE LA MÉDICATION
Poursuivez le traitement pour la durée prescrite, même si vous vous sentez mieux. La décision d'interrompre la doxépine doit être prise en consultation avec le médecin.

USAGE PROLONGÉ
Le traitement dure entre 6 mois et 1 an, parfois plus.

▼ PRÉCAUTIONS

Plus de 60 ans. Risque d'effets indésirables (confusion, difficulté à uriner) plus fréquents et plus prononcés. Le cas échéant, le médecin prescrira une dose réduite.

Conduite automobile, travaux dangereux. Soyez prudent avant de vous engager dans ces activités tant que vous ne connaissez pas vos réactions au médicament. Il peut causer des étourdissements ou de la somnolence.

Alcool. À éviter.

Grossesse. Il n'y a pas eu de recherche adéquate chez les humains. Demandez l'avis de votre médecin.

Allaitement. La doxépine passe dans le lait maternel. N'en prenez pas si vous allaitez. Elle cause de la somnolence chez le nourrisson.

Nourrissons et enfants. Ce médicament n'est pas prescrit aux moins de 6 ans.

À surveiller. La doxépine est un médicament potentiellement dangereux, surtout en doses excessives. Comme tout antidépresseur tricyclique, elle doit être tenue à l'abri des personnes suicidaires. En cas de sécheresse de la bouche, mâchez de la gomme ou des bonbons sans sucre.

SURDOSE
Symptômes. Difficultés à respirer, grande fatigue, convulsions, confusion, hallucinations, pupilles dilatées, arythmie, fièvre, difficulté à se concentrer.

Quoi faire. Présentez-vous sans tarder à l'urgence.

▼ INTERACTIONS

MÉDICAMENT-MÉDICAMENT
Demandez l'avis du médecin si vous prenez : antithyroïdiens, cimétidine, clonidine, médicaments pour couper l'appétit, isoprotérénol, éphédrine, épinéphrine, amphétamines, phényléphrine, antipsychotiques, pimozide, méthyldopa, métoclopramide, prométhazine, triméprazine, IMAO, ou tout autre médicament qui déprime le système nerveux central.

ALIMENTS
Pas d'interaction connue.

AUTRES MALADIES
Demandez l'avis du médecin si vous avez : antécédents d'alcoolisme, difficultés à uriner, asthme, maladie bipolaire, hypertension, problèmes d'estomac ou d'intestin, glaucome, hyperthyroïdie, inflammation de la prostate, schizophrénie, épilepsie, affection sanguine, ou maladie des reins, du cœur ou du foie.

DOXYCYCLINE

Présentation : Gélules, comprimés à libération lente, comprimés
En vente libre ? Non **Générique disponible ?** Oui
Classe de médicaments : Antibiotique, groupe des tétracyclines

▼ GÉNÉRALITÉS

INDICATIONS

Traitement des infections à bactéries ou protozoaires (micro-organismes unicellulaires), dont certaines maladies transmises sexuellement (chlamydie et syphilis), infections des voies urinaires et borréliose (maladie de Lyme). La doxycycline s'utilise aussi dans le traitement et la prévention de la malaria et dans le traitement de l'acné.

MODE D'ACTION

La doxycycline tue les bactéries et les protozoaires en les empêchant de fabriquer des protéines indispensables.

▼ MODE D'EMPLOI

POSOLOGIE

Infections bactériennes et protozoaires – Adultes et enfants de plus de 45 kg (100 lb) : 100 mg aux 12 heures (2 fois par jour) la première journée, et 100 à 200 mg 1 fois par jour par la suite. Enfants de moins de 45 kg : 2,2 mg par kilogramme (2,2 lb) de poids corporel. Chlamydie : 100 mg 2 fois par jour pendant 7 jours. Prévention de la malaria : 100 mg 1 fois par jour, à partir de 1 ou 2 jours avant le départ pour une zone à risque jusqu'à 4 semaines après le retour. Borréliose : 100 mg 2 fois par jour.

DÉBUT D'ACTION

Jusqu'à 5 jours.

DURÉE D'ACTION

Plusieurs jours.

CONSEILS NUTRITIONNELS

Avec un grand verre d'eau.

MODE DE CONSERVATION

Dans un contenant étanche, à l'abri de la chaleur, de l'humidité et de la lumière.

OUBLI D'UNE DOSE

Prenez-la dès que vous y pensez. S'il est presque l'heure de la suivante, sautez la dose oubliée et revenez à la fréquence normale. Ne doublez pas la dose suivante.

ARRÊT DE LA MÉDICATION

Suivez le traitement au complet, même si vous vous sentez mieux avant la fin.

USAGE PROLONGÉ

Un usage prolongé de doxycycline peut vous rendre sensible à des infections causées par des micro-organismes résistants. Certains patients doivent subir périodiquement des analyses de sang et des contrôles des fonctions hépatique et rénale.

▼ PRÉCAUTIONS

Plus de 60 ans. Démangeaisons plus fréquentes dans les zones génitale et anale.

Conduite automobile, travaux dangereux. Pas de précautions spéciales.

Alcool. L'alcool peut réduire l'efficacité de cet antibiotique.

Grossesse. Des études ont montré que ce médicament peut affecter la croissance et la couleur des dents chez le fœtus et causer d'autres malformations congénitales. Ne prenez pas de doxycycline si vous êtes enceinte.

Allaitement. Non recommandé pendant le traitement.

Nourrissons et enfants. La doxycycline n'est pas donnée aux enfants en bas de 8 ans : elle pourrait décolorer leurs dents de façon permanente.

À surveiller. Pour éviter les brûlures d'estomac, ne prenez pas de gélules ou de comprimés dans l'heure qui précède votre coucher. Vérifiez la date de péremption. Si vous constatez une sensibilité accrue au soleil, appliquez un écran solaire avant d'aller dehors.

SURDOSAGE

Symptômes. Nausées, vomissements, diarrhée, difficultés à avaler.

Quoi faire. Une surdose ne risque pas d'être fatale, mais il vaut mieux contacter le médecin ou le centre antipoison.

▼ INTERACTIONS

MÉDICAMENT-MÉDICAMENT

Consultez votre médecin si vous prenez : autres antibiotiques, antiacides, warfarine, antiviraux, salicylate de bismuth, suppléments de calcium, céfixime, cholestyramine, contraceptifs oraux, desmopressine, digitaliques, étrétinate, lithium, suppléments minéraux, bicarbonate de soude, barbituriques, phénytoïne ou carbamazépine.

MÉDICAMENT-ALIMENT

Pour ne pas ralentir l'absorption de ce médicament, prenez-le 2 heures après ou 1 heure avant un produit laitier. Viande et céréales enrichies de fer : attendez 2 heures avant et après.

MÉDICAMENT-MALADIE

Consultez votre médecin si vous avez des antécédents de maladie du foie ou des reins, de lupus ou de myasthénie grave.

≡ EFFETS INDÉSIRABLES ≡

GRAVES

Douleur thoracique ; pression dans la tête avec confusion, somnolence et douleur ; réaction allergique causant céphalées importantes, vision altérée, démangeaisons, enflure, respiration difficile ou sifflante ; rash cutané sévère ; forte douleur abdominale et diarrhée.

COURANTS

Dérangements d'estomac, nausées, diarrhée légère, photosensibilité, pigmentation accentuée de la peau, candidose (infection vaginale aux levures), muguet (infection fongique dans la bouche).

MOINS COURANTS

Maux de gorge, irritation de la langue, perte d'appétit, colite, inflammation de l'anus ou des organes génitaux, décoloration des dents, douleur et enflure aux jambes.

DRONABINOL

Présentation : Gélules
En vente libre ? Non   **Générique disponible ?** Non
Classe de médicaments : Antiémétique ; stimulant de l'appétit

▼ GÉNÉRALITÉS

INDICATIONS
Prévention des nausées et des vomissements associés à la chimiothérapie du cancer ; stimulation de l'appétit chez les patients atteints de sida.

MODE D'ACTION
On n'en connaît pas le mécanisme exact. Le dronabinol peut inhiber les centres cérébraux qui gouvernent le réflexe de vomir.

▼ MODE D'EMPLOI

POSOLOGIE
Nausées et vomissements : 5 mg par mètre carré de surface corporelle, 1 à 3 heures avant la chimiothérapie. La même dose peut être répétée toutes les 2 à 4 heures après la chimiothérapie, sans dépasser 4 à 6 doses par jour. Stimulant de l'appétit : 2,5 mg 2 fois par jour, avant les repas du midi et du soir. La dose peut être réduite à 2,5 mg, 1 fois par jour, le soir. Posologie maximale (au besoin) : 20 mg par jour en doses fractionnées.

DÉBUT D'ACTION
Inconnu.

DURÉE D'ACTION
De 4 à 6 heures. La stimulation de l'appétit peut durer 24 heures ou plus.

CONSEILS NUTRITIONNELS
Contre les nausées et les vomissements, prenez le médicament entre les repas. Pour stimuler l'appétit, prenez-le avant les repas du midi et du soir.

MODE DE CONSERVATION
Dans un contenant étanche, à l'abri de la chaleur, de l'humidité et de la lumière. Gardez le médicament au réfrigérateur, mais ne le congelez pas.

OUBLI D'UNE DOSE
Prenez-la dès que vous y pensez. S'il est presque l'heure de la suivante, sautez la dose oubliée et revenez à la fréquence normale. Ne doublez pas la dose suivante.

ARRÊT DE LA MÉDICATION
La décision d'interrompre la thérapie doit être prise par le médecin. Des effets de sevrage peuvent se manifester après un arrêt brusque de la médication : insomnie, irritabilité, transpiration, perte d'appétit et bouffées de chaleur. Ces effets se dissipent après 24 heures.

USAGE PROLONGÉ
Risques accrus d'effets indésirables et de dépendance au médicament.

▼ PRÉCAUTIONS

Plus de 60 ans. Risques de réactions indésirables plus fréquentes et plus graves. Les personnes âgées doivent être surveillées de près à cause des effets du médicament sur le psychisme. Ces effets ne doivent pas être confondus avec ceux qu'entraînent d'autres maladies, comme la maladie d'Alzheimer.

Conduite automobile, travaux dangereux. À déconseiller tant que vous ne connaissez pas votre réaction au médicament.

Alcool. À éviter.

Grossesse. Il n'existe pas d'études adéquates sur les êtres humains. Avant de prendre du dronabinol, avertissez le médecin que vous êtes enceinte ou souhaitez le devenir.

Allaitement. Le dronabinol passe dans le lait maternel ; évitez d'en prendre ou interrompez la thérapie pendant que vous allaitez.

Nourrissons et enfants. Non recommandé aux enfants de moins de 12 ans ni à ceux qui souffrent de cachexie associée au sida.

À surveiller. Il faut savoir que le dronabinol est un dérivé de la principale substance active de la marijuana : il peut produire une dépendance et conduire à l'abus. Il est possible qu'on ne puisse en prescrire aux patients allergiques à la marijuana et à ses sous-produits, ainsi qu'à l'huile de sésame.

SURDOSAGE
Symptômes. Confusion, diction pâteuse, yeux rouges, hallucinations, altération des perceptions gustatives, auditives, tactiles, olfactives ou visuelles, soudain changement d'humeur, cœur qui bat vite et très fort, miction difficile, nervosité, sécheresse de la bouche, incoordination, évanouissement ou vertiges.

Quoi faire. Appelez immédiatement le médecin ou le centre antipoison, ou allez à l'urgence.

▼ INTERACTIONS

MÉDICAMENT-MÉDICAMENT
Le dronabinol peut entrer en interaction avec d'autres médicaments. Prévenez le médecin si vous prenez : anticonvulsivants, antidépresseurs, antihistaminiques, barbituriques, clozapine, éthinamate, fluoxétine, leucovorine, narcotiques, théophylline, relaxants musculaires ou autres dépresseurs du système nerveux central.

MÉDICAMENT-ALIMENT
Pas d'interaction connue.

MÉDICAMENT-MALADIE
La prudence est de mise. Avertissez le médecin si vous souffrez de : maladie cardiaque, hypertension, antécédents d'alcoolisme ou de toxicomanie, schizophrénie ou troubles maniacodépressifs (maladie bipolaire).

 EFFETS INDÉSIRABLES

GRAVES
Hallucinations, altération de l'humeur, irritabilité, euphorie.

COURANTS
Vertiges, somnolence, incoordination, pensée confuse.

MOINS COURANTS
Dépression, anxiété, nervosité, céphalées, hallucinations, vision brouillée, tachycardie, mictions fréquentes ou difficiles, convulsions, sécheresse de la bouche.

ÉCONAZOLE (NITRATE D')

Présentation : Crème, ovules
En vente libre ? Non   **Générique disponible ?** Non
Classe de médicaments : Antifongique

▼ GÉNÉRALITÉS

INDICATIONS

Crème : traitement des infections fongiques de la peau comme tinea corporis (herpès circiné), tinea cruris (eczéma marginé), tinea pedis (pied d'athlète) et pityriasis versicolor (caractérisé par de fines plaques squameuses de différentes tailles, formes et couleurs). Ovules : traitement des infections à levure de la région vaginale (candidoses).

MODE D'ACTION

L'éconazole empêche les organismes fongiques de produire les substances vitales leur permettant de croître et de fonctionner. Ce médicament n'est efficace que contre des infections causées par un champignon ; il n'est d'aucun recours pour les infections bactériennes ou virales.

▼ MODE D'EMPLOI

POSOLOGIE

Crème : 1 ou 2 applications par jour (matin et soir) sur les zones affectées. Le traitement est généralement de 1 mois pour le pied d'athlète, de 2 semaines pour les autres infections. Ovules : insérez 1 ovule dans le vagin 1 fois par jour pendant 3 jours.

DÉBUT D'ACTION

Inconnu.

DURÉE D'ACTION

Inconnue.

CONSEILS NUTRITIONNELS

Pas de restrictions spéciales.

MODE DE CONSERVATION

Dans un contenant étanche, à l'abri de la chaleur, de l'humidité et de la lumière. Ce médicament ne doit être congelé.

OUBLI D'UNE DOSE

Prenez-la dès que vous y pensez. S'il est presque l'heure de l'application suivante, sautez la dose oubliée et revenez à la fréquence normale. Ne doublez pas la dose suivante.

ARRÊT DE LA MÉDICATION

Poursuivez le traitement pour la durée prescrite, même si vous commencez à vous sentir mieux dans l'intervalle. L'infection risque de resurgir si vous interrompez le traitement avant terme.

≡ **EFFETS INDÉSIRABLES** ≡

GRAVES
Aucun effet indésirable grave n'a été signalé avec l'éconazole.

COURANTS
Aucun effet indésirable courant n'a été signalé.

MOINS COURANTS
Démangeaisons, sensations de brûlure ou de picotement, rougeur de la peau ou autre irritation qui n'existait pas avant le traitement.

USAGE PROLONGÉ

Consultez votre médecin si vous ne voyez aucune amélioration après quelques jours de traitement pour la candidose vaginale, 2 semaines de traitement pour tinea corporis, tinea cruris et pityriasis versicolor, ou 4 semaines de traitement pour le pied d'athlète.

▼ PRÉCAUTIONS

Plus de 60 ans. Pas de risque connu.

Conduite automobile, travaux dangereux. L'éconazole ne devrait pas vous empêcher d'effectuer ces activités en toute sécurité.

Alcool. Pas de précautions spéciales.

Grossesse. Avant de commencer le traitement à l'éconazole, avertissez votre médecin si vous êtes enceinte ou projetez de le devenir. Au cours du premier trimestre, l'éconazole ne devrait être utilisé que si le médecin le considère essentiel à votre santé ; dans les deux autres semestres, son usage doit être justifié.

Allaitement. L'éconazole peut passer dans le lait maternel. Demandez l'avis de votre médecin.

Nourrissons et enfants. Aucun risque prévu. Demandez conseil au pédiatre.

À surveiller. Veillez à ce que l'éconazole n'entre pas en contact avec les yeux. Si vous l'utilisez pour soigner l'eczéma marginé, ne portez pas de sous-vêtements trop serrés ou en matière synthétique ; optez pour le coton et les coupes amples. Si vous soignez le pied d'athlète, asséchez bien vos pieds après le bain ou la douche et portez des chaussettes de coton propres avec des sandales ou des chaussures bien aérées. Avant d'étendre la crème, lavez la zone affectée au savon et à l'eau chaude et essuyez soigneusement. L'éconazole a l'inconvénient de tacher les vêtements.

SURDOSAGE

Symptômes. Il n'y a pas de risque de surdose.

Quoi faire. En cas d'ingestion accidentelle, contactez immédiatement le médecin ou un centre antipoison.

▼ INTERACTIONS

MÉDICAMENT-MÉDICAMENT

Demandez l'avis du médecin si vous utilisez un corticostéroïde topique. Il risque d'annuler les effets antifongiques de l'éconazole.

MÉDICAMENT-ALIMENT

Pas d'interaction connue.

MÉDICAMENT-MALADIE

Pas d'interaction connue.

ÉFAVIRENZ

Présentation : Comprimés
En vente libre ? Non   **Générique disponible ?** Non
Classe de médicaments : Antiviral/inhibiteur non nucléosidique de la transcriptase inverse

▼ GÉNÉRALITÉS

INDICATIONS

Traitement du virus de l'immunodéficience humaine (VIH), en association avec d'autres médicaments. Sans amener la guérison, ce type de médicament peut empêcher la prolifération du virus et retarder la progression de la maladie.

MODE D'ACTION

L'éfavirenz inhibe l'activité des enzymes indispensables à la reproduction de l'ADN dans les cellules virales. Il empêche ainsi le VIH de proliférer.

▼ MODE D'EMPLOI

POSOLOGIE

Adultes : 600 mg 1 fois par jour. Ce médicament doit être pris en association avec d'autres antirétroviraux pour retarder l'apparition de souches résistantes du VIH. Prenez votre dose quotidienne au coucher pour améliorer votre tolérance à certains effets indésirables (étourdissements, somnolence, absence de concentration). Enfants : consultez le médecin.

DÉBUT D'ACTION

Inconnu. Comme pour tous les antirétroviraux, on détecte une réponse dès les premières semaines, mais le plein effet thérapeutique peut prendre 12 à 16 semaines.

DURÉE D'ACTION

Inconnue. Les effets peuvent se prolonger si l'éfavirenz est utilisé avec d'autres médicaments efficaces.

CONSEILS NUTRITIONNELS

L'éfavirenz se prend avec beaucoup d'eau ou de liquide, ou avec un repas peu gras.

MODE DE CONSERVATION

Dans un contenant étanche, à l'abri de la chaleur, de l'humidité et de la lumière.

OUBLI D'UNE DOSE

Prenez-la dès que vous y pensez. S'il est presque l'heure de la suivante, sautez la dose oubliée et revenez à la fréquence normale. Ne doublez pas la dose suivante. La prise à heures fixes est importante pour maintenir un niveau constant du médicament dans le sang.

ARRÊT DE LA MÉDICATION

Cette décision devrait être prise en consultation avec votre médecin.

USAGE PROLONGÉ

Voyez le médecin régulièrement pour examens et tests.

▼ PRÉCAUTIONS

Plus de 60 ans. Pas de risque connu.

Conduite automobile, travaux dangereux. À déconseiller tant que vous ne connaissez pas votre réaction au médicament.

Alcool. À éviter, si votre fonction hépatique est diminuée. Réduisez votre consommation d'alcool au début du traitement pour ne pas intensifier les effets indésirables.

Grossesse. On a observé des malformations congénitales chez les animaux, mais aucune recherche n'a été faite chez les humains. L'éfavirenz ne devrait être donné à une femme enceinte que si les bénéfices escomptés justifient les risques pour le fœtus.

Allaitement. Une femme atteinte du VIH doit s'abstenir d'allaiter pour ne pas transmettre le virus à son enfant.

Nourrissons et enfants. Le pédiatre détermine la posologie en fonction du poids de l'enfant. Appelez-le en cas de rash ou de l'apparition de tout autre effet indésirable.

À surveiller. L'éfavirenz n'élimine nullement le risque de transmettre le virus du sida : il faut prendre en tout temps des mesures de prévention. Avec l'éfavirenz, les patientes doivent remplacer les contraceptifs oraux par d'autres méthodes contraceptives.

SURDOSAGE

Symptômes. Effets indésirables courants, plus graves.

Quoi faire. Appelez aussitôt le médecin ou un centre antipoison, ou allez à l'urgence.

▼ INTERACTIONS

MÉDICAMENT-MÉDICAMENT

Ne prenez pas d'éfavirenz avec : astémizole, midazolam, triazolam et ergot de seigle (antimigraineux). Avec un inhibiteur de protéase (indinavir, saquinavir), ou de la clarithomycine, il faudra ajuster votre posologie. Consultez votre médecin avant de prendre : warfarine, rifampine, rifabutine, méthadone ou contraceptifs oraux.

MÉDICAMENT-ALIMENT

Ne prenez pas l'éfavirenz avec un repas gras.

MÉDICAMENT-MALADIE

Avertissez votre médecin de tout antécédent de maladie mentale, toxicomanie ou alcoolisme. Ce médicament exige de la prudence en cas de fonction hépatique diminuée ou de propension à une maladie de foie.

 EFFETS INDÉSIRABLES

GRAVES
Dépression grave, humeur changeante, confusion.

COURANTS
Étourdissements, sommeil difficile, fatigue, baisse de concentration, rêves inhabituels, dérangements d'estomac, fièvre, toux, vomissements, diarrhée. Les éruptions sont courantes ; quoiqu'elles disparaissent en général spontanément, elles peuvent présenter une certaine gravité. Si vous avez un rash, appelez votre médecin immédiatement.

MOINS COURANTS
Nombreux effets indésirables moins courants ; consultez votre médecin si vous êtes préoccupé par des réactions inhabituelles liées à ce médicament.

ÉMÉDASTINE (DIFUMARATE D')

NOM COMMERCIAL

Emadine

Présentation : Solution ophtalmique
En vente libre ? Non   **Générique disponible ?** Non
Classe de médicaments : Antagoniste de l'histamine H1

▼ GÉNÉRALITÉS

INDICATIONS
Traitement à court terme des démangeaisons oculaires causées par la conjonctivite allergique saisonnière (inflammation de la muqueuse qui tapisse la surface intérieure de la paupière et le blanc des yeux).

MODE D'ACTION
L'émédastine inhibe les effets de l'histamine, une substance naturelle de l'organisme qui cause l'enflure, la démangeaison, les éternuements, le larmoiement et tous les autres symptômes couramment associés aux réactions allergiques.

▼ MODE D'EMPLOI

POSOLOGIE
Instillez 1 goutte dans l'œil affecté (ou dans les deux yeux), jusqu'à 4 fois par jour.

DÉBUT D'ACTION
En quelques minutes.

DURÉE D'ACTION
De 3 à 4 heures.

EFFETS INDÉSIRABLES

GRAVES
Aucun effet indésirable grave lié à l'émédastine n'a été signalé.

COURANTS
Céphalées.

MOINS COURANTS
Goût désagréable dans la bouche, rêves inhabituels, sécheresse de l'œil, vision embrouillée, sensation de brûlure ou picotements dans l'œil, larmoiement, nez qui coule, rash cutané, faiblesse.

CONSEILS NUTRITIONNELS
Pas de restriction spéciale.

MODE DE CONSERVATION
Dans un contenant étanche, à l'abri de la chaleur, de l'humidité et de la lumière. La solution ne doit pas congeler.

OUBLI D'UNE DOSE
Prenez-la dès que vous y pensez. S'il est presque l'heure de la dose suivante, sautez la dose oubliée et revenez à la fréquence normale. Ne doublez pas la dose suivante.

ARRÊT DE LA MÉDICATION
Vous pouvez interrompre le traitement à n'importe quel moment de votre choix.

USAGE PROLONGÉ
Ne s'applique pas : l'émédastine n'est prescrite qu'à court terme.

▼ PRÉCAUTIONS

Plus de 60 ans. Pas de risque connu.

Conduite automobile, travaux dangereux. À déconseiller tant que vous ne connaissez pas votre réaction au médicament.

Alcool. Pas de précautions spéciales.

Grossesse. Il n'y a pas eu de recherches satisfaisantes à ce sujet. Avant de prendre de l'émédastine, avertissez votre médecin si vous êtes enceinte ou si vous projetez de le devenir.

Allaitement. L'émédastine peut passer dans le lait maternel ; la prudence est de mise. Demandez l'avis de votre médecin.

Nourrissons et enfants. Non recommandé chez les enfants de moins de 3 ans.

À surveiller. Avant d'appliquer les gouttes, commencez par vous laver les mains. Renversez un peu la tête. Appuyez légèrement sur le coin interne de la paupière et, avec l'index de la même main, tirez la paupière inférieure vers le bas pour ménager une ouverture. Pressez sur le compte-gouttes. Fermez l'œil et appuyez pendant 1 ou 2 minutes en vous efforçant de ne pas ciller. Lavez-vous à nouveau les mains. Prenez garde que le compte-gouttes n'entre pas en contact avec l'œil, le doigt ou toute autre surface. Vous ne devriez pas porter de lentilles de contact si votre œil est rouge. L'émédastine ne doit pas servir à traiter une irritation due au port des lentilles cornéennes. Si vous portez des lentilles et que vos yeux ne sont pas rouges, attendez au moins 10 minutes pour les remettre en place après avoir instillé la goutte d'émédastine.

SURDOSAGE
Symptômes. On a rapporté de la somnolence et un malaise général après l'ingestion accidentelle de ce médicament.

Quoi faire. Une surdose d'émédastine ne devrait pas mettre votre vie en danger. Si vous en mettez trop dans un œil, rincez à l'eau du robinet. Mais en cas d'ingestion accidentelle par la bouche, cherchez immédiatement de l'aide médicale.

▼ INTERACTIONS

MÉDICAMENT-MÉDICAMENT
Pas d'interaction connue.

MÉDICAMENT-ALIMENT
Pas d'interaction connue.

MÉDICAMENT-MALADIE
Pas d'interaction connue.

ÉNALAPRIL (MALÉATE D')

Présentation : Comprimés
En vente libre ? Non **Générique disponible ?** Oui
Classe de médicaments : Inhibiteur de l'enzyme de conversion de l'angiotensine (ECA)

▼ GÉNÉRALITÉS

INDICATIONS
Traitement de l'hypertension ; traitement de l'insuffisance cardiaque congestive ; traitement de la dysfonction du ventricule gauche (dommages dans la chambre de pompage du cœur) ; prévention de la détérioration des reins chez les patients diabétiques en insuffisance rénale légère.

MODE D'ACTION
Les inhibiteurs de l'enzyme de conversion de l'angiotensine (ECA) bloquent l'activité de l'enzyme qui produit l'angiotensine, une substance de l'organisme qui entraîne la contraction des vaisseaux sanguins et stimule la production d'aldostérone pour retenir le sodium dans les tissus. Les inhibiteurs de l'ECA détendent les vaisseaux sanguins (provoquant leur élargissement) et réduisent la rétention sodique, ce qui a pour effet d'abaisser la tension artérielle et d'alléger le travail du cœur.

▼ MODE D'EMPLOI

POSOLOGIE
2,5 à 40 mg par jour, en 1 ou 2 doses.

DÉBUT D'ACTION
En moins de 1 heure.

DURÉE D'ACTION
Jusqu'à 24 heures.

CONSEILS NUTRITIONNELS
L'énalapril se prend avec ou sans nourriture. Suivez les recommandations de votre médecin pour réduire le sel et le cholestérol dans votre alimentation de manière à mieux gérer la tension artérielle et l'insuffisance cardiaque. Évitez les aliments à haute teneur en potassium comme les bananes, les agrumes et les jus d'agrumes, à moins que vous ne preniez des médicaments comme les diurétiques, qui abaissent les niveaux de potassium.

MODE DE CONSERVATION
Dans un contenant étanche, au frais et au sec.

OUBLI D'UNE DOSE
Prenez-la dès que vous y pensez. S'il est presque l'heure de la suivante, sautez la dose oubliée et revenez à la fréquence normale. Ne doublez pas la dose suivante.

ARRÊT DE LA MÉDICATION
Un sevrage brusque peut causer de graves problèmes de santé. Il faut réduire les doses graduellement selon les directives du médecin.

USAGE PROLONGÉ
Voyez votre médecin régulièrement pour des examens médicaux et des analyses. L'énalapril aide à contrôler l'hypertension mais ne la guérit pas. Il peut s'agir d'un traitement à vie.

▼ PRÉCAUTIONS

Plus de 60 ans. Une plus grande sensibilité au médicament chez certains patients vieillissants peut justifier une posologie réduite.

Conduite automobile, travaux dangereux. À déconseiller tant que vous ne connaissez pas votre réaction au médicament.

Alcool. Il peut intensifier l'effet de l'énalapril et causer une baisse excessive de tension.

Grossesse. L'usage de l'énalapril est déconseillé pendant la grossesse, surtout les 6 derniers mois. Si vous devenez enceinte, avertissez immédiatement votre médecin.

Allaitement. On a trouvé des traces d'énalapril dans le lait maternel, mais on ne connaît pas les effets du médicament sur le nourrisson. Demandez l'avis de votre médecin.

Nourrissons et enfants. Il n'y a pas eu d'étude chez les enfants. Demandez l'avis du pédiatre.

SURDOSAGE
Symptômes. Aucun symptôme n'a été identifié.

Quoi faire. Une surdose d'énalapril est improbable. Si la dose est importante, il vaut mieux contacter votre médecin, un centre antipoison ou un service d'urgence.

▼ INTERACTIONS

MÉDICAMENT-MÉDICAMENT
Demandez l'avis du médecin si vous prenez : diurétique (d'épargne potassique surtout), suppléments de potassium ou médicaments en contenant, lithium, anticoagulants, anti-inflammatoires ou médicaments en vente libre (surtout contre le rhume).

MÉDICAMENT-ALIMENT
Évitez le lait hyposodique et les succédanés du sel : ils ont souvent du potassium.

MÉDICAMENT-MALADIE
Consultez votre médecin en cas de lupus ou d'allergie à un inhibiteur de l'ECA. Utilisez l'énalapril avec prudence si vous souffrez d'une maladie rénale avancée ou d'une sténose (rétrécissement) de l'artère rénale.

EFFETS INDÉSIRABLES

GRAVES
Fièvre et frissons ; gorge irritée ou enrouée ; difficulté soudaine à respirer ou à avaler ; enflure du visage, de la bouche ou des extrémités ; diminution de la fonction rénale (chevilles enflées, miction réduite) ; confusion ; jaunissement du blanc des yeux ou de la peau (signes d'un problème hépatique) ; vives démangeaisons ; douleur dans la poitrine ou palpitations ; douleur abdominale. Les effets indésirables graves sont très rares.

COURANTS
Toux sèche et persistante.

MOINS COURANTS
Étourdissements ou évanouissements ; rash cutané ; engourdissement ou picotement dans les mains, les pieds ou les lèvres ; fatigue inhabituelle ou faiblesse musculaire ; nausées ; somnolence ; perte du goût ; céphalées ; rêves.

ÉNALAPRIL/HYDROCHLOROTHIAZIDE

Présentation : Comprimés
En vente libre ? Non **Générique disponible ?** Non
Classe de médicaments : Inhibiteur de l'enzyme de conversion de l'angiotensine/diurétique

▼ GÉNÉRALITÉS

INDICATIONS
Traitement de l'hypertension ; traitement de l'insuffisance cardiaque congestive ; traitement de la dysfonction du ventricule gauche (dommages dans la chambre de pompage du cœur) ; prévention de la détérioration des reins chez les patients diabétiques en insuffisance rénale légère.

MODE D'ACTION
Les inhibiteurs de l'enzyme de conversion de l'angiotensine (ECA) bloquent l'activité de l'enzyme qui produit l'angiotensine, une substance naturelle qui entraîne la contraction des vaisseaux sanguins et stimule la production d'aldostérone pour retenir le sodium dans les tissus. Les inhibiteurs de l'ECA détendent donc les vaisseaux sanguins, les élargissent et réduisent la rétention sodique, ce qui a pour effet d'abaisser la tension artérielle et d'alléger le travail du cœur. L'hydrochlorothiazide, un diurétique, augmente l'excrétion de sodium et d'eau dans l'urine. En réduisant le volume total de liquides dans le corps, les diurétiques réduisent le volume du sang et donc la tension artérielle.

▼ MODE D'EMPLOI

POSOLOGIE
Adultes : 1 à 2 comprimés par jour contenant chacun 10 mg d'énalapril et 25 mg d'hydrochlorothiazide.

DÉBUT D'ACTION
En moins de 1 heure.

DURÉE D'ACTION
24 heures.

CONSEILS NUTRITIONNELS
Se prend avec ou sans nourriture. Suivez les conseils du médecin pour réduire le sel et le cholestérol dans votre alimentation afin de mieux gérer la tension artérielle et l'insuffisance cardiaque.

MODE DE CONSERVATION
Dans un contenant étanche, à l'abri de la chaleur et de la lumière.

OUBLI D'UNE DOSE
Prenez-la dès que vous y pensez. S'il est presque l'heure de la suivante, sautez la dose oubliée et revenez à la fréquence normale. Ne doublez pas la dose suivante.

ARRÊT DE LA MÉDICATION
Un sevrage brusque peut causer de graves problèmes de santé. Il faut réduire les doses graduellement en suivant les directives du médecin.

USAGE PROLONGÉ
Il peut s'agir d'un traitement à vie. Consultez votre médecin régulièrement pour subir des examens et des analyses.

▼ PRÉCAUTIONS

Plus de 60 ans. Risque de réactions indésirables plus fréquentes et plus graves.

Conduite automobile, travaux dangereux. À déconseiller tant que vous ne connaissez pas votre réaction au médicament.

Alcool. L'alcool peut intensifier l'effet du médicament et causer une baisse excessive de tension.

Grossesse. Pendant les six derniers mois de la grossesse, l'énalapril peut causer de graves malformations ou la mort du fœtus.

Allaitement. L'énalapril peut passer dans le lait maternel ; soyez prudente. Demandez l'avis de votre médecin.

Nourrissons et enfants. Il n'y a pas eu d'étude chez les enfants. Consultez le pédiatre.

SURDOSAGE
Symptômes. Il n'y a pas eu de cas de surdosage. Étourdissements, évanouissements ou confusion pourraient en être des symptômes.

Quoi faire. Une surdose est improbable, mais si la dose a été largement dépassée, communiquez avec votre médecin ou un centre antipoison, ou présentez-vous à l'urgence.

▼ INTERACTIONS

MÉDICAMENT-MÉDICAMENT
Demandez l'avis du médecin si vous prenez : AINS, insuline, cholestyramine, colestipol, digitaliques, lithium, suppléments de potassium ou médicaments en contenant, et médicaments en vente libre, surtout contre le rhume.

MÉDICAMENT-ALIMENT
Évitez le lait hyposodique et les succédanés du sel car ils ont souvent du potassium.

MÉDICAMENT-MALADIE
Consultez votre médecin en cas de : lupus, allergie à un inhibiteur de l'ECA. Soyez prudent avec l'énalapril en cas de maladie rénale avancée ou d'une sténose (rétrécissement) de l'artère rénale.

EFFETS INDÉSIRABLES

GRAVES
Fièvre et frissons ; gorge irritée ou enrouée ; difficulté soudaine à respirer ou à avaler ; enflure du visage, de la bouche ou des extrémités ; diminution de la fonction rénale (chevilles enflées, miction réduite) ; confusion ; jaunissement du blanc des yeux ou de la peau (signes d'un problème hépatique) ; vives démangeaisons ; douleur thoracique ou palpitations ; douleur abdominale.

COURANTS
Toux sèche et persistante.

MOINS COURANTS
Étourdissements ou évanouissements ; rash cutané ; engourdissement ou picotement dans les mains, les pieds ou les lèvres ; phénomène de Raynaud (mains qui virent du blanc au bleu et au rouge par temps froids) ; fatigue ou faiblesse musculaire inhabituelles ; nausées ; somnolence ; perte du goût ; céphalées ; rêves étranges.

ÉNOXAPARINE SODIQUE INJECTABLE

Présentation : Injection
En vente libre ? Non **Générique disponible ?** Non
Classe de médicaments : Anticoagulant

▼ GÉNÉRALITÉS

INDICATIONS
Prévention des caillots de sang dans les jambes après une chirurgie orthopédique de la hanche ou du genou ou dans des circonstances où des caillots sanguins pourraient causer des problèmes.

MODE D'ACTION
L'énoxaparine se lie à certains éléments chimiques naturellement présents dans l'organisme qui ont une action anticoagulante ; en outre, elle diminue l'activité d'éléments chimiques impliqués dans la coagulation du sang. Cette double action réduit la rapidité avec laquelle le sang se coagule et par voie de conséquence empêche la formation de caillots.

▼ MODE D'EMPLOI

POSOLOGIE
Dosage et durée dépendent de l'objectif du traitement. Le médicament doit être administré par voie sous-cutanée seulement et non par voies intramusculaire ou intra-veineuse. Pour empêcher la formation de caillots sanguins après une chirurgie : 30 à 40 mg aux 12 à 24 heures pendant 7 à 14 jours en alternant côté droit et côté gauche. Ne massez pas le point d'injection, mais surveillez les signes d'ecchymoses ou de saignements aux points d'injection.

DÉBUT D'ACTION
En 30 minutes à 3 heures.

DURÉE D'ACTION
Jusqu'à 24 heures.

CONSEILS NUTRITIONNELS
Les injections peuvent être administrées en tout temps sans tenir compte du régime alimentaire ni de l'heure des repas.

MODE DE CONSERVATION
Dans un contenant étanche, à l'abri de la chaleur et de la lumière. Réfrigérez mais ne congelez pas.

OUBLI D'UNE DOSE
Prenez-la dès que vous y pensez. S'il est presque l'heure de la suivante, sautez la dose oubliée et reprenez la fréquence normale. Ne doublez pas la dose suivante.

ARRÊT DE LA MÉDICATION
Cette décision doit être prise par le médecin.

USAGE PROLONGÉ
L'énoxaparine ne s'emploie que durant la période recommandée par le médecin.

▼ PRÉCAUTIONS

Plus de 60 ans. Risque accru de saignements durant le traitement.

Conduite automobile, travaux dangereux. À déconseiller tant que vous ne connaissez pas vos réactions au médicament.

Alcool. À éviter durant le traitement à l'énoxaparine.

Grossesse. L'énoxaparine ne semble pas traverser la barrière placentaire. Les études sur les animaux n'ont révélé aucune anomalie congénitale. Il n'existe pas d'études sur les êtres humains.

Allaitement. On ne sait pas si l'énoxaparine passe dans le lait maternel. La prudence est de mise. Demandez spécifiquement l'avis du médecin.

Nourrissons et enfants. On n'a pas de renseignement sur l'innocuité et l'efficacité du médicament pour les nourrissons et les enfants. Demandez spécifiquement l'avis du médecin.

À surveiller. Déposez les seringues usagées dans un contenant qui ne peut se percer ou suivez les instructions du médecin pour vous en défaire. Avisez médecins et dentistes que vous prenez de l'énoxaparine. Si vous avez accouché récemment, si vous avez subi des blessures à la tête ou au corps ou une intervention chirurgicale, même dentaire, avertissez-en le médecin avant le traitement. Si vous êtes allergique au porc, aux agents de conservation ou aux teintures, ou à un médicament appelé héparine, dites-le au médecin.

SURDOSAGE
Symptômes. Complications hémorragiques (comme des saignements incontrôlés).

Quoi faire. Cessez de prendre le médicament ; appelez le médecin ou allez à l'urgence.

▼ INTERACTIONS

MÉDICAMENT-MÉDICAMENT
Consultez le médecin si vous prenez l'un des médicaments suivants : AAS ou tout autre salicylate ; anti-inflammatoires ou analgésiques ; antiagrégants plaquettaires tels que famotidine, sulfinpyrazone, ticlopidine, acide valproïque, anagrélide ou tout autre anticoagulant.

MÉDICAMENT-ALIMENT
Pas d'interaction connue.

MÉDICAMENT-MALADIE
L'énoxaparine exige la prudence. Avertissez le médecin si vous souffrez de : maladie du sang, maladie du cœur, hypertension, maladie des reins, maladie du foie, infection cardiaque ou ulcère.

 EFFETS INDÉSIRABLES

GRAVES
Extrême lassitude ; saignements anormaux ; saignement des gencives ; ecchymoses sur les bras ou les jambes ; petits points pourpres ou rouges sur la peau ; saignements de nez ; selles noires, goudronneuses ; urine sanguinolente ; vomissements de sang.

COURANTS
Ecchymoses au point d'injection.

MOINS COURANTS
Nausées, fièvre, saignements menstruels accrus, confusion, enflure, douleur ou rougeur au point d'injection.

ÉPHÉDRINE

Présentation : Comprimés, injection
En vente libre ? Oui **Générique disponible ?** Oui
Classe de médicaments : Décongestionnant

▼ GÉNÉRALITÉS

INDICATIONS
Pour réduire la congestion nasale et respiratoire et supprimer les symptômes des réactions allergiques. L'éphédrine est couramment associée à d'autres médicaments.

MODE D'ACTION
L'éphédrine est un médicament adrénergique semblable à l'épinéphrine, mais moins puissant. Il détend le muscle lisse entourant les ramifications bronchiques, ce qui dilate les voies aériennes, et il contracte les vaisseaux sanguins du nez, ce qui aide à ouvrir les voies nasales.

▼ MODE D'EMPLOI

POSOLOGIE
Comprimés – Adultes : 15 à 30 mg par jour, ou selon l'ordonnance du médecin, sans dépasser 150 mg par jour. Injection – Selon l'ordonnance du médecin.

DÉBUT D'ACTION
Comprimés : en 15 à 60 minutes. Injection : en 10 à 20 minutes.

DURÉE D'ACTION
Comprimés : 3 à 5 heures. Injection : 30 minutes à 1 heure après une dose de 25 à 50 mg.

CONSEILS NUTRITIONNELS
Avalez les comprimés d'éphédrine avec de l'eau et buvez beaucoup.

MODE DE CONSERVATION
Dans un contenant étanche, à l'abri de l'humidité, de la chaleur et de la lumière. Gardez les injections au réfrigérateur, mais ne les faites pas congeler. N'utilisez pas une injection si le liquide est brouillé.

OUBLI D'UNE DOSE
Prenez-la si vous y pensez dans les 2 heures. Sinon, sautez la dose oubliée et reprenez la fréquence normale. Ne doublez pas la dose suivante.

ARRÊT DE LA MÉDICATION
Vous pouvez arrêter le traitement de votre propre chef.

USAGE PROLONGÉ
Le médicament peut perdre son efficacité si vous le prenez de façon suivie durant 3 ou 4 jours. Les hommes souffrant d'hypertrophie de la prostate peuvent avoir de la difficulté à uriner.

▼ PRÉCAUTIONS

Plus de 60 ans. Risques d'effets indésirables plus fréquents et plus graves. Il peut y avoir lieu de prendre de petites doses jusqu'à ce que vous connaissiez votre réponse au médicament.

Conduite automobile, travaux dangereux. À déconseiller tant que vous ne connaissez pas vos réactions au médicament. L'éphédrine peut vous donner des étourdissements.

Alcool. Pas de précautions spéciales.

Grossesse. Consultez le médecin ; les bienfaits du médicament doivent être manifestement supérieurs à ses dangers.

Allaitement. L'éphédrine passe dans le lait maternel et peut être néfaste pour le nourrisson ; n'en prenez pas pendant que vous allaitez.

Nourrissons et enfants. Faites preuve de prudence. Demandez au médecin si les bienfaits du médicament justifient les risques qu'il fait courir à l'enfant.

À surveiller. L'éphédrine peut causer de l'insomnie. Prenez la dernière dose au moins 2 heures avant le coucher. Avant de prendre le médicament, avisez le médecin si vous devez subir une chirurgie avec anesthésie générale, y compris une chirurgie dentaire, dans les 2 mois.

SURDOSAGE
Symptômes. Anxiété marquée, convulsions, difficultés à respirer, coma, confusion, délire, pouls rapide et irrégulier, tremblements musculaires.

Quoi faire. Appelez immédiatement le médecin ou le centre antipoison, ou allez à l'urgence.

▼ INTERACTIONS

MÉDICAMENT-MÉDICAMENT
Demandez l'avis du médecin si vous prenez : antidépresseurs tricycliques, antihypertenseurs, bêtabloquants, dextrothyroxine, digitaliques, préparations à l'ergot de seigle, médicaments pour le cœur, méthyldopa, inhibiteurs de la monoamine-oxydase (IMAO), nitrates, phénothiazines, pseudoéphédrine, sympathomimétiques, térazosine, théophylline, ainsi que tout médicament vendu sans ordonnance pour la toux, le rhume, l'allergie ou l'asthme.

MÉDICAMENT-ALIMENT
Pas d'interaction connue.

MÉDICAMENT-MALADIE
L'éphédrine exige qu'on soit prudent. Consultez votre médecin si vous souffrez de : hypertrophie de la prostate, hypertension, antécédents de convulsions, diabète, maladie de Parkinson ou hyperthyroïdie.

 EFFETS INDÉSIRABLES

GRAVES
Arythmie cardiaque, hallucinations (avec des doses fortes), essoufflement.

COURANTS
Nervosité, tachycardie, pâleur, insomnie.

MOINS COURANTS
Étourdissements, perte d'appétit, nausées, vomissements, crampes musculaires, céphalées, mictions difficiles ou douloureuses.

ÉPINÉPHRINE

NOMS COMMERCIAUX

Adrenalin, Epifrin, Epinephrine HCl, Epipen, Vaponefrin

Présentation : Solutions pour inhalation, injection, gouttes ophtalmiques
En vente libre ? Oui   **Générique disponible ?** Oui
Classe de médicaments : Bronchodilatateur/sympathomimétique ; antiglaucomateux

▼ GÉNÉRALITÉS

INDICATIONS
Traitement de l'asthme bronchique, de l'emphysème et d'autres maladies pulmonaires. L'épinéphrine est aussi utilisée dans le traitement d'urgence des réactions anaphylactiques (hypersensibilité) à des médicaments ou à d'autres substances ; on s'en sert également pour soulager la congestion nasale, prolonger l'action des infiltrations anesthésiques et traiter les arrêts cardiaques. La forme ophtalmique du médicament sert à traiter le glaucome.

MODE D'ACTION
En détendant les muscles lisses qui entourent les bronchioles, l'épinéphrine dilate les voies aériennes des poumons. Elle augmente la pression artérielle en exerçant un effet constricteur sur les petits vaisseaux sanguins ; elle accroît la fréquence cardiaque et la force de contraction du cœur et diminue la tension intraoculaire.

▼ MODE D'EMPLOI

POSOLOGIE
S'emploie au besoin pour soulager les difficultés respiratoires. Adultes et enfants de 4 ans et plus souffrant d'asthme − Solution pour inhalation : 10 à 15 gouttes dans le nébuliseur. Prenez 2 ou 3 inhalations. On peut répéter le traitement après 5 minutes ; attendre 4 heures avant de recommencer. Injection : seringue préremplie. Suivez les directives du médecin. Glaucome à angle ouvert − 1 ou 2 gouttes de solution à 1 % ou 2 %, 1 ou 2 fois par jour.

DÉBUT D'ACTION
Inhalation : en 5 minutes.
Injection : en 1 à 5 minutes.

DURÉE D'ACTION
Inhalation : 1 à 4 heures.
Injection : 1 à 4 heures.

CONSEILS NUTRITIONNELS
Pas de restrictions spéciales.

MODE DE CONSERVATION
Dans un contenant étanche, à l'abri de la chaleur, de l'humidité et de la lumière. La solution doit servir dans les 30 minutes après sa dilution.

OUBLI D'UNE DOSE
Prenez-la dès que vous y pensez. Si vous êtes à moins de 2 heures de la suivante, sautez la dose oubliée et reprenez la fréquence normale. Ne doublez pas la dose suivante.

ARRÊT DE LA MÉDICATION
Effectuez le traitement exactement comme on vous l'a prescrit. Communiquez avec le médecin si vous ne répondez pas à la posologie qui vous a été donnée.

USAGE PROLONGÉ
L'usage prolongé peut causer une tolérance à l'épinéphrine.

▼ PRÉCAUTIONS

Plus de 60 ans. Risques de réactions indésirables plus fréquentes et plus graves.

Conduite automobile, travaux dangereux. À déconseiller tant que vous ne connaissez pas votre réaction au médicament.

Alcool. Il peut augmenter l'excrétion de l'épinéphrine dans l'urine.

Grossesse. Les bienfaits du médicament doivent être supérieurs à ses dangers potentiels ; demandez conseil à votre médecin.

Allaitement. L'épinéphrine passe dans le lait maternel. Demandez spécifiquement l'avis du médecin.

Nourrissons et enfants. Ils peuvent être très sensibles à l'épinéphrine : on a signalé des évanouissements chez des enfants asthmatiques.

À surveiller. N'employez pas ce médicament sans l'avis de votre médecin. Prenez les doses pour inhalation selon les instructions : un usage abusif a entraîné la mort subite. Gardez l'injection prête à servir. Si vous l'utilisez contre une réaction allergique grave, allez à l'urgence même si vous vous sentez mieux.

SURDOSAGE
Symptômes. Malaise thoracique, frissons ou fièvre, convulsions, vertiges, arythmies cardiaques, difficultés respiratoires.

Quoi faire. Appelez aussitôt le médecin ou le centre antipoison, ou allez à l'urgence.

▼ INTERACTIONS

MÉDICAMENT-MÉDICAMENT
Demandez l'avis du médecin si vous prenez : anesthésiants, antidépresseurs tricycliques, antidiabétiques, antihypertenseurs ou diurétiques, bêtabloquants, digoxine, mésylates d'ergoloïdes, maprotiline, ergotamine ou inhibiteurs de la monoamine-oxydase (IMAO).

MÉDICAMENT-ALIMENT
Évitez les aliments qui ont déclenché une réaction allergique ou une crise d'asthme.

MÉDICAMENT-MALADIE
Les bienfaits du médicament doivent être évalués en fonction de ses risques si vous avez les troubles suivants : lésions organiques au cerveau, diabète sucré, maladie de Parkinson, maladie du cœur ou des vaisseaux sanguins, hyperthyroïdie.

EFFETS INDÉSIRABLES

GRAVES
Bleuissement de la peau, vertiges graves, rougeur du visage et difficulté à respirer peuvent être causés par une allergie aux sulfites dans le médicament. Allez à l'urgence.

COURANTS
Sécheresse de la bouche et de la gorge, tremblements, palpitations, céphalées.

MOINS COURANTS
Douleur oculaire ou céphalées : gouttes ophtalmiques.

ÉPOÉTINE ALFA

Présentation : Injection
En vente libre ? Non   **Générique disponible ?** Non
Classe de médicaments : Agent antianémique

▼ GÉNÉRALITÉS

INDICATIONS
Traitement de l'anémie grave causée par une déficience de la production d'érythropoïétine (hormone qui incite la moelle osseuse à produire des globules rouges) chez les insuffisants rénaux chroniques, les cancéreux en cours de chimiothérapie et les patients infectés par le VIH et traités à la zidovudine. On l'utilise chez certains patients qui vont subir une chirurgie pour réduire les besoins transfusionnels.

MODE D'ACTION
L'époétine alfa stimule la production de globules rouges dans la moelle osseuse en remplacement de l'érythropoïétine, hormone qui est en manque chez les patients souffrant d'insuffisance rénale, ou chez les patients atteints de certaines maladies, ou prenant des médicaments qui suppriment la production naturelle d'érythropoïétine.

▼ MODE D'EMPLOI

POSOLOGIE
Elle varie beaucoup suivant la nature du traitement. Le médicament est administré par injection sous-cutanée plusieurs fois par semaine. Le patient peut se l'administrer lui-même.

DÉBUT D'ACTION
En 2 à 6 semaines.

DURÉE D'ACTION
En présence d'une production déficiente d'érythropoïétine, le médicament doit être administré au moins plusieurs fois par semaine pour maintenir son effet.

CONSEILS NUTRITIONNELS
Les patients peuvent avoir besoin de suppléments de fer, mais ne doivent en prendre que sur l'avis du médecin ; d'autres vitamines peuvent aussi être recommandées pour stimuler la production de globules rouges. Les patients en insuffisance rénale ou hypertendus sont souvent soumis à des restrictions alimentaires faisant naître le besoin de suppléments vitaminiques.

MODE DE CONSERVATION
Se garde au réfrigérateur, mais ne pas faire congeler.

OUBLI D'UNE DOSE
Prenez-la dès que vous y pensez. S'il est presque l'heure de la suivante, sautez la dose oubliée et reprenez la fréquence normale. Ne doublez pas la dose suivante.

ARRÊT DE LA MÉDICATION
Effectuez le traitement au complet selon les directives du médecin.

USAGE PROLONGÉ
Respectez la posologie du médecin, mais aussi le calendrier des dialyses, analyses sanguines et tests de la tension artérielle qu'il vous recommande. Si vous effectuez vos propres dialyses et si vous vous administrez vous-même l'époétine alfa, suivez scrupuleusement les instructions du médecin et signalez-lui tout changement qui se produirait en dehors des directives qu'il vous a données.

▼ PRÉCAUTIONS

Plus de 60 ans. Risques de réactions indésirables plus fréquentes et plus graves.

Conduite automobile, travaux dangereux. À déconseiller durant les 90 premiers jours du traitement quand le risque de convulsions est très élevé.

Alcool. Pas de précautions spéciales.

Grossesse. Évaluez avec le médecin les bienfaits du traitement par rapport aux dangers pour le fœtus.

Allaitement. L'époétine alfa peut passer dans le lait maternel : la prudence s'impose. Demandez l'avis du médecin.

Nourrissons et enfants. Innocuité et efficacité non établies.

À surveiller. Respectez les conseils alimentaires du médecin et le calendrier des dialyses, même si vous vous sentez mieux pendant le traitement. Le médicament corrige l'anémie, mais ne guérit pas l'insuffisance rénale ni les autres troubles médicaux.

SURDOSAGE
Symptômes. Céphalées, faiblesse, rougeur du visage, vertiges, convulsions, douleur thoracique.

Quoi faire. Appelez aussitôt le médecin ou le centre anti-poison, ou allez à l'urgence.

▼ INTERACTIONS

MÉDICAMENT-MÉDICAMENT
Aucune interaction connue.

MÉDICAMENT-ALIMENT
Aucune interaction connue.

MÉDICAMENT-MALADIE
L'hypertension doit être corrigée avant le traitement. Avisez le médecin en cas de : antécédents de troubles de la coagulation sanguine, maladie du cœur ou des vaisseaux sanguins, troubles du sang comme drépanocytose ou troubles osseux.

 EFFETS INDÉSIRABLES

GRAVES
Douleur thoracique, convulsions, essoufflement, tachycardie, céphalées, enflure du visage, des mains et des pieds, troubles de la vue, gain de poids inexpliqué : tous symptômes causés par une hausse inappropriée des globules rouges. Demandez immédiatement de l'aide médicale.

COURANTS
Syndrome simili-grippal, douleur osseuse, brûlure au point d'injection, fatigue. Ces symptômes se manifestent en début de traitement, mais diminuent généralement à mesure que l'organisme s'habitue au médicament. Avisez le médecin s'ils persistent ou nuisent à vos activités.

MOINS COURANTS
Rash cutané, urticaire.

ERGOLOÏDES (MÉSYLATES D')

Présentation : Comprimés
En vente libre ? Non **Générique disponible ?** Non
Classe de médicaments : Agent psychothérapeutique

▼ GÉNÉRALITÉS

INDICATIONS
Traitement de l'altération des facultés cognitives dans la démence (dégradation progressive des fonctions mentales).

MODE D'ACTION
Le mécanisme d'action des mésylates d'ergoloïdes n'a pas encore été élucidé.

▼ MODE D'EMPLOI

POSOLOGIE
1 mg, 3 ou 4 fois par jour.

DÉBUT D'ACTION
Inconnu.

DURÉE D'ACTION
Inconnue.

CONSEILS NUTRITIONNELS
Pas de restrictions spéciales.

MODE DE CONSERVATION
Dans un contenant étanche, à l'abri de la chaleur, de l'humidité et de la lumière.

OUBLI D'UNE DOSE
Prenez-la dès que vous y pensez. S'il est presque l'heure de la suivante, sautez la dose oubliée et reprenez la fréquence normale. Ne doublez pas la dose suivante.

ARRÊT DE LA MÉDICATION
La décision d'arrêter de prendre des mésylates d'ergoloïdes doit être prise en consultation avec votre médecin.

USAGE PROLONGÉ
Un suivi médical est nécessaire pour déterminer si, oui ou non, les mésylates d'ergoloïdes vous apportent des bienfaits thérapeutiques dès le début et de façon soutenue ; l'efficacité du médicament peut ne pas apparaître avant plusieurs semaines et même plusieurs mois.

▼ PRÉCAUTIONS

Plus de 60 ans. Pas de précautions spéciales.

Conduite automobile, travaux dangereux. À déconseiller tant que vous ne connaissez pas votre réaction au médicament.

Alcool. À éviter. Sachez que certains médicaments en vente libre contre la toux, le rhume et les allergies renferment de l'alcool ; vérifiez avec soin la liste de leurs ingrédients.

Grossesse. Le médicament est surtout utilisé par les patients âgés. Il n'existe pas d'études sur l'administration de mésylates d'ergoloïdes durant la grossesse.

Allaitement. Il n'existe pas d'études sur l'administration de mésylates d'ergoloïdes aux femmes qui allaitent.

Nourrissons et enfants. On ne prescrit pas de mésylates d'ergoloïdes aux enfants.

À surveiller. Les bienfaits thérapeutiques des mésylates d'ergoloïdes dans le traitement de la démence ne font pas l'unanimité. Le médicament doit faire partie d'un programme thérapeutique complet comprenant des soins psychosociaux de soutien.

SURDOSAGE
Symptômes. Céphalées, vision embrouillée, étourdissements, évanouissement, nausées ou vomissements, crampes d'estomac, bouffées congestives, congestion nasale.

Quoi faire. Appelez immédiatement le médecin ou le centre antipoison, ou allez à l'urgence.

▼ INTERACTIONS

MÉDICAMENT-MÉDICAMENT
Certains médicaments peuvent causer des interactions avec les mésylates d'ergoloïdes. Demandez l'avis du médecin si vous prenez tout autre médicament vendu avec ou sans ordonnance.

MÉDICAMENT-ALIMENT
Pas d'interaction connue.

MÉDICAMENT-MALADIE
On doit évaluer les bienfaits du médicament en regard des risques qu'il peut faire courir aux patients affligés des troubles suivants : bradycardie (battements de cœur lents), hypotension ou maladie du foie. Les mésylates d'ergoloïdes ne sont pas prescrits dans le traitement des psychoses aiguës ou chroniques.

EFFETS INDÉSIRABLES

GRAVES
Aucun effet indésirable grave n'est associé aux doses recommandées de mésylates d'ergoloïdes.

COURANTS
Il n'y a pas d'effets indésirables courants.

MOINS COURANTS
Aux doses recommandées, les effets secondaires sont généralement rares et ils régressent avec l'arrêt du traitement. Communiquez avec le médecin si les symptômes suivants se manifestent : somnolence, battements de cœur lents, vertiges ou étourdissements quand on se lève après avoir été assis ou couché (hypotension orthostatique), rash cutané, douleur d'estomac, sensibilité des yeux à la lumière du soleil, lésions sous la langue (à cause des comprimés sublinguaux) qui ne guérissent pas.

ERGOTAMINE/BELLADONE (ALCALOÏDES DE LA)/ PHÉNOBARBITAL

Présentation : Comprimés à libération lente
En vente libre ? Non   **Générique disponible ?** Non
Classe de médicaments : Anticholinergique/antispasmodique/sédatif

▼ GÉNÉRALITÉS

INDICATIONS
Soulagement des symptômes de la ménopause – bouffées de chaleur, transpiration, agitation motrice et insomnie – qui apparaissent souvent chez les femmes inaptes à recevoir une hormonothérapie de substitution.

MODE D'ACTION
On croit que les symptômes ci-dessus seraient causés en partie par une suractivité du système nerveux autonome qui régit les fonctions involontaires de l'organisme comme les battements de cœur, la transpiration et la digestion. L'association d'ergotamine, d'alcaloïdes de la belladone et de phénobarbital aide à équilibrer et à calmer ce système, atténuant ainsi divers symptômes indésirables.

▼ MODE D'EMPLOI

POSOLOGIE
Adultes : 1 comprimé, matin et soir.

DÉBUT D'ACTION
Inconnu.

DURÉE D'ACTION
Inconnue.

CONSEILS NUTRITIONNELS
Pas de restrictions spéciales.

MODE DE CONSERVATION
Dans un contenant étanche, à l'abri de la chaleur, de l'humidité et de la lumière.

OUBLI D'UNE DOSE
Sautez la dose oubliée et reprenez la fréquence normale. Ne doublez pas la dose suivante.

ARRÊT DE LA MÉDICATION
La décision de mettre fin au traitement doit être prise par votre médecin. Réduisez graduellement les doses selon les instructions du médecin pour diminuer les risques de symptômes de sevrage.

USAGE PROLONGÉ
L'usage prolongé à fortes doses peut entraîner de la dépendance physique à cause de la présence du phénobarbital, un barbiturique, et peut augmenter les risques de troubles de la circulation sanguine.

▼ PRÉCAUTIONS

Plus de 60 ans. Risque de réactions indésirables plus fréquentes et plus graves.

Conduite automobile, travaux dangereux. À déconseiller tant que vous ne connaissez pas votre réaction au médicament.

Alcool. À éviter.

Grossesse. À ne pas prendre. Consultez votre médecin si vous devenez enceinte ou souhaitez le devenir.

Allaitement. Le médicament passe dans le lait maternel ; cessez d'en prendre pendant que vous allaitez.

Nourrissons et enfants. Non recommandé aux enfants. Réactions indésirables plus fréquentes et plus graves.

À surveiller. Cessez de fumer : le tabac peut augmenter le risque d'effets indésirables liés à des troubles circulatoires. Habillez-vous chaudement si vous avez des problèmes de circulation sanguine (très fréquents chez les personnes âgées).

SURDOSAGE
Symptômes. Convulsions, diarrhée grave, nausées, vomissements, gonflement douloureux de l'estomac, vertiges graves, somnolence ou faiblesse, battements cardiaques rapides ou lents, essoufflement, excitation anormale.

Quoi faire. Allez immédiatement à l'urgence.

▼ INTERACTIONS

MÉDICATION-MÉDICATION
Ne prenez pas ce médicament si vous prenez du naratriptan, du sumatriptan ou du zolmitriptan. Demandez l'avis du médecin si vous prenez : antiacides, anticoagulants, anticholinergiques, carbamazépine, dépresseurs du système nerveux central, antidiarrhéiques, digitaliques, kétoconazole, inhibiteurs de la monoamine-oxydase (IMAO), autres médicaments renfermant de l'ergot de seigle, contraceptifs oraux, chlorure de potassium, antidépresseurs tricycliques.

MÉDICAMENT-ALIMENT
Pas d'interaction connue.

MÉDICAMENT-MALADIE
Consultez le médecin si vous souffrez de : maladie pulmonaire chronique comme l'asthme ou l'emphysème, difficultés à uriner, blocage des voies urinaires, syndrome de Down, hypertrophie de la prostate, maladie du cœur, des reins ou du foie, maladie des vaisseaux sanguins ou chirurgie récente sur les vaisseaux sanguins, hypertension marquée, infection, troubles intestinaux, hyperthyroïdie, porphyrie, glaucome, sécheresse grave de la bouche, démangeaisons importantes.

 EFFETS INDÉSIRABLES

GRAVES
Anxiété grave ou confusion ; altération de la vue ; douleur thoracique ; mains et pieds pâles, froids, bleuâtres ; douleur dans les bras, les jambes ou le bas du dos ; ampoules rouges sur les mains ou les pieds ; gangrène.

COURANTS
Constipation ; enflure du visage, des doigts, des pieds et du bas des jambes ; sudation diminuée ; étourdissements, vertiges ; somnolence ; bouche, gorge, peau ou nez secs.

MOINS COURANTS
Vision embrouillée ; sensibilité accrue des yeux à la lumière vive ; diarrhée, nausées ou vomissements ; mictions difficiles ; excitation anormale ; perte de mémoire.

ERGOTAMINE (TARTRATE D')/CAFÉINE

Présentation : Comprimés, suppositoires
En vente libre ? Non   **Générique disponible ?** Non
Classe de médicaments : Antimigraineux

▼ GÉNÉRALITÉS

INDICATIONS
Traitement des crises aiguës de migraine avec ou sans aura.

MODE D'ACTION
L'ergotamine contracte les vaisseaux sanguins qui irriguent le cerveau. La caféine facilite l'absorption de l'ergotamine et permet ainsi au médicament d'avoir un effet plus marqué et plus rapide.

▼ MODE D'EMPLOI

POSOLOGIE
Adultes – Comprimés : 2 ou 3 comprimés pris au tout début d'une crise, suivis de 1 comprimé aux demi-heures, au besoin. Ne pas dépasser 6 comprimés par crise et par jour ou 10 comprimés par semaine. Suppositoires : 1 suppositoire au début d'une crise, suivi de 1 suppositoire 1 heure plus tard, au besoin. Ne pas dépasser 3 suppositoires par crise et par jour ou 5 suppositoires par semaine. Enfants de 6 à 12 ans – Comprimés : 1 comprimé au début d'une crise ; 2 autres doses de 1 comprimé chacune, au besoin. Ne pas dépasser 3 comprimés par crise et par jour ou 5 comprimés par semaine. Suppositoires : ½ suppositoire comme dose initiale. Posologie maximale par jour ou par crise : 1½ suppositoire ; posologie maximale hebdomadaire : 2½ suppositoires.

DÉBUT D'ACTION
Variable, mais généralement en 1 ou 2 heures.

DURÉE D'ACTION
Inconnue.

CONSEILS NUTRITIONNELS
Rien à signaler.

MODE DE CONSERVATION
Dans un contenant étanche, à l'abri de la chaleur, de l'humidité et de la lumière.

OUBLI D'UNE DOSE
Sans objet ; se prend seulement en cas de crises graves de migraine.

ARRÊT DE LA MÉDICATION
Des migraines de rebond peuvent se produire lorsqu'on arrête de prendre le médicament. Pour atténuer ce risque, n'en prenez pas deux jours de suite. Quand vous avez pris la dose maximale quotidienne, laissez passer au moins 4 jours avant de prendre une autre dose.

USAGE PROLONGÉ
Un usage prolongé peut augmenter le risque de troubles vasculaires. Signalez au médecin tout picotement dans les doigts et les orteils. Le recours régulier à cette association médicamenteuse peut augmenter la fréquence des migraines.

▼ PRÉCAUTIONS

Plus de 60 ans. Risques de réactions indésirables plus fréquentes et plus graves.

Conduite automobile, travaux dangereux. À déconseiller tant que vous ne connaissez pas votre réaction au médicament.

Alcool. À éviter : l'alcool peut déclencher une migraine.

Grossesse. Ne pas prendre cette association médicamenteuse durant la grossesse. Consultez le médecin si vous êtes enceinte ou voulez le devenir.

Allaitement. Cette association médicamenteuse passe dans le lait maternel ; n'en prenez pas pendant que vous allaitez.

Nourrissons et enfants. Consultez le médecin.

À surveiller. Évitez de fumer pour ne pas risquer d'aggraver les effets secondaires liés à une mauvaise circulation du sang. Cette association médicamenteuse ne devrait pas servir à prévenir une migraine.

SURDOSAGE
Symptômes. Nausées, vomissements, diarrhée, douleur gastrique, picotements dans les doigts et les orteils, peau froide et pâle, vertiges, somnolence, faiblesse, fréquence cardiaque rapide ou lente, convulsions.

Quoi faire. Appelez immédiatement le médecin ou allez à l'urgence.

▼ INTERACTIONS

MÉDICAMENT-MÉDICAMENT
Consultez le médecin si vous prenez : sumatriptan, naratriptan ou zolmitriptan ; propranolol ; autres médicaments dérivés de l'ergot de seigle ; antibiotiques macrolides comme l'érythromycine.

MÉDICAMENT-ALIMENT
Aucune interaction connue.

MÉDICAMENT-MALADIE
Consultez le médecin en cas de : maladie du cœur, du foie, du rein, des vaisseaux sanguins ou de l'intestin ; hypertension grave.

 EFFETS INDÉSIRABLES

GRAVES
Vision brouillée ; céphalées ; douleur thoracique ; douleur dans les bras, les jambes ou le bas du dos ; mains ou pieds pâles, froids ou bleuâtres.

COURANTS
Nausées et vomissements (non liés à la migraine) ; vertiges ou étourdissements.

MOINS COURANTS
Sensation passagère de brûlure, de picotement, de douleur ou de faiblesse dans les mains et les pieds.

ÉRYTHROMYCINE OPHTALMIQUE

Présentation : Onguent ophtalmique
En vente libre ? Non   **Générique disponible ?** Oui
Classe de médicaments : Antibiotique

▼ GÉNÉRALITÉS

INDICATIONS
Traitement des infections de l'œil ; traitement de l'inflammation du bord des paupières (blépharite) ; prévention de certaines infections de l'œil chez le nouveau-né (conjonctivite néonatale et conjonctivite gonococcique).

MODE D'ACTION
L'érythromycine détruit les bactéries en interférant avec leur matériel génétique, ce qui les empêche de se multiplier.

▼ MODE D'EMPLOI

POSOLOGIE
Adultes et enfants – Infections de l'œil : appliquez de l'onguent sur l'œil infecté jusqu'à 6 fois par jour, selon l'ordonnance du médecin. Blépharite : appliquez l'onguent 1 fois par jour au coucher après avoir bien nettoyé la paupière selon les recommandations du médecin. Prévention des infections ophtalmiques chez le nouveau-né : appliquez l'onguent 1 fois, peu après la naissance.

DÉBUT D'ACTION
Inconnu.

DURÉE D'ACTION
Inconnue.

CONSEILS NUTRITIONNELS
Aucune recommandation spéciale.

MODE DE CONSERVATION
Dans un contenant étanche, à l'abri de la chaleur, de l'humidité et de la lumière. Ne pas faire congeler.

OUBLI D'UNE DOSE
Faites une application dès que vous y pensez. S'il est presque l'heure de la dose suivante, sautez la dose oubliée et reprenez la fréquence normale. Ne doublez pas la dose suivante.

ARRÊT DE LA MÉDICATION
Effectuez le traitement au complet, comme il vous a été prescrit, même si vous vous sentez mieux avant la fin de la thérapie.

USAGE PROLONGÉ
Un suivi médical avec examens et analyses est recommandé si vous prenez ce médicament durant une période prolongée.

▼ PRÉCAUTIONS

Plus de 60 ans. Aucun risque connu.

Conduite automobile, travaux dangereux. À déconseiller tant que vous ne connaissez pas votre réaction au médicament.

Alcool. Pas de précautions spéciales.

Grossesse. Il n'a pas été démontré que l'onguent à l'érythromycine entraînait des troubles durant la grossesse ni des anomalies congénitales chez le fœtus. Avant d'en prendre, prévenez le médecin si vous êtes enceinte ou désirez le devenir.

Allaitement. L'onguent à l'érythromycine ne semble pas causer de problèmes au nourrisson.

Nourrissons et enfants. Pas de précautions spéciales.

À surveiller. Avant l'application, lavez-vous les mains. Renversez la tête vers l'arrière. Appuyez doucement dans l'angle interne de la paupière et avec l'index de la même main, tirez la paupière inférieure vers le bas. Déposez une petite bande d'onguent (1 cm/⅓ po) dans l'espace ainsi créé et fermez l'œil. Appuyez pendant 1 ou 2 minutes tout en gardant l'œil fermé sans cligner. Enfin, lavez-vous les mains. Le bout du tube ne doit toucher ni l'œil, ni votre doigt, ni rien d'autre. Si les symptômes ne régressent pas en quelques jours ou s'ils s'aggravent, consultez le médecin. N'utilisez pas ce médicament si vous avez déjà eu des réactions allergiques à l'azithromycine, à la clarithromycine, à l'érythromycine ou à la lincomycine.

SURDOSAGE
Symptômes. Il n'y en a pas.

Quoi faire. Si le médicament est ingéré par accident, appelez immédiatement le médecin ou le centre antipoison.

▼ INTERACTIONS

MÉDICAMENT-MÉDICAMENT
Certains médicaments peuvent interagir avec l'érythromycine ophtalmique. Demandez spécifiquement l'avis du médecin si vous prenez d'autres médicaments vendus avec ou sans ordonnance.

MÉDICAMENT-ALIMENT
Pas d'interaction connue.

MÉDICAMENT-MALADIE
L'érythromycine ophtalmique exige qu'on soit prudent. Consultez le médecin si vous avez d'autres problèmes de santé.

 EFFETS INDÉSIRABLES

GRAVES
Irritation, rougeur, enflure ou démangeaisons de l'œil non présentes avant le traitement.

COURANTS
Vision embrouillée après l'application, phénomène pouvant durer jusqu'à 30 minutes.

MOINS COURANTS
Il n'y a pas d'effets indésirables moins courants associés avec l'érythromycine ophtalmique.

ÉRYTHROMYCINE SYSTÉMIQUE

Présentation : Gélules, comprimés, suspension orale, injection
En vente libre ? Non **Générique disponible ?** Oui
Classe de médicaments : Antibiotique

▼ GÉNÉRALITÉS

INDICATIONS
Traitement d'infections bactériennes incluant infections de la gorge, pneumonie, maladie des légionnaires, chlamydia et diphtérie. Prévention des infections à streptocoques qui peuvent endommager les valvules du cœur chez les patients vulnérables (à antécédents de fièvre rhumatismale ou de remplacement d'une valvule du cœur) et qui sont allergiques à la pénicilline.

MODE D'ACTION
Empêche les bactéries de fabriquer les protéines nécessaires à leur survie.

▼ MODE D'EMPLOI

POSOLOGIE
Infections – Adultes et adolescents : 250 à 500 mg, 2 à 4 fois par jour. Enfants : 7,5 à 25 mg par kilogramme (2,2 lb) de poids, aux 6 heures, ou 15 à 25 mg par kilogramme, aux 12 heures.

Infections à streptocoques – Adultes et adolescents : 1 g avant traitement ou chirurgie dentaire ; 500 mg, 6 heures plus tard. Enfants : 20 mg par kilogramme 2 heures avant l'intervention, puis 10 mg par kilogramme 6 heures après la première dose.

DÉBUT D'ACTION
Immédiatement après l'injection ; inconnu pour les formes orales.

DURÉE D'ACTION
Inconnue.

CONSEILS NUTRITIONNELS
À prendre à jeun de préférence, au moins 1 heure avant ou 2 heures après les repas, avec un grand verre d'eau. En cas de maux d'estomac, prendre le médicament avec un aliment ou avec du lait.

MODE DE CONSERVATION
Dans un contenant étanche, à l'abri de la chaleur et de la lumière. Réfrigérez les formes liquides, mais ne les congelez surtout pas.

OUBLI D'UNE DOSE
Prenez-la dès que vous y pensez. S'il est presque l'heure de la suivante, sautez la dose oubliée et reprenez la fréquence normale. Ne doublez pas la dose suivante.

ARRÊT DE LA MÉDICATION
Prenez le traitement au complet, tel que prescrit.

USAGE PROLONGÉ
Un suivi médical avec examens et analyses est nécessaire, surtout pour évaluer la fonction hépatique.

▼ PRÉCAUTIONS

Plus de 60 ans. Risque accru de perte d'acuité auditive.

Conduite automobile, travaux dangereux. Pas de précautions spéciales.

Alcool. Pas de précautions spéciales.

Grossesse. L'érythromycine peut entraîner des lésions hépatiques chez la femme enceinte, mais pas d'anomalies congénitales ou d'autres troubles chez le fœtus. Avant d'en prendre, dites au médecin que vous êtes enceinte ou désirez le devenir.

Allaitement. L'érythromycine passe dans le lait maternel ; la prudence est de mise. Consultez votre médecin.

Nourrissons et enfants. Pas de risque connu.

À surveiller. Consultez le médecin si les symptômes ne régressent pas ou s'ils s'aggravent après quelques jours de traitement.

SURDOSAGE
Symptômes. Nausées importantes, vomissements, douleur abdominale, diarrhée, vertiges, perte d'audition.

Quoi faire. Appelez immédiatement le médecin ou le centre antipoison, ou allez à l'urgence.

▼ INTERACTIONS

MÉDICAMENT-MÉDICAMENT
Ne prenez pas d'érythromycine si vous prenez de l'astémizole. Consultez le médecin si vous prenez : acétaminophène, amiodarone, stéroïdes anabolisants, androgènes, antibiotiques, azithromycine, carbamazépine, carmustine, chloramphénicol, chloroquine, clarithromycine, cyclosporine, dantrolène, daunorubicine, disulfiram, divalproex, œstrogènes, étrétinate, sels d'or, hydroxychloroquine, lincomycine, méthotrexate, mercaptopurine, méthyldopa, naltrexone, contraceptifs oraux, phénothiazines, phénytoïne, plicamycine, théophylline, acide valproïque, warfarine, tacrolimus, disopyramide, lovastatine, terfénédine, ou bromocriptine.

MÉDICAMENT-ALIMENT
Pas d'interaction connue.

MÉDICAMENT-MALADIE
Le médicament n'est pas conseillé aux patients ayant : antécédents de troubles du rythme cardiaque, maladie des reins ou du foie, problèmes auditifs.

≡ EFFETS INDÉSIRABLES ≡

GRAVES
Fièvre, nausées, rougeur ou démangeaisons cutanées, douleur gastrique grave, jaunissement des yeux ou de la peau, évanouissement, battements de cœur lents ou irréguliers chez les patients prédisposés aux cardiopathies, difficultés respiratoires, diarrhée persistante ou grave, douleur abdominale, surdité temporaire. Aussi douleur, enflure ou rougeur au site de l'injection. Les effets graves sont rares.

COURANTS
Crampes à l'estomac, malaise abdominal, diarrhée, nausées, vomissements.

MOINS COURANTS
Sensibilité de la bouche ou de la langue, démangeaisons ou écoulements vaginaux.

ÉRYTHROMYCINE/TRÉTINOÏNE

Présentation : Gel
En vente libre ? Non **Générique disponible ?** Non
Classe de médicaments : Traitement topique de l'acné

▼ GÉNÉRALITÉS

INDICATIONS
Traitement de l'acné bénin ou modéré.

MODE D'ACTION
Le mécanisme exact de l'action de ces deux médicaments n'est pas connu. La trétinoïne peut rendre l'exfoliation de la peau plus normale et par là déloger les points noirs et les points blancs. L'érythromycine détruit les bactéries qui favorisent l'inflammation en entravant la production de protéines spécifiques nécessaires à leur existence.

▼ MODE D'EMPLOI

POSOLOGIE
Appliquez le gel sur la région affectée, 1 fois par jour, au coucher.

DÉBUT D'ACTION
Une amélioration apparaît en 2 ou 3 semaines, mais le plein effet thérapeutique met 8 à 10 semaines à s'établir.

DURÉE D'ACTION
Inconnue.

CONSEILS NUTRITIONNELS
Pas de restrictions spéciales.

MODE DE CONSERVATION
Dans un contenant étanche, à l'abri de la chaleur et de la lumière.

OUBLI D'UNE DOSE
Si vous oubliez une dose, reprenez la fréquence normale le lendemain. N'appliquez pas plus de médicament pour compenser la dose oubliée.

ARRÊT DE LA MÉDICATION
Effectuez le traitement au complet, comme il vous a été prescrit, même si votre état s'améliore avant qu'il ne prenne fin.

USAGE PROLONGÉ
Lorsque le patient répond bien au traitement, ce dernier peut continuer sur une période prolongée, mais la fréquence des applications est alors diminuée.

≡ EFFETS INDÉSIRABLES ≡

GRAVES
Il n'y en a pas si l'on suit bien le mode d'emploi.

COURANTS
Rougeur modérée et desquamation ou trop grande sécheresse au lieu d'application.

MOINS COURANTS
Irritation ou allergie avec rougeur, enflure, vésication, éruption ou croûtes graves sur le lieu d'application ; altération de la pigmentation de la peau (plus claire ou plus foncée). Ces symptômes peuvent s'atténuer à l'arrêt du traitement ou si les doses et les fréquences d'application sont réduites. Les personnes au teint clair peuvent être plus sensibles à ces effets.

▼ PRÉCAUTIONS

Plus de 60 ans. Pas de risques connus.

Conduite automobile, travaux dangereux. Pas de précautions spéciales.

Alcool. Pas de précautions spéciales.

Grossesse. La trétinoïne topique ne devrait pas être utilisée par les femmes enceintes ou qui veulent le devenir.

Allaitement. On ne sait pas si la trétinoïne est excrétée dans le lait maternel : l'érythromycine passe dans le lait maternel, bien que la quantité de médicament absorbée par la peau soit probablement faible. C'est à vous et au médecin qu'il appartient de décider si vous devez ou non utiliser le médicament pendant que vous allaitez.

Nourrissons et enfants. Non recommandé.

À surveiller. Avant d'appliquer le gel, nettoyez parfaitement la région affectée avec de l'eau et du savon ; séchez-la bien. Appliquez le gel avec un léger mouvement circulaire pour le faire pénétrer. N'en mettez pas si la peau est enflammée ; n'en mettez pas près des yeux, du nez, de la bouche et de toute autre muqueuse : il pourrait en résulter une irritation grave et de la rougeur. Si la peau devient rouge et douloureuse pendant le traitement, interrompez-le aussitôt et appelez le médecin. Après un coup de soleil, la peau est susceptible d'être irritée par la trétinoïne : évitez d'en mettre. Évitez de vous exposer trop au soleil ou à une lampe solaire. En cas de coup de soleil, n'appliquez pas de gel sur la peau irritée tant que la rougeur et la desquamation n'ont pas diminué. Chez certains patients, l'acné peut sembler s'aggraver au début du traitement.

SURDOSAGE
Symptômes. Un abus du médicament peut causer une irritation grave de la peau et de la desquamation. Une ingestion accidentelle du gel peut provoquer des maux d'estomac, des nausées et de la diarrhée.

Quoi faire. Appelez le médecin ou allez à l'urgence.

▼ INTERACTIONS

MÉDICAMENT-MÉDICAMENT
Demandez l'avis du médecin si vous appliquez aux mêmes endroits d'autres médicaments topiques. Cela inclut les médicaments vendus avec ou sans ordonnance contenant souffre, résorcinol, peroxyde de benzoyle ou acide salicylique ; agents abrasifs ou savons médicamenteux ; préparations topiques contenant de l'alcool, lotions astringentes, lotions après-rasage, extraits de lime ou d'épices et médicaments ayant un effet asséchant.

MÉDICAMENT-ALIMENT
Aucune interaction connue.

MÉDICAMENT-MALADIE
Consultez le médecin si vous faites de l'eczéma.

ÉRYTHROMYCINE (ÉTHYLSUCCINATE D')/SULFISOXAZOLE

NOM COMMERCIAL

Pediazole

Présentation : Suspension orale
En vente libre ? Non **Générique disponible ?** Non
Classe de médicaments : Antibiotique

▼ GÉNÉRALITÉS

INDICATIONS
Traitement des infections de l'oreille moyenne chez les enfants.

MODE D'ACTION
L'érythromycine empêche les cellules bactériennes de fabriquer les protéines spécifiques nécessaires à leur existence ; le sulfisoxazole empêche les bactéries d'utiliser l'acide folique, vitamine essentielle à leur croissance et à leur reproduction.

▼ MODE D'EMPLOI

POSOLOGIE
Le dosage est déterminé par le médecin en fonction du poids de l'enfant. Le médicament est administré 3 ou 4 fois par jour, pendant 10 jours. Il ne devrait pas être donné à des bébés de moins de 2 mois.

DÉBUT D'ACTION
Inconnu.

DURÉE D'ACTION
Inconnue.

CONSEILS NUTRITIONNELS
À prendre de préférence, mais non nécessairement, immédiatement après un repas.

MODE DE CONSERVATION
Dans un contenant étanche, à l'abri de la chaleur et de la lumière. Réfrigérez le médicament mais ne le congelez pas.

OUBLI D'UNE DOSE
Donnez-la dès que vous y pensez. S'il est presque l'heure de la suivante, sautez la dose oubliée et reprenez la fréquence normale. Ne doublez pas la dose suivante.

ARRÊT DE LA MÉDICATION
Effectuez le traitement au complet, comme il a été prescrit, même si l'enfant se sent mieux avant la fin.

USAGE PROLONGÉ
Un suivi médical avec examens et analyses est recommandé pour l'enfant en cas de traitement prolongé. Des bactéries résistantes au médicament peuvent apparaître en utilisation prolongée.

▼ PRÉCAUTIONS

Plus de 60 ans. Ce médicament ne leur est pas destiné.

Conduite, travaux dangereux. Le médicament ne devrait pas diminuer la lucidité, ni la coordination physique.

Alcool. Sans objet ; le médicament est destiné aux enfants.

Grossesse. Il n'existe pas d'études concluantes sur les effets du médicament durant la grossesse.

Allaitement. Sans objet.

Nourrissons et enfants. Non recommandé aux enfants de moins de 2 mois.

À surveiller. Le médicament peut rendre le patient sensible au soleil. Par mesure préventive, le patient doit être protégé au moyen d'écrans solaires et de vêtements couvrants et il doit éviter de s'exposer au soleil.

SURDOSAGE
Symptômes. Nausées importantes, vomissements, diarrhée, vertiges, céphalées, somnolence, fièvre, perte de conscience.

Quoi faire. Une surdose est peu probable, mais si des symptômes se manifestent, appelez immédiatement le médecin ou le centre antipoison, ou allez à l'urgence.

▼ INTERACTIONS

MÉDICAMENT-MÉDICAMENT
Nombreuses interactions possibles avec d'autres médicaments : acétaminophène, acide acétohydroxamique, alfentanil, amiodarone, aminophylline, antidiabétiques oraux, carbamazépine, carmustine, chloramphénicol, chloroquine, hypocholestérolémiants, dantrolène, dapsone, daunorubicine, divalproex, œstrogènes, éthotoïne, étrétinate, sels d'or, hydroxychloroquine, lincomycine, méthénamine, méphénytoïne, méthotrexate, mercaptopurine, méthyldopa, naltrexone, nitrofurantoïne, contraceptifs oraux, phénytoïne, plicamycine, primaquine, procaïnamide, quinidine, quinine, sulfoxone ou vitamine K. Demandez l'avis du médecin.

MÉDICAMENT-ALIMENT
Évitez les aliments et les boissons contenant de la caféine.

MÉDICAMENT-MALADIE
Consultez le médecin si le patient souffre de : anémie ou autre problème sanguin, déficit en glucose-6-phosphate-déshydrogénase (G6PD), maladie du rein ou du foie, perte d'audition ou porphyrie.

EFFETS INDÉSIRABLES

GRAVES
Rash cutané, démangeaisons, douleur dans les muscles et les articulations, déglutition difficile, teint pâle ou rouge, peau vésicante, desquamante ou lâche, mal de gorge avec fièvre, ecchymoses ou saignements inusités, fatigue anormale, jaunissement des yeux ou de la peau, urine sanguinolente ou foncée, douleur lombaire, mictions douloureuses, selles pâles, douleur gastrique, cou enflé, sensibilité accrue au soleil.

COURANTS
Crampes et malaises à l'estomac ou l'abdomen, diarrhée, perte d'appétit, nausées, vomissements.

MOINS COURANTS
Sensibilité de la langue ou de la bouche.

ESTRADIOL

Présentation : Comprimés, timbres, anneau vaginal, gel transdermique, injection
En vente libre ? Non **Générique disponible ?** Non
Classe de médicaments : Hormone sexuelle femelle

▼ GÉNÉRALITÉS

INDICATIONS

Apport d'œstrogènes en cas de carence ; traitement de cas choisis de cancer avancé du sein ; diminution des risques d'ostéoporose postménopausique ; soulagement des symptômes de la ménopause comme la sécheresse vaginale ; prévention de l'engorgement mammaire après un accouchement ; soulagement des symptômes du cancer avancé de la prostate.

MODE D'ACTION

Chez la femme, l'estradiol comble des carences œstrogéniques. Chez l'homme, il inhibe la croissance des cellules de la prostate.

▼ MODE D'EMPLOI

POSOLOGIE

Cancer du sein : 10 mg, 3 fois par jour. Sécheresse vaginale postménopausique, prévention de l'ostéoporose : 1 à 2 mg par jour par comprimé, ou 10 à 20 mg aux 4 semaines par injection, ou 1 timbre Estraderm ou Vivelle (0,05 mg) 2 fois par semaine, ou 1 timbre Climara par semaine, ou Estrogel, 1,5 mg, appliqué sur la peau chaque jour. Une progestérone doit aussi être prise durant 10 à 14 jours de chaque cycle menstruel, sauf chez les femmes ayant subi une hystérectomie. Soulagement de la sécheresse vaginale postménopausique par anneau intravaginal : 7,5 μg (microgrammes) par jour, de façon continue. Remplacez l'anneau tous les 3 mois. Symptômes de la ménopause : 1 à 5 mg, par injection, aux 3 ou 4 semaines. Engorgement mammaire après l'accouchement : 10 à 25 mg par injection intramusculaire à l'accouchement. Cancer de la prostate : 1 à 2 mg, 3 fois par jour.

DÉBUT D'ACTION

En 1 heure.

DURÉE D'ACTION

Jusqu'à 24 heures.

≡ EFFETS INDÉSIRABLES ≡

GRAVES

Hommes (cancer de la prostate) : céphalées soudaines ou graves ; incoordination ; altération subite de la vue ; douleurs dans le thorax, l'aine ou une jambe ; essoufflement ; diction empâtée ; faiblesse ou engourdissement d'une main ou d'un bras. Femmes : douleur ou gonflement des seins, enflure des jambes et des pieds, gain de poids rapide.

COURANTS

Ballonnement, crampes d'estomac, perte d'appétit, irritation de la peau au point d'application du timbre.

MOINS COURANTS

Diarrhée, vertiges, céphalées, inconfort au port des verres de contact, baisse de la libido chez l'homme, augmentation de la libido chez la femme, vomissements.

CONSEILS NUTRITIONNELS

Pas de restriction spéciale.

MODE DE CONSERVATION

Dans un contenant étanche, à l'abri de la chaleur et de la lumière.

OUBLI D'UNE DOSE

Prenez-la dès que vous y pensez. S'il est presque l'heure de la suivante, sautez la dose oubliée et reprenez la fréquence normale. Ne doublez pas la dose suivante.

ARRÊT DE LA MÉDICATION

Décision à prendre en consultation avec le médecin.

USAGE PROLONGÉ

Peut accroître le risque de carcinome de l'endomètre et peut-être de cancer du sein. Demandez au médecin si des examens périodiques ou autres seraient pertinents pour aider à prévenir ces maladies.

▼ PRÉCAUTIONS

Plus de 60 ans. Pas de risque connu.

Conduite automobile, travaux dangereux. À déconseiller tant que vous ne connaissez pas votre réaction au médicament.

Alcool. Pas de précautions spéciales.

Grossesse. L'estradiol est non recommandé pendant la grossesse. On a démontré que les œstrogènes provoquent des anomalies congénitales chez les animaux et les humains.

Allaitement. Ne prenez pas d'estradiol pendant que vous allaitez.

Nourrissons et enfants. Non recommandé pour les jeunes patients qui n'ont pas terminé leur croissance squelettique.

À surveiller. Enflure ou saignement des gencives sont possibles : voyez le dentiste régulièrement. N'appliquez pas de timbre au même endroit plus d'une fois par semaine.

SURDOSAGE

Symptômes. Nausées, saignements vaginaux.

Quoi faire. Une surdose est peu probable. Néanmoins, si la dose est très forte, demandez immédiatement de l'assistance médicale.

▼ INTERACTIONS

MÉDICAMENT-MÉDICAMENT

Demandez l'avis du médecin si vous prenez : acétaminophène, amiodarone, anticonvulsivants, anti-infectieux, antithyroïdiens, carmustine, chloroquine, dantrolène, daunorubicine, sels d'or, divalproex, étrétinate, hydroxychloroquine, mercaptopurine, méthotrexate, contraceptifs oraux, méthyldopa, naltrexone, phénothiazines, plicamycine, stéroïdes, bromocriptine ou cyclosporine.

MÉDICAMENT-ALIMENT

Pas d'interaction connue.

MÉDICAMENT-MALADIE

Vous ne devriez pas prendre d'estradiol si vous souffrez de : troubles de la coagulation du sang, cancer du sein, tout cancer hormonodépendant, saignement génital anormal.

ESTRAMUSTINE (PHOSPHATE SODIQUE D')

Présentation : Gélules
En vente libre ? Non   **Générique disponible ?** Non
Classe de médicaments : Agent antinéoplasique (anticancéreux)

▼ GÉNÉRALITÉS

INDICATIONS
Traitement de certains types de cancer de la prostate.

MODE D'ACTION
L'estramustine associe deux médicaments : une forme d'œstrogène (œstradiol) et de la méchloréthamine (moutarde azotée). On ne sait pas avec précision comment agit le médicament. Il semble détruire les cellules cancéreuses par interférence avec la synthèse de leur matériel génétique et blocage de l'activité des hormones et des protéines que certains types de tumeurs prostatiques exigent pour se développer.

▼ MODE D'EMPLOI

POSOLOGIE
10 à 16 mg par kilogramme (2,2 lb) de poids par jour en 3 ou 4 doses.

DÉBUT D'ACTION
Inconnu.

DURÉE D'ACTION
Inconnue.

CONSEILS NUTRITIONNELS
À prendre idéalement avec de l'eau 1 heure avant les repas ou 2 heures après. Ne pas consommer en même temps que du lait, des produits laitiers ou des aliments riches en calcium.

MODE DE CONSERVATION
Dans un contenant étanche, à l'abri de la chaleur et de la lumière.

OUBLI D'UNE DOSE
Prenez-la dès que vous y pensez. S'il est presque l'heure de la suivante, sautez la dose oubliée et revenez à la fréquence normale. Ne doublez pas la dose suivante.

ARRÊT DE LA MÉDICATION
La décision d'interrompre la thérapie à l'estramustine doit être prise en consultation avec le médecin.

USAGE PROLONGÉ
Vous devriez voir votre médecin sur une base régulière, car il doit effectuer un suivi au moyen d'examens médicaux et d'analyses.

▼ PRÉCAUTIONS

Plus de 60 ans. Les effets indésirables ont tendance à être plus courants.

Conduite automobile, travaux dangereux. À déconseiller tant que vous ne connaissez pas votre réaction au médicament.

Alcool. Évitez l'alcool pendant que vous êtes sous traitement à l'estramustine.

Grossesse. L'estramustine peut entraîner des malformations congénitales si le père en prend au moment de la conception. Avant le traitement, avisez le médecin que vous avez l'intention d'avoir des enfants ; des moyens contraceptifs efficaces sont recommandés durant la thérapie.

Allaitement. Sans objet.

Nourrissons et enfants. Non destinés aux nourrissons et aux enfants.

À surveiller. Si vous vomissez juste après avoir pris une dose d'estramustine, demandez au médecin si vous devez en prendre une autre ou attendre la prochaine prise. Durant et après la thérapie, ne vous faites pas immuniser contre des virus ou des bactéries sans l'approbation du médecin.

SURDOSAGE
Symptômes. Effets indésirables graves et aigus (voir Effets indésirables).

Quoi faire. Appelez immédiatement le médecin ou le centre antipoison, ou allez à l'urgence.

▼ INTERACTIONS

MÉDICAMENT-MÉDICAMENT
Demandez l'avis du médecin si vous prenez l'un ou l'autre des médicaments suivants : acétaminophène, amiodarone, stéroïdes anabolisants, androgènes, antibiotiques, antithyroïdiens, carbamazépine, carmustine, chloroquine, dantrolène, disulfiram, divalproex, œstrogènes, étrétinate, sels d'or, hydrochloroquine, mercaptopurine, méthyldopa, naltrexone, phénothiazines, phénytoïne, plicamycine ou acide valproïque.

MÉDICAMENT-ALIMENT
Voir Conseils nutritionnels.

MÉDICAMENT-MALADIE
La prudence s'impose. Prévenez le médecin en cas d'asthme, épilepsie, dépression mentale, migraines, maladie des reins, antécédents de thrombose, antécédents d'accident cérébrovasculaire, crise cardiaque récente, zona, diabète, maladie de la vésicule biliaire, maladie du cœur ou des vaisseaux sanguins, maladie du foie ou ulcère de l'estomac.

EFFETS INDÉSIRABLES

GRAVES
Selles noires, goudronneuses ; sang dans l'urine ou les selles ; toux ou voix éraillée ; fièvre ou frissons ; maux de tête sévères ou soudains ; perte soudaine de la coordination ; douleur dans le bas du dos ou les flancs ; douleur dans la poitrine, l'aine ou la jambe ; miction douloureuse ; points rouges sur la peau ; essoufflement soudain ; diction pâteuse soudaine ; ecchymoses ou saignements inhabituels ; altération soudaine de la vision ; faiblesse ou engourdissements du bras ou de la jambe ; rash cutané ; fièvre.

COURANTS
Sensibilité ou hypertrophie des seins, enflure des pieds ou du bas des jambes, diminution de la libido, diarrhée, nausées, faiblesse générale.

MOINS COURANTS
Insomnie, vomissements.

ESTROPIPATE

Présentation : Comprimés
En vente libre ? Non **Générique disponible ?** Non
Classe de médicaments : Hormone sexuelle femelle

▼ GÉNÉRALITÉS

INDICATIONS
Apport d'œstrogènes quand l'organisme n'en produit pas assez ; traitement de cas précis de cancer avancé du sein ; réduction des risques d'ostéoporose après la ménopause ; soulagement des symptômes déplaisants de la ménopause (sécheresse du vagin) ; soulagement des symptômes du cancer avancé de la prostate.

MODE D'ACTION
Chez la femme, l'estropipate comble des carences œstrogéniques. Chez l'homme, il inhibe la croissance des cellules dans la prostate.

▼ MODE D'EMPLOI

POSOLOGIE
Sécheresse du vagin : 0,625 à 5 mg par jour. Symptômes de ménopause : 1,25 à 2,5 mg par jour, pendant 3 semaines, suivie de 1 semaine sans médication. Prévention de l'ostéoporose : 0,625 mg pendant 25 jours durant un cycle de 31 jours. Un progestatif doit être pris durant 10 à 14 jours dans chaque cycle d'un mois, sauf par les femmes qui ont subi une hystérectomie.

DÉBUT D'ACTION
En 1 heure.

DURÉE D'ACTION
Jusqu'à 24 heures.

CONSEILS NUTRITIONNELS
Le médicament peut se prendre avec ou sans nourriture.

MODE DE CONSERVATION
Dans un contenant étanche, à l'abri de la chaleur et de la lumière.

OUBLI D'UNE DOSE
Prenez-la dès que vous y pensez. S'il est presque l'heure de la dose suivante, sautez la dose oubliée et reprenez la fréquence normale. Ne doublez pas la dose suivante.

ARRÊT DE LA MÉDICATION
Cette décision doit être prise par le médecin.

USAGE PROLONGÉ
Accroît le risque de carcinome de l'endomètre et peut-être de cancer du sein, selon les données recueillies. La prise concomitante d'un progestatif réduit beaucoup le risque de carcinome de l'endomètre. Demandez au médecin si des examens périodiques ou d'autres mesures seraient pertinentes pour détecter et dépister ces maladies.

▼ PRÉCAUTIONS

Plus de 60 ans. Aucun risque connu.

Conduite automobile, travaux dangereux. N'entreprenez pas de telles activités tant que vous ne connaissez pas votre réaction au médicament.

Alcool. Aucune précaution spéciale.

Grossesse. On a démontré que les œstrogènes provoquent des malformations congénitales chez les humains. Avant de prendre de l'estropipate, avertissez votre médecin que vous êtes enceinte ou souhaitez le devenir.

Allaitement. L'estropipate passe dans le lait maternel. Évitez d'en prendre pendant que vous allaitez.

Nourrissons et enfants. Ce médicament n'est pas recommandé pour les enfants qui n'ont pas terminé leur croissance squelettique.

À surveiller. Enflure ou saignement des gencives peuvent se produire. Voyez le dentiste régulièrement. Vous devriez subir un test Pap tous les 6 à 12 mois pendant le traitement. Évitez de vous exposer avec excès au soleil tant que vous ne connaissez pas votre réaction au médicament.

SURDOSAGE
Symptômes. Nausées, saignements vaginaux inhabituels.

Quoi faire. Il est peu probable qu'une surdose soit fatale. Néanmoins, si la dose est très forte, appelez immédiatement le médecin ou le centre antipoison.

▼ INTERACTIONS

MÉDICAMENT-MÉDICAMENT
Demandez spécifiquement l'avis du médecin si vous prenez : acétaminophène, amiodarone, stéroïdes anabolisants, androgènes, anti-infectieux, antithyroïdiens, bromocriptine, carbamazépine, carmustine, chloroquine, cyclosporine, dantrolène, daunorubicine, disulfiram, divalproex, étrétinate, sels d'or, hydroxychloroquine, mercaptopurine, méthotrexate, méthyldopa, naltrexone, contraceptifs oraux, phénothiazines, phénytoïne, plicamycine ou acide valproïque.

MÉDICAMENT-ALIMENT
Aucune interaction connue.

MÉDICAMENT-MALADIE
Vous ne devriez pas prendre d'estropipate si vous avez : thrombophlébite, thrombo-embolie, antécédents de cancer du sein, tout cancer hormonodépendant ou saignement génital anormal. Consultez le médecin si vous avez une maladie du foie ou du cœur.

 EFFETS INDÉSIRABLES

GRAVES
Douleur ou gonflement des seins, enflure des jambes et des pieds, gain de poids rapide.

COURANTS
Ballonnement gastrique, crampes dans le bas de l'abdomen, perte d'appétit.

MOINS COURANTS
Diarrhée, vertiges, céphalées, difficultés avec le port des verres de contact, augmentation de la libido chez la femme, vomissements, sensibilité inhabituelle au soleil.

ÉTHACRYNIQUE (ACIDE) (ÉTHACRYNATE)

Présentation : Comprimés, injection
En vente libre ? Non   **Générique disponible ?** Non
Classe de médicaments : Diurétique de l'anse

▼ GÉNÉRALITÉS

INDICATIONS
Réduction de l'accumulation liquidienne (sels et eau) susceptible de causer œdème (enflure) et essoufflement chez les patients atteints de maladie cardiaque, de cirrhose du foie ou de maladie rénale.

MODE D'ACTION
Les diurétiques de l'anse agissent sur une portion spécifique du rein, l'anse de Henle, pour augmenter l'excrétion d'eau et de sels minéraux (potassium compris) dans l'urine.

▼ MODE D'EMPLOI

POSOLOGIE
Adultes – Acide éthacrynique (comprimés) : 50 à 200 mg par jour. Éthacrynate de sodium (injection) : 50 mg en injection intraveineuse aux 2 à 6 heures, au besoin.

DÉBUT D'ACTION
Comprimés (voie orale) : en 30 minutes. Injection (voie intraveineuse : en 5 minutes.

DURÉE D'ACTION
Comprimés : 6 à 8 heures. Injection : 2 heures.

CONSEILS NUTRITIONNELS
L'acide éthacrynique peut entraîner une déperdition de potassium ; votre médecin vous conseillera de manger des aliments riches en potassium (bananes, tomates, agrumes) ou de prendre des suppléments de potassium. Prenez le médicament avec du lait ou de la nourriture pour minimiser les malaises d'estomac.

MODE DE CONSERVATION
Dans un contenant étanche, à l'abri de la chaleur, de l'humidité et de la lumière.

OUBLI D'UNE DOSE
Prenez-la dès que vous y pensez. S'il est presque l'heure de la dose suivante, sautez la dose oubliée et reprenez la fréquence normale. Ne doublez pas la dose suivante.

ARRÊT DE LA MÉDICATION
Effectuez le traitement au complet, tel qu'il vous a été prescrit, même si vous vous sentez mieux avant la fin de la thérapie.

USAGE PROLONGÉ
Le médecin établira un suivi médical pour déterminer les effets du médicament et ajuster la posologie et la fréquence. Une fois la dose d'entretien fixée, le traitement diurétique peut se poursuivre par intermittences, en faisant alterner les périodes avec et sans médication.

▼ PRÉCAUTIONS

Plus de 60 ans. Aucune précaution spéciale.

Conduite automobile, travaux dangereux. Aucune précaution spéciale.

Alcool. À éviter ou à consommer avec prudence : l'alcool peut augmenter les effets des antihypertenseurs et entraîner une chute excessive de la tension artérielle.

Grossesse. Le médicament n'est généralement pas prescrit durant la grossesse ; on lui préfère d'autres diurétiques.

Allaitement. On ne sait pas si le médicament passe dans le lait maternel ; il n'est pas recommandé d'en prendre durant l'allaitement.

Nourrissons et enfants. Bien que l'acide éthacrynique soit rarement prescrit chez les enfants, il n'y a pas lieu de craindre des effets indésirables inhabituels. La posologie doit être déterminée par un pédiatre.

À surveiller. Pour ne pas nuire à votre sommeil, évitez de prendre le médicament le soir. On vous recommandera peut-être d'augmenter la teneur en potassium de votre régime alimentaire ou de prendre des suppléments de potassium durant le traitement.

SURDOSAGE
Symptômes. Faiblesse, apathie, étourdissements, nausées, vomissements, crampes musculaires dans les jambes.

Quoi faire. Appelez immédiatement le médecin ou le centre antipoison, ou allez à l'urgence.

▼ INTERACTIONS

MÉDICAMENT-MÉDICAMENT
Consultez le médecin si vous prenez l'un des médicaments suivants : inhibiteurs de l'enzyme de conversion de l'angiotensine (ECA), aminoglycosides, cisplatine, digitaliques, lithium, anti-inflammatoires non stéroïdiens (AINS), salicylés ou diurétiques thiazidiques.

MÉDICAMENT-ALIMENT
Aucune interaction connue.

MÉDICAMENT-MALADIE
Consultez votre médecin si vous avez : diabète, goutte, problèmes de surdité, pancréatite, crise cardiaque récente, maladie du foie ou des reins ou lupus.

⚠ EFFETS INDÉSIRABLES ⚠

GRAVES
Changement d'humeur, nausées ou vomissements, fatigue inhabituelle, selles noires et goudronneuses, rash cutané.

COURANTS
Crampes ou douleurs musculaires. Carence en potassium pouvant causer des palpitations et de la faiblesse. Déplétion hydrique pouvant causer soif, sécheresse de la bouche, constipation et vertiges, surtout quand le patient se lève après avoir été assis ou couché.

MOINS COURANTS
Bourdonnements ou tintements d'oreilles, perte auditive (surtout après un traitement intraveineux), diarrhée, perte d'appétit, goutte, taux accru de sucre dans le sang (ce qui est problématique pour les diabétiques).

ÉTHINYLŒSTRADIOL/CYPROTÉRONE (ACÉTATE DE)

Présentation : Comprimés
En vente libre ? Non **Générique disponible ?** Non
Classe de médicaments : Traitement de l'acné

▼ GÉNÉRALITÉS

INDICATIONS
Pour traiter les femmes atteintes d'une acné grave qui ne répond pas à d'autres thérapies et qui est associée à une peau grasse et à de l'hirsutisme (croissance excessive du poil). À noter : ce médicament est aussi un contraceptif fiable quand on l'emploie selon les recommandations. Néanmoins, il est prescrit aux personnes souffrant d'acné grave et non seulement à des fins contraceptives.

MODE D'ACTION
Chez certaines femmes, l'acné grave est une conséquence d'un excès d'androgènes, hormones qui peuvent augmenter l'activité des glandes sébacées (dont les sécrétions servent normalement à lubrifier la peau). La cyprotérone bloque les récepteurs androgènes et diminue la production d'androgènes. L'éthinylœstradiol contribue aussi à réduire les taux d'androgènes dans l'organisme.

  EFFETS INDÉSIRABLES

GRAVES
Céphalée subite et grave ; incoordination ; altération de la vue ; douleur dans la poitrine, l'aine ou la jambe ; difficultés d'élocution soudaines ; faiblesse, engourdissement ou douleur dans un bras ou une jambe ; urine foncée ; démangeaisons sur tout le corps.

COURANTS
Nausées, vomissements, crampes abdominales et ballonnement ; douleur ou sensibilité des seins ; crampes menstruelles ; absence de menstruations normales. Appelez le médecin si vous n'avez pas de menstruation à la fin d'un cycle ou avant d'entreprendre le suivant.

MOINS COURANTS
Modification du poids, altération de la libido, hirsutisme.

▼ MODE D'EMPLOI

POSOLOGIE
1 comprimé par jour pendant 21 jours. Cessez d'en prendre pendant 7 jours et recommencez pendant 21 jours, et ainsi de suite (21 jours avec traitement, 7 jours sans traitement). Premier cycle thérapeutique seulement : le premier comprimé devrait être pris le premier jour du cycle menstruel.

DÉBUT D'ACTION
Acné : en 3 à 6 mois ; peau et cheveux deviennent moins gras plus rapidement.

DURÉE D'ACTION
Acné : inconnue.

CONSEILS NUTRITIONNELS
À prendre avec de la nourriture si vous avez des maux d'estomac.

MODE DE CONSERVATION
Sous blister, à l'abri de la chaleur et de la lumière.

OUBLI D'UNE DOSE
Prenez-la si vous n'avez pas dépassé 12 heures après la dose oubliée. Si plus de 12 heures se sont écoulées, sautez la dose oubliée et reprenez la fréquence normale. Si vous utilisez aussi le médicament à des fins contraceptives, une méthode non hormonale de contraception (un condom par exemple) devra être utilisée jusqu'à la fin du cycle.

ARRÊT DE LA MÉDICATION
Cette décision doit être prise par le médecin.

USAGE PROLONGÉ
Un suivi médical, avec examens et analyses, est nécessaire en cas de traitement prolongé.

▼ PRÉCAUTIONS

Plus de 60 ans. Non prescrit en règle générale aux femmes de plus de 35 ans.

Conduite automobile, travaux dangereux. Pas de précautions spéciales.

Alcool. Pas de précautions spéciales.

Grossesse. Interrompez le traitement si vous êtes enceinte ou pensez l'être.

Allaitement. Les médicaments renfermant des œstrogènes peuvent passer dans le lait maternel : n'en prenez pas si vous allaitez.

Nourrissons et enfants. Les adolescentes auxquelles on a prescrit ce médicament n'ont présenté aucun problème particulier.

À surveiller. La cigarette peut augmenter le risque d'une coagulation dangereuse du sang. Si vous avez l'intention d'avoir un enfant, laissez passer au moins un cycle menstruel complet après avoir interrompu le traitement avant d'essayer de tomber enceinte. Vous devriez prendre le médicament à la même heure tous les jours.

SURDOSAGE
Symptômes. On n'a pas signalé de cas de surdosage.

Quoi faire. Si quelqu'un prend une dose excessive, appelez immédiatement le médecin ou allez à l'urgence.

▼ INTERACTIONS

MÉDICAMENT-MÉDICAMENT
Demandez l'avis du médecin si vous prenez : anticoagulants, antidiabétiques, antihypertenseurs, carbamazépine, chloramphénicol, corticostéroïdes, griséofulvine, isoniazide, phénobarbital, phénothiazines, phénylbutazone, phénytoïne, rifampine, tétracycline, théophylline ou vitamine C.

MÉDICAMENT-ALIMENT
Aucune interaction connue.

MÉDICAMENT-MALADIE
Consultez le médecin si vous avez les problèmes suivants : fibromes, maladie du sein, cancer, maladie cardiaque ou circulatoire, hypercholestérolémie, hypertension, diabète, maladie des yeux, du foie ou du rein, dépression, épilepsie ou migraines.

ÉTHOSUXIMIDE

Présentation : Gélules, sirop
En vente libre ? Non   **Générique disponible ?** Non
Classe de médicaments : Anticonvulsivant

▼ GÉNÉRALITÉS

INDICATIONS
Maîtrise des convulsions dans certains types d'épilepsie.

MODE D'ACTION
L'éthosuximide agit sur le système nerveux central pour maîtriser le nombre et la gravité des convulsions. Le médicament inhiberait certaines parties du cerveau et supprimerait la transmission anormale d'influx nerveux reliés aux absences épileptiques.

▼ MODE D'EMPLOI

POSOLOGIE
Adultes : 750 à 1 500 mg par jour, en 2 prises fractionnées. Une dose plus forte peut être nécessaire. Enfants : 20 mg par kilogramme (2,2 lb) de poids, par jour, en 2 prises fractionnées. La dose initiale, faible, est augmentée graduellement par le médecin.

DÉBUT D'ACTION
En plusieurs heures.

DURÉE D'ACTION
Le médicament donne son plein effet durant 24 heures ou davantage, effet qui ensuite diminue peu à peu.

CONSEILS NUTRITIONNELS
À prendre avec de la nourriture pour réduire les ennuis gastriques.

MODE DE CONSERVATION
Dans un contenant étanche, à l'abri de la chaleur et de la lumière. Sirop : ne pas le réfrigérer ni le congeler.

OUBLI D'UNE DOSE
Prenez-la dès que vous y pensez. Si vous êtes à moins de 4 heures de la suivante, sautez la dose oubliée et reprenez la fréquence normale. Ne doublez pas la dose suivante, à moins d'avis contraire du médecin.

ARRÊT DE LA MÉDICATION
La décision d'interrompre le traitement devrait être prise par le médecin. Un arrêt subit risque d'entraîner des convulsions. La posologie de l'éthosuximide doit être réduite peu à peu durant plusieurs semaines ou plusieurs mois.

USAGE PROLONGÉ
L'éthosuximide peut être pris durant une période prolongée. Certains effets indésirables, très marqués durant les premières semaines du traitement, diminuent souvent avec le temps.

▼ PRÉCAUTIONS

Plus de 60 ans. Des doses plus faibles peuvent être nécessaires pour diminuer les effets indésirables.

Conduite automobile, travaux dangereux. L'éthosuximide peut causer de la somnolence et vous empêcher d'exécuter de telles tâches en toute sécurité. Attendez de connaître votre réaction au médicament.

Alcool. Peut entraîner une somnolence excessive.

Grossesse. Le recours aux anticonvulsivants est associé à un risque accru d'anomalies congénitales, bien que les études sur l'éthosuximide soient incomplètes. Mais les convulsions peuvent aussi augmenter les risques pour le fœtus. Étudiez avec le médecin les bienfaits du médicament par rapport à ses risques. Des suppléments de folate sont recommandés 1 à 2 mois avant la conception et durant la grossesse.

Allaitement. L'éthosuximide passe dans le lait maternel, à faible concentration. Demandez l'avis du médecin si vous allaitez.

Nourrissons et enfants. Aucun risque connu.

À surveiller. Le médecin peut vous demander de porter un bracelet médical ou une carte d'identité spécifiant que vous prenez ce médicament.

SURDOSAGE
Symptômes. Nausées et vomissements graves, difficultés respiratoires, somnolence grave, coma.

Quoi faire. Appelez immédiatement le médecin ou le centre antipoison, ou allez à l'urgence.

▼ INTERACTIONS

MÉDICAMENT-MÉDICAMENT
L'éthosuximide peut être affecté par d'autres médicaments ou, à son tour, modifier les taux sanguins d'autres médicaments : anticonvulsivants (carbamazépine, phénacémide, phénobarbital, phénytoïne, primidone, acide valproïque) et certaines médications psychiatriques (antidépresseurs tricycliques, IMAO, halopéridol).

MÉDICAMENT-ALIMENT
Aucune interaction connue.

MÉDICAMENT-MALADIE
La prudence est de mise si vous souffrez de maladie du foie ou des reins, de troubles sanguins ou de porphyrie intermittente.

EFFETS INDÉSIRABLES

GRAVES
Mal de gorge, fièvre, ganglions enflés, éruptions de points minuscules rouges ou pourpres sur la peau ou les muqueuses, ampoules ou lésions desquamantes sur la peau, ulcères buccaux, tendance à faire des ecchymoses, pâleur, faiblesse, confusion, léthargie, douleurs musculaires ou convulsions peuvent être le signe d'une réaction sanguine potentiellement fatale.

COURANTS
Nausées et vomissements, perte d'appétit, malaises gastriques, crampes gastro-intestinales, perte de poids, diarrhée, sédation, altération légère des nerfs sensoriels.

MOINS COURANTS
Irritabilité, céphalées, étourdissements, difficultés de sommeil. Il existe bien d'autres effets indésirables associés à ce médicament ; consultez le médecin si certaines réactions indésirables ou inusitées vous inquiètent.

ÉTIDRONATE DISODIQUE

NOM COMMERCIAL

Didronel

Présentation : Comprimés, injection
En vente libre ? Non   **Générique disponible ?** Non
Classe de médicaments : Inhibiteur bisphosphonate de la résorption osseuse

▼ GÉNÉRALITÉS

INDICATIONS
Traitement de la maladie de Paget – caractérisée par la dégradation et la reformation rapides des os pouvant amener fragilité et malformation osseuse. Aussi traitement de l'hypercalcémie (niveaux élevés de calcium dans le sang) d'origine cancéreuse.

MODE D'ACTION
L'étidronate ralentit la résorption osseuse (rapidité avec laquelle l'os se dégrade avant d'être remplacé), favorise la santé du squelette et prévient la douleur, les déformations et les fractures associées à la maladie de Paget. Dans l'hypercalcémie d'origine cancéreuse, il diminue l'absorption du calcium des os par le sang en ralentissant la résorbtion osseuse. Il diminue aussi la progression des dépôts osseux anormaux après une prothèse de la hanche ou une lésion de la moelle épinière.

Dans l'ostéoporose, il aide à ralentir la dégradation des os.

▼ MODE D'EMPLOI

POSOLOGIE
Maladie de Paget : dose orale habituelle pour adultes : 5 mg par kilogramme (2,2 lb) de poids par jour, sans dépasser une période de 6 mois. Hypercalcémie d'origine cancéreuse : 20 mg par kilogramme par jour, habituellement pendant 30 jours, pouvant aller jusqu'à 90 jours.

DÉBUT D'ACTION
En 1 à 3 mois.

DURÉE D'ACTION
Jusqu'à 1 an ou plus après l'arrêt du traitement.

CONSEILS NUTRITIONNELS
Prenez les comprimés à jeun avec de l'eau, au moins 2 heures avant ou après un repas. Ayez un régime alimentaire bien équilibré, comportant des apports en calcium et en vitamine D.

MODE DE CONSERVATION
Dans un contenant étanche, à l'abri de la chaleur, de l'humidité et de la lumière.

OUBLI D'UNE DOSE
Prenez-la dès que vous y pensez. S'il est presque l'heure de la dose suivante, sautez la dose oubliée et reprenez la fréquence normale. Ne doublez pas la dose suivante.

ARRÊT DE LA MÉDICATION
N'arrêtez pas le traitement de votre propre chef.

USAGE PROLONGÉ
Un suivi médical est nécessaire – même entre les traitements – pour évaluer l'effet de la médication.

▼ PRÉCAUTIONS

Plus de 60 ans. Risque accru de rétention hydrique excessive, dans ce groupe d'âge, quand l'étidronate est donné par injection et associé à une thérapie hydratante. Il est important de faire un contrôle étroit des niveaux de liquide et d'électrolytes.

Conduite automobile, travaux dangereux. Aucune précaution spéciale.

Alcool. On recommande aux femmes à haut risque d'en faire un usage restreint, l'alcool étant un facteur de risque dans l'ostéoporose.

Grossesse. Demandez au médecin si les bienfaits de la médication l'emportent sur les risques potentiels qu'elle fait courir au fœtus.

Allaitement. On ne sait pas si l'étidronate passe dans le lait maternel.

Nourrissons et enfants. L'innocuité et l'efficacité du médicament n'ont pas été établies.

SURDOSAGE
Symptômes. Vomissements ou diarrhée ; palpitations ; engourdissements ou picotements des mains, pieds, lèvres et langue ; douleur faciale.

Quoi faire. Appelez le médecin ou le centre antipoison, ou allez immédiatement à l'urgence.

▼ INTERACTIONS

MÉDICAMENT-MÉDICAMENT
Les antiacides ou des médicaments renfermant du calcium, du magnésium ou de l'aluminium peuvent entraver l'absorption de l'étidronate pris par voie orale. Il y a aussi interaction possible entre la warfarine et l'étidronate.

MÉDICAMENT-ALIMENT
Les aliments riches en calcium et les suppléments renfermant du calcium, du fer, du magnésium ou de l'aluminium ne doivent pas être consommés dans les 2 heures suivant la prise de l'étidronate.

MÉDICAMENT-MALADIE
Demandez l'avis du médecin si vous avez : fracture osseuse, maladie intestinale, maladie des reins ou cardiopathie.

 EFFETS INDÉSIRABLES

GRAVES
Des fractures osseuses, surtout dans les os longs des membres, peuvent se produire, habituellement chez les patients soumis à de fortes doses ou qui prennent le médicament depuis plus de 6 mois.

COURANTS
Douleur ou sensibilité osseuse apparaissant 4 à 6 semaines après le début du traitement ; peuvent persister, s'aggraver ou se manifester sporadiquement chez les patients atteints de la maladie de Paget. Nausées et diarrhée avec de fortes doses. Céphalées, dérangements d'estomac, crampes dans les jambes et douleurs articulaires.

MOINS COURANTS
Urticaire, rash cutané, démangeaisons, enflure des bras, jambes, visage, lèvres, langue ou gorge. Forme injectable : perte du goût ou arrière-goût métallique.

ÉTIDRONATE DISODIQUE/CALCIUM (CARBONATE DE)

Présentation : Comprimés
En vente libre ? Non   **Générique disponible ?** Non
Classe de médicaments : Régulateur du métabolisme osseux

▼ GÉNÉRALITÉS

INDICATIONS
Prévention et traitement de l'ostéoporose postménopausique. Ce médicament sert également à traiter l'ostéoporose provoquée par les corticostéroïdes.

MODE D'ACTION
L'étidronate inhibe la résorption osseuse (c'est-à-dire qu'il ralentit la détérioration des tissus osseux et leur remplacement) et favorise la formation d'une ossature saine. Le calcium est nécessaire à la formation et à l'entretien des os.

▼ MODE D'EMPLOI

POSOLOGIE
1 comprimé d'étidronate 1 fois par jour pendant 14 jours, puis 1 comprimé de carbonate de calcium (500 mg de calcium élémentaire) 1 fois par jour pendant les 76 jours qui suivent, après quoi le cycle recommence.

DÉBUT D'ACTION
En 6 à 12 mois.

DURÉE D'ACTION
Inconnue. Il faut poursuivre le traitement pour la durée déterminée par votre médecin et tant qu'il le juge à propos.

CONSEILS NUTRITIONNELS
Prenez les comprimés d'étidronate à jeun (au moins 2 heures avant ou après le repas) avec un grand verre d'eau. Les patients qui ont une insuffisance d'acide gastrique devraient prendre le calcium en même temps que de la nourriture.

MODE DE CONSERVATION
À l'abri de la chaleur, de l'humidité et de la lumière.

OUBLI D'UNE DOSE
Prenez-la dès que vous y pensez. S'il est presque l'heure de la dose suivante, sautez la dose oubliée et reprenez la fréquence normale. Ne prenez pas 2 comprimés le même jour. Prenez 1 comprimé le jour où vous vous en souvenez et poursuivez le traitement. Prenez tous les comprimés d'une plaquette avant de commencer à prendre les comprimés d'une autre plaquette.

ARRÊT DE LA MÉDICATION
Ne mettez pas fin au traitement de vous-même, sans consulter le médecin.

USAGE PROLONGÉ
Un suivi médical est nécessaire pour évaluer l'effet du médicament sur la masse osseuse.

▼ PRÉCAUTIONS

Plus de 60 ans. Pas de risques connus.

Conduite automobile, travaux dangereux. Pas de précautions spéciales.

Alcool. En limiter la consommation, l'alcool étant un facteur aggravant de l'ostéoporose.

Grossesse. Normalement, le médicament n'est pas administré aux femmes préménopausées ; consultez le médecin.

Allaitement. Le médicament peut passer dans le lait maternel : la prudence s'impose. Consultez le médecin.

Nourrissons et enfants. Innocuité et efficacité non établies.

À surveiller. On conseille aux patients sous médication de faire régulièrement des exercices sous charge, de ne pas fumer et de limiter leur consommation d'alcool, car ces facteurs inhibent la production de tissu osseux.

SURDOSAGE
Symptômes. Vomissements, diarrhée ; palpitations ; engourdissement, picotement et sensation de brûlure dans les doigts et les pieds.

Quoi faire. Appelez le médecin ou allez à l'urgence.

▼ INTERACTIONS

MÉDICAMENT-MÉDICAMENT
Consultez le médecin si vous prenez : antiacides contenant de l'aluminium, vitamines avec suppléments minéraux, suppléments de calcium, laxatifs contenant du magnésium ou tétracycline.

MÉDICAMENT-ALIMENT
Après avoir pris de l'étidronate, attendez 2 heures avant de consommer les aliments suivants : lait ou tout aliment riche en calcium, fer, magnésium ou aluminium. N'en consommez pas non plus dans les 2 heures qui précèdent la prise du médicament.

MÉDICAMENT-MALADIE
Consultez le médecin si vous souffrez de maladie des os ou du rein.

  EFFETS INDÉSIRABLES

GRAVES
Aucun effet indésirable grave n'a été signalé.

COURANTS
Nausées, vomissements, diarrhée, constipation, céphalées, douleur gastrique.

MOINS COURANTS
Crampes dans les jambes, douleur articulaire, rash cutané.

ÉTODOLAC

NOMS COMMERCIAUX

Apo-Etodolac,
Gen-Etodolac, Ultradol

Présentation : Gélules
En vente libre ? Non   **Générique disponible ?** Oui
Classe de médicaments : Anti-inflammatoire non stéroïdien (AINS)

▼ GÉNÉRALITÉS

INDICATIONS
Contre la douleur et l'inflammation bénignes ou modérées causées par la tendinite, l'arthrite, la bursite, la goutte, les lésions des tissus mous, les migraines et autres maux de tête vasculaires, les douleurs menstruelles et autres états douloureux. Quand un AINS se révèle inefficace, le patient peut en essayer un autre jusqu'à ce qu'il obtienne le soulagement recherché. Il faut parfois faire plusieurs essais.

MODE D'ACTION
Les AINS entravent la formation de prostaglandines, substances naturelles de l'organisme qui causent l'inflammation et rendent les nerfs plus réceptifs aux impulsions douloureuses. Les AINS ont d'autres modes d'action moins bien connus.

▼ MODE D'EMPLOI

POSOLOGIE
Polyarthrite rhumatoïde et arthrose – Adultes : dose d'attaque : 200 à 300 mg, 2 fois par jour, ou une seule dose (400 à 600 mg) administrée le soir. Analgésique – Adultes : dose d'attaque : 400 mg ; puis 200 à 400 mg toutes les 6 à 8 heures, au besoin. Enfants : consultez le pédiatre.

DÉBUT D'ACTION
En 30 minutes.

DURÉE D'ACTION
4 à 6 heures.

CONSEILS NUTRITIONNELS
Se prend en mangeant.

MODE DE CONSERVATION
Dans un contenant étanche, à l'abri de la chaleur, de l'humidité et de la lumière.

OUBLI D'UNE DOSE
Prenez-la dès que vous y pensez. S'il est presque l'heure de la suivante, sautez la dose oubliée et revenez à la fréquence normale. Ne doublez pas la dose suivante.

ARRÊT DE LA MÉDICATION
La décision d'interrompre le traitement doit être prise en consultation avec le médecin.

USAGE PROLONGÉ
Peut entraîner des troubles gastro-intestinaux avec ulcération et saignements, une dysfonction rénale et une inflammation du foie. Voyez votre médecin régulièrement.

▼ PRÉCAUTIONS

Plus de 60 ans. Risques potentiellement plus grands d'effets indésirables gastro-intestinaux, surtout chez les plus de 70 ans : la dose est souvent coupée de moitié.

Conduite automobile, travaux dangereux. À déconseiller tant que vous ne connaissez pas votre réaction au médicament.

Alcool. À éviter ; l'alcool augmente les risques d'irritation gastrique.

Grossesse. Évitez l'étodolac ou cessez d'en prendre si vous êtes enceinte ou prévoyez le devenir.

Allaitement. L'étodolac passe dans le lait maternel ; n'en prenez pas si vous allaitez.

Nourrissons et enfants. Peut être utilisé dans des circonstances exceptionnelles. Parlez-en au médecin.

À surveiller. Comme les AINS peuvent modifier la coagulation du sang, la médication devrait être interrompue au moins 3 jours avant toute chirurgie.

SURDOSAGE
Symptômes. Nausées, vomissements, céphalées sévères, confusion, convulsions.

Quoi faire. Appelez aussitôt le médecin ou le centre anti-poison, ou allez à l'urgence.

▼ INTERACTIONS

MÉDICAMENT-MÉDICAMENT
Ne prenez pas ce médicament avec de l'AAS ou un autre AINS sans l'approbation de votre médecin. De plus, avertissez-le si vous prenez : antihypertenseurs, stéroïdes, anticoagulants, antibiotiques, itraconazole ou kétoconazole, plicamycine, pénicillamine, acide valproïque, phénytoïne, cyclosporine, agents digitaliques, lithium, méthotrexate, probénécide, triamtérène ou zidovudine.

MÉDICAMENT-ALIMENT
Aucune interaction connue.

MÉDICAMENT-MALADIE
La prudence est de mise. Prévenez le médecin en cas de : saignements, inflammation ou ulcères gastriques ou intestinaux, diabète, lupus, anémie, asthme, épilepsie, maladie de Parkinson, calculs rénaux, antécédents de maladie cardiaque ou d'alcoolisme. L'étodolac peut entraîner des complications chez les patients atteints d'une maladie du foie ou des reins, puisque ces organes contribuent à éliminer le médicament de l'organisme.

 EFFETS INDÉSIRABLES

GRAVES
Essoufflement ou respiration sifflante, avec ou sans enflure des jambes ou autres signes d'insuffisance cardiaque ; douleur thoracique ; ulcère gastroduodénal avec vomissements de sang, selles noires, goudronneuses ; diminution de la fonction rénale.

COURANTS
Nausées, vomissements, aigreurs d'estomac, diarrhée, constipation, céphalées, vertiges, somnolence.

MOINS COURANTS
Plaies ou ulcères buccaux, dépression, rash ou ampoules, bourdonnements d'oreilles, engourdissements ou fourmillements des mains ou des pieds, convulsions, vision brouillée. Le médecin vérifiera si vous avez des niveaux élevés de potassium et un manque de globules blancs.

ÉTOPOSIDE

Présentation : Gélules, injection
En vente libre ? Non **Générique disponible ?** Oui
Classe de médicaments : Agent antinéoplasique (anticancéreux)

▼ GÉNÉRALITÉS

INDICATIONS
Traitement du cancer des testicules, du lymphome (cancer des ganglions) récurrent ou persistant, mais aussi de certains types de cancer du poumon.

MODE D'ACTION
L'étoposide tue les cellules cancéreuses en intervenant dans l'activité de leur matériel génétique, les empêchant ainsi de se diviser et de se multiplier. Peut aussi intervenir dans la croissance et le développement d'autres types de cellules, entraînant des effets secondaires.

▼ MODE D'EMPLOI

POSOLOGIE
Carcinome testiculaire chez l'adulte : en perfusion intraveineuse (i.v.), dose habituelle variant entre 50 à 100 mg par mètre carré de surface corporelle pendant 5 jours, et 100 mg par mètre carré administrée les jours 1, 3 et 5. Cancer à petites cellules du poumon chez l'adulte : en gélules, dose habituelle allant de 70 mg par mètre carré par jour pendant 4 jours, à 100 mg par mètre carré par jour pendant 5 jours. À répéter dans les deux cas aux 3 ou 4 semaines, selon la gravité des effets indésirables.

DÉBUT D'ACTION
Variable.

DURÉE D'ACTION
Inconnue.

CONSEILS NUTRITIONNELS
Les gélules se prennent à jeun.

MODE DE CONSERVATION
À la température ambiante. Ne pas congeler.

OUBLI D'UNE DOSE
Sautez la dose oubliée et reprenez la fréquence normale ; ne doublez pas la dose suivante. Avertissez immédiatement le médecin.

  EFFETS INDÉSIRABLES

GRAVES
Myélodépression (dépression de la moelle osseuse) causant fatigue, saignements, ecchymoses, fièvre, maux de gorge, frissons. Troubles gastro-intestinaux graves.

COURANTS
Perte d'appétit, nausées légères ou modérées, vomissements. Consultez le médecin si ces symptômes perdurent. La chute des cheveux, pouvant parfois aller jusqu'à la calvitie complète, est généralement temporaire ; les cheveux repoussent habituellement quand le traitement prend fin.

MOINS COURANTS
Réactions allergiques, diarrhée, fatigue. Une chute temporaire de la tension artérielle (hypotension) causant vertiges et étourdissements peut se produire lors de la perfusion intraveineuse.

ARRÊT DE LA MÉDICATION
Prenez le médicament tel que prescrit par le médecin, même si vous vous sentez malade. Certains effets indésirables, tels que maux d'estomac et vomissements, sont courants. Avertissez le médecin si les vomissements surviennent peu après les doses.

USAGE PROLONGÉ
Effectuez le traitement comme vous l'a prescrit le médecin. Le suivi médical avec examens et analyses périodiques, est un aspect important du traitement ; il faut surveiller de près la numération des cellules sanguines.

▼ PRÉCAUTIONS

Plus de 60 ans. Risques de réactions indésirables plus fréquentes et plus graves.

Conduite automobile, travaux dangereux. Consultez le médecin avant d'entreprendre des tâches où il y a risque de contusions ou de blessures.

Alcool. Buvez modérément.

Grossesse. Des malformations congénitales peuvent survenir si l'étoposide est pris au moment de la conception ou durant la grossesse. Autre effet potentiel : la stérilité. Avant de prendre ce médicament, avertissez le médecin si vous êtes enceinte ; prenez des mesures contraceptives durant le traitement ; avertissez immédiatement le médecin si vous pensez être devenue enceinte.

Allaitement. L'étoposide passe dans le lait maternel et peut entraîner des effets indésirables graves ; demandez l'avis du médecin.

Nourrissons et enfants. Voyez un pédiatre oncologue.

À surveiller. Avisez le médecin si vous-même ou un membre de votre famille songez à recevoir un vaccin : vous risquez de contracter l'infection contre laquelle le vaccin est censé lutter. Les patients en manque de globules sanguins devraient éviter les foules et les personnes contagieuses et surveiller tout symptôme d'infection et de saignement. Soyez prudent quand vous vous lavez les dents et parlez-en au médecin avant d'entreprendre des traitements dentaires.

SURDOSAGE
Symptômes. Gravité accrue des nausées ou vomissements, pouls rapide, essoufflement, évanouissement.

Quoi faire. Appelez aussitôt le médecin ou le centre antipoison, ou allez à l'urgence.

▼ INTERACTIONS

MÉDICAMENT-MÉDICAMENT
Les médicaments suivants peuvent entraîner des effets néfastes s'ils sont pris avec l'étoposide : dépresseurs de la moelle osseuse, antiviraux, antifongiques, anticoagulants, cyclosporine ou AAS.

MÉDICAMENT-ALIMENT
Aucune interaction connue.

MÉDICAMENT-MALADIE
Prévenez le médecin si vous souffrez de varicelle, zona, infection, maladie des reins ou du foie.

EXÉMESTANE

Présentation : Comprimés
En vente libre ? Non **Générique disponible ?** Non
Classe de médicaments : Agent antinéoplasique (anticancéreux)

▼ GÉNÉRALITÉS

INDICATIONS
Traitement du cancer avancé du sein chez les femmes ménopausées chez qui les tumeurs ne répondent plus à une thérapie au tamoxifène.

MODE D'ACTION
L'évolution de certains cancers du sein est favorisée par une hormone, l'œstrogène. Chez la femme ménopausée, cet œstrogène provient en tout premier lieu de la conversion par une enzyme, l'aromatase, des hormones mâles (androgènes) produites dans les surrénales et les ovaires. En inactivant l'aromatase, l'exémestane s'oppose à la synthèse naturelle de l'œstrogène et inhibe le développement des tumeurs qui en dépendent.

▼ MODE D'EMPLOI

POSOLOGIE
25 mg par jour après un repas.

DÉBUT D'ACTION
Inconnu.

DURÉE D'ACTION
Inconnue.

CONSEILS NUTRITIONNELS
On recommande de prendre l'exémestane après un repas.

MODE DE CONSERVATION
Dans un contenant étanche, à l'abri de la chaleur, de l'humidité et de la lumière.

OUBLI D'UNE DOSE
L'exémestane est prescrite à raison d'une dose par jour. Si vous êtes incapable, un jour, de prendre le médicament, revenez à la fréquence habituelle le lendemain. Ne doublez pas la dose suivante.

ARRÊT DE LA MÉDICATION
La décision d'interrompre le traitement doit être prise en consultation avec votre médecin. Ne le faites pas de votre propre initiative.

USAGE PROLONGÉ
Le traitement à l'exémestane ne comporte pas de durée spécifique, mais l'on peut s'attendre à ce qu'il dure à tout le moins plusieurs semaines si l'on veut déterminer son efficacité. Votre médecin jugera si votre réponse au médicament est satisfaisante ou non et recommandera le maintien ou l'abandon de la thérapie.

▼ PRÉCAUTIONS

Plus de 60 ans. Aucun risque connu.

Conduite automobile, travaux dangereux. N'entreprenez pas de telles activités tant que vous ne connaissez pas votre réaction au médicament.

Alcool. Il n'y a rien à signaler, mais vous devriez demander au médecin si vous pouvez boire de l'alcool durant le traitement.

Grossesse. L'exémestane ne doit pas être utilisée par les femmes enceintes. Bien qu'elle soit prescrite exclusivement aux femmes ménopausées, il est important que les patientes s'assurent qu'elles ne sont pas enceintes avant de commencer le traitement.

Allaitement. Sans objet, puisque le médicament n'est prescrit qu'aux femmes ménopausées.

Nourrissons et enfants. Sans objet.

À surveiller. L'exémestane diminue souvent le nombre des lymphocytes (type de globules blancs sanguins qui luttent contre l'infection) ; néanmoins, les essais cliniques n'ont révélé aucune augmentation des infections.

SURDOSAGE
Symptômes. Aucun cas n'a été rapporté.

Quoi faire. Une surdose est peu probable. Néanmoins, si vous avez quelque raison de soupçonner que vous avez pris une surdose, allez à l'urgence et demandez qu'on évalue et traite votre cas.

▼ INTERACTIONS

MÉDICAMENT-MÉDICAMENT
Aucune interaction connue.

MÉDICAMENT-ALIMENT
Aucune interaction connue.

MÉDICAMENT-MALADIE
Aucune interaction connue.

 EFFETS INDÉSIRABLES

GRAVES
Aucun effet indésirable grave n'a été signalé.

COURANTS
Bouffées congestives, nausées, fatigue, douleur, dépression, insomnie, anxiété, essoufflement.

MOINS COURANTS
Sudation, symptômes de grippe, enflure, étourdissements, céphalées, vomissements, douleurs abdominales, perte d'appétit, constipation, diarrhée, augmentation de l'appétit, gain de poids, toux.

FAMCICLOVIR

Présentation : Comprimés
En vente libre ? Non   **Générique disponible ?** Non
Classe de médicaments : Antiviral

▼ GÉNÉRALITÉS

INDICATIONS
Traitement du zona (herpès zoster) ; traitement et suppression des récidives d'herpès génital.

MODE D'ACTION
Le famciclovir inhibe l'activité d'enzymes spécifiques essentielles à la réplication de l'ADN dans les cellules virales, empêchant ainsi le virus de proliférer.

▼ MODE D'EMPLOI

POSOLOGIE
Zona (herpès zoster) : 500 mg toutes les 8 heures pendant 7 jours. L'efficacité du famciclovir dans le traitement de l'herpès zoster est habituellement déterminée après 2 jours. Pour obtenir les meilleurs résultats, la médication doit être prescrite immédiatement après que le diagnostic a été posé. Traitement de l'herpès génital récurrent : 125 mg 2 fois par jour pendant 5 jours à partir du premier signe de récidive. Prévention de la récidive de l'herpès génital : 250 mg 2 fois par jour pendant 1 an au maximum.

DÉBUT D'ACTION
En 1 heure.

DURÉE D'ACTION
Inconnue.

CONSEILS NUTRITIONNELS
Aucune restriction spéciale.

MODE DE CONSERVATION
Dans un contenant étanche, à l'abri de la chaleur, de l'humidité et de la lumière.

OUBLI D'UNE DOSE
Prenez-la dès que vous y pensez. S'il est presque l'heure de la suivante, sautez la dose oubliée et revenez à la fréquence normale. Ne doublez pas la dose suivante.

ARRÊT DE LA MÉDICATION
Effectuez le traitement au complet, comme il vous a été prescrit, même si vous vous sentez mieux. La décision d'interrompre la thérapie doit être prise par votre médecin.

USAGE PROLONGÉ
Le médicament n'est pas destiné à un usage prolongé, mais dans certaines circonstances, il peut être pris sur une longue période pour supprimer une infection chronique au virus de l'herpès.

EFFETS INDÉSIRABLES

GRAVES
Somnolence aiguë.

COURANTS
Céphalées, nausées.

MOINS COURANTS
Fatigue, vomissements, diarrhée, démangeaisons, rash cutané, hallucinations, confusion, mal de gorge, douleur lombaire ou articulaire, infection des sinus, fièvre, frissons.

▼ PRÉCAUTIONS

Plus de 60 ans. Aucun risque connu sauf si la personne âgée présente une dysfonction rénale ou hépatique.

Conduite automobile, travaux dangereux. Le famciclovir peut causer des vertiges et de la fatigue. Il est donc déconseillé de faire ces activités tant que vous ne connaissez pas votre réaction au médicament.

Alcool. Aucune précaution spéciale n'est nécessaire.

Grossesse. L'innocuité du famciclovir chez la femme enceinte n'a pas été établie. Étudiez avec votre médecin les risques que présente ce médicament pendant la grossesse.

Allaitement. Le famciclovir passe dans le lait maternel ; évitez ou interrompez le traitement pendant que vous allaitez.

Nourrissons et enfants. L'innocuité et l'efficacité du médicament n'ont pas été établies chez les moins de 18 ans. Le traitement ne doit se faire que sous étroite surveillance médicale.

À surveiller. Le médicament n'est pas recommandé si vous avez subi une transplantation de la moelle osseuse ou d'un rein. Avant de prendre du famciclovir, indiquez au médecin si votre système immunitaire est compromis. Ne prenez pas de famciclovir si vous avez déjà éprouvé une réaction allergique à ce médicament. Gardez la zone infectée propre et sèche. Portez des vêtements amples. Le médecin voudra sans doute faire faire des analyses sanguines périodiques pour évaluer votre fonction rénale.

SURDOSAGE
Symptômes. Aucun cas n'a été signalé.

Quoi faire. Un surdosage est peu probable. Néanmoins, si vous avez des raisons de soupçonner un surdosage, appelez immédiatement le médecin ou le centre antipoison ou allez à l'urgence.

▼ INTERACTIONS

MÉDICAMENT-MÉDICAMENT
Il peut y avoir des interactions entre le famciclovir et d'autres médicaments. Demandez spécifiquement l'avis du médecin si vous prenez du probénécide ou tout autre médicament vendu avec ou sans ordonnance.

MÉDICAMENT-ALIMENT
Aucune interaction connue.

MÉDICAMENT-MALADIE
Consultez le médecin si vous avez une maladie qui s'accompagne d'un affaiblissement du système immunitaire comme une infection au VIH ou le sida. Le médicament peut entraîner des complications chez les patients souffrant de dysfonction rénale ou hépatique, car les organes du rein et du foie contribuent ensemble à éliminer le médicament de l'organisme.

FAMOTIDINE

Présentation : Comprimés, comprimés à croquer
En vente libre ? Oui   **Générique disponible ?** Oui
Classe de médicaments : Inhibiteur des récepteurs H2 de l'histamine

▼ GÉNÉRALITÉS

INDICATIONS
Traitement des aigreurs d'estomac, des ulcères de l'estomac et du duodénum – états qui augmentent la sécrétion d'acide (comme le syndrome de Zollinger-Ellison) – ainsi que du reflux gastro-œsophagien (retour d'acide gastrique dans l'œsophage, source d'aigreurs). Les comprimés à croquer servent à la prévention ou au traitement des aigreurs.

MODE D'ACTION
En bloquant l'action de l'histamine (substance produite dans les cellules), la famotidine se trouve à inhiber la sécrétion d'acide chlorhydrique dans l'estomac, aidant ainsi l'organisme à se guérir de lui-même.

▼ MODE D'EMPLOI

POSOLOGIE
Aigreurs d'estomac : 10 mg, 1 heure avant les repas. Reflux gastro-œsophagien : 20 mg, 2 fois par jour, pendant au plus 6 semaines. Ulcères gastriques : 40 mg, 1 fois par jour pendant 8 semaines. Ulcères duodénaux : dose d'attaque, 40 mg, 1 fois par jour, au coucher, ou 20 mg, 2 fois par jour ; dose d'entretien, 20 mg, 1 fois par jour. Comprimés à croquer – Traitement des aigreurs d'estomac : 1 comprimé. Prévention des aigreurs d'estomac : 1 comprimé, 15 à 60 minutes avant de manger.

DÉBUT D'ACTION
En 60 minutes.

DURÉE D'ACTION
Jusqu'à 12 heures.

CONSEILS NUTRITIONNELS
Prenez le médicament sans tenir compte des repas. Évitez les aliments irritants pour l'estomac. Prenez les comprimés à croquer avec un verre d'eau.

MODE DE CONSERVATION
Dans un contenant étanche, à l'abri de la chaleur, de l'humidité et de la lumière.

≣ EFFETS INDÉSIRABLES ≣

GRAVES
Arythmie cardiaque (palpitations), battements de cœur lents, problèmes sanguins graves produisant des saignements anormaux, ecchymoses, fièvre, frissons et vulnérabilité accrue aux infections.

COURANTS
Céphalées, fatigue, somnolence, vertiges, nausées, vomissements, douleur abdominale, diarrhée, constipation.

MOINS COURANTS
Vision embrouillée, baisse de la libido ou de la fonction sexuelle, chute de cheveux temporaire, hallucinations, dépression, insomnie, éruptions cutanées, urticaire ou rougeurs.

OUBLI D'UNE DOSE
Prenez-la dès que vous y pensez. S'il est presque l'heure de la suivante, sautez la dose oubliée et reprenez la fréquence normale. Ne doublez pas la dose suivante.

ARRÊT DE LA MÉDICATION
Cette décision doit se prendre en consultation avec votre médecin.

USAGE PROLONGÉ
Si le médicament vous a été donné sur ordonnance, ne le prenez pas durant plus de 8 semaines, à moins d'avis contraire du médecin. Si vous avez acheté le médicament en vente libre, ne prolongez pas le traitement au-delà de 2 semaines sans demander son avis à votre médecin.

▼ PRÉCAUTIONS

Plus de 60 ans. Risques de réactions indésirables plus fréquentes et plus graves.

Conduite automobile, travaux dangereux. À déconseiller tant que vous ne connaissez pas votre réaction au médicament.

Alcool. À éviter : l'alcool peut retarder votre guérison.

Grossesse. Les risques varient en fonction de la patiente et de la posologie. Demandez l'avis du médecin.

Allaitement. La famotidine passe dans le lait maternel. N'en prenez pas pendant que vous allaitez.

Nourrissons et enfants. Médicament non prescrit en général à ce groupe d'âge.

À surveiller. Au besoin, la famotidine peut être prescrite en conjonction avec un anti-acide. Évitez de fumer : le tabac peut augmenter la sécrétion d'acide gastrique et aggraver ainsi votre cas.

SURDOSAGE
Symptômes. Confusion, diction pâteuse, tachycardie, difficulté à respirer, délire.

Quoi faire. Appelez immédiatement le médecin ou le centre antipoison, ou allez à l'urgence.

▼ INTERACTIONS

MÉDICAMENT-MÉDICAMENT
Pas d'interaction connue.

MÉDICAMENT-ALIMENT
Boissons carbonatées, agrumes et jus d'agrumes, boissons à la caféine et autres aliments et boissons acides peuvent irriter l'estomac ou nuire à l'action thérapeutique de la famotidine.

MÉDICAMENT-MALADIE
Les patients qui souffrent d'une maladie des reins doivent prendre des doses plus petites de famotidine sous la surveillance étroite du médecin.

FÉLODIPINE

Présentation : Comprimés à libération progressive
En vente libre ? Non **Générique disponible ?** Non
Classe de médicaments : Inhibiteur des canaux calciques

▼ GÉNÉRALITÉS

INDICATIONS
Traitement de l'hypertension.

MODE D'ACTION
La félodipine entrave le mouvement du calcium dans les cellules du muscle cardiaque et dans celles des muscles lisses des parois artérielles : les vaisseaux sanguins se dilatent ; cela fait baisser la tension artérielle, accroît l'irrigation du cœur et diminue le travail cardiaque.

▼ MODE D'EMPLOI

POSOLOGIE
Dose d'attaque : 5 à 10 mg 1 fois par jour ; peut être augmentée jusqu'à un maximum de 20 mg, 1 fois par jour. Patients de plus de 65 ans : dose d'attaque : 2,5 mg par jour, sans dépasser 10 mg par jour.

DÉBUT D'ACTION
En 2 à 5 heures.

DURÉE D'ACTION
24 heures.

EFFETS INDÉSIRABLES

GRAVES
Rythme cardiaque irrégulier ou lent, hypotension (causant des vertiges ou des évanouissements).

COURANTS
Bouffées congestives ou rash cutané, céphalées, enflure des pieds ou du bas des jambes.

MOINS COURANTS
Étourdissements, sensation d'engourdissement ou de picotement, douleurs thoraciques, palpitations, faiblesse, écoulements nasaux, pouls rapide, maux de gorge, malaises abdominaux, nausées, constipation ou diarrhée, crampes musculaires, toux, mal de dos, hypertrophie des gencives.

CONSEILS NUTRITIONNELS
La félodipine se prend soit à jeun, soit après un repas léger. Ne pas broyer ni mâcher les comprimés.

MODE DE CONSERVATION
Dans un contenant étanche, à l'abri de la chaleur, de l'humidité et de la lumière.

OUBLI D'UNE DOSE
Prenez-la dès que vous y pensez. S'il est presque l'heure de la suivante, sautez la dose oubliée et reprenez la fréquence normale. Ne doublez pas la dose suivante.

ARRÊT DE LA MÉDICATION
Ne l'arrêtez pas brusquement sous peine de vous exposer à de graves problèmes de santé. S'il faut interrompre le traitement, la posologie sera diminuée progressivement, selon les directives de votre médecin.

USAGE PROLONGÉ
Demandez à votre médecin s'il y a lieu de vous soumettre à des examens médicaux ou à des analyses de laboratoire pour vérifier les fonctions hépatique, rénale ainsi que cardiaque.

▼ PRÉCAUTIONS

Plus de 60 ans. On recommande des doses d'attaque plus faibles, qui peuvent être augmentées graduellement jusqu'à ce que le médecin détermine la dose d'entretien appropriée au patient.

Conduite automobile, travaux dangereux. À déconseiller tant que vous ne connaissez pas votre réaction à la félodipine.

Alcool. À éviter pendant le traitement : l'alcool peut entraîner une chute excessive de la tension artérielle.

Grossesse. Analysez avec le médecin les bienfaits de la félodipine par rapport à ses risques.

Allaitement. La félodipine peut passer dans le lait maternel : la prudence s'impose. Demandez conseil à votre médecin.

Nourrissons et enfants. La félodipine n'est généralement pas prescrite à ce groupe d'âge.

À surveiller. Dites que vous prenez de la félodipine à tous les professionnels de la santé que vous consultez. Portez sur vous une carte qui le spécifie. La félodipine peut causer de l'impuissance chez certains hommes. La nicotine peut réduire son efficacité. Enfin, un environnement chaud peut intensifier les effets hypotensifs de la félodipine.

SURDOSAGE
Symptômes. Faiblesse, vertiges, pouls rapide, essoufflement, tremblements, bouffées congestives, évanouissements, diction empâtée.

Quoi faire. Appelez immédiatement le médecin ou le centre antipoison, ou allez à l'urgence.

▼ INTERACTIONS

MÉDICAMENT-MÉDICAMENT
Avertissez le médecin si vous prenez : anticonvulsivants, bêtabloquants, agents digitaliques, carbamazépine, cyclosporine, digoxine, disopyramide, magnésium, phénobarbital, phénytoïne, quinidine, rifampine, cimétidine ou érythromycine.

MÉDICAMENT-ALIMENT
Évitez le jus de pamplemousse parce qu'il peut intensifier les effets du médicament et entraîner une chute grave de la tension artérielle. Attention aux excès de sel.

MÉDICAMENT-MALADIE
Il faut être prudent quand on prend de la félodipine. Avertissez le médecin si vous avez : insuffisance cardiaque congestive, antécédents de crise cardiaque ou d'accident cérébrovasculaire, problèmes du rythme cardiaque ou insuffisance de la fonction hépatique ou rénale.

FÉNOFIBRATE

Présentation : Gélules (ordinaires ou micronisées), comprimés (micro-enrobés)
En vente libre ? Non   **Générique disponible ?** Oui
Classe de médicaments : Régulateur du métabolisme lipidique

▼ GÉNÉRALITÉS

INDICATIONS
Traitement de l'hypertriglycéridémie. Généralement
prescrit quand d'autres traitements – régime alimentaire,
perte de poids, exercice et
maîtrise du diabète (s'il y a
lieu) – n'ont pas permis
d'abaisser de façon satisfaisante les taux de triglycérides.

MODE D'ACTION
Le fénofibrate accélère l'élimination des triglycérides présents dans les lipoprotéines
de très faible densité (VLDL)
qui sont converties en lipoprotéines de faible densité (LDL).
Chez certains patients, les
taux de cholestérol total et
de cholestérol LDL peuvent
augmenter pendant que celui
des triglycérides baisse.

▼ MODE D'EMPLOI

POSOLOGIE
Adultes – Gélules ordinaires :
100 mg, 2 à 4 fois par jour,
aux repas. Gélules micronisées : 67 mg 1 fois par jour,
sans dépasser 201 mg 1 fois
par jour, au repas principal.
Comprimés micro-enrobés :
160 mg 1 fois par jour, au
repas principal.

DÉBUT D'ACTION
Inconnu.

DURÉE D'ACTION
Inconnue.

CONSEILS NUTRITIONNELS
Suivez les conseils du médecin pour mieux maîtriser votre
hypertension et prévenir la
maladie cardiaque. Limitez
l'alcool qui peut faire monter
les taux de triglycérides.

MODE DE CONSERVATION
Dans un contenant étanche, à
l'abri de la chaleur, de l'humidité et de la lumière.

OUBLI D'UNE DOSE
Si vous oubliez une dose,
ne doublez pas celle du
lendemain.

ARRÊT DE LA MÉDICATION
Ne l'interrompez pas de votre
propre chef ; le taux sanguin
de triglycérides augmentera.

USAGE PROLONGÉ
Durant la thérapie, le médecin
effectue des tests périodiques
pour mesurer les taux de
triglycérides. Le traitement
devrait être abandonné en
l'absence de réponse adéquate à la médication après deux
mois de doses maximales.

▼ PRÉCAUTIONS

Plus de 60 ans. Aucun risque
connu.

**Conduite automobile, tra-
vaux dangereux.** Le fénofibrate ne devrait pas vous
empêcher d'exécuter de telles tâches en toute sécurité.

Alcool. Limitez votre consommation d'alcool : elle peut
faire monter les taux de
triglycérides.

Grossesse. Ne prenez pas de
fénofibrate durant la grossesse, à moins que le médecin
n'estime que le risque d'interrompre la médication est trop
grand. Les triglycérides augmentent substantiellement
durant la grossesse et des
taux élevés peuvent déclencher une pancréatite grave.

Allaitement. Évitez le fénofibrate ou arrêtez d'en prendre.

Nourrissons et enfants. L'innocuité et l'efficacité du médicament n'ont pas été établies
chez les moins de 18 ans.

À surveiller. Le traitement le
plus important contre l'hypertriglycéridémie consiste à
maintenir un bon régime
alimentaire, perdre du poids,
faire régulièrement de l'exercice modéré, éviter certains
médicaments et surveiller son
diabète. Le fénofibrate ayant
des effets indésirables possibles, il est important de
suivre les stratégies thérapeutiques suggérées par le médecin. Le fénofibrate peut augmenter les risques de calculs
biliaires et de troubles hépatiques et pancréatiques. Le
médecin ordonnera des analyses périodiques du sang.

SURDOSAGE
Symptômes. Aucun symptôme n'a été signalé.

Quoi faire. Appelez immédiatement le médecin ou le
centre antipoison.

▼ INTERACTIONS

MÉDICAMENT-MÉDICAMENT
Il peut y avoir interaction
nocive avec : anticoagulants
(warfarine), niacine et tous les
hypocholestérolémiants appelés « statines ». Il faut généralement réduire les doses de
warfarine pour éviter des saignements. L'usage concomitant du fénofibrate et de la
niacine ou d'une statine peut
entraîner une myosite grave
(inflammation musculaire),
susceptible de dégager une
protéine qui endommage les
reins. Demandez l'avis du
médecin.

MÉDICAMENT-ALIMENT
Aucune interaction connue.

MÉDICAMENT-MALADIE
Avertissez le médecin en cas
de : calculs biliaires, ulcère
gastrique ou intestinal, maladie des reins, des muscles ou
du foie. Les doses de fénofibrate doivent être réduites
pour les patients qui ont des
lésions rénales importantes.

≣ EFFETS INDÉSIRABLES ≣

GRAVES
Fièvre, douleur ou sensibilité inhabituelles ou inexpliquées
dans les muscles.

COURANTS
Rash cutané, éructations, ballonnement, nausées, vomissements, constipation.

MOINS COURANTS
Fatigue, sensation générale de douleur, maux de tête,
libido diminuée, vertiges, congestion nasale, démangeaisons, troubles de la vue, irritation des yeux.

FÉNOPROFÈNE CALCIQUE

Présentation : Comprimés
En vente libre ? Non   **Générique disponible ?** Non
Classe de médicaments : Anti-inflammatoire non stéroïdien (AINS)

▼ GÉNÉRALITÉS

INDICATIONS

Contre la douleur et l'inflammation bénignes ou modérées causées par la tendinite, l'arthrite, la bursite, la goutte, les lésions des tissus mous, les migraines et autres maux de tête vasculaires, les douleurs menstruelles et autres états douloureux. Quand un AINS se révèle inefficace, le patient peut en essayer un autre jusqu'à ce qu'il obtienne le soulagement recherché. Il faut parfois faire plusieurs essais.

MODE D'ACTION

Les AINS entravent la formation de prostaglandines, substances naturelles de l'organisme qui causent de l'inflammation et rendent les nerfs plus réceptifs aux impulsions douloureuses. Les AINS ont d'autres modes d'action moins bien connus.

▼ MODE D'EMPLOI

POSOLOGIE

Adultes – Arthrite : 300 à 600 mg, 3 ou 4 fois par jour, sans dépasser 3 000 mg par jour. L'effet peut prendre 2 à 4 semaines à s'établir.

DÉBUT D'ACTION

En 15 à 30 minutes.

DURÉE D'ACTION

4 à 6 heures.

CONSEILS NUTRITIONNELS

Se prend en même temps que de la nourriture ; mangez et buvez normalement.

MODE DE CONSERVATION

Dans un contenant étanche, à l'abri de la chaleur, de l'humidité et de la lumière.

OUBLI D'UNE DOSE

Prenez-la dès que vous y pensez. S'il est presque l'heure de la suivante, sautez la dose oubliée et revenez à la fréquence normale. Ne doublez pas la dose suivante.

ARRÊT DE LA MÉDICATION

La décision d'interrompre le traitement doit être prise en consultation avec votre médecin.

USAGE PROLONGÉ

Peut entraîner des troubles gastro-intestinaux, dont ulcération et saignements, une dysfonction rénale et une inflammation du foie. Voyez votre médecin régulièrement.

▼ PRÉCAUTIONS

Plus de 60 ans. Étant donné les risques potentiellement plus grands d'effets indésirables gastro-intestinaux chez les patients âgés, surtout chez les plus de 70 ans, la dose est souvent coupée de moitié.

Conduite automobile, travaux dangereux. À déconseiller tant que vous ne connaissez pas votre réaction au médicament.

Alcool. À éviter ; l'alcool augmente les risques d'irritation gastrique.

Grossesse. Évitez le fénoprofène ou cessez d'en prendre si vous êtes enceinte ou prévoyez le devenir.

Allaitement. Le fénoprofène passe dans le lait maternel ; évitez d'en prendre ou cessez le traitement pendant que vous allaitez.

Nourrissons et enfants. Peut être utilisé dans des circonstances exceptionnelles. Parlez-en au médecin.

À surveiller. Comme les AINS peuvent modifier la coagulation sanguine, la médi-

cation devrait être interrompue au moins 3 jours avant toute chirurgie.

SURDOSAGE

Symptômes. Nausées, vomissements, violents maux de tête, confusion, convulsions.

Quoi faire. Appelez aussitôt le médecin ou le centre antipoison, ou allez à l'urgence.

▼ INTERACTIONS

MÉDICAMENT-MÉDICAMENT

Ne prenez pas ce médicament avec de l'AAS ou un autre AINS sans l'avis de votre médecin. De plus, prévenez celui-ci si vous prenez : antihypertenseurs, stéroïdes, anticoagulants, antibiotiques, itraconazole ou kétoconazole, plicamycine, pénicillamine, acide valproïque, phénytoïne, cyclosporine, agents digitaliques, lithium, méthotrexate, probénécide, triamtérène ou zidovudine.

MÉDICAMENT-ALIMENT

Aucune interaction connue.

MÉDICAMENT-MALADIE

La prudence s'impose. Consultez votre médecin si vous avez : saignements, inflammation ou ulcères de l'estomac ou des intestins, diabète sucré, lupus, anémie, asthme, épilepsie, maladie de Parkinson, calculs rénaux, antécédents de maladie cardiaque ou d'alcoolisme. Le fénoprofène peut entraîner des complications chez les patients atteints d'une maladie du foie ou des reins, puisque ces organes contribuent à éliminer le médicament de l'organisme.

 EFFETS INDÉSIRABLES

GRAVES

Essoufflement ou respiration sifflante, avec ou sans enflure des jambes ou autres signes d'insuffisance cardiaque ; douleur thoracique ; ulcère gastro-duodénal avec vomissements de sang, selles noires, goudronneuses ; diminution de la fonction rénale.

COURANTS

Nausées, vomissements, aigreurs d'estomac, diarrhée, constipation, céphalées, vertiges, somnolence.

MOINS COURANTS

Plaies ou ulcères buccaux, dépression, rash ou ampoules, bourdonnements d'oreilles, engourdissements ou fourmillements des mains ou des pieds, convulsions, vision brouillée. Le médecin vérifiera si vous avez des niveaux élevés de potassium ou un manque de globules blancs.

FÉNOTÉROL (BROMHYDRATE DE)

NOM COMMERCIAL

Berotec

Présentation : Inhalateur, solution pour inhalation
En vente libre ? Non   **Générique disponible ?** Non
Classe de médicaments : Bronchodilatateur/sympathomimétique

▼ GÉNÉRALITÉS

INDICATIONS
Le médicament sert à dilater les voies aériennes pulmonaires rétrécies par une maladie ou une inflammation. On l'utilise pour traiter l'asthme et la maladie pulmonaire obstructive chronique.

MODE D'ACTION
Le fénotérol dilate les voies aériennes en détendant les muscles lisses qui entourent les bronchioles.

▼ MODE D'EMPLOI

POSOLOGIE
S'emploie au besoin pour soulager les difficultés respiratoires. Bronchospasmes : 1 à 2 inhalations avec l'inhalateur, 3 ou 4 fois par jour, sans dépasser 8 inhalations par jour ; ou 0,5 à 2,5 mg de solution par nébuliseur motorisé (à air comprimé ou à ultrasons ou à ventilation sous pression positive intermittente), aux 6 heures, au besoin.

DÉBUT D'ACTION
En 5 minutes.

DURÉE D'ACTION
3 à 6 heures.

CONSEILS NUTRITIONNELS
Pas de restrictions ni de recommandations spéciales.

MODE DE CONSERVATION
Les cartouches aérosol sont sous pression ; ne les perforez pas. Gardez-les à l'abri de la chaleur, de la flamme et de la lumière. Les flacons de verre ambré originaux de solution non diluée ouverts puis refermés peuvent être conservés à la température ambiante pendant 30 jours. La solution diluée peut être conservée à la température ambiante pendant 24 heures. Ne réfrigérez pas la solution.

OUBLI D'UNE DOSE
Sautez-la et reprenez la fréquence normale. Ne doublez pas la dose suivante.

ARRÊT DE LA MÉDICATION
Il peut ne pas être nécessaire d'effectuer le traitement au complet. Voyez le médecin.

USAGE PROLONGÉ
Le traitement peut durer longtemps. L'abus du médicament peut en réduire temporairement l'efficacité.

▼ PRÉCAUTIONS

Plus de 60 ans. Risques de réactions indésirables plus fréquentes et plus graves.

Conduite automobile, travaux dangereux. À déconseiller tant que vous ne connaissez pas votre réaction au médicament.

Alcool. Pas de précautions spéciales.

Grossesse. L'innocuité chez la femme enceinte n'a pas été établie. Consultez le médecin.

Allaitement. Le fénotérol passe dans le lait maternel. Demandez l'avis du médecin.

Nourrissons et enfants. Non recommandé pour les enfants de moins de 12 ans.

À surveiller. Si une dose, habituellement efficace, ne suffit plus à soulager les symptômes ou si ses effets durent moins de 3 heures, voyez immédiatement le médecin : il y aura vraisemblablement lieu de changer votre traitement pour l'asthme. L'inhalateur doit être amorcé avant sa première utilisation de même que lorsqu'il n'a pas servi pendant plus de 2 semaines. Pour ce faire, lancez 4 bouffées dans l'air, en direction opposée à votre visage. Lavez-en l'embout buccal chaque semaine, après l'avoir dégagé de la cartouche, pour prévenir une accumulation du médicament ; laissez l'embout sécher complètement à l'air.

SURDOSAGE
Symptômes. Tremblements, nervosité, vertiges, douleur thoracique, pouls rapide et irrégulier.

Quoi faire. Appelez le médecin ou allez immédiatement à l'urgence.

▼ INTERACTIONS

MÉDICAMENT-MÉDICAMENT
Le fénotérol ne doit pas être administré dans les 14 jours suivant l'administration d'un inhibiteur de la monoamineoxydase (IMAO). Consultez le médecin si vous prenez : bêtabloquants, digoxine, antihypertenseurs, diurétiques de l'anse ou diurétiques thiazidiques, stéroïdes, théophylline, hormone thyroïdienne, antidépresseurs tricycliques ou d'autres médicaments contre l'asthme.

MÉDICAMENT-ALIMENT
Aucune interaction connue.

MÉDICAMENT-MALADIE
Consultez le médecin en cas de : antécédents de problèmes cardiaques, de maladie des vaisseaux sanguins ou d'hypertension ; hyperthyroïdie ou diabète sucré.

 EFFETS INDÉSIRABLES

GRAVES
L'excès du médicament le rend moins efficace : la respiration est plus difficile et ne s'améliore pas. Symptômes : respiration sifflante, toux, essoufflement, confusion, bleuissement des lèvres ou des ongles, incapacité de parler.

COURANTS
Nervosité, tremblements, vertiges, céphalées, tachycardie.

MOINS COURANTS
Sécheresse ou irritation du nez, de la bouche et de la gorge ; étourdissements ; aigreurs d'estomac ; nausées ; crampes musculaires.

FENTANYL TRANSDERMIQUE

NOM COMMERCIAL

Duragesic

Présentation : Patchs transdermiques
En vente libre ? Non   **Générique disponible ?** Non
Classe de médicaments : Analgésique opioïde (narcotique)

▼ GÉNÉRALITÉS

INDICATIONS
Traitement des douleurs chroniques graves.

MODE D'ACTION
Le fentanyl est un narcotique qui soulage la douleur en agissant sur les zones de la moelle épinière et du cerveau qui relaient les signaux de douleur émis par les nerfs partout dans l'organisme.

▼ MODE D'EMPLOI

POSOLOGIE
Collez le patch sur la peau selon la dose recommandée par le médecin. Remplacez-le toutes les 72 heures ou à la fin de la période indiquée par le médecin. Application : sortez le patch de sa pochette et ôtez la garniture qui recouvre la couche adhésive. Appliquez-le sur un endroit sec et non poilu du corps. Tenez-le en place 10 à 30 secondes pour qu'il adhère bien. Si c'est nécessaire, lavez au préalable l'endroit à l'eau : les savon, lotion, alcool ou autres peuvent irriter la peau. Ne placez pas le patch au même endroit plus qu'une fois en 3 jours. Ne le placez pas sur une peau excessivement grasse, brûlée ou irritée. Lavez-vous les mains après l'avoir appliqué. Retirez-le après 72 heures (3 jours), repliez-le sur lui-même et jetez-le aux toilettes. Les patchs transdermiques de fentanyl se font en 25 µg/h (microgrammes par heure), 50 µg/h, 75 µg/h et 100 µg/h.

DÉBUT D'ACTION
En 12 à 24 heures.

DURÉE D'ACTION
Jusqu'à 72 heures.

CONSEILS NUTRITIONNELS
Aucune précaution spéciale avec le patch.

MODE DE CONSERVATION
Dans sa pochette, à l'abri de la chaleur, de l'humidité et de la lumière.

OUBLI D'UNE DOSE
Appliquez un nouveau patch dès que vous y pensez. N'appliquez pas plus d'un patch à la fois, à moins d'avis contraire de votre médecin. Enlevez le patch 3 jours après l'avoir appliqué.

ARRÊT DE LA MÉDICATION
La décision d'interrompre la thérapie doit être prise par votre médecin. Si le traitement dure depuis longtemps, il peut être nécessaire de réduire graduellement la dose afin de diminuer le risque d'éprouver des symptômes de sevrage.

USAGE PROLONGÉ
Peut entraîner de la dépendance physique.

▼ PRÉCAUTIONS

Plus de 60 ans. Risques de réactions indésirables plus fréquentes et plus graves. On utilise généralement le patch à plus faible dose au début du traitement.

Conduite automobile, travaux dangereux. L'utilisation de fentanyl peut vous empêcher d'exécuter de telles tâches en toute sécurité.

Alcool. À éviter.

Grossesse. Il n'existe pas d'études adéquates sur les humains. Avant d'en prendre, analysez avec le médecin les bienfaits du fentanyl par rapport à ses risques.

Allaitement. Le médicament passe dans le lait maternel ; n'en prenez pas pendant que vous allaitez.

Nourrissons et enfants. L'innocuité et l'efficacité du médicament n'ont pas été établies pour les moins de 18 ans.

À surveiller. Ne modifiez pas la dose ou n'arrêtez pas subitement le traitement sans avoir consulté votre médecin.

Un arrêt brusque pourrait entraîner des symptômes de sevrage. La chaleur peut accélérer l'absorption du fentanyl. Évitez les coussins chauffants, les bains de soleil, les douches ou les bains prolongés à l'eau chaude. Non recommandé pour les douleurs postopératoires.

SURDOSAGE
Symptômes. Convulsions, somnolence grave, hallucinations, battements de cœur lents, respiration très lente ou très faible, peau froide et moite, rétrécissement de la pupille.

Quoi faire. Appelez aussitôt le médecin ou le centre antipoison, ou allez à l'urgence.

▼ INTERACTIONS

MÉDICAMENT-MÉDICAMENT
Demandez l'avis de votre médecin si vous prenez : benzodiazépines ; dépresseurs du système nerveux central comme opiacés, barbituriques et tranquillisants ; antidépresseurs, amiodarone, clonidine ou IMAO.

MÉDICAMENT-ALIMENT
Aucune interaction connue.

MÉDICAMENT-MALADIE
Prévenez votre médecin en cas de : maladie du foie ou des reins ; troubles de la prostate ; maladie de la vésicule biliaire ; troubles intestinaux – colite ; hypothyroïdie ; tumeur cérébrale ; cardiopathie ; anémie ; antécédents d'alcoolisme ou de toxicomanie. La fièvre peut accélérer l'absorption du médicament, augmente les risques de surdosage.

 EFFETS INDÉSIRABLES

GRAVES
Convulsions, forte somnolence, hallucinations, battements du cœur lents, respiration très lente ou très faible, peau froide et moite, rétrécissement extrême de la pupille.

COURANTS
Étourdissements, nausées ou vomissements, constipation, somnolence, rétention d'urine, démangeaisons.

MOINS COURANTS
Sudation, réaction cutanée au lieu du patch, muscles raides, évanouissements, spasmes du corps (myoclonie).

FÉXOFÉNADINE

Présentation : Comprimés, comprimés à action prolongée
En vente libre ? Oui **Générique disponible ?** Non
Classe de médicaments : Antihistaminique

▼ GÉNÉRALITÉS

INDICATIONS
Prévention ou soulagement des symptômes du rhume des foins et d'autres allergies ; traitement du prurit de la peau et de l'urticaire.

MODE D'ACTION
La féxofénadine bloque les effets de l'histamine, substance naturellement présente dans l'organisme qui cause l'enflure, les démangeaisons, les éternuements, le larmoiement, l'urticaire et les autres symptômes de réaction allergique.

▼ MODE D'EMPLOI

POSOLOGIE
Adultes et enfants de 12 ans et plus : 60 mg 2 fois par jour, ou 1 comprimé de 120 mg 1 fois par jour. Aux patients souffrant d'insuffisance rénale, on recommande une dose d'attaque de 60 mg 1 fois par jour. Enfants de moins de 12 ans : l'innocuité et l'efficacité du médicament n'ont pas été établies dans ce groupe d'âge.

DÉBUT D'ACTION
En 1 à 2 heures.

DURÉE D'ACTION
Comprimés : 12 heures ou plus. Comprimés à action prolongée : 24 heures ou plus.

CONSEILS NUTRITIONNELS
Pas de restriction spéciale.

MODE DE CONSERVATION
Dans un contenant étanche à la température ambiante, et à l'abri de l'humidité, de la chaleur et de la lumière.

OUBLI D'UNE DOSE
Prenez-la dès que vous y pensez. S'il est presque l'heure de la suivante, sautez la dose oubliée et reprenez la fréquence normale. Ne doublez pas la dose suivante.

ARRÊT DE LA MÉDICATION
Effectuez le traitement au complet, comme il vous a été prescrit, mais vous pouvez l'interrompre si vous vous sentez mieux avant la fin prévue. La féxofénadine peut être utilisée au besoin pour soulager les symptômes du rhume des foins ou d'autres allergies.

USAGE PROLONGÉ
Un usage prolongé n'entraîne pas d'ordinaire de tolérance (ou épuisement d'effet) au médicament ; dans le cas contraire, consultez le médecin. Aucun problème spécial n'est à redouter d'un usage prolongé.

▼ PRÉCAUTIONS

Plus de 60 ans. Pas de risque connu.

Conduite automobile, travaux dangereux. N'entreprenez pas de telles activités tant que vous ne connaissez pas votre réaction au médicament. Dans de rares cas, la féxofénadine peut causer de la somnolence et de la fatigue.

Alcool. Pas de précautions spéciales.

Grossesse. Il n'existe pas d'études pertinentes et bien contrôlées sur les humains. Demandez l'avis du médecin si vous êtes enceinte ou prévoyez le devenir.

Allaitement. La féxofénadine peut passer dans le lait maternel : la prudence s'impose. Demandez spécifiquement l'avis du médecin si vous allaitez.

Nourrissons et enfants. On ne prévoit pas d'effets indésirables différents chez les enfants de 12 à 18 ans et chez les patients de 18 ans et plus. L'innocuité et l'efficacité du médicament pour les enfants de moins de 12 ans n'ont pas été établies.

SURDOSAGE
Symptômes. Somnolence ou fatigue extrêmes.

Quoi faire. Il est peu probable qu'une surdose de féxofénadine mette votre vie en danger. Néanmoins, si la dose est très forte, appelez immédiatement le médecin ou le centre antipoison, ou allez à l'urgence.

▼ INTERACTIONS

MÉDICAMENT-MÉDICAMENT
Ne prenez pas la féxofénadine moins de 2 heures avant ou après un antiacide contenant de l'hydroxyde d'aluminium ou de l'hydroxyde de magnésium.

MÉDICAMENT-ALIMENT
Pas d'interaction connue.

MÉDICAMENT-MALADIE
Consultez le médecin si vous souffrez d'insuffisance rénale.

≡ EFFETS INDÉSIRABLES ≡

GRAVES
Aucun effet indésirable grave n'est associé à la féxofénadine.

COURANTS
Aucun effet courant n'est associé à la féxofénadine.

MOINS COURANTS
Somnolence, fatigue, dérangements d'estomac, saignements menstruels douloureux.

FÉXOFÉNADINE/PSEUDOÉPHÉDRINE

Présentation : Comprimés à libération lente
En vente libre ? Oui   **Générique disponible ?** Non
Classe de médicaments : Antihistaminique/décongestionnant

▼ GÉNÉRALITÉS

INDICATIONS
Prévention ou soulagement des symptômes des allergies saisonnières, comme le rhume des foins.

MODE D'ACTION
La féxofénadine bloque les effets de l'histamine, substance naturellement présente dans l'organisme qui cause enflure, démangeaisons, éternuements, larmoiement, urticaire et autres symptômes de réactions allergiques. La pseudoéphédrine entraîne une constriction des vaisseaux sanguins, réduisant ainsi le flux sanguin vers les voies nasales enflées et d'autres tissus, ce qui diminue les sécrétions nasales, décongestionne les muqueuses nasales enflées et facilite le passage de l'air dans les voies nasales.

▼ MODE D'EMPLOI

POSOLOGIE
Adultes et adolescents :
1 comprimé (60 mg de féxofénadine/120 mg de pseudoéphédrine) 2 fois par jour.

DÉBUT D'ACTION
En 1 à 2 heures.

DURÉE D'ACTION
12 heures ou davantage.

CONSEILS NUTRITIONNELS
À prendre au moins 1 heure avant ou 2 heures après un repas. Prendre le médicament en mangeant retarde le début de l'action. Avalez le comprimé sans le briser.

MODE DE CONSERVATION
Dans un contenant étanche, à l'abri de la chaleur, de l'humidité et de la lumière.

OUBLI D'UNE DOSE
Prenez-la dès que vous y pensez. S'il est presque l'heure de la suivante, sautez la dose oubliée et reprenez la fréquence normale. Ne doublez pas la dose suivante.

ARRÊT DE LA MÉDICATION
Vous pouvez arrêter le traitement avant la fin si vous vous sentez mieux.

USAGE PROLONGÉ
Consultez le médecin avant de prendre ce médicament pour plus de 5 à 7 jours.

▼ PRÉCAUTIONS

Plus de 60 ans. Risques de réactions indésirables plus fréquentes et plus graves.

Conduite automobile, travaux dangereux. À déconseiller tant que vous ne connaissez pas votre réaction au médicament.

Alcool. Aucune précaution spéciale.

Grossesse. Il n'existe pas d'études adéquates sur les femmes enceintes. Avant de prendre ce médicament, avertissez le médecin que vous êtes enceinte ou avez l'intention de le devenir. Analysez avec lui les bienfaits du médicament par rapport à ses dangers.

Allaitement. La pseudoéphédrine passe dans le lait maternel ; abstenez-vous de prendre ce médicament ou arrêtez le traitement si vous allaitez.

Nourrissons et enfants. Non recommandé pour les enfants de moins de 12 ans.

À surveiller. Si les symptômes ne s'améliorent pas en 7 jours, consultez le médecin. Pour prévenir l'insomnie, prenez la dernière dose au moins 2 heures avant le coucher.

SURDOSAGE
Symptômes. Aucun cas de surdose n'a été signalé.

Quoi faire. Une surdose est peu probable. Néanmoins, en cas de surdose appréhendée, appelez le médecin ou le centre antipoison, ou allez à l'urgence.

▼ INTERACTIONS

MÉDICAMENT-MÉDICAMENT
Ne prenez pas ce médicament dans les 2 heures suivant l'ingestion d'un antiacide contenant de l'hydroxyde d'aluminium ou de l'hydroxyde de magnésium. Laissez passer 14 jours entre la prise de ce médicament et celle d'inhibiteurs de la monoamine-oxydase (IMAO). Demandez l'avis du médecin si vous prenez des antihypertenseurs ou des médicaments digitaliques.

MÉDICAMENT-ALIMENT
Aucune interaction connue.

MÉDICAMENT-MALADIE
Vous ne devriez pas prendre ce médicament si vous avez des antécédents de glaucome à angle fermé, de rétention urinaire, d'hypertension grave ou de maladie grave de l'artère coronarienne. La prudence s'impose si vous souffrez d'hypertension légère ou modérée ou de diabète sucré, si vous avez des antécédents d'angine ou de crise cardiaque, si vous souffrez d'hyperthyroïdie, d'insuffisance de la fonction rénale ou d'hypertrophie de la prostate.

 EFFETS INDÉSIRABLES

GRAVES
Palpitations, essoufflement, difficultés respiratoires. Cessez de prendre le médicament et demandez immédiatement de l'aide médicale.

COURANTS
Céphalées, insomnie, nausées.

MOINS COURANTS
Bouche sèche, digestion difficile, irritation de la gorge, vertiges, agitation, mal de dos, anxiété, nervosité, douleurs d'estomac, infection des voies respiratoires supérieures.

FINASTÉRIDE

Présentation : Comprimés
En vente libre ? Non   **Générique disponible ?** Non
Classe de médicaments : Inhibiteur de la 5 alpha-réductase

▼ GÉNÉRALITÉS

INDICATIONS
Traitement de l'hyperplasie bénigne de la prostate (HBP), hypertrophie non cancéreuse, très répandue chez les hommes de plus de 50 ans. Sert aussi à traiter la calvitie commune chez les hommes.

MODE D'ACTION
Le finastéride entraîne l'arrêt ou la régression de l'hypertrophie de la prostate en entravant l'action de l'enzyme 5 alpha-réductase dont l'organisme a besoin pour produire de la dihydrotestostérone (DHT), substance chimique impliquée dans l'hypertrophie prostatique. La DHT est également présente dans la calvitie masculine ; en diminuant les concentrations de DHT dans le cuir chevelu, le finastéride peut provoquer l'arrêt ou la régression du processus.

▼ MODE D'EMPLOI

POSOLOGIE
HBP : 5 mg, 1 fois par jour.
Calvitie masculine : 1 mg, 1 fois par jour.

DÉBUT D'ACTION
HBP : il peut s'écouler 6 mois ou plus avant de voir une amélioration des symptômes. Calvitie : il peut s'écouler 3 mois ou plus avant de voir des résultats.

DURÉE D'ACTION
HBP : 24 heures pour une seule dose ; jusqu'à 2 semaines après la fin du traitement. Calvitie : quand le traitement cesse, on peut perdre les cheveux qui avaient repoussé grâce au finastéride.

CONSEILS NUTRITIONNELS
Aucune précaution spéciale. Si vous avez de la difficulté à avaler le médicament, vous pouvez le broyer et le prendre en mangeant ou avec un jus ou un autre breuvage.

MODE DE CONSERVATION
Dans un contenant étanche, à l'abri de la chaleur, de l'humidité et de la lumière.

OUBLI D'UNE DOSE
Si vous oubliez une dose, ne doublez pas celle du lendemain.

ARRÊT DE LA MÉDICATION
L'arrêt du traitement doit être décidé par le médecin.

USAGE PROLONGÉ
HBP : si le traitement est sur une période prolongée, il doit y avoir un suivi médical pour vérifier régulièrement la taille de la prostate. Calvitie : un usage continu est recommandé pour maintenir les effets du médicament.

▼ PRÉCAUTIONS

Plus de 60 ans. Aucune précaution spéciale.

Conduite automobile, travaux dangereux. Le traitement au finastéride ne devrait pas vous empêcher d'exécuter de telles tâches en toute sécurité.

Alcool. Aucune précaution spéciale.

Grossesse. Le médicament n'est pas prescrit aux femmes. Mais les femmes enceintes ou désirant le devenir ne devraient pas manipuler le médicament, surtout si les comprimés sont broyés ou brisés, parce qu'il peut avoir des effets nocifs sur le fœtus mâle. Les hommes sous médication devraient faire usage d'un contraceptif de barrière, comme le condom, pour ne pas exposer la femme aux petites quantités de médicament présentes dans le sperme.

Allaitement. La femme qui allaite devrait éviter tout contact tant avec le finastéride qu'avec le sperme de l'homme sous médication.

Nourrissons et enfants. Non prescrit.

À surveiller. HBP : avant l'instauration du traitement, vous devriez subir un toucher rectal et d'autres tests pour éliminer le cancer de la prostate. Notez que le finastéride peut modifier la mesure du test d'antigène prostatique spécifique (APS) dans le cancer de la prostate. Avertissez tous les médecins que vous consultez ainsi que le dentiste que vous prenez du finastéride.

SURDOSAGE
Symptômes. Aucun symptôme n'a été signalé.

Quoi faire. Il est peu probable qu'une surdose de finastéride mette votre vie en danger. Néanmoins, si la dose est très forte, appelez le médecin ou le centre antipoison.

▼ INTERACTIONS

MÉDICAMENT-MÉDICAMENT
Demandez l'avis du médecin si vous prenez amantadine, amphétamines, antihistaminiques, antidépresseurs, antidyskinétiques (antiparkinsoniens et agents apparentés), antipsychotiques, anorexiants, anticholinergiques (médicaments contre les spasmes et douleurs d'estomac), bronchodilatateurs, décongestionnants, éphédrine ou pseudoéphédrine.

MÉDICAMENT-ALIMENT
Aucune interaction connue.

MÉDICAMENT-MALADIE
Il faut être prudent quand on prend du finastéride. Avant de commencer le traitement, prévenez le médecin si vous souffrez d'une maladie du foie, qui pourrait potentialiser les effets du finastéride.

EFFETS INDÉSIRABLES

GRAVES
Aucun effet indésirable grave n'est associé au finastéride.

COURANTS
Aucun effet indésirable courant n'est associé au finastéride.

MOINS COURANTS
Diminution de la libido, dysfonction érectile (impuissance), réduction du volume de l'éjaculat. Notez que ce dernier effet n'est pas le signe d'une fécondité réduite.

FLAVOXATE

Présentation : Comprimés
En vente libre ? Non   **Générique disponible ?** Non
Classe de médicaments : Antispasmodique agissant sur les voies urinaires

▼ GÉNÉRALITÉS

INDICATIONS
Soulagement des symptômes associés aux spasmes des voies urinaires : mictions impérieuses chroniques, mictions fréquentes, douleur, incontinence et autres.

MODE D'ACTION
Le flavoxate intercepte les impulsions nerveuses destinées aux muscles lisses des voies urinaires, empêchant ainsi les contractions musculaires de la vessie.

▼ MODE D'EMPLOI

POSOLOGIE
Adultes et adolescents : 200 mg, 3 ou 4 fois par jour.

DÉBUT D'ACTION
En 45 à 60 minutes.

DURÉE D'ACTION
Inconnue.

CONSEILS NUTRITIONNELS
À prendre après les repas.

MODE DE CONSERVATION
Dans un contenant étanche, à l'abri de la chaleur, de l'humidité et de la lumière.

OUBLI D'UNE DOSE
Prenez-la dès que vous y pensez. S'il est presque l'heure de la suivante, sautez la dose oubliée et reprenez la fréquence normale. Ne doublez pas la dose suivante.

ARRÊT DE LA MÉDICATION
Effectuez le traitement au complet, tel que prescrit, même si vous vous sentez mieux.

USAGE PROLONGÉ
Avertissez le médecin si les symptômes ne s'atténuent pas après un usage prolongé du médicament.

▼ PRÉCAUTIONS

Plus de 60 ans. Les risques d'effets indésirables, surtout de confusion, sont plus fréquents et plus graves.

Conduite automobile, travaux dangereux. N'entreprenez pas de telles activités tant que vous ne connaissez pas votre réaction au flavoxate.

Alcool. Aucune précaution spéciale.

Grossesse. Le flavoxate n'a pas semblé causer d'anomalies congénitales chez les animaux. Il n'existe pas d'études adéquates sur les humains. Avant de prendre ce médicament, avertissez le médecin que vous êtes enceinte ou souhaitez le devenir et évaluez avec lui les bienfaits du traitement par rapport à ses risques.

Allaitement. Le flavoxate peut passer dans le lait maternel : la prudence est de mise. Demandez l'avis du médecin.

Nourrissons et enfants. Non recommandé, en général, pour les enfants de moins de 12 ans. Si le flavoxate est prescrit aux enfants, la posologie doit être déterminée par le pédiatre et administrée sous étroite surveillance médicale.

À surveiller. Limitez l'exposition au soleil et portez des lunettes fumées si la lumière est vive. Évitez les efforts excessifs ; le flavoxate diminue la sudation et peut ainsi provoquer un coup de chaleur. Si vous avez la bouche sèche, mâchez de la gomme sans sucre ou sucez des bonbons ou de la glace concassée. Communiquez avec le médecin 2 mois avant toute chirurgie (y compris dentaire) exigeant une anesthésie générale ou rachidienne. Avertissez le médecin si vous souffrez de flatulence abdominale ou si vous avez de la difficulté à vider votre vessie.

SURDOSAGE
Symptômes. Pouls et respiration rapides, pupilles dilatées, étourdissements, fièvre, hallucinations, diction empâtée, confusion, agitation, excitation inusitée, bouffées congestives, convulsions, perte de conscience.

Quoi faire. Appelez immédiatement le médecin ou le centre antipoison, ou allez à l'urgence.

▼ INTERACTIONS

MÉDICAMENT-MÉDICAMENT
Certains médicaments peuvent mal réagir avec le flavoxate ou entraver son action. Prévenez le médecin que vous prenez des anticholinergiques, et faites-lui connaître avant le traitement tous les autres médicaments vendus avec ou sans ordonnance que vous prenez.

MÉDICAMENT-MALADIE
Aucune interaction connue.

MÉDICAMENT-MALADIE
Le flavoxate exige la prudence. Avertissez le médecin si vous souffrez de : saignements graves, glaucome à angle fermé, angine, obstruction intestinale, obstruction des voies urinaires, hernie hiatale, hypertrophie de la prostate, myasthénie grave ou ulcère gastro-duodénal.

  EFFETS INDÉSIRABLES

GRAVES
Rash cutané, fièvre, pouls rapide.

COURANTS
Confusion, sécheresse de la bouche et de la gorge, vision brouillée, sensibilité accrue des yeux à la lumière (photophobie), diminution de la sudation.

MOINS COURANTS
Étourdissements, céphalées, nervosité, somnolence, troubles de la concentration, douleurs abdominales, perturbation de l'accommodation de l'œil, constipation, nausées, vomissements, urticaire, fièvre.

FLÉCAÏNIDE (ACÉTATE DE)

Présentation : Comprimés
En vente libre ? Non   **Générique disponible ?** Non
Classe de médicaments : Antiarythmique

▼ GÉNÉRALITÉS

INDICATIONS
Pour régulariser les battements du cœur (arythmie cardiaque).

MODE D'ACTION
Ralentit les impulsions nerveuses dans le cœur et rend le muscle cardiaque moins sensible à ces impulsions, régularisant ainsi les battements du cœur.

▼ MODE D'EMPLOI

POSOLOGIE
Tachycardie supraventriculaire paraxystique ou fibrillation auriculaire paraxystique ou flutter auriculaire chez les patients sans cardiopathie structurelle : Dose d'attaque : 50 mg aux 12 heures, augmentée de 50 mg 2 fois par jour aux 4 jours, au besoin, sans dépasser 150 mg aux 12 heures. Arythmies ventriculaires menaçant la vie des patients : Dose d'attaque : 100 mg aux 12 heures, augmentée de 50 mg 2 fois par jour aux 4 jours, au besoin, sans dépasser 200 mg aux 12 heures. La dose d'attaque devrait être plus faible chez les patients affligés d'insuffisance cardiaque ou rénale.

DÉBUT D'ACTION
En 1 à 6 heures. La médication doit être installée depuis 3 à 5 jours pour qu'un plein effet se produise.

DURÉE D'ACTION
12 à 27 heures (plus longue chez les patients en insuffisance cardiaque ou rénale).

CONSEILS NUTRITIONNELS
À prendre avec une boisson, au repas ou entre les repas.

MODE DE CONSERVATION
Dans un contenant étanche, à l'abri de la chaleur, de l'humidité et de la lumière.

OUBLI D'UNE DOSE
Prenez-la dès que vous y pensez si le retard ne dépasse pas 6 heures. S'il dépasse 6 heures, sautez la dose oubliée et reprenez la fréquence normale. Ne doublez pas la dose qui suit.

ARRÊT DE LA MÉDICATION
Effectuez le traitement complet, tel que prescrit, même si vous commencez à vous sentir mieux avant la fin. La décision d'arrêter le traitement doit être prise par le médecin.

USAGE PROLONGÉ
Le traitement peut durer toute la vie. Un suivi médical avec examens et tests diagnostics est nécessaire si vous devez prendre ce médicament durant une période prolongée.

▼ PRÉCAUTIONS

Plus de 60 ans. Risques de réactions indésirables – spécialement d'arythmies cardiaques – plus fréquentes et plus graves.

Conduite automobile, travaux dangereux. À éviter tant que vous ne connaissez pas votre réaction au médicament.

Alcool. À éviter ; l'alcool risque de ralentir davantage encore la fonction cardiaque.

Grossesse. Dans des études sur les animaux, de fortes doses ont causé des anomalies congénitales. Aucune étude n'a été faite sur les humains. Avant de prendre de la flécaïnide, dites-le au médecin si vous êtes enceinte ou désirez le devenir.

Allaitement. La flécaïnide passe dans le lait maternel et peut nuire au nourrisson ; évitez ou cessez d'en prendre si vous allaitez.

Nourrissons et enfants. Non recommandés pour les patients de moins de 18 ans.

À surveiller. Avant toute chirurgie (même dentaire) ou avant de recevoir des soins médicaux d'urgence, avertissez le médecin ou le dentiste que vous prenez de la flécaïnide. Si vous portez un stimulateur cardiaque, il doit être vérifié peu après le début d'un traitement à la flécaïnide.

SURDOSAGE
Symptômes. Vertiges ou évanouissement, tachycardie ou arythmie cardiaque, sudation abondante et anormale, somnolence, perte de conscience.

Quoi faire. Appelez aussitôt le médecin ou le centre antipoison, ou allez à l'urgence.

▼ INTERACTIONS

MÉDICAMENT-MÉDICAMENT
Consultez le médecin si vous prenez : antiacides, amiodarone ou autres antiarythmiques, bêtabloquants, bloquants du canal calcique, dépresseurs de la moelle osseuse, inhibiteurs de l'anhydrase carbonique, carbamazépine, cimétidine, digitaliques, doxépine, nicotine, phénobarbital ou phénytoïne – des interactions sont possibles.

MÉDICAMENT-ALIMENT
Les boissons renfermant de la caféine peuvent atténuer l'action de la flécaïnide.

MÉDICAMENT-MALADIE
La flécaïnide peut entraîner des complications chez les patients souffrant de maladie cardiaque, bloc cardiaque, rythme cardiaque lent, maladie du foie ou des reins (car ces organes contribuent à éliminer le médicament de l'organisme).

  EFFETS INDÉSIRABLES

GRAVES
Essoufflement, douleur thoracique, arythmie ou tachycardie, enflure des pieds ou des membres inférieurs, frissons ou tremblements.

COURANTS
Céphalées, vertiges ou étourdissements, vision trouble ou autres anomalies de la vue comme de voir des taches.

MOINS COURANTS
Nausées, constipation, tremblements, lassitude, douleur abdominale, mains enflées, rash cutané, anxiété, dépression.

FLUCONAZOLE

Présentation : Comprimés, gélules, suspension orale, injection
En vente libre ? Non   **Générique disponible ?** Oui
Classe de médicaments : Antifongique

▼ GÉNÉRALITÉS

INDICATIONS
Traitement des infections fongiques de la bouche et de la gorge (candidose), du vagin (infections aux levures), ou en quelque autre endroit du corps. Aussi, traitement de la méningite (inflammation des membranes qui entourent le cerveau) cryptococcique. Souvent prescrit pour traiter des infections fongiques associées au sida. Peut aussi être prescrit pour prévenir la récidive d'infections fongiques chez des patients vulnérables, affaiblis par le sida, la chimiothérapie ou la radiothérapie.

MODE D'ACTION
Le fluconazole empêche les cellules fongiques de fabriquer les substances vitales nécessaires à leur croissance et à leurs fonctions. Il n'agit que dans les cas d'infections fongiques et n'est d'aucune utilité contre les infections bactériennes ou virales.

▼ MODE D'EMPLOI

POSOLOGIE
Adultes et adolescents –
Infections fongiques : 200 à 400 mg le premier jour, puis 100 à 400 mg 1 fois par jour. Infections vaginales aux levures : 1 gélule de 150 mg.

DÉBUT D'ACTION
Formes orales : inconnu.
Injection : immédiatement.

DURÉE D'ACTION
Inconnue.

CONSEILS NUTRITIONNELS
Avalez les comprimés avec un liquide. Agitez et mesurez soigneusement la suspension orale. L'alimentation n'a pas à être modifiée à cause du médicament.

MODE DE CONSERVATION
Dans un contenant étanche, à l'abri de la chaleur, de l'humidité et de la lumière. Suspension orale : gardez-la au réfrigérateur, mais ne la congelez pas.

OUBLI D'UNE DOSE
Prenez-la dès que vous y pensez pour maintenir la concentration du médicament dans l'organisme. S'il est presque l'heure de la dose suivante, sautez la dose oubliée et revenez à la fréquence normale. Ne doublez pas la dose suivante.

ARRÊT DE LA MÉDICATION
Effectuez le traitement au complet, comme il vous a été prescrit, même si vous commencez à vous sentir mieux avant la fin de la thérapie. La décision d'interrompre le médicament doit être prise par votre médecin. Il peut être nécessaire de réduire graduellement la posologie si vous êtes sous médication depuis longtemps.

USAGE PROLONGÉ
Après quelques semaines, avertissez le médecin si votre état ne s'améliore pas ou si même il s'aggrave.

▼ PRÉCAUTIONS

Plus de 60 ans. Il peut être nécessaire de réduire la posologie chez les patients âgés qui présentent une dysfonction rénale.

Conduite automobile, travaux dangereux. Le traitement au fluconazole ne devrait pas vous empêcher d'effectuer de telles tâches en toute sécurité.

Alcool. Aucune précaution spéciale n'est nécessaire.

Grossesse. Il n'existe pas d'études cliniques adéquates sur l'utilisation du fluconazole durant la grossesse. Demandez spécifiquement l'avis de votre médecin si vous êtes enceinte ou souhaitez le devenir.

Allaitement. Le fluconazole peut passer dans le lait maternel : la prudence s'impose. Demandez l'avis de votre médecin.

Nourrissons et enfants. L'efficacité du fluconazole n'a pas été établie chez les bébés de moins de 6 mois.

À surveiller. Le médecin devrait surveiller votre fonction rénale pendant que vous prenez ce médicament. Prévenez tout médecin ou dentiste que vous consultez que vous prenez du fluconazole. Agitez bien la suspension orale avant de l'utiliser.

SURDOSAGE
Symptômes. Les surdoses sont peu probables.

Quoi faire. Les mesures d'urgence ne s'appliquent pas.

▼ INTERACTIONS

MÉDICAMENT-MÉDICAMENT
Certains médicaments peuvent provoquer des interactions médicamenteuses avec le fluconazole. Demandez l'avis de votre médecin si vous prenez : antidiabétiques oraux, astémizole, cyclosporine, phénytoïne, rifabutine, rifampine, tacrolimus ou warfarine.

MÉDICAMENT-ALIMENT
Aucune interaction n'a été signalée.

MÉDICAMENT-MALADIE
La prudence s'impose. Avertissez le médecin si vous avez des antécédents d'alcoolisme (et de troubles hépatiques associés), ou si vous souffrez d'une maladie des reins ou du foie, car ces organes contribuent à éliminer le médicament de l'organisme.

  **EFFETS INDÉSIRABLES**

GRAVES
Rash cutané ou démangeaisons, fièvre ou frissons.

COURANTS
Aucun effet indésirable courant n'a été signalé.

MOINS COURANTS
Diarrhée, nausées, vomissements, constipation, étourdissements, céphalées, rougeur de la peau.

FLUCYTOSINE

Présentation : Gélules
En vente libre ? Non   **Générique disponible ?** Non
Classe de médicaments : Antifongique

▼ GÉNÉRALITÉS

INDICATIONS
Traitement des infections fongiques généralisées et des infections fongiques graves des os et de la moelle osseuse (ostéomyélite), des membranes qui entourent le cerveau (méningite), des voies respiratoires (pneumonie) et du tractus génito-urinaire (en particulier les infections associées au sida).

MODE D'ACTION
La flucytosine détruit les micro-organismes fongiques en les empêchant d'effectuer la synthèse de leur matériel génétique (ARN et ADN), ce qui entrave leur reproduction.

▼ MODE D'EMPLOI

POSOLOGIE
Adultes et enfants : dose habituelle, 12,5 à 37,5 mg par kilogramme (2,2 lb) de poids aux 6 heures.

DÉBUT D'ACTION
Inconnu.

DURÉE D'ACTION
Inconnue.

CONSEILS NUTRITIONNELS
La flucytosine ne vous oblige pas à modifier votre régime alimentaire. Prenez quelques gélules à la fois sur une période de 15 minutes et avec des aliments pour atténuer les maux d'estomac.

MODE DE CONSERVATION
Dans un contenant étanche, à l'abri de la chaleur, de l'humidité et de la lumière.

OUBLI D'UNE DOSE
Prenez-la dès que vous y pensez. S'il est presque l'heure de la suivante, sautez la dose oubliée et reprenez la fréquence normale. Ne doublez pas la dose suivante.

ARRÊT DE LA MÉDICATION
Effectuez le traitement au complet, comme il vous a été prescrit, même si vous vous sentez mieux avant la fin. La décision de l'interrompre doit être prise par le médecin.

USAGE PROLONGÉ
Un usage prolongé peut provoquer ou aggraver une dépression médullaire osseuse (insuffisance de la fonction médullaire osseuse) ainsi que des lésions au foie ou au rein. Consultez le médecin sur l'opportunité de vérifier périodiquement la numération globulaire et la fonction rénale.

▼ PRÉCAUTIONS

Plus de 60 ans. La posologie doit être réduite pour les sujets en insuffisance rénale.

Conduite automobile, travaux dangereux. À déconseiller tant que vous ne connaissez pas votre réaction au médicament. La flucytosine peut vous disqualifier pour le pilotage d'avions.

Alcool. Pas de précautions spéciales.

Grossesse. Il n'existe pas d'études pertinentes. Demandez spécifiquement l'avis du médecin si vous êtes enceinte ou voulez le devenir.

Allaitement. La flucytosine peut passer dans le lait maternel, mais on ne sait pas si elle a un effet nocif sur le nourrisson. Demandez spécifiquement l'avis du médecin.

Nourrissons et enfants. Pas de risques spéciaux.

À surveiller. Ne vous exposez pas directement au soleil, surtout entre 10 et 15 heures. Portez des vêtements couvrant, un chapeau et des lunettes de soleil. Appliquez un écran solaire à indice de protection d'au moins 15. La flucytosine est généralement administrée en concomitance avec de l'amphotéricine B pour éviter une résistance au médicament. La flucytosine peut provoquer une infection des gencives. Utilisez brosse à dents, soie dentaire et cure-dents avec prudence. Ne vous faites pas soigner les dents durant le traitement.

SURDOSAGE
Symptômes. Nausées graves, vomissements, douleur abdominale, diarrhée, confusion.

Quoi faire. Il est peu probable qu'une surdose de flucytosine mette votre vie en danger. Néanmoins, si la dose est beaucoup plus forte que celle prescrite, appelez immédiatement le médecin ou le centre antipoison, ou allez à l'urgence.

▼ INTERACTIONS

MÉDICAMENT-MÉDICAMENT
Des interactions médicamenteuses sont possibles. Consultez le médecin si vous prenez de l'amphotéricine B par injection, de la cytosine ou des dépresseurs de la fonction médullaire osseuse ou si vous suivez une radiothérapie.

MÉDICAMENT-ALIMENT
Aucune interaction connue.

MÉDICAMENT-MALADIE
Un traitement à la flucytosine exige de la prudence. Consultez le médecin si vous souffrez de dépression médullaire osseuse ou de maladie du foie ou du rein. La flucytosine peut entraîner des complications chez les patients souffrant d'une maladie du foie ou du rein, car ces organes contribuent ensemble à éliminer le médicament de l'organisme.

 **EFFETS INDÉSIRABLES**

GRAVES
Fatigue inhabituelle, jaunissement des yeux ou de la peau, ecchymoses ou saignements anormaux, rash cutané, rougeur ou démangeaison de la peau, mal de gorge, fièvre, sensibilité accrue des yeux à la lumière solaire, confusion, hallucinations.

COURANTS
Perte d'appétit, douleur abdominale, dérangement d'estomac, nausées et vomissements, diarrhée.

MOINS COURANTS
Vertiges ou étourdissements, céphalées, somnolence.

FLUDROCORTISONE

NOM COMMERCIAL

Florinef

Présentation : Comprimés
En vente libre ? Non   **Générique disponible ?** Non
Classe de médicaments : Corticostéroïde

▼ GÉNÉRALITÉS

INDICATIONS
Traitement de remplacement partiel d'une hormone naturelle spécifique de rétention sodique, prescrit dans les cas d'insuffisance adréno-corticale (maladie d'Addison) et de syndrome adréno-génital. Non traités, ces troubles peuvent entraîner une puberté précoce chez les garçons, la masculinisation chez les femmes et même la mort.

MODE D'ACTION
La fludrocortisone exerce les mêmes fonctions que l'une des hormones corticostéroïdes naturelles de l'organisme, l'aldostérone.

▼ MODE D'EMPLOI

POSOLOGIE
Insuffisance adréno-corticale – Adultes : 50 à 200 µg (microgrammes) 1 fois par jour. Enfants : 50 à 100 µg 1 fois par jour. Syndrome adréno-génital – Adultes : 100 à 200 µg 1 fois par jour.

DÉBUT D'ACTION
Variable.

DURÉE D'ACTION
1 à 2 jours.

CONSEILS NUTRITIONNELS
Se prend aux repas ou entre les repas, préférablement avec un grand verre d'eau. Surveillez bien la quantité de sodium dans votre alimentation : un excès de sodium augmenterait les pertes de potassium. Mangez des aliments riches en potassium.

MODE DE CONSERVATION
Dans un contenant étanche, à l'abri de l'humidité, de la chaleur et de la lumière.

OUBLI D'UNE DOSE
Prenez-la dès que vous y pensez. S'il est presque l'heure de la dose suivante, sautez la dose oubliée et reprenez la fréquence normale. Ne doublez pas la dose suivante. Avertissez le médecin si vous avez sauté plus d'une dose ou si des nausées ou des vomissements vous empêchent de prendre une dose.

ARRÊT DE LA MÉDICATION
La décision d'interrompre le traitement à la fludro-cortisone doit être prise par le médecin.

USAGE PROLONGÉ
Un suivi médical pour surveiller la tension artérielle, la concentration des électrolytes (sels minéraux) du sérum sanguin et d'autres facteurs peut être requis.

▼ PRÉCAUTIONS

Plus de 60 ans. Réactions indésirables plus probables et plus graves.

Conduite automobile, travaux dangereux. À déconseiller tant que vous ne connaissez pas votre réaction au médicament.

Alcool. Aucune précaution spéciale.

Grossesse. Il n'existe pas d'études reproductives adéquates sur les humains et les animaux. Avant de prendre la fludrocortisone, avertissez le médecin que vous êtes enceinte ou désirez le devenir : il verra à mesurer les avantages du traitement par rapport à ses risques.

Allaitement. La fludrocortisone passe dans le lait maternel : consultez votre médecin.

Nourrissons et enfants. Le médicament peut être utilisé sans danger au besoin : consultez le pédiatre.

À surveiller. Le médecin peut vous demander d'adopter un régime alimentaire pauvre en sodium et riche en potassium et en protéines pour éviter de faire de l'hypertension et de la rétention hydrique. Vous devriez boire beaucoup d'eau tous les jours, à moins d'avis contraire du médecin.

SURDOSAGE
Symptômes. Vertiges, faiblesse, enflure des mains et des pieds, gain de poids excessif.

Quoi faire. Appelez immédiatement le médecin ou le centre antipoison, ou allez à l'urgence.

▼ INTERACTIONS

MÉDICAMENT-MÉDICAMENT
Demandez l'avis du médecin si vous prenez : acétazolamide, amphotéricine B, corticotropine (ACTH), diurétiques, antiglaucomes, insuline ou antidiabétiques oraux, laxatifs, méthazolamide, mezlocilline, pipéracilline, salicylés, AAS, bicarbonate de sodium, ticarcilline, vitamine B, vitamine D, barbituriques, carbamazépine, griséofulvine, phénylbutazone, phénytoïne, primidone, rifampine, agents digitaliques, autre stéroïde ou tout médicament contenant du sodium.

MÉDICAMENT-ALIMENT
Évitez les aliments riches en sodium.

MÉDICAMENT-MALADIE
Soyez prudent si vous souffrez de : infection rebelle aux antibiotiques, maladie des os, œdème (enflure causée par de la rétention hydrique), maladie cardiaque, hypertension, maladie des reins, du foie ou de la thyroïde. La fludrocortisone peut entraîner des complications chez les patients qui ont une maladie du foie ou des reins, car ces organes contribuent ensemble à éliminer le médicament de l'organisme.

 EFFETS INDÉSIRABLES

GRAVES
Maux de tête et vue brouillée causés par l'hypertension ; déperdition de potassium, causant crampes, faiblesse et palpitations.

COURANTS
Enflure légère des mains et des pieds.

MOINS COURANTS
Vertiges, déglutition difficile, céphalées, urticaire, démangeaisons, rash cutané, ecchymoses, toux, vomissements, gain soudain de poids, rétention de sodium et d'eau.

FLUNISOLIDE

NOMS COMMERCIAUX

Alti-Flunisolide,
Apo-Flunisolide, Novo-
Flunisolide, Rhinalar

Présentation : Atomiseur nasal
En vente libre ? Non   **Générique disponible ?** Oui
Classe de médicaments : Corticostéroïde respiratoire

▼ GÉNÉRALITÉS

INDICATIONS
Traitement de la rhinite allergi-que (allergies saisonnières ou rhume des foins) ; prévention de la récurrence des polypes nasaux après qu'ils aient été enlevés par chirurgie.

MODE D'ACTION
Les corticostéroïdes respira-toires comme le flunisolide réduisent la réponse allergi-que aux allergènes inhalés et inhibent la sécrétion de mucus dans les voies aériennes.

▼ MODE D'EMPLOI

POSOLOGIE
Adultes et adolescents de 15 ans et plus : 2 vaporisa-tions de 25 µg (microgram-mes) dans chaque narine 2 fois par jour, sans dépasser 6 vaporisations par jour dans chaque narine. Enfants de 6 à 14 ans : 1 vaporisation de 25 µg 3 fois par jour dans chaque narine, sans dépasser 3 vaporisations par jour dans chaque narine.

DÉBUT D'ACTION
Généralement en 1 semaine ;

le plein effet thérapeutique peut mettre jusqu'à 3 semai-nes à s'installer.

DURÉE D'ACTION
Inconnue.

CONSEILS NUTRITIONNELS
Aucune restriction spéciale.

MODE DE CONSERVATION
Gardez l'atomiseur dans un lieu sec, à l'abri de la chaleur et de la lumière.

OUBLI D'UNE DOSE
Prenez-la dès que vous y pensez. S'il est presque l'heure de la dose suivante, sautez la dose oubliée et reprenez la fréquence nor-male. Ne doublez pas la dose suivante.

ARRÊT DE LA MÉDICATION
Si vous utilisez le médicament depuis longtemps, n'arrêtez pas subitement le traitement. Demandez au médecin de vous faire des recommanda-tions pour l'interrompre sans problèmes.

USAGE PROLONGÉ
Demandez au médecin s'il y a lieu de subir des examens médicaux ou des analyses de laboratoire de façon régulière.

≡ EFFETS INDÉSIRABLES ≡

GRAVES
Aucun effet secondaire grave n'est associé à un traitement au flunisolide.

COURANTS
Saignements du nez ou sécrétions nasales sanguinolentes, sensation de brûlure ou irritation dans le nez, mal de gorge, arrière-goût.

MOINS COURANTS
Sens de l'olfaction ou du goût amoindri ou modifié.

▼ PRÉCAUTIONS

Plus de 60 ans. Aucun risque connu.

Conduite automobile, tra-vaux dangereux. Aucun risque connu.

Alcool. Aucune précaution spéciale n'est nécessaire.

Grossesse. L'innocuité du flu-nisolide durant la grossesse n'a pas été établie. Avant de prendre ce médicament, aver-tissez le médecin que vous êtes enceinte ou désirez le devenir.

Allaitement. Le flunisolide peut passer dans le lait mater-nel ; la prudence s'impose. Demandez l'avis du médecin.

Nourrissons et enfants. Non recommandé pour les enfants de moins de 6 ans. Le médi-cament peut inhiber la crois-sance et rendre les enfants plus vulnérables aux infec-tions. Si un jeune patient prend ce médicament, assu-rez-vous qu'il n'est exposé ni à la varicelle ni à la rougeole.

À surveiller. Apprenez à utili-ser correctement l'atomiseur ; lisez et suivez attentivement les directives qui accom-pagnent le produit. Avant toute intervention chirurgica-le, dites au médecin ou au dentiste que vous prenez un stéroïde.

SURDOSAGE
Symptômes. Aucun symp-tôme spécifique n'a été signalé.

Quoi faire. Il est peu pro-bable qu'une surdose de flunisolide mette la vie d'une

personne en danger. Néan-moins, devant une dose beaucoup plus importante que ce qui est prescrit ou en cas de surdose appréhendée, appelez le médecin ou le centre antipoison.

▼ INTERACTIONS

MÉDICAMENT-MÉDICAMENT
Demandez spécifiquement l'avis du médecin si vous prenez des corticostéroïdes systémiques, d'autres cortico-stéroïdes par inhalation ou des immunosuppresseurs.

MÉDICAMENT-ALIMENT
Aucune interaction connue.

MÉDICAMENT-MALADIE
Avertissez le médecin si vous avez : antécédents de tuber-culose, infection oculaire herpétique, varicelle, ostéopo-rose, hypothyroïdie, maladie du foie, glaucome, rougeole, blessure ou chirurgie du nez récente, ou toute infection active.

FLUOROMÉTHOLONE

Présentation : Suspension ophtalmique
En vente libre ? Non   **Générique disponible ?** Oui
Classe de médicaments : Corticostéroïde

▼ GÉNÉRALITÉS

INDICATIONS
Pour maîtriser l'inflammation et prévenir les dommages potentiellement permanents causés par différents troubles inflammatoires touchant les tissus de l'œil.

MODE D'ACTION
Le fluorométholone inhibe la libération de substances qui stimulent la réponse inflammatoire et la douleur dans les tissus de l'œil.

▼ MODE D'EMPLOI

POSOLOGIE
1 ou 2 gouttes, 2 à 4 fois par jour. Dans les cas particulièrement sévères, on peut augmenter la fréquence des instillations en dose d'attaque ; la posologie sera réduite au fur et à mesure que l'inflammation cède.

DÉBUT D'ACTION
Inconnu.

DURÉE D'ACTION
Inconnue.

CONSEILS NUTRITIONNELS
Aucune restriction spéciale.

MODE DE CONSERVATION
Dans un contenant étanche, à l'abri de la chaleur, de l'humidité et de la lumière. Ne faites pas congeler.

OUBLI D'UNE DOSE
Appliquez-la dès que vous y pensez. S'il est presque l'heure de la dose suivante, sautez la dose oubliée et reprenez la fréquence normale. Ne doublez pas la dose suivante.

ARRÊT DE LA MÉDICATION
Il est très important d'effectuer le traitement au complet, tel que prescrit, même si les symptômes diminuent avant la fin de la thérapie.

USAGE PROLONGÉ
Un suivi médical, avec tests et analyses, doit être effectué périodiquement.

▼ PRÉCAUTIONS

Plus de 60 ans. Aucun risque connu.

Conduite automobile, travaux dangereux. N'entreprenez pas de telles activités tant que vous ne savez pas si le médicament affecte votre vue.

Alcool. Aucune précaution spéciale n'est nécessaire.

Grossesse. Il n'existe pas d'études adéquates sur les humains, mais on n'a rapporté aucune malformation congénitale. Avant de prendre le fluorométholone, avertissez le médecin que vous êtes enceinte ou envisagez de le devenir.

Allaitement. Aucun problème n'a été signalé chez les nourrissons. Demandez spécifiquement l'avis de votre médecin.

Nourrissons et enfants. L'innocuité et l'efficacité du médicament n'ont pas été établies chez les enfants de moins de 2 ans.

À surveiller. Avant l'application, lavez-vous les mains. Renversez la tête vers l'arrière. Appuyez doucement dans l'angle interne de la paupière et avec l'index de la même main, tirez la paupière inférieure vers le bas. Laissez tomber le médicament dans l'espace ainsi créé et fermez l'œil. Appuyez pendant 1 ou 2 minutes tout en gardant l'œil fermé sans cligner. Relevez-vous les mains. Le bout du compte-gouttes ne doit toucher ni l'œil, ni votre doigt, ni rien d'autre. Si les symptômes ne s'améliorent pas en 5 à 7 jours ou s'ils s'aggravent, consultez votre médecin. Le port de verres de contact durant le traitement peut augmenter les risques d'infection. Le médecin peut vous recommander de ne pas les porter durant le traitement et d'attendre 1 ou 2 jours après la fin de celui-ci.

SURDOSAGE
Symptômes. En usage topique, une surdose est peu probable. Si le médicament est ingéré par accident, il peut entraîner fièvre, douleurs musculaires, perte d'appétit, vertiges, évanouissements et difficultés respiratoires.

Quoi faire. En cas d'ingestion accidentelle, appelez immédiatement le médecin ou le centre antipoison, ou allez à l'urgence.

▼ INTERACTIONS

MÉDICAMENT-MÉDICAMENT
D'autres médicaments peuvent entrer en interaction avec le fluorométholone. Demandez l'avis du médecin si vous prenez d'autres médicaments avec ou sans ordonnance, surtout s'il s'agit de préparations à mettre dans les yeux.

MÉDICAMENT-ALIMENT
Aucune interaction connue.

MÉDICAMENT-MALADIE
Consultez votre médecin si vous avez des antécédents de cataracte, diabète sucré, glaucome, infection herpétique ou fongique de l'œil ou toute autre infection oculaire.

EFFETS INDÉSIRABLES

GRAVES
Vision diminuée ou brouillée (à cause de la cataracte) ; douleur dans les yeux, nausées, vomissements (à cause d'une pression intraoculaire accrue) ; douleur, rougeur, photosensibilité, écoulements (à cause d'une infection de l'œil).

COURANTS
Pression intraoculaire accrue (symptôme qui disparaît habituellement à la fin du traitement).

MOINS COURANTS
Sensation de brûlure, picotements, rougeur ou larmoiement.

FLUOROURACILE (5-FLUOROURACILE ; 5-FU)

Présentation : Crème
En vente libre ? Non   **Générique disponible ?** Non
Classe de médicaments : Antinéoplasique topique

▼ GÉNÉRALITÉS

INDICATIONS
Traitement topique des kératoses actiniques (type de lésions cutanées précancéreuses) et des carcinomes basocellulaires superficiels. On le prescrit généralement dans les cas de lésions multiples ou quand un accès limité à la lésion rend difficile toute autre méthode de traitement.

MODE D'ACTION
Le fluorouracile topique tue les cellules précancéreuses en intervenant dans l'activité de leur matériel génétique, les empêchant ainsi de se multiplier. Le médicament détruit de façon sélective les cellules à prolifération rapide, comme le sont de nombreuses cellules malignes.

▼ MODE D'EMPLOI

POSOLOGIE
Appliquez la crème 2 fois par jour en quantité suffisante pour couvrir la lésion. Enfants : consultez votre pédiatre.

DÉBUT D'ACTION
En 2 à 7 jours. L'effet thérapeutique complet peut prendre 2 à 6 semaines à s'établir, et même 12 semaines chez certains patients. La cicatrisation complète peut demander 1 à 2 mois après la fin du traitement.

DURÉE D'ACTION
Jusqu'à 24 heures.

CONSEILS NUTRITIONNELS
Aucune restriction spéciale.

MODE DE CONSERVATION
Dans un contenant étanche, à l'abri de la chaleur et de la lumière.

OUBLI D'UNE DOSE
Appliquez-la dès que vous y pensez. S'il est presque l'heure de la dose suivante, sautez la dose oubliée et reprenez la fréquence normale. Ne doublez pas la dose suivante.

ARRÊT DE LA MÉDICATION
Appliquez le fluorouracile pendant toute la durée du traitement, tel que prescrit. La décision d'interrompre celui-ci doit être prise par votre médecin.

USAGE PROLONGÉ
Aucun risque connu, mais voyez le médecin régulièrement. Un traitement dure normalement 2 à 8 semaines dans le cas d'une lésion précancéreuse. Si votre état ne s'améliore pas, le médecin peut ordonner une biopsie.

▼ PRÉCAUTIONS

Plus de 60 ans. Aucun risque connu.

Conduite automobile, travaux dangereux. L'utilisation de fluorouracile ne devrait pas vous empêcher d'exécuter de telles activités en toute sécurité.

Alcool. Aucune précaution spéciale.

Grossesse. Une petite quantité de fluorouracile est absorbée par la peau et peut nuire au fœtus. Avant d'utiliser ce médicament, avertissez votre médecin que vous êtes enceinte ou avez l'intention de le devenir.

Allaitement. Le fluorouracile passe dans le lait maternel ; évitez d'en prendre ou cessez le traitement pendant que vous allaitez.

Nourrissons et enfants. Le fluorouracile ne leur est généralement pas prescrit ; vous devriez consulter le médecin.

À surveiller. Pendant le traitement et durant 1 ou 2 mois après, votre peau peut devenir beaucoup plus sensible à la lumière du soleil et celle-ci peut intensifier les effets du médicament. Durant le traitement, ne vous exposez pas

directement au soleil, surtout entre 10 et 15 heures. Portez des vêtements couvrants, ainsi qu'un chapeau et des lunettes de soleil. Appliquez un écran solaire à indice de protection (SPF) d'au moins 15. Avant d'appliquer du fluorouracile, lavez la zone à l'eau et au savon ; utilisez un applicateur non métallique, un gant ou un doigtier pour étendre la crème. Ensuite, lavez-vous soigneusement les mains pour éviter de vous en mettre dans les yeux ou la bouche.

SURDOSAGE
Symptômes. Rien de spécifique n'a été signalé.

Quoi faire. Les surdoses sont peu probables. Néanmoins si quelqu'un ingère accidentellement du fluorouracile topique, appelez le médecin ou le centre antipoison ou allez à l'urgence.

▼ INTERACTIONS

MÉDICAMENT-MÉDICAMENT
Aucune interaction connue.

MÉDICAMENT-ALIMENT
Aucune interaction connue.

MÉDICAMENT-MALADIE
Le fluorouracile demande qu'on soit prudent. Consultez votre médecin si vous souffrez de tout autre trouble de la peau.

 EFFETS INDÉSIRABLES

GRAVES
Rougeur marquée, enflure et endolorissement de régions de la peau par ailleurs saines.

COURANTS
Sensation de brûlure au siège de l'application, sensibilité accrue de la peau au soleil, rougeur, enflure, démangeaisons, rash cutané, endolorissement et sensibilité, suppuration et croûtes sur la peau.

MOINS COURANTS
Hyperpigmentation (brunissement) de la peau, squames, cicatrices, larmoiement.

FLUOXÉTINE (CHLORHYDRATE DE)

Présentation : Gélules, solution orale
En vente libre ? Non   **Générique disponible ?** Oui
Classe de médicaments : Inhibiteur sélectif du recaptage de la sérotonine (ISRS), antidépresseur

▼ GÉNÉRALITÉS

INDICATIONS
Traitement de : dépression grave, trouble obsessionnel compulsif et boulimie.

MODE D'ACTION
La fluoxétine modifie les taux cérébraux de sérotonine, élément chimique qu'on croit relié à l'humeur, aux émotions et aux états psychiques.

▼ MODE D'EMPLOI

POSOLOGIE
Dépression – Dose initiale : 20 mg par jour, le matin. Le médecin peut augmenter graduellement la dose, sans dépasser 80 mg par jour. Personnes âgées : dose initiale, 10 à 20 mg par jour, que le médecin peut augmenter graduellement sans dépasser 40 à 60 mg par jour. Trouble obsessionnel compulsif – La dose va de 20 à 60 mg par jour. Boulimie : on recommande 60 mg par jour.

DÉBUT D'ACTION
En 1 à 4 semaines.

DURÉE D'ACTION
Inconnue.

CONSEILS NUTRITIONNELS
À prendre avec un liquide ou un aliment pour réduire l'irritation gastrique. On peut mélanger le contenu des gélules à un aliment ou un jus si le patient a de la difficulté à les avaler.

MODE DE CONSERVATION
Dans un contenant étanche, à l'abri de la chaleur, de l'humidité et de la lumière.

OUBLI D'UNE DOSE
Prenez-la dès que vous y pensez. S'il est presque l'heure de la suivante, sautez la dose oubliée et reprenez la fréquence normale. Ne doublez pas la dose suivante.

ARRÊT DE LA MÉDICATION
Effectuez le traitement au complet, même si vous vous sentez mieux avant la fin. Un arrêt brusque peut provoquer des symptômes de sevrage. Vous devrez réduire progressivement les doses selon les instructions du médecin.

USAGE PROLONGÉ
La thérapie dure normalement de 6 mois à 1 an ; quelques patients tirent profit d'un traitement plus long. Trouble obsessionnel compulsif : traitement de 1 an ou plus.

▼ PRÉCAUTIONS

Plus de 60 ans. Risques d'effets indésirables plus fréquents et plus graves, le métabolisme étant plus lent. Les doses peuvent être réduites.

Conduite automobile, travaux dangereux. Usez de prudence tant que vous ne connaissez pas votre réaction au médicament.

Alcool. À éviter.

Grossesse. La fluoxétine ne doit être utilisée durant la grossesse que si les bénéfices escomptés du médicament justifient les risques pour le fœtus. Avant d'en prendre, avertissez le médecin que vous êtes enceinte ou avez l'intention de le devenir.

Allaitement. La fluoxétine peut passer dans le lait maternel : la prudence s'impose. Parlez-en à votre médecin.

Nourrissons et enfants. Non recommandée pour les enfants de moins de 12 ans.

À surveiller. À prendre au moins 6 heures avant le coucher pour prévenir l'insomnie, sauf si le médicament cause de la somnolence.

SURDOSAGE
Symptômes. Agitation, excitation, nausées et vomissements sévères, convulsions.

Quoi faire. Appelez aussitôt le médecin ou le centre anti-poison, ou allez à l'urgence.

▼ INTERACTIONS

MÉDICAMENT-MÉDICAMENT
La fluoxétine et les inhibiteurs de la monoamine-oxydase (IMAO) ne devraient pas être pris sans un arrêt d'au moins 5 semaines entre les deux. Consultez votre médecin si vous prenez : nortriptyline, caféine, anticoagulants oraux, dépresseurs du système nerveux central, digitaliques, lithium, loratadine, dextrométhorphane, kétorolac, buspirone, phénytoïne, trazodone, tryptophane, sumatriptan, naratriptan, zolmitriptan.

MÉDICAMENT-ALIMENT
Pas d'interaction connue.

MÉDICAMENT-MALADIE
La fluoxétine peut amener des complications chez les patients atteints de maladie du foie ou des reins, ces organes travaillant à éliminer le médicament de l'organisme. Ce médicament peut également modifier le contrôle du diabète ou des convulsions.

  **EFFETS INDÉSIRABLES**

GRAVES
Agitation, tremblements, difficultés à respirer, rash cutané, urticaire, démangeaisons, douleurs musculaires ou articulaires, frissons ou fièvre.

COURANTS
Nervosité, somnolence, anxiété, insomnie, céphalées, diarrhée, sudation excessive, nausées, diminution de l'appétit, perte d'initiative.

MOINS COURANTS
Congestion nasale, rêves anormaux ou vifs, toux, hausse de l'appétit, douleur thoracique, constipation, troubles de la vue, douleur abdominale, gaz d'estomac, constipation, vomissements, mictions fréquentes, difficultés de concentration, dysfonction sexuelle, arythmie cardiaque, tremblements, fatigue, vertiges, modification du goût, rougeur du visage et du cou, bouche sèche, douleurs menstruelles.

FLUOXYMESTÉRONE

NOM COMMERCIAL

Halotestin

Présentation : Comprimés
En vente libre ? Non   **Générique disponible ?** Non
Classe de médicaments : Traitement hormonal (androgène) ; agent antinéoplasique (anticancéreux)

▼ GÉNÉRALITÉS

INDICATIONS
Traitement de l'hormono-déficience chez l'homme, du retard pubertaire chez le garçon, et de certains cancers du sein chez la femme.

MODE D'ACTION
La fluoxymestérone remplace la testostérone naturelle chez l'homme hormonodéficient et bloque l'action d'hormones favorisant la croissance de certaines tumeurs du sein.

▼ MODE D'EMPLOI

POSOLOGIE
Thérapie hormonale substitutive chez l'homme : 5 à 20 mg par jour, en une ou plusieurs doses. Retard pubertaire chez le garçon : 2,5 à 10 mg par jour pendant 4 à 6 mois. Cancer du sein chez la femme : 10 à 40 mg par jour, en doses fractionnées.

DÉBUT D'ACTION
En 1 mois.

DURÉE D'ACTION
Inconnue.

CONSEILS NUTRITIONNELS
Peut être pris avec des aliments pour prévenir les maux d'estomac.

MODE DE CONSERVATION
Dans un contenant étanche, à l'abri de la chaleur et de la lumière.

OUBLI D'UNE DOSE
Prenez-la dès que vous y pensez. S'il est presque l'heure de la suivante, sautez la dose oubliée et reprenez la fréquence normale. Ne doublez pas la dose suivante.

ARRÊT DE LA MÉDICATION
La décision devrait être prise par le médecin.

USAGE PROLONGÉ
Vous devriez avoir un suivi médical régulier si le traitement doit se prolonger.

▼ PRÉCAUTIONS

Plus de 60 ans. Risque accru d'hypertrophie ou de cancer de la prostate chez les hommes âgés.

Conduite automobile, travaux dangereux. Ce médicament ne devrait pas vous empêcher d'exécuter de telles tâches en toute sécurité.

Alcool. Pas de précautions spéciales.

Grossesse. La fluoxymestérone peut nuire au fœtus mâle et femelle ; n'en prenez pas durant la grossesse.

Allaitement. La fluoxymestérone passe dans le lait maternel ; n'en prenez pas pendant que vous allaitez.

Nourrissons et enfants. La fluoxymestérone peut gravement perturber leur maturation osseuse et sexuelle. Pesez les risques et les bienfaits avec le pédiatre.

À surveiller. Le médicament renferme de la tartrazine, colorant qui peut causer des réactions allergiques. Une thérapie prolongée et à fortes doses augmente les risques de certains cancers. Dans certains cas, le médicament peut causer des effets indésirables au partenaire sexuel. Une méthode contraceptive non hormonale (condom) est conseillée durant la thérapie.

SURDOSAGE
Symptômes. Rien de spécifique n'a été signalé.

Quoi faire. Il est peu probable qu'une surdose de fluoxymestérone mette votre vie en danger. Néanmoins, si la dose est très forte, appelez immédiatement le médecin ou le centre antipoison.

▼ INTERACTIONS

MÉDICAMENT-MÉDICAMENT
Demandez l'avis du médecin si vous prenez : acétaminophène, amiodarone, stéroïdes anabolisants, anticoagulants, anti-infectieux, antithyroïdiens, carbamazépine, carmustine, chloroquine, cyclosporine, dantrolène, daunorubicine, disulfiram, divalproex, estrogènes, étrétinate, sels d'or, hydroxychloroquine, insuline, mercaptopurine, méthotrexate, méthyldopa, naltrexone, contraceptifs oraux, phénothiazines, phénytoïne, plicamycine ou acide valproïque.

MÉDICAMENT-ALIMENT
Pas d'interaction connue.

MÉDICAMENT-MALADIE
Consultez votre médecin en cas de : antécédents de cancer de la prostate, diabète, œdème (enflure par rétention hydrique), maladie des reins, du foie, du cœur ou des vaisseaux sanguins, hypertrophie de la prostate.

 EFFETS INDÉSIRABLES

GRAVES
Démangeaisons, jaunissement des yeux ou de la peau.

COURANTS
Femme : acné ou peau grasse, atrophie des seins, voix rauque ou grave, irrégularités menstruelles, calvitie, hirsutisme. Homme : seins hypertrophiés ou douloureux, érections fréquentes ou prolongées, mictions fréquentes, stérilité temporaire. Prévenez votre médecin si l'un ou l'autre de ces effets se manifestent.

MOINS COURANTS
Altération de la couleur de la peau, confusion, constipation, vertiges, fréquentes céphalées, soif accrue et mictions fréquentes, dépression, nausées, vomissements, enflure des pieds ou du bas des jambes, saignements anormaux, fatigue inhabituelle, gain de poids rapide, diarrhée, risque accru d'infection, insomnie, hausse ou baisse de la libido. Hommes seulement : atrophie testiculaire, impuissance, irritation cutanée du scrotum. Garçons seulement : acné, croissance prématurée du poil pubien, hypertrophie du pénis, érections plus fréquentes.

FLUPHÉNAZINE

Présentation : Comprimés, injection
En vente libre ? Non   **Générique disponible ?** Oui
Classe de médicaments : Antipsychotique ; phénothiazine

▼ GÉNÉRALITÉS

INDICATIONS
Traitement des états psychotiques tels la schizophrénie.

MODE D'ACTION
La fluphénazine inhibe l'activité d'un élément chimique du cerveau, la dopamine, prévenant ainsi la stimulation excessive de centres nerveux spécifiques qu'on croit responsables de certains troubles psychiatriques.

▼ MODE D'EMPLOI

POSOLOGIE
Comprimés – Adultes : dose d'attaque, 2,5 à 10 mg par jour en doses fractionnées, administrées toutes les 6 à 8 heures ; la posologie peut être augmentée jusqu'à un maximum de 20 mg par jour. Dose d'entretien : 1 à 5 mg par jour. Adultes âgés : 1 à 2,5 mg par jour. Injection – 12,5 à 50 mg aux 2 à 4 semaines.

DÉBUT D'ACTION
Comprimés : en 1 heure. Injection : en 24 à 72 heures. Le plein effet thérapeutique peut mettre plusieurs semaines à s'établir.

DURÉE D'ACTION
Comprimés : 6 à 8 heures. Injection : 1 à 6 semaines.

CONSEILS NUTRITIONNELS
À prendre avec une boisson ou un aliment pour diminuer les malaises d'estomac.

MODE DE CONSERVATION
Dans un contenant étanche, à l'abri de l'humidité, de la chaleur et de la lumière.

OUBLI D'UNE DOSE
Prenez-la dès que vous y pensez si vous n'avez pas plus de 2 heures de retard. Autrement, sautez la dose oubliée et revenez à la fréquence normale. Ne doublez pas la dose suivante.

ARRÊT DE LA MÉDICATION
Ne cessez pas de prendre le médicament abruptement ou sans l'approbation du médecin. Celui-ci doit réduire les doses graduellement pour prévenir les symptômes de sevrage.

USAGE PROLONGÉ
Risque de dyskinésies tardives (mouvements involontaires de la mâchoire, des lèvres et de la langue). Consultez le médecin sur la nécessité d'instaurer un suivi médical avec examens de laboratoire.

▼ PRÉCAUTIONS

Plus de 60 ans. Certains effets indésirables – démarche chancelante, tremblements, raideur et constipation – sont plus courants.

Conduite automobile, travaux dangereux. À déconseiller tant que vous ne connaissez pas votre réaction au médicament.

Alcool. À éviter.

Grossesse. Analysez avec le médecin les bienfaits du médicament par rapport à ses risques si vous êtes enceinte ou prévoyez le devenir.

Allaitement. Évitez de prendre le médicament si c'est possible ou cessez d'allaiter.

Nourrissons et enfants. Non recommandé aux enfants de moins de 12 ans.

À surveiller. Évitez d'avoir très chaud ou très froid.

SURDOSAGE
Symptômes. Somnolence marquée, arythmie cardiaque, bouche sèche, agitation paradoxale, convulsions, perte de conscience.

Quoi faire. Allez immédiatement à l'urgence.

▼ INTERACTIONS

MÉDICAMENT-MÉDICAMENT
Consultez le médecin si vous prenez : anticholinergiques, antidépresseurs, lithium, antihistaminiques, antihypertenseurs, barbituriques, anesthésiques, bêtabloquants, diurétiques, agents thyroïdiens, anorexiants, épinéphrine, bupropion ou suppléments de calcium.

MÉDICAMENT-ALIMENT
Évitez les boissons contenant de la caféine, le jus de pomme et le thé.

MÉDICAMENT-MALADIE
Prévenez le médecin en cas de : antécédents d'alcoolisme, troubles sanguins, cancer du sein, hypertrophie de la prostate, épilepsie ou maladie accompagnée de convulsions, glaucome, maladie des poumons, du cœur, des vaisseaux sanguins ou du foie, maladie de Parkinson, ulcère gastrique ou mictions difficiles.

 EFFETS INDÉSIRABLES

GRAVES
Agitation motrice extrême ou persistante ; mouvements involontaires : tics, contractions involontaires et spasmes musculaires dans le visage, le cou et le dos ; perte de coordination et d'équilibre ; tremblements, faiblesse et raideur des extrémités ; difficulté à déglutir ou à parler ; mastication, claquements de lèvres ou de langue persistants et irrépressibles ; regard fixe, absence d'expression du visage ; évanouissement ; sensibilité accrue de la peau au soleil ; rash cutané ; jaunissement des yeux ou de la peau.

COURANTS
Constipation, diminution de la sudation, vertiges ou évanouissement, somnolence, sécheresse de la bouche, tremblements, raideur légère, démarche chancelante, agitation motrice, vision embrouillée.

MOINS COURANTS
Irrégularités menstruelles, dysfonction sexuelle, sécrétions anormales de lait, douleur ou enflure des seins, gain de poids inexplicable, mictions difficiles.

FLURAZÉPAM (CHLORHYDRATE DE)

Présentation : Gélules
En vente libre ? Non   **Générique disponible ?** Oui
Classe de médicaments : Tranquillisant (benzodiazépine) ; sédatif/hypnotique

▼ GÉNÉRALITÉS

INDICATIONS
Traitement à court terme de l'insomnie.

MODE D'ACTION
Le flurazépam produit un léger effet sédatif en déprimant l'activité du système nerveux central (cerveau et moelle épinière). Plus spécifiquement, il semble intensifier l'effet de l'acide gamma-aminobutyrique (GABA), élément chimique naturel qui inhibe les décharges des neurones et réduit la transmission des signaux nerveux, modérant ainsi l'excitation nerveuse.

▼ MODE D'EMPLOI

POSOLOGIE
15 ou 30 mg, en 1 seule dose, au coucher.

DÉBUT D'ACTION
En 30 à 60 minutes.

DURÉE D'ACTION
Inconnue.

CONSEILS NUTRITIONNELS
Durant le traitement, limitez votre consommation d'aliments ou de boissons contenant de la caféine.

MODE DE CONSERVATION
Dans un contenant étanche, à l'abri de la chaleur, de l'humidité et de la lumière.

OUBLI D'UNE DOSE
Prenez-la dès que vous y pensez, à moins qu'il ne soit très tard, la nuit. Ne prenez pas le médicament si vous ne pouvez pas avoir une nuit complète de sommeil.

ARRÊT DE LA MÉDICATION
Un arrêt brusque du traitement pourrait provoquer des symptômes de sevrage : insomnie, nervosité, irritabilité, diarrhée, crampes abdominales, douleurs musculaires, troubles de la mémoire. La posologie doit être réduite graduellement selon les indications du médecin.

USAGE PROLONGÉ
Ne prenez pas de flurazépam plus de 10 jours de suite sans consulter le médecin.

▼ PRÉCAUTIONS

Plus de 60 ans. Risque de réactions indésirables plus probables et plus graves. Il peut y avoir lieu de réduire les doses.

Conduite automobile, travaux dangereux. À déconseiller : le flurazépam peut réduire les réflexes et la coordination.

Alcool. À éviter.

Grossesse. À éviter autant que possible durant la grossesse. N'oubliez pas d'aviser le médecin si vous êtes enceinte ou voulez le devenir.

Allaitement. Le flurazépam passe dans le lait maternel ; n'en prenez pas si vous allaitez.

Nourrissons et enfants. Le flurazépam n'est généralement pas prescrit aux enfants de moins de 15 ans. On ne devrait en prescrire aux enfants plus âgés que sous étroite surveillance médicale.

À surveiller. L'utilisation de flurazepam peut entraîner de la dépendance psychologique et physique.

SURDOSAGE
Symptômes. Grande somnolence, confusion, diction empâtée, réflexes lents, incoordination, démarche chancelante, tremblements, respiration lente, perte de conscience.

Quoi faire. Appelez immédiatement le médecin ou le centre antipoison, ou allez à l'urgence.

▼ INTERACTIONS

MÉDICAMENT-MÉDICAMENT
Plusieurs médicaments peuvent entrer en interaction avec le flurazépam. Demandez l'avis du médecin si vous prenez des médicaments qui dépriment le système nerveux central : antihistaminiques, antidépresseurs et autres médicaments psychiatriques, barbituriques, sédatifs, médicaments contre le rhume, décongestionnants et analgésiques. Signalez aussi au médecin tous les médicaments en vente libre que vous prenez.

MÉDICAMENT-ALIMENT
Pas d'interaction connue.

MÉDICAMENT-MALADIE
Le flurazépam exige qu'on soit prudent. Avertissez le médecin si vous avez des antécédents de : alcoolisme ou toxicomanie, accident cérébrovasculaire (ACV) ou autre maladie du cerveau, maladie pulmonaire chronique, hyperactivité, dépression ou autre maladie mentale, myasthénie grave, apnée du sommeil, épilepsie, porphyrie, maladie des reins ou du foie.

 EFFETS INDÉSIRABLES

GRAVES
Difficultés de concentration, accès de colère, autres problèmes du comportement, dépression, hallucinations, hypotension (causant évanouissement ou confusion), troubles de la mémoire, faiblesse musculaire, rash cutané ou démangeaisons, mal de gorge, fièvre et frissons, lésions ou ulcères dans la gorge ou la bouche, ecchymoses ou saignements inhabituels, fatigue extrême, jaunissement des yeux ou de la peau.

COURANTS
Somnolence diurne, vertiges, étourdissements, incoordination, céphalées, diction empâtée.

MOINS COURANTS
Crampes ou douleurs d'estomac, troubles de la vision, modification de la libido ou de la puissance sexuelle, constipation, euphorie, nausées et vomissements, troubles urinaires, fatigue ou faiblesse inhabituelles.

FLURBIPROFÈNE OPHTALMIQUE

Présentation : Solution ophtalmique
En vente libre ? Non   **Générique disponible ?** Non
Classe de médicaments : Anti-inflammatoire non stéroïdien (AINS)

▼ GÉNÉRALITÉS

INDICATIONS
Traitement de certains problèmes oculaires qui accompagnent ou font suite à une chirurgie.

MODE D'ACTION
Le flurbiprofène ophtalmique entrave la libération de substances qui stimulent l'inflammation et engendrent la douleur dans les tissus oculaires.

▼ MODE D'EMPLOI

POSOLOGIE
Adultes : 1 goutte dans l'œil aux 4 heures. Enfants : consultez le pédiatre.

DÉBUT D'ACTION
Inconnu.

DURÉE D'ACTION
Inconnue.

CONSEILS NUTRITIONNELS
Pas de restrictions spéciales.

MODE DE CONSERVATION
Dans un contenant étanche, à l'abri de la chaleur, de l'humidité et de la lumière. Ne faites pas congeler.

OUBLI D'UNE DOSE
Prenez-la dès que vous y pensez. S'il est presque l'heure de la suivante, sautez la dose oubliée et reprenez la fréquence normale. Ne doublez pas la dose suivante.

ARRÊT DE LA MÉDICATION
Effectuez le traitement au complet, comme il vous a été prescrit, même si vous vous sentez mieux avant la fin de la thérapie.

USAGE PROLONGÉ
Un suivi médical avec examens et analyses est nécessaire si vous devez prendre ce médicament durant une période prolongée.

▼ PRÉCAUTIONS

Plus de 60 ans. Aucun risque connu.

Conduite automobile, travaux dangereux. Le flurbiprofène ophtalmique ne devrait pas vous empêcher de faire ces tâches en toute sécurité.

Alcool. Pas de précautions spéciales.

Grossesse. Aucune étude concluante sur l'être humain n'a été complétée. Si vous êtes enceinte ou avez l'intention de le devenir, avertissez-en votre médecin avant de commencer un traitement au flurbiprofène ophtalmique.

Allaitement. Le flurbiprofène ophtalmique passe dans le lait maternel : la prudence s'impose. Parlez-en spécifiquement à votre médecin.

Nourrissons et enfants. Indications et posologie doivent être déterminées par le médecin.

À surveiller. Avant l'application, lavez-vous les mains. Renversez la tête en arrière. Appuyez doucement dans l'angle interne de la paupière et avec l'index de la même main, tirez la paupière inférieure vers le bas. Laissez tomber le médicament dans l'espace ainsi créé et fermez l'œil. Appuyez pendant 1 ou 2 minutes tout en gardant l'œil fermé sans cligner. Relavez-vous les mains. Le bout du compte-gouttes ne doit toucher ni l'œil, ni votre doigt, ni rien d'autre. Si les symptômes ne régressent pas ou s'ils s'aggravent, consultez le médecin. Le médicament peut causer des problèmes aux patients qui portent des verres de contact souples. Le médecin vous demandera peut-être de cesser de les porter durant le traitement.

SURDOSAGE
Symptômes. Rien de spécifique n'a été signalé.

Quoi faire. Il est peu probable qu'une surdose de flurbiprofène ophtalmique mette votre vie en danger. Néanmoins, si la dose est très forte ou si le médicament est ingéré par accident, appelez le médecin ou le centre antipoison.

▼ INTERACTIONS

MÉDICAMENT-MÉDICAMENT
Consultez le médecin si vous prenez l'un des médicaments suivants : AAS ou autre salicylate, diflunisal, étodolac, fénoprofène, floctafénine, flurbiprofène oral, ibuprofène, indométhacine, kétoprofène, kétorolac, acide méfanamique, nabumétone, naproxène, phénylbutazone, piroxicam, sulindac, ténoxicam, acide tiaprofénique ou tolmétine. Le flurbiprofène ophtalmique réduit l'efficacité de l'acétylcholine ou du carbachol, deux médicaments utilisés pour traiter le glaucome. Ils sont rarement prescrits aujourd'hui, mais si vous en prenez, ne manquez pas de le faire savoir à votre médecin.

MÉDICAMENT-ALIMENT
Pas d'interaction connue.

MÉDICAMENT-MALADIE
Un traitement au flurbiprofène ophtalmique exige de la prudence. Consultez le médecin si vous souffrez d'hémophilie ou de saignements.

EFFETS INDÉSIRABLES

GRAVES
Rarement, ce médicament cause des saignements oculaires ; ou provoque rougeur ou enflure de l'œil ou de la paupière (non observées avant le début du traitement), démangeaisons dans les yeux ou larmoiement excessif.

COURANTS
Sensation de brûlure ou démangeaisons légères et passagères dans les yeux après l'application.

MOINS COURANTS
Aucun effet moins courant n'est associé au flurbiprofène ophtalmique.

FLURBIPROFÈNE ORAL

Présentation : Comprimés, gélules à libération soutenue
En vente libre ? Non   **Générique disponible ?** Oui
Classe de médicaments : Anti-inflammatoire non stéroïdien (AINS)

▼ GÉNÉRALITÉS

INDICATIONS
Traitement de la douleur et de l'inflammation légères ou modérées causées par : tendinite, arthrite, bursite, goutte, lésions des tissus mous, migraines et autres céphalées vasculaires, douleurs menstruelles et autres états douloureux. Quand un AINS se révèle inefficace, le patient peut en essayer d'autres jusqu'à ce qu'il obtienne le soulagement recherché.

MODE D'ACTION
Les AINS entravent la formation des prostaglandines, substances qui causent l'inflammation et rendent les nerfs plus réceptifs aux impulsions douloureuses. Les AINS ont d'autres modes d'action moins bien connus.

▼ MODE D'EMPLOI

POSOLOGIE
Adultes – Comprimés :
50 mg 4 fois par jour ou 100 mg 2 fois par jour. Gélules à libération soutenue : 200 mg 1 fois par jour. Dose maximale par jour, 300 mg. Enfants : consultez le pédiatre.

DÉBUT D'ACTION
En plusieurs heures.

DURÉE D'ACTION
Varie ; certains patients peuvent avoir besoin de doses d'entretien quotidiennes contre la douleur.

CONSEILS NUTRITIONNELS
À prendre en mangeant.

MODE DE CONSERVATION
Dans un contenant étanche, à l'abri de la chaleur, de l'humidité et de la lumière.

OUBLI D'UNE DOSE
Prenez-la dès que vous y pensez. S'il est presque l'heure de la suivante, sautez la dose oubliée et reprenez la fréquence normale. Ne doublez pas la dose suivante.

ARRÊT DE LA MÉDICATION
La décision d'arrêter le traitement doit être prise en consultation avec le médecin.

USAGE PROLONGÉ
Peut entraîner des troubles gastro-intestinaux, y compris ulcération et saignements, dysfonction des reins et inflammation du foie. Demandez au médecin s'il y a lieu d'instaurer un suivi médical avec examens et analyses.

▼ PRÉCAUTIONS

Plus de 60 ans. Étant donné les risques plus grands d'effets indésirables gastro-intestinaux chez les patients âgés, surtout chez les plus de 70 ans, les doses d'AINS sont souvent coupées de moitié.

Conduite automobile, travaux dangereux. À déconseiller tant que vous ne connaissez pas votre réaction au médicament.

Alcool. À éviter ; l'alcool augmente les risques de troubles gastriques.

Grossesse. Ne prenez pas de flurbiprofène oral durant la grossesse.

Allaitement. Le flurbiprofène passe dans le lait maternel ; évitez d'en prendre pendant que vous allaitez.

Nourrissons et enfants. Peut être prescrit dans des circonstances exceptionnelles. Parlez-en au médecin.

À surveiller. Comme les AINS peuvent entraver la coagulation du sang, la médication devrait être interrompue au moins 3 jours avant toute chirurgie.

SURDOSAGE
Symptômes. Nausées importantes, vomissements, céphalées, confusion, convulsions.

Quoi faire. Appelez aussitôt le médecin ou le centre antipoison, ou allez à l'urgence.

▼ INTERACTIONS

MÉDICAMENT-MÉDICAMENT
Ne prenez pas ce médicament avec de l'AAS ou un autre AINS sans l'avis du médecin. Prévenez le médecin si vous prenez l'un ou l'autre des médicaments suivants : antihypertenseurs, stéroïdes, anticoagulants, antibiotiques, itraconazole ou kétoconazole, plicamycine, pénicillamine, acide valproïque, phénytoïne, cyclosporine, digitaliques, lithium, méthotrexate, probénécide, triamtérène ou zidovudine.

MÉDICAMENT-ALIMENT
Pas d'interaction connue.

MÉDICAMENT-MALADIE
La prudence est de mise quand on prend du flurbiprofène. Prévenez le médecin en cas de : saignements, inflammation ou ulcères gastriques ou intestinaux, diabète, lupus, anémie, asthme, épilepsie, maladie de Parkinson, calculs rénaux, antécédents de maladie cardiaque ou d'alcoolisme. Le flurbiprofène peut entraîner des complications chez les patients atteints d'une maladie du foie ou des reins, puisque ces organes contribuent à éliminer le médicament de l'organisme.

 EFFETS INDÉSIRABLES

GRAVES
Essoufflement ou respiration sifflante, avec ou sans enflure des jambes ou autres signes d'insuffisance cardiaque ; douleur thoracique ; ulcère gastro-duodénal avec saignements ; selles noires, goudronneuses ; dysfonction rénale.

COURANTS
Nausées, vomissements, aigreurs d'estomac, diarrhée, constipation, céphalées, vertiges, somnolence.

MOINS COURANTS
Plaies ou ulcères buccaux, dépression, rash cutané ou ampoules, bourdonnements d'oreilles, engourdissements ou picotements des mains ou des pieds, convulsions, vision trouble. Aussi niveaux élevés de potassium et manque de globules blancs, vérifiables par le médecin.

FLUTAMIDE

Présentation : Comprimés
En vente libre ? Non   **Générique disponible ?** Oui
Classe de médicaments : Antiandrogène

▼ GÉNÉRALITÉS

INDICATIONS
Traitement du cancer de la prostate.

MODE D'ACTION
Le développement de certains types de tumeurs prostatiques est stimulé par la testostérone, une hormone. Le flutamide entrave l'activité de cette hormone et, de ce fait, ralentit ou bloque la croissance de ce type de tumeurs prostatiques.

▼ MODE D'EMPLOI

POSOLOGIE
250 mg aux 8 heures, en association avec du leuprolide. Le leuprolide est une forme synthétique d'une hormone de libération de la lutéostimuline (LH-RH), qui bloque également la libération de testostérone.

DÉBUT D'ACTION
Inconnu.

DURÉE D'ACTION
Inconnue.

CONSEILS NUTRITIONNELS
À prendre avec ou sans nourriture. Buvez beaucoup.

MODE DE CONSERVATION
Dans un contenant étanche, à l'abri de la chaleur et de la lumière.

OUBLI D'UNE DOSE
Prenez-la dès que vous y pensez. S'il est presque l'heure de la suivante, sautez la dose oubliée et reprenez la fréquence normale. Ne doublez pas la dose suivante.

ARRÊT DE LA MÉDICATION
La décision d'arrêter le traitement au flutamide doit être prise en consultation avec votre médecin.

USAGE PROLONGÉ
Un suivi médical avec examens et analyses est nécessaire si vous prenez ce médicament durant une période prolongée.

 EFFETS INDÉSIRABLES

GRAVES
Lèvres, ongles ou paumes des mains bleuâtres (manque de sang et d'oxygène dans les tissus), urine foncée, vertiges graves ou évanouissement, sensation de pression dans la tête, démangeaisons, perte d'appétit, nausées ou vomissements, douleur au flanc droit, essoufflement, battements de cœur faibles et rapides, jaunissement de la peau ou des yeux (jaunisse).

COURANTS
Diarrhée, dysfonction érectile (impuissance) ou perte de libido, sudation et chaleurs.

MOINS COURANTS
Perte d'appétit, picotements ou engourdissements des mains et des pieds, seins gonflés et sensibles, enflure des pieds et du bas des jambes.

▼ PRÉCAUTIONS

Plus de 60 ans. La posologie peut être réduite, car le médicament s'élimine plus lentement chez ces patients ; néanmoins, le flutamide n'est pas censé produire chez eux des effets différents que ceux observés chez les patients plus jeunes.

Conduite automobile, travaux dangereux. Le flutamide ne devrait pas vous empêcher d'exécuter de telles tâches en toute sécurité.

Alcool. À consommer avec modération seulement.

Grossesse. Comme le flutamide réduit la numération des spermatozoïdes et que le médicament pris en association cause chez l'homme de l'infertilité qui peut être permanente, si vous voulez avoir des enfants, consultez le médecin avant que l'homme prenne ce médicament : vous voudrez peut-être faire congeler du sperme.

Allaitement. Sans objet : le flutamide n'est pas prescrit aux femmes.

Nourrissons et enfants. Non recommandé aux enfants.

À surveiller. Quand le flutamide est pris en même temps qu'un anticoagulant, il faut surveiller étroitement le temps de coagulation du sang de façon à ajuster au besoin la posologie de l'anticoagulant.

SURDOSAGE
Symptômes. Hypoactivité, mouvements extrêmement ralentis, respiration lente, perte de coordination musculaire, larmoiement excessif, perte d'appétit, sensibilité des seins, chair de poule et vomissements.

Quoi faire. Il est peu probable qu'une surdose de flutamide mette votre vie en danger. Néanmoins, si la dose est très forte, appelez immédiatement le médecin ou le centre antipoison, ou allez à l'urgence.

▼ INTERACTIONS

MÉDICAMENT-MÉDICAMENT
Le flutamide peut intensifier les effets d'un anticoagulant comme la warfarine. Consultez votre médecin si vous prenez un anticoagulant. Consultez-le aussi si vous prenez l'un des médicaments suivants : cholestyramine, cyclosporine, érythromycine, gemfibrozil, digoxine, cimétidine, ranitidine, oméprazole, ou rifampine.

MÉDICAMENT-ALIMENT
Pas d'interaction connue.

MÉDICAMENT-MALADIE
Vous ne devriez pas prendre de flutamide si vous souffrez d'un trouble grave du foie. Consultez le médecin à l'égard de toute autre maladie.

FLUTICASONE

Présentation : Inhalation orale, vaporisateur nasal
En vente libre ? Non **Générique disponible ?** Non
Classe de médicaments : Corticostéroïde respiratoire

▼ GÉNÉRALITÉS

INDICATIONS
Traitement préventif de l'asthme bronchique et traitement de la rhinite allergique (allergies saisonnières et non saisonnières comme le rhume des foins).

MODE D'ACTION
Les corticostéroïdes respiratoires comme la fluticasone réduisent ou préviennent l'inflammation de la muqueuse des voies aériennes (cause sous-jacente de l'asthme), diminuent la réponse allergique aux allergènes inhalés et inhibent la sécrétion de mucus dans les voies aériennes.

▼ MODE D'EMPLOI

POSOLOGIE
Asthme – Inhalation orale : Adultes : 100 à 500 µg (microgrammes), 2 fois par jour (selon la gravité de l'asthme). Enfants de 4 à 16 ans : 50 à 100 µg, 2 fois par jour (selon la gravité de l'asthme). Rhinite allergique – Vaporisation nasale : adultes et enfants de 12 ans et plus :

2 jets (de 50 µg chacun) dans chaque narine 1 fois par jour, ou 1 jet dans chaque narine 2 fois par jour (matin et soir). Enfants de 4 à 11 ans : 1 jet dans chaque narine 1 fois par jour. La dose peut être portée, au besoin, à 2 jets dans chaque narine 1 fois par jour, mais ne devrait pas dépasser 200 µg par jour. Une fois le soulagement obtenu, la dose peut être réduite à 1 jet par jour.

DÉBUT D'ACTION
En 1 semaine normalement, mais le plein effet thérapeutique peut mettre 3 semaines à s'installer.

DURÉE D'ACTION
Inconnue.

CONSEILS NUTRITIONNELS
Pas de restriction spéciale.

MODE DE CONSERVATION
Rangez l'aérosol dans un endroit sec, à l'abri de la chaleur et de la lumière.

OUBLI D'UNE DOSE
Prenez-la dès que vous y pensez. S'il est presque l'heure de la suivante, sautez la

dose oubliée et reprenez la fréquence normale. Ne doublez pas la dose suivante.

ARRÊT DE LA MÉDICATION
Si vous utilisez la fluticasone depuis longtemps, n'arrêtez pas subitement le traitement. Demandez au médecin comment l'interrompre.

USAGE PROLONGÉ
Demandez au médecin s'il y a lieu d'instaurer un suivi médical si vous devez prendre le médicament longtemps.

▼ PRÉCAUTIONS

Plus de 60 ans. Pas de risque connu.

Conduite automobile, travaux dangereux. La fluticasone ne devrait pas vous empêcher d'exécuter de telles tâches en toute sécurité.

Alcool. Pas de précautions spéciales.

Grossesse. Il n'y a pas eu d'études bien contrôlées sur l'emploi de la fluticasone durant la grossesse. Le médicament n'est habituellement recommandé que si ses bienfaits l'emportent sur ses risques. Consultez le médecin.

Allaitement. La fluticasone peut passer dans le lait maternel ; la prudence s'impose. Demandez l'avis du médecin.

Nourrissons et enfants. L'innocuité et l'efficacité de la fluticasone n'ont pas été établies pour les enfants de moins de 4 ans.

À surveiller. Les stéroïdes par inhalation n'arrêtent pas

une crise d'asthme déjà en cours et peuvent réduire la résistance aux infections par levures de la bouche, de la gorge ou de l'appareil vocal. Contre ces infections, gargarisez-vous ou rincez-vous la bouche après chaque usage ; n'avalez pas l'eau. Apprenez à utiliser correctement le vaporisateur nasal ; lisez et suivez bien les directives qui l'accompagnent. Avant toute chirurgie, dites au médecin ou au dentiste que vous prenez un stéroïde.

SURDOSAGE
Symptômes. Aucune surdose n'a été signalée.

Quoi faire. Une surdose est improbable. Si vous avez des doutes, appelez immédiatement le médecin ou demandez de l'aide médicale.

▼ INTERACTIONS

MÉDICAMENT-MÉDICAMENT
Demandez les conseils du médecin si vous prenez : corticostéroïdes systémiques, autres corticostéroïdes par inhalation ou immunosuppresseurs.

MÉDICAMENT-ALIMENT
Pas d'interaction connue.

MÉDICAMENT-MALADIE
La fluticasone exige de la prudence. Avertissez le médecin dans les cas suivants : maladie pulmonaire comme la tuberculose ; infection herpétique de l'œil ; ulcères du nez, ou récente chirurgie ou blessure du nez ; infection bactérienne, virale ou fongique. Si vous êtes exposé à la varicelle ou à la rougeole, dites-le immédiatement au médecin.

 EFFETS INDÉSIRABLES

GRAVES
Aucun effet indésirable grave n'est associé à la fluticasone.

COURANTS
Inhalation orale : mal de gorge, plaques blanches dans la bouche ou la gorge, voix rauque. Vaporisation nasale : saignements de nez ou sécrétions nasales sanguinolentes, sensation de brûlure ou d'irritation dans le nez, mal de gorge.

MOINS COURANTS
Douleur oculaire, larmoiement, diminution graduelle de la vision, douleur gastrique et troubles digestifs.

FLUVASTATINE

Présentation : Gélules
En vente libre ? Non   **Générique disponible ?** Non
Classe de médicaments : Régulateur du métabolisme lipidique (hypocholestérolémiant)

▼ GÉNÉRALITÉS

INDICATIONS
Traitement de l'hypercholestérolémie. Généralement prescrit quand les traitements de première ligne – régime alimentaire, perte de poids et exercice – n'ont pas ramené le cholestérol total et le cholestérol de faible densité (LDL) à des taux acceptables.

MODE D'ACTION
La fluvastatine bloque l'action d'une enzyme nécessaire à la production du cholestérol, entravant par là sa formation. En diminuant la quantité de cholestérol dans les cellules du foie, la fluvastatine augmente la formation des récepteurs des LDL et réduit ainsi les taux sanguins de cholestérol total et de LDL. En outre, elle abaisse modérément les taux de triglycérides et augmente ceux du cholestérol HDL (ou bon cholestérol).

▼ MODE D'EMPLOI

POSOLOGIE
Dose de départ : 20 mg, 1 fois par jour, le soir ou au coucher. Le médecin peut l'augmenter jusqu'à 80 mg par jour, en deux prises fractionnées dès que la posologie totale dépasse 40 mg.

DÉBUT D'ACTION
En 2 à 4 semaines après le début du traitement.

DURÉE D'ACTION
Persiste toute la durée du traitement.

CONSEILS NUTRITIONNELS
Les hypocholestérolémiants ne sont qu'un volet d'un programme qui doit inclure des exercices physiques pris régulièrement et un régime alimentaire sain.

MODE DE CONSERVATION
Dans un contenant étanche, à l'abri de la chaleur, de la lumière, de l'humidité et des températures extrêmes.

OUBLI D'UNE DOSE
Prenez-la dès que vous y pensez. Prenez la suivante au moment requis et revenez à la fréquence normale. Ne doublez pas la dose suivante.

ARRÊT DE LA MÉDICATION
La décision doit être prise en consultation avec le médecin. L'arrêt de la médication entraîne un retour possible de la cholestérolémie aux taux élevés d'avant traitement.

USAGE PROLONGÉ
La probabilité d'effets indésirables augmente. Si le traitement à la fluvastatine se prolonge, le médecin ordonnera périodiquement des analyses du sang pour évaluer la fonction hépatique.

▼ PRÉCAUTIONS

Plus de 60 ans. Pas de risques connus.

Conduite automobile, travaux dangereux. La fluvastatine ne devrait pas vous empêcher d'exécuter de telles activités en toute sécurité.

Alcool. Pas de précautions spéciales.

Grossesse. La fluvastatine ne devrait pas être utilisée durant la grossesse ou par les femmes qui se proposent de devenir bientôt enceintes.

Allaitement. La fluvastatine passe dans le lait maternel et n'est pas recommandée aux femmes qui allaitent.

Nourrissons et enfants. On prescrit rarement ce médicament à de jeunes patients.

À surveiller. Dans un traitement contre l'hypercholestérolémie, il est important d'avoir un bon régime alimentaire, de surveiller son poids, de faire de l'exercice modérément mais régulièrement et

d'éviter certains médicaments qui peuvent augmenter les taux de cholestérol. Comme la fluvastatine a des effets indésirables possibles, il est important de suivre le régime alimentaire qu'on vous a conseillé ainsi que les autres traitements recommandés par votre médecin.

SURDOSAGE
Symptômes. Il n'y en a pas eu de signalés.

Quoi faire. Appelez le médecin ou le centre antipoison.

▼ INTERACTIONS

MÉDICAMENT-MÉDICAMENT
Consultez le médecin si vous prenez les médicaments suivants : cyclosporine, gemfibrozil, niacine, antibiotiques (surtout érythromycine et clarithromycine) ou antifongiques. Tous ces médicaments, pris en concomitance avec la fluvastatine, peuvent augmenter les risques de myosite (inflammation des muscles) et mener à une insuffisance rénale.

MÉDICAMENT-ALIMENT
Pas d'interaction connue.

MÉDICAMENT-MALADIE
Avertissez le médecin dans les cas suivants : maladie du foie, des reins ou des muscles, antécédents médicaux impliquant une greffe d'organe ou une intervention chirurgicale récente.

  EFFETS INDÉSIRABLES

GRAVES
Fièvre, douleur ou sensibilité inhabituelles ou inexpliquées dans les muscles.

COURANTS
Des effets indésirables se produisent chez 1 à 2 % des patients seulement : constipation ou diarrhée, vertiges ou étourdissements, ballonnement ou gaz, aigreurs d'estomac, nausées, rash cutané, douleurs gastriques et hausse des enzymes du foie.

MOINS COURANTS
Difficultés à dormir.

FLUVOXAMINE (MALÉATE DE)

Présentation : Comprimés

En vente libre ? Non **Générique disponible ?** Oui

Classe de médicaments : Antidépresseur ISRS (inhibiteur spécifique du recaptage de la sérotonine)/agent antiobsessionnel

▼ GÉNÉRALITÉS

INDICATIONS
Traitement de la dépression et du trouble obsessionnel compulsif.

MODE D'ACTION
La fluvoxamine modifie les taux de sérotonine, élément chimique du cerveau qui serait lié aux humeurs, aux émotions et aux états psychiques.

▼ MODE D'EMPLOI

POSOLOGIE
Dose d'attaque : 50 mg au coucher ; le médecin peut augmenter graduellement la posologie jusqu'à 300 mg par jour. Les doses supérieures à 150 mg par jour peuvent être fractionnées en 2 prises.

DÉBUT D'ACTION
Inconnu.

DURÉE D'ACTION
Inconnue.

CONSEILS NUTRITIONNELS
Pas de restrictions spéciales sur le plan du régime alimentaire. Mais ne croquez pas les comprimés.

MODE DE CONSERVATION
Dans un contenant étanche, à l'abri de la chaleur, de l'humidité et de la lumière.

OUBLI D'UNE DOSE
Prenez-la dès que vous y pensez. S'il est presque l'heure de la dose suivante, sautez la dose oubliée et reprenez la fréquence normale. Ne doublez pas la dose suivante.

ARRÊT DE LA MÉDICATION
Effectuez le traitement au complet, comme il vous a été prescrit, même si vous vous sentez mieux avant qu'il ne prenne fin. Un arrêt brusque du traitement peut entraîner des symptômes de sevrage difficiles à supporter. La posologie doit être réduite graduellement conformément aux directives du médecin.

EFFETS INDÉSIRABLES

GRAVES
Baisse de libido, dysfonction sexuelle, diarrhée, étourdissements, tachycardie, difficultés à respirer, convulsions, tremblements, vomissements, déglutition difficile, évanouissement, réactions psychotiques.

COURANTS
Insomnie, baisse d'appétit, constipation, sécheresse de la bouche, somnolence, aigreurs d'estomac, nez qui coule, perte inexpliquée de poids, céphalées, mictions fréquentes, sudation accrue, altération du goût, bâillements.

MOINS COURANTS
Enflure des pieds et du bas des jambes, frissons, gaz, gain de poids.

USAGE PROLONGÉ
Demandez au médecin si un suivi médical avec examens et analyses serait nécessaire si vous devez prendre la médication durant une période prolongée.

▼ PRÉCAUTIONS

Plus de 60 ans. Risques d'effets indésirables plus graves et plus fréquents. Il peut être nécessaire de réduire les doses.

Conduite automobile, travaux dangereux. N'entreprenez de telles tâches qu'avec prudence tant que vous ne connaissez pas votre réaction au médicament.

Alcool. À éviter.

Grossesse. Il n'y a pas eu d'études pertinentes sur les êtres humains. Si vous êtes enceinte ou désirez le devenir, avisez-en le médecin avant de prendre de la fluvoxamine. Analysez avec lui les bienfaits du médicament par rapport à ses risques.

Allaitement. La fluvoxamine passe dans le lait maternel ; évitez ou cessez d'en prendre si vous allaitez.

Nourrissons et enfants. Médicament non recommandé aux moins de 18 ans.

SURDOSAGE
Symptômes. Diarrhée sévère ; vertiges graves, somnolence, difficulté à se réveiller ou coma ; battements du cœur rapides ou lents ; convulsions ; vomissements graves.

Quoi faire. Appelez immédiatement le médecin ou le centre antipoison, ou allez à l'urgence.

▼ INTERACTIONS

MÉDICAMENT-MÉDICAMENT
Il faut laisser s'écouler 14 jours entre un traitement à la fluvoxamine et un traitement aux inhibiteurs de la monoamine-oxydase (IMAO) : il pourrait en résulter de très graves effets secondaires – myoclonie (contractions musculaires brusques), hyperthermie (élévation anormale de la température du corps) et raideur extrême. Consultez le médecin si vous prenez ou avez récemment pris les médicaments suivants : alprazolam, diazépam, midazolam, triazolam, bêtabloquants, antidépresseurs tricycliques, carbamazépine, clozapine, théophylline, tryptophane, lithium, warfarine ou méthadone. Consultez également le médecin si vous fumez.

MÉDICAMENT-ALIMENT
Pas d'interaction connue.

MÉDICAMENT-MALADIE
La prudence est recommandée avec la fluvoxamine. Consultez le médecin si vous avez des antécédents d'alcoolisme ou de toxicomanie, ou si vous souffrez de manies ou de convulsions.

FOLIQUE (ACIDE) (FOLACINE ; FOLATE)

Présentation : Comprimés, forme injectable (utilisée dans les hôpitaux)
En vente libre ? Oui   **Générique disponible ?** Oui
Classe de médicaments : Vitamine

▼ GÉNÉRALITÉS

INDICATIONS
Traitement ou prévention de certains types d'anémie par insuffisance d'acide folique résultant de : malnutrition ou déficience nutritionnelle, défaut d'absorption (par exemple à cause d'une maladie gastro-intestinale), non utilisation (à cause d'une consommation excessive d'alcool ou de l'administration de phénytoïne), ou à cause d'un état de santé exigeant une quantité accrue d'acide folique (comme dans l'anémie hémolytique ou la myélodépression). On prescrit aussi l'acide folique (aussi appelé folacine et folate) pour prévenir la toxicité liée au méthotrexate. L'acide folique est fortement recommandé avant la grossesse ou au début de celle-ci pour réduire le risque de malformation du tube neural, ou spina-bifida, chez le fœtus.

MODE D'ACTION
L'acide folique intensifie les réactions chimiques qui participent à la production des globules rouges sanguins, à la fabrication de l'ADN nécessaire à la réplication des cellules et à la métabolisation des acides aminés nécessaires à la synthèse des protéines.

▼ MODE D'EMPLOI

POSOLOGIE
Déficience grave – Adultes et enfants de tous âges : 1 à 5 mg par jour. Supplément après correction d'une carence grave – Adultes et adolescents : 1 mg, 1 fois par jour. Prévention d'une malformation du tube neural – Avant et durant la grossesse : 400 µg (microgrammes), 1 fois par jour. (Il faut prendre de l'acide folique avant la conception et durant les 12 semaines qui suivent la dernière période menstruelle. Dans certains cas, la femme devrait en prendre davantage. Demandez l'avis du médecin ou du pharmacien.) Pendant l'allaitement : 260 à 280 µg, 1 fois par jour. Enfants : suivez les recommandations du médecin. Prévention de la toxicité du méthotrexate : 0,4 à 1 mg par jour.

DÉBUT D'ACTION
L'acide folique est utilisé immédiatement par l'organisme

pour plusieurs fonctions chimiques vitales.

DURÉE D'ACTION
L'organisme en a besoin tous les jours de la vie.

CONSEILS NUTRITIONNELS
Mangez et buvez comme d'habitude.

MODE DE CONSERVATION
Dans un contenant étanche, à l'abri de la chaleur, de la lumière, de l'humidité et des températures extrêmes.

OUBLI D'UNE DOSE
Prenez-la dès que vous y pensez. S'il est presque l'heure de la suivante, sautez la dose oubliée et reprenez la fréquence normale. Ne doublez pas la dose suivante.

ARRÊT DE LA MÉDICATION
Cette décision doit être prise par votre médecin.

USAGE PROLONGÉ
Le traitement peut durer des semaines et des mois.

▼ PRÉCAUTIONS

Plus de 60 ans. Pas de risques connus.

Conduite automobile, travaux dangereux. Un traitement à l'acide folique ne devrait pas vous empêcher d'exécuter de telles tâches en toute sécurité.

Alcool. Il nuit à l'utilisation de l'acide folique par l'organisme. Ne prenez pas d'alcool si vous êtes traité à l'acide folique.

Grossesse. Des suppléments sont recommandés durant la grossesse.

Allaitement. Des suppléments sont recommandés aux femmes qui allaitent.

Nourrissons et enfants. L'acide folique s'emploie quel que soit l'âge du patient.

À surveiller. L'acide folique pouvant masquer une déficience en vitamine B12 et causer des dommages neurologiques irréversibles, il devrait être pris uniquement contre l'anémie et sur la recommandation du médecin. Une déficience en acide folique ne devrait pas se produire et l'administration de suppléments ne devrait pas être nécessaire chez les personnes en bonne santé qui ont une alimentation normale et équilibrée.

SURDOSAGE
Symptômes. Aucun symptôme spécifique n'a été signalé.

Quoi faire. Une surdose d'acide folique ne met pas la vie en danger. Aucune mesure d'urgence n'est nécessaire.

▼ INTERACTIONS

MÉDICAMENT-MÉDICAMENT
Demandez l'avis du médecin si vous prenez : analgésiques, antibiotiques, anticonvulsivants, époétine, œstrogènes, contraceptifs oraux, méthotrexate, pyriméthamine, triamtérène, sulfasalazine ou suppléments de zinc.

MÉDICAMENT-ALIMENT
Aucune interaction connue.

MÉDICAMENT-MALADIE
Consultez le médecin si vous souffrez d'anémie pernicieuse.

 EFFETS INDÉSIRABLES

GRAVES
Respiration sifflante ou difficile, douleur thoracique, œdème, constriction de la gorge ou du thorax, vertiges, rash cutané, démangeaisons : signes d'une réaction allergique grave, mais rare.

COURANTS
Il n'y a pas d'effets indésirables courants qui soient associés à l'administration d'acide folique.

MOINS COURANTS
Réactions allergiques bénignes.

FORMOTÉROL (FUMARATE DE)

Présentation : Poudre pour inhalation, turbuhaler
En vente libre ? Non   **Générique disponible ?** Non
Classe de médicaments : Bronchodilatateur/sympathomimétique

▼ GÉNÉRALITÉS

INDICATIONS
Le médicament sert à dilater les voies aériennes pulmonaires rétrécies par une maladie ou une inflammation. Il sert aussi à traiter l'asthme et la maladie pulmonaire obstructive chronique.

MODE D'ACTION
Le formotérol dilate les voies aériennes en détendant les muscles lisses qui entourent les bronchioles.

▼ MODE D'EMPLOI

POSOLOGIE
Adultes : Avec l'inhalateur Aerolizer, inhalez 1 ou 2 gélules, 2 fois par jour, à 12 heures d'intervalle. Dose maximale : 4 gélules par jour. Enfants et adolescents de 12 à 16 ans : avec l'inhalateur Aerolizer, inhalez 1 gélule, 2 fois par jour, à 12 heures d'intervalle. Dose maximale : 2 gélules par jour. Turbuhaler – Adultes et adolescents : 6 à 12 µg (microgrammes), 2 fois par jour, à 12 heures d'intervalle. Dose maximale : 48 µg par jour sur une base régulière, et jusqu'à 72 µg pendant pas plus de 3 jours. Enfants de 6 à 12 ans : 6 µg, 2 fois par jour, à 12 heures d'intervalle ou avant un exercice. Dose maximale : 24 µg par jour.

DÉBUT D'ACTION
En 1 à 3 minutes.

DURÉE D'ACTION
Jusqu'à 12 heures.

CONSEILS NUTRITIONNELS
Pas de restrictions spéciales.

MODE DE CONSERVATION
À la température ambiante, à l'abri de la chaleur, de l'humidité et de la lumière. Assujettissez bien le couvercle sur le turbuhaler.

OUBLI D'UNE DOSE
Prenez-la dès que vous y pensez. S'il est presque l'heure de la suivante, sautez la dose oubliée et reprenez la fréquence normale. Ne doublez pas la dose suivante.

 EFFETS INDÉSIRABLES

GRAVES
L'excès du médicament le rend moins efficace : la respiration est plus difficile et ne s'améliore pas. Symptômes : respiration sifflante, toux, essoufflement, confusion, bleuissement des lèvres ou des ongles, incapacité de parler. Aussi douleur ou constriction thoraciques, arythmies cardiaques, flutter ou battements de cœur très forts, étourdissements, évanouissement, faiblesse grave, céphalée grave.

COURANTS
Tremblements, battements de cœur très fort, céphalées, mal de gorge.

MOINS COURANTS
Tachycardie, douleurs musculaires, difficultés à dormir.

ARRÊT DE LA MÉDICATION
Il peut ne pas être nécessaire d'effectuer le traitement au complet. Parlez-en au médecin.

USAGE PROLONGÉ
Le recours au turbuhaler durant plus de 3 jours, sur la base d'une médication au besoin (plus de 48 g par jour), pourrait donner à penser que votre état est mal contrôlé. Consultez votre médecin.

▼ PRÉCAUTIONS

Plus de 60 ans. Risques de réactions indésirables plus fréquentes et plus graves.

Conduite automobile, travaux dangereux. À déconseiller tant que vous ne connaissez pas votre réaction au médicament.

Alcool. L'alcool peut augmenter le risque de problèmes cardiaques, l'un des effets indésirables possibles du médicament.

Grossesse. Innocuité et administration non établies. Consultez le médecin.

Allaitement. Le formotérol peut passer dans le lait maternel. Consultez le médecin.

Nourrissons et enfants. Non recommandé pour les enfants de moins de 6 ans.

À surveiller. Le formotérol met 3 minutes à agir. N'utilisez pas ce médicament durant des crises aiguës ou subites et n'augmentez pas la posologie si les symptômes s'aggravent. Prêtez attention à tout problème respiratoire qui ne s'améliore pas après le traitement habituel. Demandez immédiatement de l'aide si vos poumons vous paraissent constamment obstrués, si vous dépassez le nombre de doses recommandées par jour ou si une crise vous paraît différente des précédentes. Vous devez toujours utiliser le nouvel Aerolizer qui accompagne chaque renouvellement de l'ordonnance. Ne soufflez pas dans le Turbuhaler et remettez bien le bouchon en place.

SURDOSAGE
Symptômes. Nausées ; vomissements ; céphalée grave ; tremblements ; battements de cœur rapides, irréguliers, accélérés ou forts ; étourdissements.

Quoi faire. Appelez le médecin ou allez immédiatement à l'urgence.

▼ INTERACTIONS

MÉDICAMENT-MÉDICAMENT
Consultez le médecin si vous prenez : bêtabloquants, IMAO, diurétiques de l'anse ou diurétiques thiazidiques, antiarythmiques, antidépresseurs tricycliques, médicaments pour la thyroïde et antiparkinsoniens.

MÉDICAMENT-ALIMENT
Aucune interaction connue.

MÉDICAMENT-MALADIE
Consultez le médecin si vous avez des antécédents de : maladie cardiaque ou arythmies cardiaques, hypertension, troubles de l'anxiété ou problèmes de la thyroïde.

FOSCARNET (SODIUM DE) (ACIDE PHOSPHONOFORMIQUE)

NOM COMMERCIAL

Foscavir

Présentation : Injection
En vente libre ? Non   **Générique disponible ?** Non
Classe de médicaments : Antiviral

▼ GÉNÉRALITÉS

INDICATIONS
Pour traiter la rétinite (infection de l'œil) par le cytomégalovirus (CMV) chez les patients atteints du virus de l'immunodéficience humaine (VIH). Le foscarnet est parfois prescrit contre d'autres infections virales.

MODE D'ACTION
Le foscarnet entrave l'activité d'enzymes essentielles à la réplication de l'ADN viral dans les cellules, empêchant ainsi le cytomégalovirus (CMV) de se multiplier.

▼ MODE D'EMPLOI

POSOLOGIE
60 mg par kilogramme (2,2 lb) de poids en injection intraveineuse, aux 8 heures, pendant 2 ou 3 semaines, suivie d'une dose d'entretien de 90 à 120 mg par kilogramme, injectée 1 fois par jour.

DÉBUT D'ACTION
Immédiat.

DURÉE D'ACTION
24 heures.

CONSEILS NUTRITIONNELS
Pas de restrictions spéciales.

MODE DE CONSERVATION
Sans objet, puisque le médicament est administré en milieu hospitalier ou à domicile par une infirmière.

OUBLI D'UNE DOSE
Consultez le médecin.

ARRÊT DE LA MÉDICATION
Cette décision doit être prise par le médecin.

USAGE PROLONGÉ
Le médecin doit vérifier périodiquement vos progrès.

▼ PRÉCAUTIONS

Plus de 60 ans. Risques de réactions indésirables plus fréquentes et plus graves.

Conduite automobile, travaux dangereux. À déconseiller tant que vous ne connaissez pas votre réaction au médicament.

Alcool. À éviter.

Grossesse. Il a été établi que le foscarnet entraînait des anomalies congénitales chez l'animal. Il n'y a pas eu d'études concluantes sur les humains. Avant de prendre ce médicament, avertissez le médecin que vous êtes enceinte ou voulez le devenir.

Allaitement. Le foscarnet peut passer dans le lait maternel ; la prudence s'impose. Demandez l'avis du médecin.

Nourrissons et enfants. Il n'y a pas de données sur l'administration de foscarnet aux nourrissons et aux enfants. Consultez le médecin sur les risques et les bienfaits éventuels du médicament.

À surveiller. Buvez plusieurs verres d'eau chaque jour à moins d'avis contraire du médecin. Durant le traitement, le médecin peut faire faire des analyses pour vérifier périodiquement la fonction rénale. L'anémie causée par le médicament peut être assez grave pour exiger des transfusions de sang. Si vous prenez le médicament contre la rétinite par CMV, vous devriez vous faire examiner périodiquement la vue par un ophtalmologiste pour vérifier qu'il n'y a pas de perte de vision. Le foscarnet peut causer des lésions sur les organes génitaux. Si vous lavez vos organes génitaux après chaque miction, ce risque diminue.

SURDOSAGE
Symptômes. Apparition soudaine d'effets indésirables graves.

Quoi faire. Appelez immédiatement le médecin ou le centre antipoison, ou allez à l'urgence.

▼ INTERACTIONS

MÉDICAMENT-MÉDICAMENT
Il peut y avoir interactions entre le foscarnet et d'autres médicaments. Consultez le médecin si vous prenez : amphotéricine B, carmustine, cisplatine, analgésiques en associations médicamenteuses renfermant de l'acétaminophène ou de l'AAS, cyclosporine, déféroxamine, gentamicine, sels d'or, tout analgésique, lithium, méthotrexate, pentamidine, pénicillamine, plicamycine ou streptozocine.

MÉDICAMENT-ALIMENT
Aucune interaction connue.

MÉDICAMENT-MALADIE
Soyez prudent. Consultez le médecin si vous souffrez d'anémie, de maladie des reins ou de déshydratation.

≣ EFFETS INDÉSIRABLES ≣

GRAVES
Augmentation ou diminution du débit et de la fréquence de miction, soif accrue (signes de dommages aux reins) ; toxicité sur le système nerveux provoquant mouvements brefs ou saccadés, convulsions, engourdissement ou picotement des extrémités ; fièvre et frissons ; douleur au point d'injection ; fatigue extrême.

COURANTS
Céphalées, douleur ou malaises à l'abdomen, nausées et vomissements, perte de poids ou d'appétit, nervosité, anxiété, agitation motrice, confusion, étourdissements, fatigue anormale.

MOINS COURANTS
Lésions dans la bouche ou la gorge, sur le pénis ou sur la vulve.

FOSFOMYCINE TROMÉTHAMINE

Présentation : Poudre pour solution
En vente libre ? Non   **Générique disponible ?** Non
Classe de médicaments : Antibiotique

▼ GÉNÉRALITÉS

INDICATIONS
Traitement des infections non compliquées des voies urinaires (cystite aiguë) chez les femmes.

MODE D'ACTION
La fosfomycine entrave la formation des parois cellulaires des bactéries, empêchant celles-ci de se multiplier et de se disséminer.

▼ MODE D'EMPLOI

POSOLOGIE
Adultes : 3 g en 1 dose unique, prise oralement.

DÉBUT D'ACTION
En 3 heures.

DURÉE D'ACTION
Inconnue.

CONSEILS NUTRITIONNELS
Pas de restrictions alimentaires spéciales. Dissolvez la poudre dans un demi-verre d'eau froide (et non chaude).

MODE DE CONSERVATION
Dans un contenant étanche, à l'abri de la chaleur, de l'humidité et de la lumière.

OUBLI D'UNE DOSE
Sans objet : la fosfomycine n'est administrée qu'en une seule dose.

ARRÊT DE LA MÉDICATION
Sans objet.

USAGE PROLONGÉ
La fosfomycine n'est administrée qu'en une seule dose. Des doses répétées augmentent la probabilité d'effets indésirables. Si l'infection n'a pas diminuée ou s'est aggravée après 2 ou 3 jours, appelez votre médecin.

▼ PRÉCAUTIONS

Plus de 60 ans. Aucun risque connu.

EFFETS INDÉSIRABLES

GRAVES
Aucun effet indésirable grave n'est associé à un traitement à la fosfomycine.

COURANTS
Diarrhée, céphalées, démangeaisons vaginales, nausées, nez qui coule, mal de dos, menstruations douloureuses, irritation de la gorge, vertiges, douleur abdominale, douleur généralisée, faiblesse, rash cutané, maux ou dérangements d'estomac. Appelez le médecin si ces symptômes persistent ou nuisent à vos activités quotidiennes.

MOINS COURANTS
Selles anormales, perte d'appétit, constipation, sécheresse de la bouche, absence de mictions, troubles des oreilles, fièvre, gaz, symptômes de grippe, sang dans l'urine, infection, insomnie, ganglions enflés, douleurs nerveuses, nervosité, sensation de brûlure, somnolence, vomissements.

Conduite automobile, travaux dangereux. À déconseiller tant que vous ne connaissez pas votre réaction au médicament.

Alcool. Pas de précautions spéciales.

Grossesse. Il n'existe pas d'études pertinentes sur l'administration de fosfomycine trométhamine durant la grossesse. Si vous êtes enceinte ou désirez le devenir, dites-le à votre médecin avant de prendre de la fosfomycine ; évaluez soigneusement avec lui les bienfaits du médicament par rapport à ses risques.

Allaitement. On ne sait pas si la fosfomycine passe dans le lait maternel : la prudence est conseillée. Demandez spécifiquement l'avis du médecin.

Nourrissons et enfants. Non recommandé pour les enfants et les adolescents de moins de 18 ans.

À surveiller. Avant et après le traitement, il faudrait subir des analyses d'urine pour connaître la nature de la bactérie causant l'infection et sa réponse au traitement.

SURDOSAGE
Symptômes. Il est peu probable qu'une surdose de fosfomycine se produise : aucune n'a été signalée.

Quoi faire. Appelez le médecin ou le centre antipoison.

▼ INTERACTIONS

MÉDICAMENT-MÉDICAMENT
Demandez l'avis du médecin si vous prenez en même temps du métoclopramide ; avant de prendre de la fosfomycine, indiquez au médecin le nom de tous les médicaments que vous prenez.

MÉDICAMENT-ALIMENT
Pas d'interaction connue.

MÉDICAMENT-MALADIE
Un traitement à la fosfomycine exige de la prudence. Consultez le médecin si vous souffrez de maladie des reins ou de toute autre maladie. Une médication à la fosfomycine peut entraîner des complications chez les patients qui souffrent de maladie rénale, car les reins contribuent à éliminer le médicament de l'organisme.

FOSINOPRIL SODIQUE

NOM COMMERCIAL

Monopril

Présentation : Comprimés
En vente libre ? Non   **Générique disponible ?** Non
Classe de médicaments : Inhibiteur de l'enzyme de conversion de l'angiotensine

▼ GÉNÉRALITÉS

INDICATIONS
Contrôle de l'hypertension ; traitement de l'insuffisance cardiaque congestive ; traitement des patients présentant une dysfonction ventriculaire gauche (cavité où s'effectue le pompage du cœur) ; enfin, réduction des risques de lésion rénale chez les diabétiques atteints d'une maladie des reins bénigne.

MODE D'ACTION
Les inhibiteurs de l'enzyme de conversion de l'angiotensine (ECA) bloquent une enzyme produisant l'angiotensine, substance naturelle qui provoque la constriction des vaisseaux sanguins et stimule la sécrétion par les corticosurrénales de l'aldostérone, hormone qui favorise la rétention du sodium. En conséquence, les inhibiteurs de l'ECA dilatent les vaisseaux sanguins et réduisent la rétention sodique, diminuant ainsi la tension artérielle et le travail cardiaque.

▼ MODE D'EMPLOI

POSOLOGIE
Dose d'attaque : 10 mg 1 fois par jour. Dose d'entretien : 20 à 40 mg par jour, en 1 ou 2 prises.

DÉBUT D'ACTION
En 1 heure.

DURÉE D'ACTION
24 heures.

CONSEILS NUTRITIONNELS
À prendre à jeun, 1 heure avant un repas. Suivez les conseils nutritionnels du médecin (régime pauvre en sel et en cholestérol) pour mieux maîtriser l'hypertension et la maladie cardiaque. Évitez les aliments riches en potassium (bananes et agrumes, fruits et jus) à moins que vous ne preniez aussi des médicaments, comme des diurétiques, qui abaissent les taux de potassium.

MODE DE CONSERVATION
Dans un contenant étanche, à l'abri de la chaleur, de l'humidité et de la lumière.

OUBLI D'UNE DOSE
Prenez-la dès que vous y pensez. S'il est presque l'heure de la suivante, sautez la dose oubliée et reprenez la fréquence normale. Ne doublez pas la dose suivante.

ARRÊT DE LA MÉDICATION
L'arrêt brusque de la médication peut donner lieu à des problèmes de santé graves. Il faut réduire progressivement les doses selon les instructions du médecin.

USAGE PROLONGÉ
Le traitement peut durer des mois ou des années. L'usage prolongé peut augmenter les risques d'effets indésirables.

▼ PRÉCAUTIONS

Plus de 60 ans. Risque d'effets indésirables plus probables et plus graves.

Conduite automobile, travaux dangereux. À éviter tant que vous ne savez pas votre réaction au médicament.

Alcool. Peut intensifier les effets du médicament et causer une chute excessive de la tension artérielle.

Grossesse. Ne prenez pas de fosinopril si vous êtes enceinte ou désirez le devenir. Durant les 6 derniers mois de la grossesse, il peut entraîner des anomalies congénitales graves chez le fœtus et peut même lui être fatal.

Allaitement. Il passe dans le lait maternel et peut nuire au nourrisson. N'en prenez pas.

Nourrissons et enfants. Le fosinopril n'est généralement pas recommandé aux enfants.

SURDOSAGE
Symptômes. Rien de spécifique n'a été signalé.

Quoi faire. Une surdose est peu probable. En cas de surdose appréhendée, appelez immédiatement le médecin ou le centre antipoison.

▼ INTERACTIONS

MÉDICAMENT-MÉDICAMENT
Consultez le médecin si vous prenez : diurétiques (surtout d'épargne potassique), suppléments de potassium ou médicaments contenant du potassium (vérifiez les ingrédients sur l'étiquette), lithium, anticoagulants (warfarine), indométhacine ou autres anti-inflammatoires, antiacides, allopurinol et tout médicament en vente libre (surtout contre le rhume).

MÉDICAMENT-ALIMENT
Évitez le lait hyposodique et les succédanés du sel : plusieurs d'entre eux renferment beaucoup de potassium. Évitez les aliments riches en potassium, comme les bananes et les agrumes (fruits et jus).

MÉDICAMENT-MALADIE
Consultez le médecin en cas de : lupus érythémateux disséminé ou réactions allergiques aux inhibiteurs de l'ECA. Ce médicament est à utiliser avec prudence par les patients atteints d'une grave maladie des reins ou de sténose des artères rénales (rétrécissement de l'une des artères, ou des deux, conduisant le sang aux reins).

EFFETS INDÉSIRABLES

GRAVES
Fièvre et frissons ; mal de gorge et voix rauque ; difficulté subite à respirer et à déglutir ; enflure du visage, de la bouche ou des extrémités ; insuffisance rénale (enflure des chevilles, diminution des mictions) ; confusion ; jaunissement des yeux ou de la peau (indice d'un trouble du foie) ; démangeaisons intenses ; douleur thoracique ou palpitations ; douleur abdominale. Les effets graves sont rares.

COURANTS
Toux sèche et persistante.

MOINS COURANTS
Vertiges ou évanouissement ; rash cutané ; engourdissement ou picotements des mains, des pieds ou des lèvres ; fatigue ou faiblesse musculaires inhabituelles ; nausées ; somnolence ; perte du goût ; céphalées.

FUROSÉMIDE

Présentation : Comprimés, solution orale, injection
En vente libre ? Non   **Générique disponible ?** Oui
Classe de médicaments : Diurétique de l'anse

▼ GÉNÉRALITÉS

INDICATIONS
Pour diminuer l'accumulation de liquide (sel et eau) susceptible de causer de l'œdème (enflure) et de l'essoufflement chez les patients atteints de maladie cardiaque, de cirrhose du foie ou de maladie rénale. Le furosémide s'emploie aussi parfois contre l'hypertension.

MODE D'ACTION
Les diurétiques de l'anse agissent sur une portion spécifique du rein, l'anse de Henlé, pour augmenter l'excrétion d'eau et de sodium dans l'urine.

▼ MODE D'EMPLOI

POSOLOGIE
20 à 600 mg par jour. Comprimés et solution : s'administrent en 1 dose ou en 2 ou 3 doses fractionnées par jour.

Injection (en contexte hospitalier seulement) : s'administre en doses fractionnées aux 2 ou 3 heures ou en perfusion.

DÉBUT D'ACTION
En 20 à 60 minutes.

DURÉE D'ACTION
Comprimés et solution : 6 à 8 heures. Injection : 2 heures.

CONSEILS NUTRITIONNELS
À prendre avec de la nourriture pour diminuer l'irritation de l'estomac.

MODE DE CONSERVATION
Au réfrigérateur, dans un flacon teinté. Ne faites pas congeler les formes liquides.

OUBLI D'UNE DOSE
Prenez-la dès que vous y pensez. S'il est presque l'heure de la suivante, sautez la dose oubliée et reprenez la fréquence normale. Ne doublez pas la dose suivante.

ARRÊT DE LA MÉDICATION
La décision de mettre fin au traitement doit être prise par le médecin.

USAGE PROLONGÉ
Un suivi médical est recommandé.

▼ PRÉCAUTIONS

Plus de 60 ans. Pas de risque connu.

Conduite automobile, travaux dangereux. Pas de précautions spéciales.

Alcool. Pas de précautions spéciales.

Grossesse. Les diurétiques ne sont pas utiles contre la rétention hydrique normale durant la grossesse. Pour les patientes qui ont vraiment besoin d'un diurétique, le furosémide est généralement préféré aux autres diurétiques, mais il ne doit être pris qu'après un examen méticuleux du médecin.

Allaitement. Le furosémide passe dans le lait maternel ; évitez ou cessez d'en prendre pendant que vous allaitez.

Nourrissons et enfants. Ne s'emploie que sous l'étroite surveillance du pédiatre.

À surveiller. Pour ne pas nuire à votre sommeil, évitez de prendre le furosémide le soir. Vous devrez peut-être augmenter la teneur en potassium de votre alimentation ou prendre des suppléments de potassium durant le traitement. Les diabétiques doivent surveiller attentivement leur taux sanguin de sucre.

SURDOSAGE
Symptômes. Faiblesse, léthargie, confusion mentale, crampes musculaires.

Quoi faire. Appelez immédiatement le médecin ou le centre antipoison, ou allez à l'urgence.

▼ INTERACTIONS

MÉDICAMENT-MÉDICAMENT
Avertissez le médecin si vous êtes allergique aux sulfamides. Faites-lui connaître tous les autres médicaments que vous prenez et surtout les suivants : antibiotiques, autres antihypertenseurs, inhibiteurs de l'enzyme de conversion de l'angiotensine (ECA), analgésiques, lithium, médicaments apparentés à la cortisone, digitaliques, anti-inflammatoires non stéroïdiens (AINS).

MÉDICAMENT-ALIMENT
Pas d'interaction connue.

MÉDICAMENT-MALADIE
Ce médicament exige de la prudence. Avertissez le médecin en cas de : diabète, goutte, trouble de l'audition, ou si vous avez fait récemment une crise cardiaque.

≡ EFFETS INDÉSIRABLES ≡

GRAVES
Rash cutané, urticaire, démangeaisons intenses, enflure de la bouche et de la gorge, difficultés à respirer, sautes d'humeur, nausées et vomissements, fatigue anormale, selles noires ou goudronneuses.

COURANTS
Crampes et douleurs musculaires. La déplétion potassique peut entraîner des palpitations et de la faiblesse. La déplétion liquidienne peut causer des étourdissements – surtout quand on se lève après avoir été assis ou couché – une sensation de soif, une sécheresse de la bouche et de la constipation.

MOINS COURANTS
Bourdonnements ou tintements d'oreilles, perte d'audition (surtout après un traitement intraveineux), diarrhée, perte d'appétit, goutte, hausse du sucre sanguin (un problème pour les diabétiques).

GABAPENTINE

Présentation : Gélules, comprimés
En vente libre ? Non   **Générique disponible ?** Non
Classe de médicaments : Anticonvulsivant

▼ GÉNÉRALITÉS

INDICATIONS
Pour maîtriser certains types de convulsions dans le traitement de l'épilepsie. La gabapentine est souvent prescrite en association avec un autre anticonvulsivant.

MODE D'ACTION
Il n'est pas bien compris. On croit que la gabapentine inhibe l'activité de certaines parties du cerveau et supprime les décharges anormales de neurones qui déclenchent les convulsions.

▼ MODE D'EMPLOI

POSOLOGIE
Adultes : 900 à 3 600 mg par jour, en 3 ou 4 doses fractionnées. Certains patients exigent une posologie plus énergique. Le médecin commence par une dose faible et l'augmente graduellement de façon à obtenir un maximum d'effets thérapeutiques avec un minimum d'effets indésirables. Enfants de 12 ans et plus : 900 à 1 200 mg par jour.

DÉBUT D'ACTION
En plusieurs heures.

DURÉE D'ACTION
L'effet maximal dure 5 à 8 heures ou davantage ; il diminue ensuite peu à peu.

CONSEILS NUTRITIONNELS
Pas de restrictions spéciales.

MODE DE CONSERVATION
Dans un contenant étanche, à l'abri de la chaleur, de l'humidité et de la lumière.

OUBLI D'UNE DOSE
Prenez-la dès que vous y pensez. Si vous êtes à moins de 2 heures de la suivante, prenez la dose oubliée et prenez la suivante 1 ou 2 heures plus tard. Reprenez ensuite la fréquence normale. Ne doublez pas la dose suivante, à moins que le médecin ne vous l'ordonne. Ne laissez pas passer plus de 12 heures entre les doses.

ARRÊT DE LA MÉDICATION
La décision doit être prise par le médecin. Ne cessez pas brusquement le traitement : vous risquez d'avoir des convulsions. Les doses doivent être graduellement réduites sur une période de quelques semaines.

USAGE PROLONGÉ
Un traitement à la gabapentine peut durer des mois ou des années. Certains effets indésirables, plus marqués durant les premières semaines, s'atténuent par la suite.

▼ PRÉCAUTIONS

Plus de 60 ans. Il faut parfois réduire les doses pour atténuer les effets indésirables.

Conduite automobile, travaux dangereux. À éviter tant que vous ne connaissez pas votre réaction au médicament.

Alcool. Peut augmenter la somnolence.

Grossesse. Il n'existe pas d'études pertinentes sur l'usage de la gabapentine durant la grossesse, mais d'autres anticonvulsivants sont associés à un risque accru d'anomalies congénitales. Comme les convulsions présentent aussi un risque pour le fœtus, évaluez avec le médecin les bienfaits de la médication par rapport à ses dangers. Des suppléments de folate sont recommandés à partir de 1 ou 2 mois avant la conception et durant toute la grossesse.

Allaitement. La gabapentine peut passer dans le lait maternel, bien qu'à faible concentration. Si vous allaitez, consultez le médecin.

Nourrissons et enfants. Peu d'études ont été publiées sur l'administration de gabapentine à des enfants de 12 ans et moins, mais l'efficacité du médicament devrait être semblable à ce qu'on observe chez des patients plus âgés.

À surveiller. Le médecin vous demandera peut-être de porter un bracelet médical ou une carte spécifiant que vous prenez de la gabapentine.

SURDOSAGE
Symptômes. Peu de surdoses ont été signalées. Les symptômes incluent vision double, diction empâtée, somnolence, léthargie et diarrhée.

Quoi faire. Appelez immédiatement le médecin ou le centre antipoison, ou allez à l'urgence.

▼ INTERACTIONS

MÉDICAMENT-MÉDICAMENT
Pas d'interaction significative.

MÉDICAMENT-ALIMENT
Pas d'interaction connue.

MÉDICAMENT-MALADIE
Il faut parfois réduire les doses de gabapentine chez les patients souffrant de maladie des reins.

EFFETS INDÉSIRABLES

GRAVES
Fièvre, mal de gorge, ganglions enflés, petits points pourpres ou rouges sur la peau ou les muqueuses, lésions cutanées vésicantes ou desquamantes, ulcères buccaux, ecchymoses, pâleur, faiblesse, confusion, léthargie ou convulsions peuvent signaler une maladie du sang potentiellement fatale (aplasie médullaire) ou d'autres complications.

COURANTS
Fatigue, vertiges, somnolence, maladresse ou déséquilibre, mouvements inhabituels des yeux, vision trouble ou altérée, nausées, vomissements, tremblements.

MOINS COURANTS
Diarrhée, douleurs ou faiblesse musculaires, sécheresse de la bouche, céphalées, difficultés de sommeil, irritabilité, diction empâtée. Il existe bien d'autres effets indésirables associés à ce médicament ; consultez le médecin si certains effets secondaires vous inquiètent.

GANCICLOVIR SODIQUE

NOM COMMERCIAL

Cytovene

Présentation : Gélules, injection, implant intraoculaire
En vente libre ? Non   **Générique disponible ?** Non
Classe de médicaments : Antiviral

▼ GÉNÉRALITÉS

INDICATIONS
Traitement ou prévention des infections causées par le cytomégalovirus (CMV). Une infection oculaire au CMV survient chez les patients immunodéprimés, surtout chez ceux qui souffrent du sida. Une infection plus répandue au CMV peut se produire chez les patients qui ont subi une greffe d'organe ou de moelle osseuse et qui sont traités aux immunosuppresseurs pour prévenir les rejets.

MODE D'ACTION
Le ganciclovir entrave l'activité des enzymes essentielles à la réplication de l'ADN dans les cellules virales, empêchant ainsi le virus de se multiplier.

▼ MODE D'EMPLOI

POSOLOGIE
Adultes : Gélules (thérapie d'entretien et de prévention et non traitement de l'infection active) : 1 000 mg 3 fois par jour, en mangeant, ou 500 mg toutes les 3 heures durant le jour, pour un total de 6 doses. Des doses plus faibles peuvent être prescrites aux patients souffrant de dysfonction rénale. Il existe une solution injectable pour les patients hospitalisés ou traités à la maison avec une aide infirmière. L'implant intraoculaire est posé par chirurgie et remplacé tous les 6 mois.

DÉBUT D'ACTION
Inconnu.

DURÉE D'ACTION
24 à 48 heures.

CONSEILS NUTRITIONNELS
Prenez les gélules en mangeant. Buvez davantage en cas de fièvre ou de diarrhée. Les patients atteints du sida sont parfois affaiblis et incapables d'ingérer des aliments nourrissants en quantités suffisantes. Des suppléments diétiques liquides leur seraient utiles. Le médecin peut vous référer à un nutritionniste.

MODE DE CONSERVATION
Dans un contenant étanche, à l'abri de la chaleur et de la lumière.

OUBLI D'UNE DOSE
Prenez-la dès que vous y pensez. S'il est presque l'heure de la suivante, sautez la dose oubliée et revenez à la fréquence normale. Ne doublez pas la dose suivante.

ARRÊT DE LA MÉDICATION
Effectuez le traitement au complet, comme il vous a été prescrit, même si vous vous sentez mieux.

USAGE PROLONGÉ
Le médecin devrait réévaluer votre état périodiquement.

▼ PRÉCAUTIONS

Plus de 60 ans. Risques de réactions indésirables plus fréquentes et plus graves.

Conduite automobile, travaux dangereux. À déconseiller tant que vous ne connaissez pas votre réaction au médicament.

Alcool. À éviter.

Grossesse. N'en prenez pas si vous êtes enceinte ou avez l'intention de le devenir. Si vous devez prendre ce médicament, adoptez une méthode contraceptive sûre (les deux membres du couple) durant la thérapie et pendant au moins 3 mois après.

Allaitement. Le ganciclovir passe dans le lait maternel et peut nuire au nourrisson : n'allaitez pas.

Nourrissons et enfants. Non recommandé.

À surveiller. La thérapie orale dure plusieurs semaines à plusieurs mois. Les récidives d'infections oculaires sont fréquentes quand la thérapie se termine. Or, les patients immunodéprimés sont vulnérables aux infections. Ne recevez pas de vaccins sans l'approbation du médecin ; évitez les personnes souffrant d'infections. Attention aux ecchymoses, saignements et accès de fièvre inhabituels.

SURDOSAGE
Symptômes. Faiblesse et étourdissements graves, diarrhée grave, dérangements d'estomac, essoufflement.

Quoi faire. Appelez immédiatement le médecin ou le centre antipoison, ou allez à l'urgence.

▼ INTERACTIONS

MÉDICAMENT-MÉDICAMENT
Prévenez le médecin si vous prenez : amphotéricine B, azathioprine, carmustine, chloramphénicol, cisplatine, cyclosporine, dapsone, déféroxamine, didanosine (ddi), flucytosine, sels d'or, analgésiques, lithium, méthotrexate, pentamidine, pénicillamine, plicamycine, probénécide, streptozocine, tiopronine, triméthoprime/sulfaméthoxazole ou zidovudine (AZT).

MÉDICAMENT-ALIMENTS
Aucune interaction connue.

MÉDICAMENT-MALADIES
Demandez l'avis du médecin si on a diagnostiqué chez vous un manque de globules blancs et de plaquettes, des problèmes de coagulation ou de saignement ou une maladie rénale.

EFFETS INDÉSIRABLES

GRAVES
Fièvre inhabituelle ou persistante, frissons, fatigue inhabituelle, mal de gorge, ecchymoses ou saignements (signes d'anémie grave ou de troubles des cellules du système immunitaire) ; rash cutané, tremblements, douleur oculaire ou soudain changement de la vision (vision brouillée ou cécité partielle), douleur au point d'injection.

COURANTS
Aucun effet indésirable courant n'est associé au ganciclovir.

MOINS COURANTS
Malaise abdominal, perte d'appétit, nausées, vomissements, transpiration.

GATIFLOXACINE

NOM COMMERCIAL

Tequin

Présentation : Comprimés, injection
En vente libre ? Non **Générique disponible ?** Non
Classe de médicaments : Fluoroquinolone (antibiotique)

▼ GÉNÉRALITÉS

INDICATIONS
Traitement des infections bactériennes bénignes ou graves dont la sinusite aiguë, la pneumonie contractée dans la communauté, les infections du tractus urinaire, celles du rein, les complications bactériennes aiguës de la bronchite chronique, et la gonorrhée.

MODE D'ACTION
La gatifloxacine inhibe l'action de la gyrase et d'une topoïsomérase de l'ADN, enzymes bactériennes essentielles à la formation et à la réplication de l'ADN, empêchant ainsi les bactéries de se reproduire.

▼ MODE D'EMPLOI

POSOLOGIE
La plupart des infections : 400 mg, 1 fois par jour, pendant 7 à 10 jours. Pneumonie contractée dans la communauté : 400 mg par jour, pendant 7 à 14 jours. Infection simple du tractus urinaire : 400 mg en 1 dose unique ou 200 mg, 1 fois par jour, pendant 3 jours. Gonorrhée : 400 mg en 1 dose unique. Insuffisants rénaux : le médecin déterminera la posologie qui convient.

DÉBUT D'ACTION
Dépend de l'infection traitée.

DURÉE D'ACTION
Inconnue.

CONSEILS NUTRITIONNELS
Pas de précautions spéciales.

MODE DE CONSERVATION
Dans un contenant étanche, à l'abri de la chaleur, de l'humidité et de la lumière.

OUBLI D'UNE DOSE
Prenez-la dès que vous y pensez. S'il est presque l'heure de la suivante, sautez la dose oubliée et reprenez la fréquence normale. Ne doublez pas la dose suivante.

ARRÊT DE LA MÉDICATION
Il est très important d'effectuer le traitement au complet.

USAGE PROLONGÉ
Si les symptômes ne régressent pas ou s'aggravent après quelques jours, consultez le médecin rapidement.

▼ PRÉCAUTIONS

Plus de 60 ans. Pas de risques connus.

Conduite automobile, travaux dangereux. À déconseiller tant que vous ne connaissez pas votre réaction au médicament.

Alcool. Il est préférable de ne pas en consommer quand on combat une infection.

Grossesse. La gatifloxacine n'est prescrite que si ses bienfaits l'emportent manifestement sur ses dangers. Avant d'en prendre, dites au médecin que vous êtes enceinte ou voulez le devenir.

Allaitement. La gatifloxacine peut passer dans le lait maternel et provoquer des effets graves chez le nourrisson ; on déconseille d'en prendre durant l'allaitement.

Nourrissons et enfants. Non recommandé.

À surveiller. Ne prenez pas ce médicament si vous êtes allergique aux quinolones.

SURDOSAGE
Symptômes. Un surdosage peut causer les symptômes suivants : activité réduite, respiration lente, vomissements, tremblements, convulsions.

Quoi faire. En cas de surdose possible, appelez aussitôt le médecin ou le centre antipoison, ou allez à l'urgence.

▼ INTERACTIONS

MÉDICAMENT-MÉDICAMENT
La gatifloxacine pouvant affecter la fonction cardiaque, elle n'est pas recommandée à ceux qui prennent des antiarythmiques comme l'amiodarone. Soyez prudent si vous prenez : antipsychotiques, antidépresseurs tricycliques, érythromycine, warfarine, anti-inflammatoires non stéroïdiens (AINS) ou digoxine. Prenez la gatifloxacine au moins 4 heures avant les médicaments suivants : supplément de fer, suppléments alimentaires renfermant du zinc, didanosine ou antiacides contenant des sels d'aluminium ou de magnésium.

MÉDICAMENT-ALIMENT
Aucune interaction connue.

MÉDICAMENT-MALADIE
À ne pas utiliser dans les cas de prolongation de l'intervalle Q-T sur l'électrocardiogramme, troubles diagnostiqués du rythme cardiaque, hypokaliémie non corrigée (faible taux de potassium dans le sang) ou si vous prenez des antiarythmiques. À prendre avec prudence en présence de bradycardie (rythme cardiaque lent), ischémie myocardique récente, troubles connus ou appréhendés du système nerveux ou prédisposition aux convulsions. Une dose réduite peut être nécessaire aux insuffisants rénaux selon la gravité de la dysfonction rénale.

≡ EFFETS INDÉSIRABLES ≡

GRAVES
Rarement : convulsions, tachycardie, confusion, hallucinations, agitation, cauchemars, dépression, essoufflement, enflure anormale du visage ou des extrémités, perte de conscience. Aussi rougeur, vésicules, rash cutané ou démangeaisons à l'exposition au soleil, risque accru de tendinite ou de rupture de tendons.

COURANTS
Nausées, vaginite, diarrhée, céphalée, étourdissements.

MOINS COURANTS
Frissons, fièvre, mal de dos, douleur abdominale, constipation, aigreurs d'estomac, inflammation de la langue, lésions buccales, vomissements, enflure, insomnie, engourdissement, essoufflement, mal de gorge, sudation, vue anormale, altération du goût, bourdonnements d'oreilles, mictions douloureuses, sang dans l'urine.

GEMFIBROZIL

Présentation : Comprimés, gélules
En vente libre ? Non   **Générique disponible ?** Oui
Classe de médicaments : Agent hypolipidémiant

▼ GÉNÉRALITÉS

INDICATIONS
Traitement de l'hypertriglycéridémie. Prescrit en général quand d'autres traitements — incluant régime alimentaire, perte de poids, exercice et maîtrise du diabète (s'il y a lieu) — n'ont pas donné les résultats escomptés.

MODE D'ACTION
Le gemfibrozil accélère l'élimination des triglycérides présents dans les lipoprotéines de très faible densité (VLDL) qui sont converties en lipoprotéines de faible densité (LDL). Chez certains patients, les taux de cholestérol total et de LDL peuvent augmenter alors que celui des triglycérides baisse.

▼ MODE D'EMPLOI

POSOLOGIE
Adultes : 600 mg, 2 fois par jour, habituellement 30 à 60 minutes avant les repas du matin et du soir.

DÉBUT D'ACTION
L'amélioration se fait sentir en 1 semaine environ et s'établit en 4 semaines environ.

DURÉE D'ACTION
Les taux de triglycérides sanguins augmentent dans les quelques semaines suivant l'arrêt du traitement.

CONSEILS NUTRITIONNELS
Suivez les conseils du médecin pour mieux maîtriser l'hypertension et aider à prévenir la maladie cardiaque. Limitez votre consommation d'alcool : elle peut faire monter les taux de triglycérides.

MODE DE CONSERVATION
Dans un contenant étanche, à l'abri de la chaleur et de la lumière.

OUBLI D'UNE DOSE
Prenez-la dès que vous y pensez. Si vous êtes à moins de 2 heures de la dose suivante, sautez la dose oubliée et reprenez la fréquence normale. Ne doublez pas la dose suivante.

ARRÊT DE LA MÉDICATION
Ne l'interrompez pas de votre propre chef : le taux sanguin de triglycérides augmentera.

USAGE PROLONGÉ
Le gemfibrozil est souvent pris pendant de longues périodes. Si le taux sanguin des triglycérides ne diminue pas, le médecin peut mettre fin au traitement.

▼ PRÉCAUTIONS

Plus de 60 ans. Risques de réactions indésirables plus fréquentes et plus graves.

Conduite automobile, travaux dangereux. Le gemfibrozil ne devrait pas vous empêcher d'exécuter de telles tâches en toute sécurité.

Alcool. Limitez votre consommation : elle peut faire monter les taux de triglycérides.

Grossesse. Ne prenez pas de gemfibrozil durant la grossesse, à moins que, selon le médecin, le risque d'arrêter le traitement ne soit trop grand. Les triglycérides augmentent substantiellement durant la grossesse et peuvent déclencher une pancréatite aiguë.

Allaitement. Évitez ou arrêtez le médicament.

Nourrissons et enfants. Rarement prescrit aux enfants.

À surveiller. Le traitement le plus important en cas de taux élevés de triglycérides consiste à avoir un bon régime alimentaire, à perdre du poids, à faire régulièrement de l'exercice, à éviter certains médicaments et à maîtriser

son diabète. Contre les effets indésirables possibles du gemfibrozil, il est important de manger sainement et de suivre les stratégies thérapeutiques suggérées par le médecin. Le gemfibrozil peut augmenter les risques de calculs biliaires et de troubles hépatiques et pancréatiques. Le médecin ordonnera des analyses périodiques du sang.

SURDOSAGE
Symptômes. Rien à signaler.

Quoi faire. Appelez le médecin ou le centre antipoison.

▼ INTERACTIONS

MÉDICAMENT-MÉDICAMENT
Il peut y avoir interactions entre le gemfibrozil et : anticoagulants, niacine et hypocholestérolémiants appelés « statines ». Il peut être nécessaire de réduire les doses de warfarine pour éviter des saignements. L'usage concomitant de niacine ou d'une statine peut entraîner une myosite grave (inflammation musculaire), susceptible de libérer une protéine qui endommage les reins.

MÉDICAMENT-ALIMENT
Pas d'interaction connue.

MÉDICAMENT-MALADIE
Avertissez le médecin si vous avez : calculs biliaires, ulcère gastrique ou intestinal, maladie des reins, des muscles ou du foie. Les doses de gemfibrozil doivent être réduites chez les patients qui ont des lésions rénales importantes.

≡ EFFETS INDÉSIRABLES ≡

GRAVES
Douleurs ou sensibilité musculaires ; crampes intestinales, particulièrement à droite, sous les côtes, accompagnées de nausées et de vomissements (effet rare et grave pouvant signaler une maladie de la vésicule biliaire) ; baisse de la fréquence urinaire.

COURANTS
Diarrhée, nausées, gaz, malaise abdominal.

MOINS COURANTS
Baisse de la performance sexuelle ; gain de poids ; sensations semblables à celles d'une grippe, accompagnées de douleurs ou de crampes musculaires, de faiblesse et d'une fatigue anormale ; inflammation de la bouche et des lèvres ; aigreurs d'estomac.

GENTAMICINE TOPIQUE

Présentation : Crème, pommade
En vente libre ? Non **Générique disponible ?** Oui
Classe de médicaments : Antibactérien (topique)

▼ GÉNÉRALITÉS

INDICATIONS

Traitement des infections bactériennes bénignes de la peau incluant morsures, brûlures, éraflures et autres blessures infectées ; kystes et follicules pileux infectés ainsi que d'autres infections de la peau ; éruptions, eczéma, dermatite et autres inflammations cutanées, compliqués d'une infection. La gentamicine n'est pas efficace contre les infections fongiques ou virales.

MODE D'ACTION

La gentamicine empêche les micro-organismes bactériens de fabriquer les protéines vitales nécessaires à leur croissance et à leur fonctionnement.

▼ MODE D'EMPLOI

POSOLOGIE

Adultes et enfants de plus de 1 an : appliquez le médicament sur la région infectée 3 ou 4 fois par jour.

DÉBUT D'ACTION

La gentamicine commence à tuer les bactéries vulnérables peu de temps après son application, mais ses effets peuvent ne devenir visibles qu'après plusieurs jours.

DURÉE D'ACTION

La durée d'action de la gentamicine n'est pas exactement connue, mais une application topique 3 ou 4 fois par jour suffit au traitement.

CONSEILS NUTRITIONNELS

Pas de restriction spéciale.

MODE DE CONSERVATION

Dans un contenant étanche, à l'abri de la chaleur, de l'humidité et de la lumière.

OUBLI D'UNE DOSE

Appliquez-la dès que vous y pensez. S'il est presque l'heure de la dose suivante, sautez la dose oubliée et reprenez la fréquence normale. Ne doublez pas la dose suivante ; n'appliquez pas non plus une couche plus épaisse pour compenser votre oubli.

ARRÊT DE LA MÉDICATION

Effectuez le traitement au complet, comme il vous a été prescrit, même si vous commencez à vous sentir mieux avant la fin.

USAGE PROLONGÉ

Un traitement à la gentamicine est généralement complet en 7 à 14 jours. La prolongation d'un traitement aux antibiotiques au-delà de la période prescrite par le médecin augmente les risques d'infection par des bactéries résistantes aux médicaments ou par d'autres micro-organismes (ou surinfection).

▼ PRÉCAUTIONS

Plus de 60 ans. Risques de réactions indésirables plus fréquentes et plus graves.

Conduite automobile, travaux dangereux. Pas de précautions spéciales.

Alcool. Pas de précautions spéciales.

Grossesse. On n'a pas rapporté de problèmes chez des femmes enceintes qui avaient pris de la gentamicine. Demandez l'avis de votre médecin.

Allaitement. La gentamicine peut passer dans le lait maternel ; la prudence est recommandée. Demandez l'avis de votre médecin.

Nourrissons et enfants. Ce médicament n'est pas recommandé aux enfants de 1 an et moins.

À surveiller. Avant de prendre tout antibiotique, avertissez le médecin si vous avez des allergies. Les opinions varient sur l'efficacité des antibiotiques topiques contre les infections. Prévenez le médecin si votre état ne s'améliore pas après quelques jours de traitement à la gentamicine. Comme dans le cas de tout autre antibiotique, la gentamicine n'est efficace que contre les souches de bactéries vulnérables à son action.

SURDOSAGE

Symptômes. Aucun symptôme spécifique n'a été signalé.

Quoi faire. Il est peu probable qu'une surdose de gentamicine mette votre vie en danger. Néanmoins, si la dose est très forte ou si la crème ou la pommade sont ingérées par accident, appelez aussitôt le médecin ou le centre antipoison.

▼ INTERACTIONS

MÉDICAMENT-MÉDICAMENT

Aucune interaction n'a été signalée. Si vous craignez qu'un médicament en vente libre ou sur ordonnance interagisse avec la gentamicine, demandez conseil au médecin ou au pharmacien.

MÉDICAMENT-ALIMENT

Pas d'interaction connue.

MÉDICAMENT-MALADIE

La gentamicine exige qu'on soit prudent. Consultez le médecin en cas de : troubles de l'audition, maladie des reins, réaction antérieure à une crème ou à une pommade pour la peau ou antécédents de réaction allergique aux antibiotiques.

EFFETS INDÉSIRABLES

GRAVES

Aucun effet indésirable grave n'est associé à la gentamicine topique utilisée selon les directives.

COURANTS

Aucun effet indésirable courant n'est associé à la gentamicine topique utilisée selon les directives.

MOINS COURANTS

Démangeaisons, enflure, rougeur accrue ou malaise sur le lieu d'application qui n'existaient pas avant le traitement (et qui résulteraient d'une réaction allergique).

GLATIRAMÈRE (ACÉTATE DE) (COPOLYMÈRE-1)

Présentation : Poudre pour injection
En vente libre ? Non   **Générique disponible ?** Non
Classe de médicaments : Immunomodulateur

▼ GÉNÉRALITÉS

INDICATIONS
Prévention des rechutes ou diminution de la fréquence des épisodes chez les patients souffrant de sclérose en plaques (SEP) rémittente (la forme la plus connue, avec alternances d'aggravation et de rémission ou de moindre gravité des symptômes).

MODE D'ACTION
Les nerfs sont entourés d'un manchon de substance grasse appelée myéline. La SEP est une maladie débilitante, souvent progressive, qui se manifeste quand la myéline est endommagée en de multiples endroits du système nerveux central (cerveau et moelle épinière) par le système immunitaire de l'organisme ; la myéline est alors remplacée par du tissu cicatriciel formant des plaques de sclérose. On croit que l'acétate de glatiramère protège la myéline et ralentit la progression de la maladie.

▼ MODE D'EMPLOI

POSOLOGIE
20 mg en injection sous-cutanée, 1 fois par jour.

DÉBUT D'ACTION
Inconnu.

DURÉE D'ACTION
Inconnue.

CONSEILS NUTRITIONNELS
Pas de restrictions spéciales.

MODE DE CONSERVATION
La poudre devrait se garder au réfrigérateur ; sinon, on peut la conserver jusqu'à 2 semaines à la température ambiante. Les fioles d'eau stérile à mélanger à la poudre se conservent à la température ambiante. Gardez la poudre et l'eau dans des contenants étanches, à l'abri de la lumière.

OUBLI D'UNE DOSE
Prenez-la dès que vous y pensez. S'il est presque l'heure de la suivante, sautez la dose oubliée et reprenez la fréquence normale. Ne doublez pas la dose qui suit.

ARRÊT DE LA MÉDICATION
La décision de mettre fin au traitement doit être prise par le médecin.

USAGE PROLONGÉ
Un suivi médical, avec examens et analyses, est nécessaire si vous devez prendre ce médicament longtemps.

▼ PRÉCAUTIONS

Plus de 60 ans. Pas de risques connus.

Conduite automobile, travaux dangereux. À déconseiller tant que vous ne connaissez pas votre réaction au médicament.

Alcool. Pas de précautions spéciales.

Grossesse. Il n'y a pas eu d'études sur les humains. Avant de prendre du glatiramère, avisez le médecin que vous êtes enceinte ou souhaitez le devenir.

Allaitement. Le glatiramère peut passer dans le lait maternel : la prudence s'impose. Demandez spécifiquement l'avis du médecin.

Nourrissons et enfants. L'innocuité et l'efficacité de l'acétate de glatiramère n'ont pas été établies chez les enfants de moins de 18 ans.

À surveiller. Les points d'injection doivent changer tous les jours ; il y en aura donc 7 par semaine. Auto-injections : donnez-les dans les bras, l'estomac, les cuisses et les hanches. Il est préférable d'administrer le médicament tous les jours à la même heure. Avant l'injection, introduisez l'eau stérile dans la fiole d'acétate de glatiramère avec une seringue et une aiguille stériles. Faites tourner la fiole doucement entre vos mains et laissez-la en attente à la température ambiante jusqu'à ce que la poudre se soit entièrement dissoute. Jetez la préparation s'il y reste des sédiments visibles. Introduisez la préparation dans une seringue stérile munie d'une aiguille neuve n° 27 et injectez-la sous la peau à l'endroit choisi pour la journée. Après l'injection, mettez une boule d'ouate sur le point d'injection pendant quelques secondes, sans frotter.

SURDOSAGE
Symptômes. Rien de spécifique n'a été signalé.

Quoi faire. Si la dose est très forte ou si le médicament est ingéré, appelez le centre anti-poison immédiatement.

▼ INTERACTIONS

MÉDICAMENT-MÉDICAMENT
D'autres médicaments peuvent interagir avec l'acétate de glatiramère. Demandez l'avis du médecin à l'égard de toutes les autres médications que vous prenez.

MÉDICAMENT-ALIMENT
Pas d'interaction connue.

MÉDICAMENT-MALADIE
La prudence s'impose avec le glatiramère. Consultez le médecin si vous avez tout autre problème de santé.

  EFFETS INDÉSIRABLES

GRAVES
Douleur grave ou rash cutané au point d'injection immédiatement après l'injection.

COURANTS
Peau rouge, vertiges, dépression, palpitations, anxiété, difficultés respiratoires, constriction de la gorge, tachycardie, tremblements, urticaire, douleur thoracique passagère, dilatation des vaisseaux sanguins, fièvre, frissons, infection, migraine, perte d'appétit, troubles gastro-intestinaux, nausées, vomissements, enflure des bras et des jambes, douleurs articulaires, tension musculaire, bronchite, inflammation nasale, démangeaisons, douleurs à l'oreille, besoin fréquent d'uriner.

MOINS COURANTS
Il n'y a pas d'effets moins courants associés au glatiramère.

GLUCAGON

Présentation : Injection
En vente libre ? Oui   **Générique disponible ?** Non
Classe de médicaments : Hormone ; antidote ; antidiabétique

▼ GÉNÉRALITÉS

INDICATIONS
Traitement d'urgence de l'hypoglycémie chez les diabétiques incapables de prendre par la bouche toute espèce d'aliment ou de boisson renfermant du sucre. Ces patients sont généralement inconscients ou très confus et somnolents.

MODE D'ACTION
Le glucagon stimule le foie à libérer du glucose (sucre) dans le courant sanguin.

▼ MODE D'EMPLOI

POSOLOGIE
Adultes et enfants pesant plus de 20 kg (45 lb) : 1 mg, par injection. Enfants de moins de 20 kg : 0,5 mg. Les doses peuvent être répétées 2 fois, à 15 minutes d'intervalle. Les trousses d'urgence de glucagon renferment généralement 2 fioles. L'une contient le glucagon, en poudre ; l'autre, un solvant pour diluer le glucagon afin qu'il soit possible de l'aspirer dans une seringue et de l'injecter.

DÉBUT D'ACTION
En 15 minutes.

DURÉE D'ACTION
L'effet persiste 1 à 2 heures.

CONSEILS NUTRITIONNELS
Des solutions contenant du glucose (sucre) doivent être administrées après l'injection du médicament pour que celui-ci donne tous ses effets.

MODE DE CONSERVATION
Dans un contenant étanche, à l'abri de la chaleur et de la lumière. Si vous avez préparé le glucagon pour une injection, mais ne l'avez pas donnée, jetez la préparation.

OUBLI D'UNE DOSE
Sans objet : le glucagon n'est administré qu'en cas d'urgence.

ARRÊT DE LA MÉDICATION
Si le patient ne répond pas à la première injection après 15 minutes, n'arrêtez pas la médication. Vous pouvez lui administrer 2 autres injections à intervalles de 15 minutes.

USAGE PROLONGÉ
Sans objet.

▼ PRÉCAUTIONS

Plus de 60 ans. Pas de risques inhabituels.

Conduite automobile, travaux dangereux. Sans objet.

Alcool. Sans objet.

Grossesse. On peut administrer du glucagon aux femmes enceintes.

Allaitement. Il est peu probable que le glucagon soit dangereux pour le nourrisson puisque le médicament n'est utilisé que rarement, mais aucune étude ne le confirme.

Nourrissons et enfants. Sans objet.

À surveiller. Le glucagon n'est efficace que s'il est donné par injection. Il est donc important que les personnes entourant le patient sachent comment préparer l'injection. Il est essentiel d'avoir lu et d'avoir bien compris les instructions avant que ne se présente une situation d'urgence. On doit estimer que tout diabétique qui est confus, somnolent, endormi ou inconscient souffre d'un manque de sucre dans le sang. N'essayez pas de nourrir une personne somnolente, désorientée ou inconsciente. Administrez-lui rapidement du glucagon. Si ce n'est déjà fait, avisez le personnel d'urgence immédiatement après la première injection de glucagon. N'attendez pas d'avoir donné d'autres doses pour appeler l'urgence. N'attendez pas que se soit écoulé le premier intervalle de 15 minutes. Le glucagon n'est pas une thérapie contre l'hypoglycémie. C'est un traitement d'urgence pour sauver une vie, mais il n'est que temporaire et permet tout juste de gagner du temps. Même après l'injection, le taux de sucre dans le sang peut atteindre des taux dangereusement bas. Ne croyez pas que le danger soit passé parce que le traitement au glucagon a donné de bons résultats. Tout patient assez malade pour recevoir du glucagon a besoin d'être évalué à fond par le médecin.

SURDOSAGE
Symptômes. Nausées, vomissements, faiblesse grave, arythmie cardiaque, enrouement, crampes.

Quoi faire. Il est peu probable qu'une surdose de glucagon mette une vie en danger. Néanmoins, si la dose est très forte, dites-le au personnel de l'urgence.

▼ INTERACTIONS

MÉDICAMENT-MÉDICAMENT
Pas d'interaction connue.

MÉDICAMENT-ALIMENT
Pas d'interaction connue.

MÉDICAMENT-MALADIE
Prévenez le médecin si vous avez un insulinome ou un phéochromocytome. Cela peut compliquer l'emploi du glucagon, mais n'empêche pas un patient de recevoir le médicament en cas d'urgence.

  EFFETS INDÉSIRABLES

GRAVES
Aucun effet indésirable grave n'est associé au glucagon.

COURANTS
Des nausées peuvent survenir avec de fortes doses.

MOINS COURANTS
Rares réactions allergiques (éternuements, démangeaisons, faiblesse) ; rougeur et douleur au point d'injection. Consultez le médecin si ces effets persistent ou se répètent.

GLYBURIDE

NOMS COMMERCIAUX

Albert-Glyburide, Apo-Glyburide, Diaβeta, Euglucon, Gen-Glybe, Novo-Glyburide, Nu-Glyburide, PMS-Glyburide

Présentation : Comprimés
En vente libre ? Non   **Générique disponible ?** Oui
Classe de médicaments : Antidiabétique/sulfonylurée

▼ GÉNÉRALITÉS

INDICATIONS
Pour aider à maîtriser le diabète débutant à l'âge adulte (non insulinodépendant ou de type 2). Parfois associé à d'autres antidiabétiques oraux.

MODE D'ACTION
Le glyburide stimule la production d'insuline par le pancréas et diminue celle du sucre par le foie.

▼ MODE D'EMPLOI

POSOLOGIE
Dose initiale : 2,5 à 5 mg par jour, 30 minutes avant le petit déjeuner. Peut être augmentée par paliers de 2,5 mg sans dépasser 20 mg par jour, ou diminuée au besoin. Les patients âgés ou ceux qui souffrent d'une dysfonction rénale ou hépatique devraient commencer avec 1,25 mg par jour. Si la dose d'entretien atteint 10 mg ou plus, elle devrait être divisée également entre les repas du matin et du soir.

DÉBUT D'ACTION
En 1 heure.

DURÉE D'ACTION
24 heures.

CONSEILS NUTRITIONNELS
À prendre normalement 30 minutes avant un repas, le petit déjeuner par exemple.

MODE DE CONSERVATION
Dans un contenant étanche, à l'abri de la chaleur et de la lumière.

OUBLI D'UNE DOSE
Prenez-la dès que vous y pensez. S'il est presque l'heure de la suivante, sautez la dose oubliée et reprenez la fréquence normale. Ne doublez pas la dose suivante.

ARRÊT DE LA MÉDICATION
La décision d'arrêter le traitement doit être prise par le médecin. Vous devrez peut-être prendre du glyburide pour le reste de votre vie.

USAGE PROLONGÉ
Des examens réguliers du sang permettront de savoir si l'usage prolongé modifie les taux sanguins de sucre.

▼ PRÉCAUTIONS

Plus de 60 ans. Le traitement devrait commencer par des doses faibles, augmentées lentement selon les résultats des analyses. Risque d'effets indésirables plus probables et plus graves.

Conduite automobile, travaux dangereux. À déconseiller tant que vous ne connaissez pas votre réaction au médicament.

Alcool. À éviter.

Grossesse. Des taux de sucre sanguin mal équilibrés durant la grossesse sont associés à un risque accru d'anomalies congénitales ; plusieurs spécialistes recommandent donc aux femmes enceintes de passer à l'insulinothérapie.

Allaitement. Le glyburide peut passer dans le lait maternel ; la prudence s'impose. Consultez le médecin.

Nourrissons et enfants. Le glyburide est sans effet sur le diabète insulinodépendant établi durant la jeunesse.

À surveiller. Portez une identification médicale disant que vous avez le diabète. Dans les cas de stress par infection, fièvre, blessure ou intervention chirurgicale, vous pouvez avoir besoin d'insuline en plus ou au lieu de glyburide.

SURDOSAGE
Symptômes. Similaires aux effets indésirables graves.

Quoi faire. Il est peu probable qu'une surdose de glyburide mette votre vie en danger. Néanmoins, si la dose est très forte, appelez le médecin ou le centre antipoison, ou allez à l'urgence.

▼ INTERACTIONS

MÉDICAMENT-MÉDICAMENT
Consultez le médecin si vous prenez : stéroïdes anabolisants, AAS ou autres salicylates, cimétidine, gemfibrozil, fenfluramine, IMAO, phénylbutazone, ranitidine, sulfamides, bêtabloquants, bumétanide, diazoxide, acide éthacrynique, furosémide, phénytoïne, rifampine, diurétiques thiazidiques, hormone thyroïdienne, antiacides, antifongiques, énalapril, stéroïdes ou warfarine.

MÉDICAMENT-ALIMENT
Le glyburide n'est qu'un élément du traitement contre le diabète ; suivez bien le régime prescrit par le médecin.

MÉDICAMENT-MALADIE
Il peut y avoir des complications chez les patients souffrant de maladie des reins ou du foie, car ces organes concourent à éliminer le médicament de l'organisme.

EFFETS INDÉSIRABLES

GRAVES
Ils sont reliés à l'hypoglycémie ou faible taux de sucre dans le sang : transpiration ou sueurs froides, agitation motrice, pouls rapide, anxiété, nausées, étourdissements, faiblesse ou vertiges, manque de coordination, diction empâtée, confusion, insomnie, convulsions, faiblesse dans un bras, une jambe ou tout un côté du corps, et évanouissement. Appelez l'urgence. Administrez des substances contenant du sucre, mais seulement si le patient est conscient et lucide. Autres effets graves mais plus rares : myélodépression, anémie hémolytique et augmentation des enzymes associées au foie : ce sont là des problèmes que détectera le médecin.

COURANTS
Flatulence, aigreurs d'estomac, nausées, dyspepsie.

MOINS COURANTS
Vision trouble, altération du goût, démangeaisons, urticaire, douleurs articulaires ou musculaires.

GLYCÉRINE ORALE

Présentation : Solution orale
En vente libre ? Non   **Générique disponible ?** Non
Classe de médicaments : Diurétique ; agent antiglaucomateux

▼ GÉNÉRALITÉS

INDICATIONS
Traitement du glaucome.

MODE D'ACTION
Le glaucome, trouble menaçant la vision, se produit quand un mauvais drainage de l'humeur aqueuse (liquide logé dans l'œil) fait monter la pression dans le globe oculaire (pression intraoculaire). L'augmentation de la pression intraoculaire peut endommager le nerf optique et mener à une perte progressive de la vue. La glycérine orale favorise l'évacuation de l'humeur aqueuse, réduisant ainsi la pression intraoculaire. On l'emploie dans les traitements de courte durée pour réduire la pression intraoculaire en attendant qu'un autre traitement médicamenteux ou chirurgical puisse mener à une maîtrise du glaucome à long terme.

▼ MODE D'EMPLOI

POSOLOGIE
Adultes – Dose d'attaque : 1 à 2 g (grammes) par kilogramme (2,2 lb) de poids en 1 prise. Des doses supplémentaires de 500 mg par kilogramme peuvent être données 4 fois par jour au besoin. Enfants – Dose d'attaque : 1 à 1,5 g par kilogramme en 1 dose. La dose peut être répétée 4 à 8 heures plus tard si nécessaire.

DÉBUT D'ACTION
En 10 minutes.

DURÉE D'ACTION
Environ 5 heures.

CONSEILS NUTRITIONNELS
Pas de restrictions spéciales.

MODE DE CONSERVATION
Dans un contenant étanche, à l'abri de la chaleur et de la lumière. Ne faites pas congeler.

OUBLI D'UNE DOSE
Si le traitement n'est pas de courte durée, prenez la dose oubliée dès que vous y pensez. S'il est presque l'heure de la suivante, sautez la dose oubliée et reprenez la fréquence normale. Ne doublez pas la dose suivante.

ARRÊT DE LA MÉDICATION
Effectuez le traitement au complet, comme il vous a été prescrit.

USAGE PROLONGÉ
Dans la plupart des cas, la glycérine par voie orale est administrée soit dans le bureau du médecin, soit à l'hôpital, en attendant que d'autres formes de traitement soient mises en œuvre.

▼ PRÉCAUTIONS

Plus de 60 ans. Il y a possibilité d'une déshydratation excessive.

Conduite automobile, travaux dangereux. À déconseiller tant que vous ne connaissez pas votre réaction au médicament.

Alcool. Pas de précautions spéciales.

Grossesse. Il n'y a pas eu d'études pertinentes. Avant de prendre de la glycérine orale, avisez le médecin que vous êtes enceinte ou désirez le devenir.

Allaitement. La glycérine peut passer dans le lait maternel : la prudence s'impose. Demandez l'avis du médecin.

Nourrissons et enfants. Pas de problèmes spéciaux.

À surveiller. Pour améliorer le goût de la glycérine, vous pouvez lui ajouter un peu de jus d'orange, de citron ou de lime non sucré, verser le mélange sur de la glace et l'aspirer avec une paille. Si un mal de tête survient pendant la prise du médicament, allongez-vous pour le prendre et restez allongé quelque temps après. Si le mal de tête persiste et s'aggrave, consultez le médecin. Les diabétiques doivent vérifier que l'ophtalmologiste et les autres médecins savent qu'ils souffrent de diabète et que celui-ci est bien maîtrisé. Ce médicament peut modifier les taux de glucose sanguin.

SURDOSAGE
Symptômes. Déshydratation grave, anomalies du rythme cardiaque (arythmies), perte de conscience, coma.

Quoi faire. Appelez immédiatement le médecin ou le centre antipoison, ou allez à l'urgence.

▼ INTERACTIONS

MÉDICAMENT-MÉDICAMENT
Demandez l'avis du médecin si vous prenez un diurétique ou tout autre médicament vendu avec ou sans ordonnance.

MÉDICAMENT-ALIMENT
Pas d'interaction connue.

MÉDICAMENT-MALADIE
La glycérine demande qu'on soit prudent. Consultez le médecin si vous souffrez de : diabète sucré, maladie cardiaque, hypovolémie (insuffisance de volume liquide dans l'organisme par suite de causes diverses dont la déshydratation), hypervolémie (excès de volume liquide dans l'organisme produisant des problèmes circulatoires et de l'enflure causée par de la rétention hydrique dans les tissus) ou des troubles psychologiques associés à un état persistant de confusion. La glycérine peut entraîner des complications chez les patients souffrant de maladie rénale car les reins contribuent à éliminer le médicament de l'organisme.

EFFETS INDÉSIRABLES

GRAVES
Confusion, arythmie cardiaque.

COURANTS
Maux de tête, nausées et vomissements.

MOINS COURANTS
Étourdissements, diarrhée, bouche sèche, soif accrue.

GLYCÉRINE RECTALE

Présentation : Suppositoires
En vente libre ? Oui   **Générique disponible ?** Oui
Classe de médicaments : Laxatif hyperosmotique

▼ GÉNÉRALITÉS

INDICATIONS
Traitement de la constipation.

MODE D'ACTION
La glycérine attire et retient l'eau présente dans l'intestin, ramollissant ainsi les selles et provoquant le besoin de déféquer.

▼ MODE D'EMPLOI

POSOLOGIE
Adultes : introduisez un suppositoire et gardez-le 15 minutes. Ne lubrifiez pas les suppositoires avec autre chose que de l'eau. Enfants de 2 ans et plus : introduisez un suppositoire dans le rectum de l'enfant et amenez-le à le retenir 15 minutes. Enfants de moins de 2 ans : suivez les directives du médecin.

DÉBUT D'ACTION
En 15 à 30 minutes.

DURÉE D'ACTION
Pendant que le suppositoire se trouve dans l'anus.

CONSEILS NUTRITIONNELS
Mangez et buvez comme d'habitude. Buvez davantage si vous souffrez de fièvre ou de diarrhée ; buvez aussi plus par temps chaud ou quand vous faites de l'exercice.

MODE DE CONSERVATION
Gardez à l'abri de la chaleur, de l'humidité et de la lumière. Vous pouvez réfrigérer les suppositoires, mais ne les faites pas congeler.

OUBLI D'UNE DOSE
Les laxatifs ne sont généralement prescrits qu'au besoin ; ils ne sont pas faits pour être pris régulièrement ou durant une période prolongée.

ARRÊT DE LA MÉDICATION
Prenez la glycérine rectale au besoin seulement. Néanmoins, vous pouvez arrêter le traitement si vous vous sentez mieux avant la fin.

USAGE PROLONGÉ
Un usage prolongé et excessif peut donner lieu à un risque accru d'effets indésirables. N'employez pas le médicament durant plus de 3 à 5 jours, à moins d'avis contraire du médecin.

▼ PRÉCAUTIONS

Plus de 60 ans. Risques de réactions indésirables plus fréquentes et plus graves.

Conduite automobile, travaux dangereux. À déconseiller tant que vous ne connaissez pas votre réaction au médicament.

Alcool. Pas de précautions spéciales.

Grossesse. Il n'existe pas d'études concluantes sur les humains. Avant de prendre de la glycérine, dites à votre médecin que vous êtes enceinte ou désirez le devenir.

Allaitement. Les suppositoires à la glycérine peuvent être utilisés sans danger par les femmes qui allaitent.

Nourrissons et enfants. Non recommandé pour les enfants de moins de 2 ans.

À surveiller. L'absence d'une seule selle ne constitue pas de la constipation : n'employez pas dans ce cas de suppositoire à la glycérine. Une constipation prolongée ainsi qu'une douleur rectale ou un malaise doivent être évalués par le médecin. N'oubliez pas que le recours fréquent à la glycérine ou à tout laxatif peut faire naître de la dépendance à ce type de médicament. Assurez-vous de consommer suffisamment de fibres ; on en trouve dans les céréales de son et autres, les fruits et les légumes frais.

SURDOSAGE
Symptômes. Aucun symptôme spécifique n'a été signalé.

Quoi faire. Il est peu probable qu'une surdose de glycérine mette votre vie en danger. Néanmoins, si la dose est très forte, appelez le médecin.

▼ INTERACTIONS

MÉDICAMENT-MÉDICAMENT
Aucune interaction significative n'a été rapportée.

MÉDICAMENT-ALIMENT
Pas d'interaction connue.

MÉDICAMENT-MALADIE
La prudence est de mise avec les laxatifs à la glycérine. Consultez le médecin si vous avez l'un des troubles suivants : douleur abdominale avec fièvre, saignements rectaux, colostomie (création d'un anus artificiel par chirurgie), diabète sucré, maladie du cœur ou des reins, hypertension.

 EFFETS INDÉSIRABLES

GRAVES
Aucun effet indésirable grave n'est associé à l'utilisation de glycérine rectale.

COURANTS
Crampes.

MOINS COURANTS
Douleur, démangeaisons ou sensation de brûlure dans l'anus. Ce malaise semble plus fréquent avec les formes exigeant un applicateur. Si vous remarquez la présence de douleur ou de saignements après avoir employé des produits à la glycérine, appelez le médecin. Faiblesse, sudation et symptômes de déshydratation (soif, vertiges) peuvent aussi se produire.

GLYCOPYRROLATE

Présentation : Comprimés
En vente libre ? Non **Générique disponible ?** Non
Classe de médicaments : Anticholinergique ; antispasmodique

▼ GÉNÉRALITÉS

INDICATIONS
Traitement des ulcères gastriques et soulagement des crampes et des spasmes de l'estomac et de l'intestin.

MODE D'ACTION
Le glycopyrrolate inhibe les sites récepteurs des nerfs gastro-intestinaux qui stimulent à la fois la sécrétion de l'acide gastrique et l'activité des muscles lisses du système digestif.

▼ MODE D'EMPLOI

POSOLOGIE
Habituellement 1 à 2 mg, 2 ou 3 fois par jour, sans dépasser 8 mg par jour.

DÉBUT D'ACTION
En 15 à 30 minutes.

DURÉE D'ACTION
Jusqu'à 7 heures.

CONSEILS NUTRITIONNELS
Prenez le glycopyrrolate 30 minutes à 1 heure avant les repas, à moins d'avis contraire du médecin.

MODE DE CONSERVATION
Dans un contenant étanche, à l'abri de la chaleur et de la lumière.

OUBLI D'UNE DOSE
Prenez-la dès que vous y pensez. S'il est presque l'heure de la suivante, sautez la dose oubliée et reprenez la fréquence normale. Ne doublez pas la dose suivante.

ARRÊT DE LA MÉDICATION
Effectuez le traitement au complet, comme il a été prescrit, ou interrompez-le si vous vous sentez mieux avant la fin. Ne l'arrêtez pas subitement ; demandez au médecin s'il y a lieu de réduire les doses peu à peu.

USAGE PROLONGÉ
Un traitement prolongé peut entraîner de la constipation chronique ou un fécalome. Consultez le médecin immédiatement.

▼ PRÉCAUTIONS

Plus de 60 ans. Risques de réactions indésirables plus probables et plus graves.

Conduite automobile, travaux dangereux. À déconseiller tant que vous ne connaissez pas votre réaction au glycopyrrolate.

Alcool. Peut intensifier la somnolence, un des effets indésirables du médicament.

Grossesse. L'innocuité du médicament durant la grossesse n'a pas été établie. Si vous êtes enceinte ou désirez le devenir, avisez-en le médecin avant de prendre du glycopyrrolate. Évaluez avec lui si les bienfaits de la médication l'emportent sur ses risques.

Allaitement. Le glycopyrrolate passe dans le lait maternel ; n'en prenez pas pendant que vous allaitez.

Nourrissons et enfants. Des doses réduites sont recommandées dans ce groupe d'âge. Le glycopyrrolate ne doit être donné à de jeunes patients que sous étroite surveillance médicale.

À surveiller. Avisez médecins et dentistes que vous prenez du glycopyrrolate. Pour prévenir les coups de chaleur, évitez d'avoir excessivement chaud quand vous faites de l'exercice. Prenez le médicament 2 ou 3 heures avant ou après tout antiacide.

SURDOSAGE
Symptômes. Vision embrouillée, sécheresse de la bouche, hypotension, respiration lente, tachycardie, somnolence, retard de la miction, peau rouge, chaude et sèche.

Quoi faire. Appelez immédiatement le médecin ou le centre antipoison, ou allez à l'urgence.

▼ INTERACTIONS

MÉDICAMENT-MÉDICAMENT
Consultez le médecin si vous prenez l'un des médicaments suivants : antiacides, autres anticholinergiques, antidépresseurs tricycliques, cyclopropane, médicaments à la cortisone, digitaliques, halopéridol, kétoconazole, mépéridine, méthylphénidate, analgésiques narcotiques, chlorure de potassium, quinidine, sédatifs ou tout dépresseur du système nerveux central (SNC).

MÉDICAMENT-ALIMENT
Évitez d'absorber de grandes quantités de vitamine C. Il n'y a pas d'autre interaction alimentaire connue.

MÉDICAMENT-MALADIE
Le glycopyrrolate exige qu'on soit prudent. Consultez le médecin si vous souffrez de : glaucome à angle ouvert, angine, bronchite chronique, asthme, maladie du foie, hernie hiatale, hypertrophie de la prostate, myasthénie grave, ulcère gastrique, maladie des reins ou de la thyroïde.

  EFFETS INDÉSIRABLES

GRAVES
Urticaire, rash cutané, démangeaisons intenses, évanouissement ou enflure peu de temps après une dose.

COURANTS
Pupilles dilatées, vision embrouillée, constipation, sécheresse de la bouche, miction difficile ou retardée, difficultés respiratoires.

MOINS COURANTS
Désorientation, irritabilité, incohérence, faiblesse, pouls rapide ou lent, palpitations, sensibilité anormale à la lumière, déglutition difficile, nausées, vomissements, ballonnement, dérangements d'estomac, diminution de la sudation, troubles cutanés, fièvre, perte de goût, impuissance.

GOSÉRÉLINE (ACÉTATE DE)

Présentation : Injection dépôt
En vente libre ? Non   **Générique disponible ?** Non
Classe de médicaments : Agent antinéoplasique (anticancéreux)

▼ GÉNÉRALITÉS

INDICATIONS
Traitement des formes avancées du cancer de la prostate chez l'homme et des formes avancées du cancer du sein chez la femme. Sert aussi à soulager les douleurs et malaises associés à l'endométriose chez la femme.

MODE D'ACTION
Chez l'homme, la goséréline abaisse les taux sanguins de testostérone : ceci ralentit la croissance des cellules prostatiques et peut soulager les douleurs et malaises associés au cancer avancé de la prostate. Chez la femme, la goséréline abaisse les taux sanguins d'œstrogène et peut ainsi soulager quelques symptômes du cancer avancé du sein. Chez les femmes souffrant d'endométriose, les taux sanguins réduits d'œstrogène amènent une résorption de l'endomètre (muqueuse utérine) soulageant ainsi les accès cycliques d'endométriose.

▼ MODE D'EMPLOI

POSOLOGIE
Un dépôt renfermant 3,6 mg de goséréline est injecté sous la peau, dans la paroi abdominale supérieure 1 fois tous les 28 jours.

DÉBUT D'ACTION
En 2 à 4 semaines.

DURÉE D'ACTION
Les taux sanguins de testostérone et d'œstrogène demeurent bas durant tout le traitement à la goséréline.

CONSEILS NUTRITIONNELS
Buvez et mangez comme à l'ordinaire. Buvez davantage en cas de fièvre ou de diarrhée. Affaiblis par la maladie et par leurs médicaments, les cancéreux sont souvent incapables de se nourrir convenablement. Ils devraient alors avoir recours à des suppléments nutritionnels liquides.

MODE DE CONSERVATION
Sans objet.

OUBLI D'UNE DOSE
Si vous oubliez de vous faire administrer le médicament le jour voulu (en règle générale, 1 fois tous les 28 jours), demandez qu'on vous l'administre le plus vite possible.

ARRÊT DE LA MÉDICATION
Cette décision doit être prise par votre médecin.

USAGE PROLONGÉ
Un suivi médical, avec examens et analyses, est nécessaire durant le traitement. Le traitement contre les cancers de la prostate et du sein peuvent durer une période indéfinie. Dans le cas de l'endométriose, la thérapie est généralement de 6 mois.

▼ PRÉCAUTIONS

Plus de 60 ans. Risques de réactions indésirables plus fréquentes et plus graves.

Conduite automobile, travaux dangereux. À déconseiller tant que vous ne connaissez pas votre réaction au médicament.

Alcool. À consommer avec modération.

Grossesse. Ne prenez pas ce médicament ou arrêtez immédiatement de le prendre si vous êtes enceinte ou désirez le devenir.

Allaitement. N'en prenez pas si vous allaitez.

Nourrissons et enfants. Le médicament n'est pas recommandé aux jeunes femmes de moins de 18 ans non encore menstruées.

À surveiller. Les femmes en âge d'être enceintes doivent adopter une méthode contraceptive autre que hormonale (c'est-à-dire différente des pilules contraceptives) durant le traitement à la goséréline et pendant les 12 semaines qui suivent la fin de celui-ci. Chez l'homme, la goséréline entraîne la stérilité au moins durant la thérapie.

SURDOSAGE
Symptômes. Aucun symptôme spécifique n'a été signalé.

Quoi faire. Une surdose de goséréline met rarement la vie en danger.

▼ INTERACTIONS

MÉDICAMENT-MÉDICAMENT
Aucune interaction spécifique connue.

MÉDICAMENT-ALIMENT
Aucune interaction connue.

MÉDICAMENT-MALADIE
À utiliser avec prudence par les patients ayant des antécédents familiaux d'ostéoporose.

 EFFETS INDÉSIRABLES

GRAVES
Douleur osseuse ; engourdissement ou picotements des mains ou des pieds ; mictions difficiles ; faiblesse musculaire dans les bras ou les jambes. Ces effets se manifestent au début du traitement.

COURANTS
Sueurs, bouffées congestives, baisse de la libido, impuissance, douleur pelvienne durant l'acte sexuel, sécheresse et démangeaisons vaginales, rash cutané.

MOINS COURANTS
Œdème des extrémités (enflure par rétention hydrique) ; vertiges ; céphalées ; augmentation de l'appétit ; nausées ou vomissements ; douleur abdominale ; douleur au point d'injection ; mal à la gorge ; changement de la voix ; démangeaisons ; crampes dans les jambes ; douleur ou enflure des seins ; gain de poids ; douleur thoracique ; douleur articulaire ; acné ; anxiété ou irritabilité accrues, sautes d'humeur ou dépression ; fatigue ; insomnie ; hirsutisme (femmes) ; atrophie des seins.

GOUDRON

Présentation : Pain nettoyant, crème, gel, lotion, onguent, shampooing, solution liquide
En vente libre ? Oui **Générique disponible ?** Oui
Classe de médicaments : Agent antipsoriasis

▼ GÉNÉRALITÉS

INDICATIONS
Pour traiter diverses affections de la peau : pellicules, eczéma, dermatite séborrhéique et psoriasis.

MODE D'ACTION
Le goudron favorise l'adoucissement, le ramollissement et la desquamation des zones cutanées dures, écailleuses ou rugueuses. Il possède aussi des propriétés antiseptiques, antifongiques, antibactériennes et antiparasitaires.

▼ MODE D'EMPLOI

POSOLOGIE
Pain nettoyant : 1 ou 2 fois par jour selon les directives du médecin. Crème : jusqu'à 4 fois par jour. Gel : 1 ou 2 fois par jour. Lotion : selon les besoins. Onguent : 2 ou 3 fois par jour. shampooing : 1 fois par jour ou 1 fois par semaine, ou selon les directives du médecin. Solution topique : appliquez-en sur la peau ou le cuir chevelu ou versez-en dans la baignoire, selon le produit. Solution topique pour le bain : versez-en la quantité recommandée dans l'eau du bain ; restez 20 minutes dans la baignoire.

Si vous avez des questions sur l'emploi du produit, consultez le médecin.

DÉBUT D'ACTION
Inconnu.

DURÉE D'ACTION
Inconnue.

CONSEILS NUTRITIONNELS
Rien à signaler.

MODE DE CONSERVATION
Dans un contenant étanche, à l'abri de la chaleur et de la lumière. Ne faites pas congeler les produits liquides.

OUBLI D'UNE DOSE
Appliquez-la dès que vous y pensez. S'il est presque l'heure de la dose suivante, sautez la dose oubliée et revenez à la fréquence normale. Ne doublez pas la dose qui suit.

ARRÊT DE LA MÉDICATION
Si c'est le médecin qui vous a prescrit d'employer du goudron, c'est à lui qu'il revient d'interrompre la thérapie. Si vous utilisez du goudron sans ordonnance, vous pouvez arrêter le traitement quand bon vous semble.

USAGE PROLONGÉ
Ne prolongez pas le traitement au-delà de la période prescrite par le médecin.

▼ PRÉCAUTIONS

Plus de 60 ans. Le goudron ne devrait pas, chez les personnes âgées, causer des effets indésirables ou des problèmes différents de ceux qu'il cause chez les gens plus jeunes.

Conduite automobile, travaux dangereux. L'utilisation de goudron ne devrait pas vous empêcher d'exécuter de telles tâches en toute sécurité.

Alcool. Aucune restriction spéciale ne s'applique.

Grossesse. Il ne s'est pas fait d'études, chez les êtres humains et les animaux, sur l'utilisation du goudron durant la grossesse. Prévenez le médecin si vous êtes enceinte ou souhaitez le devenir.

Allaitement. On ne sait pas si le goudron passe dans le lait maternel. Parlez-en spécifiquement à votre médecin.

Nourrissons et enfants. L'utilisation et le dosage du produit doivent être déterminés par le médecin.

À surveiller. Usage externe seulement. Prenez garde d'en mettre dans les yeux. Si cela se produit, lavez-les à grande eau. Après avoir appliqué du goudron, protégez la zone traitée contre le soleil pendant 72 heures ; ôtez minutieusement le goudron avant de vous exposer au soleil ou à une lampe solaire. Ne mettez pas de goudron si la peau présente une infection ou des cloques, est à vif ou suinte.

SURDOSAGE
Symptômes. Aucun n'a été signalé.

Quoi faire. Les mesures d'urgence ne s'appliquent pas.

▼ INTERACTIONS

MÉDICAMENT-MÉDICAMENT
Prévenez le médecin si vous faites usage de tétracyclines, psoralènes ou rétinoïdes. Signalez-lui aussi les médicaments vendus avec ou sans ordonnance que vous utilisez.

MÉDICAMENT-ALIMENT
Aucune interaction connue.

MÉDICAMENT-MALADIE
Vous ne devriez pas utiliser de goudron si vous avez déjà eu des réactions allergiques à ce produit.

 EFFETS INDÉSIRABLES

GRAVES
Irritation ou éruptions cutanées non observées avant l'utilisation du goudron.

COURANTS
Picotements bénins, sensibilité accrue au soleil.

MOINS COURANTS
Il n'y a pas d'effets moins courants associés au goudron.

GRISÉOFULVINE

Présentation : Comprimés
En vente libre ? Non   **Générique disponible ?** Non
Classe de médicaments : Antifongique

▼ GÉNÉRALITÉS

INDICATIONS
Traitement de diverses formes d'infections fongiques comme la teigne (tinea barbae, tinea capitis et tinea corporis), l'eczéma marginé (tinea cruris), le pied d'athlète (tinea pedis) et l'infection fongique des ongles (tinea unguium).

MODE D'ACTION
La griséofulvine empêche les micro-organismes fongiques de fabriquer les substances vitales nécessaires à leur reproduction.

▼ MODE D'EMPLOI

POSOLOGIE
Adultes et adolescents – Pieds et ongles : 500 mg aux 12 heures. Cuir chevelu, peau et aine : 250 mg aux 12 heures ou 500 mg 1 fois par jour. Enfants – 5 mg par kilogramme (2,2 lb) de poids aux 12 heures ou 10 mg par kilogramme 1 fois par jour.

DÉBUT D'ACTION
Inconnu.

DURÉE D'ACTION
Inconnue.

CONSEILS NUTRITIONNELS
Prenez la griséofulvine pendant ou après un repas, ou avec du lait. Lait, fromage et autres aliments gras augmentent la quantité de médicament absorbée par l'estomac. Demandez conseil au médecin si vous suivez un régime faible en gras. Pour le reste, mangez et buvez comme à l'accoutumée.

MODE DE CONSERVATION
Dans un contenant étanche, à l'abri de la chaleur, de l'humidité et de la lumière.

OUBLI D'UNE DOSE
Prenez-la dès que vous y pensez. S'il est presque l'heure de la suivante, sautez la dose oubliée et reprenez la fréquence normale. Ne doublez pas la dose suivante.

ARRÊT DE LA MÉDICATION
Effectuez le traitement au complet, comme il vous a été prescrit, même si vous vous sentez mieux avant la fin. Un arrêt prématuré du traitement peut amener une récurrence de l'infection.

USAGE PROLONGÉ
Un traitement prolongé peut causer ou aggraver une myélodépression (réduction de la fonction de la moelle osseuse) et des lésions au foie ou aux reins. Demandez au médecin s'il y a lieu de contrôler périodiquement la numération des cellules du sang et les fonctions hépatique et rénale.

▼ PRÉCAUTIONS

Plus de 60 ans. Risques de réactions indésirables plus fréquentes et plus graves.

Conduite automobile, travaux dangereux. À déconseiller tant que vous ne connaissez pas votre réaction au médicament.

Alcool. À éviter.

Grossesse. Ne prenez pas de griséofulvine si vous êtes enceinte ou essayez de le devenir.

Allaitement. Le médicament peut passer dans le lait maternel : la prudence s'impose. Demandez l'avis du médecin.

Nourrissons et enfants. La griséofulvine n'est pas recommandée aux enfants de moins de 2 ans.

À surveiller. Ne vous exposez pas au soleil, surtout entre 10 et 15 heures. Portez des vêtements couvrants, un chapeau et des lunettes de soleil. Appliquez un écran solaire à facteur de protection d'au moins 15. La griséofulvine est généralement associée à un antifongique topique pour favoriser la cicatrisation et réduire les risques de rechute. Comme ce médicament peut nuire au matériel génétique d'un spermatozoïde ou d'un ovule, consultez votre médecin.

SURDOSAGE
Symptômes. Une surdose de griséofulvine est peu probable.

Quoi faire. Appelez le médecin ou le centre antipoison.

▼ INTERACTIONS

MÉDICAMENT-MÉDICAMENT
D'autres médicaments peuvent entrer en interaction avec la griséofulvine. Consultez le médecin si vous prenez des anticoagulants ou des contraceptifs oraux.

MÉDICAMENT-ALIMENT
Pas d'interaction connue.

MÉDICAMENT-MALADIE
La griséofulvine exige qu'on soit prudent. Avertissez le médecin si vous souffrez de : lupus, porphyrie ou maladie du foie.

 EFFETS INDÉSIRABLES

GRAVES
Irritation ou sensibilité de la bouche ou de la langue ; rash cutané, urticaire ou démangeaisons ; confusion ; sensibilité accrue des yeux au soleil.

COURANTS
Céphalées.

MOINS COURANTS
Insomnie, douleur gastrique, nausées ou vomissements, fatigue anormale, étourdissements, diarrhée.

GUAIFÉNÉSINE

Présentation : Sirop
En vente libre ? Oui   **Générique disponible ?** Oui
Classe de médicaments : Expectorant

▼ GÉNÉRALITÉS

INDICATIONS

La guaifénésine est classée parmi les expectorants ; elle réduit la viscosité du mucus et de la glaire, facilitant ainsi leur expulsion des poumons et rendant la respiration plus facile. On s'en sert pour traiter les infections bénignes des voies respiratoires supérieures, ainsi que les états qui y sont reliés : bronchite, rhume, infections des sinus et de la gorge. La guaifénésine n'est pas un antitussif ; en dépit du fait qu'elle soit reconnue et populaire comme expectorant, il y a peu de preuves scientifiques qu'elle soit vraiment efficace pour « éclaircir » le mucus.

MODE D'ACTION

La guaifénésine peut augmenter la production de liquide dans les voies respiratoires et elle aide à liquéfier et à éclaircir les sécrétions de mucus.

▼ MODE D'EMPLOI

POSOLOGIE

Adultes : 200 à 400 mg aux 4 heures, sans dépasser 2 400 mg par jour. Enfants de 2 à 12 ans : consultez votre médecin.

DÉBUT D'ACTION

Généralement en quelques heures.

DURÉE D'ACTION

Inconnue.

CONSEILS NUTRITIONNELS

Mangez et buvez comme à l'accoutumée. Buvez davantage si vous souffrez de fièvre ou de diarrhée, ou si vous toussez.

MODE DE CONSERVATION

Dans un contenant étanche, à l'abri de la chaleur ou du froid. N'exposez pas ce produit à l'humidité ou aux températures extrêmes.

OUBLI D'UNE DOSE

Prenez-la dès que vous y pensez. S'il est presque l'heure de la suivante, sautez la dose oubliée et reprenez la fréquence normale. Ne doublez pas la dose suivante.

ARRÊT DE LA MÉDICATION

Vous pouvez cesser de prendre de la guaifénésine avant la fin du traitement si vous vous sentez mieux ; autrement, effectuez-le au complet, tel que prescrit.

EFFETS INDÉSIRABLES

GRAVES

Aucun effet grave n'a été associé à la guaifénésine.

COURANTS

Aucun effet courant n'a été associé à la guaifénésine.

MOINS COURANTS

Diarrhée ; vertiges ; céphalées ; douleur abdominale, nausées ou vomissements ; rash cutané ; démangeaisons ; urticaire.

USAGE PROLONGÉ

Un traitement à la guaifénésine dure en général de 7 à 10 jours. Il peut être nécessaire de faire évaluer une toux persistante. Ne prenez pas de guaifénésine en vente libre durant plus de 7 jours sans l'approbation de votre médecin.

▼ PRÉCAUTIONS

Plus de 60 ans. Risques de réactions indésirables plus fréquentes et plus graves.

Conduite automobile, travaux dangereux. À déconseiller tant que vous ne connaissez pas votre réaction au médicament.

Alcool. Pas de précautions spéciales.

Grossesse. Il n'existe pas d'études approfondies sur la question, mais aucun problème grave n'a été signalé. Demandez l'avis de votre médecin.

Allaitement. La guaifénésine peut passer dans le lait maternel, mais aucun problème n'a été rapporté. Demandez l'avis de votre médecin.

Nourrissons et enfants. On ne devrait pas donner de guaifénésine aux enfants de moins de 2 ans à moins que le médecin ne la leur prescrive. Les enfants de moins de 12 ans qui présentent une toux persistante devraient être examinés par le médecin avant d'en prendre.

À surveiller. La guaifénésine est présente dans beaucoup de remèdes en vente libre pour la toux ou le rhume ; informez-vous auprès du pharmacien quand vous ne savez pas si le produit que vous achetez en renferme. Ne traitez pas seul une toux qui persiste depuis plus d'une semaine ; consultez le médecin.

SURDOSAGE

Symptômes. Aucun symptôme spécifique n'a été signalé.

Quoi faire. Il est peu probable qu'une surdose de guaifénésine mette votre vie en danger. Néanmoins, si la dose est très forte, appelez votre médecin ou le centre antipoison.

▼ INTERACTIONS

MÉDICAMENT-MÉDICAMENT

Aucune interaction rapportée.

MÉDICAMENT-ALIMENT

Aucune interaction rapportée.

MÉDICAMENT-MALADIE

Aucune interaction rapportée.

GUANÉTHIDINE (MONOSULFATE DE)

Présentation : Comprimés
En vente libre ? Non **Générique disponible ?** Non
Classe de médicaments : Antihypertenseur périphérique

▼ GÉNÉRALITÉS

INDICATIONS
Pour aider à maîtriser l'hypertension modérée ou grave, généralement quand d'autres médicaments n'ont pas donné de résultats satisfaisants.

MODE D'ACTION
La guanéthidine entrave la libération de norépinéphrine, substance naturelle qui provoque la contraction des muscles entourant les vaisseaux sanguins ; ces muscles se détendent, ce qui dilate les vaisseaux sanguins et abaisse la tension artérielle.

▼ MODE D'EMPLOI

POSOLOGIE
Adultes – Dose d'attaque : 10 ou 12,5 mg, 1 fois par jour. Le médecin peut augmenter la posologie graduellement à intervalles d'une semaine jusqu'à ce que la tension artérielle atteigne un niveau satisfaisant. Il prescrira alors une dose d'entretien de 25 à 50 mg, prise 1 fois par jour. Enfants – Selon l'âge et le poids du jeune patient. Consultez le pédiatre.

DÉBUT D'ACTION
La tension commence à chuter peu après l'ingestion ; le plein effet thérapeutique met 1 à 3 semaines à s'installer.

DURÉE D'ACTION
La tension remonte 1 à 3 semaines après l'arrêt de la médication.

CONSEILS NUTRITIONNELS
Buvez davantage si vous souffrez de fièvre ou de diarrhée, par temps chaud ou durant l'exercice. Adoptez un régime sain (pauvre en sel, en gras et en cholestérol), comme vous le prescrit le médecin, pour vous aider à maîtriser votre tension artérielle et prévenir la maladie cardiaque.

MODE DE CONSERVATION
Dans un contenant étanche, à l'abri de la chaleur et de la lumière.

OUBLI D'UNE DOSE
Prenez-la dès que vous y pensez. S'il est presque l'heure de la suivante, sautez la dose oubliée et reprenez la fréquence normale. Ne doublez pas la dose suivante. Avertissez le médecin si vous sautez plus qu'une journée.

ARRÊT DE LA MÉDICATION
Cette décision doit être prise par le médecin. N'y mettez pas fin abruptement.

USAGE PROLONGÉ
Le traitement peut durer la vie entière. Un suivi médical est nécessaire.

▼ PRÉCAUTIONS

Plus de 60 ans. Risques de réactions indésirables plus probables et plus graves.

Conduite automobile, travaux dangereux. À déconseiller tant que vous ne connaissez pas votre réaction au médicament.

Alcool. À éviter.

Grossesse. Avant de prendre de la guanéthidine, avisez le médecin que vous êtes enceinte ou désirez le devenir.

Allaitement. La guanéthidine peut passer dans le lait maternel ; consultez le médecin.

Nourrissons et enfants. Peut s'employer ; consultez votre médecin.

À surveiller. La guanéthidine cause souvent des vertiges ou des étourdissements, surtout aux changements de position, et peut entraîner évanouissements, chutes et blessures. Asseyez-vous ou allongez-vous si vous vous sentez étourdi ou avez des vertiges. Cet effet est augmenté par : alcool, temps chaud, déshydratation, fièvre, station prolongée debout, exercice.

SURDOSAGE
Symptômes. Vertiges graves, confusion, faiblesse ou évanouissement ; pouls très lent ; diarrhée sévère ; nausées importantes ; peau froide et moite ; absence de réponse, perte de conscience.

Quoi faire. Allez immédiatement à l'urgence.

▼ INTERACTIONS

MÉDICAMENT-MÉDICAMENT
Avertissez le médecin si vous prenez : antidépresseurs, anorexiants, cyclobenzaprine, halopéridol, loxapine, maprotiline, méthylphénidate, minoxidil, phénothiazines, thioxanthènes, triméprazine, IMAO, méthoxamine, norépinéphrine, phényléphrine, phénylpropanolamine, insuline ou médicaments oraux pour maîtriser la glycémie, anti-inflammatoires et surtout les AINS.

MÉDICAMENT-ALIMENT
Pas d'interaction connue.

MÉDICAMENT-MALADIE
Avertissez le médecin en cas de : asthme ; troubles cérébrovasculaires, associés à des antécédents d'accident cérébrovasculaire (ACV), d'évanouissement, d'épilepsie ou d'autres troubles convulsifs ; angine, crise cardiaque récente, arythmies ou insuffisance cardiaques ; états amenant de la déshydratation comme fièvre, diarrhée ou colite ; diabète ; phéochromocytome ; insuffisance hépatique ou rénale.

EFFETS INDÉSIRABLES

GRAVES
Rétention hydrique avec enflure du bas des jambes et des pieds ; douleur thoracique ; essoufflement ; évanouissement ; vertiges ou chutes, surtout en changeant de position.

COURANTS
Vertiges ou étourdissements, somnolence, gain de poids, pouls lent, congestion nasale. Chez l'homme, impuissance et troubles de l'éjaculation.

MOINS COURANTS
Diarrhée, sécheresse de la bouche, céphalées, douleurs musculaires, mictions plus fréquentes, surtout la nuit, rash cutané, troubles de la vision.

HALOPÉRIDOL

NOMS COMMERCIAUX

Apo-Haloperidol, Haldol, Haldol LA, Haloperidol, Haloperidol-LA, Novo-Peridol, Peridol, PMS-Haloperidol LA, Rho-Haloperidol Decanoate

Présentation : Comprimés, liquide, injection
En vente libre ? Non **Générique disponible ?** Oui
Classe de médicaments : Neuroleptique ; antipsychotique

▼ GÉNÉRALITÉS

INDICATIONS
Traitement des états psychotiques modérés ou aigus – schizophrénie, états maniaques, psychose médicamenteuse – et des troubles graves du comportement chez l'enfant (dont l'autisme infantile) ; soulagement des symptômes du syndrome de Gilles de la Tourette ainsi que des nausées et vomissements causés par la chimiothérapie du cancer.

MODE D'ACTION
L'halopéridol inhibe les récepteurs de dopamine du système nerveux central (élément chimique favorisant la transmission des influx nerveux) et semble avoir un effet tranquillisant ou antipsychotique.

▼ MODE D'EMPLOI

POSOLOGIE
Troubles psychotiques – Adultes : Dose initiale : 0,5 à 5 mg, 2 ou 3 fois par jour. Dose maximale usuelle : 30 mg par jour. Enfants, 3 à 12 ans : 0,05 à 0,15 mg par kilogramme (2,2 lb) de poids, par jour. Syndrome de Gilles de la Tourette – Adultes : 0,5 à 5 mg, 2 ou 3 fois par jour. Enfants, 3 à 12 ans : 0,05 à 0,075 mg par jour, par kilogramme de poids.

DÉBUT D'ACTION
L'effet sédatif se fait sentir en quelques minutes, mais l'effet antipsychotique peut mettre des heures et même des jours et des semaines à s'établir.

DURÉE D'ACTION
12 à 24 heures, mais peut persister plusieurs jours.

CONSEILS NUTRITIONNELS
À prendre avec un verre de lait ou d'eau. Pour prévenir l'irritation de l'estomac, diluez la solution orale dans du jus d'orange, de pomme ou de tomate. Ne la mélangez pas à du café ou à du thé.

MODE DE CONSERVATION
Dans un contenant étanche, à l'abri de la chaleur et de la lumière.

OUBLI D'UNE DOSE
Prenez-la dès que vous y pensez. Ne doublez pas la suivante. Ré-espacez les autres doses de la journée pour qu'il y ait un intervalle régulier entre elles ; le lendemain, revenez à l'horaire habituel.

ARRÊT DE LA MÉDICATION
Consultez le médecin avant d'interrompre le traitement ; il peut être nécessaire de réduire peu à peu les doses.

USAGE PROLONGÉ
Risque de dyskinésies tardives (mouvements involontaires de la mâchoire, des lèvres, de la langue et dans de rares cas des bras, jambes, mains et corps). Demandez au médecin s'il y a lieu d'instaurer un suivi médical.

▼ PRÉCAUTIONS

Plus de 60 ans. Risques de réactions indésirables plus fréquentes et plus graves.

Conduite automobile, travaux dangereux. À éviter tant que vous ne connaissez pas votre réaction à l'halopéridol.

Alcool. À éviter.

Grossesse. Avant d'en prendre, dites au médecin que vous êtes enceinte ou prévoyez le devenir.

Allaitement. L'halopéridol passe dans le lait maternel et peut nuire au nourrisson ; n'en prenez pas si vous allaitez.

Nourrissons et enfants. Non recommandé aux enfants de moins de 3 ans ou pesant moins de 15 kg (33 lb).

À surveiller. Évitez de rester longtemps à la chaleur. Buvez beaucoup en été. Attention au soleil tant que vous ne savez pas si votre peau est devenue plus sensible aux rayons ultraviolets.

SURDOSAGE
Symptômes. Souffle court et lent, pouls faible ou rapide, faiblesse ou tremblements musculaires, raideur, vertiges, confusion, convulsions, sommeil profond, coma.

Quoi faire. Appelez aussitôt le médecin ou le centre antipoison, ou allez à l'urgence.

▼ INTERACTIONS

MÉDICAMENT-MÉDICAMENT
Avisez le médecin si vous prenez : anticholinergiques, anticonvulsivants, antidépresseurs, antihistaminiques, antihypertenseurs, bupropion et dépresseurs du système nerveux central : barbituriques, clozapine, dronabinol, fluoxetine, lithium, méthyldopa, carbamazépine, rifampine ou trihexyphénidyle.

MÉDICAMENT-ALIMENT
Pas d'interaction connue.

MÉDICAMENT-MALADIE
Consultez votre médecin en cas de : maladie de Parkinson, autres dyskinésies, glaucome, épilepsie, maladie du foie, du cœur ou des reins.

 EFFETS INDÉSIRABLES

GRAVES
Tachycardie, sudation abondante, convulsions, difficulté à respirer, raideur du cou, enflure de la langue, difficulté à déglutir. Aussi, risque d'un trouble rare, le syndrome neuroleptique malin, caractérisé par : raideur ou spasmes musculaires, forte fièvre, et confusion ou désorientation.

COURANTS
Nausées, sudation réduite, bouche sèche, vision trouble, somnolence, tremblement des mains, raideur, dos voûté.

MOINS COURANTS
Difficulté à uriner, irrégularités menstruelles, douleur ou enflure des seins, gain de poids inattendu, mouvements involontaires de la langue, fièvre, frissons, mal de gorge, ecchymoses ou saignements inhabituels, palpitations, rash cutané, démangeaisons, photosensibilité accrue.

HOMATROPINE (BROMHYDRATE D')

NOMS COMMERCIAUX

Isopto Homatropine,
Minims Homatropine

Présentation : Solution ophtalmique
En vente libre ? Non   **Générique disponible ?** Oui
Classe de médicaments : Relaxant des muscles de l'œil ; agent mydriatique

▼ GÉNÉRALITÉS

INDICATIONS
Pour protéger l'œil avant et après une chirurgie et pour traiter certains états patholo- giques comme l'uvéite anté- rieure ou iritis (inflammation de l'iris, partie colorée ou pig- mentée de l'œil). S'emploie aussi dans les examens des yeux servant à prescrire des lunettes.

MODE D'ACTION
L'homatropine provoque la relaxation des muscles ciliai- res régissant l'accommodation du cristallin à la lumière, et celle du sphincter de l'iris qui commande les mouvements de la pupille : le cristallin devient incapable de faire la mise au point et la pupille se dilate, permettant au médecin d'examiner les structures internes de l'œil. En immobi- lisant les minuscules struc- tures internes de l'œil, l'homatropine prévient la for- mation de cicatrices sur les tissus oculaires et peut ainsi diminuer un peu la douleur.

▼ MODE D'EMPLOI

POSOLOGIE
Chirurgie et examen de l'œil : 1 goutte (instillée par le mé- decin) aux 5 à 10 minutes au besoin. Uvéite antérieure : 1 goutte dans l'œil affecté, 2 ou 3 fois par jour ou aux 2 ou 3 heures dans les cas les plus graves.

DÉBUT D'ACTION
En 1 heure.

DURÉE D'ACTION
De 24 à 72 heures.

CONSEILS NUTRITIONNELS
Pas de restrictions spéciales.

MODE DE CONSERVATION
Dans un contenant étanche, à l'abri de la chaleur, de l'humi- dité et de la lumière. Ne faites pas congeler.

OUBLI D'UNE DOSE
Faites l'instillation dès que vous y pensez. S'il est pres- que l'heure de la suivante, sautez la dose oubliée et revenez à la fréquence nor- male. Ne doublez pas la dose suivante.

ARRÊT DE LA MÉDICATION
La décision d'arrêter le traite- ment doit être prise par votre ophtalmologiste.

USAGE PROLONGÉ
Non recommandé.

▼ PRÉCAUTIONS

Plus de 60 ans. Risques de réactions indésirables plus fréquentes et plus graves.

Conduite automobile, tra- vaux dangereux. À décon- seiller formellement tant que vous ne connaissez pas les effets du médicament sur votre vision. Soyez extrême- ment prudent à l'égard des activités qui exigent une excellente vision de près (à la distance du bras tendu).

Alcool. Pas de précautions spéciales.

Grossesse. Il n'existe pas d'études pertinentes. Avertis- sez le médecin que vous êtes enceinte ou avez l'intention de le devenir.

Allaitement. De petites quan- tités d'homatropine passent dans le lait maternel ; cessez d'allaiter ou de prendre le médicament. Demandez l'avis du médecin.

Nourrissons et enfants. Les jeunes enfants, surtout ceux aux cheveux blonds ou aux yeux bleus, risquent d'être plus sensibles au médicament et d'avoir des effets indésira- bles plus marqués. Soyez extrêmement prudent. Le médicament ne devrait en aucun cas être utilisé chez les bébés de moins de 3 mois.

À surveiller. Avant l'applica- tion, lavez-vous les mains. Renversez la tête en arrière. Appuyez doucement dans l'angle interne de la paupière et avec l'index de la même main, tirez la paupière infé- rieure vers le bas. Laissez tomber le médicament dans l'espace ainsi créé et fermez l'œil. Appuyez pendant 1 à 2 minutes tout en gardant l'œil fermé sans cligner. Enfin, lavez-vous les mains. Le bout du compte-gouttes ne doit toucher ni l'œil, ni votre doigt, ni rien d'autre.

SURDOSAGE
Symptômes. Somnolence, hallucinations, trous de mé- moire, sécheresse de la bouche, peau sèche, agitation motrice, palpitations, étour- dissements, désorientation, délire.

Quoi faire. Appelez aussitôt le médecin ou le centre anti- poison, ou allez à l'urgence.

▼ INTERACTIONS

MÉDICAMENT-MÉDICAMENT
Avisez le médecin de tous les médicaments que vous prenez avec ou sans ordon- nance, et surtout des prépara- tions que vous vous mettez dans les yeux.

MÉDICAMENT-ALIMENT
Pas d'interaction connue.

MÉDICAMENT-MALADIE
Prévenez le médecin si vous avez des antécédents de glau- come, de syndrome de Down ou de paralysie spastique.

EFFETS INDÉSIRABLES

GRAVES
Si le médicament passe dans le flot sanguin : manque de coordination ou d'équilibre, confusion ou altération du comportement, hallucinations, diction empâtée, pouls rapide ou irrégulier, bouffées congestives, fièvre, fatigue inhabituelle, étourdissements, peau anormalement sèche, rash cutané, sécheresse de la bouche. Bébés : enflure abdominale.

COURANTS
Irritation et rougeur de l'œil consécutives au traitement, enflure des paupières, vision embrouillée, sensibilité accrue à la lumière vive.

MOINS COURANTS
Il n'y a pas d'effets moins courants avec l'homatropine.

HYDRALAZINE (CHLORHYDRATE D')

Présentation : Comprimés, injection
En vente libre ? Non   **Générique disponible ?** Oui
Classe de médicaments : Vasodilatateur antihypertensif

▼ GÉNÉRALITÉS

INDICATIONS
Traitement de l'hypertension et de l'insuffisance cardiaque, modérées ou graves.

MODE D'ACTION
Le chlorhydrate d'hydralazine agit sur les muscles lisses entourant les vaisseaux sanguins et les amène à se détendre : les vaisseaux se dilatent et la tension diminue.

▼ MODE D'EMPLOI

POSOLOGIE
Dose d'attaque : 10 mg, 4 fois par jour, durant 2 à 4 jours. La posologie est alors portée à 25 mg, 4 fois par jour. Elle peut être de nouveau augmentée à 50 mg, 4 fois par jour, au besoin. La dose totale ne doit pas généralement dépasser 200 mg par jour, mais certains patients peuvent avoir besoin de 300 ou 400 mg par jour.

DÉBUT D'ACTION
En 20 à 30 minutes.

DURÉE D'ACTION
3 à 8 heures.

CONSEILS NUTRITIONNELS
Si le médicament provoque des dérangements d'estomac, prenez-le avec de la nourriture. Adoptez un régime sain (pauvre en sel, en gras et en cholestérol), selon les directives de votre médecin, pour vous aider à maîtriser votre tension artérielle et à prévenir la maladie cardiaque.

MODE DE CONSERVATION
Dans un contenant étanche, à l'abri de la chaleur et de la lumière.

OUBLI D'UNE DOSE
Prenez-la dès que vous y pensez. S'il est presque l'heure de la suivante, sautez la dose oubliée et reprenez la fréquence normale. Ne doublez pas la dose suivante.

ARRÊT DE LA MÉDICATION
Effectuez le traitement comme il vous a été prescrit, même si vous vous sentez mieux avant qu'il ne prenne fin.

USAGE PROLONGÉ
Un usage prolongé peut entraîner une maladie semblable à l'arthrite, comme le lupus, de l'engourdissement et des picotements dans les mains et les pieds et des effets psychiques. Demandez au médecin s'il y a lieu d'instaurer un suivi médical comprenant des numérations de formule sanguine et d'autres analyses.

▼ PRÉCAUTIONS

Plus de 60 ans. Risques de réactions indésirables plus probables et plus graves.

Conduite automobile, travaux dangereux. À déconseiller tant que vous ne connaissez pas votre réaction au médicament.

Alcool. À éviter durant le traitement : l'alcool peut provoquer une chute excessive de la tension artérielle.

Grossesse. Dans des études sur les animaux, l'hydralazine a provoqué des anomalies congénitales. Il n'existe pas d'études semblables sur les humains. Avant de prendre de l'hydralazine, avisez le médecin que vous êtes enceinte ou désirez le devenir.

Allaitement. L'hydralazine passe dans le lait maternel ; n'en prenez pas pendant que vous allaitez.

Nourrissons et enfants. L'hydralazine ne devrait pas leur causer des effets différents de ceux qu'éprouvent les adultes. Néanmoins, le médicament doit être administré sous étroite surveillance médicale.

À surveiller. Il peut être nécessaire de prendre un diurétique en même temps que l'hydralazine pour réduire ses effets indésirables. Il faut parfois plusieurs semaines de médication avant de savoir si l'hydralazine réussit à abaisser la tension artérielle.

SURDOSAGE
Symptômes. Battements de cœur rapides et faibles, faiblesse extrême, perte de conscience, peau froide et moite, bouffées congestives.

Quoi faire. Appelez immédiatement le médecin ou le centre antipoison, ou allez à l'urgence.

▼ INTERACTIONS

MÉDICAMENT-MÉDICAMENT
Demandez spécifiquement l'avis du médecin si vous prenez : diazoxide, inhibiteurs de la monoamine-oxydase (IMAO), diurétiques de l'anse, bêtabloquants, nitrates ou anti-inflammatoires non stéroïdiens (indométhacine).

MÉDICAMENT-ALIMENT
Pas d'interaction connue.

MÉDICAMENT-MALADIE
L'hydralazine exige de la prudence. Avertissez le médecin en cas de : cardite rhumatismale, maladie mitrale, lupus érythémateux ou trouble de la circulation cérébrale. L'hydralazine peut entraîner des complications chez les patients qui ont une insuffisance hépatique ou rénale, car ces organes travaillent ensemble à éliminer le médicament de l'organisme.

≡ EFFETS INDÉSIRABLES ≡

GRAVES
Syndrome analogue au lupus provoquant pouls rapide et palpitations ; battements de cœur rapides ou irréguliers ; urticaire, démangeaisons ou rash cutané ; ganglions enflés ; faiblesse et évanouissement en position debout ; enflure des pieds et des jambes ; douleur articulaire.

COURANTS
Bouffées congestives, céphalées, douleur thoracique, nausées, vomissements, diarrhée, perte d'appétit, douleur gastrique, sang dans l'urine et les selles, fatigue.

MOINS COURANTS
Vertiges ; engourdissement, picotements et faiblesse dans les mains et les pieds ; frissons ; fièvre ; rash cutané.

HYDROCHLOROTHIAZIDE (HCTZ)

Présentation : Comprimés
En vente libre ? Non   **Générique disponible ?** Oui
Classe de médicaments : Diurétique thiazidique

▼ GÉNÉRALITÉS

INDICATIONS
Traitement de l'hypertension (tension artérielle élevée) ; traitement des maladies qui s'accompagnent d'œdème (enflure des tissus organiques causée par un excès de sel et de la rétention hydrique).

MODE D'ACTION
Les diurétiques augmentent l'excrétion de sel et d'eau dans l'urine. En diminuant le volume hydrique de l'organisme, ils réduisent la pression dans les vaisseaux sanguins.

▼ MODE D'EMPLOI

POSOLOGIE
Adultes — Réduction du volume hydrique : 25 à 100 mg par jour. Le médecin peut préférer que la prise du médicament se fasse aux 2 jours, ou encore 3 à 5 fois par semaine. Hypertension : 25 à 50 mg par jour. Réduction du volume hydrique chez les enfants — De 2 à 12 ans : 37,5 à 100 mg par jour, répartis en 2 doses. De 6 mois à 2 ans : 12,5 à 37,5 mg par jour en 2 doses. Bébés de moins de 6 mois : jusqu'à 3,5 mg par kilogramme (2,2 lb) de poids, par jour, répartis en 2 doses.

DÉBUT D'ACTION
En 2 heures.

DURÉE D'ACTION
6 à 12 heures.

CONSEILS NUTRITIONNELS
L'hydrochlorothiazide peut être pris avec des aliments pour éviter les maux d'estomac.

MODE DE CONSERVATION
Dans un contenant étanche, à l'abri de la chaleur et de la lumière.

OUBLI D'UNE DOSE
Prenez-la dès que vous y pensez. S'il est presque l'heure de la suivante, sautez la dose oubliée et reprenez la fréquence normale. Ne doublez pas la dose suivante.

ARRÊT DE LA MÉDICATION
Cette décision doit être prise par votre médecin.

USAGE PROLONGÉ
Un suivi médical avec examens et analyses est nécessaire si vous devez prendre ce médicament durant une longue période.

▼ PRÉCAUTIONS

Plus de 60 ans. Risques de réactions indésirables plus fréquentes et plus graves.

Conduite automobile, travaux dangereux. Pas de précautions spéciales.

Alcool. Pas de précautions spéciales.

Grossesse. L'hydrochlorothiazide a entraîné des anomalies congénitales chez les animaux. Il n'existe pas d'études sur les humains. Ce médicament ne doit pas être pris durant la grossesse, à moins que le médecin ne le recommande. On lui préfère généralement d'autres diurétiques.

Allaitement. Le médicament passe dans le lait maternel ; évitez ou cessez d'en prendre durant le premier mois où vous allaitez.

Nourrissons et enfants. Il n'y a pas de risques spécifiques. La posologie doit être déterminée par un pédiatre.

À surveiller. L'hydrochlorothiazide est généralement prescrit en une seule prise quotidienne. Pour ne pas perturber votre sommeil, prenez-le le matin. Si vous le prenez contre l'hypertension, suivez le régime et les mesures de contrôle du poids recommandés par le médecin. Évitez de vous exposer au soleil : utilisez un écran solaire ou portez des vêtements couvrants. Ce médicament peut entraîner une déperdition potassique. Suivez les instructions du médecin à l'égard des aliments riches en potassium ou des suppléments de potassium.

SURDOSAGE
Symptômes. Évanouissement, léthargie, vertiges, somnolence, confusion, irritation gastro-intestinale.

Quoi faire. Appelez aussitôt le médecin ou le centre antipoison, ou allez à l'urgence.

▼ INTERACTIONS

MÉDICAMENT-MÉDICAMENT
Demandez spécifiquement l'avis du médecin si vous prenez : anticoagulants, cholestyramine, colestipol, antidiabétiques, anti-inflammatoires non stéroïdiens, digitaliques ou lithium.

MÉDICAMENT-ALIMENT
Pas d'interaction connue.

MÉDICAMENT-MALADIE
La prudence est de mise avec l'hydrochlorothiazide. Avertissez le médecin si vous souffrez de : diabète, goutte, lupus érythémateux, pancréatite, maladie cardiaque, maladie des vaisseaux sanguins, maladie du foie ou des reins.

EFFETS INDÉSIRABLES

GRAVES
Rash cutané, urticaire, démangeaisons intenses, enflure de la bouche et de la gorge, difficultés respiratoires, arythmie cardiaque, étourdissements, ecchymoses ou saignements anormaux.

COURANTS
Crampes ou douleurs musculaires. Carence en potassium pouvant donner palpitations et faiblesse. Déplétion liquidienne pouvant amener étourdissements — surtout quand le patient se lève après avoir été assis ou couché – soif, bouche sèche et constipation.

MOINS COURANTS
Diminution de la performance sexuelle, sensibilité accrue à la lumière solaire, perte d'appétit, goutte, hausse du taux de sucre sanguin (un problème pour les diabétiques), pancréatite (rare).

HYDROCHLOROTHIAZIDE/AMILORIDE

Présentation : Comprimés
En vente libre ? Non   **Générique disponible ?** Oui
Classe de médicaments : Diurétique

▼ GÉNÉRALITÉS

INDICATIONS
Traitement de l'hypertension (tension artérielle élevée), ainsi que les troubles amenant de l'œdème (enflure des tissus organiques causée par un excès de sel et de la rétention hydrique).

MODE D'ACTION
Ce médicament associe un diurétique thiazidique (l'hydrochlorothiazide) et un diurétique d'épargne potassique (l'amiloride). Les diurétiques augmentent l'excrétion de sel et d'eau dans l'urine. En diminuant tout le volume hydrique de l'organisme, ces médicaments réduisent le volume sanguin et la pression dans les vaisseaux sanguins.

▼ MODE D'EMPLOI

POSOLOGIE
1 ou 2 comprimés, 1 fois par jour. Dose maximale : 4 comprimés par jour.

DÉBUT D'ACTION
En 1 à 2 heures.

DURÉE D'ACTION
Environ 24 heures.

CONSEILS NUTRITIONNELS
À prendre en mangeant pour réduire les dérangements d'estomac. Éviter de manger de grandes quantités d'aliments à forte teneur en potassium (voir Interactions médicament-aliment).

MODE DE CONSERVATION
Dans un contenant étanche, à l'abri de la chaleur et de la lumière.

OUBLI D'UNE DOSE
Prenez-la dès que vous y pensez. S'il est presque l'heure de la suivante, sautez la dose oubliée et reprenez la fréquence normale. Ne doublez pas la dose suivante.

ARRÊT DE LA MÉDICATION
Cette décision doit être prise par le médecin.

USAGE PROLONGÉ
Un suivi médical est nécessaire si vous devez prendre ce médicament durant une longue période.

▼ PRÉCAUTIONS

Plus de 60 ans. Risques de réactions indésirables plus fréquentes et plus graves.

Conduite automobile, travaux dangereux. Pas de précautions spéciales.

Alcool. Pas de précautions spéciales.

Grossesse. Ce médicament ne doit pas être pris durant la grossesse, à moins que le médecin ne le recommande.

Allaitement. Le médicament passe dans le lait maternel ; n'en prenez pas si vous allaitez.

Nourrissons et enfants. Innocuité et efficacité non établies.

À surveiller. Pour ne pas nuire à votre sommeil, prenez le médicament le matin contre l'hypertension ; par ailleurs, suivez le régime et les mesures de contrôle du poids recommandés par votre médecin. Évitez de vous exposer au soleil ; utilisez un écran solaire ou portez des vêtements couvrants. Ce médicament peut avoir un effet sur les niveaux de potassium dans votre organisme. Suivez les instructions du médecin à l'égard des aliments riches en potassium ou des suppléments potassiques.

SURDOSAGE
Symptômes. Déshydratation, faiblesse musculaire, arythmies cardiaques.

Quoi faire. Appelez immédiatement le médecin ou allez à l'urgence.

▼ INTERACTIONS

MÉDICAMENT-MÉDICAMENT
Demandez spécifiquement l'avis du médecin si vous prenez : inhibiteurs de l'ECA, lithium, AINS, suppléments diététiques renfermant du potassium, digitaliques, cholestyramine, antidiabétiques ou tout médicament vendu sans ordonnance.

MÉDICAMENT-ALIMENT
Évitez de consommer en grandes quantités des aliments riches en potassium : bananes, agrumes (fruits et jus), melons, prunes (et la plupart des fruits), avocats, haricots au four, choux de Bruxelles, pommes de terre et lait écrémé.

MÉDICAMENT-MALADIE
Ce médicament exige qu'on soit prudent. Consultez le médecin si vous souffrez de : diabète, maladie cardiaque, maladie des vaisseaux sanguins, goutte, lupus érythémateux systémique, calculs rénaux, maladie du foie ou du rein.

EFFETS INDÉSIRABLES

GRAVES
Rash cutané, urticaire, démangeaisons intenses, enflure de la bouche et de la gorge, difficultés respiratoires, arythmie cardiaque, vertiges, ecchymoses ou saignements anormaux. Allez immédiatement à l'urgence.

COURANTS
Vertiges (surtout quand on se lève après avoir été assis ou couché), céphalées, faiblesse.

MOINS COURANTS
Douleur d'estomac, douleurs dans les jambes, hausse du taux de sucre sanguin (un problème pour les diabétiques), sensibilité accrue au soleil, goutte, nausées, perte d'appétit.

HYDROCHLOROTHIAZIDE/TRIAMTÉRÈNE

Présentation : Comprimés
En vente libre ? Non **Générique disponible ?** Oui
Classe de médicaments : Diurétique thiazidique

▼ GÉNÉRALITÉS

INDICATIONS
Traitement de l'hypertension (tension artérielle élevée) ; traitement des maladies causant de l'œdème (enflure des tissus organiques provenant d'un excès de sel et de la rétention hydrique).

MODE D'ACTION
Ce médicament associe un diurétique thiazidique (hydrochlorothiazide) à un diurétique d'épargne potassique (triamtérène). Les diurétiques augmentent l'excrétion de sel et d'eau dans l'urine. En diminuant le volume hydrique de l'organisme, ces médicaments réduisent le volume du sang et, par le fait même, la pression à l'intérieur des vaisseaux sanguins.

▼ MODE D'EMPLOI

POSOLOGIE
Adultes : 1 ou 2 comprimés, 1 fois par jour. Enfants : la posologie doit être déterminée par un pédiatre.

DÉBUT D'ACTION
En 2 heures.

DURÉE D'ACTION
6 à 12 heures.

CONSEILS NUTRITIONNELS
À prendre le matin, après le petit déjeuner.

MODE DE CONSERVATION
Dans un contenant étanche, à l'abri de la chaleur et de la lumière.

OUBLI D'UNE DOSE
Prenez-la dès que vous y pensez. S'il est presque l'heure de la suivante, sautez la dose oubliée et reprenez la fréquence normale. Ne doublez pas la dose suivante.

ARRÊT DE LA MÉDICATION
La décision de mettre fin à la thérapie doit être prise par votre médecin.

USAGE PROLONGÉ
Un suivi médical avec examens et analyses de laboratoire est nécessaire si vous devez prendre ce médicament sur une longue période.

▼ PRÉCAUTIONS

Plus de 60 ans. Risques de réactions indésirables plus fréquentes et plus graves.

Conduite automobile, travaux dangereux. Pas de précautions spéciales.

Alcool. Pas de précautions spéciales.

Grossesse. Ce médicament ne doit pas être pris durant la grossesse, à moins que le médecin ne le recommande. On lui préfère généralement d'autres diurétiques.

Allaitement. Le médicament passe dans le lait maternel ; évitez ou cessez d'en prendre pendant que vous allaitez.

Nourrissons et enfants. Il ne devrait pas y avoir d'effet indésirable inhabituel. La posologie doit être déterminée par un pédiatre.

À surveiller. Pour que l'hydrochlorothiazide ne perturbe pas votre sommeil, prenez le médicament le matin. Si vous le prenez contre l'hypertension, suivez le régime et les mesures de contrôle du poids recommandés par le médecin. Évitez de vous exposer au soleil ; utilisez un écran solaire ou portez des vêtements couvrants. Ce médicament peut entraîner, malgré tout, une déperdition potassique. Suivez les conseils du médecin concernant les aliments riches en potassium ou les suppléments de potassium.

SURDOSAGE
Symptômes. Déshydratation, faiblesse musculaire, crampes, arythmie cardiaque.

Quoi faire. Appelez immédiatement le médecin ou le centre antipoison, ou allez à l'urgence.

▼ INTERACTIONS

MÉDICAMENT-MÉDICAMENT
Avertissez le médecin si vous prenez : inhibiteurs de l'ECA, anti-inflammatoires non stéroïdiens (AINS), indométhacine, cyclosporine, médicaments ou suppléments alimentaires renfermant du potassium, cholestyramine, colestipol, digitaliques, lithium ou tout médicament en vente libre.

MÉDICAMENT-ALIMENT
Évitez de consommer en abondance des aliments riches en potassium : bananes, agrumes (fruits et jus), melons, prunes (et la plupart des fruits en général), avocats, pommes de terre, noix, haricots secs, choux de Bruxelles et lait écrémé.

MÉDICAMENT-MALADIE
La prudence est de mise. Prévenez le médecin si vous souffrez de : diabète, goutte, calculs rénaux, lupus érythémateux, pancréatite, maladie cardiaque, maladie des vaisseaux sanguins, troubles menstruels, maladie du foie ou des reins.

 EFFETS INDÉSIRABLES

GRAVES
Rash cutané, urticaire, démangeaisons intenses, enflure de la bouche et de la gorge, difficultés à respirer, arythmie cardiaque ou palpitations, étourdissements ou vertiges, ecchymoses ou saignements anormaux.

COURANTS
Déplétion liquidienne pouvant amener étourdissements – surtout quand le patient se lève après avoir été assis ou couché – soif, sécheresse de la bouche et constipation.

MOINS COURANTS
Diminution de la performance sexuelle, sensibilité accrue à la lumière solaire, perte d'appétit, goutte, hausse du taux de sucre sanguin (un problème pour les diabétiques).

HYDROCORTISONE OPHTALMIQUE

NOM COMMERCIAL

Cortamed

Présentation : Onguent ophtalmique
En vente libre ? Non   **Générique disponible ?** Non
Classe de médicaments : Corticostéroïde

▼ GÉNÉRALITÉS

INDICATIONS
Traitement de l'inflammation et prévention des dommages éventuellement permanents causés par des affections s'accompagnant d'une inflammation des tissus de l'œil.

MODE D'ACTION
L'hydrocortisone freine la libération de substances naturelles qui favorisent une réaction inflammatoire.

▼ MODE D'EMPLOI

POSOLOGIE
Adultes et enfants : appliquez l'onguent dans l'œil 3 ou 4 fois par jour au début ; espacez les doses à mesure que l'effet thérapeutique est obtenu.

DÉBUT D'ACTION
Inconnu.

DURÉE D'ACTION
Inconnue.

CONSEILS NUTRITIONNELS
Aucune restriction.

MODE DE CONSERVATION
Dans un contenant étanche, à l'abri de la chaleur et de la lumière.

OUBLI D'UNE DOSE
Appliquez-la dès que vous y pensez. S'il est presque l'heure de la suivante, sautez la dose oubliée et reprenez la fréquence normale. Ne doublez pas la dose suivante.

ARRÊT DE LA MÉDICATION
Il est très important d'effectuer le traitement au complet, comme il vous a été prescrit, même si vous vous sentez mieux avant qu'il prenne fin.

USAGE PROLONGÉ
Un suivi médical avec examens et analyses est nécessaire si le traitement doit se prolonger.

▼ PRÉCAUTIONS

Plus de 60 ans. Il n'y a pas eu de comparaison sur les effets du médicament chez les jeunes et les moins jeunes ; néanmoins, on ne s'attend à aucun effet spécial.

Conduite automobile, travaux dangereux. À déconseiller tant que vous ne connaissez pas votre réaction au médicament.

Alcool. Pas de précautions spéciales.

Grossesse. Le médicament a entraîné des anomalies congénitales chez les animaux. Il n'existe pas d'études fiables sur les humains, mais aucune anomalie congénitale n'a été signalée. Avant de prendre de l'hydrocortisone ophtalmique, prévenez votre médecin si vous êtes enceinte ou prévoyez le devenir.

Allaitement. On n'a pas signalé de problèmes chez le nourrisson quand la mère prenait ce médicament. Demandez l'avis du médecin.

Nourrissons et enfants. Les enfants de moins de 2 ans peuvent être particulièrement sensibles aux effets de l'hydrocortisone ophtalmique.

À surveiller. Avant l'application, lavez-vous les mains. Renversez la tête en arrière. Appuyez doucement dans l'angle interne de la paupière et avec l'index de la même main, tirez la paupière inférieure vers le bas. Déposez une petite bande d'onguent (1 cm/⅓ po) dans l'espace ainsi créé et fermez l'œil. Appuyez pendant 1 ou 2 minutes tout en gardant l'œil fermé sans cligner. Lavez-vous de nouveau les mains. Le bout du tube ne doit toucher ni l'œil, ni votre doigt, ni rien d'autre. Si les symptômes ne régressent pas en quelques jours ou s'ils s'aggravent, consultez le médecin.

SURDOSAGE
Symptômes. En usage topique, une surdose d'hydrocortisone ophtalmique est improbable. Mais s'il est ingéré, le médicament peut causer fièvre, douleurs musculaires, sentiment général de faiblesse et de maladie, perte d'appétit, étourdissements, évanouissement et difficultés à respirer.

Quoi faire. Il est peu probable qu'une surdose d'hydrocortisone ophtalmique mette votre vie en danger. Néanmoins, si la dose est très forte ou si le médicament est ingéré, appelez immédiatement le médecin ou le centre antipoison.

▼ INTERACTIONS

MÉDICAMENT-MÉDICAMENT
Il peut se produire des interactions médicamenteuses avec l'hydrocortisone ophtalmique. Demandez spécifiquement l'avis du médecin si vous prenez tout autre médicament vendu avec ou sans ordonnance.

MÉDICAMENT-ALIMENT
Pas d'interaction connue.

MÉDICAMENT-MALADIE
L'hydrocortisone ophtalmique demande de la prudence. Avertissez le médecin si vous souffrez de : cataractes, diabète, glaucome, infection herpétique de l'œil, tuberculose de l'œil ou toute autre infection de l'œil.

 EFFETS INDÉSIRABLES

GRAVES
Vue diminuée ou trouble (à cause des cataractes) ; douleur oculaire, nausées, vomissements (à cause de la pression intraoculaire), douleur, rougeur, sensibilité à la lumière vive, écoulements (par suite d'une infection de l'œil). Le médicament peut provoquer une récurrence d'une infection herpétique de l'œil : prévenez votre médecin si vous avez déjà souffert d'infection herpétique.

COURANTS
Vision embrouillée : effet temporaire et bénin.

MOINS COURANTS
Brûlure, picotements ou rougeur des yeux, larmoiement.

HYDROCORTISONE SYSTÉMIQUE

Présentation : Suspension orale, comprimés, injection, lavement, mousse rectale en atomiseur

En vente libre ? Non **Générique disponible ?** Oui

Classe de médicaments : Corticostéroïde

▼ GÉNÉRALITÉS

INDICATIONS

Traitement de nombreux états accompagnés d'inflammation (rougeur, chaleur, gonflement et douleur des tissus) : arthrite, réactions allergiques, asthme, certaines maladies de la peau, poussées de sclérose en plaques et autres maladies auto-immunes. Aussi traitement des carences en hormones stéroïdes naturelles.

MODE D'ACTION

Cette hormone a les mêmes effets que les corticostéroïdes naturels. Elle inhibe la synthèse, la libération et l'activité des éléments chimiques générateurs d'inflammation. Elle déprime également l'activité du système immunitaire.

▼ MODE D'EMPLOI

POSOLOGIE

Dose orale : 20 à 240 mg par jour, selon le cas traité, en 1 ou plusieurs doses. Injection : 15 à 240 mg par jour, en intramusculaire, ou 5 à 75 mg aux 2 ou 3 semaines, dans une articulation ou une lésion, ou 100 à 500 mg aux 2 à 6 heures, en intramusculaire, intraveineuse ou souscutanée, selon le cas traité. Lavement : 100 mg, de nuit. Mousse rectale en atomiseur : 80 mg, 1 ou 2 fois par jour. Enfants : voyez le pédiatre.

DÉBUT D'ACTION

Varie selon la forme utilisée.

DURÉE D'ACTION

Variable.

CONSEILS NUTRITIONNELS

À prendre avec des aliments ou du lait pour réduire les malaises gastriques. Le médecin peut recommander un régime alimentaire spécial.

MODE DE CONSERVATION

Dans un contenant étanche, à l'abri de la chaleur, de l'humidité et de la lumière.

OUBLI D'UNE DOSE

Si vous prenez plusieurs doses par jour et qu'il est presque l'heure de la suivante, doublez celle-ci. Si vous ne prenez qu'une dose par jour, sautez-la et ne doublez pas la dose qui suit.

ARRÊT DE LA MÉDICATION

Il faut réduire le traitement (à long terme) graduellement.

USAGE PROLONGÉ

Des analyses et des examens périodiques sont nécessaires. Un usage prolongé peut causer cataractes, diabète, hypertension ou ostéoporose.

▼ PRÉCAUTIONS

Plus de 60 ans. Risques d'effets indésirables plus probables et plus graves.

Conduite automobile, travaux dangereux. À déconseiller tant que vous ne connaissez pas votre réaction au médicament.

Alcool. Peut causer des troubles d'estomac. À éviter à moins que le médecin n'en autorise un usage modéré.

Grossesse. Ce médicament ne doit être pris que s'il est manifestement nécessaire. Consultez le médecin.

Allaitement. À ne pas utiliser.

Nourrissons et enfants. L'hydrocortisone peut retarder la croissance normale ainsi que le développement des os et autres tissus.

À surveiller. Le médicament peut diminuer votre résistance à l'infection. Évitez les immunisations avec des vaccins vivants. Les patients en thérapie prolongée devraient porter un bracelet. Appelez le médecin en cas de fièvre.

SURDOSAGE

Symptômes. Fièvre, douleurs musculaires ou articulaires, nausées, étourdissements, évanouissement, respiration difficile. Surdosage prolongé : faciès lunaire, obésité, croissance inhabituelle des cheveux et du poil, acné, perte de libido, fonte musculaire.

Quoi faire. Demandez immédiatement de l'aide médicale.

▼ INTERACTIONS

MÉDICAMENT-MÉDICAMENT

Avisez le médecin si vous prenez : antiacides, barbituriques, carbamazépine, griséofulvine, mitotane, phénylbutazone, phénytoïne, primidone, rifampine, amphotéricine B injectable, antidiabétiques oraux, insuline, digitaliques, diurétiques ou médicaments renfermant du potassium ou du sodium.

MÉDICAMENT-ALIMENT

Évitez les excès de sodium.

MÉDICAMENT-MALADIE

Prévenez le médecin en cas de : antécédents de maladie osseuse, varicelle, rougeole, troubles gastro-intestinaux, infection grave récente, tuberculose, glaucome, cardiopathie, hypertension, troubles hépatique ou rénal, hypercholestérolémie, hyper ou hypothyroïdie, myasthénie grave ou lupus.

EFFETS INDÉSIRABLES

GRAVES

Troubles de la vue, mictions fréquentes, soif accrue, saignements rectaux, peau vésiquante, confusion, hallucinations, paranoïa, euphorie, dépression, sautes d'humeur, rougeur et enflure au point d'injection.

COURANTS

Augmentation de l'appétit, mauvaise digestion, nervosité, insomnie, vulnérabilité aux infections, hausse de la tension artérielle, cicatrisation lente des plaies, gain de poids rapide, ecchymoses nombreuses, rétention hydrique.

MOINS COURANTS

Changement de couleur de la peau, vertiges, céphalées, sudation accrue, croissance du poil, hausse des taux de sucre sanguin, ulcères gastriques, insuffisance surrénale, faiblesse musculaire, cataractes, glaucome, ostéoporose.

HYDROCORTISONE TOPIQUE

NOMS COMMERCIAUX

Anusol-HC, Aquacort, Cortate, Cortoderm, Emo-cort, Hycort, Hyderm, Lanacort, Lifebrand Hydrocortisone, My Cort, Prevex HC, Sarna HC, Westcort

Présentation : Crème, lotion, onguent, solution topique
En vente libre ? Oui (mais seulement à 0,5 %)   **Générique disponible ?** Oui
Classe de médicaments : Corticostéroïde topique

▼ GÉNÉRALITÉS

INDICATIONS
Traitement de certains problèmes cutanés caractérisés par démangeaisons, rougeur, desquamation, douleur et autres signes d'inflammation.

MODE D'ACTION
L'hydrocortisone topique semble entraver la formation de substances naturellement présentes dans l'organisme qui sont responsables du processus inflammatoire (enflure, rougeur et douleur).

▼ MODE D'EMPLOI

POSOLOGIE
Adultes : en mettre (crème, lotion, onguent, solution) parcimonieusement sur les parties affectées de la peau 1 ou 2 fois (parfois 3) par jour. Enfants : demandez l'avis du médecin et la posologie à adopter.

DÉBUT D'ACTION
L'effet des stéroïdes se fait sentir peu après l'application.

Néanmoins, il faut attendre plusieurs jours avant d'en voir les effets sur soi.

DURÉE D'ACTION
Inconnue.

CONSEILS NUTRITIONNELS
Buvez et mangez comme à l'accoutumée.

MODE DE CONSERVATION
Dans un contenant étanche, à l'abri de la chaleur, de la lumière, de l'humidité et des températures extrêmes.

OUBLI D'UNE DOSE
Prenez-la dès que vous y pensez. S'il est presque l'heure de la suivante, sautez la dose oubliée et reprenez la fréquence normale. Ne doublez pas la dose suivante.

ARRÊT DE LA MÉDICATION
Effectuez le traitement au complet, comme il vous a été prescrit, même si vous vous sentez mieux avant qu'il ne prenne fin.

USAGE PROLONGÉ
Le traitement peut durer des semaines et des mois. Une thérapie de longue durée doit être surveillée par le médecin, même si vous utilisez un produit à faible concentration.

▼ PRÉCAUTIONS

Plus de 60 ans. Risques de réactions indésirables plus probables et plus graves ; une thérapie aux corticostéroïdes topiques doit donc être courte et peu fréquente.

Conduite automobile, travaux dangereux. Un traitement topique à l'hydrocortisone topique ne devrait pas vous empêcher d'exécuter de telles activités en toute sécurité.

Alcool. Pas de précautions spéciales.

Grossesse. Le médicament ne devrait pas être utilisé en traitement prolongé par une femme enceinte ou qui désire le devenir.

Allaitement. Bien qu'aucun problème n'ait été signalé, la prudence s'impose. N'en appliquez pas sur les seins avant l'allaitement. Demandez spécifiquement son avis à votre médecin.

Nourrissons et enfants. Non recommandé en traitement prolongé. Consultez votre médecin.

À surveiller. N'appliquez pas ce médicament autour des yeux. Ne vous en servez pas pour traiter l'acné, les brûlures, des infections ou des troubles de la pigmentation. N'appliquez ni pansement ni enveloppement sur la région

traitée, à moins que le médecin ne le recommande spécifiquement.

SURDOSAGE
Symptômes. Aucun symptôme spécifique n'a été signalé.

Quoi faire. Il est peu probable qu'une surdose mette votre vie en danger. Néanmoins, si la dose semble très forte ou si le médicament a été ingéré, appelez immédiatement le médecin ou le centre antipoison.

▼ INTERACTIONS

MÉDICAMENT-MÉDICAMENT
Pas d'interaction signalée.

MÉDICAMENT-ALIMENT
Pas d'interaction signalée.

MÉDICAMENT-MALADIE
Consultez le médecin si vous avez l'un ou l'autre des problèmes suivants : diabète, infection cutanée, lésion ou ulcères de la peau, une infection ailleurs dans l'organisme, tuberculose, ecchymoses ou saignements inhabituels, glaucome ou cataractes.

 EFFETS INDÉSIRABLES

GRAVES
Les effets indésirables gaves sont très rares avec l'hydrocortisone topique.

COURANTS
Brûlure, démangeaisons, irritation, rougeur, sécheresse, acné, picotements et fendillements de la peau, engourdissements et fourmillements des extrémités (chez 0,5 à 1 % des patients).

MOINS COURANTS
Cloques et pus près des follicules pileux, ecchymoses et saignements anormaux, noircissement et gonflement des petites veines superficielles, vulnérabilité accrue à l'infection.

HYDROMORPHONE (CHLORHYDRATE D')

Présentation : Solution orale, comprimés, gélules à libération progressive, injection, suppositoires
En vente libre ? Non **Générique disponible ?** Oui
Classe de médicaments : Analgésique opioïde (narcotique)

▼ GÉNÉRALITÉS

INDICATIONS
Contre la douleur aiguë.

MODE D'ACTION
L'hydromorphone soulage la douleur en agissant sur les zones de la moelle épinière et du cerveau qui traitent les signaux de douleur émis par les nerfs dans l'organisme.

▼ MODE D'EMPLOI

POSOLOGIE
Adultes – Solution orale ou comprimés : 2 ou 4 mg aux 4 à 6 heures, au besoin. Gélules à libération progressive : 3 mg aux 12 heures. Injection : 1 à 2 mg en intramusculaire ou sous-cutanée, aux 6 heures, au besoin. Suppositoires : 3 mg aux 4 à 8 heures, au besoin. Le médecin peut augmenter les doses selon la gravité de la douleur.

DÉBUT D'ACTION
Formes orales et suppositoires : en 30 minutes. Injection : en 10 à 15 minutes.

DURÉE D'ACTION
Formes orales : 4 heures. Injection : 2 à 5 heures. Suppositoires : 4 à 6 heures. La durée d'action peut diminuer à mesure que l'organisme s'habitue à l'hydromorphone.

CONSEILS NUTRITIONNELS
À prendre en mangeant pour réduire les nausées. Continuez à boire et à manger normalement. Les narcotiques causent de la constipation : mangez suffisamment de fibres et de légumes.

MODE DE CONSERVATION
Dans un contenant étanche, à l'abri de la chaleur, de l'humidité et de la lumière. Gardez la forme liquide au réfrigérateur, jamais au congélateur.

OUBLI D'UNE DOSE
Si vous prenez l'hydromorphone à heures régulières, prenez la dose dès que vous y pensez. S'il est presque l'heure de la dose suivante, sautez la dose oubliée et reprenez la fréquence normale. Ne doublez pas la dose suivante.

ARRÊT DE LA MÉDICATION
Effectuez le traitement au complet, comme il vous a été prescrit, mais si vous vous sentez mieux avant la fin prévue, vous pouvez arrêter de prendre le médicament.

USAGE PROLONGÉ
La durée du traitement varie selon la cause de la douleur. Certains patients exigent une thérapie prolongée : la probabilité des effets indésirables peut alors être plus grande.

▼ PRÉCAUTIONS

Plus de 60 ans. Risques de réactions indésirables plus fréquentes et plus graves.

Conduite automobile, travaux dangereux. Peut nuire à l'exercice de telles tâches en toute sécurité.

Alcool. À éviter.

Grossesse. Il n'existe pas d'études pertinentes sur l'être humain. Si vous êtes enceinte ou désirez le devenir, dites-le au médecin avant de prendre le médicament.

Allaitement. L'hydromorphone passe dans le lait maternel ; la prudence est de mise. Demandez l'avis du médecin.

Nourrissons et enfants. Peut être administré (par voie orale ou injection) aux jeunes enfants. Effets indésirables souvent plus fréquents chez les moins de 2 ans. Demandez l'avis du pédiatre.

À surveiller. Ce médicament peut entraîner de l'accoutumance. Ne dépassez pas les doses recommandées. Le médicament est plus efficace s'il est pris avant que la douleur ne devienne aiguë.

SURDOSAGE
Symptômes. Confusion, apathie, diction empâtée, inconscience, pupilles très rétrécies, peau froide et moite, respiration lente, convulsions, somnolence grave, faiblesse ou vertiges.

Quoi faire. Appelez aussitôt le médecin ou le centre antipoison, ou allez à l'urgence.

▼ INTERACTIONS

MÉDICAMENT-MÉDICAMENT
Demandez l'avis du médecin si vous prenez : carbamazépine ou autres anticonvulsivants, barbituriques, sédatifs, remèdes contre la toux, décongestionnants, antidépresseurs, autres analgésiques sur ordonnance, IMAO, naltrexone, rifampine ou zidovudine.

MÉDICAMENT-ALIMENT
Pas d'interaction connue.

MÉDICAMENT-MALADIE
Prévenez le médecin en cas de : antécédents d'alcoolisme ou de toxicomanie, maladie psychique, lésion cérébrale ou troubles cérébraux, convulsions, maladie pulmonaire, troubles urinaires ou prostatiques, calculs biliaires, colite ; maladie du cœur, des reins, du foie ou de la thyroïde.

☰ EFFETS INDÉSIRABLES ☰

GRAVES
Les effets secondaires graves se confondent avec ceux d'une surdose : confusion, apathie, diction empâtée, inconscience, pupilles très rétrécies, peau froide et moite, respiration lente, convulsions ; somnolence, faiblesse ou vertiges graves.

COURANTS
Étourdissements ou vertiges, nausées ou vomissements, constipation, démangeaisons.

MOINS COURANTS
Bouche sèche, sautes d'humeur ou faux sentiment de bien-être et d'euphorie, hallucinations, cauchemars.

HYDROXYCHLOROQUINE (SULFATE D')

Présentation : Comprimés
En vente libre ? Non   **Générique disponible ?** Non
Classe de médicaments : Anti-infectieux/antipaludéen ; antirhumatismal

▼ GÉNÉRALITÉS

INDICATIONS
Prévention et traitement du paludisme causé par des souches de plasmodium (parasite du paludisme) vulnérables à la chloroquine, quand celle-ci n'est pas disponible. Sert aussi à traiter la polyarthrite rhumatoïde et le lupus.

MODE D'ACTION
L'hydroxychloroquine est toxique pour le parasite du paludisme. Dans le cas de la polyarthrite rhumatoïde et du lupus, elle peut inhiber la libération de certains éléments chimiques causant de l'inflammation.

▼ MODE D'EMPLOI

POSOLOGIE
Adultes et adolescents seulement. Pour les enfants, consultez le médecin, car la posologie, qui est fonction du poids, ne doit pas dépasser les doses pour adultes. Prévention du paludisme :

400 mg (310 mg base) 1 fois par semaine. Traitement du paludisme : 800 mg (620 mg base), 1 fois ; ou 800 mg, puis 400 mg (310 mg base), 6 à 8 heures après la première dose, puis 400 mg, 1 fois par jour pendant 2 jours. Polyarthrite rhumatoïde : au début 400 à 600 mg par jour. Lupus : au début 400 mg, 1 ou 2 fois par jour. Dose d'entretien : 200 à 400 mg par jour.

DÉBUT D'ACTION
Inconnu. Polyarthrite : l'action peut mettre jusqu'à 6 mois à s'établir. Voyez le médecin si votre état ne s'améliore pas dans l'intervalle.

DURÉE D'ACTION
Inconnue.

CONSEILS NUTRITIONNELS
À prendre avec un aliment ou du lait pour réduire les maux d'estomac.

MODE DE CONSERVATION
À l'abri de la chaleur, de l'humidité et de la lumière.

OUBLI D'UNE DOSE
Prenez-la dès que vous y pensez. S'il est presque l'heure de la suivante, sautez la dose oubliée et reprenez la fréquence normale. Ne doublez pas la dose suivante.

ARRÊT DE LA MÉDICATION
Suivez le traitement au complet, comme il a été prescrit.

USAGE PROLONGÉ
Le traitement peut durer longtemps. S'il est prescrit contre le paludisme, le médecin vous demandera de le commencer 1 ou 2 semaines avant votre arrivée dans la région infestée et de le poursuivre durant tout votre séjour et pendant 4 semaines après.

▼ PRÉCAUTIONS

Plus de 60 ans. Risques de réactions indésirables plus fréquentes et plus graves.

Conduite automobile, travaux dangereux. Ce médicament peut diminuer votre capacité d'exécuter de telles activités en toute sécurité. Soyez très prudent.

Alcool. Pas de précautions spéciales.

Grossesse. L'hydroxychloroquine est déconseillée durant la grossesse à cause des risques qu'elle présente pour le fœtus. On peut la prescrire pour prévenir ou traiter le paludisme, les risques présentés par cette maladie étant potentiellement plus graves que ceux présentés par le médicament. Examinez avec le médecin les bienfaits et les dangers du traitement durant la grossesse.

Allaitement. L'hydroxychloroquine passe dans le lait maternel ; la plus grande prudence s'impose. Demandez l'avis du médecin.

Nourrissons et enfants. Les enfants étant très sensibles à la toxicité du médicament, on estime qu'il est dangereux pour eux, mais il peut leur être prescrit quand ses bienfaits l'emportent sur ses dangers. Consultez le médecin.

À surveiller. Le paludisme se répand par des insectes vecteurs de la maladie. Prenez donc toutes les mesures possibles pour ne pas vous faire piquer. Notez que l'hydroxychloroquine n'est pas efficace contre tous les types de paludisme.

SURDOSAGE
Symptômes. Surexcitation, maux de tête, somnolence.

Quoi faire. Appelez aussitôt le médecin ou le centre anti-poison, ou allez à l'urgence.

▼ INTERACTIONS

MÉDICAMENT-MÉDICAMENT
Consultez le médecin si vous prenez : sels de magnésium ou d'aluminium, cimétidine ou digoxine.

MÉDICAMENT-ALIMENT
Aucune interaction connue.

MÉDICAMENT-MALADIE
Avisez le médecin en cas de : maladie du sang incluant anémie, ecchymoses ou saignements inexpliqués, porphyrie, manque de globules blancs ; troubles hépatiques, neurologiques ou visuels ; psoriasis.

 EFFETS INDÉSIRABLES ▼ ▼

GRAVES
Vision embrouillée ou altérée ; troubles sanguins incluant une diminution de la numération des globules blancs (mal de gorge, fièvre) ; anémie (fatigue, faiblesse) ; insuffisance plaquettaire (ecchymoses et saignements fréquents). Ce sont des effets très rares.

COURANTS
Aucun effet indésirable courant n'a été signalé.

MOINS COURANTS
Diarrhée, perte d'appétit, céphalées, crampes ou douleurs d'estomac, nausées ou vomissements, démangeaisons, étourdissements, fatigue, confusion, chute ou blanchiment des cheveux, rash cutané. Aussi coloration de la peau, de la bouche ou des ongles en bleu-noir.

HYDROXYURÉE

Présentation : Gélules
En vente libre ? Non   **Générique disponible ?** Oui
Classe de médicaments : Antimétabolite

▼ GÉNÉRALITÉS

INDICATIONS
Traitement de cancers de la peau situés sur la tête et le cou, accompagné de radiothérapie. Aussi utilisé contre le mélanome malin et certains types de leucémie.

MODE D'ACTION
L'hydroxyurée s'oppose à la croissance des cellules cancéreuses en les empêchant de faire la synthèse de l'ADN et de se réparer, ce qui réduit leur taux de survie. Elle peut aussi modifier le taux de croissance et de développement d'autres types de cellules et produire ainsi des effets indésirables déplaisants.

▼ MODE D'EMPLOI

POSOLOGIE
Traitement intermittent des tumeurs solides, avec radiothérapie : 80 mg par kilogramme (2,2 lb) de poids, aux 3 jours. Leucémie myéloïde chronique : 20 à 30 mg par kilogramme par jour, en 1 dose.

DÉBUT D'ACTION
Inconnu.

DURÉE D'ACTION
Jusqu'à 24 heures.

CONSEILS NUTRITIONNELS
Si vous ne pouvez pas avaler la gélule, videz-en le contenu dans un verre d'eau et buvez-le immédiatement.

MODE DE CONSERVATION
À température ambiante, à l'abri de la chaleur, de l'humidité et de la lumière.

OUBLI D'UNE DOSE
Prenez-la dès que vous y pensez. S'il est presque l'heure de la suivante, sautez la dose oubliée et reprenez la fréquence normale. Ne doublez pas la dose suivante.

ARRÊT DE LA MÉDICATION
La décision de mettre fin au traitement doit être prise en consultation avec le médecin.

USAGE PROLONGÉ
L'hydroxyurée doit être interrompue si le médecin ne constate pas de réponse clinique. S'il y en a une, on peut poursuivre indéfiniment.

▼ PRÉCAUTIONS

Plus de 60 ans. Risques de réactions indésirables plus fréquentes et plus graves.

Conduite automobile, travaux dangereux. À déconseiller tant que vous ne connaissez pas votre réaction au médicament.

Alcool. À éviter.

Grossesse. L'hydroxyurée peut provoquer des anomalies congénitales chez le fœtus si l'homme ou la femme en ont pris au moment de la conception. Avant d'en prendre, avertissez le médecin que vous êtes enceinte ou désirez le devenir.

Allaitement. Non recommandé durant le traitement.

Nourrissons et enfants. Innocuité et efficacité non établies.

À surveiller. Soyez prudent dans le maniement de la brosse à dents, de la soie dentaire ou de cure-dents. Demandez l'avis du médecin avant tout traitement dentaire. Évitez d'avoir des contacts avec des personnes souffrant d'infections. Prenez garde de vous blesser quand vous manipulez des objets coupants : coupe-ongles, rasoir. Lavez-vous les mains souvent pour diminuer la propagation des bactéries ou des virus. Ne vous adonnez pas à des sports de contact ou à des activités dans lesquelles vous pourriez être blessé. Surveillez attentivement tout symptôme d'infection et prenez votre température dès que vous vous sentez malade. Ne vous faites pas vacciner sans l'autorisation du médecin. Après l'arrêt du traitement, consultez le médecin si vous remarquez l'apparition des symptômes suivants : selles noires, sang dans les selles ou dans l'urine, toux ou voix rauque, fièvre ou frissons, douleur dans le bas du dos ou les flancs, mictions douloureuses ou difficiles, taches rouges sur la peau, ecchymoses ou saignements anormaux.

SURDOSAGE
Symptômes. Effets indésirables très prononcés.

Quoi faire. Appelez aussitôt le médecin ou le centre antipoison, ou allez à l'urgence.

▼ INTERACTIONS

MÉDICAMENT-MÉDICAMENT
Demandez l'avis du médecin si vous prenez : amphotéricine B, antithyroïdiens, azathioprine, chloramphénicol, colchicine, flucytosine, ganciclovir, interféron, plicamycine, zidovudine, probénécide ou sulfinpyrazone.

MÉDICAMENT-ALIMENT
Aucune interaction connue.

MÉDICAMENT-MALADIE
Un traitement à l'hydroxyurée exige qu'on soit prudent. Avertissez le médecin si vous avez déjà souffert d'anémie, de varicelle, de zona, de goutte, de calculs rénaux, d'une infection quelconque ou de maladie rénale.

 EFFETS INDÉSIRABLES

GRAVES
Toux ou voix rauque, fièvre ou frissons, douleur dans le bas du dos ou les flancs, mictions difficiles ou douloureuses, selles noires, sang dans les selles ou l'urine, taches rouges sur la peau, ecchymoses ou saignements anormaux, ulcères dans la bouche ou sur les lèvres, confusion, convulsions, vertiges, hallucinations, céphalées, douleur articulaire, enflure des pieds ou des chevilles.

COURANTS
Diarrhée, perte d'appétit, nausées ou vomissements.

MOINS COURANTS
Constipation, peau rougie, rash cutané, démangeaisons, somnolence.

HYDROXYZINE

NOMS COMMERCIAUX

Apo-Hydroxyzine,
Atarax, Novo-
hydroxyzine,
Nu-hydroxyzine,
PMS-hydroxyzine,
Riva-hydroxyzine

Présentation : Gélules, sirop, injection
En vente libre ? Non   **Générique disponible ?** Oui
Classe de médicaments : Antihistaminique/sédatif léger

▼ GÉNÉRALITÉS

INDICATIONS

L'action sédative légère de l'hydroxyzine est utile dans des cas d'insomnie et d'agitation chez certains patients, mais aussi chez ceux qui doivent subir une chirurgie dentaire ou une anesthésie générale. Le médicament sert également à traiter démangeaisons, urticaire et autres symptômes allergiques, à maîtriser nausées et vomissements et à atténuer les symptômes de sevrage associés aux thérapies contre l'alcoolisme.

MODE D'ACTION

L'hydroxyzine est un antihistaminique ; c'est-à-dire qu'elle entrave les effets de l'histamine, substance naturelle causant enflure, démangeaisons, éternuements, larmoiement, urticaire et autres symptômes de réaction allergique. En outre, l'hydroxyzine semble avoir une action sédative sur certaines régions du système nerveux central (cerveau et moelle épinière) associées aux nausées et à la détresse psychologique.

▼ MODE D'EMPLOI

POSOLOGIE

Sédation – Adultes : 25 à 100 mg par jour. Symptômes allergiques – Adultes : 25 à 100 mg, 3 ou 4 fois par jour, au besoin. Enfants de 6 ans et plus : 50 à 100 mg par jour, en doses fractionnées, au besoin. Enfants de moins de 6 ans : 30 à 50 mg par jour, en doses fractionnées, au besoin. Nausées et vomissements – Adultes : 25 à 100 mg, 3 ou 4 fois par jour.

DÉBUT D'ACTION

En 15 à 30 minutes.

DURÉE D'ACTION

Environ 6 à 8 heures.

CONSEILS NUTRITIONNELS

Buvez abondamment.

MODE DE CONSERVATION

Dans un contenant étanche, à l'abri de la chaleur, de la lumière, de l'humidité et des extrêmes de température.

OUBLI D'UNE DOSE

Prenez-la dès que vous y pensez. S'il est presque l'heure de la suivante, sautez la dose oubliée et reprenez la fréquence normale. Ne doublez pas la dose suivante.

ARRÊT DE LA MÉDICATION

La décision d'arrêter le traitement doit être prise en consultation avec le médecin.

USAGE PROLONGÉ

Un traitement à l'hydroxyzine peut durer des jours ou des semaines, selon les cas. La probabilité d'effets indésirables augmente à mesure qu'il se prolonge.

▼ PRÉCAUTIONS

Plus de 60 ans. Risques de réactions indésirables plus fréquentes et plus graves.

Conduite automobile, travaux dangereux. L'hydroxyzine peut réduire la vigilance : soyez prudent.

Alcool. À éviter.

Grossesse. Il n'y a pas eu d'études pertinentes sur l'administration d'hydroxyzine durant la grossesse ; demandez l'avis de votre médecin.

Allaitement. L'hydroxyzine peut passer dans le lait maternel et entraîner des effets indésirables chez le nourrisson : n'en prenez pas.

Nourrissons et enfants. À n'administrer que sous étroite surveillance médicale.

À surveiller. Il y a beaucoup d'antihistaminiques en vente libre ; si vous en prenez un sur ordonnance, abstenez-vous des préparations contre la toux, le rhume, la grippe, la sinusite ou les allergies.

SURDOSAGE

Symptômes. Sécheresse grave de la bouche, du nez et de la gorge ; somnolence très marquée ; incoordination ; évanouissement ; bouffées congestives ; tremblements ; hallucinations ; difficultés à respirer.

Quoi faire. Appelez immédiatement le médecin ou le centre antipoison, ou allez à l'urgence.

▼ INTERACTIONS

MÉDICAMENT-MÉDICAMENT

Demandez l'avis du médecin si vous prenez des médicaments qui dépriment le système nerveux central, en particulier : antidépresseurs ou autres psychotropes, autres antihistaminiques, barbituriques, sédatifs, médicaments contre la toux, décongestionnants et analgésiques. Donnez au médecin le nom de tous les médicaments en vente libre que vous prenez.

MÉDICAMENT-ALIMENT

Aucune interaction connue.

MÉDICAMENT-MALADIE

Consultez votre médecin en cas de : asthme, glaucome ou autres troubles oculaires, maladie thyroïdienne, maladie du cœur ou des vaisseaux sanguins, hypertension, hypertrophie de la prostate ou difficultés à uriner.

 EFFETS INDÉSIRABLES

GRAVES

Incoordination, convulsions, somnolence très marquée, difficultés à respirer, incapacité d'uriner.

COURANTS

Somnolence ; sécheresse de la bouche, des fosses nasales et d'autres muqueuses.

MOINS COURANTS

Difficulté à uriner, vertiges, rash cutané, mal de gorge, fièvre, cauchemars, agitation motrice, difficulté à dormir, irritabilité, dérangements d'estomac, baisse de la capacité sexuelle chez l'homme.

IBUPROFÈNE

Présentation : Comprimés, comprimés à croquer, suspension
En vente libre ? Oui   **Générique disponible ?** Oui
Classe de médicaments : Anti-inflammatoire non stéroïdien (AINS)

▼ GÉNÉRALITÉS

INDICATIONS
Traitement de la douleur d'intensité faible à moyenne et de l'inflammation au niveau des muscles, des articulations et du dos ; soulagement de l'arthrite et des douleurs menstruelles. L'ibuprofène sert aussi à réduire la fièvre.

MODE D'ACTION
Les AINS entravent la formation des prostaglandines, substances qui causent l'inflammation et rendent les nerfs plus réceptifs aux impulsions douloureuses. Les AINS ont d'autres modes d'action moins bien connus.

▼ MODE D'EMPLOI

POSOLOGIE
Adultes : 200 à 400 mg aux 4 à 6 heures, sans dépasser 1 200 mg par jour. Enfants de 2 à 12 ans : 10 mg par kilogramme (2,2 lb) de poids, aux 6 à 8 heures, mais pas plus de 3 fois par jour. Ne pas dépasser la dose pour adultes. Enfants de moins de 2 ans : consultez le médecin.

DÉBUT D'ACTION
Douleur et fièvre, en 30 minutes. Arthrite, jusqu'à 3 semaines de délai.

DURÉE D'ACTION
4 heures ou plus.

CONSEILS NUTRITIONNELS
Prenez l'ibuprofène en même temps que de la nourriture.

MODE DE CONSERVATION
Dans un contenant étanche, à l'abri de la chaleur, de l'humidité et de la lumière.

OUBLI D'UNE DOSE
Prenez-la dès que vous y pensez. S'il est presque l'heure de la dose suivante, sautez la dose oubliée et revenez à la fréquence normale. Ne doublez pas la dose suivante.

ARRÊT DE LA MÉDICATION
Si le médicament est pris sur ordonnance, ne l'arrêtez pas sans consulter le médecin.

USAGE PROLONGÉ
Peut entraîner des troubles gastro-intestinaux avec ulcération et saignements, dysfonction rénale et inflammation du foie. Voyez votre médecin régulièrement pour des examens et des analyses.

▼ PRÉCAUTIONS

Plus de 60 ans. En raison des risques potentiellement plus grands d'effets gastro-intestinaux indésirables, surtout chez les plus de 70 ans, la dose est souvent réduite de moitié.

Conduite automobile, travaux dangereux. À déconseiller tant que vous ne connaissez pas votre réaction au médicament.

Alcool. À éviter ; l'alcool peut augmenter les risques d'irritation gastrique.

Grossesse. N'en prenez pas si vous êtes enceinte ou souhaitez le devenir.

Allaitement. L'ibuprofène passe dans le lait maternel ; n'en prenez pas si vous allaitez.

Nourrissons et enfants. Peut être utilisé dans des circonstances exceptionnelles ; consultez le médecin.

À surveiller. Les AINS pouvant modifier la coagulation sanguine, la médication doit être interrompue au moins 3 jours avant toute chirurgie.

SURDOSAGE
Symptômes. Nausées graves, vomissements, céphalées, confusion, convulsions.

Quoi faire. Appelez immédiatement le médecin ou le centre antipoison, ou allez à l'urgence.

▼ INTERACTIONS

MÉDICAMENT-MÉDICAMENT
Ne prenez pas ce médicament en même temps que de l'AAS ou un autre AINS sans l'approbation de votre médecin. Avertissez-le si vous prenez l'un ou l'autre des médicaments suivants : antihypertenseurs, stéroïdes, anticoagulants, acide valproïque, phénytoïne, cyclosporine, digitaliques, lithium, méthotrexate, probénécide, triamtérène ou zidovudine.

MÉDICAMENT-ALIMENT
Pas d'interaction connue.

MÉDICAMENT-MALADIE
Consultez votre médecin en cas de : saignements, inflammation ou ulcères de l'estomac ou de l'intestin, diabète sucré, lupus érythémateux disséminé, anémie, asthme, épilepsie, maladie de Parkinson, calculs rénaux, antécédents de maladie cardiaque ou d'alcoolisme. L'ibuprofène peut entraîner des complications chez les patients atteints d'une maladie du foie ou des reins, puisque ces organes contribuent à éliminer le médicament de l'organisme.

▤ EFFETS INDÉSIRABLES ▤

GRAVES
Essoufflement ou respiration sifflante, avec ou sans enflure des jambes ou autres signes d'insuffisance cardiaque ; douleur thoracique ; ulcère gastro-duodénal avec vomissements de sang ; selles noires, goudronneuses ; insuffisance rénale.

COURANTS
Nausées, vomissements, aigreurs d'estomac, diarrhée, constipation, céphalées, vertiges, somnolence.

MOINS COURANTS
Plaies ou ulcères buccaux, dépression, rash cutané ou vésicules sur la peau, bourdonnements d'oreilles, engourdissement ou fourmillement des mains ou des pieds, convulsions, vision trouble. Aussi : niveaux élevés de potassium et diminution de la numération sanguine ; le médecin pourra en identifier les signes.

IDOXURIDINE (IDU)

Présentation : Liquide topique
En vente libre ? Non   **Générique disponible ?** Oui
Classe de médicaments : Antiviral

▼ GÉNÉRALITÉS

INDICATIONS
Traitement des lésions cutanées causées par le virus d'herpès simplex (bouton de fièvre).

MODE D'ACTION
L'idoxuridine entrave l'activité des enzymes essentielles à la réplication de l'ADN dans les cellules virales, empêchant ainsi le virus de se multiplier.

▼ MODE D'EMPLOI

POSOLOGIE
Appliquez le liquide sitôt que vous notez des picotements sur la peau ou d'autres symptômes signalant l'imminence d'une lésion. On peut utiliser le médicament de plusieurs façons. On peut par exemple – et c'est l'administration la plus typique – en mettre 1 ou 2 gouttes sur la lésion à chaque heure de la journée. Appliquez-en aussi tout autour de la lésion. Une autre approche consiste à mettre les gouttes aux 10 à 15 minutes durant les 2 premières heures, puis 1 fois par heure durant tout le jour.

DÉBUT D'ACTION
En 1 heure.

DURÉE D'ACTION
Inconnue.

CONSEILS NUTRITIONNELS
Pas de restrictions connues.

MODE DE CONSERVATION
À la température ambiante et à l'abri de la lumière.

OUBLI D'UNE DOSE
Appliquez-la dès que vous y pensez. S'il est presque l'heure de la suivante, sautez la dose oubliée et reprenez la fréquence normale. Ne doublez pas la dose suivante.

ARRÊT DE LA MÉDICATION
Effectuez le traitement au complet, comme il vous a été prescrit. Prolongez-le durant au moins 24 heures après guérison de la lésion.

USAGE PROLONGÉ
L'idoxuridine n'est pas destinée à un usage prolongé. Si les symptômes n'ont pas régressé après 7 jours, consultez le médecin.

▼ PRÉCAUTIONS

Plus de 60 ans. Aucun risque connu.

Conduite automobile, travaux dangereux. Le traitement à l'idoxuridine ne devrait pas vous empêcher d'exécuter de telles activités en toute sécurité.

Alcool. Pas de précautions spéciales.

Grossesse. Avant de prendre de l'idoxuridine, avertissez le médecin que vous êtes enceinte ou voulez le devenir.

Allaitement. L'idoxuridine peut passer dans le lait maternel : la prudence s'impose. Demandez l'avis du médecin.

Nourrissons et enfants. Il n'y a pas eu d'études spécifiques sur l'administration de l'idoxuridine aux enfants ; il ne faudrait appliquer ce médicament à de jeunes enfants que sous étroite surveillance médicale.

À surveiller. Il est important de commencer le traitement aussi rapidement que possible et de ne pas oublier d'appliquer également du médicament sur la zone qui entoure la lésion.

SURDOSAGE
Symptômes. Aucun symptôme spécifique n'a été signalé.

Quoi faire. Une surdose d'idoxuridine est peu probable. Si le médicament est pris par voie orale, appelez le médecin ou le centre anti-poison.

▼ INTERACTIONS

MÉDICAMENT-MÉDICAMENT
Consultez le médecin si vous prenez des médicaments contenant de l'acide borique.

MÉDICAMENT-ALIMENT
Aucune interaction connue.

MÉDICAMENT-MALADIE
Aucune interaction connue.

≡ EFFETS INDÉSIRABLES ≡

GRAVES
Réaction allergique provoquant démangeaisons, enflure, rougeur, douleur et sensation persistante de brûlure.

COURANTS
Aucun effet indésirable courant n'a été signalé.

MOINS COURANTS
Aucun effet indésirable moins courant n'a été signalé.

IMIPRAMINE

Présentation : Comprimés
En vente libre ? Non   **Générique disponible ?** Oui
Classe de médicaments : Antidépresseur tricyclique

▼ GÉNÉRALITÉS

INDICATIONS
Soulagement des symptômes de la dépression grave. Aussi traitement de l'incontinence nocturne chez les enfants de 5 ans et plus.

MODE D'ACTION
L'imipramine abaisse les taux de norépinéphrine et de sérotonine dans le cerveau, substances qu'on croit reliées à l'humeur, aux émotions et aux états psychiques.

▼ MODE D'EMPLOI

POSOLOGIE
Dépression – Adultes : dose initiale, 25 mg, 3 fois par jour ; la posologie peut être portée à 200 mg par jour. Personnes âgées : 30 à 40 mg par jour, en doses fractionnées ; peut être portée à 100 mg par jour. Une fois la dose d'entretien établie, l'imipramine peut être administrée 1 fois par jour, au coucher. Incontinence nocturne – Enfants de 5 à 15 ans : 10 à 25 mg par jour, 1 heure avant le coucher. On peut augmenter la posologie en fonction de la réponse.

DÉBUT D'ACTION
En 1 à 6 semaines.

DURÉE D'ACTION
Inconnue.

CONSEILS NUTRITIONNELS
Pour diminuer les dérangements d'estomac, prenez le médicament en mangeant, à moins d'avis contraire du médecin. Mangez plus de fibres et buvez beaucoup.

MODE DE CONSERVATION
Dans un contenant étanche, à l'abri de la chaleur, de l'humidité et de la lumière.

OUBLI D'UNE DOSE
Si vous prenez une seule dose au coucher et l'oubliez, ne la prenez pas le matin suivant pour éviter de souffrir de somnolence. Appelez le médecin. Si vous prenez plusieurs doses par jour, prenez la dose oubliée dès que vous y pensez, à moins qu'il ne soit presque l'heure de la suivante. Dans ce cas, sautez-la et reprenez la fréquence normale. Ne doublez pas la dose suivante.

ARRÊT DE LA MÉDICATION
Effectuez le traitement au complet, comme il vous a été prescrit, même si vous vous sentez mieux avant la fin. La décision d'interrompre le traitement doit être prise en consultation avec le médecin.

USAGE PROLONGÉ
Un traitement normal dure de 6 mois à 1 an ; quelques patients tirent avantage d'un traitement prolongé.

▼ PRÉCAUTIONS

Plus de 60 ans. Réactions indésirables plus fréquentes et plus graves. Il peut y avoir lieu de réduire les doses.

Conduite automobile, travaux dangereux. Soyez prudent jusqu'à ce que vous connaissiez votre réaction au médicament. L'imipramine peut causer somnolence et étourdissements.

Alcool. À éviter.

Grossesse. Il n'existe pas d'études pertinentes. Demandez l'avis du médecin.

Allaitement. N'en prenez pas pendant que vous allaitez.

Nourrissons et enfants. Non prescrit aux moins de 5 ans.

À surveiller. C'est un médicament potentiellement dangereux, surtout en surdose. Les antidépresseurs tricycliques ne doivent pas être laissés à la portée des patients suicidaires.

SURDOSAGE
Symptômes. Difficultés à respirer, fatigue marquée, convulsions, confusion, hallucinations, manque de concentration, pupilles dilatées, arythmies cardiaques, fièvre.

Quoi faire. Allez immédiatement à l'urgence.

▼ INTERACTIONS

MÉDICAMENT-MÉDICAMENT
Demandez l'avis du médecin si vous prenez : agents antithyroïdiens, cimétidine, clonidine, anorexigènes, isoprotérénol, éphédrine, épinéphrine, phényléphrine, antipsychotiques, pimozide, méthyldopa, métoclopramide, prométhazine, triméprazine, IMAO ou tout dépresseur du système nerveux central, phénytoïne, carbamazépine, moclobémide, quinidine et warfarine.

MÉDICAMENT-ALIMENT
Aucune interaction connue.

MÉDICAMENT-MALADIE
Avisez le médecin dans les cas suivants : antécédents d'alcoolisme, mictions difficiles, asthme, maladie bipolaire, hypertension, troubles de l'estomac ou de l'intestin, glaucome, hyperthyroïdie, hypertrophie de la prostate, schizophrénie, convulsions, trouble sanguin, maladie du rein, du cœur ou du foie.

EFFETS INDÉSIRABLES

GRAVES
Confusion, arythmie cardiaque, hallucinations, convulsions, fatigue extrême ou somnolence, vue trouble ou altérée, difficultés à respirer, constipation, manque de concentration, mictions difficiles, fièvre, agitation motrice marquée et persistante, perte de coordination et d'équilibre, déglutition ou élocution difficiles, pupilles dilatées, douleur oculaire, évanouissements. Aussi tremblements, faiblesse, rigidité des extrémités, démarche traînante.

COURANTS
Somnolence, vertiges ou étourdissements, céphalées, bouche sèche, goût désagréable, fatigue, sensibilité accrue de la peau au soleil, gain de poids, appétit accru, nausées.

MOINS COURANTS
Aigreurs d'estomac, insomnie, diarrhée, sudation accrue, vomissements.

IMIQUIMOD

Présentation : Crème
En vente libre ? Non **Générique disponible ?** Non
Classe de médicaments : Modificateur de la réponse immunitaire

▼ GÉNÉRALITÉS

INDICATIONS
Traitement des condylomes externes génitaux et périanaux (condylomes acuminés) chez les adultes.

MODE D'ACTION
Inconnu.

▼ MODE D'EMPLOI

POSOLOGIE
Appliquez la crème en couche mince sur le condylome 3 fois par semaine, au coucher. Laissez-la en place 6 à 10 heures avant de l'enlever avec du savon doux et de l'eau.

DÉBUT D'ACTION
Inconnu.

DURÉE D'ACTION
Inconnue.

CONSEILS NUTRITIONNELS
Pas de restriction spéciale.

MODE DE CONSERVATION
Dans un contenant étanche, à l'abri de la chaleur, de l'humidité et de la lumière. Ne congelez pas ce médicament.

OUBLI D'UNE DOSE
Si vous oubliez une dose, sautez-la et reprenez la fréquence normale le jour voulu ; n'appliquez pas la crème 2 jours de suite.

ARRÊT DU TRAITEMENT
Le traitement doit se poursuivre jusqu'à disparition complète des condylomes, mais sans dépasser 16 semaines. Si les condylomes n'ont pas disparu à ce moment-là, cessez d'appliquer l'imiquimod et consultez le médecin.

USAGE PROLONGÉ
L'imiquimod n'est pas prescrit pour plus de 16 semaines.

▼ PRÉCAUTIONS

Plus de 60 ans. Pas de risque connu.

Conduite automobile, travaux dangereux. L'utilisation d'imiquimod ne devrait pas vous empêcher d'exécuter de telles activités en toute sécurité.

Alcool. Pas de précautions spéciales.

Grossesse. Il n'y a pas eu d'études pertinentes sur les humains. Avant d'entreprendre le traitement à l'imiquimod, avertissez le médecin si vous êtes enceinte ou désirez le devenir.

Allaitement. L'imiquimod peut passer dans le lait maternel ; la prudence s'impose. Demandez l'avis du médecin.

Nourrissons et enfants. Non recommandé pour les moins de 18 ans.

À surveiller. Ne recouvrez pas la région traitée avec un pansement ou des vêtements serrés. Lavez-vous les mains avant et après l'application de la crème. Évitez de vous en mettre dans les yeux. Il est préférable de vous abstenir de tout contact sexuel pendant que la crème se trouve sur la lésion. Elle peut détériorer les diaphragmes et les condoms et nuire à la sécurité qu'ils offrent. Si la région traitée devient gravement irritée, interrompez le traitement durant plusieurs jours ou jusqu'à disparition complète de l'irritation et reprenez-le.

SURDOSAGE
Symptômes. Aucun cas de surdosage n'a été signalé.

Quoi faire. Une surdose d'imiquimod est peu probable. Néanmoins, si le médicament est ingéré par accident, appelez immédiatement le médecin ou le centre antipoison, ou allez à l'urgence.

▼ INTERACTIONS

MÉDICAMENT-MÉDICAMENT
Aucune interaction connue.

MÉDICAMENT-ALIMENT
Aucune interaction connue.

MÉDICAMENT-MALADIE
L'imiquimod doit être utilisé avec prudence par les patients qui ont des antécédents de troubles inflammatoires de la peau. Si vous avez récemment subi un traitement médical ou chirurgical dans la région génitale ou périanale, le traitement à l'imiquimod doit être différé jusqu'à guérison complète des tissus affectés.

 EFFETS INDÉSIRABLES ⇩⇩

GRAVES
Paupières, lèvres ou visage enflés, respiration sifflante ou rash cutané : signes d'une réaction allergique au médicament.

COURANTS
Les effets indésirables courants sont limités à la région traitée : rougeur, amincissement de la peau, squames, enflure.

MOINS COURANTS
Durcissement ou raideur de la région traitée, lésions, croûtes, vésicules.

INDAPAMIDE

Apo-Indapamide,
Gen-Indapamide, Lozide,
Novo-Indapamide,
Nu-Indapamide,
PMS-Indapamide

Présentation : Comprimés
En vente libre ? Non **Générique disponible ?** Oui
Classe de médicaments : Diurétique thiazidique

▼ GÉNÉRALITÉS

INDICATIONS
Pour aider à maîtriser l'hypertension artérielle et à traiter les troubles amenant de l'œdème (enflure des tissus organiques causée par un excès de sel et de la rétention hydrique).

MODE D'ACTION
Les diurétiques augmentent l'excrétion de sel et d'eau dans l'urine. En diminuant le volume liquidien de l'organisme, ces médicaments réduisent le volume du sang et, en conséquence, la pression à l'intérieur des vaisseaux sanguins.

▼ MODE D'EMPLOI

POSOLOGIE
Hypertension : dose initiale, 1,25 mg, 1 fois par jour ; la posologie peut être augmentée jusqu'à 2,5 mg par jour. Œdème : 1,25 mg, 1 fois par jour ; la posologie peut être augmentée jusqu'à 2,5 mg par jour.

DÉBUT D'ACTION
En 1 à 2 heures.

DURÉE D'ACTION
24 heures.

CONSEILS NUTRITIONNELS
Une seule dose quotidienne, à prendre le matin, après le petit déjeuner.

MODE DE CONSERVATION
Dans un contenant étanche, à l'abri de la chaleur et de la lumière.

OUBLI D'UNE DOSE
Prenez-la dès que vous y pensez. S'il est presque l'heure de la dose suivante, sautez la dose oubliée et reprenez la fréquence normale. Ne doublez pas la dose suivante.

ARRÊT DE LA MÉDICATION
La décision de mettre fin au traitement doit être prise par le médecin.

 EFFETS INDÉSIRABLES

GRAVES
Rash cutané, urticaire, démangeaisons intenses, enflure de la bouche et de la gorge, difficultés à respirer, arythmies cardiaques, étourdissements, ecchymoses ou saignements anormaux.

COURANTS
Crampes ou douleurs musculaires. Carence en potassium pouvant entraîner palpitations et faiblesse. Déplétion liquidienne pouvant causer des étourdissements – surtout quand le patient se lève après avoir été assis ou couché – mais aussi soif, sécheresse de la bouche et constipation.

MOINS COURANTS
Diminution de la capacité sexuelle, sensibilité accrue à la lumière solaire, perte d'appétit, goutte, hausse du taux de sucre sanguin (un problème pour les diabétiques).

USAGE PROLONGÉ
Un suivi médical est nécessaire, avec examens et analyses si vous devez prendre ce médicament longtemps.

▼ PRÉCAUTIONS

Plus de 60 ans. Risques de réactions indésirables plus fréquentes et plus graves.

Conduite automobile, travaux dangereux. Pas de précautions spéciales.

Alcool. Pas de précautions spéciales.

Grossesse. L'indapamide ne doit pas être pris durant la grossesse, à moins que le médecin ne le recommande.

Allaitement. L'indapamide peut passer dans le lait maternel ; la prudence s'impose. Demandez l'avis du médecin.

Nourrissons et enfants. L'innocuité et l'efficacité de l'indapamide n'ont pas été déterminées pour les enfants de moins de 12 ans. Demandez spécifiquement l'avis du médecin.

À surveiller. Suivez bien les directives de votre médecin pour ce qui touche à la consommation d'aliments riches en potassium ou de suppléments de potassium. Il peut être nécessaire d'interrompre un traitement à l'indapamide 5 à 7 jours avant une intervention chirurgicale importante. Si vous prenez plus de 1 dose par jour, la dernière ne devrait pas être absorbée après 18 heures, à moins d'avis contraire du médecin.

SURDOSAGE
Symptômes. Irritation de l'estomac, soif, crampes musculaires, nausées, vomissements, augmentation du débit urinaire, léthargie, perte de conscience.

Quoi faire. Appelez immédiatement le médecin ou le centre antipoison, ou allez à l'urgence.

▼ INTERACTIONS

MÉDICAMENT-MÉDICAMENT
Demandez l'avis du médecin si vous prenez : autres antihypertenseurs, lithium, antidiabétiques oraux, digitaliques, anti-inflammatoires non stéroïdiens (AINS), cholestyramine ou colestipol.

MÉDICAMENT-ALIMENT
Suivez les directives du médecin à l'égard de votre consommation de sel et d'aliments riches en potassium.

MÉDICAMENT-MALADIE
La prudence est recommandée quand vous prenez de l'indapamide. Avisez le médecin que vous souffrez de diabète, de goutte ou de lupus. L'indapamide peut entraîner des complications chez les patients souffrant de maladie du foie ou des reins, car ces organes travaillent ensemble à éliminer le médicament de l'organisme.

INDINAVIR

Présentation : Gélules
En vente libre ? Non   **Générique disponible ?** Non
Classe de médicaments : Antiviral/inhibiteur de la protéase

▼ GÉNÉRALITÉS

INDICATIONS

Traitement de l'infection au VIH (virus de l'immunodéficience humaine) et du sida (syndrome de l'immunodéficience acquise), généralement en association avec d'autres médicaments. Bien que ne constituant pas un traitement du VIH, l'indinavir peut inhiber la réplication du virus et retarder la progression de la maladie.

MODE D'ACTION

L'indinavir entrave l'activité d'une protéase virale, enzyme indispensable à la reproduction du VIH, ce qui entraîne la formation de particules virales non infectieuses.

▼ MODE D'EMPLOI

POSOLOGIE

800 mg aux 8 heures, en association avec d'autres antiviraux. La dose peut être plus forte ou plus faible quand l'indinavir est associé à des antiviraux susceptibles de modifier le taux d'indinavir dans le sang.

DÉBUT D'ACTION

Inconnu. La réponse à la plupart des antirétroviraux se voit dès les premières semaines de la thérapie, mais le plein effet thérapeutique peut prendre 12 à 16 semaines.

DURÉE D'ACTION

Inconnue. Elle peut être plus longue si l'indinavir est associé à des médicaments dont l'action combinée contre le virus est maximale.

CONSEILS NUTRITIONNELS

L'indinavir se prend avec beaucoup de liquide, au moins 1 heure avant un repas ou 2 heures après. Il peut aussi se prendre avec un goûter léger et non gras.

MODE DE CONSERVATION

Dans un contenant étanche, à l'abri de la chaleur, de l'humidité et de la lumière.

OUBLI D'UNE DOSE

Il est important de respecter l'horaire des prises d'indinavir pour maintenir la concentration du médicament dans le sang. Prenez la dose oubliée dès que vous y pensez. S'il est presque l'heure de la suivante, sautez la dose oubliée et reprenez la fréquence normale. Ne doublez pas la dose suivante.

ARRÊT DE LA MÉDICATION

Cette décision doit être prise par le médecin.

USAGE PROLONGÉ

Un suivi médical s'impose.

▼ PRÉCAUTIONS

Plus de 60 ans. Il n'existe pas d'études spéciales sur les personnes âgées.

Conduite automobile, travaux dangereux. À déconseiller tant que vous ne connaissez pas votre réaction au médicament.

Alcool. À éviter en cas d'insuffisance hépatique.

Grossesse. Il a été établi que l'indinavir entraînait des anomalies congénitales chez l'animal. Il n'existe pas d'études sur les humains. Néanmoins, on utilise de plus en plus l'indinavir en association avec d'autres antirétroviraux pour traiter les femmes enceintes infectées au VIH.

Allaitement. Les femmes infectées au VIH ne devraient pas allaiter pour éviter de transmettre le virus à un nourrisson non infecté.

Nourrissons et enfants. Innocuité et efficacité non établies pour les enfants de moins de 16 ans.

À surveiller. Il est important de boire au moins 1,5 litre (48 oz) d'eau ou d'autres liquides par 24 heures pour prévenir les calculs rénaux. Le traitement peut être interrompu si vous avez des calculs. Ne manquez pas d'avertir médecins ou dentistes que vous prenez de l'indinavir. Rappelez-vous qu'un traitement à l'indinavir n'élimine pas le risque de transmettre le virus du sida à d'autres personnes.

SURDOSAGE

Symptômes. Douleur lombaire, sang dans l'urine, nausées, vomissements, diarrhée.

Quoi faire. Il est peu probable qu'une surdose mette votre vie en danger. Néanmoins, si la dose est très forte, appelez le médecin ou le centre antipoison, ou allez à l'urgence.

▼ INTERACTIONS

MÉDICAMENT-MÉDICAMENT

Demandez l'avis du médecin sur tout médicament que vous prenez, en particulier : astémizole, didanosine, délavirdine, éfavirenz, itraconazole, kétoconazole, midazolam, triazolam, rifabutine, rifampine, phénobarbital, phénytoïne, carbamazépine, hypocholestérolémiants ou dexaméthasone.

MÉDICAMENT-ALIMENT

Les aliments, surtout s'ils sont gras, diminuent l'absorption du médicament.

MÉDICAMENT-MALADIE

L'indinavir peut entraîner des complications chez les patients souffrant d'une maladie du foie.

▼ EFFETS INDÉSIRABLES

GRAVES

Sang dans l'urine sanglante et douleur irradiante dans le dos, indices de calculs rénaux. Possibilité d'hyperglycémie (diabète) chez les patients prenant des médicaments de cette classe, mais on n'a pas établi de rapport de causalité. Soif ou débit urinaire excessifs.

COURANTS

Faiblesse généralisée, douleurs abdominales, diarrhée, nausées, vomissements, céphalées, insomnie, modifications du goût, sécheresse de la peau, lèvres gercées.

MOINS COURANTS

Vertiges, somnolence, dépression, troubles de la mémoire, flatulence, fonte musculaire, hypercholestérolémie.

INDOMÉTHACINE

Présentation : Gélules, suppositoires
En vente libre ? Non **Générique disponible ?** Oui
Classe de médicaments : Anti-inflammatoire non stéroïdien (AINS)

▼ GÉNÉRALITÉS

INDICATIONS
Traitement de la douleur et de l'inflammation d'intensité faible à moyenne accompagnant : tendinite, arthrite, bursite, goutte, lésions des tissus mous, migraines et autres céphalées vasculaires, douleurs menstruelles et autres troubles. En raison de ses risques de toxicité élevés, on ne doit recourir à l'indométhacine que lorsque d'autres anti-inflammatoires non stéroïdiens (AINS) n'ont pas donné de résultats.

MODE D'ACTION
Les AINS entravent la formation de prostaglandines, substances naturelles qui causent l'inflammation et rendent les nerfs plus réceptifs aux impulsions douloureuses. Les AINS ont d'autres modes d'action moins bien connus.

▼ MODE D'EMPLOI

POSOLOGIE
Adultes – Gélules : Arthrite : 25 à 50 mg, 2 à 4 fois par jour, sans dépasser 200 mg par jour normalement au début. Goutte : 100 mg en attaque, puis 50 mg, 3 fois par jour. Le médecin pourra ensuite réduire graduellement cette posologie. Bursite ou tendinite : 25 mg, 3 ou 4 fois par jour, ou 50 mg, 3 fois par jour. Suppositoires : Arthrite, goutte, bursite et tendinite : 1 suppositoire de 50 mg, 1 à 4 fois par jour. Enfants – Toutes formes : consultez le pédiatre pour connaître la posologie.

DÉBUT D'ACTION
En 30 minutes à plusieurs heures.

DURÉE D'ACTION
4 heures ou davantage.

CONSEILS NUTRITIONNELS
À prendre en même temps que de la nourriture ; mangez et buvez normalement.

MODE DE CONSERVATION
Dans un contenant étanche, à l'abri de la chaleur, de l'humidité et de la lumière.

OUBLI D'UNE DOSE
Prenez-la dès que vous y pensez. S'il est presque l'heure de la suivante, sautez la dose oubliée et revenez à la fréquence normale. Ne doublez pas la dose suivante.

ARRÊT DE LA MÉDICATION
Effectuez le traitement au complet, comme il vous a été prescrit. Si vous vous sentez mieux avant qu'il ne prenne fin, demandez au médecin s'il y a lieu de l'interrompre.

USAGE PROLONGÉ
Le traitement peut durer des semaines et des mois.

▼ PRÉCAUTIONS

Plus de 60 ans. À cause des risques plus élevés d'effets gastro-intestinaux indésirables, surtout chez les plus de 70 ans, la posologie est souvent réduite de moitié.

Conduite automobile, travaux dangereux. À éviter jusqu'à ce que vous connaissiez les effets du médicament sur vous.

Alcool. À éviter.

Grossesse. Ne prenez pas d'indométhacine si vous êtes enceinte.

Allaitement. N'en prenez pas durant l'allaitement.

Nourrissons et enfants. S'emploie seulement quand d'autres AINS n'ont pas été efficaces. Voyez le pédiatre.

À surveiller. Les AINS pouvant modifier la coagulation du sang, la médication devrait être interrompue au moins 3 jours avant toute chirurgie.

SURDOSAGE
Symptômes. Nausées graves, vomissements, céphalées, confusion, convulsions.

Quoi faire. Appelez aussitôt le médecin ou le centre anti-poison, ou allez à l'urgence.

▼ INTERACTIONS

MÉDICAMENT-MÉDICAMENT
Ne prenez pas ce médicament en même temps que de l'AAS ou qu'un autre AINS. Informez le médecin si vous prenez : anticoagulants, antibiotiques, itraconazole ou kétoconazole, pénicillamine, acide valproïque, phénytoïne, cyclosporine, digitaliques, lithium, antihypertenseurs, méthotrexate, probénécide, stéroïdes, triamtérène ou zidovudine.

MÉDICAMENT-ALIMENT
Pas d'interaction connue.

MÉDICAMENT-MALADIE
Avisez le médecin en cas de : antécédents d'alcoolisme, saignements, inflammation ou ulcères de l'estomac ou des intestins, diabète sucré, maladie du cœur, du foie ou des reins (dont calculs rénaux), lupus érythémateux disséminé, anémie, asthme, épilepsie ou maladie de Parkinson.

☰ EFFETS INDÉSIRABLES ☰

GRAVES
Respiration difficile ou sifflante, avec ou sans enflure des jambes ou autres signes d'insuffisance cardiaque ; douleur thoracique ; ulcère gastro-duodénal avec vomissements de sang ; selles noires, goudronneuses ; sang dans l'urine dû à une insuffisance rénale, baisse de la fréquence urinaire ; essoufflement. Les AINS peuvent entraîner la constriction des voies aériennes ou des réactions allergiques graves chez les patients sensibles à l'AAS, surtout s'ils souffrent de polypes nasaux ou d'asthme induits par l'AAS.

COURANTS
Nausées, vomissements, aigreurs d'estomac, diarrhée, constipation, céphalées, vertiges, somnolence.

MOINS COURANTS
Plaies ou ulcères buccaux, rash cutané ou vésicules, engourdissement ou fourmillement des mains et des pieds, dépression, bourdonnements d'oreilles, convulsions, vision embrouillée. Taux élevés de potassium dans le sang et diminution de la numération sanguine.

INSULINE ASPART

NOM COMMERCIAL

NovoRapid

Présentation : Injection
En vente libre ? Oui **Générique disponible ?** Non
Classe de médicaments : Antidiabétique

▼ GÉNÉRALITÉS

INDICATIONS

Traitement de longue durée du diabète sucré. Les diabétiques de type 1 exigent un traitement permanent à l'insuline, tandis que ceux de type 2 n'ont besoin d'insuline que s'ils sont incapables de stabiliser leur taux sanguin de glucose (sucre) au moyen d'un régime alimentaire et de médicaments pris par voie orale.

MODE D'ACTION

L'insuline, hormone sécrétée par les cellules bêta du pancréas, joue un rôle essentiel dans la métabolisation et le stockage des hydrates de carbone, des lipides et des protéines. Sécrétée en réponse à une hausse du sucre sanguin (glucose), l'insuline réduit le glucose sanguin en augmentant son utilisation par les cellules de l'organisme, surtout les muscles, et en diminuant la libération de glucose par le foie entre les repas.

▼ MODE D'EMPLOI

POSOLOGIE

1 à 4 fois par jour avant les repas et peut-être au coucher. Doses et fréquence sont déterminées par le médecin. L'insuline aspart doit être administrée 5 à 10 minutes avant un repas.

DÉBUT D'ACTION

En 15 minutes ; le plein effet thérapeutique se manifeste en 45 minutes.

DURÉE D'ACTION

3 à 4 heures.

CONSEILS NUTRITIONNELS

Les diabétiques devraient respecter les recommandations nutritionnelles de l'Association Diabète Québec ou l'Association canadienne du diabète. La consommation normale de sucre n'est pas interdite, mais consommer des mets sucrés en grande quantité à un moment donné peut faire rapidement monter le taux sanguin de glucose et intensifier la soif et le débit urinaire. En outre, les patients qui reçoivent de l'insuline doivent manger à des heures régulières et prendre des repas ayant la même teneur calorique. Selon la fréquence, la dose et le type d'insuline prescrite, on peut recommander aux patients de prendre un goûter en fin d'après-midi, avant le coucher ou avant un exercice physique inhabituel. Les diabétiques garderont à porter de la main un jus, un aliment ou des comprimés qui peuvent élever rapidement le taux sanguin de sucre en cas d'hypoglycémie.

MODE DE CONSERVATION

Gardez l'insuline au réfrigérateur, mais ne la congelez pas. Vous n'avez pas besoin de la garder au réfrigérateur durant de courts déplacements, mais évitez de l'exposer à des températures élevées.

OUBLI D'UNE DOSE

Le chronométrage des doses d'insuline est très important. Mesurez votre taux de glucose et prenez une dose d'insuline régulière si le niveau de glucose est trop élevé. Autrement, attendez l'heure de la dose suivante.

ARRÊT DE LA MÉDICATION

N'arrêtez pas les injections d'insuline si ce n'est sous l'ordre du médecin. En général, on apprend aux diabétiques à mesurer leur taux de glucose et à modifier en conséquence la posologie.

USAGE PROLONGÉ

Certains diabétiques de longue date ne perçoivent plus les symptômes d'hypoglycémie ; si cet état se prolonge, ils peuvent souffrir de graves complications cérébrales.

▼ PRÉCAUTIONS

Plus de 60 ans. Pas de précautions spéciales. Certaines personnes âgées peuvent cependant souffrir de troubles de la vue qui les empêchent de bien mesurer les doses d'insuline.

Conduite automobile, travaux dangereux. Les patients insulinodépendants doivent prendre soin de ne pas souffrir d'hypoglycémie quand ils exécutent de telles tâches.

Alcool. Une consommation modérée d'alcool, surtout durant de gros repas, ne nuit pas au contrôle du diabète et ne modifie pas la posologie de l'insuline. Néanmoins, de grandes quantités d'alcool augmentent les risques d'hypoglycémie.

Grossesse. De stricts contrôles métaboliques — généralement au moyen d'injections d'insuline — doivent être maintenus durant la grossesse pour réduire les risques d'anomalies congénitales, de complications chez le fœtus ou de mort du bébé à l'accouchement. Chez les femmes qui étaient diabétiques avant la grossesse, la dose d'insuline peut souvent être diminuée durant le pre-

---

≡ EFFETS INDÉSIRABLES ≡

GRAVES

Les symptômes d'hypoglycémie peuvent être causés par la libération d'adrénaline ou par un apport insuffisant de glucose au cerveau. Symptômes d'hypoglycémie grave (carence en glucose cérébral) : difficultés d'élocution, manque de concentration, confusion, convulsions, coma, dommages irréversibles au cerveau et mort. Symptômes d'hypoglycémie faible : sommeil agité, cauchemars, sueurs froides qui réveillent le patient durant la nuit.

COURANTS

Symptômes provoqués par la libération d'adrénaline (symptômes d'hypoglycémie faible ou modérée) : sueurs froides, anxiété, tremblements, faim, tachycardie, céphalées et nervosité. L'insuline provoque souvent un gain de poids.

MOINS COURANTS

Réactions allergiques, lipo-atrophie (dépressions dans la peau engendrées par la perte de tissus adipeux) ou lipo-hypertrophie (accumulation de tissus adipeux).

(à suivre)

mier trimestre de la grossesse et augmentée durant les deux derniers. Dans le cas des femmes qui commencent à souffrir de diabète durant la grossesse (diabète de gestation), les besoins en insuline diminuent rapidement après l'accouchement et la plupart d'entre elles n'ont pas besoin de poursuivre un traitement à l'insuline.

Allaitement. Les besoins en insuline diminuent durant l'allaitement. Les femmes doivent néanmoins mesurer leur taux de glucose pour éviter de faire de l'hypoglycémie. L'insuline ne passe pas dans le lait maternel.

Nourrissons et enfants. Même traitement que pour les adultes.

À surveiller. Des doses insuffisantes d'insuline dans le diabète de type 1 peuvent entraîner de l'acidocétose, complication grave dont les symptômes sont : perte d'appétit, soif et débit urinaire excessifs, nausées, vomissements, respiration profonde, haleine fruitée, somnolence, confusion et perte de conscience.

SURDOSAGE
Symptômes. Ce sont ceux de l'hypoglycémie (voir Effets indésirables).

Quoi faire. Hypoglycémie d'intensité faible ou modérée : prenez des boissons ou des aliments sucrés. Hypoglycémie grave : à défaut d'injections de glucagon, allez immédiatement à l'urgence.

▼ INTERACTIONS

MÉDICAMENT-MÉDICAMENT
Un grand nombre de médicaments peuvent entraîner de l'hyper ou de l'hypoglycémie. Informez le médecin de tous les médicaments vendus avec ou sans ordonnance que vous prenez avant le traitement à l'insuline. Et prévenez-le de tout nouveau médicament par la suite. Les corticostéroïdes peuvent augmenter les taux de glucose sanguin et les besoins en insuline. Les bêtabloquants (contre l'hypertension) peuvent causer de l'hyper ou de l'hypoglycémie ; comme ces médicaments peuvent masquer les symptômes d'hypoglycémie provoquée par une libération d'adrénaline, une faible hypoglycémie peut s'installer à votre insu et mener progressivement à une hypoglycémie grave avec risque de dommages cérébraux.

MÉDICAMENT-ALIMENT
Les besoins en insuline augmentent quand vous absorbez de grandes quantités de calories sous forme de sucres et d'hydrates de carbone.

MÉDICAMENT-MALADIE
Les besoins en insuline augmentent en cas de : infections, stress psychologique, hyperthyroïdie non maîtrisée ou chirurgie. Ils peuvent diminuer en présence de maladie rénale ou d'insuffisance surrénale et hypophysaire.

INSULINE GLARGINE (ADN RECOMBINÉ)

Présentation : Injection
En vente libre ? Oui **Générique disponible ?** Non
Classe de médicaments : Antidiabétique

▼ GÉNÉRALITÉS

INDICATIONS
Traitement de longue durée du diabète sucré. Les diabétiques de type 1 exigent un traitement permanent à l'insuline, tandis que ceux de type 2 n'ont besoin d'insuline que s'ils sont incapables de stabiliser leur taux sanguin de glucose (sucre) au moyen d'un régime alimentaire et de médicaments pris par voie orale. L'insuline glargine est une forme légèrement modifiée de l'insuline humaine ; son effet hypoglycémiant, qui se maintient à un niveau relativement constant sur une période de 24 heures, permet d'établir une seule dose quotidienne.

MODE D'ACTION
L'insuline, hormone sécrétée par les cellules bêta du pancréas, joue un rôle essentiel dans la métabolisation et le stockage des hydrates de carbone, des lipides et des protéines. Sécrétée en réponse à une hausse du sucre sanguin (glucose), l'insuline réduit le glucose sanguin en augmentant son utilisation par les cellules de l'organisme, surtout les muscles, et en diminuant la libération de glucose par le foie entre les repas.

▼ MODE D'EMPLOI

POSOLOGIE
En injection sous-cutanée (dans la poitrine, la cuisse ou le bras) 1 fois par jour au coucher. Doses à déterminer par le médecin. La solution doit être limpide et incolore, sans particules visibles. L'insuline glargine ne doit pas être diluée, ni mélangée à aucune autre insuline ou solution.

DÉBUT D'ACTION
En 1 à 2 heures.

DURÉE D'ACTION
Au moins 24 heures.

CONSEILS NUTRITIONNELS
Les diabétiques devraient respecter les recommandations nutritionnelles de l'Association Diabète Québec ou l'Association canadienne du diabète. La consommation normale de sucre n'est pas interdite, mais consommer des mets sucrés en grande quantité à un moment donné peut faire rapidement monter le taux sanguin de glucose et intensifier la soif et le débit urinaire. En outre, les patients qui reçoivent de l'insuline doivent manger à des heures régulières et prendre des repas ayant la même teneur calorique. Selon la fréquence, la dose et le type d'insuline prescrite, on peut recommander aux patients de prendre un goûter en fin d'après-midi, avant le coucher ou avant un exercice physique inhabituel. Les diabétiques garderont à porter de la main un jus, un aliment ou des comprimés qui peuvent élever rapidement le taux sanguin de sucre en cas d'hypoglycémie.

MODE DE CONSERVATION
Gardez l'insuline au réfrigérateur, mais ne la congelez pas. Si vous ne pouvez pas la réfrigérer, demandez au pharmacien ou au médecin combien de temps vous pouvez la garder à la température ambiante.

OUBLI D'UNE DOSE
Le chronométrage des doses d'insuline est très important. Mesurez votre taux de glucose et prenez une dose d'insuline régulière si le niveau de glucose est trop élevé. Autrement, attendez l'heure de la dose suivante.

ARRÊT DE LA MÉDICATION
N'arrêtez pas le traitement si ce n'est sous l'ordre du médecin. En général, on apprend aux diabétiques à mesurer leur taux de glucose et à modifier en conséquence la posologie.

USAGE PROLONGÉ
Certains diabétiques de longue date ne perçoivent plus les symptômes d'hypoglycémie ; si cet état se prolonge, ils peuvent souffrir de graves complications cérébrales.

▼ PRÉCAUTIONS

Plus de 60 ans. Pas de précautions spéciales. Certaines personnes âgées peuvent cependant souffrir de troubles de la vue qui les empêchent de bien mesurer les doses d'insuline.

Conduite automobile, travaux dangereux. Les patients insulinodépendants doivent prendre soin de ne pas souffrir d'hypoglycémie quand ils exécutent de telles tâches.

Alcool. Une consommation modérée d'alcool, surtout durant de gros repas, ne nuit pas au contrôle du diabète et ne modifie pas la posologie de l'insuline. Néanmoins, de grandes quantités d'alcool augmentent les risques d'hypoglycémie.

Grossesse. De stricts contrôles métaboliques – généralement au moyen d'injections d'insuline – doivent être maintenus durant la grossesse

EFFETS INDÉSIRABLES

GRAVES
Les symptômes d'hypoglycémie peuvent être causés par la libération d'adrénaline ou par un apport insuffisant de glucose au cerveau. Symptômes d'hypoglycémie grave (carence en glucose cérébral) : difficultés d'élocution, manque de concentration, confusion, convulsions, coma, dommages irréversibles au cerveau et mort. Symptômes d'hypoglycémie faible : sommeil agité, cauchemars, sueurs froides qui réveillent le patient durant la nuit.

COURANTS
Symptômes provoqués par la libération d'adrénaline (symptômes d'hypoglycémie faible ou modérée) : sueurs froides, anxiété, tremblements, faim, tachycardie, céphalées et nervosité. L'insuline provoque souvent un gain de poids.

MOINS COURANTS
Réactions allergiques, lipo-atrophie (dépressions dans la peau engendrées par la perte de tissus adipeux) ou lipohypertrophie (accumulation de tissus adipeux).

(à suivre)

pour réduire les risques d'anomalies congénitales, de complications fœtales ou de mort du fœtus à l'accouchement. Chez les femmes qui étaient diabétiques avant la grossesse, la dose d'insuline peut être diminuée durant le premier trimestre de la grossesse et augmentée durant les deux derniers. Dans le cas des femmes qui commencent à souffrir de diabète durant la grossesse (diabète de gestation), les besoins en insuline diminuent rapidement après l'accouchement et la plupart d'entre elles n'ont pas besoin de poursuivre un traitement à l'insuline.

Allaitement. Les besoins en insuline diminuent durant l'allaitement. Les femmes doivent néanmoins mesurer leur taux de glucose pour éviter de faire de l'hypoglycémie. L'insuline glargine peut passer dans le lait maternel ; demandez l'avis du médecin.

Nourrissons et enfants. À partir de l'âge de 6 ans, le traitement est le même que pour les adultes. L'innocuité et l'efficacité de l'insuline glargine n'ont pas été établies pour les moins de 6 ans.

À surveiller. Des doses insuffisantes d'insuline en présence de diabète de type 1 peuvent entraîner de l'acidocétose, complication grave dont les symptômes sont : perte d'appétit, soif et débit urinaire excessifs, nausées, vomissements, respiration profonde, haleine fruitée, somnolence, confusion et perte de conscience. L'insuline glargine ne constitue pas le meilleur traitement contre l'acidocétose ; on lui préfère l'insuline rapide en intraveineuse.

SURDOSAGE

Symptômes. Ce sont ceux de l'hypoglycémie (voir Effets indésirables).

Quoi faire. Hypoglycémie d'intensité faible ou modérée : boissons ou aliments sucrés. Hypoglycémie grave : injections de glucagon ; ou allez immédiatement à l'urgence.

▼ INTERACTIONS

MÉDICAMENT-MÉDICAMENT

Beaucoup de médicaments peuvent entraîner de l'hyper ou de l'hypoglycémie. Informez le médecin de tous vos médicaments (prescrits et en vente libre) avant de commencer votre traitement à l'insuline, et de tout nouveau par la suite. Les corticostéroïdes peuvent augmenter les taux de glucose sanguin et les besoins en insuline. Les bêta-bloquants (contre l'hypertension) peuvent causer hyper ou hypoglycémie. De plus, ces médicaments pouvant masquer les symptômes d'hypoglycémie provoquée par une libération d'adrénaline, une hypoglycémie peut s'installer et s'aggraver progressivement jusqu'à provoquer des dommages cérébraux.

MÉDICAMENT-ALIMENT

Les besoins en insuline augmentent quand vous absorbez de grandes quantités de calories sous forme de sucres et d'hydrates de carbone.

MÉDICAMENT-MALADIE

Les besoins en insuline augmentent en cas de : infections, stress psychologique, hyperthyroïdie non maîtrisée ou chirurgie. Ils peuvent diminuer en présence de maladie rénale ou d'insuffisance surrénale et hypophysaire.

INSULINE LISPRO (ADN RECOMBINÉ)

NOM COMMERCIAL

Humalog

Présentation : Injection
En vente libre ? Oui **Générique disponible ?** Non
Classe de médicaments : Antidiabétique

▼ GÉNÉRALITÉS

INDICATIONS

Traitement de longue durée du diabète sucré. Les diabétiques de type 1 exigent un traitement permanent à l'insuline, tandis que ceux de type 2 n'ont besoin d'insuline que s'ils sont incapables de stabiliser leur taux sanguin de glucose (sucre) au moyen d'un régime alimentaire et de médicaments pris par voie orale.

MODE D'ACTION

L'insuline, hormone sécrétée par les cellules bêta du pancréas, joue un rôle essentiel dans la métabolisation et le stockage des hydrates de carbone, des lipides et des protéines. Sécrétée en réponse à une hausse du sucre sanguin (glucose), l'insuline réduit le glucose sanguin en augmentant son utilisation par les cellules de l'organisme, surtout les muscles, et en diminuant la libération de glucose par le foie entre les repas.

▼ MODE D'EMPLOI

POSOLOGIE

1 à 4 fois par jour, avant les repas et si possible au coucher. Doses et fréquences sont déterminées par le médecin. L'insuline rapide (lispro d'origine ADN recombiné) doit être administrée 15 minutes avant le repas.

DÉBUT D'ACTION

Début en 30 à 45 minutes ; plein effet en 1 heure.

DURÉE D'ACTION

3 à 4 heures.

CONSEILS NUTRITIONNELS

Les diabétiques devraient respecter les recommandations nutritionnelles de l'Association Diabète Québec ou l'Association canadienne du diabète. La consommation normale de sucre n'est pas interdite, mais consommer des mets sucrés en grande quantité à un moment donné peut faire rapidement monter le taux sanguin de glucose et intensifier la soif et le débit urinaire. En outre, les patients qui reçoivent de l'insuline doivent manger à des heures régulières et prendre des repas ayant la même teneur calorique. Selon la fréquence, la dose et le type d'insuline prescrite, on peut recommander aux patients de prendre un goûter en fin d'après-midi, avant le coucher ou avant un exercice physique inhabituel. Les diabétiques garderont à porter de la main un jus, un aliment ou des comprimés qui peuvent élever rapidement le taux sanguin de sucre en cas d'hypoglycémie.

MODE DE CONSERVATION

Gardez l'insuline au réfrigérateur, mais ne la congelez pas. Vous n'avez pas besoin de la garder au réfrigérateur durant de courts déplacements, mais évitez de l'exposer à des températures élevées.

OUBLI D'UNE DOSE

Le chronométrage des doses d'insuline est très important. Mesurez votre taux de glucose et prenez une dose d'insuline régulière si le niveau de glucose est trop élevé. Autrement, attendez l'heure de la dose suivante.

ARRÊT DE LA MÉDICATION

N'arrêtez pas le traitement si ce n'est sous l'ordre du médecin. En général, on apprend aux diabétiques à mesurer leur taux de glucose et à modifier en conséquence la posologie.

USAGE PROLONGÉ

Certains diabétiques de longue date ne perçoivent plus les symptômes d'hypoglycémie ; si cet état se prolonge, ils peuvent souffrir de graves complications cérébrales.

▼ PRÉCAUTIONS

Plus de 60 ans. Pas de précautions spéciales. Certaines personnes âgées peuvent cependant souffrir de troubles de la vue qui les empêchent de bien mesurer les doses d'insuline.

Conduite automobile, travaux dangereux. Les patients insulinodépendants doivent prendre soin de ne pas souffrir d'hypoglycémie quand ils exécutent de telles tâches.

Alcool. Une consommation modérée d'alcool, surtout durant de gros repas, ne nuit pas au contrôle du diabète et ne modifie pas la posologie de l'insuline. Néanmoins, de grandes quantités d'alcool augmentent les risques d'hypoglycémie.

Grossesse. De stricts contrôles métaboliques – généralement au moyen d'injections d'insuline – doivent être maintenus durant la grossesse pour réduire les risques d'anomalies congénitales, de complications ou de mortalité fœtales. Chez les femmes qui étaient diabétiques avant la grossesse, la dose d'insuline peut être diminuée durant le premier trimestre de la gros-

EFFETS INDÉSIRABLES

GRAVES

Les symptômes d'hypoglycémie peuvent être causés par la libération d'adrénaline ou par un apport insuffisant de glucose au cerveau. Symptômes d'hypoglycémie grave (carence en glucose cérébral) : difficultés d'élocution, manque de concentration, confusion, convulsions, coma, dommages irréversibles au cerveau et mort. Symptômes d'hypoglycémie faible : sommeil agité, cauchemars, sueurs froides qui réveillent le patient durant la nuit.

COURANTS

Symptômes provoqués par la libération d'adrénaline (symptômes d'hypoglycémie faible ou modérée) : sueurs froides, anxiété, tremblements, faim, tachycardie, céphalées et nervosité. L'insuline provoque souvent un gain de poids.

MOINS COURANTS

Réactions allergiques, lipo-atrophie (dépressions dans la peau engendrées par la perte de tissus adipeux) ou lipohypertrophie (accumulation de tissus adipeux).

(à suivre)

sesse et augmentée durant les deux derniers. Dans le cas des femmes qui commencent à souffrir de diabète durant la grossesse (diabète de gestation), les besoins en insuline diminuent rapidement après l'accouchement et la plupart d'entre elles n'ont pas besoin de poursuivre un traitement à l'insuline.

Allaitement. Les besoins en insuline diminuent durant l'allaitement. Les femmes doivent néanmoins mesurer leur taux de glucose pour éviter de faire de l'hypoglycémie. L'insuline ne passe pas dans le lait maternel.

Nourrissons et enfants. Même traitement que pour les adultes.

À surveiller. Des doses insuffisantes d'insuline dans le diabète de type 1 peuvent entraîner de l'acidocétose, complication grave dont les symptômes sont : perte d'appétit, soif et débit urinaire excessifs, nausées, vomissements, respiration profonde, haleine fruitée, somnolence, confusion et perte de conscience.

SURDOSAGE
Symptômes. Ce sont ceux de l'hypoglycémie (voir Effets indésirables).

Quoi faire. Hypoglycémie d'intensité faible ou modérée : prenez des boissons ou des aliments sucrés. Hypoglycémie grave : administrez des injections de glucagon ou allez immédiatement à l'urgence.

▼ INTERACTIONS

MÉDICAMENT-MÉDICAMENT
Beaucoup de médicaments peuvent entraîner de l'hyper ou de l'hypoglycémie. Informez le médecin de tous vos médicaments (prescrits et en vente libre) avant de commencer votre traitement à l'insuline, et de tout nouveau par la suite. Les corticostéroïdes peuvent augmenter les taux de glucose sanguin et les besoins en insuline. Les bêtabloquants (contre l'hypertension) peuvent causer hyper ou hypoglycémie. De plus, ces médicaments pouvant masquer les symptômes d'hy-poglycémie provoquée par une libération d'adrénaline, une hypoglycémie peut s'installer et s'aggraver progressivement jusqu'à provoquer des dommages cérébraux.

MÉDICAMENT-ALIMENT
Les besoins en insuline augmentent quand vous absorbez de grandes quantités de calories sous forme de sucres et d'hydrates de carbone.

MÉDICAMENT-MALADIE
Les besoins en insuline augmentent en cas de : infections, stress psychologique, hyperthyroïdie non maîtrisée ou chirurgie. Ils peuvent diminuer en présence de maladie rénale ou d'insuffisance surrénale et hypophysaire.

INSULINE ORDINAIRE (RAPIDE)

Présentation : Injection
En vente libre ? Oui   **Générique disponible ?** Oui
Classe de médicaments : Antidiabétique

▼ GÉNÉRALITÉS

INDICATIONS
Traitement de longue durée du diabète sucré. Les diabétiques de type 1 exigent un traitement permanent à l'insuline, tandis que ceux de type 2 n'ont besoin d'insuline que s'ils sont incapables de stabiliser leur taux sanguin de glucose (sucre) au moyen d'un régime alimentaire et de médicaments pris par voie orale.

MODE D'ACTION
L'insuline, hormone sécrétée par les cellules bêta du pancréas, joue un rôle essentiel dans la métabolisation et le stockage des hydrates de carbone, des lipides et des protéines. Sécrétée en réponse à une hausse du sucre sanguin (glucose), l'insuline réduit le glucose sanguin en augmentant son utilisation par les cellules de l'organisme, surtout les muscles, et en diminuant la libération de glucose par le foie entre les repas.

▼ MODE D'EMPLOI

POSOLOGIE
1 à 4 fois par jour, avant les repas et peut-être au coucher. Doses et fréquences à déterminer par le médecin. L'insuline ordinaire (comme les insulines rapide ou semi-lente) devrait être administrée 30 à 45 minutes avant un repas. Elle peut être mélangée dans la seringue à de l'insuline semi-retard. Aspirez d'abord l'insuline ordinaire dans la seringue.

DÉBUT D'ACTION
Début en 45 minutes ; il faut parfois attendre de 2 à 4 heures avant de ressentir le plein effet.

DURÉE D'ACTION
4 à 6 heures.

CONSEILS NUTRITIONNELS
Les diabétiques devraient respecter les recommandations nutritionnelles de l'Association Diabète Québec ou l'Association canadienne du diabète. La consommation normale de sucre n'est pas interdite, mais consommer des mets sucrés en grande quantité à un moment donné peut faire rapidement monter le taux sanguin de glucose et intensifier la soif et le débit urinaire. En outre, les patients qui reçoivent de l'insuline doivent manger à des heures régulières et prendre des repas ayant la même teneur calorique. Selon la fréquence, la dose et le type d'insuline prescrite, on peut recommander aux patients de prendre un goûter en fin d'après-midi, avant le coucher ou avant un exercice physique inhabituel. Les diabétiques garderont à porter de la main un jus, un aliment ou des comprimés qui peuvent élever rapidement le taux sanguin de sucre en cas d'hypoglycémie.

MODE DE CONSERVATION
Gardez l'insuline au réfrigérateur, mais ne la congelez pas. Vous n'avez pas besoin de la garder au réfrigérateur durant de courts déplacements, mais évitez de l'exposer à des températures élevées.

OUBLI D'UNE DOSE
Le chronométrage des doses d'insuline est très important. Mesurez votre taux de glucose et prenez une dose d'insuline régulière si le niveau de glucose est trop élevé. Autrement, attendez l'heure de la dose suivante.

ARRÊT DE LA MÉDICATION
N'arrêtez pas le traitement si ce n'est sous l'ordre du médecin. En général, on apprend aux diabétiques à mesurer leur taux de glucose et à modifier en conséquence la posologie.

USAGE PROLONGÉ
Certains diabétiques de longue date ne perçoivent plus les symptômes d'hypoglycémie ; si cet état se prolonge, ils peuvent souffrir de graves complications cérébrales.

▼ PRÉCAUTIONS

Plus de 60 ans. Pas de précautions spéciales. Certaines personnes âgées peuvent cependant souffrir de troubles de la vue qui les empêchent de bien mesurer les doses d'insuline.

Conduite automobile, travaux dangereux. Les patients insulinodépendants doivent prendre soin de ne pas souffrir d'hypoglycémie quand ils exécutent de telles tâches.

Alcool. Une consommation modérée d'alcool, surtout durant de gros repas, ne nuit pas au contrôle du diabète et ne modifie pas la posologie de l'insuline. Néanmoins, de grandes quantités d'alcool augmentent les risques d'hypoglycémie.

Grossesse. De stricts contrôles métaboliques — généralement au moyen d'injections d'insuline — doivent être maintenus durant la grossesse pour réduire les risques d'anomalies congénitales, de

---

 EFFETS INDÉSIRABLES

GRAVES
Les symptômes d'hypoglycémie peuvent être causés par la libération d'adrénaline ou par un apport insuffisant de glucose au cerveau. Symptômes d'hypoglycémie grave (carence en glucose cérébral) : difficultés d'élocution, manque de concentration, confusion, convulsions, coma, dommages irréversibles au cerveau et mort. Symptômes d'hypoglycémie faible : sommeil agité, cauchemars, sueurs froides qui réveillent le patient durant la nuit.

COURANTS
Symptômes provoqués par la libération d'adrénaline (symptômes d'hypoglycémie faible ou modérée) : sueurs froides, anxiété, tremblements, faim, tachycardie, céphalées et nervosité. L'insuline provoque souvent un gain de poids.

MOINS COURANTS
Réactions allergiques, lipo-atrophie (dépressions dans la peau engendrées par la perte de tissus adipeux) ou lipo-hypertrophie (accumulation de tissus adipeux).

(à suivre)

complications ou de mortalité fœtales. Chez les femmes qui étaient diabétiques avant la grossesse, la dose d'insuline peut être diminuée durant le premier trimestre de la grossesse et augmentée durant les deux derniers. Dans le cas des femmes qui commencent à souffrir de diabète durant la grossesse (diabète de gestation), les besoins en insuline diminuent rapidement après l'accouchement et la plupart d'entre elles n'ont pas besoin de poursuivre un traitement à l'insuline.

Allaitement. Les besoins en insuline diminuent durant l'allaitement. Les femmes doivent néanmoins mesurer leur taux de glucose pour éviter de faire de l'hypoglycémie. L'insuline ne passe pas dans le lait maternel.

Nourrissons et enfants. Même traitement que pour les adultes.

À surveiller. Des doses insuffisantes d'insuline dans le diabète de type 1 peuvent entraîner de l'acidocétose, complication grave dont les symptômes sont : perte d'appétit, soif et débit urinaire excessifs, nausées, vomissements, respiration profonde, haleine fruitée, somnolence, confusion et perte de conscience.

SURDOSAGE
Symptômes. Ce sont ceux de l'hypoglycémie (voir Effets indésirables).

Quoi faire. Hypoglycémie d'intensité faible ou modérée : prenez des boissons ou des aliments sucrés. Hypogly-cémie grave : administrez des injections de glucagon ou allez immédiatement à l'urgence.

▼ INTERACTIONS

MÉDICAMENT-MÉDICAMENT
Beaucoup de médicaments peuvent entraîner de l'hyper ou de l'hypoglycémie. Informez le médecin de tous vos médicaments (prescrits et achetés en vente libre) avant de commencer votre traitement à l'insuline, et de tout nouveau par la suite. Les corticostéroïdes peuvent augmenter les taux de glucose sanguin et les besoins en insuline. Les bêtabloquants (contre l'hypertension) peuvent causer hyper ou hypoglycémie. De plus, ces médicaments pouvant mas-quer les symptômes d'hypoglycémie provoquée par une libération d'adrénaline, une hypoglycémie peut s'installer et s'aggraver progressivement jusqu'à provoquer des dommages cérébraux.

MÉDICAMENT-ALIMENT
Les besoins en insuline augmentent quand vous absorbez de grandes quantités de calories sous forme de sucres et d'hydrates de carbone.

MÉDICAMENT-MALADIE
Les besoins en insuline augmentent en cas d'infection, de stress psychologique ou d'hyperthyroïdie non maîtrisée, de même qu'au moment d'une chirurgie. Ils peuvent diminuer en présence de maladie rénale ou d'insuffisance surrénale et hypophysaire.

INSULINE RETARD (ULTRALENTE)

Présentation : Injection
En vente libre ? Oui   **Générique disponible ?** Non
Classe de médicaments : Antidiabétique

▼ GÉNÉRALITÉS

INDICATIONS
Traitement de longue durée du diabète sucré. Les diabétiques de type 1 exigent un traitement permanent à l'insuline, tandis que ceux de type 2 n'ont besoin d'insuline que s'ils sont incapables de stabiliser leur taux sanguin de glucose (sucre) au moyen d'un régime alimentaire et de médicaments pris par voie orale.

MODE D'ACTION
L'insuline, hormone sécrétée par les cellules bêta du pancréas, joue un rôle essentiel dans la métabolisation et le stockage des hydrates de carbone, des lipides et des protéines. Sécrétée en réponse à une hausse du sucre sanguin (glucose), l'insuline réduit le glucose sanguin en augmentant son utilisation par les cellules de l'organisme, surtout les muscles, et en diminuant la libération de glucose par le foie entre les repas.

▼ MODE D'EMPLOI

POSOLOGIE
1 ou 2 injections par jour. Doses et fréquence sont déterminées par le médecin. L'insuline retard (ultralente) peut se mélanger dans la seringue à l'insuline rapide ; commencez par aspirer l'insuline rapide. Les solutions d'insuline retard sont brouillées, l'insuline se déposant dans le fond de la fiole ; il faut faire rouler la fiole entre les mains ou l'agiter doucement pour bien distribuer l'insuline dans la solution avant de l'aspirer avec la seringue.

DÉBUT D'ACTION
Début en 6 à 8 heures ; plein effet en 10 à 20 heures.

EFFETS INDÉSIRABLES

GRAVES
Les symptômes d'hypoglycémie peuvent être causés par la libération d'adrénaline ou par un apport insuffisant de glucose au cerveau. Symptômes d'hypoglycémie grave (carence en glucose cérébral) : difficultés d'élocution, manque de concentration, confusion, convulsions, coma, dommages irréversibles au cerveau et mort. Symptômes d'hypoglycémie faible : sommeil agité, cauchemars, sueurs froides qui réveillent le patient durant la nuit.

COURANTS
Symptômes provoqués par la libération d'adrénaline (symptômes d'hypoglycémie faible ou modérée) : sueurs froides, anxiété, tremblements, faim, tachycardie, céphalées et nervosité. L'insuline provoque souvent un gain de poids.

MOINS COURANTS
Réactions allergiques, lipo-atrophie (dépressions dans la peau engendrées par la perte de tissus adipeux) ou lipohypertrophie (accumulation de tissus adipeux).

DURÉE D'ACTION
24 à 36 heures.

CONSEILS NUTRITIONNELS
Les diabétiques devraient respecter les recommandations nutritionnelles de l'Association Diabète Québec ou l'Association canadienne du diabète. La consommation normale de sucre n'est pas interdite, mais consommer des mets sucrés en grande quantité à un moment donné peut faire rapidement monter le taux sanguin de glucose et intensifier la soif et le débit urinaire. En outre, les patients qui reçoivent de l'insuline doivent manger à des heures régulières et prendre des repas ayant la même teneur calorique. Selon la fréquence, la dose et le type d'insuline prescrite, on peut recommander aux patients de prendre un goûter en fin d'après-midi, avant le coucher ou avant un exercice physique inhabituel. Les diabétiques garderont à porter de la main un jus, un aliment ou des comprimés qui peuvent élever rapidement le taux sanguin de sucre en cas d'hypoglycémie.

MODE DE CONSERVATION
Gardez l'insuline au réfrigérateur, mais ne la congelez pas. Vous n'avez pas besoin de la garder au réfrigérateur durant de courts déplacements, mais évitez de l'exposer à des températures élevées.

OUBLI D'UNE DOSE
Le chronométrage des doses d'insuline est très important. Mesurez votre taux de glucose et prenez une dose d'insuline régulière si le niveau de glucose est trop élevé. Autrement, attendez l'heure de la dose suivante.

ARRÊT DE LA MÉDICATION
N'arrêtez pas le traitement si ce n'est sous l'ordre du médecin. En général, on apprend aux diabétiques à mesurer leur taux de glucose et à modifier en conséquence la posologie.

USAGE PROLONGÉ
Certains diabétiques de longue date ne perçoivent plus les symptômes d'hypoglycémie ; si cet état se prolonge, ils peuvent souffrir de graves complications cérébrales.

▼ PRÉCAUTIONS

Plus de 60 ans. Pas de précautions spéciales. Certaines personnes âgées peuvent cependant souffrir de troubles de la vue qui les empêchent de bien mesurer les doses d'insuline.

Conduite automobile, travaux dangereux. Les patients insulinodépendants doivent prendre soin de ne pas souffrir d'hypoglycémie quand ils exécutent de telles tâches.

Alcool. Une consommation modérée d'alcool, surtout durant de gros repas, ne nuit pas au contrôle du diabète et ne modifie pas la posologie de l'insuline. Néanmoins, de grandes quantités d'alcool augmentent les risques d'hypoglycémie.

Grossesse. De stricts contrôles métaboliques – généralement au moyen d'injections d'insuline – doivent être maintenus durant la grossesse pour réduire les risques d'anomalies congénitales, de complications fœtales ou de mort du fœtus à l'accouche-

(à suivre)

ment. Chez les femmes qui étaient diabétiques avant la grossesse, la dose d'insuline peut être diminuée durant le premier trimestre de la grossesse et augmentée durant les deux derniers. Dans le cas des femmes qui commencent à souffrir de diabète durant la grossesse (diabète de gestation), les besoins en insuline diminuent rapidement après l'accouchement et la plupart d'entre elles n'ont pas besoin de poursuivre un traitement à l'insuline.

Allaitement. Les besoins en insuline diminuent durant l'allaitement. Les femmes doivent néanmoins mesurer leur taux de glucose pour éviter de faire de l'hypoglycémie. L'insuline glargine peut passer dans le lait maternel ; demandez conseil au médecin.

Nourrissons et enfants. Même traitement que pour les adultes.

À surveiller. Des doses insuffisantes d'insuline dans le diabète de type 1 peuvent entraîner de l'acidocétose, complication grave dont les symptômes sont : perte d'appétit, soif et débit urinaire excessifs, nausées, vomissements, respiration profonde, haleine fruitée, somnolence, confusion et perte de conscience.

SURDOSAGE
Symptômes. Ce sont ceux de l'hypoglycémie (voir Effets indésirables).

Quoi faire. Hypoglycémie d'intensité faible ou modérée : prenez des boissons ou des aliments sucrés. Hypoglycé-

mie grave : administrez des injections de glucagon ou allez immédiatement à l'urgence.

▼ INTERACTIONS

MÉDICAMENT-MÉDICAMENT
Beaucoup de médicaments peuvent entraîner de l'hyper ou de l'hypoglycémie. Informez le médecin de tous vos médicaments (prescrits et achetés en vente libre) avant de commencer votre traitement à l'insuline, et de tout nouveau par la suite. Les corticostéroïdes peuvent augmenter les taux de glucose sanguin et les besoins en insuline. Les bêtabloquants (contre l'hypertension) peuvent causer hyper ou hypoglycémie. De plus, ces médicaments pouvant mas-

quer les symptômes d'hypoglycémie provoquée par une libération d'adrénaline, une hypoglycémie peut s'installer et s'aggraver progressivement jusqu'à provoquer des dommages cérébraux.

MÉDICAMENT-ALIMENT
Les besoins en insuline augmentent quand vous absorbez de grandes quantités de calories sous forme de sucres et d'hydrates de carbone.

MÉDICAMENT-MALADIE
Les besoins en insuline augmentent en cas d'infection, de stress psychologique ou d'hyperthyroïdie non maîtrisée, de même qu'au moment d'une chirurgie. Ils peuvent diminuer en présence de maladie rénale ou d'insuffisance surrénale et hypophysaire.

INSULINE SEMI-RETARD (ISOPHANE, LENTE)

Présentation : Injection
En vente libre ? Oui **Générique disponible ?** Oui
Classe de médicaments : Antidiabétique

▼ GÉNÉRALITÉS

INDICATIONS

Traitement de longue durée du diabète sucré. Les diabétiques de type 1 exigent un traitement permanent à l'insuline, tandis que ceux de type 2 n'ont besoin d'insuline que s'ils sont incapables de stabiliser leur taux sanguin de glucose (sucre) au moyen d'un régime alimentaire et de médicaments par voie orale.

MODE D'ACTION

L'insuline, hormone sécrétée par les cellules bêta du pancréas, joue un rôle essentiel dans la métabolisation et le stockage des hydrates de carbone, des lipides et des protéines. Sécrétée en réponse à une hausse du sucre sanguin (glucose), l'insuline réduit le glucose sanguin en augmentant son utilisation par les cellules de l'organisme, surtout les muscles, et en diminuant la libération de glucose par le foie entre les repas.

▼ MODE D'EMPLOI

POSOLOGIE

1 ou 2 injections par jour. Doses et fréquence sont déterminées par le médecin. L'insuline semi-retard (isophane ou lente) peut se mélanger dans la seringue à l'insuline rapide ; commencez par aspirer l'insuline rapide. La solution est parfois brouillée, l'insuline se déposant dans le fond de la fiole ; il faut faire rouler la fiole entre les mains ou l'agiter doucement pour bien distribuer l'insuline dans la solution avant de l'aspirer avec la seringue.

DÉBUT D'ACTION

Début en 1 heure ; plein effet en 8 à 12 heures.

DURÉE D'ACTION

12 à 18 heures.

CONSEILS NUTRITIONNELS

Les diabétiques devraient respecter les recommandations nutritionnelles de l'Association Diabète Québec ou l'Association canadienne du diabète. La consommation normale de sucre n'est pas interdite, mais consommer des mets sucrés en grande quantité à un moment donné peut faire rapidement monter le taux sanguin de glucose et intensifier la soif et le débit urinaire. En outre, les patients qui reçoivent de l'insuline doivent manger à des heures régulières et prendre des repas ayant la même teneur calorique. Selon la fréquence, la dose et le type d'insuline prescrite, on peut recommander aux patients de prendre un goûter en fin d'après-midi, avant le coucher ou avant un exercice physique inhabituel. Les diabétiques garderont à porter de la main un jus, un aliment ou des comprimés qui peuvent élever rapidement le taux sanguin de sucre en cas d'hypoglycémie.

MODE DE CONSERVATION

Gardez l'insuline au réfrigérateur, mais ne la congelez pas. Vous n'avez pas besoin de la garder au réfrigérateur durant de courts déplacements, mais évitez de l'exposer à des températures élevées.

OUBLI D'UNE DOSE

Le chronométrage des doses d'insuline est très important. Mesurez votre taux de glucose et prenez une dose d'insuline régulière si le niveau de glucose est trop élevé. Autrement, attendez l'heure de la dose suivante.

ARRÊT DE LA MÉDICATION

N'arrêtez pas le traitement si ce n'est sous l'ordre du médecin. En général, on apprend aux diabétiques à mesurer leur taux de glucose et à modifier en conséquence la posologie.

USAGE PROLONGÉ

Certains diabétiques de longue date ne perçoivent plus les symptômes d'hypoglycémie ; si cet état se prolonge, ils peuvent souffrir de graves complications cérébrales.

▼ PRÉCAUTIONS

Plus de 60 ans. Pas de précautions spéciales. Certaines personnes âgées peuvent cependant souffrir de troubles de la vue qui les empêchent de bien mesurer les doses d'insuline.

Conduite automobile, travaux dangereux. Les patients insulinodépendants doivent prendre soin de ne pas souffrir d'hypoglycémie quand ils exécutent de telles tâches.

Alcool. Une consommation modérée d'alcool, surtout durant de gros repas, ne nuit pas au contrôle du diabète et ne modifie pas la posologie de l'insuline. Néanmoins, de grandes quantités d'alcool augmentent les risques d'hypoglycémie.

Grossesse. De stricts contrôles métaboliques – généralement au moyen d'injections d'insuline – doivent être maintenus durant la grossesse pour réduire les risques

---

EFFETS INDÉSIRABLES

GRAVES

Les symptômes d'hypoglycémie peuvent être causés par la libération d'adrénaline ou par un apport insuffisant de glucose au cerveau. Symptômes d'hypoglycémie grave (carence en glucose cérébral) : difficultés d'élocution, manque de concentration, confusion, convulsions, coma, dommages irréversibles au cerveau et mort. Symptômes d'hypoglycémie faible : sommeil agité, cauchemars, sueurs froides qui réveillent le patient durant la nuit.

COURANTS

Symptômes provoqués par la libération d'adrénaline (symptômes d'hypoglycémie faible ou modérée) : sueurs froides, anxiété, tremblements, faim, tachycardie, céphalées et nervosité. L'insuline provoque souvent un gain de poids.

MOINS COURANTS

Réactions allergiques, lipo-atrophie (dépressions dans la peau engendrées par la perte de tissus adipeux) ou lipohypertrophie (accumulation de tissus adipeux).

(à suivre)

d'anomalies congénitales, de complications fœtales ou de mort du fœtus à l'accouchement. Chez les femmes qui étaient diabétiques avant la grossesse, la dose d'insuline peut être diminuée durant le premier trimestre de la grossesse et augmentée durant les deux derniers. Si le diabète s'installe durant la grossesse (diabète de gestation), les besoins en insuline diminuent rapidement après l'accouchement et la plupart des femmes n'ont pas besoin de poursuivre un traitement à l'insuline.

Allaitement. Les besoins en insuline diminuent durant l'allaitement. Les femmes doivent néanmoins mesurer leur taux de glucose pour éviter de faire de l'hypoglycémie. L'insuline ne passe pas dans le lait maternel.

Nourrissons et enfants. Même traitement que pour les adultes.

À surveiller. Des doses insuffisantes d'insuline dans le diabète de type 1 peuvent entraîner de l'acidocétose, complication grave dont les symptômes sont : perte d'appétit, soif et débit urinaire excessifs, nausées, vomissements, respiration profonde, haleine fruitée, somnolence, confusion et perte de conscience.

SURDOSAGE

Symptômes. Ce sont ceux de l'hypoglycémie (voir Effets indésirables).

Quoi faire. Hypoglycémie d'intensité faible ou modérée : prenez des boissons ou des aliments sucrés. Hypoglycémie grave : administrez des injections de glucagon ou allez immédiatement à l'urgence.

▼ INTERACTIONS

MÉDICAMENT-MÉDICAMENT

Beaucoup de médicaments peuvent entraîner de l'hyper ou de l'hypoglycémie. Informez le médecin de tous vos médicaments (prescrits et achetés en vente libre) avant de commencer votre traitement à l'insuline, et de tout nouveau médicament que vous prendrez par la suite. Les corticostéroïdes peuvent augmenter les taux de glucose sanguin et les besoins en insuline. Les bêtabloquants (contre l'hypertension) peuvent causer hyper ou hypoglycémie. De plus, ces médicaments pouvant masquer les symptômes d'hypo-glycémie provoquée par une libération d'adrénaline, une hypoglycémie peut s'installer et s'aggraver progressivement jusqu'à provoquer des dommages cérébraux.

MÉDICAMENT-ALIMENT

Les besoins en insuline augmentent quand vous absorbez de grandes quantités de calories sous forme de sucres et d'hydrates de carbone.

MÉDICAMENT-MALADIE

Les besoins en insuline augmentent en cas d'infection, de stress psychologique ou d'hyperthyroïdie non maîtrisée, de même qu'au moment d'une chirurgie. Ils peuvent diminuer en présence de maladie rénale ou d'insuffisance surrénale et hypophysaire.

INTERFÉRON ALFA-2A

Présentation : Injection
En vente libre ? Non   **Générique disponible ?** Non
Classe de médicaments : Immunomodulateur

▼ GÉNÉRALITÉS

INDICATIONS
Traitement du sarcome de Kaposi chez les personnes atteintes du sida, de l'hépatite B chronique active, de l'hépatite C chronique et de certains types de leucémies et de cancers.

MODE D'ACTION
L'interféron alfa-2a agit de la même façon que les interférons naturels de l'organisme. Ces interférons naturels sont des protéines qui sont libérées par les cellules du système immunitaire pour combattre les virus et les cellules cancéreuses.

▼ MODE D'EMPLOI

POSOLOGIE
Elle varie beaucoup selon le cas. Par exemple, sarcome de Kaposi associé au sida : 36 millions d'unités par jour, durant 4 à 10 semaines, puis 36 millions d'unités, 3 fois par semaine. Hépatite B chronique active : 4,5 millions d'unités, 3 fois par semaine, pendant 6 mois.

DÉBUT D'ACTION
Inconnu.

DURÉE D'ACTION
Inconnue.

CONSEILS NUTRITIONNELS
Buvez beaucoup pour réduire le risque d'hypotension grave.

EFFETS INDÉSIRABLES

GRAVES
Confusion, dépression, nervosité, défaut d'attention, affaiblissement intellectuel, idées suicidaires ; engourdissement ou picotement des doigts, des orteils et du visage ; selles noires ou sanguinolentes ; sang dans l'urine ; douleur thoracique ; voix rauque ; fièvre ou frissons après 3 semaines de traitement ; arythmies cardiaques ; douleur dans le bas du dos ou le flanc ; mictions difficiles ou douloureuses ; points rouges sur la peau ; ecchymoses ou saignements anormaux ; plus grande incidence d'infections.

COURANTS
Syndrome pseudo-grippal, fatigue, douleurs musculaires, fièvre ou frissons durant les premières semaines de traitement ; inconfort ou malaise généralisés ; céphalées ; perte d'appétit ; nausées et vomissements ; goût altéré ou métallique ; rash cutané ; chute temporaire des cheveux. Les effets indésirables sont plus marqués à fortes doses : la tolérance est meilleure si la posologie est augmentée graduellement durant les premières semaines du traitement.

MOINS COURANTS
Mal de dos, vue brouillée, vertiges, sécheresse de la bouche, sécheresse ou démangeaisons de la peau, sudation abondante inhabituelle, douleur articulaire, crampes dans les jambes, lésions labiales ou buccales, perte de poids.

MODE DE CONSERVATION
Se garde au réfrigérateur, mais ne pas faire congeler.

OUBLI D'UNE DOSE
Ne prenez pas la dose oubliée et ne doublez pas la dose qui suit. Demandez au médecin quoi faire.

ARRÊT DE LA MÉDICATION
La décision doit être prise par le médecin.

USAGE PROLONGÉ
Voyez votre médecin régulièrement pour un suivi médical et des analyses.

▼ PRÉCAUTIONS

Plus de 60 ans. Risques de réactions indésirables plus fréquentes et plus graves.

Conduite automobile, travaux dangereux. À éviter tant que vous ne connaissez pas votre réaction au médicament. Si celui-ci est administré le soir, il y a moins de somnolence le jour.

Alcool. À éviter.

Grossesse. Il n'existe pas d'études pertinentes. Demandez l'avis du médecin.

Allaitement. L'interféron alfa-2a peut passer dans le lait maternel : la prudence s'impose. Demandez l'avis du médecin.

Nourrissons et enfants. De graves effets indésirables se sont manifestés chez certains enfants traités à hautes doses. Demandez l'avis du pédiatre.

À surveiller. Ne passez pas à un autre interféron sans consulter le médecin : la posologie peut différer. Évitez les personnes souffrant d'infection : le médicament peut réduire temporairement le nombre de globules blancs dans le sang et augmenter votre vulnérabilité à la maladie. Utilisez avec prudence la brosse à dents, la soie dentaire ou les cure-dents ; prenez garde de vous couper avec un rasoir ou d'autres objets coupants. Évitez les sports de contact et autres situations où des ecchymoses peuvent se produire.

SURDOSAGE
Symptômes. Aucun symptôme spécifique n'a été signalé.

Quoi faire. Appelez immédiatement le médecin ou allez à l'urgence.

▼ INTERACTIONS

MÉDICAMENT-MÉDICAMENT
Demandez l'avis du médecin pour tous les médicaments que vous prenez, avec ou sans ordonnance, et surtout les suivants : théophylline ou dépresseurs du système nerveux central (antihistaminiques, alcool, tranquillisants ou antipsychotiques).

MÉDICAMENT-ALIMENT
Aucune interaction connue.

MÉDICAMENT-MALADIE
Consultez le médecin en cas d'antécédents de : saignements ou troubles de la coagulation, varicelle, zona, problèmes psychologiques et neurologiques, convulsions, diabète, crise cardiaque, maladie cardiaque, maladie du rein, du foie ou de la thyroïde ou maladies auto-immunes.

INTERFÉRON ALFA-2B

NOM COMMERCIAL

Intron A

Présentation : Injection
En vente libre ? Non   **Générique disponible ?** Non
Classe de médicaments : Immunomodulateur

▼ GÉNÉRALITÉS

INDICATIONS
Traitement de la leucémie à tricholeucocytes, du sarcome de Kaposi lié au sida, des condylomes acuminés (verrues génitales) et de plusieurs hépatites chroniques ; l'interféron alfa-2b sert aussi de traitement adjuvant (complémentaire) à la chirurgie du mélanome malin et de quelques cancers.

MODE D'ACTION
L'interféron alfa-2b agit de la même façon que les interférons naturels, protéines qui sont libérées par les cellules du système immunitaire pour combattre les virus et les cellules cancéreuses.

▼ MODE D'EMPLOI

POSOLOGIE
Elle varie beaucoup. Leucémie à tricholeucocytes : 2 millions d'unités par mètre carré de surface corporelle, 3 fois par semaine. Sarcome de Kaposi lié au sida : 30 millions d'unités par mètre carré de surface corporelle, 3 fois par semaine. Condylome acuminé : 1 million d'unités par lésion, 3 fois par semaine, durant 3 semaines. Hépatite chronique : 3 millions d'unités, 3 fois par semaine pour au plus 18 mois. Mélanome malin : 20 millions d'unités par mètre carré de surface corporelle, 5 jours consécutifs par semaine pour 4 semaines, puis 10 millions d'unités par mètre carré de surface corporelle, 3 fois par semaine, pour 48 semaines.

DÉBUT D'ACTION
Inconnu.

DURÉE D'ACTION
Inconnue.

CONSEILS NUTRITIONNELS
Buvez beaucoup pour réduire le risque d'hypotension grave.

MODE DE CONSERVATION
Se garde au réfrigérateur, mais ne pas faire congeler.

OUBLI D'UNE DOSE
Ne prenez pas la dose oubliée et ne doublez pas la dose qui suit. Demandez au médecin quoi faire.

ARRÊT DE LA MÉDICATION
La décision doit être prise par le médecin.

USAGE PROLONGÉ
Un suivi médical s'impose.

▼ PRÉCAUTIONS

Plus de 60 ans. Risques de réactions indésirables plus fréquentes et plus graves.

Conduite automobile, travaux dangereux. À déconseiller avant de connaître votre réaction au médicament. S'il est administré le soir, il y a moins de somnolence le jour.

Alcool. À éviter.

Grossesse. Il n'existe pas d'études pertinentes. Demandez l'avis du médecin.

Allaitement. Le médicament peut passer dans le lait maternel : parlez-en au médecin.

Nourrissons et enfants. Peut s'employer contre l'hépatite chronique B chez les enfants de 1 an et plus ; consultez un pédiatre.

À surveiller. Ne passez pas à un autre interféron sans consulter le médecin : la posologie peut différer. Évitez les personnes souffrant d'infection : le médicament peut réduire temporairement le nombre des globules blancs et augmenter votre vulnérabilité. Lavez-vous les dents et utilisez rasoir et autres objets coupants avec prudence. Évitez les sports de contact et toute situation où des ecchymoses peuvent se produire.

SURDOSAGE
Symptômes. Rien de signalé.

Quoi faire. Appelez immédiatement le médecin ou allez à l'urgence.

▼ INTERACTIONS

MÉDICAMENT-MÉDICAMENT
Consultez le médecin sur tous vos médicaments et surtout les dépresseurs du système nerveux central (antihistaminiques, alcool, tranquillisants ou antipsychotiques).

MÉDICAMENT-ALIMENT
Aucune interaction connue.

MÉDICAMENT-MALADIE
Consultez le médecin en cas d'antécédents de : saignements ou troubles de la coagulation, varicelle, zona, problèmes psychologiques et neurologiques, convulsions, diabète, crise cardiaque, maladie du cœur, du rein, du foie, du poumon ou de la thyroïde, maladie auto-immune.

 EFFETS INDÉSIRABLES

GRAVES
Confusion, dépression, nervosité, défaut d'attention, affaiblissement intellectuel ; engourdissement ou picotement des doigts, des orteils et du visage ; difficultés à dormir ; selles noires ou sanguinolentes ; sang dans l'urine ; douleur thoracique, toux, voix rauque ; fièvre, frissons après 3 semaines de traitement ; arythmies cardiaques ; douleur dans le bas du dos ou le flanc ; mictions difficiles ou douloureuses ; points rouges sur la peau ; ecchymoses ou saignements anormaux ; plus grande incidence d'infections.

COURANTS
Syndrome pseudo-grippal, fatigue, douleurs musculaires, fièvre ou frissons durant les premières semaines de traitement ; inconfort ou malaise généralisés ; céphalées ; perte d'appétit ; nausées et vomissements ; goût altéré ou métallique ; rash cutané ; chute temporaire des cheveux. Les effets indésirables sont plus marqués à fortes doses : la tolérance est meilleure si la posologie est augmentée graduellement durant les premières semaines du traitement.

MOINS COURANTS
Mal de dos, vue brouillée, vertiges, sécheresse de la bouche, sécheresse ou démangeaisons de la peau, sudation abondante inhabituelle, douleur articulaire, crampes dans les jambes, lésions labiales ou buccales, perte de poids.

INTERFÉRON ALFACON-1

Présentation : Injection
En vente libre ? Non   **Générique disponible ?** Non
Classe de médicaments : Immunomodulateur

▼ GÉNÉRALITÉS

INDICATIONS
Traitement de l'hépatite C chronique chez les adultes souffrant de maladie du foie.

MODE D'ACTION
L'interféron alfacon-1 agit comme les interférons naturels, protéines libérées par le système immunitaire pour combattre les virus.

▼ MODE D'EMPLOI

POSOLOGIE
Patients n'ayant jamais été traités aux interférons : 9 µg (microgrammes) en sous-cutanée, 3 fois par semaine pendant 24 semaines, avec un intervalle d'au moins 48 heures entre deux doses. Patients déjà été aux interférons, qui n'y ont pas répondu ou ont eu une rechute après le traitement : 15 µg en sous-cutanée, 3 fois par semaine, pendant 48 semaines.

DÉBUT D'ACTION
Inconnu.

DURÉE D'ACTION
Inconnue.

CONSEILS NUTRITIONNELS
Buvez beaucoup pour réduire le risque d'hypotension grave.

MODE DE CONSERVATION
Au réfrigérateur, mais sans congeler. Il ne faut pas exposer l'interféron alfacon-1 à la chaleur ni au soleil. Gardez-le loin des aliments. Juste avant l'administration, mettez-le à la température ambiante.

OUBLI D'UNE DOSE
Ne prenez pas la dose oubliée et ne doublez pas la dose qui suit. Demandez au médecin quoi faire.

ARRÊT DE LA MÉDICATION
La décision doit être prise par le médecin.

USAGE PROLONGÉ
Un suivi médical s'impose.

▼ PRÉCAUTIONS

Plus de 60 ans. Risques de réactions indésirables plus fréquentes et plus graves.

Conduite automobile, travaux dangereux. À déconseiller tant que vous ne connaissez pas votre réaction au médicament.

Alcool. Pas de précautions spéciales.

Grossesse. Il n'existe pas d'études pertinentes sur les humains. L'interféron alfacon-1 ne devrait pas être utilisé durant la grossesse.

Allaitement. Le médicament peut passer dans le lait maternel : la prudence s'impose. Demandez l'avis du médecin.

Nourrissons et enfants. Non recommandé aux patients de moins de 18 ans.

À surveiller. N'agitez pas la fiole avant l'administration. Si le liquide est brouillé ou décoloré, ne l'utilisez pas. Jetez toute portion inutilisée. Ne passez pas à un autre interféron sans consulter le médecin, la posologie peut différer.

SURDOSAGE
Symptômes. Un surdosage est peu probable. Mais si la dose est très forte, certains effets indésirables peuvent s'intensifier, en particulier : perte d'appétit, frissons, fièvre et douleur musculaire.

Quoi faire. Si la dose est très supérieure à celle prescrite, appelez le médecin ou demandez de l'assistance médicale immédiatement.

▼ INTERACTIONS

MÉDICAMENT-MÉDICAMENT
Consultez le médecin sur tous vos médicaments et surtout : théophylline ou dépresseurs du système nerveux central (antihistaminiques, alcool, tranquillisants ou anti-psychotiques).

MÉDICAMENT-ALIMENT
Aucune interaction connue.

MÉDICAMENT-MALADIE
L'interféron alfacon-1 ne devrait pas être administré aux patients gravement déprimés, ayant des pensées suicidaires ou présentant des antécédents de troubles psychiatriques. Ceux qui ont des antécédents cardiaques devrait l'utiliser avec la plus grande prudence. Demandez l'avis du médecin en cas d'antécédents de : saignements ou troubles de la coagulation, varicelle, zona, problèmes psychotiques et neurologiques, diabète, maladie du rein, du foie, du poumon ou de la thyroïde, maladies auto-immunes.

EFFETS INDÉSIRABLES

GRAVES
Confusion, dépression, nervosité, défaut d'attention, affaiblissement intellectuel ; engourdissement ou picotement des doigts, des orteils et du visage ; difficultés à dormir ; selles noires ou sanguinolentes ; sang dans l'urine ; douleur thoracique, toux, voix rauque ; fièvre, frissons après 3 semaines de traitement ; arythmies cardiaques ; douleur dans le bas du dos ou le flanc ; mictions difficiles ou douloureuses ; points rouges sur la peau ; ecchymoses ou saignements anormaux ; plus grande incidence d'infections.

COURANTS
Syndrome pseudo-grippal, fatigue, douleurs musculaires, fièvre ou frissons durant les premières semaines de traitement ; inconfort ou malaise généralisés ; céphalées ; perte d'appétit ; nausées et vomissements ; goût altéré ou métallique ; rash cutané ; chute temporaire des cheveux. Les effets indésirables sont plus marqués à fortes doses : la tolérance est meilleure si la posologie est augmentée graduellement durant les premières semaines du traitement.

MOINS COURANTS
Mal de dos, vue brouillée, vertiges, sécheresse de la bouche, sécheresse ou démangeaisons de la peau, sudation abondante inhabituelle, douleur articulaire, crampes dans les jambes, lésions labiales ou buccales, perte de poids.

INTERFÉRON BÊTA-1A

NOMS COMMERCIAUX

Avonex, Rebif

Présentation : Poudre pour injection
En vente libre ? Non   **Générique disponible ?** Non
Classe de médicaments : Immunomodulateur

▼ GÉNÉRALITÉS

INDICATIONS
Traitement des formes récurrentes de la sclérose en plaques (SEP), avec alternances d'aggravation et de rémission ou de moindre gravité des symptômes.

MODE D'ACTION
Il agit comme les interférons naturels de l'organisme, protéines libérées par le système immunitaire pour combattre les virus, les cellules cancéreuses et d'autres types de maladies. Le mode d'action de l'interféron contre la SEP n'est pas connu, mais il semble entraver les attaques du système immunitaire contre les tissus sains (cause apparente de la SEP).

▼ MODE D'EMPLOI

POSOLOGIE
Avonex : 30 µg 1 fois par semaine en intramusculaire. Rebif : 22 µg 3 fois par semaine en sous-cutanée.

DÉBUT D'ACTION
Inconnu.

DURÉE D'ACTION
Inconnue.

CONSEILS NUTRITIONNELS
Buvez beaucoup pour réduire les risques d'hypotension excessive.

MODE DE CONSERVATION
Gardez la forme reconstituée dans le réfrigérateur ; ne la congelez pas.

OUBLI D'UNE DOSE
Ne prenez pas la dose oubliée et ne doublez pas la suivante. Demandez à votre médecin quoi faire.

ARRÊT DE LA MÉDICATION
La décision d'interrompre la thérapie doit être prise par votre médecin.

USAGE PROLONGÉ
Voyez votre médecin régulièrement pour un suivi médical et des analyses si la thérapie doit se prolonger.

▼ PRÉCAUTIONS

Plus de 60 ans. Risques de réactions indésirables plus fréquentes et plus graves.

Conduite automobile, travaux dangereux. À déconseiller tant que vous ne connaissez pas votre réaction au médicament.

Alcool. À éviter.

Grossesse. Il n'existe pas d'études adéquates. Demandez l'avis du médecin.

Allaitement. L'interféron bêta-1a peut passer dans le lait maternel ; la prudence s'impose. Demandez l'avis du médecin.

Nourrissons et enfants. Il n'existe pas d'études spécifiques sur les effets de l'interféron bêta sur les enfants.

À surveiller. L'interféron bêta-1a doit être administré avec prudence aux patients ayant des antécédents de dépression, le médicament ayant été associé à une recrudescence d'impulsions suicidaires. Évitez les personnes souffrant d'infections car le médicament peut réduire temporairement le nombre de globules blancs dans le sang et augmenter votre vulnérabilité à la maladie. Utilisez avec prudence la brosse à dents, la soie dentaire ou les cure-dents : le médecin ou le dentiste peuvent vous recommander d'autres moyens de vous nettoyer les dents. Consultez le médecin avant de vous faire soigner les dents. Utilisez avec prudence les objets tranchants, comme un rasoir, pour ne pas vous couper. Évitez les sports de contact ou autres situations similaires dans lesquels des ecchymoses pourraient se produire. Ne portez pas les doigts à vos yeux et ne les mettez pas dans la bouche avant de vous être lavé les mains.

SURDOSAGE
Symptômes. Aucun symptôme spécifique n'a été signalé.

Quoi faire. En cas de surdose appréhendée, appelez immédiatement le médecin ou rendez-vous à l'urgence.

▼ INTERACTIONS

MÉDICAMENT-MÉDICAMENT
Demandez l'avis du médecin si vous prenez des médicaments vendus avec ou sans ordonnance.

MÉDICAMENT-ALIMENT
Aucune interaction connue.

MÉDICAMENT-MALADIE
La prudence s'impose. Consultez le médecin si vous avez : antécédents de saignements ou de troubles de coagulation, varicelle, zona, troubles psychologiques ou neurologiques, diabète, troubles auto-immuns, maladies du cœur, des reins, du foie, des poumons ou de la thyroïde.

EFFETS INDÉSIRABLES

GRAVES
Convulsions, œdème et rétention hydrique, douleur pelvienne, douleur thoracique percutante, douleur des seins, miction fréquente, transpiration, anxiété, confusion, douleur articulaire, difficulté respiratoire, dépression, idées ou impulsions suicidaires.

COURANTS
Douleur, inflammation ou réaction allergique au point d'injection (fréquents) ; symptômes de grippe – maux de tête, fièvre, douleurs musculaires, faiblesse générale et fatigue (ces symptômes diminuent à mesure que l'organisme s'habitue à la thérapie) ; insomnie ; vulnérabilité accrue aux infections ; nausées et vomissements ; diarrhée ; douleur abdominale ; chute temporaire des cheveux.

MOINS COURANTS
Vertiges, bouche sèche, peau sèche ou urticante, transpiration, douleur articulaire, vision modifiée, surdité partielle.

INTERFÉRON BÊTA-1B (RIFN-B)

Présentation : Poudre pour injection
En vente libre ? Non   **Générique disponible ?** Non
Classe de médicaments : Immunomodulateur

▼ GÉNÉRALITÉS

INDICATIONS
Traitement des formes récurrentes de la sclérose en plaques (la plus commune, avec alternances d'aggravation et de rémission ou de moindre gravité des symptômes).

MODE D'ACTION
L'interféron bêta-1b agit comme les interférons naturels de l'organisme. Ces interférons naturels sont des protéines qui sont libérées par les cellules du système immunitaire pour combattre les virus, les cellules cancéreuses et d'autres formes de maladies. Le mode d'action de l'interféron contre la sclérose en plaques (SEP) n'est pas connu, mais ce médicament semble entraver les attaques du système immunitaire contre les tissus sains.

▼ MODE D'EMPLOI

POSOLOGIE
8 millions d'unités (0,25 mg) tous les 2 jours, par injection.

DÉBUT D'ACTION
Inconnu.

DURÉE D'ACTION
Inconnue.

CONSEILS NUTRITIONNELS
Buvez beaucoup pour réduire le risque d'une hypotension grave.

MODE DE CONSERVATION
Gardez la forme reconstituée au réfrigérateur ; ne la congelez pas.

OUBLI D'UNE DOSE
Ne prenez pas la dose oubliée et ne doublez pas la suivante. Demandez au médecin quoi faire.

EFFETS INDÉSIRABLES

GRAVES
Convulsions, œdème et rétention hydrique, douleur pelvienne, coups dans la poitrine, douleur aux seins, mictions fréquentes, transpiration, anxiété, confusion, douleur articulaire, difficultés respiratoires, dépression, idées ou impulsions suicidaires.

COURANTS
Douleur, inflammation ou réaction allergique au point d'injection (fréquents) ; syndrome pseudo-grippal, avec céphalées, fièvre, douleurs musculaires, faiblesse générale et fatigue (ces symptômes diminuent à mesure que l'organisme s'habitue au traitement) ; insomnie ; plus grande vulnérabilité aux infections ; nausées et vomissements ; diarrhée ; douleur abdominale ; chute temporaire des cheveux.

MOINS COURANTS
Vertiges, sécheresse de la bouche, sécheresse ou démangeaisons de la peau, sudation accrue, douleur articulaire, troubles de la vue ou de l'ouïe. Nécrose des tissus au point d'injection chez quelques patients.

ARRÊT DE LA MÉDICATION
La décision doit être prise par votre médecin.

USAGE PROLONGÉ
Voyez votre médecin régulièrement pour un suivi médical et des analyses.

▼ PRÉCAUTIONS

Plus de 60 ans. Risques de réactions indésirables plus fréquentes et plus graves.

Conduite automobile, travaux dangereux. À déconseiller tant que vous ne connaissez pas votre réaction au médicament.

Alcool. À éviter.

Grossesse. Il n'existe pas d'études pertinentes. Demandez l'avis du médecin.

Allaitement. L'interféron bêta-1b peut passer dans le lait maternel ; la prudence s'impose. Demandez l'avis du médecin.

Nourrissons et enfants. Il n'existe pas d'études spécifiques sur les effets de l'interféron bêta sur les enfants.

À surveiller. L'interféron bêta-1b doit être administré avec prudence aux patients ayant des antécédents de dépression, le médicament ayant été associé à une recrudescence d'impulsions suicidaires. Évitez les personnes souffrant d'infections : le médicament peut réduire temporairement le nombre de globules blancs dans le sang et augmenter votre vulnérabilité à la maladie. Utilisez avec prudence la brosse à dents, la soie dentaire ou les cure-dents : le médecin ou le dentiste peuvent vous recommander d'autres moyens de vous nettoyer les dents. Consultez le médecin avant tout travail dentaire. Utilisez avec prudence les objets tranchants, comme un rasoir, pour ne pas vous couper. Évitez les sports de contact ou autres activités où des ecchymoses peuvent se produire. Ne vous mettez pas les doigts dans les yeux ou la bouche à moins de vous être lavé les mains juste auparavant.

SURDOSAGE
Symptômes. Aucun symptôme spécifique n'a été signalé.

Quoi faire. En cas de surdose appréhendée, appelez immédiatement le médecin ou allez à l'urgence.

▼ INTERACTIONS

MÉDICAMENT-MÉDICAMENT
Demandez l'avis du médecin pour tous les médicaments que vous prenez, avec ou sans ordonnance.

MÉDICAMENT-ALIMENT
Aucune interaction connue.

MÉDICAMENT-MALADIE
Il faut faire preuve de prudence quand on prend de l'interféron bêta-1b. Consultez le médecin en cas d'antécédents de : saignements ou troubles de la coagulation, varicelle, zona, problèmes psychologiques et neurologiques, diabète, maladie du cœur, du rein, du foie, du poumon ou de la thyroïde, ou maladies auto-immunes.

IODE FORTE

Présentation : Solution orale
En vente libre ? Oui   **Générique disponible ?** Oui
Classe de médicaments : Agent thyroïdien

▼ GÉNÉRALITÉS

INDICATIONS
Traitement de l'hyperactivité de la thyroïde (hyperthyroïdie) ; traitement des déficiences en iode ; préparation à une chirurgie de la thyroïde.

MODE D'ACTION
L'iode forte inhibe la production et la libération des hormones thyroïdiennes sécrétées par la glande thyroïde.

▼ MODE D'EMPLOI

POSOLOGIE
Hyperthyroïdie – Adultes et enfants de plus de 10 ans : 1 ml, 3 fois par jour. Avant une chirurgie de la thyroïde : 0,1 à 0,3 ml, 3 fois par jour, pendant les 10 jours qui précèdent la chirurgie.

DÉBUT D'ACTION
Inconnu.

DURÉE D'ACTION
Inconnue.

CONSEILS NUTRITIONNELS
À prendre dans un verre de jus de fruits, de lait ou de bouillon pour diminuer les dérangements d'estomac. Buvez tout le liquide pour prendre une dose complète du médicament.

MODE DE CONSERVATION
Garder la solution à la température ambiante (non supérieure à 40 °C/104 °F). Ne la faites pas congeler.

OUBLI D'UNE DOSE
Prenez-la dès que vous y pensez. S'il est presque l'heure de la suivante, sautez la dose oubliée et reprenez la fréquence normale. Ne doublez pas la dose suivante.

ARRÊT DE LA MÉDICATION
Cette décision doit être prise par le médecin.

USAGE PROLONGÉ
Un suivi médical est nécessaire pour vérifier l'évolution du traitement quand vous devez prendre de l'iode forte durant une période prolongée.

▼ PRÉCAUTIONS

Plus de 60 ans. On ne s'attend à aucun problème particulier ni à aucun effet indésirable spécial dans ce groupe d'âge.

Conduite automobile, travaux dangereux. Le traitement à l'iode forte ne devrait pas vous empêcher d'exécuter de telles activités en toute sécurité.

Alcool. Pas de précautions spéciales.

Grossesse. L'iode forte peut traverser le placenta et entraîner des troubles thyroïdiens ou un goitre chez le fœtus. Avant d'en prendre, dites au médecin que vous êtes enceinte ou voulez le devenir.

Allaitement. L'iode forte passe dans le lait maternel : n'en prenez pas pendant que vous allaitez.

Nourrissons et enfants. Indications et posologie à déterminer par le médecin.

À surveiller. Prenez la solution orale par la bouche, même si elle vient dans un flacon à compte-gouttes. Ne vous en servez pas si elle a viré au rouge brique. S'il s'y forme des cristaux, vous pouvez les faire dissoudre en réchauffant le flacon fermé dans de l'eau chaude, puis en l'agitant doucement. Aspirez le liquide avec une paille pour éviter la coloration de vos dents. Si vous continuez à avoir des maux d'estomac, consultez le médecin.

SURDOSAGE
Symptômes. Douleur gastro-intestinale et diarrhée, parfois sanguinolente ; perte de conscience.

Quoi faire. Appelez immédiatement le médecin ou le centre antipoison, ou allez à l'urgence.

▼ INTERACTIONS

MÉDICAMENT-MÉDICAMENT
Demandez spécifiquement l'avis du médecin si vous prenez : amiloride, spironolactone, triamtérène, autres agents thyroïdiens, lithium.

MÉDICAMENT-ALIMENT
Ce médicament renferme du potassium. Consultez le médecin si vous suivez un régime pauvre en potassium.

MÉDICAMENT-MALADIE
Un traitement à l'iode forte exige de la prudence. Consultez le médecin si vous souffrez des troubles suivants : bronchite ou autre maladie pulmonaire, maladie rénale ou hyperkaliémie (taux trop élevé de potassium dans le sang).

 EFFETS INDÉSIRABLES

GRAVES
Fièvre, ganglions enflés, rash cutané, douleur articulaire.

COURANTS
Nausées, arrière-goût métallique.

MOINS COURANTS
Fièvre, céphalée, inflammation des glandes salivaires, nez qui coule, dents tachées, yeux bouffis, peau chaude et rougie, conjonctivite, dérangements d'estomac, vomissements, diarrhée, lésions sur les muqueuses.

IODE TOPIQUE

NOM COMMERCIAL

Teinture d'iode

Présentation : Solution topique
En vente libre ? Oui **Générique disponible ?** Oui
Classe de médicaments : Antibactérien (topique) ; antiseptique

▼ GÉNÉRALITÉS

INDICATIONS
L'iode est un désinfectant très efficace employé dans le traitement des lésions superficielles et bénignes de la peau. On s'en sert aussi pour désinfecter la peau avant diverses interventions, comme les prélèvements de sang, les dialyses et les injections.

MODE D'ACTION
L'iode empoisonne les bactéries par contact, en faisant figer les protéines qu'elles renferment.

▼ MODE D'EMPLOI

POSOLOGIE
Adultes : à appliquer sur la région affectée, selon les directives du médecin ou selon celles que le fabricant a inscrites sur l'étiquette. Enfants de 1 mois et plus : consultez le pédiatre.

DÉBUT D'ACTION
Immédiatement.

DURÉE D'ACTION
Inconnue.

CONSEILS NUTRITIONNELS
Pas de restrictions spéciales.

MODE DE CONSERVATION
Dans un contenant étanche, à l'abri de la chaleur, de la lumière, de l'humidité et des températures extrêmes.

OUBLI D'UNE DOSE
Sans objet. La solution est appliquée au besoin.

ARRÊT DE LA MÉDICATION
La solution topique est utilisée au besoin. Le traitement peut être interrompu quand vous le jugez à propos.

USAGE PROLONGÉ
Le traitement devrait être complet en 7 à 10 jours. Si votre état ne s'améliore pas ou s'il s'aggrave, consultez le médecin en tout temps après avoir commencé l'application d'iode.

▼ PRÉCAUTIONS

Plus de 60 ans. Pas de risques connus.

Conduite automobile, travaux dangereux. L'utilisation d'iode ne devrait pas vous empêcher d'exécuter de telles tâches en toute sécurité.

Alcool. Pas de précautions spéciales.

Grossesse. N'employez pas d'iode si vous êtes enceinte ou voulez le devenir.

Allaitement. L'iode passe dans le lait maternel ; n'en employez pas pendant que vous allaitez.

Nourrissons et enfants. L'iode n'est pas recommandé chez les enfants de moins de 1 mois.

À surveiller. L'iode peut provoquer des effets indésirables graves s'il en pénètre de grandes quantités dans le sang. N'en appliquez pas trop sur la peau blessée. N'ingérez pas de solution à l'iode. Surtout, n'en mettez pas sur des plaies vives, des coupures profondes ou là où la peau est ulcérée ou saigne. Attention aux yeux si vous vous appliquez de l'iode sur le front ou les joues : mettez-en peu, et avec grande prudence. Si vous vous êtes mis accidentellement de l'iode dans les yeux, lavez-les à l'eau immédiatement. Pour éviter d'irriter la peau, ne mettez pas de pansement sur les plaies traitées à l'iode.

SURDOSAGE
Symptômes. Une surdose d'iode topique est peu probable si vous suivez bien les instructions. En cas d'ingestion accidentelle, les symptômes suivants peuvent se produire : douleur abdominale, diarrhée, nausées, vomissements, fièvre, soif intense, baisse du débit urinaire.

Quoi faire. Appelez immédiatement le médecin ou le centre antipoison, ou allez à l'urgence.

▼ INTERACTIONS

MÉDICAMENT-MÉDICAMENT
On n'a signalé jusqu'à présent aucune interaction médicamenteuse spécifique. Pour savoir si un médicament que vous prenez avec ou sans ordonnance peut interagir avec l'iode topique, consultez le médecin ou le pharmacien qui vous communiquera l'information la plus récente.

MÉDICAMENT-ALIMENT
Aucune interaction connue.

MÉDICAMENT-MALADIE
Consultez le médecin dans les cas suivants : morsures d'animaux ; grandes plaies, ampoules, ulcérations ou lésions au lieu d'application ; blessure grave au lieu d'application ; plaies perforantes ou autres plaies profondes ; brûlures ; allergies aux coquillages et aux crustacés.

 EFFETS INDÉSIRABLES

GRAVES
Utilisé selon les directives, l'iode topique ne devrait provoquer aucun effet indésirable grave.

COURANTS
Brûlure ou picotements temporaires au lieu d'application.

MOINS COURANTS
Irritation ou allergie de la peau au lieu d'application avec ampoules, croûtes, démangeaisons ou rougeur.

IPÉCA (SIROP D')

NOM COMMERCIAL

PMS-Ipecac

Présentation : Sirop
En vente libre ? Oui **Générique disponible ?** Oui
Classe de médicaments : Émétique

▼ GÉNÉRALITÉS

INDICATIONS
Pour provoquer les vomissements chez les personnes qui ont ingéré des substances toxiques ou pris une surdose de médicament.

MODE D'ACTION
L'ipéca provoque le réflexe de vomir en irritant la muqueuse gastrique.

▼ MODE D'EMPLOI

POSOLOGIE
Adultes et adolescents : dose de 15 à 30 ml suivie de 1 grand verre d'eau. Enfants de 1 à 12 ans : dose de 15 ml suivie de ½ à 1 verre d'eau. Enfants de 6 mois à 1 an : dose de 5 à 10 ml, suivie de ½ à 1 verre d'eau. S'il ne se produit pas de vomissements, on peut répéter la dose 1 fois, 20 minutes plus tard.

DÉBUT D'ACTION
En 15 à 30 minutes.

DURÉE D'ACTION
30 minutes à 2 heures.

CONSEILS NUTRITIONNELS
Buvez de l'eau tout de suite après avoir pris le sirop d'ipéca.

MODE DE CONSERVATION
Dans un contenant étanche, à l'abri de la chaleur, de l'humidité et de la lumière.

OUBLI D'UNE DOSE
Sans objet. On ne devrait en prendre une deuxième fois que si c'est manifestement nécessaire.

ARRÊT DE LA MÉDICATION
Ne donnez pas plus de 2 doses. S'il n'y a pas de vomissements, appelez le médecin ou le centre antipoison ou allez à l'urgence.

USAGE PROLONGÉ
Le sirop d'ipéca n'est pas destiné à un usage prolongé.

▼ PRÉCAUTIONS

Plus de 60 ans. Pas de risques connus.

Conduite automobile, travaux dangereux. À déconseiller tant que vous ne connaissez pas votre réaction au médicament.

Alcool. À éviter.

Grossesse. Il n'existe pas d'études sur l'emploi du sirop d'ipéca durant la grossesse. Évaluez avec le médecin les bienfaits du médicament par rapport à ses risques.

Allaitement. Le sirop d'ipéca peut passer dans le lait maternel : la prudence s'impose. Demandez l'avis du médecin.

Nourrissons et enfants. L'administration de sirop d'ipéca aux enfants doit se faire sous étroite surveillance. Les bébés de moins de 1 an risquent d'aspirer leurs vomissures. Consultez le médecin avant d'employer du sirop d'ipéca dans ce groupe d'âge.

À surveiller. Avant de donner du sirop d'ipéca, consultez le médecin ou le centre antipoison. Le sirop d'ipéca ne s'administre pas dans tous les cas d'intoxication ; il pourrait être nocif s'il était administré, par exemple, à une personne qui a ingéré de l'essence, du diluant à peinture, du kérosène ou une substance caustique comme de la soude. Ne donnez pas de sirop d'ipéca aux personnes inconscientes ou très somnolentes, car elles risquent d'aspirer leurs vomissures. S'il y a un enfant de plus de 1 an à la maison, gardez toujours 30 ml (1 oz) de sirop d'ipéca à portée de la main en cas d'urgence. Le sirop d'ipéca ne doit pas être employé pour provoquer des vomissements dans le but de maigrir ; il peut être toxique pour le cœur.

SURDOSAGE
Symptômes. Difficultés à respirer, raideur musculaire, diarrhée.

Quoi faire. Appelez immédiatement le médecin ou le centre antipoison, ou allez à l'urgence.

▼ INTERACTIONS

MÉDICAMENT-MÉDICAMENT
Ne donnez aucun autre médicament, y compris ceux vendus sans ordonnance, en même temps que l'ipéca sans avoir consulté au préalable le médecin. Les antiémétiques peuvent réduire l'efficacité du sirop et augmenter sa toxicité. Si vous utilisez du charbon activé, attendez que les vomissements (provoqués par l'ipéca) se soient arrêtés avant d'en administrer.

MÉDICAMENT-ALIMENT
On ne doit pas prendre du sirop d'ipéca avec du lait, des produits lactés ou des boissons gazeuses. Le lait et les produits laitiers empêchent le sirop d'ipéca de produire tout son effet. Les boissons gazeuses peuvent faire gonfler l'estomac.

MÉDICAMENT-MALADIE
Vous ne devriez pas prendre de sirop d'ipéca en cas de : maladie cardiaque, antécédents de convulsions, état de choc, réflexes de haut-le-cœur réduits, somnolence ou inconscience.

 EFFETS INDÉSIRABLES

GRAVES
Arythmies cardiaques ; nausées ou vomissements durant plus de 30 minutes ; diarrhée excessive ; faiblesse ou raideur dans les muscles du cou, des bras et des jambes ; douleurs ou crampes gastriques ; fatigue anormale ; difficultés à respirer.

COURANTS
Somnolence et diarrhée bénigne.

MOINS COURANTS
Aucun effet indésirable moins courant n'a été associé à l'administration de sirop d'ipéca.

IPRATROPIUM (BROMURE D')

Présentation : Aérosol pour inhalation, solution pour inhalation, atomiseur nasal
En vente libre ? Non   **Générique disponible ?** Oui
Classe de médicaments : Inhalations respiratoires

▼ GÉNÉRALITÉS

INDICATIONS
Soulagement des symptômes des maladies pulmonaires : asthme, bronchite chronique et emphysème.

MODE D'ACTION
L'ipratropium inhibe le réflexe de la toux en entravant l'activité de l'acétylcholine, élément chimique qui provoque dans les poumons la constriction des muscles lisses entourant les voies aériennes. C'est pourquoi l'ipratropium inhalé entraîne la dilatation des voies aériennes (bronchodilatation).

▼ MODE D'EMPLOI

POSOLOGIE
Le médicament peut être utilisé au besoin pour soulager les symptômes respiratoires. Maladie chronique des poumons — Aérosol pour inhalation : adultes et enfants de 12 ans et plus : 2 à 4 inhalations, 3 ou 4 fois par jour, à intervalles réguliers. Chez certains patients, il faut 6 à 8 inhalations par jour. Solution pour inhalation : adultes et enfants de 12 ans et plus : 250 à 500 µg (microgrammes) en nébuliseur, 3 ou 4 fois par jour, aux 6 à 8 heures. Enfants de 5 à 12 ans : 125 à 250 µg en nébuliseur, 3 ou 4 fois par jour. Congestion nasale — Atomiseur nasal : adultes et enfants de 12 ans et plus : 2 vaporisations par narine, 2 ou 3 fois par jour.

DÉBUT D'ACTION
En 5 à 15 minutes.

DURÉE D'ACTION
3 à 4 heures.

CONSEILS NUTRITIONNELS
Contre la sécheresse de la bouche, on peut prendre de la gomme ou des bonbons durs sans sucre.

MODE DE CONSERVATION
Dans un contenant étanche, à l'abri de la chaleur et de la lumière. Les flacons de solution ouvertes doivent être gardés au réfrigérateur, mais ne les faites pas congeler.

OUBLI D'UNE DOSE
Prenez-la dès que vous y pensez. S'il est presque l'heure de la suivante, sautez la dose oubliée et reprenez la fréquence normale. Ne doublez pas la dose suivante.

ARRÊT DE LA MÉDICATION
Il se peut que vous n'ayez pas à utiliser le médicament aussi longtemps que prévu : consultez votre médecin.

USAGE PROLONGÉ
Des visites médicales régulières sont nécessaires.

▼ PRÉCAUTIONS

Plus de 60 ans. L'ipratropium ne devrait pas causer de problèmes particuliers.

Conduite automobile, travaux dangereux. À déconseiller tant que vous ne connaissez pas votre réaction au médicament.

Alcool. Pas de précautions spéciales.

Grossesse. L'ipratropium n'a provoqué aucune anomalie congénitale chez les animaux. Il n'existe pas d'étude sur les humains. Avant d'en prendre, avertissez le médecin que vous êtes enceinte ou voulez le devenir.

Allaitement. On ne sait pas si l'ipratropium passe dans le lait maternel : la prudence s'impose. Demandez spécifiquement l'avis du médecin.

Nourrissons et enfants. L'ipratropium a été testé chez les enfants et ne cause pas de problèmes spéciaux.

À surveiller. Inhalateur : vérifiez d'abord son fonctionnement. Introduisez-le dans l'embout, retirez le capuchon de l'embout, agitez l'inhalateur 3 ou 4 fois et envoyez un jet en l'air. Pour utiliser l'inhalateur, tenez-le droit en dirigeant l'embout vers le bas et agitez-le 3 ou 4 fois. Expirez et lancez un jet dans la bouche ouverte ou refermée sur l'inhalateur, comme vous l'aura recommandé le médecin. Nettoyez l'embout et la cartouche au moins deux fois par semaine. Solution pour inhalation : utilisez un nébuliseur électrique avec masque facial ou embout buccal. Demandez au médecin de vous dire comment l'utiliser.

SURDOSAGE
Symptômes. Aucun symptôme spécifique n'a été signalé.

Quoi faire. Il est peu probable qu'une surdose d'ipratropium mette votre vie en danger. Néanmoins, si la dose est très forte, appelez le médecin ou le centre antipoison.

▼ INTERACTIONS

MÉDICAMENT-MÉDICAMENT
Avant de prendre de l'ipratropium, informez le médecin de tous les médicaments que vous prenez avec ou sans ordonnance.

MÉDICAMENT-ALIMENT
Aucune interaction connue.

MÉDICAMENT-MALADIE
Avertissez le médecin si vous souffrez de glaucome ou de mictions difficiles.

 EFFETS INDÉSIRABLES

GRAVES
Constipation persistante ; douleur ou ballonnement dans le bas de l'abdomen ; respiration sifflante ou difficile ; constriction thoracique ; douleur oculaire importante ; rash cutané ou urticaire ; lèvres, paupières ou visage enflés.

COURANTS
Sécheresse de la bouche, toux, goût désagréable.

MOINS COURANTS
Vision embrouillée, autres altérations de la vue, yeux qui brûlent, mictions difficiles, vertiges, céphalées, nausées, battements de cœur forts, nervosité, sueur, tremblements.

IRBÉSARTAN

Présentation : Comprimés
En vente libre ? Non   **Générique disponible ?** Non
Classe de médicaments : Antihypertenseur/bloqueur des récepteurs de l'angiotensine II

▼ GÉNÉRALITÉS

INDICATIONS
Traitement de l'hypertension. Le médicament semble avoir les mêmes avantages que les antihypertenseurs appelés « inhibiteurs de l'ECA », sans provoquer comme eux l'effet secondaire de toux sèche, un effet indésirable courant (présent chez quelque 30 % des patients). Peut être utilisé seul ou en association avec d'autres antihypertenseurs.

MODE D'ACTION
L'irbésartan inhibe les effets de l'angiotensine II, substance naturellement présente dans l'organisme qui provoque la constriction des vaisseaux sanguins. L'irbésartan entraîne la dilatation de ceux-ci, diminuant ainsi la tension artérielle et le travail cardiaque.

▼ MODE D'EMPLOI

POSOLOGIE
Dose initiale : 150 mg 1 fois par jour. Cette posologie peut être augmentée par le médecin, jusqu'à un maximum de 300 mg par jour.

DÉBUT D'ACTION
En 2 à 4 heures.

DURÉE D'ACTION
Plus de 24 heures.

CONSEILS NUTRITIONNELS
Aucune restriction, à moins que le médecin n'ait recommandé un régime hyposodique ou d'autres modifications diététiques pour aider à maîtriser l'hypertension.

MODE DE CONSERVATION
Dans un contenant étanche, à l'abri de la chaleur, de l'humidité et de la lumière.

OUBLI D'UNE DOSE
Si vous oubliez une dose une journée, ne doublez pas celle du jour qui suit. Revenez à la posologie et à la fréquence normales.

ARRÊT DE LA MÉDICATION
Suivez le traitement au complet, comme il a été prescrit. La décision d'interrompre le traitement doit être prise en consultation avec le médecin.

USAGE PROLONGÉ
Le traitement peut durer toute la vie, mais si vous modifiez votre mode de vie (en faisant plus d'exercice, par exemple, ou en perdant du poids), il est possible de réduire les doses sous la surveillance du médecin.

▼ PRÉCAUTIONS

Plus de 60 ans. Risques de réactions indésirables plus fréquentes et plus graves.

Conduite automobile, travaux dangereux. À déconseiller tant que vous ne connaissez pas votre réaction au médicament.

Alcool. Pas de précautions spéciales.

Grossesse. Les femmes enceintes ne devraient pas prendre d'irbésartan. Cessez d'en prendre dès que vous savez que vous êtes enceinte et étudiez avec le médecin la pertinence de recourir à d'autres modes de traitement.

Allaitement. L'irbésartan peut passer dans le lait maternel : la prudence s'impose. Demandez l'avis du médecin.

Nourrissons et enfants. L'innocuité et l'efficacité du médicament n'ont pas été établies pour ce groupe d'âge.

À surveiller. L'irbésartan peut provoquer une chute excessive de la tension artérielle, accompagnée de vertiges et d'étourdissements, davantage perceptibles quand vous changez de position et qui peuvent causer évanouissement, chutes et blessures. Étendez-vous ou asseyez-vous aussitôt que vous vous sentez étourdi. Cet effet indésirable peut être accentué par l'alcool, le temps chaud, la déshydratation, la déplétion sodique qui accompagne un traitement diurétique, la fièvre, une station debout ou assise prolongée ou l'exercice.

SURDOSAGE
Symptômes. Aucun cas de surdosage n'a été signalé. Néanmoins, si vous prenez une dose très importante, vous pouvez souffrir d'hypotension grave et d'arythmies cardiaques.

Quoi faire. Si vous prenez une dose beaucoup plus importante que celle qui vous a été prescrite, appelez votre médecin ou allez à l'urgence.

▼ INTERACTIONS

MÉDICAMENT-MÉDICAMENT
Aucune interaction médicamenteuse n'a été observée jusqu'à présent. Demandez spécifiquement l'avis du médecin si vous prenez d'autres médicaments, en particulier d'autres hypertenseurs. L'irbésartan peut être administré avec des diurétiques ou d'autres antihypertenseurs, si le médecin l'autorise.

MÉDICAMENT-ALIMENT
Aucune interaction connue.

MÉDICAMENT-MALADIE
Les patients souffrant d'une maladie du foie ou des reins doivent faire preuve de prudence s'ils prennent de l'irbésartan.

 EFFETS INDÉSIRABLES

GRAVES
Aucun effet indésirable grave n'est associé à l'irbésartan. (Dans les essais cliniques, l'incidence des effets indésirables n'a pas été significativement plus élevée avec le médicament qu'avec un placebo.)

COURANTS
Aucun effet indésirable courant n'est associé à l'irbésartan.

MOINS COURANTS
Diarrhée, dyspepsie, brûlures d'estomac, fatigue, douleur musculaire, œdème, dysfonction sexuelle, hypotension.

ISONIAZIDE

Présentation : Sirop, comprimés, injection
En vente libre ? Non **Générique disponible ?** Oui
Classe de médicaments : Agent anti-infectieux/antituberculeux

▼ GÉNÉRALITÉS

INDICATIONS
Prévention et traitement de la tuberculose. Il s'emploie seul pour prévenir la tuberculose, mais doit être associé à d'autres agents antituberculeux pour traiter les cas cliniques.

MODE D'ACTION
L'isoniazide entrave la formation de l'ADN et des lipides nécessaires à la fabrication des parois cellulaires des bactéries de la tuberculose.

▼ MODE D'EMPLOI

POSOLOGIE
Prévention – Adultes et adolescents : 300 mg 1 fois par jour. Enfants : 10 à 15 mg par kilogramme (2,2 lb) de poids 1 fois par jour (maximum : 300 mg par jour). Traitement – Adultes et adolescents : 300 mg 1 fois par jour ou 15 mg par kilogramme 2 ou 3 fois par semaine (maximum : 900 mg par dose). Enfants : 10 à 20 mg par kilogramme 1 fois par jour (maximum : 300 mg par jour), ou 20 à 40 mg par kilogramme 2 ou 3 fois par semaine (maxi-

mum : 900 mg par dose). On peut donner 10 à 25 mg par jour de vitamine B6 pour prévenir les lésions aux nerfs.

DÉBUT D'ACTION
Inconnu.

DURÉE D'ACTION
Inconnue.

CONSEILS NUTRITIONNELS
À prendre 1 heure avant les repas ou 2 heures après. La prise avec des aliments ou un antiacide empêche l'irritation gastrique, mais diminue l'absorption du médicament. Ne prenez pas d'antiacide à l'aluminium dans l'heure qui suit la dose.

MODE DE CONSERVATION
Dans un contenant étanche, à l'abri de la chaleur, de l'humidité et de la lumière. Ne congelez pas les formes liquides.

OUBLI D'UNE DOSE
Prenez-la dès que vous y pensez pour maintenir la concentration du médicament. S'il est presque l'heure de la suivante, sautez la dose oubliée et revenez à la fréquence normale. Ne doublez pas la dose suivante.

ARRÊT DE LA MÉDICATION
Effectuez le traitement au complet, comme il vous a été prescrit, même si vous vous sentez mieux. La thérapie peut durer des mois ou des années. La décision d'arrêter est prise par le médecin.

USAGE PROLONGÉ
Le médecin doit faire un suivi avec examens et analyses périodiques pour les thérapies de longue durée. Si les symptômes ne régressent pas ou s'aggravent après 3 semaines, consultez le médecin.

▼ PRÉCAUTIONS

Plus de 60 ans. Risques de réactions indésirables plus fréquentes et plus graves.

Conduite automobile, travaux dangereux. À déconseiller tant que vous ne connaissez pas votre réaction au médicament.

Alcool. À éviter. L'alcool peut diminuer l'efficacité de l'isoniazide et interagir avec celui-ci en augmentant les risques d'hépatite.

Grossesse. Dans les études sur les humains, l'isoniazide n'a pas causé d'anomalies congénitales. Prévenez le médecin si vous êtes enceinte ou souhaitez le devenir et évaluez avec lui l'utilité et les risques du traitement.

Allaitement. L'isoniazide passe dans le lait maternel ; la prudence s'impose. Parlez-en à votre médecin.

Nourrissons et enfants. Aucun risque connu. Étudiez avec le pédiatre l'utilité de la

thérapie par rapport à ses risques.

À surveiller. L'isoniazide peut fausser les résultats des tests de sucre dans l'urine chez les diabétiques.

SURDOSAGE
Symptômes. Convulsions graves, nausées, vomissements, difficultés respiratoires, diction empâtée, vision brouillée, hallucinations, vertiges, perte de conscience, stupeur.

Quoi faire. Appelez immédiatement le médecin ou le centre antipoison, ou allez à l'urgence.

▼ INTERACTIONS

MÉDICAMENT-MÉDICAMENT
Prévenez le médecin si vous prenez : analgésiques narcotiques, antiacides, acétaminophène, carbamazépine, disulfiram, phénytoïne, rifampine, kétoconazole, itraconazole, warfarine ou diazépam. Demandez au médecin si les médicaments que vous prenez sont toxiques pour le foie : il faudrait les éviter.

MÉDICAMENT-ALIMENT
Interactions possibles avec : fromage suisse, poisson, chocolat et bière. Consultez le médecin.

MÉDICAMENT-MALADIE
Consultez le médecin en cas d'épilepsie ou autres troubles convulsifs ou d'antécédents d'alcoolisme. L'isoniazide peut entraîner des complications chez les patients atteints de maladie du foie ou des reins, car ces organes contribuent à éliminer le médicament de l'organisme.

 EFFETS INDÉSIRABLES

GRAVES
Engourdissements, douleur, sensation de brûlure ou picotements des mains et des pieds ; perte d'appétit ; douleurs gastriques ; maladresse ; jaunissement des yeux ou de la peau ; nausées ; vomissements ; urine foncée ; fatigue inhabituelle.

COURANTS
Diarrhée, éruptions cutanées, fièvre.

MOINS COURANTS
Irritabilité, convulsions.

ISOSORBIDE (DINITRATE D')

Présentation : Gélules et comprimés ordinaires, à action prolongée ou sublinguaux
En vente libre ? Non   **Générique disponible ?** Oui
Classe de médicaments : Nitrate

▼ GÉNÉRALITÉS

INDICATIONS
Prévention ou soulagement de la crise d'angine (douleur thoracique associée à une maladie cardiaque).

MODE D'ACTION
Le dinitrate d'isosorbide relaxe les muscles lisses des vaisseaux sanguins et augmente l'apport de sang et d'oxygène au cœur. Il diminue également le travail cardiaque et les besoins du cœur en oxygène.

▼ MODE D'EMPLOI

POSOLOGIE
Prévention de l'angine de poitrine : gélules et comprimés à action prolongée, 20 à 40 mg 2 fois par jour, aux 7 heures, ou 30 à 120 mg, 1 fois par jour. Gélules et comprimés ordinaires : 10 à 30 mg, 3 fois par jour. Traitement de l'angine de poitrine : dès que vous sentez venir le début de la crise, déposez un comprimé sublingual sous votre langue. Si la douleur ne disparaît pas en 5 minutes, prenez-en un second. Un troisième comprimé sublingual peut être utilisé 5 minutes plus tard. Si la douleur persiste toujours, rendez-vous tout de suite à l'urgence.

DÉBUT D'ACTION
Comprimés sublinguaux (sous la langue) : en 2 à 5 minutes ; comprimés ordinaires : en 15 à 40 minutes ; gélules et comprimés à action prolongée : en 30 minutes.

DURÉE D'ACTION
Comprimés et gélules : 4 à 6 heures ; formes à action prolongée : 12 heures.

CONSEILS NUTRITIONNELS
Prenez gélules ou comprimés 30 minutes avant un repas ou 1 à 2 heures après.

MODE DE CONSERVATION
Dans un contenant étanche, à l'abri de la chaleur et de la lumière.

OUBLI D'UNE DOSE
Prenez-la dès que vous y pensez. S'il est presque l'heure de la dose suivante, sautez la dose oubliée et reprenez la fréquence normale. Ne doublez pas la dose suivante.

ARRÊT DE LA MÉDICATION
Cette décision doit être prise par le médecin. N'interrompez pas le traitement abruptement. Demandez au médecin s'il y a lieu de réduire les doses graduellement.

USAGE PROLONGÉ
Un suivi médical est nécessaire si le traitement est à long terme.

▼ PRÉCAUTIONS

Plus de 60 ans. Risques de réactions indésirables plus fréquentes et plus graves.

Conduite automobile, travaux dangereux. À déconseiller tant que vous ne connaissez pas votre réaction au médicament.

Alcool. À éviter.

Grossesse. Les études sur les animaux ont montré des effets secondaires sur le fœtus. Il n'y a pas d'études sur les humains. Avant de prendre du dinitrate d'isosorbide, avertissez le médecin que vous êtes enceinte ou désirez le devenir.

Allaitement. Le dinitrate d'isosorbide peut passer dans le lait maternel : la prudence est de mise. Demandez l'avis du médecin.

Nourrissons et enfants. Il n'existe pas d'études sur les enfants. Indications et posologie devraient être déterminées par le médecin.

À surveiller. Soyez vigilant s'il fait chaud, que vous faites de l'exercice ou que vous restez longtemps debout.

SURDOSAGE
Symptômes. Ongles des doigts, lèvres ou paumes des mains bleuâtres ; vertiges graves ou évanouissements ; faiblesse inhabituelle, fièvre, battements de cœur faibles et rapides ; convulsions.

Quoi faire. Appelez aussitôt le médecin ou le centre antipoison, ou allez à l'urgence.

▼ INTERACTIONS

MÉDICAMENT-MÉDICAMENT
Ne prenez pas de dinitrate d'isosorbide dans les 24 heures suivant la prise de citrate de sildénafil : le sildénafil peut potentialiser l'effet des nitrates (dont l'isosorbide), provoquant une chute de tension artérielle potentiellement dangereuse. Consultez le médecin si vous prenez d'autres médicaments pour le cœur ou des antihypertenseurs.

MÉDICAMENT-ALIMENT
Aucune interaction connue.

MÉDICAMENT-MALADIE
Le dinitrate d'isosorbide exige qu'on soit prudent. Avertissez le médecin en cas de : anémie, glaucome, récente blessure à la tête ou accident cérébrovasculaire (ACV), hyperthyroïdie ou récent infarctus. Le dinitrate d'isosorbide peut provoquer des complications chez les patients souffrant d'une maladie grave du foie ou des reins, puisque ces organes contribuent ensemble à éliminer le médicament de l'organisme.

≡ EFFETS INDÉSIRABLES ≡

GRAVES
Vision embrouillée, sécheresse de la bouche, maux de tête graves ou prolongés.

COURANTS
Vertiges ou étourdissements, surtout en se levant après avoir été assis ou couché, bouffées congestives dans le visage et le cou, pouls ou battements de cœur anormalement rapides, nausées et vomissements, agitation motrice.

MOINS COURANTS
Rash cutané.

ISOSORBIDE (MONONITRATE D')

NOMS COMMERCIAUX

Imdur, ISMO

Présentation : Comprimés, comprimés à action prolongée
En vente libre ? Non   **Générique disponible ?** Non
Classe de médicaments : Nitrate

▼ GÉNÉRALITÉS

INDICATIONS
Prévention de l'angine de poitrine (douleur thoracique de la maladie cardiaque).

MODE D'ACTION
L'isosorbide relaxe les muscles lisses des vaisseaux sanguins et augmente l'apport de sang et d'oxygène au cœur. Il diminue également le travail cardiaque et les besoins du cœur en oxygène.

▼ MODE D'EMPLOI

POSOLOGIE
Prévention de l'angine de poitrine – Comprimés : 20 mg, 2 fois par jour, à 7 heures d'intervalle. Comprimés à action prolongée : 30 à 240 mg, 1 fois par jour.

DÉBUT D'ACTION
En 60 minutes.

DURÉE D'ACTION
Inconnue.

CONSEILS NUTRITIONNELS
À prendre à jeun, au moins 30 minutes avant un repas ou 1 à 2 heures après.

MODE DE CONSERVATION
Dans un contenant étanche, à l'abri de la chaleur et de la lumière.

OUBLI D'UNE DOSE
Prenez-la dès que vous y pensez. S'il est presque l'heure de la suivante, sautez la dose oubliée et reprenez la fréquence normale. Ne doublez pas la dose suivante.

ARRÊT DE LA MÉDICATION
Cette décision doit être prise par le médecin.

USAGE PROLONGÉ
Un suivi médical est nécessaire si le traitement est à long terme.

▼ PRÉCAUTIONS

Plus de 60 ans. Risques de réactions indésirables plus fréquentes et plus graves.

Conduite automobile, travaux dangereux. À éviter tant que vous ne connaissez pas votre réaction au médicament.

Alcool. À éviter.

Grossesse. Les études sur les animaux ont montré des effets secondaires sur le fœtus. Il n'y a pas d'études sur les humains. Avant de prendre ce médicament, avertissez le médecin que vous êtes enceinte ou désirez le devenir.

Allaitement. Le mononitrate d'isosorbide peut passer dans le lait maternel : la prudence est de mise. Demandez spécifiquement l'avis du médecin.

Nourrissons et enfants. Il n'existe pas d'études sur les enfants. Indications et posologie devraient être déterminées par le médecin.

À surveiller. N'interrompez pas brusquement le traitement : il pourrait s'ensuivre un spasme des vaisseaux sanguins dans le cœur. Demandez au médecin s'il y aurait lieu de réduire graduellement les doses. Faites preuve de vigilance quand il fait chaud, que vous faites de l'exercice ou que vous demeurez debout longtemps. Le médicament peut provoquer des céphalées au début du traitement. Pour les soulager, vous pouvez prendre de l'aspirine ou de l'acétaminophène. Ces céphalées disparaissent habituellement dès que l'organisme s'habitue à la médication. Le médecin peut réduire temporairement les doses en cas de céphalées. L'efficacité du médicament peut diminuer avec le temps : avertissez-en le médecin si cela se produit.

SURDOSAGE
Symptômes. Ongles des doigts, lèvres ou paumes des mains bleuâtres ; vertiges graves ou évanouissements ;

faiblesse inhabituelle, fièvre, battements de cœur faibles et rapides ; convulsions.

Quoi faire. Appelez aussitôt le médecin ou le centre anti-poison, ou allez à l'urgence.

▼ INTERACTIONS

MÉDICAMENT-MÉDICAMENT
Ne prenez pas de dinitrate d'isosorbide dans les 24 heures suivant la prise de citrate de sildénafil : le sildénafil peut potentialiser l'effet des nitrates (dont l'isosorbide), provoquant une chute de tension artérielle potentiellement dangereuse. Consultez le médecin si vous prenez d'autres médicaments pour le cœur ou des antihypertenseurs.

MÉDICAMENT-ALIMENT
Aucune interaction connue.

MÉDICAMENT-MALADIE
Avertissez le médecin en cas de : anémie, glaucome, récente blessure à la tête ou accident cérébrovasculaire (ACV), hyperthyroïdie ou récent infarctus. Le mononitrate d'isosorbide peut provoquer des complications chez les patients souffrant d'une maladie grave du foie ou des reins, puisque ces organes contribuent ensemble à éliminer le médicament de l'organisme.

  EFFETS INDÉSIRABLES

GRAVES
Vision embrouillée, sécheresse de la bouche, maux de tête graves ou prolongés.

COURANTS
Vertiges ou étourdissements, surtout en se levant après avoir été assis ou couché, bouffées congestives dans le visage et le cou, pouls ou battements de cœur anormalement rapides, nausées et vomissements, agitation motrice.

MOINS COURANTS
Rash cutané.

ISOTRÉTINOÏNE

Présentation : Gélules, gel
En vente libre ? Non   **Générique disponible ?** Non
Classe de médicaments : Traitement de l'acné

▼ GÉNÉRALITÉS

INDICATIONS

L'isotrétinoïne sert au traitement de l'acné grave qui n'a pas répondu à d'autres thérapies, comme des antibiotiques oraux. À cause de ses effets indésirables importants, elle n'est prescrite qu'en dernier recours.

MODE D'ACTION

L'isotrétinoïne diminue la taille et les sécrétions des glandes sébacées logées dans l'épiderme le long des follicules pileux et qui sécrètent du sébum, matière grasse et épaisse servant à lubrifier la peau. L'activité hormonale durant la grossesse, la puberté ou les menstruations peut amener les glandes sébacées à sécréter plus de sébum qu'il ne peut s'en évacuer par les pores. Cette surproduction finit par boucher les follicules pileux et par causer les lésions cutanées typiques de l'acné. En diminuant la sécrétion de sébum et en le rendant plus fluide (mais aussi à cause d'autres changements dont on ne connaît pas bien le mécanisme d'action), l'isotrétinoïne est efficace contre l'acné.

▼ MODE D'EMPLOI

POSOLOGIE

Adultes et adolescents : 0,5 à 1 mg par kilogramme (2,2 lb) de poids, en 1 ou 2 doses par jour, durant une période totale de 16 semaines (en moyenne) par traitement complet. Enfants : non recommandé. Les gélules doivent être avalées entières ; il ne faut pas les ouvrir, les broyer ou les croquer.

DÉBUT D'ACTION

Variable, généralement après plusieurs semaines de traitement.

DURÉE D'ACTION

Chez la plupart des patients, mais non chez tous, l'isotrétinoïne amène une guérison complète et prolongée de l'acné. Il semble que, pour obtenir de bons résultats, il faille que les doses soient personnalisées et que le traitement dure tout le temps nécessaire.

CONSEILS NUTRITIONNELS

L'isotrétinoïne doit être prise en mangeant. Mangez et buvez comme à l'ordinaire. Ne prenez pas de suppléments vitaminiques renfermant de la vitamine A durant le traitement.

MODE DE CONSERVATION

Dans un contenant étanche, à l'abri de la chaleur, de la lumière, de l'humidité et des températures extrêmes.

OUBLI D'UNE DOSE

Prenez-la dès que vous y pensez. S'il est presque l'heure de la suivante, sautez la dose oubliée et reprenez la fréquence normale. Ne doublez pas la dose qui suit.

ARRÊT DE LA MÉDICATION

Effectuez le traitement au complet, comme il vous a été prescrit, même si l'acné disparaît avant la fin. Attention : cessez de prendre le médicament immédiatement si vous devenez enceinte ou si vous avez de bonnes raisons de croire que vous l'êtes.

USAGE PROLONGÉ

Un traitement à l'isotrétinoïne dure habituellement de 12 à 16 semaines. Un second traitement peut être instauré si le premier n'a pas donné les résultats escomptés. Entre les deux traitements, il faut laisser passer 2 mois sans médication.

▼ PRÉCAUTIONS

Plus de 60 ans. Risques de réactions indésirables plus fréquentes et plus graves.

Conduite automobile, travaux dangereux. L'isotrétinoïne ne devrait pas vous empêcher d'exécuter de telles tâches en toute sécurité de jour, mais soyez vigilant le soir, car le médicament peut nuire à la vision nocturne.

Alcool. Pris en même temps que l'isotrétinoïne, l'alcool peut provoquer une hausse dangereuse du taux de triglycérides.

Grossesse. Ne prenez pas d'isotrétinoïne, sous aucun prétexte, durant la grossesse ou durant le mois précédant la grossesse.

Allaitement. Ne prenez pas ce médicament pendant que vous allaitez.

Nourrissons et enfants. Non recommandé pour les enfants de moins de 13 ans.

À surveiller. L'isotrétinoïne peut provoquer des anomalies congénitales et des défor-

  EFFETS INDÉSIRABLES

GRAVES

Céphalées graves, parfois avec vision embrouillée, nausées et vomissements. Arrêtez la médication et communiquez immédiatement avec le médecin : il peut s'agir d'un trouble grave, l'hypertension intercrânienne bénigne, caractérisée par une augmentation de la pression dans le crâne pouvant causer des dommages au cerveau. Douleur au centre de l'abdomen traversant tout le corps : symptôme possible de pancréatite aiguë (inflammation du pancréas).

COURANTS

Peau ou lèvres sèches, fendillées ou qui démangent ; ecchymoses fréquentes ; saignements de nez ; yeux secs, rouges ou enflammés ; difficulté à porter des verres de contact ; sensibilité accrue aux coups de soleil ; douleur musculaire ou articulaire.

MOINS COURANTS

Rash cutané, desquamation palmaire ou plantaire, nausées, vertiges, mauvaise vision nocturne (cécité nocturne), cataractes, apparition de petits points (mouches volantes) ou d'ombres passant lentement devant la vue (corps flottants), perte de cheveux, perte de poids, enflure des pieds et des chevilles (œdème) causée par une forte rétention hydrique, dépression.

ISOTRÉTINOÏNE (fin)

mations importantes chez le fœtus si elle est prise durant la grossesse, même pendant très peu de temps. Par conséquent, aucune femme en âge d'être enceinte qui n'emploie pas des mesures contraceptives efficaces ne doit prendre ce médicament. Si vous commencez un traitement à l'isotrétinoïne, vous devez d'abord employer simultanément deux méthodes contraceptives efficaces et subir un test de grossesse pour exclure tout risque d'être enceinte. Le traitement peut alors commencer le 3e jour du cycle menstruel suivant pour confirmer que vous n'êtes pas enceinte. Vous devez aussi éviter de devenir enceinte durant le premier mois qui suit la fin du traitement. Le médecin peut vous demander de signer une formule de consentement avant de prescrire le médicament. L'isotrétinoïne provoque certains effets indésirables chez 9 patients sur 10 : sécheresse, fendillement, desquamation ou prurit de la peau, sécheresse du nez et de la bouche. Ne vous exposez pas au soleil et utilisez un écran solaire quand vous êtes à l'extérieur : l'isotrétinoïne peut augmenter la sensibilité de la peau aux ultraviolets et les risques de coups de soleil.

SURDOSAGE
Symptômes. Céphalées, vomissements, rougeur du visage, lèvres sèches ou fendillées, douleur abdominale, vertiges. Habituellement, ces symptômes disparaissent d'eux-mêmes rapidement.

Quoi faire. Il est peu probable qu'une surdose d'isotrétinoïne mette votre vie en danger. Néanmoins, si la dose est très forte ou si le gel est ingéré par accident, appelez immédiatement le médecin ou le centre antipoison, ou allez à l'urgence.

▼ INTERACTIONS

MÉDICAMENT-MÉDICAMENT
Consultez le médecin si vous prenez l'un des médicaments suivants : trétinoïne, suppléments de vitamine A, multivitamines, tétracycline, soufre topique ou peroxyde de benzoyle topique.

MÉDICAMENT-ALIMENT
Aucune interaction connue. (L'isotrétinoïne doit être prise en mangeant.)

MÉDICAMENT-MALADIE
Consultez le médecin en présence d'une des affections suivantes : antécédents d'alcoolisme, diabète sucré, pancréatite, hypercholestérolémie ou hypertriglycéridémie, obésité, troubles de la vision ou céphalées sévères.

ITRACONAZOLE

Sporanox

Présentation : Gélules, suspension orale
En vente libre ? Non   **Générique disponible ?** Non
Classe de médicaments : Antifongique

▼ GÉNÉRALITÉS

INDICATIONS
Traitement des infections fongiques aiguës dans les poumons et d'autres organes. Elles peuvent se produire chez des patients ne souffrant d'aucune autre maladie, comme chez des patients immunodéprimés. L'itraconazole est parfois prescrit contre des infections fongiques qui ne siègent que dans les ongles.

MODE D'ACTION
L'itraconazole empêche les organismes fongiques de fabriquer des substances essentielles à leur croissance et à leurs fonctions. Il n'agit que contre les infections fongiques et n'est d'aucune utilité contre les infections bactériennes ou virales.

▼ MODE D'EMPLOI

POSOLOGIE
Gélules – Adultes et adolescents de 16 ans et plus : 100 à 400 mg 1 fois par jour. Moins de 16 ans : le pédiatre détermine la posologie. Solution orale – Adultes et adolescents : 100 à 200 mg 1 fois par jour durant plusieurs jours ou semaines, selon la maladie. Enfants :

consultez le pédiatre. Tournez bien la solution dans votre bouche durant plusieurs secondes avant de l'avaler.

DÉBUT D'ACTION
Inconnu.

DURÉE D'ACTION
Inconnue.

CONSEILS NUTRITIONNELS
Prenez les gélules en mangeant, mais prenez la solution orale à jeun. Buvez et mangez comme à l'accoutumée. Les patients immunodéprimés, affaiblis par la maladie, les médicaments ou d'autres traitements, peuvent être incapables de se nourrir adéquatement et devraient prendre des suppléments liquides au besoin.

MODE DE CONSERVATION
Dans un contenant étanche, à l'abri de la chaleur, de l'humidité et de la lumière.

OUBLI D'UNE DOSE
Prenez-la dès que vous y pensez pour maintenir la concentration du médicament dans l'organisme. S'il est presque l'heure de la dose suivante, sautez la dose oubliée et revenez à la fréquence normale. Ne doublez pas la dose suivante.

ARRÊT DE LA MÉDICATION
Effectuez le traitement au complet, comme il vous a été prescrit, même si vous vous sentez mieux avant la fin de la thérapie. La décision d'interrompre celle-ci doit être prise par votre médecin. Il peut être nécessaire de réduire graduellement les doses si vous êtes sous médication depuis longtemps.

USAGE PROLONGÉ
Le traitement peut durer plusieurs mois. Les risques d'effets indésirables sont alors plus grands.

▼ PRÉCAUTIONS

Plus de 60 ans. Risques de réactions indésirables plus fréquentes et plus graves.

Conduite automobile, travaux dangereux. À déconseiller tant que vous ne connaissez pas votre réaction au médicament.

Alcool. À éviter durant le traitement et deux jours après.

Grossesse. L'utilisation de l'itraconazole n'a pas fait l'objet d'études pertinentes durant la grossesse. Demandez spécifiquement l'avis du médecin si vous êtes enceinte ou souhaitez le devenir.

Allaitement. L'itraconazole passe dans le lait maternel ; n'allaitez pas durant le traitement.

Nourrissons et enfants. Non recommandé aux enfants de moins de 16 ans.

À surveiller. Les femmes devraient utiliser des moyens

contraceptifs efficaces durant le traitement et pendant au moins 2 mois après pour éviter d'être enceintes. Gélules et solution orale ne sont pas interchangeables.

SURDOSAGE
Symptômes. Une surdose est peu probable.

Quoi faire. Sans objet.

▼ INTERACTIONS

MÉDICAMENT-MÉDICAMENT
Ne prenez pas d'astémizole ou de terfénadine en même temps que l'itraconazole : il pourrait en résulter des effets secondaires graves pour le cœur. Ne prenez pas de médicaments renfermant de l'alcool : sirops pour le rhume, élixirs et toniques. Consultez le médecin si vous prenez : antiacides, anticholinergiques, bloquants de l'histamine H2, oméprazole, antidiabétiques oraux, sucralfate, carbamazépine, cyclosporine, isoniazide, didanosine, digoxine, phénytoïne, rifampine ou warfarine. Si vous avez besoin de prendre un antiacide, prenez-le au moins 2 heures après avoir pris de l'itraconazole.

MÉDICAMENT-ALIMENT
Prenez les comprimés d'itraconazole en mangeant pour mieux les absorber. Avalez-les avec un cola si vous prenez aussi des suppresseurs de sécrétion acide.

MÉDICAMENT-MALADIE
Consultez le médecin en cas de maladie du foie ou des reins, insuffisance ou carence d'acide gastrique ou antécédents d'alcoolisme.

≡ **EFFETS INDÉSIRABLES** ≡

GRAVES
Éruptions cutanées ou démangeaisons, fièvre ou frissons.

COURANTS
Aucun effet indésirable courant n'a été signalé.

MOINS COURANTS
Diarrhée, nausées, vomissements, constipation, étourdissements, céphalées, rougeur de la peau.

KÉTOCONAZOLE ORAL

Présentation : Comprimés
En vente libre ? Non   **Générique disponible ?** Oui
Classe de médicaments : Antifongique

▼ GÉNÉRALITÉS

INDICATIONS
Traitement des infections fongiques graves des poumons et d'autres organes. Le kétoconazole s'emploie pour traiter des infections fongiques de la peau, comme tinea corporis (teigne), tinea cruris (eczéma marginé), tinea pedis (pied d'athlète) et pityriasis versicolor, quand elles sont graves et ne répondent pas à la griséofulvine.

MODE D'ACTION
Le kétoconazole prive les levures et les champignons des substances essentielles à leur croissance et à leurs fonctions. Il n'agit que contre les infections fongiques et n'est d'aucune utilité contre les infections bactériennes ou virales.

▼ MODE D'EMPLOI

POSOLOGIE
Adultes et adolescents : 200 à 400 mg 1 fois par jour. Enfants de plus de 2 ans : 50 à 200 mg 1 fois par jour, selon le poids. Le traitement dure de 1 semaine à 6 mois selon l'infection.

DÉBUT D'ACTION
Inconnu.

DURÉE D'ACTION
Inconnue.

CONSEILS NUTRITIONNELS
À prendre en mangeant pour réduire les dérangements d'estomac. Broyez les comprimés et mélangez-les à une boisson ou à un aliment pour atténuer leur amertume.

MODE DE CONSERVATION
Dans un contenant étanche, à l'abri de la chaleur, de l'humidité et de la lumière.

OUBLI D'UNE DOSE
Prenez-la dès que vous y pensez pour maintenir la concentration du médicament dans l'organisme. S'il est presque l'heure de la dose suivante, sautez la dose oubliée et revenez à la fréquence normale. Ne doublez pas la dose suivante.

ARRÊT DE LA MÉDICATION
Effectuez le traitement au complet, comme il vous a été prescrit, même si vous vous sentez mieux avant la fin de la thérapie. La décision de l'interrompre doit être prise par le médecin qui réduira alors graduellement les doses si vous êtes sous médication depuis longtemps.

USAGE PROLONGÉ
La thérapie peut durer plusieurs mois ; les risques d'effets indésirables augmentent et peuvent nuire à la synthèse des hormones stéroïdiennes entraînant l'impuissance chez les hommes et l'arrêt des périodes menstruelles chez les femmes.

▼ PRÉCAUTIONS

Plus de 60 ans. Risques de réactions indésirables plus fréquentes et plus graves.

Conduite automobile, travaux dangereux. À éviter tant que vous ignorez votre réaction au médicament.

Alcool. À éviter.

Grossesse. L'utilisation du kétoconazole n'a pas fait l'objet d'études pertinentes durant la grossesse. Consultez le médecin si vous êtes enceinte ou souhaitez le devenir.

Allaitement. Le kétoconazole passe dans le lait maternel ; la prudence s'impose. Consultez spécifiquement le médecin.

Nourrissons et enfants. Non recommandé aux enfants de moins de 2 ans.

À surveiller. Le kétoconazole peut rendre les yeux plus sensibles à la lumière du soleil : ne vous exposez pas à une lumière vive et portez des lunettes de soleil. Pour donner son plein effet, le kétoconazole doit être pris à la même heure tous les jours.

SURDOSAGE
Symptômes. Une surdose est peu probable.

Quoi faire. Sans objet.

▼ INTERACTIONS

MÉDICAMENT-MÉDICAMENT
Ne prenez pas d'astémizole, de cisapride ou de terfénadine en même temps que l'itraconazole : il pourrait en résulter des effets secondaires graves pour le cœur. Ne prenez pas de médicaments renfermant de l'alcool : sirops pour le rhume, élixirs et toniques. Consultez le médecin si vous prenez : cyclosporine, isoniazide, didanosine, phénytoïne, rifampine ou warfarine. Si vous prenez antiacides, anticholinergiques, bloquants de l'histamine H2, oméprazole ou sucralfate, prenez-les au moins 2 heures après le kétoconazole.

MÉDICAMENT-ALIMENT
Prenez le kétoconazole en mangeant pour mieux l'absorber. Avalez-le avec un cola si vous prenez aussi des suppresseurs de sécrétion acide.

MÉDICAMENT-MALADIE
Consultez le médecin en cas de : antécédents d'alcoolisme, insuffisance d'acide gastrique, maladie hépatique ou rénale. Le kétoconazole peut entraîner des complications chez les patients souffrant d'une maladie du foie ou des reins, car ces organes contribuent à éliminer le médicament de l'organisme. Si vous souffrez d'insuffisance ou de carence d'acide gastrique, le médecin peut vous prescrire une solution spéciale.

  **EFFETS INDÉSIRABLES**

GRAVES
Rash cutané, démangeaisons, fièvre, frissons, nausées, vomissements, faiblesse, fatigue, jaunissement des yeux ou de la peau (signes de troubles hépatiques).

COURANTS
Aucun effet indésirable courant n'a été signalé.

MOINS COURANTS
Diarrhée, nausées, vomissements, constipation, étourdissements, céphalées, rougeur de la peau.

KÉTOCONAZOLE TOPIQUE

Présentation : Crème, shampooing
En vente libre ? Oui **Générique disponible ?** Non
Classe de médicaments : Antifongique topique

▼ GÉNÉRALITÉS

INDICATIONS
Traitement des infections fongiques de la peau, telles que tinea pedis (pied d'athlète), tinea corporis (teigne), tinea cruris (eczéma marginé), infections de la peau par des levures, dermatite séborrhéique et autres.

MODE D'ACTION
Le kétoconazole empêche les organismes fongiques de produire les substances vitales essentielles à leur croissance et à leurs fonctions.

▼ MODE D'EMPLOI

POSOLOGIE
Adultes, tinea et levures : 1 application par jour sur la région affectée. Le traitement dure généralement 2 à 6 semaines. Adultes, dermatite séborrhéique : 2 applications par jour sur la région affectée. Le traitement dure généralement 4 semaines. Enfants : consultez votre pédiatre.

DÉBUT D'ACTION
Le kétoconazole commence à tuer les champignons vulnérables peu après le contact, mais les effets peuvent ne commencer à être visibles qu'au bout de quelques jours ou de quelques semaines.

DURÉE D'ACTION
Inconnue.

CONSEILS NUTRITIONNELS
Aucune restriction spéciale.

MODE DE CONSERVATION
Dans un contenant étanche, à l'abri de la chaleur et de la lumière.

OUBLI D'UNE DOSE
Appliquez-la dès que vous y pensez. S'il est presque l'heure de la dose suivante, sautez la dose oubliée et reprenez la fréquence normale. Ne doublez pas la dose suivante et n'appliquez pas non plus une couche plus épaisse pour compenser votre oubli.

ARRÊT DE LA MÉDICATION
Effectuez le traitement au complet, comme il vous a été prescrit, même si une amélioration marquée est visible avant la fin de la thérapie.

USAGE PROLONGÉ
Le traitement au kétoconazole ne devrait pas dépasser 6 semaines.

▼ PRÉCAUTIONS

Plus de 60 ans. Risques de réactions indésirables plus fréquentes et plus graves.

Conduite automobile, travaux dangereux. Le traitement au kétoconazole ne devrait pas vous empêcher d'exécuter de telles activités en toute sécurité.

Alcool. Aucune précaution spéciale.

Grossesse. Abstenez-vous ou arrêtez d'utiliser du kétoconazole si vous êtes enceinte ou désirez le devenir.

Allaitement. Le kétoconazole peut passer dans le lait maternel ; abstenez-vous ou arrêtez d'en utiliser pendant que vous allaitez. Demandez spécifiquement l'avis du médecin.

Nourrissons et enfants. Non recommandé pour les jeunes enfants.

À surveiller. Évitez tout contact avec les yeux. Lavez-vous bien les mains après l'application. Avertissez le médecin si votre état ne s'améliore pas après quelques jours. Le kétoconazole, comme tous les fongicides, n'est utile que contre les organismes vulnérables à ses effets. Il est donc important d'avertir votre médecin si votre état ne s'améliore pas ou s'il s'aggrave après quelques jours de traitement. Le micro-organisme qui est à l'origine de votre maladie peut lui être résistant.

SURDOSAGE
Symptômes. Aucun symptôme spécifique n'a été signalé.

Quoi faire. Il est peu probable qu'une surdose de kétoconazole mette votre vie en danger. Néanmoins, si la dose appliquée est beaucoup plus importante que celle prescrite ou si le médicament est ingéré par accident, appelez le médecin ou le centre antipoison, ou allez à l'urgence.

▼ INTERACTIONS

MÉDICAMENT-MÉDICAMENT
Aucune interaction médicamenteuse n'est actuellement connue. Si vous avez des doutes au sujet d'une interaction possible avec un médicament vendu avec ou sans ordonnance que vous prenez, renseignez-vous auprès de votre médecin ou de votre pharmacien.

MÉDICAMENT-ALIMENT
Aucune interaction connue.

MÉDICAMENT-MALADIE
Consultez votre médecin si vous avez déjà eu des réactions allergiques ou indésirables avec un autre médicament topique.

EFFETS INDÉSIRABLES

GRAVES
Ampoules ou ulcères sur la peau ; ampoules sur les lèvres, le nez et la bouche.

COURANTS
Brèves sensations de brûlure, de démangeaison ou d'irritation après application de la crème ; desquamation.

MOINS COURANTS
Brûlures, démangeaisons et enflure graves ; rougeur accrue ; réaction indésirable au lieu d'application, non présente avant la thérapie (résultant d'une réaction allergique).

KÉTOPROFÈNE

Présentation : Comprimés et gélules (y compris à libération lente), suppositoires
En vente libre ? Non   **Générique disponible ?** Oui
Classe de médicaments : Anti-inflammatoire non stéroïdien (AINS)

▼ GÉNÉRALITÉS

INDICATIONS

Traitement de la douleur et de l'inflammation d'intensité faible à moyenne qui accompagnent la polyarthrite rhumatoïde, la spondylarthrite ankylosante, l'ostéo-arthrite, les lésions des tissus mous, les douleurs menstruelles et d'autres troubles. Quand un anti-inflammatoire non stéroïdien (AINS) se révèle inefficace, il faut souvent procéder par essais et erreurs : le patient essaie d'autres AINS jusqu'à ce qu'il obtienne le soulagement recherché.

MODE D'ACTION

Les AINS entravent la formation des prostaglandines, substances naturelles de l'organisme qui causent l'inflammation et rendent les nerfs plus réceptifs aux impulsions douloureuses. Les AINS ont d'autres modes d'action moins bien connus.

▼ MODE D'EMPLOI

POSOLOGIE

Adultes – Comprimés, gélules : 150 à 200 mg par jour en 3 ou 4 doses fractionnées. Formes à libération prolongée : 200 mg 1 fois par jour. Suppositoires : 50 à 100 mg 2 fois par jour, soit matin et soir. Dans certains cas, un seul suppositoire le soir peut être utilisé si le patient prend 1 dose orale durant le jour. La posologie maximale, quelle que soit la forme, est de 300 mg par jour.

DÉBUT D'ACTION

En 1 à 2 heures.

DURÉE D'ACTION

3 à 4 heures.

CONSEILS NUTRITIONNELS

Les formes orales se prennent en mangeant.

MODE DE CONSERVATION

À l'abri de la chaleur, de l'humidité et de la lumière.

OUBLI D'UNE DOSE

Prenez-la dès que vous y pensez. S'il est presque l'heure de la suivante, sautez la dose oubliée et revenez à la fréquence normale. Ne doublez pas la dose suivante.

ARRÊT DE LA MÉDICATION

N'arrêtez pas la médication sans consulter le médecin.

USAGE PROLONGÉ

Risques de troubles gastro-intestinaux avec ulcération et saignements, dysfonction rénale et inflammation du foie. Demandez au médecin s'il faut un suivi médical.

▼ PRÉCAUTIONS

Plus de 60 ans. En raison des risques plus grands d'effets gastro-intestinaux indésirables, surtout chez les plus de 70 ans, la dose est souvent réduite de moitié.

Conduite automobile, travaux dangereux. À déconseiller tant que vous ne connaissez pas votre réaction au médicament.

Alcool. À éviter ; l'alcool augmente les risques d'irritation gastrique.

Grossesse. Ne prenez pas de kétoprofène si vous êtes enceinte.

Allaitement. N'en prenez pas si vous allaitez : il passe dans le lait maternel.

Nourrissons et enfants. Non recommandé pour les enfants de moins de 12 ans.

À surveiller. Les AINS pouvant modifier la coagulation du sang, la médication devrait être interrompue au moins 3 jours avant toute chirurgie.

SURDOSAGE

Symptômes. Nausées graves, vomissements, céphalées, confusion, convulsions.

Quoi faire. Appelez immédiatement le médecin ou le centre antipoison, ou allez à l'urgence.

▼ INTERACTIONS

MÉDICAMENT-MÉDICAMENT

Ne prenez pas ce médicament en même temps que de l'AAS ou un autre AINS sans l'approbation de votre médecin. Avertissez-le si vous prenez : antihypertenseurs, stéroïdes, anticoagulants, cyclosporine, digitaliques, lithium, méthotrexate, probénécide ou triamtérène.

MÉDICAMENT-ALIMENT

Pas d'interaction connue.

MÉDICAMENT-MALADIE

Consultez votre médecin en cas de : saignements, inflammation ou ulcères de l'estomac ou des intestins, diabète sucré, lupus érythémateux disséminé, anémie, asthme, épilepsie, maladie de Parkinson, calculs rénaux, antécédents de maladie cardiaque ou d'alcoolisme. Le kétoprofène peut entraîner des complications chez les patients atteints d'une maladie du foie ou des reins, puisque ces organes contribuent à éliminer le médicament du corps.

 EFFETS INDÉSIRABLES

GRAVES

Essoufflement ou respiration sifflante, avec ou sans enflure des jambes ou autres signes d'insuffisance cardiaque ; douleur thoracique ; ulcère gastro-duodénal avec vomissements de sang ; selles noires, goudronneuses ; insuffisance rénale.

COURANTS

Nausées, vomissements, aigreurs d'estomac, diarrhée, constipation, céphalées, vertiges, somnolence.

MOINS COURANTS

Plaies ou ulcères buccaux, dépression, rash cutané ou vésicules, bourdonnements d'oreilles, engourdissement ou fourmillement des mains ou des pieds, convulsions, vision embrouillée. Aussi : niveaux élevés de potassium dans le sang et diminution de la numération sanguine (effets vérifiables par le médecin à partir des analyses).

KÉTOROLAC (TROMÉTHAMINE DE) OPHTALMIQUE

Présentation : Solution ophtalmique
En vente libre ? Non   **Générique disponible ?** Non
Classe de médicaments : Anti-inflammatoire non stéroïdien (AINS)

▼ GÉNÉRALITÉS

INDICATIONS
Traitement de l'inflammation et des autres problèmes oculaires qui peuvent faire suite à une chirurgie de la cataracte.

MODE D'ACTION
Le kétorolac ophtalmique entrave la libération de substances qui stimulent l'inflammation et engendrent la douleur dans les tissus oculaires.

▼ MODE D'EMPLOI

POSOLOGIE
Adultes : 1 ou 2 gouttes aux 6 à 8 heures, 24 heures avant l'opération et jusqu'à 3 ou 4 semaines après. Enfants : consultez le médecin.

DÉBUT D'ACTION
Inconnu.

DURÉE D'ACTION
Inconnue.

CONSEILS NUTRITIONNELS
Pas de restrictions spéciales.

MODE DE CONSERVATION
Dans un contenant étanche, à l'abri de la chaleur, de l'humidité et de la lumière. Ne réfrigérez pas et ne congelez pas le produit.

OUBLI D'UNE DOSE
Instillez-la dès que vous y pensez. S'il est presque l'heure de la dose suivante, sautez la dose oubliée et reprenez la fréquence normale. Ne doublez pas la dose suivante.

ARRÊT DE LA MÉDICATION
Effectuez le traitement au complet, comme il vous a été prescrit, même si vous vous sentez mieux avant la fin.

USAGE PROLONGÉ
Un suivi médical, avec examens et analyses, est nécessaire si vous devez prendre ce médicament durant une période prolongée.

▼ PRÉCAUTIONS

Plus de 60 ans. Risques de réactions indésirables plus fréquentes et plus graves.

 EFFETS INDÉSIRABLES

GRAVES
Rarement, le kétorolac ophtalmique provoque des saignements oculaires ou une rougeur ou une enflure de l'œil ou de la paupière qu'on n'aurait pas observés avant le début du traitement ; démangeaisons dans les yeux ou larmoiement excessif.

COURANTS
Brûlure ou démangeaison légères et passagères dans les yeux après l'application, infection de l'œil.

MOINS COURANTS
Il n'y a pas d'effets indésirables moins courants avec le kétorolac ophtalmique.

Conduite automobile, travaux dangereux. À déconseiller tant que vous ne connaissez pas les effets du médicament sur votre vision.

Alcool. À éviter.

Grossesse. Il n'y a pas d'étude concluante sur l'être humain. Le kétorolac ophtalmique n'est pas recommandé durant la grossesse ou l'accouchement. Avant d'en prendre, avertissez le médecin que vous êtes enceinte ou désirez le devenir.

Allaitement. Le kétorolac ophtalmique peut passer dans le lait maternel ; la prudence s'impose. Demandez spécifiquement l'avis du médecin.

Nourrissons et enfants. Innocuité et efficacité non établies.

À surveiller. Avant l'application, lavez-vous les mains. Renversez la tête en arrière. Appuyez doucement dans l'angle interne de la paupière et avec l'index de la même main, tirez la paupière inférieure vers le bas. Laissez tomber le médicament dans l'espace ainsi créé et fermez l'œil. Appuyez pendant 1 ou 2 minutes tout en gardant l'œil fermé sans cligner. Enfin, lavez-vous les mains. Le bout du compte-gouttes ne doit toucher ni l'œil, ni votre doigt, ni rien d'autre. Si les symptômes ne régressent pas ou s'ils s'aggravent, consultez le médecin. Le médicament peut causer des problèmes aux patients qui portent des verres de contact souples. Le médecin vous demandera peut-être de cesser de les porter durant le traitement.

SURDOSAGE
Symptômes. Aucun symptôme spécifique n'a été signalé.

Quoi faire. Il est peu probable qu'une surdose de kétorolac ophtalmique mette votre vie en danger. Néanmoins, si la dose est très forte ou si le médicament est ingéré, appelez le médecin ou le centre antipoison, ou allez à l'urgence.

▼ INTERACTIONS

MÉDICAMENT-MÉDICAMENT
Consultez le médecin si vous prenez : AAS ou autre salicylate, diflunisal, étodolac, fénoprofène, floctafénine, flurbiprofène, ibuprofène, indométhacine, kétoprofène, kétorolac oral, acide méfénamique, nabumétone, naproxène, oxyphenbutazone, phénylbutazone, piroxicam, sulindac, ténoxicam, acide tiaprofénique ou tolmétine.

MÉDICAMENT-ALIMENT
Aucune interaction connue.

MÉDICAMENT-MALADIE
Un traitement au kétorolac ophtalmique exige de la prudence. Consultez le médecin si vous souffrez d'hémophilie ou d'autres problèmes de saignement.

KÉTOROLAC (TROMÉTHAMINE DE) SYSTÉMIQUE

Présentation : Comprimés, injection
En vente libre ? Non **Générique disponible ?** Oui
Classe de médicaments : Anti-inflammatoire non stéroïdien (AINS)

▼ GÉNÉRALITÉS

INDICATIONS
Traitement de la douleur et de l'inflammation d'intensité modérée ou forte, généralement après une chirurgie.

MODE D'ACTION
Les AINS entravent la libération des prostaglandines, substances naturelles qui causent l'inflammation et rendent les nerfs plus réceptifs aux impulsions douloureuses. Les AINS ont d'autres modes d'action moins bien connus.

▼ MODE D'EMPLOI

POSOLOGIE
Douleur aiguë – Adultes : dose initiale, généralement par injection, suivie (au besoin) d'autres injections ou de comprimés. Injection : 10 à 30 mg en intramusculaire, selon la gravité de la douleur. Doses subséquentes : 10 à 30 mg aux 4 à 6 heures, au besoin, sans dépasser 120 mg par période de 24 heures. Comprimés : 10 mg, 4 fois par jour, aux 4 à 6 heures. Le médecin peut recommander une posologie différente, sans dépasser 40 mg par jour. Enfants – Consultez le médecin.

DÉBUT D'ACTION
En intramusculaire : en 10 minutes. Comprimés : en 30 à 60 minutes.

DURÉE D'ACTION
6 à 8 heures.

CONSEILS NUTRITIONNELS
Les comprimés se prennent en mangeant ; mangez et buvez normalement.

MODE DE CONSERVATION
Sans objet pour la forme injectable : elle n'est administrée qu'en milieu hospitalier ou en clinique. Gardez les comprimés dans un contenant étanche, à l'abri de la chaleur et de la lumière.

OUBLI D'UNE DOSE
Prenez le comprimé dès que vous y pensez. S'il est presque l'heure de la dose suivante, sautez la dose oubliée et reprenez la fréquence normale. Ne doublez pas la dose suivante.

ARRÊT DE LA MÉDICATION
Effectuez le traitement au complet comme il a été prescrit. Demandez au médecin si vous pouvez l'interrompre si vous vous sentez mieux avant la fin.

USAGE PROLONGÉ
Le traitement ne dure pas plus de 7 jours normalement. Le prolonger au-delà de cette période pourrait provoquer des effets indésirables graves.

▼ PRÉCAUTIONS

Plus de 60 ans. Étant donné les risques potentiellement plus grands d'effets indésirables gastro-intestinaux chez les patients âgés, surtout chez les plus de 70 ans, la dose des AINS est souvent coupée de moitié.

Conduite automobile, travaux dangereux. À déconseiller tant que vous ne connaissez pas votre réaction au médicament.

Alcool. À éviter.

Grossesse. Évitez ou cessez de prendre du kétorolac si vous êtes enceinte ou prévoyez le devenir.

Allaitement. Le kétorolac passe dans le lait maternel ; n'en prenez pas.

Nourrissons et enfants. Peut être utilisé dans des circonstances exceptionnelles. Consultez votre médecin.

SURDOSAGE
Symptômes. Nausées, vomissements, céphalées, confusion, convulsions.

Quoi faire. Appelez immédiatement le médecin ou le centre antipoison, ou allez à l'urgence.

▼ INTERACTIONS

MÉDICAMENT-MÉDICAMENT
N'associez pas ce médicament à de l'AAS ou à tout autre AINS. De plus, prévenez le médecin si vous prenez : acétaminophène, anticoagulants, énoxaparine, lithium, méthotrexate, diurétiques, bêtabloquants, sulfinpyrazone, acide valproïque ou warfarine.

MÉDICAMENT-ALIMENT
Aucune interaction connue.

MÉDICAMENT-MALADIE
La prudence s'impose avec le kétorolac. Avertissez le médecin en cas de : polypes dans le nez, urticaire grave, toute espèce de trouble gastrique ou intestinal, hypertension, problèmes de coagulation sanguine ou antécédents de maladie cardiaque. Le kétorolac peut entraîner des complications chez les patients souffrant de maladie du foie ou du rein, puisque ces organes contribuent à éliminer le médicament de l'organisme.

EFFETS INDÉSIRABLES

GRAVES
Saignement gastro-intestinal donnant des selles noires ou sanguinolentes, ou des vomissements ; hypertension grave avec maux de tête et vision embrouillée ; saignement prolongé lors d'une coupure ; rash cutané ressemblant à une brûlure. Ce médicament peut provoquer des difficultés respiratoires chez les personnes sensibles à l'AAS, surtout chez les asthmatiques.

COURANTS
Dérangement gastro-intestinal.

MOINS COURANTS
Somnolence, diarrhée, confusion, bourdonnements d'oreilles, sensibilité au soleil, rétention hydrique, urticaire, céphalées.

KÉTOTIFÈNE (FUMARATE DE)

NOMS COMMERCIAUX

Apo-Ketotifen,
Novo-Ketotifen,
Zaditen

Présentation : Comprimés, sirop
En vente libre ? Non   **Générique disponible ?** Oui
Classe de médicaments : Anti-allergique, prophylactique de l'asthme infantile

▼ GÉNÉRALITÉS

INDICATIONS
Pour réduire la fréquence, la gravité et la durée des symptômes asthmatiques chez les enfants présentant un asthme allergique léger. Le kétotifène est prescrit comme adjuvant à d'autres médicaments contre l'asthme ; il ne remplace pas les corticostéroïdes.

MODE D'ACTION
Le kétotifène exerce son action en inhibant les effets de l'histamine et d'autres substances naturelles qui favorisent les réactions allergiques et inflammatoires.

▼ MODE D'EMPLOI

POSOLOGIE
Nourrissons et enfants de 6 mois à 3 ans : 0,05 mg par kilogramme (2,2 lb) de poids, 2 fois par jour, matin et soir. Enfants de plus de 3 ans : 1 mg, 2 fois par jour, matin et soir.

DÉBUT D'ACTION
Jusqu'à 10 semaines.

DURÉE D'ACTION
Inconnue.

CONSEILS NUTRITIONNELS
Pas de précautions spéciales.

MODE DE CONSERVATION
Dans un contenant étanche, à l'abri de la chaleur, de l'humidité et de la lumière.

OUBLI D'UNE DOSE
Prenez-la dès que vous y pensez. S'il est presque l'heure de la suivante, sautez la dose oubliée et reprenez la fréquence normale. Ne doublez pas la dose suivante.

ARRÊT DE LA MÉDICATION
Cette décision doit être prise par le médecin qui réduira progressivement les doses sur une période de 2 à 4 semaines. Les symptômes de l'asthme peuvent alors réapparaître.

USAGE PROLONGÉ
Un suivi médical, avec examens et analyses, est nécessaire en usage prolongé.

▼ PRÉCAUTIONS

Plus de 60 ans. Sans objet.

Conduite automobile, travaux dangereux. À déconseiller tant que vous ne connaissez pas votre réaction au médicament.

Alcool. Peut augmenter les effets sédatifs du kétotifène.

Grossesse. Il n'existe pas d'études pertinentes sur les humains. Consultez le médecin si vous êtes enceinte ou voulez le devenir.

Allaitement. Le kétotifène passe dans le lait maternel. N'allaitez pas si vous prenez ce médicament.

Nourrissons et enfants. Certains effets indésirables, comme excitation, irritabilité, difficultés à dormir et nervosité, peuvent être plus fréquents et plus graves.

À surveiller. Le kétotifène n'est pas indiqué pour traiter les crises d'asthme aiguës ou subites ; vous devriez continuer d'utiliser les médicaments d'urgence que vous prenez pour soulager vos symptômes dans de telles crises. Signalez immédiatement au médecin toute aggravation des symptômes d'asthme. Certains patients arrivent à réduire la posologie de leurs autres médicaments contre l'asthme en prenant du kétotifène. Les posologies des bronchodilatateurs ou des corticostéroïdes doivent être réduites graduellement sur 6 à 12 semaines sous la surveillance étroite du médecin. N'essayez pas de réduire graduellement, de vous-même, la posologie d'aucun médicament contre l'asthme. Les patients diabétiques doivent savoir que le sirop renferme du sucre. Le sirop ne doit pas être administré aux patients allergique au benzoate.

SURDOSAGE
Symptômes. Sédation, confusion, tachycardie, étourdissements, hyperexcitabilité, convulsions.

Quoi faire. Appelez immédiatement le médecin ou allez à l'urgence.

▼ INTERACTIONS

MÉDICAMENT-MÉDICAMENT
Consultez le médecin si l'enfant prend : antidiabétiques oraux, benzodiazépines, phénothiazines ou antihistaminiques. Pris en même temps que certains médicaments, le kétotifène peut provoquer une sédation accrue.

MÉDICAMENT-ALIMENT
Aucune interaction connue.

MÉDICAMENT-MALADIE
Consultez le médecin si l'enfant a des antécédents de troubles convulsifs ou de diabète.

⇊ EFFETS INDÉSIRABLES ⇊

GRAVES
Ecchymoses ou saignements fréquents et anormaux, rash cutané grave, peau blême ou rouge, peau vésiquante et desquamante.

COURANTS
Sédation, gain de poids, infections respiratoires.

MOINS COURANTS
Céphalée, douleur gastrique, appétit accru, saignements de nez, bouche sèche, vertiges, insomnie, agitation motrice.

LABÉTALOL (CHLORHYDRATE DE)

NOM COMMERCIAL

Trandate

Présentation : Comprimés (injection en milieu hospitalier seulement)
En vente libre ? Non   **Générique disponible ?** Non
Classe de médicaments : Bêtabloquant

▼ GÉNÉRALITÉS

INDICATIONS
Traitement de l'hypertension grave.

MODE D'ACTION
Le labétalol est un alpha-bêta-bloquant qui empêche les influx nerveux d'exercer un effet accélérateur ou intensificateur sur des parties spécifiques du corps, surtout les vaisseaux sanguins et le cœur. Contrairement aux autres bêtabloquants, il ne ralentit pas significativement le rythme cardiaque.

▼ MODE D'EMPLOI

POSOLOGIE
Adultes, dose d'attaque : 100 mg 2 fois par jour, à intervalles de 6 à 12 heures ; la dose d'entretien habituelle s'établit entre 200 et 400 mg 2 fois par jour, sans dépasser 600 mg, 2 fois par jour.

DÉBUT D'ACTION
En 20 minutes.

DURÉE D'ACTION
12 à 24 heures.

CONSEILS NUTRITIONNELS
Respectez les restrictions alimentaires du médecin, telles qu'un régime pauvre en sel et en gras, qui vous aident à mieux maîtriser l'hypertension et la maladie cardiaque. Prenez le médicament avec de la nourriture.

MODE DE CONSERVATION
Dans un contenant étanche, à l'abri de la chaleur et de la lumière.

OUBLI D'UNE DOSE
Prenez-la dès que vous y pensez, sauf s'il reste moins de 8 heures avant la suivante. Dans ce cas, sautez la dose oubliée et reprenez la fréquence normale. Ne doublez pas la dose suivante.

ARRÊT DE LA MÉDICATION
Un arrêt brusque de la médication peut provoquer une crise d'angine de poitrine ou un infarctus chez les patients atteints d'une maladie du cœur avancée. On recommande de réduire lentement les doses sur 2 à 3 semaines. N'interrompez pas le traitement et ne modifiez pas la posologie sans avoir consulté votre médecin.

USAGE PROLONGÉ
Le traitement peut durer la vie entière. Un suivi médical avec examens et analyses est nécessaire dans le cas d'un usage prolongé.

▼ PRÉCAUTIONS

Plus de 60 ans. Risques de réactions indésirables plus probables et plus graves.

Conduite automobile, travaux dangereux. À déconseiller tant que vous ne connaissez pas votre réaction au médicament.

Alcool. À éviter ou à consommer avec modération. L'alcool peut causer une chute dangereuse de la tension artérielle.

Grossesse. Examinez avec le médecin les bienfaits du médicament par rapport à ses risques.

Allaitement. On n'a pas signalé d'effets indésirables chez le nourrisson. Demandez l'avis du médecin.

Nourrissons et enfants. Efficacité et innocuité non établies.

À surveiller. Levez-vous lentement après avoir été assis ou couché pour ne pas avoir de vertiges ou d'étourdissements, surtout au début du traitement ou quand la posologie vient d'être augmentée.

SURDOSAGE
Symptômes. Rythme cardiaque anormalement lent ou rapide, vertiges graves ou évanouissements, mauvaise circulation du sang dans les mains (peau bleuâtre), difficultés à respirer, convulsions.

Quoi faire. Appelez aussitôt le médecin ou le centre anti-poison, ou allez à l'urgence.

▼ INTERACTIONS

MÉDICAMENT-MÉDICAMENT
Consultez le médecin si vous prenez l'un ou l'autre des médicaments suivants : antidiabétiques oraux, médicaments contre l'asthme (aminophylline, théophylline), bloqueurs du canal calcique, clonidine, injections antiallergiques, insuline, inhibiteurs de la monoamine-oxydase (IMAO), autres bêtabloquants ou tout médicament en vente libre.

MÉDICAMENT-ALIMENT
Pas d'interaction connue.

MÉDICAMENT-MALADIE
Le labétalol doit être prescrit avec prudence aux diabétiques, surtout insulino-dépendants, car il peut masquer les symptômes d'hypoglycémie. Avertissez le médecin si vous avez les problèmes suivants : allergie ou asthme, maladie du cœur ou des vaisseaux sanguins (dont insuffisance cardiaque congestive et maladie vasculaire périphérique), hyperthyroïdie, rythme cardiaque irrégulier (lent), myasthénie grave, psoriasis, difficultés respiratoires (bronchite ou emphysème), maladie du foie ou des reins, antécédents de dépression.

  EFFETS INDÉSIRABLES

GRAVES
Essoufflement, respiration sifflante ; douleur ou constriction thoracique ; enflure des chevilles, des pieds et du bas des jambes ; dépression.

COURANTS
Vertiges ou étourdissements, surtout quand on se lève après avoir été assis ou couché ; impuissance croissante ; fatigue anormale, faiblesse ou somnolence ; insomnie ; picotements du cuir chevelu, surtout en début de traitement.

MOINS COURANTS
Altération du goût ; démangeaisons, engourdissement ou picotements ; rêves vifs ou cauchemars ; nausées ou vomissements ; rythme cardiaque lent (50 battements à la minute ou moins) ou irrégulier.

LACTULOSE

Présentation : Sirop
En vente libre ? Oui **Générique disponible ?** Oui
Classe de médicaments : Laxatif hyperosmotique

▼ GÉNÉRALITÉS

INDICATIONS

Traitement de longue durée de la constipation chronique. Sert parfois au traitement d'une maladie du foie grave.

MODE D'ACTION

Le lactulose attire l'eau dans le côlon pour aider à ramollir la masse fécale et stimuler le péristaltisme du côlon.

▼ MODE D'EMPLOI

POSOLOGIE

Constipation : 15 à 30 ml, 1 fois par jour. Cette dose peut être portée à 60 ml, 1 fois par jour, au besoin. Maladie du foie grave : 30 à 45 ml, 3 ou 4 fois par jour jusqu'à ce que se produisent 2 ou 3 selles molles par jour.

DÉBUT D'ACTION

En 24 à 48 heures.

DURÉE D'ACTION

Jusqu'à 24 heures.

CONSEILS NUTRITIONNELS

À prendre avec 1 verre (230 ml/8 oz) d'eau ou de jus de fruits, ou avec 2 verres d'eau si le médecin le prescrit ainsi. Ne prenez pas de lactu-lose si vous suivez un régime pauvre en galactose.

MODE DE CONSERVATION

Dans un contenant étanche, à l'abri de la chaleur, de l'humidité et de la lumière. Ne congelez pas le sirop.

OUBLI D'UNE DOSE

Prenez-la dès que vous y pensez. S'il est presque l'heure de la dose suivante, sautez la dose oubliée et reprenez la fréquence normale. Ne doublez pas la dose suivante.

ARRÊT DE LA MÉDICATION

Effectuez le traitement au complet, comme il vous a été prescrit. Cependant, si vous prenez le médicament contre la constipation (et non pas pour une maladie du foie), vous pouvez cesser de prendre le médicament si vous vous sentez mieux avant la fin prévue du traitement.

USAGE PROLONGÉ

Ne prenez pas de lactulose durant plus de 1 semaine à moins d'être suivi par le médecin. Un usage prolongé peut entraîner une dépendance aux laxatifs.

▼ PRÉCAUTIONS

Plus de 60 ans. Aucun risque connu.

Conduite automobile, travaux dangereux. Le lactulose ne devrait pas vous empêcher d'exécuter de telles tâches en toute sécurité.

Alcool. Pas de précautions spéciales.

Grossesse. La prudence s'impose. Évaluez avec le médecin les dangers et les bienfaits du médicament durant la grossesse.

Allaitement. Le lactulose peut passer dans le lait maternel : la prudence est de mise. Demandez l'avis du médecin.

Nourrissons et enfants. Le lactulose n'est pas recommandé pour les enfants de moins de 6 ans à moins que le médecin ne le prescrive.

À surveiller. Un usage excessif de lactulose, comme de tout laxatif, chez les adolescents peut indiquer un trouble de l'alimentation comme l'anorexie mentale ou la boulimie. Consultez le médecin si vous observez de tels comportements. Si vous remarquez un changement soudain dans votre fonction ou vos habitudes intestinales et que ce changement dure plus de 2 semaines, consultez le médecin.

SURDOSAGE

Symptômes. Diarrhée, crampes abdominales graves.

Quoi faire. Il est peu probable qu'une surdose de lactulose mette votre vie en danger. Néanmoins, si la dose est très forte, appelez le médecin ou le centre antipoison.

▼ INTERACTIONS

MÉDICAMENT-MÉDICAMENT

Demandez spécifiquement l'avis du médecin si vous prenez : autres laxatifs, anti-acides, antibiotiques, anti-coagulants, digitaliques, tétracyclines orales, sulfonate de polystyrène sodique, ciprofloxacine ou suppléments de potassium.

MÉDICAMENT-ALIMENT

Si vous suivez un régime pauvre en calories, en sel ou en sucre, demandez l'avis du médecin avant de prendre du lactulose.

MÉDICAMENT-MALADIE

Le lactulose exige de la prudence. Consultez le médecin en cas de : symptômes d'appendicite ou d'inflammation du côlon (douleur abdominale, crampes, sensibilité au toucher, ballonnement, nausées et vomissements), diabète sucré, difficultés à avaler, maladie cardiaque ou troubles de la pression artérielle, problèmes intestinaux ou maladie des reins.

 EFFETS INDÉSIRABLES

GRAVES

Fatigue anormale, confusion, crampes musculaires, vertiges ou étourdissements, arythmies cardiaques.

COURANTS

Diarrhée, gaz, crampes abdominales, soif accrue.

MOINS COURANTS

Il n'y a aucun effet indésirable moins courant associé avec le lactulose.

LAMIVUDINE

Présentation : Solution, comprimés
En vente libre ? Non   **Générique disponible ?** Non
Classe de médicaments : Antiviral

▼ GÉNÉRALITÉS

INDICATIONS
Traitement des patients atteints d'hépatite B active chronique (VHB).

MODE D'ACTION
La lamivudine entrave l'activité des enzymes nécessaires à la réplication de l'ADN dans les cellules virales, empêchant ainsi le virus de l'hépatite B (VHB) de se reproduire.

▼ MODE D'EMPLOI

POSOLOGIE
Adultes et adolescents d'au moins 16 ans : 100 mg, 1 fois par jour.

DÉBUT D'ACTION
Inconnu.

DURÉE D'ACTION
Inconnue.

CONSEILS NUTRITIONNELS
Peut se prendre avec ou sans nourriture. N'oubliez pas de boire beaucoup.

MODE DE CONSERVATION
Dans un contenant étanche, à l'abri de la chaleur et de la lumière.

OUBLI D'UNE DOSE
Prenez-la dès que vous y pensez. S'il est presque l'heure de la suivante, sautez la dose oubliée et reprenez la fréquence normale. Ne doublez pas la dose suivante.

ARRÊT DE LA MÉDICATION
La décision de mettre fin au traitement doit être prise en consultation avec votre médecin. Comme un suivi médical est nécessaire pour dépister une éventuelle récurrence de l'hépatite, les patients doivent subir certains tests régulièrement durant les quatre premiers mois qui suivent le traitement et à intervalles réguliers par la suite.

USAGE PROLONGÉ
Un suivi médical, avec examens et analyses, est nécessaire si vous devez prendre le médicament sur une longue période.

▼ PRÉCAUTIONS

Plus de 60 ans. Il n'existe pas d'études spéciales sur les personnes âgées. Il peut y avoir lieu de réduire la posologie, surtout en présence d'insuffisance hépatique ou rénale.

Conduite automobile, travaux dangereux. À déconseiller tant que vous ne connaissez pas votre réaction au médicament.

Alcool. Évitez d'en boire si vous souffrez d'insuffisance hépatique.

Grossesse. Il n'existe pas d'études pertinentes sur les humains. Évaluez avec votre médecin si les avantages de la médication l'emportent sur ses risques.

Allaitement. La lamivudine peut passer dans le lait maternel : n'allaitez pas.

Nourrissons et enfants. Risques de réactions indésirables plus fréquentes et plus graves.

À surveiller. Si on vous a prescrit la solution, mesurez votre dose avec une cuiller à mesure de précision pour en avoir la quantité exacte. La lamivudine ne réduit pas le risque de transmettre le VHB à d'autres personnes. Prenez toutes les précautions qui s'imposent.

SURDOSAGE
Symptômes. Aucun cas de surdosage n'a été signalé. Parmi les symptômes, il y aurait vraisemblablement la diarrhée et les crampes abdominales.

Quoi faire. Une surdose de lamivudine est improbable. Néanmoins, si vous appréhendez une surdose, appelez le médecin ou le centre antipoison dès que possible.

▼ INTERACTIONS

MÉDICAMENT-MÉDICAMENT
Demandez spécifiquement l'avis du médecin à l'égard de tous les médicaments que vous prenez, avec ou sans ordonnance. On n'a pas établi l'efficacité de la lamivudine chez les patients qui ne répondent pas à un traitement à l'interféron.

MÉDICAMENT-ALIMENT
Aucune interaction connue.

MÉDICAMENT-MALADIE
Informez le médecin de tous vos problèmes médicaux. La lamivudine peut entraîner des complications chez les patients qui ont une insuffisance hépatique ou rénale, car le foie et les reins contribuent ensemble à éliminer le médicament de l'organisme. Les diabétiques se rappelleront qu'il y a 4 g de sucrose pour 100 mg de solution de lamivudine.

EFFETS INDÉSIRABLES

GRAVES
Douleur gastrique ou abdominale sévère ; nausées ; vomissements ; fatigue anormale ; fièvre, frissons ; mal de gorge ; douleur ou sensation d'engourdissement, de brûlure ou de picotements dans les mains, les bras, les jambes ou les pieds ; difficultés respiratoires ; démangeaisons ; urticaire ; rash cutané ; enflure du visage, de la bouche, des lèvres, de la gorge ou de la langue.

COURANTS
Il n'y a pas d'effets courants associés à la lamivudine.

MOINS COURANTS
Douleur abdominale bénigne à modérée, diarrhée, vertiges, toux, céphalées, nausées ou vomissements bénins, insomnie, chute des cheveux.

LAMIVUDINE (3TC)

NOM COMMERCIAL

3TC

Présentation : Solution, comprimés
En vente libre ? Non   **Générique disponible ?** Non
Classe de médicaments : Antiviral/inhibiteur nucléosidique de la transcriptase inverse

▼ GÉNÉRALITÉS

INDICATIONS
Traitement de l'infection au VIH (virus de l'immuno-déficience humaine) en association avec d'autres antirétroviraux. La lamivudine ne guérit pas le VIH, mais elle peut supprimer la réplication du virus et retarder la progression de la maladie.

MODE D'ACTION
La lamivudine entrave l'activité d'enzymes nécessaires à la réplication de l'ADN dans les cellules virales, empêchant ainsi le virus du VIH de se reproduire. Le VIH devenu résistant à la lamivudine risque moins de l'être à la zidovudine.

▼ MODE D'EMPLOI

POSOLOGIE
Adolescents et adultes pesant 50 kg (110 lb) ou plus : 150 mg, 2 fois par jour. Adultes pesant moins de 50 kg : 2 mg par kilogramme (2,2 lb) de poids, 2 fois par jour. Enfants de 3 mois à 12 ans : 4 mg par kilogramme de poids, 2 fois par jour, sans dépasser 150 mg par dose. La lamivudine doit toujours être associée à d'autres antirétroviraux.

DÉBUT D'ACTION
Inconnu. Une réponse à la plupart des antirétroviraux s'observe dès les premières semaines de traitement, mais le plein effet thérapeutique peut mettre 12 à 16 semaines à s'installer.

DURÉE D'ACTION
Inconnue. Elle peut être allongée si la lamivudine est associée à des médicaments puissants dont l'action combinée contre le virus est maximale.

CONSEILS NUTRITIONNELS
Peut se prendre avec ou sans aliment. Buvez beaucoup.

MODE DE CONSERVATION
Dans un contenant étanche, à l'abri de la chaleur et de la lumière.

OUBLI D'UNE DOSE
Prenez-la dès que vous y pensez. S'il est presque l'heure de la suivante, sautez la dose oubliée et reprenez la fréquence normale. Ne doublez pas la dose suivante. Il est important de prendre le médicament à heure fixe pour maintenir sa concentration dans le sang.

ARRÊT DE LA MÉDICATION
Cette décision doit être prise en consultation avec votre médecin.

USAGE PROLONGÉ
Un suivi médical s'impose en cas d'usage prolongé.

▼ PRÉCAUTIONS

Plus de 60 ans. Il n'existe pas d'études spéciales sur les personnes âgées. Il sera peut-être nécessaire de diminuer les doses, surtout en présence d'insuffisance hépatique ou rénale.

Conduite automobile, travaux dangereux. À éviter tant que vous ne connaissez pas votre réaction au traitement.

Alcool. À éviter en cas d'insuffisance hépatique.

Grossesse. La lamivudine provoque des anomalies congénitales chez les animaux. Néanmoins, elle est de plus en plus souvent administrée avec d'autres antirétroviraux pour traiter les femmes enceintes infectées au VIH.

Allaitement. Les femmes infectées au VIH ne devraient pas nourrir pour éviter de transmettre le virus à un nourrisson non infecté.

Nourrissons et enfants. Risques de réactions indésirables plus fréquentes et plus graves.

À surveiller. Si vous prenez la solution, mesurez la dose avec une cuiller à mesurer pour obtenir la quantité exacte. La lamivudine n'élimine pas le risque de transmettre le VIH à d'autres personnes. Prenez les mesures préventives qui s'imposent.

SURDOSAGE
Symptômes. Aucun cas de surdosage n'a été signalé. Diarrhée et crampes abdominales seraient probablement parmi les symptômes.

Quoi faire. Un surdosage est peu probable. Néanmoins, si vous avez des raisons de croire à une surdose, appelez rapidement le médecin ou le centre antipoison.

▼ INTERACTIONS

MÉDICAMENT-MÉDICAMENT
Demandez l'avis du médecin sur tous les médicaments que vous prenez avec ou sans ordonnance.

MÉDICAMENT-ALIMENT
Aucune interaction connue.

MÉDICAMENT-MALADIE
Avisez le médecin de toutes les affections dont vous pourriez souffrir. La lamivudine peut provoquer des complications chez les patients souffrant d'insuffisance hépatique ou rénale, car le foie et les reins contribuent ensemble à éliminer le médicament de l'organisme.

  EFFETS INDÉSIRABLES

GRAVES
Douleur gastrique ou abdominale grave ; nausées ; vomissements ; fatigue anormale ; fièvre ; frissons ; mal de gorge ; engourdissement, sensation de brûlure, picotements ou douleur dans les mains, bras, jambes ou pieds ; difficultés respiratoires ; démangeaisons ; urticaire ; rash cutané ; bouche, lèvres, gorge, langue ou visage enflés.

COURANTS
Il n'y a pas d'effets courants associés à la lamivudine.

MOINS COURANTS
Douleurs abdominales bénignes à modérées, diarrhée, vertiges, toux, céphalées, nausées ou vomissements d'intensité moyenne, insomnie, chute des cheveux.

LAMIVUDINE/ZIDOVUDINE

Présentation : Comprimés
En vente libre ? Non   **Générique disponible ?** Non
Classe de médicaments : Antiviral/inhibiteur nucléosidique de la transcriptase inverse

▼ GÉNÉRALITÉS

INDICATIONS
Traitement de l'infection au VIH (virus de l'immunodéficience humaine). Bien que ne constituant pas un traitement du VIH, l'association de lamivudine (3TC) et de zidovudine (AZT) peut supprimer la réplication du virus et retarder la progression de la maladie.

MODE D'ACTION
Cette association médicamenteuse entrave l'activité des enzymes indispensables à la réplication de l'ADN dans les cellules virales, empêchant le VIH de se reproduire.

▼ MODE D'EMPLOI

POSOLOGIE
Adultes et adolescents : 1 comprimé (150 mg de lamivudine et 300 mg de zidovudine), 2 fois par jour. Enfants : ne devrait pas leur être administré parce qu'il n'est pas possible d'ajuster les doses.

DÉBUT D'ACTION
Inconnu. La réponse à la plupart des antirétroviraux se voit dès les premières semaines du traitement, mais le plein effet thérapeutique peut mettre 12 à 16 semaines à s'installer.

DURÉE D'ACTION
Inconnue. Elle peut être plus longue si l'association médicamenteuse est prise en même temps que d'autres médicaments pour une action combinée maximale contre le virus.

CONSEILS NUTRITIONNELS
Peut se prendre à jeun ou en mangeant. Buvez beaucoup.

MODE DE CONSERVATION
Dans un contenant étanche, à l'abri de la chaleur, de l'humidité et de la lumière.

OUBLI D'UNE DOSE
Prenez-la dès que vous y pensez. S'il est presque l'heure de la suivante, sautez la dose oubliée et reprenez la fréquence normale. Ne doublez pas la dose suivante. Il est important de prendre le médicament à heures régulières pour maintenir un taux constant de celui-ci dans le sang.

ARRÊT DE LA MÉDICATION
À prendre en consultation avec le médecin.

USAGE PROLONGÉ
Un suivi médical régulier s'impose tant que vous prenez le médicament.

▼ PRÉCAUTIONS

Plus de 60 ans. Il n'y a pas eu d'études sur les personnes âgées. Il peut être nécessaire de diminuer les doses, surtout en présence d'insuffisance hépatique ou rénale.

Conduite automobile, travaux dangereux. Ce médicament ne devrait pas vous empêcher de faire de telles tâches en toute sécurité.

Alcool. À éviter en cas d'insuffisance hépatique.

Grossesse. La zidovudine peut diminuer le risque de transmettre le virus du sida au fœtus. Parlez-en au médecin.

Allaitement. Les femmes infectées au VIH ne devraient pas nourrir pour éviter de transmettre le virus à un nourrisson non infecté.

Nourrissons et enfants. Non recommandé pour les enfants de moins de 12 ans.

À surveiller. Le médicament n'élimine pas le risque de transmettre le virus du sida

(VIH) à d'autres personnes. Prenez toutes les mesures préventives qui s'imposent. Le médicament ne devrait pas être administré aux personnes très maigres.

SURDOSAGE
Symptômes. Aucun cas de surdosage n'a été signalé. Néanmoins, on a signalé des cas de surdosage pour la zidovudine prise seule (voir Zidovudine).

Quoi faire. Si vous appréhendez une surdose ou si la dose était beaucoup plus forte que ce qui a été prescrit, appelez aussitôt le médecin ou le centre antipoison, ou allez à l'urgence.

▼ INTERACTIONS

MÉDICAMENT-MÉDICAMENT
Demandez l'avis du médecin si vous prenez : amphotéricine B (en injection), agents anticancéreux, médicaments pour la thyroïde, azathioprine, chloramphénicol, colchicine, cyclophosphamide, flucytosine, ganciclovir, interféron, mercaptopurine, méthotrexate, clarithromycine ou probénécide. Signalez-lui tout autre médicament vendu avec ou sans ordonnance que vous prenez.

MÉDICAMENT-ALIMENT
Aucune interaction connue.

MÉDICAMENT-MALADIE
La prudence s'impose. Avisez le médecin que vous souffrez d'anémie ou d'une autre maladie du sang. Ce médicament n'est pas recommandé chez les patients en insuffisance rénale ou prédisposés à une maladie du foie.

EFFETS INDÉSIRABLES

GRAVES
Douleur gastrique ou abdominale grave ; anémie (manque de globules rouges) causant pâleur, fatigue ou essoufflement ; fièvre ; frissons ; mal de gorge. Aussi engourdissement, sensation de brûlure, picotements ou douleur dans les mains, bras, jambes ou pieds ; difficultés à respirer ; démangeaisons ; urticaire ; rash cutané ; bouche, lèvres, gorge, langue ou visage enflés.

COURANTS
Céphalées, nausées et vomissements, insomnie, maux d'estomac, perte d'appétit, diarrhée, vertiges, toux.

MOINS COURANTS
Douleurs abdominales, musculaires ou articulaires, hépatite (inflammation du foie avec, souvent, jaunissement des yeux et de la peau), douleurs articulaires, chute des cheveux.

LAMOTRIGINE

Présentation : Comprimés
En vente libre ? Non   **Générique disponible ?** Non
Classe de médicaments : Anticonvulsivant

▼ GÉNÉRALITÉS

INDICATIONS
Pour maîtriser certains types de convulsions dans le traitement de l'épilepsie. En général, la lamotrigine est associée à un autre anticonvulsivant.

MODE D'ACTION
La lamotrigine agit sur le système nerveux central pour maîtriser le nombre et la gravité des convulsions. Elle inhiberait l'activité de certaines parties du cerveau et supprimerait les décharges anormales de neurones qui déclenchent les convulsions.

▼ MODE D'EMPLOI

POSOLOGIE
Adultes : 100 à 500 mg par jour, en 2 doses fractionnées. Certains cas exigent une posologie plus énergique. Le médecin commence par une dose faible et l'augmente peu à peu. Cette augmentation est encore plus lente si vous prenez en même temps de l'acide valproïque (Depakene). La lamotrigine n'est habituellement pas recommandée aux enfants de moins de 18 ans.

DÉBUT D'ACTION
En plusieurs heures.

DURÉE D'ACTION
L'effet maximal dure au moins 24 heures ; il diminue ensuite graduellement.

CONSEILS NUTRITIONNELS
À prendre en mangeant contre les maux d'estomac.

MODE DE CONSERVATION
Dans un contenant étanche, à l'abri de la chaleur, de l'humidité et de la lumière.

OUBLI D'UNE DOSE
Prenez-la dès que vous y pensez. S'il est presque l'heure de la suivante, sautez la dose oubliée et reprenez la fréquence normale. Ne doublez pas la dose suivante, à moins que le médecin ne vous le recommande.

ARRÊT DE LA MÉDICATION
Un arrêt subit risque d'entraîner des convulsions. La posologie doit être réduite graduellement sur plusieurs semaines, sous la surveillance du médecin.

USAGE PROLONGÉ
Un suivi médical, avec analyses, est nécessaire.

▼ PRÉCAUTIONS

Plus de 60 ans. Risques de réactions indésirables plus probables. Des doses plus faibles peuvent être nécessaires dans ce groupe d'âge.

Conduite automobile, travaux dangereux. La lamotrigine peut causer de la somnolence ou des vertiges. N'entreprenez pas de telles activités tant que vous ne connaissez pas votre réaction au médicament.

Alcool. Peut augmenter la somnolence.

Grossesse. Le recours aux anticonvulsivants est associé à un risque accru d'anomalies congénitales, bien qu'il n'y ait pas d'études concluantes sur la lamotrigine. Néanmoins, des convulsions peuvent aussi augmenter les risques pour le fœtus. Évaluez avec le médecin les bienfaits du traitement par rapport à ses dangers. Des suppléments de folate sont recommandés 1 ou 2 mois avant la conception et durant la grossesse.

Allaitement. La lamotrigine passe dans le lait maternel, bien qu'à faible concentration. La prudence s'impose. Demandez l'avis du médecin.

Nourrissons et enfants. Les effets indésirables étant plus courants et plus sévères chez les jeunes patients, la lamotrigine n'est généralement pas recommandée pour eux.

À surveiller. Le médecin vous demandera peut-être de porter un bracelet médical ou une carte spécifiant que vous prenez de la lamotrigine.

SURDOSAGE
Symptômes. Maladresse et manque d'équilibre sérieux ; vertiges et étourdissements graves ; grandes difficultés d'élocution ; mouvements latéraux ou circulaires des yeux, rapides, anormaux et graves ; tachycardie ; perte de conscience ; sécheresse de la bouche.

Quoi faire. Allez immédiatement à l'urgence.

▼ INTERACTIONS

MÉDICAMENT-MÉDICAMENT
La lamotrigine peut entrer en interaction avec de nombreux médicaments dont : autres anticonvulsivants (carbamazépine, phénobarbital, phénytoïne, primidone, acide valproïque) de même que acétaminophène.

MÉDICAMENT-ALIMENT
Aucune interaction connue.

MÉDICAMENT-MALADIE
La prudence est spécialement recommandée aux patients qui ont une maladie des reins ou du foie.

≡ EFFETS INDÉSIRABLES ≡

GRAVES
Fièvre, mal de gorge, ganglions enflés, petits points pourpres ou rouges sur la peau ou les muqueuses, lésions cutanées vésicantes ou desquamantes, faiblesse, confusion, léthargie ou convulsions peuvent signaler une réaction sanguine potentiellement fatale ou d'autres complications.

COURANTS
Vertiges, vue double ou embrouillée, incoordination ou maladresse, somnolence, nausées, vomissements, céphalées.

MOINS COURANTS
Mauvaise digestion, nez qui coule, force diminuée, insomnie, dépression, sautes d'humeur, tremblements, difficultés d'élocution. Il existe bien d'autres effets indésirables associés à ce médicament ; consultez le médecin si certaines réactions désagréables ou inhabituelles vous inquiètent.

LANSOPRAZOLE

Présentation : Gélules à libération prolongée
En vente libre ? Non   **Générique disponible ?** Non
Classe de médicaments : Antiacide/inhibiteur de la pompe à protons

▼ GÉNÉRALITÉS

INDICATIONS
Traitement de l'ulcère de l'estomac, de l'ulcère du duodénum, du reflux gastro-œsophagien (aigreurs d'estomac chroniques provoquées par le reflux d'acide gastrique dans l'œsophage) et d'états pathologiques d'hypersécrétion d'acide gastrique, comme le syndrome de Zollinger-Ellison. On associe le lansoprazole à l'amoxicilline et à la clarithromycine (antibiotiques) dans le traitement de l'infection à H. pylori pour éviter la récurrence de l'ulcère duodénal induit par cette bactérie.

MODE D'ACTION
Le lansoprazole inhibe l'action d'une enzyme spécifique des cellules qui tapissent l'estomac et diminue ainsi la sécrétion d'acide gastrique. Cette réduction d'acide gastrique favorise l'éradication de H. pylori et la cicatrisation des ulcères.

▼ MODE D'EMPLOI

POSOLOGIE
Ulcère duodénal : dose initiale, 15 mg, 1 fois par jour ; peut être augmentée par la suite. Reflux gastro-œsophagien : 15 mg, 1 fois par jour pendant un maximum de 8 semaines. Autres états pathologiques : dose initiale, 60 mg, 1 fois par jour ; peut être augmentée. Le traitement dure habituellement 4 à 8 semaines. Un second traitement peut être nécessaire. Syndrome de Zollinger-Ellison : dose initiale, 60 mg, 1 fois par jour; peut être augmentée.

DÉBUT D'ACTION
En 1 à 3 heures.

DURÉE D'ACTION
Plus de 24 heures.

CONSEILS NUTRITIONNELS
À prendre de préférence 30 minutes ou plus avant un repas, de préférence le petit déjeuner.

MODE DE CONSERVATION
Dans un contenant étanche, à l'abri de la chaleur, de l'humidité et de la lumière.

OUBLI D'UNE DOSE
Prenez-la dès que vous y pensez. S'il est presque l'heure de la dose suivante, sautez la dose oubliée et reprenez la fréquence normale. Ne doublez pas la dose suivante.

ARRÊT DE LA MÉDICATION
Effectuez le traitement au complet, comme il vous a été prescrit, même si les symptômes régressent avant la fin.

USAGE PROLONGÉ
Un suivi médical s'impose si vous devez prendre le lansoprazole durant une période prolongée. Le médicament ne doit pas être utilisé indéfiniment comme traitement d'entretien pour l'ulcère duodénal ou l'œsophagite ; d'autres traitements sont préférables.

▼ PRÉCAUTIONS

Plus de 60 ans. Aucun risque connu.

Conduite automobile, travaux dangereux. À éviter tant que vous ne connaissez pas votre réaction au médicament.

Alcool. À éviter pendant toute la durée du traitement.

Grossesse. Il n'existe pas d'études pertinentes sur les humains. Avant de prendre du lansoprazole, avertissez le médecin que vous êtes enceinte ou désirez le devenir.

Allaitement. Le lansoprazole peut passer dans le lait maternel : la prudence s'impose. Demandez l'avis du médecin.

Nourrissons et enfants. Indications et posologie pour les moins de 18 ans doivent être déterminées par le médecin.

À surveiller. Avertissez médecins et dentistes que vous prenez du lansoprazole. Ne mâchez pas les gélules. Si vous avez de la difficulté à les avaler, vous pouvez les ouvrir et en saupoudrer le contenu sur une cuillerée à soupe de compote de pommes, de fromage cottage ou de yogourt. Si votre médecin le recommande, vous pouvez prendre un antiacide en même temps que le lansoprazole.

SURDOSAGE
Symptômes. Inconnus.

Quoi faire. Il est peu probable qu'une surdose de lansoprazole mette votre vie en danger. Néanmoins, si la dose est très forte, appelez immédiatement le médecin ou le centre antipoison, ou allez à l'urgence.

▼ INTERACTIONS

MÉDICAMENT-MÉDICAMENT
Demandez l'avis du médecin si vous prenez : ampicilline, sucralfate, sels ou suppléments de fer, cyclosporine, diazépam, disulfiram, kétoconazole, phénytoïne ou théophylline.

MÉDICAMENT-ALIMENT
Aucune interaction connue.

MÉDICAMENT-MALADIE
La prudence s'impose avec le lansoprazole. Consultez le médecin si vous souffrez de maladie du foie, le traitement pouvant alors augmenter le risque d'effets indésirables.

  EFFETS INDÉSIRABLES

GRAVES
Aucun effet indésirable grave n'a été signalé.

COURANTS
Diarrhée, démangeaisons ou rash cutané, céphalées, vertiges.

MOINS COURANTS
Douleur gastrique ou abdominale, nausées, diminution ou augmentation de l'appétit, anxiété, symptômes de grippe, constipation, toux, dépression, douleur musculaire.

LATANOPROST

Présentation : Solution ophtalmique
En vente libre ? Non   **Générique disponible ?** Non
Classe de médicaments : Antiglaucomateux

▼ GÉNÉRALITÉS

INDICATIONS
Traitement du glaucome.

MODE D'ACTION
Le glaucome, trouble menaçant la vision, se produit quand un mauvais drainage de l'humeur aqueuse (liquide à l'intérieur de l'œil) fait monter la pression dans le globe oculaire (pression intra-oculaire). L'augmentation de la pression intra-oculaire peut endommager le nerf optique et mener à une perte progressive de la vue. Le latanoprost favorise l'écoulement de l'humeur aqueuse, réduisant ainsi la pression intra-oculaire.

▼ MODE D'EMPLOI

POSOLOGIE
1 goutte de latanoprost dans l'œil malade, 1 fois par jour, le soir.

DÉBUT D'ACTION
En 3 à 4 heures.

DURÉE D'ACTION
24 heures ou plus.

EFFETS INDÉSIRABLES

GRAVES
Douleur thoracique, difficultés à respirer.

COURANTS
Vision embrouillée, sensation de brûlure ou de picotements dans l'œil, sensation d'un corps étranger dans l'œil, augmentation de la pigmentation brune de l'iris, rougeur de l'œil.

MOINS COURANT
Yeux secs, larmoiement excessif, douleur oculaire, encroûtement, enflure, douleur ou gêne de la paupière, sensibilité à la lumière, infection des voies respiratoires supérieures, vision double, douleur dans le thorax et le dos.

CONSEILS NUTRITIONNELS
Pas de restrictions alimentaires spéciales.

MODE DE CONSERVATION
Dans un contenant étanche, à l'abri de la chaleur, de l'humidité et de la lumière. Ne faites pas congeler.

OUBLI D'UNE DOSE
Appliquez la dose oubliée dès que vous y pensez. S'il est presque l'heure de la suivante, sautez la dose oubliée et reprenez la fréquence normale. Ne doublez pas la dose suivante.

ARRÊT DE LA MÉDICATION
La décision de mettre fin au traitement doit être prise par le médecin.

USAGE PROLONGÉ
Un suivi médical régulier, avec analyses et examens, est nécessaire en cas d'usage prolongé.

▼ PRÉCAUTIONS

Plus de 60 ans. Aucun risque connu.

Conduite automobile, travaux dangereux. À déconseiller tant que vous ne connaissez pas votre réaction au médicament.

Alcool. Pas de précautions spéciales.

Grossesse. Le latanoprost n'a pas causé d'anomalies congénitales chez les animaux ; il n'existe pas d'études sur les humains. Avant de prendre du latanoprost, avisez le médecin que vous êtes enceinte ou désirez le devenir.

Allaitement. Le latanoprost peut passer dans le lait maternel : la prudence s'impose. Demandez l'avis du médecin.

Nourrissons et enfants. Innocuité et efficacité non établies.

À surveiller. Avant l'application, lavez-vous les mains. Renversez la tête en arrière. Appuyez doucement dans l'angle interne de la paupière et avec l'index de la même main, tirez la paupière inférieure vers le bas. Laissez tomber le médicament dans l'espace ainsi créé et fermez l'œil. Appuyez pendant 1 ou 2 minutes tout en gardant l'œil fermé sans cligner. Enfin, lavez-vous les mains de nouveau. Le bout du compte-gouttes ne doit toucher ni l'œil, ni votre doigt, ni rien d'autre. Le latanoprost peut rendre vos yeux plus sensibles à la lumière solaire. Si tel est le cas, portez des lunettes de soleil ou évitez la lumière vive au besoin. Le latanoprost peut modifier la couleur des yeux et intensifier la pigmentation brune de l'iris ; c'est un changement lent qui peut ne pas être remarqué pendant des mois ou des années, mais qui peut être définitif. Le latanoprost renferme des ingrédients qui peuvent endommager les verres de contact. Il faut retirer ceux-ci 15 minutes avant l'application du médicament et ne pas les remettre avant 15 minutes.

SURDOSAGE
Symptômes. Aucun symptôme spécifique n'a été signalé.

Quoi faire. Il est peu probable qu'une surdose de latanoprost mette votre vie en danger. Si une grande quantité de solution pénètre dans l'œil, lavez-le à grande eau. Si le médicament est ingéré, appelez immédiatement le médecin ou le centre anti-poison, ou allez à l'urgence.

▼ INTERACTIONS

MÉDICAMENT-MÉDICAMENT
D'autres médicaments peuvent interagir avec le latanoprost. Demandez l'avis du médecin à l'égard de tous les médicaments que vous prenez avec ou sans ordonnance. Si vous utilisez une autre médication ophtalmique contre l'hypertension intra-oculaire, administrez-les à au moins 5 minutes d'intervalle.

MÉDICAMENT-ALIMENT
Aucune interaction connue.

MÉDICAMENT-MALADIE
Le latanoprost peut entraîner des complications chez les patients affligés d'une maladie du foie ou du rein, car ces organes travaillent ensemble à éliminer le médicament de l'organisme.

LÉFLUNOMIDE

Présentation : Comprimés
En vente libre ? Non **Générique disponible ?** Non
Classe de médicaments : Antirhumatismal

▼ GÉNÉRALITÉS

INDICATIONS
Pour diminuer les symptômes de la polyarthrite rhumatoïde modérée à grave. Le léflunomide est prescrit aux patients qui n'ont pas répondu à d'autres antirhumatismaux.

MODE D'ACTION
Le léflunomide semble entraver l'hyperactivité du système immunitaire qui serait, croit-on, la cause de la polyarthrite rhumatoïde. Il semble aussi réduire l'inflammation.

▼ MODE D'EMPLOI

POSOLOGIE
Adultes : dose d'attaque, 100 mg par jour pendant 3 jours. Dose d'entretien : 20 mg par jour. La dose peut être réduite par le médecin à 10 mg par jour, au besoin.

DÉBUT D'ACTION
Inconnu.

DURÉE D'ACTION
Inconnue.

CONSEILS NUTRITIONNELS
Mangez et buvez normalement.

MODE DE CONSERVATION
Dans un contenant étanche, à l'abri de la chaleur, de l'humidité et de la lumière.

OUBLI D'UNE DOSE
Si, un jour, vous oubliez de prendre une dose, ne doublez pas celle du lendemain.

ARRÊT DE LA MÉDICATION
Effectuez le traitement au complet, comme il vous a été prescrit, même si vous vous sentez mieux avant qu'il ne prenne fin.

USAGE PROLONGÉ
Un suivi médical, avec tests sanguins, est nécessaire durant le traitement au léflunomide.

▼ PRÉCAUTIONS

Plus de 60 ans. Pas de risques connus.

Conduite automobile, travaux dangereux. Le léflunomide ne devrait pas vous empêcher d'exécuter de telles tâches en toute sécurité.

Alcool. N'en prenez pas ou prenez-en avec modération.

Grossesse. Le léflunomide peut provoquer des anomalies congénitales graves. Aucun des deux partenaires ne doit en prendre s'ils veulent avoir un enfant. Il faut recourir à une méthode contraceptive sûre durant le traitement au léflunomide. Si vous pensez que vous êtes enceinte, arrêtez immédiatement de prendre le médicament et consultez le médecin.

Allaitement. On ne sait pas si le léflunomide passe dans le lait maternel. De toute façon, n'en prenez pas pendant que vous allaitez. Demandez l'avis du médecin.

Nourrissons et enfants. Innocuité et efficacité non établies pour les patients de moins de 18 ans.

À surveiller. Une fois le traitement terminé, on recommande de se soumettre à un régime précis pour faire baisser les taux sanguins de léflunomide. Prenez 8 g (grammes) de cholestyramine, 3 fois par jour, pendant 11 jours (sans que ce soit nécessairement 11 jours d'affilée, à moins de vouloir obtenir rapidement des résultats), ou 50 g de charbon de bois activé, 4 fois par jour, pendant 11 jours. Le médecin vous fera passer 2 tests (à 2 semaines d'intervalle) pour vérifier les taux sanguins de léflunomide. Si vous ne suivez pas ce programme, il faut parfois compter jusqu'à 2 ans avant que le taux sanguin de léflunomide soit indécelable.

SURDOSAGE
Symptômes. Aucun cas de surdosage n'a été signalé.

Quoi faire. En cas de dose excessive, appelez immédiatement le médecin ou le centre antipoison, ou allez à l'urgence.

▼ INTERACTIONS

MÉDICAMENT-MÉDICAMENT
Méthotrexate, rifampine, cholestyramine, charbon de bois, warfarine, phénytoïne ou tolbutamide peuvent interagir avec le léflunomide. Demandez spécifiquement l'avis du médecin si vous en prenez.

MÉDICAMENT-ALIMENT
Aucune interaction connue.

MÉDICAMENT-MALADIE
Ne prenez pas de léflunomide si vous avez une maladie du foie. La prudence est conseillée aux patients qui ont une maladie du rein. Demandez l'avis du médecin.

EFFETS INDÉSIRABLES

GRAVES
Toxicité hépatique, diagnostiquée par le médecin grâce à des tests sanguins ou décelée par le patient en présence de jaunisse ou jaunissement de la peau et des yeux.

COURANTS
Diarrhée, chute de cheveux, rash cutané, nausées, vomissements, douleur abdominale.

MOINS COURANTS
Réaction allergique, mal de dos, bronchite, pneumonie, congestion nasale, démangeaisons.

LÉTROZOLE

Présentation : Comprimés
En vente libre ? Non   **Générique disponible ?** Non
Classe de médicaments : Antiœstrogène ; antinéoplasique (anticancéreux)

▼ GÉNÉRALITÉS

INDICATIONS
Traitement du cancer avancé du sein.

MODE D'ACTION
Les œstrogènes stimulent la croissance de certaines tumeurs mammaires. Après la ménopause, les ovaires sécrètent peu d'œstrogènes, mais les androgènes sécrétés dans les surrénales peuvent se convertir en œstrogènes. Comme le létrozole inhibe l'enzyme qui permet cette conversion, il se trouve à réduire indirectement le taux sanguin d'œstrogènes. Ainsi donc, sans agir directement sur les cellules cancéreuses, le létrozole ralentit la croissance de certaines tumeurs du sein.

▼ MODE D'EMPLOI

POSOLOGIE
2,5 mg, 1 fois par jour.

DÉBUT D'ACTION
Inconnu.

DURÉE D'ACTION
Inconnue.

CONSEILS NUTRITIONNELS
Le létrozole peut se prendre avec ou sans nourriture. Mangez et buvez de façon adéquate car les besoins en calories, en protéines et en vitamines augmentent chez les cancéreux.

MODE DE CONSERVATION
Dans un contenant étanche, à l'abri de la chaleur, de l'humidité et de la lumière.

OUBLI D'UNE DOSE
Le létrozole se prend une fois par jour. Si, un jour, vous l'oubliez, reprenez la fréquence normale le lendemain, sans doubler la dose suivante.

ARRÊT DE LA MÉDICATION
Le médicament étant utilisé contre une affection chronique, vous pourriez avoir à le prendre durant une période prolongée ; respectez la posologie à la lettre durant tout le traitement. La décision de mettre fin à celui-ci doit être prise en consultation avec le médecin. Ne l'interrompez pas de votre propre chef.

USAGE PROLONGÉ
La durée d'un traitement au létrozole n'est pas établie d'avance, mais vous pouvez vous attendre à ce qu'il dure plusieurs semaines avant que son efficacité puisse être appréciée. Le médecin jugera si le médicament donne satisfaction ou non et recommandera alors la poursuite ou l'abandon de la thérapie.

▼ PRÉCAUTIONS

Plus de 60 ans. Pas de risques connus.

Conduite automobile, travaux dangereux. Le traitement ne devrait pas vous empêcher d'exécuter de telles tâches en toute sécurité.

Alcool. Pas de précautions spéciales.

Grossesse. Le létrozole ne doit pas être administré aux femmes enceintes. Bien que le médicament ne soit généralement pas prescrit aux femmes non ménopausées, si le cas se présente, les patientes doivent s'assurer qu'elles ne sont pas enceintes avant d'entreprendre le traitement.

Allaitement. Le médicament n'est pas recommandé durant l'allaitement ; les avantages du traitement doivent vraiment l'emporter sur ses dangers. Demandez spécifiquement l'avis du médecin.

Nourrissons et enfants. Le létrozole n'est pas approuvé pour le traitement des nourrissons et des enfants.

À surveiller. Les cancéreux sont souvent affaiblis par leur maladie, par une nutrition inadéquate et par les effets de la chimiothérapie, de la radiothérapie et de la chirurgie. Ces patients risquent davantage d'éprouver des effets indésirables et ceux-ci pourraient être plus prononcés. Respectez à la lettre toutes les directives concernant la médication.

SURDOSAGE
Symptômes. Aucun cas de surdosage n'a été signalé.

Quoi faire. Une surdose est peu probable. Néanmoins, si vous croyez être en présence d'un surdosage, allez immédiatement à l'urgence.

▼ INTERACTIONS

MÉDICAMENT-MÉDICAMENT
Aucune interaction significative avec le létrozole n'est connue.

MÉDICAMENT-ALIMENT
Aucune interaction connue.

MÉDICAMENT-MALADIE
Le médicament doit être utilisé avec prudence en présence d'une insuffisance hépatique grave.

EFFETS INDÉSIRABLES

GRAVES
Aucun effet indésirable grave n'a été signalé lors de traitements au létrozole.

COURANTS
Fatigue, nausées et vomissements, douleur musculaire et articulaire, céphalées, essoufflement, œdème (enflure des pieds et des chevilles).

MOINS COURANTS
Douleur thoracique, faiblesse, gain de poids, hypertension, constipation, diarrhée, douleur abdominale, perte d'appétit, digestion difficile, infection virale, somnolence ou vertiges, toux, bouffées de chaleur, rash cutané, démangeaisons, raréfaction des cheveux.

LEUCOVORINE CALCIQUE (FOLINATE DE CALCIUM)

Présentation : Comprimés, injection
En vente libre ? Non   **Générique disponible ?** Oui
Classe de médicaments : Dérivé de l'acide folique

▼ GÉNÉRALITÉS

INDICATIONS
Pour réduire la toxicité des effets des fortes doses de méthotrexate (anticancéreux) et d'autres médicaments qui agissent comme antagonistes d'un nutriment essentiel, l'acide folique. La leucovorine s'emploie aussi en association avec le fluorouracile pour traiter certains cancers du côlon et parfois aussi certaines formes d'anémie.

MODE D'ACTION
Les cellules saines ont besoin d'acide folique pour croître et se multiplier. À titre de dérivé de l'acide folique, la leucovorine empêche les cellules saines d'être endommagées par le méthotrexate ou d'autres médicaments qui privent l'organisme d'acide folique. Comme la leucovorine agit exactement comme l'acide folique, elle est utile contre l'anémie par carence en folate.

▼ MODE D'EMPLOI

POSOLOGIE
Prévention des effets médicamenteux : 10 mg par mètre carré de surface corporelle, aux 6 heures, jusqu'à ce que le méthotrexate plasmatique soit descendu au niveau désiré. Cancer colorectal avancé : 200 mg par mètre carré de surface corporelle, tous les jours pendant 5 jours. La leucovorine doit être suivie des doses voulues de fluorouracile. Anémie mégaloblastique par carence en folate : Jusqu'à 1 mg de leucovorine par jour : la durée du traitement dépend de la réponse du patient.

DÉBUT D'ACTION
En 5 à 20 minutes après injection ; en 20 à 30 minutes après ingestion orale.

DURÉE D'ACTION
3 à 6 heures.

CONSEILS NUTRITIONNELS
La leucovorine peut être donnée entre les repas. Les doses doivent être régulièrement espacées, jour et nuit.

MODE DE CONSERVATION
Dans un contenant étanche, à l'abri de la chaleur et de la lumière.

OUBLI D'UNE DOSE
Dès que vous vous en souvenez, voyez auprès du médecin si vous devez prendre une dose supplémentaire. Ne prenez pas de dose supplémentaire sans consulter votre médecin. Revenez le plus vite possible à la fréquence normale.

ARRÊT DE LA MÉDICATION
La décision de mettre fin au traitement doit être prise par le médecin.

USAGE PROLONGÉ
Un suivi médical, avec examens et analyses, s'impose si vous prenez le médicament longtemps.

▼ PRÉCAUTIONS

Plus de 60 ans. Il n'existe pas d'information sur les effets de la leucovorine selon les groupes d'âge.

Conduite automobile, travaux dangereux. La leucovorine ne devrait pas vous empêcher de faire ces activités en toute sécurité.

Alcool. À éviter : l'alcool ne peut que priver davantage l'organisme d'acide folique.

Grossesse. Il n'existe pas d'études sur les effets de la leucovorine sur les femmes enceintes. Avant d'en prendre, dites au médecin que vous êtes enceinte ou voulez le devenir. La leucovorine ne devrait être administrée durant la grossesse que sous la surveillance étroite d'un médecin ayant de l'expérience dans la chimiothérapie antimétabolite du cancer.

Allaitement. On ne sait pas si la leucovorine passe dans le lait maternel. On ne signale pas qu'elle ait nui au nourrisson. Demandez spécifiquement l'avis du médecin.

Nourrissons et enfants. Chez les enfants souffrant de convulsions, la leucovorine peut augmenter la fréquence des attaques.

À surveiller. Avertissez le médecin si vous tolérez mal la forme orale et si elle provoque des vomissements. Il favorisera peut-être un traitement par injection.

SURDOSAGE
Symptômes. Aucun symptôme spécifique n'a été signalé.

Quoi faire. Il est peu probable qu'une surdose de leucovorine mette votre vie en danger. Néanmoins, si la dose est très forte, demandez immédiatement de l'assistance médicale.

▼ INTERACTIONS

MÉDICAMENT-MÉDICAMENT
Demandez spécifiquement l'avis du médecin sur les autres médicaments que vous prenez avec ou sans ordonnance.

MÉDICAMENT-ALIMENT
Aucune interaction connue.

MÉDICAMENT-MALADIE
Un traitement à la leucovorine demande de la prudence. Dites-le au médecin si vous souffrez de maladie du rein ou de déficience en vitamine B12.

  EFFETS INDÉSIRABLES

GRAVES
Rash cutané, urticaire, démangeaisons, convulsions ; ces symptômes peuvent indiquer une réaction allergique grave.

COURANTS
Aucun effet indésirable courant n'a été signalé.

MOINS COURANTS
Il n'y a pas d'effets moins courants avec la leucovorine.

LEUPROLIDE (ACÉTATE DE)

Présentation : Injection, injection dépôt à action prolongée
En vente libre ? Non   **Générique disponible ?** Non
Classe de médicaments : Hormone synthétique

▼ GÉNÉRALITÉS

INDICATIONS
Soulagement des symptômes des formes avancées du cancer de la prostate (chez l'homme) ainsi que de la douleur et des malaises associés à l'endométriose (chez la femme). Le leuprolide sert également dans les cas de puberté précoce chez les enfants des deux sexes.

MODE D'ACTION
Chez l'homme, le leuprolide abaisse les taux sanguins de testostérone, ralentissant la croissance des cellules prostatiques et soulageant la douleur et les malaises associés au cancer avancé de la prostate. Chez la femme, il abaisse le taux sanguin d'œstrogène, entraînant un rétrécissement de l'endomètre (ou tunique de l'utérus) et soulageant les crises d'endométriose. Chez les enfants qui souffrent de puberté précoce, il abaisse les taux hormonaux, favorisant une croissance physique et psychologique normale.

▼ MODE D'EMPLOI

POSOLOGIE
Injection – Hommes : 1 mg en injection sous-cutanée, 1 fois par jour, ou 7,5 mg en injection Dépôt intramusculaire, 1 fois par mois ou 22,5 mg en injection Dépôt 1 fois aux 3 mois ou 30 mg en injection Dépôt 1 fois aux 4 mois. Femmes : 3,75 mg en injection intramusculaire 1 fois par mois pendant 6 mois ou moins. Enfants : consultez le pédiatre.

DÉBUT D'ACTION
Hommes : en 2 à 4 semaines. Femmes : en 1 à 2 mois.

EFFETS INDÉSIRABLES

GRAVES
Hommes : douleur dans l'aine ou la jambe, douleur thoracique. Femmes : hirsutisme, voix devenant plus grave. Hommes et femmes : tachycardie ou arythmies cardiaques.

COURANTS
Femmes : saignements vaginaux légers et irréguliers, absence de menstruations (aménorrhée), sécheresse vaginale. Hommes et femmes : sudation et bouffées de chaleur.

MOINS COURANTS
Hommes : douleur osseuse, constipation, atrophie des testicules, impuissance, perte d'appétit, enflure et sensibilité des seins. Femmes : brûlure, démangeaison ou sécheresse du vagin, baisse de la libido, sensibilité des seins, douleur pelvienne, modifications de l'humeur. Hommes et femmes : vision brouillée, brûlure ou démangeaison au point d'injection ou d'implantation, céphalées, nausées ou vomissements, enflure des pieds ou du bas des jambes, insomnie, gain de poids, engourdissement ou picotement des mains ou des pieds.

DURÉE D'ACTION
Injection – Hommes : 4 à 16 semaines. Femmes : 4 à 12 semaines.

CONSEILS NUTRITIONNELS
Pas de restrictions spéciales.

MODE DE CONSERVATION
Conservez le flacon ou le nécessaire au réfrigérateur. Gardez les seringues préremplies à la température ambiante.

OUBLI D'UNE DOSE
Si vous prenez le médicament 1 fois par jour, prenez la dose oubliée dès que vous vous en rendez compte. Si vous ne vous en souvenez que le lendemain, sautez la dose oubliée et reprenez la fréquence normale. Ne doublez pas la dose suivante. Injection Dépôt : sans objet.

ARRÊT DE LA MÉDICATION
La décision doit être prise par le médecin.

USAGE PROLONGÉ
Voyez le médecin périodiquement pour des examens et des analyses.

▼ PRÉCAUTIONS

Plus de 60 ans. Pas de conseils spéciaux.

Conduite automobile, travaux dangereux. À éviter tant que vous ne savez pas comment vous réagissez au médicament.

Alcool. Pas de précautions spéciales.

Grossesse. Ne prenez pas de leuprolide durant la grossesse.

Allaitement. N'allaitez pas si vous prenez du leuprolide.

Nourrissons et enfants. Le leuprolide ne doit être administré aux enfants que sous étroite surveillance médicale.

À surveiller. Employez seulement les seringues fournies dans les nécessaires. D'autres seringues pourraient ne pas donner les doses voulues. Durant un traitement au leuprolide, les femmes devraient utiliser des méthodes contraceptives autres que hormonales (c'est-à-dire autres que par pilules ou injections contraceptives).

SURDOSAGE
Symptômes. Aucun symptôme n'a été signalé.

Quoi faire. Il est peu probable qu'une surdose de leuprolide mette votre vie en danger. Néanmoins, si la dose est très forte, appelez le médecin ou le centre antipoison, ou allez à l'urgence.

▼ INTERACTIONS

MÉDICAMENT-MÉDICAMENT
Demandez l'avis du médecin avant de prendre tout autre médicament ou tout produit à base de plantes médicinales.

MÉDICAMENT-ALIMENT
Aucune interaction connue.

MÉDICAMENT-MALADIE
Consultez le médecin si vous avez des saignements vaginaux inexpliqués ou, chez l'homme, de la difficulté à uriner.

LÉVAMISOLE (CHLORHYDRATE DE)

Présentation : Comprimés
En vente libre ? Non   **Générique disponible ?** Oui
Classe de médicaments : Immunomodulateur ; agent antinéoplasique (anticancéreux)

▼ GÉNÉRALITÉS

INDICATIONS
Le lévamisole augmente l'efficacité du fluorouracile, médicament utilisé pour traiter le cancer du côlon. Il sert aussi à traiter le mélanome malin ainsi que le syndrome néphrotique chez les enfants.

MODE D'ACTION
Mal connu. Le lévamisole semble améliorer la réceptivité du système immunitaire lorsque celui-ci est déprimé par d'autres agents chimiothérapeutiques comme le fluorouracile. Il améliore donc la capacité du patient à lutter contre la maladie. Contrairement à d'autres agents anticancéreux, le lévamisole n'attaque pas les cellules malignes.

▼ MODE D'EMPLOI

POSOLOGIE
Cancer du côlon : 50 mg aux 8 heures pendant 3 jours, pas plus tôt que 1 semaine et pas plus tard que 5 semaines après la chirurgie. La dose d'entretien normale est de 50 mg durant 3 jours, aux 2 semaines, pendant 1 an. Mélanome malin : 2,5 mg par kilogramme (2,2 lb) de poids en 1 seule dose quotidienne, 2 jours de suite par semaine. Syndrome néphrotique chez les enfants de 1 à 15 ans : 2,5 mg par kilogramme par jour, au moins 2 fois par semaine, ou tous les 2 jours.

DÉBUT D'ACTION
Inconnu.

DURÉE D'ACTION
Inconnue.

CONSEILS NUTRITIONNELS
Mangez et buvez suffisamment. Les besoins en calories, en protéines et en vitamines augmentent chez les cancéreux. Une bonne alimentation est essentielle pour bien supporter la chimiothérapie.

MODE DE CONSERVATION
Dans un contenant étanche, à l'abri de la chaleur, de l'humidité et de la lumière.

OUBLI D'UNE DOSE
Prenez-la dès que vous y pensez. S'il est presque l'heure de la suivante, sautez la dose oubliée et reprenez la fréquence normale. Ne doublez pas la dose suivante.

ARRÊT DE LA MÉDICATION
Cette décision doit être prise par le médecin.

USAGE PROLONGÉ
Un suivi médical régulier, avec examens et analyses est nécessaire en cas d'usage prolongé.

▼ PRÉCAUTIONS

Plus de 60 ans. Les effets indésirables du lévamisole et les problèmes possibles sont les mêmes que pour les autres patients.

Conduite automobile, travaux dangereux. À déconseiller tant que vous ne connaissez pas votre réaction au médicament.

Alcool. À éviter complètement : en effet, l'alcool peut provoquer des nausées et des vomissements graves.

Grossesse. Le lévamisole n'a pas semblé provoquer d'anomalies congénitales chez les animaux. Il n'y a pas d'études sur les humains. Demandez l'avis du médecin si vous êtes enceinte ou voulez le devenir.

Allaitement. On ne sait pas si le lévamisole passe dans le lait maternel : la prudence s'impose. Demandez spécifiquement l'avis du médecin.

Nourrissons et enfants. Il n'y a pas eu d'études comparatives sur ce groupe d'âge.

À surveiller. Si vous vomissez après avoir pris une dose de lévamisole, demandez au médecin si vous devez tout de suite prendre une autre dose ou attendre la suivante. Évitez d'entrer en contact avec des personnes souffrant d'infections. Ne vous faites pas immuniser pendant que vous suivez un traitement au lévamisole. Avant tout travail dentaire, avisez le dentiste que vous prenez du lévamisole. Rincez-vous la bouche après avoir bu ou mangé ; utilisez une brosse à dents souple et rasez-vous au rasoir électrique.

SURDOSAGE
Symptômes. Nausées, vomissements, infection, inflammation de la bouche, confusion.

Quoi faire. Appelez aussitôt le médecin ou le centre anti-poison, ou allez à l'urgence.

▼ INTERACTIONS

MÉDICAMENT-MÉDICAMENT
Demandez l'avis du médecin si vous prenez de la phénytoïne ou de la warfarine, un anticoagulant. Les effets indésirables du lévamisole sont plus fréquents si le médicament est associé au fluorouracile.

MÉDICAMENT-ALIMENT
Aucune interaction connue.

MÉDICAMENT-MALADIE
Le lévamisole exige de la prudence. Avisez le médecin de tout problème de santé que vous pourriez avoir.

 EFFETS INDÉSIRABLES

GRAVES
Symptômes de grippe (fièvre ou frissons, douleurs généralisées, malaise général, faiblesse et toux), ecchymoses ou saignements anormaux, vision brouillée, difficultés à marcher, mouvements incontrôlables des bras ou des jambes. Ce sont des effets rares, mais graves.

COURANTS
Nausées, vomissements et diarrhée.

MOINS COURANTS
Anxiété ou nervosité, vertiges, céphalées, dépression, cauchemars, douleurs articulaires ou musculaires, rash cutané ou démangeaisons, insomnie, somnolence ou fatigue anormales, goût métallique, ulcères dans la bouche ou sur les lèvres.

LÉVOBUNOLOL

Présentation : Suspension ophtalmique
En vente libre ? Non   **Générique disponible ?** Oui
Classe de médicaments : Antiglaucomateux ; bêtabloquant ophtalmique

▼ GÉNÉRALITÉS

INDICATIONS
Traitement du glaucome (à angle ouvert).

MODE D'ACTION
Le glaucome, maladie de l'œil qui menace la vision, se produit quand un mauvais drainage de l'humeur aqueuse (liquide à l'intérieur de l'œil) fait monter la pression dans le globe oculaire (pression intraoculaire). L'augmentation de la pression intraoculaire peut endommager le nerf optique et mener à une perte progressive de la vue. Le lévobunolol inhibe la production d'humeur aqueuse et favorise son écoulement, réduisant ainsi la pression intraoculaire.

▼ MODE D'EMPLOI

POSOLOGIE
Adultes et grands enfants : 1 goutte de lévobunolol à 0,25 % dans chaque œil affecté, 1 ou 2 fois par jour. Le médecin peut augmenter la dose à 1 goutte de lévobunolol à 0,5 %, 1 à 2 fois par jour, selon la réponse.

DÉBUT D'ACTION
En 60 minutes.

DURÉE D'ACTION
Jusqu'à 24 heures.

CONSEILS NUTRITIONNELS
Pas de restrictions spéciales.

MODE DE CONSERVATION
Dans un contenant étanche, à l'abri de la chaleur, de l'humidité et de la lumière.

OUBLI D'UNE DOSE
Appliquez la dose oubliée dès que vous y pensez. S'il est presque l'heure de la suivante, sautez la dose oubliée et reprenez la fréquence normale.

ARRÊT DE LA MÉDICATION
La décision de mettre fin à la thérapie doit être prise par votre médecin.

USAGE PROLONGÉ
Un suivi médical régulier est nécessaire.

▼ PRÉCAUTIONS

Plus de 60 ans. Réactions indésirables plus fréquentes et plus graves.

Conduite automobile, travaux dangereux. À éviter tant que vous ne savez pas si le médicament nuit à la vue.

Alcool. À consommer avec modération.

Grossesse. Le lévobunolol n'a pas semblé causer d'anomalies congénitales chez les animaux ; il n'existe pas d'études chez les humains. Avant d'en prendre, prévenez le médecin que vous êtes enceinte ou désirez le devenir.

Allaitement. Le médicament peut passer dans le lait maternel ; la prudence est de mise. Demandez l'avis du médecin.

Nourrissons et enfants. Innocuité et efficacité non établies.

À surveiller. Avant l'application, lavez-vous les mains. Renversez la tête en arrière. Appuyez doucement dans l'angle interne de la paupière et avec l'index de la même main, tirez la paupière inférieure vers le bas. Laissez tomber le médicament dans l'espace ainsi créé et fermez l'œil. Appuyez pendant 1 ou 2 minutes tout en gardant l'œil fermé sans cligner. Puis, lavez-vous de nouveau les mains. Le bout du compte-gouttes ne doit toucher ni l'œil, ni votre doigt, ni rien d'autre. Avant une chirurgie, un traitement dentaire ou un traitement d'urgence, dites à la personne responsable que vous prenez du lévobunolol. Le médicament peut rendre vos yeux plus sensibles à la lumière solaire. Si tel est le cas, portez des lunettes de soleil ou évitez la lumière vive, à votre choix.

SURDOSAGE
Symptômes. Nervosité, douleur thoracique, confusion, hallucinations, toux, respiration sifflante, nausées ou vomissements, battements de cœur irréguliers ou très forts, insomnie, fatigue anormale.

Quoi faire. Si une grande quantité de solution pénètre dans l'œil, lavez-le à grande eau. Si le médicament est ingéré accidentellement, appelez immédiatement le médecin ou le centre antipoison, ou allez à l'urgence.

▼ INTERACTIONS

MÉDICAMENT-MÉDICAMENT
Il n'est pas recommandé d'utiliser deux bêtabloquants ophtalmiques en même temps. On conseille la plus grande prudence aux patients qui prennent des antidiabétiques, car le lévobunolol peut masquer des symptômes d'hypoglycémie. D'autres médicaments peuvent entrer en interaction avec le lévobunolol. Indiquez à votre médecin tous les médicaments que vous prenez avec ou sans ordonnance.

MÉDICAMENT-ALIMENT
Aucune interaction connue.

MÉDICAMENT-MALADIE
Avertissez le médecin en cas de : asthme, emphysème ou autre maladie pulmonaire, maladie cardiaque, hyperthyroïdie ou diabète sucré.

EFFETS INDÉSIRABLES

GRAVES
Palpitations, insuffisance respiratoire, vertiges et faiblesse due à une hypotension.

COURANTS
Sensation de brûlure, picotements, larmoiement et irritation de l'œil lors de l'application du médicament.

MOINS COURANTS
Mal aux sourcils, démangeaisons, mauvaise vision nocturne, cils encroûtés, sensibilité accrue des yeux à la lumière, sécheresse des yeux.

LÉVOCABASTINE

Livostin (vaporisant nasal), Livostin (gouttes ophtalmiques)

Présentation : Suspension ophtalmique, vaporisant nasal
En vente libre ? Non   **Générique disponible ?** Non
Classe de médicaments : Antagoniste des récepteurs H1 de l'histamine

▼ GÉNÉRALITÉS

INDICATIONS
Soulagement symptomatique temporaire de la démangeaison et de l'irritation des yeux et du nez associées à des allergies saisonnières.

MODE D'ACTION
La lévocabastine inhibe les effets de l'histamine, substance naturelle de l'organisme qui provoque l'enflure, les démangeaisons, les éternuements, le larmoiement, l'urticaire et les autres symptômes associés aux réactions allergiques.

▼ MODE D'EMPLOI

POSOLOGIE
Suspension ophtalmique :
1 goutte dans l'œil affecté, 2 à 4 fois par jour durant au plus 16 semaines. Agitez bien la suspension avant l'usage. Vaporisant nasal : 2 jets dans chaque narine, 2 à 4 fois par jour, durant au plus 10 semai-

nes. Agitez bien le contenant avant de vous en servir.

DÉBUT D'ACTION
En 10 à 15 minutes.

DURÉE D'ACTION
2 à 4 heures.

CONSEILS NUTRITIONNELS
Pas de restrictions spéciales.

MODE DE CONSERVATION
Dans un contenant étanche, à l'abri de la chaleur, de l'humidité et de la lumière. Ne faites pas congeler.

OUBLI D'UNE DOSE
Appliquez-la dès que vous y pensez. S'il est presque l'heure de la dose suivante, sautez la dose oubliée et reprenez la fréquence normale. Ne doublez pas la dose suivante.

ARRÊT DE LA MÉDICATION
Effectuez le traitement au complet, comme il vous a été prescrit, même si vous vous sentez mieux avant la fin.

▼▼ EFFETS INDÉSIRABLES ▼▼

GRAVES
Toux, difficultés à respirer, enflure autour des yeux, douleur ou écoulements oculaires, larmoiement excessif, fatigue anormale, nausées, mal de gorge, rougeur ou irritation non présentes avant le traitement, troubles visuels. Ces effets sont très rares : s'ils apparaissaient, arrêtez la médication et appelez immédiatement le médecin.

COURANTS
Gouttes ophtalmiques : brûlure ou picotements temporaires dans les yeux lors de l'application. Vaporisant nasal : irritation du nez.

MOINS COURANTS
Céphalées, sécheresse de la bouche, somnolence. Consultez le médecin si ces symptômes persistent ou nuisent à vos activités quotidiennes.

USAGE PROLONGÉ
Le traitement est prescrit pour fournir un soulagement symptomatique de brève durée. Le traitement ne devrait pas dépasser 16 semaines (10 semaines pour le vaporisant nasal). Consultez le médecin si, après 3 jours, les symptômes ne régressent pas ou si votre état s'aggrave.

▼ PRÉCAUTIONS

Plus de 60 ans. Aucun risque connu.

Conduite automobile, travaux dangereux. Suspension ophtalmique : aucun risque connu, mais il est préférable de ne pas entreprendre de telles activités avant de savoir si le médicament altère votre vision. Vaporisant nasal : aucun risque connu.

Alcool. Pas de précautions spéciales.

Grossesse. Il n'y a pas eu d'études concluantes, mais aucun problème n'a été signalé. Avant de prendre la lévocabastine, avertissez le médecin que vous êtes enceinte ou voulez le devenir.

Allaitement. La lévocabastine passe dans le lait maternel ; n'en prenez pas si vous allaitez.

Nourrissons et enfants. Innocuité et efficacité non établies pour les enfants de moins de 12 ans. On ne devrait donc pas s'en servir pour eux, sauf sur recommandation du médecin.

À surveiller. Suspension ophtalmique : avant l'application,

lavez-vous les mains. Renversez la tête en arrière. Appuyez doucement dans l'angle interne de la paupière et avec l'index de la même main, tirez la paupière inférieure vers le bas. Laissez tomber la goutte dans l'espace ainsi créé et fermez l'œil. Appuyez pendant 1 ou 2 minutes tout en gardant l'œil fermé sans cligner. Lavez-vous de nouveau les mains. Le bout du compte-gouttes ne doit toucher ni l'œil, ni votre doigt, ni rien d'autre. Vaporisant nasal : nettoyez les voies nasales avant la médication. Aspirez par le nez durant le jet. Le fabricant du médicament recommande au patient de ne pas porter de verres de contact souples durant le traitement.

SURDOSAGE
Symptômes. Aucun cas de surdose n'a été signalé.

Quoi faire. Une surdose de lévocabastine est peu probable. En cas d'ingestion du médicament, appelez aussitôt le médecin ou le centre antipoison ou allez à l'urgence.

▼ INTERACTIONS

MÉDICAMENT-MÉDICAMENT
Aucune interaction connue. Néanmoins, il est sage de consulter le médecin avant de prendre tout autre médicament, en vente libre ou sur ordonnance.

MÉDICAMENT-ALIMENT
Aucune interaction connue.

MÉDICAMENT-MALADIE
Aucune interaction connue.

LÉVODOPA/CARBIDOPA

Présentation : Comprimés, comprimés à libération prolongée
En vente libre ? Non   **Générique disponible ?** Oui
Classe de médicaments : Antiparkinsonien

▼ GÉNÉRALITÉS

INDICATIONS
Traitement de la maladie de Parkinson et des syndromes parkinsoniens consécutifs à une lésion ou une infection du système nerveux central (SNC), aux lésions causées à des vaisseaux sanguins dans le cerveau ou à l'action de certaines toxines. L'association lévodopa/carbidopa soulage ou atténue la rigidité, la lenteur, la perte de souplesse motrice et les tremblements.

MODE D'ACTION
L'association lévodopa/carbidopa augmente le taux de dopamine dans le cerveau : la dopamine est un élément chimique essentiel dans le contrôle des mouvements musculaires.

▼ MODE D'EMPLOI

POSOLOGIE
Adultes : 1 comprimé de lévodopa/carbidopa 100/25, 3 fois par jour. La dose est graduellement augmentée aux 3 jours jusqu'à obtention de l'effet thérapeutique maximal avec le moins d'effets indésirables possible. La dose maximale varie ; elle peut aller de 4 à 10 comprimés par jour. Enfants : consultez le médecin.

DÉBUT D'ACTION
En 90 à 120 minutes.

DURÉE D'ACTION
3 à 4 heures.

CONSEILS NUTRITIONNELS
On diminue les risques de dérangement d'estomac en mangeant peu après avoir pris le médicament. Mais on risque d'atténuer les effets de celui-ci si on le prend en mangeant ou juste après avoir mangé.

MODE DE CONSERVATION
Dans un contenant étanche, à l'abri de la chaleur, de l'humidité et de la lumière.

OUBLI D'UNE DOSE
Prenez-la dès que vous y pensez. Si vous êtes à moins de 2 heures de la suivante, sautez la dose oubliée et reprenez la fréquence normale. Ne doublez pas la dose suivante.

ARRÊT DE LA MÉDICATION
Consultez le médecin avant d'arrêter le traitement. On recommande de réduire très progressivement les doses. Un arrêt brusque peut donner lieu à des effets secondaires aigus.

USAGE PROLONGÉ
Peut donner lieu à une réponse thérapeutique moins prévisible et à l'apparition de mouvements involontaires anormaux.

▼ PRÉCAUTIONS

Plus de 60 ans. Risques de réactions indésirables plus fréquentes et plus graves.

Conduite automobile, travaux dangereux. À éviter tant que vous ne connaissez pas les effets du médicament.

Alcool. À éviter.

Grossesse. Cette association médicamenteuse n'est pas recommandée aux femmes enceintes.

Allaitement. La lévodopa passe dans le lait maternel. Cette association médicamenteuse n'est pas recommandée aux femmes qui allaitent.

Nourrissons et enfants. Médicament non recommandé dans cette catégorie d'âge.

À surveiller. Soyez extrêmement prudent à l'égard de la lévodopa/carbidopa si vous prenez d'autres antiparkinsoniens. Ne broyez pas, ne croquez pas les comprimés à libération progressive. Avalez-les entiers.

SURDOSAGE
Symptômes. Confusion subite ou grave, délires, hallucinations.

Quoi faire. Appelez immédiatement le médecin ou le centre antipoison, ou allez à l'urgence.

▼ INTERACTIONS

MÉDICAMENT-MÉDICAMENT
Ne prenez pas de lévodopa/carbidopa si vous prenez ou en avez pris au cours des 14 jours précédents un inhibiteur de la monoamine-oxydase (IMAO). Demandez l'avis du médecin si vous prenez : sélégiline, antidépresseurs tricycliques, rispéridone, fluphénazine, phénytoïne, papavérine, sels de fer, métoclopramide ou tout antihypertenseur.

MÉDICAMENT-ALIMENT
L'efficacité de la lévodopa/carbidopa peut être entravée par les aliments riches en protéines. Les patients devraient limiter leurs apports de protéines.

MÉDICAMENT-MALADIE
La lévodopa/carbidopa n'est pas recommandée en présence de : mélanome malin, cardiopathie ischémique, arythmies cardiaques, asthme bronchique, glaucome à angle étroit ou troubles psychiques. La lévodopa/carbidopa doit être administrée avec prudence aux personnes ayant une maladie hépatique, rénale ou endocrinienne, des antécédents de crise cardiaque, d'ulcère gastro-duodénal ou de glaucome chronique à angle ouvert.

 EFFETS INDÉSIRABLES

GRAVES
Nausées, fatigue, dépression, vertiges ou étourdissements quand on se lève ou s'assied brusquement (hypotension orthostatique), évanouissement total ou partiel.

COURANTS
Avec usage prolongé : mouvements involontaires anormaux, qui sont une réponse thérapeutique imprévisible.

MOINS COURANTS
Confusion, délire ; salive, urine ou sueur foncées.

LÉVOFLOXACINE

Présentation : Comprimés, injection
En vente libre ? Non   **Générique disponible ?** Non
Classe de médicaments : Fluoroquinolone (antibiotique)

▼ GÉNÉRALITÉS

INDICATIONS
Pour traiter la pneumonie, la bronchite chronique, la sinusite aiguë et d'autres infections bactériennes.

MODE D'ACTION
La lévofloxacine inhibe l'action d'une enzyme bactérienne (la gyrase) essentielle à la formation et à la réplication de l'ADN. Elle lutte ainsi contre l'infection en empêchant les cellules bactériennes de se reproduire.

▼ MODE D'EMPLOI

POSOLOGIE
Adultes : 250 à 500 mg, 1 fois par jour pendant 7 à 14 jours. Après une première dose de 250 à 500 mg, les patients atteints de troubles rénaux reçoivent 250 mg 1 jour sur 2 pendant 7 à 14 jours.

DÉBUT D'ACTION
Dépend de l'infection traitée.

DURÉE D'ACTION
Inconnue.

CONSEILS NUTRITIONNELS
Peut se prendre avec ou sans aliment. Buvez beaucoup.

MODE DE CONSERVATION
Dans un contenant étanche, à l'abri de la chaleur et de la lumière. Ne congelez pas la forme injectable.

OUBLI D'UNE DOSE
Prenez-la dès que vous y pensez. S'il est presque l'heure de la suivante, sautez la dose oubliée et reprenez la fréquence normale. Ne doublez pas la dose suivante.

ARRÊT DE LA MÉDICATION
Il est très important d'effectuer le traitement au complet, comme il vous a été prescrit, même si vous vous sentez mieux avant qu'il prenne fin.

(Si vous avez des effets secondaires intolérables, y compris une sensibilité accrue à la lumière solaire, appelez le médecin.)

USAGE PROLONGÉ
Un suivi médical est essentiel si vous devez poursuivre le traitement durant une période prolongée.

▼ PRÉCAUTIONS

Plus de 60 ans. Pas de risques connus.

Conduite automobile, travaux dangereux. À déconseiller tant que vous ne connaissez pas votre réaction au médicament.

Alcool. Il est préférable de s'abstenir de consommer de l'alcool quand on lutte contre une infection.

Grossesse. La lévofloxacine a entraîné des anomalies congénitales chez certains animaux. Il n'y a pas d'études pertinentes sur les humains. On ne devrait en donner aux femmes enceintes que si les bienfaits du médicament l'emportent manifestement sur ses risques. Avant de prendre de la lévofloxacine, dites au médecin que vous êtes enceinte ou voulez le devenir.

Allaitement. La lévofloxacine passe dans le lait maternel et peut causer des effets secondaires graves chez le nourrisson ; l'allaitement doit être interrompu si le traitement est nécessaire.

Nourrissons et enfants. La lévofloxacine n'est pas recommandée aux moins de 18 ans ; elle entrave la croissance squelettique.

À surveiller. Si la lévofloxacine vous rend sensible à la lumière solaire, interrompez le traitement et évitez de vous exposer au soleil durant 5 jours ; portez des vêtements couvrants et utilisez un écran solaire. La lévofloxacine ne doit pas être administrée aux patients que leur travail expose au soleil. Buvez beaucoup durant le traitement.

SURDOSAGE
Symptômes. Aucun symptôme spécifique n'a été signalé.

Quoi faire. En cas de surdose appréhendée, appelez immédiatement le médecin ou le centre antipoison, ou allez à l'urgence.

▼ INTERACTIONS

MÉDICAMENT-MÉDICAMENT
Demandez l'avis du médecin si vous prenez : antiacides, didanosine, suppléments de fer, sucralfate, théophylline ou sels de zinc. Faites connaître au médecin les médicaments vendus avec ou sans ordonnance que vous prenez.

MÉDICAMENT-ALIMENT
Aucune interaction connue.

MÉDICAMENT-MALADIE
La prudence est de règle. Faites connaître au médecin tous vos problèmes de santé. La lévofloxacine peut entraîner des complications chez les patients souffrant de maladie rénale, car les reins contribuent à éliminer le médicament de l'organisme.

≣ EFFETS INDÉSIRABLES ≣

GRAVES
Les réactions graves à la lévofloxacine sont rares : convulsions, confusion, hallucinations, agitation, cauchemars, dépression, essoufflement, enflure du visage ou des extrémités, perte de conscience. Aussi brûlures de la peau, rougeurs, cloques, rash cutané ou démangeaisons à la suite d'une exposition au soleil ; risques accrus de tendinite ou de rupture de ligament.

COURANTS
Sensibilité accrue au soleil (et risque accru de coups de soleil) durant plusieurs jours après le traitement.

MOINS COURANTS
Diarrhée, nausées et vomissements, douleur et maux d'estomac, gaz, céphalées, vertiges, agitation motrice, insomnie, altération du goût, somnolence, démangeaisons, bouche sèche, douleurs ou malaises inhabituels, hausse ou baisse du taux sanguin de sucre chez les diabétiques.

LÉVONORGESTREL

Présentation : Comprimés
En vente libre ? Non   **Générique disponible ?** Non
Classe de médicaments : Contraceptif d'urgence

▼ GÉNÉRALITÉS

INDICATIONS
Prévention de la grossesse après une relation sexuelle non protégée ou lorsque la mesure contraceptive n'a pas rempli son rôle (condom déchiré ou qui a glissé, déplacement du diaphragme). Le médicament n'interrompt pas une grossesse déjà en cours.

MODE D'ACTION
Le lévonorgestrel semble contrecarrer l'ovulation, provoquer des modifications qui gênent la progression des spermatozoïdes vers l'ovule, et/ou modifier l'endomètre, empêchant ainsi l'implantation de l'ovule.

▼ MODE D'EMPLOI

POSOLOGIE
Il faut être sûre qu'il n'y a pas de grossesse avant de prendre le médicament. La posologie consiste en 1 comprimé dans les 72 heures suivant une relation non protégée (il est d'autant plus efficace qu'il est pris tôt), suivi de 1 autre comprimé, 12 heures après le premier.

DÉBUT D'ACTION
En 2 heures.

DURÉE D'ACTION
Inconnue.

CONSEILS NUTRITIONNELS
Pas de restrictions spéciales.

MODE DE CONSERVATION
Se conserve dans ses alvéoles, loin de la chaleur et de la lumière.

OUBLI D'UNE DOSE
Pour que le lévonorgestrel prévienne la grossesse le plus efficacement possible, vous devez prendre les 2 comprimés à 12 heures d'intervalle.

ARRÊT DE LA MÉDICATION
N'interrompez le traitement que sur l'avis du médecin.

USAGE PROLONGÉ
Le lévonorgestrel ne devrait pas être utilisé de façon régulière comme contraceptif. Les femmes qui en prennent régulièrement peuvent voir se modifier leur cycle menstruel.

▼ PRÉCAUTIONS

Plus de 60 ans. Sans objet.

Conduite automobile, travaux dangereux. Pas de précautions spéciales.

Alcool. Pas de précautions spéciales.

Grossesse. Il n'y a pas eu d'études pertinentes, mais rien n'indique que le lévonorgestrel présente des risques spéciaux pour la femme et le fœtus s'il est administré durant une grossesse.

Allaitement. Il n'y a pas eu d'études pertinentes, mais rien n'indique que le lévonorgestrel présente des risques spéciaux pour le nourrisson.

Nourrissons et enfants. Le lévonorgestrel n'a pas semblé causer de problèmes chez les adolescentes.

À surveiller. Le traitement est le plus efficace quand il est fait dans les 72 heures suivant une relation sexuelle. En retardant le traitement, on diminue son efficacité. Téléphonez au médecin si vous vomissez dans l'heure qui suit la prise du comprimé de lévonorgestrel ; vous aurez peut-être à prendre un autre comprimé. Le lévonorgestrel ne doit pas être utilisé régulièrement comme contraceptif et ne protège pas contre les maladies transmises sexuellement. Vous devriez vous abstenir d'avoir des relations sexuelles ou utiliser une autre forme de contraception jusqu'au cycle menstruel suivant. Si la menstruation ne se produit pas 2 ou 3 semaines après avoir pris le médicament, voyez le médecin.

SURDOSAGE
Symptômes. On n'a pas signalé de surdosage de lévonorgestrel. Cependant, on croit qu'une surdose aggraverait nausées, vomissements et modifications du cycle menstruel.

Quoi faire. En cas de surdose, appelez aussitôt le médecin ou allez à l'urgence.

▼ INTERACTIONS

MÉDICAMENT-MÉDICAMENT
Demandez l'avis du médecin si vous prenez : carbamazépine, phénytoïne, phénobarbital ou rifampine.

MÉDICAMENT-ALIMENT
Aucune interaction connue.

MÉDICAMENT-MALADIE
Consultez le médecin en cas de : troubles cardiaques ou circulatoires, cancer, antécédents de saignements vaginaux anormaux, migraines ou céphalées, diabète ou maladie du foie.

≡ EFFETS INDÉSIRABLES ≡

GRAVES
Aucun effet indésirable grave n'a été signalé. On ne sait pas si le lévonorgestrel pourrait provoquer les symptômes suivants : incoordination, perte ou altération de la vision, douleurs dans la poitrine, l'aine ou les jambes, difficulté subite d'élocution, faiblesse, engourdissement ou douleur dans le bras ou la jambe ; si de tels effets se produisaient, appelez immédiatement le médecin.

COURANTS
Nausées, douleur gastrique, fatigue, céphalées, pertes vaginales légères quelques jours après avoir pris le médicament.

MOINS COURANTS
Vomissements, sensibilité des seins, vertiges.

LÉVONORGESTREL (IMPLANTS AU)

Présentation : Capsules à implanter
En vente libre ? Non   **Générique disponible ?** Non
Classe de médicaments : Progestérone (hormone)

▼ GÉNÉRALITÉS

INDICATIONS
Prévention de la grossesse.

MODE D'ACTION
L'implant libère lentement du lévonorgestrel dans le sang. Cette hormone synthétique empêche l'ovule de se développer normalement et modifie la muqueuse utérine, rendant plus difficile la pénétration des spermatozoïdes. Dans certains cas, elle peut même empêcher l'ovulation.

▼ MODE D'EMPLOI

POSOLOGIE
On implante 6 capsules dans la partie supérieure du bras, sous la peau, en les plaçant en éventail, à 15 degrés les unes des autres. Elles sont retirées après 5 ans.

DÉBUT D'ACTION
En 24 heures si elles sont implantées dans les 7 premiers jours des menstruations.

DURÉE D'ACTION
Jusqu'à 5 ans.

CONSEILS NUTRITIONNELS
Pas de restrictions spéciales.

MODE DE CONSERVATION
Sans objet.

OUBLI D'UNE DOSE
Sans objet. Le médicament est libéré sans interruption à partir des implants placés sous la peau.

ARRÊT DE LA MÉDICATION
Le retrait des implants peut être décidé en tout temps, mais ils doivent être enlevés par un médecin.

USAGE PROLONGÉ
Un suivi médical et des analyses de laboratoire sont nécessaires au moins une fois par an.

▼ PRÉCAUTIONS

Plus de 60 ans. Non prescrit d'ordinaire aux femmes ménopausées.

Conduite automobile, travaux dangereux. Pas de précautions spéciales.

Alcool. Pas de précautions spéciales.

Grossesse. Des études élaborées ont démontré que ni la mère ni l'enfant ne courent de risques particuliers si la grossesse survient avant ou peu après l'implantation des capsules de lévonorgestrel. Néanmoins, il est préférable de faire retirer les implants en cas de grossesse.

Allaitement. Le lévonorgestrel passe dans le lait maternel, mais ne semble pas causer de problèmes. Il peut donc être employé comme moyen contraceptif par les femmes qui allaitent.

Nourrissons et enfants. Le lévonorgestrel en implant n'a pas semblé causer de problèmes chez les adolescentes.

À surveiller. Ne vous faites pas implanter les capsules si vous n'êtes pas certaine de ne pas être enceinte. Appelez immédiatement le médecin si l'une des capsules tombe avant que la peau ne se soit cicatrisée par-dessus les implants. Aucune méthode contraceptive n'est parfaite : si vous pensez que vous êtes enceinte, appelez le médecin tout de suite. Si vous devez subir des analyses de laboratoire, dites au technicien que vous utilisez ces contraceptifs. La cigarette et l'abus d'alcool peuvent augmenter les risques d'ostéoporose et de formation de caillots sanguins. Les implants doivent être retirés si vous vous trouvez à faire une thrombophlébite

(douleur causée par un caillot de sang logé dans un vaisseau sanguin), une maladie thromboembolique ou une jaunisse (jaunissement de la peau et des yeux), ou si vous devez être immobilisée pendant une période prolongée à cause de la maladie ou d'autres facteurs. Si des troubles soudains de la vue surviennent ou si vous tolérez moins bien vos lunettes de contact, voyez un ophtalmologiste.

SURDOSAGE
Symptômes. Sans objet.

Quoi faire. Sans objet.

▼ INTERACTIONS

MÉDICAMENT-MÉDICAMENT
Demandez spécifiquement l'avis du médecin si vous prenez : aminoglutéthimide, carbamazépine, phénytoïne, rifabutine ou rifampine.

MÉDICAMENT-ALIMENT
Aucune interaction connue.

MÉDICAMENT-MALADIE
Le port de ces implants contraceptifs exige de la prudence. Consultez le médecin en cas de : troubles cardiaques ou circulatoires, maladie du rein ou du foie, migraines, maladie des seins, saignements, troubles du système nerveux central (incluant dépression), diabète ou hypercholestérolémie (taux élevé de cholestérol sanguin).

EFFETS INDÉSIRABLES

GRAVES
Modification ou arrêt des saignements menstruels, lactation inattendue ou accrue, dépression, rash cutané, perte ou modification de l'élocution, incoordination ou troubles de la vision, essoufflement grave et soudain.

COURANTS
Modifications dans le schéma menstruel. Douleur gastrique ; enflure du visage, des chevilles ou des pieds ; céphalées légères ; altération de l'humeur ; fatigue anormale ; gain de poids ; douleur ou irritation au lieu d'implantation.

MOINS COURANTS
Acné, seins sensibles ou douloureux, bouffées congestives, insomnie, baisse de la libido, perte ou gain de cheveux ou de poils, taches brunes sur la peau.

LÉVOTHYROXINE SODIQUE

Présentation : Comprimés, injection
En vente libre ? Non   **Générique disponible ?** Oui
Classe de médicaments : Hypothyroïdien

▼ GÉNÉRALITÉS

INDICATIONS
Traitement de l'hypothyroïdie, du goitre (hypertrophie de la thyroïde) et des nodules thyroïdiens bénins et malins (non cancéreux et cancéreux).

MODE D'ACTION
La lévothyroxine agit dans l'organisme comme substitut de l'hormone thyroïdienne naturelle.

▼ MODE D'EMPLOI

POSOLOGIE
Comprimés – Adultes : 1,6 µg (microgramme) par kilogramme (2,2 lb) de poids par jour. Enfants de moins de 3 mois : 10 à 15 µg par kilogramme par jour. Enfants de 3 à 6 mois : 8 à 10 µg par kilogramme par jour. Enfants de 6 à 12 mois : 6 à 8 µg par kilogramme par jour. Enfants de 1 à 5 ans : 5 à 6 µg par kilogramme par jour. Enfants de 6 à 12 ans : 4 à 5 µg par kilogramme par jour. Enfants de 12 ans et plus : 2 à 3 µg par kilogramme par jour. Injection – Cas d'hypothyroïdie grave : consultez le médecin.

DÉBUT D'ACTION
En 24 heures.

DURÉE D'ACTION
1 à 3 semaines.

CONSEILS NUTRITIONNELS
Se prend à jeun, avant le petit déjeuner.

MODE DE CONSERVATION
Dans un contenant étanche, à l'abri de la chaleur, de l'humidité et de la lumière.

OUBLI D'UNE DOSE
Si vous oubliez une dose, vous pouvez doubler la dose du lendemain. Si vous oubliez deux doses d'affilée ou davantage, appelez le médecin.

ARRÊT DE LA MÉDICATION
Cette décision doit être prise en consultation avec votre médecin.

USAGE PROLONGÉ
Si vous devez prendre ce médicament, il est fort probable que ce sera pour toute votre vie. Un suivi médical de routine est recommandé.

▼ PRÉCAUTIONS

Plus de 60 ans. Il faudra peut-être modifier les doses.

Conduite automobile, travaux dangereux. À éviter tant que vous ne connaissez pas les effets du médicament.

Alcool. Pas de précautions spéciales.

Grossesse. Aux doses recommandées, la lévothyroxine n'a pas semblé provoquer d'anomalies congénitales. Il peut être nécessaire de modifier la dose durant la grossesse. Demandez spécifiquement l'avis du médecin.

Allaitement. Aux doses recommandées, la lévothyroxine n'a pas semblé causer de problèmes. Demandez spécifiquement l'avis du médecin.

Nourrissons et enfants. Pas de risques connus.

À surveiller. Vous devriez porter un bracelet médical ou une carte d'identité spécifiant que vous prenez ce médicament.

SURDOSAGE
Symptômes. Tachycardie, douleur thoracique, essoufflement.

Quoi faire. Appelez immédiatement le médecin ou le centre antipoison, ou allez à l'urgence.

▼ INTERACTIONS

MÉDICAMENT-MÉDICAMENT
Demandez conseil au médecin si vous prenez : anticoagulants, cholestyramine, colestipol, anorexigènes, médicaments contre l'asthme, le rhume, la sinusite ou les allergies.

MÉDICAMENT-ALIMENT
Aucune interaction connue.

MÉDICAMENT-MALADIE
La prudence est recommandée avec la lévothyroxine. Demandez conseil au médecin si vous souffrez de : diabète sucré, diabète insipide, myxœdème, hyperthyroïdie, athérosclérose (durcissement des artères), cardiopathie, hypertension, insuffisance surrénalienne ou insuffisance hypophysaire.

 EFFETS INDÉSIRABLES

GRAVES
En de rares cas, la lévothyroxine peut causer céphalées graves, rash cutané, urticaire, tachycardie, arythmies cardiaques, douleur thoracique ou essoufflement. Ces effets peuvent signaler une surdose ou une réaction allergique.

COURANTS
Il n'y a pas d'effets indésirables courants associés à un traitement à la lévothyroxine.

MOINS COURANTS
Crampes dans les jambes, diarrhée, modifications du cycle menstruel, altération de l'appétit, sueur, sensibilité à la chaleur, tremblements des mains, fièvre, céphalées, insomnie, irritabilité, perte de poids, vomissements, nervosité. Ces effets peuvent indiquer que la posologie devrait être modifiée par le médecin.

LIDOCAÏNE (CHLORHYDRATE DE) TOPIQUE

NOMS COMMERCIAUX

Afterburn,
After Sun Soothing
Spray, Bikini Zone,
Lidodan, Solarcaine,
Xylocaine, Zilactin-L

Présentation : Gel, onguent, atomiseur, crème, lotion, onguent dentaire, liquide, vaporisateur

En vente libre ? Oui   **Générique disponible ?** Oui

Classe de médicaments : Analgésique topique

▼ GÉNÉRALITÉS

INDICATIONS

Traitement topique de certains problèmes de peau associés à des démangeaisons ou de la douleur : coups de soleil, brûlures, égratignures et coupures légères, piqûres d'insectes, rash cutané (sumac vénéneux). La forme liquide s'applique à des lésions buccales. La lidocaïne topique ne sert pas à soulager la douleur induite par des blessures graves et ne doit pas être prescrite pour des plaies étendues ou qui saignent.

MODE D'ACTION

La lidocaïne entrave la capacité de certains nerfs à transmettre des signaux électriques ; par là, elle bloque la transmission des influx nerveux porteurs de messages de douleur.

▼ MODE D'EMPLOI

POSOLOGIE

Gel, crème, lotion, onguent et vaporisation – Adultes : 3 ou 4 fois par jour sur les régions douloureuses, au besoin. Enfants : demandez l'avis du médecin. Xylocaïne visqueuse – Adultes : se rincer la bouche avec 5 à 10 ml (les adultes peuvent cracher ou avaler le médicament), sans dépasser 6 doses par jour. Enfants : demandez l'avis du médecin.

DÉBUT D'ACTION

En quelques minutes.

DURÉE D'ACTION

Gel, onguent, crème, lotion et vaporisation : environ 45 minutes.

CONSEILS NUTRITIONNELS

Mangez et buvez comme à l'ordinaire. En usage buccal, ne mangez pas et ne mâchez pas de gomme avant que l'effet du médicament ne se soit dissipé.

MODE DE CONSERVATION

Dans un contenant étanche, à l'abri de la chaleur, de la lumière, de l'humidité et des températures extrêmes.

OUBLI D'UNE DOSE

Prenez-la dès que vous y pensez. S'il est presque l'heure de la suivante, sautez la dose oubliée et reprenez la fréquence normale. Ne doublez pas la dose suivante et n'appliquez pas non plus une couche de lidocaïne topique plus épaisse.

ARRÊT DE LA MÉDICATION

Effectuez le traitement au complet, comme il a été prescrit, mais vous pouvez cesser le médicament si vous vous sentez mieux avant la fin.

USAGE PROLONGÉ

Le traitement ne dure en général que quelques jours. Un usage prolongé pourrait augmenter le risque d'effets indésirables.

▼ PRÉCAUTIONS

Plus de 60 ans. Risque de réactions indésirables plus fréquentes et plus graves.

Conduite automobile, travaux dangereux. Pas de précautions spéciales.

Alcool. Pas de précautions spéciales.

Grossesse. La lidocaïne peut être utilisée durant la grossesse, mais parlez-en d'abord à votre médecin.

Allaitement. La lidocaïne peut passer dans le lait maternel : la prudence s'impose. Demandez l'avis du médecin.

Nourrissons et enfants. Non recommandée pour les enfants de moins de 2 ans.

À surveiller. La lidocaïne a des effets graves si elle passe en grande quantité dans le sang. N'appliquez donc pas le gel ou l'onguent en quantités excessives : une couche mince ce suffit. Mais surtout, n'appliquez jamais ce médicament sur des plaies à vif, des coupures profondes ou une peau ulcérée ou qui saigne.

SURDOSAGE

Symptômes. Vertiges, battements de cœur lents ou irréguliers, confusion, convulsions, fébrilité, agitation anormale, hallucinations, difficultés à respirer, peau, lèvres ou bout des doigts bleuâtres.

Quoi faire. Appelez aussitôt le médecin ou le centre antipoison, ou allez à l'urgence.

▼ INTERACTIONS

MÉDICAMENT-MÉDICAMENT

Les médicaments suivants peuvent interagir avec la lidocaïne topique, surtout si on en met beaucoup sur la peau : médicaments pour régulariser le rythme cardiaque, bêtabloquants et cimétidine.

MÉDICAMENT-ALIMENT

Aucune interaction connue.

MÉDICAMENT-MALADIE

Consultez le médecin en cas de : infection de la peau là où vous appliquez le médicament ou à proximité ; plaies étendues, vésicules, ulcères, peau lésée ou blessure grave au lieu d'application.

  **EFFETS INDÉSIRABLES**

GRAVES

Urticaire, démangeaisons, rash cutané, enflure de la bouche, des lèvres, de la gorge, de la langue ou du visage ; rougeur qui brûle, enfle ou s'aggrave, ou douleur au point d'application. Il peut s'agir là d'une réaction allergique potentiellement grave, mais rare.

COURANTS

Aucun si les doses recommandées sont respectées.

MOINS COURANTS

Rougeur, blanchiment ou enflure modérés de la peau au lieu d'application.

LINDANE

Présentation : Lotion, shampooing
En vente libre ? Oui **Générique disponible ?** Oui
Classe de médicaments : Insecticide

▼ GÉNÉRALITÉS

INDICATIONS
La lotion au lindane sert à traiter les infestations de gales ; le shampooing, les infestations de poux.

MODE D'ACTION
Le lindane passe directement dans l'organisme des gales et des poux où il provoque une surexcitation nerveuse qui entraîne des convulsions et la mort des insectes.

▼ MODE D'EMPLOI

POSOLOGIE
Lotion : appliquez du lindane en quantité suffisante pour couvrir tout le corps, à partir du cou, sans oublier le dessous des pieds. Faites pénétrer la lotion. Laissez-la en place 8 à 10 heures. Ensuite, lavez-vous pour l'enlever. Shampooing : lavez et séchez les cheveux et le cuir chevelu. Puis, appliquez le shampooing au lindane en quantité suffisante pour bien mouiller le cuir chevelu et les zones affectées. Laissez-le en place 4 minutes puis faites mousser. Rincez parfaitement et séchez les cheveux avec une serviette propre. Avec un peigne fin, enlevez les lentes. Le traitement peut être répété 7 jours plus tard au besoin.

DÉBUT D'ACTION
Inconnu.

DURÉE D'ACTION
Inconnue.

CONSEILS NUTRITIONNELS
Pas de restrictions spéciales. Après avoir appliqué le médicament, lavez-vous soigneusement les mains, surtout avant de manger.

MODE DE CONSERVATION
Dans un contenant étanche, à l'abri de la chaleur et de la lumière.

OUBLI D'UNE DOSE
Si vous avez besoin d'un second shampooing (généralement 7 jours après le premier) et si vous oubliez de vous le donner, faites-le le plus vite possible.

EFFETS INDÉSIRABLES

GRAVES
Convulsions ; vertiges, maladresse ou démarche chancelante ; tachycardie ; crampes musculaires ; nervosité, agitation motrice ou irritabilité ; vomissements.

COURANTS
Aucun n'a été signalé. Néanmoins, lorsque vous cessez d'utiliser du lindane, il peut se produire des démangeaisons durant 1 semaine ou plus. Avisez le médecin si cet effet persiste plusieurs semaines ou nuit à vos activités quotidiennes.

MOINS COURANTS
Rash cutané, rougeur ou irritation de la peau non observées avant la thérapie.

ARRÊT DE LA MÉDICATION
Dans la plupart des cas, il suffit d'une seule application de lindane ; on en fait une seconde seulement si l'on détecte des poux vivants après la première.

USAGE PROLONGÉ
Sans objet ; le lindane n'est administré qu'une ou deux fois.

▼ PRÉCAUTIONS

Plus de 60 ans. Risques de réactions indésirables plus fréquentes.

Conduite automobile, travaux dangereux. À déconseiller tant que vous ne connaissez pas votre réaction au médicament.

Alcool. Pas de précautions spéciales.

Grossesse. Le lindane passe à travers l'épiderme et peut atteindre le fœtus. Avant d'utiliser le médicament, avertissez le médecin que vous êtes enceinte ou voulez le devenir.

Allaitement. Le lindane passe dans le lait maternel : la prudence s'impose. Vous ne devriez pas allaiter durant les 4 jours suivant l'administration du lindane. Demandez l'avis du médecin.

Nourrissons et enfants. Réactions indésirables vraisemblablement plus fréquentes et plus graves. N'utilisez pas le médicament chez les enfants de moins de 2 ans.

À surveiller. Le lindane est un produit toxique qui peut inhiber l'activité du système nerveux central (cerveau et moelle épinière). Ne vous en mettez pas dans les yeux ou la bouche. Il peut causer la mort s'il est avalé. Si vous vous en mettez dans les yeux, lavez-les à grande eau et appelez le médecin. Ne mettez pas de lindane sur une plaie vive, comme une coupure ou un ulcère. Quand vous appliquez du lindane sur une autre personne, enfilez des gants jetables en plastique ou en caoutchouc, surtout si vous êtes enceinte ou allaitez. Ne gardez pas de lindane à la maison au-delà de la période nécessaire. Gardez ou jetez le lindane là où enfants et animaux de compagnie ne peuvent l'atteindre.

SURDOSAGE
Symptômes. Convulsions, vertiges, vomissements.

Quoi faire. Allez immédiatement à l'urgence.

▼ INTERACTIONS

MÉDICAMENT-MÉDICAMENT
Demandez l'avis du médecin sur tout autre médicament que vous prenez, avec ou sans ordonnance.

MÉDICAMENT-ALIMENT
Aucune interaction connue.

MÉDICAMENT-MALADIE
Le lindane exige qu'on soit prudent. Consultez le médecin si vous avez des convulsions, une éruption cutanée ou une plaie vive sur la peau.

LINÉZOLIDE

Présentation : Injection, comprimés
En vente libre ? Non   **Générique disponible ?** Non
Classe de médicaments : Oxazolidinone (antibiotique)

▼ GÉNÉRALITÉS

INDICATIONS
Traitement de certaines pneumonies nosocomiales (contractées à l'hôpital) ou issues d'environnements communautaires ainsi que de quelques infections bactériennes de la peau et du sang.

MODE D'ACTION
Le linézolide inhibe la croissance des bactéries en contrecarrant leur aptitude à traduire des messages d'ADN en protéines. Comme le mode d'activité de ce médicament est différent de celui des autres antibiotiques, l'apparition d'une résistance croisée entre le linézolide et d'autres groupes d'antibiotiques est peu probable.

▼ MODE D'EMPLOI

POSOLOGIE
Infections à Enterococcus faecium résistantes à la vancomycine : 600 mg aux 12 heures pendant 14 à 28 jours. Pneumonies et infections compliquées de la peau : 600 mg aux 12 heures pendant 10 à 14 jours. Infec-tions simples de la peau : 400 mg aux 12 heures pendant 10 à 14 jours. La durée du traitement est déterminée par le médecin.

DÉBUT D'ACTION
Inconnu.

DURÉE D'ACTION
Inconnue.

CONSEILS NUTRITIONNELS
Pas de recommandations spéciales.

MODE DE CONSERVATION
Injection : sans objet ; les injections sont administrées en milieu hospitalier seulement. Comprimés : dans un contenant étanche, à l'abri de la chaleur, de l'humidité et de la lumière.

OUBLI D'UNE DOSE
Prenez-la dès que vous y pensez. S'il est presque l'heure de la suivante, sautez la dose oubliée et reprenez la fréquence normale. Ne doublez pas la dose qui suit.

ARRÊT DE LA MÉDICATION
Effectuez le traitement au complet, comme il vous a été prescrit, même si les symptômes régressent avant la fin.

USAGE PROLONGÉ
L'utilisation prolongée de tout antibiotique accroît le risque de surinfection (infection plus grave et plus rebelle à la médication). Le traitement dure généralement entre 10 et 28 jours. Les personnes exposées à des saignements ou qui souffrent de déficit plaquettaire devraient être soumises à des contrôles de numération des plaquettes durant le traitement au linézolide.

▼ PRÉCAUTIONS

Plus de 60 ans. Pas de recommandations spéciales.

Conduite automobile, travaux dangereux. À éviter tant que vous ne connaissez pas les effets du médicament.

Alcool. Il est préférable de ne pas consommer d'alcool durant le traitement d'une infection.

Grossesse. Il n'existe pas d'études pertinentes sur les humains. Évaluez avec le médecin les bienfaits et les risques de la médication durant la grossesse.

Allaitement. Le linézolide peut passer dans le lait maternel ; la prudence s'impose. Demandez l'avis du médecin.

Nourrissons et enfants. Innocuité et efficacité non établies chez les moins de 18 ans.

À surveiller. Rien à signaler.

SURDOSAGE
Symptômes. Aucun cas de surdosage n'a été signalé. Les symptômes suivants pourraient se produire : léthargie, incoordination, vomissements et tremblements.

Quoi faire. En cas de surdose appréhendée ou réelle, appelez immédiatement le médecin ou le centre antipoison, ou allez à l'urgence.

▼ INTERACTIONS

MÉDICAMENT-MÉDICAMENT
Demandez l'avis du médecin si vous prenez : IMAO (inhibiteurs de la monoamine-oxydase), antidépresseurs (tels que phénelzine ou tranylcypromine), pseudoéphédrine, dopamine, épinéphrine ou antidépresseurs ISRS (inhibiteurs sélectifs de la recapture de la sérotonine).

MÉDICAMENT-ALIMENT
Évitez les aliments riches en tyramine : fromages vieux, avocats, pelures de banane, tofu, saucisson, pepperoni et autres charcuteries, foies de poulet, chocolat, figues, poisson séché ou en conserve, hareng saur, extraits de viande, raisins secs, framboises, sauce de soja, bière non pasteurisée, xérès, vermouth et tous les vins rouges.

MÉDICAMENT-MALADIE
Demandez l'avis du médecin en cas de : antécédents d'hypertension, hyperthyroïdie, phéochromocytome, syndrome carcinoïde, thrombocytopénie ou autres problèmes de saignement, diarrhée ou insuffisance rénale.

≡ EFFETS INDÉSIRABLES ≡

GRAVES
Ils sont rares, mais peuvent inclure : hypertension, thrombopénie (déficit plaquettaire provoquant des saignements incontrôlables), numération insuffisante de globules blancs et colite pseudomembraneuse.

COURANTS
Diarrhée, céphalées, nausées.

MOINS COURANTS
Insomnie, vomissements, constipation, vertiges.

LIOTHYRONINE SODIQUE

Présentation : Comprimés
En vente libre ? Non   **Générique disponible ?** Non
Classe de médicaments : Hormone thyroïdienne

▼ GÉNÉRALITÉS

INDICATIONS
La liothyronine est prescrite quand la thyroïde ne sécrète pas suffisamment d'hormone thyroïdienne.

MODE D'ACTION
La liothyronine est une forme synthétique de l'hormone thyroïdienne. Elle agit de la même façon que l'hormone naturelle et peut donc lui être substituée en cas de carence.

▼ MODE D'EMPLOI

POSOLOGIE
25 µg (microgrammes) par jour au début. Cette dose peut être augmentée ; la dose d'entretien habituelle est de 25 à 75 µg chaque jour.

DÉBUT D'ACTION
En 48 à 72 heures.

DURÉE D'ACTION
Jusqu'à 72 heures après arrêt de la médication.

CONSEILS NUTRITIONNELS
À prendre avant le petit déjeuner pour diminuer les risques d'insomnie.

MODE DE CONSERVATION
Dans un contenant étanche, à l'abri de la chaleur et de la lumière.

OUBLI D'UNE DOSE
Prenez-la dès que vous y pensez. S'il est presque l'heure de la suivante, sautez la dose oubliée et reprenez la fréquence normale. Ne doublez pas la dose suivante.

ARRÊT DE LA MÉDICATION
La décision de mettre fin au traitement doit être prise par le médecin.

USAGE PROLONGÉ
Pas de risques connus.

▼ PRÉCAUTIONS

Plus de 60 ans. Il peut être nécessaire de modifier la posologie dans ce groupe d'âge. Consultez le médecin.

Conduite automobile, travaux dangereux. La liothyronine ne devrait pas vous empêcher d'exécuter de telles activités en toute sécurité.

Alcool. À éviter.

Grossesse. On n'a pas signalé de problèmes quand la patiente prend les doses adéquates de liothyronine. Le médecin pourra décider de modifier la posologie pendant que vous êtes enceinte. Il est recommandé de voir régulièrement le médecin.

Allaitement. On n'a pas signalé de problèmes pour le nourrisson quand la patiente prend les doses adéquates de liothyronine.

Nourrissons et enfants. Le médecin doit déterminer la posologie avec soin.

À surveiller. Avant de subir un traitement médical ou dentaire, ne manquez pas d'informer le médecin ou le dentiste que vous prenez de la liothyronine.

SURDOSAGE
Symptômes. Céphalées, irritabilité, nervosité, sudation, tachycardie, fièvre, palpitations ou autre arythmie cardiaque, selles plus nombreuses, irrégularités menstruelles, vomissements, convulsions.

Quoi faire. Il est peu probable qu'une surdose de liothyronine mette votre vie en danger. Néanmoins, si la dose est très forte, appelez immédiatement le médecin ou le centre antipoison, ou allez à l'urgence.

▼ INTERACTIONS

MÉDICAMENT-MÉDICAMENT
Demandez spécifiquement l'avis du médecin si vous prenez : digoxine, antidépresseurs tricycliques, anticoagulants, anorexigènes, cholestyramine, colestipol, médicaments contre l'asthme ou d'autres problèmes respiratoires, remèdes contre le rhume, la sinusite ou le rhume des foins.

MÉDICAMENT-ALIMENT
Aucune interaction connue.

MÉDICAMENT-MALADIE
La prudence s'impose quand on prend de la liothyronine. Avertissez le médecin en cas de : diabète sucré, athérosclérose, maladie cardiaque, hypertension, antécédents d'hyperthyroïdie, d'insuffisance surrénale ou d'insuffisance hypophysaire. Si vous souffrez de certains types de maladie cardiaque, ce médicament peut provoquer des douleurs thoraciques ou de l'essoufflement à l'exercice. Si ces symptômes se manifestent, voyez le médecin.

 EFFETS INDÉSIRABLES

GRAVES
Céphalées graves chez les enfants, rash cutané ou urticaire.

COURANTS
Modifications de l'appétit, changements dans les périodes menstruelles, céphalées, tremblements des mains, sensibilité accrue à la chaleur, irritabilité, crampes dans les jambes, nervosité, sudation, insomnie, vomissements, perte ou gain de poids, maladresse, sensation de froid, constipation, peau sèche, douleurs musculaires, faiblesse.

MOINS COURANTS
Diarrhée ou autres troubles gastro-intestinaux.

LISINOPRIL

NOMS COMMERCIAUX

Prinivil, Zestril

Présentation : Comprimés
En vente libre ? Non   **Générique disponible ?** Non
Classe de médicaments : Inhibiteur de l'enzyme de conversion de l'angiotensine (ECA)

▼ GÉNÉRALITÉS

INDICATIONS
Traitement de l'hypertension ainsi que de l'insuffisance cardiaque congestive (ICC) et de la dysfonction ventriculaire gauche (chambre où s'effectue le pompage du cœur) ; réduction des risques de lésions rénales chez les diabétiques souffrant d'une maladie des reins bénigne.

MODE D'ACTION
Les inhibiteurs de l'enzyme de conversion de l'angiotensine (ECA) interceptent une enzyme productrice de l'angiotensine, substance naturelle de l'organisme qui provoque la constriction des vaisseaux sanguins et stimule la sécrétion d'une hormone de la corticosurrénale, l'aldostérone, favorisant la rétention du sodium. En conséquence, les inhibiteurs de l'ECA dilatent les vaisseaux sanguins et réduisent la rétention sodique, ce qui diminue la tension artérielle et le travail cardiaque.

▼ MODE D'EMPLOI

POSOLOGIE
Hypertension : 5 à 40 mg, 1 fois par jour. Insuffisance cardiaque congestive : 2,5 à 20 mg, 1 fois par jour.

DÉBUT D'ACTION
En 1 heure.

DURÉE D'ACTION
24 heures.

CONSEILS NUTRITIONNELS
Suivez les conseils nutritionnels du médecin (régime pauvre en sel et en cholestérol) pour mieux maîtriser l'hypertension et la maladie cardiaque. Évitez les aliments riches en potassium, comme les bananes et les agrumes, fruits et jus, à moins que vous ne preniez par ailleurs des médicaments, comme des diurétiques, qui font baisser les taux de potassium.

MODE DE CONSERVATION
À l'abri de la chaleur et de la lumière.

OUBLI D'UNE DOSE
Prenez-la dès que vous y pensez. S'il est presque l'heure de la suivante, sautez la dose oubliée et reprenez la fréquence normale. Ne doublez pas la dose suivante.

ARRÊT DE LA MÉDICATION
Un arrêt brusque de la médication peut donner lieu à de graves problèmes de santé. Il faut réduire graduellement les doses selon les instructions du médecin.

USAGE PROLONGÉ
Le traitement peut durer toute la vie ; en traitement à long terme, il faut un suivi médical.

▼ PRÉCAUTIONS

Plus de 60 ans. Il n'y a pas de risques inhabituels.

Conduite automobile, travaux dangereux. À déconseiller tant que vous ne connaissez pas votre réaction au médicament.

Alcool. À consommer avec modération. L'alcool peut potentialiser l'effet du médicament et provoquer une chute excessive de la tension artérielle. Demandez l'avis du médecin.

Grossesse. L'administration de lisinopril durant les 6 derniers mois de la grossesse peut entraîner des anomalies congénitales graves et même la mort du fœtus. Interrompez le traitement si vous êtes enceinte ou désirez le devenir.

Allaitement. Le médicament peut passer dans le lait maternel : la prudence s'impose. Demandez l'avis du médecin.

Nourrissons et enfants. Ils peuvent être très sensibles aux effets du lisinopril. Les bienfaits de ce médicament doivent donc être évalués en fonction de ses dangers : demandez l'avis du pédiatre.

SURDOSAGE
Symptômes. Vertiges, confusion, évanouissement.

Quoi faire. Appelez aussitôt le médecin ou le centre antipoison, ou allez à l'urgence.

▼ INTERACTIONS

MÉDICAMENT-MÉDICAMENT
Consultez le médecin si vous prenez : diurétiques (d'épargne potassique, en particulier), suppléments de potassium ou médicaments contenant du potassium (lisez attentivement l'étiquette), lithium, indométhacine ou autres anti-inflammatoires, médicaments en vente libre (surtout ceux contre le rhume et les anorexiants).

MÉDICAMENT-ALIMENT
Évitez le lait hyposodique et les succédanés du sel : plusieurs de ces produits renferment du potassium.

MÉDICAMENT-MALADIE
Demandez l'avis du médecin en cas de : lupus érythémateux disséminé ou réactions allergiques antérieures aux inhibiteurs de l'ECA. Le lisinopril est à utiliser avec prudence par les patients atteints de maladie grave des reins ou de sténose des artères rénales (rétrécissement de l'une des artères, ou des deux, conduisant le sang aux reins).

 EFFETS INDÉSIRABLES

GRAVES
Fièvre et frissons ; mal de gorge et voix rauque ; difficultés à respirer et à déglutir ; bouche, extrémités ou visage enflés ; insuffisance rénale (enflure des chevilles, baisse du débit urinaire) ; confusion ; jaunissement des yeux ou de la peau (indice d'un trouble du foie) ; démangeaisons intenses ; douleur thoracique ou palpitations ; douleur abdominale. Les effets indésirables graves sont très rares.

COURANTS
Toux sèche et persistante.

MOINS COURANTS
Vertiges ou évanouissement ; rash cutané ; engourdissement ou picotements des mains, pieds ou lèvres ; fatigue ou faiblesse musculaires inhabituelles ; nausées ; somnolence ; perte du goût ; céphalées.

LISINOPRIL/HYDROCHLOROTHIAZIDE

Présentation : Comprimés
En vente libre ? Non   **Générique disponible ?** Non
Classe de médicaments : Inhibiteur de l'enzyme de conversion de l'angiotensine (ECA)/diurétique

▼ GÉNÉRALITÉS

INDICATIONS
Traitement de l'hypertension.

MODE D'ACTION
Les inhibiteurs de l'enzyme de conversion de l'angiotensine (ECA), comme le lisinopril, bloquent une enzyme productrice de l'angiotensine, substance naturelle qui provoque la constriction des vaisseaux sanguins et stimule la sécrétion d'une hormone de la corticosurrénale, l'aldostérone, favorisant la rétention du sodium. Les inhibiteurs de l'ECA dilatent les vaisseaux sanguins et réduisent la rétention sodique, ce qui diminue la tension artérielle et le travail cardiaque. L'hydrochlorothiazide (HCTZ) est un diurétique qui augmente l'excrétion de sodium et d'eau dans l'urine. En réduisant le volume liquidien total du corps, les diurétiques diminuent celui du sang, abaissant la tension artérielle.

EFFETS INDÉSIRABLES

GRAVES
Ils sont rares : fièvre et frissons ; mal de gorge et voix rauque ; difficulté à respirer et à déglutir ; bouche, extrémités ou visage enflés ; insuffisance rénale (enflure des chevilles, baisse du débit urinaire) ; confusion ; jaunissement des yeux ou de la peau (indice d'un trouble du foie) ; démangeaisons intenses ; douleur thoracique ou arythmie cardiaque ; douleur abdominale.

COURANTS
Toux sèche et persistante.

MOINS COURANTS
Vertiges ou évanouissement ; rash cutané ; engourdissement ou picotements des mains, pieds ou lèvres ; inflammation des petites veines superficielles de la peau ; fatigue ou faiblesse musculaires inhabituelles ; nausées ; somnolence ; perte du goût ; céphalées ; rêves inhabituels.

▼ MODE D'EMPLOI

POSOLOGIE
Cette association médicamenteuse se présente en trois concentrations : lisinopril/HCTZ 10/12,5, 20/12,5 et 20/25. La posologie va de 10 à 40 mg de lisinopril et de 12,5 à 50 mg de HCTZ par jour. On prend 1 ou 2 comprimés 1 fois par jour, le matin, après le petit déjeuner.

DÉBUT D'ACTION
En 1 heure.

DURÉE D'ACTION
Inconnue.

CONSEILS NUTRITIONNELS
Suivez les conseils du médecin (régime pauvre en sel et en cholestérol) pour mieux maîtriser l'hypertension et la maladie cardiaque.

MODE DE CONSERVATION
À l'abri de la chaleur, de l'humidité et de la lumière.

OUBLI D'UNE DOSE
Prenez-la dès que vous y pensez. S'il est presque l'heure de la suivante, sautez la dose oubliée et reprenez la fréquence normale. Ne doublez pas la dose suivante.

ARRÊT DE LA MÉDICATION
Un arrêt brusque de la médication peut donner lieu à de graves problèmes de santé. Il est recommandé de réduire graduellement les doses selon les instructions du médecin.

USAGE PROLONGÉ
Le traitement peut durer toute la vie. Il faut un suivi médical.

▼ PRÉCAUTIONS

Plus de 60 ans. Risques de réactions indésirables plus fréquentes et plus graves.

Conduite automobile, travaux dangereux. À déconseiller tant que vous ne connaissez pas votre réaction au médicament.

Alcool. À consommer avec modération. L'alcool peut potentialiser l'effet du médicament et provoquer une chute excessive de la tension artérielle. Consultez le médecin.

Grossesse. Avant de prendre ce médicament, avisez le médecin que vous êtes enceinte ou désirez le devenir. Pris durant les 6 derniers mois de la grossesse, ce médicament peut entraîner des anomalies congénitales graves et même la mort du fœtus.

Allaitement. Le lisinopril peut passer dans le lait maternel. Demandez l'avis du médecin.

Nourrissons et enfants. Ils peuvent être très sensibles aux effets du lisinopril. Les bienfaits doivent donc être évalués par rapport aux risques : parlez-en au pédiatre.

SURDOSAGE
Symptômes. Aucune surdose n'a été signalée ; les symptômes incluraient vertiges, évanouissement ou confusion.

Quoi faire. Un surdosage est peu probable, mais en cas de surdose appréhendée, appelez aussitôt le médecin ou le centre antipoison, ou allez à l'urgence.

▼ INTERACTIONS

MÉDICAMENT-MÉDICAMENT
Demandez l'avis du médecin si vous prenez : cholestyramine, colestipol, digitaliques, anti-inflammatoires, lithium, médicaments ou suppléments renfermant du potassium, tout médicament en vente libre (surtout contre le rhume).

MÉDICAMENT-ALIMENT
Évitez le lait hyposodique et les succédanés du sel : plusieurs de ces produits renferment du potassium.

MÉDICAMENT-MALADIE
Demandez l'avis du médecin en cas de : lupus érythémateux disséminé ou réactions allergiques antérieures aux inhibiteurs de l'ECA. Cette association médicamenteuse est à utiliser avec prudence par les patients atteints de maladie grave des reins ou de sténose des artères rénales (rétrécissement de l'une des artères, ou des deux, conduisant le sang aux reins).

LITHIUM

Présentation : Gélules, sirop, comprimés, comprimés à libération prolongée
En vente libre ? Non **Générique disponible ?** Oui
Classe de médicaments : Antimaniaque

▼ GÉNÉRALITÉS

INDICATIONS
Traitement des phases de manie chez les patients atteints de troubles bipolaires (aussi appelés maniaco-dépression) et pour intensifier l'effet des antidépresseurs dans les cas de dépression récurrente.

MODE D'ACTION
Le mode d'action précis du lithium est inconnu.

▼ MODE D'EMPLOI

POSOLOGIE
La dose est déterminée par le taux sanguin de lithium 12 heures après l'administration du médicament. Dose moyenne pour les adultes : 900 à 1 800 mg par jour ; pour les adultes âgés : 150 à 900 mg par jour.

DÉBUT D'ACTION
En 1 à 2 semaines dans les cas de manie. Associé à un antidépresseur, le lithium peut faire régresser les symptômes en quelques jours.

DURÉE D'ACTION
24 heures.

CONSEILS NUTRITIONNELS
Peut se prendre au repas pour réduire l'irritation gastrique. Vous devriez boire 8 à 10 verres d'eau ou d'une boisson sans caféine par jour.

MODE DE CONSERVATION
Dans un contenant étanche, à l'abri de la chaleur et de la lumière.

OUBLI D'UNE DOSE
Prenez-la dès que vous y pensez. S'il est presque l'heure de la suivante, sautez la dose oubliée et reprenez la fréquence normale. Ne doublez pas la dose suivante.

ARRÊT DE LA MÉDICATION
Cette décision doit être prise en consultation avec le médecin.

USAGE PROLONGÉ
Un suivi médical s'impose. Le taux sanguin de lithium doit être mesuré avec soin pour prévenir les effets toxiques du médicament.

▼ PRÉCAUTIONS

Plus de 60 ans. Risques d'effets indésirables plus fréquents et plus graves. Il peut y avoir lieu de réduire la posologie.

Conduite automobile, travaux dangereux. À éviter tant que vous ne connaissez pas votre réaction au médicament.

Alcool. Pas de précautions spéciales.

Grossesse. Le lithium peut nuire au fœtus, surtout durant les trois premiers mois de la grossesse. Avant d'en prendre, dites au médecin que vous êtes enceinte ou voulez le devenir.

Allaitement. Le lithium passe dans le lait maternel : la prudence s'impose. Demandez spécifiquement l'avis du médecin.

Nourrissons et enfants. Le lithium peut affaiblir les os des nourrissons et des enfants. Indications et posologie pour les enfants de moins de 12 ans doivent être déterminées par le médecin.

À surveiller. Veillez à ne pas vous déshydrater par temps chaud ou durant des exercices exigeants. Buvez beaucoup durant le traitement. Si vous ne pouvez boire suffisamment ou si vous souffrez de diarrhée grave durant le traitement, cessez de prendre le lithium et communiquez avec le médecin. Les anti-inflammatoires non stéroïdiens (AINS) comme l'ibuprofène font monter les taux sanguins de lithium.

SURDOSAGE
Symptômes. Mouvements saccadés, tremblements, difficultés d'élocution, somnolence extrême, désorientation, confusion, convulsions, faiblesse musculaire, perte de conscience, diarrhée, nausées, vomissements.

Quoi faire. Appelez aussitôt le médecin ou le centre antipoison, ou allez à l'urgence.

▼ INTERACTIONS

MÉDICAMENT-MÉDICAMENT
Divers médicaments peuvent augmenter les taux sanguins de lithium ; consultez le médecin si vous prenez : médicaments pour des troubles mentaux, analgésiques ou anti-inflammatoires (surtout AINS), tétracycline, métronidazole ou inhibiteurs de l'ECA. D'autres médicaments font baisser les taux sanguins de lithium ; demandez conseil au médecin si vous prenez : théophylline, caféine ou acétazolamide.

MÉDICAMENT-ALIMENT
Évitez aliments et boissons contenant de la caféine.

MÉDICAMENT-MALADIE
Vous ne devriez pas prendre de lithium en cas de : insuffisance rénale, maladie cardiovasculaire ou antécédents de leucémie. Avant de prendre du lithium, demandez l'avis du médecin en cas de : antécédents de maladie cérébrale, schizophrénie, diabète, difficulté à uriner, infection, épilepsie, maladie de la thyroïde, maladie de Parkinson, psoriasis ou leucémie.

  EFFETS INDÉSIRABLES

GRAVES
Sédation, faiblesse musculaire prononcée, confusion ou désorientation, mouvements musculaires saccadés, vomissements, augmentation du débit urinaire, ralentissement des battements du cœur, fatigue, gain de poids, vertiges, jambes et bras froids, peau sèche et rugueuse, voix rauque, sensibilité au froid, jambes ou pieds enflés, cou enflé.

COURANTS
Augmentation de la soif et du débit urinaire, nausées, perte d'appétit, diarrhée, léger tremblement des mains, fatigue, gain de poids anormal, goût métallique.

MOINS COURANTS
Rash cutané, acné, chute de cheveux.

LOMUSTINE

NOM COMMERCIAL

CeeNU

Présentation : Gélules
En vente libre ? Non **Générique disponible ?** Non
Classe de médicaments : Agent alkylant

▼ GÉNÉRALITÉS

INDICATIONS
Traitement des tumeurs du cerveau, de la maladie de Hodgkin (cancer de la rate et des ganglions), du cancer du poumon, du cancer du sein et du mélanome malin.

MODE D'ACTION
La lomustine détruit les cellules cancéreuses en entravant l'activité de leur matériel génétique, ce qui les empêche de se reproduire. Le médicament peut nuire à la croissance et au développement des cellules normales, provoquant ainsi des effets indésirables incommodants.

▼ MODE D'EMPLOI

POSOLOGIE
130 mg par mètre carré de surface corporelle, 1 fois aux 6 semaines. Il peut devenir nécessaire de diminuer la dose en fonction de la numération des globules blancs.

DÉBUT D'ACTION
Inconnu.

DURÉE D'ACTION
Inconnue.

CONSEILS NUTRITIONNELS
La lomustine se prend de préférence à jeun et au coucher pour réduire les risques de dérangement d'estomac.

MODE DE CONSERVATION
Dans un contenant étanche, à l'abri de la chaleur et de la lumière.

OUBLI D'UNE DOSE
Prenez-la dès que vous y pensez. Ne doublez pas la dose suivante.

ARRÊT DE LA MÉDICATION
Cette décision doit être prise par le médecin.

USAGE PROLONGÉ
Un suivi médical, avec examens et analyses, s'impose en cas d'utilisation prolongée de ce médicament.

▼ PRÉCAUTIONS

Plus de 60 ans. Pas de précautions spéciales.

Conduite automobile, travaux dangereux. À déconseiller tant que vous ne connaissez pas votre réaction au médicament.

Alcool. À éviter.

Grossesse. La lomustine peut provoquer des anomalies congénitales. Les femmes en âge d'être enceintes devraient prendre des mesures pour éviter une grossesse durant le traitement.

Allaitement. Non recommandé durant le traitement à la lomustine.

Nourrissons et enfants. La lomustine devrait avoir la même action thérapeutique et les mêmes effets indésirables dans ce groupe d'âge que chez les adultes.

À surveiller. Ne vous faites pas vacciner sans l'approbation de votre médecin. Évitez les personnes qui ont récemment reçu un vaccin contre la poliomyélite par voie orale et celles qui souffrent d'une infection. Consultez le médecin ou le dentiste sur les façons de vous nettoyer les dents sans vous blesser. Prenez soin de ne pas vous blesser quand vous utilisez des objets coupants comme un rasoir ou un coupe-ongles. Évitez les activités et les sports de contact où vous pourriez vous blesser ou avoir des ecchymoses. Si vous vomissez peu après avoir pris une dose de lomustine, consultez le médecin : il vous dira peut-être d'en prendre une autre. La lomustine peut avoir des effets cumulatifs sur la moelle osseuse et entraîner une faible numération des globules sanguins. On a signalé que le médicament avait eu des effets indésirables sur les poumons et entraîné de l'essoufflement jusqu'à 15 ans après le traitement.

SURDOSAGE
Symptômes. Enflure de l'abdomen ou des ganglions, faiblesse, saignement de nez.

Quoi faire. Appelez immédiatement le médecin ou le centre antipoison, ou allez à l'urgence.

▼ INTERACTIONS

MÉDICAMENT-MÉDICAMENT
Parlez-en au médecin si vous prenez : amphotéricine B, antithyroïdiens, AAS, azathioprine, chloramphénicol, colchicine, coumadin, flucytosine, gancyclovir, interféron ou zidovudine (AZT), ainsi que tout médicament vendu sans ordonnance.

MÉDICAMENT-ALIMENT
Aucune interaction connue.

MÉDICAMENT-MALADIE
Consultez le médecin en cas de : zona, varicelle, toute infection, maladie du rein ou du poumon.

 EFFETS INDÉSIRABLES

GRAVES
Selles noires, goudronneuses ou sanguinolentes ; sang dans l'urine ; fièvre et frissons, toux ou voix rauque ; douleur dans le bas du dos ou les flancs ; débit urinaire moindre, difficile ou douloureux ; taches rouges sur la peau ; ecchymoses ou saignements anormaux ; confusion ; incoordination ; difficultés d'élocution ; lésions labiales ou buccales ; enflure des pieds ou du bas des jambes ; fatigue anormale ; essoufflement.

COURANTS
Perte d'appétit, nausées et vomissements (durant moins de 24 heures), chute temporaire des cheveux.

MOINS COURANTS
Peau foncée, diarrhée, démangeaisons, rash cutané.

LOPÉRAMIDE (CHLORHYDRATE DE)

Présentation : Solution orale, comprimés, comprimés vite dissous
En vente libre ? Oui **Générique disponible ?** Oui
Classe de médicaments : Antidiarrhéique

▼ GÉNÉRALITÉS

INDICATIONS
Traitement de la diarrhée.

MODE D'ACTION
Le lopéramide soulage la diarrhée en ralentissant l'activité des intestins.

▼ MODE D'EMPLOI

POSOLOGIE
Comprimés, solution orale et comprimés vite dissous – Adultes et adolescents : 4 mg après la première selle molle, 2 mg après chacune des selles molles qui suivent, sans dépasser 16 mg aux 24 heures. Enfants : consultez le médecin.

DÉBUT D'ACTION
Inconnu.

DURÉE D'ACTION
Jusqu'à 24 heures.

CONSEILS NUTRITIONNELS
À prendre à jeun (1 heure avant ou 2 heures après un repas). Un régime alimentaire léger est recommandé en cas de diarrhée : bananes, riz, compote de pommes et toasts secs sont de bons choix. Buvez beaucoup.

MODE DE CONSERVATION
Dans un contenant étanche, à l'abri de la chaleur, de l'humidité et de la lumière.

OUBLI D'UNE DOSE
Sautez la dose oubliée et reprenez la fréquence normale. Ne doublez pas la dose suivante.

ARRÊT DE LA MÉDICATION
Quand vous le voulez.

USAGE PROLONGÉ
Le lopéramide ne devrait pas être pris durant plus de 2 jours d'affilée, à moins de recommandations spécifiques du médecin.

▼ PRÉCAUTIONS

Plus de 60 ans. La diarrhée amène facilement de la déshydratation et le médicament peut en masquer les symptômes. Il faut boire beaucoup d'eau quand vous prenez du lopéramide.

Conduite automobile, travaux dangereux. À éviter tant que vous ne connaissez pas votre réaction au lopéramide.

Alcool. À éviter.

Grossesse. Évaluez avec le médecin les bienfaits et les risques du lopéramide durant la grossesse.

Allaitement. Le lopéramide peut passer dans le lait maternel ; la prudence s'impose. Demandez l'avis du médecin.

Nourrissons et enfants. Non recommandé pour les enfants de moins de 12 ans, à moins d'avis contraire du médecin.

À surveiller. Durant les 24 premières heures, buvez beaucoup de liquides clairs et sans caféine, comme eau, bouillon, soda au gingembre et thé décaféiné. Durant les 24 heures qui suivent, vous pouvez manger des aliments légers : compote de pommes, pain, craquelins et gruau d'avoine.

SURDOSAGE
Symptômes. Constipation, dépression du système nerveux central, irritation gastro-intestinale.

Quoi faire. Il est peu probable qu'une surdose de lopéramide mette votre vie en danger. Néanmoins, si la dose est très supérieure à celle recommandée, appelez le médecin ou le centre anti-poison, ou allez à l'urgence.

▼ INTERACTIONS

MÉDICAMENT-MÉDICAMENT
Demandez l'avis du médecin si vous prenez des antibiotiques tels que céphalosporine, érythromycine et tétracycline, ou un analgésique narcotique.

MÉDICAMENT-ALIMENT
Fruits, aliments épicés ou frits, son, bonbons et boissons à la caféine peuvent aggraver la diarrhée.

MÉDICAMENT-MALADIE
Avertissez le médecin en cas de : dysenterie, colite grave ou maladie du foie. Ne prenez pas de lopéramide si vous faites beaucoup de fièvre ou si vos selles contiennent du sang ou du mucus.

EFFETS INDÉSIRABLES

GRAVES
Ballonnement, rash cutané, constipation, perte d'appétit, douleur gastrique, nausées, vomissements.

COURANTS
Il n'y a pas d'effets indésirables courants associés au lopéramide.

MOINS COURANTS
Vertiges ou somnolence, bouche sèche. Comprimés vite dissous : sensation de brûlure sur la langue tout de suite après avoir pris le comprimé.

LOPÉRAMIDE/SIMÉTHICONE

Présentation : Comprimés à croquer
En vente libre ? Oui **Générique disponible ?** Non
Classe de médicaments : Antidiarrhéique/antiflatulent

▼ GÉNÉRALITÉS

INDICATIONS
Traitement des diarrhées et soulagement de la flatulence, de la douleur, de la distension et des coliques causées par un excès de gaz dans l'estomac et l'intestin.

MODE D'ACTION
Le lopéramide soulage la diarrhée en ralentissant l'activité des intestins. Le siméthicone prévient la formation de bulles gazeuses dans le tractus gastro-intestinal et en facilite la dispersion.

▼ MODE D'EMPLOI

POSOLOGIE
Adultes et adolescents : Croquez 2 comprimés et buvez un grand verre d'eau après la première selle liquide. Au besoin, croquez 1 comprimé et buvez un autre verre d'eau après la selle liquide suivante. Ne prenez pas plus de 4 comprimés par jour. Enfants de moins de 12 ans : selon l'avis du médecin.

DÉBUT D'ACTION
Inconnu.

DURÉE D'ACTION
Inconnue.

CONSEILS NUTRITIONNELS
Un régime alimentaire léger est recommandé en cas de diarrhée : bananes, riz, compote de pommes et toasts secs sont de bons choix. Buvez beaucoup.

MODE DE CONSERVATION
Dans un contenant étanche, à l'abri de la chaleur, de l'humidité et de la lumière.

OUBLI D'UNE DOSE
Sans objet, puisque le médicament est pris au besoin.

ARRÊT DE LA MÉDICATION
Quand vous le voulez.

USAGE PROLONGÉ
Ce médicament ne devrait pas être pris durant plus de 2 jours, à moins de directives contraires du médecin.

▼ PRÉCAUTIONS

Plus de 60 ans. La diarrhée amène facilement de la déshydratation et le médicament peut en masquer les symptômes. Il est fortement recommandé aux personnes âgées de boire beaucoup.

Conduite automobile, travaux dangereux. Pas de restrictions spéciales.

Alcool. À éviter. L'alcool peut irriter la muqueuse du tractus gastro-intestinal et favoriser la déshydratation.

Grossesse. Évaluez avec le médecin les bienfaits et les risques comparés du médicament durant la grossesse.

Allaitement. Le médicament peut passer dans le lait maternel ; la prudence s'impose. Demandez l'avis du médecin.

Nourrissons et enfants. Non recommandé pour les enfants de moins de 12 ans, sauf sur conseil d'un médecin.

À surveiller. Croquez complètement les comprimés avant de les avaler pour obtenir un soulagement plus rapide et plus total. Vous devriez changer de position souvent et marcher de long en large pour aider à éliminer les gaz. Durant les 24 premières heures, buvez beaucoup de liquides clairs et sans caféine, comme eau, bouillon, soda au gingembre et thé décaféiné. Durant les 24 heures qui suivent, mangez des aliments légers : compote de pommes, pain, craquelins et gruau d'avoine. Si vous suivez un régime spécial, par exemple pauvre en sel ou en sucre, informez-en le médecin. Ne fumez pas avant les repas.

SURDOSAGE
Symptômes. Constipation, irritation gastro-intestinale, somnolence, confusion.

Quoi faire. Il est peu probable qu'une surdose d'imodium mette votre vie en danger. Néanmoins, si la dose est très forte, appelez le médecin ou le centre antipoison, ou allez à l'urgence.

▼ INTERACTIONS

MÉDICAMENT-MÉDICAMENT
Demandez l'avis du médecin si vous prenez des antibiotiques tels que céphalosporine, érythromycine et tétracycline, ou encore un analgésique narcotique.

MÉDICAMENT-ALIMENT
Fruits, aliments épicés ou frits, son, bonbons et boissons à la caféine peuvent aggraver la diarrhée. Évitez les aliments qui donnent des gaz. Mastiquez les aliments lentement et complètement.

MÉDICAMENT-ALIMENT
Ne prenez pas ce médicament si vous faites beaucoup de fièvre ou si vous avez des selles contenant du sang ou du mucus. Consultez votre médecin si vous souffrez de dysenterie, de colite grave ou de maladie du foie.

 EFFETS INDÉSIRABLES

GRAVES
Rash cutané, ballonnement, constipation, perte d'appétit, douleur gastrique, nausées, vomissements.

COURANTS
Expulsion des gaz causant distension et flatulence.

MOINS COURANTS
Vertiges ou somnolence, sécheresse de la bouche.

LOPINAVIR/RITONAVIR

Présentation : Gélules, solution orale
En vente libre ? Non   **Générique disponible ?** Non
Classe de médicaments : Antiviral/inhibiteur de la protéase

▼ GÉNÉRALITÉS

INDICATIONS
Traitement du VIH (virus de l'immunodéficience humaine) en association avec d'autres médicaments. Le médicament ne guérit pas mais entrave la réplication du VIH, retardant la progression de la maladie.

MODE D'ACTION
Le médicament bloque l'activité de la protéase virale, enzyme nécessaire à la reproduction du VIH.

▼ MODE D'EMPLOI

POSOLOGIE
Adultes : 400 mg de lopinavir et 100 mg de ritonavir (3 gélules), 2 fois par jour. La posologie peut atteindre 533 mg de lopinavir et 133 mg de ritonavir (4 gélules), 2 fois par jour, si le patient prend aussi de la névirapine ou de l'éfavirenz. Enfants de 6 mois à 12 ans : la posologie est déterminée en fonction du poids sans dépasser 400/100 mg, 2 fois par jour.

DÉBUT D'ACTION
Inconnu. Plein effet thérapeutique en 12 à 16 semaines.

DURÉE D'ACTION
Inconnue. Elle est plus longue si le médicament est associé à des médicaments puissants dont l'action combinée contre le virus est maximale.

CONSEILS NUTRITIONNELS
À prendre en mangeant.

MODE DE CONSERVATION
Se garde à la température de la pièce pendant au plus 42 jours. Autrement, mettez-le au réfrigérateur.

OUBLI D'UNE DOSE
Prenez-la dès que vous y pensez. S'il est presque l'heure de la suivante, sautez la dose oubliée et reprenez la fréquence normale. Ne doublez pas la dose suivante. Il est important de prendre le médicament à heure fixe pour maintenir sa concentration dans le sang.

ARRÊT DE LA MÉDICATION
À décider en consultation avec le médecin.

USAGE PROLONGÉ
Un suivi médical s'impose.

▼ PRÉCAUTIONS

Plus de 60 ans. Pas de recommandations spéciales.

Conduite automobile, travaux dangereux. À éviter tant que vous ne connaissez pas votre réaction au traitement.

Alcool. À éviter en cas d'insuffisance hépatique.

Grossesse. Il n'existe pas d'études pertinentes ; demandez conseil au médecin. L'association lopinavir/ritonavir ne doit être utilisée durant la grossesse que si ses bienfaits potentiels justifient le risque que peut courir le fœtus.

Allaitement. Pour ne pas transmettre le virus à un enfant non infecté, les femmes atteintes du VIH ne devraient pas allaiter.

Nourrissons et enfants. Le lopinavir/ritonavir ne devrait pas être administré à des bébés de moins de 6 mois.

À surveiller. La solution orale contient de l'alcool. Consultez le médecin si vous prenez du métronidazole ou du disulfiram : des nausées et vomissements graves peuvent se produire. Le lopinavir/ritonavir n'élimine pas le risque de contaminer d'autres personnes au VIH. Prenez les mesures préventives appropriées.

SURDOSAGE
Symptômes. Engourdissement temporaire, picotement, fourmillement, nausées graves, vomissements, diarrhée.

Quoi faire. La solution orale renferme 42,4 % d'alcool, à volume égal. Si un jeune enfant en prend, il pourrait être gravement intoxiqué et s'approcher de la dose létale d'alcool. Demandez immédiatement de l'aide médicale.

▼ INTERACTIONS

MÉDICAMENT-MÉDICAMENT
Des effets nocifs très graves, comme arythmies cardiaques, difficultés respiratoires et sédation excessive, peuvent se produire si le médicament est pris en même temps que : astémizole, dérivés de l'ergot de seigle (dihydroergotamine, ergonovine, ergotamine, méthylergonovine), flécaïnide, lovastatine, midazolam, pimozide, propafénone, rifampine, simvastatine, millepertuis, terfénadine ou triazolam. Les femmes prenant des contraceptifs hormonaux à base d'œstrogènes devraient avoir recours à des mesures alternatives ou additionnelles.

MÉDICAMENT-ALIMENT
On peut réduire les effets indésirables en mangeant plus de corps gras ou en prenant des repas plus légers, mais plus nombreux.

MÉDICAMENT-MALADIE
Consultez le médecin si vous avez une maladie du foie ou tout autre trouble médical.

  **EFFETS INDÉSIRABLES**

GRAVES
Hausse du taux de sucre dans le sang (diabète) ou du taux de cholestérol, bien qu'on n'ait pas établi une relation de cause à effet entre les deux. Voyez le médecin en cas de soif accrue ou de débit urinaire accru.

COURANTS
Diarrhée, douleur abdominale, fièvre bénigne, nausées, flatulence, rash cutané, fatigue, engourdissement ou picotement autour de la bouche ou dans les bras et les jambes.

MOINS COURANTS
Redistribution ou accumulation des graisses corporelles peuvent se produire chez les patients recevant des antirétroviraux avec inhibiteurs de protéase ; causes et conséquences à long terme ne sont pas connues à ce moment. Mal de dos, fièvre, pancréatite, douleur articulaire, insomnie et troubles cutanés sont aussi possibles.

LORATADINE

Présentation : Comprimés, comprimés ultra-fondants, sirop
En vente libre ? Oui   **Générique disponible ?** Non
Classe de médicaments : Antihistaminique

▼ GÉNÉRALITÉS

INDICATIONS

Prévention ou soulagement des symptômes du rhume des foins et d'autres allergies, tels que larmoiement, démangeaisons des yeux, écoulement nasal, éternuements ou prurit cutané. La loratadine sert aussi parfois à traiter l'urticaire chronique (ou persistant).

MODE D'ACTION

La loratadine intercepte les effets de l'histamine, substance naturelle causant enflure, démangeaisons, éternuements, larmoiement, urticaire et autres symptômes de réaction allergique.

▼ MODE D'EMPLOI

POSOLOGIE

Comprimés (ordinaires et ultra-fondants), sirop — Adultes et enfants de 10 ans et plus : 10 mg, 1 fois par jour. Enfants de 2 à 9 ans : 5 mg, 1 fois par jour. N'augmentez pas les doses dans l'espoir d'obtenir un soulagement plus rapide des symptômes.

DÉBUT D'ACTION
En 1 heure.

DURÉE D'ACTION
24 heures ou plus.

CONSEILS NUTRITIONNELS
Pas de restrictions alimentaires. Il vaut la peine de prendre la loratadine en mangeant : son absorption dans le tractus gastro-intestinal peut en être ainsi augmentée de 40 %.

MODE DE CONSERVATION
Dans un contenant étanche, à la température ambiante, à l'abri de la chaleur, de l'humidité et de la lumière.

OUBLI D'UNE DOSE
Prenez-la dès que vous y pensez. S'il est presque l'heure de la suivante, sautez la dose oubliée et reprenez la fréquence normale. Ne doublez pas la dose suivante.

ARRÊT DE LA MÉDICATION
La décision d'interrompre la médication doit être prise en consultation avec le médecin.

USAGE PROLONGÉ
La loratadine peut être administrée en toute sécurité durant de longues périodes. Un usage prolongé ne réduit pas l'effet du médicament (contrairement à certains antiallergiques et à d'autres médicaments).

▼ PRÉCAUTIONS

Plus de 60 ans. Risques de réactions indésirables plus fréquentes et plus graves.

Conduite automobile, travaux dangereux. Aux doses recommandées, la loratadine ne devrait pas vous empêcher d'exécuter de telles tâches en toute sécurité.

Alcool. Pas de précautions spéciales.

Grossesse. Avant de prendre de la loratadine, avertissez le médecin que vous êtes enceinte ou désirez le devenir.

Allaitement. La loratadine passe dans le lait maternel ; n'en prenez pas pendant que vous allaitez.

Nourrissons et enfants. Risques de réactions indésirables plus fréquentes et plus graves.

À surveiller. Arrêtez de prendre de la loratadine 48 heures avant de subir un test d'allergie cutanée.

SURDOSAGE
Symptômes. Tachycardie, maux de tête, somnolence.

Quoi faire. Il est peu probable qu'une surdose de loratadine mette votre vie en danger, mais si la dose est très forte, appelez le médecin ou le centre antipoison, ou allez à l'urgence de la clinique ou de l'hôpital de votre quartier.

▼ INTERACTIONS

MÉDICAMENT-MÉDICAMENT
Demandez l'avis du médecin si vous prenez les médicaments suivants : clarithromycine, érythromycine, itraconazole ou kétoconazole.

MÉDICAMENT-ALIMENT
Aucune interaction connue.

MÉDICAMENT-MALADIE
Aucune interaction connue.

≡ EFFETS INDÉSIRABLES ≡

GRAVES
Aucun effet indésirable grave n'est associé à un traitement à la loratadine.

COURANTS
Aucun effet indésirable courant n'est associé à un traitement à la loratadine.

MOINS COURANTS
Dans de rares cas, on a fait état d'effets indésirables chez des personnes prenant de la loratadine, mais aucun de ces effets n'a été explicitement relié au médicament.

LORATADINE/PSEUDOÉPHÉDRINE

Présentation : Comprimés à libération prolongée
En vente libre ? Oui   **Générique disponible ?** Non
Classe de médicaments : Antihistaminique/décongestionnant

▼ GÉNÉRALITÉS

INDICATIONS
Soulagement des symptômes de la rhinite allergique saisonnière (rhume des foins) : écoulement nasal, congestion nasale et éternuements.

MODE D'ACTION
La loratadine bloque les effets de l'histamine, substance naturelle causant enflure, démangeaisons, éternuements, écoulements nasaux, congestion et autres symptômes de réactions allergiques. La pseudoéphédrine contracte les vaisseaux sanguins, réduisant ainsi le débit de sang dans les fosses nasales : les sécrétions nasales diminuent, les muqueuses nasales désenflent et le passage de l'air dans les voies nasales s'améliore.

▼ MODE D'EMPLOI

POSOLOGIE
1 comprimé à libération prolongée 1 ou 2 fois par jour (aux 12 heures), avec un grand verre d'eau.

DÉBUT D'ACTION
En 1 à 3 heures.

DURÉE D'ACTION
12 à 24 heures ou plus.

CONSEILS NUTRITIONNELS
Cette association médicamenteuse peut être prise avec ou sans nourriture. Avalez-la avec un grand verre d'eau.

MODE DE CONSERVATION
Dans un contenant étanche, à l'abri de la chaleur, de l'humidité et de la lumière.

OUBLI D'UNE DOSE
Sans objet. Le médicament est pris au besoin.

ARRÊT DE LA MÉDICATION
Sans objet. Le médicament est pris au besoin.

USAGE PROLONGÉ
Le traitement est de courte durée (saisonnière).

▼ PRÉCAUTIONS

Plus de 60 ans. Il n'y a pas eu d'études spécifiques. Néanmoins, les personnes âgées sont plus vulnérables aux effets de la pseudoéphédrine (voir Pseudoéphédrine).

Conduite automobile, travaux dangereux. Le traitement à la loratadine/pseudoéphédrine ne devrait pas vous empêcher d'exécuter de telles tâches en toute sécurité. Néanmoins, soyez prudent si le médicament vous rend somnolent.

Alcool. Pas de précautions spéciales.

Grossesse. Il n'existe pas d'études pertinentes sur les humains. Analysez avec le médecin les bienfaits du médicament par rapport à ses dangers durant la grossesse.

Allaitement. Les deux médicaments passent dans le lait maternel. Étudiez avec le médecin les bienfaits du médicament par rapport à ses dangers durant l'allaitement.

Nourrissons et enfants. Non recommandé pour les enfants de moins de 12 ans.

À surveiller. Ne brisez pas, ne mastiquez pas le comprimé. Les patients affligés d'un rétrécissement de l'œsophage ou de déglutition difficile ne devraient pas prendre ce médicament.

SURDOSAGE
Symptômes. Somnolence, arythmie cardiaque, céphalées, sensation d'ébriété, nausées, vomissements, sudation, soif accrue, douleur thoracique, mictions difficiles, faiblesse et tension musculaires, anxiété, agitation, insomnie, hallucinations, délire, convulsions, difficultés à respirer.

Quoi faire. Appelez aussitôt le médecin ou le centre antipoison, ou allez à l'urgence.

▼ INTERACTIONS

MÉDICAMENT-MÉDICAMENT
Il doit s'écouler au moins 14 jours entre la fin d'un traitement aux inhibiteurs de la monoamine-oxydase (IMAO) et l'administration de ce médicament, ou vice versa. Consultez spécifiquement le médecin si vous prenez : bêtabloquants, digitaliques, antihistaminiques ou décongestionnants en vente libre.

MÉDICAMENT-ALIMENT
Aucune interaction connue.

MÉDICAMENT-MALADIE
Vous ne devriez pas prendre ce médicament si vous souffrez de : glaucome par fermeture de l'angle, hypertension grave, rétention urinaire ou insuffisance coronarienne grave. Soyez prudent si vous avez les problèmes suivants : hypertension, diabète sucré, maladie cardiaque, hypertension intraoculaire, hyperthyroïdie ou hypertrophie de la prostate. Le médicament peut provoquer des complications chez les patients souffrant d'une maladie du foie ou des reins, car ces organes travaillent ensemble à éliminer le médicament de l'organisme.

  **EFFETS INDÉSIRABLES**

GRAVES
Aucun effet indésirable grave n'est associé à l'administration de loratadine/pseudoéphédrine.

COURANTS
Insomnie, sécheresse de la bouche, somnolence.

MOINS COURANTS
Nervosité, vertiges, mauvaise digestion.

LORAZÉPAM

Présentation : Comprimés
En vente libre ? Non **Générique disponible ?** Oui
Classe de médicaments : Tranquillisant (benzodiazépine) ; anxiolytique

▼ GÉNÉRALITÉS

INDICATIONS
Traitement de l'anxiété. La forme injectable est administrée en milieu hospitalier à titre d'anticonvulsivant (pour le mal épileptique) et pour détendre les patients avant l'anesthésie préchirurgicale.

MODE D'ACTION
Le lorazépam produit un léger effet sédatif en modérant l'activité du système nerveux central. Plus spécifiquement, il semble intensifier l'effet de l'acide gamma-aminobutyrique (GABA), élément chimique naturel qui inhibe les décharges de neurones et réduit la transmission des signaux nerveux, diminuant ainsi l'excitation nerveuse.

▼ MODE D'EMPLOI

POSOLOGIE
Anxiété – Adultes et adolescents : 2 à 3 mg par jour en doses fractionnées, sans dépasser 6 mg par jour. Patients âgés : 0,5 mg par jour au début ; la dose peut être augmentée. Note : dans tous les cas, les indications et la posologie des enfants de moins de 12 ans doivent être déterminées par le médecin.

DÉBUT D'ACTION
En 30 minutes à 2 heures pour les formes orales.

DURÉE D'ACTION
12 à 24 heures.

CONSEILS NUTRITIONNELS
À prendre avec des aliments pour prévenir les malaises gastro-intestinaux.

MODE DE CONSERVATION
Dans un contenant étanche, à l'abri de la chaleur, de l'humidité et de la lumière.

OUBLI D'UNE DOSE
Prenez-la dès que vous y pensez. S'il est presque l'heure de la suivante, sautez la dose oubliée et reprenez la fréquence normale. Ne doublez pas la dose suivante.

ARRÊT DE LA MÉDICATION
N'arrêtez pas abruptement le traitement : vous pourriez éprouver des symptômes de sevrage. La posologie doit être réduite graduellement selon les directives du médecin.

USAGE PROLONGÉ
Le lorazépam peut perdre lentement de son efficacité en traitement prolongé. Un suivi médical s'impose pour un traitement à long terme.

▼ PRÉCAUTIONS

Plus de 60 ans. Réactions indésirables plus probables et plus graves. Il peut y avoir lieu de réduire les doses.

Conduite automobile et travaux dangereux. Le lorazépam peut diminuer l'acuité mentale et la coordination physique. Planifiez vos activités en conséquence.

Alcool. À éviter.

Grossesse. À éviter autant que possible durant la grossesse. Prévenez le médecin si vous êtes enceinte ou souhaitez le devenir.

Allaitement. Le lorazépam passe dans le lait maternel ; n'en prenez pas si vous allaitez.

Nourrissons et enfants. À n'utiliser que sous étroite surveillance médicale.

À surveiller. Le lorazépam peut entraîner de la dépendance psychologique et physique. La thérapie typique est de courte durée (8 semaines ou moins). Ne la prolongez pas sans l'avis du médecin. Ne dépassez jamais les doses quotidiennes prescrites.

SURDOSAGE
Symptômes. Grande somnolence, confusion, difficultés d'élocution, réflexes lents, manque de coordination, démarche chancelante, tremblements, respiration lente, perte de conscience.

Quoi faire. Appelez aussitôt le médecin ou le centre antipoison, ou allez à l'urgence.

▼ INTERACTIONS

MÉDICAMENT-MÉDICAMENT
Demandez l'avis du médecin si vous prenez des dépresseurs du système nerveux central tels que : antihistaminiques, antidépresseurs ou autres antipsychotiques, barbituriques, sédatifs, antitussifs, décongestionnants et analgésiques. Faites connaître au médecin tous les médicaments en vente libre que vous prenez.

MÉDICAMENT-ALIMENT
Aucune interaction connue.

MÉDICAMENT-MALADIE
Avertissez le médecin en cas de : antécédents d'alcoolisme ou de toxicomanie, accident cérébrovasculaire (ACV) ou autre maladie du cerveau, maladie pulmonaire chronique, hyperactivité, dépression ou autre maladie mentale, myasthénie grave, apnée du sommeil, épilepsie, porphyrie, maladie des reins ou du foie.

  EFFETS INDÉSIRABLES

GRAVES
Troubles de la concentration, accès de colère, autres problèmes du comportement, dépression, hallucinations, hypotension (causant évanouissement ou confusion), troubles de la mémoire, faiblesse musculaire, rash cutané ou démangeaisons, mal de gorge, fièvre et frissons, lésions ou ulcères dans la gorge ou la bouche, ecchymoses ou saignements inhabituels, fatigue extrême, jaunissement des yeux ou de la peau.

COURANTS
Somnolence, incoordination, démarche chancelante, vertiges, étourdissements, difficultés d'élocution.

MOINS COURANTS
Modification du désir sexuel ou de la libido, constipation, euphorie, nausées et vomissements, troubles urinaires, fatigue inhabituelle.

LOSARTAN POTASSIQUE

Présentation : Comprimés
En vente libre ? Non   **Générique disponible ?** Non
Classe de médicaments : Antihypertenseur/antagoniste de l'angiotensine II

▼ GÉNÉRALITÉS

INDICATIONS
Traitement de l'hypertension. Le médicament semble avoir les mêmes avantages que les antihypertenseurs appelés inhibiteurs de l'ECA, sans provoquer comme eux l'effet secondaire de toux sèche, un effet indésirable courant (présent chez quelque 30 % des patients). Le losartan peut être utilisé seul ou en association avec d'autres antihypertenseurs.

MODE D'ACTION
Le losartan s'oppose aux effets de l'angiotensine II (en bloquant ses récepteurs), une substance naturelle de l'organisme qui provoque la constriction des vaisseaux sanguins. Le losartan entraîne la dilatation de ceux-ci, diminuant ainsi la tension artérielle et le travail cardiaque.

▼ MODE D'EMPLOI

POSOLOGIE
Adultes : dose initiale, 25 à 50 mg, 1 fois par jour. Dose d'entretien habituelle, 50 à 100 mg, 1 fois par jour ou scindée en 2 prises. Enfants : non recommandé.

DÉBUT D'ACTION
En 1 heure.

DURÉE D'ACTION
24 heures.

CONSEILS NUTRITIONNELS
Adoptez un régime sain (pauvre en sel, en gras et en cholestérol), tel que conseillé par le médecin, pour mieux maîtriser l'hypertension et prévenir la maladie cardiaque.

MODE DE CONSERVATION
Dans un contenant étanche, à l'abri de la chaleur, de l'humidité et de la lumière.

OUBLI D'UNE DOSE
Prenez-la dès que vous y pensez. S'il est presque l'heure de la suivante, sautez la dose oubliée et reprenez la fréquence normale. Ne doublez pas la dose suivante.

ARRÊT DE LA MÉDICATION
Suivez le traitement au complet, tel que prescrit. La décision d'interrompre le traitement doit être prise en consultation avec le médecin.

USAGE PROLONGÉ
Le traitement peut durer toute la vie, mais si vous modifiez votre mode de vie (en faisant plus d'exercice, par exemple,

ou en perdant du poids), il peut être possible de réduire les doses sous la surveillance du médecin.

▼ PRÉCAUTIONS

Plus de 60 ans. Risques de réactions indésirables plus fréquentes et plus graves.

Conduite automobile, travaux dangereux. À déconseiller tant que vous ne connaissez pas votre réaction au médicament.

Alcool. À ne consommer qu'avec prudence et modération. (Voir la rubrique À surveiller.)

Grossesse. Le losartan est, par certains aspects, semblable à un groupe de médicaments qui, pris durant le deuxième ou le troisième trimestre de la grossesse, ont causé des lésions au fœtus. Étant donné que des médicaments moins dangereux et plus efficaces peuvent abaisser la tension artérielle durant la grossesse et que, par ailleurs, il n'existe pas d'études pertinentes sur l'administration de losartan durant la grossesse, les femmes enceintes ou qui prévoient le devenir ne devraient pas en prendre.

Allaitement. Le losartan passe dans le lait maternel ; n'en prenez pas si vous allaitez.

Nourrissons et enfants. Innocuité et efficacité non établies.

À surveiller. Le losartan peut causer des vertiges et des étourdissements, surtout lors

des changements de position, et provoquer évanouissement, chutes et blessures. Étendez-vous ou asseyez-vous dès que vous vous sentez étourdi. Cet effet indésirable peut être accentué par l'alcool, le temps chaud, la déshydratation, la fièvre, une station debout ou assise prolongée ou l'exercice.

SURDOSAGE
Symptômes. Évanouissements, vertiges, pouls faible qui peut être très lent ou très rapide, nausées et vomissements, douleur thoracique.

Quoi faire. Appelez aussitôt le médecin ou le centre antipoison, ou allez à l'urgence.

▼ INTERACTIONS

MÉDICAMENT-MÉDICAMENT
Demandez l'avis du médecin si vous prenez : diurétiques, médicaments ou suppléments contenant du potassium, AINS, allopurinol, médicaments en vente libre contre le rhume, la toux, la rhinite saisonnière, l'asthme, la sinusite, ou d'autres médicaments sur ordonnance.

MÉDICAMENT-ALIMENT
Évitez les succédanés du sel et le lait hyposodique. Ces produits contiennent beaucoup de potassium.

MÉDICAMENT-MALADIE
Le losartan peut entraîner des complications chez les patients qui ont une maladie du foie ou des reins puisque ces organes contribuent ensemble à éliminer le médicament de l'organisme.

≡ EFFETS INDÉSIRABLES ≡

GRAVES
Difficulté soudaine à respirer ou à avaler ; voix rauque ; enflure du visage, de la bouche, des mains ou de la gorge ; vertiges ; toux ; fièvre ou mal de gorge.

COURANTS
Céphalées.

MOINS COURANTS
Mal de dos, fatigue, diarrhée, congestion nasale.

LOVASTATINE

Présentation : Comprimés
En vente libre ? Non   **Générique disponible ?** Oui
Classe de médicaments : Régulateur du métabolisme lipidique (hypocholestérolémiant)

▼ GÉNÉRALITÉS

INDICATIONS
Traitement de l'hypercholestérolémie. Généralement prescrite quand les traitements de première ligne – régime alimentaire, perte de poids et exercice – n'ont pas ramené les lipoprotéines totales et celles de faible densité (LDL) à des taux acceptables.

MODE D'ACTION
La lovastatine bloque l'action d'une enzyme nécessaire à la synthèse du cholestérol, entravant par là sa formation. En diminuant la quantité de cholestérol dans le foie, la lovastatine augmente la formation des récepteurs des LDL et réduit ainsi les taux sanguins de cholestérol total et de LDL. En outre, la lovastatine abaisse modérément les taux de triglycérides et augmente ceux du cholestérol HDL (ou bon cholestérol).

▼ MODE D'EMPLOI

POSOLOGIE
20 à 80 mg par jour, aux repas. Si la dose est de 20 mg par jour, elle est prise au repas du soir ; si la dose est supérieure à 20 mg par jour, elle est fractionnée entre le matin et le soir.

DÉBUT D'ACTION
En 2 à 4 semaines.

DURÉE D'ACTION
L'effet persiste durant tout le traitement.

CONSEILS NUTRITIONNELS
Les hypocholestérolémiants ne sont qu'un volet d'un programme qui doit inclure des exercices physiques réguliers et un régime alimentaire sain.

MODE DE CONSERVATION
Dans un contenant étanche, à l'abri de la chaleur, de l'humidité et de la lumière.

OUBLI D'UNE DOSE
Prenez-la dès que vous y pensez. Prenez la dose suivante au moment voulu selon la fréquence établie. Ne doublez pas de dose.

ARRÊT DE LA MÉDICATION
La décision doit être prise en consultation avec le médecin. L'arrêt de la médication entraîne un retour possible de la cholestérolémie aux taux élevés d'avant le traitement.

USAGE PROLONGÉ
La probabilité d'effets indésirables augmente. Le médecin ordonnera périodiquement des analyses du sang pour évaluer la fonction hépatique.

▼ PRÉCAUTIONS

Plus de 60 ans. Pas de risques connus.

Conduite automobile, travaux dangereux. La lovastatine ne devrait pas vous empêcher d'exécuter de telles tâches en toute sécurité.

Alcool. Pas de précautions spéciales.

Grossesse. La lovastatine ne devrait pas être utilisée durant la grossesse ou par les femmes qui se proposent de devenir enceintes.

Allaitement. Le médicament n'est pas recommandé aux femmes qui allaitent.

Nourrissons et enfants. Le médicament peut être efficace, mais son innocuité n'est pas établie ; il est rarement prescrit aux enfants. Consultez le pédiatre.

À signaler. Dans un traitement contre l'hypercholestérolémie, il est important d'avoir un bon régime alimentaire, de surveiller son poids, de prendre de l'exercice modérément mais régulièrement et d'éviter certains médicaments qui peuvent augmenter les taux de cholestérol. Comme la lovastatine a des effets indésirables possibles, il est important d'avoir un régime alimentaire sain et d'obéir aux recommandations du médecin à l'égard des autres traitements qu'il vous suggère.

SURDOSAGE
Symptômes. Aucun symptôme spécifique à signaler.

Quoi faire. Appelez votre médecin.

▼ INTERACTIONS

MÉDICAMENT-MÉDICAMENT
Consultez le médecin si vous prenez : cyclosporine, gemfibrozil, niacine, fénofibrate, antibiotiques (surtout érythromycine) ou antifongiques. Tous ces médicaments, s'ils sont pris avec la lovastatine, peuvent augmenter les risques de myosite (inflammation des muscles) et mener à une insuffisance rénale.

MÉDICAMENT-ALIMENT
Aucune interaction connue.

MÉDICAMENT-MALADIE
Avertissez le médecin en cas de : maladie du foie, des reins ou des muscles, antécédents médicaux impliquant une greffe d'organe ou une intervention chirurgicale récente.

 EFFETS INDÉSIRABLES

GRAVES
Fièvre, douleur ou sensibilité anormales ou inexpliquées dans les muscles.

COURANTS
Se produisent chez 1 à 2 % des patients seulement : constipation ou diarrhée, vertiges ou étourdissements, ballonnement ou gaz, aigreurs d'estomac, nausées, rash cutané, douleurs gastriques et augmentation des enzymes du foie.

MOINS COURANTS
Difficultés à dormir.

LOXAPINE

Présentation : Comprimés, solution orale, injection
En vente libre ? Non **Générique disponible ?** Oui
Classe de médicaments : Neuroleptique ; antipsychotique

▼ GÉNÉRALITÉS

INDICATIONS
Traitement des états psychiatriques graves, comme la schizophrénie.

MODE D'ACTION
La loxapine semble inhiber les récepteurs de la dopamine (élément chimique favorisant la transmission des influx nerveux) dans le système nerveux central. Elle produit ainsi un effet tranquillisant ou antipsychotique.

▼ MODE D'EMPLOI

POSOLOGIE
Formes orales : au début, 10 mg, 2 fois par jour. La posologie peut être augmentée graduellement par le médecin, sans dépasser 250 mg par jour. Injection : 12,5 à 50 mg, 4 à 6 fois par jour, en intramusculaire.

DÉBUT D'ACTION
L'effet sédatif se fait sentir en quelques minutes, mais l'effet antipsychotique peut mettre des heures, des jours et même des semaines à s'établir.

DURÉE D'ACTION
12 à 24 heures.

CONSEILS NUTRITIONNELS
Diluez la solution orale dans du jus d'orange ou du jus de pamplemousse.

MODE DE CONSERVATION
Dans un contenant étanche, à l'abri de la chaleur, de l'humidité et de la lumière. Ne congelez pas la solution orale ou l'injection.

OUBLI D'UNE DOSE
Prenez-la dès que vous y pensez. S'il est presque l'heure de la suivante, sautez la dose oubliée et reprenez la fréquence normale. Ne doublez pas la dose suivante.

ARRÊT DE LA MÉDICATION
La décision de mettre fin au traitement doit être prise en consultation avec le médecin.

USAGE PROLONGÉ
Il entraîne un risque de dyskinésies tardives (mouvements involontaires de la mâchoire, des lèvres, de la langue et dans de rares cas des bras, jambes, mains et corps). Demandez au médecin s'il y a lieu d'instaurer un suivi médical en cas d'usage prolongé.

▼ PRÉCAUTIONS

Plus de 60 ans. Risques de réactions indésirables plus fréquentes et plus graves.

Conduite automobile, travaux dangereux. À déconseiller tant que vous ne connaissez pas votre réaction au médicament.

Alcool. À éviter.

Grossesse. Il n'existe pas encore d'études pertinentes : renseignez-vous auprès de votre médecin.

Allaitement. On ne sait pas si la loxapine passe dans le lait maternel. Consultez votre médecin.

Nourrissons et enfants. L'innocuité et l'efficacité de la loxapine n'ont pas été établies pour les enfants. Indications et posologie doivent être déterminées par le médecin pour les moins de 16 ans.

À surveiller. Évitez de vous exposer longtemps à la chaleur en pays chauds. Buvez beaucoup et restez au frais en été. Ne vous exposez pas longtemps au soleil tant que vous ne savez pas si le médicament augmente la sensibilité de votre peau aux rayons ultraviolets.

SURDOSAGE
Symptômes. Somnolence grave ; vertiges graves ; spasmes, tremblements ou rigidité musculaires ; difficultés à respirer ; fatigue anormale.

Quoi faire. Appelez immédiatement le médecin ou le centre antipoison, ou allez à l'urgence.

▼ INTERACTIONS

MÉDICAMENT-MÉDICAMENT
Laissez passer 2 heures entre l'administration de loxapine et celle d'un antiacide ou d'un antidiarrhéique. Consultez le médecin si vous prenez : amoxapine, méthyldopa, métoclopramide, autres antipsychotiques, pémoline, pimozide, prométhazine, triméprazine, dépresseurs du système nerveux central ou antidépresseurs tricycliques.

MÉDICAMENT-ALIMENT
Aucune interaction connue.

MÉDICAMENT-MALADIE
Avertissez le médecin en cas de : antécédents d'alcoolisme ou de toxicomanie, difficultés à uriner, hypertrophie de la prostate, glaucome, maladie de Parkinson, maladie du cœur, maladie des vaisseaux sanguins, trouble hépatique, pathologie donnant lieu à des convulsions.

  **EFFETS INDÉSIRABLES**

GRAVES
Convulsions ; difficultés à respirer ; arythmies cardiaques ; forte fièvre ; sudation anormale ; incontinence urinaire ; mouvements incontrôlables des lèvres, de la langue, de la bouche, des membres ou du corps ; élocution ou déglutition difficiles ; perte d'équilibre, tremblements, spasmes musculaires ; constipation grave ; mictions difficiles ; rash cutané ; mal de gorge avec fièvre ; ecchymoses ou saignements anormaux ; jaunisse.

COURANTS
Vision embrouillée, vertiges, confusion, évanouissement, somnolence, démarche traînante, mouvements lents, regard fixe, faciès figé, sécheresse de la bouche.

MOINS COURANTS
Constipation bénigne, dysfonction sexuelle, céphalées, sensibilité accrue de la peau au soleil, nausées ou vomissements, insomnie, irrégularités menstruelles, enflure des seins, lactation anormale, gain de poids inexpliqué.

MAGALDRATE

Présentation : Solution orale, comprimés à croquer
En vente libre ? Oui **Générique disponible ?** Non
Classe de médicaments : Antiacide

▼ GÉNÉRALITÉS

INDICATIONS
Soulagement des aigreurs et des brûlures d'estomac, de l'indigestion, de l'acidité et du reflux gastro-œsophagien. Aussi prescrit pour soulager l'hyperacidité associée aux ulcères gastriques, à la gastrite et à l'œsophagite.

MODE D'ACTION
En neutralisant l'acide gastrique et en inhibant l'action de la pepsine, une enzyme digestive, le magaldrate apporte un soulagement symptomatique à l'hyperacidité gastrique.

▼ MODE D'EMPLOI

POSOLOGIE
Adultes : 1 à 4 comprimés (5 à 10 ml) 20 minutes à 1 heure après les repas, ou selon l'ordonnance du médecin (1 comprimé ou 5 ml équivalent à 480 mg).

DÉBUT D'ACTION
En 20 minutes.

DURÉE D'ACTION
20 à 60 minutes si le médicament est pris à jeun ; 3 heures s'il est pris après le repas.

CONSEILS NUTRITIONNELS
Ayez un régime équilibré.

MODE DE CONSERVATION
Dans un contenant étanche, à l'abri de la chaleur, de l'humidité et de la lumière.

OUBLI D'UNE DOSE
Prenez-la dès que vous y pensez. S'il est presque l'heure de la suivante, sautez la dose oubliée et reprenez la fréquence normale. Ne doublez pas la dose suivante.

ARRÊT DE LA MÉDICATION
Effectuez le traitement au complet tel que recommandé.

USAGE PROLONGÉ
Ne prenez pas de magaldrate durant plus de 2 semaines, à moins d'avis contraire du médecin.

▼ PRÉCAUTIONS

Plus de 60 ans. Constipation et problèmes intestinaux plus courants. Les patients à haut risque d'ostéoporose ou autres troubles osseux devraient éviter d'en prendre souvent.

Conduite automobile, travaux dangereux. Pas de précautions spéciales.

Alcool. À éviter.

Grossesse. Il n'y a pas eu d'études pertinentes. Avertissez le médecin que vous êtes enceinte ou voulez le devenir.

Allaitement. Le magaldrate peut passer dans le lait maternel, mais le nourrisson ne semble pas en souffrir. Demandez l'avis du médecin.

Nourrissons et enfants. Ne donnez pas d'antiacides ou autres médicaments renfermant du magnésium à de jeunes enfants, à moins d'une ordonnance médicale.

À surveiller. Ne prenez pas régulièrement d'antiacides en vente libre, sauf sur recommandation de votre médecin. Les aigreurs d'estomac non soulagées par un antiacide peuvent signaler une crise cardiaque ou d'autres troubles graves. Demandez rapidement de l'aide médicale.

SURDOSAGE
Symptômes. Diarrhée, nausées, vomissements, constipation, confusion, palpitations, faiblesse, fatigue, douleur osseuse, léthargie.

Quoi faire. Il est peu probable qu'une surdose de magaldrate mette votre vie en danger. Néanmoins, si la dose est très forte, appelez le médecin ou le centre antipoison.

▼ INTERACTIONS

MÉDICAMENT-MÉDICAMENT
Le magaldrate et tout antiacide renfermant du magnésium peut interagir avec la vitamine D (incluant calcitédiol et calcitriol) et diminuer l'efficacité de la pancrélipase. D'autres médicaments pris à 1 heure d'intervalle d'un antiacide peuvent perdre leur efficacité. Demandez l'avis du médecin si vous prenez : amphétamines, bisacodyl, citrates, digoxine, médicaments entérosolubles, fluoroquinolones, isoniazide, kétoconazole, méthénamine, nitrofurantoïne, pénicillamine, phosphates, résine de sulfonate de polystyrène sodique, quinidine ou tétracyclines.

MÉDICAMENT-ALIMENT
Aucune interaction connue.

MÉDICAMENT-MALADIE
Ne prenez pas de magaldrate si vous avez des symptômes d'appendicite ou d'inflammation intestinale (douleur, crampes et sensibilité abdominales, ballonnement, nausées et vomissements). Le magaldrate n'est pas recommandé aux patients atteints de la maladie d'Alzheimer. Consultez le médecin en cas de : fractures osseuses, colite, diarrhée, obstruction intestinale ou saignement, colostomie ou iléostomie, œdème, hypophosphatémie, maladie du cœur, du foie ou du rein, toxémie gravidique.

EFFETS INDÉSIRABLES

GRAVES
Constipation grave et persistante, vertiges, étourdissements et arythmies cardiaques. Déminéralisation squelettique (ostéomalacie) chez les patients sous dialyse depuis longtemps. Hypophosphatémie (carence en phosphate sanguin) en traitement prolongé avec régime alimentaire pauvre en phosphates : douleur osseuse, fractures (par déminéralisation), faiblesse musculaire, perte d'appétit, altération de l'humeur, malaise généralisé, enflure des poignets et des chevilles, perte de poids inexpliquée et anémie (manque de globules rouges, faiblesse et fatigue).

COURANTS
Goût crayeux.

MOINS COURANTS
Soif accrue, selles tachetées ou blanchâtres, crampes gastriques, diarrhée, constipation bénigne.

MAGNÉSIUM (CITRATE DE)

Présentation : Solution orale
En vente libre ? Oui   **Générique disponible ?** Oui
Classe de médicaments : Laxatif hyperosmotique

▼ GÉNÉRALITÉS

INDICATIONS

Traitement de courte durée de la constipation. Le citrate de magnésium est également utilisé pour préparer l'intestin avant une exploration du rectum ou du côlon.

MODE D'ACTION

Le citrate de magnésium attire et retient l'eau dans le côlon ; ce faisant, il aide à ramollir la masse fécale et fait naître le besoin de déféquer.

▼ MODE D'EMPLOI

POSOLOGIE

Adultes et adolescents : Laxatif : 4 à 7,5 g par dose ; Purgatif : 15 g, dans les conditions prescrites pour l'examen. Consultez le médecin.

DÉBUT D'ACTION

En 30 minutes à 3 heures.

DURÉE D'ACTION

Variable.

CONSEILS NUTRITIONNELS

Se prend à jeun avec un verre d'eau froide ou de jus de fruits froid. Buvez un verre d'eau (250 ml/8 oz) toutes les heures pendant 4 à 6 heures avant l'administration de citrate de magnésium et durant 3 heures après.

MODE DE CONSERVATION

Dans un contenant étanche, à l'abri de la chaleur, de l'humidité et de la lumière.

OUBLI D'UNE DOSE

Si vous prenez le médicament selon une fréquence établie, prenez la dose oubliée dès que vous y pensez. S'il est presque l'heure de la suivante, sautez la dose oubliée et reprenez la fréquence normale. Ne doublez pas la dose suivante.

ARRÊT DE LA MÉDICATION

Effectuez le traitement au complet, comme il vous a été prescrit, mais vous pouvez l'interrompre si vous vous sentez mieux avant la fin.

USAGE PROLONGÉ

Le citrate de magnésium est indiqué pour un traitement de courte durée seulement.

▼ PRÉCAUTIONS

Plus de 60 ans. Pas de risques connus.

Conduite automobile, travaux dangereux. La médication ne devrait pas vous empêcher d'exécuter de telles tâches en toute sécurité.

Alcool. À éviter.

Grossesse. Les femmes enceintes souffrant d'insuffisance rénale devraient éviter de prendre du citrate de magnésium.

Allaitement. Le citrate de magnésium peut passer dans le lait maternel : la prudence s'impose. Demandez l'avis du médecin.

Nourrissons et enfants. Ne donnez pas de citrate de magnésium ni d'autres laxatifs aux enfants à moins que le médecin ne le prescrive.

À surveiller. Le citrate de magnésium se prend mieux s'il est froid ou additionné de glace, ou suivi d'un jus d'agrumes ou d'une boisson gazeuse aromatisée au citron. Le recours chronique au citrate de magnésium ou à tout autre laxatif peut faire naître une dépendance aux laxatifs. Votre régime alimentaire devrait renfermer une juste quantité de fibres : son, céréales de grains entiers, fruits et légumes. Le citrate de magnésium devrait être pris à des moments qui n'entrent pas en conflit avec vos activités ou votre sommeil, car il provoque des selles liquides dans les 3 à 6 heures de son ingestion. On doit laisser un intervalle de 2 heures entre la prise de citrate de magnésium et celle de tout autre médicament.

SURDOSAGE

Symptômes. Diarrhée grave ou prolongée.

Quoi faire. Il est peu probable qu'une surdose de citrate de magnésium mette votre vie en danger. Néanmoins, si la dose est très forte, appelez immédiatement le médecin ou le centre anti-poison, ou allez à l'urgence.

▼ INTERACTIONS

MÉDICAMENT-MÉDICAMENT

Demandez spécifiquement l'avis du médecin si vous prenez : autres médicaments renfermant du magnésium (antiacides), autres laxatifs, sulfonate de polystyrène sodique et tétracyclines antibiotiques orales.

MÉDICAMENT-ALIMENT

Aucune interaction connue.

MÉDICAMENT-MALADIE

La prudence est de mise. Consultez le médecin en cas de : troubles des reins, symptômes d'appendicite (douleur abdominale, nausées et vomissements), cardiopathie, obstruction ou perforation intestinale, bloc cardiaque ou fissures rectales.

 EFFETS INDÉSIRABLES

GRAVES

Confusion, vertiges ou étourdissements, obstruction intestinale, rash cutané ou démangeaisons, difficultés à avaler.

COURANTS

Crampes abdominales, diarrhée, gaz, soif accrue.

MOINS COURANTS

Sudation, faiblesse.

MAGNÉSIUM (HYDROXYDE DE)

NOM COMMERCIAL

Lait de magnésie

Présentation : Suspension orale, comprimés à croquer
En vente libre ? Oui   **Générique disponible ?** Oui
Classe de médicaments : Antiacide/laxatif hyperosmotique

▼ GÉNÉRALITÉS

INDICATIONS
Soulagement des symptômes de dérangement d'estomac ; aussi traitement de courte durée de la constipation.

MODE D'ACTION
Comme antiacide, le lait de magnésie neutralise les acides de l'estomac. Comme laxatif, il attire et retient l'eau dans l'intestin, ce qui en augmente le péristaltisme (contractions musculaires) et fait naître l'envie de déféquer.

▼ MODE D'EMPLOI

POSOLOGIE
Antiacide – Adultes et adolescents : 5 à 15 ml ou 400 à 1 200 mg, 3 ou 4 fois par jour. Constipation – Adultes et adolescents : 2,4 à 4,8 g (30 à 60 ml) par jour, en 1 ou plusieurs doses. Enfants de 6 à 12 ans : 1,2 à 2,4 g (15 à 30 ml) par jour, en 1 ou plusieurs doses. Enfants de 2 à 5 ans : 400 à 1 200 mg (5 à 15 ml) par jour. Enfants de moins de 2 ans : selon l'avis du médecin.

DÉBUT D'ACTION
En 30 minutes à 3 heures.

DURÉE D'ACTION
Variable.

CONSEILS DIÉTÉTIQUES
À prendre 1 à 3 heures après les repas ou au coucher, avec un grand verre d'eau.

MODE DE CONSERVATION
Dans un contenant étanche, à l'abri de la chaleur, de l'humidité et de la lumière.

OUBLI D'UNE DOSE
Prenez-la dès que vous y pensez. S'il est presque l'heure de la suivante, sautez la dose oubliée et reprenez la fréquence normale. Ne doublez pas la dose suivante.

ARRÊT DE LA MÉDICATION
Vous pouvez cesser de prendre ce médicament quand vous le voulez.

USAGE PROLONGÉ
Ne prenez pas de lait de magnésie durant plus de 2 semaines à moins que ce ne soit sur recommandation de votre médecin.

▼ PRÉCAUTIONS

Plus de 60 ans. Pas de recommandation spéciale.

Conduite automobile, travaux dangereux. Le médicament ne devrait pas vous empêcher d'exécuter de telles tâches en toute sécurité.

Alcool. À éviter.

Grossesse. Il n'existe pas d'études poussées sur les humains. On a déjà signalé des effets indésirables chez les nourrissons dont la mère avait pris de fortes doses d'antiacides pendant longtemps durant la grossesse. Avant de prendre du lait de magnésie, consultez le médecin si vous êtes enceinte ou prévoyez le devenir.

Allaitement. Le lait de magnésie peut passer dans le lait maternel, mais on n'a pas signalé de problème chez les nourrissons. Demandez l'avis du médecin.

Nourrissons et enfants. Les antiacides et autres médicaments contenant du magnésium ne devraient pas être administrés aux enfants de moins de 2 ans, sinon sur ordonnance du médecin.

À surveiller. Prenez le lait de magnésie à un moment qui ne nuise pas à vos activités ou à votre sommeil : il donne des selles liquides en 3 à 6 heures. Un usage fréquent peut amener de la dépendance. Laissez un intervalle de 2 heures entre le lait de magnésie et tout autre médicament. Mastiquez bien les comprimés : le médicament agira plus vite et mieux.

SURDOSAGE
Symptômes. Diarrhée grave ou persistante, mictions difficiles ou douloureuses, faiblesse musculaire, perte d'appétit persistante, arythmies cardiaques, difficultés respiratoires.

Quoi faire. Il est peu probable qu'une surdose mette votre vie en danger. Néanmoins, si la dose est très forte, appelez immédiatement le médecin ou le centre anti-poison, ou allez à l'urgence.

▼ INTERACTIONS

MÉDICAMENT-MÉDICAMENT
Consultez le médecin si vous prenez : autres antiacides ou laxatifs, phosphate sodique de cellulose, fluoroquinolones, isoniazide, kétoconazole, résine de sulfonate de polystyrène sodique, méthénamine, mécamylamine, salicylates ou tétracyclines.

MÉDICAMENT-ALIMENT
Aucune interaction connue.

MÉDICAMENT-MALADIE
Ne prenez pas ce médicament si vous avez des symptômes d'appendicite ou d'inflammation du côlon (douleur dans le bas de l'abdomen ou l'estomac, nausées ou vomissements, crampes gastriques, sensibilité au toucher ou ballonnement). Consultez le médecin dans les cas suivants : fractures osseuses, colites, hémorroïdes, occlusion ou saignements intestinaux, colostomie ou iléostomie récente, enflure des pieds ou du bas des jambes, maladie cardiaque, toxémie gravidique, maladie du foie ou des reins.

 EFFETS INDÉSIRABLES

GRAVES
Vertiges ou étourdissements, malaise généralisé et persistant, arythmies cardiaques, perte d'appétit, changements d'humeur ou de l'état psychique, faiblesse musculaire, fatigue anormale, perte de poids anormale, saignements rectaux.

COURANTS
Nausées, diarrhée.

MOINS COURANTS
Soif accrue, selles tachetées ou blanchâtres, crampes abdominales.

MAGNÉSIUM (OXYDE DE)

NOM COMMERCIAL

L'oxyde de magnésium est toujours associé à d'autres antiacides.

Présentation : Suspension orale, comprimés à croquer
En vente libre ? Oui   **Générique disponible ?** Oui
Classe de médicaments : Antiacide

▼ GÉNÉRALITÉS

INDICATIONS
L'oxyde de magnésium est utilisé comme antiacide (en association avec d'autres antiacides) pour soulager les aigreurs d'estomac et l'acidité gastrique.

MODE D'ACTION
L'oxyde de magnésium neutralise l'acide gastrique et réduit l'action d'une enzyme digestive, la pepsine : d'où soulagement symptomatique de l'acidité gastrique et des aigreurs d'estomac.

▼ MODE D'EMPLOI

POSOLOGIE
Gélules : 140 mg, 3 à 4 fois par jour. Comprimés : 400 à 800 mg par jour en doses fractionnées également.

DÉBUT D'ACTION
En 20 minutes.

DURÉE D'ACTION
20 minutes chez les patients à jeun ; 3 heures quand le médicament est pris après un repas.

CONSEILS NUTRITIONNELS
À prendre au moins 1 heure après les repas.

MODE DE CONSERVATION
Dans un contenant étanche, à l'abri de la chaleur, de l'humidité et de la lumière.

OUBLI D'UNE DOSE
L'oxyde de magnésium est souvent pris au besoin. Prenez la dose oubliée dès que vous y pensez. S'il est presque l'heure de la suivante, sautez la dose oubliée et reprenez la fréquence normale sans doubler la dose suivante.

ARRÊT DE LA MÉDICATION
L'oxyde de magnésium est généralement pris au besoin.

USAGE PROLONGÉ
Un suivi médical est nécessaire en cas d'usage prolongé.

▼ PRÉCAUTIONS

Plus de 60 ans. Risques de réactions indésirables plus fréquentes et plus graves.

Conduite automobile, travaux dangereux. À décon-seiller tant que vous ne connaissez pas votre réaction au médicament.

Alcool. À éviter.

Grossesse. Il n'existe pas d'études pertinentes. Avertissez le médecin que vous êtes enceinte ou désirez le devenir.

Allaitement. L'oxyde de magnésium peut passer dans le lait maternel ; demandez l'avis du médecin.

Nourrissons et enfants. Non recommandé pour les enfants, à moins qu'un médecin ne le prescrive.

À surveiller. Pris en grande quantité ou pendant longtemps, l'oxyde de magnésium peut avoir un effet laxatif : on ne devrait pas en prendre dans ce but. En général, ne prenez aucun autre médicament dans les 2 heures suivant l'ingestion d'un antiacide qui contient du magnésium. Aigreurs d'estomac ou douleurs dans le haut de l'abdomen non soulagées par l'antiacide peuvent signaler une crise cardiaque ou d'autres troubles graves : demandez de l'aide médicale.

SURDOSAGE
Symptômes. Diarrhée, ballonnement, altération psychique, douleur musculaire ou mouvements saccadés, respiration lente ou superficielle, coma.

Quoi faire. Il est peu probable qu'une surdose mette votre vie en danger. Néanmoins, si la dose est très forte, appelez immédiatement le médecin ou le centre anti-poison, ou allez à l'urgence.

▼ INTERACTIONS

MÉDICAMENT-MÉDICAMENT
Consultez le médecin si vous prenez : fluoroquinolones, kétoconazole, méthénamine, sulfonate de polystyrène sodique, tétracyclines, acidifiants urinaires, digitaliques, misoprostol, pancrélipase, sels de fer, phosphates, salicylates ou vitamine D (calcifédiol et calcitriol). Certains médicaments peuvent perdre de leur efficacité ou provoquer des effets indésirables non prévus si on les prend dans les 2 heures suivant l'ingestion d'oxyde de magnésium : médicaments entéro-solubles, acide folique, pénicillamine, phénothiazines et phénytoïne ; attendez au moins 2 heures (3 dans le cas de la phénytoïne).

MÉDICAMENT-ALIMENT
Aucune interaction connue.

MÉDICAMENT-MALADIE
Ne prenez pas d'oxyde de magnésium si vous avez des symptômes d'appendicite ou d'inflammation intestinale (douleur abdominale, crampes, sensibilité, ballonnement, nausées et vomissements). Les patients atteints de maladie rénale ne devraient pas prendre d'antiacides au magnésium. Consultez le médecin en cas de : fractures osseuses, colite, constipation grave et persistante, hémorrhoïdes, saignement intestinal ou rectal, colostomie or iléostomie, diarrhée persistante, œdème, maladie du cœur ou du foie, toxémie gravidique, sarcoïdose ou insuffisance parathyroïdienne.

EFFETS INDÉSIRABLES

GRAVES
Vertiges, étourdissements, malaise généralisé persistant, arythmies cardiaques, perte d'appétit, altérations de l'humeur et du psychisme, faiblesse musculaire, fatigue ou faiblesse inhabituelles, perte de poids anormale.

COURANTS
Goût crayeux, effet laxatif.

MOINS COURANTS
Diarrhée, soif accrue, selles tachetées ou décolorées, crampes d'estomac, nausées ou vomissements, taux élevé de magnésium dans le sang (à détecter par le médecin).

MAPROTILINE (CHLORHYDRATE DE)

Présentation : Comprimés
En vente libre ? Non **Générique disponible ?** Oui
Classe de médicaments : Antidépresseur tricyclique

▼ GÉNÉRALITÉS

INDICATIONS
Soulagement des symptômes de la dépression grave.

MODE D'ACTION
La maprotiline modifie les niveaux de norépinéphrine, élément chimique du cerveau qu'on croit lié aux humeurs, aux émotions et aux états psychiques.

▼ MODE D'EMPLOI

POSOLOGIE
Adultes : Dose d'attaque : 25 mg, 1 à 3 fois par jour ; votre médecin pourra porter graduellement la posologie à 150 mg par jour. Enfants : la posologie de la maprotiline doit être déterminée par votre médecin.

DÉBUT D'ACTION
En 1 à 3 semaines.

DURÉE D'ACTION
Inconnue.

CONSEILS NUTRITIONNELS
Pas de restrictions spéciales.

MODE DE CONSERVATION
Dans un contenant étanche, à l'abri de la chaleur, de l'humidité et de la lumière.

OUBLI D'UNE DOSE
Si vous prenez une seule dose par jour, au coucher, ne prenez pas la dose oubliée le lendemain matin : vous risqueriez de souffrir de somnolence. Appelez le médecin. Si vous prenez plus qu'une dose par jour, prenez-la dès que vous y pensez. S'il est presque l'heure de la dose suivante, sautez la dose oubliée et revenez à la fréquence normale. Ne doublez pas la dose suivante.

ARRÊT DE LA MÉDICATION
Effectuez le traitement au complet, comme il vous a été prescrit, même si vous vous sentez mieux avant qu'il ne prenne fin. La décision d'interrompre le traitement doit être prise par le médecin.

USAGE PROLONGÉ
Un suivi médical régulier, avec examens et analyses, est nécessaire en cas d'usage prolongé.

▼ PRÉCAUTIONS

Plus de 60 ans. Risques de réactions indésirables plus fréquentes et plus graves.

Conduite automobile, travaux dangereux. Soyez prudent tant que vous ne connaissez pas votre réaction au médicament ; la maprotiline peut causer somnolence et étourdissements.

Alcool. À éviter.

Grossesse. Les études faites sur les animaux ne révèlent aucun problème. Il n'existe pas d'études sur les humains. Avant de prendre de la maprotiline, avertissez le médecin que vous êtes enceinte ou désirez le devenir.

Allaitement. La maprotiline passe dans le lait maternel ; la prudence s'impose. Demandez spécifiquement l'avis du médecin.

Nourrissons et enfants. Indications et posologie doivent être décidées par le médecin. On ne sait pas si la maprotiline cause chez les enfants des effets indésirables distincts ou plus graves que ceux qu'on observe chez les patients plus âgés.

À surveiller. Les risques de convulsions sont plus grands si le patient absorbe plus de 150 mg en 24 heures. Si la maprotiline entraîne une sécheresse de la bouche,

mâchez de la gomme sans sucre ou sucez des bonbons sans sucre ou de la glace concassée.

SURDOSAGE
Symptômes. Vertiges ou somnolence marquée, convulsions, nausées ou vomissements, arythmie cardiaque, difficultés à respirer, fièvre, agitation motrice, raideur musculaire ou fatigue.

Quoi faire. Allez immédiatement à l'urgence.

▼ INTERACTIONS

MÉDICAMENT-MÉDICAMENT
Il doit s'écouler au moins 14 jours entre la fin d'un traitement aux inhibiteurs de la monoamine-oxydase (IMAO) et l'administration de maprotiline, ou vice versa. Demandez l'avis du médecin si vous prenez : agents antiasthmatiques, amphétamines, médicaments contre le rhume, dépresseurs du système nerveux central ou anorexiants.

MÉDICAMENT-ALIMENT
Pas d'interaction connue.

MÉDICAMENT-MALADIE
La prudence s'impose. Consultez le médecin en cas de : épilepsie ou autres troubles convulsifs, problèmes gastrointestinaux, asthme, troubles des voies urinaires, glaucome, antécédents d'alcoolisme, hypertrophie de la prostate, maladie cardiaque, maladie des vaisseaux sanguins, maladie du foie ou hyperthyroïdie.

EFFETS INDÉSIRABLES

GRAVES
Constipation grave, tremblements, perte de poids, excitation anormale, vertiges ou somnolence graves, convulsions, nausées ou vomissements, palpitations ou arythmies cardiaques, difficultés à respirer, fièvre, agitation motrice, raideur musculaire ou fatigue graves. Aussi rougeur de la peau, enflure, démangeaisons, rash cutané.

COURANTS
Vertiges, étourdissements, somnolence, troubles de la vue, sécheresse de la bouche, céphalées, dysfonction sexuelle, fatigue.

MOINS COURANTS
Diarrhée, constipation, aigreurs d'estomac, sensibilité accrue au soleil, sudation accrue, perte de poids, insomnie, augmentation de l'appétit avec gain de poids.

MÉBENDAZOLE

Présentation : Comprimés à croquer
En vente libre ? Non **Générique disponible ?** Non
Classe de médicaments : Anthelmintique

▼ GÉNÉRALITÉS

INDICATIONS
Traitement des infections intestinales variées aux helminthes : ascarides (ver rond commun), ankylostomes, trichocéphales et entérobiases ou oxyures. On peut s'en servir pour traiter des infections non intestinales aux helminthes ou des infections mixtes.

MODE D'ACTION
Le mébendazole inhibe le captage du glucose par les helminthes parasitaires et les prive ainsi de leur source d'énergie.

▼ MODE D'EMPLOI

POSOLOGIE
Ascarides, ankylostomes et trichocéphales – Adultes et enfants de 2 ans et plus : 100 mg, 2 fois par jour, le matin et le soir, pendant 3 jours. Le traitement peut être répété 3 semaines plus tard. Entérobiases – Adultes et enfants de 2 ans et plus : 100 mg en 1 seule dose, répétée 2 à 4 semaines plus tard. Infections mixtes – Adultes et enfants de 2 ans et plus : 100 mg, 2 fois par jour, le matin et le soir, durant 3 jours. Le traitement peut être répété 3 semaines plus tard.

DÉBUT D'ACTION
Inconnu.

DURÉE D'ACTION
Inconnue.

CONSEILS NUTRITIONNELS
À prendre avec des repas riches en matières grasses pour aider l'organisme à absorber le médicament. Si vous suivez un régime hypolipidique, demandez conseil à votre médecin.

MODE DE CONSERVATION
Dans un contenant étanche, à l'abri de la chaleur, de l'humidité et de la lumière.

OUBLI D'UNE DOSE
Prenez-la dès que vous y pensez. S'il est presque l'heure de la suivante, sautez la dose oubliée et reprenez la fréquence normale. Ne doublez pas la dose suivante.

ARRÊT DE LA MÉDICATION
Effectuez le traitement au complet, comme il vous a été prescrit, même si vous vous sentez mieux avant la fin.

 EFFETS INDÉSIRABLES

GRAVES
Fièvre, mal de gorge, rash cutané ou démangeaisons, fatigue anormale.

COURANTS
Aucun effet courant n'est associé au médicament.

MOINS COURANTS
Nausées, vomissements, douleur ou dérangement d'estomac, diarrhée. Ces symptômes sont généralement de courte durée et disparaissent d'eux-mêmes.

USAGE PROLONGÉ
Un suivi médical, avec examens et analyses, est recommandé en cas d'usage prolongé.

▼ PRÉCAUTIONS

Plus de 60 ans. Aucune étude spécifique n'a été faite sur ce groupe d'âge ; les réactions indésirables pourraient être plus fréquentes et plus graves.

Conduite automobile, travaux dangereux. Le mébendazole ne devrait pas vous empêcher d'exécuter de telles tâches en toute sécurité.

Alcool. Pas de précautions spéciales.

Grossesse. L'administration de mébendazole aux femmes enceintes n'est pas recommandée. Demandez l'avis du médecin.

Allaitement. Le mébendazole peut passer dans le lait maternel : la prudence s'impose. Demandez l'avis du médecin.

Nourrissons et enfants. Indications et posologie pour les enfants de moins de 2 ans doivent être déterminées par le médecin.

À surveiller. Dans le cas d'une infection aux entérobiases, il peut être nécessaire de traiter tous les membres de la maisonnée pour obtenir une éradication complète. Un second traitement pour la maisonnée entière peut être nécessaire après 2 ou 4 semaines. Tout le linge de lit et tous vêtements de nuit devraient être lavés après le traitement. Pour prévenir une réinfection, le patient doit se laver la région anale tous les jours, changer de sous-vêtements et de linge de lit tous les jours et se laver les mains et les ongles avant chaque repas et après chaque selle. Une infection aux ankylostomes peut entraîner de l'anémie ; votre médecin vous dira peut-être de prendre des suppléments de fer durant et après le traitement.

SURDOSAGE
Symptômes. Un dérangement gastro-intestinal qui peut durer plusieurs heures ; possibilité d'arrêt respiratoire ou de convulsions.

Quoi faire. Appelez aussitôt le médecin ou le centre antipoison, ou allez à l'urgence.

▼ INTERACTIONS

MÉDICAMENT-MÉDICAMENT
Divers médicaments peuvent entrer en interaction avec le mébendazole. Demandez l'avis du médecin si vous prenez de la cimétidine ou d'autres médicaments vendus avec ou sans ordonnance.

MÉDICAMENT-ALIMENT
Aucune interaction connue.

MÉDICAMENT-MALADIE
Avertissez le médecin si vous souffrez de maladie du foie, de maladie de Crohn ou de rectocolite hémorragique.

MÉCLIZINE

Bonamine

Présentation : Comprimés
En vente libre ? Oui **Générique disponible ?** Non
Classe de médicaments : Antiémétique ; antivertige

▼ GÉNÉRALITÉS

INDICATIONS
Prévention et traitement des nausées, des vomissements et des vertiges provoqués par le mal des transports, ainsi que des vertiges associés à d'autres problèmes d'ordre médical.

MODE D'ACTION
La méclizine agit sur les centres cérébraux qui gouvernent et contrôlent les nausées, les vomissements et les vertiges.

▼ MODE D'EMPLOI

POSOLOGIE
Prévention et traitement du mal des transports – Adultes et enfants de 12 ans et plus : 25 à 50 mg, 1 heure avant le départ ; la dose peut être répétée après 24 heures. Prévention et traitement des vertiges – Adultes et enfants de 12 ans et plus : 25 à 100 mg par jour, au besoin, en doses fractionnées. On peut croquer, avaler ou laisser dissoudre les comprimés dans la bouche.

DÉBUT D'ACTION
En 1 heure.

DURÉE D'ACTION
Jusqu'à 24 heures.

CONSEILS NUTRITIONNELS
La méclizine peut se prendre en même temps que de la nourriture.

MODE DE CONSERVATION
Dans un contenant étanche, à l'abri de la chaleur, de l'humidité et de la lumière.

OUBLI D'UNE DOSE
Prenez-la dès que vous y pensez. S'il est presque l'heure de la suivante, sautez la dose oubliée et reprenez la fréquence normale. Ne doublez pas la dose suivante.

ARRÊT DE LA MÉDICATION
Effectuez le traitement au complet, comme il vous a été prescrit, mais vous pouvez l'interrompre si vous vous sentez mieux avant la fin.

USAGE PROLONGÉ
Un suivi médical est nécessaire, avec examens et analyses, en cas d'utilisation prolongée.

▼ PRÉCAUTIONS

Plus de 60 ans. Risques de réactions indésirables plus fréquentes et plus graves.

Conduite automobile, travaux dangereux. À déconseiller tant que vous ne connaissez pas votre réaction au médicament.

Alcool. À éviter.

Grossesse. Il n'existe pas d'études pertinentes sur les humains. Avant de prendre de la méclizine, avisez le médecin que vous êtes enceinte ou désirez le devenir.

Allaitement. La méclizine peut passer dans le lait maternel et réduire la lactation. Demandez l'avis du médecin.

Nourrissons et enfants. La méclizine n'est pas recommandée aux enfants de moins de 12 ans.

À surveiller. En cas de sécheresse de la bouche, sucez de la gomme ou des bonbons sucrés sans sucre ou de la glace concassée pour obtenir un soulagement temporaire. En cas de constipation, adoptez un régime riche en fibres alimentaires et buvez beaucoup. La méclizine peut provoquer des faux négatifs dans les résultats des tests d'allergie de la peau.

SURDOSAGE
Symptômes. Surexcitabilité, convulsions, somnolence, hallucinations.

Quoi faire. Appelez immédiatement le médecin ou le centre antipoison, ou allez à l'urgence.

▼ INTERACTIONS

MÉDICAMENT-MÉDICAMENT
Demandez spécifiquement l'avis du médecin si vous prenez des dépresseurs du système nerveux central : antihistaminiques, médicaments contre le rhume des foins, tranquillisants, somnifères, analgésiques sur ordonnance ou relaxants musculaires, ainsi que tout médicament vendu sans ordonnance.

MÉDICAMENT-ALIMENT
Aucune interaction connue.

MÉDICAMENT-MALADIE
Un traitement à la méclizine exige de la prudence. Consultez le médecin si vous avez l'une ou l'autre des affections suivantes : obstruction du tractus urinaire, glaucome, asthme, bronchite, emphysème, toute autre maladie pulmonaire, hypertrophie de la prostate, insuffisance cardiaque ou obstruction intestinale.

≡ EFFETS INDÉSIRABLES ≡

GRAVES
On n'a pas rapporté d'effets indésirables graves liés à l'utilisation de la méclizine.

COURANTS
Somnolence.

MOINS COURANTS
Vision brouillée ou double, dérangements d'estomac, constipation ou diarrhée, insomnie, mictions douloureuses ou difficiles, vertiges, sécheresse de la bouche, du nez et de la gorge, céphalées, perte d'appétit, tachycardie, nervosité, agitation motrice, rash cutané.

MÉDROXYPROGESTÉRONE (ACÉTATE DE)

Présentation : Comprimés, injection
En vente libre ? Non   **Générique disponible ?** Oui
Classe de médicaments : Progestérone (hormone) ; progestatif

▼ GÉNÉRALITÉS

INDICATIONS
Traitement de l'aménorrhée (absence des menstruations) et des saignements utérins anormaux. S'emploie aussi dans l'hormonothérapie de remplacement et comme contraceptif.

MODE D'ACTION
La médroxyprogestérone inhibe la sécrétion des hormones hypophysaires qui régularisent les cycles menstruels et reproductifs. Elle modifie l'activité des cellules utérines et, entre autres effets, épaissit la glaire cervicale. Ces diverses altérations ralentissent la progression des spermatozoïdes vers les ovules et la fécondation de ceux-ci.

▼ MODE D'EMPLOI

POSOLOGIE
Aménorrhée : comprimés, 5 à 10 mg par jour pendant 12 à 14 jours. Saignement utérin anormal : comprimés, 5 à 10 mg par jour pendant 10 à 14 jours, la prise du médicament commençant entre le 12e et le 16e jour du cycle menstruel. Contraception : 1 injection intramusculaire (Depo-Provera) (150 mg) aux 3 mois (jusqu'à 13 semaines). Hormonothérapie de remplacement durant la ménopause : comprimés, 10 mg par jour pendant 12 à 14 jours, en association avec des œstrogènes, dans chaque cycle de 25 jours. D'autres calendriers sont utilisés.

DÉBUT D'ACTION
Varie selon la présentation. L'effet contraceptif commence aussitôt si l'injection est donnée dans les 5 premiers jours du cycle menstruel.

DURÉE D'ACTION
Comprimés : 24 heures ou plus. Injection : 3 mois.

CONSEILS NUTRITIONNELS
À prendre aux repas contre l'irritation gastrique.

MODE DE CONSERVATION
À l'abri de la chaleur et de la lumière.

≡ EFFETS INDÉSIRABLES ≡

GRAVES
Saignement menstruel anormal, lactation inattendue ou accrue, dépression, rash cutané, perte ou difficultés d'élocution, incoordination, perte de la vue, essoufflement grave et soudain.

COURANTS
Douleur d'estomac, enflure du visage, des chevilles ou des pieds, céphalée modérée, changement d'humeur, fatigue inhabituelle, gain de poids.

MOINS COURANTS
Acné, douleur ou endolorissement des seins, bouffées congestives, insomnie, perte de libido, gain ou perte de cheveux ou de poils, taches brunes sur la peau.

OUBLI D'UNE DOSE
Prenez-la dès que vous y pensez. S'il est presque l'heure de la suivante, sautez la dose oubliée et reprenez la fréquence normale. Ne doublez pas la dose suivante.

ARRÊT DE LA MÉDICATION
La décision doit être prise par le médecin.

USAGE PROLONGÉ
Demandez l'avis du médecin sur l'opportunité d'un suivi médical si vous prenez le médicament longtemps.

▼ PRÉCAUTIONS

Plus de 60 ans. Pas de risques connus.

Conduite automobile, travaux dangereux. À déconseiller tant que vous ne connaissez pas votre réaction au médicament.

Alcool. Pas de précautions spéciales.

Grossesse. La médroxyprogestérone ne doit pas être utilisée durant la grossesse. Avertissez votre médecin que vous êtes enceinte ou désirez le devenir.

Allaitement. La médroxyprogestérone passe dans le lait maternel ; n'en prenez pas pendant que vous allaitez.

Nourrissons et enfants. Non recommandée pour les jeunes patients.

À surveiller. La médroxyprogestérone prise pour son action contraceptive ne protège pas contre les maladies transmises sexuellement.

SURDOSAGE
Symptômes. Aucun symptôme spécifique n'a été signalé.

Quoi faire. Il est peu probable qu'une surdose de médroxyprogestérone mette votre vie en danger. Néanmoins, si la dose est très forte, appelez immédiatement le médecin ou le centre antipoison, ou allez à l'urgence.

▼ INTERACTIONS

MÉDICAMENT-MÉDICAMENT
Demandez l'avis du médecin si vous prenez : aminoglutéthimide, carbamazépine, phénytoïne, rifabutine ou rifampine.

MÉDICAMENT-ALIMENT
Aucune interaction connue.

MÉDICAMENT-MALADIE
Ne prenez pas de médroxyprogestérone en cas de : tumeurs du sein malignes ou non, suspectées ou confirmées, maladie hépatique aiguë ou tumeurs au foie, trombophlébite ou troubles thromboemboliques actifs. Prévenez le médecin en cas de : asthme, épilepsie, migraine, troubles cardiaques ou circulatoires, saignements, antécédents de thrombophlébite ou de maladie thromboembolique, diabète sucré, hypercholestérolémie, maladie rénale, facteurs de risque d'ostéoporose, troubles du système nerveux central comme la dépression.

MÉDRYSONE

Présentation : Suspension ophtalmique
En vente libre ? Non   **Générique disponible ?** Non
Classe de médicaments : Corticostéroïde. (Ce médicament ne sera plus vendu quand les réserves en pharmacie auront été écoulées.)

▼ GÉNÉRALITÉS

INDICATIONS
Contrôle de l'inflammation et prévention des dommages potentiellement permanents causés par des troubles inflammatoires variés touchant les tissus de l'œil. Sert également à soulager la rougeur, l'irritation et les malaises oculaires. La médrysone est moins efficace que la dexaméthasone ophtalmique, l'hydrocortisone ou la prednisolone, mais elle est moins susceptible de provoquer des effets indésirables.

MODE D'ACTION
La médrysone entrave la libération de substances naturelles qui stimulent l'inflammation et la douleur dans les tissus oculaires.

▼ MODE D'EMPLOI

POSOLOGIE
1 goutte dans chaque œil aux 4 heures.

DÉBUT D'ACTION
Inconnu.

DURÉE D'ACTION
Inconnue.

CONSEILS NUTRITIONNELS
Pas de restrictions spéciales.

MODE DE CONSERVATION
Dans un contenant étanche, à l'abri de la chaleur, de l'humidité et de la lumière. Ne faites pas congeler.

OUBLI D'UNE DOSE
Administrez-la dès que vous y pensez. S'il est presque l'heure de la dose suivante, sautez la dose oubliée et reprenez la fréquence normale. Ne doublez pas la dose suivante.

ARRÊT DE LA MÉDICATION
Effectuez le traitement au complet, tel qu'il a été prescrit, même si les symptômes diminuent avant la fin.

USAGE PROLONGÉ
Un suivi médical régulier est nécessaire à long terme.

▼ PRÉCAUTIONS

Plus de 60 ans. Pas de risques spéciaux.

Conduite automobile, travaux dangereux. À déconseiller tant que vous n'avez pas déterminé si le médicament a des effets sur votre vision.

Alcool. Pas de précautions spéciales.

Grossesse. Dans des études sur les animaux, la médrysone a causé des problèmes durant la grossesse. Il n'y a pas eu d'études fiables sur les humains, mais aucun cas d'anomalie congénitale n'a été signalé. Avant de prendre de la médrysone, avertissez le médecin que vous êtes enceinte ou désirez le devenir.

Allaitement. La médrysone ne semble pas causer de problèmes aux nourrissons. Demandez l'avis du médecin.

Nourrissons et enfants. Les enfants de moins de 2 ans peuvent être plus sensibles aux effets du médicament.

À surveiller. Avant l'application, lavez-vous les mains. Renversez la tête en arrière. Appuyez doucement dans l'angle interne de la paupière et avec l'index de la même main, tirez la paupière inférieure vers le bas. Laissez tomber le médicament dans l'espace ainsi créé et fermez l'œil. Appuyez pendant 1 ou 2 minutes tout en gardant l'œil fermé sans cligner. Puis, lavez-vous de nouveau les mains. Le bout du compte-gouttes ne doit toucher ni l'œil, ni votre doigt, ni rien d'autre. Si les symptômes ne s'atténuent pas en 5 à 7 jours ou s'ils s'aggravent, consultez votre médecin. Le port de verres de contact durant le traitement peut augmenter les risques d'infection. Le médecin peut vous recommander de ne pas les porter durant le traitement et d'attendre un ou deux jours ensuite.

SURDOSAGE
Symptômes. En usage topique, un surdosage de médrysone est peu probable. Si le médicament est ingéré par inadvertance, il peut causer fièvre, douleur musculaire, malaise, perte d'appétit, vertiges, évanouissement et difficultés respiratoires.

Quoi faire. Il est peu probable qu'une surdose mette votre vie en danger. Néanmoins, si la dose est très forte ou si le médicament est ingéré, appelez aussitôt le médecin ou le centre anti-poison, ou allez à l'urgence.

▼ INTERACTIONS

MÉDICAMENT-MÉDICAMENT
Demandez l'avis du médecin si vous prenez d'autres médicaments avec ou sans ordonnance.

MÉDICAMENT-ALIMENT
Aucune interaction connue.

MÉDICAMENT-MALADIE
Soyez prudent. Consultez votre médecin en cas de : diabète, tuberculose des yeux, glaucome, cataractes, infection herpétique de l'œil ou de toute autre infection de l'œil.

▼ EFFETS INDÉSIRABLES

GRAVES
Effets indésirables graves moins probables qu'avec la dexaméthasone ophtalmique, l'hydrocortisone ou la prednisolone, mais pouvant inclure vision diminuée ou brouillée (à cause de la cataracte) ; douleur dans les yeux, nausées, vomissements (par suite de pression intraoculaire accrue) ; douleur, rougeur, sensibilité à la lumière vive, écoulements (à cause d'une infection de l'œil). Le médicament peut provoquer la récurrence d'une infection herpétique de l'œil ; si vous en avez déjà souffert, dites-le au médecin.

COURANTS
Aucun effet courant n'est associé à la médrysone.

MOINS COURANTS
Brûlure, picotements, rougeur ou larmoiement.

MÉFÉNAMIQUE (ACIDE)

Présentation : Gélules
En vente libre ? Non   **Générique disponible ?** Oui
Classe de médicaments : Anti-inflammatoire non stéroïdien (AINS)

▼ GÉNÉRALITÉS

INDICATIONS
Soulagement de la douleur et de l'inflammation modérées causées par : tendinite, arthrite, bursite, goutte, lésions des tissus mous, migraines et autres céphalées vasculaires, douleurs menstruelles et autres états douloureux. Quand un AINS se révèle inefficace, le patient peut en essayer d'autres jusqu'à ce qu'il obtienne le soulagement recherché.

MODE D'ACTION
Les AINS entravent la formation des prostaglandines, substances naturelles qui causent l'inflammation et rendent les nerfs plus réceptifs aux impulsions douloureuses. Les AINS ont d'autres modes d'action moins bien connus.

▼ MODE D'EMPLOI

POSOLOGIE
Adultes : dose d'attaque de 500 mg, suivie de 250 mg aux 6 heures, au besoin. Il ne faut pas utiliser le médicament plus de 7 jours. Posologie pour enfants : consultez le médecin.

DÉBUT D'ACTION
Variable.

DURÉE D'ACTION
4 heures ou plus.

CONSEILS NUTRITIONNELS
À prendre avec de la nourriture ; mangez et buvez selon votre habitude.

MODE DE CONSERVATION
Dans un contenant étanche, à l'abri de la chaleur, de l'humidité, de la lumière et des températures extrêmes.

OUBLI D'UNE DOSE
Prenez-la dès que vous y pensez. S'il est presque l'heure de la suivante, sautez la dose oubliée et revenez à la fréquence normale. Ne doublez pas la dose suivante.

ARRÊT DE LA MÉDICATION
La décision d'interrompre le traitement doit être prise en consultation avec le médecin. Si le médicament est administré au besoin, cessez son emploi dès que votre état s'améliore.

USAGE PROLONGÉ
On ne recommande pas d'utiliser l'acide méfénamique durant plus de 7 jours de suite.

▼ PRÉCAUTIONS

Plus de 60 ans. Étant donné les risques potentiellement plus grands d'effets indésirables gastro-intestinaux chez les patients âgés, surtout chez les plus de 70 ans, la dose est souvent coupée de moitié.

Conduite automobile, travaux dangereux. À éviter jusqu'à ce que vous connaissiez les effets du médicament sur vous.

Alcool. À éviter ; l'alcool augmente les risques d'irritation gastrique.

Grossesse. Évitez ou cessez de prendre de l'acide méfénamique si vous êtes enceinte ou prévoyez le devenir.

Allaitement. L'acide méfénamique passe dans le lait maternel ; n'en prenez pas si vous allaitez.

Nourrissons et enfants. Peut être utilisé dans des circonstances exceptionnelles. Parlez-en au médecin.

À surveiller. Comme les AINS peuvent modifier la coagulation du sang, la médication devrait être interrompue au moins 3 jours avant toute chirurgie.

SURDOSAGE
Symptômes. Nausées, vomissements, céphalées, confusion et convulsions d'intensité grave.

Quoi faire. Appelez aussitôt le médecin ou le centre antipoison, ou allez à l'urgence.

▼ INTERACTIONS

MÉDICAMENT-MÉDICAMENT
Ne prenez pas d'acide méfénamique avec de l'AAS ou tout autre AINS sans l'approbation de votre médecin. En outre, consultez votre médecin si vous prenez : antihypertenseurs, stéroïdes, anticoagulants, antibiotiques, itraconazole ou kétoconazole, pénicillamine, acide valproïque, phénytoïne, cyclosporine, digitaliques, lithium, méthotrexate, probénécide, triamtérène ou zidovudine.

MÉDICAMENT-ALIMENT
Aucune interaction connue.

MÉDICAMENT-MALADIE
Avertissez le médecin en cas de : saignements, inflammation ou ulcères de l'estomac ou de l'intestin, diabète sucré, lupus érythémateux disséminé, anémie, asthme, épilepsie, maladie de Parkinson, calculs rénaux, antécédents de maladie cardiaque ou d'alcoolisme. L'acide méfénamique peut entraîner des complications chez les patients atteints d'une maladie du foie ou des reins, puisque ces organes contribuent à éliminer le médicament de l'organisme.

 EFFETS INDÉSIRABLES

GRAVES
Essoufflement ou respiration sifflante, avec ou sans enflure des jambes ou autres signes d'insuffisance cardiaque ; douleur thoracique ; ulcère gastro-duodénal avec vomissement de sang ; selles noires ; dysfonction rénale.

COURANTS
Nausées, vomissements, aigreurs d'estomac, diarrhée, constipation, céphalées, vertiges, insomnie.

MOINS COURANTS
Plaies ou ulcères buccaux, dépression, éruptions cutanées, peau vésiquante, bourdonnements d'oreilles, engourdissements ou fourmillements des mains ou des pieds, convulsions, vision brouillée. Aussi taux élevé de potassium et numération globulaire insuffisante (analyses de sang).

MÉFLOQUINE (CHLORHYDRATE DE)

Présentation : Comprimés
En vente libre ? Non   **Générique disponible ?** Non
Classe de médicaments : Anti-infectieux/antipaludéen

▼ GÉNÉRALITÉS

INDICATIONS
Traitement du paludisme (malaria) de gravité modérée, causé par des souches de plasmodies sensibles à la méfloquine. Également utilisé en traitement préventif.

MODE D'ACTION
La méfloquine est toxique pour les parasites du paludisme (malaria).

▼ MODE D'EMPLOI

POSOLOGIE
Adultes – Traitement : 5 comprimés (1 250 mg chacun) en une seule dose. Les patients atteints de paludisme aigu à P. vivax traités par la méfloquine sont à haut risque de rechute. Pour éviter une rechute après le traitement initial, il faudrait qu'ils reçoivent un autre antipaludéen, comme la primaquine. Prévention : 250 mg, 1 fois par semaine. Commencez le traitement au moins 1 semaine avant le départ et poursuivez-le 4 semaines au retour. Enfants de 6 mois et plus – Traitement : 20 à 25 mg par kilogramme (2,2 lb) de poids, en 2 doses fractionnées données à 6 à 8 heures d'intervalle pour réduire le risque et la gravité des effets indésirables. Prévention : le médecin déterminera la dose.

DÉBUT D'ACTION
Inconnu.

DURÉE D'ACTION
Jusqu'à 3 semaines.

CONSEILS NUTRITIONNELS
Ne se prend pas à jeun. À prendre avec au moins 230 ml (8 oz) d'eau.

MODE DE CONSERVATION
Dans un contenant étanche, à l'abri de la chaleur, de l'humidité et de la lumière.

OUBLI D'UNE DOSE
Si vous prenez 1 ou plusieurs doses par jour, prenez la dose oubliée dès que vous y pensez. S'il est presque l'heure de la suivante, sautez la dose oubliée et reprenez la fréquence normale. Ne doublez pas la dose suivante. Si vous prenez 1 dose par semaine, prenez-la le plus tôt possible et reprenez la fréquence normale.

ARRÊT DE LA MÉDICATION
Effectuez le traitement au complet.

USAGE PROLONGÉ
Des tests de la fonction hépatique et des examens des yeux sont recommandés.

▼ PRÉCAUTIONS

Plus de 60 ans. Risques de réactions indésirables plus fréquentes et plus graves.

Conduite automobile, travaux dangereux. À éviter jusqu'à ce que vous connaissiez les effets du médicament sur vous. Vertiges et difficultés de coordination peuvent se manifester à l'arrêt du traitement.

Alcool. Pas de précautions spéciales.

Grossesse. La méfloquine est déconseillée à cause des risques qu'elle fait subir au fœtus. Les femmes en âge d'être enceintes doivent prendre des mesures contraceptives durant le traitement préventif.

Allaitement. La méfloquine passe dans le lait maternel : la plus grande prudence s'impose. Demandez spécifiquement l'avis du médecin.

Nourrissons et enfants. Innocuité et efficacité non établies pour les bébés de moins de 6 mois. Des vomissements signalent une intolérance au traitement ou son échec. Si la deuxième dose n'est pas tolérée, pensez à remplacer la méfloquine par un autre antipaludéen.

À surveiller. Si la posologie est de 1 dose par semaine, prenez-la toujours le même jour. Le paludisme se propage par des insectes. Prenez les mesures qu'il faut – employez une moustiquaire, par exemple – pour ne pas vous faire piquer par les insectes vecteurs de la maladie.

SURDOSAGE
Symptômes. Effets indésirables plus prononcés.

Quoi faire. En cas de surdose appréhendée, appelez aussitôt le médecin ou le centre antipoison, ou allez à l'urgence.

▼ INTERACTIONS

MÉDICAMENT-MÉDICAMENT
Demandez l'avis du médecin si vous prenez : bêtabloquants, quinidine, quinine, chloroquine, antiarythmiques, bloqueurs du canal calcique, antihistaminiques, inhibiteurs des récepteurs H1 de l'histamine, antidépresseurs tricycliques, phénothiazines, anticonvulsivants. Signalez-lui aussi tous les médicaments que vous prenez avec ou sans ordonnance.

MÉDICAMENT-ALIMENT
Aucune interaction connue.

MÉDICAMENT-MALADIE
Consultez le médecin en cas de : convulsions ou troubles psychiatriques, insuffisance hépatique, maladie des yeux ou cardiopathie.

 EFFETS INDÉSIRABLES

GRAVES
Battements de cœur lents, convulsions. Anxiété grave, dépression, agitation motrice ou confusion en traitement préventif peuvent signaler des problèmes psychiatriques plus graves.

COURANTS
Traitement : vertiges, douleurs musculaires, nausées, fièvre, céphalées, vomissements, frissons, diarrhée, rash cutané, douleur abdominale, fatigue, perte d'appétit, bourdonnements d'oreilles. Prévention : vomissements, nausées.

MOINS COURANTS
Traitement : chute de cheveux, troubles émotifs, démangeaisons, fatigue. Prévention : vertiges, étourdissements.

MÉGESTROL (ACÉTATE DE)

Présentation : Suspension orale, comprimés
En vente libre ? Non   **Générique disponible ?** Oui
Classe de médicaments : Progestatif (traitement hormonal) ; antinéoplasique
(anticancéreux) ; antianorexique

▼ GÉNÉRALITÉS

INDICATIONS
Traitement du cancer du sein ou de l'utérus et de certains cancers de la prostate ; aussi traitement de la perte d'appétit (anorexie) et de la perte de poids (cachexie) imputables au sida (syndrome d'immuno-déficience acquise) ou au cancer.

MODE D'ACTION
Le mégestrol est une forme synthétique de la progestérone, une hormone ; le mégestrol entrave l'activité d'autres hormones et de protéines dont ont besoin certaines cellules cancéreuses pour se développer. Le mécanisme par lequel le mégestrol favorise un gain de poids est mal élucidé. Il semble stimuler l'appétit et modifier le métabolisme, entraînant ainsi un gain de poids.

▼ MODE D'EMPLOI

POSOLOGIE
Cancer du sein : 160 mg par jour en 1 ou plusieurs doses pendant 2 mois ou plus. Cancer de l'utérus : 80 à 320 mg par jour pendant 2 mois ou plus. Cancer de la prostate : 120 mg en une seule dose quotidienne, associée à du diéthylstilbestrol, pendant au moins 2 mois. Anorexie et cachexie associées au sida et au cancer : 400 à 800 mg par jour le premier mois ; la dose peut être modifiée par la suite.

DÉBUT D'ACTION
Inconnu.

DURÉE D'ACTION
Inconnue.

CONSEILS NUTRITIONNELS
Aucune restriction spéciale.

MODE DE CONSERVATION
Dans un contenant étanche, à l'abri de la chaleur et de la lumière.

OUBLI D'UNE DOSE
Prenez-la dès que vous y pensez. S'il est presque l'heure de la suivante, sautez la dose oubliée et reprenez la fréquence normale. Ne doublez pas la dose suivante.

ARRÊT DE LA MÉDICATION
La décision de mettre fin au traitement doit être prise par le médecin.

USAGE PROLONGÉ
Un suivi médical est nécessaire en traitement prolongé.

▼ PRÉCAUTIONS

Plus de 60 ans. Pas de risques connus.

Conduite automobile, travaux dangereux. À déconseiller tant que vous ne connaissez pas votre réaction au médicament.

Alcool. À éviter.

Grossesse. Le mégestrol ne doit pas être pris durant la grossesse. Consultez immédiatement le médecin si vous croyez être enceinte.

Allaitement. Le mégestrol passe dans le lait maternel ; la prudence s'impose. Demandez spécifiquement l'avis du médecin.

Nourrissons et enfants. Innocuité et efficacité non établies. Le médecin évaluera les risques et les bienfaits du traitement.

À surveiller. Avant tout test de laboratoire ou de diagnostic, avisez le clinicien que vous prenez du mégestrol. Le médicament peut provoquer l'endolorissement, l'enflure ou le saignement des gencives. Brossez-vous les dents et utilisez la soie dentaire avec grand soin, et voyez le dentiste régulièrement.

SURDOSAGE
Symptômes. Aucun symptôme spécifique n'a été signalé.

Quoi faire. Il est peu probable qu'une surdose de mégestrol mette votre vie en danger. Néanmoins, si la dose est très forte, appelez le médecin ou le centre antipoison, ou allez à l'urgence.

▼ INTERACTIONS

MÉDICAMENT-MÉDICAMENT
Demandez l'avis du médecin si vous prenez : aminogluthimide, carbamazépine, phénobarbital, phénytoïne, rifabutine ou rifampine.

MÉDICAMENT-ALIMENT
Aucune interaction connue.

MÉDICAMENT-MALADIE
Faites preuve de prudence. Consultez le médecin en cas de : antécédents d'asthme, épilepsie, troubles cardiaques ou circulatoires, maladie des reins, migraines, troubles hémorragiques, caillots sanguins, accident cérébrovasculaire (ACV), varices, maladie des seins, dépression, hypercholestérolémie, diabète sucré ou maladie du foie.

EFFETS INDÉSIRABLES

GRAVES
Écoulements ou saignements vaginaux, modifications du cycle menstruel. Moins souvent : hypertension ; palpitations ; insuffisance cardiaque ; céphalées ; perte ou modification de l'élocution, de la coordination ou de la vision ; engourdissement ou douleur dans la poitrine, le bras ou la jambe ; essoufflement ; hyperglycémie avec sécheresse de la bouche, mictions fréquentes, anorexie et soif inhabituelle ; dépression ; rash cutané.

COURANTS
Diarrhée, nausées, vomissements, impuissance, baisse de la libido, crampes ou douleurs abdominales, visage, chevilles ou pieds enflés, légère hausse de la tension artérielle, céphalées, changements d'humeur, fatigue, gain de poids.

MOINS COURANTS
Acné, constipation, seins douloureux ou sensibles, taches brunes sur la peau, bouffées de chaleur, perte ou gain de cheveux, insomnie, sudation inhabituelle ou excessive.

MÉLOXICAM

Présentation : Comprimés
En vente libre ? Non   **Générique disponible ?** Non
Classe de médicaments : Anti-inflammatoire non stéroïdien (AINS)

▼ GÉNÉRALITÉS

INDICATIONS
Soulagement de la douleur, de l'inflammation et de la raideur associées à la polyarthrite rhumatoïde.

MODE D'ACTION
Les AINS entravent la formation des prostaglandines, substances naturelles qui causent l'inflammation et rendent les nerfs plus réceptifs aux impulsions douloureuses. Les AINS ont d'autres modes d'action moins bien connus.

▼ MODE D'EMPLOI

POSOLOGIE
Adultes : dose d'attaque, 7,5 mg par jour. La posologie peut être augmentée ensuite, sans dépasser 15 mg par jour.

DÉBUT D'ACTION
Inconnu.

DURÉE D'ACTION
Inconnue.

CONSEILS NUTRITIONNELS
Le méloxicam peut se prendre avec ou sans aliments.

MODE DE CONSERVATION
Dans un contenant étanche, à l'abri de la chaleur, de l'humidité et de la lumière.

OUBLI D'UNE DOSE
Si vous n'y pensez que le lendemain, sautez la dose oubliée et reprenez la fréquence normale. Ne doublez pas la dose suivante.

ARRÊT DE LA MÉDICATION
Cette décision doit être prise en consultation avec votre médecin.

USAGE PROLONGÉ
Un traitement prolongé augmente le risque d'effets gastro-intestinaux.

▼ PRÉCAUTIONS

Plus de 60 ans. La prudence s'impose, comme avec tout autre AINS. On devrait commencer un traitement au méloxicam, dans ce groupe d'âge, avec la plus petite dose recommandée.

Conduite automobile, travaux dangereux. Pas de problèmes prévus.

Alcool. À éviter ; l'alcool augmente les risques d'irritation gastrique.

Grossesse. Étudiez avec le médecin les dangers et les bienfaits du médicament durant la grossesse. Ne prenez pas de méloxicam durant les 3 derniers mois.

Allaitement. Le méloxicam peut passer dans le lait maternel ; la prudence s'impose. Demandez au médecin si vous devez cesser d'allaiter ou interrompre la médication.

Nourrissons et enfants. Innocuité et efficacité non établies pour les moins de 18 ans.

SURDOSAGE
Symptômes. Peu de cas de surdosage ont été signalés. Les symptômes peuvent inclure : léthargie, somnolence, nausées, vomissements, douleur abdominale, selles noires ou goudronneuses, difficultés à respirer et coma.

Quoi faire. En cas de surdose appréhendée ou avérée, appelez immédiatement le médecin ou le centre antipoison, ou allez à l'urgence.

▼ INTERACTIONS

MÉDICAMENT-MÉDICAMENT
Ne prenez pas de méloxicam en même temps que de l'AAS ou un autre AINS sans l'approbation du médecin. Avertissez-le si vous prenez : furosémide, inhibiteurs de l'ECA, lithium, cholestyramine ou warfarine.

MÉDICAMENT-ALIMENT
Aucune interaction connue.

MÉDICAMENT-MALADIE
Le méloxicam ne devrait pas être administré aux personnes ayant fait de l'asthme, de l'urticaire ou des réactions allergiques après avoir pris de l'AAS ou un autre AINS. Les personnes présentant des antécédents d'ulcères ou de saignements gastro-intestinaux (surtout si elles sont âgées ou affaiblies) ne devraient prendre de méloxicam qu'avec la plus grande prudence. Consultez le médecin si vous souffrez d'hypertension ou d'insuffisance cardiaque. Le méloxicam n'est pas recommandé aux patients souffrant d'une maladie avancée du foie ou des reins, puisque ces organes travaillent ensemble à éliminer le médicament de l'organisme.

EFFETS INDÉSIRABLES

GRAVES
Essoufflement ou respiration sifflante, avec ou sans enflure des jambes ou autres signes d'insuffisance cardiaque ; douleur thoracique ; ulcère gastro-duodénal avec vomissements de sang ; selles noires, goudronneuses ; diminution de la fonction rénale.

COURANTS
Diarrhée.

MOINS COURANTS
Nausées, infection des voies respiratoires supérieures, mal de gorge, vertiges, enflure des jambes.

MELPHALAN

NOM COMMERCIAL

Alkeran

Présentation : Comprimés, injection
En vente libre ? Non   **Générique disponible ?** Non
Classe de médicaments : Agent alkylant

▼ GÉNÉRALITÉS

INDICATIONS
Traitement du myélome multiple (cancer de la moelle osseuse) et du cancer de l'ovaire.

MODE D'ACTION
Le melphalan détruit les cellules cancéreuses en entravant l'activité de leur matériel génétique et en les empêchant ainsi de se reproduire. Le médicament peut également nuire à la croissance et au développement des cellules normales, provoquant ainsi des effets indésirables.

▼ MODE D'EMPLOI

POSOLOGIE
Myélome multiple : 6 mg (3 comprimés) par jour pendant 2 à 3 semaines ; le traitement est interrompu pendant 4 semaines au maximum, puis repris à raison de 2 mg par jour, selon la numération sanguine. Cancer de l'ovaire : dose initiale de 0,2 mg par kilogramme (2,2 lb) de poids, 1 fois par jour durant 5 jours. La posologie et la durée du traitement peuvent être modifiées selon les besoins du patient.

DÉBUT D'ACTION
Inconnu.

DURÉE D'ACTION
Inconnue.

CONSEILS NUTRITIONNELS
À prendre de préférence en mangeant pour diminuer les risques de dérangement d'estomac.

MODE DE CONSERVATION
Dans un contenant étanche, à l'abri de la chaleur et de la lumière.

OUBLI D'UNE DOSE
Prenez-la dès que vous y pensez. S'il est presque l'heure de la suivante, sautez la dose oubliée et reprenez la fréquence normale. Ne doublez pas la dose suivante.

EFFETS INDÉSIRABLES

GRAVES
Selles noires, goudronneuses ou sanguinolentes ; sang dans l'urine ; fièvre et frissons ; toux ou voix rauque ; douleur dans le bas du dos ou les flancs ; débit urinaire moindre, difficile ou douloureux ; taches rouges sur la peau ; ecchymoses ou saignements inhabituels ; enflure des pieds ou du bas des jambes. Certains de ces effets peuvent réapparaître après interruption du traitement : il faut alors consulter le médecin comme pour tous les effets indésirables qui apparaissent au cours du traitement.

COURANTS
Nausées et vomissements.

MOINS COURANTS
Ulcères buccaux, réaction allergique, chute de cheveux, bouffées congestives.

ARRÊT DE LA MÉDICATION
Cette décision doit être prise par votre médecin.

USAGE PROLONGÉ
Un suivi médical, avec examens et analyses, s'impose en cas d'usage prolongé.

▼ PRÉCAUTIONS

Plus de 60 ans. Pas de risques particuliers.

Conduite automobile, travaux dangereux. Le melphalan ne devrait pas vous empêcher d'exécuter de telles tâches en toute sécurité.

Alcool. À éviter.

Grossesse. Le melphalan peut provoquer des anomalies congénitales si le père ou la mère en prennent. Avant d'en prendre, dites au médecin que vous êtes enceinte ou voulez le devenir.

Allaitement. Le melphalan passe dans le lait maternel ; n'en prenez pas pendant que vous allaitez. Demandez spécifiquement l'avis du médecin.

Nourrissons et enfants. Il n'y a pas de renseignements spécifiques sur l'administration de melphalan aux enfants.

À surveiller. Durant un traitement au melphalan, ne recevez pas de vaccins sans l'approbation de votre médecin. Évitez les personnes qui ont récemment reçu un vaccin contre la polyomyélite par voie orale et celles qui souffrent d'infections. Consultez le médecin avant tout traitement dentaire. Consultez le médecin ou le dentiste sur les façons de vous nettoyer les dents sans vous blesser. Prenez soin de ne pas vous blesser quand vous utilisez des objets coupants comme un rasoir ou un coupe-ongles. Évitez les activités et les sports de contact où vous pourriez vous blesser. Si vous vomissez peu après avoir pris une dose de melphalan, consultez le médecin. Il vous dira peut-être d'en prendre une autre.

SURDOSAGE
Symptômes. Vomissements, ulcères buccaux, diarrhée, hémorragie gastro-intestinale (avec sang dans les selles).

Quoi faire. Appelez aussitôt le médecin ou le centre anti-poison, ou allez à l'urgence.

▼ INTERACTIONS

MÉDICAMENT-MÉDICAMENT
Parlez-en au médecin si vous prenez : amphotéricine B, antithyroïdiens, azathioprine, chloramphénicol, colchicine, flucytosine, interféron, probénécide ou sulfinpyrazone. Indiquez-lui les médicaments vendus sans ordonnance que vous prenez.

MÉDICAMENT-ALIMENT
Aucune interaction connue.

MÉDICAMENT-MALADIE
Consultez le médecin en cas de : zona, varicelle, infection quelconque, maladie du rein ou des poumons.

MÉPÉRIDINE (PÉTHIDINE) (CHLORHYDRATE DE)

Présentation : Comprimés, injection
En vente libre ? Non   **Générique disponible ?** Oui
Classe de médicaments : Analgésique opioïde (narcotique)

NOM COMMERCIAL

Demerol

▼ GÉNÉRALITÉS

INDICATIONS
Soulagement de la douleur modérée à violente.

MODE D'ACTION
L'action des narcotiques comme la mépéridine s'exerce sur des centres spécifiques de la moelle épinière et du cerveau qui traitent les signaux douloureux émis un peu partout dans le corps.

▼ MODE D'EMPLOI

POSOLOGIE
Adultes – Comprimés : 50 à 150 mg, aux 3 ou 4 heures, au besoin. Injection : 50 à 150 mg en intramusculaire ou en sous-cutanée, aux 3 ou 4 heures, au besoin. Enfants – Comprimé ou injection intramusculaire ou sous-cutanée : 1,1 à 1,76 mg par kilogramme (2,2 lb) de poids, aux 3 ou 4 heures, au besoin.

DÉBUT D'ACTION
Comprimés : en 15 minutes. Injection : en 10 à 15 minutes.

DURÉE D'ACTION
2 à 4 heures.

CONSEILS NUTRITIONNELS
Les comprimés de mépéridine peuvent se prendre avec de la nourriture pour réduire les risques de dérangement d'estomac.

MODE DE CONSERVATION
Dans un contenant étanche, à l'abri de la chaleur, de l'humidité et de la lumière.

OUBLI D'UNE DOSE
Si vous prenez la mépéridine selon un horaire régulier, prenez la dose oubliée dès que vous y pensez. S'il est presque l'heure de la suivante, sautez la dose oubliée et reprenez la fréquence normale. Ne doublez pas la dose suivante.

ARRÊT DE LA MÉDICATION
Cette décision doit être prise par le médecin.

USAGE PROLONGÉ
La mépéridine ne doit pas être prise durant une période prolongée : elle pourrait causer des lésions aux nerfs et provoquer de la dépendance physique. N'arrêtez pas brusquement le traitement sans consulter le médecin.

▼ PRÉCAUTIONS

Plus de 60 ans. Risques de réactions indésirables plus fréquentes et plus graves.

Conduite automobile, travaux dangereux. À déconseiller tant que vous ne connaissez pas votre réaction au médicament.

Alcool. À éviter.

Grossesse. Avant de prendre de la mépéridine, avisez le médecin que vous êtes enceinte ou désirez le devenir. Un usage abusif de la mépéridine durant la grossesse peut provoquer de la dépendance physique chez le fœtus. Prise juste avant l'accouchement, la mépéridine peut entraîner des problèmes respiratoires chez le nouveau-né.

Allaitement. La mépéridine passe dans le lait maternel : la prudence s'impose. Demandez spécifiquement l'avis du médecin.

Nourrissons et enfants. Les réactions indésirables peuvent être plus fréquentes et plus graves. Demandez spécifiquement l'avis du médecin.

À surveiller. Si vous estimez, après quelques semaines, que le médicament ne donne pas les résultats attendus, n'augmentez pas les doses. Consultez le médecin. Avant toute chirurgie, avisez le médecin ou le dentiste que vous prenez de la mépéridine.

SURDOSAGE
Symptômes. Confusion, difficultés d'élocution, sédation, faiblesse ou vertiges extrêmes, rétrécissement des pupilles, peau froide et moite, respiration lente, convulsions, perte de conscience.

Quoi faire. Appelez immédiatement le médecin ou le centre antipoison, ou allez à l'urgence.

▼ INTERACTIONS

MÉDICAMENT-MÉDICAMENT
Demandez conseil au médecin si vous prenez : carbamazépine ou autres anticonvulsivants, barbituriques, sédatifs, antitussifs, décongestionnants, antidépresseurs, autres analgésiques sur ordonnance, inhibiteurs de la monoamine-oxydase (IMAO), naltrexone, rifampine ou zidovudine.

MÉDICAMENT-ALIMENT
Aucune interaction connue.

MÉDICAMENT-MALADIE
Avertissez le médecin en cas de : antécédents d'alcoolisme ou de toxicomanie, troubles émotifs, troubles du cerveau ou blessure à la tête, convulsions, maladie pulmonaire, troubles de la prostate ou autres troubles urinaires, calculs biliaires, colite, maladie du cœur, du rein, du foie ou de la thyroïde.

  EFFETS INDÉSIRABLES

GRAVES
Les effets graves se confondent avec ceux d'une surdose : confusion ; difficultés d'élocution ; sédation, faiblesse ou vertiges de très forte intensité ; rétrécissement des pupilles ; peau froide et moite ; respiration lente ; convulsions ; perte de conscience.

COURANTS
Vertiges ou étourdissements, nausées ou vomissements, constipation, somnolence légère, démangeaisons.

MOINS COURANTS
Humeur instable ou euphorie, rougeur ou congestion du visage.

MÉPROBAMATE

Présentation : Comprimés
En vente libre ? Non   **Générique disponible ?** Oui
Classe de médicaments : Anxiolytique

▼ GÉNÉRALITÉS

INDICATIONS
Traitement de l'anxiété. Le méprobamate est rarement prescrit aujourd'hui ; on lui préfère d'autres médicaments.

MODE D'ACTION
Le mécanisme d'action du méprobamate est inconnu.

▼ MODE D'EMPLOI

POSOLOGIE
Adultes et adolescents : 400 mg, 3 ou 4 fois par jour.

DÉBUT D'ACTION
Inconnu.

DURÉE D'ACTION
Inconnue.

CONSEILS NUTRITIONNELS
Le méprobamate peut être pris avec de la nourriture pour réduire les risques de dérangement gastro-intestinal.

MODE DE CONSERVATION
Dans un contenant étanche, à l'abri de la chaleur, de l'humidité et de la lumière.

OUBLI D'UNE DOSE
Prenez-la dès que vous y pensez. S'il est presque l'heure de la suivante, sautez la dose oubliée et reprenez la fréquence normale. Ne doublez pas la dose suivante.

ARRÊT DE LA MÉDICATION
Un arrêt brusque du méprobamate peut amener des symptômes de sevrage. Vous devrez réduire peu à peu la posologie selon les instructions du médecin.

USAGE PROLONGÉ
Un suivi médical est nécessaire si le traitement doit se prolonger.

▼ PRÉCAUTIONS

Plus de 60 ans. Risques de réactions indésirables plus fréquentes et plus graves.

Conduite automobile, travaux dangereux. Le méprobamate peut nuire à la vigilance et à la coordination. Si vous avez de tels problèmes, demandez au médecin de modifier la posologie.

Alcool. Il est préférable de ne pas consommer d'alcool du tout ou d'en consommer très modérément durant le traitement au méprobamate.

Grossesse. Le méprobamate peut augmenter les risques d'anomalies congénitales s'il est pris au début de la grossesse. Avant d'en prendre, dites sans faute au médecin que vous êtes enceinte ou désirez le devenir.

Allaitement. Le méprobamate passe dans le lait maternel ; n'en prenez pas pendant que vous allaitez.

Nourrissons et enfants. Le méprobamate n'est pas recommandé aux enfants de moins de 6 ans.

À surveiller. Le méprobamate peut entraîner de la dépendance psychique ou physique. Un traitement typique est de courte durée : 8 semaines ou moins. Ne prenez pas ce médicament durant une période plus longue, à moins que ce ne soit sur la recommandation du médecin. Ne prenez jamais plus que la dose quotidienne prescrite.

SURDOSAGE
Symptômes. Confusion, étourdissements, vertiges ou somnolence d'intensité grave ; léthargie, essoufflement, perte de conscience.

Quoi faire. Appelez immédiatement le médecin ou le centre antipoison, ou allez à l'urgence.

▼ INTERACTIONS

MÉDICAMENT-MÉDICAMENT
Demandez spécifiquement l'avis du médecin si vous prenez des dépresseurs du système nerveux central (SNC) : antihistaminiques, antidépresseurs ou autres psychotropes, barbituriques, sédatifs, antitussifs, décongestionnants et analgésiques. Donnez sans faute au médecin les noms des médicaments que vous prenez sans ordonnance.

MÉDICAMENT-ALIMENT
Aucune interaction connue.

MÉDICAMENT-MALADIE
La prudence est recommandée avec le méprobamate. Consultez le médecin en cas de : antécédents d'alcoolisme ou de toxicomanie, épilepsie ou porphyrie. Le méprobamate peut entraîner des complications chez les patients en insuffisance hépatique ou rénale, car le foie et les reins travaillent ensemble pour éliminer le médicament de l'organisme.

EFFETS INDÉSIRABLES

GRAVES
Rash cutané, démangeaisons ou urticaire, confusion, arythmies cardiaques, mal de gorge et fièvre, ecchymoses ou saignements anormaux, excitation inhabituelle, respiration sifflante, essoufflement, respiration lente ou laborieuse.

COURANTS
Somnolence, incoordination, manque d'équilibre, instabilité debout ou en marchant.

MOINS COURANTS
Vision brouillée ou autres troubles de la vue, diarrhée, vertiges, étourdissements, euphorie, nausées, vomissements, céphalées, fatigue anormale.

MERCAPTOPURINE

Présentation : Comprimés
En vente libre ? Non   **Générique disponible ?** Non
Classe de médicaments : Antimétabolite

▼ GÉNÉRALITÉS

INDICATIONS
Traitement de certains types de leucémie.

MODE D'ACTION
La mercaptopurine tue les cellules cancéreuses en les empêchant de faire la synthèse de leur matériel génétique : les cellules sont alors incapables de se reproduire. Le médicament peut aussi empêcher d'autres types de cellules du corps de croître et de se multiplier, provoquant ainsi des effets indésirables.

▼ MODE D'EMPLOI

POSOLOGIE
La posologie de la mercaptopurine, associée ou non à d'autres agents antitumoraux, varie beaucoup. Leucémie myéloblastique aiguë, leucémie lymphocitaire aiguë et leucémie myélocytaire chronique : Dose initiale habituelle : 2,5 mg par kilogramme (2,2 lb) de poids par jour. Dose d'entretien : 1,5 à 2,5 mg par kilogramme par jour.

DÉBUT D'ACTION
En 2 heures.

DURÉE D'ACTION
Variable.

CONSEILS NUTRITIONNELS
Buvez beaucoup.

MODE DE CONSERVATION
Dans un contenant étanche, à l'abri de la chaleur et de la lumière.

OUBLI D'UNE DOSE
Prenez-la dès que vous y pensez. S'il est presque l'heure de la suivante, sautez la dose oubliée et reprenez la fréquence normale. Ne doublez pas la dose suivante.

ARRÊT DE LA MÉDICATION
Cette décision doit être prise par le médecin.

EFFETS INDÉSIRABLES

GRAVES
Selles noires ou goudronneuses ; urine ou selles teintées de sang ; toux ou voix rauque ; fièvre ; frissons ; douleur dans le bas du dos ou les flancs ; mictions douloureuses et difficiles ; petites taches rouges sur la peau ; saignements des gencives, du nez ou autres ; ecchymoses faciles ; essoufflement. Autres effets graves : numération insuffisante de globules blancs et de plaquettes, anémie, dommages au foie.

COURANTS
Fatigue inhabituelle, jaunissement de la peau et des yeux (jaunisse).

MOINS COURANTS
Nausées, vomissements, douleur ou ballonnement abdominaux, ulcères buccaux, peau foncée, diarrhée, céphalées, rash cutané et démangeaisons, faiblesse.

USAGE PROLONGÉ
Un suivi médical, avec examens et analyses, est nécessaire si le traitement se prolonge.

▼ PRÉCAUTIONS

Plus de 60 ans. Pas de risques connus.

Conduite automobile, travaux dangereux. À déconseiller tant que vous ne connaissez pas votre réaction au médicament.

Alcool. À éviter.

Grossesse. La mercaptopurine peut provoquer des anomalies congénitales si la mère ou le père en prennent au moment de la conception. Les femmes en âge d'avoir des enfants doivent prendre les mesures qu'il faut pour ne pas devenir enceintes durant le traitement.

Allaitement. Non recommandé durant le traitement.

Nourrissons et enfants. Pas de précautions spéciales.

À surveiller. Le docteur demandera un test sanguin (pour vérifier la fonction hépatique et rénale et la numération de la formule sanguine) une fois par semaine ou une fois par mois pendant le traitement. Si vous vomissez après avoir pris une dose, appelez le médecin pour savoir si vous devez prendre une autre dose ou attendre la prochaine. Ne vous faites pas vacciner pendant le traitement et évitez les personnes atteintes d'infections. Soyez prudent en vous brossant les dents et avisez le médecin avant de subir des travaux dentaires. Prenez soin de ne pas vous couper avec des objets tranchants, comme un rasoir. Évitez les sports de contact.

SURDOSAGE
Symptômes. Perte d'appétit, nausées, vomissements, diarrhée, dérangement gastro-intestinal.

Quoi faire. Appelez aussitôt le médecin ou le centre anti-poison, ou allez à l'urgence.

▼ INTERACTIONS

MÉDICAMENT-MÉDICAMENT
Demandez l'avis du médecin si vous prenez : acétaminophène, amiodarone, stéroïdes anabolisants, androgènes, antibiotiques, carbamazépine, chloroquine, dantrolène, disulfiram, divalproex, œstrogènes, étrétinate, sels d'or, hydroxychloroquine, méthyldopa, naltrexone, contraceptifs oraux, phénothiazines, phénytoïne, acide valproïque, azathioprine, corticostéroïdes, cyclosporine, anticorps monoclonaux, allopurinol, amphotéricine B, antithyroïdiens, chloramphénicol, colchicine, ganciclovir, interféron, zidovudine, probénécide ou sulfinpyrazone.

MÉDICAMENT-ALIMENT
Aucune interaction connue.

MÉDICAMENT-MALADIE
Consultez le médecin en cas de : antécédents de varicelle, zona, goutte, calculs rénaux, toute infection, maladie du rein ou du foie.

MÉSALAMINE (ACIDE 5-AMINOSALICYLIQUE)

Présentation : Comprimés à libération prolongée, lavement, suppositoires
En vente libre ? Non **Générique disponible ?** Oui
Classe de médicaments : Anti-inflammatoire gastro-intestinal

▼ GÉNÉRALITÉS

INDICATIONS
Traitement des maladies inflammatoires de l'intestin, comme la colite ulcéreuse.

MODE D'ACTION
On ne connaît pas avec certitude le mode d'action de la mésalamine ; il semblerait qu'elle inhibe la production de substances connues comme étant des métabolites de l'acide arachidonique (en particulier les leucotriènes et les prostaglandines) qui produisent de l'inflammation dans le tractus digestif.

▼ MODE D'EMPLOI

POSOLOGIE
Comprimés : la posologie varie selon la marque. Lavement : 1 à 4 g tous les soirs pendant 3 à 6 semaines. Suppositoires : 500 à 1 500 mg chaque jour.

DÉBUT D'ACTION
Inconnu.

DURÉE D'ACTION
Inconnue.

CONSEILS NUTRITIONNELS
Prenez les comprimés avant les repas et au coucher avec un grand verre d'eau, à moins d'avis contraire du médecin.

MODE DE CONSERVATION
Dans un contenant étanche, à l'abri de la chaleur et de la lumière.

OUBLI D'UNE DOSE
Prenez la forme orale dès que vous y pensez. S'il est presque l'heure de la dose suivante, sautez la dose oubliée et reprenez la fréquence normale. Si vous oubliez une dose de mésalamine en lavement ou en suppositoire, prenez-la si vous vous en souvenez le même soir. Autrement, sautez la dose oubliée et reprenez la fréquence normale. En aucun cas, vous ne devez doubler la dose qui suit l'oubli.

ARRÊT DE LA MÉDICATION
Effectuez le traitement au complet, comme il vous a été prescrit, même si vous vous sentez mieux avant la fin.

USAGE PROLONGÉ
Un suivi médical, avec examens et analyses, s'impose si le traitement se prolonge.

▼ PRÉCAUTIONS

Plus de 60 ans. On ne sait pas si le médicament a plus d'effets indésirables chez les personnes âgées.

Conduite automobile, travaux dangereux. À éviter tant que vous ne connaissez pas votre réaction au médicament.

Alcool. À éviter.

Grossesse. La mésalamine n'a pas provoqué d'anomalies congénitales chez les animaux. Il n'existe pas d'études sur les humains. Avant d'en prendre, dites à votre médecin que vous êtes enceinte ou voulez le devenir.

Allaitement. La mésalamine peut passer dans le lait maternel : la prudence s'impose. Demandez l'avis du médecin.

Nourrissons et enfants. Il n'existe pas d'information spécifique comparant les effets du médicament sur les nourrissons et les enfants et sur les autres groupes d'âge. Indications et posologie doivent être déterminées par le médecin.

À surveiller. Ne changez pas de marque ou de générique sans en parler au médecin. Le lavement peut tacher les vêtements, les tissus et toutes les surfaces auxquelles il touche.

SURDOSAGE
Symptômes. Confusion, diarrhée grave, vertiges ou étourdissements, somnolence, céphalées graves, perte d'acuité auditive, tintements ou bourdonnements d'oreilles, nausées ou vomissements continuels.

Quoi faire. Il est peu probable qu'une surdose de mésalamine mette votre vie en danger. Néanmoins, si la dose est très forte, appelez le médecin ou le centre antipoison, ou allez à l'urgence.

▼ INTERACTIONS

MÉDICAMENT-MÉDICAMENT
Faites connaître au médecin tous les médicaments que vous prenez avec ou sans ordonnance.

MÉDICAMENT-ALIMENT
Aucune interaction connue.

MÉDICAMENT-MALADIE
Les patients souffrant d'une maladie du rein ne devraient pas prendre de mésalamine sous peine d'aggraver leur état. Les hypertendus doivent être surveillés de très près.

EFFETS INDÉSIRABLES

GRAVES
Douleurs ou crampes abdominales sévères ; diarrhée sanguinolente ; fièvre ; céphalées graves ; rash cutané et démangeaisons ; peau décolorée ou bleuâtre ; douleur importante dans le dos ou l'estomac se déplaçant vers le cou, le bras ou l'épaule gauches ; frissons ; tachycardie ; nausées ou vomissements ; essoufflement ; enflure de l'estomac ; fatigue anormale ; jaunissement des yeux ou de la peau ; irritation rectale (avec le lavement).

COURANTS
Douleur abdominale bénigne, diarrhée bénigne, vertiges, céphalées, rhinite ou congestion nasale, éternuements.

MOINS COURANTS
Acné, douleur dans le dos ou dans les articulations, gaz ou ballonnement, perte d'appétit, chute des cheveux.

METFORMINE

Présentation : Comprimés
En vente libre ? Non **Générique disponible ?** Oui
Classe de médicaments : Antidiabétique/biguanide

▼ GÉNÉRALITÉS

INDICATIONS
Pour maîtriser le taux anormalement élevé de glucose sanguin des diabétiques non insulinodépendants (type 2) chez qui l'alimentation et l'exercice n'arrivent pas à équilibrer l'hyperglycémie. La metformine peut s'utiliser seule ou avec des sulfonylurées ou de l'insuline.

MODE D'ACTION
La metformine fait baisser la production de glucose dans le foie, inhibe la fragmentation des acides gras producteurs de glucose et augmente l'élimination du glucose stocké dans les muscles, le foie et d'autres tissus organiques.

▼ MODE D'EMPLOI

POSOLOGIE
Comprimés de 500 mg ou 850 mg. Dose initiale : 500 mg par jour, prise au repas du midi. Si elle est bien tolérée, on peut ajouter une seconde dose, prise au petit déjeuner. On peut augmenter la posologie de 1 comprimé aux 1 ou 2 semaines, sans dépasser 2 500 mg par jour. Autre dosage : 850 mg par jour, augmenté de 850 mg aux 2 semaines, sans dépasser 2 550 mg par jour.

DÉBUT D'ACTION
En 2 heures.

DURÉE D'ACTION
12 à 15 heures.

CONSEILS NUTRITIONNELS
À prendre durant un repas pour diminuer le risque de dérangements d'estomac.

MODE DE CONSERVATION
Dans un contenant étanche, à température ambiante, à l'abri de la chaleur et de la lumière.

OUBLI D'UNE DOSE
Prenez-la avec de la nourriture dès que vous y pensez. S'il est presque l'heure de la dose suivante, sautez la dose oubliée et reprenez la fréquence normale. Ne doublez pas la dose suivante.

ARRÊT DE LA MÉDICATION
Seulement sur recommandation du médecin.

USAGE PROLONGÉ
La metformine aide à contrôler le diabète, mais ne le guérit pas. Le patient en prend tant que la metformine lui permet de régulariser son taux de glucose sanguin. Si ce n'est plus le cas, on peut ajuster la posologie ou prescrire un traitement différent.

▼ PRÉCAUTIONS

Plus de 60 ans. La metformine étant métabolisée par le rein, il faut être très prudent avec les patients maigres souffrant de légère insuffisance surrénale (souvent non détectée par les tests de la fonction rénale).

Conduite automobile, travaux dangereux. Pas de précautions spéciales.

Alcool. Consommé avec excès, il peut augmenter l'effet du médicament et faire baisser anormalement le glucose.

Grossesse. Non recommandée. L'insuline est habituellement le traitement de choix durant la grossesse. Voyez le médecin si vous êtes enceinte ou pensez le devenir.

Allaitement. Le médicament passe dans le lait maternel mais n'a pas semblé nuire au nourrisson. Demandez l'avis du médecin.

Nourrissons et enfants. Non recommandée.

À surveiller. Ne prenez pas de metformine si vous y avez déjà été allergique.

SURDOSAGE
Symptômes. Ceux de l'acidose lactique ou de l'hypoglycémie (voir Effets indésirables graves).

Quoi faire. Demandez immédiatement de l'aide médicale.

▼ INTERACTIONS

MÉDICAMENT-MÉDICAMENT
Demandez l'avis du médecin si vous prenez : amiloride, bloqueurs des canaux calciques, cimétidine, digoxine, furosémide, morphine, procaïnamide, quinidine, quinine, ranitidine, triméthoprim, triamtérène ou vancomycine.

MÉDICAMENT-ALIMENT
La quantité et la nature des aliments peuvent modifier le taux de glucose sanguin ; on doit en tenir compte dans un traitement à la metformine.

MÉDICAMENT-MALADIE
Ne prenez pas de metformine si vous avez des troubles qui exigent un contrôle étroit des taux sanguins de glucose : infection grave, tout état amenant un taux sanguin anormalement bas d'oxygène (insuffisance cardiaque ou emphysème), acidose métabolique (accumulation d'acide dans le sang), antécédents d'alcoolisme, maladie des reins ou du foie.

EFFETS INDÉSIRABLES

GRAVES
Acidose lactique (concentration anormale d'acide lactique dans le sang pouvant mettre la vie du patient en danger) : respiration rapide et courte, somnolence ou faiblesse anormales, douleur musculaire et douleur abdominale vive. Hypoglycémie (taux de glucose anormalement bas dans le sang) : vision brouillée, sueurs froides, confusion, anxiété, tachycardie, tremblements et nausées. Effets rares.

COURANTS
Diarrhée, nausées, vomissements, flatulence anormale, gaz, perte d'appétit. Effets généralement bénins et passagers. S'ils persistent ou s'aggravent, voyez le médecin.

MOINS COURANTS
Goût désagréable ou métallique.

MÉTHADONE (CHLORHYDRATE DE)

Présentation : Solution orale
En vente libre ? Non   **Générique disponible ?** Non
Classe de médicaments : Analgésique opioïde (narcotique)

▼ GÉNÉRALITÉS

INDICATIONS
Soulagement de la douleur vive. Prévention ou soulagement des symptômes de sevrage durant la désintoxication des narcomanes ; aussi, traitement de soutien durant les programmes de sevrage.

MODE D'ACTION
La méthadone est un opioïde à action prolongée qui se lie aux récepteurs naturels d'opiacés du système nerveux central pour altérer la perception de la douleur et modifier la réaction émotive à celle-ci.

▼ MODE D'EMPLOI

POSOLOGIE
Douleur – 5 à 20 mg aux 6 à 8 heures. Traitement de soutien contre la toxicomanie – Jusqu'à 120 mg par jour, selon les besoins du patient. Enfants : la posologie doit être déterminée par le médecin.

DÉBUT D'ACTION
En 30 minutes à 1 heure.

DURÉE D'ACTION
4 à 8 heures.

CONSEILS NUTRITIONNELS
La solution peut se prendre en mangeant pour diminuer les risques de dérangement d'estomac.

MODE DE CONSERVATION
Dans un contenant étanche, à l'abri de la chaleur, de l'humidité et de la lumière. Ne faites pas congeler la solution.

OUBLI D'UNE DOSE
Si vous prenez la méthadone à une heure fixe, prenez la dose oubliée sitôt que vous y pensez. S'il est presque l'heure de la dose suivante, sautez la dose oubliée et reprenez la fréquence normale. Ne doublez pas la dose suivante.

ARRÊT DE LA MÉDICATION
Cette décision doit être prise par le médecin.

USAGE PROLONGÉ
Peut provoquer de la dépendance physique.

▼ PRÉCAUTIONS

Plus de 60 ans. Risques de réactions indésirables plus fréquentes et plus graves.

Conduite automobile, travaux dangereux. À éviter tant que vous ne connaissez pas les effets du médicament sur vous.

Alcool. À éviter.

Grossesse. Il n'existe pas d'études pertinentes. Évaluez avec le médecin les risques et les bienfaits de la méthadone durant la grossesse.

Allaitement. La méthadone passe dans le lait maternel : la prudence s'impose. L'administration de fortes doses durant un programme de désintoxication peut créer de la dépendance physique chez le nourrisson. Demandez spécifiquement l'avis du médecin.

Nourrissons et enfants. Les réactions indésirables peuvent être plus fréquentes et plus graves chez les enfants. Demandez l'avis du médecin.

À surveiller. Si vous estimez que le traitement ne donne pas les résultats voulus après quelques semaines, n'augmentez pas la dose ; consultez le médecin. Avant toute chirurgie, dites au médecin ou au dentiste que vous prenez de la méthadone.

SURDOSAGE
Symptômes. Confusion ; difficultés d'élocution ; sédation, faiblesse ou vertiges extrêmes ; rétrécissement des pupilles ; peau froide et moite ; respiration lente ; convulsions ; perte de conscience.

Quoi faire. Appelez immédiatement le médecin ou le centre antipoison, ou allez à l'urgence.

▼ INTERACTIONS

MÉDICAMENT-MÉDICAMENT
Consultez le médecin si vous prenez : carbamazépine ou autres anticonvulsivants, barbituriques, sédatifs, antitussifs, décongestionnants, antidépresseurs, autres analgésiques sur ordonnance, inhibiteurs de la monoamine-oxydase (IMAO), naltrexone, rifampine ou zidovudine.

MÉDICAMENT-ALIMENT
Aucune interaction connue.

MÉDICAMENT-MALADIE
Avertissez le médecin en cas de : antécédents d'alcoolisme ou de toxicomanie ; troubles émotifs ; troubles du cerveau ou blessure à la tête ; convulsions ; maladie pulmonaire ; troubles de la prostate ou autres troubles urinaires ; calculs biliaires ; colite ; maladie du cœur, du rein, du foie ou de la thyroïde.

 EFFETS INDÉSIRABLES

GRAVES
Les effets graves de la méthadone se confondent avec ceux d'une surdose : confusion ; somnolence, faiblesse ou vertige de forte intensité ; difficultés d'élocution ; rétrécissement des pupilles ; peau froide et moite ; respiration lente ; convulsions ; perte de conscience.

COURANTS
Vertiges ou étourdissements, nausées ou vomissements, constipation, somnolence, démangeaisons.

MOINS COURANTS
Sudation, enflure des pieds et des chevilles, rougeur ou congestion du visage.

MÉTHÉNAMINE ET SELS DE MÉTHÉNAMINE (HEXAMINE)

Présentation : Comprimés, crème, granules pour solution
En vente libre ? Oui **Générique disponible ?** Oui
Classe de médicaments : Anti-infectieux

▼ GÉNÉRALITÉS

INDICATIONS
Prévention et traitement des infections des voies urinaires.

MODE D'ACTION
La méthénamine et les sels de méthénamine tuent les bactéries des voies urinaires en formant de l'ammoniaque et du formaldéhyde, deux éléments chimiques qui sont toxiques pour les micro-organismes responsables de l'infection.

▼ MODE D'EMPLOI

POSOLOGIE
Prévention de l'infection – Adultes et adolescents : 1 000 mg, 2 fois par jour. Enfants de 6 à 12 ans : 500 à 1 000 mg, 2 fois par jour. Traitement de l'infection – Adultes et adolescents : 1 000 mg, 4 fois par jour. Enfants de 6 à 12 ans : 500 mg, 4 fois par jour. Enfants de moins de 6 ans : 15 mg par kilogramme (2,2 lb) de poids, 4 fois par jour.

DÉBUT D'ACTION
En 1 heure.

DURÉE D'ACTION
Jusqu'à 8 heures.

CONSEILS NUTRITIONNELS
À prendre après les repas et au coucher. Buvez beaucoup : au moins 2 litres de liquide par jour. Le médicament est plus efficace si l'urine est acide. Ayez un régime riche en protéines et consommez de grandes quantités de canneberges ou du jus de canneberge, de prune ou de pruneau pour acidifier votre urine. Si le seul régime alimentaire n'y suffit pas, prenez des suppléments de vitamine C. Évitez les agrumes : fruits et jus.

MODE DE CONSERVATION
Dans un contenant étanche, à l'abri de la chaleur et de la lumière.

OUBLI D'UNE DOSE
Prenez-la dès que vous y pensez. S'il est presque l'heure de la suivante, sautez la dose oubliée et reprenez la fréquence normale. Ne doublez pas la dose suivante.

ARRÊT DE LA MÉDICATION
Effectuez le traitement au complet, comme il vous a été prescrit, même si vous vous sentez mieux avant qu'il ne prenne fin.

USAGE PROLONGÉ
Demandez au médecin s'il n'y aurait pas lieu de faire des tests de la fonction hépatique et d'autres analyses en cas de traitement prolongé.

▼ PRÉCAUTIONS

Plus de 60 ans. Risques de réactions indésirables plus fréquentes et plus graves.

Conduite automobile, travaux dangereux. À éviter tant que vous ne connaissez pas votre réaction au médicament.

Alcool. Pas de précautions spéciales.

Grossesse. On ne sait pas si la méthénamine peut être nocive pendant la grossesse. Évaluez ses bienfaits par rapport à ses risques avec votre médecin.

Allaitement. La méthénamine passe dans le lait maternel. Demandez l'avis du médecin.

Nourrissons et enfants. On ne devrait pas rencontrer de problèmes spéciaux.

À surveiller. Il est important que l'infection des voies urinaires soit diagnostiquée par un médecin avant d'absorber des anti-infectieux. Évitez de prendre des antiacides pendant le traitement. Le pH de l'urine doit être vérifié avant et durant le traitement.

SURDOSAGE
Symptômes. Aucun symptôme spécifique n'a été signalé.

Quoi faire. Il est peu probable qu'une surdose de méthénamine mette votre vie en danger. Néanmoins, si la dose est très forte, appelez le médecin ou le centre anti-poison, ou allez à l'urgence.

▼ INTERACTIONS

MÉDICAMENT-MÉDICAMENT
Demandez l'avis du médecin si vous prenez : diurétiques thiazidiques, bicarbonate de soude, méthazolamide, sulfaméthoxazole ou alcalinisants urinaires (acétazolamide).

MÉDICAMENT-ALIMENT
Évitez les produits lactés, les fruits et jus d'agrumes, et les aliments alcalins, comme légumes et arachides, durant un traitement à la méthénamine.

MÉDICAMENT-MALADIE
La méthénamine peut entraîner des complications chez les patients souffrant d'une maladie du foie ou du rein, puisque ces organes travaillent ensemble à l'éliminer de l'organisme. Avant d'en prendre, dites au médecin que vous avez déjà souffert de déshydratation grave, si tel est le cas.

EFFETS INDÉSIRABLES

GRAVES
Rash cutané, sang dans l'urine, douleur lombaire, sensation de brûlure ou de douleur durant la miction.

COURANTS
Aucun effet indésirable courant n'est associé à l'utilisation de la méthénamine.

MOINS COURANTS
Nausées, vomissements ou diarrhée. Contactez votre médecin si ces symptômes persistent.

MÉTHIMAZOLE

Présentation : Comprimés
En vente libre ? Non   **Générique disponible ?** Non
Classe de médicaments : Antithyroïdien

▼ GÉNÉRALITÉS

INDICATIONS
Traitement des troubles qui sont caractérisés par une hypersécrétion de la glande thyroïde.

MODE D'ACTION
Le méthimazole entrave la capacité qu'a l'organisme d'utiliser l'iode pour produire des hormones thyroïdiennes.

▼ MODE D'EMPLOI

POSOLOGIE
Adultes : 15 à 60 mg par jour, en 3 doses fractionnées. Dose habituelle d'entretien : 5 à 15 mg par jour. Enfants : 0,2 mg par kilogramme (2,2 lb) de poids par jour, en 3 doses fractionnées.

DÉBUT D'ACTION
En 5 jours ou plus.

DURÉE D'ACTION
Inconnue.

CONSEILS NUTRITIONNELS
Le méthimazole peut se prendre au repas ou entre les repas, au choix ; mais il doit toujours être pris de la même façon.

MODE DE CONSERVATION
Dans un contenant étanche, à l'abri de la chaleur et de la lumière.

OUBLI D'UNE DOSE
Prenez-la dès que vous y pensez. S'il est presque l'heure de la suivante, sautez la dose oubliée et reprenez la fréquence normale. Ne doublez pas la dose suivante.

ARRÊT DE LA MÉDICATION
Effectuez le traitement au complet, comme il vous a été prescrit, même si vous vous sentez mieux avant la fin.

USAGE PROLONGÉ
Aucun problème connu. Il peut être nécessaire de prendre le médicament durant plusieurs années.

EFFETS INDÉSIRABLES

GRAVES
Toux, fièvre ou frissons persistants ou graves, voix rauque, ulcères buccaux, douleur, enflure ou rougeur des articulations, infection de la gorge, jaunissement de la peau ou des yeux, malaise généralisé.

COURANTS
Fièvre bénigne et temporaire, démangeaisons ou rash cutané.

MOINS COURANTS
Maux de dos ; selles noires et goudronneuses ; sang dans les urines ou les selles ; essoufflement ; baisse ou augmentation du débit urinaire ; enflure des pieds et du bas des jambes ; glandes salivaires ou ganglions enflés ; engourdissement ou picotement dans le visage, les doigts ou les orteils ; vertiges ; nausées ; douleurs gastriques ; vomissements.

▼ PRÉCAUTIONS

Plus de 60 ans. Risques de réactions indésirables plus fréquentes et plus graves.

Conduite automobile, travaux dangereux. Le méthimazole ne devrait pas vous empêcher d'exécuter de telles tâches en toute sécurité.

Alcool. Consultez le médecin sur la consommation d'alcool durant un traitement au méthimazole.

Grossesse. Une dose forte de méthimazole durant la grossesse peut nuire au fœtus. Mais la dose recommandée, si elle s'accompagne d'une surveillance médicale, ne devrait causer aucun problème.

Allaitement. Le méthimazole passe dans le lait maternel, mais le médecin peut vous autoriser à allaiter si la dose est faible et le nourrisson, suivi régulièrement.

Nourrissons et enfants. Aucun problème connu.

À surveiller. Avant de subir une intervention médicale ou dentaire, avertissez le médecin ou le dentiste que vous prenez du méthimazole. Durant et après le traitement, ne prenez aucun vaccin sans l'autorisation du médecin ; évitez les personnes qui ont reçu récemment un vaccin oral contre la poliomyélite.

SURDOSAGE
Symptômes. Nausées, vomissements, sensation de froid, constipation, modification des périodes menstruelles, peau sèche et bouffie, céphalées, déficit d'attention, cou enflé, somnolence, douleurs musculaires, gain de poids anormal.

Quoi faire. Il est peu probable qu'une surdose de méthimazole mette votre vie en danger. Néanmoins, si la dose est très forte, appelez immédiatement le médecin ou le centre antipoison, ou allez à l'urgence.

▼ INTERACTIONS

MÉDICAMENT-MÉDICAMENT
Demandez spécifiquement l'avis du médecin si vous prenez : amiodarone, glycérol iodé, potassium iodé, anticoagulants ou digitaliques.

MÉDICAMENT-ALIMENT
Consultez le médecin sur l'opportunité de suivre un régime pauvre en iode.

MÉDICAMENT-MALADIE
Le méthimazole peut entraîner des complications chez les patients souffrant de maladie du foie, car cet organe travaille à éliminer le médicament de l'organisme.

MÉTHOCARBAMOL

NOMS COMMERCIAUX

PMS-Methocarbamol, Robaxin, Robaxin-750, Robaxisal

Présentation : Comprimés, injection
En vente libre ? Oui **Générique disponible ?** Oui
Classe de médicaments : Relaxant musculaire

▼ GÉNÉRALITÉS

INDICATIONS
Soulagement de la raideur et de l'inconfort causés par les entorses et foulures graves, les spasmes et autres troubles musculaires. Le méthocarbamol peut être associé à d'autres méthodes de traitement, comme la physiothérapie.

MODE D'ACTION
Les relaxants musculaires, comme le méthocarbamol, dépriment l'activité du système nerveux central (cerveau et moelle épinière), ce qui a pour effet d'entraver la transmission des impulsions nerveuses de la moelle épinière vers les muscles.

▼ MODE D'EMPLOI

POSOLOGIE
Adultes et adolescents – Comprimés : 1 500 mg, 4 fois par jour au début, après quoi la dose peut être réduite. Injection : 1 à 3 g par jour, en 1 ou plusieurs doses. Enfants – Consultez le médecin.

DÉBUT D'ACTION
Injection : immédiatement. Comprimés : en 30 minutes.

DURÉE D'ACTION
Inconnue.

CONSEILS NUTRITIONNELS
À prendre en mangeant pour réduire les maux d'estomac.

MODE DE CONSERVATION
Dans un contenant étanche, à l'abri de la chaleur et de la lumière.

OUBLI D'UNE DOSE
Prenez-la dès que vous y pensez. S'il est presque l'heure de la suivante, sautez la dose oubliée et reprenez la fréquence normale. Ne doublez pas la dose suivante.

EFFETS INDÉSIRABLES

GRAVES
Évanouissements ; palpitations ou tachycardie ; fièvre ; urticaire ou enflure grave du visage, des lèvres ou de la langue, avec essoufflement, constriction thoracique ou respiration sifflante (signes d'une réaction allergique potentiellement fatale) ; convulsions ; dépression mentale.

COURANTS
Vue trouble, double ou altérée ; vertiges ou étourdissements ; somnolence ; sécheresse de la bouche.

MOINS COURANTS
Incapacité d'uriner ; lésions sur les lèvres, ulcères buccaux ; crampes ou douleurs abdominales ; maladresse ; démarche instable ; confusion ; constipation ; diarrhée ; excitabilité ; nervosité ; agitation motrice ou irritabilité ; rougeur du visage ou bouffées congestives ; céphalées ; aigreurs d'estomac ; hoquet ; faiblesse musculaire ; nausées et vomissements ; tremblements ; insomnie ou accès de sommeil ; irritation et rougeur des yeux ; congestion nasale.

ARRÊT DE LA MÉDICATION
Cette décision peut être prise par vous-même ou en consultation avec le médecin.

USAGE PROLONGÉ
Un suivi médical s'impose, avec examens et analyses, si le traitement doit se prolonger.

▼ PRÉCAUTIONS

Plus de 60 ans. Pas de risques connus.

Conduite automobile, travaux dangereux. À déconseiller tant que vous ne connaissez pas votre réaction au médicament.

Alcool. À éviter ; l'alcool peut potentialiser l'effet sédatif du médicament et entraîner des lésions hépatiques.

Grossesse. Il n'existe pas d'études adéquates sur le méthocarbamol durant la grossesse. Évaluez avec votre médecin les bienfaits du traitement par rapport à ses risques.

Allaitement. Le méthocarbamol peut passer dans le lait maternel : la prudence s'impose. Demandez l'avis du médecin.

Nourrissons et enfants. Aucun problème spécial n'a été signalé ; demandez l'avis du médecin.

À surveiller. Le méthocarbamol peut fausser les résultats des tests de taux sanguins de sucre chez les diabétiques. Il intensifie les effets de l'alcool, des sédatifs et des autres dépresseurs du système nerveux central sur le cerveau. N'en prenez pas si vous êtes allergique aux relaxants musculo-squelettiques. Le traitement doit s'accompagner de repos, de physiothérapie et d'autres mesures destinées à soulager la douleur.

SURDOSAGE
Symptômes. Nausées, vomissements, diarrhée, perte d'appétit, céphalées, faiblesse grave, évanouissement, difficultés à respirer, irritabilité, convulsions, impression de paralysie, sudation abondante, perte de conscience.

Quoi faire. Appelez immédiatement le médecin ou le centre antipoison, ou allez à l'urgence.

▼ INTERACTIONS

MÉDICAMENT-MÉDICAMENT
Demandez spécifiquement l'avis du médecin si vous prenez tout dépresseur du système nerveux central ou tout antidépresseur tricyclique.

MÉDICAMENT-ALIMENT
Aucune interaction connue.

MÉDICAMENT-MALADIE
La prudence s'impose avec le méthocarbamol. Consultez votre médecin si vous avez des antécédents de : alcoolisme ou toxicomanie, allergies, maladie du sang causée par une allergie ou un médicament, maladie du rein ou du foie, porphyrie ou épilepsie.

MÉTHOTREXATE

Présentation : Comprimés, injection
En vente libre ? Non   **Générique disponible ?** Oui
Classe de médicaments : Antinéoplasique/antimétabolite ; antipsoriasique ;
antirhumatismal

▼ GÉNÉRALITÉS

INDICATIONS
Traitement de certains types de cancer, de psoriasis et de polyarthrite rhumatoïde.

MODE D'ACTION
Le méthotrexate inhibe l'activité d'une enzyme nécessaire à la réplication des cellules, surtout celles qui se divisent et prolifèrent rapidement, soit plusieurs types de cellules cancéreuses, les cellules de la moelle épinière et celles qui tapissent la bouche, l'intestin et la vessie. C'est dire qu'en dehors de ses effets anticancéreux, le méthotrexate peut léser les tissus sains et provoquer des effets indésirables. On ne sait pas par quel mode d'action le méthotrexate soulage la polyarthrite rhumatismale ; il semblerait modifier le fonctionnement du système immunitaire qui joue un rôle, croit-on, dans la progression de cette maladie.

▼ MODE D'EMPLOI

POSOLOGIE
Psoriasis (comprimés ou injection) – 10 à 25 mg, 1 fois par semaine. Polyarthrite rhumatoïde – 7,5 mg, 1 fois par semaine. Autre posologie possible dans les deux cas : 2,5 mg aux 12 heures, pour 3 doses (1 fois par semaine). Cancer – Indications et posologie selon le type de cancer et son stade. Enfants : consultez le médecin.

DÉBUT D'ACTION
Inconnu.

DURÉE D'ACTION
Inconnue.

CONSEILS NUTRITIONNELS
À prendre de préférence 1 à 2 heures avant les repas.

MODE DE CONSERVATION
À l'abri de la chaleur, de l'humidité et de la lumière.

EFFETS INDÉSIRABLES

GRAVES
Selles noires, goudronneuses ; vomissements avec sang ; diarrhée ; bouffées congestives ou rougeur de la peau ; ulcères dans la bouche et sur les lèvres ; douleurs gastriques ; sang dans l'urine ou dans les selles ; confusion ; convulsions ; toux ou voix rauque ; fièvre ou frissons ; douleur dans le bas du dos ou le flanc ; mictions douloureuses ou difficiles ; points rouges sur la peau ; essoufflement ; enflure des pieds ou du bas des jambes ; ecchymoses ou saignements anormaux ; mal de dos ; urine foncée ; somnolence ; vertiges ; céphalées ; douleurs articulaires ; fatigue anormale ; jaunissement des yeux et de la peau.

COURANTS
Perte d'appétit, nausées et vomissements, ulcères buccaux.

MOINS COURANTS
Acné, furoncles, pâleur, rash cutané, démangeaisons.

OUBLI D'UNE DOSE
Ne la prenez pas plus tard et ne doublez pas la suivante. Revenez à la fréquence normale et consultez le médecin.

ARRÊT DE LA MÉDICATION
Cette décision doit être prise par le médecin.

USAGE PROLONGÉ
Voyez le médecin de façon régulière.

▼ PRÉCAUTIONS

Plus de 60 ans. Risques de réactions indésirables plus fréquentes et plus graves.

Conduite automobile, travaux dangereux. À éviter tant que vous ne connaissez pas les effets du médicament sur vous.

Alcool. À éviter.

Grossesse. Le méthotrexate peut provoquer des anomalies congénitales et d'autres problèmes. N'en prenez pas.

Allaitement. Le méthotrexate passe dans le lait maternel et peut provoquer des effets indésirables graves chez le nourrisson. N'en prenez pas si vous allaitez.

Nourrissons et enfants. Les nourrissons sont particulièrement sensibles aux effets du méthotrexate. Rien à signaler chez les enfants plus âgés.

À surveiller. Le méthotrexate peut diminuer votre résistance aux infections en réduisant le nombre de globules blancs dans le sang. Ne vous faites pas vacciner sans l'approbation du médecin. Évitez les gens souffrant d'infection. Employez avec prudence rasoir, coupe-ongles ou autres objets coupants. Avertissez le médecin si vous souffrez de fièvre, frissons, ecchymoses ou saignements anormaux, diarrhée ou toux. Le méthotrexate peut augmenter la sensibilité au soleil ; ne vous exposez pas sans connaître votre réaction. Voyez le médecin en cas de mal de dos, vision brouillée, confusion, convulsions, vertiges, fièvre ou fatigue anormale après la fin du traitement.

SURDOSAGE
Symptômes. Graves lésions aux foie, reins, estomac, intestins, moelle épinière et poumons, provoquant une vaste gamme de symptômes.

Quoi faire. En cas de surdose appréhendée, demandez aussitôt les secours médicaux.

▼ INTERACTIONS

MÉDICAMENT-MÉDICAMENT
Consultez le médecin si vous prenez des médicaments qui ont un effet sur le foie : azathioprine, rétinoïdes et sulfasalazine.

MÉDICAMENT-ALIMENT
Aucune interaction connue.

MÉDICAMENT-MALADIE
Consultez le médecin en cas de : antécédents d'alcoolisme, varicelle, zona, colite, maladie du système immunitaire, calculs rénaux, infection, obstruction intestinale, maladie du rein ou du foie, inflammation ou ulcères buccaux, ulcères de l'estomac.

MÉTHYLDOPA

Présentation : Comprimés, injection
En vente libre ? Non   **Générique disponible ?** Oui
Classe de médicaments : Antihypertenseur central

▼ GÉNÉRALITÉS

INDICATIONS
Traitement de l'hypertension artérielle.

MODE D'ACTION
Le méthyldopa agit sur certaines parties du système nerveux central (cerveau et moelle épinière) qui régulent l'activité du cœur et des muscles lisses entourant les artères. Le médicament détend et dilate les vaisseaux sanguins, abaissant ainsi la tension artérielle.

▼ MODE D'EMPLOI

POSOLOGIE
Comprimés – Adultes : 500 mg à 2 g par jour en 2 à 4 doses. Enfants : 10 mg par kilogramme (2,2 lb) de poids, en 2 à 4 doses. Injection – Adultes : 250 à 500 mg en intraveineuse, aux 6 heures. Enfants : posologie en fonction de leur poids.

DÉBUT D'ACTION
Inconnu.

DURÉE D'ACTION
12 à 24 heures après une seule dose orale, 24 à 48 heures après une dose orale multiple ; 10 à 16 heures après l'injection.

CONSEILS NUTRITIONNELS
Le méthyldopa se prend sans tenir compte des repas. Ayez un régime alimentaire sain (pauvre en sel, en gras et en cholestérol) pour vous aider à maîtriser l'hypertension et à prévenir la maladie cardiaque.

MODE DE CONSERVATION
Dans un contenant étanche, à l'abri de la chaleur, de l'humidité et de la lumière.

OUBLI D'UNE DOSE
Prenez-la dès que vous y pensez. S'il est presque l'heure de la suivante, sautez la dose oubliée et reprenez la fréquence normale. Ne doublez pas la dose suivante.

ARRÊT DE LA MÉDICATION
N'arrêtez pas brusquement la médication : vous pourriez éprouver de graves problèmes de santé. Si le traitement doit être interrompu, la posologie sera réduite progressivement sous la surveillance étroite du médecin.

USAGE PROLONGÉ
Le traitement peut durer la vie entière. Un suivi médical régulier, avec examens et analyses, est nécessaire en traitement prolongé.

▼ PRÉCAUTIONS

Plus de 60 ans. Risques de réactions indésirables plus fréquentes et plus graves.

Conduite automobile, travaux dangereux. À déconseiller tant que vous ne connaissez pas votre réaction au médicament.

Alcool. À éviter.

Grossesse. Le méthyldopa est l'un des rares antihypertenseurs qui peuvent être administrés aux femmes enceintes. Il abaisse efficacement la tension artérielle et plusieurs études ont montré qu'il était sans danger pour la mère et pour le fœtus.

Allaitement. Le méthyldopa peut passer dans le lait maternel : la prudence s'impose. Demandez l'avis du médecin.

Nourrissons et enfants. Pas de risques spéciaux.

À surveiller. Vérifiez votre poids régulièrement et avisez le médecin dès que vous prenez 2,5 kg (5 lb) ou plus.

SURDOSAGE
Symptômes. Faiblesse, tachycardie, vertiges, étourdissements, constipation ou diarrhée, nausées, vomissements, perte de conscience.

Quoi faire. Appelez immédiatement le médecin ou le centre antipoison, ou allez à l'urgence.

▼ INTERACTIONS

MÉDICAMENT-MÉDICAMENT
Certains médicaments peuvent entrer en interaction avec le méthyldopa. Demandez l'avis du médecin si vous prenez un inhibiteur de la monoamine-oxydase (IMAO).

MÉDICAMENT-ALIMENT
Aucune interaction connue.

MÉDICAMENT-MALADIE
Il faut être prudent quand on prend du méthyldopa. Consultez le médecin si vous souffrez de : angine, maladie de Parkinson, dépression ou phéochromocytome. Le méthyldopa peut entraîner des complications chez les patients qui ont une maladie du rein ou du foie, car ces organes travaillent ensemble à éliminer le médicament de l'organisme.

 EFFETS INDÉSIRABLES

GRAVES
Fièvre peu après le début du traitement au méthyldopa, enflure des pieds ou du bas des jambes, dépression ou anxiété, cauchemars, urine foncée ou ambrée, douleurs gastriques, frissons, difficultés à respirer, tachycardie, malaise généralisé, douleurs articulaires, rash cutané ou démangeaisons, jaunissement des yeux ou de la peau, fatigue persistante, selles pâles, nausées, vomissements.

COURANTS
Somnolence, sécheresse de la bouche, céphalées.

MOINS COURANTS
Diarrhée, vertiges ou étourdissements en se levant, baisse de la performance sexuelle, battements de cœur lents, congestion nasale, enflure des seins, lactation anormale, picotements, douleur ou faiblesse dans les mains ou les pieds.

MÉTHYLPHÉNIDATE (CHLORHYDRATE DE)

Présentation : Comprimés, comprimés à libération prolongée
En vente libre ? Non **Générique disponible ?** Oui
Classe de médicaments : Stimulant du système nerveux central

▼ GÉNÉRALITÉS

INDICATIONS
Traitement de l'hyperactivité avec déficit de l'attention (HDA). Le méthylphénidate est également utilisé dans le traitement de la narcolepsie.

MODE D'ACTION
On croit que le méthylphénidate stimule la libération de norépinéphrine, hormone naturelle qui favorise la transmission des impulsions nerveuses au cerveau. Son action se manifeste par une diminution de l'agitation motrice et une augmentation de l'attention chez les adultes et les enfants incapables de se concentrer longtemps, facilement distraits ou anormalement impulsifs.

▼ MODE D'EMPLOI

POSOLOGIE
Comprimés – Enfants de 6 ans et plus : dose initiale, 5 mg, 3 fois par jour. Le médecin peut, au besoin, augmenter la posologie quotidienne chaque semaine par paliers de 5 à 10 mg, sans dépasser 60 mg par jour. Adultes : 10 à 30 mg par jour, en 2 ou 3 doses fractionnées, prises aux repas ou après les repas. Comprimés à libération prolongée – Adultes : 20 mg, 2 ou 3 fois par jour.

DÉBUT D'ACTION
Comprimés : généralement en 30 minutes. Comprimés à libération prolongée : généralement en 30 à 60 minutes.

DURÉE D'ACTION
Comprimés : 4 à 6 heures. Comprimés à libération prolongée : 6 heures ou plus.

CONSEILS NUTRITIONNELS
Le méthylphénidate peut se prendre avec ou sans aliment.

MODE DE CONSERVATION
Dans un contenant étanche, à l'abri de la chaleur, de l'humidité et de la lumière.

OUBLI D'UNE DOSE
Prenez-la dès que vous y pensez. S'il est presque l'heure de la suivante, sautez la dose oubliée et reprenez la fréquence normale. Ne doublez pas la dose suivante.

ARRÊT DE LA MÉDICATION
La décision de mettre fin au traitement doit être prise par le médecin.

USAGE PROLONGÉ
Un suivi médical, avec examens et analyses, est nécessaire en traitement prolongé.

▼ PRÉCAUTIONS

Plus de 60 ans. Pas de risques connus.

Conduite automobile, travaux dangereux. À déconseiller tant que vous ne connaissez pas votre réaction au médicament.

Alcool. À éviter.

Grossesse. Il n'existe pas d'études pertinentes sur ce groupe. Avant de prendre le médicament, avisez le médecin que vous êtes enceinte ou voulez le devenir.

Allaitement. On ne sait pas si le méthylphénidate passe dans le lait maternel : la prudence s'impose. Demandez l'avis du médecin.

Nourrissons et enfants. Non recommandé aux enfants de moins de 6 ans. Les enfants plus âgés sont particulièrement susceptibles d'éprouver des effets indésirables tels que perte d'appétit, douleur gastrique et perte de poids.

À surveiller. Pour ne pas souffrir d'insomnie, ne prenez pas de méthylphénidate près de l'heure du coucher. L'ordonnance n'est pas renouvelable ; vous devez donc vous adresser au médecin pour obtenir d'autres comprimés.

SURDOSAGE
Symptômes. Agitation ; confusion ; délire ; convulsions ; sécheresse de la bouche ; euphorie ; battements de cœur rapides, irréguliers ou forts ; fièvre ; sudation ; céphalées graves ; secousses musculaires ou tremblements ; vomissements.

Quoi faire. Appelez aussitôt le médecin ou le centre anti-poison, ou allez à l'urgence.

▼ INTERACTIONS

MÉDICAMENT-MÉDICAMENT
Demandez spécifiquement l'avis du médecin si vous prenez : caféine, amantadine, anorexigènes, antidépresseurs tricycliques, médicaments contre l'asthme, amphétamines, médicaments contre le rhume, la sinusite ou les allergies, nabilone, pimozide ou IMAO.

MÉDICAMENT-ALIMENT
N'abusez pas des boissons contenant de la caféine : café, thé, boissons gazeuses, cacao ou lait au chocolat.

MÉDICAMENT-MALADIE
Consultez le médecin en cas de : maladie de Gilles de la Tourette ou autres tics, glaucome, épilepsie ou autres maladies convulsives, hypertension, psychose, anxiété grave, dépression, antécédents d'alcoolisme ou de toxicomanie.

EFFETS INDÉSIRABLES

GRAVES
Tachycardie, ecchymoses ou saignements anormaux, douleur thoracique, fièvre, douleurs articulaires, arythmie cardiaque, rash cutané ou urticaire, mouvements non contrôlés du corps, vision brouillée ou autres troubles de la vue, convulsions, mal de gorge et fièvre, fatigue anormale, perte de poids, changements d'humeur ou modifications de l'état mental.

COURANTS
Perte d'appétit, insomnie, nervosité.

MOINS COURANTS
Vertiges, douleur gastrique, somnolence, nausées, céphalées.

MÉTHYLPREDNISOLONE

Présentation : Comprimés, injection, onguent
En vente libre ? Non   **Générique disponible ?** Oui
Classe de médicaments : Corticostéroïde

▼ GÉNÉRALITÉS

INDICATIONS
Traitement de troubles caractérisés par de l'inflammation (rougeur, chaleur, gonflement et douleur des tissus organiques) : arthrite, réactions allergiques, asthme, certaines maladies de la peau, poussées de sclérose en plaques et autres maladies auto-immunes. Aussi traitement des carences en hormones stéroïdes naturelles.

MODE D'ACTION
Cette hormone a les mêmes effets que les corticostéroïdes naturels. Elle inhibe la synthèse, la libération et l'activité des éléments chimiques générateurs d'inflammation. Elle supprime également l'activité du système immunitaire.

▼ MODE D'EMPLOI

POSOLOGIE
Comprimés : 4 à 48 mg par jour, selon l'affection à traiter, en 1 ou plusieurs doses. Dans certains cas, la posologie peut être plus forte. Injection : 4 à 160 mg par jour, selon l'affection à traiter. Consultez le médecin pour connaître la dose pédiatrique.

DÉBUT D'ACTION
Varie beaucoup selon la forme administrée.

DURÉE D'ACTION
30 à 36 heures pour les comprimés ; 1 à 4 semaines en injection intramusculaire ; 1 à 5 semaines pour les autres types d'injection.

CONSEILS NUTRITIONNELS
À prendre avec un aliment ou du lait contre le risque de maux d'estomac. Le médecin peut recommander un régime pauvre en sel, mais riche en potassium et en protéines.

MODE DE CONSERVATION
Dans un contenant étanche, à l'abri de la chaleur, de l'humidité et de la lumière. Ne congelez pas les liquides.

 EFFETS INDÉSIRABLES

GRAVES
Troubles de la vue, mictions fréquentes, soif accrue, saignements rectaux, peau vésiquante, confusion, hallucinations, paranoïa, euphorie, dépression, sautes d'humeur, rougeur et enflure au point d'injection.

COURANTS
Appétit accru, mauvaise digestion, nervosité, insomnie, vulnérabilité aux infections, hausse de la tension artérielle, cicatrisation ralentie des plaies, gain de poids, ecchymoses nombreuses, rétention hydrique.

MOINS COURANTS
Changement de couleur de la peau, vertiges, céphalées, sudation, croissance inhabituelle du poil, hausse du taux de sucre sanguin, ulcère gastro-duodénal, insuffisance surrénale, faiblesse musculaire, cataractes, glaucome, ostéoporose.

OUBLI D'UNE DOSE
Si vous prenez plusieurs doses par jour et qu'il est presque l'heure de la suivante, doublez-la. Si vous ne prenez qu'une dose par jour et ne vous en souvenez que le lendemain, sautez-la sans doubler la dose suivante.

ARRÊT DE LA MÉDICATION
N'arrêtez pas abruptement un traitement de longue durée ; la posologie doit être réduite graduellement.

USAGE PROLONGÉ
Il peut entraîner cataractes, diabète, hypertension ou ostéoporose. Un suivi médical régulier est nécessaire.

▼ PRÉCAUTIONS

Plus de 60 ans. Risques de réactions indésirables plus probables et plus graves.

Conduite automobile, travaux dangereux. À éviter tant que vous ne connaissez pas les effets du médicament sur vous.

Alcool. Peut causer des troubles d'estomac. Évitez l'alcool à moins que le médecin n'en autorise un usage modéré.

Grossesse. De fortes doses pendant la grossesse peuvent ralentir la croissance et le développement de l'enfant.

Allaitement. N'en prenez pas pendant que vous allaitez.

Nourrissons et enfants. La méthylprednisolone peut retarder la croissance normale des os et d'autres tissus chez les patients de ce groupe d'âge.

À surveiller. Votre résistance aux infections peut diminuer. Évitez les immunisations aux vaccins vivants. Les patients en traitement prolongé devraient porter un bracelet medic-alert. Appelez le médecin en cas de fièvre.

SURDOSAGE
Symptômes. Fièvre, douleurs musculaires ou articulaires, nausées, vertiges, évanouissement, difficultés respiratoires. Surdosage prolongé : faciès lunaire, obésité, hirsutisme, acné, dysfonction sexuelle, fonte musculaire.

Quoi faire. Demandez immédiatement de l'aide médicale.

▼ INTERACTIONS

MÉDICAMENT-MÉDICAMENT
Dites-le au médecin si vous prenez : aminoglutéthimide, antiacides, barbituriques, carbamazépine, griséofulvine, mitotane, phénylbutazone, phénytoïne, primidone, rifampine, amphotéricine B injectable, antidiabétiques oraux, insuline, digitaliques, diurétiques ou médicaments renfermant du potassium ou du sodium.

MÉDICAMENT-ALIMENT
Évitez les excès de sodium.

MÉDICAMENT-MALADIE
Consultez le médecin en cas de : antécédents de maladie des os, varicelle, rougeole, troubles gastro-intestinaux, diabète, infection grave récente, glaucome, maladie du cœur, hypertension, troubles du foie ou des reins, hypercholestérolémie, troubles thyroïdiens, myasthénie grave ou lupus.

MÉTHYSERGIDE (MALÉATE DE)

Présentation : Comprimés
En vente libre ? Non   **Générique disponible ?** Non
Classe de médicaments : Antimigraineux/anticéphalalgique

▼ GÉNÉRALITÉS

INDICATIONS

Prévention des céphalées vasculaires (provoquées par une modification du débit sanguin dans les vaisseaux du cerveau), comme la migraine et la céphalée de Horton. Étant donné les risques possibles d'effets indésirables graves et irréversibles, le méthysergide n'est prescrit qu'en dernier lieu aux patients affligés de céphalées fréquentes et invalidantes qui ne répondent pas à d'autres traitements. Le médicament est sans utilité contre les céphalées de tension ou les céphalées vasculaires déjà installées.

MODE D'ACTION

Son mode d'action est inconnu ; néanmoins, il semble que le méthysergide soulage les céphalées vasculaires en provoquant la constriction des vaisseaux sanguins du cerveau. En outre, il inhiberait l'activité de la sérotonine, messager chimique du système nerveux associé aux céphalées vasculaires.

▼ MODE D'EMPLOI

POSOLOGIE

1 comprimé de 2 mg, 2 ou 3 fois par jour, en mangeant ou avec du lait. Ne broyez pas les comprimés pour les avaler.

DÉBUT D'ACTION

En 1 ou 2 jours.

DURÉE D'ACTION

1 ou 2 jours.

CONSEILS NUTRITIONNELS

Se prend au repas ou avec du lait pour prévenir les maux d'estomac. On recommande un régime pauvre en sel.

EFFETS INDÉSIRABLES

GRAVES

Douleur ou constriction thoracique ; essoufflement ; vertiges graves ; mictions difficiles ou douloureuses ; augmentation ou baisse du débit urinaire ; douleur dans les bras, jambes, aine, bas du dos ou flancs ; enflure des mains, chevilles, pieds ou bas des jambes ; fièvre ou frissons ; mains ou pieds froids ou décolorés ; hallucinations. Voyez aussi le médecin en cas de : douleur abdominale ; démangeaisons ; engourdissement ou picotement des doigts, orteils ou visage ; faiblesse des jambes.

COURANTS

Diarrhée ; vertiges ou étourdissements légers, surtout en se levant après avoir été assis ou couché ; somnolence ; nausées ; vomissements.

MOINS COURANTS

Altération de la vue, incoordination, battements de cœur rapides ou lents, toux ou voix rauque, perte d'appétit ou de poids, points rouges en relief sur la peau, rougeur ou bouffées congestives dans le visage, rash cutané.

MODE DE CONSERVATION

Dans un contenant étanche, à l'abri de l'humidité, de la lumière et des températures extrêmes.

OUBLI D'UNE DOSE

Prenez-la dès que vous y pensez. S'il est presque l'heure de la suivante, sautez la dose oubliée et reprenez la fréquence normale. Ne doublez pas la dose suivante.

ARRÊT DE LA MÉDICATION

Cessez de prendre du méthysergide seulement sur le conseil du médecin. Il réduira progressivement les doses sur une période de 2 à 3 semaines pour prévenir les céphalées de rebond qui se produiraient en cas d'interruption brusque.

USAGE PROLONGÉ

Pour réduire les risques d'effets indésirables graves, le traitement ne doit pas être poursuivi pendant plus de 6 mois sans un intervalle libre de 3 ou 4 semaines.

▼ PRÉCAUTIONS

Plus de 60 ans. Risques de réactions indésirables plus fréquentes et plus graves.

Conduite automobile, travaux dangereux. À déconseiller tant que vous ne connaissez pas votre réaction au médicament.

Alcool. À éviter. L'alcool peut déclencher ou aggraver les céphalées vasculaires.

Grossesse. Non recommandé. Consultez le médecin si vous êtes enceinte ou voulez le devenir.

Allaitement. Ne prenez pas de méthysergide si vous allaitez.

Nourrissons et enfants. Non recommandé dans ce groupe d'âge à cause des effets indésirables potentiels associés à un usage prolongé.

À surveiller. Évitez de fumer pour ne pas risquer d'intensifier les effets secondaires associés à un ralentissement de la circulation sanguine.

SURDOSAGE

Symptômes. Mains et pieds froids et décolorés, vertiges graves, excitation.

Quoi faire. Demandez immédiatement de l'aide médicale.

▼ INTERACTIONS

MÉDICAMENT-MÉDICAMENT

Consultez le médecin si vous utilisez ou prévoyez utiliser tout autre médicament et en particulier ceux-ci : alcaloïdes de l'ergot de seigle, épinéphrine, méthoxamine, norépinéphrine, phényléphrine, anesthésiant topique ou produits du tabac.

MÉDICAMENT-ALIMENT

Aucune interaction connue.

MÉDICAMENT-MALADIE

Avertissez le médecin si vous avez ou avez eu des troubles de santé dont : arthrite ; maladie du cœur ou des vaisseaux sanguins ; hypertension ; maladie rénale, hépatique ou pulmonaire ; ulcères gastriques ; infection grave ; prurit grave.

MÉTOCLOPRAMIDE (CHLORHYDRATE DE)

Présentation : Comprimés, sirop, injection
En vente libre ? Non   **Générique disponible ?** Oui
Classe de médicaments : Stimulant gastro-intestinal

▼ GÉNÉRALITÉS

INDICATIONS
Prévention des nausées et vomissements provoqués par les anticancéreux ; traitement du ralentissement de la vidange gastrique (gastroparésie) comme complication du diabète ; traitement de courte durée des aigreurs d'estomac (reflux gastro-œsophagien ou retour des acides gastriques dans l'œsophage).

MODE D'ACTION
Le métoclopramide accroît les contractions et mouvements de l'estomac et de l'intestin grêle. Il diminue les nausées en inhibant l'effet de la dopamine sur les centres cérébraux du vomissement.

▼ MODE D'EMPLOI

POSOLOGIE
Comprimés ou sirop – Gastroparésie diabétique : Adultes et adolescents : 10 mg, jusqu'à 4 fois par jour, 30 minutes avant l'apparition prévue des symptômes ou avant chaque repas et au coucher. Aigreurs d'estomac : Adultes et adolescents : 10 à 15 mg, 30 minutes avant l'apparition prévue des symptômes ou avant chaque repas et au coucher. Pour augmenter la motilité de l'estomac et de l'intestin : Enfants de 5 à 14 ans : 2,5 à 5 mg, 3 fois par jour, 30 minutes avant les repas. Injection – Prévention des nausées et vomissements provoqués par les anticancéreux : Adultes et adolescents : 1 à 2 mg par kilogramme (2,2 lb) de poids, en intraveineuse, 30 minutes avant de prendre l'agent anticancéreux. Enfants : 1 mg par kilogramme en intraveineuse.

DÉBUT D'ACTION
Injection intraveineuse : en 3 minutes. Injection intramusculaire : en 10 à 15 minutes. Comprimés et sirop : en 30 à 60 minutes.

DURÉE D'ACTION
1 à 2 heures.

CONSEILS NUTRITIONNELS
À prendre 30 minutes avant les repas, à moins de directive autre du médecin.

MODE DE CONSERVATION
Dans un contenant étanche, à l'abri de la chaleur, de l'humidité et de la lumière.

OUBLI D'UNE DOSE
Prenez-la dès que vous y pensez. S'il est presque l'heure de la suivante, sautez la dose oubliée et reprenez la fréquence normale. Ne doublez pas la dose qui suit.

ARRÊT DE LA MÉDICATION
Cette décision doit être prise par votre médecin.

USAGE PROLONGÉ
Un suivi médical, avec examens et analyses, s'impose en traitement à long terme.

▼ PRÉCAUTIONS

Plus de 60 ans. Risques de réactions indésirables plus fréquentes et plus graves.

Conduite automobile, travaux dangereux. À déconseiller tant que vous ne connaissez pas votre réaction au médicament.

Alcool. À éviter.

Grossesse. Il n'existe pas d'études concluantes sur les humains. Avant de prendre du métoclopramide, avertissez le médecin que vous êtes enceinte ou voulez le devenir.

Allaitement. Le métoclopramide passe dans le lait maternel : la prudence s'impose. Demandez l'avis du médecin.

Nourrissons et enfants. Indications et posologies sont à déterminer par le médecin. Risque de réactions indésirables plus grand.

À surveiller. N'entreprenez rien qui demande de la vigilance durant les 2 heures suivant la prise du médicament.

SURDOSAGE
Symptômes. Somnolence, confusion, contractions musculaires, irritabilité, agitation.

Quoi faire. Appelez aussitôt le médecin ou le centre antipoison, ou allez à l'urgence.

▼ INTERACTIONS

MÉDICAMENT-MÉDICAMENT
Demandez l'avis du médecin si vous prenez des dépresseurs du système nerveux central (SNC) : antihistaminiques, médicaments contre le rhume, somnifères ou tranquillisants.

MÉDICAMENT-ALIMENT
Aucune interaction connue.

MÉDICAMENT-MALADIE
Avertissez le médecin en cas de : antécédents de saignements abdominaux ou gastriques, asthme, hypertension, occlusion intestinale, maladie de Parkinson, épilepsie, maladie du rein ou du foie.

EFFETS INDÉSIRABLES

GRAVES
Spasmes musculaires, douleur ou fourmillement dans le bas des jambes, raideur ou mouvements involontaires des bras ou des jambes, sentiment de panique, nervosité anormale, agitation motrice, irritabilité, difficulté à parler ou à avaler, vertiges ou évanouissements, tachycardie ou arythmie cardiaque, fatigue généralisée, tremblements des mains et des doigts, mâchonnements involontaires, claquements et plissements des lèvres, perte d'équilibre, céphalée grave, mouvements involontaires de la langue, difficultés à marcher, démarche traînante.

COURANTS
Diarrhée, agitation motrice, somnolence.

MOINS COURANTS
Sensibilité et gonflement des seins, lactation accrue, modification des menstruations, dépression, constipation, nausées, rash cutané, insomnie, sécheresse de la bouche.

MÉTOLAZONE

Présentation : Comprimés
En vente libre ? Non   **Générique disponible ?** Non
Classe de médicaments : Diurétique analogue aux thiazidiques/antihypertenseur

▼ GÉNÉRALITÉS

INDICATIONS
Traitement des troubles amenant de l'œdème (enflure des tissus organiques causée par un excès de sel et de rétention hydrique). On prescrit souvent du métolazone en association avec d'autres diurétiques dans les cas particulièrement rebelles de rétention hydrique. Le métolazone est également prescrit dans le traitement de l'hypertension artérielle légère ou modérée.

MODE D'ACTION
Les diurétiques augmentent l'excrétion de sel et d'eau dans l'urine. Le métolazone agit sur une partie du rein qui n'est pas touchée par les diurétiques de l'anse comme le furosémide ou le bumétanide. Ainsi donc, prescrits en association, le métolazone et un diurétique de l'anse ont un effet synergétique.

▼ MODE D'EMPLOI

POSOLOGIE
Adultes : 2,5 à 20 mg, 1 fois par jour.

DÉBUT D'ACTION
En 1 heure environ.

DURÉE D'ACTION
12 à 24 heures.

CONSEILS NUTRITIONNELS
À prendre avec de la nourriture pour éviter les maux d'estomac.

MODE DE CONSERVATION
Dans un contenant étanche, à l'abri de la chaleur, de la lumière, de l'humidité et des températures extrêmes.

OUBLI D'UNE DOSE
Prenez-la dès que vous y pensez. S'il est presque l'heure de la suivante, sautez la dose oubliée et reprenez la fréquence normale. Ne doublez pas la dose suivante.

≣ EFFETS INDÉSIRABLES ≣

GRAVES
Rash cutané, urticaire, démangeaisons intenses, enflure de la bouche et de la gorge, difficultés respiratoires, arythmie cardiaque, étourdissements, ecchymoses ou saignements anormaux. L'association du métolazone et d'un autre diurétique peut provoquer une déshydratation grave pouvant mener à de l'insuffisance rénale.

COURANTS
Carence en potassium pouvant causer palpitations et faiblesse. Déplétion liquidienne pouvant amener des étourdissements, surtout en se levant après avoir été assis ou couché, soif, sécheresse de la bouche et constipation.

MOINS COURANTS
Perte de la performance sexuelle, sensibilité accrue à la lumière solaire, perte d'appétit, goutte, augmentation du taux de sucre sanguin (un problème pour les diabétiques), pancréatite (rare).

ARRÊT DE LA MÉDICATION
Cette décision doit être prise en consultation avec votre médecin.

USAGE PROLONGÉ
Un suivi médical s'impose, avec examens et analyses.

▼ PRÉCAUTIONS

Plus de 60 ans. Risques de réactions indésirables plus fréquentes et plus graves.

Conduite automobile, travaux dangereux. Pas de précautions spéciales.

Alcool. Pas de précautions spéciales.

Grossesse. Le métolazone a provoqué des anomalies congénitales chez les animaux. Il n'y a pas eu d'études sur les humains. Ne prenez pas de métolazone à moins que le médecin ne le recommande : on lui préfère généralement d'autres diurétiques.

Allaitement. Le métolazone passe dans le lait maternel ; si vous devez en prendre, cessez d'allaiter. Consultez votre médecin.

Nourrissons et enfants. On ne s'attend pas à des effets indésirables particuliers. La posologie doit être déterminée par un pédiatre.

À surveiller. Le métolazone se prend généralement une fois par jour. Pour ne pas nuire à votre sommeil, prenez-le le matin. S'il est prescrit contre l'hypertension, suivez le régime et les mesures de maîtrise du poids recommandés par le médecin.

Évitez de vous exposer au soleil ; utilisez un écran solaire ou portez des vêtements couvrants. Ce médicament peut entraîner une déperdition potassique. Suivez les instructions du médecin en ce qui concerne une alimentation riche en potassium ou la prise de suppléments de potassium.

SURDOSAGE
Symptômes. Évanouissement, léthargie, vertiges, somnolence, irritation gastro-intestinale.

Quoi faire. Appelez immédiatement le médecin ou le centre antipoison, ou allez à l'urgence.

▼ INTERACTIONS

MÉDICAMENT-MÉDICAMENT
Demandez conseil au médecin si vous prenez : anticoagulants, cholestyramine, colestipol, antidiabétiques, anti-inflammatoires non stéroïdiens (AINS), digitaliques ou lithium.

MÉDICAMENT-ALIMENT
Aucune interaction connue.

MÉDICAMENT-MALADIE
La prudence est de mise avec le métolazone. Consultez le médecin en cas de : diabète, goutte, lupus érythémateux, pancréatite, maladie cardiaque, maladie des vaisseaux sanguins, maladie du foie ou des reins.

MÉTOPROLOL

Présentation : Comprimés, comprimés à libération lente (injection en milieu hospitalier)
En vente libre ? Non **Générique disponible ?** Oui
Classe de médicaments : Bêtabloquant

▼ GÉNÉRALITÉS

INDICATIONS
Contre l'hypertension légère à modérée et l'angine de poitrine ; aussi pour prévenir ou maîtriser les irrégularités (arythmies) cardiaques. L'injection s'emploie à l'hôpital seulement en traitement d'urgence de l'infarctus du myocarde, suivi d'un traitement d'entretien par voie orale.

MODE D'ACTION
Le métoprolol ralentit le rythme et la contractilité du cœur en bloquant certains influx nerveux : il réduit ainsi la tension artérielle. En modifiant les influx nerveux vers le cœur, il aide aussi à stabiliser le rythme cardiaque.

▼ MODE D'EMPLOI

POSOLOGIE
Hypertension ou angine – Adultes : 100 à 400 mg par jour en doses fractionnées. Comprimés à libération lente : jusqu'à 400 mg, 1 fois par jour. Après un infarctus – Dose initiale, 50 mg aux 6 heures, suivie d'une dose d'entretien de 100 mg ou plus (jusqu'à 400 mg par jour), 2 fois par jour tant que le médecin le prescrit.

DÉBUT D'ACTION
En 15 minutes à 1 heure.

DURÉE D'ACTION
6 à 12 heures ; comprimés à libération lente : jusqu'à 24 heures.

CONSEILS NUTRITIONNELS
À prendre en mangeant. Respectez le régime pauvre en sel et en cholestérol conseillé par le médecin pour vous aider à maîtriser l'hypertension et la maladie cardiaque.

MODE DE CONSERVATION
Dans un contenant étanche, à l'abri de la chaleur et de la lumière.

OUBLI D'UNE DOSE
Prenez-la dès que vous y pensez. Si vous êtes à moins de 4 heures de la suivante (8 heures pour les comprimés à libération lente), sautez la dose oubliée et reprenez la fréquence normale. Ne doublez pas la dose suivante.

ARRÊT DE LA MÉDICATION
Un arrêt brusque de la médication peut provoquer une crise d'angine ou un infarctus chez les patients atteints d'une maladie du cœur avancée. On recommande de réduire lentement les doses de métoprolol sur 2 à 3 semaines sous étroite surveillance médicale.

USAGE PROLONGÉ
Le traitement peut durer toute la vie. Un suivi médical s'impose en usage prolongé.

▼ PRÉCAUTIONS

Plus de 60 ans. Réactions indésirables plus fréquentes et plus graves.

Conduite automobile, travaux dangereux. Soyez prudent jusqu'à ce que vous connaissiez votre réaction au médicament.

Alcool. À éviter ou à consommer avec modération : alcool et métoprolol peuvent provoquer une chute dangereuse de la tension artérielle.

Grossesse. Évaluez avec le médecin les bienfaits du médicament par rapport à ses risques.

Allaitement. On n'a pas signalé d'effets indésirables pour le nourrisson. Demandez l'avis du médecin.

Nourrissons et enfants. Pas de risques particuliers.

SURDOSAGE
Symptômes. Rythme cardiaque trop lent ou trop rapide, vertiges graves ou évanouissement, mauvaise circulation du sang dans les mains (peau bleuâtre), difficultés respiratoires, convulsions.

Quoi faire. Appelez le médecin ou le centre antipoison, ou allez à l'urgence.

▼ INTERACTIONS

MÉDICAMENT-MÉDICAMENT
Consultez le médecin si vous prenez : antidiabétiques oraux, médicaments contre l'asthme (aminophylline ou théophylline), bloqueurs des canaux calciques, clonidine, halothane, immunothérapie contre les allergies (injections anti-allergiques), insuline, IMAO, réserpine, autres bêtabloquants ou tout médicament en vente libre.

MÉDICAMENT-ALIMENT
Aucune interaction connue.

MÉDICAMENT-MALADIE
À utiliser avec prudence chez les diabétiques insulinodépendants : il peut masquer des symptômes d'hypoglycémie. Avisez le médecin en cas de : allergie ou asthme, maladie du cœur ou des vaisseaux sanguins (insuffisance cardiaque, maladie vasculaire périphérique), hyperthyroïdie, rythme cardiaque irrégulier (lent), myasthénie grave, psoriasis, difficultés respiratoires (bronchite, emphysème), maladie du foie ou du rein, antécédents de dépression.

  EFFETS INDÉSIRABLES

GRAVES
Essoufflement, respiration sifflante ; rythme cardiaque lent ou irrégulier (50 battements à la minute ou moins) ; douleur ou constriction thoracique ; enflure des chevilles, des pieds et du bas des jambes ; dépression.

COURANTS
Vertiges ou étourdissements, surtout quand on se lève rapidement ; impuissance ; fatigue anormale, faiblesse ou somnolence ; insomnie.

MOINS COURANTS
Anxiété, irritabilité, nervosité ; constipation ; diarrhée ; yeux secs et douloureux ; démangeaisons ; nausées ou vomissements ; rêves vifs ou cauchemars ; engourdissement, picotement dans les doigts, les orteils ou le cuir chevelu.

MÉTRONIDAZOLE

Présentation : Crème, injection, gel topique et vaginal, comprimés, gélules, suppositoires vaginaux
En vente libre ? Non   **Générique disponible ?** Oui
Classe de médicaments : Antibactérien/antiprotozoaire

▼ GÉNÉRALITÉS

INDICATIONS
Traitement de nombreuses infections bactériennes : maladies transmises sexuellement, infections gynécologiques, amibiase (infection amibienne de l'intestin ou du foie), abcès cérébral ou méningite, pneumonie ou infections pulmonaires, septicémie, infections des articulations et des os, infections des viscères (dont abcès du foie et péritonite) et infections cutanées.

MODE D'ACTION
Le métronidazole tue bactéries et protozoaires en inhibant la synthèse de l'ADN dans ces micro-organismes.

▼ MODE D'EMPLOI

POSOLOGIE
La dose varie en fonction de plusieurs facteurs : maladie à traiter, âge, poids et état général du patient, forme de médicament prescrite. Le médecin déterminera la posologie qui vous convient.

DÉBUT D'ACTION
Inconnu.

DURÉE D'ACTION
Inconnue.

CONSEILS DIÉTÉTIQUES
On peut prendre les formes orales en mangeant pour réduire les maux d'estomac.

MODE DE CONSERVATION
Dans un contenant étanche, à l'abri de la chaleur, de l'humidité et de la lumière. Ne réfrigérez pas les formes liquides ou topiques.

OUBLI D'UNE DOSE
Prenez-la dès que vous y pensez. S'il est presque l'heure de la suivante, sautez la dose oubliée et reprenez la fréquence normale. Ne doublez pas la dose suivante.

ARRÊT DE LA MÉDICATION
Effectuez le traitement au complet, comme il vous a été prescrit, même si vous vous sentez mieux avant la fin.

USAGE PROLONGÉ
Si les symptômes ne régressent pas ou s'ils s'aggravent après quelques jours, consultez le médecin.

▼ PRÉCAUTIONS

Plus de 60 ans. Pas de conseil spécial.

Conduite automobile, travaux dangereux. À éviter tant que vous ne connaissez pas les effets du médicament sur vous.

Alcool. Des réactions graves incluant bouffées congestives, tachycardie, nausées et vomissements, peuvent se produire si vous consommez de l'alcool pendant le traitement. Évitez aussi les médicaments renfermant de l'alcool (comme les sirops pour le rhume) ; ils peuvent entraîner les mêmes réactions.

Grossesse. Le métronidazole n'a pas provoqué d'anomalies congénitales chez les animaux. Les formes orales ne sont pas conseillées durant les trois premiers mois. Avant d'en prendre, dites au médecin que vous êtes enceinte ou voulez le devenir.

Allaitement. Le métronidazole passe dans le lait maternel ; n'en prenez pas pendant que vous allaitez.

Nourrissons et enfants. Les formes orales et injectables ne devraient pas provoquer d'effets indésirables plus graves ou différents. Mais on n'a pas de données pour les formes topiques.

À surveiller. Si vous utilisez le gel vaginal, portez des culottes de coton, changez-en chaque jour et utilisez une serviette hygiénique pour que le médicament ne coule pas. N'en mettez pas près des yeux ni dans les yeux. Le cas échéant, lavez-les à grande eau immédiatement et consultez le médecin.

SURDOSAGE
Symptômes. Aucun cas n'a été signalé.

Quoi faire. Sans objet.

▼ INTERACTIONS

MÉDICAMENT-MÉDICAMENT
Si vous avez pris du disulfiram au cours des 2 dernières semaines, ne prenez pas de métronidazole. Avertissez le médecin si vous prenez : cimétidine, lithium, anticoagulants, phénytoïne, phénobarbital ou tout autre médicament vendu avec ou sans ordonnance.

MÉDICAMENT-ALIMENT
Aucune interaction connue.

MÉDICAMENT-MALADIE
Consultez le médecin en cas de : antécédents de maladie du sang, épilepsie (ou autre trouble du système nerveux central), maladie de cœur ou maladie du foie.

 EFFETS INDÉSIRABLES

GRAVES
Formes orales et injectables : douleur, picotement, engourdissement ou faiblesse des mains et pieds ; convulsions.

COURANTS
Formes orales et injectables : diarrhée, vertiges, étourdissements, céphalées, perte d'appétit, nausées, vomissements, douleurs ou maux d'estomac. Gel vaginal : démangeaisons vaginales, relation sexuelle douloureuse, écoulement vaginal épais et blanc, irritation du pénis du partenaire, miction brûlante, débit urinaire accru, rougeur, picotements ou démangeaisons dans la région vaginale.

MOINS COURANTS
Formes orales et injectables : sécheresse de la bouche, goût métallique. Crème et gel : peau sèche, irritation cutanée, larmoiement, yeux qui brûlent ou piquent. Gel vaginal : vertiges, étourdissements, diarrhée, langue blanche, perte d'appétit, goût métallique, nausées, vomissements.

MEXILÉTINE (CHLORHYDRATE DE)

Présentation : Gélules
En vente libre ? Non   **Générique disponible ?** Oui
Classe de médicaments : Antiarythmique

▼ GÉNÉRALITÉS

INDICATIONS
Traitement des battements de cœur irréguliers (arythmies cardiaques).

MODE D'ACTION
La mexilétine ralentit les impulsions nerveuses dans le cœur et rend les tissus cardiaques moins sensibles aux impulsions nerveuses, stabilisant ainsi les battements du cœur.

▼ MODE D'EMPLOI

POSOLOGIE
Dose initiale, 200 à 400 mg suivie de 200 mg aux 8 heures. La posologie peut être augmentée à 400 mg aux 8 heures.

DÉBUT D'ACTION
En 30 minutes à 2 heures.

DURÉE D'ACTION
10 à 12 heures (plus chez les patients qui ont une insuffi-sance hépatique ou une dys-fonction cardiaque).

CONSEILS NUTRITIONNELS
La mexilétine peut se prendre en même temps que des aliments ou un antiacide.

MODE DE CONSERVATION
Dans un contenant étanche, à l'abri de la chaleur et de la lumière.

OUBLI D'UNE DOSE
Prenez-la dès que vous y pensez. S'il est presque l'heure de la suivante, sautez la dose oubliée et reprenez la fréquence normale. Ne doublez pas la dose suivante.

ARRÊT DE LA MÉDICATION
Effectuez le traitement au complet, comme il vous a été prescrit, même si vous vous sentez mieux avant la fin. La décision de l'interrompre doit être prise par le médecin.

USAGE PROLONGÉ
La thérapie peut durer toute la vie. Un suivi médical est nécessaire, avec examens et tests diagnostiques en cas de traitement de longue durée.

▼ PRÉCAUTIONS

Plus de 60 ans. Il n'y a pas d'information comparative sur l'administration du médicament aux personnes âgées par rapport aux autres.

Conduite automobile, travaux dangereux. À déconseiller tant que vous ne connaissez pas votre réaction au médicament.

Alcool. Pas de précautions spéciales.

Grossesse. Dans les études sur les animaux, la mexilétine a entraîné une réduction des grossesses menées à terme, mais n'a provoqué aucune anomalie congénitale. Avant d'en prendre, dites au médecin si vous êtes enceinte ou voulez le devenir.

Allaitement. La mexilétine passe dans le lait maternel ; n'en prenez pas si vous allaitez.

Nourrissons et enfants. L'innocuité et l'efficacité de la mexilétine n'ont pas été établies chez les enfants. Les utilisations et la posologie doivent être déterminées par le médecin.

À surveiller. Le médecin peut vous demander de porter une carte ou un bracelet spécifiant que vous prenez de la mexilé-tine. Avant toute espèce de chirurgie, avertissez le médecin ou le dentiste que vous prenez ce médicament.

▼ SURDOSAGE

Symptômes. Difficultés respiratoires graves, vertiges, somnolence, sensation de brûlure, nausées, altération de l'état psychique, convulsions, battements de cœur très lents, perte de conscience.

Quoi faire. Appelez immédiatement le médecin ou le centre antipoison, ou allez à l'urgence.

▼ INTERACTIONS

MÉDICAMENT-MÉDICAMENT
Demandez l'avis du médecin si vous prenez : alcalinisants urinaires (antiacides), autres antiarythmiques, inducteurs des enzymes hépatiques, métoclopramide, théophylline, rifampine, phénytoïne ou phénobarbital.

MÉDICAMENT-ALIMENT
Aucune interaction connue.

MÉDICAMENT-MALADIE
La mexilétine exige qu'on soit prudent. Consultez le médecin en cas de : hypotension artérielle, insuffisance cardiaque, infarctus du myocarde récent ou antécédents de convulsions. La mexilétine peut entraîner des complications chez les patients atteints d'une maladie hépatique, car le foie travaille à éliminer le médicament de l'organisme.

EFFETS INDÉSIRABLES

GRAVES
Douleur thoracique, tachycardie, arythmies cardiaques, essoufflement, convulsions, ecchymoses ou saignements anormaux, fièvre ou frissons.

COURANTS
Vertiges ou étourdissements ; nausées, vomissements ou douleur abdominale ; aigreurs d'estomac ; nervosité ; manque d'équilibre ou difficulté à marcher ; tremblements ou agitation des mains.

MOINS COURANTS
Confusion, vue trouble, constipation ou diarrhée, céphalées, engourdissement ou picotement des mains ou des orteils, bourdonnements d'oreilles, rash cutané, difficultés d'élocution, difficultés à dormir, fatigue ou faiblesse anormales.

MICONAZOLE

Présentation : Crème et suppositoires vaginaux, crème et aérosol topiques
En vente libre ? Oui   **Générique disponible ?** Oui
Classe de médicaments : Antifongique

▼ GÉNÉRALITÉS

INDICATIONS
Traitement des infections fongiques, ainsi que des infections vaginales à levures.

MODE D'ACTION
Le miconazole empêche les organismes fongiques de fabriquer les substances essentielles à leur croissance et à leur fonctionnement. Il n'agit que contre les infections fongiques et est sans effet contre les infections bactériennes ou virales.

▼ MODE D'EMPLOI

POSOLOGIE
Adultes et adolescents – Crème vaginale : insérez dans le vagin 1 applicateur plein de crème au coucher, pendant 7 nuits. Suppositoires vaginaux : insérez un suppositoire de 100 mg dans le vagin au coucher, pendant 7 nuits, ou 1 suppositoire de 400 mg pendant 3 nuits, ou 1 suppositoire de 1 200 mg, 1 seul soir. Crème topique : appliquez-en 2 fois par jour sur la région affectée.

DÉBUT D'ACTION
Inconnu.

DURÉE D'ACTION
Inconnue.

CONSEILS NUTRITIONNELS
Pas de restrictions spéciales.

MODE DE CONSERVATION
Dans un contenant étanche, à l'abri de la chaleur, de l'humidité et de la lumière. Gardez les suppositoires au réfrigérateur ou à la température ambiante. Ne congelez pas le médicament.

OUBLI D'UNE DOSE
Appliquez-la dès que vous y pensez pour maintenir un niveau constant du médicament dans votre système. S'il est presque l'heure de la dose suivante, sautez la dose oubliée et reprenez la fréquence normale. Ne doublez pas la dose suivante.

ARRÊT DE LA MÉDICATION
Effectuez le traitement au complet, comme il vous a été prescrit, même si vous vous sentez mieux avant la fin. Un arrêt prématuré peut augmenter les risques de réinfection.

Certaines infections fongiques prennent des mois à guérir.

USAGE PROLONGÉ
Le traitement peut durer plusieurs mois. Un usage prolongé augmente les risques d'effets indésirables.

▼ PRÉCAUTIONS

Plus de 60 ans. Risques de réactions indésirables plus fréquentes et plus graves.

Conduite automobile, travaux dangereux. Le médicament ne devrait pas vous empêcher d'exécuter de telles tâches en toute sécurité.

Alcool. Pas de précautions spéciales.

Grossesse. Il n'existe pas d'études concluantes sur l'emploi du miconazole durant la grossesse. Si vous êtes enceinte ou voulez le devenir, consultez le médecin.

Allaitement. Le miconazole passe dans le lait maternel : la prudence s'impose. Demandez l'avis du médecin.

Nourrissons et enfants. Non recommandé chez les enfants de moins de 1 an.

À surveiller. Pour ne pas tacher vos vêtements, portez des serviettes hygiéniques. La région devrait être gardée au frais et au sec. Ne restez pas longtemps assise dans un maillot de bain mouillé. Évitez les vaporisateurs d'hygiène féminine. Lavez-vous tous les jours avec un savon non parfumé et essuyez-vous avec une serviette propre. N'utilisez pas de tampons hygiéni-

ques durant le traitement et n'interrompez pas le médicament durant les périodes menstruelles.

SURDOSAGE
Symptômes. Un surdosage est peu probable.

Quoi faire. Sans objet.

▼ INTERACTIONS

MÉDICAMENT-MÉDICAMENT
Formes vaginales : avertissez le médecin si vous utilisez tout autre médicament vaginal avec ou sans ordonnance.

MÉDICAMENT-ALIMENT
Aucune interaction connue.

MÉDICAMENT-MALADIE
Avertissez le médecin si vous avez des antécédents d'alcoolisme. Le miconazole peut entraîner des complications chez les patients atteints d'une maladie du foie ou du rein, car ces organes contribuent ensemble à éliminer le médicament de l'organisme.

EFFETS INDÉSIRABLES

GRAVES
Rash cutané ou démangeaisons ; fièvre ou frissons ; douleur au point d'application ; brûlure, démangeaison, irritation ou écoulements vaginaux qui n'existaient pas avant le début du traitement.

COURANTS
Il n'y a pas d'effets courants associés au miconazole.

MOINS COURANTS
Diarrhée, nausées, vomissements, constipation, vertiges, céphalées, rougeur de la peau, crampes ou douleurs gastriques, brûlure ou irritation du pénis du partenaire.

MIDODRINE (CHLORHYDRATE DE)

Présentation : Comprimés
En vente libre ? Non   **Générique disponible ?** Non
Classe de médicaments : Agoniste alpha-adrénergique

▼ GÉNÉRALITÉS

INDICATIONS
Traitement des cas graves d'hypotension orthostatique (très basse tension artérielle provoquant vertiges et évanouissement, particulièrement en se levant après avoir été assis ou couché). S'emploie quand les soins habituels – bas de support, expansion du volume plasmatique ou modification du mode de vie – n'ont pas été efficaces.

MODE D'ACTION
La midodrine contracte les muscles lisses qui entourent les vaisseaux sanguins. En rétrécissant la lumière de ceux-ci, le médicament fait monter la tension artérielle et corrige l'hypotension qui se produit quand le patient se lève.

▼ MODE D'EMPLOI

POSOLOGIE
2,5 à 10 mg, 3 fois par jour aux 4 heures durant les heures d'éveil. On suggère de prendre le médicament peu après le lever, puis à mi-journée et finalement en fin d'après-midi (avant 18 heures). Il faut mesurer la tension artérielle en position assise et couchée au début du traitement pour bien ajuster les doses.

DÉBUT D'ACTION
En 1 heure.

DURÉE D'ACTION
2 à 3 heures.

CONSEILS NUTRITIONNELS
Pas de restrictions spéciales.

MODE DE CONSERVATION
Dans un contenant étanche, à l'abri de la chaleur, de l'humidité et de la lumière.

OUBLI D'UNE DOSE
Prenez-la dès que vous y pensez. S'il est presque l'heure de la suivante, sautez la dose oubliée et reprenez la fréquence normale. Ne doublez pas la dose suivante.

ARRÊT DE LA MÉDICATION
La décision doit se prendre en consultation avec votre médecin.

EFFETS INDÉSIRABLES

GRAVES
Très forte tension artérielle, battements de cœur lents, vertiges accrus, évanouissement.

COURANTS
Démangeaisons, engourdissement ou picotement des extrémités ; chair de poule ; frissons ; difficultés à uriner.

MOINS COURANTS
Céphalées, pression sinusale, rougeur du visage, confusion, sécheresse de la bouche, nervosité, angoisse, rash cutané, troubles de la vue, vertiges, peau sèche, mal de dos, douleur gastro-intestinale, gaz, crampes dans les jambes.

USAGE PROLONGÉ
Un suivi médical s'impose pour mesurer la tension artérielle en position assise et couchée et vérifier la fonction hépatique et rénale si vous devez prendre ce médicament durant une période prolongée.

▼ PRÉCAUTIONS

Plus de 60 ans. Pas de recommandations spéciales.

Conduite automobile, travaux dangereux. À déconseiller tant que vous ne savez pas comment vous réagissez au médicament.

Alcool. À éviter ; l'alcool peut fausser les contrôles de la tension artérielle.

Grossesse. Il n'existe pas d'études pertinentes. Évaluez avec le médecin les avantages et les risques du médicament pour le fœtus si vous le prenez durant la grossesse.

Allaitement. La midodrine peut passer dans le lait maternel : la prudence s'impose. Demandez l'avis du médecin.

Nourrissons et enfants. Innocuité et efficacité non établies.

À surveiller. La dernière dose de midodrine doit être prise au moins 4 heures avant le coucher. Le médicament n'est pas recommandé aux patients dont la pression systolique est très élevée.

SURDOSAGE
Symptômes. Chair de poule, sensation de froid, baisse du débit urinaire, tachycardie, bourdonnements dans les oreilles.

Quoi faire. On ne sait pas si une surdose de midodrine met la vie du patient en danger. Néanmoins, si la dose est très forte, appelez aussitôt le médecin ou le centre antipoison, ou allez à l'urgence.

▼ INTERACTIONS

MÉDICAMENT-MÉDICAMENT
Demandez l'avis du médecin si vous prenez : glucosides cardiaques, phényléphrine, pseudoéphédrine, bêtabloquants, phénylpropanolamine, dihydroergotamine, acétate de fludrocortisone, prazosine, térazosine, doxazosine, metformine, cimétidine, ranitidine, procaïnamide, triamtérène, flécaïnide, quinidine ou tout autre médicament pris avec ou sans ordonnance.

MÉDICAMENT-ALIMENT
Aucune interaction connue.

MÉDICAMENT-MALADIE
La midodrine exige qu'on soit prudent. Consultez le médecin en cas de : problèmes de rétention urinaire, maladie cardiaque grave, diabète sucré, troubles de la vue, glaucome, phéochromocytome ou thyréotoxicose. La midodrine peut entraîner des complications chez les patients qui ont une maladie du foie ou du rein, car ces organes travaillent ensemble à éliminer le médicament de l'organisme.

MINOCYCLINE

Présentation : Gélules
En vente libre ? Non **Générique disponible ?** Oui
Classe de médicaments : Tétracycline (antibiotique)

▼ GÉNÉRALITÉS

INDICATIONS
Traitement de l'acné et traitement d'infections bactériennes ou protozoaires (parasites unicellulaires).

MODE D'ACTION
La minocycline tue les bactéries et les protozoaires en les empêchant de produire certaines protéines essentielles à leur survie.

▼ MODE D'EMPLOI

POSOLOGIE
Adultes et adolescents : 100 à 200 mg au début, puis 100 mg, 2 fois par jour ; ou, autre possibilité, 100 à 200 mg au début, puis 50 mg, 4 fois par jour.

DÉBUT D'ACTION
Inconnu.

DURÉE D'ACTION
Inconnue.

CONSEILS NUTRITIONNELS
Buvez plus d'eau.

MODE DE CONSERVATION
Dans un contenant étanche, à l'abri de la chaleur, de l'humidité et de la lumière.

OUBLI D'UNE DOSE
Prenez-la dès que vous y pensez. S'il est presque l'heure de la suivante, sautez la dose oubliée et reprenez la fréquence normale. Ne doublez pas la dose suivante.

ARRÊT DE LA MÉDICATION
Effectuez le traitement au complet, comme il vous a été prescrit, même si vous vous sentez mieux avant qu'il ne prenne fin.

USAGE PROLONGÉ
Infections : si les symptômes ne régressent pas en quelques jours, voyez le médecin. Acné : l'effet thérapeutique de la minocycline peut mettre plusieurs semaines à se manifester. Un usage prolongé peut vous rendre plus vulnérable à des infections causées par des micro-organismes rebelles aux antibiotiques.

▼ PRÉCAUTIONS

Plus de 60 ans. On ne sait si les réactions indésirables sont plus fréquentes et graves.

Conduite automobile, travaux dangereux. À déconseiller tant que vous ne connaissez pas votre réaction au médicament : il peut provoquer des étourdissements.

Alcool. Il est préférable de ne pas en consommer quand on lutte contre une infection.

Grossesse. La minocycline doit être évitée durant la deuxième moitié de la grossesse : elle pourrait tacher les dents du bébé, ralentir leur croissance et celle des os et provoquer des troubles hépatiques chez la mère.

Allaitement. La minocycline passe dans le lait maternel et peut être nocive pour le nourrisson. La mère doit choisir entre le médicament ou l'allaitement.

Nourrissons et enfants. La minocycline ne devrait pas être administrée aux enfants de moins de 13 ans : elle peut tacher les dents de façon permanente.

À surveiller. La minocycline peut réduire les effets des contraceptifs oraux : consultez le médecin à ce sujet. Avant une chirurgie sous anesthésie générale, dites au médecin ou au dentiste que vous prenez de la minocycline. Si le médicament augmente la sensibilité de votre peau au soleil, protégez-vous et évitez de vous exposer. Ne prenez pas de suppléments de calcium, de laxatifs au magnésium, d'antiacides contenant du magnésium ou de l'aluminium, du bicarbonate de soude ou des suppléments contenant du fer dans les 2 ou 3 heures suivant l'administration de minocycline. Les femmes prédisposées aux infections par des levures peuvent nécessiter un antifongique durant un traitement à la minocycline.

SURDOSAGE
Symptômes. Nausées et vomissements graves, diarrhée, déglutition difficile.

Quoi faire. Il est peu probable qu'une surdose de minocycline mette votre vie en danger. Néanmoins, si la dose est très forte, appelez aussitôt le médecin ou le centre antipoison, ou allez à l'urgence.

▼ INTERACTIONS

MÉDICAMENT-MÉDICAMENT
En raison d'interactions possibles, consultez le médecin si vous prenez : antiacides, suppléments de calcium, cholestyramine, choline et salicylates de magnésium, remèdes contenant du fer, laxatifs au magnésium ou contraceptifs oraux.

MÉDICAMENT-ALIMENT
Aucune interaction connue.

MÉDICAMENT-MALADIE
Avisez le médecin si vous avez des antécédents de maladie rénale ou hépatique.

  EFFETS INDÉSIRABLES

GRAVES
Sensibilité accrue de la peau au soleil, douleur abdominale, céphalées, perte d'appétit, nausées et vomissements graves, peau jaune, décoloration de la peau, troubles de la vision, étourdissements et perte d'équilibre.

COURANTS
Douleurs ou brûlures d'estomac, nausées, vomissements, vertiges, étourdissements, manque d'équilibre, infection aux levures ou muguet buccal (infection fongique de la bouche ou de la gorge).

MOINS COURANTS
Démangeaisons des organes génitaux, langue ou bouche douloureuses.

MINOXIDIL ORAL

Présentation : Comprimés
En vente libre ? Non   **Générique disponible ?** Non
Classe de médicaments : Antihypertenseur

▼ GÉNÉRALITÉS

INDICATIONS
Traitement de l'hypertension modérée à grave. Le minoxidil est généralement utilisé quand d'autres médicaments n'ont pas donné de résultats satisfaisants.

MODE D'ACTION
Le minoxidil oral agit sur les muscles lisses qui entourent les artères. En se détendant, ces muscles provoquent la dilatation des vaisseaux sanguins, ce qui fait baisser la tension artérielle.

▼ MODE D'EMPLOI

POSOLOGIE
Adultes et adolescents : 2,5 à 100 mg par jour en une ou plusieurs doses fractionnées. Enfants de 12 ans ou moins : 200 µg (microgrammes) à 1 mg par kilogramme (2,2 lb) de poids par jour en une ou plusieurs doses fractionnées.

DÉBUT D'ACTION
En 30 minutes.

DURÉE D'ACTION
2 à 5 jours.

CONSEILS NUTRITIONNELS
À prendre en mangeant contre les maux d'estomac. Ayez un régime alimentaire pauvre en sel, en gras et en cholestérol comme le prescrit le médecin pour vous aider à maîtriser l'hypertension et prévenir la maladie cardiaque.

MODE DE CONSERVATION
Dans un contenant étanche, à l'abri de la chaleur et de la lumière.

OUBLI D'UNE DOSE
Prenez-la dès que vous y pensez. S'il est presque l'heure de la suivante, sautez la dose oubliée et reprenez la fréquence normale. Ne doublez pas la dose suivante.

ARRÊT DE LA MÉDICATION
Cette décision doit être prise par le médecin. Le minoxidil aide à maîtriser l'hypertension, mais ne la guérit pas : vous pouvez devoir prendre ce médicament pour le reste de votre existence.

 EFFETS INDÉSIRABLES

GRAVES
Tachycardie (parfois arythmie cardiaque), gain rapide de poids – plus de 2 kg (4,4 lb) chez les adultes ou 1 kg chez les enfants ; essoufflement. Douleur thoracique : allez immédiatement à l'urgence.

COURANTS
Enflure des pieds et du bas des jambes ; pilosité accrue sur les bras, le visage et le dos ; bouffées congestives ou rougeur de la peau.

MOINS COURANTS
Engourdissement ou picotement du visage, des mains ou des pieds ; rash cutané et démangeaisons ; sensibilité des seins chez les hommes et les femmes ; céphalées.

USAGE PROLONGÉ
Un suivi médical est nécessaire en cas d'usage prolongé du médicament.

▼ PRÉCAUTIONS

Plus de 60 ans. Risques de réactions indésirables plus fréquentes et plus graves. Le minoxidil peut réduire la tolérance au froid.

Conduite automobile, travaux dangereux. Le minoxidil ne devrait pas vous empêcher d'exécuter de telles tâches en toute sécurité.

Alcool. Pas de précautions spéciales.

Grossesse. Le minoxidil n'a pas semblé provoquer d'anomalies congénitales chez les animaux. Il n'existe pas d'études sur les humains, mais on a signalé une pilosité anormale chez le nouveau-né. Chez les animaux, de fortes doses ont semblé réduire le taux de natalité. Avant de prendre du minoxidil, dites au médecin que vous êtes enceinte ou voulez le devenir.

Allaitement. Le minoxidil passe dans le lait maternel : la prudence s'impose. Demandez l'avis du médecin.

Nourrissons et enfants. Pas de risques spéciaux.

À surveiller. Le minoxidil provoque couramment de l'œdème par rétention d'eau ; la plupart des patients doivent donc prendre un diurétique durant le traitement. Le médicament augmente la fréquence cardiaque ; il est donc souvent prescrit avec un médicament pour stabiliser cette fréquence. Pendant le traitement, pesez-vous tous les jours. Communiquez immédiatement avec le médecin si vous prenez 2 kg (4,4 lb) ou plus (1 kg chez les enfants), si vous souffrez d'essoufflement, surtout quand vous vous couchez, ou si votre fréquence cardiaque augmente de 20 battements ou plus à la minute alors que vous êtes au repos.

SURDOSAGE
Symptômes. Hypotension marquée, tachycardie, rétention hydrique.

Quoi faire. Il est peu probable qu'une surdose mette votre vie en danger. Néanmoins, si la dose est très forte, appelez immédiatement le médecin ou le centre antipoison, ou allez à l'urgence.

▼ INTERACTIONS

MÉDICAMENT-MÉDICAMENT
Il peut y avoir interaction entre le minoxidil et les médicaments suivants : nitrates ; médicaments vendus sans ordonnance pour diminuer l'appétit ou contre l'asthme, le rhume, la toux, le rhume des foins ou les troubles des sinus. Consultez votre médecin si vous en prenez.

MÉDICAMENT-ALIMENT
Aucune interaction connue.

MÉDICAMENT-MALADIE
La prudence est de mise. Consultez le médecin en cas de : angine, maladie du cœur, des vaisseaux sanguins, du rein, infarctus ou accident cérébrovasculaire récents, phéochromocytome.

MINOXIDIL TOPIQUE

Présentation : Solution topique
En vente libre ? Oui   **Générique disponible ?** Oui
Classe de médicaments : Stimulant pour la pousse des cheveux

▼ GÉNÉRALITÉS

INDICATIONS
Le minoxidil en solution topique stimule la pousse des cheveux chez les femmes et les hommes atteints d'une forme spécifique de calvitie, l'alopécie androgénétique (connue sous les noms de « calvitie masculine » ou de « calvitie féminine »).

MODE D'ACTION
Le mode d'action du minoxidil n'est pas connu. On sait qu'il augmente l'apport de sang, de nutriments et de substances importantes dans les follicules pileux ; il comporterait aussi d'autres mécanismes d'action peu connus qui stimuleraient la croissance des cheveux.

▼ MODE D'EMPLOI

POSOLOGIE
Adultes : 1 ml, quelle que soit l'étendue de la zone affectée par la calvitie.

DÉBUT D'ACTION
En au moins 4 mois à raison de 2 traitements par jour.

DURÉE D'ACTION
La repousse obtenue grâce au minoxidil sera vraisemblablement perdue 3 ou 4 mois après l'arrêt du traitement.

CONSEILS NUTRITIONNELS
Pas de restrictions spéciales.

MODE DE CONSERVATION
Dans un contenant étanche, à l'abri de la chaleur, de la lumière, de l'humidité et des températures extrêmes.

OUBLI D'UNE DOSE
Appliquez-la dès que vous y pensez. S'il est presque l'heure de la suivante, sautez la dose oubliée et reprenez la fréquence normale. Ne doublez pas la dose suivante.

ARRÊT DE LA MÉDICATION
Poursuivez le traitement jusqu'à ce que vous remarquiez un changement dans la pousse des cheveux, ce qui peut prendre au moins 4 mois. Si par contre vous renoncez à obtenir une repousse des cheveux, vous pouvez interrompre le traitement en tout temps.

USAGE PROLONGÉ
La thérapie doit être soutenue si l'on veut des résultats stables. Mais un usage prolongé peut augmenter le risque d'effets indésirables.

▼ PRÉCAUTIONS

Plus de 60 ans. Risques de réactions indésirables plus fréquentes et plus graves.

Conduite automobile, travaux dangereux. À déconseiller tant que vous ne connaissez pas les effets du médicament sur vous.

Alcool. Pas de précautions spéciales.

Grossesse. Cessez d'utiliser le minoxidil en traitement topique si vous êtes enceinte ou voulez le devenir. Consultez le médecin.

Allaitement. Le minoxidil passe dans le lait maternel ; n'en utilisez pas si vous allaitez.

Nourrissons et enfants. Non recommandé.

À surveiller. Les personnes allergiques au minoxidil ou à ses autres composants ne devraient pas utiliser ce médicament. Le minoxidil peut avoir des effets indésirables graves si l'organisme en absorbe de grandes quantités. Les cardiaques devraient consulter leur médecin avant d'utiliser le médicament. N'en appliquez pas sur les endroits où la peau est irritée, vésiquante, lésée ou à vif. Ne dépassez pas la dose recommandée et n'en mettez pas plus de 2 fois par jour. Ne faites pas sécher la solution au sèche-cheveux.

SURDOSAGE
Symptômes. Ce sont les mêmes que ceux énumérés sous Effets indésirables graves.

Quoi faire. Si les symptômes de surdosage se manifestent ou si le médicament est ingéré, appelez aussitôt le médecin ou le centre anti-poison, ou allez à l'urgence.

▼ INTERACTIONS

MÉDICAMENT-MÉDICAMENT
Demandez spécifiquement l'avis du médecin si vous prenez : minoxidil oral, stéroïdes, préparations topiques comme la trétinoïne ou le pétrole. Tout patient qui prend des médicaments pour le cœur ou la tension artérielle devrait consulter son médecin sur l'opportunité d'utiliser du minoxidil avant de commencer un traitement.

MÉDICAMENT-ALIMENT
Aucune interaction connue.

MÉDICAMENT-MALADIE
Consultez le médecin si vous souffrez de troubles affectant la peau ou le cuir chevelu (rashs, coups de soleil ou autres types d'éruptions ou d'inflammations cutanées), de maladie cardiaque ou d'hypertension artérielle.

⬇ EFFETS INDÉSIRABLES ⬇

GRAVES
Pouls rapide ; faiblesse, vertiges ou étourdissements. Douleur thoracique : allez immédiatement à l'urgence.

COURANTS
Sensation de brûlure, de picotement ou rougeur légère du cuir chevelu au lieu d'application ; sécheresse légère ou desquamation de la peau ; démangeaisons.

MOINS COURANTS
Irritation marquée ou allergie avec rougeur, démangeaisons, desquamation ou rash cutané. Picotement des mains et des pieds, rétention hydrique (enflure du visage, des mains, des doigts ou des jambes), bouffées congestives, céphalées. Cessez de prendre le médicament et prévenez votre médecin.

MIRTAZAPINE

Présentation : Comprimés
En vente libre ? Non   **Générique disponible ?** Non
Classe de médicaments : Antidépresseur

▼ GÉNÉRALITÉS

INDICATIONS
Traitement des symptômes de la dépression grave.

MODE D'ACTION
Bien qu'on ne connaisse pas le mode d'action exact de la mirtazapine, elle semble modifier les taux de certains éléments chimiques du cerveau (norépinéphrine et sérotonine) qui seraient liés aux humeurs, aux émotions et aux états psychiques.

▼ MODE D'EMPLOI

POSOLOGIE
Dose initiale : 15 mg, 1 fois par jour, de préférence le soir, au coucher. Le médecin peut augmenter graduellement la posologie, sans dépasser 45 mg par jour.

DÉBUT D'ACTION
Inconnu.

DURÉE D'ACTION
Inconnue.

CONSEILS NUTRITIONNELS
Pas de restrictions spéciales.

MODE DE CONSERVATION
Dans un contenant étanche, à l'abri de la chaleur, de l'humidité et de la lumière.

OUBLI D'UNE DOSE
Prenez-la dès que vous y pensez. S'il est presque l'heure de la dose du lendemain, sautez la dose oubliée et reprenez la fréquence normale. Ne doublez pas la dose du lendemain.

ARRÊT DE LA MÉDICATION
Effectuez le traitement au complet, comme il vous a été prescrit, même si vous vous sentez mieux avant la fin. La décision d'interrompre la médication doit être prise en consultation avec le médecin.

USAGE PROLONGÉ
Un suivi médical est nécessaire si vous devez prendre la médication durant une période prolongée. L'emploi prolongé de la mirtazapine peut diminuer la salivation et, du même coup, augmenter les risques de caries dentaires, de maladie des gencives et d'autres troubles.

▼ PRÉCAUTIONS

Plus de 60 ans. Risques accrus d'effets indésirables.

Conduite automobile, travaux dangereux. Soyez prudent tant que vous ne connaissez pas les effets du médicament sur vous. Il peut provoquer de la somnolence et des étourdissements.

Alcool. À éviter.

Grossesse. Il n'existe pas d'études sur les humains. Avant de prendre de la mirtazapine, avisez le médecin que vous êtes enceinte ou désirez le devenir.

Allaitement. La mirtazapine peut passer dans le lait maternel : la prudence s'impose. Demandez l'avis du médecin.

Nourrissons et enfants. Innocuité et efficacité non établies pour nourrissons et enfants de moins de 18 ans.

À surveiller. Si vous avez la bouche sèche, sucez des bonbons ou mâchez de la gomme sans sucre.

SURDOSAGE
Symptômes. Somnolence grave, désorientation, perte de mémoire, tachycardie.

Quoi faire. Appelez immédiatement le médecin ou le centre antipoison, ou allez à l'urgence.

▼ INTERACTIONS

MÉDICAMENT-MÉDICAMENT
Il faut laisser s'écouler 14 jours entre un traitement à la mirtazapine et un traitement aux inhibiteurs de la monoamine-oxydase (IMAO) ; il pourrait en résulter de très graves effets indésirables : myoclonie (contractions musculaires brusques), hyperthermie (élévation anormale de la température du corps), nausées, vomissements, convulsions et raideur extrême. D'autres interactions médicamenteuses sont possibles. Consultez le médecin si vous prenez : dépresseurs du système nerveux central, antihypertenseurs, diazépam ou médicaments pour le rein.

MÉDICAMENT-ALIMENT
Aucune interaction connue.

MÉDICAMENT-MALADIE
Un traitement à la mirtazapine exige de la prudence. Consultez le médecin en cas de : maladie cardiaque ou vasculaire ; antécédents de convulsions, de toxicomanie ou de maladie mentale. La mirtazapine peut provoquer des complications chez les patients affligés d'une maladie du foie ou du rein, car ces organes contribuent ensemble à éliminer le médicament de l'organisme.

 EFFETS INDÉSIRABLES

GRAVES
Sautes d'humeur, altération de l'état mental, confusion, difficultés respiratoires, mobilité des membres accrue ou diminuée, symptômes pseudo-grippaux, enflure des extrémités inférieures, rash cutané, anxiété, agitation, somnolence grave, désorientation, perte de mémoire, tachycardie.

COURANTS
Vertiges, sécheresse de la bouche, somnolence, constipation, augmentation de l'appétit, gain de poids.

MOINS COURANTS
Douleurs musculaires, rêves bizarres, fatigue, mal de dos, vomissements, soif accrue, nausées, vertiges ou évanouissement après s'être levé brusquement, sensibilité au toucher, tremblements, mal d'estomac, débit urinaire accru.

MISOPROSTOL

Présentation : Comprimés
En vente libre ? Non   **Générique disponible ?** Non
Classe de médicaments : Agent protecteur de la muqueuse

▼ GÉNÉRALITÉS

INDICATIONS
Prévention et traitement des ulcères gastro-duodénaux chez les patients qui prennent des anti-inflammatoires comme l'AAS. Traitement des ulcères duodénaux.

MODE D'ACTION
Un traitement prolongé aux anti-inflammatoires peut irriter et endommager la muqueuse de l'estomac et augmenter le risque d'ulcères. Le misoprostol aide à prévenir la formation d'ulcères et favorise les mécanismes de défense naturels de l'estomac en augmentant la sécrétion de mucus et en inhibant celle d'acide gastrique.

▼ MODE D'EMPLOI

POSOLOGIE
Traitement et prévention des ulcères causés par les AINS : 100 à 200 µg (microgrammes), 4 fois par jour, ou 200 à 400 µg, 2 fois par jour. Traitement des ulcères duodénaux : 800 µg par jour, en 2 à 4 doses fractionnées. Le traitement dure ordinairement 4 semaines.

DÉBUT D'ACTION
En 30 minutes.

DURÉE D'ACTION
3 à 6 heures.

CONSEILS NUTRITIONNELS
Le misoprostol devrait être pris après les repas pour réduire les risques de diarrhée. La dernière dose doit être prise au coucher.

MODE DE CONSERVATION
Dans un contenant étanche, à l'abri de la chaleur et de la lumière.

OUBLI D'UNE DOSE
Prenez-la dès que vous y pensez. S'il est presque l'heure de la suivante, sautez la dose oubliée et reprenez la fréquence normale. Ne doublez pas la dose suivante.

ARRÊT DE LA MÉDICATION
Effectuez le traitement au complet, comme il vous a été prescrit, même si vous vous sentez mieux avant qu'il ne prenne fin.

USAGE PROLONGÉ
Un suivi médical, avec examens et analyses, est nécessaire en cas d'usage prolongé. Un traitement au misoprostol ne doit pas durer plus de 4 semaines à moins d'avis contraire du médecin.

▼ PRÉCAUTIONS

Plus de 60 ans. Pas de risques connus.

Conduite automobile, travaux dangereux. À déconseiller tant que vous ne connaissez pas votre réaction au médicament.

Alcool. À éviter.

Grossesse. Le misoprostol ne doit pas être administré durant la grossesse parce qu'il peut favoriser des contractions ou des saignements utérins et causer un avortement. Avant un traitement au misoprostol, vous devez avoir obtenu un résultat négatif à un test de grossesse pratiqué au cours des 2 semaines précédentes. Vous devez commencer à prendre le médicament le deuxième ou le troisième jour de la menstruation suivante et pas avant. Vous devez employer une méthode de contraception efficace tant que vous prenez du misoprostol. Au moindre doute que vous pourriez être enceinte, cessez immédiatement de prendre le médicament et consultez le médecin.

Allaitement. Le misoprostol peut passer dans le lait maternel. Évitez d'en prendre pendant que vous allaitez : il peut provoquer de la diarrhée chez le nourrisson.

Nourrissons et enfants. Indications et posologie pour les moins de 18 ans doivent être déterminées par le médecin.

SURDOSAGE
Symptômes. Tremblements, somnolence, difficultés respiratoires, douleur abdominale, diarrhée grave, fièvre, palpitations, hypotension très marquée, battements de cœur très lents.

Quoi faire. Il est peu probable qu'une surdose de misoprostol mette votre vie en danger. Néanmoins, si la dose est beaucoup plus forte que celle prescrite, appelez immédiatement le médecin ou le centre antipoison, ou allez à l'urgence.

▼ INTERACTIONS

MÉDICAMENT-MÉDICAMENT
Avant de prendre du misoprostol, indiquez au médecin tous les médicaments que vous prenez avec ou sans ordonnance. Vous pouvez prendre des antiacides durant un traitement au misoprostol pour aider à soulager les maux d'estomac, à moins d'avis contraire du médecin. Ne prenez pas d'antiacides à base de magnésium, parce qu'ils peuvent provoquer de la diarrhée ou aggraver celle qui accompagne parfois un traitement au misoprostol.

MÉDICAMENT-ALIMENT
Aucune interaction connue.

MÉDICAMENT-MALADIE
Un traitement au misoprostol exige de la prudence. Avertissez le médecin si vous avez déjà souffert de maladies circulatoires, du syndrome du côlon irritable ou d'épilepsie.

  EFFETS INDÉSIRABLES

GRAVES
Il n'y a pas d'effets indésirables graves associés à l'utilisation du misoprostol.

COURANTS
Diarrhée, douleur abdominale ou gastrique bénigne.

MOINS COURANTS
Saignements vaginaux, constipation, crampes dans le bas de l'abdomen, flatulence, céphalées, nausées et vomissements.

MITOTANE

NOM COMMERCIAL

Lysodren

Présentation : Comprimés
En vente libre ? Non   **Générique disponible ?** Non
Classe de médicaments : Antinéoplasique (anticancéreux)/antisurrénalien

▼ GÉNÉRALITÉS

INDICATIONS
Traitement du cancer du cortex surrénal (corticosurrénalome). Le cortex surrénal est la partie externe des glandes surrénales logée au sommet des reins et qui produit les hormones corticostéroïdes.

MODE D'ACTION
Le mitotane semble supprimer l'activité du cortex surrénal et donc la production de stéroïdes. Pour des raisons inconnues, l'inhibition de la production de stéroïdes provoquée par le médicament a un effet destructeur sur les cellules cancéreuses des cortex surrénaux et ralentit donc ainsi la progression du cancer dans cette portion des glandes surrénales.

▼ MODE D'EMPLOI

POSOLOGIE
9 à 10 g par jour en 3 ou 4 doses. La posologie peut être portée à 16 g par jour ; elle se situe normalement entre 8 et 10 g par jour.

DÉBUT D'ACTION
En 2 à 4 semaines.

DURÉE D'ACTION
Inconnue.

CONSEILS NUTRITIONNELS
Se prend au choix du patient avec ou sans aliment. Pour diminuer les effets indésirables, il est préférable de prendre la dernière dose après le repas du soir, mais avant le coucher.

MODE DE CONSERVATION
Dans un contenant étanche, à l'abri de la chaleur et de la lumière.

OUBLI D'UNE DOSE
Prenez-la dès que vous y pensez. S'il est presque l'heure de la suivante, sautez la dose oubliée et reprenez la fréquence normale. Ne doublez pas la dose suivante.

ARRÊT DE LA MÉDICATION
Cette décision doit être prise par le médecin.

USAGE PROLONGÉ
Un suivi médical, avec examens et analyses, est nécessaire en cas d'usage prolongé. Des évaluations neurologiques à intervalles réguliers sont recommandées aux personnes qui prennent du mitotane durant plus de 2 ans.

▼ PRÉCAUTIONS

Plus de 60 ans. Il n'y a pas d'information spécifique sur l'administration de mitotane aux personnes âgées.

Conduite automobile, travaux dangereux. À déconseiller tant que vous ne connaissez pas votre réaction au médicament.

Alcool. À éviter.

Grossesse. Innocuité non établie. Demandez spécifiquement l'avis du médecin si vous êtes enceinte ou voulez le devenir.

Allaitement. On ne sait pas si le mitotane passe dans le lait maternel : la prudence s'impose. Demandez spécifiquement l'avis du médecin.

Nourrissons et enfants. Il n'y a pas d'information spécifique sur l'administration de mitotane aux nourrissons et aux enfants, mais on ne s'attend pas à ce qu'il provoque chez eux des effets différents.

À surveiller. Le traitement débute souvent à l'hôpital jusqu'à ce que la posologie ait été stabilisée. Le médecin peut vous demander de porter une carte spécifiant que vous prenez du mitotane. Consultez le médecin en cas d'infections, maladies ou blessures de toutes sortes, car le mitotane peut affaiblir vos réactions de défense à l'infection et à l'inflammation.

SURDOSAGE
Symptômes. Aucun symptôme spécifique n'a été signalé.

Quoi faire. Il est peu probable qu'une surdose de mitotane mette votre vie en danger. Néanmoins, si la dose est beaucoup plus forte que celle prescrite, appelez immédiatement le médecin ou le centre antipoison, ou allez à l'urgence.

▼ INTERACTIONS

MÉDICAMENT-MÉDICAMENT
Demandez l'avis du médecin si vous prenez : adrénocorticoïdes, glucocorticoïdes, minéralocorticoïdes, corticotropine ou dépresseurs du système nerveux central.

MÉDICAMENT-ALIMENT
Aucune interaction connue.

MÉDICAMENT-MALADIE
Un traitement au mitotane exige de la prudence. Consultez le médecin si vous contractez une infection. Le mitotane peut entraîner des complications chez les patients affligés d'une maladie du foie, car cet organe contribue à éliminer le médicament de l'organisme.

  EFFETS INDÉSIRABLES

GRAVES
Pigmentation de la peau, diarrhée, vertiges, somnolence, dépression, nausées et vomissements graves, rash cutané, fatigue anormale, sang dans l'urine, vision brouillée ou double, essoufflement, respiration sifflante.

COURANTS
Nausées et vomissements, vertiges ou étourdissements quand on se lève après avoir été assis ou couché, perte d'appétit, fatigue, sédation.

MOINS COURANTS
Douleurs musculaires, fièvre, bouffées congestives ou peau rougie, contractions musculaires.

MITOXANTRONE (CHLORHYDRATE DE)

Présentation : Injection
En vente libre ? Non **Générique disponible ?** Non
Classe de médicaments : Antinéoplasique (anticancéreux)

▼ GÉNÉRALITÉS

INDICATIONS
Le mitoxantrone est donné en association avec d'autres agents chimiothérapeutiques dans le traitement de première intention de certaines formes de leucémie.

MODE D'ACTION
Le mécanisme d'action du mitoxantrone n'est pas entièrement compris. Il semble agir sur l'ADN des cellules cancéreuses en les empêchant de se reproduire. Le médicament peut également nuire à la croissance d'autres cellules, provoquant ainsi des effets indésirables et surtout la fonte de la moelle osseuse, ce qui entraîne de l'anémie et d'autres troubles sanguins.

▼ MODE D'EMPLOI

POSOLOGIE
Le mitoxantrone est administré par injection intraveineuse en milieu hospitalier. La posologie est déterminée par le médecin.

DÉBUT D'ACTION
Inconnu.

DURÉE D'ACTION
Inconnue.

CONSEILS NUTRITIONNELS
Mangez et buvez normalement. Les besoins en calories, en protéines et en vitamines augmentent chez les cancéreux. Une bonne alimentation est essentielle durant la chimiothérapie.

MODE DE CONSERVATION
Sans objet ; le médicament est administré seulement dans un centre de santé.

OUBLI D'UNE DOSE
Sans objet ; le médicament est administré par un médecin ou un professionnel de la santé.

ARRÊT DE LA MÉDICATION
Cette décision doit être prise par votre médecin.

USAGE PROLONGÉ
Un suivi médical, avec examens et analyses, s'impose si le traitement se prolonge.

▼ PRÉCAUTIONS

Plus de 60 ans. Il n'existe pas d'information sur l'administration comparée du mitoxantrone chez les personnes âgées et chez les autres patients. On ne s'attend pas à des problèmes spéciaux.

Conduite automobile, travaux dangereux. Le mitoxantrone ne devrait pas vous empêcher d'exécuter de telles tâches en toute sécurité.

Alcool. À éviter.

Grossesse. Le mitoxantrone peut provoquer des anomalies congénitales si le père ou la mère en prennent au moment de la conception. Il est préférable d'utiliser des méthodes contraceptives durant le traitement. Avertissez immédiatement le médecin si vous croyez être devenue enceinte pendant que vous preniez le médicament.

Allaitement. Le mitoxantrone passe dans le lait maternel ; cessez d'allaiter avant d'entreprendre le traitement.

Nourrissons et enfants. On ne possède pas de renseignements sur l'administration comparée du mitoxantrone aux enfants et aux adultes.

À surveiller. Ne vous faites pas vacciner durant le traitement au mitoxantrone sans en parler au médecin. Évitez les personnes souffrant d'infections. Utilisez brosse à dents, soie dentaire ou cure-dents avec prudence. Prenez soin de ne pas vous couper quand vous utilisez des objets tranchants comme un rasoir. Évitez les sports de contact.

Consultez le médecin avant de subir des travaux dentaires. Le médecin peut vous recommander de boire davantage durant la thérapie.

SURDOSAGE
Symptômes. Sans objet : le médicament est administré à l'hôpital.

Quoi faire. Sans objet.

▼ INTERACTIONS

MÉDICAMENT-MÉDICAMENT
Demandez l'avis du médecin si vous prenez : amphotéricine B, antithyroïdiens, azathioprine, chloramphénicol, colchicine, ganciclovir, interféron, zidovudine, probénécide, sulfinpyrazone ou tout autre anticancéreux.

MÉDICAMENT-ALIMENT
Aucune interaction connue.

MÉDICAMENT-MALADIE
Le mitoxantrone exige que l'on soit prudent. Dites-le au médecin si vous avez des antécédents de : varicelle, zona, goutte, calculs rénaux, maladie cardiaque ou si vous souffrez d'une infection. Le mitoxantrone peut entraîner des complications chez les patients qui ont une maladie du foie, car cet organe travaille à éliminer le médicament de l'organisme.

EFFETS INDÉSIRABLES

GRAVES
Fièvre, frissons, selles noires, toux ou essoufflement, sang dans l'urine ou les selles, tachycardie, arythmies cardiaques, points rouges sur la peau, enflure des pieds et du bas des jambes, ecchymoses ou saignements anormaux, ulcères dans la bouche ou sur les lèvres, douleur gastrique, baisse du débit urinaire, convulsions, peau bleue ou douleur et rougeur au point d'injection, rash cutané.

COURANTS
Diarrhée, céphalées, nausées et vomissements, chute temporaire des cheveux, urine bleu-vert.

MOINS COURANTS
Il n'y a pas d'effets moins courants liés au mitoxantrone.

MOFÉTILMYCOPHÉNOLATE

Présentation : Gélules, comprimés, suspension orale
En vente libre ? Non **Générique disponible ?** Non
Classe de médicaments : Immunosuppresseur

▼ GÉNÉRALITÉS

INDICATIONS
Pour ralentir ou réduire la tendance naturelle du système immunitaire à rejeter les greffes d'organes.

MODE D'ACTION
Le mofétilmycophénolate supprime la réaction du système immunitaire contre les tissus étrangers en inhibant l'activité des globules blancs du sang, élément majeur de son arsenal défensif.

▼ MODE D'EMPLOI

POSOLOGIE
Adultes : 1 à 1,5 g, 2 fois par jour, en association avec des corticostéroïdes et de la cyclosporine. Enfants : à déterminer par le pédiatre.

DÉBUT D'ACTION
Inconnu.

DURÉE D'ACTION
Inconnue.

CONSEILS NUTRITIONNELS
Le médicament doit être pris 30 minutes avant ou 2 heures après les repas. On peut le prendre avec un grand verre d'eau pour réduire les maux d'estomac.

MODE DE CONSERVATION
Dans un contenant hermétique, à l'abri de la chaleur, de l'humidité et de la lumière. La suspension orale peut être conservée à une température de 15 °C à 30 °C (30 °F à 86 °F) pendant au plus 60 jours.

OUBLI D'UNE DOSE
Prenez-la dès que vous y pensez. S'il est presque l'heure de la suivante, sautez la dose oubliée et reprenez la fréquence normale. Ne doublez pas la dose suivante.

ARRÊT DE LA MÉDICATION
Cette décision doit être prise par le médecin.

USAGE PROLONGÉ
Un suivi médical régulier, avec examens et analyses, est nécessaire si le traitement doit se prolonger.

▼ PRÉCAUTIONS

Plus de 60 ans. On n'a pas de renseignements comparés sur les effets du médicament chez les personnes âgées et chez les autres patients.

Conduite automobile, travaux dangereux. À déconseiller tant que vous ne connaissez pas votre réaction au médicament.

Alcool. À éviter.

Grossesse. Le mofétilmycophénolate a provoqué des anomalies congénitales chez les animaux. Il n'existe pas d'études sur les humains, mais la prudence est recommandée. On conseille de subir un test de grossesse au moins 1 semaine avant le début du traitement et d'employer des mesures contraceptives fiables avant et durant le traitement, ainsi que pendant 6 mois après.

Allaitement. On ne sait pas si le mofétilmycophénolate passe dans le lait maternel : la prudence s'impose. Consultez le médecin.

Nourrissons et enfants. Innocuité et efficacité non établies.

À surveiller. Évitez les personnes qui souffrent d'infection ou qui viennent d'être vaccinées. Nettoyez-vous souvent les dents avec une brosse douce. N'ouvrez pas les gélules ; la poudre qu'elles renferment ainsi que la suspension orale ne doivent pas venir en contact avec la peau ou les muqueuses. Si cela se produit, la région touchée devrait être lavée soigneusement au savon et à l'eau. S'il s'agit des yeux, rincez-les à l'eau claire. Jetez toute portion non utilisée de la solution orale 60 jours après sa reconstitution.

SURDOSAGE
Symptômes. Nausées, diarrhée, vomissements, fatigue.

Quoi faire. Appelez aussitôt le médecin ou le centre antipoison, ou allez à l'urgence.

▼ INTERACTIONS

MÉDICAMENT-MÉDICAMENT
Demandez l'avis du médecin si vous prenez : azathioprine, chlorambucil, corticostéroïdes, cyclophosphamide, cyclosporine, mercaptopurine, muromonab-CD3, vaccins aux virus vivants ou probénécide.

MÉDICAMENT-ALIMENT
Aucune interaction connue.

MÉDICAMENT-MALADIE
Le mofétilmycophénolate exige qu'on soit prudent. Consultez le médecin si vous souffrez d'une maladie du système digestif ou du rein.

   EFFETS INDÉSIRABLES

GRAVES
Anémie, douleur thoracique, fièvre ou frissons, toux ou voix rauque, petits points rouges sur la peau, douleur dans le bas du dos ou le côté, hypertension, mictions douloureuses ou difficiles, selles noires, sang dans l'urine ou les selles, enflure des pieds ou du bas des jambes, vomissements avec sang, plaques blanches dans la bouche ou la gorge ou sur la langue, ecchymoses ou saignements anormaux, tremblements.

COURANTS
Douleur de l'estomac ou de l'abdomen, céphalées, nausées, vomissements, constipation, diarrhée, aigreurs d'estomac, faiblesse.

MOINS COURANTS
Vertiges, rash cutané, insomnie, acné.

MOMÉTASONE (FUROATE DE) NASALE

Présentation : Vaporisateur nasal
En vente libre ? Non   **Générique disponible ?** Non
Classe de médicaments : Corticostéroïde pour le nez

▼ GÉNÉRALITÉS

INDICATIONS
Prévention et traitement des symptômes de la rhinite allergique (allergies saisonnières et non saisonnières comme le rhume des foins).

MODE D'ACTION
Les corticostéroïdes respiratoires comme la mométasone réduisent ou préviennent l'inflammation de la muqueuse des voies aériennes, diminuent la réponse allergique aux allergènes inhalés et inhibent la sécrétion de mucus dans les voies aériennes.

▼ MODE D'EMPLOI

POSOLOGIE
Adultes et adolescents : 2 vaporisations de 50 µg (microgrammes) chacune dans chaque narine, 1 fois par jour, sans dépasser 200 µg par jour. Enfants de 3 à 11 ans : 1 vaporisation dans chaque narine, 1 fois par jour. Prévention des symptômes de la rhinite allergique : on conseille aux patients souffrant d'allergies saisonnières connues de commencer le traitement 2 à 4 semaines avant le début de la saison des pollens.

DÉBUT D'ACTION
En 11 heures à 2 jours.

DURÉE D'ACTION
La mométasone est efficace tant qu'on poursuit le traitement.

CONSEILS NUTRITIONNELS
Il n'y a pas de recommandation alimentaire spéciale avec la mométasone.

MODE DE CONSERVATION
Dans un contenant étanche, à l'abri de la chaleur, de l'humidité et de la lumière.

OUBLI D'UNE DOSE
Si, un jour, vous oubliez de prendre le médicament, reprenez le lendemain la fréquence normale sans doubler la dose.

ARRÊT DE LA MÉDICATION
Aucune instruction spéciale.

USAGE PROLONGÉ
Demandez au médecin s'il y a lieu d'instaurer un suivi médical avec examens et analyses de laboratoire.

▼ PRÉCAUTIONS

Plus de 60 ans. Pas de risques connus.

Conduite automobile, travaux dangereux. La mométasone ne devrait pas mettre votre sécurité en danger.

Alcool. Pas de précautions spéciales.

Grossesse. On n'a pas signalé que les corticostéroïdes pour le nez avaient provoqué des anomalies congénitales. Avant de prendre de la mométasone, dites au médecin que vous êtes enceinte ou voulez le devenir.

Allaitement. La mométasone peut passer dans le lait maternel : la prudence s'impose. Demandez l'avis du médecin.

Nourrissons et enfants. Non recommandée pour les enfants de moins de 3 ans.

À signaler. Avant d'utiliser le vaporisateur pour la première fois, amorcez-le en appuyant 6 ou 7 fois sur la pompe ou jusqu'à ce qu'apparaisse une fine vaporisation. Le réamorçage n'est nécessaire que si vous êtes plus de 1 semaine sans vous en servir. Passé 1 semaine, réamorcez-le en appuyant sur la pompe jusqu'à ce qu'apparaisse une fine vaporisation. Évitez d'en vaporiser dans les yeux. Agitez le flacon avant de l'utiliser.

SURDOSAGE
Symptômes. Aucun cas de surdosage n'a été signalé.

Quoi faire. Une surdose de mométasone est peu probable. Si une personne en absorbe une dose beaucoup plus forte que celle prescrite, appelez le médecin.

▼ INTERACTIONS

MÉDICAMENT-MÉDICAMENT
Demandez l'avis du médecin si vous prenez des corticostéroïdes systémiques, d'autres corticostéroïdes par inhalation ou tout médicament qui inhibe le système immunitaire.

MÉDICAMENT-ALIMENT
Aucune interaction connue.

MÉDICAMENT-MALADIE
Avisez le médecin de tout problème de santé que vous pourriez avoir et en particulier : glaucome, infection herpétique de l'œil, antécédents de tuberculose, maladie du foie, hypothyroïdie ou ostéoporose.

⚞ EFFETS INDÉSIRABLES ⚟

GRAVES
Il n'y a pas d'effets graves associés à la mométasone.

COURANTS
Céphalées, vulnérabilité accrue aux infections virales, mal de gorge, saignements de nez ou sécrétions nasales avec sang.

MOINS COURANTS
Toux, vulnérabilité accrue aux infections des voies respiratoires supérieures, irrégularités menstruelles, douleurs osseuses, sinus douloureux.

MOMÉTASONE (FUROATE DE) TOPIQUE

Présentation : Crème, lotion, onguent
En vente libre ? Non **Générique disponible ?** Non
Classe de médicaments : Agent antipsoriasis ; corticostéroïde topique

▼ GÉNÉRALITÉS

INDICATIONS

Traitement topique des problèmes cutanés accompagnés de démangeaisons, rougeur, desquamation, douleur et autres signes d'inflammation. Les stéroïdes topiques se font en différentes concentrations ; le médecin vous prescrit la mométasone, stéroïde de concentration moyenne, quand ce médicament est celui qui est le plus approprié à votre état.

MODE D'ACTION

Les stéroïdes entravent la formation dans l'organisme de substances naturelles directement responsables du processus inflammatoire qui engendre l'enflure, la rougeur, les démangeaisons et la douleur.

▼ MODE D'EMPLOI

POSOLOGIE

Adultes : appliquez le médicament 1 fois par jour sur la région affectée. Enfants : consultez le médecin.

DÉBUT D'ACTION

Peu de temps après l'application. Néanmoins, une amélioration visible de votre état peut n'apparaître qu'après plusieurs jours.

DURÉE D'ACTION

Inconnue.

CONSEILS NUTRITIONNELS

Mangez et buvez normalement. Buvez davantage si vous avez de la fièvre ou de la diarrhée, s'il fait très chaud ou durant l'exercice.

MODE DE CONSERVATION

Dans un contenant étanche, à l'abri de la chaleur, de la lumière, de l'humidité et des températures extrêmes.

OUBLI D'UNE DOSE

Appliquez-la dès que vous y pensez. S'il est presque l'heure de la suivante, sautez la dose oubliée et reprenez la fréquence normale.

ARRÊT DE LA MÉDICATION

Effectuez le traitement au complet, comme il vous a été prescrit, même si vous vous sentez mieux avant la fin.

USAGE PROLONGÉ

Un traitement à la mométasone peut durer des semaines ou des mois. Un usage prolongé peut accroître le risque d'effets indésirables (et surtout d'un amincissement de la peau).

▼ PRÉCAUTIONS

Plus de 60 ans. Risques de réactions indésirables plus fréquentes et plus graves.

Conduite automobile, travaux dangereux. La mométasone topique ne devrait pas vous empêcher d'exécuter de telles tâches en toute sécurité.

Alcool. Pas de précautions spéciales.

Grossesse. La mométasone ne devrait pas être utilisée durant des périodes prolongées par les femmes enceintes ou qui veulent le devenir.

Allaitement. La mométasone peut passer dans le lait maternel : la prudence s'impose. Demandez l'avis du médecin.

Nourrissons et enfants. Un usage prolongé n'est pas recommandé pour les enfants. Consultez le médecin.

À surveiller. N'appliquez pas ce médicament près des yeux. Attention : la mométasone n'est pas un traitement pour l'acné, les brûlures, les infections ou les troubles de pigmentation. N'appliquez ni pansement ni quelque forme d'enveloppement sur la région traitée, sinon sur l'avis spécifique du médecin. Cela aurait pour effet d'augmenter l'absorption du médicament par la peau et pourrait accroître le risque d'interactions ou d'effets indésirables.

SURDOSAGE

Symptômes. Aucun symptôme spécifique n'a été signalé.

Quoi faire. Il est peu probable qu'une surdose mette votre vie en danger. Néanmoins, si la dose est beaucoup plus forte que ce qui est prescrit, appelez le médecin ou le centre antipoison.

▼ INTERACTIONS

MÉDICAMENT-MÉDICAMENT

Aucune interaction connue. Interrogez le médecin ou le pharmacien si vous avez des inquiétudes sur un médicament pris avec ou sans ordonnance.

MÉDICAMENT-ALIMENT

Aucune interaction connue.

MÉDICAMENT-MALADIE

Consultez le médecin en cas de : diabète, infection de la peau, lésions ou ulcères de la peau, infection ailleurs sur le corps, tuberculose, ecchymoses ou saignements anormaux, glaucome ou cataractes.

EFFETS INDÉSIRABLES

GRAVES

Il n'y a pas d'effets graves associés à la mométasone.

COURANTS

Un amincissement de la peau peut se produire en cas de traitement prolongé.

MOINS COURANTS

Sensation de brûlure ou d'inconfort lors de l'application, ampoules et pus près des follicules pileux, ecchymoses nombreuses ou saignement anormal, noircissement ou gonflement de petites veines superficielles, engourdissement ou fourmillement de la région affectée ou des mains et des doigts, vulnérabilité accrue à l'infection, cataractes.

MONTÉLUKAST

Singulair

Présentation : Comprimés, comprimés à croquer
En vente libre ? Non **Générique disponible ?** Non
Classe de médicaments : Antagoniste des récepteurs des leucotriènes

▼ GÉNÉRALITÉS

INDICATIONS
Prévention et traitement des symptômes de l'asthme chronique par la prévention des bronchospasmes (contractions des muscles lisses entourant les voies aériennes et provoquant le rétrécissement et l'obstruction de ces mêmes voies). Le montélukast peut être utilisé en même temps que d'autres traitements contre l'asthme.

MODE D'ACTION
Le montélukast entrave les récepteurs des leucotriènes dans de nombreuses cellules. Les leucotriènes sont des substances naturelles qui provoquent l'inflammation et la constriction des voies aériennes. À la différence des bronchodilatateurs, qui soulagent les symptômes de l'asthme aigu, le montélukast se prescrit en traitement soutenu et en l'absence de tout symptôme pour réduire l'inflammation chronique des voies aériennes, cause de l'asthme, et prévient ainsi l'émergence d'une crise.

EFFETS INDÉSIRABLES

GRAVES
Rash cutané (signalant une réaction allergique potentiellement fatale), gastroentérite (entraînant perte d'appétit, nausées, vomissements, dérangement d'estomac, fièvre et diarrhée).

COURANTS
Céphalées.

MOINS COURANTS
Faiblesse, fatigue, fièvre, douleur abdominale, mauvaise digestion, ulcères buccaux, vertiges, congestion nasale, toux, symptômes de grippe.

▼ MODE D'EMPLOI

POSOLOGIE
Adultes et enfants de 15 ans et plus : 1 comprimé de 10 mg, pris en soirée. Enfants de 6 à 14 ans : 1 comprimé à croquer de 5 mg par jour, pris en soirée. Enfants de moins de 6 ans : voyez le médecin.

DÉBUT D'ACTION
Inconnu.

DURÉE D'ACTION
Inconnue.

CONSEILS NUTRITIONNELS
Pas de précautions spéciales.

MODE DE CONSERVATION
Dans un contenant étanche, à l'abri de la chaleur, de l'humidité et de la lumière.

OUBLI D'UNE DOSE
Ne doublez pas la dose qui suit. Reprenez la fréquence normale.

ARRÊT DE LA MÉDICATION
À décider en consultation avec le médecin.

USAGE PROLONGÉ
Pas de problème spécial.

▼ PRÉCAUTIONS

Plus de 60 ans. Risques de réactions indésirables plus fréquentes et plus graves.

Conduite automobile, travaux dangereux. Pas de précautions spéciales.

Alcool. Pas de précautions spéciales.

Grossesse. Il n'existe pas d'études concluantes sur les humains. Avant de prendre du montélukast, dites au médecin si vous êtes enceinte ou voulez le devenir.

Allaitement. Le montélukast peut passer dans le lait maternel : la prudence s'impose. Demandez l'avis du médecin.

Nourrissons et enfants. Innocuité et efficacité non établies chez les enfants de moins de 6 ans. Consultez le médecin.

À surveiller. Le montélukast n'agit pas contre une crise d'asthme déjà installée. Vous devriez garder à portée de la main un bronchodilatateur d'action rapide par inhalation pour les crises d'asthme aiguës. Consultez le médecin si vous avez besoin de bronchodilatateurs par inhalation plus souvent qu'à l'accoutumée ou si vous dépassez le nombre maximal d'inhalations recommandé par période de 24 heures. Continuez à prendre du montélukast même si vous n'avez aucun symptôme, ainsi que durant les périodes où l'asthme s'aggrave. Dans de rares cas, après réduction des doses de corticostéroïdes systémiques, le montélukast peut provoquer le syndrome de Churg-Strauss, trouble des tissus qui frappe les asthmatiques adultes et qui, s'il n'est pas traité, peut détruire des organes. Symptômes précoces : fièvre, douleurs musculaires et perte de poids. Le montélukast ne doit pas être utilisé comme seul traitement des bronchospasmes provoqués par l'exercice.

SURDOSAGE
Symptômes. Aucun cas de surdosage n'a été signalé.

Quoi faire. Il est peu probable qu'une surdose de montélukast mette votre vie en danger. Néanmoins, si la dose est très forte, appelez immédiatement le médecin ou le centre antipoison, ou allez à l'urgence.

▼ INTERACTIONS

MÉDICAMENT-MÉDICAMENT
Demandez spécifiquement l'avis du médecin si vous prenez du phénobarbital ou de la rifampine. Avant de prendre du montélukast, avertissez le médecin si vous êtes allergique à un médicament pris avec ou sans ordonnance.

MÉDICAMENT-ALIMENT
Aucune interaction connue.

MÉDICAMENT-MALADIE
Si vous souffrez de phénylcétonurie, n'utilisez pas les comprimés à croquer : ils renferment de la phénylalanine. Le montélukast peut provoquer des complications chez les patients atteints d'une grave maladie du foie, car cet organe contribue à éliminer le médicament de l'organisme.

MORPHINE

Présentation : Gélules, comprimés, solution orale, suppositoires, injection
En vente libre ? Non   **Générique disponible ?** Oui
Classe de médicaments : Analgésique opioïde (narcotique)

▼ GÉNÉRALITÉS

INDICATIONS
Soulagement des douleurs sévères.

MODE D'ACTION
L'action de la morphine s'exerce sur des centres spécifiques de la moelle épinière et du cerveau où sont traités les signaux douloureux émis partout dans le corps.

▼ MODE D'EMPLOI

POSOLOGIE
Adultes – Gélules, comprimés, solution orale : dose initiale, 10 à 30 mg aux 4 à 6 heures. À ajuster à chaque cas. Gélules ou comprimés à libération lente : posologie à ajuster selon les besoins du patient. Suppositoires : 10 à 30 mg aux 4 à 6 heures. Injection : 5 à 20 mg, intramusculaires ou sous-cutanés (s.-c.), aux 6 heures. Enfants – Formes orales et suppositoires : posologie à déterminer par le médecin. Injection : 0,1 à 0,2 mg par kilogramme (2,2 lb) de poids, sans dépasser 15 mg, s.-c., aux 4 heures.

DÉBUT D'ACTION
Formes orales : en 60 minutes. Suppositoires : en 20 à 60 minutes. Injection : en 10 à 30 minutes.

DURÉE D'ACTION
Formes orales : 4 à 5 heures. Formes à libération lente : 8 à 12 heures. Suppositoires et injection : 4 à 5 heures.

CONSEILS NUTRITIONNELS
Les formes orales peuvent être prises avec des aliments pour diminuer les maux d'estomac. Les formes orales à libération lente doivent être avalées entières, sans être croquées.

MODE DE CONSERVATION
Dans un contenant étanche, à l'abri de la chaleur, de l'humidité et de la lumière. Ne congelez pas les formes liquides.

OUBLI D'UNE DOSE
Si vous prenez de la morphine de façon suivie, prenez la dose oubliée dès que vous y pensez. S'il est presque l'heure de la suivante, sautez la dose oubliée et reprenez la fréquence normale. Ne doublez pas la dose suivante.

ARRÊT DE LA MÉDICATION
La décision doit être prise en consultation avec le médecin.

USAGE PROLONGÉ
Un suivi médical s'impose si vous devez prendre le médicament durant une longue période. Un usage prolongé peut provoquer de la dépendance physique.

▼ PRÉCAUTIONS

Plus de 60 ans. Risques de réactions indésirables plus fréquentes et plus graves.

Conduite automobile, travaux dangereux. À déconseiller tant que vous ne connaissez pas les effets du médicament sur vous.

Alcool. À éviter.

Grossesse. Ne prenez pas de morphine durant la grossesse si c'est possible.

Allaitement. La morphine passe dans le lait maternel : la prudence s'impose. Demandez l'avis du médecin.

Nourrissons et enfants. Risques de réactions indésirables plus fréquentes et plus graves.

À surveiller. Si vous estimez, après quelques semaines, que le médicament ne donne pas les résultats attendus, n'augmentez pas les doses. Consultez le médecin. Avant toute chirurgie, avisez le médecin ou le dentiste que vous prenez de la morphine. Avant d'enlever l'emballage métallique d'un suppositoire, assurez-vous qu'il est assez ferme pour que vous puissiez l'intro-

duire. S'il est trop mou, mettez-le au réfrigérateur 30 minutes ou passez-le sous l'eau froide.

SURDOSAGE
Symptômes. Confusion ; pupilles rétrécies ; somnolence, faiblesse ou vertiges graves ; difficultés d'élocution ; peau froide et moite ; respiration lente ; convulsions ; perte de conscience.

Quoi faire. Appelez aussitôt le médecin ou le centre antipoison, ou allez à l'urgence.

▼ INTERACTIONS

MÉDICAMENT-MÉDICAMENT
Consultez le médecin si vous prenez : carbamazépine ou autres anticonvulsivants, barbituriques, sédatifs, antitussifs, décongestionnants, antidépresseurs, autres analgésiques sur ordonnance, inhibiteurs de la monoamine-oxydase (IMAO), naltrexone, rifampine ou zidovudine.

MÉDICAMENT-ALIMENT
Aucune interaction signalée.

MÉDICAMENT-MALADIE
Avertissez le médecin en cas de : antécédents d'alcoolisme ou de toxicomanie, maladie psychique, troubles du cerveau ou traumatisme crânien, convulsions, maladie pulmonaire, troubles de la prostate ou autres troubles urinaires, calculs biliaires, colite, maladie du cœur, du rein, du foie ou de la thyroïde.

 EFFETS INDÉSIRABLES

GRAVES
Les effets graves se confondent avec ceux d'une surdose : confusion ; somnolence, faiblesse ou vertiges graves ; difficultés d'élocution ; pupilles rétrécies ; peau froide et moite ; respiration lente ; convulsions ; perte de conscience.

COURANTS
Vertiges ou étourdissements, nausées ou vomissements, constipation, somnolence, démangeaisons.

MOINS COURANTS
Humeur instable ou euphorie, rétention urinaire, contractions musculaires involontaires, hallucinations, sudation.

MOXIFLOXACINE (CHLORHYDRATE DE)

Présentation : Comprimés
En vente libre ? Non   **Générique disponible ?** Non
Classe de médicaments : Fluoroquinolone (antibiotique)

▼ GÉNÉRALITÉS

INDICATION
Traitement des infections bactériennes moyennes ou graves dont : sinusite aiguë, pneumonie contractée en milieu communautaire, complications bactériennes aiguës de la bronchite chronique.

MODE D'ACTION
La moxifloxacine inhibe l'action de la gyrase, enzyme bactérienne essentielle à la formation et à la réplication de l'ADN, empêchant ainsi les bactéries de se reproduire.

▼ MODE D'EMPLOI

POSOLOGIE
Sinusite aiguë, pneumonie : 400 mg, 1 fois par jour, pendant 10 jours. Complications bactériennes aiguës de la bronchite chronique : 400 mg, 1 fois par jour, durant 5 jours.

DÉBUT D'ACTION
Dépend de l'infection traitée.

DURÉE D'ACTION
Inconnue.

CONSEILS NUTRITIONNELS
Peut se prendre avec ou sans nourriture. Buvez beaucoup.

MODE DE CONSERVATION
Dans un contenant étanche, à l'abri de la chaleur, de l'humidité et de la lumière.

OUBLI D'UNE DOSE
Prenez-la dès que vous y pensez. S'il est presque l'heure de la suivante, sautez la dose oubliée et reprenez la fréquence normale. Ne doublez pas la dose qui suit.

ARRÊT DE LA MÉDICATION
Il faut absolument faire le traitement au complet même si vous vous sentez mieux.

USAGE PROLONGÉ
Si les symptômes ne régressent pas ou s'aggravent après quelques jours, consultez rapidement le médecin. Un traitement typique ne dure pas plus de 5 ou 10 jours.

▼ PRÉCAUTIONS

Plus de 60 ans. Pas de conseils particuliers.

Conduite automobile, travaux dangereux. À éviter tant que vous ne connaissez pas votre réaction au médicament.

Alcool. Il est préférable de s'abstenir de consommer de l'alcool quand on lutte contre une infection.

Grossesse. La moxifloxacine n'est prescrite durant la grossesse que si ses bienfaits l'emportent manifestement sur ses risques.

Allaitement. La moxifloxacine passe dans le lait maternel et peut avoir des conséquences graves chez le nourrisson ; on recommande de ne pas en prendre durant l'allaitement.

Nourrissons et enfants. La moxifloxacine n'est pas recommandée aux moins de 18 ans.

À surveiller. Ne prenez pas de moxifloxacine si vous êtes allergique à toute quinolone (antibiotique), comme la ciprofloxacine ou la norfloxacine.

SURDOSAGE
Symptômes. Un surdosage est peu probable. Le cas échéant, les symptômes suivants pourraient se manifester : apathie, somnolence, vomissements, diarrhée, tremblements et convulsions.

Quoi faire. Appelez immédiatement le médecin ou le centre antipoison, ou allez à l'urgence.

▼ INTERACTIONS

MÉDICAMENT-MÉDICAMENT
La moxifloxacine pouvant affecter la fonction cardiaque, elle n'est pas recommandée à ceux qui prennent des antiarythmiques : amiodarone, quinidine, procaïnamide ou sotalol. Doit s'utiliser avec prudence chez les patients qui prennent : érythromycine, antipsychotiques, antidépresseurs tricycliques, anti-inflammatoires non stéroïdiens (AINS : ibuprofène, AAS et naproxène) ou digoxine. Sulfate ferreux (supplément de fer), suppléments alimentaires renfermant du zinc, didanosine, sucralfate ou antiacides avec sels d'aluminium ou de magnésium ou calcium : prenez la moxifloxacine au moins 4 heures avant ou 8 heures après. Signalez au médecin tous les médicaments que vous prenez.

MÉDICAMENT-ALIMENT
Aucune interaction connue.

MÉDICAMENT-MALADIE
À ne pas utiliser dans les cas de prolongation de l'intervalle Q-T sur électrocardiogramme, troubles diagnostiqués du rythme cardiaque, hypokaliémie (baisse du taux de potassium dans le sang) ou si vous prenez des antiarythmiques comme amiodarone, quinidine, procaïnamide ou sotalol. À prendre avec prudence en présence de bradycardie (rythme cardiaque lent), ischémie myocardique, troubles connus ou possibles du système nerveux ou prédisposition aux convulsions. Non recommandé aux patients atteints d'une maladie hépatique modérée ou grave.

 EFFETS INDÉSIRABLES

GRAVES
Ils sont rares : confusion, cauchemars, vertiges, hallucinations, anxiété, somnolence ou syncopes répétées, palpitations, essoufflement, enflure anormale du visage ou des extrémités, perte de conscience. Aussi brûlures de la peau, rougeurs, cloques, rash cutané ou démangeaisons à la suite d'une exposition au soleil ; risque accru de tendinite ou de rupture de tendons.

COURANTS
Nausées, diarrhée, vertiges, céphalées, douleur abdominale, vomissements.

MOINS COURANTS
Altération du goût, aigreurs d'estomac, faiblesse, insomnie, toux, peau sèche, acouphènes, douleur articulaire, sécheresse de la bouche, vaginite. Possibilité d'autres effets.

MUPIROCINE

Présentation : Onguent, crème
En vente libre ? Non **Générique disponible ?** Non
Classe de médicaments : Antibiotique

▼ GÉNÉRALITÉS

INDICATIONS
La mupirocine est prescrite pour le traitement topique de certaines infections bactériennes de la peau. On l'emploie seule, mais parfois aussi en association avec un second antibiotique (généralement administré par voie orale).

MODE D'ACTION
La mupirocine agit en empêchant les cellules bactériennes de produire des protéines et de fabriquer les membranes cellulaires dont elles ont besoin pour vivre. Ce mode d'action finit par les détruire.

▼ MODE D'EMPLOI

POSOLOGIE
Appliquez 3 fois par jour sur les régions lésées et recouvrez de gaze au besoin.

DÉBUT D'ACTION
L'action antibactérienne de la mupirocine se déclenche dès son application. Mais il faut parfois attendre plusieurs jours avant que ses effets ne deviennent perceptibles.

DURÉE D'ACTION
Inconnue.

CONSEILS NUTRITIONNELS
Pas de restrictions spéciales.

MODE DE CONSERVATION
Dans un contenant étanche, à l'abri de la chaleur, de la lumière, de l'humidité et des températures extrêmes.

OUBLI D'UNE DOSE
Appliquez-la dès que vous y pensez. S'il est presque l'heure de l'application suivante, sautez la dose oubliée et reprenez la fréquence normale. N'augmentez pas la quantité du médicament lors de l'application suivante.

ARRÊT DE LA MÉDICATION
Effectuez le traitement au complet, comme il vous a été prescrit, même si vous commencez à ressentir une amélioration manifeste de la région affectée avant qu'il ne prenne fin.

USAGE PROLONGÉ
Un traitement à la mupirocine dépasse rarement 14 jours. Un usage prolongé du médicament peut augmenter le risque d'effets indésirables.

 EFFETS INDÉSIRABLES

GRAVES
Il n'y a pas d'effets graves associés avec la mupirocine.

COURANTS
Légère sensation de brûlure ou de picotement lors de la première application.

MOINS COURANTS
Irritation persistante ou allergie cutanée accompagnée de douleur ou de malaises (picotements ou sensation de brûlure) au lieu d'application ; démangeaisons, rougeur, rash cutané ou sécheresse de la peau ; nausées.

▼ PRÉCAUTIONS

Plus de 60 ans. Pas de précautions spéciales.

Conduite automobile, travaux dangereux. Le traitement à la mupirocine ne devrait pas vous empêcher d'exécuter de telles tâches en toute sécurité.

Alcool. Pas de précautions spéciales.

Grossesse. L'administration de mupirocine n'a pas été évaluée chez les femmes enceintes. Il est probable que son emploi est sûr, dans certaines circonstances. Il appartient au médecin d'en décider.

Allaitement. On estime que le médicament n'entre pas en quantité significative dans le système sanguin. Néanmoins, si les doses sont excessives, le médicament pourrait effectivement passer dans le lait maternel. Demandez l'avis du médecin.

Nourrissons et enfants. Consultez le médecin.

À surveiller. Le médicament ne doit pas être utilisé par les patients qui ont des antécédents de réaction allergique à la mupirocine ou à l'un des ingrédients présents dans l'onguent ou la crème (examinez l'étiquette avec soin). Comme il en va de tous les antibiotiques, la mupirocine n'est utile que contre les bactéries vulnérables à son action. Il est donc important de prévenir le médecin si votre état ne s'améliore pas – ou s'il s'aggrave – dans les 3 à 5 jours suivant le début du traitement. La bactérie responsable de vos problèmes peut être rebelle à la mupirocine ; dans ce cas, il faut utiliser un autre antibiotique. Évitez d'appliquer le médicament près des yeux ou autour.

SURDOSAGE
Symptômes. Aucun cas de surdosage n'a été signalé.

Quoi faire. Il est peu probable qu'une application excessive de mupirocine mette votre vie en danger. Néanmoins, si le médicament est ingéré, appelez immédiatement le médecin ou le centre antipoison, ou allez à l'urgence.

▼ INTERACTIONS

MÉDICAMENT-MÉDICAMENT
Aucune interaction spécifique n'a été signalée. Consultez le médecin ou le pharmacien si vous êtes inquiet parce que vous prenez en même temps que la mupirocine un autre médicament avec ou sans ordonnance.

MÉDICAMENT-ALIMENT
Aucune interaction connue.

MÉDICAMENT-MALADIE
Aucune interaction n'a été signalée.

MUROMONAB-CD3

Présentation : Injection
En vente libre ? Non   **Générique disponible ?** Non
Classe de médicaments : Immunosuppresseur

▼ GÉNÉRALITÉS

INDICATIONS
Pour ralentir ou réduire la tendance naturelle du système immunitaire à rejeter les greffes d'organes.

MODE D'ACTION
Il supprime la réaction du système immunitaire contre les tissus étrangers en inhibant l'activité des globules blancs du sang, élément majeur de son arsenal défensif.

▼ MODE D'EMPLOI

POSOLOGIE
Adultes : 5 mg en intraveineuse, 1 fois par jour. Le muromonab-CD3 ne doit être administré que par le médecin ou sous son étroite surveillance. Enfants : la dose est déterminée par le médecin selon le poids corporel.

DÉBUT D'ACTION
En quelques minutes.

DURÉE D'ACTION
Une semaine après l'arrêt du muromonab-CD3.

CONSEILS NUTRITIONNELS
Pas de précautions spéciales.

MODE DE CONSERVATION
Se garde entre 2 °C et 8 °C (35,6 °F et 46,4 °F). Ne faites pas congeler ; n'agitez pas. Le muromonab-CD3 est administré par un professionnel des soins de santé.

OUBLI D'UNE DOSE
Contactez le médecin et prenez un nouveau rendez-vous le plus vite possible.

ARRÊT DE LA MÉDICATION
Cette décision doit être prise par le médecin.

USAGE PROLONGÉ
Un suivi médical régulier est nécessaire si le traitement doit se prolonger. Le muromonab-CD3 peut provoquer des cancers de la peau ou des lymphomes qui n'apparaissent que plusieurs années après le traitement.

▼ PRÉCAUTIONS

Plus de 60 ans. Pas de problèmes spéciaux à redouter.

Conduite automobile, travaux dangereux. À déconseiller tant que vous ne connaissez pas votre réaction au médicament.

Alcool. À éviter.

Grossesse. On n'a pas étudié les effets de ce médicament sur les animaux et les humains. Il peut traverser le placenta, mais on ne sait pas s'il nuit au fœtus. Avant d'en prendre, dites au médecin que vous êtes enceinte ou voulez le devenir.

Allaitement. On ne sait pas si le muromonab-CD3 passe dans le lait maternel ; demandez spécifiquement l'avis du médecin.

Nourrissons et enfants. Les enfants sont plus susceptibles de souffrir de déshydratation à la suite de la diarrhée et des vomissements provoqués par le muromonab-CD3.

À surveiller. Un traitement au muromonab-CD3 peut accroître le risque d'infections. Évitez les personnes qui viennent d'être vaccinées ou qui souffrent de rhume ou d'autres infections. Si vous pensez que vous venez de contracter une infection, avertissez-en immédiatement le médecin. Les travaux dentaires doivent être exécutés avec la plus grande prudence. Respectez l'hygiène dentaire, mais utilisez prudemment brosses à dents, soie dentaire et cure-dents. Avertissez le médecin si vous avez déjà eu des réactions allergiques aux rats et aux souris : le muromonab-CD3 est extrait d'une culture de cellules de souris.

SURDOSAGE
Symptômes. Sans objet. Le médicament est administré par un professionnel des soins de santé.

Quoi faire. Sans objet.

▼ INTERACTIONS

MÉDICAMENT-MÉDICAMENT
Demandez l'avis du médecin si vous prenez : azathioprine, chlorambucil, corticostéroïdes, cyclophosphamide, cyclosporine, cytarabine, mercaptopurine ou vaccins aux virus vivants.

MÉDICAMENT-ALIMENT
Aucune interaction connue.

MÉDICAMENT-MALADIE
Le muromonab-CD3 exige qu'on soit prudent. Consultez le médecin en cas de : angine de poitrine, troubles circulatoires, convulsions, infarctus du myocarde récent, tout autre problème cardiaque, troubles du rein, des poumons ou du système nerveux, antécédents de troubles de la coagulation du sang, varicelle, zona ou toute autre infection.

EFFETS INDÉSIRABLES

GRAVES
Douleur thoracique, respiration sifflante, essoufflement, tachycardie, arythmies cardiaques, enflure du visage ou de la gorge.

COURANTS
Vertiges ou évanouissement, diarrhée, fièvre et frissons, malaise généralisé, céphalées, nausées, vomissements, douleur musculaire ou articulaire.

MOINS COURANTS
Confusion, photosensibilité des yeux, hallucinations, démangeaisons ou picotements, cou raide, rash cutané, tremblements, faiblesse, fatigue anormale, convulsions.

NABUMÉTONE

Présentation : Comprimés
En vente libre ? Non **Générique disponible ?** Oui
Classe de médicaments : Anti-inflammatoire non stéroïdien (AINS)

▼ GÉNÉRALITÉS

INDICATIONS
Contre la douleur et l'inflammation bénignes à modérées causées par : tendinite, arthrite, bursite, goutte, lésions des tissus mous, migraines et autres céphalées vasculaires, douleurs menstruelles, autres états douloureux. Quand un AINS se révèle inefficace, le patient peut en essayer un ou plusieurs autres jusqu'à ce qu'il obtienne le soulagement recherché.

MODE D'ACTION
Les AINS entravent la formation des prostaglandines, substances naturelles qui causent l'inflammation et rendent les nerfs plus réceptifs aux impulsions douloureuses. Les AINS ont d'autres modes d'action moins bien connus.

▼ MODE D'EMPLOI

POSOLOGIE
Adultes : 1 000 mg, 1 fois par jour ; la posologie peut être augmentée jusqu'à 2 000 mg par jour, au plus. Enfants : consultez le médecin.

DÉBUT D'ACTION
De 30 minutes à plusieurs heures ou davantage.

DURÉE D'ACTION
Variable.

CONSEILS NUTRITIONNELS
Se prend avec de la nourriture ; mangez et buvez normalement.

MODE DE CONSERVATION
Dans un contenant étanche, à l'abri de la chaleur, de l'humidité et de la lumière.

OUBLI D'UNE DOSE
Prenez-la dès que vous y pensez. S'il est presque l'heure de la suivante, sautez la dose oubliée et revenez à la fréquence normale. Ne doublez pas la dose suivante.

ARRÊT DE LA MÉDICATION
La décision d'interrompre la thérapie doit être prise en consultation avec le médecin.

EFFETS INDÉSIRABLES

GRAVES
Essoufflement ou respiration sifflante, avec ou sans enflure des jambes ou autres signes d'insuffisance cardiaque ; douleur thoracique ; ulcère gastro-duodénal avec vomissements de sang ; selles noires ; baisse de la fonction rénale.

COURANTS
Nausées, vomissements, aigreurs d'estomac, diarrhée, constipation, céphalées, vertiges, insomnie.

MOINS COURANTS
Lésions ou ulcères buccaux, dépression, rash cutané, peau vésiquante, bourdonnements d'oreilles, engourdissement ou fourmillement des mains ou des pieds, convulsions, vision brouillée. Aussi taux élevé de potassium et numération globulaire insuffisante (détectés par les tests sanguins).

USAGE PROLONGÉ
Un usage prolongé peut provoquer des troubles gastro-intestinaux et notamment ulcères et saignements, une dysfonction rénale et une inflammation du foie. Demandez au médecin s'il y a lieu d'instaurer un suivi médical, incluant des analyses de laboratoire.

▼ PRÉCAUTIONS

Plus de 60 ans. Étant donné les risques potentiellement plus grands d'effets indésirables gastro-intestinaux chez les patients âgés, surtout chez les plus de 70 ans, la posologie est souvent réduite de moitié.

Conduite automobile, travaux dangereux. À déconseiller tant que vous ne connaissez pas votre réaction au médicament.

Alcool. À éviter ; l'alcool augmente les risques d'irritation gastrique.

Grossesse. Ne prenez pas ce médicament si vous êtes enceinte ou voulez le devenir.

Allaitement. La nabumétone passe dans le lait maternel ; n'en prenez pas pendant que vous allaitez.

Nourrissons et enfants. Peut être utilisé dans des circonstances exceptionnelles. Parlez-en au médecin.

À surveiller. Comme les AINS peuvent entraver la coagulation du sang, la médication devrait être interrompue au moins 3 jours avant toute chirurgie.

SURDOSAGE
Symptômes. Nausées graves, vomissements, céphalées, confusion, convulsions.

Quoi faire. Appelez immédiatement le médecin ou le centre antipoison, ou allez à l'urgence.

▼ INTERACTIONS

MÉDICAMENT-MÉDICAMENT
Ne prenez pas ce médicament en même temps que l'AAS ou tout autre AINS sans l'avis du médecin. De plus, consultez le médecin si vous prenez : antihypertenseurs, stéroïdes, anticoagulants, antibiotiques, itraconazole ou kétoconazole, pénicillamine, acide valproïque, phénytoïne, cyclosporine, digitaliques, lithium, méthotrexate, probénécide, triamtérène ou zidovudine.

MÉDICAMENT-ALIMENT
Aucune interaction connue.

MÉDICAMENT-MALADIE
Avertissez le médecin en cas de : saignements, inflammation ou ulcères de l'estomac ou des intestins, diabète sucré, lupus érythémateux systémique, anémie, asthme, épilepsie, maladie de Parkinson, calculs rénaux, antécédents de maladie cardiaque ou d'alcoolisme. Le médicament peut entraîner des complications chez les patients atteints d'une maladie du foie ou des reins, puisque ces organes contribuent ensemble à éliminer le médicament de l'organisme.

NADOLOL

Présentation : Comprimés
En vente libre ? Non **Générique disponible ?** Oui
Classe de médicaments : Bêtabloquant

▼ GÉNÉRALITÉS

INDICATIONS
Traitement de l'hypertension légère ou moyenne et de l'angine de poitrine. On se sert également du nadolol pour prévenir ou maîtriser les irrégularités du rythme cardiaque (arythmies cardiaques).

MODE D'ACTION
Le nadolol ralentit le rythme et la contractilité du cœur en bloquant certains influx nerveux, ce qui réduit la tension artérielle. En modifiant les influx nerveux qui parviennent au cœur, ce médicament aide aussi à stabiliser le rythme cardiaque.

▼ MODE D'EMPLOI

POSOLOGIE
Hypertension : 80 à 320 mg, 1 fois par jour. Angine de poitrine : 80 à 240 mg, 1 fois par jour.

DÉBUT D'ACTION
Inconnu.

DURÉE D'ACTION
Inconnue.

CONSEILS NUTRITIONNELS
Respectez les restrictions alimentaires conseillées par le médecin : par exemple, un régime alimentaire pauvre en sel et en cholestérol pour vous aider à mieux maîtriser l'hypertension et la maladie cardiaque. Prenez le médicament avec un verre d'eau.

MODE DE CONSERVATION
Dans un contenant étanche, à l'abri de la chaleur, de l'humidité et de la lumière.

OUBLI D'UNE DOSE
Prenez-la dès que vous y pensez. Si vous êtes à moins de 8 heures de la suivante, sautez la dose oubliée et reprenez la fréquence normale. Ne doublez pas la dose suivante.

ARRÊT DE LA MÉDICATION
Un arrêt brusque de la médication peut provoquer une crise d'angine ou un infarctus chez les patients atteints d'une maladie du cœur avancée. On recommande de réduire lentement les doses sur 2 à 3 semaines sous étroite surveillance médicale.

USAGE PROLONGÉ
Le traitement peut durer la vie entière. Un suivi médical, avec examens et analyses, est nécessaire si vous devez prendre ce médicament à long terme.

▼ PRÉCAUTIONS

Plus de 60 ans. Risques de réactions indésirables plus probables et plus graves.

Conduite automobile, travaux dangereux. Le nadolol peut réduire la vigilance, surtout au début du traitement. N'entreprenez pas de telles tâches avant de connaître votre réaction au médicament.

Alcool. À éviter ou à consommer avec modération. L'alcool peut interagir avec le nadolol et causer une chute dangereuse de la tension artérielle.

Grossesse. Évaluez avec le médecin les bienfaits du médicament par rapport à ses risques.

Allaitement. On a relevé des traces de nadolol dans le lait maternel, mais on n'a pas signalé d'effets indésirables pour le nourrisson. Demandez l'avis du médecin.

Nourrissons et enfants. Pas de risques particuliers.

SURDOSAGE
Symptômes. Rythme cardiaque anormalement lent ou rapide, vertiges graves ou évanouissement, mauvaise circulation du sang dans les mains (peau bleuâtre), difficultés à respirer, convulsions.

Quoi faire. Appelez immédiatement le médecin ou le centre antipoison, ou allez à l'urgence.

▼ INTERACTIONS

MÉDICAMENT-MÉDICAMENT
Demandez l'avis du médecin si vous prenez : antidiabétiques oraux, médicaments contre l'asthme (aminophylline ou théophylline), bloqueurs des canaux calciques, clonidine, halothane, immunothérapie contre les allergies (injections antiallergiques), insuline, inhibiteurs de la monoamine-oxydase (IMAO), autres bêtabloquants ou tout médicament en vente libre.

MÉDICAMENT-ALIMENT
Aucune interaction signalée.

MÉDICAMENT-MALADIE
À prescrire avec prudence aux diabétiques, surtout insulinodépendants, car le nadolol peut masquer les symptômes d'hypoglycémie. Avertissez le médecin en cas de : allergie ou asthme, maladie du cœur ou des vaisseaux sanguins (dont insuffisance cardiaque et maladies vasculaires périphériques), hyperthyroïdie, rythme cardiaque irrégulier (lent), myasthénie grave, psoriasis, problèmes respiratoires (bronchite ou emphysème), maladie du foie ou du rein, antécédents de dépression.

 EFFETS INDÉSIRABLES

GRAVES
Essoufflement, respiration sifflante ; rythme cardiaque lent ou irrégulier (50 battements à la minute ou moins) ; douleur, pression ou constriction thoracique ; enflure des chevilles, des pieds et du bas des jambes ; dépression. Devant de tels symptômes, cessez de prendre du nadolol et demandez immédiatement l'assistance du médecin.

COURANTS
Vertiges ou étourdissements, surtout quand on se lève rapidement, tachycardie ou palpitations, impuissance, fatigue anormale, faiblesse ou somnolence, insomnie.

MOINS COURANTS
Anxiété, irritabilité ou nervosité ; constipation ; diarrhée ; yeux secs et douloureux ; démangeaisons ; nausées ou vomissements ; rêves vifs ou cauchemars ; engourdissement, picotement ou autre sensation anormale dans les doigts, les orteils ou le cuir chevelu.

NAFARÉLINE (ACÉTATE DE)

NOM COMMERCIAL

Synarel

Présentation : Vaporisateur nasal
En vente libre ? Non   **Générique disponible ?** Non
Classe de médicaments : Hormone de libération de la gonadotropine

▼ GÉNÉRALITÉS

INDICATIONS
Soulagement de la douleur et des malaises associés à l'endométriose.

MODE D'ACTION
En réduisant la sécrétion d'œstrogènes par les ovaires, la nafaréline diminue le taux d'œstrogènes sanguins, provoquant ainsi un amincissement de l'endomètre (tunique de l'utérus) qui soulage les crises d'endométriose.

▼ MODE D'EMPLOI

POSOLOGIE
1 vaporisation de 200 μg (microgrammes) dans 1 narine, le matin, et 1 vaporisation dans l'autre narine, le soir ; débutez le 2e, 3e ou 4e jour d'une période menstruelle.

DÉBUT D'ACTION
En 4 semaines.

DURÉE D'ACTION
3 à 6 mois.

CONSEILS NUTRITIONNELS
Pas de restrictions spéciales.

MODE DE CONSERVATION
Gardez le flacon debout, à l'abri de la chaleur et de la lumière.

OUBLI D'UNE DOSE
Prenez-la dès que vous y pensez. S'il est presque l'heure de la suivante, sautez la dose oubliée et reprenez la fréquence normale. Ne doublez pas la dose suivante.

ARRÊT DE LA MÉDICATION
La décision d'arrêter le traitement doit être prise par votre médecin.

USAGE PROLONGÉ
Le médecin doit évaluer régulièrement l'amélioration de votre état.

▼ PRÉCAUTIONS

Plus de 60 ans. En règle générale, le médicament n'est pas prescrit aux personnes âgées.

Conduite automobile, travaux dangereux. Le traitement ne devrait pas vous empêcher d'exécuter de telles tâches en toute sécurité.

Alcool. À éviter.

Grossesse. La nafaréline n'est pas recommandée aux femmes enceintes. Les femmes sous traitement à la nafaréline devraient utiliser des méthodes contraceptives non hormonales. Si vous croyez être enceinte, cessez de prendre le médicament et communiquez avec le médecin immédiatement.

Allaitement. La nafaréline peut passer dans le lait maternel : la prudence s'impose. Demandez l'avis du médecin.

Nourrissons et enfants. Non recommandée aux enfants non pubères.

À surveiller. Avertissez le médecin si vous fumez la cigarette ou si vous consommez beaucoup d'alcool ou de caféine. Avant d'utiliser le vaporisateur nasal pour la première fois, dirigez le gicleur loin de vous et appuyez environ 7 fois sur la pompe pour l'amorcer. Après chaque usage, essuyez le gicleur avec un papier mouchoir ou un linge doux. Tous les 3 ou 4 jours, rincez le gicleur à l'eau tiède, nettoyez-le durant 15 secondes et laissez-le sécher. Pour vous administrer une dose de nafaréline, mouchez-vous doucement. Penchez légèrement la tête en avant, introduisez le gicleur dans une narine et visez l'arrière de la fosse nasale. Bouchez l'autre narine avec le doigt. Après la vaporisation,

renversez la tête pendant quelques secondes. Ne vous mouchez pas.

SURDOSAGE
Symptômes. Aucun symptôme spécifique n'a été signalé.

Quoi faire. Il est peu probable qu'une surdose de nafaréline mette votre vie en danger. Néanmoins, si la dose est beaucoup plus forte que ce qui est prescrit, appelez immédiatement le médecin ou le centre antipoison.

▼ INTERACTIONS

MÉDICAMENT-MÉDICAMENT
Demandez spécifiquement l'avis du médecin si vous prenez : décongestionnants en vaporisateur nasal, corticostéroïdes ou anticonvulsivants.

MÉDICAMENT-ALIMENT
Aucune interaction connue.

MÉDICAMENT-MALADIE
La nafaréline exige qu'on fasse preuve de prudence. Avisez le médecin de tout trouble menstruel.

☰ EFFETS INDÉSIRABLES ☰

GRAVES
Saignements vaginaux entre les périodes menstruelles, périodes menstruelles plus longues ou plus abondantes, essoufflement, douleur thoracique, douleur articulaire, urticaire par réaction allergique, flatulence ou sensibilité dans le bas de l'abdomen, lactation inattendue ou abondante.

COURANTS
Acné, baisse de la libido, sécheresse du vagin, bouffées de chaleur, céphalées, rapports sexuels douloureux, atrophie des seins, palpitations, peau grasse, arrêt des menstruations.

MOINS COURANTS
Douleur mammaire, écoulement nasal, dépression, humeur instable, rash cutané, modification du poids.

NALBUPHINE (CHLORHYDRATE DE)

NOM COMMERCIAL

Nubain

Présentation : Injection
En vente libre ? Non   **Générique disponible ?** Non
Classe de médicaments : Analgésique opioïde (narcotique)

▼ GÉNÉRALITÉS

INDICATIONS
Soulagement des douleurs modérées à sévères.

MODE D'ACTION
La nalbuphine agit sur des centres spécifiques de la moelle épinière et du cerveau où sont traités les signaux douloureux émis partout dans le corps.

▼ MODE D'EMPLOI

POSOLOGIE
Adultes : 10 mg aux 3 à 6 heures au besoin, en intra-veineuse, intramusculaire ou sous-cutanée. Enfants : la posologie doit être détermi-née par le médecin.

DÉBUT D'ACTION
Intraveineuse : en 2 à 3 minu-tes. Intramusculaire ou sous-cutanée : en 15 minutes.

DURÉE D'ACTION
3 à 6 heures.

CONSEILS NUTRITIONNELS
Pas de précautions spéciales.

MODE DE CONSERVATION
Dans un contenant étanche, à l'abri de la chaleur, de l'humi-dité et de la lumière. Ne faites pas congeler.

OUBLI D'UNE DOSE
Si vous prenez la nalbuphine à heure fixe, prenez la dose oubliée dès que vous y pen-sez. S'il est presque l'heure de la suivante, sautez la dose oubliée et reprenez la fré-quence normale. Ne doublez pas la dose suivante.

ARRÊT DE LA MÉDICATION
Cette décision doit être prise par votre médecin.

USAGE PROLONGÉ
Un suivi médical s'impose si vous devez prendre le médi-cament durant une longue période. Un usage prolongé peut provoquer de la dépen-dance physique et psychique.

▼ PRÉCAUTIONS

Plus de 60 ans. Risques de réactions indésirables plus fréquentes et plus graves.

Conduite automobile, tra-vaux dangereux. À décon-seiller tant que vous ne connaissez pas votre réaction au médicament.

Alcool. À éviter.

Grossesse. La nalbuphine n'a pas causé d'anomalies congé-nitales chez les animaux. Il n'existe pas d'études sur les humains. Avant d'en prendre, avisez le médecin que vous êtes enceinte ou voulez le devenir. Un usage abusif du médicament durant la gros-sesse peut causer de la dépendance chez le fœtus.

Allaitement. La nalbuphine peut passer dans le lait mater-nel : la prudence s'impose. Demandez l'avis du médecin.

Nourrissons et enfants. Risques de réactions indési-rables plus fréquentes et plus graves. Demandez l'avis du médecin.

À surveiller. Si vous estimez, après quelques semaines, que le médicament ne donne pas les résultats attendus, n'aug-mentez pas les doses. Consul-tez le médecin. Avant toute chirurgie, prévenez le méde-cin ou le dentiste que vous prenez de la nalbuphine.

SURDOSAGE
Symptômes. Confusion, somnolence grave, faiblesse ou vertiges, difficultés d'élo-cution, pupilles très rétré-cies, peau froide et moite, respiration lente, convul-sions, perte de conscience.

Quoi faire. Appelez immédia-tement le médecin ou le centre antipoison, ou allez à l'urgence.

▼ INTERACTIONS

MÉDICAMENT-MÉDICAMENT
Demandez l'avis du médecin si vous prenez : carbamazé-pine ou autres anticonvulsi-vants, barbituriques, sédatifs, antitussifs, décongestion-nants, antidépresseurs, autres analgésiques sur ordonnance, inhibiteurs de la monoamine-oxydase (IMAO), naltrexone, rifampine ou zidovudine.

MÉDICAMENT-ALIMENT
Aucune interaction connue.

MÉDICAMENT-MALADIE
Avertissez le médecin si vous avez les problèmes suivants : antécédents d'alcoolisme ou de toxicomanie ; maladie psy-chique ; troubles du cerveau ou traumatisme crânien ; convulsions ; maladie pulmo-naire ; troubles de la prostate ou autres troubles urinaires ; calculs biliaires ; colite ; mala-die du cœur, du rein, du foie ou de la thyroïde.

  EFFETS INDÉSIRABLES

GRAVES
Les effets indésirables graves de la nalbuphine se confon-dent avec ceux d'une surdose, à savoir : confusion ; somnolence, faiblesse ou vertiges extrêmes ; difficultés d'élocution ; rétrécissement des pupilles ; peau froide et moite ; respiration lente ; convulsions ; perte de conscience.

COURANTS
Vertiges ou étourdissements, nausées ou vomissements, constipation, somnolence, démangeaisons.

MOINS COURANTS
Humeur instable ou euphorie, hallucinations.

NALIDIXIQUE (ACIDE)

NOM COMMERCIAL

NegGram

Présentation : Suspension, comprimés
En vente libre ? Non   **Générique disponible ?** Non
Classe de médicaments : Anti-infectieux

▼ GÉNÉRALITÉS

INDICATIONS
Traitement des infections des voies urinaires.

MODE D'ACTION
En inhibant la synthèse du matériel génétique des bactéries, l'acide nalidixique les empêche de se reproduire. Elles finissent par mourir et l'infection est éliminée.

▼ MODE D'EMPLOI

POSOLOGIE
Adultes et adolescents : 1 000 mg aux 6 heures pendant 1 à 2 semaines, puis 500 mg aux 6 heures en traitement de longue durée. Enfants de 3 mois à 12 ans : 55 mg par kilogramme (2,2 lb) de poids par jour en doses fractionnées aux 6 heures pendant 1 à 2 semaines, puis 33 mg par kilogramme par jour en traitement de longue durée.

DÉBUT D'ACTION
En 3 à 4 heures.

DURÉE D'ACTION
Inconnue.

CONSEILS NUTRITIONNELS
À prendre à jeun avec un verre d'eau, au moins 1 heure avant de manger ou 2 heures après avoir mangé. Si le médicament provoque des maux d'estomac, on peut le prendre avec un aliment ou du lait.

MODE DE CONSERVATION
Dans un contenant étanche, à l'abri de la chaleur et de la lumière.

OUBLI D'UNE DOSE
Prenez-la dès que vous y pensez. S'il est presque l'heure de la suivante, sautez la dose oubliée et reprenez la fréquence normale. Ne doublez pas la dose suivante.

ARRÊT DE LA MÉDICATION
Effectuez le traitement au complet, comme il vous a été prescrit, même si vous vous sentez mieux avant la fin.

USAGE PROLONGÉ
Un suivi médical, avec analyses, est nécessaire si le traitement se prolonge au-delà de 2 semaines.

▼ PRÉCAUTIONS

Plus de 60 ans. Pas de risques connus.

Conduite automobile, travaux dangereux. À déconseiller tant que vous ne connaissez pas votre réaction au médicament.

Alcool. À éviter ou à consommer avec la plus stricte modération.

Grossesse. L'acide nalidixique a entraîné des anomalies congénitales chez les animaux ; les femmes enceintes ne devraient pas en prendre.

Allaitement. Le médicament passe dans le lait maternel et peut nuire aux bébés affligés d'une carence en glucose-6-phosphate déshydrogénase (G-6-PD). On n'a pas signalé de problèmes chez d'autres nourrissons. Demandez spécifiquement l'avis du médecin si vous allaitez pendant que vous prenez ce médicament.

Nourrissons et enfants. Non recommandé pour les bébés de moins de 3 mois.

À surveiller. Évitez de vous exposer au soleil tant que vous n'avez pas déterminé les effets du médicament sur vous. La photosensibilité peut durer jusqu'à 3 mois après la dernière dose. L'acide nalidixique peut fausser le résultat des tests de sucre sanguin.

SURDOSAGE
Symptômes. Léthargie, psychose, nausées, vomissements, convulsions, céphalée grave (causé par une augmentation de la pression intracrânienne).

Quoi faire. Appelez immédiatement le médecin ou le centre antipoison, ou allez à l'urgence.

▼ INTERACTIONS

MÉDICAMENT-MÉDICAMENT
Certains médicaments peuvent avoir des interactions négatives avec l'acide nalidixique. Demandez spécifiquement l'avis du médecin, surtout si vous prenez des anticoagulants.

MÉDICAMENT-ALIMENT
Aucune interaction connue.

MÉDICAMENT-MALADIE
L'acide nalidixique demande que l'on soit prudent. Consultez le médecin si vous avez les problèmes suivants : durcissement des artères du cerveau, carence en G-6-PD ou trouble convulsif comme l'épilepsie. L'acide nalidixique peut provoquer des complications chez les patients souffrant d'une maladie du foie ou du rein, car ces organes travaillent ensemble à éliminer le médicament de l'organisme.

EFFETS INDÉSIRABLES

GRAVES
Vision brouillée, double ou diminuée ; altération de la perception des couleurs ; halos autour des lumières ; convulsions ; urine foncée ; hallucinations ; bombement de la fontanelle (point mou) sur le crâne du nourrisson ; céphalée sévère ; altération de l'humeur ; pâleur de la peau ; selles pâles ; rash cutané et démangeaisons ; douleur gastrique grave ; ecchymoses et saignements anormaux ; fatigue anormale ; jaunissement des yeux et de la peau.

COURANTS
Vertiges, diarrhée, somnolence, céphalée, nausées ou vomissements, douleur gastrique.

MOINS COURANTS
Sensibilité accrue de la peau au soleil.

NALTREXONE

Présentation : Comprimés
En vente libre ? Non   **Générique disponible ?** Non
Classe de médicaments : Antagoniste des opioïdes

▼ GÉNÉRALITÉS

INDICATIONS
S'emploie comme adjuvant dans le traitement de la toxicomanie (aux opioïdes) et de l'alcoolisme, en association avec des programmes d'assistance psychologique et sociale. Il faut savoir que la naltrexone n'est pas efficace dans le traitement de la dépendance aux drogues qui ne sont pas des opioïdes, comme la cocaïne.

MODE D'ACTION
La naltrexone entrave les effets euphoriques des narcotiques opioïdes (comme la morphine et l'héroïne) en se liant de façon compétitive à leurs récepteurs dans le cerveau. Son mécanisme d'action dans le traitement de l'alcoolisme n'est pas bien compris, mais la naltrexone semble réduire le besoin et la consommation d'alcool.

▼ MODE D'EMPLOI

POSOLOGIE
Alcoolisme : 50 mg (1 comprimé), 1 fois par jour. Toxicomanie : le traitement ne doit commencer que si le patient n'a pas pris d'opioïdes depuis au moins 7 à 10 jours. Dose d'attaque, 25 mg (½ comprimé) le premier jour. En l'absence de symptômes de sevrage, la dose sera portée à 50 mg, 1 fois par jour. Le médecin peut modifier la posologie et la fréquence au besoin.

DÉBUT D'ACTION
En 60 minutes.

DURÉE D'ACTION
24 à 72 heures.

CONSEILS NUTRITIONNELS
Pas de recommandations spéciales.

MODE DE CONSERVATION
Dans un contenant étanche, à l'abri de la chaleur, de l'humidité et de la lumière.

EFFETS INDÉSIRABLES

GRAVES
Risque de lésions hépatiques en cas de doses très fortes ou de présence d'une maladie hépatique d'origine autre. Symptômes : douleur abdominale persistante, selles blanches, urine foncée, jaunissement des yeux et de la peau.

COURANTS
Alcoolisme : nausées, céphalées, vertiges, nervosité, fatigue. Toxicomanie : difficultés à dormir, nervosité, anxiété, douleur ou crampes abdominales, nausées, vomissements, manque d'énergie, douleur musculaire et articulaire, céphalées.

MOINS COURANTS
Alcoolisme : insomnie, vomissements, anxiété, somnolence. Toxicomanie : perte d'appétit, constipation, diarrhée, augmentation de la soif, énergie accrue, dépression, irritabilité, vertiges, rash cutané, impuissance, frissons.

OUBLI D'UNE DOSE
Si vous prenez de la naltrexone 1 fois par jour, prenez la dose oubliée dès que vous y pensez. Si vous n'y pensez que le lendemain, sautez la dose oubliée et reprenez la fréquence normale. Ne doublez pas la dose suivante. Dans les cas de fréquence différente, demandez l'avis du médecin.

ARRÊT DE LA MÉDICATION
Cette décision se prend en consultation avec le médecin.

USAGE PROLONGÉ
Un suivi médical pour vérifier la fonction hépatique est nécessaire.

▼ PRÉCAUTIONS

Plus de 60 ans. Pas de recommandations spéciales.

Conduite automobile, travaux dangereux. À éviter tant que vous ne connaissez pas votre réaction au médicament.

Alcool. À éviter.

Grossesse. La naltrexone n'est administrée durant la grossesse que si ses bienfaits l'emportent sur les risques qu'elle fait courir au fœtus.

Allaitement. La naltrexone peut passer dans le lait maternel : la prudence s'impose.

Nourrissons et enfants. Innocuité et efficacité non établies chez les moins de 18 ans.

À surveiller. La naltrexone n'empêche pas un patient d'être intoxiqué par l'alcool, s'il en prend. Ayez sur vous une carte indiquant que vous prenez de la naltrexone. Il est de la plus grande importance que le patient sous médication s'abstienne complètement de consommer des narcotiques opioïdes. S'il a consommé un opioïde durant les 7 à 10 jours précédant le traitement à la naltrexone, il peut avoir une réaction aiguë de sevrage. Les effets de la naltrexone peuvent être annulés par de fortes doses de narcotiques, mais il y a un risque grave de surdose fatale de narcotique.

SURDOSAGE
Symptômes. Aucune surdose n'a été signalée. Mais les symptômes s'apparenteraient aux effets indésirables graves.

Quoi faire. En cas de surdose appréhendée ou réelle, appelez immédiatement le médecin ou le centre antipoison, ou allez à l'urgence.

▼ INTERACTIONS

MÉDICAMENT-MÉDICAMENT
La naltrexone ne doit pas être prise en même temps que des analgésiques narcotiques comme la mépéridine, la morphine et la méthadone. Il n'existe pas d'études sur les autres médicaments. Demandez l'avis du médecin à l'égard de tous les médicaments que vous prenez, avec ou sans ordonnance.

MÉDICAMENT-ALIMENT
Aucune interaction connue.

MÉDICAMENT-MALADIE
Ne prenez pas de naltrexone si vous souffrez d'hépatite aiguë ou d'insuffisance hépatique.

NAPROXEN

Présentation : Comprimés, suspension orale, suppositoires
En vente libre ? Non   **Générique disponible ?** Oui
Classe de médicaments : Anti-inflammatoire non stéroïdien (AINS)

▼ GÉNÉRALITÉS

INDICATIONS
Soulagement de la douleur et de l'inflammation moyennes qui accompagnent : maux de tête, de dos ou de dents, rhume ordinaire, douleurs musculaires, arthrite, tendinite, bursite, douleurs menstruelles ; on l'utilise aussi pour faire baisser la fièvre. Quand un AINS se révèle inefficace, on peut en essayer d'autres.

MODE D'ACTION
Les AINS entravent la formation des prostaglandines, substances naturelles qui causent de l'inflammation et rendent les nerfs plus réceptifs aux impulsions douloureuses. Les AINS ont d'autres modes d'action moins bien connus.

▼ MODE D'EMPLOI

POSOLOGIE
Adultes : 440 à 1 500 mg par jour, sans dépasser 1 500 mg par jour, fractionnée en 2 ou 3 prises égales.

DÉBUT D'ACTION
Rapide ; soulage la douleur en 1 heure, mais il faut compter jusqu'à 2 semaines pour qu'il supprime l'inflammation.

DURÉE D'ACTION
Jusqu'à 12 heures.

CONSEILS NUTRITIONNELS
Se prend en mangeant ; mangez et buvez normalement.

MODE DE CONSERVATION
Dans un contenant étanche, à l'abri de la chaleur, de l'humidité et de la lumière.

OUBLI D'UNE DOSE
Prenez-la dès que vous y pensez. S'il est presque l'heure de la suivante, sautez la dose oubliée et revenez à la fréquence normale. Ne doublez pas la dose suivante.

ARRÊT DE LA MÉDICATION
Ne l'interrompez pas sans consulter le médecin.

USAGE PROLONGÉ
Un usage prolongé peut provoquer des troubles gastro-intestinaux et notamment ulcères et saignements, une insuffisance rénale et une inflammation du foie. Demandez au médecin s'il y a lieu d'instaurer un suivi médical.

▼ PRÉCAUTIONS

Plus de 60 ans. Étant donné les risques potentiellement plus grands d'effets indésirables gastro-intestinaux chez les patients âgés, surtout chez les plus de 70 ans, la dose est souvent réduite de moitié.

Conduite automobile, travaux dangereux. À éviter tant que vous ne connaissez pas votre réaction au traitement.

Alcool. À éviter ; associé à l'alcool, le naproxen peut être extrêmement toxique pour le foie.

Grossesse. Ne prenez pas ce médicament si vous êtes enceinte ou souhaitez l'être.

Allaitement. Le médicament passe dans le lait maternel ; n'en prenez pas pendant que vous allaitez.

Nourrissons et enfants. Le naproxen peut être utilisé dans des circonstances exceptionnelles. Demandez spécifiquement l'avis du pédiatre.

À surveiller. Les AINS pouvant entraver la coagulation du sang, la médication devrait être interrompue au moins 3 jours avant toute chirurgie.

SURDOSAGE
Symptômes. Nausées graves, vomissements, céphalées, confusion, convulsions.

Quoi faire. Appelez aussitôt le médecin ou le centre anti-poison, ou allez à l'urgence.

▼ INTERACTIONS

MÉDICAMENT-MÉDICAMENT
Ne prenez pas de naproxen en même temps que de l'AAS ou que tout autre AINS sans l'avis du médecin. De plus, avertissez le médecin si vous prenez : antihypertenseurs, stéroïdes, anticoagulants, antibiotiques, itraconazole ou kétoconazole, pénicillamine, acide valproïque, phénytoïne, cyclosporine, digitaliques, lithium, méthotrexate, probénécide, triamtérène ou zidovudine.

MÉDICAMENT-ALIMENT
Aucune interaction connue.

MÉDICAMENT-MALADIE
Consultez le médecin en cas de : saignements, inflammation ou ulcère de l'estomac ou de l'intestin, diabète sucré, lupus érythémateux disséminé, anémie, asthme, épilepsie, maladie de Parkinson, calculs rénaux, antécédents de maladie cardiaque ou d'alcoolisme. Le naproxen peut entraîner des complications chez les patients atteints d'une maladie du foie ou des reins, puisque ces organes contribuent à éliminer le médicament de l'organisme.

≋ EFFETS INDÉSIRABLES ≋

GRAVES
Essoufflement ou respiration sifflante, avec ou sans enflure des jambes ou autres signes d'insuffisance cardiaque ; douleur thoracique ; ulcère gastro-duodénal avec vomissements de sang ; selles noires ; baisse de la fonction rénale.

COURANTS
Nausées, vomissements, aigreurs d'estomac, diarrhée, constipation, céphalées, vertiges, insomnie.

MOINS COURANTS
Lésions ou ulcères buccaux, dépression, rash cutané, peau vésiquante, bourdonnements d'oreilles, engourdissement ou fourmillement des mains ou des pieds, convulsions, vision brouillée. Aussi taux élevé de potassium et baisse de la numération globulaire (à détecter par le médecin).

NARATRIPTAN (CHLORHYDRATE DE)

Présentation : Comprimés
En vente libre ? Non   **Générique disponible ?** Non
Classe de médicaments : Antimigraineux/anticéphalalgique

▼ GÉNÉRALITÉS

INDICATIONS
Traitement des fortes migraines et des crises de migraine aiguë. Le naratriptan n'est pas destiné à la prévention des migraines ni au traitement d'autres sortes de douleur ou de mal de tête, y compris la migraine basilaire et hémiplégique. Le médecin décidera si ce médicament vous convient.

MODE D'ACTION
Inconnu.

▼ MODE D'EMPLOI

POSOLOGIE
1 comprimé de 1 ou 2,5 mg pris avec de l'eau est généralement efficace. Si la migraine revient ou si le soulagement n'est pas complet, la dose peut être répétée 1 fois après 4 heures, mais il ne faut pas dépasser 5 mg par période de 24 heures. Comme la réponse au naratriptan peut varier d'un patient à l'autre, votre propre expérience vous permettra de déterminer la posologie initiale la mieux appropriée à votre cas.

DÉBUT D'ACTION
En 1 à 3 heures.

DURÉE D'ACTION
Jusqu'à 24 heures.

CONSEILS NUTRITIONNELS
Le naratriptan peut se prendre avec ou sans aliment.

MODE DE CONSERVATION
Dans un contenant étanche, à l'abri de la chaleur, de l'humidité et de la lumière.

OUBLI D'UNE DOSE
Sans objet : le médicament est pris au besoin.

ARRÊT DE LA MÉDICATION
Consultez le médecin avant d'interrompre le naratriptan.

USAGE PROLONGÉ
Aucun problème particulier n'est envisagé. Néanmoins, si vous êtes menacé d'insuffisance coronarienne (voir À surveiller), vous devriez vous soumettre à un suivi médical.

▼ PRÉCAUTIONS

Plus de 60 ans. Le naratriptan n'est pas recommandé aux personnes âgées.

Conduite automobile, travaux dangereux. Certaines personnes se sentent somnolentes ou étourdies durant ou après une crise de migraine ou lorsqu'elles prennent du naratriptan. Évitez de conduire une voiture ou d'accomplir des travaux dangereux si vous éprouvez de tels symptômes.

Alcool. Aucune mise en garde spéciale, bien que l'alcool puisse déclencher ou aggraver une migraine.

Grossesse. Il n'existe pas d'études pertinentes sur les humains. Évaluez avec le médecin les avantages et les risques du médicament durant la grossesse.

Allaitement. Le naratriptan peut passer dans le lait maternel : la prudence s'impose. Demandez l'avis du médecin.

Nourrissons et enfants. L'innocuité et l'efficacité du naratriptan n'ont pas été établies pour les patients de moins de 18 ans. Demandez l'avis du pédiatre.

À surveiller. Des problèmes cardiaques graves mais rares peuvent se produire après avoir pris du naratriptan. Toute personne menacée d'insuffisance coronarienne non diagnostiquée, comme les femmes ménopausées, les hommes de plus de 40 ans ou les personnes à risque (par hypertension, hypercholestérolémie, obésité, diabète, antécédents familiaux de maladie cardiaque ou tabagisme), devrait recevoir sa première dose de naratriptan dans le cabinet du médecin. Le médicament ne devrait pas être administré aux patients ayant des symptômes de maladie cardiaque (douleur ou constriction thoraciques, essoufflement).

SURDOSAGE
Symptômes. Augmentation de la tension artérielle provoquant étourdissements, tension dans le cou, fatigue et incoordination.

Quoi faire. Une surdose est peu probable. Néanmoins, si une personne absorbe une dose beaucoup plus forte que celle qui lui a été prescrite, appelez immédiatement le médecin ou le centre antipoison, ou allez à l'urgence.

▼ INTERACTIONS

MÉDICAMENT-MÉDICAMENT
Ne prenez pas de naratriptan dans les 24 heures suivant l'administration de mésylate de dihydroergotamine ou de mésylate de méthysergide. Les contraceptifs oraux peuvent interagir avec le naratriptan. Demandez l'avis du médecin.

MÉDICAMENT-ALIMENT
Aucune interaction connue.

MÉDICAMENT-MALADIE
Vous ne devriez pas prendre de naratriptan si vous avez des antécédents de : angine, maladie cardiaque, accident cérébrovasculaire (ACV), hypertension non maîtrisée, arythmies cardiaques, maladie vasculaire périphérique, insuffisance hépatique ou rénale grave.

 EFFETS INDÉSIRABLES

GRAVES
Douleur ou constriction thoraciques, douleur abdominale soudaine ou grave, essoufflement, respiration sifflante, arythmies cardiaques ou palpitations, rash cutané, urticaire, enflure des paupières, du visage ou des lèvres.

COURANTS
Picotements, bouffées de chaleur, rougeur, faiblesse, somnolence ou étourdissements, fatigue, malaise généralisé.

MOINS COURANTS
Il n'y a pas d'effets moins courants liés au naratriptan.

NÉDOCROMIL SODIQUE (INHALANT)

Présentation : Atomiseur pour inhalation
En vente libre ? Non   **Générique disponible ?** Non
Classe de médicaments : Inhalant respiratoire

▼ GÉNÉRALITÉS

INDICATIONS
Prévention des symptômes de l'asthme et du bronchospasme (contraction des muscles lisses autour des voies aériennes qui se trouvent à rétrécir, faisant obstacle au passage de l'air). Le nédocromil ne peut soulager une crise d'asthme en cours.

MODE D'ACTION
Le nédocromil empêche les cellules inflammatoires des poumons de libérer des substances provoquant les symptômes de l'asthme ou un bronchospasme. Contrairement aux bronchodilatateurs qui servent à soulager les symptômes d'une crise aiguë d'asthme, le nédocromil est généralement prescrit en traitement d'entretien, en l'absence de tout symptôme, pour réduire l'inflammation chronique des voies aériennes qui accompagne l'asthme. Le nédocromil s'emploie aussi préventivement avant l'exposition à certaines conditions ou substances (air froid, exercice, produits chimiques, pollution atmosphérique ou allergènes comme le pollen et les acariens de la poussière) qui peuvent déclencher une crise aiguë d'asthme.

▼ MODE D'EMPLOI

POSOLOGIE
Prévention des symptômes d'asthme – adultes et adolescents : 2 pulvérisations (3,5 à 4 mg) 2 à 4 fois par jour, à intervalles réguliers. Prévention des bronchospasmes – adultes et adolescents : 2 pulvérisations, 30 minutes avant l'exercice ou l'exposition à toute cause pouvant déclencher des bronchospasmes. Enfants : demandez au médecin de déterminer la posologie.

DÉBUT D'ACTION
Plusieurs jours à 4 semaines.

DURÉE D'ACTION
6 à 12 heures.

CONSEILS NUTRITIONNELS
Pas de recommandations spéciales.

MODE DE CONSERVATION
Dans un contenant étanche, à l'abri de la chaleur et de la lumière. Ne pas congeler le produit. Ne pas perforer, ni briser, ni brûler le réservoir pressurisé, même s'il est vide.

OUBLI D'UNE DOSE
Administrez-la dès que vous y pensez. S'il est presque l'heure de la suivante, sautez la dose oubliée et reprenez la fréquence normale. Ne doublez pas la dose suivante.

ARRÊT DE LA MÉDICATION
Cette décision doit être prise par le médecin.

USAGE PROLONGÉ
Un suivi médical, avec examens et analyses, est nécessaire en cas d'usage prolongé.

▼ PRÉCAUTIONS

Plus de 60 ans. Pas de risques connus.

Conduite automobile, travaux dangereux. Le nédocromil ne devrait pas vous empêcher d'exécuter de telles tâches en toute sécurité.

Alcool. Pas de précautions spéciales.

Grossesse. Le nédocromil n'a pas provoqué d'anomalies congénitales chez les animaux. Il n'y a pas eu d'études sur les humains. Avant d'en prendre, prévenez le médecin si vous êtes enceinte ou voulez le devenir.

Allaitement. Le nédocromil peut passer dans le lait maternel : la prudence s'impose. Les mères qui souhaitent allaiter tout en prenant du nédocromil devraient consulter leur médecin à ce sujet.

Nourrissons et enfants. Aucun problème spécial à signaler. Emploi et posologie à déterminer par le médecin.

À surveiller. Agitez bien l'inhalateur avant de l'utiliser. Nettoyez l'embout buccal deux fois par semaine.

SURDOSAGE
Symptômes. Aucun symptôme spécifique n'a été signalé.

Quoi faire. Il est peu probable qu'une surdose mette votre vie en danger. Néanmoins, si la dose est beaucoup plus forte que celle prescrite, appelez aussitôt le médecin ou le centre antipoison, ou allez à l'urgence.

▼ INTERACTIONS

MÉDICAMENT-MÉDICAMENT
Avant de prendre du nédocromil, donnez au médecin les noms de tous les médicaments que vous prenez, avec ou sans ordonnance.

MÉDICAMENT-ALIMENT
Aucune interaction connue.

MÉDICAMENT-MALADIE
Aucune interaction n'a été signalée.

 EFFETS INDÉSIRABLES

GRAVES
Respiration de plus en plus sifflante, constriction ou douleur thoraciques, difficultés respiratoires.

COURANTS
Il n'y a pas d'effets courants associés au nédocromil.

MOINS COURANTS
Toux, céphalées, nausées ou vomissements, congestion nasale ou écoulements nasaux, irritation de la gorge, déglutition difficile ou douloureuse, goût désagréable, douleur abdominale.

NÉDOCROMIL SODIQUE (OPHTALMIQUE)

Présentation : Solution ophtalmique
En vente libre ? Non   **Générique disponible ?** Non
Classe de médicaments : Antiallergique/anti-inflammatoire

▼ GÉNÉRALITÉS

INDICATIONS
Soulagement temporaire de la démangeaison de l'œil provoquée par une conjonctivite allergique (la conjonctivite est l'inflammation des muqueuses qui tapissent l'intérieur des paupières et le blanc de l'œil).

MODE D'ACTION
Le nédocromil inhibe la libération des cellules inflammatoires et bloque dans l'œil les effets de ces cellules qui provoquent enflure, démangeaisons, éternuements, larmoiement, urticaire et autres symptômes de réactions allergiques.

▼ MODE D'EMPLOI

POSOLOGIE
1 goutte dans l'œil affecté, 2 fois par jour.

DÉBUT D'ACTION
Inconnu.

DURÉE D'ACTION
Inconnue.

CONSEILS NUTRITIONNELS
Pas de restrictions spéciales.

MODE DE CONSERVATION
Dans un contenant étanche, à l'abri de la chaleur, de l'humidité et de la lumière. Ne faites pas congeler.

OUBLI D'UNE DOSE
Instillez la deuxième dose au besoin, sans la doubler.

ARRÊT DE LA MÉDICATION
Utilisez le médicament durant toute la période critique (la durée de la saison du pollen ou jusqu'à ce que la cause de la conjonctivite ait disparu), même si les symptômes ne sont plus manifestes.

USAGE PROLONGÉ
Un suivi médical, avec examens et analyses, s'impose en traitement prolongé.

▼ PRÉCAUTIONS

Plus de 60 ans. Pas de risques connus.

Conduite automobile, travaux dangereux. À déconseiller tant que vous ne connaissez pas les effets du médicament sur votre vision.

Alcool. Pas de précautions spéciales.

Grossesse. Dans les études sur les animaux, de fortes doses de nédocromil n'ont pas provoqué d'anomalies congénitales. Il n'existe pas d'études sur les humains. Le nédocromil ne devrait être prescrit aux femmes enceintes que si ses bienfaits pour la mère justifient les risques qu'il fait courir au fœtus. Demandez spécifiquement l'avis du médecin.

Allaitement. Le nédocromil peut passer dans le lait maternel : la prudence s'impose. Demandez l'avis du médecin.

Nourrissons et enfants. Innocuité et efficacité non établies pour les enfants de moins de 3 ans.

À surveiller. Avant l'application, lavez-vous les mains. Renversez la tête en arrière. Appuyez doucement dans l'angle interne de la paupière et avec l'index de la même main, tirez la paupière inférieure vers le bas. Laissez tomber les gouttes dans l'espace ainsi créé et fermez l'œil. Appuyez pendant 1 ou 2 minutes tout en gardant l'œil fermé sans cligner. Enfin, lavez-vous les mains. Le bout du compte-gouttes ne doit toucher ni l'œil, ni votre doigt, ni rien d'autre. Ne vous administrez pas les gouttes pendant que vous portez des verres de contact.

SURDOSAGE
Symptômes. Aucun symptôme spécifique n'a été signalé.

Quoi faire. Il est peu probable qu'une surdose mette votre vie en danger, mais si la dose est beaucoup plus forte que celle prescrite ou si le médicament est ingéré, appelez immédiatement le médecin ou le centre antipoison.

▼ INTERACTIONS

MÉDICAMENT-MÉDICAMENT
N'associez le nédocromil à aucun autre médicament pour les yeux. Demandez spécifiquement l'avis du médecin.

MÉDICAMENT-ALIMENT
Aucune interaction connue.

MÉDICAMENT-MALADIE
Le nédocromil exige qu'on soit prudent. Consultez le médecin si vous souffrez de tout autre problème de santé, surtout d'un trouble affectant les yeux.

  **EFFETS INDÉSIRABLES**

GRAVES
Il n'y a pas d'effets indésirables graves associés au nédocromil.

COURANTS
Céphalées, sensation de brûlure et picotements dans l'œil, goût désagréable, congestion nasale.

MOINS COURANTS
Asthme, conjonctivite, rougeur de l'œil, sensibilité accrue des yeux à la lumière, écoulements nasaux.

NÉFAZODONE (CHLORHYDRATE DE)

NOMS COMMERCIAUX

Lin-Nefazodone,
Serzone-5HT$_2$

Présentation : Comprimés
En vente libre ? Non   **Générique disponible ?** Oui
Classe de médicaments : Antidépresseur

▼ GÉNÉRALITÉS

INDICATIONS
Traitement des symptômes de la dépression grave.

MODE D'ACTION
La néfazodone modifie les niveaux de sérotonine et de norépinéphrine, éléments chimiques du cerveau qu'on croit liés aux humeurs, aux émotions et aux états psychiques.

▼ MODE D'EMPLOI

POSOLOGIE
Adultes : dose d'attaque, 50 à 100 mg, 2 fois par jour. Peut être graduellement augmentée par le médecin sans dépasser 600 mg par jour. Personnes âgées : dose d'attaque : 50 mg, 2 fois par jour. Peut être graduellement augmentée par le médecin.

DÉBUT D'ACTION
Le plein effet peut mettre plusieurs semaines à s'établir.

DURÉE D'ACTION
Inconnue.

CONSEILS NUTRITIONNELS
Pas de restrictions spéciales.

MODE DE CONSERVATION
Dans un contenant étanche, à l'abri de la chaleur, de l'humidité et de la lumière.

OUBLI D'UNE DOSE
Prenez-la dès que vous y pensez. S'il est presque l'heure de la suivante, sautez la dose oubliée et reprenez la fréquence normale. Ne doublez pas la dose suivante.

ARRÊT DE LA MÉDICATION
Effectuez le traitement au complet, tel que prescrit, même si vous vous sentez mieux. La décision de cesser la thérapie doit être prise en consultation avec le médecin.

USAGE PROLONGÉ
Le traitement dure normalement de 6 mois à 1 an ; quelques patients tirent profit d'un traitement plus long.

▼ PRÉCAUTIONS

Plus de 60 ans. Risques de réactions indésirables plus fréquentes et plus graves. Il peut y avoir lieu de réduire la posologie pour ce groupe d'âge.

Conduite automobile, travaux dangereux. Soyez prudent tant que vous ne connaissez pas votre réaction au médicament ; il peut causer de la somnolence.

Alcool. À éviter.

Grossesse. La néfazodone ne semble pas provoquer d'anomalies congénitales chez les animaux. Il n'existe pas d'études pertinentes chez les humains. Avant d'en prendre, prévenez le médecin si vous êtes enceinte ou voulez le devenir.

Allaitement. La néfazodone peut passer dans le lait maternel : la prudence s'impose.

Nourrissons et enfants. Innocuité et efficacité non établies chez les moins de 18 ans.

À surveiller. Prenez de la gomme ou des bonbons sans sucre pour soulager la sécheresse de la bouche.

SURDOSAGE
Symptômes. Étourdissements, vertiges, confusion, évanouissements, nausées, vomissements, somnolence.

Quoi faire. Appelez immédiatement le médecin ou le centre antipoison, ou allez à l'urgence.

▼ INTERACTIONS

MÉDICAMENT-MÉDICAMENT
La néfazodone ne doit pas être administrée dans les 14 jours suivant la fin d'un traitement aux inhibiteurs de la monoamine-oxydase (IMAO) et il faut attendre au moins 7 jours après un traitement à la néfazodone avant d'administrer un IMAO. Autrement, il pourrait en résulter des effets indésirables très graves : myoclonie (contractions musculaires involontaires), hyperthermie (forte élévation de la température du corps) et rigidité extrême. Chez plusieurs patients, et surtout chez les personnes âgées, on ne recommande pas d'associer la néfazodone au triazolam. D'autres interactions médicamenteuses sont possibles ; consultez le médecin si vous prenez : alprazolam, antihypertenseurs, médicaments contre le cholestérol, buspirone, cyclosporine, dépresseurs du système nerveux central (incluant médicaments contre le rhume, antiallergiques, analgésiques narcotiques et myorelaxants), antidépresseurs tricycliques.

MÉDICAMENT-ALIMENT
Aucune interaction connue.

MÉDICAMENT-MALADIE
Consultez le médecin en cas de : antécédents d'alcoolisme ou de toxicomanie, maladie cardiaque, antécédents de convulsions ou de troubles mentaux, toute maladie reliée aux vaisseaux sanguins du cerveau, symptômes de déshydratation (confusion, irritabilité, peau sèche et congestionnée, baisse du débit urinaire, très grande soif).

 EFFETS INDÉSIRABLES

GRAVES
Distorsion ou perte partielle de la vision ou vue brouillée, manque d'équilibre ou maladresse, rash cutané, étourdissements, tintements d'oreilles, érection douloureuse ou prolongée (au-delà de 4 heures).

COURANTS
Somnolence ou vertiges, agitation, sécheresse de la bouche, confusion, constipation ou diarrhée, rêves bizarres, aigreurs d'estomac, fièvre ou frissons, insomnie, troubles de mémoire, céphalées, bouffées congestives, nausées ou vomissements, augmentation de l'appétit.

MOINS COURANTS
Douleur articulaire, soif intense, douleur mammaire, toux, enflure des extrémités inférieures, mal de gorge, tremblements. Aussi fourmillement, brûlure ou picotement.

NELFINAVIR

Présentation : Poudre orale, comprimés
En vente libre ? Non **Générique disponible ?** Non
Classe de médicaments : Antiviral/inhibiteur de la protéase

▼ GÉNÉRALITÉS

INDICATIONS
Traitement du VIH (virus de l'immunodéficience humaine). Bien que ne guérissant pas le VIH, le nelfinavir peut entraver sa réplication et retarder la progression de la maladie.

MODE D'ACTION
Le médicament bloque l'activité d'une protéase virale, enzyme nécessaire à la reproduction du VIH. Cette action produit des copies du VIH qui ne peuvent infecter de nouvelles cellules.

▼ MODE D'EMPLOI

POSOLOGIE
Adultes : 750 mg, 3 fois par jour, ou 1 250 mg, 2 fois par jour. Enfants : 25 à 30 mg par kilogramme (2,2 lb) de poids, 3 fois par jour. Pour les enfants, on peut remplacer les comprimés par de la poudre orale délayée dans de l'eau, du lait, une formule lactée, du lait de soja ou un supplément diététique. Agrumes ou autres aliments ou jus acides ne sont pas recommandés : ils peuvent donner un goût amer. D'autres antirétroviraux sont prescrits en association avec le nelfinavir.

DÉBUT D'ACTION
Réponse initiale : en quelques semaines. Plein effet thérapeutique : en 12 à 16 semaines.

DURÉE D'ACTION
Inconnue.

CONSEILS NUTRITIONNELS
À prendre avec un repas léger ou un goûter.

MODE DE CONSERVATION
Dans un contenant étanche, à l'abri de la chaleur et de la lumière. Une fois la poudre délayée, elle ne doit pas être gardée plus de 6 heures : on recommande de prendre toute la dose immédiatement.

OUBLI D'UNE DOSE
Prenez-la dès que vous y pensez. S'il est presque l'heure de la suivante, sautez la dose oubliée et reprenez la fréquence normale. Ne doublez pas la dose qui suit.

ARRÊT DE LA MÉDICATION
À décider en consultation avec le médecin.

USAGE PROLONGÉ
Un suivi médical s'impose.

▼ PRÉCAUTIONS

Plus de 60 ans. On ne sait pas si le nelfinavir produit des effets indésirables différents ou plus graves.

Conduite automobile, travaux dangereux. À éviter tant que vous ne connaissez pas les effets du médicament sur vous.

Alcool. À éviter en cas d'insuffisance hépatique.

Grossesse. Le nelfinavir a provoqué des anomalies congénitales chez les animaux, mais il est de plus en plus souvent administré en association avec d'autres médicaments pour taiter les femmes enceintes infectées au VIH.

Allaitement. On ne sait pas si le nelfinavir passe dans le lait maternel. Pour éviter de transmettre le virus à un enfant non infecté, les femmes atteintes de VIH ne devraient pas allaiter.

Nourrissons et enfants. Innocuité et efficacité non établies pour les enfants de moins de 2 ans.

À surveiller. Le nelfinavir n'élimine pas le risque de contaminer d'autres personnes au virus du sida. Vous devriez prendre les mesures préventives appropriées.

SURDOSAGE
Symptômes. Aucun cas de surdose n'a été signalé.

Quoi faire. Une surdose est peu probable. En cas de surdosage appréhendé, appelez immédiatement le médecin ou le centre antipoison, ou allez à l'urgence.

▼ INTERACTIONS

MÉDICAMENT-MÉDICAMENT
Certaines interactions pourraient provoquer des anomalies cardiaques ou une perte de conscience prolongée mettant la vie du patient en danger. Attention aux médicaments suivants : astémizole, midazolam, contraceptifs oraux, rifampine, amiodarone, quinidine, dérivés de l'ergot (certains antimigraineux) et triazolam. D'autres peuvent exiger un changement de posologie. Informez le médecin de tous ceux que vous prenez avec ou sans ordonnance et surtout : anticonvulsivants (carbamazépine, phénobarbital, phénytoïne), indinavir, ritonavir ou rifabutine.

MÉDICAMENT-ALIMENT
Les aliments améliorent l'absorption du nelfinavir.

MÉDICAMENT-MALADIE
Avisez le médecin de tout autre trouble dont vous souffrez, en particulier l'hémophilie. Le nelfinavir peut entraîner des complications chez les patients atteints d'une maladie du foie, cet organe contribuant à éliminer le médicament de l'organisme.

 EFFETS INDÉSIRABLES

GRAVES
Hausse du taux de sucre dans le sang (diabète) ou du taux de cholestérol, bien qu'on n'ait pas établi une relation de cause à effet entre les deux. Voyez le médecin en cas de soif accrue ou de débit urinaire accru.

COURANTS
Diarrhée, douleur abdominale, fièvre légère, nausées, gaz, rash cutané.

MOINS COURANTS
Mal de dos, céphalées, perte d'appétit, saignement gastro-intestinal, vomissements, arthrite, crampes, douleur musculaire, anxiété, dépression, vertiges, insomnie, migraines, convulsions, somnolence, troubles cutanés.

NÉOMYCINE/POLYMYXINE B/BACITRACINE OPHTALMIQUE

Présentation : Onguent ophtalmique
En vente libre ? Non **Générique disponible ?** Non
Classe de médicaments : Antibiotique en association

▼ GÉNÉRALITÉS

INDICATIONS
Traitement ou prévention des infections bactériennes des yeux.

MODE D'ACTION
Les antibiotiques néomycine/polymyxine B/bacitracine en association tuent les bactéries en interférant avec le matériel génétique des cellules bactériennes, les empêchant ainsi de se multiplier.

▼ MODE D'EMPLOI

POSOLOGIE
Appliquez un mince ruban d'onguent dans l'œil affecté, 2 à 5 fois par jour.

DÉBUT D'ACTION
Inconnu.

DURÉE D'ACTION
Inconnue.

CONSEILS NUTRITIONNELS
Pas de recommandations alimentaires spéciales.

MODE DE CONSERVATION
Dans un contenant étanche, à l'abri de la chaleur, de l'humidité et de la lumière.

EFFETS INDÉSIRABLES

GRAVES
Démangeaisons, rash cutané, rougeur, enflure ou autres irritations de l'œil non présentes avant l'administration du médicament. Cessez d'en mettre et appelez le médecin.

COURANTS
Vue brouillée pendant 30 minutes après l'application.

MOINS COURANTS
Il n'y a pas d'effets moins courants signalés avec cette association antibiotique.

OUBLI D'UNE DOSE
Appliquez-la dès que vous y pensez. S'il est presque l'heure de la suivante, sautez la dose oubliée et reprenez la fréquence normale. Ne doublez pas la dose suivante.

ARRÊT DE LA MÉDICATION
Effectuez le traitement au complet, comme il vous a été prescrit, même si vous vous sentez mieux avant la fin.

USAGE PROLONGÉ
Un suivi médical, avec examens et analyses, est nécessaire si vous devez prendre ce médicament durant une période prolongée.

▼ PRÉCAUTIONS

Plus de 60 ans. Pas de risques connus.

Conduite automobile, travaux dangereux. À déconseiller tant que vous ne savez pas si le médicament altère votre vue.

Alcool. Pas de précautions spéciales.

Grossesse. Cette association d'antibiotiques n'a pas semblé provoquer d'anomalies congénitales chez le fœtus ou d'autres problèmes durant la grossesse. Avant de vous en servir, prévenez votre médecin si vous êtes enceinte ou voulez le devenir.

Allaitement. Cette association d'antibiotiques n'a pas semblé causer de problèmes aux nourrissons.

Nourrissons et enfants. Il n'existe pas de données comparatives sur l'administration de ce médicament aux nourrissons et aux enfants par rapport aux adultes.

À surveiller. Avant l'application, lavez-vous les mains. Renversez la tête en arrière. Appuyez doucement dans l'angle interne de la paupière et avec l'index de la même main, tirez la paupière inférieure vers le bas. Appliquez un mince ruban d'environ 1 cm (⅓ po) dans l'espace ainsi créé et fermez l'œil. Appuyez pendant 1 ou 2 minutes tout en gardant l'œil fermé sans cligner. Lavez-vous à nouveau les mains. Le bout de l'applicateur ne doit toucher ni l'œil, ni votre doigt, ni rien d'autre. Si les symptômes ne régressent pas en quelques jours ou s'ils s'aggravent, communiquez avec le médecin. Avant d'utiliser ce médicament, avertissez-en le médecin si vous avez déjà eu une réaction allergique à la néomycine, à la polymyxine B, à la bacitracine ou à tout autre antibiotique apparenté à ceux-ci.

SURDOSAGE
Symptômes. Aucun symptôme spécifique n'a été rapporté.

Quoi faire. Il est peu probable qu'une surdose de ce médicament mette votre vie en danger. Néanmoins, s'il est ingéré par accident, appelez le médecin ou le centre anti-poison.

▼ INTERACTIONS

MÉDICAMENT-MÉDICAMENT
Des interactions médicamenteuses sont possibles. Demandez l'avis du médecin sur tout autre médicament que vous prenez avec ou sans ordonnance.

MÉDICAMENT-ALIMENT
Aucune interaction connue.

MÉDICAMENT-MALADIE
Il faut être prudent quand on utilise ce médicament. Consultez le médecin si vous avez tout autre problème de santé.

NÉOMYCINE/POLYMYXINE B/BACITRACINE TOPIQUE

Présentation : Onguent
En vente libre ? Non **Générique disponible ?** Oui
Classe de médicaments : Antibiotique en association

▼ GÉNÉRALITÉS

INDICATIONS
Traitement ou prévention des infections bactériennes de la peau après des coupures, des égratignures ou des brûlures légères.

MODE D'ACTION
Cette association médicamenteuse renferme trois antibiotiques distincts qui, chacun à sa façon, attaque et tue des bactéries. Leur action combinée peut ainsi agir contre un vaste spectre d'infections bactériennes.

▼ MODE D'EMPLOI

POSOLOGIE
Le traitement habituel consiste à appliquer de l'onguent 2 à 5 fois par jour sur les zones cutanées qui ont des lésions bénignes.

DÉBUT D'ACTION
Inconnu.

DURÉE D'ACTION
Inconnue.

CONSEILS NUTRITIONNELS
Pas de recommandation alimentaire spéciale.

MODE DE CONSERVATION
Dans un contenant étanche, à l'abri de la chaleur, de la lumière, de l'humidité et des températures extrêmes.

OUBLI D'UNE DOSE
Appliquez-la dès que vous y pensez. S'il est presque l'heure de la suivante, sautez la dose oubliée et reprenez la fréquence normale. Ne doublez pas la dose suivante.

ARRÊT DE LA MÉDICATION
Effectuez le traitement au complet, comme il vous a été prescrit, même si la région lésée a meilleure allure et est en voie de guérison. Un arrêt prématuré du traitement permet aux bactéries les plus résistantes de survivre, de se reproduire et de provoquer plus tard une infection beaucoup plus grave que la première (appelée infection de rebond).

USAGE PROLONGÉ
Consultez le médecin si vous devez utiliser ce médicament sur une période prolongée.

▼ PRÉCAUTIONS

Plus de 60 ans. Pas de précautions spéciales pour ce groupe d'âge.

Conduite automobile, travaux dangereux. Pas de précautions spéciales.

Alcool. Pas de précautions spéciales.

Grossesse. Il n'existe pas d'études cliniques sur l'utilisation de cette association antibiotique durant la grossesse. Consultez le médecin si vous devenez enceinte ou prévoyez le devenir.

Allaitement. On ne sait pas si cette association d'antibiotiques passe dans le lait maternel : la prudence s'impose. Demandez spécifiquement l'avis du médecin.

Nourrissons et enfants. Il n'existe pas de données sur l'administration de ce médicament aux nourrissons et aux enfants. Néanmoins, on n'appréhende aucun problème spécial.

À surveiller. N'utilisez pas ce médicament si vous avez des antécédents de réactions allergiques à l'un ou l'autre de ses ingrédients actifs ou inactifs. Avant d'appliquer l'onguent, lavez la zone lésée avec de l'eau et du savon et séchez-la parfaitement. Vous pouvez couvrir la région traitée avec de la gaze si vous le désirez.

SURDOSAGE
Symptômes. Aucun symptôme spécifique n'a été signalé.

Quoi faire. Aucun cas de surdose n'a été signalé. Mais si le médicament est ingéré par accident, appelez le médecin ou le centre antipoison.

▼ INTERACTIONS

MÉDICAMENT-MÉDICAMENT
N'associez pas ce médicament à d'autres préparations topiques à moins que ce ne soit sur recommandation de votre médecin.

MÉDICAMENT-ALIMENT
Aucune interaction connue.

MÉDICAMENT-MALADIE
Aucune interaction entre des maladies et cette association antibiotique n'a été signalée.

≡ EFFETS INDÉSIRABLES ≡

GRAVES
Réaction allergique rare entraînant des difficultés respiratoires ou, au pire, une fermeture totale des voies aériennes et un choc anaphylactique éventuellement fatal. Allez immédiatement à l'urgence. Dans des cas très rares, on a observé une perte d'acuité auditive : consultez le médecin tout de suite.

COURANTS
Il n'y a pas d'effets indésirables courants associés à cette association antibiotique.

MOINS COURANTS
Irritation de la peau ou allergie cutanée avec sensation de brûlure, picotements, démangeaisons, rougeur ou rash.

NÉOMYCINE/POLYMYXINE B/HYDROCORTISONE OPHTALMIQUE ET OTIQUE

NOMS COMMERCIAUX

Cortimyxin,
Cortisporin (suspension
oto-ophtalmique),
Cortisporin
(solution otique)

Présentation : Solution otique et suspension oto/ophtalmique
En vente libre ? Non   **Générique disponible ?** Oui
Classe de médicaments : Antibiotique/corticostéroïde en association

▼ GÉNÉRALITÉS

INDICATIONS
Traitement ou prévention des infections bactériennes de l'œil ou de l'oreille et soulagement de l'irritation et des malaises de l'œil ou de l'oreille.

MODE D'ACTION
Le médicament détruit les bactéries en interférant avec le matériel génétique des cellules bactériennes, ce qui les empêche de se multiplier.

▼ MODE D'EMPLOI

POSOLOGIE
Solution otique – Adultes : 4 gouttes dans l'oreille, 3 ou 4 fois par jour. Enfants : 3 gouttes dans l'oreille, 3 ou 4 fois par jour. Suspension ophtalmique – 1 ou 2 gouttes dans l'œil affecté, aux 3 à 4 heures. Suspension otique – Adultes : 3 ou 4 gouttes dans l'oreille affectée, 3 ou 4 fois par jour. Enfants : 3 gouttes dans l'oreille affectée, 3 ou 4 fois par jour.

DÉBUT D'ACTION
Inconnu.

DURÉE D'ACTION
Inconnue.

CONSEILS NUTRITIONNELS
Pas de restrictions spéciales.

MODE DE CONSERVATION
Dans un contenant étanche, à l'abri de la chaleur, de l'humidité et de la lumière. Ne faites pas congeler.

OUBLI D'UNE DOSE
Prenez-la dès que vous y pensez. S'il est presque l'heure de la suivante, sautez la dose oubliée et reprenez la fréquence normale. Ne doublez pas la dose suivante.

ARRÊT DE LA MÉDICATION
Effectuez le traitement au complet, comme il vous a été prescrit, même si vous vous sentez mieux avant qu'il ne prenne fin.

USAGE PROLONGÉ
N'utilisez pas ce médicament durant plus de 10 jours, à moins de directives contraires du médecin. Si vous l'utilisez dans les yeux durant une période prolongée, un suivi médical, avec examens et analyses, serait nécessaire.

▼ PRÉCAUTIONS

Plus de 60 ans. Pas de risques connus.

Conduite automobile, travaux dangereux. À déconseiller tant que vous ne savez pas si le médicament modifie votre vision.

Alcool. Pas de précautions spéciales.

Grossesse. Ce médicament ne devrait pas causer de problèmes à moins d'être absorbé dans le sang ; demandez l'avis du médecin.

Allaitement. Ce médicament n'a pas semblé causer de problèmes aux nourrissons.

Nourrissons et enfants. Pas de précautions spéciales.

À surveiller. Avant l'application des gouttes ophtalmiques, lavez-vous les mains. Renversez la tête en arrière. Appuyez doucement dans l'angle interne de la paupière et avec l'index de la même main, tirez la paupière inférieure vers le bas. Laissez tomber le médicament dans l'espace ainsi créé et fermez l'œil. Appuyez pendant 1 ou 2 minutes tout en gardant l'œil fermé sans cligner. Pour l'administration des gouttes otiques, étendez-vous ou penchez la tête de côté de façon à bien exposer l'oreille infectée. Tirez doucement le lobe de l'oreille vers le haut et l'arrière (adultes), vers le bas et l'arrière (enfants), pour tendre le canal auditif. Instillez les gouttes dans l'oreille. Gardez cette position pendant 5 minutes (2 minutes pour les enfants) après l'instillation des gouttes pour permettre au médicament d'atteindre le lieu d'infection. Au besoin, mettez une boule d'ouate dans l'oreille pour que le médicament ne sorte pas. Le bout du compte-gouttes ne doit toucher ni l'œil, ni l'oreille, ni votre doigt, ni rien d'autre. Si les symptômes ne régressent pas en quelques jours ou s'ils s'aggravent, communiquez avec le médecin.

SURDOSAGE
Symptômes. Aucun symptôme spécifique n'a été signalé.

Quoi faire. Il est peu probable qu'une surdose de cette association médicamenteuse mette votre vie en danger. Néanmoins, si la dose dans l'œil est très forte ou si le médicament est ingéré, appelez immédiatement le médecin ou le centre antipoison, ou allez à l'urgence.

▼ INTERACTIONS

MÉDICAMENT-MÉDICAMENT
Demandez l'avis du médecin si vous prenez tout autre médicament avec ou sans ordonnance.

MÉDICAMENT-ALIMENT
Aucune interaction connue.

MÉDICAMENT-MALADIE
Un traitement à cette association antibiotique exige de la prudence. Consultez le médecin si vous avez toute autre infection de l'œil ou de l'oreille ou tout autre problème médical. Soyez prudent en présence d'une perforation du tympan.

EFFETS INDÉSIRABLES

GRAVES
Démangeaisons, rash cutané, rougeur, enflure ou toute irritation de l'œil ou de l'oreille non présente avant le traitement.

COURANTS
Aucun effet secondaire courant n'a été signalé avec l'association néomycine/polymyxine B/hydrocortisone.

MOINS COURANTS
Gouttes ophtalmiques : sensation de brûlure ou de picotement. Il n'y a pas d'effets moins courants associés aux préparations otiques.

515

NÉOSTIGMINE

Présentation : Comprimés, injection
En vente libre ? Non   **Générique disponible ?** Oui
Classe de médicaments : Antimyasthénique

▼ GÉNÉRALITÉS

INDICATIONS
Soulagement temporaire de la faiblesse musculaire et de la fatigue associées à la myasthénie grave.

MODE D'ACTION
La néostigmine inhibe la destruction par la cholinestérase, une enzyme, de l'acétylcholine, neurotransmetteur qui participe à l'activité musculaire. En conséquence, la néostigmine augmente la disponibilité de l'acétylcholine et celle-ci améliore la force et l'endurance musculaire des patients souffrant des formes bénignes de myasthénie grave.

▼ MODE D'EMPLOI

POSOLOGIE
Myasthénie grave – Adultes et adolescents : comprimés (bromure de néostigmine) : 75 à 300 mg, aux 24 heures, en 1 ou plusieurs doses. Injection (méthylsulfate de néostigmine) : 500 µg (microgrammes), toutes les quelques heures. Enfants : comprimés : 2 mg par kilogramme (2,2 lb) de poids par jour, en 6 à 8 doses. Injection : 10 à 40 µg par kilogramme aux 2 ou 3 heures.

DÉBUT D'ACTION
Injection : en 4 à 30 minutes. Comprimés : en 45 à 75 minutes.

DURÉE D'ACTION
2 à 4 heures.

CONSEILS NUTRITIONNELS
Prenez les comprimés avec des aliments ou du lait pour diminuer les dérangements gastro-intestinaux.

MODE DE CONSERVATION
Dans un contenant étanche, à l'abri de la chaleur et de la lumière.

OUBLI D'UNE DOSE
Prenez-la dès que vous y pensez. S'il est presque l'heure de la suivante, sautez la dose oubliée et reprenez la fréquence normale. Ne doublez pas la dose suivante.

ARRÊT DE LA MÉDICATION
La décision d'interrompre le traitement doit être prise par le médecin.

USAGE PROLONGÉ
Un suivi médical, avec examens et analyses, est nécessaire en cas de traitement prolongé.

▼ PRÉCAUTIONS

Plus de 60 ans. Pas de risques connus.

Conduite automobile, travaux dangereux. La néostigmine ne devrait pas vous empêcher d'exécuter de telles tâches en toute sécurité.

Alcool. Pas de précautions spéciales.

Grossesse. De la faiblesse musculaire temporaire s'est manifestée chez quelques bébés dont la mère avait pris de la néostigmine durant la grossesse. Avant de prendre ce médicament, prévenez le médecin si vous êtes enceinte ou voulez le devenir.

Allaitement. On ne croit pas que la néostigmine passe dans le lait maternel. Demandez l'avis du médecin.

Nourrissons et enfants. Aucun problème spécial ne devrait se produire chez les jeunes patients.

À surveiller. On peut demander aux patients souffrant de myasthénie grave de noter les jours et les heures où la faiblesse musculaire ou d'autres symptômes se produisent afin de mieux ajuster posologie et horaires.

SURDOSAGE
Symptômes. Crampes abdominales, anxiété, vision brouillée, maladresse ou manque d'équilibre, diarrhée, sudation, salivation excessive, crise de panique, faiblesse musculaire progressive menant à la paralysie, crampes musculaires ou mouvements involontaires des muscles, irritabilité ou nervosité anormales, fatigue ou faiblesse anormales, mictions impérieuses.

Quoi faire. Appelez immédiatement le médecin ou le centre antipoison, ou allez à l'urgence.

▼ INTERACTIONS

MÉDICAMENT-MÉDICAMENT
Demandez spécifiquement l'avis du médecin si vous prenez : démécarium, échothiophate, isoflurophate, malathion, procaïnamide ou triméthaphan.

MÉDICAMENT-ALIMENT
Aucune interaction connue.

MÉDICAMENT-MALADIE
La néostigmine exige qu'on soit prudent. Avertissez le médecin en cas de : antécédents d'asthme, d'occlusion intestinale ou de blocage des voies urinaires, ou infection en cours des voies urinaires.

EFFETS INDÉSIRABLES

GRAVES
Rash cutané, démangeaisons, urticaire, difficultés respiratoires, respiration asthmatique sifflante, enflure de la langue, des lèvres et de la gorge.

COURANTS
Diarrhée, sudation abondante, salivation abondante, nausées ou vomissements, douleurs ou crampes gastriques, crampes musculaires.

MOINS COURANTS
Sécrétions bronchiques accrues, larmoiement anormal des yeux, pupilles anormalement rétrécies, flatulence, débit urinaire accru, bouffées congestives, faiblesse.

NÉVIRAPINE

Présentation : Comprimés
En vente libre ? Non   **Générique disponible ?** Non
Classe de médicaments : Antiviral/inhibiteur non nucléoside de la transcriptase inverse

▼ GÉNÉRALITÉS

INDICATIONS
Traitement de l'infection au VIH en association avec d'autres médicaments. Bien que ne constituant pas un traitement du VIH, la névirapine peut supprimer la réplication du virus et retarder la progression de la maladie.

MODE D'ACTION
La névirapine entrave l'activité des enzymes indispensables à la reproduction de l'ADN dans les cellules virales, empêchant ainsi le virus de l'immunodéficience humaine (VIH) de se reproduire.

▼ MODE D'EMPLOI

POSOLOGIE
Au début, 200 mg, 1 fois par jour, durant 14 jours ; puis 200 mg, 2 fois par jour. La névirapine devrait être associée à d'autres médicaments contre le VIH pour retarder l'apparition de nouvelles souches plus résistantes.

DÉBUT D'ACTION
Inconnu. La réponse à la plupart des antirétroviraux se voit dès les premières semaines, mais le plein effet thérapeutique peut mettre 12 à 16 semaines à s'installer.

DURÉE D'ACTION
Inconnue. Elle peut être plus longue si la névirapine est associée à des médicaments dont l'action combinée contre le virus est maximale.

CONSEILS NUTRITIONNELS
Se prend à jeun ou en mangeant. Buvez beaucoup.

MODE DE CONSERVATION
Dans un contenant étanche, à l'abri de la chaleur et de la lumière.

OUBLI D'UNE DOSE
Prenez-la dès que vous y pensez. S'il est presque l'heure de la suivante, sautez la dose oubliée et reprenez la fréquence normale. Ne doublez pas la dose suivante. Il est important de prendre le médicament à heure fixe pour maintenir en tout temps sa concentration dans le sang.

ARRÊT DE LA MÉDICATION
La décision doit être prise en consultation avec le médecin.

USAGE PROLONGÉ
Un suivi médical s'impose si vous devez prendre le médicament pendant une période prolongée.

▼ PRÉCAUTIONS

Plus de 60 ans. On ne sait pas si la névirapine provoque chez eux des effets indésirables différents ou plus graves que chez les autres patients.

Conduite automobile, travaux dangereux. À déconseiller tant que vous ne connaissez pas votre réaction au médicament.

Alcool. À éviter en cas d'insuffisance hépatique.

Grossesse. Il a été démontré que la névirapine provoquait des anomalies congénitales chez les animaux. Il n'y a pas d'études concluantes sur les humains. Néanmoins, la névirapine est de plus en plus souvent administrée en association avec d'autres antirétroviraux pour traiter les femmes enceintes infectées au VIH.

Allaitement. Les femmes infectées au VIH ne devraient pas allaiter pour éviter de transmettre le virus à un nourrisson non infecté.

Nourrissons et enfants. Innocuité et efficacité non établies. Indications et posologie doivent être déterminées par le médecin.

À surveiller. Les patients qui interrompent leur traitement

pendant plus de 7 jours devraient le reprendre avec 200 mg, 1 fois par jour pendant 14 jours, avant de passer à 200 mg, 2 fois par jour. Durant le traitement, on ne doit pas recourir aux contraceptifs oraux, mais adopter d'autres mesures contraceptives, comme le condom.

SURDOSAGE
Symptômes. Aucun cas de surdosage n'a été signalé.

Quoi faire. Un surdosage est peu probable. Néanmoins, en cas de surdose appréhendée, appelez le médecin ou le centre antipoison, ou allez à l'urgence.

▼ INTERACTIONS

MÉDICAMENT-MÉDICAMENT
Demandez l'avis du médecin si vous prenez : cimétidine, contraceptifs oraux à base d'œstrogènes, antibiotiques macrolides, rifabutine, rifampine, méthadone ou tout autre médicament pris avec ou sans ordonnance. Il peut être nécessaire de modifier la posologie si vous prenez des inhibiteurs de la protéase, comme l'indinavir.

MÉDICAMENT-ALIMENT
Aucune interaction connue.

MÉDICAMENT-MALADIE
Avisez le médecin de tous vos autres problèmes de santé. La névirapine peut entraîner des complications chez les patients souffrant d'une maladie du foie ou du rein, car ces organes travaillent ensemble à éliminer le médicament de l'organisme.

 EFFETS INDÉSIRABLES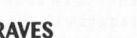

GRAVES
Éruption cutanée grave, parfois avec desquamation de la peau et des muqueuses ; jaunissement des yeux ou de la peau (signes de lésions hépatiques) ; douleur musculaire ou articulaire ; inflammation des tissus entourant l'œil.

COURANTS
Rash cutané bénin ou modéré (souvent avec prurit), douleur ou malaise abdominal, diarrhée, nausées, céphalées.

MOINS COURANTS
Fièvre ; lésions ou ulcères dans la bouche ; malaise généralisé ; inflammation des tissus entourant l'œil ; engourdissement, picotement ou fourmillement des extrémités.

NICARDIPINE (CHLORHYDRATE DE) ORAL

NOM COMMERCIAL
Cardene

Présentation : Gélules
En vente libre ? Non **Générique disponible ?** Non
Classe de médicaments : Bloqueur des canaux calciques

▼ GÉNÉRALITÉS

INDICATIONS
Prévention de l'angine de poitrine (douleur thoracique associée à la maladie cardiaque) et contrôle de l'hypertension.

MODE D'ACTION
La nicardipine entrave le mouvement du calcium dans les cellules du muscle cardiaque et dans celles des muscles lisses des parois artérielles. Cette action, qui détend les vaisseaux sanguins (et ce faisant les dilate), a pour effet de faire baisser la tension artérielle, d'accroître l'irrigation du cœur et de diminuer le travail cardiaque.

▼ MODE D'EMPLOI

POSOLOGIE
Hypertension et angine de poitrine : dose initiale, 20 mg, 3 fois par jour. La posologie peut être augmentée à 40 mg, 3 fois par jour, au maximum.

DÉBUT D'ACTION
En 20 minutes.

DURÉE D'ACTION
6 à 8 heures.

CONSEILS NUTRITIONNELS
La nicardipine se prend avec ou sans aliment.

MODE DE CONSERVATION
Dans un contenant étanche, à l'abri de la chaleur et de la lumière.

OUBLI D'UNE DOSE
Prenez-la dès que vous y pensez. S'il est presque l'heure de la suivante, sautez la dose oubliée et reprenez la fréquence normale. Ne doublez pas la dose suivante.

ARRÊT DE LA MÉDICATION
N'interrompez pas brusquement la médication sous peine de vous exposer à des problèmes médicaux potentiellement graves. S'il faut interrompre le traitement, la posologie devrait être diminuée progressivement, selon les directives du médecin.

USAGE PROLONGÉ
Un suivi médical, avec examens et analyses, est nécessaire si le traitement se prolonge. Rappelez-vous que ce médicament permet de maîtriser l'hypertension, mais ne la guérit pas. Il se peut que vous ayez à prendre de la nicardipine votre vie durant.

▼ PRÉCAUTIONS

Plus de 60 ans. Risques de réactions indésirables plus probables et plus graves dans ce groupe d'âge.

Conduite automobile, travaux dangereux. À déconseiller tant que vous ne connaissez pas votre réaction au médicament.

Alcool. À éviter.

Grossesse. Dans les études sur les animaux, la nicardipine administrée à fortes doses a provoqué des anomalies congénitales. Il n'existe pas d'études sur les humains. Avant de prendre de la nicardipine, prévenez le médecin si vous êtes enceinte ou voulez le devenir.

Allaitement. La nicardipine peut passer dans le lait maternel : la prudence s'impose. Demandez l'avis du médecin.

Nourrissons et enfants. Innocuité et efficacité non déterminées.

À surveiller. En plus de prendre de la nicardipine, suivez toutes les instructions qui vous ont été données sur le contrôle de votre poids et sur votre régime alimentaire. Le médecin vous dira quels sont les facteurs les plus importants pour vous. Avant de modifier votre alimentation, consultez-le.

SURDOSAGE
Symptômes. Vertiges, difficultés d'élocution, nausées, vomissements, faiblesse, somnolence, confusion, palpitations cardiaques, nervosité ou excitabilité.

Quoi faire. Appelez immédiatement le médecin ou le centre antipoison, ou allez à l'urgence.

▼ INTERACTIONS

MÉDICAMENT-MÉDICAMENT
Demandez conseil au médecin si vous prenez : acétazolamide, amphotéricine B, corticostéroïdes, diurétiques, méthazolamide, bêtabloquants, carbamazépine, cyclosporine, procaïnamide, quinidine, digitaliques, disopyramide, ou certains médicaments pour les yeux (bétaxolol, lévobunolol, métipranolol ou timolol).

MÉDICAMENT-ALIMENT
Évitez les aliments très salés.

MÉDICAMENT-MALADIE
Avertissez le médecin en cas de : anomalies du rythme cardiaque ou autres troubles du cœur et des vaisseaux sanguins, dépression mentale ou maladie de Parkinson. La nicardipine peut entraîner des complications chez les patients souffrant d'une maladie du foie ou du rein, car ces organes travaillent ensemble à éliminer le médicament de l'organisme.

EFFETS INDÉSIRABLES

GRAVES
Difficultés respiratoires, toux ou respiration sifflante ; battement de cœur irréguliers ou très forts ; douleur thoracique ; évanouissement.

COURANTS
Céphalées ; vertiges ; bouffées congestives et chaleurs ; enflure des pieds, des chevilles ou des mollets ; palpitations.

MOINS COURANTS
Constipation ou diarrhée, nausées, fatigue et faiblesse anormales, rash cutané, augmentation du débit urinaire, aigreurs d'estomac.

NICOTINE

Présentation : Gomme à mâcher, timbres transdermiques
En vente libre ? Oui **Générique disponible ?** Oui
Classe de médicaments : Aide pour cesser de fumer

▼ GÉNÉRALITÉS

INDICATIONS
Pour diminuer les symptômes de sevrage de la nicotine dans le cadre d'un programme pour cesser de fumer.

MODE D'ACTION
Remplace la nicotine qui serait autrement absorbée dans le tabac.

▼ MODE D'EMPLOI

POSOLOGIE
La nicotine sous forme médicamenteuse est à utiliser quand naît le désir de fumer. Gomme : 20 à 24 mg par jour, sans dépasser 20 morceaux par jour. Le nombre des morceaux doit être réduit peu à peu. Timbres transdermiques : au début, 1 timbre de 14 à 21 mg par jour. La dose doit être réduite peu à peu sur une période de 2 à 3 mois.

DÉBUT D'ACTION
En 30 minutes à 2 heures.

DURÉE D'ACTION
3 à 6 heures.

CONSEILS NUTRITIONNELS
Mastiquez lentement la gomme durant 30 minutes. Utilisez les autres formes sans égard au régime alimentaire.

MODE DE CONSERVATION
Dans un contenant étanche, à l'abri de la chaleur et de la lumière.

OUBLI D'UNE DOSE
Si vous suivez une fréquence précise, prenez la dose oubliée dès que vous y pensez ; s'il est presque l'heure de la suivante, sautez la dose oubliée et reprenez la fréquence normale. Autrement, prenez la nicotine au besoin.

ARRÊT DE LA MÉDICATION
Cette décision doit être prise en consultation avec le médecin. Les doses des timbres transdermiques doivent être réduites selon l'ordonnance du médecin.

USAGE PROLONGÉ
Le traitement ne devrait pas dépasser 3 mois. Il peut être répété s'il y a rechute.

▼ PRÉCAUTIONS

Plus de 60 ans. On ne s'attend pas à ce que les réactions indésirables soient plus graves que chez des patients plus jeunes.

Conduite automobile, travaux dangereux. La nicotine ne devrait pas vous empêcher d'exécuter de telles tâches en toute sécurité.

Alcool. Pas de précautions spéciales.

Grossesse. La nicotine ne devrait pas être utilisée durant la grossesse. Avant d'en prendre, prévenez le médecin si vous êtes enceinte ou voulez le devenir.

Allaitement. La nicotine passe dans le lait maternel ; n'en prenez pas pendant que vous allaitez.

Nourrissons et enfants. Ne devrait pas être utilisée dans ce groupe d'âge. Même de petites quantités de nicotine peuvent nuire gravement aux nourrissons et aux enfants.

À surveiller. Vous ne devriez pas fumer durant un traitement à la nicotine. Cessez de fumer dès que vous portez un timbre. Jetez timbres et gomme dans un endroit sûr, hors de portée des enfants et des animaux de compagnie. Ne collez pas un timbre au même endroit avant au moins une semaine. Retirez le timbre durant un exercice exigeant.

SURDOSAGE
Symptômes. Nausées, vomissements, salivation abondante, douleur abdominale ou gastrique grave, grosse céphalée, sueur froide, vertiges, altération de l'ouïe et de la vue, confusion, faiblesse, difficultés respiratoires, arythmies cardiaques, convulsions, perte de conscience.

Quoi faire. Appelez aussitôt le médecin ou le centre anti-poison, ou allez à l'urgence.

▼ INTERACTIONS

MÉDICAMENT-MÉDICAMENT
Divers médicaments peuvent interagir avec la nicotine. Demandez spécifiquement l'avis du médecin si vous prenez : aminophylline, insuline, oxtriphylline, propoxyphène ou théophylline.

MÉDICAMENT-ALIMENT
Aucune interaction connue.

MÉDICAMENT-MALADIE
Soyez prudent durant un traitement à la nicotine. Avisez le médecin en cas de : antécédents de diabète, problèmes dentaires (avec la gomme), maladie du cœur ou des vaisseaux sanguins, inflammation de la bouche ou de la gorge (avec la gomme), allergies cutanées (avec le timbre), hyperthyroïdie, phæochromocytome ou ulcère d'estomac.

≣ EFFETS INDÉSIRABLES ≣

GRAVES
Gomme : dommages à la bouche, aux travaux dentaires et aux dents. Timbres : urticaire, démangeaisons, rash cutané ou œdème.

COURANTS
Céphalée bénigne ; tachycardie ; augmentation de l'appétit ; salivation abondante (gomme) ; mal de bouche ou de gorge ; douleur à la mâchoire ou au cou ; problèmes de dents (gomme) ; éructation (gomme) ; rougeur, brûlure ou démangeaisons au lieu d'application (timbre) ; modification du goût.

MOINS COURANTS
Constipation, diarrhée, étourdissements, sécheresse de la bouche, hoquet (gomme), voix rauque (gomme), nervosité, irritabilité, perte d'appétit, douleurs menstruelles, douleurs articulaires ou musculaires, dérangement d'estomac, sudation, insomnie, rêves inhabituels.

NIFÉDIPINE

Présentation : Comprimés à libération prolongée, comprimés (PA), gélules
En vente libre ? Non   **Générique disponible ?** Oui
Classe de médicaments : Bloqueur des canaux calciques

▼ GÉNÉRALITÉS

INDICATIONS
Traitement de l'hypertension et prévention de l'angine de poitrine (douleur thoracique associée à la maladie coronarienne).

MODE D'ACTION
La nifédipine entrave le mouvement du calcium dans les cellules du muscle cardiaque et dans celles des muscles lisses des parois artérielles. Cette action, qui détend les vaisseaux sanguins (et de ce fait les dilate), a pour effet de faire baisser la tension artérielle, d'accroître l'irrigation du cœur et de diminuer le travail cardiaque.

▼ MODE D'EMPLOI

POSOLOGIE
Comprimés à libération prolongée : 30 ou 60 mg, 1 fois par jour. Comprimés (PA) : 20 mg, 2 fois par jour. Les doses peuvent être augmentées par le médecin.

DÉBUT D'ACTION
En 20 minutes.

DURÉE D'ACTION
Comprimés à libération prolongée : 12 à 24 heures. Comprimés (PA) : 12 heures.

CONSEILS NUTRITIONNELS
La nifédipine se prend avec ou sans aliment.

MODE DE CONSERVATION
Dans un contenant étanche, à l'abri de la chaleur et de la lumière.

OUBLI D'UNE DOSE
Prenez-la dès que vous y pensez. S'il est presque l'heure de la suivante, sautez la dose oubliée et reprenez la fréquence normale. Ne doublez pas la dose suivante.

ARRÊT DE LA MÉDICATION
N'interrompez pas brusquement la médication sous peine de vous exposer à des problèmes médicaux potentiellement graves. S'il faut interrompre le traitement, la posologie devrait être diminuée progressivement, selon les directives du médecin.

USAGE PROLONGÉ
Un suivi médical, avec examens et analyses, est nécessaire en traitement prolongé. Ce médicament permet de maîtriser l'hypertension, mais ne la guérit pas. Il se peut que vous ayez à en prendre toute votre vie.

▼ PRÉCAUTIONS

Plus de 60 ans. Risques de réactions indésirables plus probables et plus graves.

Conduite automobile, travaux dangereux. À déconseiller tant que vous ne connaissez pas votre réaction au médicament.

Alcool. À éviter.

Grossesse. Dans les études sur les animaux, la nicardipine à hautes doses a provoqué des anomalies congénitales. Il n'y a pas eu d'études sur les humains. Avant de prendre de la nicardipine, prévenez le médecin si vous êtes enceinte ou voulez le devenir.

Allaitement. La nifédipine passe dans le lait maternel mais ne semble pas nuire au nourrisson : la prudence s'impose. Demandez spécifiquement l'avis du médecin.

Nourrissons et enfants. Bien qu'il n'existe pas de données précises sur ce groupe d'âge, l'utilisation des gélules n'est pas recommandée.

À surveiller. En plus de prendre de la nifédipine, suivez toutes les instructions pertinentes sur le contrôle de votre poids et sur votre régime alimentaire. Le médecin vous dira quels sont les facteurs les plus importants pour vous. Avant de modifier votre alimentation, demandez conseil à votre médecin.

SURDOSAGE
Symptômes. Étourdissements, élocution difficile, nausées, faiblesse, somnolence, confusion, rythme cardiaque anormal.

Quoi faire. Appelez aussitôt le médecin ou le centre anti-poison, ou allez à l'urgence.

▼ INTERACTIONS

MÉDICAMENT-MÉDICAMENT
Consultez le médecin si vous prenez : acétazolamide, amphotéricine B, corticostéroïdes, cimétidine, diurétiques, méthazolamide, bêtabloquants, carbamazépine, cyclosporine, procaïnamide, quinidine, digitaliques, disopyramide, ou certains médicaments pour les yeux (bétaxolol, lévobunolol, métipranolol ou timolol).

MÉDICAMENT-ALIMENT
Évitez le jus de pamplemousse et les aliments très salés.

MÉDICAMENT-MALADIE
La nifédipine demande qu'on soit prudent. Avertissez le médecin en cas de : anomalies du rythme cardiaque ou autres troubles du cœur et des vaisseaux sanguins, dépression ou maladie de Parkinson. La nifédipine peut entraîner des complications chez les patients souffrant d'une maladie du foie ou du rein, car ces organes travaillent ensemble à éliminer le médicament de l'organisme.

EFFETS INDÉSIRABLES

GRAVES
Difficultés respiratoires, toux ou respiration sifflante, battements de cœur irréguliers ou très forts, douleur thoracique, évanouissement.

COURANTS
Céphalées ; vertiges ; bouffées congestives et chaleurs ; enflure des pieds, des chevilles ou des mollets ; palpitations.

MOINS COURANTS
Constipation ou diarrhée, nausées, fatigue et faiblesse anormales, rash cutané, augmentation du débit urinaire, troubles de la vue.

NILUTAMIDE

NOM COMMERCIAL

Anandron

Présentation : Comprimés
En vente libre ? Non **Générique disponible ?** Non
Classe de médicaments : Antiandrogène

▼ GÉNÉRALITÉS

INDICATIONS
Traitement du cancer métastatique de la prostate en association avec la castration chirurgicale.

MODE D'ACTION
La croissance de certaines tumeurs prostatiques est stimulée par la testostérone, une hormone. En inhibant l'action de la testostérone, le nilutamide ralentit ou bloque la croissance de ces tumeurs. La testostérone étant produite dans les testicules, la castration chirurgicale diminue davantage encore le taux de testostérone dans l'organisme.

▼ MODE D'EMPLOI

POSOLOGIE
Adultes mâles : au début, 300 mg, 1 fois par jour, pendant 30 jours ; puis 150 mg, 1 fois par jour.

DÉBUT D'ACTION
En quelques heures.

DURÉE D'ACTION
Inconnue.

CONSEILS NUTRITIONNELS
À prendre avant le petit déjeuner.

MODE DE CONSERVATION
Dans un contenant étanche, à l'abri de la chaleur, de l'humidité et de la lumière.

OUBLI D'UNE DOSE
Le médicament ne doit être pris qu'une fois par jour. Si, un jour, vous oubliez de le prendre, sautez la dose oubliée et reprenez la fréquence normale. Ne doublez pas la dose suivante.

ARRÊT DE LA MÉDICATION
Effectuez le traitement au complet, comme il vous a été prescrit, même si vous vous sentez mieux. La décision de l'interrompre devrait être prise par le médecin.

USAGE PROLONGÉ
Le nilutamide n'est pas destiné à un traitement d'entretien ou de longue durée. Un suivi médical s'impose durant toute la durée du traitement.

▼ PRÉCAUTIONS

Plus de 60 ans. La posologie peut être réduite, le médicament prenant plus de temps à s'éliminer chez les personnes âgées. Cela mis à part, le nilutamide ne devrait pas produire d'effets indésirables différents.

Conduite automobile, travaux dangereux. À déconseiller tant que vous ne connaissez pas votre réaction au médicament. Le nilutamide peut altérer la vue lorsqu'on passe de la lumière vive à la pénombre.

Alcool. À éviter durant le traitement au nilutamide.

Grossesse. Sans objet : le cancer de la prostate ne frappe que les hommes.

Allaitement. Sans objet : le cancer de la prostate ne frappe que les hommes.

Nourrissons et enfants. Sans objet.

À surveiller. Le traitement au nilutamide doit commencer le jour où se pratique la castration ou le lendemain.

SURDOSAGE
Symptômes. Aucun symptôme spécifique n'a été signalé.

Quoi faire. Une surdose de nilutamide est peu probable. Néanmoins, si une personne absorbe une dose beaucoup plus forte que celle qui lui a été prescrite, appelez immédiatement le médecin ou le centre antipoison, ou allez à l'urgence.

▼ INTERACTIONS

MÉDICAMENT-MÉDICAMENT
Consultez votre médecin si vous prenez les médicaments suivants, car ils peuvent interagir avec le nilutamide : antagonistes de la vitamine K, warfarine, anxiolytiques ou somnifères, phénytoïne ou théophylline. Signalez également à votre médecin tout autre médicament que vous prenez, avec ou sans ordonnance.

MÉDICAMENT-ALIMENT
Aucune interaction connue.

MÉDICAMENT-MALADIE
Le nilutamide exige qu'on soit prudent. Demandez l'avis du médecin si vous avez des problèmes respiratoires graves ou tout autre trouble de santé chronique ou important. Le nilutamide peut provoquer des complications chez les patients affligés d'une maladie du foie, car cet organe contribue à éliminer le médicament de l'organisme.

 EFFETS INDÉSIRABLES

GRAVES
Douleur thoracique, difficultés respiratoires, fièvre, douleur osseuse, toux, pneumonie, symptômes inexpliqués de grippe, vomissements, urine foncée, peau jaune.

COURANTS
Douleur abdominale, céphalées, perte d'appétit, baisse de la libido, nausées, constipation, difficulté d'adaptation à la noirceur, bouffées congestives ou chaleurs.

MOINS COURANTS
Mauvaise digestion, peau sèche, rash cutané, transpiration, chute des cheveux et du poil, difficulté d'adaptation à la lumière, cécité des couleurs.

NIMODIPINE

Présentation : Gélules
En vente libre ? Non   **Générique disponible ?** Non
Classe de médicaments : Bloqueur des canaux calciques

▼ GÉNÉRALITÉS

INDICATIONS
Pour diminuer les dommages neurologiques chez les patients ayant subi une hémorragie sous-arachnoïde (rupture d'un vaisseau sanguin et effusion de sang entre les membranes entourant le cerveau).

MODE D'ACTION
En prévenant la constriction des muscles lisses qui entourent les vaisseaux sanguins et surtout les artères du cerveau, la nimodipine aide à les maintenir ouvertes, permet ainsi l'irrigation des tissus cérébraux, empêche la nécrose des cellules nerveuses et garde en fonction les zones du cerveau touchées par l'accident cérébrovasculaire.

▼ MODE D'EMPLOI

POSOLOGIE
Adultes : 60 mg aux 4 heures, pendant 21 jours d'affilée.

DÉBUT D'ACTION
Effet maximum en 1 heure.

DURÉE D'ACTION
Jusqu'à 4 heures.

CONSEILS NUTRITIONNELS
La nimodipine peut se prendre avec ou sans aliment. Néanmoins, vous devriez toujours prendre le médicament de la même façon.

MODE DE CONSERVATION
Dans un contenant étanche, à l'abri de la chaleur et de la lumière.

OUBLI D'UNE DOSE
Il est de la plus grande importance de ne pas sauter une dose. Mais si cela arrive, prenez-la dès que vous y pensez. S'il est presque l'heure de la suivante, sautez la dose oubliée et reprenez la fréquence normale. Ne doublez pas la dose suivante. Si vous oubliez plus d'une dose, communiquez avec le médecin.

ARRÊT DE LA MÉDICATION
N'interrompez pas brusquement la médication sous peine de vous exposer à des problèmes médicaux potentiellement graves. Le traitement normal dure 21 jours ou selon les directives du médecin.

USAGE PROLONGÉ
Un usage prolongé est peu commun ; un suivi médical régulier, avec examens et analyses, est nécessaire si vous devez prolonger le traitement.

▼ PRÉCAUTIONS

Plus de 60 ans. Risques de réactions indésirables plus probables et plus graves.

Conduite automobile, travaux dangereux. À déconseiller tant que vous ne connaissez pas votre réaction au médicament.

Alcool. À éviter.

Grossesse. Les études animales ont révélé que la nimodipine à fortes doses avait provoqué des anomalies congénitales. Il n'existe pas d'études sur les humains. Avant d'en prendre, prévenez le médecin si vous êtes enceinte ou voulez le devenir.

Allaitement. La nimodipine peut passer dans le lait maternel, mais aucun problème n'a été signalé ; la prudence s'impose. Demandez l'avis du médecin.

Nourrissons et enfants. Bien qu'il n'existe pas de données spécifiques sur l'administration du médicament à de jeunes patients, aucun problème spécial n'est appréhendé.

À surveiller. Pour que le traitement à la nimodipine soit efficace, il est primordial de prendre le médicament toujours à la même heure.

SURDOSAGE
Symptômes. Aucun surdosage de nimodipine n'a été signalé. Vertiges, confusion et évanouissement en seraient probablement les symptômes.

Quoi faire. Si une personne prend une dose beaucoup plus forte que celle prescrite, appelez immédiatement le médecin ou le centre anti-poison, ou allez à l'urgence.

▼ INTERACTIONS

MÉDICAMENT-MÉDICAMENT
Certains médicaments peuvent causer des interactions négatives avec la nimodipine. Demandez l'avis du médecin si vous prenez : antihypertenseurs (bêtabloquants ou autres bloqueurs des canaux calciques), agents antiépileptiques, cyclosporine, érythromycine, cimétidine ou fentanyl.

MÉDICAMENT-ALIMENT
Aucune interaction connue.

MÉDICAMENT-MALADIE
La prudence est recommandée. Avertissez le médecin en cas de : anomalies du rythme cardiaque ou autres troubles du cœur et des vaisseaux sanguins, dépression mentale ou maladie de Parkinson. La nimodipine peut entraîner des complications chez les patients souffrant d'une maladie du foie ou du rein, car ces organes travaillent ensemble à éliminer le médicament de l'organisme.

≡ EFFETS INDÉSIRABLES ≡

GRAVES
Rythme cardiaque lent ou irrégulier, vertiges extrêmes, évanouissement, enflure des extrémités, difficultés respiratoires. Ces effets sont très graves, mais rares.

COURANTS
Bouffées congestives et chaleurs, céphalées.

MOINS COURANTS
Constipation ou diarrhée, vertiges ou étourdissements, nausées, fatigue anormale, céphalées.

NITROFURANTOÏNE

Apo-Nitrofurantoin, MacroBid, Macrodantin, Novo-Furantoin

Présentation : Gélules, gélules à libération lente
En vente libre ? Non **Générique disponible ?** Oui
Classe de médicaments : Anti-infectieux

▼ GÉNÉRALITÉS

INDICATIONS
Traitement des infections des voies urinaires.

MODE D'ACTION
La nitrofurantoïne inhibe la synthèse du métabolisme de la bactérie et la synthèse de la paroi cellulaire. La bactérie finit par mourir et l'infection est éliminée.

▼ MODE D'EMPLOI

POSOLOGIE
Adultes et adolescents — Gélules : 50 à 100 mg aux 6 heures. Gélules à libération lente : 100 mg aux 12 heures. Enfants de moins de 12 ans — La posologie est à déterminer par le médecin.

DÉBUT D'ACTION
En 1 heure. (Moins rapide pour les symptômes.)

DURÉE D'ACTION
Gélules : 6 heures. Gélules à libération lente : 24 heures.

CONSEILS NUTRITIONNELS
À prendre avec un aliment ou du lait.

MODE DE CONSERVATION
Dans un contenant étanche, à l'abri de la chaleur et de la lumière.

OUBLI D'UNE DOSE
Prenez-la dès que vous y pensez. S'il est presque l'heure de la suivante, sautez la dose oubliée et reprenez la fréquence normale. Ne doublez pas la dose suivante.

ARRÊT DE LA MÉDICATION
Effectuez le traitement au complet, comme il vous a été prescrit, même si vous vous sentez mieux avant qu'il prenne fin.

USAGE PROLONGÉ
Un suivi médical régulier est nécessaire si le traitement se prolonge.

▼ PRÉCAUTIONS

Plus de 60 ans. Risques de réactions indésirables plus fréquentes et plus graves.

Conduite automobile, travaux dangereux. À déconseiller tant que vous ne connaissez pas votre réaction au médicament.

Alcool. À éviter.

Grossesse. La nitrofurantoïne ne doit pas être prise pendant les semaines qui précèdent l'accouchement ni durant le travail et l'accouchement.

Allaitement. La nitrofurantoïne passe dans le lait maternel ; n'en prenez pas pendant que vous allaitez.

Nourrissons et enfants. Non recommandée pour les nourrissons de moins de 1 mois.

À surveiller. La nitrofurantoïne peut fausser les résultats de certains tests d'urine pour déterminer le taux de sucre des diabétiques. Si les symptômes ne régressent pas mais s'aggravent après quelques jours, voyez le médecin. Avertissez-le si vous avez déjà eu des réactions allergiques à la nitrofurantoïne ou si vous êtes allergique à toute autre substance. Avalez les gélules à libération lente entières, sans les croquer.

SURDOSAGE
Symptômes. Nausées graves, vomissements, diarrhée, perte d'appétit.

Quoi faire. Il est peu probable qu'une surdose de nitrofurantoïne mette votre vie en danger. Néanmoins, si la dose est très forte, appelez immédiatement le médecin ou le centre antipoison, ou allez à l'urgence.

▼ INTERACTIONS

MÉDICAMENT-MÉDICAMENT
Demandez l'avis du médecin si vous prenez : acéto-hydroxamine, antidiabétiques oraux, dapsone, furazolidone, méthyldopa, procaïnamide, quinidine, sulfamides, vitamine K, carbamazépine, chloroquine, cisplatine, cytarabine, vaccin contre la diphtérie, le tétanos et la coqueluche (DTC), disulfiram, éthotoïne, hydroxychloroquine, lindane, lithium, méphénytoïne, mexilétine, pémoline, phénytoïne, pyridoxine, vincristine, probénécide, sulfinpyrazone, quinine ou autres agents anti-infectieux. Évitez les produits et les antiacides contenant du magnésium.

MÉDICAMENT-ALIMENT
Aucune interaction connue.

MÉDICAMENT-MALADIE
Prévenez le médecin en cas de : carence en glucose-6-phosphate déshydrogénase (G-6-PD), maladie rénale ou pulmonaire ou dommages aux nerfs.

EFFETS INDÉSIRABLES

GRAVES
Douleur thoracique, frissons, toux, fièvre, difficultés respiratoires, vertiges, somnolence, picotements ou sensation de brûlure dans le visage ou la bouche, mal de gorge, faiblesse anormale, fatigue anormale.

COURANTS
Douleur abdominale ou dérangement d'estomac, diarrhée, nausées, vomissements, perte d'appétit.

MOINS COURANTS
Urine jaune foncé ou brunâtre.

NITROGLYCÉRINE

Présentation : Comprimés, comprimés à libération prolongée, onguent, timbres cutanés, aérosol
En vente libre ? Oui   **Générique disponible ?** Oui
Classe de médicaments : Nitrate

▼ GÉNÉRALITÉS

INDICATIONS
Prévention ou soulagement des crises d'angine (douleur thoracique associée à la maladie cardiaque).

MODE D'ACTION
La nitroglycérine relâche les muscles lisses qui entourent les vaisseaux sanguins, accroît l'apport de sang et d'oxygène au cœur et diminue le travail cardiaque et les besoins du cœur en oxygène.

▼ MODE D'EMPLOI

POSOLOGIE
Onguent : 2,5 à 5 cm aux 4 à 8 heures. Timbres cutanés : 1 timbre tous les jours, laissé en place pendant 12 à 14 heures. Aérosol : 1 ou 2 doses sur ou sous la langue, aux 5 minutes, pour soulager une crise d'angine. Comprimés à libération prolongée : 2,6 mg, aux 8 heures. La posologie peut être portée à 5,2 mg, aux 8 heures. Comprimés sublinguaux (sous la langue) ou buccaux (à l'intérieur de la joue) : 0,3 à 0,6 mg aux 5 minutes pour

traiter une crise d'angine ; si 3 comprimés ne calment pas la douleur, allez à l'urgence.

DÉBUT D'ACTION
Sublingual : en 1 à 3 minutes. Buccal : en 2 à 5 minutes. Oral : en 20 à 45 minutes. Onguent et timbre : en 30 à 60 minutes. Aérosol : en 2 à 4 minutes.

DURÉE D'ACTION
Sublingual : 10 à 30 minutes. Buccal : 3 à 5 heures. Oral : 3 à 6 heures. Onguent : 4 à 8 heures. Timbre : 4 à 8 heures.

CONSEILS NUTRITIONNELS
Formes orales administrées à titre préventif : prenez-les 30 minutes avant ou 1 à 2 heures après les repas.

MODE DE CONSERVATION
Dans un contenant étanche, à l'abri de la chaleur, de l'humidité et de la lumière.

OUBLI D'UNE DOSE
Prenez-la dès que vous y pensez. S'il est presque l'heure de la suivante, sautez la dose oubliée et reprenez la fréquence normale. Ne doublez pas la dose suivante.

ARRÊT DE LA MÉDICATION
Cette décision doit être prise par votre médecin.

USAGE PROLONGÉ
Un suivi médical régulier, avec examens et analyses, est nécessaire en cas d'usage prolongé.

▼ PRÉCAUTIONS

Plus de 60 ans. Risques de réactions indésirables plus fréquentes et plus graves.

Conduite automobile, travaux dangereux. À déconseiller tant que vous ne connaissez pas votre réaction au médicament.

Alcool. À éviter.

Grossesse. La nitroglycérine n'est pas recommandée durant la grossesse. Avant d'en prendre, avertissez le médecin que vous êtes enceinte ou désirez le devenir.

Allaitement. La nitroglycérine passe dans le lait maternel : la prudence s'impose. Demandez l'avis du médecin.

Nourrissons et enfants. Il n'existe pas d'études portant sur les enfants.

À surveiller. Appliquez les timbres cutanés à chaque fois dans des endroits différents pour ne pas irriter la peau.

SURDOSAGE
Symptômes. Tachycardie, peau rouge et transpirante, étourdissements, palpitations, troubles de la vue, nausées, vomissements, confusion, difficultés respiratoires.

Quoi faire. Appelez immédiatement le médecin ou le centre antipoison, ou allez à l'urgence.

▼ INTERACTIONS

MÉDICAMENT-MÉDICAMENT
Ne prenez pas de nitroglycérine dans les 24 heures suivant la prise de citrate de sildénafil : ce médicament peut décupler l'effet des nitrates (dont la nitroglycérine) et provoquer une chute de tension artérielle qui pourrait être dangereuse. Demandez l'avis du médecin si vous prenez d'autres médicaments pour le cœur ou des antihypertenseurs.

MÉDICAMENT-ALIMENT
Aucune interaction connue.

MÉDICAMENT-MALADIE
Consultez votre médecin en cas de : anémie ; glaucome ; accident cérébrovasculaire (ACV), traumatisme crânien ou infarctus récents ; hyperthyroïdie. La nitroglycérine peut provoquer des complications chez les patients souffrant d'une maladie grave du foie ou du rein, car ces organes contribuent ensemble à éliminer le médicament de l'organisme.

  EFFETS INDÉSIRABLES

GRAVES
Vision brouillée, céphalées graves ou prolongées, rash cutané, sécheresse de la bouche.

COURANTS
Bouffées congestives dans le visage et le cou, céphalées, nausées ou vomissements, vertiges ou étourdissements en se mettant debout, tachycardie, agitation motrice.

MOINS COURANTS
Peau douloureuse et rougie.

NIZATIDINE

Apo-Nizatidine, Axid, Novo-Nizatidine, PMS-Nizatidine

Présentation : Gélules
En vente libre ? Non   **Générique disponible ?** Oui
Classe de médicaments : Antagoniste des récepteurs H2 de l'histamine

▼ GÉNÉRALITÉS

INDICATIONS
Traitement des ulcères gastriques et duodénaux, des états pathologiques provoquant une augmentation de la sécrétion d'acide gastrique (comme le syndrome de Zollinger-Ellison) et du reflux gastro-œsophagien (retour de l'acide gastrique dans l'œsophage, provoquant des aigreurs d'estomac). Prévention des ulcères du duodénum.

MODE D'ACTION
La nizatidine inhibe l'action de l'histamine (composé produit dans les cellules de l'organisme) et réduit ainsi la sécrétion gastrique d'acide chlorhydrique, ce qui permet à l'organisme de mieux guérir de lui-même.

▼ MODE D'EMPLOI

POSOLOGIE
Adultes et adolescents – Traitement des ulcères de l'estomac et du duodénum : 300 mg, 1 fois par jour, au coucher, ou 150 mg, 2 fois par jour. Prévention de la récurrence des ulcères du duodénum : 150 mg, 1 fois par jour, au coucher. Traitement du reflux gastro-œsophagien : 150 mg, 2 fois par jour.

DÉBUT D'ACTION
En 30 minutes.

DURÉE D'ACTION
Jusqu'à 12 heures.

CONSEILS NUTRITIONNELS
Si vous prenez 2 doses de nizatidine par jour, la première peut être prise après le petit déjeuner. Évitez les aliments qui irritent l'estomac.

MODE DE CONSERVATION
Dans un contenant étanche, à l'abri de la chaleur et de la lumière.

OUBLI D'UNE DOSE
Prenez-la dès que vous y pensez. S'il est presque l'heure de la suivante, sautez la dose oubliée et reprenez la fréquence normale. Ne doublez pas la dose suivante.

ARRÊT DE LA MÉDICATION
Prenez le médicament comme il vous a été prescrit durant la période prévue, même si vous vous sentez mieux avant que le traitement ne prenne fin.

USAGE PROLONGÉ
Voyez votre médecin de façon régulière.

▼ PRÉCAUTIONS

Plus de 60 ans. Risques de réactions indésirables plus fréquentes et plus graves.

Conduite automobile, travaux dangereux. À déconseiller tant que vous ne connaissez pas votre réaction au médicament.

Alcool. À éviter.

Grossesse. Les risques varient selon la patiente et la posologie. Consultez votre médecin.

Allaitement. La nizatidine passe dans le lait maternel et peut nuire au nourrisson ; n'en prenez pas pendant que vous allaitez.

Nourrissons et enfants. La nizatidine n'est pas recommandée aux jeunes patients, bien qu'elle n'ait pas semblé provoquer chez eux des effets indésirables différents de ce qu'ils sont chez les adultes, quand le traitement est de courte durée.

À surveiller. Évitez de fumer la cigarette ; elle peut augmenter la sécrétion d'acide gastrique et aggraver votre affection. Ne prenez pas de nizatidine si vous avez déjà eu une réaction allergique à un antagoniste des récepteurs H2 de l'histamine. Si la douleur gastrique s'aggrave durant le traitement, avertissez tout de suite le médecin.

SURDOSAGE
Symptômes. Aucun cas de surdosage n'a été signalé.

Quoi faire. Une surdose est peu probable. Néanmoins, si une personne absorbe une dose beaucoup plus forte que celle prescrite, appelez immédiatement le médecin ou le centre antipoison, ou allez à l'urgence.

▼ INTERACTIONS

MÉDICAMENT-MÉDICAMENT
Aucune interaction importante n'a été identifiée. Néanmoins, la nizatidine peut faire monter le taux sanguin d'AAS. Consultez spécifiquement le médecin si vous prenez de l'AAS.

MÉDICAMENT-ALIMENT
Les jus de légumes à base de tomate, les boissons gazeuses, les jus d'agrumes et les agrumes, les boissons contenant de la caféine et tous les aliments ou boissons acides peuvent irriter l'estomac ou entraver l'action thérapeutique de la nizatidine.

MÉDICAMENT-MALADIE
Les patients qui ont une maladie rénale ne devraient pas prendre de nizatidine ou en prendre à doses réduites durant une courte période et sous la surveillance étroite du médecin.

EFFETS INDÉSIRABLES

GRAVES
Arythmies cardiaques (palpitations) ; battements de cœur lents ; problèmes sanguins graves provoquant saignements anormaux, ecchymoses, fièvre, frissons et vulnérabilité accrue à l'infection.

COURANTS
Céphalées, fatigue, somnolence, vertiges, nausées, vomissements, douleur abdominale, diarrhée, constipation.

MOINS COURANTS
Vision brouillée, enflure des seins (hommes et femmes), chute temporaire des cheveux, hallucinations, dépression, insomnie, rash cutané, urticaire ou rougeur, sudation.

NORÉTHINDRONE

Présentation : Comprimés
En vente libre ? Non   **Générique disponible ?** Non
Classe de médicaments : Progestatif (hormone)

▼ GÉNÉRALITÉS

INDICATIONS
Prévention de la grossesse ; traitement de certains troubles menstruels comme l'aménorrhée (absence de flux menstruel) et les saignements utérins anormaux ; traitement de l'endométriose.

MODE D'ACTION
La noréthindrone prévient l'ovulation, probablement en inhibant la sécrétion des hormones hypophysaires qui régularisent les cycles menstruels et reproductifs. Elle modifie l'activité des cellules utérines et, entre autres effets, épaissit la glaire cervicale. Ces diverses altérations ralentissent la progression des spermatozoïdes vers les ovules et leur fécondation.

▼ MODE D'EMPLOI

POSOLOGIE
Contraception : 0,35 mg chaque jour à la même heure, à partir du premier jour du cycle menstruel (28 jours à partir du premier jour de la période menstruelle précé-dente). Aménorrhée ou saignement utérin anormal : 2,5 à 10 mg du 5e au 25e jour du cycle menstruel. Endométriose : au départ, 5 mg par jour pendant 14 jours. La posologie peut être augmentée par le médecin jusqu'à 15 mg par jour pendant 6 à 9 mois. Communiquez avec votre médecin dès que débute votre période menstruelle.

DÉBUT D'ACTION
Inconnu.

DURÉE D'ACTION
Inconnue.

CONSEILS NUTRITIONNELS
Pas de restrictions spéciales.

MODE DE CONSERVATION
Dans un contenant étanche, à l'abri de la chaleur et de la lumière.

OUBLI D'UNE DOSE
Contraception : si vous avez 3 heures ou plus de retard ou si vous oubliez une dose quotidienne, prenez-la immédiatement, reprenez la fréquence normale et utilisez une autre méthode contraceptive pendant 2 jours ; si vous oubliez 2 doses, prenez un comprimé tout de suite et utilisez une autre méthode de contraception pendant 7 jours ; ne doublez pas la dose suivante. Aménorrhée, saignement utérin anormal et endométriose : prenez la dose oubliée dès que vous y pensez ; s'il est presque l'heure de la suivante, sautez la dose oubliée et reprenez la fréquence normale ; ne doublez pas la dose suivante.

ARRÊT DE LA MÉDICATION
Si le médicament sert à traiter l'aménorrhée, le saignement utérin anormal ou l'endométriose, la décision d'interrompre le traitement doit être prise par le médecin.

USAGE PROLONGÉ
Un suivi médical régulier, habituellement tous les 6 à 12 mois, est nécessaire ; le médecin procédera à des examens et des analyses.

▼ PRÉCAUTIONS

Plus de 60 ans. Pas de risques connus.

Conduite automobile, travaux dangereux. Le traitement ne devrait pas vous empêcher d'exécuter de telles tâches en toute sécurité.

Alcool. Pas de précautions spéciales.

Grossesse. La noréthindrone ne doit pas être prise durant la grossesse. Anomalies génitales et taille plus petite que la normale ont été signalées chez les bébés nés de femmes ayant pris un progestatif durant la grossesse.

Allaitement. La noréthindrone passe dans le lait maternel mais ne semble pas nuire au nourrisson. Si la noréthindrone est prise après le début de la lactation, la production de lait n'est pas modifiée. Des progestatifs légers sont recommandés comme contraceptif durant l'allaitement. Demandez l'avis du médecin.

Nourrissons et enfants. Les adolescentes peuvent l'employer comme contraceptif sans effets indésirables.

À surveiller. Consultez le médecin si le saignement vaginal dure anormalement longtemps ou si la période menstruelle ne revient pas 45 jours après la précédente.

SURDOSAGE
Symptômes. Aucun cas de surdosage n'a été signalé.

Quoi faire. Une surdose est peu probable. Mais si vous la redoutez, appelez le médecin.

▼ INTERACTIONS

MÉDICAMENT-MÉDICAMENT
Il peut y avoir des interactions. Demandez l'avis du médecin si vous prenez : carbamazépine, phénobarbital, phénytoïne, rifabutine ou rifampine.

MÉDICAMENT-ALIMENT
Aucune interaction connue.

MÉDICAMENT-MALADIE
Demandez l'avis du médecin si vous avez des antécédents de : cancer du sein (suspecté ou confirmé), maladie du foie, thrombophlébite ou maladie thromboembolique.

 EFFETS INDÉSIRABLES

GRAVES
Modification des périodes menstruelles, dépression, rash cutané, lactation inattendue ou accrue.

COURANTS
Douleur ou crampes abdominales ; enflure du visage, des chevilles ou des pieds ; changement d'humeur ; céphalées bénignes ; nervosité ; fatigue inhabituelle ; gain de poids.

MOINS COURANTS
Acné, douleur ou endolorissement des seins, taches brunes sur la peau, bouffées congestives, gain ou perte de cheveux ou de poils, perte de libido, nausées, insomnie.

NORFLOXACINE

Présentation : Gouttes oculaires, comprimés
En vente libre ? Non **Générique disponible ?** Oui
Classe de médicaments : Fluoroquinolone (antibiotique)

▼ GÉNÉRALITÉS

INDICATIONS
Traitement des infections du tractus urinaire, des maladies transmises sexuellement (MTS) ou des infections oculaires bactériennes.

MODE D'ACTION
La norfloxacine inhibe l'action de la gyrase, enzyme bactérienne essentielle à la formation et à la réplication de l'ADN. Elle lutte donc contre l'infection en empêchant les cellules bactériennes de se reproduire.

▼ MODE D'EMPLOI

POSOLOGIE
Infection du tractus urinaire – Adultes : 400 mg, 2 fois par jour, pendant 3 à 10 jours. Maladies transmises sexuellement : 800 mg en une seule dose. Infections oculaires : 1 à 2 gouttes dans l'œil affecté, 4 fois par jour, pendant 7 jours.

DÉBUT D'ACTION
Dépend de l'infection traitée.

DURÉE D'ACTION
Inconnue.

CONSEILS NUTRITIONNELS
À prendre à jeun 1 heure avant ou 2 heures après les repas, avec un grand verre d'eau. Buvez beaucoup, surtout des jus d'agrumes ou de canneberge, mais évitez le lait et ses dérivés.

MODE DE CONSERVATION
Dans un contenant étanche, à l'abri de la chaleur, de l'humidité et de la lumière.

OUBLI D'UNE DOSE
Prenez-la dès que vous y pensez. S'il est presque l'heure de la suivante, sautez la dose oubliée et reprenez la fréquence normale. Ne doublez pas la dose suivante.

ARRÊT DE LA MÉDICATION
Attention : effectuez le traitement au complet même si vous vous sentez mieux.

USAGE PROLONGÉ
Si les symptômes ne régressent pas ou s'aggravent après quelques jours, consultez le médecin.

▼ PRÉCAUTIONS

Plus de 60 ans. Pas de risques connus.

Conduite automobile, travaux dangereux. À déconseiller tant que vous ne connaissez pas votre réaction au médicament.

Alcool. Il est préférable de s'abstenir de consommer de l'alcool quand on lutte contre une infection.

Grossesse. La norfloxacine a entraîné des anomalies congénitales chez certains animaux. Il n'y a pas d'études concluantes sur les humains. On ne devrait en donner aux femmes enceintes que si les bienfaits du médicament l'emportent sur ses risques. Avant d'en prendre, dites au médecin si vous êtes enceinte ou voulez le devenir.

Allaitement. La norfloxacine passe dans le lait maternel et peut avoir des conséquences graves pour le nourrisson ; on ne recommande pas d'en prendre durant l'allaitement.

Nourrissons et enfants. Les formes orales ne sont pas recommandées aux moins de 18 ans. Les gouttes oculaires ne le sont pas aux enfants de moins de 1 an.

À surveiller. Si la norfloxacine vous rend sensible à la lumière solaire, portez des lunettes de soleil et des vêtements couvrants ; utilisez un écran solaire à indice de 15 ou davantage et évitez de vous exposer au soleil. Enlevez vos verres de contact avant d'instiller les gouttes et attendez au moins 15 minutes avant de les remettre. Si c'est possible, évitez d'en porter durant tout le traitement.

SURDOSAGE
Symptômes. Nausées, mal de tête, vertiges, vomissements, somnolence, convulsions.

Quoi faire. Appelez aussitôt le médecin ou le centre antipoison, ou allez à l'urgence.

▼ INTERACTIONS

MÉDICAMENT-MÉDICAMENT
Demandez l'avis du médecin si vous prenez : aminophylline, antiacides, anticancéreux, warfarine, cyclosporine, didanosine, suppléments de fer, sucralfate, théophylline ou sels de zinc.

MÉDICAMENT-ALIMENT
Le médicament augmente les effets de la caféine. Le lait et les produits laitiers peuvent réduire de moitié le taux sanguin de norfloxacine.

MÉDICAMENT-MALADIE
Consultez le médecin en cas de maladie du système nerveux central ou de toute autre maladie. La norfloxacine peut entraîner des complications chez les patients souffrant de maladie du foie ou du rein, car ces organes contribuent ensemble à éliminer le médicament de l'organisme.

≡ EFFETS INDÉSIRABLES ≡

GRAVES
Ils sont rares : convulsions, confusion, hallucinations, agitation, cauchemars, dépression, essoufflement, enflure inhabituelle du visage ou des extrémités, perte de conscience en font partie. Aussi brûlures, rougeur, cloques, éruptions cutanées ou démangeaisons à la suite d'une exposition au soleil.

COURANTS
Sensibilité accrue au soleil (et risque accru de coups de soleil) durant plusieurs jours après le traitement.

MOINS COURANTS
Diarrhée, nausées et vomissements, douleur et dérangement d'estomac, gaz, céphalées, étourdissements, insomnie, altération du goût, somnolence, démangeaisons, sécheresse de la bouche, douleurs ou malaises anormaux.

NORTRIPTYLINE (CHLORHYDRATE DE)

Présentation : Gélules
En vente libre ? Non   **Générique disponible ?** Oui
Classe de médicaments : Antidépresseur tricyclique

▼ GÉNÉRALITÉS

INDICATIONS
Soulagement des symptômes de la dépression grave.

MODE D'ACTION
La nortriptyline modifie les taux de norépinephrine, élément chimique du cerveau qu'on croit relié à l'humeur, aux émotions et aux états psychiques.

▼ MODE D'EMPLOI

POSOLOGIE
Adultes : 25 mg, 3 ou 4 fois par jour, sans dépasser 150 mg par jour. Adolescents et personnes âgées : 30 à 50 mg par jour. Enfants de 6 à 12 ans : 10 à 20 mg par jour. La posologie est généralement déterminée par une analyse du sang.

DÉBUT D'ACTION
En 1 à 6 semaines.

DURÉE D'ACTION
Inconnue.

CONSEILS NUTRITIONNELS
Pour diminuer les dérangements d'estomac, prenez le médicament en mangeant, à moins d'avis contraire du médecin. Mangez plus de fibres et buvez davantage.

MODE DE CONSERVATION
Dans un contenant étanche, à l'abri de la chaleur, de l'humidité et de la lumière.

OUBLI D'UNE DOSE
Si vous prenez une seule dose au coucher, ne la prenez pas le matin suivant pour ne pas souffrir de somnolence. Appelez le médecin et demandez son avis. Si vous prenez plusieurs doses par jour, prenez la dose oubliée dès que vous y pensez. S'il est presque l'heure de la suivante, sautez-la et reprenez la fréquence normale. Ne doublez pas la dose suivante.

ARRÊT DE LA MÉDICATION
Effectuez le traitement au complet, comme il vous a été prescrit, même si vous vous sentez mieux. La décision d'interrompre le traitement doit être prise en consultation avec le médecin.

USAGE PROLONGÉ
Une thérapie normale dure de 6 mois à 1 an ; quelques patients tirent profit d'un traitement plus long.

▼ PRÉCAUTIONS

Plus de 60 ans. Réactions indésirables plus fréquentes et plus graves. Il peut y avoir lieu de réduire les doses.

Conduite automobile, travaux dangereux. Soyez prudent avant de connaître votre réaction au médicament. Il peut causer somnolence et étourdissements.

Alcool. À éviter.

Grossesse. Il n'existe pas d'études concluantes. Demandez l'avis du médecin.

Allaitement. La nortriptyline passe dans le lait maternel : n'en prenez pas pendant que vous allaitez.

Nourrissons et enfants. Non prescrite aux enfants de moins de 6 ans.

À surveiller. Médicament potentiellement dangereux, surtout en surdose. Les antidépresseurs tricycliques ne doivent pas être laissés à la portée des patients suicidaires. Si vous avez la bouche sèche, prenez des bonbons ou de la gomme sans sucre.

SURDOSAGE
Symptômes. Difficultés respiratoires, fatigue grave, convulsions, confusion, hallucinations, pupilles dilatées, arythmies cardiaques, fièvre, manque de concentration.

Quoi faire. Allez immédiatement à l'urgence.

▼ INTERACTIONS

MÉDICAMENT-MÉDICAMENT
Demandez l'avis du médecin si vous prenez : agents antithyroïdiens, cimétidine, clonidine, guanéthidine, anorexigènes, isoprotérénol, éphédrine, épinéphrine, amphétamines, phényléphrine, antipsychotiques, pimozide, méthyldopa, métoclopramide, prométhazine, triméprazine, inhibiteurs de la monoamine-oxydase (IMAO), antidépresseurs ISRS ou tout dépresseur du système nerveux central.

MÉDICAMENT-ALIMENT
Aucune interaction connue.

MÉDICAMENT-MALADIE
Prévenez le médecin en cas de : antécédents d'alcoolisme, mictions difficiles, asthme, maladie bipolaire, hypertension, troubles de l'estomac ou de l'intestin, glaucome, hyperthyroïdie, hypertrophie de la prostate, schizophrénie, convulsions, trouble du sang, maladie du rein, du cœur ou du foie.

▼ EFFETS INDÉSIRABLES

GRAVES
Confusion, arythmie cardiaque, hallucinations, convulsions, fatigue extrême ou somnolence, vision brouillée ou altérée, difficultés respiratoires, fixité du regard ou absence d'expression du visage, manque de concentration, mictions difficiles, fièvre, agitation motrice marquée et persistante, incoordination et perte d'équilibre, déglutition ou élocution difficiles, pupilles dilatées, douleur oculaire, évanouissements. Aussi tremblements, faiblesse, rigidité des extrémités, démarche traînante.

COURANTS
Somnolence ou étourdissements, céphalées, sécheresse de la bouche ou goût désagréable, fatigue, hypersensibilité au soleil, gain de poids, nausées, augmentation de l'appétit.

MOINS COURANTS
Aigreurs d'estomac, insomnie, diarrhée, sudation accrue ou abondante, vomissements, constipation.

NYLIDRINE (CHLORHYDRATE DE)

Présentation : Comprimés
En vente libre ? Non   **Générique disponible ?** Non
Classe de médicaments : Vasodilatateur périphérique, traitement des troubles cérébraux organiques

▼ GÉNÉRALITÉS

INDICATIONS
Pour améliorer le fonctionnement des patients affligés de troubles mentaux légers à modérés, provoqués par une irrigation sanguine insuffisante du cerveau. Les améliorations se voient dans la capacité d'accomplir les activités générales de la vie quotidienne comme prendre son bain, faire sa toilette et s'habiller. La nylidrine sert aussi à favoriser la cicatrisation des ulcères et à améliorer l'ambulation des patients souffrant de maladies vasculaires périphériques.

MODE D'ACTION
La nylidrine augmente l'afflux du sang dans les zones moins bien irriguées du corps en stimulant les récepteurs qui dilatent les vaisseaux sanguins des muscles et en augmentant le débit cardiaque.

▼ MODE D'EMPLOI

POSOLOGIE
Maladies vasculaires périphériques : 12 à 48 mg par jour en 3 ou 4 doses fractionnées. Soulagement des patients atteints de troubles mentaux organiques : 12 à 24 mg par jour en 3 ou 4 doses fractionnées.

DÉBUT D'ACTION
Inconnu.

DURÉE D'ACTION
Inconnue.

CONSEILS NUTRITIONNELS
Il n'y a aucune restriction spéciale.

MODE DE CONSERVATION
Dans un contenant étanche, à l'abri de la chaleur et de la lumière.

OUBLI D'UNE DOSE
Prenez-la dès que vous y pensez. S'il est presque l'heure de la dose suivante, sautez la dose oubliée et reprenez la fréquence normale. Ne doublez pas la dose suivante.

ARRÊT DE LA MÉDICATION
La décision de mettre fin au traitement doit être prise par votre médecin.

USAGE PROLONGÉ
Voyez votre médecin sur une base régulière si vous prenez ce médicament pendant une période prolongée.

 **EFFETS INDÉSIRABLES**

GRAVES
Battements de cœur rapides et irréguliers, faiblesse ou vertiges persistants.

COURANTS
Les effets indésirables sont très peu fréquents.

MOINS COURANTS
Tremblements, agitation motrice, faiblesse, vertiges, palpitations, nausées, vomissements, anémie.

▼ PRÉCAUTIONS

Plus de 60 ans. Il n'existe pas d'études pertinentes comparant l'administration du médicament chez des patients âgés et jeunes. Néanmoins, la nylidrine peut rendre les personnes âgées plus sensibles au froid.

Conduite automobile, travaux dangereux. À déconseiller tant que vous ne connaissez pas votre réaction au médicament.

Alcool. Pas de précautions spéciales.

Grossesse. Il n'existe pas d'études concernant les effets de la nylidrine sur le fœtus. Avant de prendre de la nylidrine, évaluez avec le médecin les bienfaits que vous attendez du médicament par rapport aux dangers qu'il présente.

Allaitement. Il n'existe pas d'études pertinentes ; néanmoins, il vaut mieux ne pas allaiter durant le traitement.

Nourrissons et enfants. Il n'existe pas d'études pertinentes. Consultez le pédiatre.

À surveiller. La nylidrine ne corrige pas la perte normale d'autonomie causée par le vieillissement non plus que les symptômes de la maladie d'Alzheimer.

SURDOSAGE
Symptômes. Céphalées, bouffées congestives, essoufflement, palpitations, battements de cœur rapides et irréguliers, douleur thoracique, étourdissements.

Quoi faire. Appelez immédiatement le médecin, ou allez à l'urgence.

▼ INTERACTIONS

MÉDICAMENT-MÉDICAMENT
Avertissez le médecin de tous les médicaments que vous prenez avec ou sans ordonnance.

MÉDICAMENT-ALIMENT
Aucune interaction connue.

MÉDICAMENT-MALADIE
Avertissez le médecin en cas de : insuffisance cardiaque, battements de cœur rapides et irréguliers, maladie cardiaque, antécédents d'infarctus du myocarde, douleur thoracique, maladie de la thyroïde, cancer, troubles émotionnels, ulcères gastriques, maladie du poumon ou maladie du foie.

NYSTATINE

Présentation : Suspension orale, crème, onguent, poudre, comprimés vaginaux
En vente libre ? Oui (crème topique, onguent et poudre) **Générique disponible ?** Oui
Classe de médicaments : Antifongique

▼ GÉNÉRALITÉS

INDICATIONS
Prévention et traitement des infections fongiques de la peau, de la bouche, du vagin, de l'œsophage et de l'intestin.

MODE D'ACTION
La nystatine empêche les organismes fongiques de fabriquer les substances essentielles à leur croissance et à leur fonctionnement. Elle n'agit que contre les infections fongiques et est sans effet contre les infections bactériennes et virales.

▼ MODE D'EMPLOI

POSOLOGIE
Suspension – Adultes et enfants : 100 000 à 600 000 unités, 4 fois par jour. Nourrissons, traitement préventif : 100 000 unités, 4 fois par jour. Nouveau-nés, traitement préventif : 100 000 unités par jour. Bien suivre les instructions du médecin. Crème, onguent ou poudre – Adultes et enfants : à appliquer sur la région affectée 1 à 4 fois par jour. Comprimés vaginaux –

Adultes et adolescentes : introduire 1 comprimé de 100 000 unités dans le vagin 1 ou 2 fois par jour pendant 14 jours.

DÉBUT D'ACTION
Sans objet.

DURÉE D'ACTION
Inconnue.

CONSEILS NUTRITIONNELS
Pas de restrictions spéciales.

MODE DE CONSERVATION
Dans un contenant étanche, à l'abri de la chaleur, de l'humidité et de la lumière.

OUBLI D'UNE DOSE
Prenez-la dès que vous y pensez. S'il est presque l'heure de la suivante, sautez la dose oubliée et reprenez la fréquence normale. Ne doublez pas la dose suivante.

ARRÊT DE LA MÉDICATION
Effectuez le traitement au complet, comme il vous a été prescrit, même si vous vous sentez mieux avant qu'il ne prenne fin. La décision d'interrompre la médication doit être prise par votre médecin.

EFFETS INDÉSIRABLES

GRAVES
Il n'y a pas d'effets indésirables graves associés à un traitement à la nystatine.

COURANTS
Il n'y a pas d'effets indésirables courants associés à un traitement à la nystatine.

MOINS COURANTS
Nausées, vomissements, diarrhée, douleur d'estomac, irritation cutanée ou vaginale qui n'existait pas avant le début du traitement.

USAGE PROLONGÉ
La nystatine est généralement prescrite en traitement de brève durée (1 à 3 semaines). Consultez votre médecin si les symptômes ne régressent pas ou s'aggravent 1 à 2 semaines après le début du traitement.

▼ PRÉCAUTIONS

Plus de 60 ans. Il n'existe pas d'études spécifiques sur l'emploi de la nystatine chez les patients âgés.

Conduite automobile, travaux dangereux. La nystatine ne devrait pas vous empêcher d'exécuter de telles tâches en toute sécurité.

Alcool. Pas de précautions spéciales.

Grossesse. Il n'y a pas eu d'études pertinentes sur l'emploi de la nystatine durant la grossesse. Si vous êtes enceinte ou voulez le devenir, demandez spécifiquement l'avis du médecin.

Allaitement. La nystatine peut passer dans le lait maternel : la prudence s'impose. Demandez l'avis du médecin.

Nourrissons et enfants. La suspension orale devrait être utilisée pour les enfants jusqu'à l'âge de 5 ans. Il n'existe pas d'études spécifiques sur l'emploi des autres formes chez les enfants.

À surveiller. Les patients portant des prothèses dentaires devraient les faire tremper toutes les nuits dans la nystatine pour tuer les champignons qui pourraient s'y

trouver. Dans certains cas, il faudra peut-être remplacer les prothèses.

SURDOSAGE
Symptômes. Nausées, vomissements, diarrhée.

Quoi faire. Appelez immédiatement le médecin ou le centre antipoison, ou allez à l'urgence.

▼ INTERACTIONS

MÉDICAMENT-MÉDICAMENT
Des interactions sont possibles. Demandez spécifiquement l'avis du médecin pour tout autre médicament pris avec ou sans ordonnance.

MÉDICAMENT-ALIMENT
Aucune interaction connue.

MÉDICAMENT-MALADIE
Demandez spécifiquement l'avis du médecin si vous avez tout autre problème de santé.

OCTRÉOTIDE (ACÉTATE D')

NOMS COMMERCIAUX

Sandostatin,
Sandostatin LAR

Présentation : Injection
En vente libre ? Non **Générique disponible ?** Non
Classe de médicaments : Hormone

▼ GÉNÉRALITÉS

INDICATIONS

Traitement de la diarrhée grave chronique accompagnant certaines tumeurs intestinales (tumeurs carcinoïdes et tumeurs intestinales sécrétant des peptides vasoactifs). S'emploie après une chirurgie pancréatique, mais aussi pour traiter l'acromégalie, maladie causée par la surproduction d'une hormone de croissance humaine à l'âge adulte et caractérisée par une hypertrophie des os des mains, des pieds, du front et du visage.

MODE D'ACTION

L'octréotide imite l'activité de la somatostatine, hormone qui supprime la libération de certains éléments chimiques déclenchant la diarrhée. Il n'attaque ni ne guérit le cancer intestinal, mais il aide à en amoindrir les symptômes et permet aux patients de mener une vie plus normale. En entravant la libération de l'hormone de croissance humaine, l'octréotide ralentit la progression de l'acromégalie.

▼ MODE D'EMPLOI

POSOLOGIE

Tumeurs carcinoïdes : 100 à 600 μg (microgrammes) par jour, en sous-cutanée (sous la peau), en 2 à 4 doses. Tumeurs intestinales sécrétant des peptides vasoactifs : 200 à 300 μg par jour, en 2 à 4 doses. Acromégalie : 100 à 300 μg, 2 à 3 fois par jour. La dose est fondée sur le poids.

DÉBUT D'ACTION

En 30 minutes.

DURÉE D'ACTION

Jusqu'à 12 heures.

CONSEILS NUTRITIONNELS

Pas de restrictions spéciales.

MODE DE CONSERVATION

Dans un contenant étanche, à l'abri de la chaleur, de la lumière, de l'humidité et des températures extrêmes.

OUBLI D'UNE DOSE

Prenez-la dès que vous y pensez. S'il est presque l'heure de la suivante, sautez la dose oubliée et reprenez la fréquence normale. Ne doublez pas la dose suivante.

ARRÊT DE LA MÉDICATION

Cette décision doit être prise par le médecin.

USAGE PROLONGÉ

Un suivi médical régulier, avec examens et analyses, s'impose dans ce cas.

▼ PRÉCAUTIONS

Plus de 60 ans. Pas de risques connus.

Conduite automobile, travaux dangereux. À déconseiller tant que vous ne connaissez pas votre réaction au médicament.

Alcool. À éviter.

Grossesse. Dans les études sur les animaux, l'octréotide n'a pas provoqué d'anomalies congénitales, même à fortes doses. Il n'existe pas d'études sur les humains. Demandez l'avis du médecin si vous êtes enceinte ou voulez le devenir.

Allaitement. On ne sait pas si l'octréotide passe dans le lait maternel. Parlez-en spécifiquement au médecin.

Nourrissons et enfants. L'octréotide n'a pas semblé provoquer chez eux des effets indésirables différents de ceux qu'éprouvent les autres patients.

À surveiller. L'octréotide peut provoquer des taux sanguins de sucre hauts ou bas. C'est à surveiller attentivement. Suivez les instructions du médecin sur le choix et la rotation des points d'injection pour éviter des troubles cutanés.

SURDOSAGE

Symptômes. Taux sanguins de sucre très élevés ou au contraire très bas.

Quoi faire. Il est peu probable qu'une surdose d'octréotide mette votre vie en danger. Néanmoins, si la dose est très forte, appelez le médecin ou le centre antipoison, ou allez à l'urgence.

▼ INTERACTIONS

MÉDICAMENT-MÉDICAMENT

Demandez spécifiquement l'avis du médecin si vous prenez des antidiabétiques, comme le glucagon ou l'insuline, ou une hormone de croissance.

MÉDICAMENT-ALIMENT

Aucune interaction connue.

MÉDICAMENT-MALADIE

Prévenez le médecin si vous souffrez de : diabète sucré, maladie de la vésicule biliaire ou calculs biliaires. L'octréotide peut entraîner des complications chez les patients affligés d'une maladie du rein, cet organe contribuant à éliminer le médicament de l'organisme.

 EFFETS INDÉSIRABLES

GRAVES

Haut taux de sucre sanguin provoquant somnolence, bouche sèche, peau congestionnée et sèche, haleine à odeur fruitée, augmentation du débit urinaire, perte d'appétit, douleur gastrique grave, nausées ou vomissements, respirations rapides et profondes, soif inusitée, fatigue anormale, perte de poids rapide. Bas taux de sucre sanguin provoquant anxiété, frissons, peau froide et pâle, manque de concentration, céphalées, nausées, nervosité, tremblements, sudation, fatigue anormale, faiblesse.

COURANTS

Douleur ou malaise gastriques ou abdominaux ; diarrhée, nausées et vomissements ; douleur, picotements ou sensation de brûlure, rougeur et enflure au point d'injection.

MOINS COURANTS

Vertiges ou étourdissements, fatigue anormale, céphalées, visage congestionné ou rouge, enflure des pieds et du bas des jambes.

ŒSTROGÈNES CONJUGUÉS

Présentation : Comprimés, injection, crème vaginale
En vente libre ? Non   **Générique disponible ?** Oui
Classe de médicaments : Hormone sexuelle femelle

▼ GÉNÉRALITÉS

INDICATIONS
Apport d'œstrogènes après la ménopause, quand le corps en produit trop peu ; traitement de cas précis de cancer avancé du sein ; réduction des risques d'ostéoporose postménopausique ; diminution de symptômes de la ménopause (sécheresse du vagin) ; prévention de l'engorgement mammaire après un accouchement ; soulagement des symptômes du cancer avancé de la prostate.

MODE D'ACTION
Chez la femme, les œstrogènes conjugués comblent des carences œstrogéniques. Chez l'homme, elles inhibent la croissance des cellules dans la prostate.

▼ MODE D'EMPLOI

POSOLOGIE
Le médicament est administré de façon cyclique – certains jours du mois étant sans médication – ou de façon continue. Les femmes doivent aussi prendre un progestatif, soit chaque jour, soit 10 à 14 jours par mois, sauf celles qui ont subi une hystérectomie (et qui peuvent se contenter des œstrogènes tous les jours). Cancer du sein chez l'homme ou la femme ménopausée : 10 mg, 3 fois par jour pendant 3 mois ou plus. Prévention de la perte osseuse par ostéoporose : 0,3 à 1,25 mg par jour. Symptômes de ménopause : 0,625 à 1,25 mg par jour. Cancer de la prostate : 1,25 à 2,5 mg par jour.

DÉBUT D'ACTION
Inconnu.

DURÉE D'ACTION
Inconnue.

CONSEILS NUTRITIONNELS
Peuvent se prendre avec des aliments pour réduire les risques d'irritation gastrique.

MODE DE CONSERVATION
À l'abri de la chaleur, de l'humidité, de la lumière et des températures extrêmes. Réfrigérez la forme liquide.

OUBLI D'UNE DOSE
Prenez-la dès que vous y pensez. S'il est presque l'heure de la dose suivante, sautez la dose oubliée et reprenez la fréquence normale.

ARRÊT DE LA MÉDICATION
Cette décision doit être prise par votre médecin.

USAGE PROLONGÉ
Accroît le risque de carcinome de l'endomètre et de cancer du sein. Demandez au médecin si des examens périodiques ou d'autres mesures seraient pertinentes pour dépister ces maladies.

▼ PRÉCAUTIONS

Plus de 60 ans. Aucun risque connu.

Conduite automobile, travaux dangereux. Cette hormone ne devrait pas vous empêcher d'exécuter de telles tâches en toute sécurité.

Alcool. Aucune précaution.

Grossesse. N'en prenez pas si vous êtes enceinte : on associe les œstrogènes à des malformations congénitales.

Allaitement. Analysez avec le médecin les bienfaits du médicament par rapport à ses risques pour le nourrisson.

Nourrissons et enfants. Prudence pour les enfants, le médicament pouvant inhiber la croissance des os.

SURDOSAGE
Symptômes. Nausées, saignements vaginaux.

Quoi faire. Il est peu probable qu'une surdose soit fatale. Néanmoins, si la dose est très forte, appelez immédiatement le médecin ou le centre antipoison.

▼ INTERACTIONS

MÉDICAMENT-MÉDICAMENT
D'autres médicaments peuvent interagir avec les œstrogènes. Consultez le médecin si vous prenez : anticoagulants, anticonvulsivants, antidiabétiques, hormones thyroïdiennes, antidépresseurs tricycliques, barbituriques, tranquillisants, cyclosporine, corticostéroïdes, corticotropine, tamoxifène, rifampine, carbamazépine ou bromocriptine.

MÉDICAMENT-ALIMENT
Les suppléments de calcium peuvent augmenter l'absorption de calcium. La vitamine C peut augmenter les effets des œstrogènes.

MÉDICAMENT-MALADIE
Ne prenez pas d'œstrogènes si vous avez : thrombophlébite, thromboembolie, cancer du sein, tout cancer hormonodépendant, saignement génital anormal. Consultez le médecin si vous avez : maladie du foie, infarctus, accident cérébrovasculaire, troubles de la coagulation sanguine, maladie de la vésicule biliaire ou calculs biliaires, ou si vous fumez beaucoup.

≡ EFFETS INDÉSIRABLES ≡

GRAVES
Femmes : douleur ou gonflement des seins, enflure des jambes et des pieds, gain de poids rapide. Hommes avec cancer de la prostate : maux de tête soudains ou sévères ; incoordination ; changement soudain de la vue ; douleurs dans le thorax, l'aine ou une jambe ; essoufflement soudain ; diction empâtée ; faiblesse ou engourdissement d'une main ou d'un bras.

COURANTS
Ballonnement ou crampes abdominales, perte d'appétit, endolorissement des seins.

MOINS COURANTS
Diarrhée, vertiges, céphalées, difficulté avec le port des verres de contact, diminution de la libido chez l'homme, augmentation de la libido chez la femme, vomissements.

ŒSTROGÈNES CONJUGUÉS/MÉDROXYPROGESTÉRONE (ACÉTATE DE)

NOM COMMERCIAL

Premplus

Présentation : Comprimés
En vente libre ? Non   **Générique disponible ?** Non
Classe de médicaments : Hormone sexuelle femelle

▼ GÉNÉRALITÉS

INDICATIONS
Apport d'œstrogènes après la ménopause, quand le corps en produit trop peu ; réduction des risques d'ostéoporose ; soulagement de symptômes de ménopause (bouffées congestives, sécheresse du vagin) ; traitement de l'atrophie de la vulve et du vagin ; diminution des risques d'insuffisance coronarienne.

MODE D'ACTION
Les œstrogènes luttent contre l'ostéoporose en diminuant la perte osseuse causée par une déficience en œstrogènes. Les œstrogènes conjugués comblent des carences œstrogéniques chez la femme. Chez la femme ménopausée, les œstrogènes pris seuls augmentent les risques d'une croissance excessive de la muqueuse utérine pouvant mener au carcinome de l'endomètre. En association, la médroxyprogestérone élimine à peu près ce risque.

▼ MODE D'EMPLOI

POSOLOGIE
1 comprimé, 1 fois par jour.

DÉBUT D'ACTION
Inconnu.

DURÉE D'ACTION
Tant qu'on prend le médicament.

CONSEILS NUTRITIONNELS
Se prend avec des aliments pour réduire les risques de dérangements gastriques.

MODE DE CONSERVATION
Dans un contenant étanche, à l'abri de la chaleur, de l'humidité et de la lumière.

OUBLI D'UNE DOSE
Si vous oubliez, un jour, le médicament, ne doublez pas la dose du lendemain ; reprenez la fréquence ordinaire.

ARRÊT DE LA MÉDICATION
Cette décision doit être prise en consultation avec votre médecin.

USAGE PROLONGÉ
Votre cas devrait être réévalué par le médecin tous les 3 à 6 mois pour déterminer si une médication continue est nécessaire.

▼ PRÉCAUTIONS

Plus de 60 ans. Aucun risque connu.

Conduite automobile, travaux dangereux. Cette hormone ne devrait pas vous empêcher d'exécuter de telles tâches en toute sécurité.

Alcool. Aucune précaution spéciale.

Grossesse. Ne prenez pas cette combinaison hormonale si vous êtes enceinte ou souhaitez le devenir : on associe les œstrogènes à des malformations congénitales.

Allaitement. Ne prenez pas cette combinaison hormonale si vous allaitez.

Nourrissons et enfants. Non recommandé pour les enfants.

À surveiller. Quand cette combinaison hormonale est prescrite pour limiter ou prévenir l'ostéoporose, il est important de compléter le traitement par la pratique d'exercices physiques sous charge et par une bonne alimentation.

SURDOSAGE
Symptômes. Aucun effet néfaste n'a été signalé à la suite d'une surdose. Néanmoins, nausées, vomissements et hémorragies de retrait peuvent se produire quand des doses extrêmement importantes ont été ingérées.

Quoi faire. Une surdose est peu probable. Néanmoins, le cas échéant, demandez l'assistance d'un médecin.

▼ INTERACTIONS

MÉDICAMENT-MÉDICAMENT
D'autres médicaments peuvent entrer en interaction avec cette association d'hormones. Consultez votre médecin si vous prenez : anticoagulants, anticonvulsivants, antidiabétiques, hormones thyroïdiennes, antidépresseurs tricycliques, barbituriques, tranquillisants, cyclosporine, corticostéroïdes, corticotropine, tamoxifène, rifampine, carbamazépine ou bromocriptine.

MÉDICAMENT-ALIMENT
Les œstrogènes peuvent augmenter l'absorption de calcium à partir des suppléments de calcium. La vitamine C peut augmenter les effets des œstrogènes.

MÉDICAMENT-MALADIE
Vous ne devriez pas prendre cette combinaison hormonale si vous souffrez de : thrombophlébite, cancer du sein, tout cancer hormonodépendant, saignement génital anormal. Consultez le médecin si vous avez des antécédents de : maladie du foie, infarctus, diabète sucré, accident cérébrovasculaire (ACV), troubles de la coagulation sanguine, thromboembolie, maladie de la vésicule biliaire ou calculs biliaires, ou si vous fumez beaucoup.

 **EFFETS INDÉSIRABLES**

GRAVES
Effet le plus grave : petite augmentation de l'incidence du cancer du sein chez les femmes prenant des œstrogènes depuis longtemps (10 ans ou plus). Autres effets demandant l'intervention du médecin : enflure des jambes et des pieds, gain de poids rapide, saignements menstruels anormaux, dépression et rash cutané.

COURANTS
Nausées, endolorissement des seins, céphalées, douleurs abdominales.

MOINS COURANTS
Modification de l'appétit, vomissements, crampes à l'estomac ou ballonnement, modification de la tension artérielle, vertiges, nervosité, insomnie, perte ou gain de poids, fatigue, mal de dos.

OFLOXACINE OPHTALMIQUE

Présentation : Solution ophtalmique
En vente libre ? Non   **Générique disponible ?** Non
Classe de médicaments : Antibiotique

▼ GÉNÉRALITÉS

INDICATIONS
Traitement de la conjonctivite bactérienne (infection des muqueuses qui tapissent la surface interne des paupières et le blanc de l'œil).

MODE D'ACTION
L'ofloxacine détruit les bactéries en inhibant le matériel génétique des cellules bactériennes, les empêchant ainsi de se multiplier.

▼ MODE D'EMPLOI

POSOLOGIE
Elle varie selon la nature de l'infection et la réponse du patient. Suivez à la lettre les instructions de votre médecin. Les posologies suivantes s'appliquent à la conjonctivite et sont données à titre d'exemple. Adultes et enfants : 1 ou 2 gouttes dans l'œil affecté aux 2 à 4 heures pendant 2 jours, puis 1 ou 2 gouttes dans l'œil affecté 4 fois par jour pendant un maximum de 8 jours.

DÉBUT D'ACTION
Inconnu.

DURÉE D'ACTION
Inconnue.

CONSEILS NUTRITIONNELS
Pas de restrictions spéciales.

MODE DE CONSERVATION
Dans un contenant étanche, à l'abri de la chaleur, de l'humidité et de la lumière. Ne réfrigérez pas la solution ; ne la faites pas congeler.

OUBLI D'UNE DOSE
Appliquez-la dès que vous y pensez. S'il est presque l'heure de la suivante, sautez la dose oubliée et reprenez la fréquence normale. Ne doublez pas la dose suivante.

ARRÊT DE LA MÉDICATION
Effectuez le traitement au complet, comme il vous a été prescrit, même si vous vous sentez mieux avant la fin.

USAGE PROLONGÉ
Un suivi médical régulier est nécessaire en cas de traitement prolongé.

▼ PRÉCAUTIONS

Plus de 60 ans. Pas de risques connus.

Conduite automobile, travaux dangereux. À déconseiller tant que vous ne connaissez pas les effets du médicament sur votre vision.

Alcool. Pas de précautions spéciales.

Grossesse. De fortes doses d'ofloxacine ont provoqué des anomalies congénitales et d'autres problèmes chez les animaux. Il n'existe pas d'études sur les humains. Avant d'utiliser le médicament, prévenez le médecin si vous êtes enceinte ou voulez le devenir.

Allaitement. L'ofloxacine ophtalmique peut passer dans le lait maternel : la prudence s'impose. Demandez l'avis du médecin.

Nourrissons et enfants. Pas de précautions spéciales.

À surveiller. Avant l'application, lavez-vous les mains. Renversez la tête en arrière. Appuyez doucement dans l'angle interne de la paupière et avec l'index de la même main, tirez la paupière inférieure vers le bas. Laissez tomber le médicament dans l'espace ainsi créé et fermez l'œil. Appuyez pendant 1 ou 2 minutes tout en gardant l'œil fermé sans cligner. Lavez-vous de nouveau les mains. Le bout du compte-gouttes ne doit toucher ni l'œil, ni votre doigt, ni rien d'autre. Si les symptômes ne régressent pas en quelques jours ou s'ils s'aggravent, communiquez avec le médecin. Évitez de porter des lentilles de contact durant le traitement avec cette solution ophtalmique d'ofloxacine.

SURDOSAGE
Symptômes. Aucun symptôme spécifique n'a été signalé.

Quoi faire. Il est peu probable qu'une surdose d'ofloxacine ophtalmique mette votre vie en danger. Si vous vous en mettez une grande quantité dans l'œil, lavez celui-ci à grande eau. Si le médicament est ingéré, appelez immédiatement le médecin ou le centre anti-poison, ou allez à l'urgence.

▼ INTERACTIONS

MÉDICAMENT-MÉDICAMENT
D'autres médicaments peuvent interagir avec l'ofloxacine ophtalmique. Signalez au médecin les noms de tous les médicaments que vous utilisez avec ou sans ordonnance.

MÉDICAMENT-ALIMENT
Aucune interaction connue.

MÉDICAMENT-MALADIE
L'ofloxacine ophtalmique exige qu'on soit prudent. Faites connaître au médecin tous vos problèmes de santé.

 EFFETS INDÉSIRABLES

GRAVES
Démangeaisons, enflure, urticaire, difficultés respiratoires : ce sont des signes d'allergie, cessez d'appliquer le médicament et communiquez avec le médecin immédiatement.

COURANTS
Sensation de brûlure dans les yeux.

MOINS COURANTS
Sensibilité accrue des yeux à la lumière ; picotements, démangeaisons, larmoiement, rougeur ou sécheresse des yeux.

OFLOXACINE ORALE

Présentation : Comprimés
En vente libre ? Non   **Générique disponible ?** Oui
Classe de médicaments : Fluoroquinolone (antibiotique)

▼ GÉNÉRALITÉS

INDICATIONS
Traitement des infections bactériennes bénignes ou graves du tractus urinaire, des voies respiratoires inférieures (pneumonie) et de la peau. Aussi pour traiter des maladies transmises sexuellement (chlamidia et gonorrhée) et la prostatite (infection et inflammation de la prostate).

MODE D'ACTION
L'ofloxacine inhibe l'action de la gyrase, une enzyme bactérienne essentielle à la formation et à la réplication de l'ADN. Elle lutte ainsi contre l'infection en empêchant les cellules bactériennes de se reproduire.

▼ MODE D'EMPLOI

POSOLOGIE
Pour la plupart des infections : 200 à 400 mg, 2 fois par jour, pendant 3 à 10 jours. Gonorrhée : 400 mg en 1 seule dose. Prostatite : 300 mg aux 12 heures pendant 6 semaines.

DÉBUT D'ACTION
Dépend de l'infection traitée.

DURÉE D'ACTION
Inconnue.

CONSEILS NUTRITIONNELS
À prendre à jeun, 1 heure avant ou 2 heures après les repas, avec un grand verre d'eau. Buvez beaucoup.

MODE DE CONSERVATION
Dans un contenant étanche, à l'abri de la chaleur et de la lumière.

OUBLI D'UNE DOSE
Prenez-la dès que vous y pensez. S'il est presque l'heure de la suivante, sautez la dose oubliée et reprenez la fréquence normale. Ne doublez pas la dose suivante.

ARRÊT DE LA MÉDICATION
Effectuez le traitement au complet, comme il vous a été prescrit, même si vous vous sentez mieux avant la fin.

USAGE PROLONGÉ
Un suivi médical, avec examens et analyses, est essentiel si vous devez poursuivre le traitement durant une période prolongée. Si les symptômes ne régressent pas ou s'aggravent après quelques jours, consultez le médecin.

▼ PRÉCAUTIONS

Plus de 60 ans. Pas de risques connus.

Conduite automobile, travaux dangereux. À déconseiller tant que vous ne connaissez pas votre réaction au médicament.

Alcool. Il est préférable de s'abstenir de consommer de l'alcool quand on lutte contre une infection.

Grossesse. On a observé des anomalies congénitales à l'ofloxacine dans certaines études sur les animaux. Il n'y a pas d'études pertinentes sur les humains. On ne devrait en donner aux femmes enceintes que si les bienfaits du médicament l'emportent manifestement sur ses risques. Avant d'en prendre, avertissez le médecin si vous êtes enceinte ou voulez le devenir.

Allaitement. L'ofloxacine passe dans le lait maternel et peut avoir des effets indésirables graves chez le nourrisson ; on ne recommande pas d'en prendre durant l'allaitement.

Nourrissons et enfants. L'ofloxacine n'est pas recommandée aux moins de 18 ans, car elle entrave la croissance squelettique. Mais on peut en prescrire aux adolescents si aucun autre traitement n'est disponible.

À surveiller. Si l'ofloxacine vous rend sensible à la lumière solaire, portez des vêtements couvrants, utilisez un écran solaire et évitez de vous exposer au soleil, surtout entre 10 et 15 heures. Ne prenez pas d'antiacide ou de multivitamines renfermant du zinc ou du fer 2 heures avant ou 2 heures après la prise d'ofloxacine.

SURDOSAGE
Symptômes. Nausées, céphalées, vertiges, vomissements, somnolence, convulsions.

Quoi faire. Appelez aussitôt le médecin ou le centre anti-poison, ou allez à l'urgence.

▼ INTERACTIONS

MÉDICAMENT-MÉDICAMENT
Demandez l'avis du médecin si vous prenez : théophylline, antiacides, AINS, didanosine, suppléments de fer, sucralfate, sels de zinc. Indiquez-lui aussi tous les médicaments que vous prenez avec ou sans ordonnance.

MÉDICAMENT-ALIMENT
Aucune interaction connue.

MÉDICAMENT-MALADIE
Avisez le médecin en cas de maladie du cerveau ou de la moelle épinière. L'ofloxacine peut entraîner des complications chez les patients souffrant de maladie du foie ou du rein, car ces organes contribuent à éliminer le médicament de l'organisme.

≡ EFFETS INDÉSIRABLES ≡

GRAVES
Ils sont rares : convulsions, confusion, hallucinations, agitation, cauchemars, dépression, essoufflement, enflure du visage ou des extrémités, perte de conscience en font partie. Aussi brûlures, rougeur, cloques, éruptions cutanées ou démangeaisons à la suite d'une exposition au soleil.

COURANTS
Sensibilité accrue au soleil (et risque accru de coups de soleil) durant plusieurs jours après le traitement.

MOINS COURANTS
Diarrhée, nausées et vomissements, douleur et dérangement d'estomac, gaz, céphalées, vertiges, agitation motrice, insomnie, altération du goût, somnolence, démangeaisons, sécheresse de la bouche, douleurs ou malaises anormaux.

OLANZAPINE

Présentation : Comprimés, comprimés à dissolution rapide
En vente libre ? Non   **Générique disponible ?** Non
Classe de médicaments : Neuroleptique ; antipsychotique

▼ GÉNÉRALITÉS

INDICATIONS
Traitement de troubles psychotiques (troubles mentaux graves, caractérisés par des pensées et des perceptions déformées, comme la schizophrénie).

MODE D'ACTION
Bien que le mode d'action de l'olanzapine ne soit pas bien connu, il semble modifier l'action de certains éléments chimiques du système nerveux central et avoir un effet tranquillisant et antipsychotique.

▼ MODE D'EMPLOI

POSOLOGIE
Dose initiale : 5 à 10 mg, 1 fois par jour. La posologie peut être augmentée par le médecin sans dépasser 20 mg par jour.

DÉBUT D'ACTION
Action sédative : en quelques heures. Action antipsychotique : parfois après plusieurs semaines de traitement.

DURÉE D'ACTION
12 à 24 heures, mais les effets peuvent durer plusieurs jours.

CONSEILS NUTRITIONNELS
Pas de restrictions spéciales.

MODE DE CONSERVATION
Dans un contenant étanche, à l'abri de la chaleur, de l'humidité et de la lumière.

OUBLI D'UNE DOSE
Prenez-la dès que vous y pensez. S'il est presque l'heure de la suivante, sautez la dose oubliée et reprenez la fréquence normale. Ne doublez pas la dose suivante.

ARRÊT DE LA MÉDICATION
Cette décision doit se prendre en consultation avec votre médecin.

USAGE PROLONGÉ
Consultez le médecin sur la nécessité d'instaurer un suivi médical. Comme l'olanzapine est un médicament d'introduction récente, la possibilité qu'elle provoque des dyskinésies tardives potentiellement irréversibles (mouvements involontaires des mâchoires, des lèvres, de la langue et du corps) n'est pas connue.

▼ PRÉCAUTIONS

Plus de 60 ans. Pas de risques connus.

Conduite automobile, travaux dangereux. À déconseiller tant que vous ne connaissez pas votre réaction au médicament.

Alcool. À éviter.

Grossesse. De fortes doses d'olanzapine ont réduit le taux de survie fœtale dans des tests sur les animaux. Avant d'en prendre, prévenez le médecin si vous êtes enceinte ou voulez le devenir.

Allaitement. L'olanzapine peut passer dans le lait maternel ; évitez d'en prendre si vous allaitez.

Nourrissons et enfants. Innocuité et efficacité non établies chez les moins de 18 ans.

À surveiller. Évitez de vous exposer longtemps à des températures très chaudes ou de demeurer dans des climats chauds. Buvez beaucoup et restez au frais en été. Évitez de vous exposer beaucoup au soleil tant que vous n'avez pas déterminé si le médicament augmente la sensibilité de votre peau aux rayons ultraviolets.

SURDOSAGE
Symptômes. Somnolence extrême, difficultés d'élocution.

Quoi faire. Appelez immédiatement le médecin ou le centre antipoison, ou allez à l'urgence.

▼ INTERACTIONS

MÉDICAMENT-MÉDICAMENT
Les médicament suivants pouvant interagir avec l'olanzapine, demandez l'avis du médecin : carbamazépine, oméprazole, rifampine, antihypertenseurs ou tout dépresseur du système nerveux central (antihistaminiques, antidépresseurs ou autres antipsychotiques, barbituriques, sédatifs, antitussifs, décongestionnants et analgésiques). Indiquez au médecin tous les médicaments que vous prenez sans ordonnance.

MÉDICAMENT-ALIMENT
Aucune interaction connue.

MÉDICAMENT-MALADIE
Avertissez le médecin si vous souffrez de la maladie de Parkinson ou de toute perturbation des mouvements, de glaucome, d'épilepsie, de maladie du foie ou du rein.

EFFETS INDÉSIRABLES

GRAVES
Raideur, démarche mal assurée ; déglutition et élocution difficiles ; mouvements incontrôlés de mastication, claquements des lèvres, clappements de la langue ; fièvre.

COURANTS
Somnolence, céphalées, vertiges, constipation, sécheresse de la bouche, vision brouillée, écoulement nasal, gain de poids.

MOINS COURANTS
Douleur gastrique, difficultés d'élocution, bégaiement, raideur musculaire, évanouissement, augmentation de l'appétit ou de la toux, salivation, insomnie, douleurs articulaires, nausées, mal de gorge, tachycardie, soif accrue, incontinence urinaire, vomissements, perte de poids.

OLOPATADINE

Présentation : Solution ophtalmique
En vente libre ? Non   **Générique disponible ?** Non
Classe de médicaments : Antihistaminique

▼ GÉNÉRALITÉS

INDICATIONS
Soulagement temporaire des démangeaisons causées par la conjonctivite allergique (inflammation des muqueuses qui tapissent la surface interne des paupières et le blanc de l'œil).

MODE D'ACTION
L'olopatadine inhibe la libération et bloque les effets de l'histamine, substance causant enflure, démangeaisons, éternuements, larmoiement, urticaire et autres symptômes de réaction allergique.

▼ MODE D'EMPLOI

POSOLOGIE
1 ou 2 gouttes dans l'œil affecté, aux 6 à 8 heures, au besoin.

DÉBUT D'ACTION
Immédiat.

DURÉE D'ACTION
6 à 8 heures.

CONSEILS NUTRITIONNELS
Pas de restrictions spéciales.

MODE DE CONSERVATION
Dans un contenant étanche, à l'abri de la chaleur, de l'humidité et de la lumière. Ne faites pas congeler la solution.

OUBLI D'UNE DOSE
Instillez la dose suivante au besoin ; n'en doublez pas la quantité.

ARRÊT DE LA MÉDICATION
Le médicament est utilisé au besoin pour soulager la démangeaison associée à une réaction allergique. Si vous n'avez pas de symptômes, n'instillez pas le médicament.

USAGE PROLONGÉ
Un suivi médical régulier, avec examens et analyses, est nécessaire en cas d'usage prolongé.

▼ PRÉCAUTIONS

Plus de 60 ans. Pas de risques connus.

Conduite automobile, travaux dangereux. À déconseiller tant que vous ne savez pas si le médicament altère votre vision.

Alcool. À éviter.

 EFFETS INDÉSIRABLES

GRAVES
Il n'y a pas d'effets indésirables graves associés à un traitement à l'olopatadine.

COURANTS
Mal de tête, brûlure et picotements temporaires dans l'œil.

MOINS COURANTS
Yeux secs, sensation d'un corps étranger dans l'œil, vomissements, paupières enflées, démangeaisons des yeux, sensibilité à la lumière.

Grossesse. Dans des études sur les animaux, de fortes doses d'olopatadine n'ont pas provoqué d'anomalies congénitales. Il n'existe pas d'études sur les humains. L'olopatadine ne devrait être administrée durant la grossesse que si les bénéfices potentiels pour la mère justifient les risques éventuels pour le fœtus. Demandez spécifiquement l'avis du médecin.

Allaitement. L'olopatadine peut passer dans le lait maternel : la prudence s'impose. Demandez l'avis du médecin.

Nourrissons et enfants. L'innocuité et l'efficacité de l'olopatadine chez les nourrissons et les enfants de moins de 3 ans n'ont pas été établies.

À surveiller. Avant l'application, lavez-vous les mains. Renversez la tête en arrière. Appuyez doucement dans l'angle interne de la paupière et avec l'index de la même main, tirez la paupière inférieure vers le bas. Laissez tomber les gouttes dans l'espace ainsi créé et fermez l'œil. Appuyez pendant 1 ou 2 minutes tout en gardant l'œil fermé sans cligner. Puis, lavez-vous de nouveau les mains. Le bout du compte-gouttes ne doit toucher ni l'œil, ni votre doigt, ni rien d'autre. Si vous portez des verres de contact, retirez-les avant de vous administrer de l'olopatadine. Attendez 15 minutes après l'instillation du médicament avant de les remettre.

SURDOSAGE
Symptômes. Aucun symptôme spécifique n'a été signalé.

Quoi faire. Il est peu probable qu'une surdose d'olopatadine mette votre vie en danger. Si le patient utilise une dose beaucoup plus forte que celle prescrite ou ingère le médicament, lavez l'œil ou les yeux à grande eau tiède (en cas de surdosage), appelez immédiatement le médecin ou le centre antipoison, ou allez à l'urgence.

▼ INTERACTIONS

MÉDICAMENT-MÉDICAMENT
Des interactions médicamenteuses sont possibles. Indiquez au médecin tous les médicaments que vous prenez.

MÉDICAMENT-ALIMENT
Aucune interaction connue.

MÉDICAMENT-MALADIE
Il y a lieu d'être prudent avec l'olopatadine. Avisez le médecin de tous les problèmes de santé que vous avez, surtout ceux qui concernent vos yeux.

OLSALAZINE SODIQUE

Présentation : Gélules
En vente libre ? Non **Générique disponible ?** Non
Classe de médicaments : Anti-inflammatoire gastro-intestinal

▼ GÉNÉRALITÉS

INDICATIONS
Le traitement de première intention de la rectocolite hémorragique est habituellement la sulfasalazine, mais certains patients ne peuvent tolérer ses effets indésirables. L'olsalazine est un médicament chimiquement apparenté à la sulfasalazine, qui peut leur être administré à la place. On la prescrit en traitement d'entretien chez ceux dont la rectocolite hémorragique est en rémission (absence de symptômes récents), mais aussi contre les crises aiguës de rectocolite hémorragique d'intensité faible à modérée.

MODE D'ACTION
Le mécanisme d'action de l'olsalazine n'est pas élucidé. Il semble, cependant, qu'elle inhibe la production de substances comme l'acide arachidonique qui produit de l'inflammation dans le tractus digestif.

▼ MODE D'EMPLOI

POSOLOGIE
Entretien : 500 mg, 2 fois par jour. Crise aiguë : 500 mg, 4 fois par jour.

DÉBUT D'ACTION
Inconnu.

DURÉE D'ACTION
Inconnue.

CONSEILS NUTRITIONNELS
À prendre aux repas pour diminuer les dérangements d'estomac. Si les troubles gastriques ou intestinaux persistent, voyez le médecin.

MODE DE CONSERVATION
Dans un contenant étanche, à l'abri de la chaleur et de la lumière.

OUBLI D'UNE DOSE
Prenez-la dès que vous y pensez, mais seulement à un repas. S'il est presque l'heure de la suivante, sautez la dose oubliée et reprenez la fréquence normale. Ne doublez pas la dose suivante.

ARRÊT DE LA MÉDICATION
Effectuez le traitement au complet, comme il vous a été prescrit, même si vous vous sentez mieux.

USAGE PROLONGÉ
Un suivi médical, avec examens et analyses, est nécessaire en usage prolongé.

▼ PRÉCAUTIONS

Plus de 60 ans. L'olsalazine ne devrait pas leur causer des effets indésirables différents.

Conduite automobile, travaux dangereux. À déconseiller tant que vous ne connaissez pas votre réaction au médicament.

Alcool. À éviter.

Grossesse. L'olsalazine ne devrait être administrée que si ses bénéfices l'emportent manifestement sur le risque qu'elle présente. Avant d'en prendre, dites bien au médecin que vous êtes enceinte ou voulez le devenir.

Allaitement. L'olsalazine peut passer dans le lait maternel : la prudence s'impose. Demandez spécifiquement au médecin s'il est préférable de cesser d'allaiter ou d'adopter une autre médication.

Nourrissons et enfants. Il n'existe pas de données comparatives sur les nourrissons et les enfants par rapport aux autres patients. Indications et posologie sont déterminées par le pédiatre.

SURDOSAGE
Symptômes. Aucun cas de surdosage n'a été signalé.

Quoi faire. Une surdose est peu probable. Néanmoins, si vous soupçonnez qu'une personne a absorbé une dose beaucoup plus forte que celle qui lui a été prescrite, appelez immédiatement le médecin ou le centre antipoison, ou allez à l'urgence.

▼ INTERACTIONS

MÉDICAMENT-MÉDICAMENT
Indiquez à votre médecin tous les médicaments que vous prenez, avec ou sans ordonnance. L'olsalazine ne devrait pas être prescrite aux patients qui ont déjà eu une réaction allergique à l'AAS ou à d'autres salicylés.

MÉDICAMENT-ALIMENT
Aucune interaction connue.

MÉDICAMENT-MALADIE
L'olsalazine demande qu'on soit prudent. Avertissez le médecin si vous souffrez d'hypertension ou de maladie du rein.

EFFETS INDÉSIRABLES

GRAVES
Douleur grave dans le dos ou à l'estomac, diarrhée sanguinolente, tachycardie, fièvre, nausées ou vomissements, rash cutané, ballonnement ou durcissement de l'abdomen, jaunissement des yeux ou de la peau (jaunisse). Ce sont des cas d'urgence.

COURANTS
Douleur abdominale, dérangement d'estomac, nombreuses selles molles, diarrhée, perte d'appétit.

MOINS COURANTS
Douleur articulaire et musculaire, acné, dépression ou anxiété, vertiges, somnolence, céphalées, insomnie, sensibilité de la peau au soleil, ecchymoses, saignement du tractus intestinal donnant des selles sanguinolentes.

OMÉPRAZOLE

Présentation : Gélules, comprimés à libération retardée
En vente libre ? Non   **Générique disponible ?** Non
Classe de médicaments : Antiacide/inhibiteur de la pompe à protons

▼ GÉNÉRALITÉS

INDICATIONS

Traitement de l'ulcère gastrique, de l'ulcère duodénal et des affections entraînant une augmentation de l'acide gastrique (comme le syndrome de Zollinger-Ellison), de l'œsophagite érosive (inflammation chronique grave de l'œsophage), du reflux gastro-œsophagien (régurgitation de l'acide de l'estomac dans l'œsophage, source de brûlures gastriques), des ulcères associés aux AINS et éradication de *Helicobacter pylori* (en association avec des antibiotiques).

MODE D'ACTION

L'oméprazole inhibe l'action d'une enzyme spécifique des cellules tapissant l'estomac, ce qui réduit la production d'acide gastrique et favorise la cicatrisation des ulcères.

▼ MODE D'EMPLOI

POSOLOGIE

Ulcère duodénal, œsophagite, ulcère induit par les AINS ou reflux gastro-œsophagien : 20 mg par jour. Syndrome de Zollinger-Ellison ou affections semblables : 60 mg par jour.

DÉBUT D'ACTION

En 1 à 3 heures (les symptômes mettent plus de temps à disparaître).

DURÉE D'ACTION

Au moins 72 heures.

CONSEILS NUTRITIONNELS

À prendre immédiatement avant un repas. Avalez les gélules entières.

MODE DE CONSERVATION

Dans un contenant étanche, à l'abri de la chaleur et de la lumière.

OUBLI D'UNE DOSE

Prenez-la dès que vous y pensez. S'il est presque l'heure de la suivante, sautez la dose oubliée et reprenez la fréquence normale. Ne doublez pas la dose suivante.

ARRÊT DE LA MÉDICATION

Effectuez le traitement au complet, comme il vous a été prescrit, même si vous vous sentez mieux avant qu'il ne prenne fin. La décision d'interrompre le traitement doit être prise en consultation avec le médecin.

USAGE PROLONGÉ

L'oméprazole ne doit pas être pris indéfiniment, comme traitement d'entretien de l'ulcère duodénal ou de l'œsophagite : le traitement dure généralement de 4 à 8 semaines. Ne le prolongez pas à moins que le médecin ne vous en donne l'instruction. Un suivi médical régulier, avec examens et analyses, est nécessaire en cas d'usage prolongé.

▼ PRÉCAUTIONS

Plus de 60 ans. On n'a pas signalé de risques particuliers.

Conduite automobile, travaux dangereux. À déconseiller tant que vous ne connaissez pas votre réaction au médicament.

Alcool. À éviter ; l'alcool peut aggraver votre cas.

Grossesse. Dans des tests sur les animaux, l'oméprazole n'a pas causé de problèmes. Il n'existe pas de tests sur les humains. Avant de prendre de l'oméprazole, prévenez le médecin si vous êtes enceinte ou voulez le devenir.

Allaitement. L'oméprazole peut passer dans le lait maternel : la prudence s'impose. Demandez l'avis du médecin.

Nourrissons et enfants. Indications et posologie doivent être déterminées par le médecin pour les moins de 18 ans.

À surveiller. Avertissez médecins et dentistes que vous prenez de l'oméprazole. Ne croquez pas les gélules. Si vous avez de la difficulté à les avaler, vous pouvez les ouvrir et en saupoudrer le contenu sur de la compote de pommes ou un aliment semblable. Si votre médecin le recommande, vous pouvez prendre un antiacide en même temps que l'oméprazole.

SURDOSAGE

Symptômes. Vision brouillée, confusion, sudation abondante, somnolence, bouche sèche, congestion du visage, céphalée, nausées, palpitations ou tachycardie.

Quoi faire. Appelez aussitôt le médecin ou le centre antipoison, ou allez à l'urgence.

▼ INTERACTIONS

MÉDICAMENT-MÉDICAMENT

Les médicaments suivants peuvent entrer en interaction avec l'oméprazole : ampicilline, sucralfate, sels ou suppléments de fer, diazépam, disulfiram, kétoconazole ou phénytoïne. Demandez l'avis du médecin.

MÉDICAMENT-ALIMENT

Aucune interaction significative n'a été signalée.

MÉDICAMENT-MALADIE

La prudence est de mise. Consultez le médecin si vous souffrez d'une maladie du foie : il peut y avoir un risque accru d'effets indésirables.

EFFETS INDÉSIRABLES

GRAVES

Aucun effet indésirable grave n'est associé à l'oméprazole.

COURANTS

Diarrhée, constipation, vomissements, céphalées, vertiges, douleur d'estomac. Consultez votre médecin si ces effets persistent ou entravent vos activités quotidiennes.

MOINS COURANTS

Sang dans l'urine ou urine brouillée, lésions ou ulcères buccaux persistants ou récurrents, mictions douloureuses ou très fréquentes, mal de gorge, fièvre, ecchymoses ou saignements anormaux, fatigue ou faiblesse inhabituelles, douleur musculaire, douleur thoracique, nausées.

ONDANSÉTRON (CHLORHYDRATE D')

Présentation : Comprimés, solution orale, injection
En vente libre ? Non   **Générique disponible ?** Non
Classe de médicaments : Antiémétique

▼ GÉNÉRALITÉS

INDICATIONS
Prévention des nausées et des vomissements qui peuvent se produire après une opération chirurgicale ou après des traitements chimiothérapeutiques ou radiothérapeutiques du cancer.

MODE D'ACTION
L'ondansétron est un antagoniste des sites de récepteurs chimiques et des voies nerveuses qui déclenchent des réflexes de nausées et de vomissements.

▼ MODE D'EMPLOI

POSOLOGIE
Comprimés et solution orale – Prévention des nausées et des vomissements après la chimiothérapie. Adultes et adolescents : le traitement initial peut s'effectuer par injection, suivi d'une médication orale de 8 mg aux 8 à 12 heures pendant au plus 5 jours. Enfants de 4 à 12 ans : le médicament est administré avant la chimiothérapie, suivi d'une médication orale de 4 mg aux 8 heures pendant au plus 5 jours. Prévention des nausées et des vomissements postopératoires : 16 mg, 1 heure avant l'anesthésie. Prévention des nausées et vomissements après la radiothérapie : 8 mg, 1 à 2 heures avant le traitement ; 8 mg aux 8 heures après le traitement, pendant au plus 5 jours.

DÉBUT D'ACTION
Inconnu.

DURÉE D'ACTION
Inconnue.

CONSEILS NUTRITIONNELS
Prenez les comprimés avec de la nourriture.

MODE DE CONSERVATION
Dans un contenant étanche, à l'abri de la chaleur, de l'humidité et de la lumière.

OUBLI D'UNE DOSE
Prenez-la dès que vous y pensez. S'il est presque l'heure de la suivante, sautez la dose oubliée et reprenez la fréquence normale. Ne doublez pas la dose suivante.

ARRÊT DE LA MÉDICATION
Cette décision doit être prise par votre médecin.

USAGE PROLONGÉ
Un suivi médical est nécessaire en cas d'usage prolongé.

▼ PRÉCAUTIONS

Plus de 60 ans. L'ondansétron ne devrait pas leur causer des effets indésirables particuliers.

Conduite automobile, travaux dangereux. À déconseiller tant que vous ne connaissez pas votre réaction au médicament.

Alcool. À éviter.

Grossesse. Il n'existe pas d'études concluantes sur les humains. Avant de prendre de l'ondansétron, avertissez le médecin si vous êtes enceinte ou voulez le devenir.

Allaitement. L'ondansétron peut passer dans le lait maternel : la prudence s'impose. Demandez l'avis du médecin.

Nourrissons et enfants. La posologie doit être déterminée par le médecin pour les enfants de moins de 3 ans.

SURDOSAGE
Symptômes. Aucun symptôme spécifique n'a été signalé.

Quoi faire. Il est peu probable qu'une surdose d'ondansétron mette votre vie en danger. Néanmoins, si la dose est beaucoup plus forte que celle prescrite, appelez immédiatement le médecin ou le centre antipoison, ou allez à l'urgence.

▼ INTERACTIONS

MÉDICAMENT-MÉDICAMENT
Demandez spécifiquement l'avis du médecin si vous prenez des médicament qui modifient la fonction hépatique, comme le phénobarbital ou la cimétidine : ils peuvent interagir avec l'ondansétron.

MÉDICAMENT-ALIMENT
Aucune interaction connue.

MÉDICAMENT-MALADIE
L'ondansétron commande qu'on soit prudent. Prévenez votre médecin si vous avez subi récemment une intervention chirurgicale à l'abdomen ou si vous avez une maladie du foie.

  EFFETS INDÉSIRABLES

GRAVES
Douleur thoracique, essoufflement, rash cutané, démangeaisons ou urticaire, difficultés respiratoires, constriction thoracique, respiration sifflante.

COURANTS
Constipation ou diarrhée, fièvre, céphalées.

MOINS COURANTS
Douleur abdominale, crampes d'estomac, vertiges ou étourdissements, sécheresse de la bouche, fatigue ou faiblesse inhabituelles.

ORCIPRÉNALINE (MÉTAPROTÉRÉNOL)

Présentation : Inhalateur en aérosol, sirop
En vente libre ? Non **Générique disponible ?** Oui
Classe de médicaments : Bronchodilatateur/sympathomimétique

▼ GÉNÉRALITÉS

INDICATIONS
Pour dilater les voies aériennes pulmonaires rétrécies par une maladie ou une inflammation. Traitement de l'asthme et de la maladie pulmonaire obstructive chronique.

MODE D'ACTION
L'orciprénoline dilate les voies aériennes en détendant les muscles lisses qui entourent les bronches et les bronchioles.

▼ MODE D'EMPLOI

POSOLOGIE
À utiliser au besoin pour soulager les difficultés respiratoires. Aérosol pour inhalation – Adultes et enfants de 12 ans et plus : 2 ou 3 inhalations aux 3 ou 4 heures, sans dépasser 12 inhalations par jour. Nourrissons et enfants de moins de 12 ans : non recommandé. Sirop – Adultes : 20 mg, 3 ou 4 fois par jour. Enfants de 4 à 12 ans : 10 mg, 3 fois par jour. Nourrissons et enfants de moins de 4 ans : consultez le médecin.

DÉBUT D'ACTION
Inhalation : en 5 minutes.
Sirop : en 15 à 30 minutes.

DURÉE D'ACTION
Inhalation : 1 à 5 heures.
Sirop : jusqu'à 4 heures.

CONSEILS NUTRITIONNELS
Pas de recommandations spéciales.

MODE DE CONSERVATION
Dans un contenant étanche, à l'abri de la chaleur et de la lumière.

OUBLI D'UNE DOSE
Sautez-la et reprenez la fréquence normale. Ne doublez pas la dose qui suit.

ARRÊT DE LA MÉDICATION
Il peut ne pas être nécessaire d'effectuer le traitement au complet. Demandez conseil au médecin.

USAGE PROLONGÉ
Le traitement peut durer des mois ou des années. Un usage excessif du médicament peut lui faire perdre temporairement de son efficacité.

▼ PRÉCAUTIONS

Plus de 60 ans. Risques de réactions indésirables plus fréquentes et plus graves.

Conduite automobile, travaux dangereux. À éviter jusqu'à ce que vous connaissiez les effets du médicament sur vous.

Alcool. Pas de précautions spéciales.

Grossesse. Il n'existe pas d'études pertinentes ; il faut évaluer les bienfaits de la médication en regard de ses risques. Demandez spécifiquement l'avis du médecin.

Allaitement. Les femmes qui veulent allaiter tout en prenant ce médicament doivent en parler à leur médecin.

Nourrissons et enfants. L'aérosol pour inhalation n'est pas recommandé aux enfants de moins de 12 ans.

À surveiller. Prêtez attention à tout problème respiratoire qui ne s'améliore pas après le nombre habituel d'inhalations. Demandez immédiatement de l'aide si vos poumons vous paraissent constamment obstrués, si vous dépassez le nombre de traitements recommandés par jour ou si une crise vous paraît différente des précédentes.

SURDOSAGE
Symptômes. Douleur ou constriction thoracique, arythmies cardiaques, tachycardie, flutter ou battements de cœur très forts, vertiges, étourdissements, évanouissements, faiblesse grave, maux de tête graves.

Quoi faire. Appelez immédiatement le médecin ou le centre antipoison, ou allez à l'urgence.

▼ INTERACTIONS

MÉDICAMENT-MÉDICAMENT
Demandez l'avis du médecin si vous prenez : bêta-bloquants, ergotamine ou médicaments apparentés, antidépresseurs, digitaliques ou inhibiteurs de la mono-amine-oxydase (IMAO).

MÉDICAMENT-ALIMENT
Aucune interaction connue.

MÉDICAMENT-MALADIE
Consultez le médecin dans les cas suivants : antécédents de toxicomanie (surtout de cocaïne), convulsions, lésion cérébrale, maladie cardiaque, arythmie cardiaque, hypertension, troubles de l'anxiété ou maladie thyroïdienne.

EFFETS INDÉSIRABLES

GRAVES
Inhalation : un usage abusif lui fait perdre de son efficacité, la respiration devient plus difficile et ne s'améliore pas. Symptômes : respiration sifflante, toux, essoufflement, confusion, bleuissement des lèvres ou des ongles, incapacité de parler. Sirop : douleur ou constriction thoraciques, arythmies cardiaques, tachycardie, flutter ou battements de cœur très forts, étourdissements, évanouissement, faiblesse grave, céphalées graves.

COURANTS
Difficultés à dormir, sécheresse de la bouche, mal de gorge, nervosité, agitation motrice.

MOINS COURANTS
Tremblements, sudation, céphalées, nausées ou vomissements, bouffées congestives ou rougeur des joues ou autres parties du corps, douleurs musculaires, goût désagréable ou anormal.

ORLISTAT

Présentation : Gélules
En vente libre ? Non   **Générique disponible ?** Non
Classe de médicaments : Inhibiteur des lipases/agent antiobésité

▼ GÉNÉRALITÉS

INDICATIONS

Pour obtenir une perte pondérale ou un maintien pondéral dans le traitement de l'obésité, en association avec un régime hypocalorique et un programme approprié d'exercice physique. L'orlistat est indiqué pour les patients à IMC (indice de masse corporelle) de 30 et plus ou à IMC supérieur à 27 (voir À surveiller, calcul de l'IMC) en présence de facteurs de risque comme l'hypertension, l'hypercholestérolémie et le diabète.

MODE D'ACTION

L'orlistat est un inhibiteur des lipases, enzymes intestinales nécessaires à la digestion des graisses alimentaires ; il empêche ainsi la métabolisation d'une partie des graisses ingérées qui sont alors excrétées dans les fèces. À doses complètes, l'orlistat réduit l'absorption des graisses d'environ 30 %.

▼ MODE D'EMPLOI

POSOLOGIE

120 mg (1 gélule) 3 fois par jour, aux repas.

DÉBUT D'ACTION

En 24 à 48 heures ; plus lent pour la perte de poids.

DURÉE D'ACTION

48 à 72 heures.

CONSEILS NUTRITIONNELS

À prendre avec un liquide durant chaque repas principal contenant du gras ou jusqu'à 1 heure après. Suivez un régime équilibré, pauvre en calories. L'apport quotidien en graisses (le tiers des calories), en hydrates de carbone et en protéines doit être réparti entre les trois repas. Si vous sautez un repas ou s'il ne contient pas de graisses, vous pouvez omettre une dose. Comme l'orlistat peut également réduire l'absorption des vitamines solubles dans la graisse, un supplément multivitaminique (avec vitamines A, D, E et bêta-carotène) doit être pris 1 fois par jour, au moins 2 heures avant ou après la prise d'orlistat.

MODE DE CONSERVATION

Dans un contenant étanche, à l'abri de la chaleur, de l'humidité et de la lumière.

OUBLI D'UNE DOSE

Prenez-la si vous vous en souvenez dans l'heure suivant le repas. S'il s'est écoulé plus de 1 heure, sautez la dose oubliée et reprenez la fréquence normale. Ne doublez pas la dose suivante.

ARRÊT DE LA MÉDICATION

La décision doit être prise en consultation avec le médecin.

USAGE PROLONGÉ

Innocuité et efficacité non établies au-delà de 2 ans.

▼ PRÉCAUTIONS

Plus de 60 ans. Il n'existe pas d'études spécifiques.

Conduite automobile, travaux dangereux. L'orlistat ne devrait pas vous empêcher d'exécuter de telles tâches en toute sécurité.

Alcool. Pas de précautions spéciales.

Grossesse. Il n'existe pas d'études concluantes sur les humains. Avant de prendre de l'orlistat, prévenez le médecin si vous êtes enceinte ou voulez le devenir.

Allaitement. On ne sait pas si l'orlistat passe dans le lait maternel. Mais n'en prenez pas si vous allaitez. Demandez l'avis du médecin.

Nourrissons et enfants. Innocuité et efficacité non établies chez les moins de 18 ans.

À surveiller. Avant le traitement, il est important d'éliminer toute cause médicale à l'obésité (hypothyroïdie). Demandez au médecin ou au diététiste de vous indiquer un régime équilibré et hypocalo-

rique, ainsi qu'un programme d'exercice. Pour calculer votre IMC, divisez votre poids en kilogrammes par votre taille en mètres au carré (ou divisez votre poids en livres par votre taille en pouces au carré, et multipliez le résultat par 705).

SURDOSAGE

Symptômes. Aucun cas n'a été signalé.

Quoi faire. Une surdose est peu probable. Si un patient absorbe une dose beaucoup plus forte que celle prescrite, appelez le médecin.

▼ INTERACTIONS

MÉDICAMENT-MÉDICAMENT

Les médicaments suivants peuvent donner lieu à des interactions : cyclosporine, warfarine, autres agents de perte pondérale (sibutramine, phentermine), ou tout autre médicament pris avec ou sans ordonnance. Consultez le médecin.

MÉDICAMENT-ALIMENT

L'orlistat réduit l'absorption des vitamines A, D, E, et K, ainsi que du bêta-carotène, solubles dans les graisses. Les effets gastro-intestinaux peuvent augmenter après consommation d'aliments très gras ou avec un régime hyperlipidique (plus de 30 % des apports quotidiens en lipides).

MÉDICAMENT-MALADIE

Ne prenez pas d'orlistat en cas de : malabsorption chronique, antécédents de calculs rénaux, troubles de la vessie. Consultez le médecin en cas de troubles alimentaires (anorexie ou boulimie).

 EFFETS INDÉSIRABLES

GRAVES

Aucun effet grave n'a été signalé jusqu'à présent.

COURANTS

Taches huileuses, flatulence avec écoulement fécal, défécation impérieuse, selles graisseuses, évacuation de substances huileuses, défécation accrue, incontinence fécale.

MOINS COURANTS

Douleur ou gêne abdominale.

ORPHÉNADRINE (CITRATE D')

Présentation : Comprimés à libération prolongée, injection
En vente libre ? Oui **Générique disponible ?** Oui
Classe de médicaments : Relaxant musculaire

▼ GÉNÉRALITÉS

INDICATIONS
Soulagement des spasmes musculaires. L'orphénadrine peut être associée à d'autres méthodes de traitement, comme la physiothérapie.

MODE D'ACTION
L'orphénadrine réduit l'activité du système nerveux central (cerveau et moelle épinière), entravant ainsi la transmission des influx nerveux de la moelle épinière vers les muscles.

▼ MODE D'EMPLOI

POSOLOGIE
Adultes et adolescents – Comprimés à libération prolongée : 100 mg, 2 fois par jour, le matin et le soir. Injection : 60 mg en intramusculaire ou en intraveineuse, aux 12 heures, au besoin. Enfants – Indications et posologie doivent être déterminées par le médecin.

DÉBUT D'ACTION
Comprimés : en 1 heure. Injection : en 5 minutes.

DURÉE D'ACTION
Plus de 6 heures.

CONSEILS NUTRITIONNELS
À prendre aux repas ou entre les repas. Pour éviter d'avoir la bouche sèche, buvez beaucoup ou sucez de la glace concassée, si vous le désirez.

MODE DE CONSERVATION
Dans un contenant étanche, à l'abri de la chaleur et de la lumière.

OUBLI D'UNE DOSE
Prenez-la dès que vous y pensez. S'il est presque l'heure de la suivante, sautez la dose oubliée et reprenez la fréquence normale. Ne doublez pas la dose suivante.

 EFFETS INDÉSIRABLES

GRAVES
Évanouissements ; palpitations ou tachycardie ; fièvre ; urticaire et enflure grave du visage, des lèvres ou de la langue avec essoufflement, constriction thoracique ou respiration sifflante (signes d'une réaction allergique potentiellement fatale) ; faible numération globulaire.

COURANTS
Sécheresse de la bouche, somnolence, vertiges.

MOINS COURANTS
Incapacité d'uriner, lésions sur les lèvres, ulcères buccaux, crampes ou douleurs abdominales, maladresse, démarche instable, confusion, constipation, diarrhée, nervosité ou irritabilité, rougeur du visage ou bouffées congestives, céphalées, aigreurs d'estomac, hoquet, faiblesse musculaire, nausées et vomissements, tremblements, insomnie ou accès de sommeil, irritation et rougeur des yeux, congestion nasale.

ARRÊT DE LA MÉDICATION
Cette décision doit être prise par le médecin.

USAGE PROLONGÉ
Un suivi médical régulier, avec examens et analyses, s'impose en cas de traitement prolongé.

▼ PRÉCAUTIONS

Plus de 60 ans. Il n'existe pas de données comparatives sur l'orphénadrine chez les personnes jeunes et âgées.

Conduite automobile, travaux dangereux. À éviter tant que vous ne connaissez les effets du médicament sur vous.

Alcool. À éviter ; l'alcool peut intensifier l'effet sédatif du médicament et provoquer des lésions hépatiques.

Grossesse. L'innocuité de l'orphénadrine durant la grossesse n'a pas été établie. Avant d'en prendre, prévenez le médecin si vous êtes enceinte ou voulez le devenir.

Allaitement. L'orphénadrine peut passer dans le lait maternel, mais n'a pas semblé causer d'ennuis au nourrisson. Demandez l'avis du médecin.

Nourrissons et enfants. Il n'existe pas de données comparatives sur l'orphénadrine chez les nourrissons et enfants et chez les adultes.

À surveiller. Si vous souffrez de sécheresse de la bouche, utilisez des bonbons ou de la gomme sans sucre, de la glace concassée ou un succédané de la salive. Si ce symptôme persiste au-delà de 2 semaines, consultez le dentiste. Ne prenez pas d'orphénadrine si vous êtes allergique à tout autre relaxant musculaire. L'orphénadrine intensifie les effets de l'alcool, des sédatifs et des autres dépresseurs du système nerveux central.

SURDOSAGE
Symptômes. Perturbations du rythme cardiaque, modification de l'humeur, somnolence, convulsions, peau blême et moite, rétention urinaire, perte de conscience.

Quoi faire. Appelez immédiatement le médecin ou le centre antipoison, ou allez à l'urgence.

▼ INTERACTIONS

MÉDICAMENT-MÉDICAMENT
Demandez spécifiquement l'avis du médecin si vous prenez des antidépresseurs tricycliques ou des dépresseurs du système nerveux central.

MÉDICAMENT-ALIMENT
Aucune interaction connue.

MÉDICAMENT-MALADIE
Consultez le médecin en cas d'antécédents de : maladie du tractus digestif, hypertrophie de la prostate, tachycardie, arythmies cardiaques, glaucome, myasthénie grave, occlusion du tractus urinaire, maladie du cœur, du rein ou du foie.

OSELTAMIVIR (PHOSPHATE D')

Présentation : Gélules
En vente libre ? Non   **Générique disponible ?** Non
Classe de médicaments : Antiviral

▼ GÉNÉRALITÉS

INDICATIONS
Traitement de l'influenza de type A ou B chez les patients manifestant des symptômes de grippe depuis un maximum de 2 jours. L'oseltamivir peut réduire la gravité de ces symptômes et raccourcir la durée des épisodes grippaux.

MODE D'ACTION
On croit que l'oseltamivir entrave la synthèse de la neuraminidase, enzyme virale essentielle aux cellules virales pour qu'elles puissent infecter les voies respiratoires et d'autres régions de l'organisme. Le médicament n'agit que contre certaines souches du virus de l'influenza de type A ou B vulnérables à son action.

▼ MODE D'EMPLOI

POSOLOGIE
75 mg, 2 fois par jour, pendant 5 jours. Le traitement doit commencer le plus vite possible et pas plus de 2 jours après l'apparition des symptômes de la grippe.

DÉBUT D'ACTION
Inconnu.

DURÉE D'ACTION
Inconnue.

CONSEILS NUTRITIONNELS
Pas de restrictions spéciales.

MODE DE CONSERVATION
Dans un contenant étanche, à l'abri de la chaleur, de l'humidité et de la lumière.

OUBLI D'UNE DOSE
Prenez-la dès que vous y pensez. Si vous êtes à moins de 2 heures de la suivante, sautez la dose oubliée et reprenez la fréquence normale. Ne doublez pas la dose suivante.

ARRÊT DE LA MÉDICATION
Effectuez le traitement au complet, comme il a été prescrit. Ne l'interrompez pas avant la fin, même si vous vous sentez mieux : cela pourrait amener une rechute.

USAGE PROLONGÉ
Si les symptômes ne s'atténuent pas ou s'ils s'aggravent après quelques jours, demandez au médecin de réévaluer votre cas.

▼ PRÉCAUTIONS

Plus de 60 ans. Pas de risques particuliers.

Conduite automobile, travaux dangereux. À déconseiller tant que vous ne connaissez pas votre réaction au médicament.

Alcool. Pas de précautions spéciales.

Grossesse. Il n'existe pas d'études concluantes. Évaluez avec le médecin les bienfaits et les risques respectifs du traitement.

Allaitement. L'oseltamivir peut passer dans le lait maternel, mais on ne sait pas si le médicament fait courir des risques au nourrisson. Demandez spécifiquement l'avis du médecin.

Nourrissons et enfants. Innocuité et efficacité non établies pour les moins de 18 ans.

À surveiller. Ce médicament ne doit pas se substituer au vaccin contre la grippe. Continuez à vous faire donner ce vaccin chaque année.

SURDOSAGE
Symptômes. Aucun cas de surdosage n'a été signalé. Nausées et vomissements seraient vraisemblablement les symptômes d'une surdose.

Quoi faire. En cas de surdose appréhendée, appelez le médecin ou le centre antipoison, ou allez à l'urgence.

▼ INTERACTIONS

MÉDICAMENT-MÉDICAMENT
Aucune interaction connue.

MÉDICAMENT-ALIMENT
Aucune interaction connue.

MÉDICAMENT-MALADIE
La posologie devrait être réduite pour les patients atteints d'une maladie rénale importante. L'innocuité n'a pas été établie pour les personnes souffrant de maladie du foie.

EFFETS INDÉSIRABLES

GRAVES
Aucun effet indésirable grave n'est associé à l'oseltamivir.

COURANTS
Nausées et vomissements.

MOINS COURANTS
Bronchite, insomnie, vertiges.

OXAPROZINE

Présentation : Caplets
En vente libre ? Non   **Générique disponible ?** Non
Classe de médicaments : Anti-inflammatoire non stéroïdien (AINS)

▼ GÉNÉRALITÉS

INDICATIONS
Contre la douleur et l'inflammation bénignes ou modérées causées par la polyarthrite rhumatoïde et l'arthrose. Quand un AINS se révèle inefficace, le patient peut en essayer un ou plusieurs autres jusqu'à ce qu'il obtienne le soulagement recherché.

MODE D'ACTION
Les AINS entravent la formation des prostaglandines, substances naturelles qui causent l'inflammation et rendent les nerfs plus réceptifs aux impulsions douloureuses. Les AINS ont d'autres modes d'action moins bien connus.

▼ MODE D'EMPLOI

POSOLOGIE
Adultes : 1 200 mg, 1 fois par jour. La dose maximale quotidienne est de 1 800 mg fractionnée en 2 ou 3 prises par jour.

DÉBUT D'ACTION
De 30 minutes à plusieurs heures ou davantage.

DURÉE D'ACTION
Variable.

CONSEILS NUTRITIONNELS
À prendre en mangeant ou avec du lait ; mangez et buvez normalement.

MODE DE CONSERVATION
Dans un contenant étanche, à l'abri de la chaleur, de l'humidité et de la lumière.

OUBLI D'UNE DOSE
Prenez-la dès que vous y pensez. S'il est presque l'heure de la suivante, sautez la dose oubliée et revenez à la fréquence normale. Ne doublez pas la dose suivante.

ARRÊT DE LA MÉDICATION
La décision d'interrompre le traitement doit être prise en consultation avec le médecin.

USAGE PROLONGÉ
Un usage prolongé peut provoquer des troubles gastro-intestinaux et notamment ulcères et saignements, une dysfonction des reins et une inflammation du foie. Demandez au médecin s'il y a lieu d'instaurer un suivi médical régulier, comprenant des analyses de laboratoire.

▼ PRÉCAUTIONS

Plus de 60 ans. Étant donné les risques potentiellement plus grands d'effets indésirables gastro-intestinaux chez les patients âgés, surtout chez les plus de 70 ans, la posologie des anti-inflammatoires non stéroïdiens (AINS) est souvent réduite de moitié.

Conduite automobile, travaux dangereux. À éviter tant que vous ne connaissez pas les effets du médicament sur vous.

Alcool. À éviter ; l'alcool augmente les risques d'irritation gastrique.

Grossesse. Cessez de prendre ce médicament si vous êtes enceinte ou voulez le devenir. Consultez le médecin.

Allaitement. Le médicament passe dans le lait maternel ; n'en prenez pas pendant que vous allaitez. Consultez le médecin.

Nourrissons et enfants. Peut être utilisé dans des circonstances exceptionnelles. Parlez-en au médecin.

À surveiller. Comme les AINS peuvent entraver la coagulation du sang, la médication devrait être interrompue au moins 3 jours avant toute chirurgie.

SURDOSAGE
Symptômes. Nausées graves, vomissements, céphalées, confusion, convulsions.

Quoi faire. Appelez aussitôt le médecin ou le centre anti-poison, ou allez à l'urgence.

▼ INTERACTIONS

MÉDICAMENT-MÉDICAMENT
Ne prenez pas ce médicament en même temps que de l'AAS ou que tout autre AINS sans l'avis du médecin. De plus, prévenez votre médecin si vous prenez : antihypertenseurs, stéroïdes, anticoagulants, antibiotiques, itraconazole ou kétoconazole, plicamycine, pénicillamine, acide valproïque, phénytoïne, cyclosporine, digitaliques, lithium, méthotrexate, probénécide, triamtérène ou zidovudine.

MÉDICAMENT-ALIMENT
Aucune interaction connue.

MÉDICAMENT-MALADIE
Avertissez le médecin en cas de : saignements, inflammation ou ulcères de l'estomac ou de l'intestin, diabète sucré, lupus érythémateux disséminé, anémie, asthme, épilepsie, maladie de Parkinson, calculs rénaux, antécédents de maladie cardiaque ou d'alcoolisme. L'oxaprozine peut entraîner des complications chez les patients atteints d'une maladie du foie ou des reins, puisque ces organes contribuent ensemble à éliminer le médicament de l'organisme.

 **EFFETS INDÉSIRABLES**

GRAVES
Essoufflement ou respiration sifflante, avec ou sans enflure des jambes ou autres signes d'insuffisance cardiaque ; douleur thoracique ; ulcère gastro-duodénal avec vomissements de sang ; selles noires ; baisse de la fonction rénale.

COURANTS
Nausées, vomissements, aigreurs d'estomac, diarrhée, constipation, céphalées, vertiges, insomnie.

MOINS COURANTS
Lésions ou ulcères buccaux, dépression, rash cutané, peau vésiquante, bourdonnements d'oreilles, engourdissement ou fourmillement des mains ou des pieds, convulsions, vision brouillée. Aussi taux élevé de potassium et baisse de la numération globulaire.

OXAZÉPAM

Présentation : Gélules, comprimés
En vente libre ? Non   **Générique disponible ?** Oui
Classe de médicaments : Sédatif (benzodiazépine) ; anxiolytique

▼ GÉNÉRALITÉS

INDICATIONS
Traitement de l'anxiété. Aussi, prévention des symptômes de sevrage alcoolique.

MODE D'ACTION
En général, l'oxazépam produit un léger effet sédatif en déprimant l'activité du système nerveux central (cerveau et moelle épinière). Plus spécifiquement, l'oxazépam semble intensifier l'effet de l'acide gamma-aminobutyrique (GABA), élément chimique naturel qui inhibe les décharges des neurones et réduit la transmission des signaux nerveux, diminuant ainsi l'excitation nerveuse.

▼ MODE D'EMPLOI

POSOLOGIE
Anxiété – Adultes : 10 à 30 mg, 1 à 4 fois par jour. Personnes âgées : dose initiale, 10 mg, 1 à 3 fois par jour ; la posologie peut être augmentée à un maximum de 15 mg par dose, 4 fois par jour. Symptômes de sevrage des alcooliques – La posologie est établie par le médecin en fonction de chaque patient.

DÉBUT D'ACTION
En 30 minutes à 2 heures.

DURÉE D'ACTION
8 à 12 heures.

CONSEILS NUTRITIONNELS
L'oxazépam peut se prendre avec de la nourriture pour prévenir les dérangements gastro-intestinaux.

MODE DE CONSERVATION
Dans un contenant étanche, à l'abri de la chaleur, de l'humidité et de la lumière.

OUBLI D'UNE DOSE
Prenez-la dès que vous y pensez. S'il est presque l'heure de la suivante, sautez la dose oubliée et reprenez la fréquence normale. Ne doublez pas la dose suivante.

ARRÊT DE LA MÉDICATION
Une interruption brusque du traitement peut produire des symptômes de sevrage. La posologie doit être réduite graduellement selon les instructions de votre médecin.

USAGE PROLONGÉ
La thérapie est généralement de courte durée (8 semaines ou moins) ; ne la prolongez pas sans l'avis du médecin.

▼ PRÉCAUTIONS

Plus de 60 ans. Il peut y avoir lieu de réduire les doses.

Conduite automobile, travaux dangereux. L'oxazépam peut réduire la vigilance et la coordination. Réglez vos activités en conséquence.

Alcool. À éviter.

Grossesse. À éviter autant que possible durant la grossesse. N'oubliez pas d'avertir le médecin que vous êtes enceinte ou voulez le devenir.

Allaitement. L'oxazépam passe dans le lait maternel ; n'en prenez pas si vous allaitez.

Nourrissons et enfants. Il ne faut administrer de l'oxazépam à des enfants que sous étroite surveillance médicale.

À surveiller. Ce médicament peut entraîner de la dépendance psychologique et physiologique. Ne dépassez jamais la dose quotidienne prescrite.

SURDOSAGE
Symptômes. Grande somnolence, confusion, difficultés d'élocution, réflexes lents, manque de coordination, démarche chancelante, tremblements, respiration lente, perte de conscience.

Quoi faire. Appelez immédiatement le médecin ou le centre antipoison, ou allez à l'urgence.

▼ INTERACTIONS

MÉDICAMENT-MÉDICAMENT
Divers médicaments peuvent entrer en interaction avec l'oxazépam. Demandez spécifiquement l'avis du médecin si vous prenez des dépresseurs du système nerveux central : antihistaminiques, antidépresseurs ou autres antipsychotiques, barbituriques, sédatifs, antitussifs, décongestionnants et analgésiques. Signalez aussi au médecin tous les médicaments que vous prenez sans ordonnance.

MÉDICAMENT-ALIMENT
Aucune interaction connue.

MÉDICAMENT-MALADIE
Avertissez le médecin en cas de : antécédents de toxicomanie ou alcoolisme, d'accident cérébrovasculaire (ACV) ou d'autre maladie du cerveau ; maladie pulmonaire chronique, hyperactivité, dépression ou autre maladie mentale, myasthénie grave, apnée du sommeil, épilepsie, porphyrie, glaucome, maladie des reins ou du foie.

 EFFETS INDÉSIRABLES

GRAVES
Difficultés à se concentrer, accès de colère, autres problèmes de comportement, dépression, hallucinations, hypotension (avec évanouissement ou confusion), troubles de la mémoire, faiblesse musculaire, rash cutané ou démangeaisons, mal de gorge, fièvre et frissons, lésions ou ulcères dans la gorge ou la bouche, ecchymoses ou saignements anormaux, fatigue extrême, jaunissement des yeux ou de la peau.

COURANTS
Somnolence, incoordination, démarche mal assurée, vertiges, étourdissements, difficultés d'élocution.

MOINS COURANTS
Modification de la libido, impuissance, constipation, euphorie, nausées et vomissements, troubles urinaires, fatigue inhabituelle.

OXYBUTYNINE (CHLORURE D')

NOMS COMMERCIAUX

Albert Oxybutynin, Apo-Oxybutynin, Ditropan, Dom-Oxybutynin, Gen-Oxybutynin, Novo-Oxybutynin, Nu-Oxybutyn, Oxybutyn, Oxybutynine-5, PMS-Oxybutynin, Riva-Oxybutynin

Présentation : Sirop, comprimés
En vente libre ? Non   **Générique disponible ?** Oui
Classe de médicaments : Antispasmodique

▼ GÉNÉRALITÉS

INDICATIONS
Traitement des spasmes musculaires de la vessie et des mictions fréquentes qu'ils entraînent.

MODE D'ACTION
L'oxybutynine relâche les cellules de la musculature lisse du tractus urinaire et augmente la capacité de la vessie.

▼ MODE D'EMPLOI

POSOLOGIE
Sirop ou comprimés – Adultes : 5 mg, 2 ou 3 fois par jour. La posologie peut être augmentée graduellement par le médecin, sans dépasser 20 mg par jour. Enfants, 5 à 12 ans : 5 mg, 2 fois par jour.

DÉBUT D'ACTION
En 30 à 60 minutes.

DURÉE D'ACTION
6 à 10 heures.

CONSEILS NUTRITIONNELS
À prendre à jeun, avec de l'eau. Peut se prendre avec un aliment pour prévenir les dérangements d'estomac.

MODE DE CONSERVATION
Dans un contenant étanche, à l'abri de la chaleur et de la lumière. Gardez le sirop au réfrigérateur, mais ne le faites pas congeler.

OUBLI D'UNE DOSE
Prenez-la dès que vous y pensez. S'il est presque l'heure de la suivante, sautez la dose oubliée et reprenez la fréquence normale. Ne doublez pas la dose suivante.

ARRÊT DE LA MÉDICATION
La décision doit être prise par le médecin.

USAGE PROLONGÉ
Un suivi médical s'impose en cas d'usage prolongé.

▼ PRÉCAUTIONS

Plus de 60 ans. Risques de réactions indésirables plus fréquentes et plus graves.

Conduite automobile, travaux dangereux. À déconseiller tant que vous ne connaissez pas votre réaction au médicament.

Alcool. À éviter.

Grossesse. L'oxybutynine n'a pas causé d'anomalies congénitales chez les animaux. Il n'existe pas d'études concluantes sur les humains. Demandez conseil au médecin.

Allaitement. On n'a pas signalé que l'oxybutynine nuisait au nourrisson, mais comme il réduit la lactation, il peut rendre l'allaitement difficile.

Nourrissons et enfants. La posologie appropriée aux enfants de moins de 5 ans n'a pas été déterminée.

À surveiller. Portez des lunettes de soleil et évitez de vous exposer à la lumière vive si le médicament augmente votre sensibilité au soleil. Prenez garde d'avoir très chaud durant les grandes chaleurs ou l'exercice, car l'oxybutynine entrave la sudation et rend plus probable un coup de chaleur. Pour soulager la sécheresse de la bouche, du nez ou de la gorge, sucez de la gomme et des bonbons sans sucre ou de la glace concassée. Si la sécheresse persiste au-delà de 2 semaines, communiquez avec le médecin ou le dentiste.

SURDOSAGE
Symptômes. Bouffées congestives, fièvre, confusion, maladresse, somnolence grave, tachycardie, hallucinations, difficultés respiratoires, nervosité anormale, agitation motrice ou irritabilité.

Quoi faire. Il est peu probable qu'une surdose mette votre vie en danger. Néanmoins, si la dose est très forte, appelez immédiatement le médecin ou le centre anti-poison, ou allez à l'urgence.

▼ INTERACTIONS

MÉDICAMENT-MÉDICAMENT
Demandez l'avis du médecin si vous prenez : amantadine, anticholinergiques, antidépresseurs, antidyskinétiques (antiparkinsoniens et médicaments apparentés), antihistaminiques, antipsychotiques, carbamazépine, cyclobenzaprine, disopyramide, flavoxate, ipratropium, méclizine, méthylphénidate, orphénadrine, procaïnamide, prométhazine, quinidine ou triméprazine.

MÉDICAMENT-ALIMENT
Aucune interaction connue.

MÉDICAMENT-MALADIE
Consultez votre médecin en cas de : saignement grave, colite, hypertrophie de la prostate, glaucome, maladie cardiaque, sécheresse de la bouche grave et persistante, hernie hiatale, hypertension, toute affection de l'estomac ou de l'intestin, myasthénie grave, toxémie gravidique, tout trouble de la miction ou hyperthyroïdie. L'oxybutynine peut entraîner des complications chez les patients qui ont une maladie du foie ou du rein, puisque ces organes contribuent ensemble à éliminer le médicament de l'organisme.

 EFFETS INDÉSIRABLES

GRAVES
Douleur oculaire, rash cutané ou urticaire.

COURANTS
Constipation, diminution de la sudation, somnolence, sécheresse de la bouche, du nez et de la gorge.

MOINS COURANTS
Vision brouillée, baisse de la libido, mictions difficiles, déglutition difficile, céphalées, sensibilité accrue des yeux à la lumière, nausées ou vomissements, insomnie, fatigue anormale, baisse de la lactation.

OXYCODONE (CHLORHYDRATE DE)

Présentation : Comprimés, comprimés à libération contrôlée, caplets, suppositoires
En vente libre ? Non **Générique disponible ?** Non
Classe de médicaments : Analgésique opioïde (narcotique)

▼ GÉNÉRALITÉS

INDICATIONS
Soulagement des douleurs de modérées à intenses.

MODE D'ACTION
Les analgésiques opioïdes comme l'oxycodone soulagent la douleur en agissant sur des centres spécifiques du système nerveux central (moelle épinière et cerveau) où se traitent les signaux douloureux émis par les nerfs dans le corps.

▼ MODE D'EMPLOI

POSOLOGIE
Adultes : dose initiale, 5 à 10 mg aux 6 heures. Dès que la dose quotidienne d'oxycodone est déterminée, vous pouvez passer à l'Oxy-Contin à la même posologie quotidienne totale d'oxycodone, divisée en 2 doses égales d'OxyContin, adminis-trées à 12 heures d'inter-valle. Enfants : la posologie sera déterminé par le pédia-tre. Comprimés à libération contrôlée : le médecin fixera les doses.

DÉBUT D'ACTION
En 10 à 15 minutes.

DURÉE D'ACTION
3 à 6 heures.

CONSEILS NUTRITIONNELS
À prendre avec un aliment ou du lait pour contrecarrer les maux d'estomac.

MODE DE CONSERVATION
Dans un contenant étanche, à l'abri de la chaleur, de l'humi-dité et de la lumière.

OUBLI D'UNE DOSE
Si vous prenez de l'oxyco-done à heure fixe, prenez la dose oubliée dès que vous y pensez. S'il est presque l'heu-re de la suivante, sautez la dose oubliée et reprenez la fréquence normale. Ne dou-blez pas la dose suivante.

ARRÊT DE LA MÉDICATION
Cette décision doit être prise par votre médecin.

USAGE PROLONGÉ
Un suivi médical régulier, avec examens et analyses, s'impose alors. Un usage pro-longé peut provoquer de la dépendance physique.

▼ PRÉCAUTIONS

Plus de 60 ans. Risques de réactions indésirables plus fréquentes et plus graves.

Conduite automobile, tra-vaux dangereux. À éviter tant que vous ne connaissez pas les effets du médicament sur vous.

Alcool. À éviter.

Grossesse. Il n'y a pas eu d'études sur les humains. Avant de prendre de l'oxyco-done, prévenez le médecin si vous êtes enceinte ou que vous voulez le devenir. Un usage abusif du médicament durant la grossesse peut causer de la dépendance chez le fœtus.

Allaitement. L'oxycodone peut passer dans le lait mater-nel : la prudence s'impose. Demandez spécifiquement l'avis du médecin.

Nourrissons et enfants. Les réactions indésirables peuvent être plus fréquentes et plus graves chez les enfants. Demandez spécifiquement l'avis du médecin.

À surveiller. Si vous avez l'impression, après quelques semaines, que le médicament ne donne pas les résultats attendus, n'augmentez pas les doses. Consultez le médecin. Avant toute chirurgie, préve-nez le médecin ou le dentiste que vous prenez de l'oxyco-done. Les comprimés à libération contrôlée ne sont généralement prescrits qu'aux patients qui tolèrent les opioïdes et qui ont besoin de doses quotidiennes de 160 mg ou plus.

SURDOSAGE
Symptômes. Confusion ; somnolence, faiblesse ou vertiges graves ; difficultés d'élocution ; constriction des pupilles ; peau froide et moite ; respiration lente ; convulsions ; perte de conscience.

Quoi faire. Appelez immé-diatement le médecin ou le centre antipoison, ou allez à l'urgence.

▼ INTERACTIONS

MÉDICAMENT-MÉDICAMENT
Demandez l'avis du médecin si vous prenez : carbamazé-pine ou autres anticonvulsi-vants, barbituriques, sédatifs, antitussifs, décongestion-nants, antidépresseurs, autres analgésiques sur ordonnance, inhibiteurs de la monoamine-oxydase (IMAO), naltrexone, rifampine ou zidovudine.

MÉDICAMENT-ALIMENT
Aucune interaction connue.

MÉDICAMENT-MALADIE
Avertissez le médecin en cas de : antécédents d'alcoolisme ou de toxicomanie ; maladie psychique ; troubles du cer-veau ou traumatisme crânien ; convulsions ; maladie pulmo-naire ; troubles de la prostate ou autres troubles urinaires ; calculs biliaires ; colite ; mala-die du cœur, du rein, du foie ou de la thyroïde.

  EFFETS INDÉSIRABLES

GRAVES
Les effets graves se confondent avec ceux d'une surdose : confusion ; somnolence, faiblesse ou vertiges graves ; difficultés d'élocution ; rétrécissement des pupilles ; peau froide et moite ; respiration lente ; convulsions ; perte de conscience.

COURANTS
Vertiges ou étourdissements, nausées ou vomissements, somnolence, constipation, démangeaisons, bouche sèche.

MOINS COURANTS
Enflure des pieds, sudation, euphorie, rétention urinaire.

OXYCODONE/AAS

Présentation : Comprimés
En vente libre ? Non **Générique disponible ?** Oui
Classe de médicaments : Analgésique opioïde (narcotique)

▼ GÉNÉRALITÉS

INDICATIONS
Soulagement des douleurs modérées à sévères quand les analgésiques en vente libre ne donnent pas les résultats souhaités. L'association d'un analgésique narcotique comme l'oxycodone et de l'acide acétylsalicylique (AAS) peut être plus efficace que chacun de ces deux produits employé seul et à des doses plus faibles de chacun.

MODE D'ACTION
Les opioïdes, comme l'oxycodone, soulagent la douleur en agissant sur des centres spécifiques du système nerveux central (moelle épinière et cerveau) où se traitent les signaux douloureux émis par les nerfs dans le corps. Les anti-inflammatoires non stéroïdiens (AINS), comme l'AAS, entravent la libération des prostaglandines, éléments chimiques naturels reliés à l'inflammation.

▼ MODE D'EMPLOI

POSOLOGIE
Adultes : 1 ou 2 comprimés-demi or 1 comprimé aux 6 heures au besoin. Adolescents : ½ comprimé-demi aux 6 heures au besoin. Enfants de 6 à 12 ans : ¼ comprimé-demi aux 6 heures au besoin.

DÉBUT D'ACTION
Inconnu.

DURÉE D'ACTION
Inconnue.

CONSEILS NUTRITIONNELS
À prendre avec un aliment ou un verre d'eau pour réduire l'irritation gastrique.

MODE DE CONSERVATION
Dans un contenant étanche, à l'abri de la chaleur, de l'humidité et de la lumière.

OUBLI D'UNE DOSE
Si vous prenez le médicament à heure fixe, prenez la dose oubliée dès que vous y pensez. S'il est presque l'heure de la suivante, sautez la dose oubliée et reprenez la fréquence normale. Ne doublez pas la dose suivante.

ARRÊT DE LA MÉDICATION
La décision doit être prise en consultation avec le médecin.

USAGE PROLONGÉ
Un suivi médical, avec examens et analyses, s'impose si vous devez prendre le médicament durant une longue période.

≋ EFFETS INDÉSIRABLES ≋

GRAVES
Se confondent avec ceux d'une surdose. Voir Surdosage.

COURANTS
Étourdissements, vertiges, somnolence, nausées, vomissements.

MOINS COURANTS
Euphorie, dépression, constipation, démangeaisons.

▼ PRÉCAUTIONS

Plus de 60 ans. Risques de réactions indésirables plus fréquentes et plus graves.

Conduite automobile, travaux dangereux. À éviter tant que vous ne connaissez pas les effets du médicament.

Alcool. À éviter.

Grossesse. Avant de prendre ce médicament, avisez le médecin si vous êtes enceinte ou voulez le devenir. Un usage abusif durant la grossesse peut causer de la dépendance chez le fœtus.

Allaitement. On ne sait pas si le médicament passe dans le lait maternel : la prudence s'impose. Demandez conseil au médecin.

Nourrissons et enfants. Réactions indésirables plus fréquentes et plus graves. Le médicament ne devrait pas être administré aux enfants qui ont ou viennent d'avoir une infection virale comme la varicelle ou la grippe. L'AAS a été relié à une maladie rare, mais potentiellement fatale, le syndrome de Reye. Demandez conseil au médecin.

À surveiller. Si, après quelques semaines, le médicament ne semble pas donner les résultats attendus, n'augmentez pas les doses. Consultez le médecin. L'usage prolongé de narcotiques peut provoquer une dépendance physique ou psychique.

SURDOSAGE
Symptômes. Perte de l'ouïe, sang dans l'urine, peau froide et moite, confusion, convulsions, diarrhée, vertiges, étourdissements ou somnolence graves, surexcitation, nervosité ou agitation motrice, fièvre, hallucinations, céphalée grave ou tenace, sudation ou soif accrues, nausées ou vomissements graves ou persistants, pupilles rétrécies, acouphènes, essoufflement ou respiration difficile, battements de cœur lents, douleur abdominale, troubles de la vue, faiblesse grave.

Quoi faire. Appelez aussitôt le médecin ou le centre antipoison, ou allez à l'urgence.

▼ INTERACTIONS

MÉDICAMENT-MÉDICAMENT
Consultez le médecin si vous prenez : médicaments contenant de l'AAS ou autres AINS (ibuprofène, kétoprofène ou naproxène), acétaminophène, dépresseurs du système nerveux central (antihistaminiques, médicaments contre rhume des foins, allergies ou rhume), barbituriques, anticoagulants, anticonvulsivants, relaxants musculaires, anesthésiants, tranquillisants, sédatifs ou somnifères.

MÉDICAMENT-ALIMENT
Aucune interaction connue.

MÉDICAMENT MALADIE
Consultez le médecin en cas de : traumatisme crânien ou maladie du cerveau, hypothyroïdie, hypertrophie de la prostate, convulsions, maladie du rein ou du foie, problèmes de la vésicule biliaire, asthme, diarrhée liée aux antibiotiques ou à une intoxication, ulcère gastro-duodénal, troubles du sang, antécédents d'alcoolisme ou de toxicomanie.

OXYCODONE/ACÉTAMINOPHÈNE

NOMS COMMERCIAUX

Endocet, Oxycocet, Percocet, Percocet-Demi

Présentation : Gélules, comprimés
En vente libre ? Non   **Générique disponible ?** Oui
Classe de médicaments : Analgésique opioïde (narcotique)

▼ GÉNÉRALITÉS

INDICATIONS
Soulagement des douleurs de modérées à graves quand les analgésiques en vente libre ne donnent pas les résultats souhaités. L'association d'un analgésique narcotique comme l'oxycodone et de l'acétaminophène peut être plus efficace que chacun de ces deux produits employé seul, et à des doses plus faibles de chacun.

MODE D'ACTION
L'oxycodone agit sur des centres spécifiques du système nerveux central (moelle épinière et cerveau) où se traitent les signaux douloureux émis par les nerfs dans le corps. L'acétaminophène semble entraver l'action des prostaglandines, substances naturelles qui causent l'inflammation et rendent les nerfs plus sensibles aux impulsions douloureuses.

▼ MODE D'EMPLOI

POSOLOGIE
Varie selon les produits. La fréquence des doses est aux 6 heures au besoin.

DÉBUT D'ACTION
Inconnu.

DURÉE D'ACTION
Inconnue.

CONSEILS NUTRITIONNELS
À prendre avec de la nourriture ou du lait contre les maux d'estomac.

MODE DE CONSERVATION
Dans un contenant étanche, à l'abri de la chaleur, de l'humidité et de la lumière.

OUBLI D'UNE DOSE
Si vous prenez le médicament à heure fixe, prenez la dose oubliée dès que vous y pensez. S'il est presque l'heure de la suivante, sautez la dose oubliée et reprenez la fré-

quence normale. Ne doublez pas la dose suivante.

ARRÊT DE LA MÉDICATION
Cette décision doit être prise par le médecin.

USAGE PROLONGÉ
Un suivi médical s'impose si vous devez prendre le médicament longtemps. Un usage prolongé de l'oxycodone peut provoquer de la dépendance physique. Un usage prolongé de l'acétaminophène à fortes doses peut entraîner des lésions hépatiques.

▼ PRÉCAUTIONS

Plus de 60 ans. Risques de réactions indésirables plus fréquentes et plus graves.

Conduite automobile, travaux dangereux. À déconseiller tant que vous ne connaissez pas votre réaction au médicament.

Alcool. À éviter.

Grossesse. Il n'y a pas eu d'études sur les humains. Avant de prendre ce médicament, avisez le médecin que vous êtes enceinte ou voulez le devenir. Un usage abusif durant la grossesse peut causer de la dépendance fœtale.

Allaitement. On ne sait pas si le médicament passe dans le lait maternel : la prudence s'impose. Voyez le médecin.

Nourrissons et enfants. Réactions indésirables plus fréquentes et plus graves.

À surveiller. Si, après quelques semaines, le médicament ne donne pas les effets

attendus, n'augmentez pas les doses. Consultez le médecin.

SURDOSAGE
Symptômes. Vertiges ou somnolence graves ; peau froide et moite ; respiration difficile ou lente, essoufflement ; confusion grave ; convulsions ; crampes ou douleur d'estomac ; diarrhée ; hypotension ; sudation ; rétrécissement des pupilles ; nausées ou vomissements ; arythmies ; faiblesse grave.

Quoi faire. Appelez aussitôt le médecin ou le centre antipoison, ou allez à l'urgence.

▼ INTERACTIONS

MÉDICAMENT-MÉDICAMENT
Demandez l'avis du médecin sur tous les médicaments que vous prenez avec ou sans ordonnance et surtout ceux-ci : médicaments contenant de l'acétaminophène, dépresseurs du système nerveux central (antihistaminiques ou médicaments contre le rhume des foins, les allergies ou le rhume), barbituriques, anticonvulsivants, relaxants musculaires, anesthésiques, tranquillisants, sédatifs ou somnifères.

MÉDICAMENT-ALIMENT
Aucune interaction connue.

MÉDICAMENT-MALADIE
Consultez le médecin en cas de : traumatisme crânien ou maladie du cerveau, hypothyroïdie, hypertrophie de la prostate, convulsions, maladie du rein ou du foie, problèmes à la vésicule biliaire, troubles du sang, antécédents d'alcoolisme ou de toxicomanie.

≡ EFFETS INDÉSIRABLES ≡

GRAVES
Urine sanglante, noire ou brouillée ; douleur vive dans le bas du dos ou le côté ; selles pâles ou noires et goudronneuses ; jaunissement des yeux et de la peau ; hallucinations ; besoin fréquent d'uriner ; miction douloureuse ou difficile ; diminution subite du débit urinaire ; ecchymoses ou saignements anormaux ; arythmies cardiaques ; rash cutané, urticaire ou démangeaisons ; excitation anormale ; enflure du visage ; confusion ; tremblements ou mouvements musculaires involontaires ; rougeur ou bouffées dans le visage.

COURANTS
Vertiges, étourdissements, nausées ou vomissements, somnolence, constipation.

MOINS COURANTS
Réactions allergiques, euphorie, dépression, perte d'appétit, vision brouillée ou modifiée, céphalées, sudation.

OXYMÉTAZOLINE (NASAL)

NOMS COMMERCIAUX

Dristan (vaporisateur/ atomiseur nasal à action prolongée), Drixoral (solution nasale décongestionnante), Long-Acting Nasal Spray/Mist, Vicks Sinex (atomiseur nasal)

Présentation : Gouttes nasales, vaporisateur/atomiseur nasal
En vente libre ? Oui   **Générique disponible ?** Oui
Classe de médicaments : Décongestionnant

▼ GÉNÉRALITÉS

INDICATIONS
Soulagement de la congestion nasale provoquée par les allergies, le rhume ou la sinusite.

MODE D'ACTION
L'oxymétazoline provoque la constriction des vaisseaux sanguins, réduisant ainsi l'irrigation des voies nasales enflées et des autres tissus, ce qui diminue les sécrétions nasales et améliore le passage de l'air.

▼ MODE D'EMPLOI

POSOLOGIE
Adultes et enfants de 6 ans ou plus : 2 ou 3 gouttes ou jets de solution à 0,05 % dans chaque narine, 2 fois par jour, le matin et le soir. Enfants de 2 à 6 ans : consultez le médecin.

DÉBUT D'ACTION
Rapide.

DURÉE D'ACTION
Inconnue.

CONSEILS NUTRITIONNELS
Buvez beaucoup.

MODE DE CONSERVATION
Dans un contenant étanche, à l'abri de la chaleur et de la lumière.

OUBLI D'UNE DOSE
Prenez-la dès que vous y pensez. S'il est presque l'heure de la suivante, sautez la dose oubliée et reprenez la fréquence normale. Ne doublez pas la dose suivante.

ARRÊT DE LA MÉDICATION
Ne prenez pas ce médicament pendant plus de 3 jours sans consulter le médecin.

USAGE PROLONGÉ
Au-delà de 3 jours, il peut se produire une congestion de rebond (plus grave, par adaptation de l'organisme au médicament).

▼ PRÉCAUTIONS

Plus de 60 ans. Bien qu'il n'existe pas d'études spécifiques sur ce groupe, aucun problème n'est appréhendé.

Conduite automobile, travaux dangereux. À déconseiller tant que vous ne connaissez pas votre réaction au médicament.

Alcool. À éviter.

Grossesse. L'innocuité du médicament durant la grossesse n'a pas été établie.

Allaitement. On ne sait pas si l'oxymétazoline passe dans le lait maternel : la prudence s'impose. Demandez conseil à votre médecin.

Nourrissons et enfants. Non recommandé aux moins de 6 ans.

À surveiller. Pour que l'infection ne se propage pas, chaque flacon ne doit servir qu'à une seule personne. Mouchez-vous doucement avant de prendre la médication. Gouttes nasales : renversez-vous la tête en arrière ou allongez-vous sur le lit et laissez pendre la tête sur le côté. Après l'instillation, gardez la tête dans la même position pendant quelques minutes. Vaporisateur nasal : tenez la tête droite et inspirez par petits coups durant la vaporisation. Pour obtenir de meilleurs résultats, répétez le traitement 3 à 5 minutes plus tard.

SURDOSAGE
Symptômes. Rythme cardiaque rapide, irrégulier ou très fort ; céphalée ou vertiges ; sudation accrue ; nervosité ; tremblements ; pâleur ; insomnie. De tels symptômes sont surtout visibles chez les jeunes enfants.

Quoi faire. Si un patient prend une dose bien supérieure à la posologie recommandée, appelez aussitôt le médecin ou le centre antipoison, ou allez à l'urgence.

▼ INTERACTIONS

MÉDICAMENT-MÉDICAMENT
Avant de prendre de l'oxymétazoline, avertissez le médecin si vous prenez : maprotiline, antidépresseurs tricycliques ou inhibiteurs de la monoamine-oxydase (IMAO).

MÉDICAMENT-ALIMENT
Aucune interaction connue.

MÉDICAMENT-MALADIE
Consultez le médecin en cas d'antécédents de : hypertension, glaucome, diabète sucré, maladie cardiaque, maladie des vaisseaux sanguins ou hyperthyroïdie.

 EFFETS INDÉSIRABLES

GRAVES
Aucun effet indésirable grave n'a été signalé.

COURANTS
Sensation de brûlure, de sécheresse ou de picotement dans le nez. Une augmentation des sécrétions nasales peut se produire après 3 à 5 jours d'administration continue.

MOINS COURANTS
Céphalée, fréquence cardiaque rapide ou irrégulière, surexcitation, agitation motrice.

OXYMÉTAZOLINE OPHTALMIQUE

Présentation : Solution ophtalmique
En vente libre ? Oui **Générique disponible ?** Non
Classe de médicaments : Décongestionnant pour les yeux

▼ GÉNÉRALITÉS

INDICATIONS
Traitement de la rougeur de l'œil provoquée par une irritation mineure ou une conjonctivite allergique.

MODE D'ACTION
L'oxymétazoline ophtalmique réduit la rougeur en provoquant la constriction des vaisseaux sanguins superficiels qui se trouvent dans le blanc (sclérotique) de l'œil.

▼ MODE D'EMPLOI

POSOLOGIE
Irritation – Adultes et enfants de 6 ans et plus : 1 à 2 gouttes aux 6 heures dans l'œil affecté, au besoin. Conjonctivite allergique : 1 à 2 gouttes 3 ou 4 fois par jour, habituellement pendant 7 à 10 jours.

DÉBUT D'ACTION
Rapide, en 5 minutes.

DURÉE D'ACTION
Environ 6 heures.

CONSEILS NUTRITIONNELS
Pas de restrictions spéciales.

MODE DE CONSERVATION
Dans un contenant étanche, à l'abri de la chaleur, de l'humidité et de la lumière. Ne faites pas congeler la solution.

OUBLI D'UNE DOSE
Instillez le médicament dès que vous y pensez. S'il est presque l'heure de la dose suivante, sautez la dose oubliée et reprenez la fréquence normale. Ne doublez pas la dose suivante.

ARRÊT DE LA MÉDICATION
Irritation de l'œil : n'utilisez pas le médicament pendant plus de 3 jours sans consulter le médecin.

USAGE PROLONGÉ
Consultez le médecin si vous avez l'intention d'utiliser le médicament durant plus de 3 jours.

▼ PRÉCAUTIONS

Plus de 60 ans. Bien qu'il n'existe pas d'études spécifiques, on ne s'attend pas à des problèmes spéciaux.

Conduite automobile, travaux dangereux. À déconseiller tant que vous ne connaissez pas votre réaction au médicament.

Alcool. Pas de précautions spéciales.

Grossesse. On ne redoute aucun problème, mais on n'a pas étudié les effets du médicament sur les humains durant la grossesse. Consultez le médecin.

Allaitement. On ne redoute aucun problème, mais on n'a pas étudié les effets du médicament sur les humains durant l'allaitement. Consultez le médecin.

Nourrissons et enfants. Innocuité et efficacité non déterminées chez les enfants de moins de 6 ans.

À surveiller. Avant l'application, lavez-vous les mains. Renversez la tête en arrière. Appuyez doucement dans l'angle interne de la paupière et avec l'index de la même main, tirez la paupière inférieure vers le bas. Laissez tomber les gouttes dans l'espace ainsi créé et fermez l'œil. Appuyez pendant 1 ou 2 minutes tout en gardant l'œil fermé sans cligner. Puis, lavez-vous de nouveau les mains. Le bout du compte-gouttes ne doit toucher ni l'œil, ni votre doigt, ni rien d'autre. N'utilisez pas ces gouttes pendant que vous portez des verres de contact.

SURDOSAGE
Symptômes. Vertiges ; céphalées ; battements cardiaques rapides, irréguliers ou très forts ; tremblements ; insomnie.

Quoi faire. Appelez immédiatement le médecin ou le centre antipoison, ou allez à l'urgence.

▼ INTERACTIONS

MÉDICAMENT-MÉDICAMENT
Avant de prendre de l'oxymétazoline, avertissez le médecin si vous prenez de la maprotiline ou des antidépresseurs tricycliques.

MÉDICAMENT-ALIMENT
Aucune interaction connue.

MÉDICAMENT-MALADIE
L'oxymétazoline demande qu'on soit prudent. Consultez le médecin si vous avez des antécédents de : hypertension ; maladie, infection ou lésion oculaires ; glaucome à angle fermé ; maladie cardiaque ; diabète ; maladie des vaisseaux sanguins ; hyperthyroïdie.

 EFFETS INDÉSIRABLES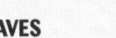

GRAVES
Douleur oculaire, modifications de la vision.

COURANTS
Aucun effet indésirable courant n'a été signalé.

MOINS COURANTS
Céphalée, tachycardie, arythmie cardiaque, excitabilité, agitation motrice, rougeur accrue de l'œil.

PACLITAXEL INJECTABLE

Présentation : Injection
En vente libre ? Non   **Générique disponible ?** Non
Classe de médicaments : Antinéoplasique (anticancéreux)

▼ GÉNÉRALITÉS

INDICATIONS
Traitement du cancer de l'ovaire, du sein ou du poumon en monothérapie ou en association avec un autre médicament.

MODE D'ACTION
Le paclitaxel intervient dans les phases essentielles de la division cellulaire, empêchant les cellules cancéreuses de se multiplier. Le médicament peut également affecter la santé et la croissance d'autres sortes de cellules et provoquer ainsi des effets indésirables.

▼ MODE D'EMPLOI

POSOLOGIE
175 mg par mètre carré de surface corporelle toutes les 3 semaines.

DÉBUT D'ACTION
Inconnu.

DURÉE D'ACTION
Inconnue.

CONSEILS NUTRITIONNELS
Buvez et mangez suffisamment. Les besoins en calories, en protéines et en vitamines augmentent chez les cancéreux.

MODE DE CONSERVATION
Sans objet ; le médicament s'administre seulement dans un centre de santé.

OUBLI D'UNE DOSE
Sans objet ; le médicament est administré par un médecin ou un professionnel de la santé.

ARRÊT DE LA MÉDICATION
Cette décision doit être prise par votre médecin.

USAGE PROLONGÉ
Un suivi médical, avec examens et analyses, s'impose si vous avez à prendre ce médicament sur une période prolongée.

▼ PRÉCAUTIONS

Plus de 60 ans. Pas de risques connus.

Conduite automobile, travaux dangereux. À déconseiller tant que vous ne connaissez pas votre réaction au médicament.

Alcool. À éviter.

Grossesse. Le paclitaxel a provoqué des avortements et la mort du fœtus chez des animaux. Évitez d'être enceinte durant le traitement et avertissez immédiatement le médecin si vous le devenez.

Allaitement. Le paclitaxel peut passer dans le lait maternel ; n'allaitez pas si vous en prenez.

Nourrissons et enfants. On ne possède pas de données comparatives sur l'administration du paclitaxel aux enfants par rapport aux adultes. Innocuité et efficacité non établies.

À surveiller. Ne vous faites pas vacciner durant le traitement au paclitaxel sans en parler au médecin. Évitez les personnes souffrant d'infections. Utilisez brosse à dents, soie dentaire ou cure-dents avec prudence. Consultez le médecin avant de subir des travaux dentaires. Ne vous touchez pas les yeux ni l'intérieur du nez sans vous être

auparavant lavé les mains. Prenez soin de ne pas vous couper quand vous utilisez des objets tranchants comme un rasoir. Évitez les sports de contact et toute activité où vous pourriez subir des ecchymoses.

SURDOSAGE
Symptômes. Des doses très fortes durant une période prolongée peuvent causer faiblesse, fatigue et résistance réduite aux infections (par anémie), engourdissement ou picotement des extrémités (par dommage aux nerfs périphériques) et inflammation accrue des muqueuses.

Quoi faire. Communiquez sans tarder avec le médecin.

▼ INTERACTIONS

MÉDICAMENT-MÉDICAMENT
Demandez l'avis du médecin si vous prenez : amphotéricine B, antithyroïdiens, azathioprine, chloramphénicol, colchicine, flucytosine, ganciclovir, kétoconazole, interféron ou zidovudine.

MÉDICAMENT-ALIMENT
Aucune interaction connue.

MÉDICAMENT-MALADIE
Le paclitaxel demande qu'on soit prudent. Avertissez le médecin si vous avez récemment souffert d'une infection ou en cas d'antécédents des maladies suivantes : varicelle, zona, troubles hépatiques et problèmes de rythme cardiaque.

EFFETS INDÉSIRABLES

GRAVES
Selles noires ou sanglantes, sang dans l'urine (rose ou rouge), toux ou voix rauque, fièvre et frissons, douleur dans le bas du dos ou le côté, mictions douloureuses et difficiles, troubles de la vue, petits points rouge vif sur la peau, saignement des gencives, du nez ou autres, ecchymoses nombreuses, essoufflement : il se peut que la numération des globules sanguins et des cellules responsables de la coagulation du sang ou des cellules immunes normales aient été affectées et qu'une infection se développe.

COURANTS
Diarrhée, nausées ou vomissements ; ulcères buccaux ; engourdissement, picotement ou sensation de brûlure dans les mains ou les pieds ; douleur musculaire ou articulaire, surtout dans les membres ; chute totale mais temporaire des cheveux (la repousse s'effectue après le traitement) ; rougeur ou enflure au point d'injection.

MOINS COURANTS
Vertiges ou étourdissements, rythme cardiaque lent.

PANCRÉLIPASE

Présentation : Gélules, gélules à enrobage entérosoluble, poudre, comprimés
En vente libre ? Oui   **Générique disponible ?** Oui
Classe de médicaments : Enzyme pancréatique

▼ GÉNÉRALITÉS

INDICATIONS
Le pancréas sécrète diverses substances essentielles à la santé : enzymes digestives, insuline et glucagon. La pancrélipase est prescrite aux patients dont le pancréas ne fonctionne pas normalement ; elle remplace les enzymes nécessaires à la digestion.

MODE D'ACTION
La pancrélipase renferme les enzymes normalement produites par le pancréas pour la digestion des protéines, des fécules et des graisses.

▼ MODE D'EMPLOI

POSOLOGIE
Le dosage dépend du poids et de la consommation alimentaire du patient ainsi que de la formulation de la préparation. Gélules – Adultes et adolescents : 1 à 4 gélules aux repas et aux goûters. Poudre – Adultes et adolescents : ¼ c. à thé (0,7 gramme) aux repas et aux goûters.

Comprimés – Adultes et adolescents : 1 à 4 comprimés aux repas et aux goûters. Les doses peuvent être modifiées par le médecin. Enfants : consultez le médecin.

DÉBUT D'ACTION
Variable.

DURÉE D'ACTION
Variable.

CONSEILS NUTRITIONNELS
À prendre avant ou pendant les repas et les goûters, selon les directives.

MODE DE CONSERVATION
Dans un contenant étanche, à l'abri de la chaleur, de l'humidité et de la lumière.

OUBLI D'UNE DOSE
Prenez-la dès que vous y pensez. S'il est presque l'heure de la suivante, sautez la dose oubliée et reprenez la fréquence normale. Ne doublez pas la dose suivante.

ARRÊT DE LA MÉDICATION
Cette décision doit être prise par le médecin.

≡ EFFETS INDÉSIRABLES ≡

GRAVES
Les effets indésirables graves sont peu probables avec des doses normales de pancrélipase. Les très fortes doses peuvent entraîner : présence de sang dans l'urine, douleur articulaire ou enflure des pieds ou du bas des jambes. Si vous inhalez la poudre, vous pouvez souffrir de problèmes respiratoires, de constriction thoracique et de respiration sifflante.

COURANTS
Diarrhée, douleur abdominale, vomissements, ballonnement, nausées, constipation.

MOINS COURANTS
Rash cutané, urticaire.

USAGE PROLONGÉ
Un suivi médical, avec examens réguliers et analyses, est recommandé durant le traitement, qui peut durer la vie entière.

▼ PRÉCAUTIONS

Plus de 60 ans. Pas de risques connus.

Conduite automobile, travaux dangereux. Pas de précautions spéciales.

Alcool. Pas de précautions spéciales.

Grossesse. Il n'existe pas d'études sur les animaux et sur les humains. Avant de prendre de la pancrélipase, avertissez le médecin si vous êtes enceinte ou voulez le devenir.

Allaitement. On ne sait pas si la pancrélipase passe dans le lait maternel. Aucun problème n'a été signalé. Demandez spécifiquement l'avis du médecin.

Nourrissons et enfants. La posologie n'a pas été établie pour les bébés de moins de 6 mois.

À surveiller. Prenez soin de ne pas inhaler la présentation en poudre ou la poudre contenue dans les gélules ; elle pourrait provoquer de la congestion nasale, de l'essoufflement, des difficultés à respirer, une respiration sifflante ou de la constriction thoracique. Ne changez pas de forme ou de marque de pancrélipase sans consulter le médecin ; elles peuvent avoir des effets différents. Si le médecin vous a prescrit un régime alimentaire spécial, ayez soin de le suivre fidèlement.

SURDOSAGE
Symptômes. Nausées, vomissements, crampes abdominales, diarrhée.

Quoi faire. Appelez immédiatement le médecin ou le centre antipoison, ou allez à l'urgence.

▼ INTERACTIONS

MÉDICAMENT-MÉDICAMENT
Demandez spécifiquement l'avis du médecin si vous prenez tout autre médicament avec ou sans ordonnance.

MÉDICAMENT-ALIMENT
Aucune interaction connue pour la plupart des présentations. Vérifiez avec votre pharmacien.

MÉDICAMENT-MALADIE
Consultez le médecin si vous avez tout autre problème de santé, en particulier une pancréatite, soit une inflammation soudaine et grave du pancréas.

PANTOPRAZOLE SODIQUE

Présentation : Comprimés à enrobage entérosoluble
En vente libre ? Non   **Générique disponible ?** Non
Classe de médicaments : Inhibiteur de la pompe à protons

▼ GÉNÉRALITÉS

INDICATIONS

Traitement des affections exigeant une diminution de la sécrétion d'acide gastrique comme l'œsophagite érosive (inflammation chronique grave ou ulcération de l'œsophage) associée au reflux gastro-œsophagien (régurgitation de l'acide gastrique dans l'œsophage), l'ulcère gastrique et l'ulcère duodénal.

MODE D'ACTION

Le pantoprazole inhibe l'action d'une enzyme spécifique des cellules tapissant l'estomac, ce qui réduit la sécrétion d'acide gastrique.

▼ MODE D'EMPLOI

POSOLOGIE

Adultes : 40 mg, 1 fois par jour pour 8 semaines au plus.

DÉBUT D'ACTION

En 1 à 3 heures.

DURÉE D'ACTION

Inconnue.

CONSEILS NUTRITIONNELS

Le pantoprazole peut se prendre aussi bien durant un repas qu'en dehors. Avalez les comprimés sans les briser.

MODE DE CONSERVATION

Dans un contenant étanche, à l'abri de la chaleur, de l'humidité et de la lumière.

OUBLI D'UNE DOSE

Prenez-la dès que vous y pensez. S'il est presque l'heure de la suivante, sautez la dose oubliée et reprenez la fréquence normale. Ne doublez pas la dose suivante.

ARRÊT DE LA MÉDICATION

Effectuez le traitement au complet, comme il vous a été prescrit, même si vous vous sentez mieux. La décision d'interrompre le traitement doit être prise en consultation avec le médecin.

USAGE PROLONGÉ

Le pantoprazole ne doit pas être pris indéfiniment, comme traitement d'entretien de l'œsophagite : le traitement ne dure en général pas plus de 8 semaines. Si la cicatrisation ne se produit pas durant cette période, le médecin peut décider de prolonger le traitement de 8 autres semaines.

▼ PRÉCAUTIONS

Plus de 60 ans. Pas de risques connus.

Conduite automobile, travaux dangereux. Pas de précautions spéciales.

Alcool. À éviter ; l'alcool peut aggraver votre cas.

Grossesse. Dans des tests sur les animaux, le pantoprazole n'a pas causé de problèmes. Il n'existe pas de tests sur les humains. Avant d'en prendre, avertissez le médecin si vous êtes enceinte ou voulez le devenir.

Allaitement. Le pantoprazole peut passer dans le lait maternel : la prudence s'impose. Demandez l'avis du médecin. Examinez avec lui les bienfaits et les risques du médicament durant l'allaitement.

Nourrissons et enfants. Innocuité et efficacité non établies pour les moins de 18 ans.

À surveiller. Ne croquez pas les comprimés ; ne les broyez pas et ne les coupez pas en deux. Si votre médecin le recommande, vous pouvez prendre un antiacide en même temps.

SURDOSAGE

Symptômes. Quelques cas seulement de surdosage ont été signalés.

Quoi faire. Il est peu probable qu'une surdose mette votre vie en danger. Néanmoins, si la dose est très forte, appelez immédiatement le médecin ou le centre anti-poison, ou allez à l'urgence.

▼ INTERACTIONS

MÉDICAMENT-MÉDICAMENT

Les interactions médicamenteuses sont peu probables. Demandez spécifiquement l'avis du médecin si vous prenez de l'ampicilline, des sels ou des suppléments de fer ou du kétoconazole.

MÉDICAMENT-ALIMENT

Aucune interaction significative n'a été signalée.

MÉDICAMENT-MALADIE

Consultez le médecin si vous souffrez d'une maladie grave du foie : il peut y avoir un risque accru d'effets indésirables.

 EFFETS INDÉSIRABLES

GRAVES

Aucun effet indésirable grave n'a été associé à l'utilisation de pantoprazole.

COURANTS

Diarrhée.

MOINS COURANTS

Rash cutané, hausse du taux sanguin de sucre. Bien d'autres effets indésirables peuvent se produire ; consultez le médecin si des effets secondaires ou inhabituels qui apparaissent durant le traitement vous inquiètent.

PAPAVÉRINE (CHLORHYDRATE DE)

Présentation : Injection
En vente libre ? Non   **Générique disponible ?** Oui
Classe de médicaments : Vasodilatateur ; relaxant des muscles lisses

▼ GÉNÉRALITÉS

INDICATIONS
Traitement des troubles provoqués par une mauvaise circulation du sang.

MODE D'ACTION
La papavérine provoque la dilatation des vaisseaux sanguins et améliore ainsi l'irrigation des tissus desservis par ces vaisseaux.

▼ MODE D'EMPLOI

POSOLOGIE
Traitement de la circulation du sang (dose adulte moyenne) : 30 à 120 mg en injection intraveineuse, intramusculaire ou sous-cutanée, aux 3 heures. Enfants : la posologie est à déterminer par le pédiatre.

DÉBUT D'ACTION
Rapide.

DURÉE D'ACTION
Inconnue.

CONSEILS NUTRITIONNELS
Pas de restrictions spéciales.

MODE DE CONSERVATION
Dans un contenant étanche, à l'abri de la chaleur, de l'humidité et de la lumière. Ne réfrigérez pas et ne congelez pas les formes injectables de papavérine pure. Les mélanges de papavérine et d'autres ingrédients peuvent exiger d'être réfrigérés.

OUBLI D'UNE DOSE
S'emploie au besoin.

ARRÊT DE LA MÉDICATION
Cette décision se prend en consultation avec le médecin.

USAGE PROLONGÉ
Un suivi médical, avec examens et analyses, est nécessaire pour évaluer votre état et rectifier au besoin la posologie.

▼ PRÉCAUTIONS

Plus de 60 ans. Pas de risques connus.

Conduite automobile, travaux dangereux. Pas de précautions spéciales.

Alcool. À éviter.

Grossesse. Sans objet.

Allaitement. Sans objet.

Nourrissons et enfants. Sans objet.

À surveiller. Le médecin doit vous apprendre comment vous injecter la papavérine avant que vous ne commenciez à le faire vous-même.

SURDOSAGE
Symptômes. Aucun symptôme spécifique.

Quoi faire. Demandez immédiatement de l'assistance médicale.

▼ INTERACTIONS

MÉDICAMENT-MÉDICAMENT
Demandez l'avis du médecin si vous prenez tout autre médicament avec ou sans ordonnance.

MÉDICAMENT-ALIMENT
Aucune interaction connue.

MÉDICAMENT-MALADIE
Consultez le médecin si vous avez souffert de maladie cardiaque ou de glaucome ou si vous avez eu récemment un infarctus du myocarde ou un accident cérébrovasculaire (ACV).

 EFFETS INDÉSIRABLES

GRAVES
Céphalées, troubles hépatiques, dérangement de l'estomac ou de l'intestin, vertiges.

COURANTS
Il n'y en a pas.

MOINS COURANTS
Bouffées congestives, hypotension.

PAROXÉTINE (CHLORHYDRATE DE)

Présentation : Comprimés
En vente libre ? Non   **Générique disponible ?** Non
Classe de médicaments : Inhibiteur sélectif du recaptage de la sérotonine (ISRS)

▼ GÉNÉRALITÉS

INDICATIONS
Traitement symptomatique de la dépression grave, des troubles obsessionnels compulsifs, des troubles paniques et de la phobie sociale.

MODE D'ACTION
La paroxétine modifie les taux cérébraux de sérotonine, élément chimique du cerveau qu'on croit relié à l'humeur, aux émotions et aux états psychiques.

▼ MODE D'EMPLOI

POSOLOGIE
Adultes : dose initiale, 20 mg, 1 fois par jour, habituellement le matin ; la dose peut être portée peu à peu par le médecin à 60 mg par jour, selon le problème à traiter. Personnes âgées : dose initiale, 10 mg, 1 fois par jour ; la dose peut être portée peu à peu par le médecin à 40 mg par jour.

DÉBUT D'ACTION
En 1 à 4 semaines.

DURÉE D'ACTION
Inconnue.

CONSEILS NUTRITIONNELS
Pas de recommandations spéciales.

MODE DE CONSERVATION
Dans un contenant étanche, à l'abri de la chaleur, de l'humidité et de la lumière.

OUBLI D'UNE DOSE
Prenez-la dès que vous y pensez. S'il est presque l'heure de la suivante, sautez la dose oubliée et reprenez la fréquence normale. Ne doublez pas la dose suivante.

ARRÊT DE LA MÉDICATION
Effectuez le traitement au complet, tel que prescrit, même si vous vous sentez mieux. La décision de l'interrompre doit être prise en consultation avec le médecin qui verra à réduire graduellement les doses sur une période de 1 ou 2 semaines.

USAGE PROLONGÉ
Le traitement dure en général de 6 mois à 1 an ; certains patients peuvent tirer profit d'un traitement plus long.

▼ PRÉCAUTIONS

Plus de 60 ans. Réactions indésirables plus fréquentes et plus graves. Il peut y avoir lieu de réduire les doses.

Conduite automobile, travaux dangereux. Soyez prudent dans l'exercice de ces tâches tant que vous ne connaissez pas votre réaction au médicament.

Alcool. À éviter.

Grossesse. Il n'existe pas d'études pertinentes sur l'administration de paroxétine durant la grossesse. Avant d'en prendre, prévenez le médecin si vous êtes enceinte ou voulez le devenir.

Allaitement. La paroxétine passe dans le lait maternel ; la prudence s'impose. Demandez l'avis du médecin.

Nourrissons et enfants. Efficacité et innocuité non établies.

À surveiller. Prenez la paroxétine au moins 6 heures avant le coucher pour éviter de souffrir d'insomnie, sauf si le médicament vous cause de la somnolence.

SURDOSAGE
Symptômes. Agitation ou irritabilité, somnolence grave, pupilles dilatées, bouche très sèche, tachycardie, tremblements, nausées et vomissements graves.

Quoi faire. Appelez immédiatement le médecin ou le centre antipoison, ou allez à l'urgence.

▼ INTERACTIONS

MÉDICAMENT-MÉDICAMENT
La paroxétine et les inhibiteurs de la monoamine-oxydase (IMAO) ne devraient pas être pris à moins de 14 jours d'intervalle entre les deux ; il pourrait autrement en résulter de très graves effets indésirables tels que de la myoclonie (spasmes musculaires involontaires), de l'hyperthermie (hausse excessive de la température du corps) et de la rigidité extrême. Tryptophan, warfarine, nortriptyline, désipramine, sumatriptan, naratriptan, rizatriptan et zolmitriptan peuvent également interagir avec la paroxétine : demandez l'avis du médecin.

MÉDICAMENT-ALIMENT
Aucune interaction connue.

MÉDICAMENT-MALADIE
La paroxétine exige qu'on soit prudent. Consultez le médecin si vous avez des antécédents d'alcoolisme, de toxicomanie ou de troubles convulsifs. La paroxétine peut entraîner des complications chez les patients atteints d'une maladie du foie ou des reins, car ces organes travaillent ensemble à éliminer le médicament de l'organisme.

 EFFETS INDÉSIRABLES ▽

GRAVES
Douleur ou fatigue musculaires, étourdissements ou évanouissement, rash cutané, agitation ou irritabilité, somnolence grave, pupilles dilatées, sécheresse très marquée de la bouche, tachycardie, tremblements, nausées ou vomissements sévères.

COURANTS
Insomnie, vertiges, dysfonction sexuelle, fatigue anormale, perte d'initiative, nausées ou vomissements, constipation, mictions difficiles, céphalées, tremblements.

MOINS COURANTS
Diminution de la libido, vue trouble, perte ou gain d'appétit ou de poids, arythmies cardiaques, altération du goût. Aussi sensations de picotement, de piqûre ou de brûlure.

PÉNICILLAMINE

Présentation : Gélules, comprimés
En vente libre ? Non   **Générique disponible ?** Non
Classe de médicaments : Chélateur ; antirhumatismal ; antiurolithique

▼ GÉNÉRALITÉS

INDICATIONS
Traitement de la maladie de Wilson (accumulation de cuivre dans les tissus organiques) et de la polyarthrite rhumatoïde ; traitement et prévention des calculs rénaux chez les patients présentant un excès de cystine dans l'urine ou qui ont des antécédents de calculs rénaux cystiniques récidivants. Peut servir au traitement de l'intoxication aux métaux lourds (mercure, plomb).

MODE D'ACTION
La pénicillamine est un chélateur (ou agent de liaison) capable d'éliminer l'excès de cuivre (problème sous-jacent à la maladie de Wilson), de mercure et de plomb de l'organisme. On ne sait pas bien comment elle combat la polyarthrite rhumatoïde : elle peut inhiber la libération de certains éléments chimiques qui causent l'inflammation. Enfin, elle se lie à la cystine pour l'éliminer : un excès de cystine entraîne la formation de calculs rénaux.

▼ MODE D'EMPLOI

POSOLOGIE
Maladie de Wilson — Adultes et adolescents : dose initiale, 250 mg, 4 fois par jour ; peut être portée à 500 mg, 4 fois par jour. Enfants : dose initiale, 250 mg, 1 fois par jour ; peut être augmentée. Polyarthrite rhumatoïde — Adultes : dose initiale, 125 à 250 mg, 1 fois par jour ; peut être portée à 500 mg, 3 fois par jour. Prévention des calculs rénaux cystiniques — Adultes : dose initiale, 500 mg, 4 fois par jour ; peut être portée à 1 000 mg, 4 fois par jour. Enfants : 30 mg par kilogramme (2,2 lb) de poids, par jour ; peut être augmentée. Intoxication aux métaux lourds — Adultes : 500 mg à 1,5 g par jour, pendant 1 à 2 mois.

DÉBUT D'ACTION
Maladie de Wilson : en 1 à 3 mois. Polyarthrite rhumatoïde : en 2 à 3 mois. Calculs rénaux : inconnu.

DURÉE D'ACTION
Inconnue.

CONSEILS NUTRITIONNELS
Maladie de Wilson : à prendre à jeun. Polyarthrite rhumatoïde : à prendre à jeun, au moins 1 heure avant ou après toute ingestion d'aliment, de lait ou de médicament. Prévention ou traitement des calculs rénaux : buvez au moins 2 grands verres d'eau au coucher et autant durant la nuit.

MODE DE CONSERVATION
Dans un contenant étanche, à l'abri de la chaleur, de l'humidité et de la lumière.

OUBLI D'UNE DOSE
Prenez-la dès que vous y pensez. S'il est presque l'heure de la suivante, sautez la dose oubliée et reprenez la fréquence normale. Ne doublez pas la dose suivante.

ARRÊT DE LA MÉDICATION
Effectuez le traitement au complet, tel que prescrit.

USAGE PROLONGÉ
Un suivi médical s'impose.

▼ PRÉCAUTIONS

Plus de 60 ans. Risques de réactions indésirables plus fréquentes et plus graves.

Conduite automobile, travaux dangereux. Pas de précautions spéciales.

Alcool. Pas de précautions spéciales.

Grossesse. La pénicillamine peut provoquer des anomalies congénitales.

Allaitement. La pénicillamine peut passer dans le lait maternel ; n'en prenez pas si vous allaitez.

Nourrissons et enfants. Pas de précautions spéciales.

À surveiller. Ne prenez ni médicament ni supplément renfermant du fer dans les 2 heures suivant l'ingestion de pénicillamine. Vous devriez prendre 25 mg par jour de vitamine B6 durant le traitement, le médicament augmentant vos besoins. Vous pouvez aussi prendre des multivitamines, mais les patients atteints de la maladie de Wilson doivent s'assurer qu'il ne s'y trouve pas de cuivre.

SURDOSAGE
Symptômes. Aucun symptôme connu.

Quoi faire. Si la dose ingérée est très supérieure à la posologie, demandez de l'assistance médicale sans tarder.

▼ INTERACTIONS

MÉDICAMENT-MÉDICAMENT
Ne prenez pas de sels d'or ou de phénylbutazone avec la pénicillamine. Indiquez aussi au médecin tous les médicaments que vous prenez avec ou sans ordonnance.

MÉDICAMENT-ALIMENT
Les patients atteints de la maladie de Wilson ne devraient pas manger d'aliments riches en cuivre : chocolat, noix, fruits de mer, champignons, foie, mélasse et brocoli.

MÉDICAMENT-MALADIE
Consultez le médecin en cas d'antécédents de troubles du sang ou de maladie du foie. Les personnes allergiques à la pénicilline peuvent l'être à la pénicillamine.

EFFETS INDÉSIRABLES

GRAVES
Douleur articulaire, respiration sifflante ou constriction thoracique, urticaire, rash cutané ou démangeaisons, urine trouble ou sanglante, essoufflement, fatigue anormale, mal de gorge et fièvre, ganglions sensibles ou enflés, gain de poids, saignement anormal. Taches blanches, lésions ou ulcères buccaux ; visage, pieds ou bas des jambes enflés.

COURANTS
Diarrhée, nausées ou vomissements, perte du goût, douleur gastrique bénigne, perte d'appétit.

MOINS COURANTS
Acouphènes (bourdonnements d'oreilles).

PÉNICILLINE G

Présentation : Comprimés, injection
En vente libre ? Non **Générique disponible ?** Oui
Classe de médicaments : Pénicilline (antibiotique)

▼ GÉNÉRALITÉS

INDICATIONS
Traitement de diverses infections bactériennes : oreilles, nez, gorge, peau, tissus mous, tractus génito-urinaire, et voies respiratoires. On la prescrit préventivement avant une chirurgie ou une intervention dentaire aux patients menacés d'endocardite (infection de la tunique interne du cœur qui peut endommager les valvules cardiaques). Elle peut aussi être donnée pour le traitement de la méningite et de la syphilis.

MODE D'ACTION
La pénicilline G bloque la formation de la paroi cellulaire bactérienne, ce qui rend la bactérie incapable de se multiplier et de se répandre.

▼ MODE D'EMPLOI

POSOLOGIE
Comprimés – Adultes et adolescents : 200 000 à 500 000 unités aux 4 à 6 heures. Injection (forme benzathine) – Adultes et adolescents : 1 200 000 unités en 1 dose. Enfants : 300 000 à 900 000 unités en 1 dose, selon le poids. Injection (forme procaïne) – Adultes et adolescents : 600 000 à 1 200 000 unités, 1 fois par jour. Enfants : 25 000 à 50 000 unités par kilogramme (2,2 lb) de poids, 1 fois par jour. Autres formes injectables – Adultes et adolescents : 1 000 000 à 5 000 000 d'unités aux 4 à 6 heures. Enfants : 25 000 à 50 000 unités par kilogramme de poids par jour. Bébés : 75 000 à 200 000 unités par kilogramme de poids par jour.

DÉBUT D'ACTION
Immédiatement après une intraveineuse ; inconnu dans les autres cas.

DURÉE D'ACTION
Inconnue.

CONSEILS NUTRITIONNELS
Il faut prendre les comprimés au moins 1 heure avant les repas ou 2 heures après.

MODE DE CONSERVATION
Dans un contenant étanche, à l'abri de la chaleur et de la lumière.

OUBLI D'UNE DOSE
Prenez-la dès que vous y pensez. S'il est presque l'heure de la suivante, sautez la dose oubliée et reprenez la fréquence normale. Ne doublez pas la dose suivante.

ARRÊT DE LA MÉDICATION
Effectuez le traitement au complet, comme il vous a été prescrit, même si vous vous sentez mieux avant la fin.

USAGE PROLONGÉ
Un suivi médical, avec examens et analyses est nécessaire en traitement prolongé.

▼ PRÉCAUTIONS

Plus de 60 ans. Pas de recommandations spéciales.

Conduite automobile, travaux dangereux. La pénicilline G ne devrait pas vous empêcher d'exécuter de telles tâches en toute sécurité.

Alcool. Pas de précautions spéciales.

Grossesse. Il n'existe pas d'études concluantes sur la prise de ce médicament durant la grossesse ; néanmoins, aucun problème n'a été signalé.

Allaitement. La pénicilline G peut passer dans le lait maternel et nuire au nourrisson ; n'en prenez pas si vous allaitez.

Nourrissons et enfants. Pas de risques connus.

À surveiller. La pénicilline G peut fausser les tests d'urine des diabétiques pour mesurer leur glucose. Les personnes sujettes à l'asthme, au rhume des foins, à l'urticaire ou aux allergies sont plus exposées que d'autres à être allergiques aux pénicillines. S'il survient une diarrhée grave, ne prenez pas d'antidiarrhéiques : appelez le médecin.

Symptômes. Nausées, vomissements, diarrhée, convulsions graves.

Quoi faire. Appelez aussitôt le médecin ou le centre anti-poison, ou allez à l'urgence.

▼ INTERACTIONS

MÉDICAMENT-MÉDICAMENT
Demandez l'avis du médecin si vous prenez : aminosides, inhibiteurs de l'ECA, diurétiques, suppléments potassiques ou médicaments contenant du potassium, anticoagulants ou médicaments apparentés, anti-inflammatoires non stéroïdiens (AINS), sulfinpyrazone, cholestyramine, colestipol, contraceptifs oraux, méthotrexate, probénécide ou rifampine.

MÉDICAMENT-ALIMENT
Aucune interaction connue.

MÉDICAMENT-MALADIE
Consultez le médecin si vous avez déjà eu les troubles suvants : allergies, asthme, saignements (comme hémophilie), insuffisance cardiaque, fibrose kystique, troubles gastro-intestinaux (surtout colite associée aux antibiotiques), mononucléose infectieuse ou insuffisance rénale.

EFFETS INDÉSIRABLES

GRAVES
Respiration irrégulière, rapide ou difficile ; étourdissements ou évanouissement ; douleur articulaire ; fièvre ; douleur ou crampe abdominale avec selles liquides ou sanguinolentes ; réaction allergique grave (avec enflure soudaine des lèvres, de la langue, du visage ou de la gorge, difficultés respiratoires, convulsions, rash cutané, démangeaisons ou urticaire) ; ecchymoses ou saignements anormaux ; jaunissement des yeux ou de la peau.

COURANTS
Rash cutané, diarrhée, nausées, vomissements, céphalées.

MOINS COURANTS
Débit urinaire moindre, frissons, faiblesse, fatigue.

PÉNICILLINE V

NOMS COMMERCIAUX

Apo-Pen VK,
Nadopen V,
Novo-Pen-VK,
Nu-Pen-VK,
Pen-Vee, PVF-K

Présentation : Comprimés, solution/suspension orale
En vente libre ? Non   **Générique disponible ?** Oui
Classe de médicaments : Pénicilline (antibiotique)

▼ GÉNÉRALITÉS

INDICATIONS
Traitement d'infections bactériennes variées dont celles des oreilles, du nez, de la gorge, de la peau, des tissus mous, du tractus génito-urinaire et des voies respiratoires.

MODE D'ACTION
La pénicilline V détruit les bactéries en les empêchant de produire des parois cellulaires durant la réplication (c'est-à-dire la multiplication).

▼ MODE D'EMPLOI

POSOLOGIE
Adultes : 500 000 unités aux 6 à 8 heures ou selon l'ordonnance du médecin. Enfants : 25 000 à 90 000 unités par kilogramme (2,2 lb) de poids par jour, fractionnée en 3 à 6 doses.

DÉBUT D'ACTION
Inconnu.

DURÉE D'ACTION
Jusqu'à 6 heures.

CONSEILS NUTRITIONNELS
À prendre à jeun, 1 à 2 heures avant le repas ou 3 à 4 heures après.

MODE DE CONSERVATION
Dans un contenant étanche, à l'abri de la chaleur et de la lumière.

OUBLI D'UNE DOSE
Prenez-la dès que vous y pensez. S'il est presque l'heure de la suivante, sautez la dose oubliée et reprenez la fréquence normale. Ne doublez pas la dose suivante.

ARRÊT DE LA MÉDICATION
Il est très important d'effectuer le traitement au complet, comme il a été prescrit. Un arrêt prématuré peut entraîner des complications graves.

USAGE PROLONGÉ
Un traitement prolongé de quelque antibiotique que ce soit augmente le risque de surinfection (infection plus grave et plus rebelle aux médicaments). Soyez prudent.

▼ PRÉCAUTIONS

Plus de 60 ans. Pas de risques connus.

Conduite automobile, travaux dangereux. La pénicilline V ne devrait pas vous empêcher d'exécuter de telles tâches en toute sécurité.

Alcool. Pas de précautions spéciales.

Grossesse. Il n'existe pas d'études concluantes sur l'administration de pénicilline durant la grossesse ; néanmoins, aucun problème n'a été signalé.

Allaitement. La pénicilline V peut passer dans le lait maternel et nuire au nourrisson ; n'en prenez pas si vous allaitez.

Nourrissons et enfants. Il ne devrait y avoir aucun problème particulier.

À surveiller. La pénicilline V peut fausser les tests d'urine des diabétiques pour mesurer leur glucose. S'il survient une diarrhée grave et qu'il semble qu'il s'agisse d'un effet secondaire de ce médicament, ne prenez pas d'antidiarrhéiques : appelez le médecin. La pénicilline peut réduire l'efficacité des contraceptifs oraux : utilisez d'autres méthodes contraceptives. Les personnes sujettes à l'asthme, au rhume des foins, à l'urticaire ou aux allergies sont plus exposées que d'autres à avoir des réactions allergiques aux pénicillines.

SURDOSAGE
Symptômes. Nausées, vomissements, diarrhée, convulsions graves.

Quoi faire. Il est peu probable qu'une surdose mette votre vie en danger. Néanmoins, si la dose est très forte, appelez le médecin ou allez à l'urgence.

▼ INTERACTIONS

MÉDICAMENT-MÉDICAMENT
Consultez le médecin si vous prenez : aminosides, inhibiteurs de l'ECA, diurétiques, suppléments potassiques ou médicaments contenant du potassium, anticoagulants ou médicaments apparentés, anti-inflammatoires non stéroïdiens (AINS), sulfinpyrazone, cholestyramine, colestipol, contraceptifs oraux, méthotrexate, probénécide ou rifampine.

MÉDICAMENT-ALIMENT
Les aliments ou les jus acides peuvent réduire l'effet antibiotique.

MÉDICAMENT-MALADIE
Consultez le médecin si vous avez déjà eu les troubles suivants : allergies, asthme, insuffisance cardiaque, troubles gastro-intestinaux (surtout colite associée aux antibiotiques) ou insuffisance rénale.

≡ EFFETS INDÉSIRABLES ≡

GRAVES
Respiration irrégulière, rapide ou laborieuse ; étourdissements ou évanouissement ; douleur articulaire ; fièvre ; douleur ou crampe abdominale graves avec selles liquides ou sanguinolentes ; réaction allergique grave (avec enflure soudaine des lèvres, de la langue, du visage ou de la gorge, difficultés respiratoires, convulsions, rash cutané, démangeaisons ou urticaire) ; ecchymoses ou saignements anormaux ; jaunissement des yeux ou de la peau.

COURANTS
Rash cutané bénin, diarrhée bénigne, nausées, vomissements, céphalées.

MOINS COURANTS
Baisse du débit urinaire, frissons, faiblesse, fatigue.

PENTAMIDINE (ISÉTHIONATE DE)

Présentation : Inhalation, injection
En vente libre ? Non   **Générique disponible ?** Non
Classe de médicaments : Agent anti-infectieux/antiparasitaire

▼ GÉNÉRALITÉS

INDICATIONS
Prévention et traitement de la pneumonie à Pneumocystis carinii (PPC). Ce type grave de pneumonie sévit surtout chez les patients atteints du sida. La forme à inhaler est utilisée dans la prévention de la PPC, tandis que l'injection sert à la traiter.

MODE D'ACTION
Le mécanisme d'action de la pentamidine n'est pas connu.

▼ MODE D'EMPLOI

POSOLOGIE
Prévention de la PPC – Inhalation (avec le nébuliseur Respirgard II de Marquest), adultes : 300 mg, 1 fois aux 4 semaines. Traitement de la PPC – Perfusion intraveineuse : 4 mg par kilogramme (2,2 lb) de poids, sur une période de 1 à 2 heures, 1 fois par jour, pendant 14 à 21 jours.

DÉBUT D'ACTION
Inconnu.

DURÉE D'ACTION
Inconnue.

CONSEILS NUTRITIONNELS
Pas de restrictions spéciales.

MODE DE CONSERVATION
Sans objet ; la dose est administrée seulement dans un centre de soins de santé.

OUBLI D'UNE DOSE
Allez prendre le traitement le plus vite possible.

ARRÊT DE LA MÉDICATION
Effectuez le traitement au complet. La décision d'y mettre fin doit être prise en consultation avec le médecin.

USAGE PROLONGÉ
Un suivi médical s'impose si le traitement se prolonge.

▼ PRÉCAUTIONS

Plus de 60 ans. Le médicament n'a pas fait l'objet d'études spécifiques chez les patients plus âgés.

Conduite automobile, travaux dangereux. À éviter tant que vous ignorez votre réaction au médicament.

Alcool. À éviter.

Grossesse. Il n'existe pas d'études concluantes sur les humains. Avant de prendre de la pentamidine, avertissez le médecin si vous êtes enceinte ou voulez le devenir.

Allaitement. La pentamidine peut passer dans le lait maternel. N'allaitez pas si vous en prenez.

Nourrissons et enfants. Il n'y a pas eu d'études concluantes. Renseignez-vous auprès du médecin.

À surveiller. Ne mélangez pas la solution pour inhalation à un autre médicament ; ne mettez aucun autre médicament dans le nébuliseur. Administrée par injection, la pentamidine peut provoquer une chute subite de la tension artérielle. Allongez-vous durant l'administration. Elle peut augmenter les risques d'infection, car elle peut faire baisser la numération des globules blancs. Consultez immédiatement le médecin devant des signes d'infection (fièvre, mal de gorge). Utilisez un rasoir électrique plutôt qu'un rasoir à lame, la pentamidine augmentant les risques de saignements incontrôlés. Demandez au dentiste comment vous laver les dents sans risque.

SURDOSAGE
Symptômes. Voir Effets indésirables graves.

Quoi faire. Une surdose est peu probable. Néanmoins, en cas de surdosage appréhendé, appelez immédiatement le médecin ou le centre antipoison, ou allez à l'urgence.

▼ INTERACTIONS

MÉDICAMENT-MÉDICAMENT
Il peut y avoir des interactions. Consultez le médecin si vous prenez : dépresseurs médullaires, didanosine, macrolides (antibiotiques), foscarnet ou tout médicament pouvant endommager les reins. Avertissez le médecin si vous suivez une radiothérapie.

MÉDICAMENT-ALIMENT
Aucune interaction connue.

MÉDICAMENT-MALADIE
Consultez le médecin en cas de : maladie du cœur, des reins ou du foie, tuberculose, problèmes de saignement, hypotension ou hypertension, diabète sucré, anémie ou hypoglycémie. La prévention de la PPC par inhalation peut être moins efficace chez les personnes souffrant de bronchopneumopathie chronique obstructive (emphysème).

≡ EFFETS INDÉSIRABLES ≡

GRAVES
Inhalation : douleur ou congestion thoracique, respiration ou déglutition difficile, respiration sifflante, rash cutané, brûlure, gorge sèche, sensation de boule dans la gorge, toux. Injection : baisse du débit urinaire, ecchymoses ou saignements anormaux par réduction du nombre des plaquettes sanguines, mal de gorge et fièvre ; symptômes d'hyperglycémie ou de diabète sucré (peau rouge et sèche, somnolence, odeur acétonique de l'haleine, soif et débit urinaire accrus, perte d'appétit) ; symptômes d'hypoglycémie (nausées, céphalées, anxiété, sueurs froides ou frissons, tremblements, peau décolorée et froide, augmentation de l'appétit) ; signes d'hypertension (vertiges, confusion, fatigue, vision brouillée, évanouissement ou étourdissements) ; peau sèche, rouge ou urticante ; vomissements ou nausées ; pouls rapide ou irrégulier ; douleur abdominale ; douleur ou rougeur au point d'injection.

COURANTS
Injection : perte d'appétit, diarrhée, arrière-goût métallique, nausées et vomissements.

MOINS COURANTS
Il n'y a pas d'effets indésirables moins courants.

PENTAZOCINE

Présentation : Injection, comprimés
En vente libre ? Non   **Générique disponible ?** Non
Classe de médicaments : Analgésique opioïde agoniste-antagoniste

▼ GÉNÉRALITÉS

INDICATIONS
Soulagement des douleurs d'intensité modérée à violente.

MODE D'ACTION
Les opioïdes, tels que la pentazocine, agissent sur des centres cérébraux du système nerveux central où se traitent les signaux douloureux émis par les nerfs dans tout le corps.

▼ MODE D'EMPLOI

POSOLOGIE
Adultes – Comprimés : 50 à 100 mg aux 3 à 4 heures, sans dépasser 360 mg par jour. Injection : 30 mg aux 3 à 4 heures. Enfants – La posologie est à déterminer par le pédiatre.

DÉBUT D'ACTION
Par intraveineuse : en 2 à 3 minutes. Par intramusculaire : en 15 à 20 minutes. Par voie orale : en 15 à 30 minutes.

DURÉE D'ACTION
Injection : 2 à 3 heures. Comprimés : 3 heures.

CONSEILS NUTRITIONNELS
Buvez 2 à 3 litres de liquide par jour, si possible, pour prévenir la constipation.

MODE DE CONSERVATION
Dans un contenant étanche, à l'abri de la chaleur, de l'humidité et de la lumière.

OUBLI D'UNE DOSE
Si vous prenez de la pentazocine à heure fixe, prenez la dose oubliée dès que vous y pensez. S'il est presque l'heure de la suivante, sautez la dose oubliée et reprenez la fréquence normale. Ne doublez pas la dose suivante.

ARRÊT DE LA MÉDICATION
Cette décision doit être prise par le médecin.

USAGE PROLONGÉ
Un suivi médical s'impose si vous devez prendre le médicament durant une longue période. Un usage prolongé peut provoquer de la dépendance physiologique.

▼ PRÉCAUTIONS

Plus de 60 ans. Risques de réactions indésirables plus fréquentes et plus graves.

Conduite automobile, travaux dangereux. À déconseiller tant que vous ne connaissez pas votre réaction au médicament.

Alcool. À éviter.

Grossesse. Dans des études sur les animaux, la pentazocine n'a pas provoqué d'anomalies congénitales. Il n'existe pas d'études concluantes sur les humains. Avant de prendre ce médicament, prévenez le médecin si vous êtes enceinte ou voulez le devenir. Un usage abusif du médicament durant la grossesse peut entraîner de la dépendance chez le fœtus.

Allaitement. La pentazocine peut passer dans le lait maternel : la prudence s'impose. Demandez spécifiquement l'avis du médecin.

Nourrissons et enfants. Risques de réactions indésirables plus fréquentes et plus graves. Demandez spécifiquement l'avis du médecin. La pentazocine n'est pas recommandée aux enfants de moins de 12 ans.

À surveiller. Si vous estimez, après quelques semaines, que le médicament ne donne pas les résultats attendus, consultez le médecin : il peut y avoir d'autres traitements. Avant toute chirurgie, même dentaire, avisez le médecin ou le dentiste que vous prenez de la pentazocine. Les comprimés renfermant un sulfite, ils sont susceptibles de provoquer des allergies chez les personnes qui y sont sensibles, surtout chez les asthmatiques.

SURDOSAGE
Symptômes. Confusion ; somnolence, faiblesse ou vertiges graves ; difficultés d'élocution ; pupilles très rétrécies ; peau froide et moite ; respiration lente ; convulsions ; perte de conscience.

Quoi faire. Appelez aussitôt le médecin ou le centre antipoison, ou allez à l'urgence.

▼ INTERACTIONS

MÉDICAMENT-MÉDICAMENT
Consultez le médecin si vous prenez : carbamazépine ou autres anticonvulsivants, barbituriques, sédatifs, antitussifs, décongestionnants, antidépresseurs, autres analgésiques sur ordonnance, inhibiteurs de la monoamine-oxydase (IMAO), naltrexone, rifampine ou zidovudine.

MÉDICAMENT-ALIMENT
Aucune interaction connue.

MÉDICAMENT-MALADIE
Avertissez le médecin en cas de : antécédents d'alcoolisme ou de toxicomanie, maladie psychique, troubles du cerveau ou traumatisme crânien, asthme, allergie aux sulfites, convulsions, maladie pulmonaire, troubles de la prostate ou autres troubles urinaires, calculs biliaires, colite, maladie du cœur, des reins, du foie ou de la thyroïde.

  EFFETS INDÉSIRABLES

GRAVES
Les effets graves de la pentazocine se confondent avec ceux d'une surdose : confusion ; somnolence, faiblesse ou vertiges graves ; difficultés d'élocution ; rétrécissement des pupilles ; peau froide et moite ; respiration lente ; convulsions ; perte de conscience.

COURANTS
Vertiges ou étourdissements, nausées ou vomissements, constipation, démangeaisons, sudation.

MOINS COURANTS
Humeur instable ou faux sentiment de bien-être et euphorie, hallucinations, cauchemars.

PENTOBARBITAL SODIQUE

Présentation : Gélules, injection, suppositoires
En vente libre ? Non   **Générique disponible ?** Oui
Classe de médicaments : Barbiturique

▼ GÉNÉRALITÉS

INDICATIONS
Indiqué comme sédatif avant une chirurgie ou comme traitement de certains types de convulsions. Depuis qu'existent des somnifères plus nouveaux, le pentobarbital est peu utilisé pour le traitement à court terme de l'insomnie.

MODE D'ACTION
Les barbituriques, comme le pentobarbital, qui réduisent l'activité du système nerveux central, exercent ainsi une action sédative puissante.

▼ MODE D'EMPLOI

POSOLOGIE
Sédation préanesthésique – Dose orale pour adultes : 100 mg. Dose orale pour enfants : 2 à 6 mg par kilogramme (2,2 lb) de poids, sans dépasser normalement 100 mg. Convulsions – Médication habituellement administrée par injection intraveineuse par un médecin. L'injection intraveineuse ou intramusculaire se fait tou-

jours sous la surveillance d'un médecin. Insomnie – Dose orale pour adultes : 100 mg au coucher.

DÉBUT D'ACTION
En 30 minutes.

DURÉE D'ACTION
Formes orales ou rectales : 3 à 4 heures. Injection : 15 minutes.

CONSEILS NUTRITIONNELS
Les formes orales peuvent se prendre avec une boisson ou un aliment.

MODE DE CONSERVATION
Dans un contenant étanche, à l'abri de la chaleur, de l'humidité et de la lumière.

OUBLI D'UNE DOSE
Prenez-la dès que vous y pensez. S'il est presque l'heure de la suivante, sautez la dose oubliée et reprenez la fréquence normale. Ne doublez pas la dose suivante.

ARRÊT DE LA MÉDICATION
Cette décision doit être prise par le médecin. Il risque d'y avoir des symptômes de

sevrage si le traitement est interrompu brusquement.

USAGE PROLONGÉ
Les barbituriques peuvent causer de l'accoutumance ; un usage prolongé peut provoquer de la dépendance. Utilisé contre l'insomnie, le pentobarbital, comme tous les barbituriques, n'est prescrit que pour une courte durée. D'ordinaire, il n'est plus efficace contre l'insomnie après 2 semaines.

▼ PRÉCAUTIONS

Plus de 60 ans. Réactions indésirables plus fréquentes et plus graves. Il peut y avoir lieu de réduire les doses.

Conduite automobile, travaux dangereux. À cause de ses effets sédatifs, n'entreprenez pas de telles tâches avant de connaître votre réaction au médicament.

Alcool. À éviter ; les effets sédatifs de l'alcool s'ajoutent à ceux du médicament.

Grossesse. Le pentobarbital peut provoquer des anomalies congénitales et des problèmes durant la grossesse. Avant d'en prendre, prévenez le médecin si vous êtes enceinte ou voulez le devenir.

Allaitement. Le pentobarbital passe en petite quantité dans le lait maternel et peut provoquer des effets indésirables chez le nourrisson. Demandez l'avis du médecin.

Nourrissons et enfants. Tout comme les patients âgés, les nourrissons et les enfants peuvent être plus sensibles

aux effets du pentobarbital. Il faut réduire les doses.

À surveiller. Le pentobarbital peut provoquer de la dépendance physiologique et psychologique. Consultez immédiatement le médecin si l'effet sédatif est très puissant ou si vous éprouvez des symptômes de sevrage quand vous mettez fin au traitement.

SURDOSAGE
Symptômes. Sédation sévère ou somnolence excessive, confusion, irritabilité, essoufflement ou difficultés respiratoires, difficultés d'élocution, démarche mal assurée, faiblesse grave.

Quoi faire. Appelez immédiatement le médecin ou le centre antipoison, ou allez à l'urgence.

▼ INTERACTIONS

MÉDICAMENT-MÉDICAMENT
Consultez le médecin si vous prenez : anticonvulsivants, dépresseurs du système nerveux central (SNC), antidépresseurs, warfarine (anticoagulant) ou contraceptifs oraux (le pentobarbital peut rendre ces derniers moins efficaces).

MÉDICAMENT-ALIMENT
Aucune interaction connue.

MÉDICAMENT-MALADIE
Le pentobarbital demande qu'on soit prudent. Consultez le médecin en cas de : maladie des reins ou du foie, porphyrie, hyperactivité, apnée du sommeil, dépression, antécédents d'alcoolisme ou de toxicomanie.

 EFFETS INDÉSIRABLES

GRAVES
Excitation, confusion ou sédation au point qu'on ne peut vous réveiller. Jaunissement des yeux ou de la peau ; paupières, lèvres ou visage enflés ; respiration sifflante ; rash cutané (signe d'allergie) ; lésions labiales ou buccales.

COURANTS
Maladresse, manque d'équilibre, somnolence persistante, vertiges ou étourdissements.

MOINS COURANTS
Anxiété ou nervosité, cauchemars, insomnie, constipation, sensation d'être sur le point de s'évanouir, irritabilité, céphalées, nausées ou vomissements.

PENTOSAN SODIQUE (POLYSULFATE DE)

Présentation : Gélules
En vente libre ? Non **Générique disponible ?** Non
Classe de médicaments : Succédané de glycosaminoglycanne

▼ GÉNÉRALITÉS

INDICATIONS
Pour soulager la douleur ou le malaise provoqués par une cystite interstitielle, trouble inflammatoire de la vessie qui affecte surtout les femmes et se signale par des mictions fréquentes et douloureuses.

MODE D'ACTION
Le mode d'action du médicament n'est pas connu, mais on croit que le pentosan adhère à la muqueuse qui tapisse la vessie, créant ainsi une couche protectrice et empêchant les composants irritants de l'urine d'atteindre les parois de la vessie.

▼ MODE D'EMPLOI

POSOLOGIE
100 mg, 3 fois par jour.

DÉBUT D'ACTION
Inconnu. Le soulagement symptomatique peut mettre 6 à 8 semaines à se manifester.

DURÉE D'ACTION
Inconnue.

CONSEILS NUTRITIONNELS
À prendre à jeun avec un grand verre d'eau, au moins 1 heure avant ou 2 heures après les repas, et au moins 1 heure avant ou après l'ingestion de tout autre aliment, de lait ou de produit lacté, ou de médicament.

MODE DE CONSERVATION
Dans un contenant étanche, à l'abri de la chaleur, de l'humidité et de la lumière.

OUBLI D'UNE DOSE
Prenez-la dès que vous y pensez. S'il est presque l'heure de la suivante, sautez la dose oubliée et reprenez la fréquence normale. Ne doublez pas la dose suivante.

ARRÊT DE LA MÉDICATION
Effectuez le traitement au complet, comme il vous a été prescrit, même si vous vous sentez mieux avant qu'il ne prenne fin. La décision d'interrompre le traitement doit être prise par le médecin.

USAGE PROLONGÉ
Le traitement dure généralement 3 mois. Votre cas devrait alors être évalué à nouveau par le médecin. Si votre état ne s'est pas amélioré et que vous avez peu d'effets indésirables, le médecin peut prolonger le traitement de 3 mois.

▼ PRÉCAUTIONS

Plus de 60 ans. Risques de réactions indésirables plus fréquentes et plus graves.

Conduite automobile, travaux dangereux. À déconseiller tant que vous ne connaissez pas votre réaction au médicament.

Alcool. À éviter. L'alcool peut aggraver l'irritation de la vessie.

Grossesse. Il n'existe pas d'études concluantes sur l'administration du médicament durant la grossesse. Avant de prendre du pentosan, prévenez le médecin si vous êtes enceinte ou avez l'intention de le devenir.

Allaitement. Le pentosan peut passer dans le lait maternel : la prudence s'impose. Demandez l'avis du médecin.

Nourrissons et enfants. Innocuité et efficacité non établies chez les moins de 18 ans.

À surveiller. Le pentosan peut augmenter votre vulnérabilité aux coups de soleil. Protégez-vous des rayons ultraviolets tant que vous n'avez pas déterminé votre réaction au médicament.

SURDOSAGE
Symptômes. Une surdose de pentosan est peu probable ; aucun cas de surdosage n'a été signalé.

Quoi faire. Appelez votre médecin.

▼ INTERACTIONS

MÉDICAMENT-MÉDICAMENT
Demandez spécifiquement l'avis du médecin si vous prenez : alteplase, AAS, warfarine ou tout autre anticoagulant, héparine, aggrenox ou streptokinase : des interactions avec le pentosan sont possibles.

MÉDICAMENT-ALIMENT
Aucune interaction connue.

MÉDICAMENT-MALADIE
Le pentosan demande qu'on soit prudent. Consultez le médecin en cas de : hémophilie, faible numération plaquettaire ou tout problème de saignement, obstruction ou blocage intestinal, ulcère gastrique ou intestinal, polypes, maladie du foie ou des vaisseaux sanguins.

 EFFETS INDÉSIRABLES

GRAVES
Fièvre, fatigue anormale, frissons, démangeaisons, rash cutané ou urticaire, difficultés respiratoires, mal de gorge, ecchymoses ou saignements anormaux.

COURANTS
Il n'y a pas d'effet indésirable courant associé à l'utilisation du pentosan.

MOINS COURANTS
Crampes abdominales, chute des cheveux, diarrhée, nausées, maux d'estomac, vertiges, éruptions cutanées, maux de tête.

PENTOXIFYLLINE

Présentation : Comprimés à libération prolongée
En vente libre ? Non **Générique disponible ?** Oui
Classe de médicaments : Agent vasoactif

▼ GÉNÉRALITÉS

INDICATIONS
Pour améliorer la circulation du sang et réduire la douleur dans les jambes chez les patients souffrant de mauvaise circulation dans les jambes.

MODE D'ACTION
La pentoxifylline réduit la viscosité du sang (ou l'éclaircit) et favorise ainsi une meilleure circulation des globules rouges dans tout le système circulatoire.

▼ MODE D'EMPLOI

POSOLOGIE
400 mg, 2 ou 3 fois par jour.

DÉBUT D'ACTION
Inconnu. Le plein effet thérapeutique peut mettre 4 à 8 semaines à s'établir.

DURÉE D'ACTION
Inconnue.

CONSEILS NUTRITIONNELS
La pentoxifylline doit être prise au cours des repas pour diminuer les risques de dérangements gastro-intestinaux. Il peut être opportun de prendre un antiacide.

MODE DE CONSERVATION
Dans un contenant étanche, à l'abri de la chaleur et de la lumière.

OUBLI D'UNE DOSE
Prenez-la dès que vous y pensez. S'il est presque l'heure de la suivante, sautez la dose oubliée et reprenez la fréquence normale. Ne doublez pas la dose suivante.

ARRÊT DE LA MÉDICATION
Cette décision doit être prise par le médecin. Effectuez le traitement au complet, comme il a été prescrit, même si vous vous sentez mieux.

USAGE PROLONGÉ
Un suivi médical régulier, avec examens et analyses, est nécessaire si le traitement doit se prolonger.

▼ PRÉCAUTIONS

Plus de 60 ans. Risques de réactions indésirables plus fréquentes et plus graves.

Conduite automobile, travaux dangereux. À déconseiller tant que vous ne connaissez pas votre réaction au médicament.

Alcool. À éviter.

Grossesse. La pentoxifylline ne semble pas provoquer d'anomalies congénitales. Il n'existe pas d'études sur les humains. Avant de prendre de la pentoxifylline, ne manquez pas d'avertir le médecin que vous êtes enceinte ou voulez le devenir.

Allaitement. La pentoxifylline passe dans le lait maternel ; n'allaitez pas si vous en prenez. Demandez spécifiquement l'avis du médecin.

Nourrissons et enfants. Innocuité et efficacité non établies chez les moins de 18 ans.

À surveiller. En plus de ce médicament, surveillez votre poids et faites de l'exercice. Baignez-vous les pieds tous les jours dans de l'eau tiède, appliquez ensuite de la lanoline et enfilez des chaussettes de coton propres. Ne fumez pas ; toutes les sortes de tabac peuvent aggraver votre état en exerçant un effet constricteur sur les vaisseaux sanguins. Avalez les comprimés en entier, sans les briser, les broyer ou les croquer.

SURDOSAGE
Symptômes. Bouffées congestives, hypotension marquée, nervosité, agitation, tremblements, convulsions, fièvre, agitation, perte de conscience, rythme cardiaque très lent. Les symptômes se manifestent d'ordinaire 4 à 5 heures après l'ingestion d'une surdose.

Quoi faire. Arrêtez de prendre le médicament et appelez immédiatement le médecin ou le centre antipoison, ou allez à l'urgence.

▼ INTERACTIONS

MÉDICAMENT-MÉDICAMENT
Consultez le médecin si vous prenez : anticoagulants, théophylline, antihypertenseurs, antidiabétiques ou tout médicament vendu avec ou sans ordonnance.

MÉDICAMENT-ALIMENT
Aucune interaction connue.

MÉDICAMENT-MALADIE
La pentoxifylline demande qu'on soit prudent. Consultez le médecin si vous souffrez d'un trouble provoquant un risque d'hémorragie, comme un récent accident cérébro-vasculaire (ACV). La pentoxifylline peut entraîner des complications chez les patients atteints d'une maladie du foie ou des reins, car ces organes contribuent ensemble à éliminer le médicament de l'organisme.

  EFFETS INDÉSIRABLES

GRAVES
Douleur thoracique, arythmies cardiaques.

COURANTS
Nausées, vertiges.

MOINS COURANTS
Céphalées, douleur ou dérangement d'estomac, vomissements, bouffées congestives, vision brouillée.

PERGOLIDE (MÉSYLATE DE)

Présentation : Comprimés
En vente libre ? Non   **Générique disponible ?** Non
Classe de médicaments : Antiparkinsonien

▼ GÉNÉRALITÉS

INDICATIONS
Comme adjuvant à la lévo-dopa/carbidopa dans le traitement de la maladie de Parkinson.

MODE D'ACTION
Le pergolide stimule direc-tement les récepteurs de la dopamine pour favoriser un bon contrôle des mou-vements musculaires volontaires.

▼ MODE D'EMPLOI

POSOLOGIE
Adultes : dose initiale, 0,05 mg, 1 fois par jour. Cette posologie est graduelle-ment augmentée sur 12 jours pour atteindre 0,25 mg par jour. Elle peut alors être augmentée tous les 3 jours jusqu'à obtention de la réponse thérapeutique idéale. Dose d'entretien habituelle, 3 mg par jour, en 3 prises fractionnées, sans dépasser 5 mg par jour. Enfants : le médicament n'est générale-ment pas prescrit aux enfants.

DÉBUT D'ACTION
Inconnu.

DURÉE D'ACTION
Inconnue.

CONSEILS NUTRITIONNELS
Pas de restrictions spéciales.

MODE DE CONSERVATION
Dans un contenant étanche, à l'abri de la chaleur, de l'humi-dité et de la lumière.

OUBLI D'UNE DOSE
Prenez-la dès que vous y pensez. S'il est presque l'heu-re de la suivante, sautez la dose oubliée et reprenez la fréquence normale. Ne dou-blez pas la dose suivante.

ARRÊT DE LA MÉDICATION
Consultez le médecin avant de mettre fin à la médication. Elle devra être réduite gra-duellement sur une période de 7 à 14 jours.

USAGE PROLONGÉ
On ne sait pas si un usage prolongé peut provoquer des problèmes particuliers ; les études sur les effets à long terme sont très limitées.

▼ PRÉCAUTIONS

Plus de 60 ans. Aucun pro-blème spécial n'est redouté, mais la prudence s'impose.

Conduite automobile, tra-vaux dangereux. Le pergolide peut causer somnolence ou confusion. Évitez ce type d'activités tant que vous ne connaissez pas votre réaction au médicament.

Alcool. À éviter.

Grossesse. Il n'existe pas d'études concluantes sur les humains. Les femmes encein-tes ne devraient pas prendre ce médicament.

Allaitement. Le pergolide peut inhiber la lactation : les femmes qui allaitent ne devraient pas en prendre.

Nourrissons et enfants. Innocuité et efficacité non établies : consultez le pédiatre.

À surveiller. Le médicament doit être utilisé avec la plus grande prudence par les personnes qui souffrent de troubles gastro-intestinaux ou urinaires, par exemple de mictions difficiles ou doulou-reuses ou d'une infection des voies urinaires.

SURDOSAGE
Symptômes. On a signalé peu de cas de surdosage. Les symptômes incluent : hypotension, agitation et vomissements.

Quoi faire. Appelez immédia-tement le médecin ou le centre antipoison, ou allez à l'urgence.

▼ INTERACTIONS

MÉDICAMENT-MÉDICAMENT
Le pergolide peut causer des interactions avec les antipsychotiques de type phénothiazine, tels que : chlorhydrate de chlorproma-zine, chlorhydrate de thiori-dazine ou prochlorpérazine. Demandez conseil à votre médecin.

MÉDICAMENT-ALIMENT
Aucune interaction connue.

MÉDICAMENT-MALADIE
Consultez le médecin en cas de troubles gastro-intestinaux, troubles des voies urinaires ou maladie cardiaque (en particulier si elle est accompagnée d'ano-malies du rythme cardiaque).

 EFFETS INDÉSIRABLES

GRAVES
Confusion, hallucinations, mouvements musculaires anor-maux ou inhabituels, hypotension (vertiges, étourdisse-ments, perte de conscience ou confusion), douleurs ou brûlures à la miction (infection des voies urinaires).

COURANTS
Vertiges ou étourdissements en se relevant brusquement (en position debout ou assis), fréquents au début du traite-ment, mais disparaissant avec le temps ; nausées.

MOINS COURANTS
Hypertension, diarrhée, bouche sèche, enflure du visage, fatigue, insomnie, constipation, écoulement nasal.

PERINDOPRIL ERBUMINE

Présentation : Comprimés
En vente libre ? Non   **Générique disponible ?** Non
Classe de médicaments : Inhibiteur de l'enzyme de conversion de l'angiotensine (ECA)

▼ GÉNÉRALITÉS

INDICATIONS
Pour maîtriser l'hypertension.

MODE D'ACTION
Les inhibiteurs de l'enzyme de conversion de l'angiotensine (ECA) bloquent une enzyme productrice d'angiotensine qui provoque la constriction des vaisseaux sanguins et stimule la sécrétion d'une hormone de la corticosurrénale, l'aldostérone, qui favorise la rétention du sodium. De ce fait, les inhibiteurs de l'ECA dilatent les vaisseaux sanguins et réduisent la rétention sodique, ce qui diminue la tension artérielle et le travail cardiaque.

▼ MODE D'EMPLOI

POSOLOGIE
Dose d'attaque, 4 mg, 1 fois par jour. Dose d'entretien habituelle, 4 à 8 mg par jour. Patients de plus de 65 ans : habituellement 2 mg, pouvant augmenter à 4 mg par jour.

DÉBUT D'ACTION
En 1 à 2 heures.

DURÉE D'ACTION
Jusqu'à 24 heures.

CONSEILS NUTRITIONNELS
Le perindopril se prend pendant ou en dehors des repas. Suivez les conseils nutritionnels du médecin (régime pauvre en sel et en cholestérol) pour mieux maîtriser l'hypertension et la maladie cardiaque. Évitez les aliments riches en potassium (bananes et agrumes, fruits et jus), à moins que vous ne preniez par ailleurs des médicaments, comme des diurétiques, qui font baisser les taux de potassium.

MODE DE CONSERVATION
Dans un contenant étanche, à l'abri de la chaleur, de l'humidité et de la lumière.

OUBLI D'UNE DOSE
Prenez-la dès que vous y pensez. S'il est presque l'heure de la suivante, sautez la dose oubliée et reprenez la fréquence normale. Ne doublez pas la dose suivante.

ARRÊT DE LA MÉDICATION
Un arrêt brusque de la médication peut donner lieu à de graves problèmes de santé. Il est recommandé de réduire peu à peu la posologie selon les directives du médecin.

USAGE PROLONGÉ
Un suivi médical est nécessaire en traitement prolongé. Le perindopril aide à maîtriser l'hypertension, mais ne la guérit pas. Le traitement peut donc durer toute la vie.

▼ PRÉCAUTIONS

Plus de 60 ans. Certaines personnes âgées peuvent être plus vulnérables aux effets du médicament ; il peut y avoir lieu de réduire les doses.

Conduite automobile, travaux dangereux. À éviter tant que vous ne savez pas les effets du médicament sur vous.

Alcool. À consommer avec modération. L'alcool peut potentialiser l'effet du médicament et provoquer une chute excessive de la tension artérielle. Demandez l'avis du médecin.

Grossesse. L'administration de perindopril durant les 6 derniers mois de la grossesse peut entraîner des anomalies congénitales graves et même la mort du fœtus. Interrompez le traitement si vous êtes enceinte ou désirez le devenir.

Allaitement. Le perindopril peut passer dans le lait mater-

nel : la prudence s'impose. Demandez l'avis du médecin.

Nourrissons et enfants. Innocuité et efficacité non établies pour les moins de 18 ans.

À surveiller. Le perindopril doit être interrompu en présence d'une augmentation des enzymes hépatiques.

SURDOSAGE
Symptômes. Vertiges ou évanouissement causés par une tension artérielle très basse.

Quoi faire. Peu de cas de surdosage ont été signalés. Le cas échéant, appelez immédiatement le médecin ou le centre antipoison, ou allez à l'urgence.

▼ INTERACTIONS

MÉDICAMENT-MÉDICAMENT
Consultez le médecin si vous prenez : diurétiques (surtout à épargne potassique), suppléments de potassium ou médicaments contenant du potassium (lisez attentivement l'étiquette), lithium ou gentamicine.

MÉDICAMENT-ALIMENT
Évitez le lait hyposodique et les succédanés du sel : plusieurs de ces produits renferment du potassium.

MÉDICAMENT-MALADIE
Avisez le médecin en cas d'antécédents de : réaction allergique à un inhibiteur de l'ECA, insuffisance cardiaque, toute autre maladie cardiaque, maladie du foie ou insuffisance rénale.

  EFFETS INDÉSIRABLES

GRAVES
Ils sont très rares. Fièvre et frissons ; mal de gorge et voix rauque ; difficulté soudaine à respirer et à avaler ; enflure de la bouche, des extrémités ou du visage ; insuffisance rénale (enflure des chevilles, baisse du débit urinaire) ; confusion ; jaunissement des yeux ou de la peau (indice d'une dysfonction du foie) ; démangeaisons intenses ; douleur thoracique ou palpitations ; douleur abdominale.

COURANTS
Toux sèche et persistante, céphalées.

MOINS COURANTS
Vertiges ou évanouissement ; rash cutané ; engourdissement ou picotements des mains, des pieds ou des lèvres ; fatigue ou faiblesse musculaires inhabituelles ; nausées ; somnolence ; modification du goût ; céphalées.

PERMÉTHRINE

Présentation : Lotion, crème pour la peau, après-shampooing
En vente libre ? Oui   **Générique disponible ?** Non
Classe de médicaments : Antiparasitaire topique

▼ GÉNÉRALITÉS

INDICATIONS
Après-shampooing – Contre les infestations de poux. Crème et lotion pour la peau – Traitement de la gale.

MODE D'ACTION
La perméthrine pénètre dans l'organisme des poux et des acariens de la gale, y entrave l'activité nerveuse et finit par provoquer leur paralysie et leur mort. (Le médicament n'a pas ces effets toxiques sur les humains.)

▼ MODE D'EMPLOI

POSOLOGIE
Poux de la tête (Pediculus humanus capitis) : après vous être lavé les cheveux avec un shampooing (sans conditionneur), les avoir rincés à l'eau et séchés à la serviette, appliquez une quantité suffisante (environ 25 à 50 ml) d'après-shampooing. Laissez en place 10 minutes, puis rincez soigneusement les cheveux à l'eau et séchez-les de nouveau mais avec une serviette propre. Enlevez poux morts et lentes avec un peigne fin. Si vous découvrez des poux vivants après 7 jours, répétez le traitement. Acariens de la gale – Faites pénétrer la crème ou la lotion dans la peau, depuis la tête jusqu'à la plante des pieds. Prenez une douche ou un bain 12 à 14 heures plus tard.

DÉBUT D'ACTION
En 10 minutes.

DURÉE D'ACTION
Jusqu'à 10 jours.

CONSEILS NUTRITIONNELS
Rien à signaler.

MODE DE CONSERVATION
Dans un contenant étanche, à l'abri de la chaleur et de la lumière.

OUBLI D'UNE DOSE
Si un second traitement est nécessaire et que vous ne l'effectuez pas au bout de 7 jours, faites-le aussi vite que possible.

ARRÊT DE LA MÉDICATION
N'effectuez pas de second traitement si vous ne découvrez aucun pou après 7 jours.

 EFFETS INDÉSIRABLES

GRAVES
Aucun effet indésirable grave n'a été signalé.

COURANTS
Après-shampooing : Sensation de brûlure, démangeaisons, engourdissement, rash cutané, rougeur, picotements, enflure du cuir chevelu ou sensation de fourmillement à cet endroit. Ces effets sont bénins et passagers. Crème ou lotion pour la peau : sensation de brûlure légère et fourmillement après application.

MOINS COURANTS
Aucun effet indésirable moins courant n'a été signalé.

USAGE PROLONGÉ
En cas de réinfestation, consultez le médecin.

▼ PRÉCAUTIONS

Plus de 60 ans. Pas de risques connus.

Conduite automobile, travaux dangereux. Le traitement à la perméthrine ne devrait pas vous empêcher d'exécuter de telles tâches en toute sécurité.

Alcool. Pas de précautions spéciales.

Grossesse. Dans des études sur les animaux, la perméthrine n'a provoqué ni problèmes ni anomalies congénitales. Il n'existe pas d'études sur les humains. Avant d'utiliser ce produit, prévenez le médecin si vous êtes enceinte ou voulez le devenir.

Allaitement. La perméthrine peut passer dans le lait maternel : la prudence s'impose. Demandez l'avis du médecin.

Nourrissons et enfants. Indications et posologie pour les enfants de moins de 2 ans : à déterminer par le médecin.

À surveiller. Poux : passez au peigne fin tous les membres de la famille et traitez ceux chez qui l'on découvre des poux. Idem pour le partenaire sexuel. Faites tremper peignes et brosses 5 à 10 minutes dans de l'eau très chaude. Lavez à la machine dans de l'eau très chaude et faites sécher à la machine durant au moins 20 minutes, au cycle le plus chaud, les vêtements, le linge de maison et la literie.

Mettez les articles non lavables dans un sac de plastique hermétique et laissez-les-y au moins 2 semaines ou vaporisez-les avec un produit spécial scabicide. Acariens de la gale : les vêtements et la literie utilisés 2 jours avant le traitement doivent être lavés à la machine dans l'eau très chaude et séchés à la machine au moins 20 minutes, au cycle le plus chaud. N'utilisez pas ce médicament si vous êtes hypersensible aux chrysanthèmes. La perméthrine peut temporairement aggraver les démangeaisons et autres symptômes provoqués par une infestation de poux ou d'acariens de la gale.

SURDOSAGE
Symptômes. Aucun cas de surdose n'a été signalé.

Quoi faire. Bien qu'une surdose soit peu probable, si une personne ingère le médicament par accident, appelez immédiatement le médecin ou le centre antipoison, ou allez à l'urgence.

▼ INTERACTIONS

MÉDICAMENT-MÉDICAMENT
Avant d'utiliser ce médicament, signalez au médecin tous les médicaments pour le cuir chevelu que vous utilisez avec ou sans ordonnance.

MÉDICAMENT-ALIMENT
Aucune interaction connue.

MÉDICAMENT-MALADIE
Consultez le médecin en cas d'inflammation marquée de la peau.

PERPHÉNAZINE

Présentation : Solution orale, comprimés, injection
En vente libre ? Non **Générique disponible ?** Oui
Classe de médicaments : Neuroleptique ; antipsychotique ; antiémétique

▼ GÉNÉRALITÉS

INDICATIONS
Traitement des troubles psychotiques (troubles mentaux graves, caractérisés par des pensées et des perceptions déformées, comme la schizophrénie) ainsi que des nausées et vomissements graves.

MODE D'ACTION
La perphénazine inhibe les récepteurs de la dopamine (élément chimique favorisant la transmission des impulsions nerveuses) dans le système nerveux central. On croit que c'est ce qui produit un effet tranquillisant ou antipsychotique.

▼ MODE D'EMPLOI

POSOLOGIE
Adultes : dose initiale, 4 à 8 mg, 3 fois par jour. Le médecin peut augmenter peu à peu la dose selon vos besoins et votre tolérance, sans dépasser 24 mg par jour.

DÉBUT D'ACTION
L'effet sédatif se fait sentir en quelques minutes, mais l'effet antipsychotique peut mettre des heures, des jours et même des semaines à s'établir.

DURÉE D'ACTION
12 à 24 heures, mais les effets peuvent persister durant plusieurs jours.

CONSEILS NUTRITIONNELS
Peut se prendre avec un aliment ou un grand verre de lait ou d'eau.

MODE DE CONSERVATION
Dans un contenant étanche, à l'abri de la chaleur, de l'humidité et de la lumière.

OUBLI D'UNE DOSE
Prenez-la dès que vous y pensez. S'il est presque l'heure de la suivante, sautez la dose oubliée et reprenez la fréquence normale. Ne doublez pas la dose suivante.

ARRÊT DE LA MÉDICATION
La décision d'interrompre le traitement doit être prise en consultation avec le médecin.

USAGE PROLONGÉ
Demandez au médecin s'il y a lieu d'instaurer un suivi médical, avec tests de laboratoire, en cas d'usage prolongé.

▼ PRÉCAUTIONS

Plus de 60 ans. Risques de réactions indésirables plus fréquentes et plus graves.

Conduite automobile, travaux dangereux. À déconseiller tant que vous ne connaissez pas votre réaction au médicament.

Alcool. À éviter.

Grossesse. Évitez d'utiliser ce médicament si vous êtes enceinte ou voulez le devenir.

Allaitement. Évitez de prendre le médicament si c'est possible ; sinon, n'allaitez pas.

Nourrissons et enfants. Risques de réactions indésirables plus fréquentes et plus graves dans ce groupe d'âge.

À surveiller. Évitez de vous exposer longtemps à la chaleur dans les pays chauds. Buvez beaucoup et restez au frais en été. Ne vous exposez pas longtemps au soleil tant que vous ne connaissez pas l'effet des rayons ultraviolets sur votre peau.

SURDOSAGE
Symptômes. Somnolence grave, arythmies cardiaques, sécheresse de la bouche, agitation motrice ou nerveuse paradoxale, convulsions, perte de conscience.

Quoi faire. Appelez immédiatement le médecin ou le centre antipoison, ou allez à l'urgence.

▼ INTERACTIONS

MÉDICAMENT-MÉDICAMENT
Demandez l'avis du médecin si vous prenez : amantadine, antihypertenseurs, bromocriptine, déféroxamine, diurétiques, lévobunolol, médicaments pour le cœur, nabilone, autres antipsychotiques, pentamidine, pimozide, prométhazine, triméprazine, un agent thyroïdien, dépresseurs du système nerveux central, épinéphrine, lithium, lévodopa, méthyldopa, métoclopramide ou pémoline.

MÉDICAMENT-ALIMENT
Aucune interaction connue.

MÉDICAMENT-MALADIE
Avertissez le médecin en cas de : maladie de Parkinson ou dyskinésies, glaucome, épilepsie, maladie du foie ou des reins.

▼ EFFETS INDÉSIRABLES

GRAVES
Tachycardie, sudation abondante, convulsions, difficultés respiratoires, raideur du cou, enflure de la langue, déglutition difficile. Aussi, risque d'un trouble rare, le syndrome malin des neuroleptiques, dont les symptômes sont : raideur ou spasmes musculaires, forte fièvre et confusion ou désorientation.

COURANTS
Nausées, sudation réduite, sécheresse de la bouche, vision brouillée, somnolence, tremblement des mains, raideur, dos voûté.

MOINS COURANTS
Difficulté à uriner, irrégularités menstruelles, douleur ou enflure des seins, gain de poids inexpliqué, mouvements involontaires de la langue, fièvre, frissons, mal de gorge, ecchymoses ou saignements inhabituels, palpitations, rash cutané, démangeaisons, sensibilité accrue de la peau au soleil.

PHÉNAZOPYRIDINE (CHLORHYDRATE DE)

Présentation : Comprimés
En vente libre ? Oui   **Générique disponible ?** Oui
Classe de médicaments : Analgésique urinaire

▼ GÉNÉRALITÉS

INDICATIONS
Soulagement symptomatique à court terme des manifestations d'une irritation des voies urinaires : sensation de brûlure, douleur et malaise durant la miction et envie impérieuse d'uriner alors qu'il ne passe qu'une toute petite quantité d'urine. L'irritation des voies urinaires est le plus souvent provoquée par une infection de la vessie ; la phénazopyridine peut en soulager les symptômes mais elle ne guérit pas l'infection.

MODE D'ACTION
La phénazopyridine passe dans les voies urinaires en exerçant un effet anesthésique sur la muqueuse qui les tapisse, soulageant ainsi les malaises associés à l'infection ou à l'inflammation.

▼ MODE D'EMPLOI

POSOLOGIE
Adultes : 200 mg, 3 fois par jour.

DÉBUT D'ACTION
Inconnu.

DURÉE D'ACTION
Inconnue.

CONSEILS NUTRITIONNELS
À prendre de préférence durant ou juste après les repas pour réduire les dérangements d'estomac.

MODE DE CONSERVATION
Dans un contenant étanche, à l'abri de la chaleur, de l'humidité et de la lumière.

OUBLI D'UNE DOSE
Prenez-la dès que vous y pensez. S'il est presque l'heure de la suivante, sautez la dose oubliée et reprenez la fréquence normale. Ne doublez pas la dose suivante.

ARRÊT DE LA MÉDICATION
Cette décision doit être prise par votre médecin. Si le médicament est associé à un antibiotique, il doit être pris pendant 2 jours (6 prises) seulement.

USAGE PROLONGÉ
La phénazopyridine ne doit se prendre que pour une très courte période.

▼ PRÉCAUTIONS

Plus de 60 ans. Pas de risques connus.

Conduite automobile, travaux dangereux. À déconseiller tant que vous ne connaissez pas votre réaction au médicament.

Alcool. Pas de précautions spéciales.

Grossesse. Il n'existe pas d'études concluantes sur les humains. Avant de prendre de la phénazopyridine, prévenez le médecin si vous êtes enceinte ou voulez le devenir.

Allaitement. La phénazopyridine peut passer dans le lait maternel : la prudence s'impose. Demandez l'avis du médecin.

Nourrissons et enfants. Il n'existe pas d'études sur ce groupe d'âge.

À surveiller. La phénazopyridine donne une coloration orange rougeâtre à l'urine. C'est un effet sans conséquence, mais qui peut tacher les sous-vêtements. Le médicament peut également colorer de façon permanente les lentilles ophtalmiques ; mieux vaut porter des lunettes durant le traitement. Chez les diabétiques, le médicament peut fausser les tests de sucre et de cétone urinaire. Ne mastiquez pas les comprimés ; la mastication peut colorer les dents de façon

permanente. N'utilisez pas ce qui peut rester du médicament contre de nouvelles infections urinaires sans consulter le médecin.

SURDOSAGE
Symptômes. Fatigue, pâleur, essoufflement, palpitations, sang dans l'urine sanglante ou urine brouillée, baisse du débit urinaire, enflure des chevilles et des mollets, douleur dans le bas du dos ou le flanc, nausées ou vomissements.

Quoi faire. Une surdose est peu probable. Néanmoins, s'il se produit des symptômes de surdosage, appelez immédiatement le médecin ou le centre antipoison, ou allez à l'urgence.

▼ INTERACTIONS

MÉDICAMENT-MÉDICAMENT
Certains médicaments peuvent interagir avec la phénazopyridine. Demandez l'avis du médecin pour tous les médicaments que vous prenez avec ou sans ordonnance.

MÉDICAMENT-ALIMENT
Aucune interaction connue.

MÉDICAMENT-MALADIE
La phénazopyridine demande qu'on soit prudent. Consultez le médecin en cas de : déficience en glucose-6-phosphate déshydrogénase (G-6-PD), hépatite, urémie, pyélonéphrite (infection du rein) durant la grossesse, autres maladies des reins.

EFFETS INDÉSIRABLES

GRAVES
Ils sont rares. Demandez de l'aide médicale devant les effets suivants : difficultés respiratoires ; enflure du visage, des doigts, des pieds ou du bas des jambes ; coloration bleue ou mauve de la peau ; fatigue anormale ; fièvre ; confusion ; baisse subite du débit urinaire ; essoufflement ; constriction thoracique ; rash cutané ; jaunissement des yeux ou de la peau ; gain de poids inexpliqué.

COURANTS
Urine orange rougeâtre.

MOINS COURANTS
Mauvaise digestion, vertiges, crampes ou douleur gastriques, céphalées.

PHÉNELZINE (SULFATE DE)

NOM COMMERCIAL

Nardil

Présentation : Comprimés
En vente libre ? Non   **Générique disponible ?** Non
Classe de médicaments : Antidépresseur inhibiteur de la monoamine-oxydase (IMAO)

▼ GÉNÉRALITÉS

INDICATIONS
Traitement symptomatique de la dépression grave.

MODE D'ACTION
En inhibant l'activité de la monoamine-oxydase, enzyme qui inactive certains éléments chimiques du cerveau (épinéphrine, norépinéphrine et dopamine), la phénelzine augmente la disponibilité de ceux-ci dans le système nerveux, ce qui, croit-on, aurait un effet antidépresseur.

▼ MODE D'EMPLOI

POSOLOGIE
Adultes : dose initiale, 15 mg, 3 fois par jour ; peut être portée à 90 mg par jour. Personnes âgées : dose initiale, 15 mg, 1 fois par jour ; peut être portée à 60 mg par jour.

DÉBUT D'ACTION
En 7 à 10 jours ; le plein effet thérapeutique peut mettre jusqu'à 8 semaines à s'établir.

DURÉE D'ACTION
Jusqu'à 10 jours après l'interruption du traitement.

CONSEILS NUTRITIONNELS
Voir Interactions, Médicament-aliment.

MODE DE CONSERVATION
Dans un contenant étanche, à l'abri de la chaleur et de la lumière.

OUBLI D'UNE DOSE
Prenez-la dès que vous y pensez. S'il est presque l'heure de la suivante, sautez la dose oubliée et reprenez la fréquence normale. Ne doublez pas la dose suivante.

ARRÊT DE LA MÉDICATION
La décision doit être prise en consultation avec le médecin.

USAGE PROLONGÉ
Le traitement dure normalement de 6 mois à 1 an. Certains patients peuvent tirer profit d'un traitement plus long ; dans ce cas, un suivi médical, avec examens et analyses, est nécessaire.

▼ PRÉCAUTIONS

Plus de 60 ans. Risques de réactions indésirables plus fréquentes et plus graves.

Conduite automobile, travaux dangereux. Soyez prudent tant que vous ne connaissez pas votre réaction au médicament.

Alcool. À éviter.

Grossesse. Le médicament peut augmenter les risques d'anomalies congénitales.

Allaitement. La phénelzine peut passer dans le lait maternel : la prudence s'impose. Demandez son avis à votre médecin.

Nourrissons et enfants. La phénelzine n'est pas recommandée pour les patients de 16 ans et moins.

À surveiller. Avant une intervention chirurgicale, un traitement d'urgence ou un travail dentaire, avertissez le médecin ou le dentiste que vous prenez de la phénelzine. Certaines interactions médicamenteuses ou alimentaires peuvent mettre votre vie en danger.

SURDOSAGE
Symptômes. Anxiété grave, confusion, convulsions, peau froide et moite, somnolence marquée, pouls irrégulier, hallucinations, céphalées violentes, évanouissement, raideur musculaire, sudation, difficultés respiratoires.

Quoi faire. Appelez immédiatement le médecin ou le centre antipoison, ou allez à l'urgence.

▼ INTERACTIONS

MÉDICAMENT-MÉDICAMENT
Demandez l'avis du médecin si vous prenez ou avez pris récemment : amphétamines, antihypertenseurs, anorexigènes, cyclobenzaprine, fluoxétine, lévodopa, maprotiline, médicaments contre l'asthme, le rhume et les allergies, mépéridine, méthylphénidate, autre IMAO, paroxétine, sertraline, antidépresseur tricyclique, antidiabétique oral, insuline, bupropion, buspirone, carbamazépine, tout dépresseur du système nerveux central, dextrométhorphane, trazodone ou tryptophane.

MÉDICAMENT-ALIMENT
Ne mangez pas d'aliments riches en tyramine : fromages ; levures ou extraits de viande ; viande, volaille ou poisson marinés ou fumés ; charcuteries comme bologne, salami et pepperoni ; choucroute. Ne buvez pas de vin rouge ni de bière légère ou sans alcool. Ne prenez pas de boissons ou d'aliments riches en caféine, comme le café ou le chocolat.

MÉDICAMENT-MALADIE
La phénelzine demande qu'on soit prudent. Consultez le médecin en cas de : antécédents d'alcoolisme, angine, maux de tête fréquents, asthme, bronchite, diabète, épilepsie, maladie cardiaque ou crise cardiaque récente, maladie vasculaire, maladie du foie, maladie de Parkinson, accident cérébrovasculaire (ACV) récent, maladie du rein, hyperthyroïdie ou phéochromocytome.

 EFFETS INDÉSIRABLES ▼ ▼

GRAVES
Fortes céphalées, hypertension, douleur thoracique grave, pupilles dilatées, arythmies cardiaques, sensibilité des yeux à la lumière (photophobie), fièvre et sudation, nausées et vomissements, cou raide, étourdissements prononcés.

COURANTS
Vue trouble, baisse du débit urinaire, dysfonction sexuelle, vertiges ou étourdissements, mal de tête léger, modification de l'appétit avec envie violente de sucre, gain de poids, sudation accrue, secousses musculaires durant le sommeil, agitation motrice, tremblement, fatigue, insomnie.

MOINS COURANTS
Frissons, constipation, baisse de l'appétit, sécheresse de la bouche, enflure des extrémités inférieures.

PHÉNOBARBITAL

NOM COMMERCIAL

Barbilixir (Sauf pour l'élixir, les présentations sont sous forme générique seulement.)

Présentation : Gélules, élixir, comprimés, injection
En vente libre ? Non **Générique disponible ?** Oui
Classe de médicaments : Barbiturique

▼ GÉNÉRALITÉS

INDICATIONS
Indiqué surtout comme sédatif avant une chirurgie ou comme traitement de certains types de convulsions. Depuis qu'existent des somnifères plus récents, le phénobarbital est moins utilisé pour le traitement à court terme de l'insomnie.

MODE D'ACTION
Les barbituriques comme le phénobarbital réduisent l'activité du système nerveux central (cerveau et moelle épinière) et exercent ainsi une puissante action sédative.

▼ MODE D'EMPLOI

POSOLOGIE
Sédation – Adultes, voie orale : 30 à 120 mg, 2 ou 3 fois par jour (sans dépasser 400 mg par jour). Enfants, voie orale : 2 mg par kilogramme (2,2 lb) de poids, 3 fois par jour. Convulsions – Adultes, voie orale : 60 à 250 mg par jour. Enfants, voie orale : 1 à 6 mg par kilogramme de poids, par jour. Insomnie – Adultes, voie orale : 100 à 320 mg au coucher. Injection : posologie à déterminer par le médecin.

DÉBUT D'ACTION
En 1 heure environ.

DURÉE D'ACTION
10 à 12 heures.

CONSEILS NUTRITIONNELS
Les comprimés peuvent être broyés et avalés avec une boisson ou un aliment.

MODE DE CONSERVATION
Dans un contenant étanche, à l'abri de la chaleur, de l'humidité et de la lumière.

OUBLI D'UNE DOSE
Prenez-la dès que vous y pensez si vous suivez une fréquence régulière. S'il est presque l'heure de la suivante, sautez la dose oubliée et reprenez la fréquence normale. Ne doublez pas la dose suivante.

ARRÊT DE LA MÉDICATION
Cette décision doit être prise par le médecin. Il y a risque de symptômes de sevrage si le traitement est interrompu brusquement.

USAGE PROLONGÉ
Les barbituriques peuvent causer de l'accoutumance ; un usage prolongé peut provoquer de la dépendance. Le phénobarbital est utilisé seulement pour le traitement de courte durée de l'insomnie. D'ordinaire, il n'est plus efficace contre l'insomnie après 14 jours.

▼ PRÉCAUTIONS

Plus de 60 ans. Réactions indésirables plus fréquentes et plus graves. Il peut y avoir lieu de réduire les doses.

Conduite automobile, travaux dangereux. À cause de ses effets sédatifs, n'entreprenez pas de telles tâches avant de connaître votre réaction au médicament.

Alcool. À éviter ; les effets sédatifs de l'alcool s'ajoutent à ceux du médicament.

Grossesse. Le phénobarbital peut provoquer des anomalies congénitales et des problèmes durant la grossesse. Avant d'en prendre, prévenez le médecin si vous êtes enceinte ou voulez le devenir.

Allaitement. Le phénobarbital passe en petite quantité dans le lait maternel et peut provoquer des effets indésirables chez le nourrisson. Demandez l'avis du médecin.

Nourrissons et enfants. Ils sont sensibles aux effets du phénobarbital, comme les autres patients.

À surveiller. Le phénobarbital peut provoquer de la dépendance physiologique et psychologique. Consultez le médecin si l'effet sédatif vous semble trop puissant ou si vous éprouvez des symptômes de sevrage quand vous mettez fin au traitement.

SURDOSAGE
Symptômes. Sédation grave ou somnolence excessive, confusion, faiblesse grave, difficultés d'élocution, démarche peu assurée, essoufflement ou difficultés respiratoires.

Quoi faire. Appelez immédiatement le médecin ou le centre antipoison, ou allez à l'urgence.

▼ INTERACTIONS

MÉDICAMENT-MÉDICAMENT
Consultez le médecin si vous prenez : anticonvulsivants, dépresseurs du système nerveux central, antidépresseurs, warfarine (anticoagulant) ou contraceptifs oraux. Le phénobarbital peut rendre ces derniers moins efficaces.

MÉDICAMENT-ALIMENT
Aucune interaction connue.

MÉDICAMENT-MALADIE
Le phénobarbital demande qu'on soit prudent. Consultez le médecin en cas de : maladie des reins ou du foie, porphyrie, anémie, hyperactivité, dépression mentale, antécédents d'alcoolisme ou de toxicomanie.

 **EFFETS INDÉSIRABLES**

GRAVES
Excitation, confusion ou sédation excessive (on ne peut vous réveiller). Jaunissement des yeux ou de la peau ; paupières, lèvres ou visage enflés ; respiration sifflante ; rash cutané (signe d'allergie) ; lésion labiale ou buccale.

COURANTS
Maladresse, manque d'équilibre, somnolence persistante, vertiges ou étourdissements.

MOINS COURANTS
Anxiété ou nervosité, cauchemars, insomnie, constipation, sensation d'être sur le point de s'évanouir, irritabilité, céphalées, nausées ou vomissements.

PHENTERMINE

NOM COMMERCIAL

Ionamin

Présentation : Comprimés, gélules
En vente libre ? Non   **Générique disponible ?** Non
Classe de médicaments : Anorexigène

▼ GÉNÉRALITÉS

INDICATIONS
Pour supprimer l'appétit chez les patients obèses. La phentermine devrait être associée à un régime alimentaire strict et ne jamais être prescrite comme seule méthode pour perdre du poids.

MODE D'ACTION
Les chercheurs estiment que le centre anorexigène du corps humain se trouverait dans une partie du cerveau appelée hypothalamus. Il se peut que la phentermine modifie la transmission des impulsions nerveuses dans cette région.

▼ MODE D'EMPLOI

POSOLOGIE
15 à 30 mg, 1 fois par jour.

DÉBUT D'ACTION
En 1 heure.

DURÉE D'ACTION
12 à 14 heures.

CONSEILS NUTRITIONNELS
La phentermine peut se prendre au petit déjeuner ou 10 à 14 heures avant le coucher.

MODE DE CONSERVATION
Dans un contenant étanche, à l'abri de la chaleur et de la lumière.

OUBLI D'UNE DOSE
Prenez-la dès que vous y pensez. S'il est presque l'heure de la suivante, sautez la dose oubliée et reprenez la fréquence normale. Ne doublez pas la dose suivante.

ARRÊT DE LA MÉDICATION
Effectuez le traitement au complet, comme il vous a été prescrit, même si vous en voyez les effets positifs avant qu'il prenne fin.

USAGE PROLONGÉ
La phentermine ne doit être utilisée que pendant quelques semaines. Un usage prolongé peut provoquer de la tolérance au médicament ou même parfois de la dépendance.

EFFETS INDÉSIRABLES

GRAVES
Confusion ou dépression, rash cutané ou urticaire, hypertension, mal de gorge et fièvre, ecchymoses ou saignements anormaux, essoufflement, douleur thoracique, évanouissement.

COURANTS
Irritabilité, nervosité, agitation motrice, insomnie.

MOINS COURANTS
Vision brouillée, altération de la libido, constipation ou diarrhée, mictions difficiles ou douloureuses, vertiges, étourdissements, somnolence, sécheresse de la bouche, tachycardie, débit urinaire accru, céphalées, sudation accrue, nausées ou vomissements, crampes d'estomac, arrière-goût déplaisant.

▼ PRÉCAUTIONS

Plus de 60 ans. Réactions indésirables plus fréquentes et plus graves, surtout quand la phentermine est prise en association avec des médicaments qui agissent sur le système nerveux central.

Conduite automobile, travaux dangereux. À déconseiller tant que vous ne connaissez pas votre réaction au médicament.

Alcool. À éviter.

Grossesse. L'innocuité de la phentermine n'a pas été établie. Avant d'en prendre, prévenez le médecin si vous êtes enceinte ou voulez le devenir.

Allaitement. La phentermine peut passer dans le lait maternel : la prudence s'impose. Demandez l'avis du médecin.

Nourrissons et enfants. Non recommandée aux enfants de moins de 12 ans.

À surveiller. Votre organisme peut avoir besoin de temps pour s'ajuster après l'arrêt de la médication. La phentermine peut modifier les taux sanguins de sucre ; consultez le médecin si vous avez des inquiétudes. Avertissez le médecin si vous remarquez la présence des symptômes suivants à la cessation du traitement à la phentermine : dépression, nausées ou vomissements, fatigue inhabituelle ou tremblements. Avant tout traitement médical ou dentaire, n'oubliez pas d'avertir le médecin ou le dentiste que vous prenez de la phentermine.

SURDOSAGE
Symptômes. Crampes d'estomac, diarrhée grave, fièvre, hallucinations, hyper ou hypotension inhabituelles, arythmies cardiaques, nausées ou vomissements graves, sentiments de panique, agitation motrice, tremblements.

Quoi faire. Appelez immédiatement le médecin ou le centre antipoison, ou allez à l'urgence.

▼ INTERACTIONS

MÉDICAMENT-MÉDICAMENT
Les médicaments suivants peuvent interagir avec le phentermine : amantadine, amphétamines, médicaments contre l'asthme, le rhume, la sinusite ou les allergies, méthylphénidate, nabilone, pémoline, inhibiteurs sélectifs du recaptage de la sérotonine (ISRS) ou inhibiteurs de la monoamine-oxydase (IMAO). Demandez spécifiquement l'avis du médecin.

MÉDICAMENT-ALIMENT
Évitez les aliments et boissons contenant de la caféine.

MÉDICAMENT-MALADIE
Il faut faire preuve de prudence quand on prend de la phentermine. Avisez le médecin en cas de : antécédents de toxicomanie ou d'alcoolisme, diabète, épilepsie, glaucome, maladie cardiaque, maladie vasculaire, hypertension, hyperthyroïdie ou maladie des reins.

PHÉNYLÉPHRINE (CHLORHYDRATE DE) OPHTALMIQUE

NOMS COMMERCIAUX

Ak-Dilate, Dionephrine, Mydfrin, Prefrin

Présentation : Solution ophtalmique
En vente libre ? Oui   **Générique disponible ?** Oui
Classe de médicaments : Mydriatique

▼ GÉNÉRALITÉS

INDICATIONS
Les solutions à 2,5 % et 10 % s'emploient pour dilater la pupille avant un examen ou un traitement ophtalmiques et pour traiter certains troubles oculaires. La solution à 0,12 % sert à traiter la rougeur de l'œil causée par une irritation bénigne.

MODE D'ACTION
La phényléphrine ophtalmique dilate les muscles qui contrôlent les pupilles, permettant ainsi au médecin d'examiner les structures internes de l'œil. Ce médicament réduit la rougeur des yeux en contractant les vaisseaux sanguins superficiels du blanc de l'œil.

▼ MODE D'EMPLOI

POSOLOGIE
Adultes et adolescents :
1 goutte de solution à 2,5 % ou à 10 %, 1 à 3 fois par jour. Enfants : 1 goutte de solution à 2,5 %, 1 à 3 fois par jour.

DÉBUT D'ACTION
Rapide.

EFFETS INDÉSIRABLES

GRAVES
Vertiges, pâleur, tachycardie, arythmies cardiaques, palpitations, tremblements, sudation abondante.

COURANTS
Pupilles anormalement dilatées, brûlure ou picotements dans les yeux, larmoiement, sensibilité des yeux à la lumière, vision brouillée, mal de tête ou de sourcils.

MOINS COURANTS
Irritation de l'œil qui n'existait pas avant l'instauration du traitement.

DURÉE D'ACTION
2 à 7 heures selon la concentration de la solution.

CONSEILS NUTRITIONNELS
Pas de restrictions ni de recommandations spéciales.

MODE DE CONSERVATION
Dans un contenant étanche, à l'abri de la chaleur, de l'humidité et de la lumière. Ne faites pas congeler.

OUBLI D'UNE DOSE
Prenez-la dès que vous y pensez. S'il est presque l'heure de la suivante, sautez la dose oubliée et reprenez la fréquence normale. Ne doublez pas la dose suivante.

ARRÊT DE LA MÉDICATION
La décision d'interrompre le traitement doit être prise par le médecin.

USAGE PROLONGÉ.
Un suivi médical, avec examens et analyses, est nécessaire en traitement prolongé.

▼ PRÉCAUTIONS

Plus de 60 ans. Pas de conseils spéciaux.

Conduite automobile, travaux dangereux. À déconseiller tant que vous ne savez pas si le médicament altère votre vue.

Alcool. Pas de précautions spéciales.

Grossesse. Il n'existe pas d'études sur les effets du médicament durant la grossesse chez les humains. Consultez le médecin.

Allaitement. Il n'existe pas d'études sur les effets du médicament durant l'allaitement chez les humains. Consultez le médecin.

Nourrissons et enfants. Risque de réactions indésirables plus fréquentes et plus graves. La solution à 10 % ne devrait pas être employée pour les nourrissons. Les autres concentrations ne devraient pas l'être pour les nourrissons de faible poids à la naissance.

À surveiller. Avant l'application, lavez-vous les mains. Renversez la tête en arrière. Appuyez doucement dans l'angle interne de la paupière et avec l'index de la même main, tirez la paupière inférieure vers le bas. Laissez tomber le médicament dans l'espace ainsi créé et fermez l'œil. Appuyez pendant 1 ou 2 minutes tout en gardant l'œil fermé sans cligner. Enfin, lavez-vous les mains de nouveau. Le bout du compte-gouttes ne doit toucher ni l'œil, ni votre doigt, ni rien d'autre. La phényléphrine peut rendre vos yeux plus sensibles à la lumière solaire. Si tel est le cas, portez des lunettes de soleil ou évitez de vous exposer à une forte lumière. Si cet effet dure plus de 12 heures après l'arrêt de la médication, consultez le médecin. La phényléphrine ophtalmique se vend sans ordonnance seulement dans la concentration de 0,12 %. Les solutions à 2,5 % et 10 % ne se vendent que sur ordonnance médicale.

SURDOSAGE
Symptômes. Vertiges, pâleur, tachycardie, arythmies cardiaques, palpitations, tremblements, sudation abondante, vomissements, coma, état de choc.

Quoi faire. En cas d'ingestion du médicament, appelez immédiatement le médecin ou le centre antipoison, ou allez à l'urgence.

▼ INTERACTIONS

MÉDICAMENT-MÉDICAMENT
Informez le médecin de tous les médicaments que vous prenez avec ou sans ordonnance.

MÉDICAMENT-ALIMENT
Aucune interaction connue.

MÉDICAMENT-MALADIE
Consultez le médecin en cas de : antécédents de maladie cardiaque, maladie vasculaire, diabète sucré, hyperthyroïdie, hypertension, hypotension orthostatique idiopathique (tension artérielle basse). Ce médicament ne devrait pas être utilisé par les personnes ayant des antécédents de glaucome à angle fermé.

PHÉNYLÉPHRINE (CHLORHYDRATE DE) SYSTÉMIQUE

Nombreuses associations médicamenteuses, comme Dimetapp Night-time Cold et Dristan (vaporisateur nasal)

Présentation : Comprimés, caplets, vaporisateur nasal
En vente libre ? Oui   **Générique disponible ?** Oui
Classe de médicaments : Décongestionnant

▼ GÉNÉRALITÉS

INDICATIONS
Soulagement de la congestion nasale provoquée par l'allergie, le rhume ou la sinusite.

MODE D'ACTION
La phényléphrine contracte les vaisseaux sanguins et réduit ainsi l'irrigation des voies nasales enflées, ce qui diminue les sécrétions et améliore le passage de l'air.

▼ MODE D'EMPLOI

POSOLOGIE
Comprimés : la posologie varie selon le produit. Vaporisateur nasal : Adultes : 2 ou 3 vaporisations dans chaque narine, toutes les 4 heures.

DÉBUT D'ACTION
Rapide.

DURÉE D'ACTION
30 minutes à 4 heures.

CONSEILS NUTRITIONNELS
Buvez beaucoup.

MODE DE CONSERVATION
Dans un contenant étanche, à l'abri de la chaleur et de la lumière.

OUBLI D'UNE DOSE
Prenez-la dès que vous y pensez. S'il est presque l'heure de la suivante, sautez la dose oubliée et reprenez la fréquence normale. Ne doublez pas la dose suivante.

ARRÊT DE LA MÉDICATION
Ne prenez pas ce médicament pendant plus de 3 jours sans consulter le médecin.

USAGE PROLONGÉ
Au-delà de 3 jours, il peut se produire une congestion de rebond (ou plus grave, par adaptation de l'organisme au médicament).

▼ PRÉCAUTIONS

Plus de 60 ans. Bien qu'il n'existe pas d'études spécifiques pour ce groupe d'âge, on ne s'attend à aucun problème particulier.

Conduite automobile, travaux dangereux. À déconseiller tant que vous ne connaissez pas votre réaction au médicament.

Alcool. À éviter.

Grossesse. La prudence s'impose. Consultez le médecin.

Allaitement. On ne sait pas si la phényléphrine passe dans le lait maternel : la prudence s'impose. Demandez l'avis du médecin.

Nourrissons et enfants. Risques de réactions indésirables plus fréquentes et plus graves.

À surveiller. Pour que l'infection ne se propage pas, chaque contenant ne doit servir qu'à une seule personne. Mouchez-vous doucement avant la médication. Vaporisateur nasal : tenez la tête droite et inspirez par petits coups durant la vaporisation. Pour obtenir de meilleurs résultats, répétez le traitement après 3 à 5 minutes.

SURDOSAGE
Symptômes. Arythmies cardiaques, tachycardie ou palpitations ; céphalées ou vertiges ; sudation accrue ; nervosité ; tremblements ; pâleur ; insomnie. De tels symptômes se rencontrent chez les jeunes enfants.

Quoi faire. Si un patient prend une dose bien supérieure à celle prescrite, appelez immédiatement le médecin ou le centre anti-poison, ou allez à l'urgence.

▼ INTERACTIONS

MÉDICAMENT-MÉDICAMENT
Avant de prendre de la phényléphrine, renseignez le médecin sur tous les médicaments que vous prenez avec ou sans ordonnance.

MÉDICAMENT-ALIMENT
Aucune interaction connue.

MÉDICAMENT-MALADIE
Consultez le médecin si vous avez des antécédents de : hypertension, diabète sucré, maladie cardiaque, maladie vasculaire, hyperthyroïdie.

EFFETS INDÉSIRABLES

GRAVES
Aucun effet indésirable grave n'a été signalé.

COURANTS
Sensation de brûlure, de sécheresse ou de picotement dans le nez. Une augmentation des sécrétions nasales peut se produire après 3 ou 5 jours d'administration continue.

MOINS COURANTS
Céphalées, fréquence cardiaque rapide ou irrégulière, surexcitation, agitation motrice.

PHÉNYTOÏNE

Présentation : Gélules à libération prolongée, comprimés à croquer, suspension orale
En vente libre ? Non   **Générique disponible ?** Oui
Classe de médicaments : Anticonvulsivant

▼ GÉNÉRALITÉS

INDICATIONS
Prévention et traitement des convulsions dans certains types d'épilepsie et dans d'autres troubles convulsifs.

MODE D'ACTION
On croit que la phénytoïne inhibe l'activité de certaines parties du cerveau et supprime les décharges irrégulières et anormales de neurones qui déclenchent les convulsions.

▼ MODE D'EMPLOI

POSOLOGIE
Adultes : dose d'attaque, 300 mg par jour en 1 dose ou en 2 ou 3 doses fractionnées, sans dépasser 600 mg par jour. Enfants : dose d'attaque, 5 mg par kilogramme (2,2 lb) de poids par jour, en 2 ou 3 doses fractionnées. Dose d'entretien habituelle, 4 à 8 mg par kilogramme de poids par jour. Des doses plus fortes sont parfois nécessaires. La dose initiale, généralement faible, est augmentée peu à peu au besoin par le médecin.

DÉBUT D'ACTION
En plusieurs heures.

DURÉE D'ACTION
L'effet maximum dure 24 heures ou davantage ; il diminue ensuite graduellement.

CONSEILS NUTRITIONNELS
À prendre en mangeant contre les maux d'estomac. On peut broyer, croquer ou avaler les comprimés tels quels.

MODE DE CONSERVATION
Dans un contenant étanche, à l'abri de la chaleur, de l'humidité et de la lumière.

OUBLI D'UNE DOSE
Prenez-la dès que vous y pensez. Essayez de ne pas l'oublier si vous ne prenez qu'une dose par jour.

ARRÊT DE LA MÉDICATION
N'arrêtez jamais le traitement brusquement : il y a risque de convulsions. Les doses doivent être réduites graduellement sur plusieurs semaines, sous surveillance médicale.

USAGE PROLONGÉ
Le médicament est souvent pris durant des périodes prolongées. Dans ce cas, voyez régulièrement votre médecin.

▼ PRÉCAUTIONS

Plus de 60 ans. Des doses plus faibles peuvent être nécessaires pour réduire les effets indésirables.

Conduite automobile, travaux dangereux. À déconseiller tant que vous ne connaissez pas votre réaction au médicament.

Alcool. Peut augmenter la somnolence.

Grossesse. Les anticonvulsivants augmentent le risque d'anomalies congénitales, mais les convulsions font aussi courir des risques au fœtus. Évaluez avec le médecin les bienfaits et les risques du médicament. Des suppléments de folate sont recommandés 1 ou 2 mois avant la conception et durant la grossesse.

Allaitement. La phénytoïne passe dans le lait maternel, bien qu'à faible concentration. Demandez l'avis du médecin.

Nourrissons et enfants. Aucun problème particulier.

À surveiller. Une bonne hygiène dentaire est nécessaire pour réduire le risque d'hyperplasie gingivale (enflure des gencives). Agitez énergiquement la suspension orale de phénytoïne avant d'en prendre. Le médecin vous demandera peut-être de porter un bracelet médical ou une carte spécifiant que vous prenez de la phénytoïne.

SURDOSAGE
Symptômes. Vision brouillée ou double, difficulté à marcher, maladresse ou manque d'équilibre graves, confusion importante, vertiges ou somnolence.

Quoi faire. Appelez immédiatement le médecin ou le centre antipoison, ou allez à l'urgence.

▼ INTERACTIONS

MÉDICAMENT-MÉDICAMENT
De nombreux médicaments peuvent interagir avec la phénytoïne : autres anticonvulsivants (carbamazépine, phénobarbital, primidone, acide valproïque), allopurinol, amiodarone, agents anticancéreux, chloramphénicol, chlorphéniramine, cimétidine, diazoxide, disulfirame, isoniazide, loxapine, phénylbutazone, rifampine, sulfamides, trazodone, triméthoprime.

MÉDICAMENT-ALIMENT
Aucune interaction connue.

MÉDICAMENT-MALADIE
La prudence est conseillée aux patients souffrant d'une maladie de foie ou des reins, car ces organes contribuent à éliminer le médicament de l'organisme.

  EFFETS INDÉSIRABLES

GRAVES
Fièvre, mal de gorge, ganglions enflés, éruption de petits points sur la peau ou les muqueuses, lésions cutanées vésicantes ou desquamantes, lésions buccales, saignement des gencives, ecchymoses fréquentes, pâleur, faiblesse, confusion ou convulsions peuvent signaler un trouble sanguin potentiellement fatal ou d'autres complications.

COURANTS
Sédation, léthargie, nervosité, vertiges, épaississement des gencives, croissance excessive des cheveux et des poils. De fortes doses peuvent provoquer des mouvements anormaux des yeux, de la bouche, de la langue ou des membres. Un usage prolongé peut provoquer des troubles nerveux bénins dans les bras ou les jambes.

MOINS COURANTS
Constipation, acné, rash cutané bénin. Il peut survenir de nombreux autres effets indésirables : consultez le médecin s'ils vous inquiètent.

PILOCARPINE OPHTALMIQUE

Présentation : Solution et gel ophtalmiques
En vente libre ? Non   **Générique disponible ?** Oui
Classe de médicaments : Agent antiglaucomateux

▼ GÉNÉRALITÉS

INDICATIONS
Pour traiter le glaucome et provoquer la constriction des pupilles.

MODE D'ACTION
Le glaucome, trouble menaçant la vue, se produit quand un mauvais drainage de l'humeur aqueuse (liquide logé dans l'œil) fait monter la pression dans le globe oculaire (ou pression intraoculaire). L'augmentation de cette pression peut endommager le nerf optique et mener à une perte progressive de la vue. La pilocarpine contracte les muscles qui provoquent la constriction des pupilles ; cette action semble ouvrir les structures qui favorisent l'évacuation de l'humeur aqueuse, réduisant ainsi la pression intraoculaire.

▼ MODE D'EMPLOI

POSOLOGIE
Solution ophtalmique – Adultes et enfants : Glaucome chronique : 1 ou 2 gouttes dans l'œil affecté, au réveil et au coucher. Peut être appliquée jusqu'à 6 fois par jour. Gel ophtalmique – Adultes et adolescents : 1 fois par jour au coucher. Enfants : indications et posologie sont à déterminer par le médecin.

DÉBUT D'ACTION
En 10 à 60 minutes.

DURÉE D'ACTION
Solution ophtalmique : 4 à 14 heures. Gel ophtalmique : jusqu'à 24 heures.

CONSEILS NUTRITIONNELS
Pas de restrictions spéciales.

MODE DE CONSERVATION
Dans un contenant étanche, à l'abri de la chaleur, de l'humidité et de la lumière. Gardez la solution et le format de 3,5 g de gel à la température ambiante. Le format de 5 g de gel doit être mis au réfrigérateur jusqu'au moment de l'utilisation, mais il ne faut pas le congeler. Une fois ouvert, il peut être conservé à la température ambiante.

OUBLI D'UNE DOSE
Appliquez-la dès que vous y pensez. S'il est presque l'heure de la suivante, sautez la dose oubliée et reprenez la fréquence normale. Ne doublez pas la dose suivante.

ARRÊT DE LA MÉDICATION
Cette décision doit être prise par le médecin.

USAGE PROLONGÉ
Un suivi médical, avec examens et analyses, est nécessaire en traitement prolongé.

▼ PRÉCAUTIONS

Plus de 60 ans. Pas de risques connus.

Conduite automobile, travaux dangereux. À déconseiller tant que vous n'avez pas identifié les effets du médicament sur votre vue.

Alcool. Pas de précautions spéciales.

Grossesse. Il n'existe pas d'études spécifiques sur les humains. Demandez l'avis du médecin.

Allaitement. Il n'existe pas d'études spécifiques sur les humains. Demandez l'avis du médecin.

Nourrissons et enfants. Pas de précautions spéciales.

À surveiller. Avant l'application, lavez-vous les mains. Renversez la tête en arrière. Appuyez doucement dans l'angle interne de la paupière et avec l'index de la même main, tirez la paupière inférieure vers le bas. Laissez tomber le médicament ou déposez un fin ruban de gel de 1 à 2 cm (½ po) de long dans l'espace ainsi créé et fermez l'œil. Appuyez pendant 1 ou 2 minutes tout en gardant l'œil fermé sans cligner. Puis, lavez-vous de nouveau les mains. Le bout du compte-gouttes ou de l'applicateur ne doit toucher ni l'œil, ni votre doigt, ni rien d'autre.

SURDOSAGE
Symptômes. Sudation, nausées, vomissements, diarrhée, difficultés à respirer.

Quoi faire. Il est peu probable qu'une surdose de pilocarpine ophtalmique mette votre vie en danger. Si la dose appliquée dans l'œil est très forte, lavez celui-ci à grande eau. Si le médicament est ingéré par accident, appelez immédiatement le médecin ou le centre antipoison, ou allez à l'urgence.

▼ INTERACTIONS

MÉDICAMENT-MÉDICAMENT
Demandez spécifiquement l'avis du médecin sur tous les médicaments que vous prenez avec ou sans ordonnance.

MÉDICAMENT-ALIMENT
Aucune interaction connue.

MÉDICAMENT-MALADIE
Demandez l'avis du médecin si vous souffrez d'asthme ou de tout problème ou maladie ophtalmiques. Le médicament ne doit pas être administré en présence d'iritis (inflammation de l'œil).

▤ EFFETS INDÉSIRABLES ▤

GRAVES
Sudation accrue ; tremblements musculaires ; nausées, vomissements ou diarrhée ; difficultés respiratoires ou respiration sifflante ; hypersalivation ; douleur oculaire.

COURANTS
Baisse de la vision nocturne, vision brouillée, altération de la vision de près ou de loin, douleur aux sourcils (elle disparaît généralement en une semaine).

MOINS COURANTS
Céphalées, irritation de l'œil.

PILOCARPINE SYSTÉMIQUE

Présentation : Comprimés
En vente libre ? Non   **Générique disponible ?** Non
Classe de médicaments : Agent cholinomimétique

▼ GÉNÉRALITÉS

INDICATIONS
Traitement de la sécheresse de la bouche et de la gorge après une radiothérapie pour un cancer de la tête et du cou. Sert aussi à traiter la sécheresse de la bouche et des yeux chez les patients atteints du syndrome de Sjögren.

MODE D'ACTION
La pilocarpine stimule l'activité des glandes salivaires et lacrymales.

▼ MODE D'EMPLOI

POSOLOGIE
Adultes : 5 mg, 3 ou 4 fois par jour. Au besoin, la posologie peut être augmentée à 10 mg, 3 fois par jour.

DÉBUT D'ACTION
Inconnu.

DURÉE D'ACTION
Inconnue.

CONSEILS NUTRITIONNELS
À prendre avec des aliments pour limiter les dérangements d'estomac.

MODE DE CONSERVATION
Dans un contenant étanche, à l'abri de la chaleur, de l'humidité et de la lumière.

OUBLI D'UNE DOSE
Prenez-la dès que vous y pensez. S'il est presque l'heure de la suivante, sautez la dose oubliée et reprenez la fréquence normale. Ne doublez pas la dose suivante.

ARRÊT DE LA MÉDICATION
Effectuez le traitement au complet, comme il vous a été prescrit, même si vous vous sentez mieux. L'arrêt de la médication doit être décidé par le médecin.

USAGE PROLONGÉ
Un suivi médical et dentaire est nécessaire en cas d'usage prolongé. La sécheresse de la bouche augmente les risques de caries dentaires ou d'autres troubles de la bouche.

▼ PRÉCAUTIONS

Plus de 60 ans. Aucun problème particulier n'a été signalé.

Conduite automobile, travaux dangereux. À déconseiller tant que vous ne connaissez pas votre réaction au médicament.

Alcool. Une consommation modérée est acceptable.

Grossesse. Il n'existe pas d'études concluantes sur les humains. Avant de prendre de la pilocarpine, prévenez le médecin si vous êtes enceinte ou voulez le devenir.

Allaitement. La pilocarpine peut passer dans le lait maternel ; cessez d'en prendre pendant que vous allaitez, à moins d'avis contraire du médecin.

Nourrissons et enfants. Innocuité et efficacité non établies.

À surveiller. Voyez le dentiste régulièrement durant le traitement. Si le médicament augmente la sudation, buvez davantage pour ne pas souffrir de déshydratation. Consultez le médecin si vous avez des doutes sur la quantité de liquide à ingérer.

SURDOSAGE
Symptômes. Douleur thoracique, troubles du rythme cardiaque, diarrhée grave ou persistante, confusion, nausées ou vomissements, violentes céphalées, douleur ou crampes d'estomac, difficultés respiratoires, troubles de la vision, tremblements graves, fatigue grave.

Quoi faire. Appelez immédiatement le médecin ou le centre antipoison, ou allez à l'urgence.

▼ INTERACTIONS

MÉDICAMENT-MÉDICAMENT
Il existe des interactions médicamenteuses avec la pilocarpine. Demandez l'avis du médecin si vous prenez : anticholinergiques, agents antiglaucomateux, béthanécol, cholinergiques, ipratropium ou bêtabloquants.

MÉDICAMENT-ALIMENT
Aucune interaction connue.

MÉDICAMENT-MALADIE
La pilocarpine ne devrait pas être administrée en cas de : asthme non maîtrisé, glaucome à angle fermé, iritis aiguë, maladie grave du cœur, des vaisseaux sanguins ou des poumons. Consultez le médecin dans les cas suivants : asthme maîtrisé, bronchite chronique ou autres problèmes respiratoires, troubles de la vésicule biliaire, ulcère gastro-duodénal, maladie du cœur ou des vaisseaux sanguins, troubles psychiques, décollement de la rétine ou autres troubles rétiniens.

  EFFETS INDÉSIRABLES

GRAVES
Les effets indésirables graves se confondent avec les symptômes d'une surdose : douleur thoracique, troubles du rythme cardiaque, diarrhée grave ou persistante, confusion, nausées ou vomissements, céphalées, douleur ou crampes d'estomac, difficultés respiratoires, troubles de la vision graves ou persistants, tremblements graves, fatigue.

COURANTS
Sudation accrue.

MOINS COURANTS
Ballonnement ou rétention hydrique, frissons, nausées ou vomissements, diarrhée, écoulement nasal, vertiges, tachycardie, céphalées, mauvaise digestion, mictions fréquentes, rougeur du visage ou bouffées de chaleur, tremblements, déglutition difficile, larmoiement excessif, altération de la voix.

PINDOLOL

Apo-Pindol,
Dom-Pindolol, Gen-
Pindolol, Novo-Pindol,
Nu-Pindol,
PMS-Pindolol, Visken

Présentation : Comprimés
En vente libre ? Non   **Générique disponible ?** Oui
Classe de médicaments : Bêtabloquant

▼ GÉNÉRALITÉS

INDICATIONS
Traitement de l'hypertension légère à modérée ; sert aussi dans la prévention de l'angine de poitrine.

MODE D'ACTION
En bloquant certaines impulsions nerveuses, le pindolol ralentit le rythme et la contractilité du cœur et réduit ainsi la tension artérielle.

▼ MODE D'EMPLOI

POSOLOGIE
Adultes – Hypertension : 5 mg, 2 fois par jour. Peut être augmentée, mais sans dépasser 45 mg par jour, en 3 doses fractionnées. Angine : 5 mg, 3 fois par jour. La posologie peut être augmentée, mais sans dépasser 40 mg par jour.

DÉBUT D'ACTION
En 1 heure.

DURÉE D'ACTION
Jusqu'à 12 heures.

CONSEILS NUTRITIONNELS
À prendre aux repas.

MODE DE CONSERVATION
Dans un contenant étanche, à l'abri de la chaleur et de la lumière.

OUBLI D'UNE DOSE
Prenez-la dès que vous y pensez. S'il est presque l'heure de la suivante, sautez la dose oubliée et reprenez la fréquence normale. Ne doublez pas la dose suivante.

ARRÊT DE LA MÉDICATION
La décision doit être prise par le médecin. On recommande de réduire lentement la posologie sur une période de 2 à 3 semaines, sous étroite surveillance médicale.

USAGE PROLONGÉ
Le traitement peut durer la vie entière, mais l'utilisation à long terme peut donner

lieu à un risque plus grand d'effets indésirables. On recommande un suivi médical.

▼ PRÉCAUTIONS

Plus de 60 ans. Réactions indésirables plus fréquentes et plus graves. Diminution de la résistance au froid.

Conduite automobile, travaux dangereux. Soyez prudent dans l'exercice de telles tâches tant que vous ne connaissez pas votre réaction au médicament.

Alcool. À éviter ou à consommer avec modération. L'alcool peut interagir avec le pindolol et causer une chute dangereuse de la tension artérielle.

Grossesse. Le pindolol s'est révélé dangereux pour le fœtus dans certaines études sur les animaux. Avant d'en prendre, prévenez le médecin si vous êtes enceinte ou voulez le devenir.

Allaitement. Le pindolol passe dans le lait maternel. Demandez l'avis du médecin.

Nourrissons et enfants. La posologie doit être déterminée par le pédiatre.

À surveiller. Soyez très prudent quand vous faites de l'exercice ou par temps chaud : le pindolol peut causer des vertiges. Prenez votre pouls souvent. S'il est plus lent que d'habitude ou tombe sous les 50 pulsations à la minute, consultez le médecin.

SURDOSAGE
Symptômes. Rythme cardiaque anormalement lent ou

rapide, vertiges graves ou évanouissement, mauvaise circulation du sang dans les mains (peau bleuâtre), difficultés respiratoires, convulsions.

Quoi faire. Il est peu probable qu'une surdose mette votre vie en danger. Néanmoins, si la dose est beaucoup plus forte que celle prescrite, appelez aussitôt le médecin ou le centre antipoison, ou allez à l'urgence.

▼ INTERACTIONS

MÉDICAMENT-MÉDICAMENT
Consultez le médecin si vous prenez : injections antiallergiques, aminophylline, caféine, oxtriphylline, théophylline, antidiabétiques oraux, insuline, bloqueurs des canaux calciques, clonidine, guanabenz ou inhibiteurs de la monoamine-oxydase (IMAO).

MÉDICAMENT-ALIMENT
Aucune interaction connue.

MÉDICAMENT-MALADIE
Attention aux diabétiques, surtout insulinodépendants : le pindolol peut masquer des symptômes d'hypoglycémie. Il peut entraîner des complications chez les patients qui ont une maladie du foie ou des reins, car ces organes contribuent à éliminer le médicament de l'organisme. Consultez le médecin en cas de : allergies (incluant rhume des foins), asthme, bronchite, emphysème, maladie du cœur ou des vaisseaux sanguins, dépression, myasthénie grave, psoriasis ou hyperthyroïdie.

EFFETS INDÉSIRABLES

GRAVES
Essoufflement, respiration sifflante ; rythme cardiaque irrégulier ou lent (50 battements à la minute ou moins) ; douleur, pression ou constriction thoracique ; enflure des chevilles, des pieds et du bas des jambes ; dépression. De tels symptômes commandent l'arrêt du pindolol.

COURANTS
Vertiges ou étourdissements, surtout quand on se lève subitement, impuissance, fatigue anormale, faiblesse ou somnolence, insomnie.

MOINS COURANTS
Anxiété, irritabilité ou nervosité ; constipation ; diarrhée ; yeux secs et douloureux ; démangeaisons ; nausées ou vomissements ; rêves vifs ou cauchemars ; engourdissement, picotements ou autres sensations inhabituelles dans les doigts, les orteils ou le cuir chevelu.

PINDOLOL/HYDROCHLOROTHIAZIDE

Présentation : Comprimés
En vente libre ? Non   **Générique disponible ?** Non
Classe de médicaments : Bêtabloquant/diurétique

▼ GÉNÉRALITÉS

INDICATIONS
Traitement de l'hypertension.

MODE D'ACTION
C'est l'association d'un bêtabloquant, le pindolol, et d'un diurétique thiazidique, l'hydrochlorothiazide. En bloquant certains influx nerveux, le pindolol ralentit le rythme cardiaque et réduit la contractilité du cœur, abaissant ainsi la tension artérielle. L'hydrochlorothiazide augmente l'excrétion de sel et d'eau. En réduisant le volume hydrique total du corps, il réduit le volume sanguin et la pression dans les vaisseaux.

▼ MODE D'EMPLOI

POSOLOGIE
1 ou 2 comprimés par jour, matin et soir.

DÉBUT D'ACTION
En 2 heures.

DURÉE D'ACTION
24 heures.

EFFETS INDÉSIRABLES

GRAVES
Rash cutané, urticaire, démangeaisons graves, enflure de la bouche et de la gorge, essoufflement, fibrillation ou bradycardie, douleur ou pression thoraciques, enflure des chevilles et du bas des jambes.

COURANTS
Vertiges ou étourdissements, surtout quand on se lève brusquement, faiblesse ou somnolence.

MOINS COURANTS
Constipation ; cauchemars ; engourdissement, picotement ou autres sensations inhabituelles dans les doigts, les orteils ou le cuir chevelu ; sensibilité accrue à la lumière ; crampes musculaires ; soif ; bouche sèche ; palpitations.

CONSEILS NUTRITIONNELS
Peut se prendre aux repas pour réduire le risque de dérangements d'estomac.

MODE DE CONSERVATION
À l'abri de la chaleur, de l'humidité et de la lumière.

OUBLI D'UNE DOSE
Prenez-la dès que vous y pensez. S'il est presque l'heure de la suivante, sautez la dose oubliée et reprenez la fréquence normale. Ne doublez pas la dose suivante.

ARRÊT DE LA MÉDICATION
N'interrompez pas brusquement le traitement : vous risquez de provoquer de l'hypertension grave et de déclencher une crise d'angine ou un infarctus du myocarde chez les patients affligés d'une maladie cardiaque avancée. On conseille de réduire les doses peu à peu sur 2 ou 3 semaines sous étroite surveillance médicale.

USAGE PROLONGÉ
La thérapie peut durer toute la vie. Un suivi médical est nécessaire en cas d'usage prolongé pour vérifier l'efficacité du médicament et ses effets secondaires.

▼ PRÉCAUTIONS

Plus de 60 ans. Risques de réactions indésirables plus fréquentes et plus graves. Vulnérabilité au froid.

Conduite automobile, travaux dangereux. À déconseiller tant que vous ne connaissez pas votre réaction au médicament.

Alcool. Peut provoquer une chute dangereuse de la tension artérielle.

Grossesse. Le médicament a provoqué des anomalies congénitales chez les animaux. Avertissez le médecin que vous êtes enceinte ou voulez le devenir.

Allaitement. Le médicament passe dans le lait maternel ; n'allaitez pas pendant le traitement.

Nourrissons et enfants. Innocuité non établie. Non recommandé aux enfants.

À surveiller. Pour ne pas nuire à votre sommeil, prenez le médicament le matin. Il doit faire partie d'un programme thérapeutique global pour faire baisser l'hypertension : contrôle du poids, abandon de la cigarette, exercice régulier et régime alimentaire pauvre en sel et en gras. Il peut provoquer une déperdition potassique : suivez les directives du médecin au sujet des aliments riches en potassium ou des suppléments de potassium. Évitez de vous exposer au soleil ; utilisez un écran solaire ou portez des vêtements couvrants. Prenez souvent votre pouls ; s'il est inférieur à 50 pulsations à la minute, appelez le médecin.

SURDOSAGE
Symptômes. Somnolence, indolence, confusion, douleur musculaire, hypotension très marquée, difficultés respiratoires, rythme cardiaque lent.

Quoi faire. Appelez immédiatement le médecin ou allez à l'urgence.

▼ INTERACTIONS

MÉDICAMENT-MÉDICAMENT
Consultez le médecin si vous prenez : injections antiallergiques, narcotiques, phénobarbital, antidiabétiques oraux, insuline, médicaments contre l'asthme (dont théophylline, corticostéroïdes), bloqueurs du canal calcique, clonidine, inhibiteurs de la monoamine-oxydase (IMAO), lithium, digitaliques et autres bêtabloquants.

MÉDICAMENT-ALIMENT
Aucune interaction connue.

MÉDICAMENT-MALADIE
Avisez le médecin en cas de : insuffisance cardiaque, maladie cardiaque, fibrillation ou bradycardie, asthme, maladie pulmonaire obstructive chronique, allergies (dont rhume des foins), diabète (le médicament peut masquer une hypoglycémie), hyperthyroïdie, dépression, myasthénie grave, goutte, lupus érythémateux systémique, maladie du foie ou du rein.

PIOGLITAZONE (CHLORHYDRATE DE)

NOM COMMERCIAL

Actos

Présentation : Comprimés
En vente libre ? Non **Générique disponible ?** Non
Classe de médicaments : Thiazolidinédione/antidiabétique

▼ GÉNÉRALITÉS

INDICATIONS
En tant qu'agent thérapeutique pour maîtriser le taux de glucose sanguin chez les personnes souffrant de diabète non insulinodépendant (diabète de type 2).

MODE D'ACTION
La pioglitazone augmente la sensibilité et la réponse de l'organisme à l'insuline.

▼ MODE D'EMPLOI

POSOLOGIE
Dose d'attaque, 15 à 30 mg, 1 fois par jour. Si le patient ne prend que de la pioglitazone et n'y répond pas à la satisfaction du médecin, celui-ci peut augmenter la dose, mais sans dépasser 45 mg, 1 fois par jour.

DÉBUT D'ACTION
En 1 semaine.

DURÉE D'ACTION
Inconnue.

CONSEILS NUTRITIONNELS
La pioglitazone peut se prendre en même temps que de la nourriture ou pas : cela n'a pas d'importance.

MODE DE CONSERVATION
Dans un contenant étanche, à l'abri de la chaleur, de l'humidité et de la lumière.

OUBLI D'UNE DOSE
Si c'est le même jour, prenez-la dès que vous y pensez. Si vous n'y pensez pas, sautez complètement une journée et reprenez le lendemain la fréquence normale. Ne doublez pas la dose suivante.

ARRÊT DE LA MÉDICATION
La décision doit être prise en consultation avec le médecin.

USAGE PROLONGÉ
Voyez votre médecin régulièrement pour des analyses de la fonction hépatique.

▼ PRÉCAUTIONS

Plus de 60 ans. Pas de risques connus.

Conduite automobile, travaux dangereux. Le traitement à la pioglitazone ne devrait pas vous empêcher d'exécuter de telles tâches en toute sécurité.

Alcool. À éviter ou à consommer avec modération.

Grossesse. Il n'existe pas d'études concluantes sur l'administration de pioglitazone pendant la grossesse. En général, l'insuline est le traitement de choix durant la grossesse. La pioglitazone ne devrait être administrée que si ses bienfaits éventuels justifient le risque qu'elle fait courir au fœtus. Elle peut stimuler l'ovulation chez les femmes non ménopausées qui ont cessé d'ovuler. Il peut être sage de prendre des mesures contraceptives.

Allaitement. La pioglitazone peut passer dans le lait maternel ; n'en prenez pas si vous allaitez.

Nourrissons et enfants. Innocuité et efficacité non établies.

À surveiller. Une autre thiazolidinédione, la troglitazone, a été associée à des effets indésirables touchant le foie ; bien que rares, ils peuvent être graves et parfois même mortels. De tels effets n'ont pas été signalés à l'égard de la pioglitazone ; néanmoins, on recommande de pratiquer des tests de la fonction hépatique juste avant le traitement, puis aux deux mois la première année, et périodiquement par la suite. Devant des symptômes inexpliqués de dysfonction du foie (insuffisance hépatique), comme nausées, vomissements, douleur abdominale, fatigue, perte d'appétit ou urine foncée, appelez immédiatement le médecin. Suivez à la lettre ses recommandations concernant l'alimentation, l'exercice et les autres mesures qui peuvent vous aider à maîtriser votre diabète.

SURDOSAGE
Symptômes. Aucun symptôme spécifique n'a été signalé.

Quoi faire. Bien qu'aucune surdose n'ait été signalée, si le patient prend une dose beaucoup plus forte que celle prescrite, appelez aussitôt le médecin ou le centre anti-poison, ou allez à l'urgence.

▼ INTERACTIONS

MÉDICAMENT-MÉDICAMENT
Avisez le médecin que vous prenez des contraceptifs oraux.

MÉDICAMENT-ALIMENT
Aucune interaction connue.

MÉDICAMENT-MALADIE
La pioglitazone ne doit pas être prise par des patients souffrant de diabète de type 1 ni pour traiter l'acido-cétose diabétique. La prudence est conseillée en cas d'œdème ou d'insuffisance cardiaque. Consultez le médecin avant le début du traitement si vous souffrez de troubles hépatiques quelconques.

EFFETS INDÉSIRABLES

GRAVES
Il n'y a pas d'effets secondaires graves associés à un traitement à la pioglitazone.

COURANTS
Infection des voies respiratoires supérieures, mal de gorge.

MOINS COURANTS
Céphalées, sinusite, douleur musculaire, problèmes dentaires, œdème (enflure).

PIPÉRAZINE

Présentation : Granules, suspension, liquide oral
En vente libre ? Oui   **Générique disponible ?** Oui
Classe de médicaments : Anthelmintique

▼ GÉNÉRALITÉS

INDICATIONS
Contre diverses infestations et notamment celles par l'ascaris (vers ronds communs) et par les oxyures (entérobiases), en traitement de relais à d'autres thérapies plus classiques.

MODE D'ACTION
La pipérazine paralyse le vers, qui est ensuite expulsé dans les selles.

▼ MODE D'EMPLOI

POSOLOGIE
Granules – Adultes : 1 sachet. À répéter 2 semaines plus tard. Suspension – Adultes : 15 ml, 3 fois pendant 1 journée. À répéter 2 semaines plus tard. Enfants : consultez le médecin.

DÉBUT D'ACTION
Inconnu.

DURÉE D'ACTION
Inconnue.

CONSEILS NUTRITIONNELS
Pas de restrictions ni de recommandations spéciales.

MODE DE CONSERVATION
Dans un contenant étanche, à l'abri de la chaleur, de l'humidité et de la lumière.

OUBLI D'UNE DOSE
Prenez-la le plus vite possible, et espacez les autres doses en conséquence.

ARRÊT DE LA MÉDICATION
Effectuez le traitement au complet, comme il vous a été prescrit, même si vous vous sentez mieux.

USAGE PROLONGÉ
Un suivi médical régulier est recommandé.

▼ PRÉCAUTIONS

Plus de 60 ans. Risques de réactions indésirables plus fréquentes et plus graves.

Conduite automobile, travaux dangereux. Pas de précautions spéciales.

Alcool. Pas de précautions spéciales.

Grossesse. Il n'existe pas d'études pertinentes sur l'administration de la pipérazine durant la grossesse. Demandez spécifiquement l'avis du médecin si vous êtes enceinte ou voulez le devenir.

Allaitement. La pipérazine peut passer dans le lait maternel : la prudence s'impose. Demandez spécifiquement l'avis du médecin.

Nourrissons et enfants. Réactions indésirables plus fréquentes et plus graves.

À surveiller. Infestation d'oxyures : vêtements, literie et serviettes doivent être lavés chaque jour. Il peut être nécessaire de soigner tous les membres de la maisonnée pour extirper l'infestation. Un deuxième traitement pour toute la maisonnée peut être nécessaire 2 ou 3 semaines plus tard. Tout le linge de lit et les vêtements de nuit doivent être lavés après le traitement. Pour éviter une nouvelle infestation, vous devriez vous laver la région anale tous les jours, changer de sous-vêtements et de linge de lit tous les jours et vous lavez les mains et les ongles avant chaque repas et après chaque selle. Si les symptômes ne régressent pas après un traitement complet, consultez le médecin.

SURDOSAGE
Symptômes. Fatigue musculaire, convulsions, difficultés respiratoires.

Quoi faire. Il est peu probable qu'une surdose de pipérazine mette votre vie en danger. Néanmoins, si la dose est beaucoup plus forte que celle prescrite, appelez le médecin ou le centre antipoison, ou allez à l'urgence.

▼ INTERACTIONS

MÉDICAMENT-MÉDICAMENT
D'autres médicaments peuvent interagir avec la pipérazine. Demandez l'avis du médecin si vous prenez des phénothiazines ou du pyrantel. Indiquez au médecin tous les médicaments que vous prenez, avec ou sans ordonnance.

MÉDICAMENT-ALIMENT
Aucune interaction connue.

MÉDICAMENT-MALADIE
La prudence est de mise quand on prend de la pipérazine. Vous ne devriez pas prendre ce médicament si vous souffrez de troubles convulsifs et surtout si vous avez des antécédents d'épilepsie. La pipérazine peut provoquer des complications chez les patients affligés d'une maladie des reins ou du foie, car ces organes contribuent à éliminer le médicament de l'organisme.

EFFETS INDÉSIRABLES

GRAVES
Douleur articulaire, rash cutané, fièvre, démangeaisons, vision brouillée.

COURANTS
Il n'y a pas d'effets indésirables courants associés à l'utilisation de pipérazine.

MOINS COURANTS
Céphalées, diarrhée, crampes ou douleur d'estomac, vertiges, fatigue musculaire, tremblement, somnolence, nausées ou vomissements.

PIROXICAM

Présentation : Gélules, suppositoires
En vente libre ? Non **Générique disponible ?** Oui
Classe de médicaments : Anti-inflammatoire non stéroïdien (AINS)

▼ GÉNÉRALITÉS

INDICATIONS
Traitement symptomatique de la polyarthrite rhumatoïde, de l'ostéoporose, de la spondylarthrite ankylosante et des douleurs menstruelles. Quand un AINS se révèle inefficace, le patient peut en essayer un autre. Il faut souvent plusieurs essais avant d'obtenir le soulagement recherché.

MODE D'ACTION
Les AINS entravent la formation des prostaglandines, substances naturelles qui causent l'inflammation et rendent les nerfs plus réceptifs aux impulsions douloureuses. Les AINS ont d'autres modes d'action moins bien connus.

▼ MODE D'EMPLOI

POSOLOGIE
Adultes : 10 à 20 mg, 1 fois par jour. Douleurs menstruelles : dose d'attaque, 40 mg, puis 20 mg par jour pour la durée du traitement.

Enfants : la posologie sera déterminée par le pédiatre.

DÉBUT D'ACTION
Effet analgésique : en plusieurs heures. Effet anti-inflammatoire : il peut mettre jusqu'à 2 semaines.

DURÉE D'ACTION
Variable.

CONSEILS NUTRITIONNELS
À prendre en mangeant. Buvez et mangez comme à l'ordinaire.

MODE DE CONSERVATION
Dans un contenant étanche, à l'abri de la chaleur, de l'humidité et de la lumière.

OUBLI D'UNE DOSE
Prenez-la dès que vous y pensez. S'il est presque l'heure de la suivante, sautez la dose oubliée et revenez à la fréquence normale. Ne doublez pas la dose suivante.

ARRÊT DE LA MÉDICATION
La décision doit être prise en consultation avec le médecin.

USAGE PROLONGÉ
L'utilisation à long terme peut entraîner des troubles gastro-intestinaux avec ulcération et saignements, une dysfonction rénale et une inflammation du foie. Demandez au médecin s'il y a lieu d'instaurer un suivi médical.

▼ PRÉCAUTIONS

Plus de 60 ans. Vu le risque potentiellement plus grand d'effets gastro-intestinaux indésirables, surtout chez les plus de 70 ans, la dose est souvent réduite de moitié.

Conduite automobile, travaux dangereux. À déconseiller tant que vous ne connaissez pas votre réaction au médicament.

Alcool. À éviter ; l'alcool augmente les risques d'irritation gastrique.

Grossesse. Évitez ou cessez d'en prendre si vous êtes enceinte ou voulez le devenir.

Allaitement. Le piroxicam passe dans le lait maternel ; n'en prenez pas si vous allaitez.

Nourrissons et enfants. Peut être administré dans des circonstances exceptionnelles. Consultez le médecin.

À surveiller. Les AINS pouvant modifier la coagulation du sang, la médication devrait être interrompue au moins 3 jours avant toute chirurgie.

SURDOSAGE
Symptômes. Nausées graves, vomissements, céphalées, confusion, convulsions.

Quoi faire. Appelez immédiatement le médecin ou le centre antipoison, ou allez à l'urgence.

▼ INTERACTIONS

MÉDICAMENT-MÉDICAMENT
Ne prenez pas ce médicament en même temps que de l'AAS ou qu'un autre AINS sans l'approbation du médecin. Avertissez celui-ci si vous prenez : antihypertenseurs, stéroïdes, anticoagulants, antibiotiques, itrazonazole ou kétoconazole, plycamycine, pénicillamine, acide valproïque, phénytoïne, cyclosporine, digoxine, lithium, méthotrexate, probénécide, triamtérène ou zidovudine.

MÉDICAMENT-ALIMENT
Aucune interaction connue.

MÉDICAMENT-MALADIE
Le piroxicam exige de la prudence. Prévenez le médecin en cas de : saignements, inflammation ou ulcères de l'estomac ou de l'intestin, diabète sucré, lupus érythémateux aigu disséminé, anémie, asthme, épilepsie, maladie de Parkinson, calculs rénaux, antécédents de maladie cardiaque ou d'alcoolisme. Le piroxicam peut entraîner des complications chez les patients atteints d'une maladie du foie ou des reins, car ces organes contribuent à éliminer le médicament de l'organisme.

EFFETS INDÉSIRABLES

GRAVES
Essoufflement ou respiration sifflante, avec ou sans enflure des jambes ou autres signes d'insuffisance cardiaque ; douleur thoracique ; ulcère gastro-duodénal avec vomissements de sang ; selles noires ; insuffisance rénale.

COURANTS
Nausées, vomissements, aigreurs d'estomac, diarrhée, constipation, céphalées, vertiges, somnolence.

MOINS COURANTS
Plaies ou ulcères buccaux, dépression, éruption ou vésication cutanée, bourdonnements d'oreilles, engourdissement ou fourmillement inhabituel des mains ou des pieds, convulsions, vision brouillée. Aussi taux élevé de potassium dans le sang et baisse de la numération sanguine.

PODOFILOX

NOMS COMMERCIAUX

Condyline, Wartec

Présentation : Solution topique
En vente libre ? Non   **Générique disponible ?** Non
Classe de médicaments : Agent antimitotique

▼ GÉNÉRALITÉS

INDICATIONS
Traitement topique des condylomes acuminés chez les adultes. Ces verrues génitales externes sont causées par le papillomavirus humain.

MODE D'ACTION
On ne connaît pas le mécanisme d'action précis du podofilox.

▼ MODE D'EMPLOI

POSOLOGIE
Lavez soigneusement la région à traiter avec du savon et de l'eau et séchez-la avant d'appliquer le médicament. Avec l'applicateur fourni, appliquez une mince couche sur les condylomes 2 fois par jour, le matin et le soir, pendant 3 jours consécutifs. Arrêtez ensuite le traitement pendant 4 jours consécutifs. Ce cycle peut être répété jusqu'à disparition des tissus visibles de la verrue ou 4 fois au maximum. Le médecin vous expliquera la technique d'application.

DÉBUT D'ACTION
Inconnu.

DURÉE D'ACTION
Inconnue.

CONSEILS NUTRITIONNELS
Pas de restrictions spéciales.

MODE DE CONSERVATION
Dans un contenant étanche, à l'abri de l'humidité, de la lumière et des températures extrêmes.

OUBLI D'UNE DOSE
Appliquez-la dès que vous y pensez. S'il est presque l'heure de la suivante, sautez la dose oubliée et reprenez la fréquence normale. N'en appliquez pas plus que ce qui est prescrit : le médicament n'en sera pas plus efficace et, par ailleurs, cela augmenterait le risque d'effets indésirables.

ARRÊT DE LA MÉDICATION
Appliquez du podofilox selon des cycles d'une semaine (3 jours d'application, 4 jours de repos) jusqu'à disparition des tissus visibles de la verrue ou durant 4 cycles au maximum. Consultez le médecin pour savoir s'il est nécessaire d'effectuer d'autres traitements.

USAGE PROLONGÉ
Innocuité et efficacité n'ont pas été déterminées au-delà de 4 semaines. Si la réponse au traitement est incomplète après 4 cycles de 1 semaine, ne continuez pas le traitement et communiquez avec votre médecin.

▼ PRÉCAUTIONS

Plus de 60 ans. Pas de risques connus.

Conduite automobile, travaux dangereux. Le podofilox ne devrait pas vous empêcher d'exécuter de telles tâches en toute sécurité.

Alcool. Pas de précautions spéciales.

Grossesse. Il n'existe pas d'études concluantes sur les humains. Avant d'utiliser le podofilox, examinez avec le médecin les bienfaits du médicament relativement à ses dangers durant la grossesse.

Allaitement. Le podofilox peut passer dans le lait maternel : la prudence s'impose. Demandez l'avis du médecin.

Nourrissons et enfants. Innocuité et efficacité non établies. Les verrues génitales et périanales sont contractées par des personnes sexuellement actives.

À surveiller. Laissez la région traitée sécher avant tout contact avec une peau non affectée. Lavez-vous les mains avant et après chaque application. Le podofilox est pour usage externe seulement ; n'en mettez pas sur l'urètre, l'anus ou le vagin, ni sur la région périanale (autour de l'anus), ni sur des coupures et égratignures vives. Évitez de vous en mettre dans les yeux. Le cas échéant, lavez immédiatement l'œil à grande eau et communiquez avec le médecin. Abstenez-vous de relations sexuelles durant les 3 jours d'application de podofilox. Les condoms peuvent aider à protéger de nouveaux partenaires sexuels contre le papillomavirus humain et d'autres maladies transmises sexuellement, comme l'herpès et le VIH. Néanmoins, la protection qu'ils offrent n'est pas totale. Si les verrues réapparaissent, consultez le médecin.

SURDOSAGE
Symptômes. Une surdose est peu probable.

Quoi faire. Si la dose appliquée est beaucoup plus forte que celle prescrite ou si le podofilox est ingéré, appelez le médecin ou allez à l'urgence.

▼ INTERACTIONS

MÉDICAMENT-MÉDICAMENT
Aucune interaction signalée.

MÉDICAMENT-ALIMENT
Aucune interaction signalée.

MÉDICAMENT-MALADIE
Aucune interaction signalée.

EFFETS INDÉSIRABLES

GRAVES
Il n'y a pas d'effets graves associés au podofilox.

COURANTS
Brûlure, inflammation, douleur, démangeaison, lésion, picotement et rougeur aux points d'application.

MOINS COURANTS
Picotement, vésication, sécheresse, croûte, enflure, cicatrice, saignement ou irritation aux points d'application. Vomissements, céphalées, insomnie, rapports sexuels douloureux.

POLYÉTHYLÈNE GLYCOL (PEG)

Présentation : Solution orale, poudre pour solution orale
En vente libre ? Non   **Générique disponible ?** Non
Classe de médicaments : Laxatif stimulant

▼ GÉNÉRALITÉS

INDICATIONS
Pour nettoyer le côlon et le rectum avant des examens exploratoires ou une intervention chirurgicale au côlon.

MODE D'ACTION
Le polyéthylène glycol (PEG) libère le côlon des matières fécales qui s'y trouvent en provoquant une diarrhée bénigne.

▼ MODE D'EMPLOI

POSOLOGIE
Adultes et adolescents : buvez 1 plein verre (240 ml/8 oz) de PEG rapidement toutes les 10 minutes jusqu'à ce que vous n'évacuiez plus qu'une eau incolore (il faut généralement en ingérer 3 ou 4 litres/12 à 16 verres). Enfants : la posologie dépend du poids.

DÉBUT D'ACTION
En 1 heure.

DURÉE D'ACTION
Variable.

CONSEILS NUTRITIONNELS
Ne mangez aucun aliment durant les 4 heures qui précèdent une purgation au PEG. Après la purgation, buvez seulement des liquides clairs : eau, soda au gingembre, cola décaféiné, thé décaféiné ou bouillon.

MODE DE CONSERVATION
Dans un contenant étanche, à l'abri de la chaleur, de l'humidité et de la lumière. Gardez la solution au réfrigérateur ; ne la faites pas congeler.

OUBLI D'UNE DOSE
Prenez-la dès que vous y pensez. S'il est presque l'heure de la suivante, sautez la dose oubliée et reprenez la fréquence normale. Ne doublez pas la dose suivante.

ARRÊT DE LA MÉDICATION
Buvez la solution jusqu'à évacuation d'une eau incolore et sans matières solides. L'arrêt de la médication doit être décidé par le médecin.

USAGE PROLONGÉ
Le PEG n'est pas destiné à un usage prolongé.

▼ PRÉCAUTIONS

Plus de 60 ans. On ne s'attend pas à des problèmes particuliers.

Conduite automobile, travaux dangereux. À déconseiller tant que vous ne connaissez pas votre réaction au médicament.

Alcool. À éviter.

Grossesse. Il n'existe pas d'études concluantes sur les humains. Avant de prendre du PEG, prévenez le médecin si vous êtes enceinte ou voulez le devenir.

Allaitement. Le PEG peut passer dans le lait maternel : la prudence s'impose. Demandez spécifiquement l'avis du médecin.

Nourrissons et enfants. Il n'existe pas de données comparatives sur les effets du PEG sur les enfants et sur d'autres patients. Néanmoins, on ne s'attend à aucun problème particulier.

À surveiller. Il faut compter 3 heures pour consommer la quantité recommandée de PEG. La première selle se produit au bout de 1 heure environ. Les patients qui utilisent la poudre pour solution orale devraient d'abord la mélanger à de l'eau froide et ajoutez de l'eau tiède jusqu'à la ligne repère sur le bidon. Agitez celui-ci vigoureusement pour bien dissoudre la poudre. N'ajoutez ni arôme ni aucun autre ingrédient. Mettez ensuite la solution au réfrigérateur : elle a meilleur goût quand elle est très froide. Consommez-la dans les 48 heures.

SURDOSAGE
Symptômes. Diarrhée, douleur abdominale et ballonnement.

Quoi faire. Une surdose est peu probable. Néanmoins, si vous avez des inquiétudes, appelez le médecin ou le centre antipoison, ou allez à l'urgence.

▼ INTERACTIONS

MÉDICAMENT-MÉDICAMENT
Toute autre médication prise oralement 1 heure avant ou après l'ingestion de PEG peut être expulsée. Demandez l'avis du médecin si vous prenez d'autres médicaments.

MÉDICAMENT-ALIMENT
Ne consommez aucun aliment durant les 3 ou 4 heures qui précèdent l'administration de PEG.

MÉDICAMENT-MALADIE
Il faut être prudent quand on prend du PEG. Demandez l'avis du médecin dans les cas suivants : antécédents d'obstruction intestinale, d'iléus paralytique, de perforation de l'intestin, de rectocolite hémorragique, de colite toxique ou de mégacôlon toxique.

▼ EFFETS INDÉSIRABLES

GRAVES
Rash cutané. Le cas échéant, demandez immédiatement de l'assistance médicale.

COURANTS
Ballonnement, nausées.

MOINS COURANTS
Dérangement d'estomac ou crampes abdominales, vomissements, irritation de la région anale.

POLYSTYRÈNE SODIQUE (SULFONATE DE)

Présentation : Poudre pour suspension
En vente libre ? Non   **Générique disponible ?** Oui
Classe de médicaments : Résine pour éliminer le potassium

▼ GÉNÉRALITÉS

INDICATIONS
Traitement de l'hyperkaliémie (taux sanguins de potassium anormalement élevés).

MODE D'ACTION
Le polystyrène sodique, une résine, abaisse les taux de potassium en échangeant le sodium qu'elle renferme contre du potassium présent dans l'organisme. Le processus se déroule dans l'intestin.

▼ MODE D'EMPLOI

POSOLOGIE
La poudre pour suspension se prend par voie orale ou rectale. Adultes – Voie orale : 15 g (4 cuillerées à soupe rases de poudre) 1 à 4 fois par jour ; la dose peut être portée à 40 g 4 fois par jour. Voie rectale : 30 à 50 g 1 ou 2 fois par jour, dans 150 à 200 ml d'eau ou de liquide approprié, sous forme de lavement ou dans un sac à dialyse. Enfants – Voie orale : 1 g par kilogramme (2,2 kg) de poids corporel, au besoin. Par voie rectale : 1 g par kilo-gramme de poids, au besoin, sous forme de lavement ou dans un sac à dialyse. La forme orale est préférable car la suspension devrait séjourner dans l'intestin pendant au moins 6 heures.

DÉBUT D'ACTION
De plusieurs heures à quelques jours.

DURÉE D'ACTION
Inconnue.

CONSEILS NUTRITIONNELS
La forme orale ne doit pas être prise avec du jus d'orange (qui renferme beaucoup de potassium).

MODE DE CONSERVATION
Dans un contenant étanche, à l'abri de la chaleur, de l'humidité et de la lumière. La suspension peut être réfrigérée, mais pas congelée.

OUBLI D'UNE DOSE
Prenez-la dès que vous y pensez. S'il est presque l'heure de la dose suivante, sautez la dose oubliée et reprenez la fréquence normale. Ne doublez pas la dose suivante.

ARRÊT DE LA MÉDICATION
Cette décision devrait être prise en consultation avec le médecin.

USAGE PROLONGÉ
Consultez périodiquement votre médecin qui fera un suivi à l'aide d'examens et d'analyses.

▼ PRÉCAUTIONS

Plus de 60 ans. Risques de réactions indésirables plus fréquentes et plus graves.

Conduite automobile, travaux dangereux. À déconseiller tant que vous ne connaissez pas votre réaction au médicament.

Alcool. À éviter.

Grossesse. Il n'y a pas eu d'études concluantes sur l'utilisation du polystyrène sodique pendant la grossesse. Si vous êtes enceinte ou avez l'intention de le devenir, dites-le à votre médecin avant d'en prendre.

Allaitement. On ignore si le polystyrène sodique passe dans le lait maternel. Demandez l'avis de votre médecin.

Nourrissons et enfants. Pas de risque connu.

À surveiller. Il faut prendre la suspension dans les 24 heures de sa préparation.

SURDOSAGE
Symptômes. Graves nausées, vomissements, rétention fécale, enflure des mains, des pieds ou du bas des jambes, miction réduite, fatigue musculaire extrême, confusion.

Quoi faire. Appelez immédiatement votre médecin ou un centre antipoison, ou allez à l'urgence.

▼ INTERACTIONS

MÉDICAMENT-MÉDICAMENT
Demandez l'avis du médecin concernant tous les médicaments avec ou sans ordonnance que vous prenez et mentionnez-lui en particulier les suivants, qui risquent d'interagir avec le sulfonate de polystyrène sodique : antiacides, digitaliques, laxatifs, diurétiques, suppléments de potassium.

MÉDICAMENT-ALIMENT
Le jus d'orange peut faire monter les taux sanguins de potassium.

MÉDICAMENT-MALADIE
Il faut être prudent lorsqu'on prend ce médicament. Demandez l'avis de votre médecin si vous avez des antécédents de : insuffisance cardiaque congestive, hypertension prononcée, ou œdème (enflure importante des tissus du corps causée par la rétention des fluides).

EFFETS INDÉSIRABLES

GRAVES
Douleurs prononcées dans l'estomac, accompagnées de nausées et de vomissements (rétention fécale) ; troubles du rythme cardiaque ; crampes abdominales et musculaires ; gain de poids ; irritabilité, manque de concentration ; confusion ; miction réduite ; fatigue musculaire extrême ; enflure des mains, des pieds ou du bas des jambes.

COURANTS
Perte d'appétit, constipation, nausées, vomissements.

MOINS COURANTS
Il n'y a pas d'effets indésirables moins courants.

POTASSIUM (CHLORURE DE)

Présentation : Liquide, poudre, comprimés, gélules à libération prolongée
En vente libre ? Non   **Générique disponible ?** Oui
Classe de médicaments : Électrolyte

▼ GÉNÉRALITÉS

INDICATIONS

Pour établir ou maintenir un taux approprié de potassium dans l'organisme. Le potassium est un électrolyte, c'est-à-dire un sel minéral qui aide à maintenir un juste équilibre hydrique. Il joue aussi un rôle important dans la transmission des impulsions nerveuses.

MODE D'ACTION

Absorbé par les liquides organiques, le chlorure de potassium parvient aux cellules où il participe à diverses opérations métaboliques, surtout à celles touchant la libération d'énergie. Il favorise aussi la transmission des impulsions nerveuses impliquées dans les mouvements musculaires et les contractions du cœur.

▼ MODE D'EMPLOI

POSOLOGIE

20 à 100 mmol (millimoles) par jour, en doses fractionnées dont aucune ne doit dépasser 40 mmol.

DÉBUT D'ACTION

Inconnu.

DURÉE D'ACTION

Inconnue.

CONSEILS NUTRITIONNELS

À prendre après les repas ou avec un aliment et un verre d'eau ou d'un autre liquide. Respectez toutes les directives du médecin concernant votre alimentation.

MODE DE CONSERVATION

Dans un contenant étanche, à l'abri de la chaleur et de la lumière.

OUBLI D'UNE DOSE

Si vous vous en souvenez dans les 2 heures, prenez-la avec un aliment ou des liquides et reprenez ensuite la fréquence normale. Si vous êtes à plus de 2 heures du moment où vous deviez la prendre, sautez-la et revenez à la fréquence normale. Ne doublez pas la dose suivante.

ARRÊT DE LA MÉDICATION

Ne cessez pas de prendre du potassium sans avoir consulté au préalable votre médecin. N'arrêtez pas non plus abruptement si vous prenez de la digoxine en même temps.

USAGE PROLONGÉ

Il est nécessaire de surveiller le taux sanguin de potassium.

▼ PRÉCAUTIONS

Plus de 60 ans. En vieillissant, la capacité du rein d'excréter le potassium diminue : les patients âgés risquent d'en accumuler davantage. Il faut vérifier régulièrement les taux sanguins de potassium.

Conduite automobile, travaux dangereux. Pas de précautions spéciales.

Alcool. Pas de précautions spéciales.

Grossesse. Il n'y a pas de danger à prendre des suppléments de potassium pourvu qu'on respecte la posologie.

Allaitement. Le potassium peut passer dans le lait maternel. Demandez spécifiquement l'avis du médecin.

Nourrissons et enfants. Innocuité et efficacité non établies, mais aucun problème précis n'a été signalé.

À surveiller. Dans le calcul de l'apport total de potassium, tenez compte des aliments que vous mangez. Lisez les étiquettes avec soin, surtout celles des produits hyposodiques comme des aliments en conserve et certains pains qui peuvent renfermer du potassium. Ne broyez pas les gélules à libération prolongée. Avalez les comprimés sans les mastiquer, les laisser fondre ou les broyer. Faites dissoudre complètement la poudre avant de l'ingérer.

SURDOSAGE

Symptômes. Arythmies cardiaques ; faiblesse musculaire pouvant évoluer en paralysie du diaphragme et handicaper la respiration.

Quoi faire. Appelez immédiatement le médecin ou le centre antipoison, ou allez à l'urgence.

▼ INTERACTIONS

MÉDICAMENT-MÉDICAMENT

Les médicaments suivants peuvent interagir avec le chlorure de potassium : digoxine, diurétiques à épargne potassique, diurétiques thiazidiques, AINS, bêtabloquants, héparine, triamtérène, anticholinergiques ou inhibiteurs de l'ECA.

MÉDICAMENT-ALIMENT

Attention au potassium alimentaire : parlez-en au médecin. Les aliments riches en potassium sont : avocat, banane, brocoli, fruits secs, pamplemousse, haricots, viandes, noix, épinards, lait hyposodique, courge, melon, choux de Bruxelles, courgettes, jus d'orange surgelé et tomates.

MÉDICAMENT-MALADIE

Consultez le médecin en cas de : occlusion intestinale, déshydratation, diarrhée grave, compression de l'œsophage, évacuation gastrique lente, ulcère gastro-duodénal, bloc cardiaque, prédisposition à la rétention de potassium.

≡ EFFETS INDÉSIRABLES ≡

GRAVES

Engourdissement ou picotement des mains, des pieds ou des lèvres ; rythme cardiaque lent ou irrégulier ; difficultés respiratoires ; fatigue ou faiblesse inhabituelles ; confusion.

COURANTS

Diarrhée, malaise abdominal, flatulence, nausées et vomissements, crampes abdominales, goût désagréable.

MOINS COURANTS

Selles noires ou sanglantes, déglutition douloureuse.

PRAMIPEXOLE (DICHLORHYDRATE DE)

Présentation : Comprimés
En vente libre ? Non   **Générique disponible ?** Non
Classe de médicaments : Agoniste dopaminergique

▼ GÉNÉRALITÉS

INDICATIONS
Traitement des symptômes de la maladie de Parkinson.

MODE D'ACTION
Le mécanisme d'action précis du pramipexole n'est pas connu, mais on croit qu'il favorise la libération de certains éléments chimiques neurologiques qui donnent une meilleure maîtrise des mouvements.

▼ MODE D'EMPLOI

POSOLOGIE
Dose d'attaque (première semaine de traitement) : 0,125 mg, 3 fois par jour. La posologie est augmentée progressivement (en général 1 fois par semaine pendant 7 semaines) sans dépasser 1,5 mg, 3 fois par jour, soit une posologie totale quotidienne de 4,5 mg.

DÉBUT D'ACTION
Inconnu.

DURÉE D'ACTION
Inconnue.

CONSEILS NUTRITIONNELS
Peut être pris au repas pour diminuer la fréquence des nausées et dérangements d'estomac.

MODE DE CONSERVATION
Dans un contenant étanche, à l'abri de la chaleur, de la lumière, de l'humidité et des températures extrêmes.

OUBLI D'UNE DOSE
Prenez-la dès que vous y pensez. S'il est presque l'heure de la suivante, sautez la dose oubliée et reprenez la fréquence normale. Ne doublez pas la dose suivante.

ARRÊT DE LA MÉDICATION
Cette décision doit être prise en consultation avec le médecin. N'interrompez pas abruptement le traitement ; il est recommandé de réduire les doses graduellement sur au moins 1 semaine, selon les directives du médecin.

USAGE PROLONGÉ
Le traitement au pramipexole peut durer toute la vie, mais un usage prolongé peut donner lieu à une fréquence accrue d'effets indésirables. Évaluation et suivi médicaux sont recommandés.

▼ PRÉCAUTIONS

Plus de 60 ans. Réactions indésirables (en particulier hallucinations) plus fréquentes et plus graves. Il peut y avoir lieu de réduire les doses.

Conduite automobile, travaux dangereux. N'entreprenez pas de telles activités avant de connaître votre réaction au médicament : le pramipexole peut provoquer subitement une très grande somnolence.

Alcool. À éviter.

Grossesse. Le pramipexole ne devrait pas être administré aux femmes enceintes.

Allaitement. Le pramipexole ne devrait pas être administré aux femmes qui allaitent.

Nourrissons et enfants. Le pramipexole ne devrait pas leur être administré.

À surveiller. Le pramipexole peut provoquer des vertiges ou des évanouissements, surtout quand le patient se lève de son siège ou s'assoit après avoir été couché (malaise connu sous le nom d'hypotension posturale ou orthostatique, qui se caractérise par des épisodes temporaires de très basse tension). Soyez prudent et levez-vous lentement.

SURDOSAGE
Symptômes. Aucun cas de surdosage n'a été signalé.

Quoi faire. Une surdose de pramipexole est peu probable. Néanmoins, si la dose est bien supérieure à celle prescrite, appelez immédiatement le médecin ou le centre antipoison, ou allez à l'urgence.

▼ INTERACTIONS

MÉDICAMENT-MÉDICAMENT
Demandez spécifiquement l'avis du médecin si vous prenez : agents antiulcéreux (et plus précisément antagonistes des récepteurs H2 de l'histamine tels que cimétidine ou ranitidine), bloqueurs des canaux calciques (diltiazem, vérapamil), diurétiques d'épargne potassique (triamtérène) ou antagonistes de la dopamine (phénothiazines, butyrophénones, thioxanthènes et métoclopramide).

MÉDICAMENT-ALIMENT
Aucune interaction connue.

MÉDICAMENT-MALADIE
Le pramipexole peut provoquer des complications chez les patients ayant des antécédents de maladie des reins, car le médicament s'élimine par les reins.

▼ EFFETS INDÉSIRABLES

GRAVES
Tension artérielle très basse (hypotension orthostatique) provoquant vertiges graves, confusion, nausées, évanouissement ou perte de conscience, surtout quand on se lève après avoir été assis ou allongé ; hallucinations, dyskinésies (manque de maîtrise des mouvements volontaires).

COURANTS
Vertiges légers à modérés ou évanouissement (causés par une chute moins grave de la tension artérielle) en se levant ou en s'asseyant ; somnolence ; sécheresse de la bouche ; nausées.

MOINS COURANTS
Sudation accrue, altérations de la vue, douleur articulaire, débit urinaire accru, faiblesse, pneumonie, fréquence accrue de blessures accidentelles, maladie dentaire, crampes dans les jambes, constipation, céphalées.

PRAVASTATINE

NOMS COMMERCIAUX

Apo-Pravastatin,
Lin-Pravastatin,
Pravachol

Présentation : Comprimés
En vente libre ? Non   **Générique disponible ?** Oui
Classe de médicaments : Régulateur du métabolisme des lipides (hypocholestérolémiant)

▼ GÉNÉRALITÉS

INDICATIONS
Traitement de l'hypercholestérolémie. La pravastatine est généralement prescrite quand les traitements de première intention – régime alimentaire, perte de poids et exercice – n'ont pas ramené le cholestérol lipoprotéinique total et celui de faible densité (LDL) à des taux acceptables. Elle est aussi prescrite à titre préventif chez les patients souffrant d'une maladie cardiovasculaire diagnostiquée comportant un taux de cholestérol de normal à élevé.

MODE D'ACTION
La pravastatine bloque l'action d'une enzyme nécessaire à la production du cholestérol, entravant par là sa formation. En diminuant la quantité de cholestérol dans le foie, elle augmente la formation des récepteurs des LDL et réduit ainsi les taux sanguins de cholestérol total et de LDL. En outre, elle abaisse légèrement les taux de triglycérides et augmente ceux du cholestérol HDL (ou bon cholestérol).

▼ MODE D'EMPLOI

POSOLOGIE
Dose d'attaque, 10 à 20 mg, 1 fois par jour. Cette dose peut être augmentée, mais ne dois pas dépasser 40 mg par jour. La pravastatine est plus efficace si elle est prise au coucher.

DÉBUT D'ACTION
En 2 à 4 semaines.

DURÉE D'ACTION
L'effet se maintient durant tout le traitement.

CONSEILS NUTRITIONNELS
Peut se prendre sans égard aux repas. Les hypocholestérolémiants ne sont qu'un volet d'un programme global qui doit inclure des exercices physiques pris régulièrement et un régime alimentaire sain.

MODE DE CONSERVATION
Dans un contenant étanche, à l'abri de la chaleur et de la lumière.

OUBLI D'UNE DOSE
Prenez-la dès que vous y pensez. Prenez la suivante au moment requis et revenez à la fréquence normale. Ne doublez pas la dose suivante.

ARRÊT DE LA MÉDICATION
La décision doit être prise en consultation avec le médecin. L'arrêt de la médication entraîne un retour possible de la cholestérolémie aux taux élevés d'avant la thérapie.

USAGE PROLONGÉ
La probabilité d'effets indésirables augmente. Si le traitement se prolonge, le médecin ordonnera périodiquement des analyses du sang pour évaluer la fonction hépatique.

▼ PRÉCAUTIONS

Plus de 60 ans. Aucun problème particulier.

Conduite automobile, travaux dangereux. La pravastatine ne devrait pas vous empêcher d'exécuter de telles tâches en toute sécurité.

Alcool. Pas de précautions spéciales.

Grossesse. La pravastatine ne devrait pas être administrée durant la grossesse ni aux femmes qui se proposent de devenir bientôt enceintes.

Allaitement. La pravastatine n'est pas recommandée aux femmes qui allaitent.

Nourrissons et enfants. Les effets à long terme chez les enfants n'ont pas été déterminés. La pravastatine leur est rarement administrée. Consultez le médecin.

À signaler. Il est important d'avoir un bon régime alimentaire, de surveiller son poids, de faire de l'exercice modérément mais régulièrement et d'éviter certains médicaments qui peuvent augmenter le taux de cholestérol. Comme la pravastatine peut avoir des effets indésirables, respectez bien le régime alimentaire qu'on vous a conseillé, ainsi que toutes les recommandations du médecin concernant d'autres traitements.

SURDOSAGE
Symptômes. Une surdose de pravastatine est peu probable.

Quoi faire. Appelez votre médecin.

▼ INTERACTIONS

MÉDICAMENT-MÉDICAMENT
Consultez le médecin si vous prenez : cyclosporine, gemfibrozil, niacine, antibiotiques (surtout érythromycine) ou antifongiques. Tous ces médicaments, associés à la pravastatine, peuvent augmenter les risques de myosite (inflammation des muscles) et mener à une insuffisance rénale. La pravastatine peut aussi interagir avec la cholestyramine et le colestipol.

MÉDICAMENT-ALIMENT
Aucune interaction connue.

MÉDICAMENT-MALADIE
Avertissez le médecin en cas de : maladie du foie, des reins ou des muscles, antécédents d'alcoolisme, antécédents médicaux impliquant une greffe d'organe ou une intervention chirurgicale récente.

  EFFETS INDÉSIRABLES

GRAVES
Fièvre, douleur ou sensibilité anormales et inexplicables dans les muscles.

COURANTS
Constipation ou diarrhée, vertiges, flatulence, céphalées, aigreurs d'estomac, nausées, rash cutané, douleurs gastriques et augmentation des enzymes hépatiques : ces effets se produisent chez 1 % à 2 % des patients.

MOINS COURANTS
Insomnie.

PRAZIQUANTEL

Présentation : Comprimés
En vente libre ? Non   **Générique disponible ?** Non
Classe de médicaments : Anthelmintique

▼ GÉNÉRALITÉS

INDICATIONS
Traitement des infections dues aux trématodes (douves), comme la clonorchiase, causée par *Clonorchis sinensis* (douve de Chine), l'opisthorchiase, causée par *Opisthorchis viverrini* et *O. felineus* (douves du foie) et la schistosomiase, causée par *Schistosoma mekongi*, *S. japonicum*, *S. mansoni* et *S. hematobium* (douves du sang). Le praziquantel peut être utilisé contre d'autres parasites : c'est au médecin à en décider.

MODE D'ACTION
Le praziquantel provoque des spasmes musculaires graves chez les parasites et paralyse leurs muscles. Le système immunitaire du patient est alors mieux à même d'attaquer le vers et de l'expulser.

▼ MODE D'EMPLOI

POSOLOGIE
Clonorchiase et opisthorchiase – Adultes et enfants de 4 ans et plus : 25 mg par kilogramme (2,2 lb) de poids corporel, 3 fois, durant 1 journée. Schistosomiase – Adultes et enfants de 4 ans et plus : 20 mg par kilogramme de poids, 3 fois, durant 1 journée.

DÉBUT D'ACTION
Inconnu.

DURÉE D'ACTION
Inconnue.

CONSEILS NUTRITIONNELS
À prendre de préférence aux repas, avec un liquide. Ne mastiquez pas les comprimés.

MODE DE CONSERVATION
Dans un contenant étanche, à l'abri de la chaleur, de l'humidité et de la lumière.

OUBLI D'UNE DOSE
Prenez-la dès que vous y pensez. S'il est presque l'heure de la suivante, sautez la dose oubliée et reprenez la fréquence normale. Ne doublez pas la dose suivante.

ARRÊT DE LA MÉDICATION
Effectuez le traitement au complet, comme il vous a été prescrit.

USAGE PROLONGÉ
Un suivi médical s'impose si le traitement doit se prolonger. Si votre état ne s'est pas amélioré à la fin du traitement, consultez le médecin.

▼ PRÉCAUTIONS

Plus de 60 ans. Risques de réactions indésirables plus fréquentes et plus graves.

Conduite automobile, travaux dangereux. À éviter tant que vous ne connaissez pas votre réaction au médicament. Abstenez-vous-en le jour et le lendemain de la médication.

Alcool. Pas de précautions spéciales.

Grossesse. Il n'existe pas d'études concluantes sur les humains. Avant de prendre du praziquantel, prévenez le médecin si vous êtes enceinte ou désirez le devenir.

Allaitement. Le praziquantel passe dans le lait maternel. Arrêtez d'allaiter le jour où vous commencez le traitement. Ne reprenez l'allaitement que 72 heures après la fin du traitement. Durant cette période, le lait maternel doit être extrait par succion ou par compression et jeté.

Nourrissons et enfants. Indications et posologie pour les moins de 4 ans doivent être déterminées par le médecin.

À surveiller. Le praziquantel a un goût amer qui peut provoquer des haut-le-cœur ou des vomissements, surtout si les comprimés sont mastiqués. Avalez ceux-ci, sans les broyer, avec de l'eau, durant les repas.

SURDOSAGE
Symptômes. Une surdose est peu probable.

Quoi faire. Il est peu probable qu'une surdose mette votre vie en danger. Néanmoins, si vous prenez une dose bien supérieure à celle prescrite, appelez le médecin.

▼ INTERACTIONS

MÉDICAMENT-MÉDICAMENT
Consultez le médecin si vous prenez tout autre médicament, avec ou sans ordonnance, en particulier : corticostéroïdes (associés au praziquantel dans le traitement de certaines maladies causées par des parasites), anticonvulsivants, cimétidine, kétoconazole ou miconazole.

MÉDICAMENT-ALIMENT
Aucune interaction connue.

MÉDICAMENT-MALADIE
Le praziquantel ne doit pas être prescrit en présence d'une cysticercose causée dans l'œil par Taenia solium, l'élimination du parasite au moyen du praziquantel pouvant causer des lésions irréparables dans les yeux. Un traitement au praziquantel exige de la prudence : si vous souffrez d'une maladie du foie ou des reins, vous risquez davantage d'avoir des effets indésirables. Demandez spécifiquement l'avis du médecin.

 **EFFETS INDÉSIRABLES**

GRAVES
Il n'y a pas d'effets indésirables graves liés au praziquantel.

COURANTS
Douleur ou crampes d'estomac, vertiges, somnolence, diarrhée sanguinolente, fièvre, nausées ou vomissements, céphalées, sudation accrue, perte d'appétit, malaise généralisé. Ces symptômes sont généralement provoqués par des réactions allergiques aux vers morts et disparaissent habituellement d'eux-mêmes.

MOINS COURANTS
Urticaire, rash cutané, démangeaisons.

PRAZOSINE

Présentation : Comprimés
En vente libre ? Non   **Générique disponible ?** Oui
Classe de médicaments : Antihypertenseur à action périphérique

▼ GÉNÉRALITÉS

INDICATIONS
Traitement de la tension artérielle (hypertension).

MODE D'ACTION
La prazosine détend les vaisseaux sanguins et les élargit, ce qui a pour effet de diminuer la pression sanguine.

▼ MODE D'EMPLOI

POSOLOGIE
Adultes : dose initiale de 0,5 mg au repas du soir. La posologie peut être lentement augmentée jusqu'à 20 mg en 2 ou 3 doses fractionnées. Enfants : consultez le pédiatre.

DÉBUT D'ACTION
En 30 à 90 minutes. Le plein effet thérapeutique peut prendre de 1 à 14 jours.

DURÉE D'ACTION
7 à 10 heures.

CONSEILS NUTRITIONNELS
Suivez un régime sain (faible en sel, en lipides et en cholestérol) que vous recommandera votre médecin pour vous aider à contrôler votre tension et prévenir une maladie cardiaque.

MODE DE CONSERVATION
Dans un contenant étanche, à l'abri de la chaleur et de la lumière.

OUBLI D'UNE DOSE
Prenez-la dès que vous y pensez. S'il est presque l'heure de la dose suivante, sautez la dose oubliée et reprenez la fréquence normale. Ne doublez pas la dose suivante.

ARRÊT DE LA MÉDICATION
La décision d'interrompre votre traitement doit être prise par votre médecin. La prazosine régularise la pression artérielle, mais ne guérit pas l'hypertension.

USAGE PROLONGÉ
Il faut parfois poursuivre le traitement à vie. Le cas échéant, vous devez consulter régulièrement votre médecin pour subir des examens et des analyses.

▼ PRÉCAUTIONS

Plus de 60 ans. Risque de réactions indésirables plus fréquentes et plus graves, notamment étourdissements, vertiges, évanouissements. Ce médicament peut réduire la tolérance au froid chez les patients vieillissants.

Conduite automobile, travaux dangereux. À déconseiller tant que vous ne connaissez pas votre réaction au médicament.

Alcool. À éviter.

Grossesse. On n'a relevé aucune malformation congénitale lors des recherches sur les animaux et dans les quelques études faites chez les humains. À hautes doses chez les animaux, on a observé des poids moins élevés à la naissance. Si vous êtes enceinte ou avez l'intention de le devenir, signalez-le au médecin avant de commencer un traitement à la prazosine.

Allaitement. La prazosine passe dans le lait maternel ; la prudence est de mise. Demandez l'avis de votre médecin.

Nourrissons et enfants. Il n'y a pas de données comparatives sur l'utilisation de la prazosine chez les enfants et les nourrissons par rapport aux adultes. Demandez spécifiquement l'avis du médecin.

À surveiller. Il faut être prudent lorsque vous commencez à prendre ce médicament ou que vous augmentez la dose, car vous pourriez être plus susceptible aux étourdissements et aux vertiges. Il en va de même par grandes chaleurs et si vous faites des exercices ou restez debout longtemps.

SURDOSAGE
Symptômes. Somnolence, réflexes ralentis, très basse tension.

Quoi faire. Une surdose ne devrait pas mettre votre vie en danger. Néanmoins, si la dose est considérable, appelez immédiatement le médecin ou le centre antipoison, ou allez à l'urgence.

▼ INTERACTIONS

MÉDICAMENT-MÉDICAMENT
Consultez le médecin si vous prenez : anti-inflammatoires non stéroïdiens (AINS), œstrogènes, sympathomimétiques, propranolol ou autres bêtabloquants ; anorexigène en vente libre ; médicament en vente libre contre l'asthme, le rhume, la toux, le rhume des foins ou la sinusite.

MÉDICAMENT-ALIMENT
Pas d'interaction connue.

MÉDICAMENT-MALADIE
Il faut être prudent lorsqu'on prend de la prazosine. Demandez l'avis de votre médecin en cas de : angine de poitrine, maladie cardiaque grave ou maladie rénale.

 EFFETS INDÉSIRABLES

GRAVES
Étourdissements ou vertiges persistants, surtout en passant de la position assise ou couchée à la position debout ; évanouissements ; incontinence urinaire ; palpitations ; enflure des pieds et du bas de la jambe ; douleurs thoraciques ; érections douloureuses ou se prolongeant indûment ; essoufflement.

COURANTS
Somnolence, céphalées, manque d'énergie, vertiges.

MOINS COURANTS
Sécheresse de la bouche, fatigue inhabituelle, nervosité, nausées, fréquentes envies d'uriner, palpitations.

PREDNISOLONE OPHTALMIQUE

Présentation : Solution et suspension ophtalmiques
En vente libre ? Non   **Générique disponible ?** Oui
Classe de médicaments : Corticostéroïde

▼ GÉNÉRALITÉS

INDICATIONS
Réduction de l'inflammation et prévention de dommages permanents à la suite d'une affection aux yeux telle qu'une conjonctivite ou une lésion de la cornée. On l'utilise aussi pour soulager la rougeur, l'irritation ou le malaise oculaire, ainsi que pour réduire l'inflammation après une chirurgie.

MODE D'ACTION
La prednisolone ophtalmique empêche la sécrétion de substances naturelles qui stimulent les réactions inflammatoires et les douleurs dans les tissus de l'œil.

▼ MODE D'EMPLOI

POSOLOGIE
Solution ou suspension : 1 ou 2 gouttes dans chaque œil jusqu'à 16 fois par jour.

DÉBUT D'ACTION
Inconnu.

DURÉE D'ACTION
Inconnue.

CONSEILS NUTRITIONNELS
Pas de restrictions spéciales.

MODE DE CONSERVATION
Dans un contenant étanche, à l'abri de la chaleur, de l'humidité et de la lumière. Ne pas congeler.

OUBLI D'UNE DOSE
Appliquez-la dès que vous y pensez. S'il est presque l'heure de la suivante, sautez la dose oubliée et reprenez la fréquence normale. Ne doublez pas la dose suivante.

ARRÊT DE LA MÉDICATION
Il est très important de poursuivre le traitement pour la durée prescrite, même si les symptômes s'améliorent dans l'intervalle.

USAGE PROLONGÉ
Si le traitement à la prednisolone se prolonge, il faudrait consulter votre médecin régulièrement pour subir des examens et des tests.

≣ **EFFETS INDÉSIRABLES** ≣

GRAVES
Vision diminuée ou brouillée (cataractes) ; douleur oculaire, nausées, vomissements (pression intraoculaire) ; douleur, rougeur, sensibilité à la lumière vive, écoulements (infection de l'œil). Ce médicament est susceptible de causer la résurgence d'un herpès dans l'œil ; mentionnez tout antécédent d'herpès au médecin.

COURANTS
Augmentation de la pression intraoculaire (surtout en cas d'usage topique de l'acétate de prednisolone) ; la situation se rétablit normalement à la fin du traitement.

MOINS COURANTS
Sensation de brûlure ou de picotements, rougissement de l'œil ou larmoiements.

▼ PRÉCAUTIONS

Plus de 60 ans. Pas de risque connu.

Conduite automobile, travaux dangereux. Attendez de connaître votre réaction au médicament.

Alcool. Pas de précautions spéciales.

Grossesse. Il n'y a pas eu d'études concluantes sur les humains, mais aucune malformation congénitale n'a été signalée. Avant de prendre ce médicament, prévenez le médecin si vous êtes enceinte ou voulez le devenir.

Allaitement. On n'a rapporté aucun problème chez les bébés nourris au sein. Demandez l'avis de votre médecin.

Nourrissons et enfants. Les enfants de moins de 2 ans peuvent s'avérer particulièrement sensibles aux effets de ce médicament.

À surveiller. Avant l'application des gouttes, lavez-vous les mains. Renversez la tête en arrière. Appuyez doucement dans l'angle interne de la paupière et avec l'index de la même main, tirez la paupière inférieure vers le bas. Laissez tomber le médicament dans l'espace ainsi créé et fermez l'œil. Appuyez pendant 1 ou 2 minutes tout en gardant l'œil fermé sans cligner. Enfin, lavez-vous les mains de nouveau. Le bout du compte-gouttes ne doit toucher ni l'œil, ni votre doigt, ni rien d'autre. Si au bout de 5 à 7 jours les symptômes ne se sont pas améliorés ou ont empiré, consultez votre médecin. Le port de lentilles cornéennes lors du traitement peut augmenter les risques d'infection. Votre médecin vous conseillera peut-être d'attendre un jour ou deux avant de les remettre.

SURDOSAGE
Symptômes. En usage topique, une surdose est peu probable. L'ingestion accidentelle peut entraîner fièvre, douleurs musculaires, perte d'appétit, étourdissements, évanouissements et difficultés respiratoires.

Quoi faire. Une surdose ne devrait pas mettre votre vie en danger. Néanmoins, si elle est considérable, ou s'il y a eu ingestion, appelez le médecin ou le centre antipoison, ou allez à l'urgence.

▼ INTERACTIONS

MÉDICAMENT-MÉDICAMENT
Demandez l'avis du médecin si vous utilisez tout autre médicament sur ordonnance ou en vente libre.

MÉDICAMENT-ALIMENT
Pas d'interaction connue.

MÉDICAMENT-MALADIE
Il faut être prudent avec la prednisolone ophtalmique. Consultez le médecin en cas de : cataractes, diabète, glaucome, infection herpétique de l'œil, tuberculose de l'œil ou autre infection oculaire.

PREDNISOLONE SYSTÉMIQUE

Novo-Prednisolone,
Pediapred

Présentation : Comprimés, liquide
En vente libre ? Non   **Générique disponible ?** Oui
Classe de médicaments : Corticostéroïde

▼ GÉNÉRALITÉS

INDICATIONS
Traitement de nombreux troubles caractérisés par de l'inflammation (rougeur, chaleur, gonflement et douleur des tissus organiques).

MODE D'ACTION
Cette hormone a les mêmes effets que les corticostéroïdes naturels. Elle inhibe la synthèse, la libération et l'activité des éléments chimiques qui causent de l'inflammation. Elle supprime également l'activité du système immunitaire.

▼ MODE D'EMPLOI

POSOLOGIE
Par voie orale : 5 à 60 mg par jour, selon l'affection traitée, en 1 ou plusieurs doses. Enfants : consultez le pédiatre.

DÉBUT D'ACTION
En 1 heure.

DURÉE D'ACTION
30 à 36 heures.

CONSEILS NUTRITIONNELS
À prendre avec un aliment ou du lait pour atténuer les dérangements d'estomac. Le médecin peut recommander un régime spécial.

MODE DE CONSERVATION
Dans un contenant étanche, à l'abri de la chaleur, de l'humidité et de la lumière. Ne congelez pas les formes liquides.

OUBLI D'UNE DOSE
Si vous prenez plusieurs doses par jour et qu'il est presque l'heure de la suivante, doublez-la. Si vous ne prenez qu'une dose par jour et ne vous en souvenez que le lendemain, sautez-la et ne doublez pas la dose qui suit.

ARRÊT DE LA MÉDICATION
N'arrêtez pas abruptement un traitement de longue durée ; la posologie doit être réduite graduellement.

USAGE PROLONGÉ
Un usage prolongé peut provoquer cataractes, diabète, hypertension ou ostéoporose. Un suivi médical s'impose.

▼ PRÉCAUTIONS

Plus de 60 ans. Risques de réactions indésirables plus fréquentes et plus graves.

Conduite automobile, travaux dangereux. À éviter tant que vous ne connaissez pas les effets du médicament sur vous.

Alcool. Peut causer des troubles d'estomac. À éviter à moins que le médecin n'en autorise un usage modéré à l'occasion.

Grossesse. De fortes doses pendant la grossesse peuvent ralentir la croissance et le développement de l'enfant.

Allaitement. L'administration du médicament ne présente pas de danger durant l'allaitement, mais la prudence s'impose pour les fortes doses.

Nourrissons et enfants. La prednisolone peut ralentir la croissance des os et d'autres tissus.

À surveiller. Votre résistance aux infections peut diminuer. Évitez les immunisations aux vaccins vivants. Les patients en traitement prolongé devraient porter un bracelet médic-alert. Appelez le médecin en cas de fièvre.

SURDOSAGE
Symptômes. Fièvre, douleurs musculaires ou articulaires, nausées, vertiges, évanouissement, difficultés respiratoires. Surdosage prolongé : visage lunaire, obésité, hirsutisme, acné, perte de la fonction sexuelle, fonte musculaire.

Quoi faire. Appelez immédiatement le médecin ou le centre antipoison, ou allez à l'urgence.

▼ INTERACTIONS

MÉDICAMENT-MÉDICAMENT
Demandez conseil au médecin si vous prenez : aminoglutéthimide, AAS, AINS, cyclosporine, antiacides, barbituriques, carbamazépine, griséofulvine, mitotane, phénylbutazone, phénytoïne, primidone, rifampine, amphotéricine B injectable, antidiabétiques oraux, insuline, digitaliques, diurétiques ou médicaments renfermant du potassium ou du sodium.

MÉDICAMENT-ALIMENT
Évitez les excès de sodium.

MÉDICAMENT-MALADIE
Prévenez le médecin si vous avez ou avez déjà eu : maladie des os, varicelle, rougeole, troubles gastro-intestinaux, diabète, troubles psychiatriques, infection grave récente, glaucome, maladie du cœur, hypertension, troubles du foie ou des reins, hypercholestérolémie, troubles thyroïdiens, myasthénie grave ou lupus.

≡ EFFETS INDÉSIRABLES ≡

GRAVES
Troubles de la vue, mictions fréquentes, soif accrue, saignements du rectum, ampoules sur la peau, confusion, hallucinations, paranoïa, euphorie, dépression, sautes d'humeur.

COURANTS
Augmentation de l'appétit, mauvaise digestion, nervosité, insomnie, vulnérabilité accrue aux infections, hausse de la tension artérielle, cicatrisation ralentie des plaies, gain de poids, ecchymoses nombreuses, rétention hydrique.

MOINS COURANTS
Changement de couleur de la peau, vertiges, céphalées, sudation accrue, hirsutisme, hausse du taux de sucre sanguin, ulcères gastro-duodénaux, insuffisance surrénale, faiblesse musculaire, cataractes, glaucome, ostéoporose.

PREDNISONE

Présentation : Comprimés
En vente libre ? Non   **Générique disponible ?** Oui
Classe de médicaments : Corticostéroïde

▼ GÉNÉRALITÉS

INDICATIONS

Traitement de troubles variés, accompagnés d'inflammation (réaction des tissus organiques produisant rougeur, chaleur, gonflement et douleur) : arthrite, réactions allergiques, asthme, certaines maladies de la peau, poussées de sclérose en plaques et autres maladies auto-immunes. Aussi traitement des carences en hormones stéroïdes naturelles.

MODE D'ACTION

Cette hormone a les mêmes effets que les corticostéroïdes naturels. Elle inhibe la synthèse, la libération et l'activité des éléments chimiques générateurs d'inflammation. Elle supprime également l'activité du système immunitaire.

▼ MODE D'EMPLOI

POSOLOGIE

Adultes et adolescents : 5 à 60 mg par jour, selon l'affection traitée. Sclérose en plaques : 200 mg par jour pendant 1 semaine, puis 80 mg aux 2 jours pendant 1 mois. Enfants – Consultez le médecin.

DÉBUT D'ACTION
Variable.

DURÉE D'ACTION
Variable.

CONSEILS NUTRITIONNELS

À prendre avec des aliments ou du lait pour atténuer les dérangements d'estomac. Le médecin peut conseiller un régime pauvre en sel, riche en potassium et en protéines.

MODE DE CONSERVATION

Dans un contenant étanche, à l'abri de la chaleur, de l'humidité et de la lumière.

OUBLI D'UNE DOSE

Si vous prenez plusieurs doses par jour et qu'il est presque l'heure de la suivante, doublez-la. Si vous ne prenez qu'une dose par jour et ne vous en souvenez que le lendemain, sautez-la et ne doublez pas la dose qui suit.

ARRÊT DE LA MÉDICATION

N'arrêtez pas abruptement un traitement de longue durée ; la posologie doit être réduite graduellement.

USAGE PROLONGÉ

Un usage prolongé peut entraîner cataractes, diabète, hypertension ou ostéoporose. Un suivi médical s'impose.

▼ PRÉCAUTIONS

Plus de 60 ans. Risques de réactions indésirables plus fréquentes et plus graves.

Conduite automobile, travaux dangereux. À éviter tant que vous ne connaissez pas les effets du médicament sur vous.

Alcool. Peut causer des troubles d'estomac. À éviter à moins que le médecin n'en autorise un usage modéré à l'occasion.

Grossesse. De fortes doses peuvent ralentir la croissance de l'enfant et provoquer d'autres problèmes de développement. Consultez le médecin.

Allaitement. Ne présente pas de danger. La prudence s'impose avec de fortes doses.

Nourrissons et enfants. La prednisone peut ralentir la croissance des os et d'autres tissus.

À surveiller. Votre résistance aux infections peut diminuer. Évitez les immunisations aux vaccins vivants. Les patients en traitement prolongé devraient porter un bracelet medic-alert. Appelez le médecin en cas de fièvre.

SURDOSAGE

Symptômes. Fièvre, douleurs musculaires ou articulaires, nausées, vertiges, évanouissement, difficultés respiratoires. Surdosage prolongé : visage lunaire, obésité, hirsutisme, acné, perte de la fonction sexuelle, fonte musculaire.

Quoi faire. Appelez aussitôt le médecin ou le centre anti-poison, ou allez à l'urgence.

▼ INTERACTIONS

MÉDICAMENT-MÉDICAMENT

Demandez conseil au médecin si vous prenez : aminoglutéthimide, antiacides, AAS, AINS, cyclosporine, barbituriques, carbamazépine, griséofulvine, mitotane, phénylbutazone, phénytoïne, primidone, rifampine, amphotéricine B injectable, antidiabétiques oraux, insuline, digitaliques, diurétiques, ou médicaments renfermant du potassium ou du sodium.

MÉDICAMENT-ALIMENT
Évitez les excès de sodium.

MÉDICAMENT-MALADIE

Prévenez le médecin si vous avez ou avez déjà eu : maladie des os, varicelle, rougeole, troubles gastro-intestinaux, diabète, troubles psychiatriques, infection grave récente, glaucome, maladie du cœur, hypertension, troubles du foie ou des reins, hypercholestérolémie, troubles thyroïdiens, myasthénie grave ou lupus.

 EFFETS INDÉSIRABLES

GRAVES

Troubles de la vue, mictions fréquentes, soif accrue, saignements du rectum, ampoules sur la peau, confusion, hallucinations, paranoïa, euphorie, dépression, sautes d'humeur.

COURANTS

Augmentation de l'appétit, mauvaise digestion, nervosité, insomnie, vulnérabilité accrue aux infections, hausse de la tension artérielle, cicatrisation ralentie des plaies, gain de poids, ecchymoses nombreuses, rétention hydrique.

MOINS COURANTS

Changement de couleur de la peau, vertiges, céphalées, sudation accrue, hirsutisme, hausse du taux de sucre sanguin, ulcères gastro-duodénaux, insuffisance surrénale, faiblesse musculaire, cataractes, glaucome, ostéoporose.

PRIMAQUINE

Présentation : Comprimés
En vente libre ? Non   **Générique disponible ?** Non
Classe de médicaments : Anti-infectieux/antipaludéen

▼ GÉNÉRALITÉS

INDICATIONS
Prévention et traitement des rechutes de paludisme (ou malaria) causé par les protozoaires *Plasmodium vivax* et *P. ovale*. On l'emploie après un traitement ou une thérapie préventive à la chloroquine chez des personnes qui ont été très exposées à ces formes de paludisme.

MODE D'ACTION
La primaquine entrave les processus biologiques producteurs d'énergie des protozoaires.

▼ MODE D'EMPLOI

POSOLOGIE
Adultes et adolescents : 1 comprimé (15 mg base) 1 fois par jour pendant 14 jours. Pour certaines infections de paludisme, il peut être nécessaire de prescrire une posologie plus forte et un traitement plus long. Enfants de 12 ans et moins : Consultez le médecin.

DÉBUT D'ACTION
Inconnu.

DURÉE D'ACTION
Inconnue.

CONSEILS NUTRITIONNELS
La primaquine peut être prise avec un aliment ou un jus pour atténuer les dérangements d'estomac. Prévenez le médecin si vous avez des dérangements d'estomac persistants accompagnés de douleur, de nausées ou de vomissements.

MODE DE CONSERVATION
Dans un contenant étanche, à l'abri de la chaleur, de l'humidité et de la lumière.

OUBLI D'UNE DOSE
Prenez-la dès que vous y pensez. S'il est presque l'heure de la suivante, sautez la dose oubliée et reprenez la fréquence normale. Ne doublez pas la dose suivante.

ARRÊT DE LA MÉDICATION
Effectuez le traitement au complet, comme il vous a été prescrit, même si vous vous sentez mieux avant la fin.

USAGE PROLONGÉ
Un suivi médical, avec examens et analyses de sang est nécessaire en cas d'usage prolongé.

▼ PRÉCAUTIONS

Plus de 60 ans. Risques de réactions indésirables plus fréquentes et plus graves.

Conduite automobile, travaux dangereux. À déconseiller tant que vous ne connaissez pas votre réaction au médicament.

Alcool. Pas de précautions spéciales.

Grossesse. La primaquine ne devrait pas être administrée durant la grossesse. Avant d'en prendre, prévenez le médecin si vous êtes enceinte ou voulez le devenir.

Allaitement. La primaquine peut passer dans le lait maternel : la prudence s'impose. Demandez l'avis du médecin.

Nourrissons et enfants. Risques de réactions indésirables plus fréquentes et plus graves dans ce groupe d'âge.

À surveiller. Si vous êtes de descendance méditerranéenne, africaine ou est-asiatique, vous avez plus de risque de ressentir des effets indésirables à cause d'une déficience en glucose-6-phosphate déshydrogénase (G6PD) ; consultez le médecin.

SURDOSAGE
Symptômes. Faiblesse, pâleur, apparence maladive, essoufflement, crampes abdominales graves, vomissements, troubles du rythme cardiaque.

Quoi faire. Appelez immédiatement le médecin ou le centre antipoison, ou allez à l'urgence.

▼ INTERACTIONS

MÉDICAMENT-MÉDICAMENT
Demandez spécifiquement l'avis du médecin si vous prenez des médicaments qui peuvent causer de l'anémie (sulfamides, nitrofurantoïnes) ou des myélodépresseurs (méthotrexate, phénylbutazone, chloramphénicol). Faites aussi connaître au médecin tous les médicaments que vous prenez avec ou sans ordonnance.

MÉDICAMENT-ALIMENT
Aucune interaction connue.

MÉDICAMENT-MALADIE
Vous ne devriez pas prendre de primaquine si vous souffrez gravement d'une maladie qui réduit la numération des globules blancs, par exemple : polyarthrite rhumatoïde ou lupus érithémateux. Avertissez le médecin si vous avez des antécédents familiaux d'anémie hémolytique, de déficience en glucose-6-phosphate déshydrogénase (G6PD) ou de déficience en nicotinamide adénine dinucléotide (NADH).

 EFFETS INDÉSIRABLES

GRAVES
Cessez de prendre de la primaquine et consultez le médecin si votre urine est beaucoup plus foncée que d'habitude. Aussi, fatigue anormale ; douleur dans le dos, les jambes ou l'estomac ; perte de l'appétit ; pâleur ; fièvre ; bleuissement des lèvres, de la peau ou des ongles des doigts ; difficultés respiratoires ; vertiges, étourdissements.

COURANTS
Crampes ou douleurs gastriques, nausées, vomissements.

MOINS COURANTS
Numération insuffisante de globules blancs provoquant mal de gorge, fièvre ou autres signes d'infection (rare).

PRIMIDONE

Présentation : Comprimés, suspension
En vente libre ? Non   **Générique disponible ?** Oui
Classe de médicaments : Anticonvulsivant

▼ GÉNÉRALITÉS

INDICATIONS
Pour maîtriser certains types de convulsions épileptiques.

MODE D'ACTION
On croit que la primidone inhibe l'activité de certaines parties du cerveau et supprime les décharges anormales de neurones qui déclenchent les convulsions.

▼ MODE D'EMPLOI

POSOLOGIE
Adultes : 750 à 1 000 mg (ou plus) par jour, en 3 ou 4 prises fractionnées. Enfants : 10 à 25 mg par kilogramme (2,2 lb) de poids par jour, en 3 ou 4 prises fractionnées. Le traitement commence par une dose initiale faible, qui est augmentée peu à peu.

DÉBUT D'ACTION
En plusieurs heures.

DURÉE D'ACTION
L'effet maximal dure 12 heures ou davantage et diminue ensuite peu à peu.

CONSEILS NUTRITIONNELS
À prendre en mangeant contre les maux d'estomac.

MODE DE CONSERVATION
Dans un contenant étanche, à l'abri de la chaleur, de l'humidité et de la lumière. Ne congelez pas la forme liquide.

OUBLI D'UNE DOSE
Prenez-la dès que vous y pensez. S'il est presque l'heure de la suivante, sautez la dose oubliée et reprenez la fréquence normale. Ne doublez pas la dose suivante, sauf sur avis de votre médecin.

ARRÊT DE LA MÉDICATION
N'arrêtez jamais brusquement : il y a risque de convulsions. Le médecin réduira peu à peu la posologie sur des semaines ou des mois.

USAGE PROLONGÉ
Le traitement est généralement de longue durée. Un suivi médical est nécessaire.

▼ PRÉCAUTIONS

Plus de 60 ans. Des doses plus faibles peuvent être nécessaires pour réduire les effets indésirables.

Conduite automobile, travaux dangereux. À éviter tant que vous ne connaissez pas les effets du médicament sur vous : il peut causer somnolence ou vertiges.

Alcool. Peut augmenter la somnolence.

Grossesse. Des anomalies congénitales et des saignements chez la mère ont été signalés. Les études scientifiques sont incomplètes. Néanmoins, les convulsions font aussi courir des risques au fœtus. Évaluez avec le médecin les bienfaits du traitement par rapport à ses dangers. Des suppléments de folate sont recommandés 1 ou 2 mois avant la conception et durant la grossesse.

Allaitement. La primidone passe dans le lait maternel, bien qu'à faible concentration. Demandez l'avis du médecin.

Nourrissons et enfants. Réactions indésirables plus fréquentes et plus graves.

À surveiller. Le générique du médicament n'est pas recommandé. Ne passez pas d'une marque à une autre sans consulter le médecin. Agitez bien la suspension orale avant d'en prendre. Le médecin

peut vous aviser de porter un bracelet ou une carte indiquant que vous prenez de la primidone.

SURDOSAGE
Symptômes. Somnolence, difficultés respiratoires, perte de conscience.

Quoi faire. Appelez aussitôt le médecin ou le centre anti-poison, ou allez à l'urgence.

▼ INTERACTIONS

MÉDICAMENT-MÉDICAMENT
Nombreuses interactions, dont les suivantes : autres anticonvulsivants (phénytoïne, carbamazépine, clonazépam, acide valproïque), benzodiazépines, caféine, bloqueurs des canaux calciques, corticostéroïdes, corticotropine, cyclophosphamide, cyclosporine, dacarbazine, digitoxine, disopyramide, doxycycline, anesthésiques généraux, griséofulvine, inhibiteurs des récepteurs H1 de l'histamine, halopéridol, isoniazide, kétamine, lévothyroxine, loxapine, maprotiline, métoprolol, mexilétine, phénytoïne, propranolol, quinidine, théophylline, antidépresseurs tricycliques, vitamine D et warfarine. Peut réduire l'efficacité des contraceptifs oraux et provoquer des grossesses non désirées.

MÉDICAMENT-ALIMENT
Aucune interaction connue.

MÉDICAMENT-MALADIE
Soyez prudent en cas de : asthme, maladie pulmonaire chronique, hyperactivité (chez les enfants), maladie rénale ou hépatique, porphyrie.

EFFETS INDÉSIRABLES

GRAVES
Fièvre, mal de gorge, ganglions enflés, éruption de petits points rouges ou mauves sur la peau ou les muqueuses, lésions cutanées vésicantes ou desquamantes, lésions buccales, ecchymoses fréquentes, pâleur, faiblesse, confusion, léthargie ou convulsions peuvent signaler un trouble sanguin potentiellement fatal ou d'autres complications.

COURANTS
Somnolence, vertiges, incoordination, vue double, hyperactivité (chez les enfants).

MOINS COURANTS
Perte de l'appétit, altération de l'état mental ou de l'humeur, nausées ou vomissements, impuissance, rash cutané bénin, léthargie suivie d'insomnie. Il peut y avoir de nombreux autres effets secondaires ; consultez le médecin si le médicament provoque des effets indésirables ou anormaux qui vous inquiètent.

PROBÉNÉCIDE

Présentation : Comprimés
En vente libre ? Non **Générique disponible ?** Oui
Classe de médicaments : Médicament contre la goutte

▼ GÉNÉRALITÉS

INDICATIONS
Traitement de la goutte chronique et de l'arthrite goutteuse chronique : le probénécide est utile pour abaisser les taux sanguins d'acide urique afin de prévenir de nouvelles crises de goutte. Il sert aussi à abaisser les taux d'acide urique provoqués par certaines thérapies, comme les radiations.

MODE D'ACTION
La goutte survient quand l'acide urique s'accumule en trop grande quantité dans le sang. Il se forme alors des cristaux qui se déposent dans les articulations, provoquant de l'inflammation et faisant naître la douleur aiguë symptomatique des crises de goutte. Le probénécide favorise l'excrétion de l'acide urique et aide ainsi à prévenir la goutte.

▼ MODE D'EMPLOI

POSOLOGIE
Goutte – 250 mg, 2 fois par jour au cours de la première semaine de traitement, puis 500 mg, 2 fois par jour, sans dépasser 3 000 mg par jour.

DÉBUT D'ACTION
Goutte : il peut s'écouler plusieurs mois avant que le probénécide ne commence à exercer un effet préventif sur les crises.

DURÉE D'ACTION
Inconnue.

CONSEILS NUTRITIONNELS
Peut se prendre avec des aliments ou des antiacides pour atténuer les maux d'estomac. Buvez 8 à 10 grands verres d'eau par jour.

MODE DE CONSERVATION
Dans un contenant étanche, à l'abri de la chaleur et de la lumière.

OUBLI D'UNE DOSE
Prenez-la dès que vous y pensez. S'il est presque l'heure de la suivante, sautez la dose oubliée et reprenez la fréquence normale. Ne doublez pas la dose suivante.

ARRÊT DE LA MÉDICATION
Cette décision doit être prise par le médecin.

USAGE PROLONGÉ
Un suivi médical est nécessaire en cas d'usage prolongé. Les crises de goutte peuvent persister pendant quelque temps après le début du traitement.

▼ PRÉCAUTIONS

Plus de 60 ans. Pas de risques connus.

Conduite automobile, travaux dangereux. À éviter tant que vous ne connaissez pas les effets du médicament sur vous.

Alcool. À éviter.

Grossesse. Le probénécide n'a pas semblé causer de problèmes durant la grossesse.

Allaitement. Le probénécide peut passer dans le lait maternel : la prudence est conseillée. Demandez l'avis du médecin.

Nourrissons et enfants. Non recommandé pour les enfants de moins de 2 ans.

À surveiller. Avant de subir tout test médical, prévenez le médecin et le personnel médical que vous prenez du probénécide.

SURDOSAGE
Symptômes. Nausées, vomissements, diarrhée, convulsions.

Quoi faire. Appelez immédiatement le médecin ou le centre antipoison, ou allez à l'urgence.

▼ INTERACTIONS

MÉDICAMENT-MÉDICAMENT
Demandez spécifiquement l'avis du médecin si vous prenez : anticancéreux (chimiothérapie), AAS ou autres salicylates, héparine, indométhacine, kétoprofène, méthotrexate, tout médicament contre l'infection, nitrofurantoïne ou zidovudine.

MÉDICAMENT-ALIMENT
Aucune interaction probable, mais il est recommandé de suivre un régime pauvre en purine pour réduire les risques d'une crise de goutte. Les aliments riches en purine sont les suivants : anchois, sardine, légumineuses, volaille, ris de veau, foie, rognons et autres abats.

MÉDICAMENT-MALADIE
Un traitement au probénécide exige qu'on soit prudent. Consultez le médecin en cas de : maladie du sang, cancer, maladie des reins, calculs rénaux ou ulcère de l'estomac.

 EFFETS INDÉSIRABLES

GRAVES
Tachycardie, arythmies cardiaques ; yeux bouffis ou gonflés ; difficultés respiratoires ; constriction thoracique ; altérations de la couleur de la peau ; rash cutané, urticaire ou prurit ; urine sanguinolente ou brouillée ; mictions difficiles ; douleur dans le bas du dos ou le flanc ; lésions, ulcérations ou taches blanches sur les lèvres ou dans la bouche ; mal de gorge et fièvre ; baisse soudaine du débit urinaire ; visage, doigts, pieds ou bas des jambes enflés ; ganglions enflés ou douloureux ; ecchymoses ou saignements anormaux ; fatigue inhabituelle ; jaunissement des yeux ou de la peau ; gain de poids anormal.

COURANTS
Céphalées, perte d'appétit, nausées ou vomissements.

MOINS COURANTS
Vertiges, visage rouge, mictions fréquentes, gencives rouges ou douloureuses.

PROCAÏNAMIDE (CHLORHYDRATE DE)

Présentation : Gélules, comprimés à libération prolongée, injection
En vente libre ? Non   **Générique disponible ?** Oui
Classe de médicaments : Antiarythmique

▼ GÉNÉRALITÉS

INDICATIONS
Traitement des troubles du rythme cardiaque (arythmie cardiaque).

MODE D'ACTION
Le chlorhydrate de procaïnamide abaisse la stimulation électrique dans le cœur et rend les tissus cardiaques moins sensibles aux impulsions nerveuses, stabilisant ainsi les battements du cœur.

▼ MODE D'EMPLOI

POSOLOGIE
Une fois la dose établie à l'hôpital, la posologie d'entretien se fait avec les formes à libération prolongée – Adultes : 500 à 1 000 mg aux 6 heures. Enfants : selon le poids.

DÉBUT D'ACTION
Voie orale : en 60 à 90 minutes. Injection : immédiatement.

DURÉE D'ACTION
3 à 8 heures (plus longue chez les patients souffrant d'une insuffisance rénale ou cardiaque).

CONSEILS NUTRITIONNELS
La procaïnamide peut se prendre en dehors des repas ou pendant ceux-ci.

MODE DE CONSERVATION
Dans un contenant étanche, à l'abri de la chaleur et de la lumière.

OUBLI D'UNE DOSE
Prenez la dose oubliée dès que vous y pensez. S'il est presque l'heure de la suivante, sautez la dose oubliée et reprenez la fréquence normale. Ne doublez pas la dose suivante.

ARRÊT DE LA MÉDICATION
Poursuivez le traitement au procaïnamide jusqu'au bout, comme il vous a été prescrit, même si vous vous sentez mieux avant qu'il ne prenne fin. La décision d'interrompre le traitement doit être prise par votre médecin.

USAGE PROLONGÉ
Il peut être nécessaire de poursuivre le traitement toute la vie. Un suivi médical avec examens et épreuves diagnostiques est nécessaire en cas d'usage prolongé.

▼ PRÉCAUTIONS

Plus de 60 ans. Risques de réactions indésirables plus fréquentes et plus graves.

Conduite automobile, travaux dangereux. À déconseiller tant que vous ne connaissez pas votre réaction au médicament.

Alcool. À éviter.

Grossesse. La procaïnamide peut traverser le placenta. Si vous prenez ce médicament, n'oubliez pas d'avertir le médecin que vous êtes enceinte ou voulez le devenir.

Allaitement. La procaïnamide passe dans le lait maternel. Demandez spécifiquement l'avis du médecin.

Nourrissons et enfants. Innocuité et efficacité non établies.

À surveiller. Le médecin peut vous demander de porter une carte ou un bracelet indiquant que vous prenez du procaïnamide. Avant de subir quelque intervention chirurgicale que ce soit ou des tests médicaux, dites au médecin ou au dentiste que vous prenez du procaïnamide.

SURDOSAGE
Symptômes. Confusion, vertiges graves, évanouissement, tachycardie, arythmie cardia-que, baisse du débit urinaire, nausées ou vomissements.

Quoi faire. Allez immédiatement à l'urgence.

▼ INTERACTIONS

MÉDICAMENT-MÉDICAMENT
Demandez spécifiquement l'avis du médecin si vous prenez : autres antiarythmiques, antihypertenseurs, antimyasthéniques, pimozide, anticholinergiques, cimétidine ou antihistaminiques.

MÉDICAMENT-ALIMENT
Aucune interaction connue.

MÉDICAMENT-MALADIE
Consultez le médecin en cas de : bloc cardiaque, asthme, myasthénie grave ou lupus érythémateux disséminé. Le procaïnamide peut provoquer des complications chez les patients affligés d'une maladie du foie ou des reins, car ces organes contribuent ensemble à éliminer le médicament de l'organisme.

 EFFETS INDÉSIRABLES

GRAVES
Évanouissement ; rythme cardiaque rapide ou irrégulier (palpitations) ; fièvre et frissons ; douleur ou enflure au niveau des articulations ; respiration douloureuse ; rash cutané ou prurit ; confusion ; bouche, gencives ou gorge douloureuses ; hallucinations ; dépression ; ecchymoses ou saignements anormaux ; fatigue inhabituelle.

COURANTS
Diarrhée, douleur abdominale, nausées, vomissements, perte d'appétit.

MOINS COURANTS
Vertiges, étourdissements, faiblesse, sécheresse de la bouche.

PROCARBAZINE (CHLORHYDRATE DE)

NOM COMMERCIAL

Natulan

Présentation : Gélules
En vente libre ? Non **Générique disponible ?** Oui
Classe de médicaments : Agent antinéoplasique (anticancéreux)

▼ GÉNÉRALITÉS

INDICATIONS
Traitement de la maladie de Hodgkin (cancer de la rate et des ganglions lymphatiques). La procarbazine est généralement donnée en association avec d'autres agents chimiothérapeutiques contre le cancer.

MODE D'ACTION
La procarbazine tue les cellules cancéreuses en intervenant dans la synthèse de leur matériel génétique, les empêchant ainsi de se multiplier. Le médicament peut aussi entraver la croissance et le développement d'autres cellules du corps et provoquer par là des effets indésirables. La procarbazine est également un faible inhibiteur de la monoamine-oxydase, une enzyme. Les IMAO sont généralement prescrits contre la dépression, mais cette action a peu d'effet sur la fonction antinéoplasique ou anticancéreuse de la procarbazine.

▼ MODE D'EMPLOI

POSOLOGIE
Adultes : dose initiale : 50 mg le 1er jour, 100 mg le 2e jour, 150 mg le 3e jour, 200 mg le 4e jour, 250 mg le 5e jour, 250 à 300 mg le 6e jour et les jours suivants jusqu'à obtention de la meilleure rémission possible. La dose d'entretien est ensuite établie entre 50 et 150 mg par jour. Le traitement continue jusqu'à ce que la posologie totale d'au moins 6 g ait été administrée.

DÉBUT D'ACTION
Inconnu.

DURÉE D'ACTION
Inconnue.

CONSEILS NUTRITIONNELS
Buvez et mangez normalement. Les cancéreux doivent absorber plus de calories, de protéines et de vitamines. Une bonne alimentation est essentielle pour pouvoir bien supporter les effets de la chimiothérapie. Évitez de manger des aliments riches en tyramine durant un traitement à la procarbazine ; voir les rubriques À surveiller et Interactions Médicament-aliment pour en savoir plus.

MODE DE CONSERVATION
Dans un contenant étanche, à l'abri de la chaleur et de la lumière.

OUBLI D'UNE DOSE
Prenez-la dès que vous y pensez. S'il est presque l'heure de la suivante, sautez la dose oubliée et reprenez la fréquence normale. Ne doublez pas la dose suivante.

ARRÊT DE LA MÉDICATION
Cette décision doit être prise par le médecin.

USAGE PROLONGÉ
Un suivi médical, avec examens et analyses, est nécessaire en traitement prolongé.

EFFETS INDÉSIRABLES

GRAVES
Douleur thoracique sévère, pupilles dilatées, rythme cardiaque rapide ou lent, céphalée importante, sensibilité des yeux à la lumière, sudation accrue, cou raide, selles noires et goudronneuses, urine ou selles sanguinolentes, vomissements avec sang, toux ou voix rauque, fièvre et frissons, douleur dans le bas du dos ou le flanc, mictions douloureuses ou difficiles, petits points rouge vif sur la peau, ecchymoses ou saignements anormaux, confusion, convulsions, hallucinations, absence de périodes menstruelles, essoufflement, sécrétions bronchiques épaisses, diarrhée, lésions buccales ou labiales, picotement ou engourdissement des doigts ou des orteils, incoordination ou démarche chancelante, jaunissement des yeux ou de la peau : de tels effets secondaires peuvent signifier que les plaquettes et les globules du sang ont été touchés, que le système immunitaire est affecté et qu'une infection est en voie de se développer.

COURANTS
Somnolence, douleur musculaire ou articulaire, secousses musculaires, nausées ou vomissements, nervosité, agitation motrice, cauchemars, insomnie, fatigue anormale.

MOINS COURANTS
Constipation, peau foncée, déglutition difficile, étourdissements quand on se lève, sécheresse de la bouche, perte d'appétit, dépression, bouffées congestives.

▼ PRÉCAUTIONS

Plus de 60 ans. Risques de réactions indésirables plus fréquentes et plus graves.

Conduite automobile, travaux dangereux. À déconseiller tant que vous ne connaissez pas votre réaction au médicament.

Alcool. À éviter.

Grossesse. La procarbazine peut provoquer des anomalies congénitales, que ce soit le père ou la mère qui en prennent. Demandez l'avis du médecin si vous êtes enceinte ou voulez le devenir. Le recours à une méthode contraceptive sûre est recommandé durant tout le traitement à la procarbazine.

Allaitement. La procarbazine passe dans le lait maternel ; n'en prenez pas pendant que vous allaitez.

Nourrissons et enfants. La procarbazine n'est pas censée leur causer des effets différents de ceux qu'elle entraîne chez les autres patients.

À surveiller. Comme tous les inhibiteurs de la monoamine-oxydase (IMAO), la procarbazine empêche le foie et d'autres tissus de neutraliser une substance appelée tyramine qui, lorsqu'elle est présente dans le sang, entraîne une hausse soudaine de la tension artérielle. Voilà pourquoi il faut éviter les aliments riches en tyramine durant un traitement à la procarbazine. Parmi ces aliments, il y a les fromages vieillis, la charcuterie, plusieurs sortes d'aliments séchés ou traités, ainsi que certains vins et alcools (surtout les vins rouges). Vous trouverez une liste plus complète sous Interactions, Médicament-aliment. Durant le traitement, ne recevez aucun vaccin sans en parler auparavant au médecin. Évitez les personnes qui ont une infection et celles qui ont reçu récemment un vaccin oral contre la poliomyélite. Soyez prudent quand vous utilisez brosse à dents, soie dentaire ou cure-dents. Demandez l'avis du médecin avant tout traitement dentaire. Si vous devez subir une chirurgie, avisez le médecin ou le dentiste que vous prenez de la procarbazine. Ne vous mettez pas les doigts dans les yeux ou le nez sans vous être lavé les mains juste auparavant. Soyez prudent quand vous utilisez des objets coupants comme un rasoir. Évitez sports de contact et autres activités où il y a des risques d'ecchymoses.

SURDOSAGE

Symptômes. Nausées, vomissements, diarrhée, tremblement, convulsions, perte de conscience, très basse tension artérielle, coma.

Quoi faire. Appelez immédiatement le médecin ou le centre antipoison, ou allez à l'urgence.

▼ INTERACTIONS

MÉDICAMENT-MÉDICAMENT

Demandez spécifiquement l'avis du médecin si vous prenez : amantadine, anticholinergiques, antidiabétiques, antidyskinétiques, antihistaminiques, antipsychotiques, dépresseurs du système nerveux central, cyclizine, disopyramide, flavoxate, ipratropium, méclizine, orphénadrine, oxybutynine, procaïnamide, prométhazine, quinidine, triméprazine, anorexigènes, dextrométhorphane, lévodopa, médicaments contre l'asthme et le rhume, méthyldopa, méthylphénidate, analgésiques narcotiques, amphotéricine B, antithyroïdiens, azathioprine, chloramphénicol, colchicine, flucytosine, interféron, plicamycine, zidovudine, buspirone, carbamazépine, cyclobenzaprine, maprotiline, autres IMAO, antidépresseurs, guanéthidine ou alcaloïdes de la Rauwolfia.

MÉDICAMENT-ALIMENT

Évitez les aliments riches en tyramine : fromages vieillis, avocats, peaux de banane, purée de haricots noirs, bologne, pepperoni et autres charcuteries, foies de poulet, chocolat, figues, poisson séché ou en conserve, hareng mariné, extraits de viande, raisins secs, framboises, bière non pasteurisée, chianti, xérès, vermouth, vins rouges en général, boissons et aliments riches en caféine.

MÉDICAMENT-MALADIE

La procarbazine exige qu'on soit prudent. Consultez le médecin si vous souffrez ou avez déjà souffert de : alcoolisme, angine, infarctus du myocarde ou accident cérébrovasculaire (ACV) récents, varicelle, zona, épilepsie, maux de tête fréquents, infections, maladie des reins ou du foie, maladie mentale, hyperthyroïdie, maladie de Parkinson, phéochromocytome.

PROCHLORPÉRAZINE

NOMS COMMERCIAUX

Apo-Prochlorazine,
Nu-Prochlor,
PMS-Prochlorperazine,
Sab-Prochlorperazine,
Stémétil

Présentation : Liquide, comprimés, suppositoires, injection
En vente libre ? Non **Générique disponible ?** Oui
Classe de médicaments : Neuroleptique ; antiémétique

▼ GÉNÉRALITÉS

INDICATIONS
Traitement des cas graves de nausées et de vomissements. S'utilise aussi pour limiter les manifestations de certains symptômes psychotiques.

MODE D'ACTION
La prochlorpérazine entrave l'activité de certaines zones du cerveau et du tractus gastro-intestinal qui gèrent le réflexe vomitif.

▼ MODE D'EMPLOI

POSOLOGIE
Formes orales et suppositoires – Adultes : au départ, en général 5 à 10 mg, 3 ou 4 fois par jour. Injections – 5 à 20 mg en intramusculaire aux 4 à 6 heures. Votre médecin pourra augmenter la posologie selon vos besoins et votre tolérance.

DÉBUT D'ACTION
En 30 à 40 minutes pour les formes orales ; en 60 minutes pour les suppositoires ; en 10 à 20 minutes pour les injections.

DURÉE D'ACTION
3 à 4 heures.

CONSEILS NUTRITIONNELS
Peut se prendre avec de la nourriture ou bien un grand verre de lait ou d'eau.

MODE DE CONSERVATION
Dans un contenant étanche, à l'abri de la chaleur et de la lumière.

OUBLI D'UNE DOSE
Prenez-la dès que vous y pensez. S'il est presque l'heure de la suivante, sautez la dose oubliée et reprenez la fréquence normale. Ne doublez pas la dose suivante.

ARRÊT DE LA MÉDICATION
La décision d'interrompre le traitement devrait être prise par votre médecin.

USAGE PROLONGÉ
Si vous devez prendre ce médicament sur une période prolongée, consultez périodiquement votre médecin pour subir des examens et des analyses.

▼ PRÉCAUTIONS

Plus de 60 ans. Risque de réactions indésirables plus fréquentes. Il vaut mieux parfois réduire les doses.

Conduite automobile, travaux dangereux. À déconseiller tant que vous ne connaissez pas votre réaction au médicament.

Alcool. À éviter.

Grossesse. Évitez de prendre ce médicament si vous êtes enceinte ou voulez le devenir.

Allaitement. Si possible, cessez de prendre ce médicament ; sinon abstenez-vous d'allaiter.

Nourrissons et enfants. Risque de réactions indésirables plus fréquentes et plus graves.

À surveiller. Évitez des expositions prolongées à des chaleurs importantes. Buvez beaucoup de liquides et tâchez de rester au frais pendant l'été. Ne vous exposez pas trop longtemps aux rayons du soleil jusqu'à ce que vous ayez déterminé si votre peau tolère les rayons ultraviolets, car les risques de coups de soleil sont accrus.

SURDOSAGE
Symptômes. Somnolence extrême, troubles du rythme cardiaque, sécheresse de la bouche, nervosité ou agitation paradoxales, convulsions, pertes de conscience.

Quoi faire. Appelez immédiatement votre médecin ou le centre antipoison, ou allez à l'urgence.

▼ INTERACTIONS

MÉDICAMENT-MÉDICAMENT
Demandez spécifiquement l'avis du médecin si vous prenez : anticholinergiques, anticonvulsivants, antidépresseurs, antihistaminiques, antihypertenseurs, bupropion, dépresseurs du système nerveux central (barbituriques), clozapine, dronabinol, fluoxétine, guanéthidine, lithium, méthyldopa, carbamazépine, rifampine, trihéxyphénidyle.

MÉDICAMENT-ALIMENT
Pas d'interaction connue.

MÉDICAMENT-MALADIE
Demandez l'avis de votre médecin en cas de : antécédents d'alcoolisme, problème sanguin, cancer du sein, hyperplasie bénigne de la prostate (HBP), épilepsie ou convulsions, glaucome, maladie cardiaque, pulmonaire ou vasculaire, maladie du foie, maladie de Parkinson, ulcère de l'estomac ou difficultés urinaires.

 EFFETS INDÉSIRABLES

GRAVES
Rythme cardiaque rapide, fortes sueurs, convulsions, difficultés à respirer, raideur dans la nuque, enflure de la langue, difficultés à avaler. En de rares occasions, syndrome neuroleptique malin se manifestant par raideur ou spasmes musculaires, forte fièvre, confusion, désorientation.

COURANTS
Nausées, transpiration insuffisante, sécheresse de la bouche, constipation, vision brouillée, somnolence, tremblement des mains, raideur, position infléchie.

MOINS COURANTS
Difficultés à uriner, menstruations irrégulières, seins gonflés ou endoloris, gain de poids soudain, mouvements incontrôlés de la langue, fièvre, frissons, maux de gorge, ecchymoses ou saignements inusités, palpitations cardiaques, rash cutané, démangeaisons, photosensibilité cutanée accrue.

PROCYCLIDINE

NOMS COMMERCIAUX

Kemadrin,
PMS-Procyclidine,
Procyclid

Présentation : Comprimés, élixir
En vente libre ? Non   **Générique disponible ?** Oui
Classe de médicaments : Antiparkinsonien/antispasmodique

▼ GÉNÉRALITÉS

INDICATIONS
Traitement de la maladie de Parkinson et de syndromes ressemblant au parkinsonisme pouvant surgir à la suite d'une blessure ou d'une infection du système nerveux central, d'une lésion des vaisseaux sanguins du cerveau ou de l'exposition à certaines toxines.

MODE D'ACTION
La procyclidine stimule la libération de dopamine dans le cerveau. La dopamine est un élément chimique indispensable au fonctionnement et à la coordination des muscles volontaires.

▼ MODE D'EMPLOI

POSOLOGIE
Adultes : dose de départ, 2,5 mg, 3 fois par jour ; la posologie est ensuite graduellement augmentée à 5 mg, 3 fois par jour. Enfants : consultez le médecin.

DÉBUT D'ACTION
En moins d'une heure.

DURÉE D'ACTION
6 à 12 heures.

CONSEILS NUTRITIONNELS
Prenez ce médicament avec le repas ou juste après pour prévenir les nausées.

MODE DE CONSERVATION
Dans un contenant étanche, à l'abri de la chaleur, de l'humidité et de la lumière.

OUBLI D'UNE DOSE
Prenez-la dès que vous y pensez, sauf si la dose suivante est dans moins de 2 heures. Dans ce cas, sautez la dose oubliée et reprenez la fréquence normale. Ne doublez pas la dose suivante.

ARRÊT DE LA MÉDICATION
La décision d'interrompre le traitement devrait être prise en consultation avec votre médecin. La posologie devrait être abaissée graduellement.

USAGE PROLONGÉ
On ne prévoit aucun problème particulier.

▼ PRÉCAUTIONS

Plus de 60 ans. Risque de réactions indésirables plus fréquentes et plus graves. On conseille de procéder avec prudence dans le cas de ce groupe d'âge et d'augmenter les doses de procyclidine très lentement.

Conduite automobile, travaux dangereux. La procyclidine peut causer somnolence et confusion. Soyez prudent tant que vous n'en avez pas déterminé l'effet sur vous.

Alcool. À éviter ; combiné à ce médicament, l'alcool peut causer ou aggraver la confusion.

Grossesse. Ce médicament ne devrait pas être utilisé par une femme enceinte.

Allaitement. On ne sait pas jusqu'à quel point la procyclidine passe dans le lait maternel. Une femme qui allaite devrait éviter ce médicament.

Nourrissons et enfants. L'efficacité et l'innocuité de la procyclidine ne sont pas encore établies pour ce groupe d'âge. Discutez avec le médecin de la pertinence de l'utiliser chez les enfants.

À surveiller. La procyclidine peut causer ou aggraver un glaucome (élévation de la pression dans l'œil). Consultez régulièrement votre ophtalmologiste pour qu'il évalue votre pression intraoculaire.

SURDOSAGE
Symptômes. Maladresse, convulsions, importante sécheresse de la bouche, somnolence, hallucinations, perte de conscience.

Quoi faire. Appelez immédiatement votre médecin ou le centre antipoison, ou allez à l'urgence.

▼ INTERACTIONS

MÉDICAMENT-MÉDICAMENT
La procyclidine est susceptible d'interagir avec de nombreux autres médicaments, en particulier ceux qui dépriment le système nerveux central (barbituriques et autres médicaments qui provoquent le sommeil, de même que l'alcool). Demandez l'avis de votre médecin si vous utilisez l'une de ces substances.

MÉDICAMENT-ALIMENT
Pas d'interaction connue.

MÉDICAMENT-MALADIE
Il faut être prudent lorsqu'on prend de la procyclidine. Demandez l'avis de votre médecin en cas de : pouls irrégulier ou troubles du rythme cardiaque, glaucome, obstruction intestinale, rétention d'urine ou mictions difficiles, hypertrophie ou hyperplasie bénigne de la prostate, myasthénie grave.

 EFFETS INDÉSIRABLES

GRAVES
Confusion, somnolence grave, rythme cardiaque rapide, hallucinations, glaucome.

COURANTS
Vision brouillée ; constipation ; sécheresse de la bouche, du nez et de la gorge.

MOINS COURANTS
Étourdissements et vertiges, manque de concentration, nausées.

PROGESTÉRONE SYSTÉMIQUE ET TOPIQUE

Crinone,
Progestérone,
Prometrium

Présentation : Gel vaginal, gélules, injection
En vente libre ? Non   **Générique disponible ?** Oui
Classe de médicaments : Progestatif (hormone)

▼ GÉNÉRALITÉS

INDICATIONS

Traitement adjuvant de l'hormonothérapie de substitution (HTS) chez les femmes ménopausées et réduction du risque de cancer de l'utérus qui est lié à l'hormonothérapie de substitution. Le gel vaginal est utilisé lors des techniques de reproduction assistée (TRA) pour les femmes stériles souffrant de carence en progestérone et sert à rétablir la menstruation chez les femmes ménopausées trop tôt.

MODE D'ACTION

La progestérone inhibe la sécrétion des hormones hypophysaires qui régissent le cycle menstruel et reproductif de la femme.

▼ MODE D'EMPLOI

POSOLOGIE

Gélules – HTS : 200 à 300 mg par jour durant 12 à 14 jours du cycle d'œstrogénothérapie. Gel vaginal –

TRA : 90 mg introduit dans le vagin, 1 ou 2 fois par jour.

DÉBUT D'ACTION

Inconnu.

DURÉE D'ACTION

Inconnue.

CONSEILS NUTRITIONNELS

Pas de restrictions spéciales.

MODE DE CONSERVATION

Dans un contenant étanche, à l'abri de la chaleur et de la lumière. Ne pas faire congeler le gel.

OUBLI D'UNE DOSE

Gel vaginal : si vous oubliez une dose, n'en mettez pas davantage à la suivante. Reprenez la fréquence régulière. Gélules : sautez la dose oubliée et reprenez la fréquence régulière. Ne doublez pas la dose suivante.

ARRÊT DE LA MÉDICATION

La décision doit être prise en consultation avec le médecin.

USAGE PROLONGÉ

Demandez au médecin s'il y a lieu d'instaurer un suivi médical régulier, avec examens et analyses.

▼ PRÉCAUTIONS

Plus de 60 ans. Pas de conseils particuliers.

Conduite automobile, travaux dangereux. Les gélules peuvent provoquer une somnolence passagère. Soyez prudente.

Alcool. Pas de précautions spéciales.

Grossesse. Il ne faut pas prendre de progestérone durant la grossesse. Si vous pensez que vous êtes enceinte, appelez le médecin. Le gel vaginal peut être utilisé sans danger dans le cadre des techniques de reproduction assistée pour les femmes qui ne sécrètent pas assez de progestérone.

Allaitement. La progestérone passe dans le lait maternel et peut en altérer la quantité et la qualité. Évaluez les bienfaits et les inconvénients du traitement avec le médecin.

Nourrissons et enfants. Sans objet.

À surveiller. Vous devriez passer le test de PAP au moins tous les 6 mois.

SURDOSAGE
Symptômes. Aucun.

Quoi faire. Il est peu probable qu'une surdose de progestérone mette votre vie en danger. Néanmoins, si la dose est beaucoup plus forte que celle prescrite ou si le gel est ingéré par accident, demandez immédiatement de l'assistance médicale.

▼ INTERACTIONS

MÉDICAMENT-MÉDICAMENT

Demandez spécifiquement l'avis du médecin si vous prenez : aminoglutéthimide, carbamazépine, phénytoïne, rifabutine ou rifampine.

MÉDICAMENT-ALIMENT

Ne prenez pas les gélules si vous êtes allergique aux arachides : elles renferment de l'huile d'arachide. Il n'y a aucune autre interaction connue.

MÉDICAMENT-MALADIE

Consultez le médecin en cas de : asthme, épilepsie, problèmes cardiovasculaires, migraines, maladie des seins, troubles hémorragiques, diabète, hypercholestérolémie, troubles du système nerveux central (dépression). La progestérone peut provoquer des complications chez les patientes souffrant d'une maladie du foie ou des reins, car ces organes contribuent ensemble à éliminer le médicament de l'organisme.

≣ EFFETS INDÉSIRABLES ≣

GRAVES

Modification ou arrêt des saignements menstruels ; lactation inattendue ou accrue ; dépression ; rash cutané ; perte ou altération de l'élocution, de la coordination ou de la vision ; essoufflement grave et subit, forte céphalée.

COURANTS

Douleur ou crampes d'estomac ; enflure du visage, des chevilles ou des pieds ; maux de tête légers ; altération de l'humeur ; fatigue inhabituelle ; gain de poids ; douleur ou irritation au point d'injection.

MOINS COURANTS

Acné, seins sensibles ou douloureux, bouffées de chaleur, insomnie, perte de la libido, perte ou gain de cheveux ou de poils, taches brunes sur la peau.

PROMÉTHAZINE (CHLORHYDRATE DE)

Présentation : Comprimés, sirop, injection, crème
En vente libre ? Oui   **Générique disponible ?** Oui
Classe de médicaments : Antihistaminique

▼ GÉNÉRALITÉS

INDICATIONS

Soulagement des symptômes du rhume des foins et d'autres allergies ; prévention du mal des transports ; traitement des nausées et vomissements. La prométhazine s'utilise aussi pour ses vertus sédatives. La forme topique sert à soulager démangeaisons et brûlures mineures.

MODE D'ACTION

La prométhazine entrave, sans les bloquer, la production et l'action de l'histamine, substance naturelle de l'organisme qui cause enflures, démangeaisons, éternuements, larmoiements, urticaires et autres symptômes d'allergie. Grâce à son effet anticholinergique, la prométhazine bloque la transmission de certaines impulsions nerveuses, permettant ainsi la détente des muscles lisses de la vessie, de l'estomac, de l'intestin, des poumons et d'autres organes. C'est par cet effet qu'elle apaise les symptômes du mal des transport, des nausées, des dérangements gastro-intestinaux et de l'anxiété.

▼ MODE D'EMPLOI

POSOLOGIE

Comprimés et sirop – Allergies : Adultes et adolescents : 10 à 12,5 mg, 4 fois par jour (avant les repas et au coucher), ou 25 mg au coucher. Enfants de 2 ans et plus : 5 à 12,5 mg, 3 fois par jour, ou 25 mg au coucher. Nausées et vomissements : Adultes et adolescents : 25 mg à la première dose, puis 10 à 25 mg aux 4 à 6 heures au besoin. Enfants de 2 ans et plus : 10 à 25 mg aux 4 à 6 heures. Mal des transports : Adultes et adolescents : 25 mg, 30 à 60 minutes avant le départ. Enfants de 2 ans et plus : 10 à 25 mg, 30 à 60 minutes avant le départ. Étourdissements : Adultes et adolescents : 25 mg, 2 fois par jour. Enfants de 2 ans et plus : 10 à 25 mg, 2 fois par jour. Sédation : Adultes et adolescents : 25 à 50 mg. Enfants de 2 ans et plus : 10 à 25 mg. Injection – Allergies : Adultes et adolescents : 25 mg en intraveineuse ou intramusculaire. Enfants de 2 ans et plus : 6,25 à 12,5 mg, 3 fois par jour en intramusculaire, ou 25 mg au coucher. Nausées et vomissements : Adultes et adolescents : 12,5 à 25 mg aux 4 à 6 heures, au besoin, en intraveineuse ou en intramusculaire. Enfants de 2 ans et plus : 0,25 à 0,5 mg par kilogramme (2,2 lb) de poids corporel aux 4 à 6 heures, au besoin, en intramusculaire. Sédation : Adultes et adolescents : 25 à 50 mg en intraveineuse ou intramusculaire. Enfants de 2 ans et plus : 0,5 à 1 mg par kilogramme de poids, dans un muscle.

DÉBUT D'ACTION

En 15 à 60 minutes par voie orale ; 20 minutes après une injection.

DURÉE D'ACTION

Jusqu'à 12 heures.

CONSEILS NUTRITIONNELS

Les formes orales sont à prendre avec de la nourriture ou du lait pour moins irriter l'estomac.

MODE DE CONSERVATION

Dans un contenant étanche, à température ambiante, à l'abri de la chaleur et de la lumière. Ne rangez pas les comprimés là où il y a beaucoup d'humidité (armoire de salle de bains, par exemple). Le sirop et les injections ne se congèlent pas.

OUBLI D'UNE DOSE

Prenez-la dès que vous y pensez. S'il est presque l'heure de la suivante, sautez la dose oubliée et reprenez la fréquence normale. Ne doublez pas la dose suivante.

ARRÊT DE LA MÉDICATION

Vous devriez poursuivre le traitement pour la durée prescrite, mais vous pouvez l'interrompre si vous vous sentez mieux.

USAGE PROLONGÉ

Consultez votre médecin régulièrement. L'usage prolongé de cet antihistaminique peut diminuer le débit de la salive, ce qui risquerait de causer un muguet (plaques blanches velouteuses dans la bouche causées par un champignon), une maladie parodontale (maladie et détérioration des dents, gencives, mâchoires et autres tissus de soutien de la bouche), des caries ou une gingivite (infection des gencives). Suivez une hygiène dentaire rigoureuse.

▼ PRÉCAUTIONS

Plus de 60 ans. Risques de réactions indésirables plus fréquentes et plus graves.

Conduite automobile, travaux dangereux. À déconseiller tant que vous ne connaissez pas votre réaction au médicament.

Alcool. À éviter.

Grossesse. On n'a pas observé chez les animaux de malformation congénitale attribuable à ce médicament. Il n'y a pas eu d'études concluantes sur les humains. Mais si une femme prend ce médicament dans les

---

≡ EFFETS INDÉSIRABLES ≡

GRAVES

Mal de gorge avec fièvre, fatigue inhabituelle, saignements ou ecchymoses inhabituels.

COURANTS

Somnolence, mucus épais.

MOINS COURANTS

Vision brouillée ; confusion ; miction pénible ou douloureuse ; étourdissements ; sécheresse de la bouche, du nez, de la gorge ; photosensibilité accrue ; faiblesses ; transpiration accrue ; brûlure ou picotement au rectum (dans le cas des suppositoires) ; perte d'appétit ; tintements ou bourdonnements d'oreilles ; rash cutané ; pouls accéléré ; excitation ou irritabilité inhabituelles.

(à suivre)

2 semaines précédant l'accouchement, le bébé pourra souffrir d'une jaunisse ou de problèmes de coagulation sanguine. Avant de commencer le traitement, avisez votre médecin si vous êtes enceinte ou voulez le devenir.

Allaitement. La prométhazine passe dans le lait maternel ; elle diminue aussi la quantité de lait. Évitez ou cessez d'en prendre si vous allaitez.

Nourrissons et enfants. Les réactions indésirables, notamment les convulsions, sont plus fréquentes et plus graves. Ce médicament n'est pas recommandé chez les enfants ayant des antécédents de dyspnée du sommeil ou une incidence de mort subite du nourrisson (SMSN) dans la famille. Il est déconseillé aussi, en particulier sous forme injectable, aux enfants et adolescents ayant manifesté des symptômes de la maladie de Reye ; ces symptômes peuvent se confondre avec les effets indésirables de la prométhazine. Enfin, son usage n'est pas recommandé aux bébés de moins de 2 ans.

À surveiller. Si vous prévoyez un test d'allergie, ne prenez pas de prométhazine dans les 4 jours qui précèdent et informez le médecin de votre traitement.

SURDOSAGE

Symptômes. Maladresse ; insomnie ; convulsions ; sécheresse importante de la bouche, du nez ou de la gorge ; rougeurs dans le visage ; hallucinations ; spasmes musculaires ; difficultés respiratoires ; mouvements incontrôlés de la tête et du visage ; étourdissements ; tremblements dans les mains.

Quoi faire. Appelez immédiatement votre médecin ou le centre antipoison, ou allez à l'urgence.

▼ INTERACTIONS

MÉDICAMENT-MÉDICAMENT
Demandez spécifiquement l'avis du médecin si vous prenez : antipsychotiques, médicaments contenant de l'alcool, barbituriques, méthyldopa, métoclopramide, épinéphrine, pémoline, pimozide, alcaloïdes de la rauwolfia, anticholinergiques, dépresseurs du système nerveux central, autres antihistaminiques, antidépresseurs tricycliques, lévodopa ou inhibiteur de la monoamine-oxydase (IMAO).

MÉDICAMENT-ALIMENT
Pas d'interaction connue.

MÉDICAMENT-MALADIE
Demandez l'avis de votre médecin en cas de : maladie sanguine, cardiaque ou vasculaire, hypertrophie de la prostate, blocage des voies urinaires, épilepsie, glaucome, syndrome de Reye, jaunisse ou maladie du foie.

PROPAFÉNONE

Présentation : Comprimés
En vente libre ? Non   **Générique disponible ?** Oui
Classe de médicaments : Antiarythmique

▼ GÉNÉRALITÉS

INDICATIONS
Pour corriger les irrégularités du rythme cardiaque (arythmie).

MODE D'ACTION
La propafénone ralentit la transmission des impulsions nerveuses dans le cœur et rend les tissus cardiaques moins sensibles à certaines impulsions spécifiques, ce qui a pour effet de stabiliser le rythme cardiaque. Elle a aussi des propriétés légèrement bêtabloquantes.

▼ MODE D'EMPLOI

POSOLOGIE
Adultes : 150 mg aux 8 heures. La posologie peut être augmentée au bout de 3 ou 4 jours à 300 mg aux 12 heures, puis jusqu'à un maximum de 300 mg aux 8 heures. La dose d'entretien sera déterminée par un suivi rigoureux, incluant un électrocardiogramme et l'évaluation de la tension artérielle. Les personnes plus âgées ou atteintes d'une maladie du foie ou du cœur pourraient nécessiter des doses plus faibles.

DÉBUT D'ACTION
En 1 heure.

DURÉE D'ACTION
8 à 12 heures.

CONSEILS NUTRITIONNELS
On peut prendre la propafénone avec de la nourriture pour diminuer l'irritation de l'estomac.

MODE DE CONSERVATION
Dans un contenant étanche, à l'abri de la chaleur, de l'humidité et de la lumière.

OUBLI D'UNE DOSE
Prenez-la dès que vous y pensez, sauf si vous vous en rendez compte à moins de 4 heures de la suivante. Dans ce cas, sautez la dose oubliée et reprenez la fréquence normale. Ne doublez pas la dose suivante.

ARRÊT DE LA MÉDICATION
Cette décision devrait être prise de concert avec votre médecin.

USAGE PROLONGÉ
Un traitement à vie pourrait s'avérer nécessaire. Si vous prenez ce médicament à long terme, consultez périodiquement votre médecin qui fera un suivi à l'aide d'examens et d'analyses.

▼ PRÉCAUTIONS

Plus de 60 ans. La posologie pourrait être réduite.

Conduite automobile, travaux dangereux. À éviter tant que vous ne connaissez pas les effets du médicament sur vous.

Alcool. À éviter.

Grossesse. Il n'y a pas eu de recherches concluantes sur l'utilisation de ce médicament chez les femmes enceintes. Avant de commencer un traitement à la propafénone, informez votre médecin si vous êtes enceinte ou comptez le devenir.

Allaitement. La propafénone passe dans le lait maternel ; faites preuve de prudence. Demandez l'avis du médecin.

Nourrissons et enfants. L'efficacité et l'innocuité de ce médicament n'ont pas été établis pour ce groupe d'âge. Les données partielles semblent toutefois indiquer que les effets de la propafénone sont les mêmes chez les très jeunes que chez les autres patients. Demandez l'avis de votre pédiatre.

À surveiller. On recommande de porter un bracelet médical ou de se munir d'une carte d'identité qui mentionne que vous prenez ce médicament. Signalez aussi au médecin ou au dentiste que vous en prenez si vous entrevoyez une chirurgie.

SURDOSAGE
Symptômes. Étourdissements ou faiblesses, somnolence, rythme cardiaque lent, convulsions, palpitations.

Quoi faire. Allez tout de suite à l'urgence.

▼ INTERACTIONS

MÉDICAMENT-MÉDICAMENT
Demandez l'avis du médecin si vous prenez : warfarine, anesthésiques locaux, autres antiarythmiques, digoxine, bêtabloquants, ritonavir, rifampine, cimétidine ou quinidine.

MÉDICAMENT-ALIMENT
Pas d'interaction connue.

MÉDICAMENT-MALADIE
Demandez l'avis de votre médecin si vous avez subi récemment une crise cardiaque ou si vous souffrez d'une des affections suivantes : asthme, bronchite, emphysème, fréquence cardiaque lente ou insuffisance cardiaque congestive. L'utilisation de la propafénone peut causer des complications dans le cas d'une maladie de foie ou de reins, car ces organes contribuent ensemble à éliminer le médicament de l'organisme.

≡ EFFETS INDÉSIRABLES ≡

GRAVES
Rythme cardiaque rapide ou irrégulier, douleur thoracique, souffle court, enflure des pieds ou du bas des jambes. Faites immédiatement appel à des secours médicaux. Informez votre médecin de toute incidence de fièvre, fatigue ou malaise au cours des 3 premiers mois du traitement.

COURANTS
Étourdissements, altération du goût, goût amer ou métallique, constipation, nausées ou vomissements.

MOINS COURANTS
Vision brouillée, céphalées, diarrhées, rash cutané, sécheresse de la bouche, fatigue inhabituelle.

PROPANTHÉLINE (BROMURE DE)

NOMS COMMERCIAUX

Pro-Banthine,
Propanthel

Présentation : Comprimés
En vente libre ? Oui   **Générique disponible ?** Oui
Classe de médicaments : Anticholinergique

▼ GÉNÉRALITÉS

INDICATIONS
Traitement adjuvant de l'ulcère gastro-duodénal, généralement associé à d'autres formes de thérapie. La propanthéline sert aussi à traiter le syndrome du côlon irritable, la colique rénale, la transpiration excessive, la colite, l'inflammation de la vésicule biliaire, la diverticulite et la pancréatite.

MODE D'ACTION
La propanthéline entrave l'activité des terminaisons nerveuses qui stimulent la sécrétion des acides dans l'estomac et le mouvement des muscles lisses dans le tractus digestif.

▼ MODE D'EMPLOI

POSOLOGIE
Adultes et adolescents : 15 mg, 3 fois par jour, 30 minutes avant les repas, et 30 mg au coucher. La posologie peut être modifiée. Personnes plus âgées : 7,5 mg 3 fois par jour avant les repas.

DÉBUT D'ACTION
Inconnu.

DURÉE D'ACTION
6 heures.

CONSEILS NUTRITIONNELS
Prenez ce médicament 30 minutes avant les repas à moins d'indications contraires de votre médecin.

MODE DE CONSERVATION
Dans un contenant étanche, à l'abri de la chaleur et de la lumière.

OUBLI D'UNE DOSE
Prenez-la dès que vous y pensez. S'il est presque l'heure de la suivante, sautez la dose oubliée et reprenez la fréquence normale. Ne doublez pas la dose suivante.

ARRÊT DE LA MÉDICATION
Cette décision doit être prise par votre médecin. Il voudra peut-être réduire les doses graduellement : un arrêt brusque pourrait déclencher des problèmes de sevrage.

USAGE PROLONGÉ
Consultez votre médecin régulièrement pour subir des examens et des analyses.

▼ PRÉCAUTIONS

Plus de 60 ans. Risques de réactions indésirables plus fréquentes et plus graves.

Conduite automobile, travaux dangereux. À déconseiller tant que vous ne connaissez pas votre réaction au médicament.

Alcool. À éviter.

Grossesse. Il n'y a eu de recherches ni sur les animaux ni sur les humains. Si vous êtes enceinte ou voulez le devenir, parlez-en au médecin avant de commencer un traitement à la propanthéline.

Allaitement. La propanthéline peut passer dans le lait maternel : on conseille la prudence. Demandez l'avis de votre médecin.

Nourrissons et enfants. Utilisation et posologie devraient être déterminés par votre pédiatre.

À surveiller. La propanthéline augmente le risque de prostration due à la chaleur ; faites attention de ne pas trop vous échauffer en faisant de l'exercice ou en période de canicule.

SURDOSAGE
Symptômes. Sécheresse de la bouche ; soif ; difficultés à avaler ; faiblesse ou paralysie musculaires ; agitation motrice ; vomissements ; fièvre ; étourdissements ; céphalées ; anxiété ; pouls et respiration rapides ; respiration haletante ; rythme cardiaque anormal ; fréquentes envies d'uriner ; vision brouillée ; rougissement, échauffement ou sécheresse de la peau ; rash cutané ; niveau réduit de conscience ou perte de conscience.

Quoi faire. Présentez-vous tout de suite à l'urgence.

▼ INTERACTIONS

MÉDICAMENT-MÉDICAMENT
Demandez l'avis du médecin si vous prenez : antiacide, médicament contre la diarrhée contenant du kaolin ou de l'attapulgite, kétoconazole, autres anticholinergiques, analgésiques narcotiques, antipsychotiques, antidépresseurs tricycliques ou chlorure de potassium.

MÉDICAMENT-ALIMENT
Pas d'interaction connue.

MÉDICAMENT-MALADIE
Il faut être prudent lorsqu'on prend de la propanthéline. Demandez l'avis de votre médecin en cas de : problèmes hémorragiques, glaucome, colite, grave sécheresse de la bouche, hypertrophie de la prostate, glaucome, maladie cardiaque, hernie hiatale, hypertension, problème intestinal de toute nature, maladie pulmonaire chronique, myasthénie grave, toxémie gravidique, problèmes de miction, syndrome de Down, hyperthyroïdie ; chez les enfants, paralysie spasmodique. L'usage de la propanthéline peut entraîner des complications en cas de maladie de foie ou de reins, car ces organes contribuent à éliminer le médicament de l'organisme.

EFFETS INDÉSIRABLES

GRAVES
Confusion, vertiges persistants, étourdissements, évanouissements, douleurs oculaires, rash cutané, urticaire.

COURANTS
Constipation ; transpiration réduite ; sécheresses de la bouche, du nez, de la gorge ou de la peau.

MOINS COURANTS
Vision brouillée, sensation de gonflement, miction difficile, somnolence, céphalées, photosensibilité, pertes de mémoire, nausées ou vomissements, fatigue inhabituelle.

PROPOXYPHÈNE

NOMS COMMERCIAUX

Darvon-N,
Novo-Propoxyn,
642 (comprimés)

Présentation : Gélules, suspension orale, comprimés
En vente libre ? Non **Générique disponible ?** Oui
Classe de médicaments : Analgésique opioïde (narcotique)

▼ GÉNÉRALITÉS

INDICATIONS
Soulagement de la douleur légère à modérée.

MODE D'ACTION
Les opioïdes comme le propoxyphène soulagent la douleur en agissant sur des points spécifiques du système nerveux central (moelle épinière et cerveau) qui traitent les signaux de douleur transmis par les nerfs de tout le corps.

▼ MODE D'EMPLOI

POSOLOGIE
On distingue le chlorhydrate de propoxyphène et le napsylate de propoxyphène, qui est moins puissant. Adultes – Chlorhydrate de propoxyphène : 65 mg aux 4 heures avec un maximum de 390 mg par jour. Napsylate de propoxyphène : 100 mg, 3 à 4 fois par jour, sans dépasser 600 mg par jour. Enfants – Le pédiatre établira la posologie qui convient.

DÉBUT D'ACTION
En 15 à 60 minutes.

DURÉE D'ACTION
4 à 6 heures.

CONSEILS NUTRITIONNELS
Peut se prendre avec de la nourriture pour éviter d'irriter l'estomac.

MODE DE CONSERVATION
Dans un contenant étanche, à l'abri de la chaleur, de l'humidité et de la lumière. La forme liquide ne se congèle pas.

OUBLI D'UNE DOSE
Si vous prenez le propoxyphène à heure fixe, prenez la dose oubliée dès que vous y pensez. S'il est presque l'heure de la suivante, sautez la dose oubliée et reprenez la fréquence normale. Ne doublez pas la dose suivante.

ARRÊT DE LA MÉDICATION
Cette décision devrait être prise en consultation avec votre médecin.

USAGE PROLONGÉ
Vous devriez consulter votre médecin périodiquement pour subir des examens et des analyses. Un usage prolongé peut entraîner des lésions neurologiques ou une dépendance physique.

▼ PRÉCAUTIONS

Plus de 60 ans. Risques de réactions indésirables plus fréquentes et plus graves.

Conduite automobile, travaux dangereux. À déconseiller tant que vous ne connaissez pas votre réaction au médicament.

Alcool. À éviter.

Grossesse. Le propoxyphène n'a pas causé de malformation congénitale chez les animaux. Aucune recherche n'a été faite sur les humains. Si vous êtes enceinte ou désirez le devenir, parlez-en à votre médecin avant de commencer un traitement. Un usage abusif en cours de grossesse peut causer de la dépendance chez le fœtus.

Allaitement. Le propoxyphène passe dans le lait maternel ; il faut faire preuve de prudence. Demandez l'avis de votre médecin.

Nourrissons et enfants. Risques de réactions indésirables plus fréquentes et plus graves dans ce groupe d'âge. Demandez l'avis du médecin.

À surveiller. Si vous avez l'impression que le médicament ne fait pas effet après quelques semaines d'utilisation, n'augmentez pas la dose ; consultez votre médecin. En cas de chirurgie, signalez au médecin ou au dentiste que vous prenez ce médicament.

SURDOSAGE
Symptômes. Confusion ; somnolence ; diction empâtée ; inconscience ; constriction des pupilles ; peau froide et moite ; respiration ralentie ; convulsions ; stupeur, faiblesse ou étourdissements.

Quoi faire. Appelez tout de suite votre médecin ou un centre antipoison, ou allez à l'urgence.

▼ INTERACTIONS

MÉDICAMENT-MÉDICAMENT
Demandez l'avis du médecin si vous prenez : carbamazépine ou autre anticonvulsivant, barbituriques, sédatifs, antitussifs, décongestionnants, antidépresseurs, autres analgésiques sur ordonnance, IMAO, naltrexone, rifampine, myorelaxant, zidovudine.

MÉDICAMENT-ALIMENT
Pas d'interaction connue.

MÉDICAMENT-MALADIE
Consultez votre médecin en cas de : antécédents d'alcoolisme ou de toxicomanie, désordre émotif, trouble cérébral ou blessure à la tête, convulsions, maladie pulmonaire, problèmes de prostate ou autres problèmes urinaires, calculs biliaires, colite, maladie cardiaque, rénale ou hépatique, maladie de la glande thyroïde.

≡ EFFETS INDÉSIRABLES ≡

GRAVES
Certains effets indésirables graves du propoxyphène sont les mêmes que pour une surdose : confusion, somnolence, diction empâtée, inconscience, constriction des pupilles, peau froide et moite, respiration ralentie, convulsions, somnolence, faiblesse ou étourdissements. Parmi les autres effets graves : urines foncées, jaunissement du blanc des yeux et de la peau, selles pâles.

COURANTS
Étourdissements ou vertiges, nausées ou vomissements, constipation, démangeaisons, céphalées.

MOINS COURANTS
Humeur changeante, euphorie, hallucinations.

PROPRANOLOL (CHLORHYDRATE DE)

Présentation : Gélules à libération progressive, comprimés, injection
En vente libre ? Non **Générique disponible ?** Oui
Classe de médicaments : Bêtabloquant

NOMS COMMERCIAUX

Apo-Propranolol, Dom-Propranolol, Indéral, Indéral-LA, Novo-Pranol, Nu-Propranolol, PMS-Propranolol

▼ GÉNÉRALITÉS

INDICATIONS
Traitement de : angine de poitrine, hypertension légère à modérée, arythmie cardiaque, cardiomyopathie hypertrophique (faiblesse du muscle cardiaque), infarctus, phéochromocytome et tremblement essentiel. S'emploie aussi dans la prévention des migraines.

MODE D'ACTION
Le propranolol bloque les influx nerveux vers diverses parties du corps, ce qui explique ses multiples indications. Par exemple, il ralentit le rythme et l'ampleur des contractions cardiaques, réduit les besoins du cœur en oxygène (aidant ainsi à prévenir l'angine) et aide à stabiliser le rythme cardiaque.

▼ MODE D'EMPLOI

POSOLOGIE
Comprimés : Adultes – Angine de poitrine : 40 à 320 mg par jour en 2, 3 ou 4 doses. Hypertension : 40 mg, 2 fois par jour, pouvant aller jusqu'à 320 mg quotidiennement. Arythmie : 10 à 30 mg, 3 ou 4 fois par jour. Cardiomyopathie : 20 à 40 mg, 3 ou 4 fois par jour. Phéochromocytome : avant les interventions chirurgicales. Prévention des migraines : 40 mg, 2 fois par jour, pouvant aller jusqu'à 160 mg quotidiennement. Tremblement : 40 mg, 2 fois par jour, pouvant aller jusqu'à 240 mg quotidiennement. Gélules à libération progressive : Adultes – La dose habituelle est de 60 à 320 mg, 1 fois par jour. Enfants – Consultez le pédiatre.

DÉBUT D'ACTION
En 30 minutes. Le plein effet thérapeutique peut prendre 3 à 4 semaines.

DURÉE D'ACTION
Jusqu'à 12 heures.

CONSEILS NUTRITIONNELS
Pas de restrictions ni de recommandations spéciales.

EFFETS INDÉSIRABLES

GRAVES
Respiration haletante ou sifflante ; fréquence cardiaque lente (50 pulsations à la minute ou moins) ou irrégulière ; douleur ou oppression thoracique ; enflure des chevilles, des pieds et du bas des jambes ; dépression.

COURANTS
Étourdissements ou vertiges, surtout en se mettant debout ; performance sexuelle diminuée ; fatigue inhabituelle, faiblesse, ou somnolence ; insomnie.

MOINS COURANTS
Anxiété, irritabilité ; constipation ; diarrhée ; sécheresse des yeux ; démangeaisons ; nausées ou vomissements ; cauchemars ou rêves vifs ; engourdissements, picotements ou fourmillements aux doigts, orteils ou cuir chevelu.

MODE DE CONSERVATION
Contenant étanche, à l'abri de la chaleur et de la lumière.

OUBLI D'UNE DOSE
Prenez-la dès que vous y pensez. S'il est presque l'heure de la suivante, sautez la dose oubliée et reprenez la fréquence normale. Ne doublez pas la dose suivante.

ARRÊT DE LA MÉDICATION
N'arrêtez pas brusquement ; la posologie doit être abaissée progressivement sous la surveillance étroite du médecin.

USAGE PROLONGÉ
Le traitement est parfois à vie. L'usage prolongé peut être lié à une incidence accrue d'effets indésirables. On conseille un contrôle et une évaluation périodiques par le médecin.

▼ PRÉCAUTIONS

Plus de 60 ans. Risques de réactions indésirables plus fréquentes et plus graves.

Conduite automobile, travaux dangereux. Attendez de connaître votre réaction au médicament.

Alcool. À éviter.

Grossesse. Évaluez avec votre médecin l'utilité du propranolol par rapport aux risques qu'il présente.

Allaitement. Le propranolol passe dans le lait maternel ; on conseille la prudence.

Nourrissons et enfants. Le pédiatre établira la posologie.

À surveiller. Redoutez les étourdissements et les évanouissements si vous faites de l'exercice ou par grande chaleur. Prenez souvent votre pouls ; en deçà de 50 battements à la minute, appelez votre médecin.

SURDOSAGE
Symptômes. Fréquence cardiaque particulièrement lente ou rapide, graves étourdissements ou évanouissement, mauvaise circulation dans les mains (bleuissement de la peau), dyspnée, convulsions.

Quoi faire. Présentez-vous immédiatement à l'urgence.

▼ INTERACTIONS

MÉDICAMENT-MÉDICAMENT
Demandez l'avis de votre médecin si vous prenez : injections contre les allergies, aminophylline, caféine, oxtriphylline, théophylline, antidiabétiques oraux, insuline, bloqueurs des canaux calciques, clonidine, guanabenz ou IMAO.

MÉDICAMENT-ALIMENT
Pas d'interaction connue.

MÉDICAMENT-MALADIE
Les diabétiques, surtout insulinodépendants, doivent être prudents car ce médicament peut masquer les symptômes d'une hypoglycémie. Consultez votre médecin en cas de : allergies, asthme, bronchite, emphysème, maladie cardiaque ou vasculaire (insuffisance cardiaque, maladie vasculaire périphérique), dépression, myasthénie grave, psoriasis, hyperthyroïdie, maladie rénale ou hépatique.

609

PROPYLTHIOURACILE

Présentation : Comprimés
En vente libre ? Non   **Générique disponible ?** Non
Classe de médicaments : Antithyroïdien

▼ GÉNÉRALITÉS

INDICATIONS
Traitement des états où la glande thyroïde sécrète une quantité exagérée d'hormones (hyperthyroïdie).

MODE D'ACTION
Le propylthiouracile prive l'organisme de sa capacité à utiliser l'iode pour fabriquer les hormones de la glande thyroïde.

▼ MODE D'EMPLOI

POSOLOGIE
Adultes : dose de départ, 150 à 900 mg par jour, en 3 à 6 doses fractionnées. Dose maximale : 1 200 mg par jour. La dose d'entretien habituelle est de 50 à 150 mg par jour. Enfants de 6 à 10 ans : dose de départ, 50 à 150 mg par jour, en 3 doses fractionnées ; la posologie peut être ajustée par la suite. Enfants de 10 ans et plus : 150 à 300 mg par jour en 3 doses fractionnées. La dose d'entretien habituelle est de 50 mg, 2 fois par jour. Crise thyroïdienne : 400 mg ou plus (maximum de 900 mg) la première journée, avec réduction graduelle les jours suivants.

DÉBUT D'ACTION
En 1 et 3 semaines.

DURÉE D'ACTION
Inconnue.

CONSEILS NUTRITIONNELS
À prendre en mangeant pour éviter d'irriter l'estomac.

MODE DE CONSERVATION
Dans un contenant étanche, à l'abri de la chaleur et de la lumière.

OUBLI D'UNE DOSE
Prenez-la dès que vous y pensez. S'il est presque l'heure de la suivante, sautez la dose oubliée et reprenez la fréquence normale. Ne doublez pas la dose suivante.

EFFETS INDÉSIRABLES

GRAVES
Toux, fièvre ou frissons persistants ; enrouement ; ulcères buccaux ; douleur, enflure ou rougeur aux articulations ; infection de la gorge ; jaunissement de la peau ou du blanc des yeux (jaunisse) ; sentiment général de malaise, faiblesse ou maladie.

COURANTS
Fièvre légère et passagère, rash ou démangeaison.

MOINS COURANTS
Maux de dos ; selles noires et goudronneuses ; sang dans l'urine ou les selles ; essoufflement ; miction accrue ou réduite ; enflure des pieds ou du bas de jambes ; gonflement des ganglions ou des glandes salivaires ; engourdissement ou picotements dans le visage, les doigts ou les orteils ; étourdissements ; nausées ; douleurs à l'estomac ; vomissements.

ARRÊT DE LA MÉDICATION
Cette décision doit être prise par votre médecin.

USAGE PROLONGÉ
Pas de problème particulier. Il faut se préparer à prendre ce médicament pendant plusieurs années.

▼ PRÉCAUTIONS

Plus de 60 ans. Risques de réactions indésirables plus fréquentes et plus graves.

Conduite automobile, travaux dangereux. Le propylthiouracile ne devrait pas vous empêcher d'effectuer de telles activités en toute sécurité.

Alcool. Demandez l'avis de votre médecin.

Grossesse. L'usage du propylthiouracile en cours de grossesse peut entraîner des problèmes chez le fœtus. Ceux-ci sont toutefois peu probables si l'on respecte bien la posologie prescrite et les ajustements nécessaires.

Allaitement. Bien que le propylthiouracile passe dans le lait maternel, le médecin vous l'autorisera peut-être à condition de vous en tenir à une dose peu élevée du médicament et de faire évaluer le bébé régulièrement.

Nourrissons et enfants. Aucun problème ou effet indésirable spécifique.

À surveiller. Avant toute intervention chirurgicale ou dentaire, vous devez avertir votre médecin ou votre dentiste que vous prenez du pro-pylthiouracile. Pendant votre traitement ou après, ne vous faites pas vacciner sans l'autorisation de votre médecin ; évitez aussi le contact avec toute personne qui a reçu récemment un vaccin oral contre la poliomyélite.

SURDOSAGE
Symptômes. Nausée, vomissements, sensation de froid, constipation, changements dans le rythme menstruel, peau sèche et tuméfiée, céphalée, apathie, douleurs musculaires, somnolence, gonflement du cou, gain de poids soudain.

Quoi faire. Une surdose ne devrait pas mettre votre vie en danger. Néanmoins, s'il s'agit d'une quantité considérable, appelez aussitôt le médecin ou le centre anti-poison, ou allez à l'urgence.

▼ INTERACTIONS

MÉDICAMENT-MÉDICAMENT
Demandez l'avis du médecin si vous prenez : amiodarone, glycérol iodisé, iodure de potassium, anticoagulants ou digoxine.

MÉDICAMENT-ALIMENT
Demandez à votre médecin s'il y a lieu de suivre un régime alimentaire spécial, faible en iode.

MÉDICAMENT-MALADIE
L'usage du propylthiouracile peut entraîner des complications en cas de maladie hépatite, car le foie contribue à éliminer ce médicament de l'organisme.

PSEUDOÉPHÉDRINE

Présentation : Gélules à libération progressive, solution orale, comprimés à croquer, comprimés
En vente libre ? Oui **Générique disponible ?** Oui
Classe de médicaments : Décongestionnant

▼ GÉNÉRALITÉS

INDICATIONS
Soulagement de la congestion du nez et des sinus causée par le rhume, l'infection des sinus, le rhume des foins ou d'autres allergies respiratoires.

MODE D'ACTION
La pseudoéphédrine resserre et rétrécit les vaisseaux sanguins, ce qui réduit l'irrigation des voies nasales et des tissus enflammés. Il y a donc diminution des sécrétions nasales, et la muqueuse, moins enflammée, laisse passer l'air plus librement dans les conduits.

▼ MODE D'EMPLOI

POSOLOGIE
Formes à efficacité immédiate – Adultes et adolescents : 30 à 60 mg aux 4 à 6 heures, sans dépasser 240 mg par 24 heures. Enfants de 6 à 12 ans : 30 mg aux 4 à 6 heures, sans dépasser 120 mg par 24 heures. Enfants de 2 à 6 ans : 15 mg aux 4 à 6 heures, sans dépasser 60 mg par 24 heures. Formes à libération progressive – Adultes et adolescents : 120 mg aux 12 heures.

DÉBUT D'ACTION
En 15 à 30 minutes.

DURÉE D'ACTION
3 à 4 heures pour les formes à efficacité immédiate, et 8 à 12 heures pour celles à libération progressive.

CONSEILS NUTRITIONNELS
Buvez beaucoup de liquides.

MODE DE CONSERVATION
Dans un contenant étanche, à l'abri de la chaleur et de la lumière. Les formes liquides ne se congèlent pas.

OUBLI D'UNE DOSE
Prenez-la dès que vous y pensez. S'il est presque l'heure de la suivante, sautez la dose oubliée et reprenez la fréquence normale. Ne doublez pas la dose suivante.

ARRÊT DE LA MÉDICATION
Ne poursuivez pas le traitement au-delà de la durée indiquée sur l'étiquette, à moins d'instructions du médecin.

≣ EFFETS INDÉSIRABLES ≣

GRAVES
Convulsions, fréquence cardiaque irrégulière ou très lente, essoufflement, difficultés respiratoires, hallucinations.

COURANTS
Nervosité, agitation, insomnie, céphalées.

MOINS COURANTS
Miction difficile ou douloureuse, étourdissements ou vertiges, rythme cardiaque rapide ou martelé, transpiration accrue, nausées ou vomissements, tremblements, respiration laborieuse, pâleur, faiblesse.

USAGE PROLONGÉ
Demandez l'avis de votre médecin avant de prolonger l'usage de la pseudoéphédrine au-delà de 5 à 7 jours.

▼ PRÉCAUTIONS

Plus de 60 ans. Risques de réactions indésirables plus fréquentes et plus graves.

Conduite automobile, travaux dangereux. À éviter tant que vous ne connaissez pas votre réaction au médicament.

Alcool. Pas de précautions spéciales.

Grossesse. L'innocuité de la pseudoéphédrine n'a pas été établie ; une femme enceinte ne devrait l'utiliser qu'en cas de besoin exprès. Demandez l'avis de votre médecin.

Allaitement. La pseudoéphédrine passe dans le lait maternel ; n'en prenez pas quand vous allaitez.

Nourrissons et enfants. Les formes à libération progressive ne sont pas recommandées aux enfants de moins de 12 ans.

À surveiller. Si vous ne constatez pas d'amélioration dans vos symptômes au bout de 7 jours, consultez votre médecin. Pour éviter l'insomnie, prenez votre dernière dose au moins 2 heures avant le coucher.

SURDOSAGE
Symptômes. Somnolence, sédation, sueurs abondantes, pâleur ou moiteur de la peau, basse pression artérielle, diminution du débit urinaire, étourdissements, altérations de l'humeur, hallucinations, convulsions, perte de conscience.

Quoi faire. En certains cas, une surdose peut entraîner la mort, surtout chez les patients âgés. Dès les premiers signes d'une surdose, présentez-vous à l'urgence.

▼ INTERACTIONS

MÉDICAMENT-MÉDICAMENT
Demandez l'avis du médecin si vous prenez un bêtabloquant ou un inhibiteur de la monoamine-oxydase (IMAO).

MÉDICAMENT-ALIMENT
Pas d'interaction connue.

MÉDICAMENT-MALADIE
Il faut être prudent lorsqu'on prend de la pseudoéphédrine. Consultez votre médecin en cas de : diabète, glaucome, hypertrophie de la prostate, maladie cardiaque ou vasculaire, hypertension ou hyperthyroïdie.

PSEUDOÉPHÉDRINE/GUAIFÉNÉSINE

Présentation : Gélules
En vente libre ? Oui   **Générique disponible ?** Non
Classe de médicaments : Décongestionnant/antitussif

▼ GÉNÉRALITÉS

INDICATIONS
Soulage la congestion du nez et des sinus causée par le rhume, la grippe, le rhume des foins et d'autres allergies respiratoires. Sert aussi à diminuer la congestion des poumons afin de faciliter la respiration.

MODE D'ACTION
La pseudoéphédrine resserre et rétrécit les vaisseaux sanguins, ce qui réduit l'irrigation sanguine dans les voies nasales et dans d'autres tissus. Il y a donc diminution des sécrétions nasales, et la muqueuse, moins enflammée, laisse passer l'air plus librement. Selon toute apparence, la guaifénésine dissout, fragmente et déloge les mucosités dans les voies respiratoires, ce qui permet d'expectorer le glaire en toussant, donc de mieux respirer. (Ce mode d'action est cependant remis en question.)

▼ MODE D'EMPLOI

POSOLOGIE
Suivez les indications pour le soulagement des symptômes.

DÉBUT D'ACTION
En moins d'une heure.

DURÉE D'ACTION
Inconnue.

CONSEILS NUTRITIONNELS
Pas de restrictions spéciales.

MODE DE CONSERVATION
Dans un contenant étanche, à l'abri de la chaleur et de la lumière.

OUBLI D'UNE DOSE
Prenez-la dès que vous y pensez. S'il est presque l'heure de la suivante, sautez la dose oubliée et reprenez la fréquence normale. Ne doublez pas la dose suivante.

ARRÊT DE LA MÉDICATION
Vous pouvez cesser de prendre ce médicament lorsque votre médecin vous l'indique ou lorsque vous commencez à vous sentir mieux.

USAGE PROLONGÉ
Consultez votre médecin si les symptômes n'ont pas régressé après 5 jours.

▼ PRÉCAUTIONS

Plus de 60 ans. Risques de réactions indésirables plus fréquentes et plus graves.

Conduite automobile, travaux dangereux. À déconseiller tant que vous ne connaissez pas votre réaction au médicament.

Alcool. À éviter.

Grossesse. Si vous êtes enceinte ou avez l'intention de le devenir, il faut le signaler à votre médecin avant de commencer à prendre de la pseudoéphédrine/guaifénésine.

Allaitement. La pseudoéphédrine passe dans le lait maternel ; n'en prenez pas si vous allaitez.

Nourrissons et enfants. Lisez attentivement l'étiquette sur le médicament ou vérifiez avec le médecin. Ce médicament n'est pas recommandé chez les moins de 12 ans.

À surveiller. Si vous avez de la difficulté à vous endormir, prenez votre dernière dose de pseudoéphédrine/guaifénésine quelques heures avant le coucher. Avant une intervention chirurgicale, avertissez le médecin ou le dentiste que vous prenez ce médicament. Si vous souffrez d'hypertension, ne manquez pas de le signaler à votre médecin.

SURDOSAGE
Symptômes. Rythme cardiaque rapide, martelé ou irrégulier, maux de tête persistants ou intolérables, nausées ou vomissements graves, nervosité ou agitation prononcées, souffle extrêmement court ou respiration très laborieuse.

Quoi faire. Présentez-vous immédiatement à l'urgence.

▼ INTERACTIONS

MÉDICAMENT-MÉDICAMENT
Demandez l'avis du médecin si vous prenez n'importe quel autre médicament sur ordonnance ou en vente libre.

MÉDICAMENT-ALIMENT
Pas d'interaction connue.

MÉDICAMENT-MALADIE
Il faut être prudent lorsqu'on prend de la pseudoéphédrine avec guaifénésine. Demandez l'avis de votre médecin en cas de : anémie, goutte, hémophilie, problèmes d'estomac, affection du cerveau, colite, convulsions, diarrhée, affection de la vésicule biliaire ou calculs biliaires, fibrose cystique, diabète sucré, maladie pulmonaire chronique, hypertrophie de la prostate, miction difficile, glaucome, maladie cardiaque ou vasculaire, dérèglement de la thyroïde ou hypertension. Cette association médicamenteuse peut causer des complications chez les patients qui ont une maladie du foie ou des reins car ces organes contribuent à l'éliminer de l'organisme.

≡ EFFETS INDÉSIRABLES ≡

GRAVES
Rash cutané, urticaire, prurit, fréquence cardiaque rapide ou irrégulière, céphalées tenaces, nervosité ou agitation, essoufflement ou difficultés respiratoires, convulsions, peurs ou anxiétés inhabituelles.

COURANTS
Constipation ; transpiration réduite ; miction pénible ; étourdissements ou vertiges ; somnolence ; sécheresse de la bouche, du nez ou de la gorge ; photosensibilité accrue ; nausées ou vomissements ; cauchemars ; douleur à l'estomac ; épaississement du mucus ; insomnie ; excitation ou agitation inhabituelles ; fatigue ou faiblesse inhabituelles. Communiquez avec votre médecin si ces symptômes persistent ou nuisent à vos activités coutumières.

MOINS COURANTS
Il n'y a pas d'effets indésirables moins courants.

PSYLLIUM

Présentation : Graines, poudre, gélules, gaufrettes
En vente libre ? Oui   **Générique disponible ?** Oui
Classe de médicaments : Laxatif (agent de masse)/fibre alimentaire/hypolipidémiant

NOMS COMMERCIAUX

Metamucil,
Prodiem Simple,
Psyllium en poudre,
Psyllium (poudre de
téguments)

▼ GÉNÉRALITÉS

INDICATIONS

Soulagement de la constipation. Parfois traitement de la diarrhée. Le psyllium est recommandé, avec un régime faible en lipides, pour abaisser le taux de cholestérol, ou comme supplément alimentaire pour fournir des fibres.

MODE D'ACTION

Le psyllium est le mucilage (fibre naturelle soluble) tiré du tégument (enveloppe interne) de la graine du plantago. Il absorbe les liquides dans le petit et le gros intestin et forme en se gonflant des selles molles et volumineuses. Le volume ainsi obtenu stimule le péristaltisme de l'intestin et le besoin de déféquer. En outre, des études ont démontré que le psyllium améliore la proportion dans le sang de « bon » (HDL) et de « mauvais » (LDL) cholestérol. On l'associe parfois à un régime alimentaire pour tenter d'abaisser le niveau de cholestérol avant de recourir à la médication.

▼ MODE D'EMPLOI

POSOLOGIE

Constipation – Adultes :
1 cuillerée à thé comble ou le contenu de 1 paquet dissous dans un verre d'eau (240 ml/ 8 oz), 1, 2 ou 3 fois par jour. Enfants de 6 ans et plus : 1 cuillerée à thé rase dans 240 ml/8 oz d'eau, 1 à 3 fois par jour. Pour abaisser le cholestérol : 1 à 4 cuillerées à thé rases, 2 ou 3 fois par jour.

DÉBUT D'ACTION

En général, en 12 à 24 heures. Parfois jusqu'à 3 jours.

DURÉE D'ACTION

Variable.

CONSEILS NUTRITIONNELS

Le psyllium se dissout dans un grand verre de liquide froid (eau ou jus de fruit), suivi d'un autre plein verre. Si vous l'utilisez pour abaisser votre taux de cholestérol, prenez-le en mangeant.

MODE DE CONSERVATION

À l'abri de la chaleur, de l'humidité et de la lumière.

OUBLI D'UNE DOSE

Prenez-la dès que vous y pensez. S'il est presque l'heure de la suivante, sautez la dose oubliée et reprenez la fréquence normale. Ne doublez pas la dose suivante.

ARRÊT DE LA MÉDICATION

Prenez le psyllium pour la durée prescrite. Vous pouvez toutefois cesser le traitement si vous commencez à vous sentir mieux dans l'intervalle.

USAGE PROLONGÉ

Ne prenez pas de psyllium plus de 1 semaine à la fois sauf si votre médecin vous a prescrit un horaire particulier.

▼ PRÉCAUTIONS

Plus de 60 ans. Pas de conseils spéciaux.

Conduite automobile, travaux dangereux. Pas de précaution spéciale.

Alcool. À éviter. L'alcool peut irriter le tractus gastro-intestinal et nuire à la digestion.

Grossesse. Évaluez avec votre médecin les risques que pose le psyllium par rapport aux bénéfices escomptés.

Allaitement. Le psyllium passe dans le lait maternel ; on conseille la prudence. Parlez-en à votre médecin.

Nourrissons et enfants. Non recommandé chez les moins de 6 ans.

À surveiller. Votre régime devrait contenir des céréales, des fruits et des légumes frais car ils fournissent des fibres. Avant de prendre du psyllium, signalez au médecin tout antécédent d'intolérance ou d'allergie à un laxatif. Si vous suivez une diète spéciale, informez-l'en. Ne prenez aucun médicament dans les 2 heures qui précèdent ou qui suivent l'absorption de psyllium. Buvez entre six et huit verres d'eau (240 ml/ 8 oz) par jour.

SURDOSAGE

Symptômes. Blocage de l'intestin, si le psyllium est pris en trop grande quantité.

Quoi faire. Il y a peu de risque d'une surdose. Toutefois, si la quantité prise est beaucoup plus grande que la dose recommandée, demandez de l'aide médicale.

▼ INTERACTIONS

MÉDICAMENT-MÉDICAMENT

Demandez l'avis du médecin si vous prenez par voie orale un antibiotique du groupe des tétracyclines.

MÉDICAMENT-ALIMENT

Le psyllium peut nuire à l'absorption de certains minéraux, en particulier si les doses sont élevées et si vous en faites un usage régulier.

MÉDICAMENT-MALADIE

Demandez l'avis de votre médecin en cas de : colostomie ou iléostomie, maladie cardiaque, diabète sucré, hypertension, maladie rénale, saignements rectaux de cause inconnue, déglutition difficile, symptômes d'appendicite.

EFFETS INDÉSIRABLES

GRAVES

Respiration laborieuse, blocage intestinal (constipation sévère et douloureuse), rash cutané ou démangeaisons, problèmes de déglutition.

COURANTS

On n'a pas signalé d'effet indésirable courant.

MOINS COURANTS

Nausées, vomissements, obstruction intestinale partielle, douleurs ou crampes abdominales.

PYRANTEL (PAMOATE DE)

Présentation : Suspension orale, comprimés, pâte
En vente libre ? Oui **Générique disponible ?** Oui
Classe de médicaments : Antihelminthique

▼ GÉNÉRALITÉS

INDICATIONS
Traitement des infections dues à des parasites tels que vers ronds (*ascaris lubricoides*), oxyures (*enterobius vermicularis*) et ankylostome (*ancylostoma duodenale*). Ce médicament peut servir à traiter plusieurs infections parasitaires à la fois ou d'autres types d'infection selon l'avis du médecin.

MODE D'ACTION
Le pyrantel paralyse le ver qui est évacué dans cet état dans les selles.

▼ MODE D'EMPLOI

POSOLOGIE
Adultes et enfants de plus de 2 ans : 1 dose unique de 11 mg par kilogramme (2,2 lb) de poids corporel, sans dépasser 1 000 mg. La dose peut être répétée après 2 ou 3 semaines si nécessaire (comme c'est souvent le cas pour les oxyures).

DÉBUT D'ACTION
Variable.

DURÉE D'ACTION
Variable.

CONSEILS NUTRITIONNELS
Le pyrantel peut se prendre avec un jus de fruit, du lait ou de la nourriture.

MODE DE CONSERVATION
Dans un contenant étanche, à l'abri de la chaleur, de l'humidité et de la lumière. Il ne faut pas congeler ce médicament.

OUBLI D'UNE DOSE
Prenez-la dès que vous y pensez.

ARRÊT DE LA MÉDICATION
La décision de ne plus prendre ce médicament doit être prise en consultation avec votre médecin.

USAGE PROLONGÉ
Le pyrantel est généralement prescrit pour une dose unique, parfois deux.

▼ PRÉCAUTIONS

Plus de 60 ans. Risque de réactions indésirables plus fréquentes et plus graves.

Conduite automobile, travaux dangereux. À déconseiller tant que vous ne connaissez pas votre réaction au médicament.

Alcool. Pas de précautions spéciales.

Grossesse. Le pyrantel n'est pas recommandé pendant la grossesse. Si vous êtes enceinte ou avez l'intention de le devenir, informez-en le médecin avant d'entreprendre un traitement.

Allaitement. Le pyrantel passe dans le lait maternel ; il faut être prudent. Demandez l'avis de votre médecin.

Nourrissons et enfants. L'utilisation et la posologie pour les bébés de moins de 2 ans doivent être établies par le pédiatre. Le pyrantel n'est pas recommandé chez les bébés de moins de 1 an.

À surveiller. Dans le cas d'une infection causée par un parasite, il faut soigner tous les membres d'une même famille et répéter le traitement au besoin après 2 ou 3 semaines. Les vêtements, les draps et les serviettes doivent être lavés chaque jour et avec un soin particulier le lendemain du traitement. Pour empêcher une réinfection, il faut se laver quotidiennement la région anale, changer de sous-vêtements et de draps tous les jours, et se laver les mains et les ongles avant les repas et après être allé à la selle. Consultez votre médecin si votre état ne s'est pas amélioré après avoir suivi le traitement.

SURDOSAGE
Symptômes. Une surdose au pyrantel est peu probable.

Quoi faire. Si quelqu'un prend une dose beaucoup plus importante que celle qui est recommandée, appelez aussitôt le médecin ou votre centre antipoison, ou allez à l'urgence.

▼ INTERACTIONS

MÉDICAMENT-MÉDICAMENT
Il ne faut pas prendre de pipérazine quand on prend du pyrantel : l'effet des deux médicaments en serait diminué. Demandez l'avis du médecin. Mentionnez-lui aussi tous les autres médicaments que vous prenez, sur ordonnance ou en vente libre.

MÉDICAMENT-ALIMENT
Pas d'interaction connue.

MÉDICAMENT-MALADIE
Il faut être prudent lorsqu'on prend du pyrantel. Demandez l'avis de votre médecin si vous souffrez d'une affection quelconque.

EFFETS INDÉSIRABLES

GRAVES
Rash cutané.

COURANTS
Aucun effet indésirable courant n'a été signalé.

MOINS COURANTS
Douleurs ou crampes dans l'abdomen ou l'estomac, céphalées, étourdissements, diarrhée, somnolence, insomnie, nausées ou vomissements, perte d'appétit.

PYRAZINAMIDE

Indications : Comprimés
En vente libre ? Non **Générique disponible ?** Oui
Classe de médicaments : Agent anti-infectieux/antituberculeux

▼ GÉNÉRALITÉS

INDICATIONS
Traitement de la tuberculose en association avec d'autres agents antituberculeux, comme l'isoniazide, la streptomycine et la rifampine.

MODE D'ACTION
Le pyrazinamide tue la bactérie de la turberculose.

▼ MODE D'EMPLOI

POSOLOGIE
Adultes : 15 à 30 mg par kilogramme (2,2 lb) de poids par jour. Enfants : 30 mg par kilogramme de poids 1 fois par jour, sans dépasser 2 000 mg quotidiennement. On peut aussi l'administrer aux adultes et aux enfants en 2 ou 3 prises hebdomadaires à raison de 50 à 70 mg par kilogramme. Si la fréquence est de 2 fois par semaine, les adultes ne devraient pas dépasser 4 000 mg par dose ; si elle est de 3 fois par semaine, ne pas dépasser 3 000 mg par dose. Les enfants ne devraient pas prendre plus de 2 000 mg par jour, même si la fréquence est de 2 ou 3 fois par semaine.

DÉBUT D'ACTION
Inconnu.

DURÉE D'ACTION
Inconnue.

CONSEILS NUTRITIONNELS
À prendre en mangeant pour réduire l'irritation gastrique.

MODE DE CONSERVATION
Dans un contenant étanche, à l'abri de la chaleur, de l'humidité et de la lumière.

OUBLI D'UNE DOSE
Prenez-la dès que vous y pensez pour maintenir la concentration du médicament dans l'organisme. S'il est presque l'heure de la dose suivante, sautez la dose oubliée et revenez à la fréquence normale. Ne doublez pas la dose suivante.

ARRÊT DE LA MÉDICATION
Effectuez le traitement au complet, comme il vous a été prescrit, même si vous vous sentez mieux. La thérapie peut durer des mois ou des années. La décision de l'interrompre doit être prise par le médecin.

USAGE PROLONGÉ
Demandez à votre médecin s'il y a lieu de faire un suivi avec des examens et des analyses périodiques quand la thérapie est de longue durée. Si les symptômes ne régressent pas ou s'aggravent après 2 ou 3 semaines, consultez le médecin.

▼ PRÉCAUTIONS

Plus de 60 ans. Risques de réactions indésirables plus fréquentes et plus graves.

Conduite automobile, travaux dangereux. Le traitement au pyrazinamide ne devrait pas vous empêcher d'exécuter de telles tâches en toute sécurité.

Alcool. À éviter.

Grossesse. Aucune étude adéquate sur l'être humain n'a été menée. Avant de prendre du pyrazinamide, avertissez le médecin que vous êtes enceinte ou souhaitez le devenir.

Allaitement. Le pyrazinamide passe dans le lait maternel ; la prudence s'impose. Demandez spécifiquement l'avis du médecin.

Nourrissons et enfants. Le pyrazinamide ne semble pas entraîner des effets indésirables différents ou plus graves chez les enfants. Néanmoins, étant donné la gravité de ces effets, le médicament doit être utilisé sous étroite surveillance médicale. Discutez avec le pédiatre de l'utilité du traitement par rapport à ses risques.

À surveiller. Le pyrazinamide peut fausser les valeurs de cétone dans les résultats des tests d'urine chez les diabétiques. Consultez le médecin avant de modifier la posologie du médicament ou votre régime alimentaire. Les patients atteints du VIH peuvent exiger un traitement de plus longue durée.

SURDOSAGE
Symptômes. Résultats anormaux aux tests de la fonction hépatique. Le problème sera détecté par le médecin.

Quoi faire. Il est peu probable qu'une surdose de pyrazinamide mette votre vie en danger. Néanmoins, le cas échéant, appelez immédiatement le médecin ou le centre antipoison, ou allez à l'urgence.

▼ INTERACTIONS

MÉDICAMENT-MÉDICAMENT
Demandez l'avis du médecin pour tous les médicaments que vous prenez, qu'ils soient vendus avec ou sans ordonnance.

MÉDICAMENT-ALIMENT
Aucune interaction connue.

MÉDICAMENT-MALADIE
Consultez le médecin si vous avez des antécédents d'alcoolisme, de diabète ou de goutte. Le pyrazinamide peut entraîner des complications chez les patients atteints de maladie du foie ou des reins, car cet organe contribue à éliminer le médicament de l'organisme.

 EFFETS INDÉSIRABLES

GRAVES
Douleur ou enflure dans les articulations, particulièrement des jambes et des pieds ; nausées, vomissements, faiblesse, fatigue, jaunissement des yeux ou de la peau (symptômes possibles d'hépatite).

COURANTS
Douleurs articulaires, hépatite (voir ci-dessus).

MOINS COURANTS
Éruptions cutanées, démangeaisons, irritation gastrique.

PYRÉTHRINES/PIPÉRONYLE (BUTOXYDE DE)

NOMS COMMERCIAUX

Lice Shampoo, Licetrol, Pronto, R & C
(shampooing revitalisant)

Présentation : Gel, solution pour shampooing, solution topique
En vente libre ? Oui   **Générique disponible ?** Oui
Classe de médicaments : Insecticide topique

▼ GÉNÉRALITÉS

INDICATIONS
Pour traiter les infestations de poux de tête, de corps ou de pubis. Bien que le médicament soit vendu sans ordonnance, votre médecin peut vous donner des directives sur la façon de l'employer.

MODE D'ACTION
Les pyréthrines et le butoxyde de pipéronyle forment une association d'ingrédients actifs qui pénètre dans le corps des parasites dont il entrave l'activité nerveuse et finit par provoquer la paralysie et la mort. (Le médicament n'a pas ces effets toxiques sur les humains.)

▼ MODE D'EMPLOI

POSOLOGIE
Employez 1 fois ; répétez le traitement 1 autre fois 7 à 10 jours plus tard. Gel ou solution : appliquez le médicament en quantité suffisante pour bien mouiller les cheveux, le cuir chevelu ou la peau. Laissez en place 10 minutes puis lavez à l'eau chaude avec du savon ou un shampooing normal. Rincez parfaitement et séchez avec une serviette propre. Shampooing : appliquez le médicament en quantité suffisante pour bien mouiller les cheveux, le cuir chevelu ou la peau. Laissez en place 10 minutes, puis ajoutez un peu d'eau pour mieux faire pénétrer le shampooing dans la région affectée. Rincez et séchez avec une serviette propre. Dans les deux cas, enlevez les parasites morts et les lentes avec un peigne fin.

DÉBUT D'ACTION
En 10 minutes.

DURÉE D'ACTION
Jusqu'à 10 jours.

CONSEILS NUTRITIONNELS
Rien à signaler.

MODE DE CONSERVATION
Dans un contenant étanche, à l'abri de la chaleur et de la lumière, et hors de portée des enfants.

OUBLI D'UNE DOSE
Si vous oubliez la deuxième dose, 10 jours après la première, faites le traitement le plus vite possible.

ARRÊT DE LA MÉDICATION
Effectuez les 2 traitements comme on le recommande, même si vous vous sentez mieux après le premier.

USAGE PROLONGÉ
Si les poux reviennent, consultez le médecin.

▼ PRÉCAUTIONS

Plus de 60 ans. Pas de risques connus.

Conduite automobile, travaux dangereux. Le médicament ne devrait pas vous empêcher d'exécuter de telles tâches en toute sécurité.

Alcool. Pas de précautions spéciales.

Grossesse. Le médicament n'a pas semblé provoquer d'anomalies congénitales ni d'autres problèmes durant la grossesse. Avant de l'employer, dites au médecin que vous êtes enceinte ou voulez le devenir.

Allaitement. La pyréthrine et le butoxyde de pipéronyle peuvent passer dans le lait maternel : la prudence s'impose. Demandez spécifiquement l'avis du médecin.

Nourrissons et enfants. On ne s'attend à aucun problème particulier.

À surveiller. Tous les membres de la famille doivent être examinés et traités au besoin. Vêtements, linge de maison, brosses à cheveux, peignes et linge de lit doivent être parfaitement lavés. Nettoyez soigneusement les meubles, tapis et planchers à l'aspira-

teur. Les sièges de toilette ont aussi besoin d'être fréquemment brossés. Si vous utilisez le médicament contre les poux de pubis, votre partenaire sexuel aura aussi probablement besoin d'être traité. Gardez le médicament loin de la bouche, des yeux et des muqueuses (intérieur du nez ou vagin). N'en respirez pas les vapeurs. Servez-vous-en dans une pièce bien aérée pour éviter toute inhalation.

SURDOSAGE
Symptômes. Dans le cas d'une ingestion accidentelle, ce médicament peut causer nausées, vomissements, paralysie des muscles, convulsions et dépression du système nerveux central.

Quoi faire. Appelez immédiatement le médecin ou le centre antipoison, ou allez à l'urgence.

▼ INTERACTIONS

MÉDICAMENT-MÉDICAMENT
Avant d'employer ce médicament, informez le médecin de tous ceux que vous prenez avec ou sans ordonnance.

MÉDICAMENT-ALIMENT
Aucune interaction connue.

MÉDICAMENT-MALADIE
Consultez le médecin si vous souffrez d'allergie aux ambrosiacées ou d'une grave inflammation de la peau.

 EFFETS INDÉSIRABLES

GRAVES
Irritation de la peau non présente avant le traitement, éruption ou infection cutanées, crise soudaine d'éternuements, congestion nasale ou écoulement nasal, respiration difficile ou sifflante.

COURANTS
Irritation bénigne de la peau ou démangeaisons au lieu d'application.

MOINS COURANTS
Il n'y a pas d'effets indésirables moins courants.

QUÉTIAPINE (FUMARATE DE)

Présentation : Comprimés
En vente libre ? Non   **Générique disponible ?** Non
Classe de médicaments : Antipsychotique

▼ GÉNÉRALITÉS

INDICATIONS
Traitement des symptômes psychotiques (graves troubles mentaux se manifestant par la distorsion de la pensée, des perceptions et des émotions) dans la schizophrénie.

MODE D'ACTION
Bien que son mécanisme d'action ne soit pas élucidé, il semblerait que la quétiapine entrave l'activité des récepteurs de certaines substances naturelles critiques du cerveau (les neurotransmetteurs), produisant ainsi un effet tranquillisant et antipsychotique.

▼ MODE D'EMPLOI

POSOLOGIE
Dose de départ : 25 mg 2 fois par jour. Le 2e et le 3e jour, si le médicament est bien toléré, dose de 50 mg 2 fois par jour. Le 4e jour, un total de 300 mg par jour en 2 ou 3 doses fractionnées. À partir de ce moment, si l'on veut modifier la posologie, il faut procéder par étapes – 25 à 50 mg, de plus ou de moins, 2 fois par jour – et laisser passer 2 jours entre les modifications. Jusqu'à ce jour, les essais cliniques n'ont pas dépassé 800 mg par jour.

DÉBUT D'ACTION
Inconnu.

DURÉE D'ACTION
Inconnue.

CONSEILS NUTRITIONNELS
La quétiapine peut se prendre sans qu'on ait à tenir compte de la nourriture.

MODE DE CONSERVATION
Dans un contenant étanche, à l'abri de la chaleur, de l'humidité et de la lumière.

OUBLI D'UNE DOSE
Prenez-la dès que vous y pensez. S'il est presque l'heure de la suivante, sautez la dose oubliée et reprenez la fréquence normale. Ne doublez pas la dose suivante.

ARRÊT DE LA MÉDICATION
Poursuivez le traitement pour la durée prescrite. La décision d'interrompre le traitement devrait être prise en consultation avec votre médecin.

USAGE PROLONGÉ
L'utilisation à long terme peut entraîner un état potentiellement irréversible, la dyskinésie tardive (mouvements involontaires de la mâchoire, des lèvres et de la langue). Votre médecin doit évaluer l'efficacité du médicament à intervalles réguliers si vous le prenez pendant une longue période de temps. La formation de cataractes étant à craindre, il faut faire évaluer la vision au début du traitement et tous les 6 mois par la suite si ce traitement est chronique.

▼ PRÉCAUTIONS

Plus de 60 ans. Risques de réactions indésirables plus fréquentes et plus graves. Il faut parfois abaisser les doses.

Conduite automobile, travaux dangereux. La quétiapine est susceptible d'affecter vos réflexes. Attendez de connaître votre réaction au médicament avant de vous engager dans des activités exigeant de la vigilance.

Alcool. À éviter.

Grossesse. Il n'y a pas de recherche probante chez les humains. Si vous êtes enceinte, avant de prendre de la quétiapine, évaluez avec votre médecin les risques potentiels et les bénéfices escomptés.

Allaitement. Il se peut que la quétiapine passe dans le lait maternel ; évitez d'en prendre pendant que vous allaitez.

Nourrissons et enfants. Non recommandé chez les moins de 18 ans.

À surveiller. Évitez les grandes chaleurs et les climats chauds. Buvez beaucoup de liquides et tâchez de rester au frais pendant l'été.

SURDOSAGE
Symptômes. Peu de cas ont été rapportés. Les essais cliniques ont montré qu'une surdose amplifie les effets indésirables déjà connus.

Quoi faire. Appelez aussitôt le médecin ou le centre antipoison, ou allez à l'urgence.

▼ INTERACTIONS

MÉDICAMENT-MÉDICAMENT
Demandez l'avis du médecin au sujet de tous vos médicaments d'ordonnance et en vente libre, et en particulier : phénytoïne, kétoconazole, itraconazole, fluconazole, érythromycine, antihypertenseurs, antiparkinsoniens, dépresseurs du système nerveux central.

MÉDICAMENT-ALIMENT
Pas d'interaction connue.

MÉDICAMENT-MALADIE
Faites preuve de prudence en cas d'antécédents de : maladie hépatique, insuffisance rénale, réactions liées à l'hypotension (étourdissements, vertiges, évanouissements, surtout en vous levant), maladie cardiaque, ACV, convulsions.

EFFETS INDÉSIRABLES

GRAVES
Dyskinésie tardive (mouvements involontaires de la mâchoire, des lèvres et de la bouche), amnésie, psychose, hallucinations, paranoïa, illusions, états maniaques, pulsions suicidaires, catatonie, congestion cérébrale, essoufflement, asthme, paralysie d'un côté du corps. Allez sans tarder à l'urgence. Le syndrome neuroleptique malin (forte fièvre, rigidité musculaire, altération de l'état mental, anomalies du rythme cardiaque) peut mener à la mort.

COURANTS
Somnolence, céphalées, étourdissements, constipation.

MOINS COURANTS
Sécheresse de la bouche, hypotension orthostatique, fréquence cardiaque rapide, mauvaise digestion, faiblesse, douleur abdominale, rash cutané, gain subit de poids.

QUINAPRIL (CHLORHYDRATE DE)

Présentation : Comprimés
En vente libre ? Non **Générique disponible ?** Non
Classe de médicaments : Inhibiteur de l'enzyme de conversion de l'angiotensine (ECA)

▼ GÉNÉRALITÉS

INDICATIONS
Traitement de l'hypertension, de l'insuffisance cardiaque congestive et de la dysfonction du ventricule gauche (dommages dans la chambre de pompage du cœur).

MODE D'ACTION
Comme tous les inhibiteurs de l'enzyme de conversion de l'angiotensine (ECA), le quinapril détend et élargit les vaisseaux sanguins en même temps qu'il réduit la rétention de sel, ce qui a pour effet d'abaisser la tension artérielle et d'alléger le travail du cœur.

▼ MODE D'EMPLOI

POSOLOGIE
10 mg, 1 fois par jour. La posologie peut être augmentée à 20 à 40 mg par jour, en 1 ou 2 doses.

DÉBUT D'ACTION
En moins de 1 heure.

DURÉE D'ACTION
24 heures.

CONSEILS NUTRITIONNELS
Peut se prendre avec de la nourriture. Suivez les recommandations de votre médecin pour réduire le sel et le cholestérol dans votre alimentation de manière à mieux gérer la tension artérielle et l'insuffisance cardiaque. Évitez les aliments riches en potassium comme les bananes, les agrumes et les jus d'agrumes, à moins que vous ne preniez en même temps un autre médicament, un diurétique par exemple, qui abaisse les taux de potassium.

MODE DE CONSERVATION
À l'abri de la chaleur et de la lumière.

OUBLI D'UNE DOSE
Prenez-la dès que vous y pensez. S'il est presque l'heure de la suivante, sautez la dose oubliée et reprenez la fréquence normale. Ne doublez pas la dose suivante.

ARRÊT DE LA MÉDICATION
Un arrêt brusque peut causer de graves problèmes de santé. Il faut réduire la posologie graduellement selon les directives du médecin.

USAGE PROLONGÉ
Le traitement pourrait être à vie. Faites-vous suivre régulièrement par votre médecin.

▼ PRÉCAUTIONS

Plus de 60 ans. Pas de précautions spéciales.

Conduite automobile, travaux dangereux. À éviter tant que vous ne connaissez pas les effets du médicament sur vous.

Alcool. Buvez avec modération : l'alcool peut potentialiser l'effet du quinapril et entraîner une chute subite de tension.

Grossesse. L'usage du quinapril pendant les six derniers mois de la grossesse peut causer de graves malformations, voire la mort du fœtus. Cessez de prendre ce médicament dès que vous êtes enceinte ou voulez le devenir.

Allaitement. Le quinapril peut passer dans le lait maternel ; il faut être prudente. Demandez l'avis de votre médecin.

Nourrissons et enfants. L'efficacité et l'innocuité de ce médicament n'ont pas été établies pour ce groupe d'âge : il faut peser les risques et les bénéfices potentiels. Suivez l'avis du pédiatre.

À surveiller. L'œdème angioneurotique, qui se manifeste par l'enflure des lèvres, de la langue et de la gorge, est une complication rare. Il peut éventuellement bloquer le passage de l'air et entraîner la mort.

SURDOSAGE
Symptômes. Aucun symptôme n'a été signalé.

Quoi faire. Une surdose est peu probable. Néanmoins, si la quantité absorbée dépasse de beaucoup la dose recommandée, appelez tout de suite le médecin ou le centre antipoison, ou allez à l'urgence.

▼ INTERACTIONS

MÉDICAMENT-MÉDICAMENT
Demandez l'avis du médecin si vous prenez : diurétiques (surtout diurétiques d'épargne potassique), suppléments de potassium ou médicaments contenant du potassium (lisez l'étiquette), lithium, anticoagulants (warfarine), indométhacine ou autres anti-inflammatoires, tout médicament en vente libre (surtout contre le rhume et pour maigrir).

MÉDICAMENT-ALIMENT
Évitez le lait hyposodique et les succédanés du sel car ces produits contiennent souvent du potassium. Évitez de même les portions généreuses de bananes et d'agrumes.

MÉDICAMENT-MALADIE
Consultez votre médecin si vous avez déjà fait une allergie à un inhibiteur de l'ECA. Il faut utiliser le quinapril avec prudence si l'on souffre d'une maladie rénale avancée ou d'une sténose (rétrécissement) de l'artère rénale.

  **EFFETS INDÉSIRABLES**

GRAVES
Fièvre et frissons ; maux de gorge et enrouement ; difficulté soudaine à respirer ou à avaler ; enflure du visage, de la bouche ou des extrémités ; confusion ; insuffisance rénale (chevilles enflées, miction réduite) ; dysfonction hépatique (jaunissement du blanc des yeux et de la peau) ; intenses démangeaisons ; douleur dans la poitrine ou palpitations ; douleurs abdominales. Les effets graves sont très rares.

COURANTS
Toux sèche et persistante ; céphalées.

MOINS COURANTS
Étourdissements ou évanouissements ; rash cutané ; engourdissements ou fourmillements dans les mains, les pieds ou les lèvres ; fatigue inhabituelle ou faiblesse musculaire ; nausées ; somnolence ; perte du goût.

QUINAPRIL (CHLORHYDRATE DE)/HYDROCHLOROTHIAZIDE

NOM COMMERCIAL

Accuretic

Présentation : Comprimés
En vente libre ? Non **Générique disponible ?** Non
Classe de médicaments : Inhibiteurs de l'ECA/diurétique

▼ GÉNÉRALITÉS

INDICATIONS
Traitement de l'hypertension. S'utilise chez les patients à qui l'on a prescrit du quinapril et de l'hydrochlorothiazide.

MODE D'ACTION
Inhibiteur de l'enzyme de conversion de l'angiotensine (ECA), le quinapril détend et élargit les vaisseaux sanguins en même temps qu'il réduit la rétention de sel, ce qui abaisse la tension artérielle et allège le travail du cœur. L'hydrochlorothiazide (HCTZ), un diurétique, augmente la déplétion d'eau et de sel dans l'urine. En réduisant le volume total de liquides dans le corps, il réduit le volume du sang et la tension artérielle.

▼ MODE D'EMPLOI

POSOLOGIE
Cette association médicamenteuse se présente en deux concentrations : quinapril/hydrochlorothiazide 10/12,5 et 20/12,5. Votre médecin décidera de la posologie.

DÉBUT D'ACTION
En 1 heure pour le quinapril ; en 2 heures pour le HCTZ.

DURÉE D'ACTION
24 heures pour le quinapril ; 6 à 12 heures pour le HCTZ.

CONSEILS NUTRITIONNELS
Suivez les conseils de votre médecin pour réduire le sel et le cholestérol dans votre alimentation de manière à mieux gérer la tension artérielle et l'insuffisance cardiaque.

MODE DE CONSERVATION
Dans un contenant étanche, à l'abri de la chaleur, de l'humidité et de la lumière.

OUBLI D'UNE DOSE
Prenez-la dès que vous y pensez. S'il est presque l'heure de la suivante, sautez la dose oubliée et reprenez la fréquence normale. Ne doublez pas la dose suivante.

ARRÊT DE LA MÉDICATION
Un arrêt brusque peut causer de graves problèmes de santé. Il faut réduire la posologie graduellement selon les directives du médecin.

USAGE PROLONGÉ
Il peut s'agir d'un traitement à vie. Faites des suivis réguliers chez votre médecin.

▼ PRÉCAUTIONS

Plus de 60 ans. Risque de réactions indésirables plus fréquentes et plus graves.

Conduite automobile, travaux dangereux. À éviter tant que vous ne connaissez pas les effets du médicament.

Alcool. Buvez avec modération car l'alcool peut potentialiser l'effet du médicament et causer une chute excessive de tension. Voyez le médecin.

Grossesse. L'utilisation de ce médicament pendant les six derniers mois de grossesse peut causer de graves malformations, voire la mort du fœtus. Si vous êtes enceinte ou voulez le devenir, prévenez votre médecin.

Allaitement. Le quinapril et l'hydrochlorothiazide peuvent passer dans le lait maternel ; il faut être prudente. Demandez l'avis de votre médecin.

Nourrissons et enfants. Non recommandé chez les moins de 18 ans.

À surveiller. L'œdème angioneurotique, qui se manifeste par l'enflure des lèvres, de la langue et de la gorge, est une complication rare. Il peut bloquer le passage de l'air et entraîner la mort.

SURDOSAGE
Symptômes. Aucun cas n'a été rapporté. Symptômes présumés : étourdissements, faiblesses ou confusion.

Quoi faire. Une surdose est peu probable. Néanmoins, si la quantité absorbée dépasse de beaucoup la dose recommandée, appelez tout de suite le médecin ou le centre antipoison, ou allez à l'urgence.

▼ INTERACTIONS

MÉDICAMENT-MÉDICAMENT
Demandez l'avis du médecin si vous prenez : cholestyramine, tétracycline, colestipol, corticostéroïdes, digoxine, antidiabétiques, lithium, médicaments ou suppléments contenant du potassium, tout médicament vendu en vente libre (en particulier contre le rhume et pour maigrir).

MÉDICAMENT-ALIMENT
Évitez le lait hyposodique et les succédanés du sel qui renferment souvent du potassium.

MÉDICAMENT-MALADIE
Consultez votre médecin si vous souffrez d'un lupus érythémateux disséminé ou si vous avez déjà fait une allergie à un inhibiteur de l'ECA. Ce médicament exige de la prudence en cas de dysfonction hépatique et n'est pas recommandé s'il y a maladie de reins grave. Parce qu'il augmente les triglycérides dans le sang, il peut élever la glycémie chez les diabétiques.

 **EFFETS INDÉSIRABLES**

GRAVES
Fièvre et frissons ; maux de gorge ; difficulté soudaine à respirer ou à avaler ; enflure du visage, de la bouche ou des extrémités ; insuffisance rénale (chevilles enflées, miction réduite) ; confusion ; jaunisse ; démangeaisons intenses ; douleur thoracique ou rythme cardiaque irrégulier ; douleurs abdominales. Les effets graves sont rares.

COURANTS
Toux sèche et persistante ; somnolence ; céphalées.

MOINS COURANTS
Étourdissements ou évanouissements ; rash cutané ; engourdissements ou fourmillements dans les mains, les pieds ou les lèvres ; bleuissement de la peau des mains par temps froid (syndrome de Raynaud) ; fatigue inhabituelle ou faiblesse musculaire ; nausées ; perte du goût ; rêves inhabituels.

QUINIDINE

Présentation : Gélules, comprimés, comprimés à libération lente
En vente libre ? Non   **Générique disponible ?** Oui
Classe de médicaments : Antiarythmique

▼ GÉNÉRALITÉS

INDICATIONS
Pour corriger l'arythmie cardiaque (battements irréguliers du cœur).

MODE D'ACTION
La quinidine stabilise le rythme cardiaque en ralentissant les impulsions nerveuses dans le cœur en même temps qu'elle réduit la sensibilité du tissu cardiaque à certaines de ces impulsions.

▼ MODE D'EMPLOI

POSOLOGIE
Gélules et comprimés – Adultes : 200 à 300 mg 3 à 4 fois par jour. Comprimés à libération lente – Adultes : 300 à 600 mg aux 8 à 12 heures.

DÉBUT D'ACTION
En 1 à 3 heures.

DURÉE D'ACTION
6 à 8 heures.

CONSEILS NUTRITIONNELS
Les formes orales se prennent habituellement avec un grand verre d'eau 1 heure avant un repas ou 2 heures après. Mais on peut absorber en même temps un aliment ou du lait pour éviter d'irriter l'estomac.

MODE DE CONSERVATION
Dans un contenant étanche, à l'abri de la chaleur et de la lumière.

OUBLI D'UNE DOSE
Prenez-la dès que vous y pensez. S'il est presque l'heure de la suivante, sautez la dose oubliée et reprenez la fréquence normale, telle qu'elle vous a été prescrite. Ne doublez pas la dose suivante.

ARRÊT DE LA MÉDICATION
Poursuivez le traitement pour toute la durée qui vous a été prescrite, même si vous commencez à vous sentir mieux dans l'intervalle. La décision d'arrêter la médication doit être prise par votre médecin.

USAGE PROLONGÉ
Le traitement est parfois à vie. En cas d'usage prolongé, faites des visites régulières chez le médecin pour subir des examens et des analyses.

▼ PRÉCAUTIONS

Plus de 60 ans. Risques de réactions indésirables plus fréquentes et plus graves.

Conduite automobile, travaux dangereux. À déconseiller tant que vous ne connaissez pas votre réaction au médicament.

Alcool. Pas de précautions spéciales.

Grossesse. Au cours des recherches animales, un médicament apparenté, la quinine, a causé des malformations congénitales. Il n'y a pas eu de recherches en ce sens avec la quinidine. Avant d'en prendre, informez votre médecin si vous êtes enceinte ou voulez le devenir.

Allaitement. La quinidine passe dans le lait maternel ; il faut exercer de la prudence. Demandez spécifiquement l'avis du médecin.

Nourrissons et enfants. La forme orale à libération lente n'est pas recommandée pour les enfants.

À surveiller. La quinidine peut rendre sensible à la lumière : vous pourriez devoir porter des lunettes de soleil aussi bien dans la maison que dehors.

SURDOSAGE
Symptômes. Léthargie, confusion, céphalées, convulsions, étourdissements, vomissements, douleurs à l'estomac, problèmes de vision ou d'ouïe, évanouissements, très grande faiblesse ou fatigue, difficultés respiratoires, perte de conscience.

Quoi faire. Appelez tout de suite votre médecin ou un centre antipoison, ou allez à l'urgence.

▼ INTERACTIONS

MÉDICAMENT-MÉDICAMENT
Évitez autant que possible les diurétiques pour ne pas abaisser votre taux de potassium. Demandez l'avis du médecin si vous prenez : digoxine, phénobarbital, phénytoïne, anticoagulants, autres médicaments pour le cœur, antiacides, acétazolamide ou pimozide.

MÉDICAMENT-ALIMENT
Pas d'interaction connue.

MÉDICAMENT-MALADIE
Demandez l'avis de votre médecin en cas de : asthme, emphysème, tout type d'infection, myasthénie grave, hyperthyroïdie, psoriasis. La quinidine peut entraîner des complications chez les patients qui ont une maladie du foie ou des reins car ces organes contribuent à éliminer le médicament de l'organisme.

≡ EFFETS INDÉSIRABLES ≡

GRAVES
Étourdissements, vertiges ou évanouissements ; altérations de la vision ; fièvre ; graves céphalées ; tintements ou bourdonnements d'oreilles ; perte de l'ouïe ; rash cutané ou urticaire ; respiration haletante ou sifflante ; tachycardie ; ecchymoses ou saignements inhabituels ; fatigue inexplicable.

COURANTS
Diarrhée, perte d'appétit, goût amer, rougeurs ou démangeaisons de la peau, nausées, vomissements, douleurs ou crampes à l'estomac.

MOINS COURANTS
Confusion mentale, rash cutané.

RALOXIFÈNE (CHLORHYDRATE DE)

NOM COMMERCIAL

Evista

Présentation : Comprimés
En vente libre ? Non   **Générique disponible ?** Non
Classe de médicaments : Modulateur sélectif des récepteurs estrogéniques (MSRE)

▼ GÉNÉRALITÉS

INDICATIONS
Traitement et prévention de l'ostéoporose chez les femmes ménopausées. À la différence de l'œstrogène, le raloxifène ne stimule pas un excès de croissance de l'endomètre (paroi de l'utérus) et par conséquent n'augmente pas les risques de cancer de l'utérus.

MODE D'ACTION
Le tissu d'un os sain se renouvelle constamment, en se désagrégeant pour ensuite se reformer ; les minéraux et autres éléments qu'il renferme sont résorbés par certaines cellules pour faire place à du nouveau tissu. Le raloxifène diminue l'activité des cellules causant la résorption ; le processus de résorption étant ralenti par rapport au processus de reformation, l'os conserve sa densité et sa force.

▼ MODE D'EMPLOI

POSOLOGIE
1 comprimé de 60 mg, 1 fois par jour.

DÉBUT D'ACTION
Inconnu.

DURÉE D'ACTION
Inconnue.

CONSEILS NUTRITIONNELS
Le raloxifène peut se prendre n'importe quand dans la journée, sans égard à l'horaire des repas. On conseille aussi des suppléments de calcium et de vitamine D pour stimuler la formation osseuse.

MODE DE CONSERVATION
Dans un contenant étanche, à l'abri de la chaleur, de l'humidité et de la lumière.

OUBLI D'UNE DOSE
Si vous sautez une journée par mégarde, ne doublez pas la dose le lendemain.

ARRÊT DE LA MÉDICATION
La décision d'arrêter le traitement devrait être prise en consultation avec votre médecin.

USAGE PROLONGÉ
L'innocuité et l'efficacité de ce médicament n'ont pas été établies sur plus de trois ans.

▼ PRÉCAUTIONS

Plus de 60 ans. Pas de conseils particuliers.

Conduite automobile, travaux dangereux. Pas de précautions spéciales.

Alcool. L'alcool est un facteur de risque de l'ostéoporose : les femmes présentant un risque élevé d'ostéoporose devraient par conséquent restreindre leur consommation.

Grossesse. Normalement, le raloxifène n'est pas prescrit aux femmes avant la ménopause. Il ne devrait pas être donné à une femme enceinte.

Allaitement. Le raloxifène ne devrait pas être utilisé par une femme qui allaite.

Nourrissons et enfants. Ne convient pas aux enfants.

À surveiller. Les personnes à qui l'on prescrit du raloxifène sont encouragées à faire régulièrement de la levée de poids, à éviter la cigarette et à restreindre leur consommation d'alcool. À la différence d'un traitement à l'œstrogène, le raloxifène ne diminue pas les bouffées de chaleur chez les femmes ménopausées. En cas d'immobilisation forcée (à la suite d'une chirurgie, par exemple), il faut cesser de prendre ce médicament 72 heures à l'avance et ne recommencer que lorsque la personne a retrouvé sa mobilité complète.

SURDOSAGE
Symptômes. Aucun cas de surdose n'a été rapporté.

Quoi faire. Il y a peu de risque de surdose avec le raloxifène. Si la quantité absorbée dépasse de beaucoup la posologie prescrite, appelez votre médecin.

▼ INTERACTIONS

MÉDICAMENT-MÉDICAMENT
Il ne faut pas prendre d'œstrogène en même temps que du raloxifène. La cholestyramine nuit à l'absorption du raloxifène : il ne faut pas prendre ces deux médicaments au même moment de la journée. Consultez votre médecin si vous prenez les médicaments suivants, car ils sont susceptibles d'interagir avec le raloxifène : clofibrate, indométhacine, naproxène, ibuprofène, diazépam et diazoxide.

MÉDICAMENT-ALIMENT
Pas d'interaction connue.

MÉDICAMENT-MALADIE
Vous ne devriez pas prendre de raloxifène si vous avez déjà souffert d'une maladie thromboembolique telle que thrombose profonde d'une veine, embolie pulmonaire, thrombose de la veine rétinienne. Il faut être prudent en cas d'insuffisance hépatique : demandez l'avis de votre médecin.

 EFFETS INDÉSIRABLES

GRAVES
Aucun effet indésirable grave n'a été signalé.

COURANTS
Crampes dans les jambes, fréquentes infections, symptômes grippaux, bouffées de chaleur, douleurs articulaires, sinusite, gain de poids inexplicable.

MOINS COURANTS
Douleurs légères dans la poitrine, fièvre, migraines, troubles de la digestion, vomissements, flatulences, dérangements d'estomac, enflure des jambes et des pieds, douleurs musculaires, insomnie, maux de gorge, toux, pneumonie, laryngite, rash cutané, sueurs, infection à levures, infection des voies urinaires, pertes blanches.

RAMIPRIL

Présentation : Comprimés
En vente libre ? Non   **Générique disponible ?** Non
Classe de médicaments : Inhibiteur de l'enzyme de conversion de l'angiotensine (ECA)

▼ GÉNÉRALITÉS

INDICATIONS
Contrôle de l'hypertension ; traitement après un infarctus du myocarde, ou une dysfonction ventriculaire gauche (dommages dans la chambre de pompage du cœur).

MODE D'ACTION
Les inhibiteurs de l'enzyme de conversion de l'angiotensine (ECA) bloquent l'activité de l'enzyme qui produit l'angiotensine, substance qui entraîne la contraction des vaisseaux et stimule la production d'aldostérone, qui retient le sodium dans les tissus. Donc, les inhibiteurs de l'ECA détendent les vaisseaux sanguins et réduisent la rétention de sodium, ce qui fait baisser la tension artérielle et allège le travail du cœur.

▼ MODE D'EMPLOI

POSOLOGIE
2,5 mg à 20 mg par jour, en 1 ou 2 doses.

DÉBUT D'ACTION
En 1 à 2 heures.

DURÉE D'ACTION
24 heures.

CONSEILS NUTRITIONNELS
Le ramipril se prend avec ou sans nourriture. Suivez les recommandations de votre médecin pour réduire le sel et le cholestérol dans votre alimentation afin de prévenir l'hypertension artérielle et l'insuffisance cardiaque. Évitez les aliments à haute teneur en potassium (bananes, agrumes et jus d'agrumes), à moins que vous ne preniez des médicaments, comme les diurétiques, qui abaissent les niveaux de potassium.

MODE DE CONSERVATION
Dans un contenant étanche, à l'abri de la chaleur et de la lumière.

OUBLI D'UNE DOSE
Prenez-la dès que vous y pensez. S'il est presque l'heure de la suivante, sautez la dose oubliée et reprenez la fréquence normale. Ne doublez pas la dose suivante.

ARRÊT DE LA MÉDICATION
N'arrêtez pas brusquement ce médicament : il pourrait en résulter de graves problèmes de santé. Il faut réduire la posologie graduellement, sous surveillance du médecin.

USAGE PROLONGÉ
Le traitement est parfois à vie. En cas d'usage prolongé, faites des visites régulières chez le médecin pour subir des examens et des analyses.

▼ PRÉCAUTIONS

Plus de 60 ans. Pas de conseils particuliers.

Conduite automobile, travaux dangereux. À déconseiller tant que vous ne connaissez pas votre réaction au médicament.

Alcool. Buvez avec modération : l'alcool peut potentialiser l'effet du ramipril et entraîner une chute subite de tension. Demandez l'avis du médecin.

Grossesse. L'utilisation du ramipril pendant les six derniers mois de la grossesse peut causer de graves malformations, voire la mort du fœtus. Cessez de prendre ce médicament dès vous êtes enceinte ou voulez le devenir.

Allaitement. Le ramipril peut passer dans le lait maternel ; la prudence s'impose. Demandez l'avis du médecin.

Nourrissons et enfants. Les enfants peuvent se montrer particulièrement sensibles aux effets de ce médicament. Il faut peser les risques et les bénéfices potentiels. Suivez l'avis du pédiatre.

À surveiller. Il peut y avoir une complication rare : l'œdème angioneurotique (qui se caractérise par l'enflure des lèvres, de la langue et de la gorge).

SURDOSAGE
Symptômes. Étourdissements ou faiblesses en raison d'une très basse tension artérielle.

Quoi faire. Réclamez sans tarder l'aide d'un médecin.

▼ INTERACTIONS

MÉDICAMENT-MÉDICAMENT
Demandez l'avis du médecin si vous prenez : diurétiques (surtout diurétiques d'épargne potassique), suppléments de potassium ou médicaments en contenant (lisez l'étiquette), lithium, anticoagulants (warfarine), indométhacine ou autres anti-inflammatoires, tout médicament en vente libre (surtout contre le rhume et pour maigrir).

MÉDICAMENT-ALIMENT
Évitez le lait hyposodique et les succédanés du sel car ces produits contiennent souvent du potassium. Évitez aussi les portions trop généreuses de bananes et d'agrumes.

MÉDICAMENT-MALADIE
Consultez votre médecin si vous avez déjà fait une allergie à un inhibiteur de l'ECA. Il faut faire preuve de prudence si l'on souffre d'une maladie rénale avancée ou d'une sténose (rétrécissement) de l'artère rénale.

EFFETS INDÉSIRABLES

GRAVES
Fièvre, frissons ; mal de gorge, enrouement ; difficulté à respirer ou à avaler ; enflure du visage, de la bouche ou des extrémités ; confusion ; insuffisance rénale (chevilles enflées, miction réduite) ; dysfonction hépatique (jaunissement du blanc des yeux et de la peau) ; démangeaisons ; douleur thoracique, palpitations ; douleur abdominale.

COURANTS
Toux sèche et persistante, céphalées.

MOINS COURANTS
Étourdissements ou évanouissements ; rash cutané ; engourdissement ou fourmillements dans les mains, les pieds ou les lèvres ; fatigue inhabituelle ou faiblesse musculaire ; nausées ; somnolence ; perte du goût.

RANITIDINE

NOMS COMMERCIAUX

Alti-Ranitidine,
Apo-Ranitidine,
Dom-Ranitidine,
Gen-Ranitidine, Novo-
Ranidine, Nu-Ranit,
PMS-Ranitidine,
Scheinpharm Ranitidine,
Zantac, Zantac 75

Présentation : Gélules, comprimés, injections, solution
En vente libre ? Oui   **Générique disponible ?** Oui
Classe de médicaments : Antagoniste des récepteurs H2 de l'histamine

▼ GÉNÉRALITÉS

INDICATIONS
Traitement des ulcères gastro-duodénaux, des affections dans lesquelles il y a augmentation de la production d'acide dans l'estomac (syndrome de Zolling-Ellison), de l'œsophagite érosive (grave inflammation chronique de l'œsophage) et du reflux œsophagien (remontée du contenu acide de l'estomac dans l'œsophage, qui cause des brûlures gastriques).

MODE D'ACTION
En entravant l'action de l'histamine (substance naturelle de l'organisme), la ranitidine diminue les sécrétions d'acide chlorhydrique dans l'estomac et favorise ainsi le processus de la guérison.

▼ MODE D'EMPLOI

POSOLOGIE
Adultes – Formes orales : 150 mg, 2 fois par jour, matin et soir, ou 300 mg, 1 seule fois au coucher. La posologie peut être augmentée à 150 mg, 4 fois par jour. Injections : 50 mg aux 6 à 8 heures. Syndrome de Zollinger-Ellison : jusqu'à 6 g par jour, par voie orale. Brûlures d'estomac (forme orale en vente libre) : 75 mg au besoin, sans dépasser 150 mg par jour. Enfants – Le pédiatre établira la posologie.

DÉBUT D'ACTION
En 30 à 60 minutes.

DURÉE D'ACTION
Jusqu'à 13 heures.

CONSEILS NUTRITIONNELS
Évitez les aliments qui irritent l'estomac.

MODE DE CONSERVATION
À l'abri de la chaleur et de la lumière. La forme liquide ne se congèle pas.

OUBLI D'UNE DOSE
Prenez-la dès que vous y pensez. S'il est presque l'heure de la suivante, sautez la dose oubliée et reprenez la fréquence normale. Ne doublez pas la dose suivante.

ARRÊT DE LA MÉDICATION
Respectez la posologie et la durée prescrites, même si vous commencez à vous sentir mieux dans l'intervalle.

USAGE PROLONGÉ
Avec la ranitidine en vente libre, ne dépassez pas 2 semaines à moins d'avis contraire de votre médecin.

▼ PRÉCAUTIONS

Plus de 60 ans. Risques de réactions indésirables plus fréquentes et plus graves.

Conduite automobile, travaux dangereux. À déconseiller tant que vous ne connaissez pas votre réaction au médicament.

Alcool. À éviter. La ranitidine peut augmenter le taux d'alcool dans le sang.

Grossesse. Les risques varient en fonction de la patiente et de la posologie. Consultez votre médecin.

Allaitement. La ranitidine peut passer dans le lait maternel et nuire à l'enfant. N'en prenez pas si vous allaitez.

Nourrissons et enfants. La ranitidine n'est pas recommandée chez les jeunes, bien qu'on n'ait pas observé dans leur cas d'effets indésirables ou de problèmes différents des adultes, si le traitement est de courte durée.

À surveiller. Évitez la cigarette car elle peut favoriser la sécrétion d'acide dans l'estomac et aggraver la maladie. Ne prenez pas de ranitidine si vous avez déjà fait une allergie à un antagoniste des récepteurs H2 de l'histamine. Si vos douleurs d'estomac s'intensifient en cours de traitement, avertissez immédiatement votre médecin.

SURDOSAGE
Symptômes. Vomissements, diarrhée, difficultés respiratoires, diction empâtée, tachycardie, délire.

Quoi faire. Appelez immédiatement votre médecin ou le centre antipoison, ou allez à l'urgence.

▼ INTERACTIONS

MÉDICAMENT-MÉDICAMENT
Demandez l'avis du médecin si vous prenez : antiacides, antidépresseurs, AAS, bêta-bloquant, caféine, diazépam, kétoconazole, lidocaïne, phénytoïne, procaïnamide, théophylline ou warfarine.

MÉDICAMENT-ALIMENT
Boissons gazeuses, agrumes et jus d'agrumes, boissons à la caféine, et tout aliment ou boisson acide peuvent irriter l'estomac et nuire à l'action thérapeutique de la ranitidine.

MÉDICAMENT-MALADIE
Les personnes souffrant d'insuffisance rénale ne devraient pas prendre de ranitidine, ou en prendre en très petites doses sous étroite surveillance médicale.

 EFFETS INDÉSIRABLES

GRAVES
Rythme cardiaque irrégulier (palpitations) ; bradycardie ; rares problèmes sanguins se traduisant par des saignements inhabituels, des ecchymoses, de la fièvre et des frissons, une sensibilité accrue aux infections.

COURANTS
Céphalées, lassitude, somnolence, étourdissements, nausées, vomissements, douleurs abdominales, diarrhée, constipation.

MOINS COURANTS
Vision embrouillée, diminution de la libido ou de la fonction sexuelle, gonflement des seins (hommes et femmes), chutes passagères de cheveux, hallucinations, dépression, insomnie, rash cutané, urticaire, rougeurs de la peau.

REPAGLINIDE

Présentation : Comprimés
En vente libre ? Non   **Générique disponible ?** Non
Classe de médicaments : Antidiabétique

▼ GÉNÉRALITÉS

INDICATIONS
Traitement d'appoint au régime alimentaire et à l'exercice pour diminuer la glycémie chez les patients atteints de diabète sucré de type II. La repaglinide est le premier d'une nouvelle catégorie d'antidiabétiques oraux servant à contrôler les taux de glucose après les repas.

MODE D'ACTION
La repaglinide stimule la production d'insuline par le pancréas. Les taux d'insuline plus élevés abaissent le glucose dans le sang en l'acheminant vers les cellules des muscles et autres tissus où il devient source d'énergie. Son action rapide et de courte durée font de la repaglinide un remède efficace pour contrôler la glycémie après les repas.

▼ MODE D'EMPLOI

POSOLOGIE
La posologie doit être établie en fonction des niveaux de glucose sanguin de chaque patient et de sa réponse au médicament. La dose recommandée se situe entre 0,5 et 4 mg à prendre 15 à 30 minutes avant chaque repas. La repaglinide peut être prise 2, 3 ou 4 fois par jour, selon les habitudes alimentaires de chacun. La dose maximale recommandée est de 16 mg par jour.

DÉBUT D'ACTION
En 30 à 60 minutes.

DURÉE D'ACTION
1 à 2 heures.

CONSEILS NUTRITIONNELS
Il faut prendre les doses 15 à 30 minutes avant les repas.

MODE DE CONSERVATION
Dans un contenant étanche, à l'abri de la chaleur, de l'humidité et de la lumière.

OUBLI D'UNE DOSE
Attendez le prochain repas. Ne doublez pas la dose suivante.

EFFETS INDÉSIRABLES

GRAVES
Hypoglycémie (taux de glucose sanguin insuffisants) provoquant tremblements, céphalées, sueurs froides, anxiété, modifications de l'état mental. Hâtez-vous d'ingérer un aliment ou une boisson sucrés. Signalez à votre médecin l'incidence et la fréquence de ces épisodes hypoglycémiques.

COURANTS
Incidence plus fréquente d'infections des voies respiratoires supérieures et des sinus, céphalées, maux de dos, douleurs articulaires, diarrhée.

MOINS COURANTS
Constipation, troubles de la digestion, infection des voies urinaires, réactions allergiques mineures.

ARRÊT DE LA MÉDICATION
N'arrêtez pas le médicament sans l'accord du médecin.

USAGE PROLONGÉ
Un traitement prolongé augmente les risques d'effets indésirables. Examens et analyses sanguines sont recommandés pour surveiller les taux de glucose sanguin.

▼ PRÉCAUTIONS

Plus de 60 ans. Risques de réactions indésirables plus fréquentes et plus graves, en particulier l'hypoglycémie.

Conduite automobile, travaux dangereux. Attendez d'avoir trouvé la posologie qui vous mette à l'abri d'un incident d'hypoglycémie.

Alcool. À limiter. L'alcool peut déclencher l'hypoglycémie.

Grossesse. La repaglinide n'est pas prescrite en général pendant la grossesse. L'insuline est le traitement habituel pour une patiente diabétique enceinte.

Allaitement. La repaglinide peut passer dans le lait maternel ; demandez l'avis du médecin.

Nourrissons et enfants. Innocuité et efficacité non établies dans ce groupe d'âge.

À surveiller. Suivez les directives de votre médecin au sujet de votre alimentation, de l'exercice et de votre poids. Ces aspects de votre traitement revêtent autant d'importance que la prise du médicament. Ayez toujours sur vous une fiche médicale signalant que vous êtes diabétique et donnant la liste de vos médicaments.

SURDOSAGE
Symptômes. Faim excessive, nausée, anxiété, sueurs froides, somnolence, tachycardie, faiblesse, changement dans l'état mental, perte de conscience (signes d'hypoglycémie). Une surdose risque davantage de se produire en cas de déficience calorique, pendant ou après une séance d'exercice intense ou lors de la consommation d'alcool.

Quoi faire. Allez immédiatement à l'urgence.

▼ INTERACTIONS

MÉDICAMENT-MÉDICAMENT
Consultez le médecin si vous prenez : antifongiques (kétoconazole, miconazole), antibiotiques, rifampine, barbituriques, carbamazépine, AAS ou autres AINS, sulfamides, chloramphénicol, probénécide, IMAO, bêta-bloquants, diurétiques, corticostéroïdes, phénothiazines, œstrogènes, contraceptifs oraux, phénytoïne, bloqueurs des canaux calciques, sympathomimétiques, isoniazide.

MÉDICAMENT-ALIMENT
Le régime est essentiel au contrôle du glucose sanguin.

MÉDICAMENT-MALADIE
Ne prenez pas de repaglinide si vous souffrez de diabète insulino-dépendant, ou diabète du type I. Des complications peuvent se produire chez les patients souffrant de dysfonction hépatique.

RICIN (HUILE DE)

NOMS COMMERCIAUX

Huile de ricin,
Huile de ricin à saveur
de menthe,
Neoloid en émulsion

Présentation : Solution orale, émulsion
En vente libre ? Oui   **Générique disponible ?** Oui
Classe de médicaments : Laxatif stimulant

▼ GÉNÉRALITÉS

INDICATIONS
Traitement ponctuel de la constipation.

MODE D'ACTION
L'huile de ricin stimule les contractions musculaires dans la paroi de l'intestin, qui entraînent le passage des selles.

▼ MODE D'EMPLOI

POSOLOGIE
La posologie varie selon les divers produits. La dose typique est de 15 ml pour les adultes et les adolescents. L'huile de ricin devrait se prendre tôt dans la journée car ses effets laxatifs sont imprévisibles et pourraient autrement interférer avec le sommeil.

DÉBUT D'ACTION
En 2 à 6 heures.

DURÉE D'ACTION
Variable.

CONSEILS NUTRITIONNELS
Un laxatif peut renfermer de grandes quantités de sodium ou de sucre. Les intestins ont plus de chances de fonctionner régulièrement lorsque le régime prévoit beaucoup de liquide (de 6 à 8 verres pleins de 200 ml par jour), des céréales complètes, du son, des fruits et des légumes.

MODE DE CONSERVATION
Dans un contenant étanche, à l'abri de la chaleur, de l'humidité et de la lumière. Ne congelez pas l'huile de ricin.

OUBLI D'UNE DOSE
Si vous fonctionnez selon une fréquence prescrite, prenez la dose oubliée dès que vous y pensez, à moins que la suivante soit prévue dans moins de 2 heures. Dans ce cas, ne prenez pas la dose oubliée et attendez plutôt l'heure de la prochaine dose sans doubler celle-ci. Reprenez ensuite votre horaire régulier.

ARRÊT DE LA MÉDICATION
Poursuivez le traitement pour la durée prescrite. Toutefois, si vous vous sentez mieux avant le délai prévu, vous pouvez cesser le traitement.

USAGE PROLONGÉ
N'utilisez pas l'huile de ricin pendant plus de 3 à 5 jours sans en informer votre médecin. L'utilisation prolongée ou exagérée d'huile de ricin peut augmenter le risque d'effets indésirables, dont la dépendance au laxatif.

▼ PRÉCAUTIONS

Plus de 60 ans. Risque d'effets indésirables plus fréquents et plus prononcés.

Conduite automobile, travaux dangereux. À déconseiller tant que vous ne connaissez pas vos réactions au médicament.

Alcool. À éviter lorsque vous prenez de l'huile de ricin.

Grossesse. L'huile de ricin peut causer des contractions prématurées : il faut donc éviter d'en prendre en cours de grossesse.

Allaitement. Une femme qui allaite peut prendre de l'huile de ricin.

Nourrissons et enfants. Il ne faut pas donner de laxatifs à un enfant de moins de 6 ans, à moins de prescription par un médecin.

À surveiller. L'omission d'une selle de temps à autre ne constitue pas de la constipation ; ne prenez pas d'huile de ricin dans un cas comme celui-là. Si la constipation persiste ou si la défécation est douloureuse, consultez votre médecin pour obtenir une évaluation. Discutez avec votre médecin ou votre pharmacien des autres laxatifs que vous pouvez prendre.

SURDOSAGE
Symptômes. On n'a rapporté aucun cas de surdose avec l'huile de ricin.

Quoi faire. Il y a peu de risque qu'une surdose d'huile de ricin mette votre vie en danger. Toutefois, une personne qui aurait pris une dose beaucoup plus importante que prévue devrait communiquer avec son médecin.

▼ INTERACTIONS

MÉDICAMENT-MÉDICAMENT
Ne prenez pas de médicament sur ordonnance dans les 2 heures qui suivent ou qui précèdent la prise d'un laxatif car celui-ci peut diminuer les effets escomptés de l'autre médicament. Demandez l'avis spécifique du médecin si vous prenez des digitaliques ou un diurétique.

MÉDICAMENT-ALIMENT
Pas d'interaction connue.

MÉDICAMENT-MALADIE
Il faut être prudent lorsqu'on prend de l'huile de ricin. Ne prenez pas de laxatif si vous éprouvez l'un des symptômes suivants : douleurs dans l'estomac ou dans l'abdomen, surtout avec de la fièvre ; spasmes intestinaux ; abdomen gonflé ou distendu ; nausées ou vomissements. Consultez votre médecin en présence de : douleurs abdominales avec fièvre, saignements au rectum, ostomie (ouverture artificielle pratiquée dans le corps pour permettre le passage de l'urine ou des fèces), diabète, maladie cardiaque ou rénale, hypertension.

≡ EFFETS INDÉSIRABLES ≡

GRAVES
Confusion, arythmie, crampes musculaires.

COURANTS
Dépendance aux laxatifs, rash cutané, crampes d'estomac, éructations, diarrhées, nausées.

MOINS COURANTS
Fatigue ou faiblesse.

RIFABUTINE

NOM COMMERCIAL

Mycobutin

Présentation : Gélules
En vente libre ? Non   **Générique disponible ?** Non
Classe de médicaments : Anti-infectieux

▼ GÉNÉRALITÉS

INDICATIONS
Prévention d'une maladie du complexe Mycobacterium avium, semblable à la tuberculose, chez les patients gravement atteints du sida. La rifabutine peut être associée à d'autres médicaments. Elle est utilisée parfois dans le traitement de la tuberculose.

MODE D'ACTION
La rifabutine entrave l'activité des enzymes nécessaires à la réplication de l'ARN (acide ribonucléique) dans les cellules bactériennes, les empêchant de se reproduire.

▼ MODE D'EMPLOI

POSOLOGIE
Adultes et adolescents : 300 mg, 1 fois par jour, ou 150 mg, 2 fois par jour. Des doses supérieures ou inférieures sont parfois prescrites si la rifabutine est associée à des antiviraux.

DÉBUT D'ACTION
Inconnu.

DURÉE D'ACTION
Inconnue.

CONSEILS NUTRITIONNELS
La rifabutine peut se prendre à jeun ou avec de la nourriture. En présence de nausées et de vomissements ou si vous êtes incapable d'avaler les gélules, leur contenu peut être mélangé à des aliments comme de la purée de pommes.

MODE DE CONSERVATION
Dans un contenant étanche, à l'abri de la chaleur, de l'humidité et de la lumière.

OUBLI D'UNE DOSE
Prenez-la dès que vous y pensez pour maintenir la concentration du médicament dans l'organisme. S'il est presque l'heure de la suivante, sautez la dose oubliée et reprenez la fréquence normale. Ne doublez pas la dose suivante.

ARRÊT DE LA MÉDICATION
Effectuez le traitement au complet, comme il vous a été prescrit, même si vous vous sentez mieux avant qu'il ne prenne fin. Le traitement peut durer des mois ou des années. La décision d'y mettre fin doit être prise par votre médecin.

USAGE PROLONGÉ
Le traitement doit souvent se prolonger ; demandez au médecin s'il y a lieu d'instaurer un suivi médical avec examens et analyses.

▼ PRÉCAUTIONS

Plus de 60 ans. Pas de risques spéciaux.

Conduite automobile, travaux dangereux. À déconseiller tant que vous ne connaissez pas votre réaction au médicament.

Alcool. À éviter.

Grossesse. Il n'existe pas d'études pertinentes sur l'administration de la rifabutine durant la grossesse. Elle ne devrait être prescrite que si ses bienfaits l'emportent manifestement sur les dangers qu'elle fait courir au fœtus. Rien ne prouve qu'elle diminue le risque que la mère transmette le virus à l'enfant.

Allaitement. On ne sait pas si la rifabutine passe dans le lait maternel : la prudence s'impose. Les femmes infectées au VIH ne devraient pas allaiter, pour éviter de transmettre le virus à un enfant non infecté.

Nourrissons et enfants. Indications et posologie sont à déterminer par le médecin. On ne sait pas si la rifabutine entraîne chez eux des effets indésirables plus graves ou plus fréquents que chez les adultes.

À surveiller. Les verres de contact souples peuvent être décolorés de façon perma-

---

nente. Si vous employez des contraceptifs oraux, vous devriez plutôt avoir recours à d'autres méthodes contraceptives durant le traitement.

SURDOSAGE
Symptômes. Une surdose est peu probable.

Quoi faire. Il est peu probable qu'une surdose mette votre vie en danger. Si la dose est beaucoup plus forte que celle prescrite, appelez aussitôt le médecin ou le centre antipoison, ou allez à l'urgence.

▼ INTERACTIONS

MÉDICAMENT-MÉDICAMENT
La rifabutine ne devrait pas être associée au ritonavir, un inhibiteur de la protéase, et devrait être associée avec prudence à d'autres inhibiteurs de la protéase (traitement du sida). Demandez l'avis du médecin si vous prenez : kétoconazole, phénytoïne, prednisone, propranolol, quinidine, contraceptifs oraux, sulfonylurées (antidiabétiques oraux), warfarine et zidovudine, ainsi que tout médicament pris avec ou sans ordonnance.

MÉDICAMENT-ALIMENT
Aucune interaction connue.

MÉDICAMENT-MALADIE
La prudence s'impose. Avertissez le médecin si vous êtes tuberculeux : il faut alors associer des médicaments contre la tuberculose à la rifabutine. Employée seule, la rifabutine peut favoriser la prolifération de souches bactériennes rebelles aux médicaments et provoquer une infection très difficile à traiter.

≡ EFFETS INDÉSIRABLES ≡

GRAVES
Il n'y a pas d'effets graves associés à la rifabutine.

COURANTS
Urine, salive, selles, sueur, peau, larmes et glaire colorés en rouge orangé ou brun ; rash cutané ; nausées et vomissements ; faible numération des globules blancs.

MOINS COURANTS
Douleur articulaire, irritation des yeux, vision brouillée ou diminution de la vision.

RIFAMPINE

Présentation : Gélules
En vente libre ? Non **Générique disponible ?** Oui
Classe de médicaments : Agent anti-infectieux/antituberculeux

▼ GÉNÉRALITÉS

INDICATIONS
Traitement de toutes les formes de tuberculose, en concomitance avec d'autres agents antituberculeux. Aussi prévention de la propagation du bacille par les porteurs sains, et traitement d'autres infections bactériennes ainsi que des personnes exposées à certains types de méningite bactérienne.

MODE D'ACTION
La rifampine inhibe l'activité des enzymes nécessaires à la réplication de l'acide ribonucléique (ARN) dans les cellules bactériennes, empêchant celles-ci de se reproduire.

▼ MODE D'EMPLOI

POSOLOGIE
Traitement de la tuberculose – Adultes et adolescents : 600 mg 1 fois par jour. Enfants de 5 à 12 ans : 10 à 20 mg par kilogramme (2,2 lb) de poids 1 fois par jour (sans dépasser 600 mg quotidiennement). Personnes âgées : 10 mg par kilogramme 1 fois par jour, dose qui peut être réduite à 2 fois par semaine. Prévention de la méningite – Adultes et adolescents : 600 mg 2 fois par jour pendant 2 jours. Enfants : 10 mg par kilogramme 2 fois par jour pendant 2 jours.

DÉBUT D'ACTION
Inconnu.

DURÉE D'ACTION
Inconnue.

CONSEILS NUTRITIONNELS
Prenez les gélules à jeun, au moins 1 heure avant les repas ou 2 heures après. Si le médicament provoque nausées et vomissements, si vous avez du mal à l'avaler, mélangez le contenu des gélules à des aliments, par exemple à de la compote de pommes.

MODE DE CONSERVATION
Dans un contenant étanche, à l'abri de la chaleur, de l'humidité et de la lumière.

OUBLI D'UNE DOSE
Prenez-la dès que vous y pensez pour maintenir la concentration du médicament dans votre organisme. S'il est presque l'heure de la dose suivante, sautez la dose oubliée et revenez à la fréquence normale. Ne doublez pas la dose suivante.

ARRÊT DE LA MÉDICATION
Effectuez la thérapie au complet, comme elle vous a été prescrite, même si vous vous sentez mieux avant la fin.

USAGE PROLONGÉ
Demandez au médecin s'il y a lieu de subir régulièrement des examens médicaux et des analyses de laboratoire. Si les symptômes ne régressent pas ou s'aggravent après 2 ou 3 semaines, voyez le médecin.

▼ PRÉCAUTIONS

Plus de 60 ans. Pas de recommandation spéciale.

Conduite automobile, travaux dangereux. À déconseiller tant que vous ne connaissez pas votre réaction au médicament.

Alcool. À éviter.

Grossesse. La rifampine peut servir à traiter la tuberculose chez les femmes enceintes en concomitance avec d'autres antituberculeux. N'oubliez pas de prévenir le médecin si vous êtes enceinte ou souhaitez le devenir.

Allaitement. La rifampine passe dans le lait maternel. Consultez votre médecin.

Nourrissons et enfants. Aucun risque connu.

À surveiller. La rifampine peut réduire le nombre des globules blancs et des plaquettes du sang : vous êtes alors plus vulnérable aux infections, la convalescence est plus lente et vos gencives sont plus susceptibles de saigner. Si possible, attendez la fin du traitement pour entreprendre des travaux dentaires. Les lentilles de contact souples peuvent se décolorer de façon permanente. Les contraceptifs oraux contenant de l'œstrogène peuvent devenir inefficaces.

SURDOSAGE
Symptômes. Démangeaisons de tout le corps, œdème du visage, état mental modifié, coloration en rouge-orange de la peau, des yeux et de la bouche.

Quoi faire. Appelez immédiatement le médecin ou le centre antipoison, ou allez à l'urgence.

▼ INTERACTIONS

MÉDICAMENT-MÉDICAMENT
Demandez l'avis du médecin si vous prenez : théophylline, anticoagulants, antidiabétiques oraux, antifongiques azoles, anticancéreux, œstrogènes, corticostéroïdes, digitaliques, antiarythmiques, antituberculeux, méthadone, phénytoïne, vérapamil, inhibiteurs de la protéase, cyclosporine ou tacrolimus (FK506).

MÉDICAMENT-ALIMENT
Aucune interaction connue.

MÉDICAMENT-MALADIE
Avisez le médecin si vous avez des antécédents d'alcoolisme. La rifampine peut amener des complications chez les patients souffrant de maladie du foie.

 EFFETS INDÉSIRABLES

GRAVES
Respiration difficile, frissons, douleurs dans les muscles et les os, étourdissements, céphalées, démangeaisons, fièvre, tremblements, rash cutané et rougeurs, nausées et vomissements, diarrhée, jaunissement de la peau et des yeux.

COURANTS
Coloration en rouge-orange ou brun de l'urine, de la salive, des expectorations, des selles, de la sueur, de la peau et des larmes ; crampes d'estomac.

MOINS COURANTS
Aucun effet secondaire moins courant n'a été signalé.

RILUZOLE

Présentation : Comprimés
En vente libre ? Non   **Générique disponible ?** Non
Classe de médicaments : Neuroprotecteur

▼ GÉNÉRALITÉS

INDICATIONS
Traitement de la sclérose latérale amyotrophique (SLA), aussi connue sous le nom de maladie de Lou Gehrig. Le riluzole ne guérit pas la maladie mais il est le premier et pour l'instant le seul médicament approuvé pour le traitement de cette maladie. Pris dans les premiers stades de la maladie, il peut prolonger l'espérance de vie et retarder le moment où il faudra recourir à une trachéotomie (incision chirurgicale de la gorge) pour permettre au patient de respirer.

MODE D'ACTION
La SLA se caractérise par la dégénérescence des moto-neurones de la moelle épinière, de la région bulbaire du cerveau et du cortex, aboutissant à la perte du contrôle musculaire. Les sens et les facultés mentales ne sont aucunement affectés. La détérioration des muscles chargés des fonctions essentielles de l'organisme – en particulier la déglutition et la respiration – finissent pas entraîner la mort. Le mécanisme d'action du riluzole n'est pas encore élucidé, mais il semblerait qu'il protège les tissus nerveux contre la dégénérescence, et réussit de la sorte à retarder l'évolution de la SLA.

▼ MODE D'EMPLOI

POSOLOGIE
Dose habituelle pour adultes : 50 mg aux 12 heures. Il faut prendre ce médicament à heures fixes. Ne modifiez pas la posologie sans avoir consulté d'abord votre médecin.

DÉBUT D'ACTION
Inconnu.

DURÉE D'ACTION
Inconnue.

CONSEILS NUTRITIONNELS
Le riluzole donne son effet optimal quand on le prend chaque jour à heures fixes, avec un grand verre d'eau, au moins 1 heure avant ou 2 heures après un repas.

MODE DE CONSERVATION
Dans un contenant étanche, à l'abri de la chaleur, de l'humidité et de la lumière.

OUBLI D'UNE DOSE
Sautez la dose oubliée et revenez à votre horaire régulier. Ne doublez pas la dose suivante.

ARRÊT DE LA MÉDICATION
Aucun problème connu.

USAGE PROLONGÉ
L'usage prolongé de riluzole s'avère souvent nécessaire.

▼ PRÉCAUTIONS

Plus de 60 ans. Pas de risques connus.

Conduite automobile, travaux dangereux. À déconseiller tant que vous ne connaissez pas votre réaction au médicament.

Alcool. À éviter.

Grossesse. Il n'y a pas eu de recherche probante sur l'utilisation du riluzole pendant la grossesse. Demandez spécifiquement l'avis de votre médecin.

Allaitement. On ignore si le médicament passe dans le lait maternel. Cependant, étant donné la gravité des risques potentiels pour le nourrisson, on conseille aux femmes qui prennent ce médicament de s'abstenir d'allaiter.

Nourrissons et enfants. On ne prescrit généralement pas le riluzole à des enfants. Son efficacité et son innocuité n'ont pas été établis dans ce groupe d'âge.

SURDOSAGE
Symptômes. Aucun cas de surdose n'a été rapporté.

Quoi faire. Non pertinent.

▼ INTERACTIONS

MÉDICAMENT-MÉDICAMENT
Demandez l'avis du médecin dans le cas de tous les autres médicaments que vous prenez, sur ordonnance ou en vente libre.

MÉDICAMENT-ALIMENT
Un repas trop gras ralentit l'absorption du médicament.

MÉDICAMENT-MALADIE
Aucune interaction connue.

  EFFETS INDÉSIRABLES

GRAVES
Le riluzole peut causer des lésions au foie.

COURANTS
Élévation du taux d'enzymes hépatiques (détectable uniquement par le médecin à partir des tests de laboratoire) ; incidence de certains symptômes caractéristiques de la SLA, dont faiblesse, fatigue musculaire, manque d'énergie, nausée, vomissements.

MOINS COURANTS
Étourdissements, engourdissements ou fourmillements autour de la bouche ; somnolence ; perte de l'appétit ; diarrhée.

RIMEXOLONE

Présentation : Suspension ophtalmique
En vente libre ? Non   **Générique disponible ?** Non
Classe de médicaments : Corticostéroïde

▼ GÉNÉRALITÉS

INDICATIONS
Pour réduire l'inflammation des tissus oculaires et prévenir les risques de dommages permanents pouvant en résulter. Cet état peut survenir à la suite d'une intervention chirurgicale à l'œil ou en cas d'uvéite (inflammation de l'uvée, au centre de l'œil).

MODE D'ACTION
La rimexolone entrave la libération de substances naturelles qui stimulent la réaction inflammatoire de même que la douleur et les cicatrices dans les tissus de l'œil.

▼ MODE D'EMPLOI

POSOLOGIE
Traitement de l'inflammation post-opératoire : 1 ou 2 gouttes dans l'œil affecté, 4 fois par jour ou selon les directives du médecin. Uvéite : 1 ou 2 gouttes toutes les heures de veille pendant 1 semaine. Le médecin espacera ensuite les doses progressivement jusqu'à la guérison totale. Agitez toujours le flacon avant de vous en servir.

DÉBUT D'ACTION
Inconnu.

DURÉE D'ACTION
Inconnue.

CONSEILS NUTRITIONNELS
Pas de restrictions spéciales.

MODE DE CONSERVATION
Dans un contenant étanche, à l'abri de la chaleur, de l'humidité et de la lumière. Ne congelez pas la solution.

OUBLI D'UNE DOSE
Instillez-la dès que vous y pensez, à moins qu'il ne soit presque l'heure de la dose suivante. Dans ce cas, sautez la dose oubliée et revenez à votre fréquence régulière. Ne doublez pas la dose suivante.

ARRÊT DE LA MÉDICATION
Poursuivez le traitement pour la durée prescrite, même si vous commencez à vous sentir mieux dans l'intervalle.

  EFFETS INDÉSIRABLES

GRAVES
Vision diminuée ou brouillée (cataracte) ; douleurs dans l'œil, nausées, vomissements (haute pression intra-oculaire) ; douleurs, rougeurs, intolérance à la lumière vive, écoulements (infection dans l'œil). La rimexolone peut déclencher une récidive d'herpès dans l'œil ; si vous avez déjà souffert d'une infection herpétique, mentionnez-le à votre médecin.

COURANTS
Augmentation de la pression intra-oculaire, qui s'estompe lorsque le traitement prend fin.

MOINS COURANTS
Yeux qui brûlent ou qui piquent, rougeurs, larmoiements.

USAGE PROLONGÉ
Consultez régulièrement votre médecin pour subir des examens et des analyses.

▼ PRÉCAUTIONS

Plus de 60 ans. Pas de risques connus.

Conduite automobile, travaux dangereux. À déconseiller tant que vous n'avez pas évalué comment ce médicament affecte votre vision.

Alcool. Pas de précautions spéciales.

Grossesse. Il n'y a pas eu de recherche concluante sur les humains : si vous êtes enceinte, ne prenez de la rimexolone que si les bénéfices escomptés justifient les risques potentiels.

Allaitement. On ignore si le médicament passe dans le lait maternel ; il faut user de prudence. Demandez l'avis de votre médecin.

Nourrissons et enfants. Efficacité et innocuité non établies dans ce groupe d'âge.

À surveiller. Avant d'appliquer les gouttes, commencez par vous laver les mains. Renversez un peu la tête. Appuyez légèrement sur le coin interne de la paupière et, avec l'index de la même main, tirez la paupière inférieure vers le bas pour ménager une ouverture. Pressez sur le compte-gouttes. Fermez l'œil et appuyez pendant 1 ou 2 minutes en vous efforçant de ne pas ciller. Lavez-vous à nouveau les mains. Prenez garde que le compte-gouttes n'entre pas en contact avec l'œil, le doigt ou toute autre surface. Si votre état ne s'est pas amélioré ou s'est empiré au bout de 5 à 7 jours, consultez votre médecin. Le port de lentilles cornéennes pendant le traitement peut augmenter le risque d'infection. Votre médecin pourra vous conseiller de vous en abstenir pour la durée du traitement et pour un ou deux jours après la fin de celui-ci.

SURDOSAGE
Symptômes. En usage topique, une surdose de rimexolone est peu probable. L'ingestion toutefois peut causer fièvre, douleurs musculaires, perte d'appétit, étourdissements, faiblesse ou difficultés respiratoires.

Quoi faire. En cas d'ingestion accidentelle, appelez immédiatement votre médecin ou le centre antipoison, ou allez à l'urgence.

▼ INTERACTIONS

MÉDICAMENT-MÉDICAMENT
Il n'y a pas d'interaction connue. On conseille toutefois de signaler à votre médecin tous les médicaments que vous prenez, sur ordonnance et en vente libre.

MÉDICAMENT-ALIMENT
Pas d'interaction connue.

MÉDICAMENT-MALADIE
Demandez l'avis de votre médecin en cas d'antécédents de : cataractes, diabète sucré, glaucome, infection herpétique de l'œil, infection fongique de l'œil ou toute autre infection oculaire.

RISÉDRONATE SODIQUE

Présentation : Comprimés
En vente libre ? Non   **Générique disponible ?** Non
Classe de médicaments : Inhibiteur (biphosphonate) de la résorption osseuse

▼ GÉNÉRALITÉS

INDICATIONS
Traitement et prévention de l'ostéoporose chez les femmes ménopausées. Ce médicament est aussi utilisé pour traiter la maladie de Paget, qui se caractérise par une accélération de la résorption et du remodelage osseux, causant la fragilité et la malformation des os. Le risédronate régularise le métabolisme osseux.

MODE D'ACTION
Le tissu d'un os sain se renouvelle constamment, en se désagrégeant pour ensuite se reformer ; les minéraux et autres éléments qu'il renferme sont réabsorbés par certaines cellules (les ostéoclastes) pour faire place à du nouveau tissu osseux. Le risédronate inhibe l'activité des ostéoclastes ; le processus de résorption étant ralenti par rapport au processus de reformation, l'os conserve sa densité et sa force.

▼ MODE D'EMPLOI

POSOLOGIE
Ostéoporose (femmes ménopausées) : 5 mg par jour. Maladie de Paget : 30 mg, 1 fois par jour pendant 2 mois.

DÉBUT D'ACTION
Inconnu.

DURÉE D'ACTION
Inconnue.

CONSEILS NUTRITIONNELS
Prenez ce médicament avec un grand verre d'eau. Si vous le prenez avec une autre boisson ou de la nourriture, il risque d'être moins bien absorbé par l'intestin. Le matin, attendez au moins 30 minutes après l'avoir pris pour manger ou boire autre chose que de l'eau. Prenez-le toujours en position debout. Prenez de la vitamine D et des suppléments de calcium, mais attendez toujours 2 heures après la prise du risédronate.

MODE DE CONSERVATION
Dans un contenant étanche, à l'abri de la chaleur, de l'humidité et de la lumière.

EFFETS INDÉSIRABLES

GRAVES
Douleurs thoraciques ; enflure des bras, des jambes, du visage, des lèvres, de la langue ou de la gorge.

COURANTS
Symptômes grippaux, diarrhée, douleur abdominale, nausées, constipation, douleur articulaire, céphalées, étourdissements, rash cutané.

MOINS COURANTS
Faiblesse, apparition de tumeurs, éructations, douleurs dans les os, crampes dans les jambes, faiblesse musculaire, bonchite, infection des sinus, bourdonnements dans les oreilles, sécheresse des yeux.

OUBLI D'UNE DOSE
Si vous sautez une journée, ne doublez pas la dose le lendemain. Reprenez votre horaire régulier.

ARRÊT DE LA MÉDICATION
Prenez le risédronate pour toute la durée prescrite. La décision d'arrêter le traitement doit être prise en consultation avec le médecin.

USAGE PROLONGÉ
Maladie de Paget : le risédronate est généralement prescrit pour 2 mois, après quoi le médecin pourra peut-être décider de renouveler le traitement une fois.

▼ PRÉCAUTIONS

Plus de 60 ans. Pas de risques connus.

Conduite automobile, travaux dangereux. À déconseiller tant que vous ne connaissez pas votre réaction au médicament.

Alcool. Pas de précautions spéciales.

Grossesse. Demandez à votre médecin s'il pense que les bénéfices escomptés justifient les risques pour le fœtus.

Allaitement. Le risédronate peut passer dans le lait maternel ; il faut user de prudence. Demandez l'avis de votre médecin.

Nourrissons et enfants. Efficacité et innocuité non établies chez les moins de 18 ans.

À surveiller. Restez debout pendant au moins 30 minutes après avoir pris ce médicament. Si vous éprouvez des symptômes d'une maladie de l'œsophage (difficulté à avaler ou douleur à la déglutition ; douleur dans la poitrine, derrière le sternum ; brûlures d'estomac importantes et tenaces), demandez à votre médecin s'il vous conseille de continuer à prendre du risédronate.

SURDOSAGE
Symptômes. Aucun cas de surdose n'a été rapporté.

Quoi faire. Si la quantité absorbée dépasse de beaucoup la dose prescrite, appelez votre médecin ou le centre antipoison, ou allez à l'urgence.

▼ INTERACTIONS

MÉDICAMENT-MÉDICAMENT
Il faut attendre au moins 2 heures après le risédronate avant de prendre tout médicament contenant de l'aluminium, du calcium ou du magnésium, de même que tout antiacide ainsi que des comprimés de fer.

MÉDICAMENT-ALIMENT
Pas d'interaction connue. On sait toutefois que le risédronate donne de meilleurs résultats sur un estomac vide.

MÉDICAMENT-MALADIE
Une insuffisance rénale ou une maladie gastro-intestinale peuvent augmenter les risques d'effets indésirables. Un taux sanguin déficient en calcium ou une carence en vitamine D doivent être traités avant d'entreprendre un traitement au risédronate.

RISPÉRIDONE

Présentation : Comprimés, solution orale
En vente libre ? Non   **Générique disponible ?** Non
Classe de médicaments : Antipsychotique

▼ GÉNÉRALITÉS

INDICATIONS
Traitement des troubles psychotiques (graves troubles mentaux se manifestant par la distorsion des pensées, perceptions et émotions), tels que la schizophrénie. S'utilise aussi pour soigner les troubles de comportement dans la démence grave.

MODE D'ACTION
Bien que son mécanisme d'action ne soit pas élucidé, il semblerait que la rispéridone entrave l'activité de certaines substances naturelles dans le système nerveux central, produisant ainsi un effet tranquillisant et antipsychotique.

▼ MODE D'EMPLOI

POSOLOGIE
Schizophrénie – Adultes et adolescents : 1 à 2 mg par jour. Le médecin peut ajuster la posologie, au besoin, à intervalles d'au moins une semaine. Démence – Au départ, 0,25 mg, 2 fois par jour ; la posologie peut être augmentée à 1 mg par jour.

DÉBUT D'ACTION
Il peut y avoir sédation au bout de quelques minutes, mais l'effet antipsychotique pourra mettre des heures avant de se manifester, parfois même plusieurs jours, voire plusieurs semaines.

DURÉE D'ACTION
Au moins 12 à 24 heures, mais quelques effets peuvent persister plusieurs jours.

CONSEILS NUTRITIONNELS
Pas de restrictions spéciales.

MODE DE CONSERVATION
Dans un contenant étanche, à l'abri de la chaleur, de l'humidité et de la lumière.

OUBLI D'UNE DOSE
Prenez-la dès que vous y pensez. S'il est presque l'heure de la suivante, sautez la dose oubliée et reprenez la fréquence normale. Ne doublez pas la dose suivante.

ARRÊT DE LA MÉDICATION
Cette décision doit être prise en consultation avec votre médecin.

USAGE PROLONGÉ
L'usage prolongé peut entraîner la dyskinésie tardive (mouvements involontaires de la mâchoire, des lèvres et de la langue, plus rarement des bras, des jambes, des mains ou de tout le corps). Votre médecin doit évaluer l'efficacité du médicament à intervalles réguliers si vous le prenez pendant une longue période de temps.

▼ PRÉCAUTIONS

Plus de 60 ans. Risques de réactions indésirables plus fréquentes et plus graves.

Conduite automobile, travaux dangereux. À déconseiller tant que vous ne connaissez pas votre réaction au médicament.

Alcool. À éviter.

Grossesse. Il n'y a pas eu de recherches concluantes. Avant de prendre de la rispéridone, avertissez votre médecin si vous êtes enceinte ou voulez le devenir.

Allaitement. On ignore si le médicament passe dans le lait maternel ; il faut user de prudence. Demandez l'avis de votre médecin.

Nourrissons et enfants. En général, la rispéridone n'est pas prescrite chez les moins de 18 ans.

À surveiller. Évitez les grandes chaleurs et les climats chauds. Buvez beaucoup de liquides et tâchez de rester au frais pendant l'été. Évitez de vous exposer au soleil jusqu'à ce que vous ayez déterminé si ce médicament augmente votre sensibilité aux rayons ultraviolets.

SURDOSAGE
Symptômes. Somnolence, tachycardie, hypotension, convulsions.

Quoi faire. Appelez tout de suite votre médecin ou le centre antipoison, ou allez à l'urgence.

▼ INTERACTIONS

MÉDICAMENT-MÉDICAMENT
Des médicaments peuvent interagir avec la rispéridone. Demandez l'avis du médecin si vous prenez : antidépresseurs, bromocriptine, carbamazépine, clozapine, antihypertenseurs, lévodopa, pergolide, et tout médicament qui déprime le système nerveux central (notamment antihistaminiques, tranquillisants, décongestionnants et médicaments contre le rhume).

MÉDICAMENT-ALIMENT
Pas d'interaction connue.

MÉDICAMENT-MALADIE
Consultez votre médecin en cas de : maladie de Parkinson ou autre problème de coordination, glaucome, épilepsie, maladie du foie, des reins ou du cœur.

  EFFETS INDÉSIRABLES

GRAVES
Tachycardie, transpiration abondante, convulsions, difficultés à respirer, raideur dans la nuque, enflure de la langue, difficultés à avaler. Aussi syndrome neuroleptique malin (rare) : raideur ou spasmes musculaires, forte fièvre, confusion ou désorientation.

COURANTS
Nausées, transpiration réduite, sécheresse de la bouche, vision brouillée, somnolence, tremblement des mains, raideur musculaire, posture courbée, gain de poids subit.

MOINS COURANTS
Miction difficile, règles irrégulières, douleurs ou enflure des seins, mouvements incontrôlés de la langue, fièvre, frissons, maux de gorge, saignements ou ecchymoses inexplicables, palpitations cardiaques, rash cutané, démangeaisons, sensibilité accrue de la peau au soleil.

RITONAVIR

Présentation : Gélules, solution orale
En vente libre ? Non   **Générique disponible ?** Non
Classe de médicaments : Antiviral/inhibiteur de la protéase du VIH

▼ GÉNÉRALITÉS

INDICATIONS
Traitement du VIH (virus de l'immunodéficience humaine), souvent en association avec d'autres médicaments. Le ritonavir ne guérit pas le VIH, mais peut entraver sa réplication et retarder la progression de la maladie.

MODE D'ACTION
Le médicament bloque l'activité d'une protéase virale nécessaire à la reproduction du VIH. Cette action produit des copies du VIH qui ne peuvent infecter de nouvelles cellules.

▼ MODE D'EMPLOI

POSOLOGIE
Adultes et enfants de 12 ans et plus : 600 mg, 2 fois par jour. Le schéma posologique doit être graduel : 300 mg, 2 fois par jour, durant 1 ou 2 jours ; 400 mg, 2 fois par jour, pendant 1 à 3 jours ; 500 mg, 2 fois par jour, pendant 1 à 8 jours ; et enfin 600 mg, 2 fois par jour. La période d'ajustement s'étale sur au plus 14 jours. Quand le ritonavir est associé à d'autres médicaments, comme le saquinavir, on peut prescrire des doses plus faibles (100 à 400 mg, 2 fois par jour). Enfants de 2 à 12 ans : 400 mg par mètre carré de surface corporelle, 2 fois par jour, sans dépasser 600 mg, 2 fois par jour. La posologie doit être augmentée graduellement ; commencer par 250 mg par mètre carré et augmenter par palier de 50 mg par mètre carré 2 fois par jour, aux 2 ou 3 jours.

DÉBUT D'ACTION
Inconnu. L'effet maximal peut prendre 12 à 16 semaines.

DURÉE D'ACTION
Inconnue.

CONSEILS NUTRITIONNELS
Se prend en mangeant. On peut mélanger la solution à du lait au chocolat pour en améliorer le goût ; prenez-la dans l'heure qui suit la reconstitution.

MODE DE CONSERVATION
Gardez la solution orale à la température ambiante dans un contenant hermétique. Gardez les gélules au réfrigérateur.

OUBLI D'UNE DOSE
Prenez-la dès que vous y pensez. S'il est presque l'heure de la suivante, sautez la dose oubliée et reprenez la fréquence normale. Ne doublez pas la dose suivante. Il est important de prendre le médicament à heures fixes.

ARRÊT DE LA MÉDICATION
La décision de mettre fin au médicament doit être prise en consultation avec le médecin.

USAGE PROLONGÉ
Un suivi médical s'impose.

▼ PRÉCAUTIONS

Plus de 60 ans. Pas de conseils particuliers.

Conduite automobile, travaux dangereux. À éviter tant que vous ne connaissez pas votre réaction au traitement.

Alcool. À éviter en cas d'insuffisance hépatique.

Grossesse. Il n'existe pas d'études concluantes ; demandez l'avis du médecin. Rien ne laisse croire que le traitement puisse éviter de transmettre le virus au fœtus.

Allaitement. Les femmes atteintes du VIH ne devraient pas allaiter pour ne pas contaminer un enfant non infecté.

Nourrissons et enfants. Non recommandé chez les moins de 2 ans.

À surveiller. Gélules et solution ne sont pas interchangeables : les taux d'absorption diffèrent, consultez le médecin. Le médicament n'élimine pas le risque de contaminer d'autres personnes au VIH. Prenez les mesures préventives qui s'imposent.

SURDOSAGE
Symptômes. Engourdissement, picotements ou fourmillement temporaires.

Quoi faire. Une surdose est peu probable. Mais si ça arrivait, appelez le médecin.

▼ INTERACTIONS

MÉDICAMENT-MÉDICAMENT
Des effets dangereux — arythmies, difficultés respiratoires et sédation excessive — sont à craindre si le ritonavir est pris en même temps que : amiodarone, astémizole, bépridil, flécaïnide, propafénone, quinidine, terfénadine, midazolam, triazolam, pimozide, ergotamine ou dihydro-ergotamine. Mieux vaut ne pas associer le ritonavir aux hypocholestérolémiants du groupe des statines. Consultez le médecin pour tout autre médicament pris avec ou sans ordonnance.

MÉDICAMENT-ALIMENT
On peut atténuer les effets indésirables du ritonavir en mangeant des aliments gras.

MÉDICAMENT-MALADIE
Consultez le médecin si vous avez une maladie du foie ou tout autre trouble médical.

 EFFETS INDÉSIRABLES

GRAVES
Hausse du taux de sucre dans le sang (diabète) ou du taux de cholestérol, bien qu'on n'ait pas établi une relation de cause à effet avec le médicament. Voyez le médecin en cas de soif accrue ou de débit urinaire accru.

COURANTS
Diarrhée, douleur abdominale, fièvre bénigne, nausées, flatulence, rash cutané, fatigue, engourdissement ou picotements autour de la bouche ou dans les bras et jambes.

MOINS COURANTS
Mal de dos, fièvre, céphalées ou migraines, perte d'appétit, saignement gastro-intestinal, vomissements, douleur articulaire, douleur ou crampes musculaires, anxiété, vertiges, insomnie, convulsions, somnolence, difficultés respiratoires, problèmes cutanés.

RIVASTIGMINE

Présentation : Gélules
En vente libre ? Non   **Générique disponible ?** Non
Classe de médicaments : Inhibiteur réversible de la cholinestérase

▼ GÉNÉRALITÉS

INDICATIONS
Traitement symptomatique de la maladie d'Alzheimer d'intensité légère ou modérée.

MODE D'ACTION
Le mécanisme d'action de la rivastigmine n'est pas encore élucidé. On croit qu'elle freine la dégradation de l'acétylcholine, élément chimique du cerveau indispensable à la mémoire, en entravant l'action des enzymes de l'acétylcholinestérase, qui ont pour fonction sa dégradation. On croit qu'une carence en acétylcholine est responsable de la perte de mémoire associée à la maladie d'Alzheimer.

▼ MODE D'EMPLOI

POSOLOGIE
Au départ, 1,5 mg, 2 fois par jour. Après 2 semaines de traitement, votre médecin pourra augmenter la dose à 3 mg, 2 fois par jour. Par paliers espacés d'au moins 2 semaines, la dose peut ensuite être portée à 4,5 mg, 2 fois par jour, puis à 6 mg, 2 fois par jour (dose maximale) si le médicament est bien toléré.

DÉBUT D'ACTION
Inconnu.

DURÉE D'ACTION
Inconnue.

CONSEILS NUTRITIONNELS
À prendre en même temps que de la nourriture, le matin et le soir.

MODE DE CONSERVATION
Dans un contenant étanche, à l'abri de la chaleur, de l'humidité et de la lumière.

OUBLI D'UNE DOSE
Prenez-la dès que vous y pensez, sauf si vous êtes à moins de 2 heures de la dose suivante. Dans ce cas, sautez la dose oubliée et revenez à votre fréquence régulière. Ne doublez pas la dose suivante.

ARRÊT DE LA MÉDICATION
Cette décision doit être prise en consultation avec votre médecin.

USAGE PROLONGÉ
On ne s'attend pas à des problèmes particuliers à long terme.

EFFETS INDÉSIRABLES

GRAVES
Possibilité de saignements gastro-intestinaux. Mais on ne connaît pas d'autre effet indésirable grave.

COURANTS
Nausées assez prononcées, vomissements, perte d'appétit, perte de poids. Aussi, acidité de l'estomac, faiblesse, étourdissements, diarrhée, douleurs abdominales.

MOINS COURANTS
Hypersudation, fatigue, malaise, céphalées, somnolence, tremblements, flatulences, insomnie, dépression, anxiété.

▼ PRÉCAUTIONS

Plus de 60 ans. Pas de risques connus.

Conduite automobile, travaux dangereux. À déconseiller tant que vous ne connaissez pas votre réaction au médicament.

Alcool. À éviter.

Grossesse. Au cours des recherches animales, on a observé des problèmes associés à de fortes doses de rivastigmine. Avant de prendre ce médicament, prévenez votre médecin si vous êtes enceinte ou voulez le devenir.

Allaitement. On ignore si le médicament passe dans le lait maternel ; il faut user de prudence. Demandez l'avis de votre médecin.

Nourrissons et enfants. Ce médicament n'est pas recommandé aux enfants.

À surveiller. Si le traitement est interrompu durant plusieurs jours, vous devez le reprendre à la dose quotidienne la plus faible qui soit (c'est-à-dire 1,5 mg 2 fois par jour, ou 1,5 mg 1 fois par jour) et augmenter la posologie de nouveau jusqu'à l'obtention de la dose d'entretien. Avant toute intervention chirurgicale, le médecin ou le dentiste doivent être avertis que vous prenez de la rivastigmine. Ce médicament ne guérira pas la maladie d'Alzheimer ni n'empêchera l'état du patient d'empirer ; mais il améliorera les facultés cognitives chez certains patients.

SURDOSAGE
Symptômes. Nausées importantes, vomissements, salivation accrue, transpiration, bradycardie, basse pression artérielle, respiration irrégulière, perte de conscience, faiblesse musculaire progressive, éventuellement la mort.

Quoi faire. Appelez immédiatement votre médecin ou le centre antipoison, ou allez à l'urgence.

▼ INTERACTIONS

MÉDICAMENT-MÉDICAMENT
Les anti-inflammatoires non stéroïdiens (AINS) peuvent augmenter le risque d'ulcère gastrique ou de saignement gastro-intestinal associé à la rivastigmine.

MÉDICAMENT-ALIMENT
Pas d'interaction connue.

MÉDICAMENT-MALADIE
Il faut être prudent lorsqu'on prend de la rivastigmine. Demandez l'avis de votre médecin en cas de : asthme, épilepsie ou antécédents de convulsions, problèmes cardiaques, blocage intestinal, ulcère de l'estomac ou du duodénum, dysfonction hépatique, problèmes urinaires.

RIZATRIPTAN (BENZOATE DE)

NOMS COMMERCIAUX

Maxalt, Maxalt RPD

Présentation : Comprimés, cachets ultra-fondants (à désintégration rapide)
En vente libre ? Non **Générique disponible ?** Non
Classe de médicaments : Antimigraineux

▼ GÉNÉRALITÉS

INDICATIONS
Traitement des crises de migraine aiguë. Le rizatriptan n'est pas destiné à prévenir la migraine, non plus qu'à traiter d'autres types de céphalées, comme les migraines basilaires ou hémiplégiques. Votre médecin décidera si ce médicament est celui qu'il vous faut.

MODE D'ACTION
Le mode d'action précis du rizatriptan n'a pas encore été élucidé.

▼ MODE D'EMPLOI

POSOLOGIE
Une dose unique de 5 à 10 mg suffit généralement. En cas de récidive ou de soulagement incomplet, on peut répéter une fois après 2 heures. Le maximum est de 20 mg en 24 heures. Comme la réponse au rizatriptan varie, il revient au médecin de déterminer votre posologie.

DÉBUT D'ACTION
En moins de 2 heures.

DURÉE D'ACTION
Jusqu'à 24 heures.

CONSEILS NUTRITIONNELS
Se prend avec ou sans nourriture.

MODE DE CONSERVATION
Dans un contenant étanche, à l'abri de la chaleur, de l'humidité et de la lumière.

OUBLI D'UNE DOSE
Sans objet, puisque ce médicament se prend uniquement au besoin.

ARRÊT DE LA MÉDICATION
Consultez votre médecin avant d'arrêter le rizatriptan.

USAGE PROLONGÉ
Aucun problème connu. Les personnes à risque cardiaque devraient subir des évaluations périodiques.

▼ PRÉCAUTIONS

Plus de 60 ans. Non recommandé à moins que la possibilité d'une maladie coronarienne ait été écartée.

Conduite automobile, travaux dangereux. Certaines personnes se sentent somnolentes ou étourdies après une migraine ou après avoir pris du rizatriptan. Si c'est le cas, évitez toutes les activités qui exigent de la concentration.

Alcool. Pas de précautions spéciales. Mais l'alcool peut déclencher ou exacerber la migraine.

Grossesse. Il n'y a pas eu de recherche probante chez les humains. Soupesez avec votre médecin les risques et les bénéfices escomptés.

Allaitement. Le rizatriptan peut passer dans le lait maternel. Consultez le médecin.

Nourrissons et enfants. Efficacité et innocuité non établies chez les moins de 18 ans.

À surveiller. Un risque, rare mais sérieux, de problèmes cardiaques est associé à ce médicament. Toute personne ayant des symptômes de maladie coronarienne (douleur ou serrement dans la poitrine, souffle court) doit s'en abstenir. Les personnes à risque coronarien – hommes de plus de 40 ans, femmes ménopausées, etc. – devraient d'abord obtenir un diagnostic favorable et prendre leur première dose dans le bureau du médecin.

SURDOSAGE
Symptômes. Aucun cas de surdose n'a été rapporté.

Quoi faire. Si la dose est considérable, appelez aussitôt le médecin ou le centre antipoison, ou allez à l'urgence.

▼ INTERACTIONS

MÉDICAMENT-MÉDICAMENT
Dans les 24 heures qui précèdent ou suivent la prise de rizatriptan, ne prenez pas : naratriptan, sumatriptan, zolmitriptan, composés d'ergotamine, mésylate de dihydroergotamine ou de méthysergide. Il ne faut pas prendre du rizatriptan et un IMAO au cours d'une même période de 14 jours. On recommande la prudence aux personnes qui prennent des IRSS. Dans le cas du propanolol, demandez l'avis de votre médecin.

MÉDICAMENT-ALIMENT
Pas d'interaction connue.

MÉDICAMENT-MALADIE
Ne prenez pas de rizatriptan en cas d'antécédents de : angine, maladie cardiaque, accident cérébrovasculaire, hypertension non maîtrisée, arythmie ou athérosclérose. Le rizatriptan doit être utilisé avec prudence chez les patients malades du foie ou en insuffisance rénale grave.

EFFETS INDÉSIRABLES

GRAVES
Les effets indésirables graves sont rares : crise cardiaque ; douleur ou serrement dans la poitrine ; douleur abdominale violente et soudaine ; essoufflement ; arythmies cardiaques ; enflure des paupières, du visage ou des lèvres ; rash cutané ; urticaire.

COURANTS
Sensations de froid ou de chaud, étourdissements, somnolence, fatigue, bouffées de chaleur, diarrhée, vomissements, rougeurs, manque de concentration, tremblements, euphorie, picotements ou fourmillements.

MOINS COURANTS
Frissons ; sensibilité à la chaleur ; faiblesse ; raideur ; douleur, spasmes ou crampes musculaires ; douleur dans les os ou les articulations ; troubles de la digestion ; soif accrue ; flatulences ; nervosité ; insomnie ; anxiété ; dépression mentale ; confusion ; maux de gorge ; irritation nasale ; saignements de nez ; bourdonnements dans les oreilles ; troubles de la vision ; hypersudation ; démangeaisons ; rash léger ; fréquents besoins d'uriner.

ROFÉCOXIB

NOM COMMERCIAL

Vioxx

Présentation : Comprimés, suspension orale
En vente libre ? Non   **Générique disponible ?** Non
Classe de médicaments : Anti-inflammatoire non stéroïdien (AINS)/inhibiteur de la COX-2

▼ GÉNÉRALITÉS

INDICATIONS
Soulagement de la douleur associée à l'arthrose chronique. Aussi pour le soulagement à court terme des douleurs aiguës ou des douleurs menstruelles.

MODE D'ACTION
En entravant l'action d'une enzyme, la cyclooxygénase-2 (COX-2), le rofécoxib réduit la synthèse des prostaglandines qui contribuent à la douleur arthritique et à l'inflammation. Il n'interfère cependant pas avec l'action de la COX-1, l'enzyme impliquée dans la synthèse d'autres types de prostaglandines qui contribuent à protéger l'organisme contre certains problèmes, notamment les ulcères d'estomac.

▼ MODE D'EMPLOI

POSOLOGIE
Arthrose : Dose de départ de 12,5 mg, 1 fois par jour. Votre médecin pourra augmenter la posologie jusqu'à 25 mg, 1 fois par jour si le soulagement est insuffisant. Douleurs aiguës ou menstruelles : Dose de départ de 50 mg ; ensuite 25 à 50 mg, 1 fois par jour. Pour minimiser les risques d'irritation de l'estomac, il faut s'en tenir à la plus petite dose efficace pour le moins longtemps possible. Il n'y a pas eu d'étude portant sur l'utilisation du rofécoxib pour soulager une douleur aiguë plus de 5 jours d'affilée.

DÉBUT D'ACTION
Douleur aiguë : en 45 minutes. Arthrose : inconnu.

DURÉE D'ACTION
Inconnue.

CONSEILS NUTRITIONNELS
Ce médicament se prend avec ou sans nourriture.

MODE DE CONSERVATION
Dans un contenant étanche, à l'abri de la chaleur, de l'humidité et de la lumière. Ne congelez pas la suspension.

OUBLI D'UNE DOSE
Si vous sautez une journée, ne doublez pas la dose suivante. Reprenez simplement votre horaire régulier.

 EFFETS INDÉSIRABLES

GRAVES
Ulcères d'estomac. Selles noires et goudronneuses signalant des saignements d'estomac. Nausées, fatigue, léthargie, démangeaisons, jaunissement du blanc des yeux ou de la peau, rétention liquidienne : signes d'une hépatite.

COURANTS
Troubles de la digestion, enflure légère, aigreurs d'estomac, nausées, élévation de la tension artérielle.

MOINS COURANTS
Flatulences, mal de gorge, infection des voies respiratoires supérieures, mal de dos, douleurs abdominales légères.

ARRÊT DE LA MÉDICATION
Cette décision doit être prise en consultation avec votre médecin.

USAGE PROLONGÉ
Le risque d'irritation gastro-intestinale augmente avec l'usage.

▼ PRÉCAUTIONS

Plus de 60 ans. Pas de risques connus. Le traitement devrait commencer avec la plus petite dose possible.

Conduite automobile, travaux dangereux. Aucune précaution spéciale.

Alcool. À éviter : l'alcool augmente le risque d'irritation de l'estomac.

Grossesse. Évaluez avec votre médecin les risques potentiels et les bénéfices escomptés. N'utilisez pas de rofécoxib au cours du dernier trimestre de grossesse.

Allaitement. Le rofécoxib peut passer dans le lait maternel ; il faut user de prudence. Demandez à votre médecin s'il vous conseille de vous abstenir du rofécoxib ou de vous abstenir d'allaiter.

Nourrissons et enfants. Efficacité et innocuité non établies chez les moins de 18 ans.

SURDOSAGE
Symptômes. Aucun cas de surdosage n'a été rapporté. En cas de surdosage, on pourrait s'attendre aux symptômes suivants : léthargie, somnolence, nausée, vomissements, douleur abdominale, selles noires et goudronneuses, difficultés respiratoires, coma.

Quoi faire. Si vous craignez un surdosage ou si la dose est considérable, appelez immédiatement votre médecin ou le centre antipoison, ou allez à l'urgence.

▼ INTERACTIONS

MÉDICAMENT-MÉDICAMENT
Ne prenez pas ce médicament en même temps que de l'AAS (acide acétylsalicylique) ou qu'un autre AINS (anti-inflammatoire non stéroïdien) sans l'approbation de votre médecin. Demandez-lui son avis si vous prenez : furosémide, diurétiques thiazidiques, inhibiteurs de l'ECA (enzyme de conversion de l'angiotensine), méthotrexate, lithium, rifampine, warfarine.

MÉDICAMENT-ALIMENT
Pas d'interaction connue.

MÉDICAMENT-MALADIE
Le rofécoxib ne convient pas aux personnes qui ont des antécédents d'asthme, d'urticaire ou d'intolérance à l'AAS ou à d'autres AINS. Demandez l'avis de votre médecin si vous souffrez de : problèmes de saignements, inflammation ou ulcères de l'estomac ou des intestins, asthme, hypertension ou insuffisance cardiaque. Le rofécoxib peut entraîner des complications en cas de dysfonction du foie ou des reins, car ces organes sont chargés d'éliminer le médicament de l'organisme.

ROPINIROLE (CHLORHYDRATE DE)

Présentation : Comprimés
En vente libre ? Non **Générique disponible ?** Non
Classe de médicaments : Antiparkinsonien

▼ GÉNÉRALITÉS

INDICATIONS
Traitement des signes et des symptômes de la maladie de Parkinson.

MODE D'ACTION
On croit que le ropinirole améliore le contrôle sur les mouvements volontaires en stimulant certains récepteurs spécifiques de la dopamine dans le cerveau.

▼ MODE D'EMPLOI

POSOLOGIE
Semaine 1 : 0,25 mg, 3 fois par jour. On augmente progressivement la dose selon la réponse de l'individu pour atteindre une efficacité maximale avec le moins d'effets indésirables. Semaine 2 : 0,5 mg, 3 fois par jour. Semaine 3 : 0,75 mg, 3 fois par jour. Semaine 4 : 1 mg, 3 fois par jour. Au bout de 4 semaines, la posologie quotidienne peut être augmentée de 0,5 à 1 mg par dose sur une base hebdomadaire, sans dépasser un maximum de 24 mg par jour.

DÉBUT D'ACTION
Inconnu.

DURÉE D'ACTION
Inconnue.

CONSEILS NUTRITIONNELS
Le ropinirole se prend aux repas ou en dehors de ceux-ci. La présence de nourriture aide néanmoins à réduire les risques d'irritation gastrique.

MODE DE CONSERVATION
Dans un contenant étanche, à l'abri de la chaleur, de l'humidité et de la lumière.

OUBLI D'UNE DOSE
Prenez-la dès que vous y pensez. S'il est presque l'heure de la suivante, sautez la dose oubliée et reprenez la fréquence normale. Ne doublez pas la dose suivante.

ARRÊT DE LA MÉDICATION
Il faut diminuer les doses progressivement sur une période de 7 jours. Les 4 premiers jours, on réduit la fréquence de 3 fois à 2 fois par jour. Les 3 jours suivants, on se contente d'une dose quotidienne avant de cesser tout à fait.

USAGE PROLONGÉ
Risque accru d'effets indésirables à long terme.

▼ PRÉCAUTIONS

Plus de 60 ans. Risques de réactions indésirables, notamment d'hallucinations, plus fréquentes et plus graves. Il faut parfois réduire les doses.

Conduite automobile, travaux dangereux. À déconseiller tant que vous ne connaissez pas votre réaction au ropinirole.

Alcool. À éviter parce que l'alcool potentialise l'effet de ce médicament.

Grossesse. Il n'y a pas eu de recherches sur les humains. Avant de prendre du ropinirole, il faut prévenir votre médecin si vous êtes enceinte ou comptez l'être. Évaluez avec lui les risques potentiels et les bénéfices escomptés.

Allaitement. Il se peut que le ropinirole passe dans le lait maternel ; il faut user de prudence. Demandez l'avis de votre médecin.

Nourrissons et enfants. Non recommandé chez les moins de 18 ans.

À surveiller. Ce médicament peut causer des étourdissements et des faiblesses, surtout quand vous vous levez brusquement alors que vous étiez assis ou couché : il peut y avoir une chute de pression (hypotension orthostatique). Soyez prudent et prenez votre temps pour vous lever.

SURDOSAGE
Symptômes. Une surdose est peu probable. Les symptômes en pourraient être : légère paralysie ou spasmes dans le visage, nausées, agitation, somnolence, sédation, hypotension orthostatique, douleur thoracique, confusion, vomissements.

Quoi faire. Si la dose est considérable, appelez votre médecin ou le centre antipoison, ou allez à l'urgence.

▼ INTERACTIONS

MÉDICAMENT-MÉDICAMENT
Demandez l'avis du médecin si vous utilisez l'un des médicaments suivants (qui peuvent interagir avec le ropinirole) : ciprofloxacine, métoclopramide, sédatifs, tranquillisants ou analgésiques. La modification d'un traitement hormonal peut amener à modifier la posologie du ropinirole.

MÉDICAMENT-ALIMENT
Pas d'interaction connue.

MÉDICAMENT-MALADIE
Pas d'interaction connue.

EFFETS INDÉSIRABLES

GRAVES
Douleur thoracique, arythmie, confusion, hallucinations.

COURANTS
Nausées, étourdissements, faiblesse, hypersudation ou perte de conscience signalant une hypotension orthostatique (chute de pression artérielle quand on passe de la position assise ou couchée à la position debout). Aussi somnolence inusitée, fatigue, troubles de la digestion, vomissements, propension accrue aux infections virales, céphalées, perte de maîtrise des mouvements volontaires.

MOINS COURANTS
Bouffées de rougeurs, sécheresse de la bouche, sudation accrue, faiblesse, enflure des jambes ou des pieds, malaise généralisé, douleur, réflexes diminués, douleurs abdominales, perte d'appétit, flatulences, amnésie, manque de concentration, bâillements, dysfonction érectile, bronchite, mal de gorge, souffle court, troubles de la vision, propension aux accidents, tremblements, constipation, diarrhée, douleurs articulaires, arthrite, anxiété, nervosité.

ROPIVACAÏNE (CHLORHYDRATE DE)

Présentation : Injection
En vente libre ? Non   **Générique disponible ?** Non
Classe de médicaments : Anesthésique local

▼ GÉNÉRALITÉS

INDICATIONS
Anesthésie locale (directement au site) pour soulager la douleur pendant ou après une chirurgie ou pendant un accouchement (conventionnel ou par césarienne).

MODE D'ACTION
La ropivacaïne entrave la capacité de certains nerfs à transmettre des signaux électriques et bloque de cette façon la transmission des influx nerveux qui transportent les messages de la douleur.

▼ MODE D'EMPLOI

POSOLOGIE
Les doses et la fréquence varient considérablement selon le motif d'utilisation et l'état de la personne au moment de son administration.

DÉBUT D'ACTION
En 1 à 30 minutes, en fonction de la concentration, de l'importance de la dose et du site d'injection.

DURÉE D'ACTION
30 minutes à 8 heures, selon la concentration, l'importance de la dose et le site de l'injection.

CONSEILS NUTRITIONNELS
Pas de restrictions spéciales.

MODE DE CONSERVATION
Non pertinent. Ce médicament est administré uniquement en milieu hospitalier.

OUBLI D'UNE DOSE
Non pertinent. Ce médicament est administré au moment choisi par le médecin.

ARRÊT DE LA MÉDICATION
La décision doit être prise par votre médecin.

USAGE PROLONGÉ
La ropivacaïne ne s'utilise pas sur une période prolongée.

▼ PRÉCAUTIONS

Plus de 60 ans. Risques de réactions indésirables plus fréquentes et plus graves.

Conduite automobile, travaux dangereux. Non pertinent. Ce médicament est administré uniquement en milieu hospitalier.

Alcool. Non pertinent. Ce médicament est administré uniquement en milieu hospitalier.

Grossesse. Des études ont démontré que la ropivacaïne traverse le placenta, mais on ne sait pas encore si cela est dangereux pour le fœtus. L'utilisation de ropivacaïne durant la première phase du travail peut retarder ou prolonger la phase suivante en diminuant chez la mère le réflexe ou la capacité de pousser. Si vous vous faites administrer de la ropivacaïne pour une intervention chirurgicale (autre qu'un accouchement), avertissez le médecin si vous êtes enceinte ou vous proposez de le devenir.

Allaitement. La ropivacaïne peut passer dans le lait maternel, mais on n'a rapporté aucun effet nocif. Demandez l'avis de votre médecin.

Nourrissons et enfants. Efficacité et innocuité non établies chez les moins de 18 ans.

À surveiller. La tension artérielle, la fréquence cardiaque, l'état neurologique et la fonction respiratoire devraient être étroitement surveillés au cours du traitement.

SURDOSAGE
Symptômes. Bleuissement des lèvres ou de la peau, étourdissements, convulsions.

Quoi faire. En cas de surdose accidentelle, la ropivacaïne étant administrée uniquement en milieu hospitalier, les mesures d'urgence seront assurées par le personnel.

▼ INTERACTIONS

MÉDICAMENT-MÉDICAMENT
Demandez l'avis du médecin si vous prenez : autres anesthésiques locaux, fluvoxamine, imipramine, théophylline ou vérapamil.

MÉDICAMENT-ALIMENT
Pas d'interaction connue.

MÉDICAMENT-MALADIE
Il faut être prudent lorsqu'on prend de la ropivacaïne. Consultez votre médecin si vous souffrez d'une affection cardiaque. La ropivacaïne peut entraîner des complications chez les patients qui ont une maladie des reins ou du foie car ces organes sont chargés d'éliminer le médicament de l'organisme.

 EFFETS INDÉSIRABLES

GRAVES
Étourdissements, nausées, mal de dos, fièvre, céphalées, sensations de brûlure ou de picotement, vomissements, anxiété, vision brouillée, somnolence, propos incohérents, goût métallique, engourdissement ou fourmillement dans la bouche ou les lèvres, démangeaisons, agitation motrice, tremblements, tics nerveux, difficulté à uriner.

COURANTS
Aucun effet indésirable courant n'a été signalé.

MOINS COURANTS
Aucun effet indésirable moins courant n'a été signalé.

ROSIGLITAZONE (MALÉATE DE)

Présentation : Comprimés
En vente libre ? Non   **Générique disponible ?** Non
Classe de médicaments : Antidiabétique

▼ GÉNÉRALITÉS

INDICATIONS
La rosiglitazone s'emploie, seule ou associée à la metformine ou à une sulfonylurée, pour abaisser les taux de glucose sanguins chez les patients souffrant de diabète de type II (non insulino-dépendant).

MODE D'ACTION
La rosiglitazone augmente la sensibilité et la réaction du corps à sa propre insuline.

▼ MODE D'EMPLOI

POSOLOGIE
Dose de départ : 4 mg, 1 fois par jour (au lever) ou fractionnée en 2 prises (matin et soir). Au bout de 12 semaines, si les effets ne sont pas satisfaisants, on peut augmenter la posologie quotidienne à 8 mg, en 1 seule dose ou en 2 doses fractionnées.

DÉBUT D'ACTION
En 2 à 4 semaines.

DURÉE D'ACTION
Inconnue.

CONSEILS NUTRITIONNELS
La rosiglitazone peut se prendre avec ou sans nourriture.

MODE DE CONSERVATION
Dans un contenant étanche, à l'abri de la chaleur, de l'humidité et de la lumière.

OUBLI D'UNE DOSE
Prenez-la dès que vous y pensez. S'il est presque l'heure de la suivante, sautez la dose oubliée et reprenez la fréquence normale. Ne doublez pas la dose suivante.

ARRÊT DE LA MÉDICATION
Cette décision devrait être prise en consultation avec votre médecin.

USAGE PROLONGÉ
Consultez régulièrement votre médecin pour faire évaluer votre fonction hépatique.

▼ PRÉCAUTIONS

Plus de 60 ans. Aucun risque connu.

Conduite automobile, travaux dangereux. La rosiglitazone ne devrait pas vous empêcher de faire de telles activités en toute sécurité.

Alcool. À prendre avec modération.

Grossesse. Il n'y a pas eu de recherches concluantes sur l'utilisation de la rosiglitazone durant la grossesse. En général, l'insuline est le traitement qui convient à une femme enceinte pour abaisser sa glycémie. La rosiglitazone ne devrait être utilisée que si votre médecin considère que les bénéfices escomptés justifient les risques potentiels pour le fœtus. La rosiglitazone peut déclencher l'ovulation chez des femmes en préménopause qui n'ont plus leurs règles : on leur recommande d'utiliser des moyens de contraception.

Allaitement. La rosiglitazone peut passer dans le lait maternel ; n'en prenez pas pendant que vous allaitez.

Nourrissons et enfants. Efficacité et innocuité non établies dans ce groupe d'âge.

À surveiller. Une autre thiazolidinédione, la troglitazone, a été associée à des effets indésirables de nature hépatique, rares, mais graves et parfois fatals. Bien qu'on n'ait signalé aucun effet similaire avec la rosiglitazone, il est recommandé de vérifier la fonction hépatique avant de commencer le traitement, tous les deux mois pendant la première année de traitement et périodiquement par la suite. Si vous éprouvez des symptômes inusités pouvant signaler une insuffisance hépatique (nausées, vomissements, douleurs abdominales, fatigue, perte d'appétit, urines foncées), appelez tout de suite votre médecin. En outre, il est important de suivre le régime et les exercices qu'il vous recommande pour maîtriser votre diabète.

SURDOSAGE
Symptômes. Aucun symptôme n'a été signalé.

Quoi faire. Bien qu'on n'ait rapporté aucun cas de surdosage, si la quantité ingérée dépasse de beaucoup la dose prescrite, appelez immédiatement votre médecin ou le centre antipoison, ou allez à l'urgence.

▼ INTERACTIONS

MÉDICAMENT-MÉDICAMENT
Pas d'interaction connue.

MÉDICAMENT-ALIMENT
Pas d'interaction connue.

MÉDICAMENT-MALADIE
La rosiglitazone ne convient pas aux personnes qui souffrent du diabète de type I (ou insulinodépendant), pas plus qu'en cas d'acidocétose. Il faut être prudent si vous souffrez d'œdème ou d'insuffisance cardiaque. Demandez l'avis de votre médecin avant de prendre de la rosiglitazone si votre foie ne fonctionne pas normalement.

  EFFETS INDÉSIRABLES

GRAVES
Aucun effet indésirable grave n'a été signalé.

COURANTS
Gain de poids.

MOINS COURANTS
Infection des voies respiratoires supérieures, céphalées, œdème (enflure).

SALBUTAMOL

Présentation : Inhalateur, solution à inhaler, Rotacaps, comprimés, sirop
En vente libre ? Non   **Générique disponible ?** Oui
Classe de médicaments : Bronchodilatateur/sympathomimétique

▼ GÉNÉRALITÉS

INDICATIONS
Pour dilater les voies aériennes pulmonaires rétrécies par une maladie ou une inflammation. Traitement de l'asthme et du bronchospasme chronique.

MODE D'ACTION
En détendant les muscles lisses qui entourent les bronches, le salbutamol dilate les voies aériennes.

▼ MODE D'EMPLOI

POSOLOGIE
À utiliser au besoin pour soulager les difficultés respiratoires. Bronchospasmes – Adultes : Inhalation : 1 ou 2 jets d'inhalateur, ou 1 ou 2 coques Ventodisk, ou 1 ou 2 Rotacaps par Rotahaler, 3 ou 4 fois par jour, ou solution pour respirateur : 2,5 à 5 mg par nébulisation, 4 fois par jour. Comprimés oraux : 2 à 4 mg, 3 ou 4 fois par jour. Enfants de 6 ans et plus : Inhalation :

1 jet, 3 ou 4 fois par jour, ou 1 coque de Ventodisk, ou 1 Rotacap par Rotahaler, 3 ou 4 fois par jour. Nébulisateur : 1,25 à 2,5 mg, 4 fois par jour. Sirop : 2 mg, 3 ou 4 fois par jour. Asthme à l'effort – 1 ou 2 inhalations avant l'effort.

DÉBUT D'ACTION
Inhalateur : en 5 minutes. Formes orales : en 15 à 30 minutes.

DURÉE D'ACTION
Inhalateur : 3 à 6 heures. Formes orales : 8 heures.

CONSEILS NUTRITIONNELS
Peut se prendre à jeun, avec un aliment ou avec du lait.

MODE DE CONSERVATION
L'inhalateur à aérosol est sous pression ; ne le perforez pas. Gardez-le à l'abri de la chaleur, d'une flamme nue et de la lumière.

OUBLI D'UNE DOSE
Sautez-la et reprenez la fréquence normale. Ne doublez pas la dose suivante.

ARRÊT DE LA MÉDICATION
Il peut ne pas être nécessaire d'effectuer le traitement au complet. Voyez le médecin.

USAGE PROLONGÉ
Le traitement peut durer des mois ou des années. Un usage excessif du médicament peut lui faire perdre temporairement de son efficacité.

▼ PRÉCAUTIONS

Plus de 60 ans. Risques de réactions indésirables plus fréquentes et plus graves.

Conduite automobile, travaux dangereux. Le médicament peut donner des vertiges. N'entreprenez pas de telles activités avant de connaître votre réaction.

Alcool. Pas de précautions spéciales.

Grossesse. Demandez conseil à votre médecin.

Allaitement. Le salbutamol peut passer dans le lait maternel ; la prudence s'impose. Demandez l'avis du médecin.

Nourrissons et enfants. On connaît mal l'effet du salbutamol sur les moins de 6 ans.

À surveiller. Si vous avez besoin de prendre du salbutamol plus de 2 fois par jour régulièrement, vous devriez en parler au médecin. Si une dose jusque là efficace cesse de l'être ou si son effet dure moins de 3 heures, consultez le médecin. Il faut amorcer l'inhalateur la première fois qu'on l'utilise ou si on ne s'en est pas servi depuis plus de 2 semaines : faites 4 vaporisations en l'air.

Lavez régulièrement l'embout du Rotahaler, comme le recommande le pharmacien.

SURDOSAGE
Symptômes. Confusion, délire, anxiété grave, convulsions, nervosité, céphalée, nausées, bouche sèche, vertiges, insomnie, douleur thoracique, spasmes musculaires, faiblesse grave, pouls rapide et irrégulier.

Quoi faire. Appelez immédiatement le médecin ou allez à l'urgence.

▼ INTERACTIONS

MÉDICAMENT-MÉDICAMENT
À utiliser avec la plus grande prudence si vous prenez des IMAO ou des antidépresseurs tricycliques. Prévenez le médecin si vous prenez : bêta-bloquants, diurétiques de l'anse ou thiazidiques, antihypertenseurs, digitaliques, épinéphrine, tout produit renfermant nitrate ou pseudo-éphédrine, théophylline ou autres antiasthmatiques, hormones thyroïdiennes.

MÉDICAMENT-ALIMENT
Aucune interaction connue.

MÉDICAMENT-MALADIE
Avisez le médecin en cas de : hyperthyroïdie, diabète sucré, antécédents de convulsions, cardiopathie, hypertension ou maladie vasculaire.

 EFFETS INDÉSIRABLES

GRAVES
Forme inhalée : un usage abusif lui fait perdre de son efficacité ; la respiration devient plus difficile et ne s'améliore pas. Symptômes : respiration sifflante, toux, essoufflement, confusion, bleuissement des lèvres ou des ongles, incapacité de parler. Forme ingérée : douleur ou constriction thoraciques, palpitations, étourdissements, évanouissement, faiblesse grave, céphalées graves.

COURANTS
Nervosité, tremblements, vertiges, céphalées, insomnie.

MOINS COURANTS
Sécheresse et irritation de la gorge, de la bouche et du nez ; aigreurs d'estomac ; nausées ; crampes musculaires.

SALBUTAMOL/IPRATROPIUM (BROMURE D')

Présentation : Aérosol pour inhalation, solution pour inhalation
En vente libre ? Non   **Générique disponible ?** Non
Classe de médicaments : Bronchodilatateur

▼ GÉNÉRALITÉS

INDICATIONS
Traitement du bronchospasme associé à la maladie pulmonaire obstructive chronique (MPOC).

MODE D'ACTION
Le salbutamol et le bromure d'ipratropium sont des bronchodilatateurs qui ouvrent les voies aériennes et y laissent l'air circuler plus librement. L'association de ces deux ingrédients actifs en un seul médicament améliore encore davantage le passage de l'air.

▼ MODE D'EMPLOI

POSOLOGIE
Aérosol : 2 inhalations, 4 fois par jour, sans dépasser 12 inhalations par jour. Solution pour inhalation : Adultes et enfants de plus de 12 ans : 1 flacon monodose, 3 ou 4 fois par jour, administré au moyen d'un inhalateur ou d'un ventilateur à pression positive intermittente.

DÉBUT D'ACTION
En 5 à 15 minutes.

DURÉE D'ACTION
Jusqu'à 8 heures.

CONSEILS NUTRITIONNELS
Si vous avez la bouche sèche, sucez des bonbons durs ou de la gomme sans sucre.

MODE DE CONSERVATION
L'inhalateur à aérosol est sous pression : ne le perforez pas. Gardez-le à l'abri de la chaleur, de la flamme et de la lumière. Utilisez la solution pour inhalation dès qu'elle est diluée ; jetez ce qui en reste.

OUBLI D'UNE DOSE
Prenez-la dès que vous y pensez. S'il est presque l'heure de la suivante, sautez la dose oubliée et reprenez la fréquence normale. Ne doublez pas la dose qui suit.

ARRÊT DE LA MÉDICATION
La décision devrait être prise par le médecin.

USAGE PROLONGÉ
Un suivi médical est nécessaire en cas d'usage prolongé. Toute aggravation des symptômes ou de l'essoufflement peut signifier que la maladie s'aggrave. Consultez le médecin.

▼ PRÉCAUTIONS

Plus de 60 ans. Risques de réactions indésirables plus fréquentes et plus graves.

Conduite automobile, travaux dangereux. Le médicament peut provoquer des vertiges. N'entreprenez pas de telles activités avant de connaître les effets du médicament sur vous.

Alcool. Pas de précautions spéciales.

Grossesse. Il n'existe pas d'études pertinentes. Évaluez avec le médecin les bienfaits et les risques du traitement.

Allaitement. Le médicament peut passer dans le lait maternel : la prudence s'impose. Demandez l'avis du médecin.

Nourrissons et enfants. Non recommandé aux enfants de moins de 12 ans.

À surveiller. Demandez des conseils au médecin sur l'utilisation du nébuliseur. Évitez que le contenu de l'aérosol ou la vapeur viennent en contact avec vos yeux. Les patients souffrant de glaucome devraient porter des lunettes protectrices ou utiliser un nébuliseur muni d'un embout buccal pour que la vapeur n'aille pas dans leurs yeux. Assurez-vous que le masque s'ajuste bien à votre visage. Ne mélangez pas d'autres médicaments au Combivent dans le même nébuliseur. Jetez toute solution décolorée. Lavez l'embout buccal à inhalation à l'eau chaude 1 fois par semaine (demandez conseil au médecin ou au pharmacien ou lisez les instructions accompagnant le produit). S'il y a aggravation des symptômes ou de l'essoufflement, communiquez immédiatement avec votre médecin.

SURDOSAGE
Symptômes. Tachycardie, arythmies cardiaques, palpitations, tremblements, hypertension ou hypotension, douleur thoracique.

Quoi faire. Appelez immédiatement le médecin ou allez à l'urgence.

▼ INTERACTIONS

MÉDICAMENT-MÉDICAMENT
Consultez le médecin si vous prenez : antidépresseurs tricycliques, IMAO (laissez un intervalle de 14 jours entre le médicament et un IMAO), bêtabloquants, antihypertenseurs, digitaliques, pseudo-éphédrine, théophylline, corticostéroïdes ou autres médicaments contre la MPOC, diurétiques de l'anse ou diurétiques thiazidiques.

MÉDICAMENT-ALIMENT
Avertissez le médecin que vous êtes allergique à la lécithine du soja ou à des produits comme le soja ou l'arachide.

MÉDICAMENT-MALADIE
Consultez le médecin en cas de : maladie cardiaque ou vasculaire, tachycardie, arythmies cardiaques, antécédents d'infarctus, hypertension, convulsions, diabète, hyperthyroïdie, glaucome à angle fermé, hypertrophie de la prostate, rétention urinaire ou fibrose kystique.

EFFETS INDÉSIRABLES

GRAVES
Douleurs ou malaises dans les yeux ; changements dans la vision associés à des yeux rouges ; enflure du visage, des lèvres ou de la langue ; constipation persistante.

COURANTS
Céphalées, nervosité, tremblements, tachycardie ou palpitations (passagères), vertiges, sécheresse ou irritation de la bouche, arrière-goût désagréable.

MOINS COURANTS
Nausées, vomissements, crampes musculaires.

SALMÉTÉROL (XINAFOATE DE)

Présentation : Aérosol ou poudre pour inhalation
En vente libre ? Non   **Générique disponible ?** Non
Classe de médicaments : Bronchodilatateur/sympathomimétique

▼ GÉNÉRALITÉS

INDICATIONS
Le salmétérol s'emploie pour dilater les voies aériennes dans les poumons, qui se sont rétrécies à la suite d'une maladie ou d'une inflammation. Il constitue un traitement pour l'asthme et la maladie pulmonaire obstructive chronique (MPOC).

MODE D'ACTION
En dilatant les muscles lisses qui entourent les bronchioles, le salmétérol agrandit le passage qui permet à l'air d'accéder aux poumons.

▼ MODE D'EMPLOI

POSOLOGIE
Adultes et enfants de 4 ans et plus – Aérosol : 2 inhalations, 2 fois par jour, à environ 12 heures d'intervalle.
Poudre : 1 inhalation, 2 fois par jour, à environ 12 heures d'intervalle.

DÉBUT D'ACTION
En moins de 15 minutes.

DURÉE D'ACTION
Jusqu'à 12 heures.

CONSEILS NUTRITIONNELS
Continuez à vous alimenter comme à l'habitude, mais augmentez les liquides si vous souffrez de fièvre ou de diarrhée, quand il fait très chaud ou quand vous faites de l'exercice.

MODE DE CONSERVATION
Dans un contenant étanche, à l'abri de la chaleur, de l'humidité et de la lumière.

OUBLI D'UNE DOSE
Prenez-la dès que vous y pensez. S'il est presque l'heure de la suivante, sautez la dose oubliée et reprenez la fréquence normale. Ne doublez pas la dose suivante.

ARRÊT DE LA MÉDICATION
Décision à prendre en consultation avec votre médecin.

USAGE PROLONGÉ
Consultez régulièrement votre médecin : il vous dira si vous devez continuer à prendre ce médicament.

▼ PRÉCAUTIONS

Plus de 60 ans. Risques de réactions indésirables plus fréquentes et plus graves.

Conduite automobile, travaux dangereux. À déconseiller tant que vous ne connaissez pas votre réaction au médicament.

Alcool. Pas de précautions spéciales.

Grossesse. L'innocuité de ce médicament n'a pas été établie chez les femmes enceintes. Demandez l'avis de votre médecin.

Allaitement. On ignore si le salmétérol passe dans le lait maternel. Demandez l'avis de votre médecin si vous désirez allaiter pendant que vous prenez ce médicament.

Nourrissons et enfants. L'inhalation sous forme d'aérosol n'est pas recommandée chez les enfants de moins de 4 ans.

À surveiller. Le salmétérol prend 15 minutes à faire effet. Il n'est pas indiqué en cas de crise aiguë ou si l'asthme s'aggrave. Attention aux crises d'asthme ou autres difficultés respiratoires qui ne répondent pas au traitement d'urgence habituel. Demandez de l'aide si vos poumons sont constamment obstrués, si vous dépassez le nombre d'inhalations prescrit par jour ou si une crise vient d'être différente des précédentes. Il ne faut pas laver l'appareil qui sert à inhaler la poudre : il doit toujours rester sec.

SURDOSAGE
Symptômes. Douleurs ou oppression thoracique : arythmie, tachycardie, flutter ou palpitations ; vertiges ; grande faiblesse ; évanouissements ; graves céphalées ; tremblement des muscles.

Quoi faire. Appelez immédiatement votre médecin ou le centre antipoison, ou allez à l'urgence.

▼ INTERACTIONS

MÉDICAMENT-MÉDICAMENT
Demandez l'avis du médecin si vous prenez : bêta-bloquants, inhibiteurs de la monoamine-oxydase (IMAO) ou antidépresseurs tricycliques.

MÉDICAMENT-ALIMENT
Pas d'interaction connue.

MÉDICAMENT-MALADIE
Demandez l'avis de votre médecin si vous avez des antécédents de : maladie cardiaque ou arythmie, hypertension, troubles de l'anxiété, maladie thyroïdienne.

▬ EFFETS INDÉSIRABLES ▬

GRAVES
Si on l'utilise trop fréquemment, le salmétérol perd de son efficacité, ce qui peut entraîner des difficultés respiratoires accrues qui ne peuvent être soulagées. Signes de cet état : respiration sifflante, toux ou essoufflement ; confusion ; bleuissement des lèvres ou des ongles des doigts ; embarras de la parole. Autres effets indésirables graves : douleurs ou poids dans la poitrine ; fréquence cardiaque irrégulière, rapide, palpitante (palpitations) ou martelée (le cœur cogne) ; vertiges ; évanouissements ; faiblesse extrême ; graves céphalées.

COURANTS
Céphalées, mal de gorge, nez bouché ou qui coule.

MOINS COURANTS
Douleurs abdominales, diarrhée, nausées, toux, douleurs musculaires.

SALMÉTÉROL (XINAFOATE DE)/FLUTICASONE

Présentation : Poudre sèche pour inhalation
En vente libre ? Non   **Générique disponible ?** Non
Classe de médicaments : Bronchodilatateur/corticostéroïde respiratoire

▼ GÉNÉRALITÉS

INDICATIONS
Traitement de l'asthme et d'autres maladies obstructives réversibles des voies respiratoires.

MODE D'ACTION
Advair associe un bronchodilatateur (le salmétérol) et un corticostéroïde (la fluticasone). Le salmétérol dilate les voies aériennes pulmonaires en détendant les muscles lisses qui entourent les bronchioles. La fluticasone diminue ou prévient l'inflammation de la muqueuse des voies aériennes et inhibe la sécrétion de mucus dans ces voies.

▼ MODE D'EMPLOI

POSOLOGIE
Adultes et enfants de 12 ans et plus : 1 inhalation, 2 fois par jour.

DÉBUT D'ACTION
En 10 à 20 minutes.

DURÉE D'ACTION
Jusqu'à 12 heures.

CONSEILS NUTRITIONNELS
Pas de restrictions spéciales.

MODE DE CONSERVATION
Garder l'inhalateur à l'abri de la chaleur, de l'humidité et de la lumière.

OUBLI D'UNE DOSE
Prenez-la dès que vous y pensez. S'il est presque l'heure de la suivante, sautez la dose oubliée et reprenez la fréquence normale. Ne doublez pas la dose suivante.

ARRÊT DE LA MÉDICATION
Si vous avez utilisé cette association thérapeutique pendant une longue période, n'arrêtez pas brusquement le traitement. Demandez à votre médecin comment l'interrompre et suivez bien ses instructions.

USAGE PROLONGÉ
Demandez au médecin s'il y a lieu d'instaurer un suivi médical, avec examens et analyses, en cas d'utilisation prolongée. Une augmentation des symptômes ou des difficultés respiratoires peut indiquer que votre état s'aggrave. Consultez le médecin.

EFFETS INDÉSIRABLES

GRAVES
Consultez votre médecin si le médicament semble devenu inefficace et que vos difficultés respiratoires s'aggravent ou si les symptômes suivants se produisent : douleur ou oppression thoraciques ; arythmies cardiaques, tachycardie ou palpitations ; étourdissements.

COURANTS
Mal de gorge, voix rauque, taches blanches dans la bouche ou la gorge, céphalées.

MOINS COURANTS
Toux, douleurs musculaires.

▼ PRÉCAUTIONS

Plus de 60 ans. Risques de réactions indésirables plus fréquentes et plus graves.

Conduite automobile, travaux dangereux. À déconseiller tant que vous ne connaissez pas votre réaction au médicament.

Alcool. Pas de précautions spéciales.

Grossesse. Il n'existe pas d'études pertinentes. Évaluez avec le médecin les bienfaits et les risques du traitement.

Allaitement. Le médicament peut passer dans le lait maternel. Demandez l'avis du médecin.

Nourrissons et enfants. Non recommandé pour les enfants de moins de 12 ans. La taille des enfants et des adolescents soumis à un traitement prolongé doit être surveillée.

À surveiller. Ne prenez pas ce médicament lors d'une crise aiguë ou subite ; n'augmentez pas la posologie si les symptômes s'aggravent. Attention aux crises d'asthme ou autres difficultés respiratoires qui ne répondent pas au traitement d'urgence habituel. Demandez de l'aide si vos poumons sont constamment obstrués, si vous dépassez le nombre d'inhalations prescrit par jour ou si une crise vient d'être différente des précédentes. Le médicament peut diminuer votre résistance aux infections à levures de la bouche, de la gorge ou de l'appareil vocal. Pour les prévenir, gargarisez-vous ou rincez-vous la bou-

che avec de l'eau après chaque inhalation ; n'avalez pas l'eau. Consultez le médecin si vous êtes exposé à des cas de varicelle ou de rougeole alors que vous n'avez jamais eu ces maladies et que vous n'êtes pas vacciné. Avant une chirurgie, dites au médecin ou au dentiste que vous prenez un médicament renfermant un stéroïde. Ne respirez pas dans le diskus.

SURDOSAGE
Symptômes. Tremblements ; douleur ou oppression thoraciques ; arythmies cardiaques, tachycardie, flutter ou palpitations ; vertiges ; céphalées.

Quoi faire. Appelez le médecin ou allez à l'urgence.

▼ INTERACTIONS

MÉDICAMENT-MÉDICAMENT
Consultez le médecin si vous prenez : IMAO, antidépresseurs tricycliques, bêtabloquants, digitaliques, diurétiques de l'anse ou diurétiques thiazidiques, antiarythmiques, corticostéroïdes systémiques, autres corticostéroïdes par inhalation ou immunosuppresseurs.

MÉDICAMENT-ALIMENT
Consultez le médecin si vous êtes allergique au lactose.

MÉDICAMENT-MALADIE
Consultez le médecin en cas de : tachycardie, arythmies cardiaques, cardiopathie, hypertension, infection respiratoire fongique, bactérienne ou tuberculeuse non traitée, diabète, maladie thyroïdienne, glaucome, cataractes, ostéoporose, immunodéficience, maladie du foie.

SALSALATE

Présentation : Comprimés
En vente libre ? Non   **Générique disponible ?** Non
Classe de médicaments : Salicylate/anti-inflammatoire non stéroïdien (AINS)

▼ GÉNÉRALITÉS

INDICATIONS
Traitement de la polyarthrite rhumatoïde, de l'arthrose et d'autres affections rhumatismales ou arthrite (inflammation des articulations).

MODE D'ACTION
Il semblerait que le salsalate empêche l'action des prostaglandines, substances naturelles de l'organisme qui causent l'inflammation et rendent les nerfs plus sensibles aux pulsions de la douleur.

▼ MODE D'EMPLOI

POSOLOGIE
Adultes et adolescents : dose initiale de 1 à 3 g par jour en 2 ou 3 prises fractionnées. La posologie peut être ajustée par la suite.

DÉBUT D'ACTION
Inconnu.

DURÉE D'ACTION
Inconnue.

CONSEILS NUTRITIONNELS
Pour ne pas irriter l'estomac, il faut prendre le salsalate avec de la nourriture ou du lait et faire suivre d'un grand verre d'eau.

MODE DE CONSERVATION
Dans un contenant étanche, à l'abri de la chaleur, de l'humidité et de la lumière.

OUBLI D'UNE DOSE
Prenez-la dès que vous y pensez. S'il est presque l'heure de la suivante, sautez la dose oubliée et reprenez la fréquence normale. Ne doublez pas la dose suivante.

ARRÊT DE LA MÉDICATION
Poursuivez le traitement pour la durée prescrite, même si vous commencez à vous sentir mieux dans l'intervalle.

USAGE PROLONGÉ
Consultez régulièrement votre médecin qui fera un suivi avec examens et analyses.

▼ PRÉCAUTIONS

Plus de 60 ans. Risques de réactions indésirables plus fréquentes et plus graves.

Conduite automobile, travaux dangereux. À déconseiller tant que vous ne connaissez pas votre réaction au médicament.

Alcool. À éviter.

Grossesse. Il n'y a pas eu de recherches concluantes. Si vous êtes enceinte ou avez l'intention de le devenir, informez-en le médecin.

Allaitement. Le salsalate passe dans le lait maternel ; il faut faire preuve de prudence.

Nourrissons et enfants. Ne donnez pas de salsalate sans consulter le médecin si l'enfant ou l'adolescent fait de la fièvre ou manifeste des signes d'infection virale comme la grippe ou la varicelle.

À surveiller. En cas de diabète, le salsalate peut fausser les tests urinaires de glucose si la personne en prend 4 doses ou plus de 500 mg ou 3 doses ou plus de 750 mg par jour.

SURDOSAGE
Symptômes. Confusion, étourdissements, tintements ou bourdonnements d'oreilles, somnolence ou fatigue extrêmes, nervosité ou excitabilité, respiration rapide ou bruyante, sueurs, diarrhée, vomissements, fièvre, déshydratation, perte de conscience.

Quoi faire. Appelez immédiatement le médecin ou le centre antipoison, ou allez à l'urgence.

▼ INTERACTIONS

MÉDICAMENT-MÉDICAMENT
Demandez l'avis du médecin si vous prenez : autres AINS, inhibiteurs de l'anhydrase carbonique, citrates, bicarbonate de soude, antiacides, anticoagulants, héparine, agents thrombolytiques, antidiabétiques oraux ou insuline, céfamandole, céfopérazone, céfotétane, plicamycine, acide valproïque, méthotrexate, vancomycine, probénécide ou sulfinpyrazone.

MÉDICAMENT-ALIMENT
Pas d'interaction connue.

MÉDICAMENT-MALADIE
Il faut être prudent lorsqu'on prend du salsalate. Demandez l'avis de votre médecin en cas de : anémie, ulcère ou autre problème d'estomac, hyperthyroïdie, déficit en glucose-6-phosphate déshydrogénase (G6PD), hypertension, goutte, maladie cardiaque, problèmes d'hémorragie, antécédents d'asthme ou d'allergies. L'utilisation de ce médicament peut entraîner des complications en cas de déficience hépatique ou rénale car le foie et les reins contribuent à son élimination de l'organisme.

 EFFETS INDÉSIRABLES

GRAVES
Perte d'ouïe ; sang dans les urines ; diarrhée grave ; difficultés à avaler ; étourdissements ; vertiges ; somnolence extrême ; nervosité ou excitabilité marquées ; confusion ; convulsions ; changement dans la couleur de la peau ; hallucinations ; transpiration ou soif accrues ; graves nausées ou vomissements ; essoufflement ; douleur dans la poitrine ; douleurs prononcées dans l'estomac ; enflure des paupières, du visage ou des lèvres ; selles sanguinolentes ou noires et visqueuses ; graves céphalées ; bourdonnements ou tintements dans les oreilles ; vomissures sanguinolentes ou très foncées.

COURANTS
Crampes, douleurs légères ou malaises dans l'estomac ou l'abdomen ; aigreurs d'estomac ; nausées ou vomissements ; rash cutané ; urticaire ; démangeaisons.

MOINS COURANTS
Aucun effet indésirable moins courant n'a été signalé.

SAQUINAVIR

Présentation : Gélules
En vente libre ? Non   **Générique disponible ?** Non
Classe de médicaments : Antiviral/inhibiteur de la protéase du VIH

▼ GÉNÉRALITÉS

INDICATIONS
Traitement de l'infection au VIH (virus de l'immuno-déficience humaine), en association avec d'autres médicaments. Le saquinavir ne guérit pas le VIH, mais il peut entraver sa réplication et retarder la progression de la maladie.

MODE D'ACTION
Le médicament bloque l'activité d'une protéase virale (une enzyme) nécessaire à la reproduction du VIH. Cette action produit des copies du VIH qui ne peuvent infecter de nouvelles cellules.

▼ MODE D'EMPLOI

POSOLOGIE
Adultes et adolescents de 16 ans et plus : Invirase : 600 mg, 3 fois par jour, en association avec d'autres antirétroviraux. Fortovase : 1 200 mg, 3 fois par jour. La posologie peut être augmentée ou diminuée selon que le saquinavir est associé ou non à d'autres antirétroviraux.

DÉBUT D'ACTION
Inconnu. La réponse à la plupart des antirétroviraux se voit dès les premières semaines, mais le plein effet thérapeutique peut prendre 12 à 16 semaines.

DURÉE D'ACTION
Inconnue.

CONSEILS NUTRITIONNELS
À prendre dans les 2 heures qui suivent un repas complet.

MODE DE CONSERVATION
Réfrigérez les gélules. À la température ambiante, gardez-les dans un contenant étanche, à l'abri de la chaleur et de la lumière, et employez-les dans les 3 mois.

OUBLI D'UNE DOSE
Prenez-la dès que vous y pensez. S'il est presque l'heure de la suivante, sautez la dose oubliée et reprenez la fréquence normale. Ne doublez pas la dose suivante.

ARRÊT DE LA MÉDICATION
La décision doit être prise en consultation avec le médecin.

USAGE PROLONGÉ
Un suivi médical s'impose.

▼ PRÉCAUTIONS

Plus de 60 ans. Il n'y a pas eu d'études spécifiques.

Conduite automobile, travaux dangereux. À déconseiller tant que vous ne connaissez pas votre réaction au médicament.

Alcool. À éviter en cas d'insuffisance hépatique.

Grossesse. Il n'existe pas d'études concluantes. Néanmoins, le saquinavir est de plus en plus utilisé en association avec d'autres antirétroviraux pour traiter les femmes enceintes infectées au VIH.

Allaitement. On ne sait pas si le saquinavir passe dans le lait maternel ; de toute façon, les femmes atteintes du VIH ne devraient pas allaiter pour ne pas transmettre le virus à un nourrisson non infecté.

Nourrissons et enfants. Innocuité et efficacité non établies chez les enfants de moins de 16 ans.

À surveiller. Le médicament n'élimine pas le risque de contaminer d'autres personnes au VIH. Vous devriez prendre les mesures préventives qui s'imposent. Les marques de saquinavir ne sont pas interchangeables : leur concentration diffère ; consultez le médecin avant de passer de l'une à l'autre.

SURDOSAGE
Symptômes. Aucun cas de surdose n'a été signalé.

Quoi faire. Un surdosage est peu probable. Néanmoins, si vous avez des raisons de croire qu'une surdose a été prise, appelez immédiatement le médecin ou le centre anti-poison, ou allez à l'urgence.

▼ INTERACTIONS

MÉDICAMENT-MÉDICAMENT
Le saquinavir ne devrait pas être pris en même temps que : triazolam, midazolam ou alcaloïdes d'ergotamine/belladone. Consultez le médecin si vous prenez tout autre médicament et spécialement : rifampine, rifabutine ou névirapine. Certains médicaments, comme kétoconazole, delavirdine, ritonavir et nelfinavir, sont utilisés en association avec le saquinavir parce qu'ils augmentent sa concentration sanguine et son efficacité.

MÉDICAMENT-ALIMENT
Les aliments gras et le jus de pamplemousse augmentent l'absorption du saquinavir par l'organisme. La prise concomitante d'aliments peut atténuer ses effets indésirables.

MÉDICAMENT-MALADIE
Consultez le médecin si vous avez tout autre problème de santé. Le saquinavir peut entraîner des complications chez les patients atteints d'une maladie du foie, car cet organe contribue à éliminer le médicament de l'organisme.

EFFETS INDÉSIRABLES

GRAVES
Hausse du taux de sucre dans le sang (diabète) ou du taux de cholestérol avec des médicaments de cette classe, bien qu'on n'ait pas établi une relation de cause à effet. Voyez le médecin en cas de soif ou de débit urinaire accrus.

COURANTS
Diarrhée ; douleur abdominale ; sensations de brûlure, de picotements, d'engourdissement ou de fourmillement en différents endroits du corps ; confusion ; convulsions ; céphalées ; perte de coordination musculaire ; nausées ; rash cutané ; sensibilité accrue de la peau à la lumière ; faiblesse générale.

MOINS COURANTS
Perte d'appétit, chute des cheveux, sueurs nocturnes, impuissance, crise d'anxiété, crampes dans les jambes.

SCOPOLAMINE

Présentation : Disque adhésif, injection
En vente libre ? Oui (disque)   **Générique disponible ?** Non
Classe de médicaments : Anticholinergique ; antinausées

▼ GÉNÉRALITÉS

INDICATIONS
Disque adhésif : prévention du mal des transports. Injection : en anesthésie pour induire la sédation.

MODE D'ACTION
L'acétylcholine est une substance naturelle qui agit sur les nerfs, les muscles, les glandes et plusieurs processus physiologiques. En entravant l'activité de l'acétylcholine, la scopolamine produit différents effets comme l'assèchement des sécrétions (salive, sueur), le soulagement des spasmes de l'intestin, une dilatation de la pupille. Il semblerait qu'elle soulage les nausées et vomissements associés au mal des transports en agissant sur les nerfs qui régissent l'équilibre dans l'oreille interne.

▼ MODE D'EMPLOI

POSOLOGIE
Mal des transports : Appliquez un disque de 1,5 mg derrière l'oreille au moins 12 heures avant le départ. La scopolamine n'est pas recommandée sous forme du disque transdermique pour les enfants.

DÉBUT D'ACTION
Injection : en moins de 30 minutes. Disque adhésif : donnée inconnue.

DURÉE D'ACTION
Injection : 4 heures. Disque : jusqu'à 72 heures.

CONSEILS NUTRITIONNELS
Pas de recommandations ni de restrictions spéciales.

MODE DE CONSERVATION
Dans un contenant étanche, à l'abri de la chaleur et de la lumière.

OUBLI D'UNE DOSE
Appliquez le disque dès que vous y pensez.

ARRÊT DE LA MÉDICATION
Cette décision devrait être prise par le médecin.

USAGE PROLONGÉ
Consultez périodiquement votre médecin qui fera un suivi avec des examens.

 EFFETS INDÉSIRABLES

GRAVES
Confusion, vertiges, étourdissements, rash cutané ou urticaire, évanouissements, douleur oculaire.

COURANTS
Constipation ; sécheresse de la bouche, du nez, de la gorge ou de la peau ; transpiration diminuée.

MOINS COURANTS
Vision brouillée, diminution de la lactation, fatigue inhabituelle, difficultés à avaler, somnolence, euphorie, céphalées, sensibilité accrue à la lumière, pertes de mémoire, difficulté à uriner, nausées, vomissements, sensation de ballonnement, irritation au site d'injection, insomnie.

▼ PRÉCAUTIONS

Plus de 60 ans. Risques de réactions indésirables plus fréquentes et plus graves.

Conduite automobile, travaux dangereux. À déconseiller tant que vous ne connaissez pas votre réaction au médicament.

Alcool. À éviter.

Grossesse. Il n'y a pas eu d'études concluantes chez les humains. Si vous êtes enceinte ou avez l'intention de le devenir, avertissez-en votre médecin avant de prendre de la scopolamine.

Allaitement. La scopolamine peut passer dans le lait maternel ; il faut faire preuve de prudence. Demandez l'avis de votre médecin.

Nourrissons et enfants. Risques de réactions indésirables plus fréquentes et plus graves chez les enfants. Non recommandé dans ce groupe d'âge.

À surveiller. Ne touchez pas à la partie adhésive du disque. Lavez-vous les mains soigneusement avant et après l'application. Si le disque se déloge, jetez-le et mettez-en un autre derrière l'autre oreille. Si vous gardez le disque en place plus de 72 heures, vous pourriez éprouver des problèmes : nausées, vomissements, céphalées ou étourdissements.

SURDOSAGE
Symptômes. Sécheresse de la bouche, dilatation des pupilles, délire, désorientation, troubles de la mémoire, étourdissements, agitation motrice, hallucinations, somnolence.

Quoi faire. Appelez immédiatement le médecin ou le centre antipoison, ou allez à l'urgence.

▼ INTERACTIONS

MÉDICAMENT-MÉDICAMENT
Demandez l'avis du médecin si vous prenez : antiacides, antidiarrhéiques, digoxine, kétoconazole, dépresseurs du système nerveux central (antihistaminiques, adjuvants au sommeil ou tranquillisants), autres agents cholinergiques, antidépresseurs tricycliques, chlorure de potassium.

MÉDICAMENT-ALIMENT
Pas d'interaction connue.

MÉDICAMENT-MALADIE
Il faut être prudent lorsqu'on prend de la scopolamine. Demandez l'avis de votre médecin si vous avez des antécédents de : hémorragie, colite, grave sécheresse de la bouche, hyperplasie de la prostate, fièvre, glaucome, maladie cardiaque, hernie hiatale, hypertension, problème intestinal, maladie pulmonaire, myasthénie grave, toxémie gravidique, blocage du tractus urinaire, miction difficile, dysfonction des reins ou du foie, hyperthyroïdie. Chez l'enfant : lésion au cerveau, syndrome de Down ou paralysie spasmodique.

SÉLÉGILINE (L-DÉPRÉNYL) (CHLORHYDRATE DE)

Présentation : Comprimés
En vente libre ? Non **Générique disponible ?** Oui
Classe de médicaments : Antiparkinsonien

▼ GÉNÉRALITÉS

INDICATIONS
Traitement de la maladie de Parkinson, en association avec la lévodopa/carbidopa. On l'utilise aussi seule en début de maladie pour retarder le recours à la lévodopa.

MODE D'ACTION
Utilisée en association avec la lévodopa/carbidopa, la sélégiline permet à l'organisme d'absorber davantage de lévodopa/carbidopa en inhibant l'action d'une enzyme du système nerveux appelée monoamine-oxydase (MAO). La MAO, qu'on retrouve dans le cerveau et le tractus intestinal, a pour fonction de désagréger certains éléments chimiques qui jouent un rôle dans l'initiation des mouvements et la coordination musculaire.

▼ MODE D'EMPLOI

POSOLOGIE
Adultes : 5 mg, 2 fois par jour. Enfants : ce médicament ne devrait pas être prescrit.

DÉBUT D'ACTION
En 1 ou 2 heures environ.

DURÉE D'ACTION
Environ 4 heures.

CONSEILS NUTRITIONNELS
Il est arrivé, rarement, que des patients qui prenaient pourtant les doses recommandées aient éprouvé des problèmes en mangeant des aliments qui contiennent de la tyramine (voir Interactions médicament-aliment).

MODE DE CONSERVATION
Dans un contenant étanche, à l'abri de la chaleur, de l'humidité et de la lumière.

OUBLI D'UNE DOSE
Prenez-la dès que vous y pensez, sauf si moins de 2 heures vous séparent de la dose suivante. Dans ce cas, sautez la dose oubliée et prenez la suivante à l'heure prévue, sans la doubler.

ARRÊT DE LA MÉDICATION
Demandez conseil à votre médecin avant d'arrêter ce médicament. Il faut diminuer les doses progressivement en ne prenant plus qu'un seul comprimé par jour pendant 7 jours.

USAGE PROLONGÉ
Aucun problème connu.

≡ **EFFETS INDÉSIRABLES** ≡

GRAVES
Étourdissements, basse pression artérielle (étourdissements, vertiges, évanouissements ou confusion), mouvements involontaires des muscles, troubles du rythme cardiaque, fortes céphalées.

COURANTS
Nausées, sécheresse de la bouche.

MOINS COURANTS
Palpitations, somnolence, hallucinations.

▼ PRÉCAUTIONS

Plus de 60 ans. Risques de réactions indésirables plus fréquentes et plus graves. Ce médicament demande de la prudence chez les patients de ce groupe d'âge.

Conduite automobile, travaux dangereux. La sélégiline peut entraîner de la somnolence. Ne pratiquez pas ces activités tant que vous ne connaissez pas les effets du médicament sur vous.

Alcool. À éviter.

Grossesse. Il n'y a pas eu d'études pour déterminer l'innocuité de la sélégiline pendant la grossesse. Une femme enceinte ne devrait pas prendre ce médicament.

Allaitement. On ignore à quel point le médicament passe dans le lait maternel. Il est donc déconseillé aux femmes qui allaitent.

Nourrissons et enfants. Ce médicament n'a pas fait l'objet d'études cliniques chez les enfants et les nouveau-nés. Son innocuité et son efficacité n'ont pas été établies pour ce groupe d'âge. Il est donc déconseillé chez les moins de 18 ans.

SURDOSAGE
Symptômes. Étourdissements, évanouissements, confusion, délire, douleurs abdominales.

Quoi faire. Appelez immédiatement le médecin ou le centre antipoison, ou allez à l'urgence.

▼ INTERACTIONS

MÉDICAMENT-MÉDICAMENT
Il peut y avoir interaction entre la sélégiline et d'autres médicaments. Demandez l'avis du médecin si vous prenez : chlorhydrate de mépéridine ou autres analgésiques opioïdes (narcotiques), antidépresseurs.

MÉDICAMENT-ALIMENT
Demandez son avis à votre médecin sur les aliments qui contiennent beaucoup de tyramine : fromages vieillis, avocats, peaux de banane, tofu, saucissons, foies de volaille, chocolat, figues, poisson séché ou en conserve, hareng mariné, jus de viande, pepperoni, raisins secs, framboises, bière non pasteurisée, chianti et vins rouges en général, xérès, vermouth, boissons ou aliments riches en caféine.

MÉDICAMENT-MALADIE
Il faut être prudent lorsqu'on prend de la sélégiline. Demandez l'avis de votre médecin en cas de : modification de l'état mental, maladie cardiaque importante, ulcère gastro-duodénal, sensation d'oppression dans la poitrine ou respiration sifflante.

SELS DE FER

Présentation : Gélules, gouttes, solution, comprimés
En vente libre ? Oui **Générique disponible ?** Oui
Classe de médicaments : Supplément diététique

▼ GÉNÉRALITÉS

INDICATIONS
Pour aider l'organisme à faire provision de fer, minéral essentiel à la production des globules rouges du sang. Un manque de globules rouges dans le sang mène à l'anémie.

MODE D'ACTION
Le fer est nécessaire à la production d'hémoglobine et de globules rouges dans le sang. L'hémoglobine est une protéine complexe à base de fer, contenue dans les globules rouges du sang ; elle assure le transport de l'oxygène vers les tissus et les libère du gaz carbonique qui sera ensuite évacué par les poumons.

▼ MODE D'EMPLOI

POSOLOGIE
Carence en fer – Adultes : 50 à 100 mg de fer élémentaire, 3 fois par jour. Enfants : 4 à 6 mg par kilogramme (2,2 lb) de poids par jour, en 3 doses fractionnées.

DÉBUT D'ACTION
En 5 à 7 jours. Selon la gravité du cas, le plein effet peut mettre 3 mois à s'établir.

DURÉE D'ACTION
Elle dépend de la capacité de l'organisme à l'utiliser.

CONSEILS NUTRITIONNELS
À prendre 1 heure avant les repas ou 2 heures après.

MODE DE CONSERVATION
Dans un contenant étanche, à l'abri de la chaleur et de la lumière. Il ne faut pas congeler les formes liquides.

OUBLI D'UNE DOSE
Prenez-la dès que vous y pensez. S'il est presque l'heure de la suivante, sautez la dose oubliée et reprenez la fréquence normale. Ne doublez pas la dose suivante.

ARRÊT DE LA MÉDICATION
Si le médicament vous a été prescrit par le médecin, c'est à lui de prendre la décision de mettre fin au traitement.

USAGE PROLONGÉ
Peut entraîner une accumulation de fer dans les tissus, ce qui peut causer : dommages au foie, problèmes cardiaques, diabète, impuissance et peau anormalement bronzée. Ne prenez pas de suppléments de fer sans consulter votre médecin.

≋ EFFETS INDÉSIRABLES ≋

GRAVES
Aucun effet grave n'est associé aux sels ferreux, si ce n'est une surcharge en fer à la suite d'un usage prolongé et inapproprié du minéral.

COURANTS
Nausées, constipation, selles noires.

MOINS COURANTS
Dents tachées (avec les formes liquides), douleur gastrique, vomissements, diarrhée.

▼ PRÉCAUTIONS

Plus de 60 ans. Aucun problème n'a été signalé quand l'apport quotidien se maintient dans les normes spécifiées.

Conduite automobile, travaux dangereux. Aucun risque connu.

Alcool. À éviter : l'alcool peut entraîner une absorption excessive de fer.

Grossesse. À prendre durant la grossesse seulement si le médecin le recommande.

Allaitement. Aucun problème n'est à redouter durant l'allaitement ; néanmoins, vous devriez consulter votre médecin avant de prendre des sels de fer.

Nourrissons et enfants. Aucun problème spécifique n'a été signalé. Néanmoins, on recommande une étroite surveillance médicale. Gardez les comprimés de fer hors de portée des jeunes enfants ; une ingestion accidentelle pourrait être très toxique.

À surveiller. L'hémochromatose est une maladie génétique très répandue qui décuple l'absorption de fer. Une carence en fer peut être le premier indice d'une tumeur gastro-intestinale. C'est pourquoi, ne prenez du fer que sur l'avis du médecin. Les formes liquides peuvent tacher les dents. Pour prévenir cet effet, mélangez la dose avec de l'eau, du jus de fruits ou de tomate que vous boirez avec une paille. Si vous prenez des gouttes, déposez-les à l'arrière de la langue et buvez un verre d'eau ou de jus. Pour détacher les dents, brossez-les avec du bicarbonate de soude ou du peroxyde d'oxygène à 3 %.

SURDOSAGE
Symptômes. Léthargie, nausées, vomissements, pouls faible et rapide, déshydratation, perte de conscience.

Quoi faire. Appelez immédiatement le médecin ou le centre antipoison, ou allez à l'urgence.

▼ INTERACTIONS

MÉDICAMENT-MÉDICAMENT
Les médicaments suivants peuvent entrer en interaction avec les sels de fer et ils entravent l'assimilation du fer : antiacides, antibiotiques, fluoroquinalones, lévodopa, cholestyramine ou vitamine E. Demandez l'avis du médecin.

MÉDICAMENT-ALIMENT
Certains aliments peuvent entraver l'action du médicament. Évitez les aliments suivants ou mangez-en peu, soit 1 heure avant de prendre du fer, soit 2 heures après en avoir pris : œufs, lait, épinards, fromage, yogourt, thé, café, pain complet, céréales et son de grains entiers.

MÉDICAMENT-MALADIE
Avertissez le médecin dans les cas suivants : antécédents d'alcoolisme, maladie des reins, du foie ou du cœur, porphyrie, polyarthrite rhumatoïde, asthme, allergies, ulcère d'estomac, colite ou autres troubles intestinaux.

SÉNÉ

Présentation : Comprimés, granules, solution orale, sirop, poudre, suppositoires
En vente libre ? Oui **Générique disponible ?** Oui
Classe de médicaments : Laxatif

▼ GÉNÉRALITÉS

INDICATIONS
Traitement à court terme de la constipation. Vidange du côlon avant une radiographie ou une chirurgie du côlon et du rectum.

MODE D'ACTION
Le séné stimule la sécrétion d'eau et d'électrolyte (sels minéraux) dans le côlon pour favoriser la défécation.

▼ MODE D'EMPLOI

POSOLOGIE
Adultes et adolescents : 15 à 30 mg de séné constituent une dose moyenne. La posologie variant selon le produit ou la marque, il est important de bien la respecter. Le médicament se prend au coucher.

DÉBUT D'ACTION
En 6 à 10 heures.

DURÉE D'ACTION
Variable.

CONSEILS NUTRITIONNELS
Chaque dose de séné devrait se prendre à jeun avec un grand verre (230 ml/8 oz) d'eau ou de jus de fruits.

MODE DE CONSERVATION
Dans un contenant étanche, à l'abri de la chaleur, de l'humidité et de la lumière.

OUBLI D'UNE DOSE
Prenez-la dès que vous y pensez. S'il est presque l'heure de la suivante, sautez la dose oubliée et reprenez la fréquence normale. Ne doublez pas la dose suivante.

ARRÊT DE LA MÉDICATION
Effectuez le traitement au complet, comme il vous a été prescrit, mais vous pouvez l'interrompre si vous vous sentez mieux avant qu'il ne prenne fin.

USAGE PROLONGÉ
Si l'évacuation ne redevient pas régulière en 1 semaine, cessez de prendre du séné et consultez le médecin.

▼ PRÉCAUTIONS

Plus de 60 ans. Risques de réactions indésirables plus fréquentes et plus graves.

Conduite automobile, travaux dangereux. À déconseiller tant que vous ne connaissez pas votre réaction au médicament.

Alcool. À éviter.

Grossesse. Mal utilisé, le séné peut provoquer des effets malencontreux. Consultez le médecin.

Allaitement. Le séné peut passer dans le lait maternel : la prudence s'impose. Demandez l'avis du médecin.

Nourrissons et enfants. Le séné n'est pas recommandé aux enfants de moins de 6 ans, sauf sur prescription médicale.

À surveiller. Vous devriez augmenter votre consommation d'aliments renfermant de la vitamine D (produits lactés), et inclure des aliments renfermant de l'acide folique (légumes frais, fruits, céréales entières et foie) pendant que vous prenez du séné. Le séné est un des laxatifs les plus efficaces pour soulager la constipation provoquée par des analgésiques narcotiques comme la morphine et la codéine.

SURDOSAGE
Symptômes. Vomissements subits, nausées, diarrhée ou coliques.

Quoi faire. Il est peu probable qu'une surdose de séné mette votre vie en danger. Néanmoins, si la dose est beaucoup plus forte que celle prescrite, appelez aussitôt le médecin ou le centre antipoison, ou allez à l'urgence.

▼ INTERACTIONS

MÉDICAMENT-MÉDICAMENT
Ne prenez aucun autre médicament dans les 2 heures qui précèdent ou suivent l'admi-

nistration de séné. Demandez spécifiquement l'avis du médecin si vous prenez : anticoagulants, digitaliques, ciprofloxacine, étidronate, sulfonate de polystyrène sodique ou tétracyclines orales.

MÉDICAMENT-ALIMENT
Aucune interaction connue.

MÉDICAMENT-MALADIE
Un traitement au séné exige de la prudence. Avisez le médecin si vous avez eu les antécédents suivants : appendicite, saignement rectal de cause inconnue, colostomie, occlusion intestinale, iléostomie, diabète, maladie cardiaque, hypertension, maladie du rein ou déglutition difficile.

≡ **EFFETS INDÉSIRABLES** ≡

GRAVES
Confusion, arythmies cardiaques, crampes musculaires, urine et selles rose-rouge ou jaune-brun, fatigue ou faiblesse anormales, dépendance aux laxatifs.

COURANTS
Éructations, coliques, diarrhée, nausées.

MOINS COURANTS
On n'a pas signalé d'effet indésirable moins courant.

SERTRALINE (CHLORHYDRATE DE)

NOMS COMMERCIAUX

Présentation : Comprimés
En vente libre ? Non   **Générique disponible ?** Oui
Classe de médicaments : Inhibiteur sélectif du recaptage de la sérotonine (ISRS)

NOMS COMMERCIAUX

Apo-Sertraline, Novo-Sertraline, Zoloft

▼ GÉNÉRALITÉS

INDICATIONS
Traitement des symptômes de : dépression grave, trouble obsessionnel compulsif (TOC) et trouble panique.

MODE D'ACTION
La sertraline modifie les taux cérébraux de sérotonine, élément chimique qu'on croit relié à l'humeur, aux émotions et aux états psychiques.

▼ MODE D'EMPLOI

POSOLOGIE
Dépression – Adultes : Au début, 50 mg, 1 fois par jour, le matin ou le soir. Le médecin peut augmenter graduellement la posologie jusqu'à 200 mg par jour. Trouble panique – Au début, 25 mg, 1 fois par jour, pendant 1 semaine, puis augmentation à 50 mg, 1 fois par jour.

DÉBUT D'ACTION
En 4 semaines.

DURÉE D'ACTION
Inconnue.

CONSEILS NUTRITIONNELS
Pas de restrictions spéciales.

MODE DE CONSERVATION
Dans un contenant étanche, à l'abri de la chaleur, de l'humidité et de la lumière.

OUBLI D'UNE DOSE
Prenez-la dès que vous y pensez. S'il est presque l'heure de la suivante, sautez la dose oubliée et reprenez la fréquence normale. Ne doublez pas la dose suivante.

ARRÊT DE LA MÉDICATION
Effectuez le traitement au complet. À la fin, le médecin réduira graduellement la posologie.

USAGE PROLONGÉ
Le traitement dure habituellement 6 mois à 1 an : certains patients peuvent tirer profit d'un traitement plus long.

▼ PRÉCAUTIONS

Plus de 60 ans. Aucun problème spécial n'a été signalé.

Conduite automobile, travaux dangereux. Soyez prudent tant que vous ne connaissez pas votre réaction au médicament.

Alcool. À éviter.

Grossesse. Il n'existe pas d'études pertinentes sur l'utilisation de la sertraline durant la grossesse. Avant d'en prendre, avisez le médecin que vous êtes enceinte ou désirez le devenir.

Allaitement. On ne sait pas si la sertraline passe dans le lait maternel : la prudence est conseillée. Demandez spécifiquement l'avis du médecin.

Nourrissons et enfants. L'innocuité et l'efficacité du médicament n'ont pas été établies chez les patients de moins de 18 ans.

SURDOSAGE
Symptômes. Somnolence, nausées, vomissements, tachycardie, anxiété, pupilles dilatées.

Quoi faire. Appelez immédiatement le médecin ou le centre antipoison, ou allez à l'urgence.

▼ INTERACTIONS

MÉDICAMENT-MÉDICAMENT
La sertraline et les inhibiteurs de la monoamine-oxydase (IMAO) ne devraient pas être pris à moins de 14 jours d'intervalle ; il pourrait autrement en résulter de très graves effets indésirables tels que de la myoclonie (spasmes musculaires involontaires), de l'hyperthermie (hausse excessive de la température du corps) et une rigidité extrême. Il peut aussi y avoir interaction entre la sertraline et les médicaments suivants : cimétidine, digitoxine, warfarine, sumatriptan, naratriptan, zolmitriptan, antidiabétiques oraux (tolbutamide), antidépresseurs tricycliques ou tout dépresseur du système nerveux central (antihistaminiques, barbituriques, sédatifs, antitussifs et décongestionnants), pris avec ou sans ordonnance. Demandez l'avis de votre médecin.

MÉDICAMENT-ALIMENT
Aucune interaction connue.

MÉDICAMENT-MALADIE
Consultez le médecin si vous avez des antécédents d'alcoolisme ou de toxicomanie. La sertraline peut entraîner des complications chez les patients atteints d'une maladie du foie ou du rein, car ces organes travaillent ensemble à éliminer le médicament de l'organisme.

≡ EFFETS INDÉSIRABLES ≡

GRAVES
Rash cutané, urticaire ou démangeaisons, élocution anormalement rapide, fièvre, agitation extrême.

COURANTS
Insomnie, diarrhée, troubles sexuels, diminution de l'appétit, perte de poids, somnolence, céphalées, sécheresse de la bouche, crampes d'estomac, douleur abdominale, flatulence, tremblements, fatigue, manque d'énergie.

MOINS COURANTS
Anxiété, agitation, augmentation de l'appétit, vision brouillée ou altérée, constipation, arythmies cardiaques, bouffées vasomotrices, chaleurs, vomissements.

SIBUTRAMINE (CHLORHYDRATE DE)

NOM COMMERCIAL

Meridia

Présentation : Gélules
En vente libre ? Non   **Générique disponible ?** Non
Classe de médicaments : Inhibiteur de la recapture des neurotransmetteurs

▼ GÉNÉRALITÉS

INDICATIONS
Avec une diète et l'exercice physique, contribue au traitement médical de l'obésité. Ce médicament s'adresse aux personnes dont l'indice de masse corporelle (IMC) est supérieur à 30, ou à 27 si elles sont à haut risque, à cause par exemple de diabète ou d'hypertension.

MODE D'ACTION
La sibutramine exerce une action sur le centre du cerveau qui contrôle la faim en empêchant la recapture de neurotransmetteurs comme la sérotonine. La présence accrue de ces neurotransmetteurs dans l'organisme a pour conséquence de réduire la faim.

▼ MODE D'EMPLOI

POSOLOGIE
Dose initiale : 10 mg, 1 fois par jour. La posologie peut être augmentée jusqu'à 15 mg, 1 fois par jour.

DÉBUT D'ACTION
Il peut se passer plusieurs semaines ou plusieurs mois avant qu'on observe une perte de poids significative.

DURÉE D'ACTION
La plupart de ceux qui prennent de la sibutramine régulièrement perdent du poids au cours des six premiers mois et ne le reprennent pas pour la durée du traitement.

CONSEILS NUTRITIONNELS
Peut se prendre avec ou sans nourriture.

MODE DE CONSERVATION
Dans un contenant étanche, à l'abri de la chaleur, de l'humidité et de la lumière.

OUBLI D'UNE DOSE
Si vous sautez une journée, ne doublez pas la dose le lendemain. Suivez votre horaire régulier.

ARRÊT DE LA MÉDICATION
La décision devrait être prise en consultation avec votre médecin.

USAGE PROLONGÉ
L'efficacité et l'innocuité de ce médicament n'ont pas été établis au-delà de 1 an.

▼ PRÉCAUTIONS

Plus de 60 ans. Il n'y a pas eu d'études spécifiques dans ce groupe d'âge.

Conduite automobile, travaux dangereux. À déconseiller tant que vous ne connaissez pas votre réaction au médicament.

Alcool. La sibutramine peut potentialiser l'effet sédatif de l'alcool. Demandez l'avis de votre médecin.

Grossesse. Si vous êtes enceinte ou voulez le devenir, dites-le au médecin car la sibutramine ne convient pas pendant la grossesse.

Allaitement. La sibutramine ne devrait pas être prise par une femme qui allaite.

Nourrissons et enfants. À ne pas utiliser chez les moins de 18 ans.

À surveiller. Bien qu'aucun effet secondaire grave n'ait été signalé (à la publication de cet ouvrage), d'autres coupe-faim ont été associés à un risque potentiel de graves problèmes cardiovasculaires et cardiopulmonaires. En cas de symptômes inhabituels ou inquiétants, cessez la médication et appelez le médecin.

SURDOSAGE
Symptômes. Aucun cas de surdose n'a été rapporté.

Quoi faire. Si la quantité absorbée dépasse largement la dose suggérée, ou s'il y a eu ingestion accidentelle par un enfant, appelez aussitôt le médecin ou le centre antipoison, ou allez à l'urgence.

▼ INTERACTIONS

MÉDICAMENT-MÉDICAMENT
Vous ne devriez pas prendre de sibutramine si vous prenez : IMAO, autres médicaments pour perdre du poids, antidépresseurs, antimigraineux, dihydroergotamine, mépéridine, fentanyl, pentazocine, dextrométhorphane (qu'on retrouve souvent dans les préparations contre le rhume), lithium ou tryptophane. La sibutramine peut interagir avec : kétoconazole, érythromycine, préparations contre la toux ou le rhume, médicaments contre les allergies et décongestionnants. Parlez-en au médecin.

MÉDICAMENT-ALIMENT
Pas d'interaction connue.

MÉDICAMENT-MALADIE
Il ne faut pas prendre de sibutramine en cas de : maladie coronarienne ; angine de poitrine ; arythmie cardiaque ; antécédents de convulsions d'infarctus du myocarde ou d'ACV ; insuffisance cardiaque congestive ; anorexie mentale ; glaucome par fermeture de l'angle. La sibutramine peut élever considérablement la tension chez certains patients. Elle peut aussi entraîner des complications en cas d'insuffisance hépatique ou rénale car le foie et les reins contribuent à l'éliminer de l'organisme. Demandez l'avis de votre médecin en cas d'antécédents de : migraine, dépression mentale, maladie de Parkinson, maladie thyroïdienne, ostéoporose, troubles de la vésicule biliaire, anorexie ou boulimie, et tout autre problème médical.

≣ EFFETS INDÉSIRABLES ≣

GRAVES
Essoufflement, pouls accéléré, douleurs thoracique, engourdissement d'un côté du corps ou changements visuels : si vous n'aviez pas ces symptômes avant de prendre le médicament, appelez tout de suite le médecin.

COURANTS
Sécheresse de la bouche, constipation, insomnie.

MOINS COURANTS
Céphalées, hypersudation, hypertension et tachycardie.

SILDÉNAFIL (CITRATE DE)

Présentation : Comprimés
En vente libre ? Non   **Générique disponible ?** Non
Classe de médicaments : Inhibiteur de la phosphodiestérase de type 5

▼ GÉNÉRALITÉS

INDICATIONS

Traitement de la dysfonction érectile (impuissance) chez l'homme pouvant être associée à : athérosclérose, maladie cardiovasculaire ou circulatoire, diabète, maladie rénale, déséquilibre hormonal, trouble ou lésion neurologique, dépression grave ou autres troubles psychiques.

MODE D'ACTION

Le sildénafil inhibe l'action d'une enzyme spécifique, la phosphodiestérase de type 5, ayant pour fonction de dégrader la substance qui détend les muscles lisses et favorise l'afflux de sang dans le tissu spongieux à l'intérieur du pénis. À la différence des autres traitements de la dysfonction érectile qui produisent immédiatement une érection mécanique, le sildénafil favorise la réaction naturelle à la stimulation sexuelle.

▼ MODE D'EMPLOI

POSOLOGIE

La dose habituelle est de 50 mg, prise environ 1 heure avant la relation sexuelle. Elle peut être augmentée au besoin jusqu'à 100 mg ou réduite à 25 mg. Votre médecin vous aidera à établir la posologie qui vous convient. Ne prenez le médicament qu'une seule fois sur une période de 24 heures.

DÉBUT D'ACTION

Entre 30 minutes et 4 heures.

DURÉE D'ACTION

Inconnue.

CONSEILS NUTRITIONNELS

Ce médicament se prend sur un estomac vide.

MODE DE CONSERVATION

Dans un contenant étanche, à l'abri de la chaleur, de l'humidité et de la lumière.

OUBLI D'UNE DOSE
Sans objet.

ARRÊT DE LA MÉDICATION
Sans objet.

USAGE PROLONGÉ
Le sildénafil traite mais ne guérit pas la dysfonction érectile. Il faut continuer d'en prendre chaque fois que l'on veut bénéficier de ses effets.

▼ PRÉCAUTIONS

Plus de 60 ans. Pas de risque connu.

Conduite automobile, travaux dangereux. Aucune précaution spéciale.

Alcool. Aucune précaution spéciale. Cependant, l'alcool peut diminuer la performance sexuelle.

Grossesse. Sans objet. Non approuvé pour les femmes.

Allaitement. Sans objet. Non approuvé pour les femmes.

Nourrissons et enfants. Sans objet. À ne pas utiliser chez les enfants.

À surveiller. Le sildénafil ne protège pas des maladies transmises sexuellement. Il faut avoir recours aux mesures appropriées (port du condom) pour assurer la protection contre ces maladies, dont le VIH. Le sildénafil n'est recommandé qu'aux hommes qui ont reçu, après une évaluation clinique, un diagnostic de dysfonction érectile.

SURDOSAGE
Symptômes. On n'a rapporté aucun cas de surdosage.

Quoi faire. Une surdose est peu probable. Si la quantité absorbée dépasse de beaucoup la dose recommandée, appelez votre médecin.

▼ INTERACTIONS

MÉDICAMENT-MÉDICAMENT
Le sildénafil peut potentialiser l'action des dérivés nitrés (comme la nitroglycérine, qui sert à traiter des crises d'angine) en abaissant la pression artérielle à des niveaux dangereux. Toute personne qui prend des dérivés nitrés doit donc s'abstenir de prendre du sildénafil. Il n'est pas recommandé non plus d'en prendre en même temps qu'un autre médicament contre la dysfonction érectile. Demandez l'avis de votre médecin si vous prenez : inhibiteur de la protéase (ritonavir ou saquinavir, par exemple, pouvant affecter les taux sanguins de sildénafil), érythromycine, cimétidine, itraconazole ou kétoconazole.

MÉDICAMENT-ALIMENT
Pas d'interaction connue.

MÉDICAMENT-MALADIE
Il faut être prudent lorsqu'on prend du sildénafil. Demandez l'avis de votre médecin si vous avez des antécédents de : hypertension ou hypotension ; déformation physique du pénis ; hémorragie ; crise cardiaque, ACV ou arythmie grave au cours des six derniers mois ; insuffisance cardiaque ; maladie coronarienne ; rétinite pigmentaire ; ulcère gastro-duodénal ; drépanocytose ; myélome multiple ; leucémie.

 EFFETS INDÉSIRABLES

GRAVES
Un priapisme (érection douloureuse ou persistant plus de 4 heures) est un effet rare. Le cas échéant, il faut obtenir du secours médical ; si l'érection se résorbe d'elle-même, il faut néanmoins consulter le médecin. On a rapporté des accidents cardiovasculaires majeurs – crises cardiaques, arythmies, hémorragies cérébrales, accidents ischémiques transitoires – à la suite de l'utilisation du sildénafil. Il n'est pas clair toutefois s'il s'agissait d'un effet du médicament, d'un risque cardiovasculaire déjà présent, d'un effet de l'activité sexuelle ou d'une combinaison de ces facteurs.

COURANTS
Céphalées, rougeurs du visage, troubles de la digestion. Il s'agit d'effets en général légers et transitoires.

MOINS COURANTS
Congestion nasale, anomalies de la vision, yeux injectés de sang ou qui brûlent, diarrhée, sang dans l'urine.

SIMÉTHICONE

Présentation : Comprimés, comprimés à croquer, gélules, gouttes
En vente libre ? Non **Générique disponible ?** Oui
Classe de médicaments : Antiacide ; antiflatulent

▼ GÉNÉRALITÉS

INDICATIONS
Soulagement des malaises causés par un excès de gaz dans l'estomac ou l'intestin. Sert aussi à réduire les gaz avant une radiographie exploratoire de l'estomac ou de l'intestin, ou avant une endoscopie.

MODE D'ACTION
La siméthicone disperse les bulles de gaz et empêche leur formation dans le tractus gastro-intestinal.

▼ MODE D'EMPLOI

POSOLOGIE
Comprimés et gélules : 60 à 125 mg, 4 fois par jour, après les repas et au coucher. Comprimés mâchables : 40 à 125 mg, 4 fois par jour, après les repas et au coucher, ou 150 mg, 3 fois par jour, après les repas. Gouttes : 40 à 95 mg, 4 fois par jour, après les repas et au coucher. Les gouttes doivent se prendre par la bouche même si elles sont présentées dans un flacon muni d'un compte-gouttes. La posologie ne devrait jamais dépasser 500 mg, quelle que soit la forme, à moins d'avis contraire du médecin.

DÉBUT D'ACTION
Immédiat.

DURÉE D'ACTION
Inconnue.

CONSEILS NUTRITIONNELS
Pour de meilleurs résultats, ce médicament devrait être pris après les repas et au coucher.

MODE DE CONSERVATION
Dans un contenant étanche, à l'abri de la chaleur, de l'humidité et de la lumière. La forme liquide se conserve à la température ambiante.

OUBLI D'UNE DOSE
Prenez-la dès que vous y pensez. S'il est presque l'heure de la suivante, sautez la dose oubliée et reprenez la fréquence normale. Ne doublez pas la dose suivante.

ARRÊT DE LA MÉDICATION
Poursuivez le traitement pour la durée prescrite. Vous pouvez néanmoins l'arrêter si vous commencez à vous sentir mieux avant qu'il ne prenne fin.

USAGE PROLONGÉ
Consultez périodiquement votre médecin si vous faites une utilisation prolongée de siméthicone.

▼ PRÉCAUTIONS

Plus de 60 ans. Il n'y a pas de données comparatives sur l'utilisation de la siméthicone chez des personnes d'âges différents, mais on ne prévoit aucun problème dans ce groupe d'âge.

Conduite automobile, travaux dangereux. La siméthicone ne devrait pas vous empêcher d'exécuter de telles activités en toute sécurité.

Alcool. On ne s'attend à aucun problème particulier.

Grossesse. La siméthicone n'est pas absorbée par l'organisme ; elle ne devrait donc poser aucun problème en cas de grossesse.

Allaitement. On n'a rapporté aucun problème.

Nourrissons et enfants. On ne recommande pas la siméthicone pour traiter la colique chez les bébés car on n'a pas établi son innocuité. On ne recommande pas non plus son usage chez les enfants plus âgés, à moins d'avis spécifique du médecin.

À surveiller. Si vous prenez les comprimés à croquer, mastiquez-les totalement avant de les avaler pour obtenir un effet rapide et complet. Pour la forme liquide, agitez bien le flacon avant usage. Changer de position ou marcher sont de bons moyens pour éliminer les gaz. Informez votre médecin si vous suivez une diète hyposodique, hypocalorique ou autre. Faites régulièrement de l'exercice et allez à la selle à heures fixes. Ne fumez pas avant les repas.

SURDOSAGE
Symptômes. Aucun symptôme spécifique n'a été signalé.

Quoi faire. Une surdose de siméthicone ne devrait pas mettre votre vie en danger. Néanmoins, si la quantité ingérée est considérable, appelez votre médecin ou le centre antipoison.

▼ INTERACTIONS

MÉDICAMENT-MÉDICAMENT
Pas d'interaction connue.

MÉDICAMENT-ALIMENT
Évitez les aliments qui favorisent l'accumulation de gaz. Mangez lentement et mastiquez bien vos aliments. Évitez les boissons gazeuses.

MÉDICAMENT-MALADIE
Pas d'interaction connue.

EFFETS INDÉSIRABLES

GRAVES
Aucun effet indésirable grave n'a été signalé.

COURANTS
Expulsion d'un excès de gaz : éructations ou flatulences.

MOINS COURANTS
Aucun effet indésirable moins courant n'a été signalé.

SIMVASTATINE

Présentation : Comprimés
En vente libre ? Non **Générique disponible ?** Non
Classe de médicaments : Hypolipidémiant (anti-cholestérol)

▼ GÉNÉRALITÉS

INDICATIONS
Traitement de l'hypercholestérolémie. S'emploie aussi pour réduire les risques d'accident cérébrovasculaire (ACV) ou d'ischémie transitoire (ACV mineur) chez les personnes avec une cholestérolémie élevée souffrant d'une maladie coronarienne. La simvastatine est généralement prescrite après l'échec d'une première tentative (incluant diète amaigrissante et exercice régulier) pour ramener les lipoprotéines de basse densité (LDL) à des niveaux acceptables.

MODE D'ACTION
La simvastatine empêche l'accumulation du cholestérol en entravant l'action de l'enzyme requise pour sa fabrication. En abaissant la quantité de cholestérol dans les cellules du foie, la simvastatine favorise la formation des récepteurs des lipoprotéines de basse densité (LDL) et réduit ainsi les taux sanguins de cholestérol total et de LDL. En plus d'abaisser les taux de LDL, la simvastatine réduit légèrement ceux des triglycérides et augmente ceux des lipoprotéines à haute densité (HDL) : le « bon » cholestérol.

▼ MODE D'EMPLOI

POSOLOGIE
Dose de départ : 10 à 40 mg, 1 fois par jour. La posologie peut être augmentée à un maximum de 80 mg par jour. Prise le soir, la simvastatine est plus efficace.

DÉBUT D'ACTION
En 2 à 4 semaines.

DURÉE D'ACTION
L'effet se maintient pendant la durée du traitement.

CONSEILS NUTRITIONNELS
Les médicaments servant à abaisser le cholestérol font partie d'un ensemble de mesures qui incluent régime alimentaire et exercice.

MODE DE CONSERVATION
Dans un contenant étanche, à l'abri de la chaleur et de la lumière.

OUBLI D'UNE DOSE
Prenez-la dès que vous y pensez et prenez la suivante à l'heure prévue. Ne doublez pas la dose suivante.

ARRÊT DE LA MÉDICATION
La décision d'arrêter doit être prise en consultation avec votre médecin. Il y a de fortes chances dans ce cas pour que le taux de cholestérol sanguin remonte à son niveau antérieur.

USAGE PROLONGÉ
Risque accru d'effets indésirables. Consultez périodiquement votre médecin qui fera faire des analyses de sang pour évaluer votre fonction hépatique.

▼ PRÉCAUTIONS

Plus de 60 ans. Pas de risques connus.

Conduite automobile, travaux dangereux. La simvastatine ne devrait pas vous empêcher d'exécuter de telles activités en toute sécurité.

Alcool. Aucune précaution spéciale.

Grossesse. La simvastatine ne devrait pas être prise par une femme enceinte ou qui veut le devenir.

Allaitement. Ce médicament n'est pas recommandé aux femmes qui allaitent.

Nourrissons et enfants. Les effets à long terme de la simvastatine chez les enfants n'ont pas été établis. Ce médicament est rarement prescrit à des enfants ; demandez l'avis du pédiatre.

À surveiller. Les éléments importants du traitement lorsqu'on veut abaisser les taux de cholestérol sont le régime alimentaire, la perte de poids, l'exercice régulier et modéré, et certains médicaments à éviter. Parce que la simvastatine présente des effets indésirables, il est important de se conformer à toutes les directives du médecin, et notamment à la diète prescrite.

SURDOSAGE
Symptômes. Aucun symptôme spécifique n'a été signalé. Un surdosage est peu probable.

Quoi faire. Appelez votre médecin.

▼ INTERACTIONS

MÉDICAMENT-MÉDICAMENT
Demandez l'avis du médecin si vous prenez : cyclosporine, gemfibrozil, niacine, antibiotiques (surtout érythromycine), inhibiteurs de la protéase du VIH, antifongiques. Tous ces médicaments, s'ils sont pris en même temps que la simvastatine, peuvent augmenter le risque d'une myosite (inflammation des muscles) et entraîner une déficience rénale.

MÉDICAMENT-ALIMENT
Ne buvez pas de jus de pamplemousse.

MÉDICAMENT-MALADIE
Demandez l'avis de votre médecin en cas de : maladie du foie, des reins ou des muscles, greffe d'organe ou récente intervention chirurgicale.

 EFFETS INDÉSIRABLES

GRAVES
Fièvre, douleurs ou sensibilité inexplicables dans les muscles. Demandez immédiatement l'aide d'un médecin.

COURANTS
Les effets indésirables affectent à peine 1 % à 2 % des patients : constipation ou diarrhée, étourdissements ou vertiges, ballonnements ou flatulence, aigreurs d'estomac, nausée, rash cutané, douleurs dans l'estomac, augmentation des enzymes hépatiques.

MOINS COURANTS
Insomnie.

SODIUM (BICARBONATE DE)

Présentation : Poudre effervescente, poudre, comprimés
En vente libre ? Oui   **Générique disponible ?** Oui
Classe de médicaments : Antiacide

Alka-Seltzer, Arm and Hammer (bicarbonate de soude pur), Soda Mint

▼ GÉNÉRALITÉS

INDICATIONS
Soulagement des aigreurs et brûlures d'estomac, et autres problèmes d'acidité. Le bicarbonate de sodium est aussi prescrit en cas d'acidose métabolique (accumulation excessive d'acide dans les fluides du corps), pour prévenir les calculs urinaires et comme élément d'un traitement anti-goutte.

MODE D'ACTION
Le bicarbonate de sodium neutralise l'acide gastrique et diminue l'action de la pepsine, une enzyme digestive. C'est cette action qui entraîne le soulagement des symptômes de l'acidité. Comme il est un alcalin, le bicarbonate de sodium aide aussi à élever le pH dans le sang et l'urine.

▼ MODE D'EMPLOI

POSOLOGIE
La posologie varie en fonction de la cause à soigner et de l'âge du patient. Consultez votre pharmacien ou votre médecin.

DÉBUT D'ACTION
Rapide en tant qu'antiacide pour combattre les aigreurs et brûlures d'estomac.

DURÉE D'ACTION
Inconnue.

CONSEILS NUTRITIONNELS
Le bicarbonate de sodium se prend après le repas. Exercez de la circonspection si vous êtes astreint à une diète sans sel, car il contient énormément de sodium.

MODE DE CONSERVATION
Dans un contenant étanche, à l'abri de la chaleur, de l'humidité et de la lumière.

OUBLI D'UNE DOSE
Prenez-la dès que vous y pensez. S'il est presque l'heure de la suivante, sautez la dose oubliée et reprenez la fréquence normale. Ne doublez pas la dose suivante.

ARRÊT DE LA MÉDICATION
Poursuivez le traitement pour la durée prescrite s'il vous a été prescrit par un médecin, sur ordonnance.

USAGE PROLONGÉ
Ne prenez pas de bicarbonate de sodium de façon régulière ou pendant plus de 2 semaines sans consulter votre médecin.

▼ PRÉCAUTIONS

Plus de 60 ans. Voir Conseils nutritionnels.

Conduite automobile, travaux dangereux. Aucune précaution spéciale.

Alcool. À éviter.

Grossesse. Pas de risques connus.

Allaitement. Pas de risques connus.

Nourrissons et enfants. Emploi et posologie à des enfants de 6 ans et moins sont à déterminer par votre médecin.

SURDOSAGE
Symptômes. Voir Effets indésirables graves.

Quoi faire. Une surdose ne devrait pas mettre votre vie en danger. Néanmoins, si la quantité ingérée est considérable, appelez immédiatement le médecin ou le centre anti-poison, ou allez à l'urgence.

▼ INTERACTIONS

MÉDICAMENT-MÉDICAMENT
Ne prenez aucune autre préparation en vente libre qui contienne du bicarbonate de sodium. Demandez l'avis du médecin si vous prenez : kétoconazole, tétracyclines, mécamylamine, méthénamine,

acidifiants urinaires, amphétamines, anticholinergiques, quinidine, citrates, éphédrine, flécaïnide, fluoroquinolones, fer, lithium, méthotrexate, mexilétine, sucralfate, salicylates et tout comprimé à revêtement gastro-résistant (soluble dans l'intestin).

MÉDICAMENT-ALIMENT
Ne prenez pas de lait ou de produits laitiers en même temps que du bicarbonate de sodium.

MÉDICAMENT-MALADIE
Ne prenez pas de bicarbonate de sodium si vous manifestez des symptômes d'appendicite (douleurs dans l'estomac, ballonnements, nausées et vomissements). Si vous souffrez d'une dysfonction rénale, n'en prenez que sur avis du médecin. Demandez aussi l'avis de votre médecin en cas de : saignements de l'intestin ou du rectum, œdème (enflure des mains et des pieds), maladie cardiaque, hépatique ou rénale, hypertension, problèmes de miction, toxémie gravidique.

 EFFETS INDÉSIRABLES ▼

GRAVES
Fréquentes envies d'uriner, nervosité ou agitation motrice, instabilité d'humeur ou d'état mental, douleurs ou mouvements incontrôlables des muscles, nausées ou vomissements, respiration lente, céphalées continues, perte d'appétit, enflure des pieds et du bas des jambes, goût déplaisant dans la bouche, fatigue inhabituelle.

COURANTS
On ne rapporte aucun effet indésirable courant.

MOINS COURANTS
Crampes d'estomac, soif accrue.

SODIUM (PHOSPHATES DE)

Présentation : Solution orale, lavements
En vente libre ? Oui   **Générique disponible ?** Oui
Classe de médicaments : Laxatif osmotique

▼ GÉNÉRALITÉS

INDICATIONS
Traitement à court terme de la constipation. Ce laxatif s'emploie aussi pour vider rapidement le colon avant un examen de l'intestin ou du rectum.

MODE D'ACTION
En captant et en retenant l'eau dans l'intestin, les phosphates de sodium stimulent l'activité péristaltique (mouvement) de l'intestin et le besoin de déféquer.

▼ MODE D'EMPLOI

POSOLOGIE
Forme orale – Adultes et adolescents : 20 à 45 ml (4 à 9 cuillerées à thé) dissous dans ½ verre d'eau fraîche. Enfants de 10 à 12 ans : 10 ml (2 cuillerées à thé). Enfants de 5 à 10 ans : 5 ml (1 cuillerée à thé). Lavement – Adultes et adolescents : 120 ml (1 flacon jetable) par voie rectale. Enfants de 2 ans et plus : 60 ml.

DÉBUT D'ACTION
En 30 minutes à 6 heures après l'administration par voie orale. En 2 à 5 minutes après un lavement.

DURÉE D'ACTION
Oralement : variable. Lavement : jusqu'à évacuation.

CONSEILS NUTRITIONNELS
Les phosphates de sodium ne doivent pas être pris avec de la nourriture. On peut en adoucir le goût déplaisant en les faisant suivre d'un jus d'agrumes ou d'une boisson gazeuse à saveur d'agrumes.

MODE DE CONSERVATION
Dans un contenant étanche, à l'abri de la chaleur et de la lumière.

OUBLI D'UNE DOSE
Forme orale : si vous prenez ce laxatif à heures fixes, prenez-le dès que vous y pensez, à moins qu'il ne soit presque l'heure de la dose suivante. Si c'est le cas, sautez la dose oubliée, attendez la dose suivante et ne la doublez pas. Cette consigne ne s'applique pas au lavement.

ARRÊT DE LA MÉDICATION
Suivez le traitement complet. Vous pouvez néanmoins l'arrêter si vous vous sentez mieux dans l'intervalle.

USAGE PROLONGÉ
Ne prenez jamais un laxatif pendant plus de 2 semaines sans consulter votre médecin.

▼ PRÉCAUTIONS

Plus de 60 ans. Risques de réactions indésirables plus fréquentes et plus graves.

Conduite automobile, travaux dangereux. À déconseiller tant que vous ne connaissez pas votre réaction au médicament.

Alcool. À éviter.

Grossesse. Ce laxatif contient énormément de sodium, ce qui peut avoir des effets indésirables, en augmentant notamment la tension artérielle. S'il vous faut prendre un laxatif pendant que vous êtes enceinte, demandez conseil à votre médecin.

Allaitement. Les phosphates de sodium peuvent passer dans le lait maternel ; il faut faire preuve de prudence. Suivez l'avis du médecin.

Nourrissons et enfants. Ne donnez pas ce genre de laxatif à un enfant de moins de 5 ans sans avoir consulté le médecin.

À surveiller. Pour en améliorer le goût, vous pouvez réfrigérer la forme orale ou la prendre avec de la glace ; ou buvez tout de suite après un jus d'agrumes ou une boisson gazeuse à saveur d'agrumes. Rappelez-vous que la prise répétée des phosphates de sodium, comme pour tout autre laxatif, peut entraîner de la dépendance. Tentez plutôt de consommer davantage de fibres pour augmenter le volume des selles : céréales entières, son, fruits et légumes. Ce laxatif produit des selles fluides dans les 3 à 6 heures qui suivent : il faut donc établir votre horaire de manière à ne pas nuire aux activités de la journée ou au sommeil. Il ne faut pas non plus prendre vos autres médicaments dans les 2 heures qui précèdent ou qui suivent.

SURDOSAGE
Symptômes. Activité péristaltique excessive, déshydratation (entraînant hypotension et modifications du rythme cardiaque), acidose métabolique, anomalies dans la composition du sang.

Quoi faire. Une surdose ne devrait pas mettre votre vie en danger. Néanmoins, si la quantité ingérée est considérable, appelez aussitôt le médecin ou le centre antipoison, ou allez à l'urgence.

▼ INTERACTIONS

MÉDICAMENT-MÉDICAMENT
Demandez l'avis du médecin si vous prenez : anticoagulants, digitaliques, ciprofloxacine, étidronate, sulfonate de polystyrène sodique ou tétracycline orale.

MÉDICAMENT-ALIMENT
N'utilisez pas ce laxatif si vous suivez une diète sans sel.

MÉDICAMENT-MALADIE
Consultez votre médecin si vous avez ou avez déjà eu : appendicite, colostomie, saignements rectaux d'origine inconnue, blocage intestinal, iléostomie, diabète, maladie cardiaque, hypertension, maladie des reins, problèmes de déglutition.

EFFETS INDÉSIRABLES

GRAVES
Confusion, étourdissements ou vertiges, arythmie, crampes musculaires, fatigue ou faiblesse inhabituelles.

COURANTS
Crampes, diarrhée, gaz intestinaux, soif accrue.

MOINS COURANTS
Aucun effet indésirable moins courant n'a été signalé.

SOMATREM

Présentation : Injections
En vente libre ? Non   **Générique disponible ?** Non
Classe de médicaments : Hormone de croissance

▼ GÉNÉRALITÉS

INDICATIONS
Remplace l'hormone de croissance si l'hypophyse n'en fabrique pas suffisamment.

MODE D'ACTION
Le somatrem stimule la croissance de la même façon que l'hormone naturelle.

▼ MODE D'EMPLOI

POSOLOGIE
0,3 mg par kilogramme (2,2 lb) de poids corporel par semaine, en fractions quotidiennes (1 fois par jour).

DÉBUT D'ACTION
En moins d'une heure.

DURÉE D'ACTION
12 à 48 heures.

CONSEILS NUTRITIONNELS
Pas de conseils spéciaux.

MODE DE CONSERVATION
Gardez le liquide au réfrigérateur, au maximum 14 jours. Il ne faut pas le congeler.

OUBLI D'UNE DOSE
Prenez-la dès que vous y pensez. S'il est presque le temps de la suivante, sautez la dose oubliée et reprenez la fréquence normale. Ne doublez pas la dose suivante.

ARRÊT DE LA MÉDICATION
Cette décision devrait être prise par le médecin.

USAGE PROLONGÉ
En général, après 2 années d'utilisation, le rythme de croissance diminue. Le patient doit alors être évalué pour voir s'il se conforme bien au traitement et déceler la présence éventuelle d'anticorps qui combattent l'hormone de croissance ou d'autres problèmes médicaux. Un usage prolongé de somatrem peut entraîner l'acromégalie (développement exagéré du visage, des mains et des pieds, augmentation de la taille des organes, diabète, athérosclérose, hypertension et syndrome du canal carpien) résultant d'une surabondance de l'hormone hypophysaire.

▼ PRÉCAUTIONS

Plus de 60 ans. Le somatrem peut s'employer à tout âge pour palier la déficience de l'hormone de croissance. Bien qu'il n'ait pas été approuvé à cette fin, on l'a parfois administré à des personnes vieillissantes pour fortifier leurs muscles. Cette utilisation risque de provoquer œdème (tissus gonflés par la rétention liquidienne) et hypertension.

Conduite automobile, travaux dangereux. Le somatrem ne devrait pas vous empêcher d'exécuter de telles tâches en toute sécurité.

Alcool. Aucune précaution spéciale.

Grossesse. On ignore si le somatrem nuit au fœtus. Une femme enceinte ne devrait y recourir qu'en cas d'extrême besoin. Demandez conseil à votre médecin.

Allaitement. On ignore si le médicament passe dans le lait maternel ; il est déconseillé pendant l'allaitement à moins d'extrême besoin. Demandez conseil à votre médecin.

Nourrissons et enfants. On ne doit pas donner de somatrem à un enfant dont les épiphyses sont soudées, signe que sa croissance est finie.

À surveiller. Administré à un adulte ou à un enfant qui sécrète l'hormone de croissance en quantité suffisante, le somatrem peut causer de graves effets indésirables : diabète, hypertension, athérosclérose, acromégalie (croissance anormale des os et des organes, dont le cœur, les reins et le foie). Si la croissance ne s'améliore pas de façon satisfaisante avec le somatrem, de petites quanti-tés d'hormones sexuelles pourraient faciliter l'absorption du médicament. On recommande de faire chaque année l'évaluation de l'âge des os. Une évaluation périodique de la glande thyroïde s'avère aussi nécessaire car une insuffisance thyroïdienne peut entraver la réponse à l'hormone de croissance. Si la production de cette hormone est diminuée à cause d'une lésion dans le crâne, la lésion doit être surveillée de près. Si l'injection est intramusculaire, l'aiguille devrait mesurer au moins 2,5 cm (1 po) pour que le médicament soit sûr d'atteindre le muscle.

SURDOSAGE
Symptômes. Aucun symptôme spécifique n'a été signalé.

Quoi faire. Une surdose ne devrait pas mettre votre vie en danger. Néanmoins, si la dose est considérable, appelez immédiatement le médecin ou le centre antipoison, ou allez à l'urgence.

▼ INTERACTIONS

MÉDICAMENT-MÉDICAMENT
Demandez l'avis du médecin si vous (ou votre enfant) prenez : stéroïdes anabolisants, œstrogènes, androgènes, hormones thyroïdiennes, corticostéroïdes, corticotropine.

MÉDICAMENT-ALIMENT
Pas d'interaction connue.

MÉDICAMENT-MALADIE
Il faut être prudent lorsqu'on prend du somatrem. Demandez l'avis de votre médecin en cas de : hypothyroïdie, diabète ou tumeur maligne (cancéreuse).

  EFFETS INDÉSIRABLES

GRAVES
Changements visuels, nausées, vomissements, céphalées ; douleur et enflure au site d'injection, douleur dans une hanche ou un genou (entraînant parfois le boitement), rash cutané ou démangeaisons.

COURANTS
On n'a signalé aucun effet indésirable courant.

MOINS COURANTS
On n'a signalé aucun effet indésirable moins courant.

SOMATROPINE

Présentation : Injections
En vente libre ? Non   **Générique disponible ?** Non
Classe de médicaments : Hormone de croissance

▼ GÉNÉRALITÉS

INDICATIONS
Remplace l'hormone de croissance si l'hypophyse n'en fabrique pas suffisamment. S'emploie aussi dans le traitement de la petite taille associée au syndrome de Turner.

MODE D'ACTION
La somatropine stimule la croissance de la même façon que l'hormone naturelle.

▼ MODE D'EMPLOI

POSOLOGIE
Adultes : au départ, pas plus de 0,006 mg par kilogramme (2,2 lb) de poids corporel en injections quotidiennes sous-cutanées. Le médecin pourra augmenter la posologie jusqu'à 0,0125 mg/kg. Enfants : jusqu'à 0,3 mg par kilogramme de poids par semaine, fractionnés en 3 ou en 6 injections sous-cutanées (réparties sur la semaine), selon les directives du médecin.

DÉBUT D'ACTION
En moins de 1 heure.

DURÉE D'ACTION
12 à 48 heures.

CONSEILS NUTRITIONNELS
Pas de restrictions spéciales.

MODE DE CONSERVATION
Gardez le liquide au réfrigérateur, 21 à 28 jours au maximum. Il ne se congèle pas.

OUBLI D'UNE DOSE
Prenez-la dès que vous y pensez. S'il est presque l'heure de la suivante, sautez la dose oubliée et reprenez la fréquence normale. Ne doublez pas la dose suivante.

ARRÊT DE LA MÉDICATION
Cette décision devrait être prise par le médecin.

USAGE PROLONGÉ
Après 2 années d'utilisation, le rythme de croissance diminue. Le patient doit alors être évalué pour voir s'il se conforme bien au traitement et déceler la présence éventuelle d'anticorps qui combattent l'hormone de croissance ou d'autres problèmes médicaux. Un usage prolongé de somatropine peut entraîner l'acromégalie (développement exagéré du visage, des mains et des pieds, augmentation de la taille des organes, diabète, athérosclérose, hypertension et syndrome du canal car-

pien) résultant d'un excès d'hormone hypophysaire.

▼ PRÉCAUTIONS

Plus de 60 ans. La somatropine peut s'employer à tout âge pour palier la déficience de l'hormone de croissance. Bien qu'elle n'ait pas été approuvée à cette fin, on l'a parfois administrée à des personnes vieillissantes pour fortifier leurs muscles. Cette utilisation risque de provoquer œdème et hypertension.

Conduite automobile, travaux dangereux. La somatropine ne devrait pas vous empêcher d'exécuter de telles tâches en toute sécurité.

Alcool. Aucune précaution spéciale.

Grossesse. On ignore si la somatropine nuit au fœtus. Une femme enceinte ne devrait y recourir qu'en cas d'extrême besoin. Demandez conseil à votre médecin.

Allaitement. On ignore si le médicament passe dans le lait maternel ; il est déconseillé pendant l'allaitement à moins d'extrême besoin. Demandez conseil à votre médecin.

Nourrissons et enfants. On ne donne pas de somatropine à un enfant dont les épiphyses sont soudées, signe que sa croissance est finie.

À surveiller. Administrée à un adulte ou à un enfant qui secrète l'hormone de croissance en quantité suffisante, la somatropine peut causer de graves effets indésirables : diabète, hypertension, athéro-

sclérose, croissance anormale des os et des organes, dont le cœur, les reins et le foie. Si la croissance ne s'améliore pas de façon satisfaisante avec la somatropine, de petites quantités d'hormones sexuelles pourraient faciliter l'absorption du médicament. On recommande de faire chaque année l'évaluation de l'âge des os. Une évaluation périodique de la glande thyroïde s'avère aussi nécessaire car une insuffisance thyroïdienne peut entraver la réponse à l'hormone de croissance. Si la production de cette hormone est diminuée à cause d'une lésion dans le crâne, la lésion doit être surveillée de près. Si l'injection est intramusculaire, l'aiguille devrait mesurer au moins 2,5 cm (1 po).

SURDOSAGE
Symptômes. Aucun symptôme spécifique n'a été signalé.

Quoi faire. Une surdose ne risque pas d'être fatale. Néanmoins, si elle est considérable, demandez de l'aide.

▼ INTERACTIONS

MÉDICAMENT-MÉDICAMENT
Demandez l'avis du médecin si vous (ou votre enfant) prenez : stéroïdes anabolisants, œstrogènes, androgènes, hormones thyroïdiennes, corticostéroïdes ou corticotropine.

MÉDICAMENT-ALIMENT
Pas d'interaction connue.

MÉDICAMENT-MALADIE
Demandez l'avis de votre médecin en cas de : hypothyroïdie, diabète ou tumeur maligne (cancéreuse).

 EFFETS INDÉSIRABLES

GRAVES
Changements visuels, nausées, vomissements, céphalées ; douleur et enflure au site d'injection, douleur dans une hanche ou un genou (entraînant parfois le boitement), rash cutané ou démangeaisons.

COURANTS
On n'a signalé aucun effet indésirable courant.

MOINS COURANTS
On n'a signalé aucun effet indésirable moins courant.

SOTALOL (CHLORHYDRATE DE)

Présentation : Comprimés
En vente libre ? Non   **Générique disponible ?** Oui
Classe de médicaments : Bêtabloquant ; antiarythmique

▼ GÉNÉRALITÉS

INDICATIONS
Ce médicament s'emploie uniquement pour traiter ou prévenir les arythmies (troubles du rythme cardiaque) potentiellement fatales. Il requiert une étroite surveillance médicale.

MODE D'ACTION
Les bêtabloquants comme le sotalol empêchent les influx nerveux d'exercer leur action accélératrice ou intensifiante sur des points spécifiques du corps, en l'occurrence les vaisseaux sanguins et le cœur. En « bloquant » ces impulsions, le sotalol ralentit et stabilise le rythme cardiaque.

▼ MODE D'EMPLOI

POSOLOGIE
Adultes : 80 mg 2 fois par jour. La posologie maximale est de 320 mg par jour.

DÉBUT D'ACTION
Inconnu.

DURÉE D'ACTION
Jusqu'à 12 heures.

CONSEILS NUTRITIONNELS
Le sotalol se prend sur un estomac vide, au moins 1 heure avant ou 2 heures après les repas.

MODE DE CONSERVATION
Dans un contenant étanche, à l'abri de la chaleur et de la lumière.

OUBLI D'UNE DOSE
Prenez-la dès que vous y pensez. S'il est presque l'heure de la suivante, sautez la dose oubliée et reprenez la fréquence normale. Ne doublez pas la dose suivante.

ARRÊT DE LA MÉDICATION
Ne cessez pas votre traitement du jour au lendemain : vous pourriez avoir de graves problèmes de santé. Les doses doivent être réduites progressivement, selon les directives de votre médecin.

USAGE PROLONGÉ
Consultez périodiquement votre médecin pour qu'il exerce un suivi de votre état.

▼ PRÉCAUTIONS

Plus de 60 ans. Risques de réactions indésirables plus fréquentes et plus graves. Il y a parfois diminution de la tolérance au froid.

Conduite automobile, travaux dangereux. À déconseiller tant que vous ne connaissez pas votre réaction au médicament.

Alcool. À éviter.

Grossesse. Si vous êtes enceinte ou voulez le devenir, mentionnez-le au médecin avant de prendre du sotalol.

Allaitement. Le sotalol passe dans le lait maternel. Demandez conseil à votre médecin.

Nourrissons et enfants. Le pédiatre établira la posologie.

À surveiller. Méfiez-vous des étourdissements et évanouissements lorsque vous faites de l'exercice ou par grandes chaleurs. Prenez souvent votre pouls. S'il ralentit par rapport à son rythme habituel, ou s'il descend en deçà de 50 pulsations à la minute, avertissez le médecin. Un pouls très lent peut signaler un problème circulatoire.

SURDOSAGE
Symptômes. Fréquence cardiaque anormalement lente ou rapide, confusion mentale, graves étourdissements ou évanouissements, mauvaise circulation dans les mains (bleuissement de la peau), difficultés respiratoires.

Quoi faire. Appelez immédiatement votre médecin ou le centre antipoison, ou allez à l'urgence.

▼ INTERACTIONS

MÉDICAMENT-MÉDICAMENT
Demandez l'avis du médecin si vous prenez : amphétamines, antidiabétiques oraux, médicaments contre l'asthme, bloqueurs des canaux calciques, clonidine, injections contre les allergies, insuline, inhibiteurs de la monoamine-oxydase (IMAO), réserpine, autres bêtabloquants ou tout médicament en vente libre.

MÉDICAMENT-ALIMENT
Aucune interaction connue.

MÉDICAMENT-MALADIE
Avant de prendre du sotalol, prévenez votre médecin en cas de : asthme ou allergie ; diabète sucré ; maladie cardiaque ou vasculaire (y compris insuffisance cardiaque congestive et maladie vasculaire périphérique) ; hyperthyroïdie ; bradycardie ; antécédents de dépression mentale ; myasthénie grave ; psoriasis ; problèmes respiratoires (bronchite, emphysème) ; maladie des reins ou du foie.

 EFFETS INDÉSIRABLES

GRAVES
Arythmie grave, potentiellement mortelle, respiration haletante ou sifflante ; bradycardie (50 pulsations à la minute ou moins) ; douleur, serrement ou oppression thoraciques ; enflure des chevilles, des pieds et du bas des jambes ; dépression mentale. Ce sont des cas d'urgence.

COURANTS
Étourdissements ou vertiges, surtout en se levant brusquement ; tachycardie ou palpitations ; performance sexuelle diminuée ; fatigue inhabituelle, faiblesse ou somnolence ; insomnie. Avisez votre médecin.

MOINS COURANTS
Anxiété, irritabilité, nervosité ; constipation ; diarrhée ; sécheresse ou douleur oculaire ; démangeaisons ; nausées ou vomissements ; cauchemars ou rêves vifs ; engourdissements ou picotements dans les doigts, les orteils, le cuir chevelu. Appelez le médecin si ces symptômes persistent.

SOUFRE TOPIQUE

Présentation : Crème, lotion, savon
En vente libre ? Oui   **Générique disponible ?** Oui
Classe de médicaments : Antiacnéique

▼ GÉNÉRALITÉS

INDICATIONS
S'emploie pour traiter les problèmes de peau, y compris l'acné et la séborrhée.

MODE D'ACTION
En application topique, le soufre est fatal à diverses souches de bactéries (une des principales causes de l'acné) ; il détruit également des champignons (fungus), des parasites et d'autres microorganismes. En outre, il amollit, désagrège et desquame l'épiderme rugueux, sec ou abîmé.

▼ MODE D'EMPLOI

POSOLOGIE
Lotion, crème ou savon : contre l'acné, utilisez sur la peau, au besoin. Faites mousser le savon abondamment à l'eau chaude. Nettoyez d'abord la région affectée et rincez soigneusement ; faites une seconde application et frottez délicatement pendant plusieurs minutes. Éliminez les résidus de mousse avec une serviette ou un mouchoir en papier, sans rincer. La lotion s'applique 2 ou 3 fois par jour.

DÉBUT D'ACTION
Inconnu.

DURÉE D'ACTION
Inconnue.

CONSEILS NUTRITIONNELS
Pas de restrictions ni de recommandations spéciales.

MODE DE CONSERVATION
Dans un contenant étanche, à l'abri de la chaleur et de la lumière. La crème et la lotion ne doivent pas congeler.

OUBLI D'UNE DOSE
Revenez à votre fréquence régulière lors de l'application suivante. Ne doublez pas cette dose.

ARRÊT DE LA MÉDICATION
Si le soufre vous a été prescrit sur ordonnance, la décision de mettre fin au traitement devrait être prise par votre médecin. Autrement, vous pouvez cesser de l'utiliser dès que votre peau s'est adoucie. Vous devez toutefois vous attendre à ce que le problème resurgisse.

USAGE PROLONGÉ
Si le soufre vous a été prescrit, ne l'utilisez pas au-delà de la période recommandée par votre médecin.

EFFETS INDÉSIRABLES

GRAVES
Aucun effet indésirable grave n'a été signalé.

COURANTS
Rougeur ou desquamation légères de la peau.

MOINS COURANTS
Irritation ou réaction allergique s'accompagnant de rougeurs, desquamation, sensation de brûlure, picotements, démangeaisons ou rash cutané.

▼ PRÉCAUTIONS

Plus de 60 ans. Pas de précaution spéciale.

Conduite automobile, travaux dangereux. Pas de précaution spéciale.

Alcool. Pas de précaution spéciale.

Grossesse. On n'a rapporté ni malformation congénitale ni problème d'aucune sorte en cours de grossesse. Toutefois, si vous êtes enceinte ou voulez le devenir, mentionnez-le au médecin avant de commencer un traitement au soufre.

Allaitement. On n'a pas rapporté de problèmes chez les nourrissons quand la mère prenait du soufre topique. Demandez l'avis de votre médecin.

Nourrissons et enfants. L'utilisation et la posologie doivent être déterminées par le pédiatre.

À surveiller. Ne prenez pas ce médicament si vous avez déjà éprouvé des réactions allergiques au soufre ou à tout autre ingrédient que contient le produit. Évitez le contact avec les yeux : en cas d'accident, rincez abondamment les yeux à grande eau.

SURDOSAGE
Symptômes. Utiliser trop de soufre peut aggraver l'irritation de la peau.

Quoi faire. En cas d'ingestion accidentelle, appelez immédiatement votre médecin ou le centre antipoison, ou allez à l'urgence.

▼ INTERACTIONS

MÉDICAMENT-MÉDICAMENT
Demandez l'avis du médecin si vous utilisez : savon ou produit nettoyant abrasif ; préparation à base d'alcool ; autre antiacnéique ; toute préparation renfermant un exfoliant (peroxyde de benzoyle, acide salicylique, acides alphahydroxy, soufre ou vitamine A) ; savons ou produits cosmétiques, médicamenteux ou autre, servant à assécher la peau. Signalez aussi à votre médecin les médicaments, prescrits ou en vente libre, dont vous vous servez pour soigner votre peau.

MÉDICAMENT-ALIMENT
Pas d'interaction connue.

MÉDICAMENT-MALADIE
N'utilisez pas le soufre si vous avez déjà eu des réactions allergiques à ce produit.

SPIRONOLACTONE

Présentation : Comprimés
En vente libre ? Non   **Générique disponible ?** Oui
Classe de médicaments : Diurétique d'épargne potassique

▼ GÉNÉRALITÉS

INDICATIONS

Traitement adjuvant (en association) à d'autres diurétiques, pour augmenter l'élimination de sodium et d'eau dans l'urine tout en retenant le potassium. La spironolactone peut être utilisée seule chez les patients qui font une maladie hépatique ou de l'hyperaldostéronisme primaire, maladie potentiellement fatale qui survient lorsque les glandes surrénales sécrètent trop d'aldostérone. On l'utilise aussi dans le traitement de l'hypertension, et pour traiter l'œdème et la rétention sodique qui accompagnent l'insuffisance cardiaque congestive.

MODE D'ACTION

La spironolactone entrave l'activité de l'aldostérone dans les reins, aidant ainsi à évacuer le sodium et l'eau dans l'urine mais pas le potassium. Associée à un diurétique thiazidique ou à un diurétique dit « de l'anse », elle diminue le total de liquides dans le corps et aide ainsi à soulager les symptômes des maladies du foie, du cœur et des reins.

▼ MODE D'EMPLOI

POSOLOGIE

Adultes : 25 à 400 mg par jour, en 1 à 4 prises fractionnées, selon l'indication pour laquelle ce diurétique est prescrit. Enfants : 1 à 3 mg par kilogramme (2,2 lb) de poids corporel, en 1 à 4 prises fractionnées.

DÉBUT D'ACTION

En 1 à 2 jours.

DURÉE D'ACTION

2 ou 3 jours.

CONSEILS NUTRITIONNELS

Prenez ce médicament à l'heure des repas pour en favoriser l'absorption.

MODE DE CONSERVATION

Dans un contenant étanche, à l'abri de la chaleur et de la lumière.

OUBLI D'UNE DOSE

Prenez-la dès que vous y pensez. S'il est presque l'heure de la suivante, sautez la dose oubliée et reprenez la fréquence normale. Ne doublez pas la dose suivante.

ARRÊT DE LA MÉDICATION

La décision de mettre fin au traitement devrait être prise par votre médecin.

USAGE PROLONGÉ

Consultez périodiquement votre médecin qui fera un suivi à l'aide d'analyses.

▼ PRÉCAUTIONS

Plus de 60 ans. Pas de précautions spéciales.

Conduite automobile, travaux dangereux. La spironolactone ne devrait pas vous empêcher de faire de telles tâches en toute sécurité.

Alcool. Pas de précautions spéciales.

Grossesse. On n'a rapporté aucun cas de malformation congénitale chez les animaux ; il n'y a pas eu d'essais cliniques chez les humains. Cela dit, la spironolactone n'est généralement pas prescrite à une femme enceinte.

Allaitement. La spironolactone passe dans le lait maternel mais on n'a rapporté aucun problème. Demandez conseil à votre médecin.

Nourrissons et enfants. Pas de risques connus.

SURDOSAGE

Symptômes. Déséquilibre électrolytique aigu, entraînant un dérèglement du système nerveux central.

Quoi faire. Une surdose de spironolactone ne devrait pas mettre votre vie en danger. Néanmoins, si la quantité ingérée dépasse de beaucoup la dose prescrite, appelez immédiatement le médecin ou le centre antipoison, ou allez à l'urgence.

▼ INTERACTIONS

MÉDICAMENT-MÉDICAMENT

Demandez l'avis du médecin si vous prenez : cyclosporine, AINS, médicaments ou suppléments contenant du potassium, digoxine ou lithium.

MÉDICAMENT-ALIMENT

Évitez de consommer en trop grande quantité les aliments contenant du potassium : bananes, melon, pruneaux, agrumes et jus d'agrumes (et fruits en général), avocats, pommes de terre, noix, haricots secs, choux de Bruxelles et lait écrémé.

MÉDICAMENT-MALADIE

Il faut être prudent lorsqu'on prend de la spironolactone. Demandez l'avis de votre médecin en cas de : calculs rénaux, problèmes menstruels, gonflement des seins, maladie du foie ou des reins.

EFFETS INDÉSIRABLES

GRAVES

Rash ou démangeaisons de la peau ; essoufflement, toux ou enrouement ; fièvre ou frissons ; douleurs lombaires ou dans les flancs ; miction pénible ou douloureuse.

COURANTS

Nausées, vomissements, diarrhée.

MOINS COURANTS

Étourdissements, céphalées, sudation, diminution de la performance sexuelle, sensibilité des seins, grossissement des seins (hommes), intensification du système pileux chez les femmes, cycle menstruel perturbé.

SPIRONOLACTONE/HYDROCHLOROTHIAZIDE

NOMS COMMERCIAUX

Aldactazide 25,
Aldactazide 50,
Novo-Spirozine

Présentation : Comprimés
En vente libre ? Non **Générique disponible ?** Oui
Classe de médicaments : Association diurétique

▼ GÉNÉRALITÉS

INDICATIONS
Traitement de l'œdème (gonflement des tissus causé par la rétention excessive de sel et d'eau) et contrôle de l'hypertension.

MODE D'ACTION
La spironolactone, un diurétique d'épargne potassique, entrave l'activité de l'aldostérone (hormone qui règle l'équilibre entre le sodium et le potassium) dans les reins, favorisant ainsi l'évacuation du sodium et de l'eau par l'urine tout en retenant le potassium. L'hydrochlorothiazide, un diurétique thiazidique, augmente lui aussi l'excrétion de sodium et d'eau dans l'urine. En diminuant le total de liquides dans le corps, cette association diurétique réduit la pression dans les vaisseaux sanguins.

▼ MODE D'EMPLOI

POSOLOGIE
Adultes : 2 à 4 Aldactazide 25 ou 1 à 2 Aldactazide 50 par jour. Ces doses peuvent être augmentées.

DÉBUT D'ACTION
En 2 heures.

DURÉE D'ACTION
24 heures.

CONSEILS NUTRITIONNELS
Prenez ce médicament le matin après le petit-déjeuner.

MODE DE CONSERVATION
Dans un contenant étanche, à l'abri de la chaleur, de l'humidité et de la lumière.

OUBLI D'UNE DOSE
Prenez-la dès que vous y pensez. S'il est presque l'heure de la suivante, sautez la dose oubliée et reprenez la fréquence normale. Ne doublez pas la dose suivante.

ARRÊT DE LA MÉDICATION
Prenez ce médicament pour la durée prescrite. La décision de mettre fin au traitement devrait être prise en consultation avec le médecin.

USAGE PROLONGÉ
Consultez périodiquement votre médecin qui fera un suivi à l'aide d'examens et d'analyses. En cas d'hypertension, il peut s'agir d'un traitement à vie.

 EFFETS INDÉSIRABLES

GRAVES
Rash cutané, urticaire, palpitations, vertiges, saignements anormaux.

COURANTS
Déplétion liquidienne entraînant des étourdissements, surtout si on se lève brusquement.

MOINS COURANTS
Goutte, hyperglycémie, gonflement des seins (hommes), diminution de la performance sexuelle, sensibilité accrue de la peau au soleil.

▼ PRÉCAUTIONS

Plus de 60 ans. Pas de risques connus.

Conduite automobile, travaux dangereux. Ce médicament ne devrait pas vous empêcher d'effectuer ces activités en toute sécurité.

Alcool. Aucune précaution spéciale.

Grossesse. Ce médicament ne devrait pas être pris pendant la grossesse, à moins de directives contraires de la part du médecin. On lui préfère généralement d'autres types de diurétiques.

Allaitement. La spironolactone et l'hydrochlorothiazide passent dans le lait maternel ; n'en prenez pas pendant le premier mois d'allaitement.

Nourrissons et enfants. Ce médicament est rarement prescrit aux enfants.

À surveiller. Si vous prenez ce diurétique pour traiter l'hypertension, vous devriez aussi suivre les recommandations de votre médecin concernant la nécessité de surveiller votre poids, de consommer les bons aliments et de faire de l'exercice. Évitez de vous exposer au soleil tant que vous ne savez pas comment ce médicament vous affecte. La spironolactone peut causer le gonflement des seins chez les hommes et l'irrégularité des règles chez les femmes.

SURDOSAGE
Symptômes. Déséquilibre électrolytique aigu entraînant un dérèglement du système nerveux central, évanouissements, léthargie, étourdissements, somnolence, confusion mentale, irritation gastro-intestinale.

Quoi faire. Appelez immédiatement votre médecin ou le centre antipoison, ou allez à l'urgence.

▼ INTERACTIONS

MÉDICAMENT-MÉDICAMENT
Demandez l'avis du médecin si vous prenez : inhibiteurs de l'ECA, cyclosporine, médicaments ou suppléments contenant du potassium, cholestyramine, colestipol, digitaliques, AINS ou lithium.

MÉDICAMENT-ALIMENT
Évitez les aliments et boissons riches en potassium, tels que les jus de pomme, d'orange et d'autres agrumes.

MÉDICAMENT-MALADIE
Demandez l'avis de votre médecin en cas de : diabète sucré, antécédents de goutte ou de calculs rénaux, maladie cardiaque ou vasculaire, lupus érythémateux disséminé, maladie de foie, maladie des reins ou pancréatite.

STAVUDINE (D4T)

Présentation : Gélules
En vente libre ? Non   **Générique disponible ?** Non
Classe de médicaments : Antiviral/inhibiteur nucléoside de la transcriptase inverse

▼ GÉNÉRALITÉS

INDICATIONS
Traitement de l'infection au VIH (virus de l'immunodéficience humaine). La stavudine ne guérit pas le VIH, mais elle peut entraver sa réplication et retarder la progression de la maladie.

MODE D'ACTION
Le médicament entrave l'activité des enzymes indispensables à la reproduction de l'ADN dans les cellules virales, empêchant ainsi le virus de se reproduire.

▼ MODE D'EMPLOI

POSOLOGIE
Adultes et adolescents pesant 60 kg (132 lb) ou plus : 40 mg, 2 fois par jour. Adultes et adolescents pesant moins de 60 kg : 30 mg, 2 fois par jour. Des doses de 20 mg, 2 fois par jour, sont parfois prescrites aux patients atteints d'une infection avancée au VIH ou d'une neuropathie périphérique bénigne. La stavudine est généralement associée à un ou plusieurs antirétroviraux.

DÉBUT D'ACTION
Inconnu. La réponse à la plupart des antirétroviraux se voit dès les premières semaines du traitement, mais le plein effet thérapeutique peut prendre 12 à 16 semaines.

DURÉE D'ACTION
Inconnue. Elle peut être plus longue si la stavudine est associée à des médicaments dont l'action combinée contre le virus est maximale.

CONSEILS NUTRITIONNELS
Buvez beaucoup.

MODE DE CONSERVATION
Dans un contenant étanche, à l'abri de la lumière et de la chaleur.

OUBLI D'UNE DOSE
Prenez-la dès que vous y pensez. S'il est presque l'heure de la suivante, sautez la dose oubliée et reprenez la fréquence normale. Ne doublez pas la dose suivante. Il est particulièrement important de prendre la stavudine toujours à la même heure.

ARRÊT DE LA MÉDICATION
La décision doit être prise en consultation avec le médecin.

USAGE PROLONGÉ
Voyez votre médecin régulièrement pour un suivi avec examens et analyses.

▼ PRÉCAUTIONS

Plus de 60 ans. Il n'y a pas eu d'études spécifiques sur ce groupe d'âge. Il peut être nécessaire de diminuer les doses, surtout en présence d'insuffisance rénale.

Conduite automobile, travaux dangereux. À déconseiller tant que vous ne connaissez pas votre réaction au médicament.

Alcool. À éviter en cas d'insuffisance hépatique.

Grossesse. La stavudine a déjà provoqué des anomalies congénitales chez les animaux. Il n'existe pas d'études sur les humains. Néanmoins, la stavudine est de plus en plus employée en association avec d'autres antirétroviraux pour traiter les femmes enceintes infectées au VIH.

Allaitement. On ne sait pas si la stavudine passe dans le lait maternel ; néanmoins, les femmes qui ont le VIH ne devraient pas allaiter pour éviter de transmettre le virus à un nourrisson non infecté.

Nourrissons et enfants. On ne sait pas si la stavudine entraîne des effets indésirables différents ou plus graves chez les nourrissons et les enfants.

À surveiller. Le médicament n'élimine pas le risque de transmettre le virus du sida à d'autres personnes. Prenez toutes les mesures préventives qui s'imposent.

SURDOSAGE
Symptômes. Aucun cas de surdosage n'a été signalé.

Quoi faire. Une surdose de stavudine est peu probable. Néanmoins, si vous savez que la dose prise est beaucoup plus forte que celle prescrite, appelez immédiatement le médecin ou le centre antipoison, ou allez à l'urgence.

▼ INTERACTIONS

MÉDICAMENT-MÉDICAMENT
Demandez l'avis du médecin à l'égard de tous les médicaments que vous prenez avec ou sans ordonnance, et spécialement des suivants : chloramphénicol, cisplatine, dapsone, didanosine, éthambutol, éthionamide, hydralazine, isoniazide, lithium, métronidazole, nitrofurantoïne, phénytoïne, vincristine ou zalcitabine.

MÉDICAMENT-ALIMENT
Aucune interaction connue.

MÉDICAMENT-MALADIE
La prudence s'impose. Consultez le médecin si vous avez une pancréatite ou une neuropathie périphérique. La stavudine peut provoquer des complications chez les patients affligés d'une maladie des reins ou du foie, car ces organes contribuent à éliminer le médicament de l'organisme.

EFFETS INDÉSIRABLES

GRAVES
Brûlure, picotements, douleur ou engourdissement dans les mains ou les pieds, fièvre, douleurs musculaires, douleur articulaire, rash cutané, nausées, vomissements, douleur abdominale grave, fatigue anormale.

COURANTS
On ne connaît pas d'effet indésirable courant.

MOINS COURANTS
Diarrhée, insomnie, céphalées, perte d'appétit, faiblesse générale et perte d'énergie.

SUCRALFATE

NOMS COMMERCIAUX

Apo-Sucralfate,
Novo-Sucralate,
Nu-Sucralfate,
PMS-Sucralfate, Sulcrate,
Sulcrate Suspension Plus

Présentation : Suspension orale, comprimés
En vente libre ? Non   **Générique disponible ?** Oui
Classe de médicaments : Antiulcéreux/agent antireflux

▼ GÉNÉRALITÉS

INDICATIONS
Traitement des ulcères de l'estomac non malins. Traitement et prévention des ulcères du duodénum (qui se situe à la suite de l'estomac dans le tractus digestif et constitue la première portion de l'intestin grêle).

MODE D'ACTION
Le sucralfate tapisse la surface de l'ulcère, formant une barrière protectrice contre l'irritation causée par les sucs gastriques, les enzymes de la digestion, les sels biliaires et les autres substances présentes dans l'estomac et le duodénum.

▼ MODE D'EMPLOI

POSOLOGIE
Ulcère de l'estomac – 1 g, 4 fois par jour, 1 heure avant chaque repas et au coucher. Traitement de l'ulcère duodénal – 1 g, 4 fois par jour, pris 1 heure avant chaque repas et au coucher, ou 2 g, 2 fois par jour, au lever et au coucher. Prévention d'une récidive de l'ulcère du duodénum – 1 g, 2 fois par jour, à jeun.

DÉBUT D'ACTION
Inconnu.

DURÉE D'ACTION
Jusqu'à 6 heures.

CONSEILS NUTRITIONNELS
Ce médicament se prend l'estomac vide, avec un grand verre (230 ml/8 oz) d'eau.

MODE DE CONSERVATION
Dans un contenant étanche, à l'abri de la chaleur et de la lumière. La suspension ne va ni au réfrigérateur ni au congélateur.

OUBLI D'UNE DOSE
Prenez-la dès que vous y pensez, à moins qu'il ne soit presque l'heure de la dose suivante. Dans ce cas, prenez seulement cette dose, sans la doubler, et revenez à votre fréquence régulière.

ARRÊT DE LA MÉDICATION
Poursuivez le traitement pour la durée prescrite, même si vous commencez à vous sentir mieux dans l'intervalle.

USAGE PROLONGÉ
Consultez périodiquement votre médecin qui fera un suivi à l'aide d'examens et d'analyses.

EFFETS INDÉSIRABLES

GRAVES
Somnolence, convulsions.

COURANTS
Constipation.

MOINS COURANTS
Mal de dos, diarrhée, étourdissements ou vertiges, sécheresse de la bouche, troubles de la digestion, nausées, douleurs ou crampes d'estomac, rash cutané, urticaire ou démangeaisons.

▼ PRÉCAUTIONS

Plus de 60 ans. Il n'y a pas de données propres à ce groupe d'âge. Tout porte à croire que les risques d'effets indésirables sont les mêmes.

Conduite automobile, travaux dangereux. À déconseiller tant que vous ne connaissez pas votre réaction au médicament.

Alcool. À éviter.

Grossesse. Le sucralfate n'a pas entraîné de malformations congénitales chez les animaux ; il n'y a pas eu de recherche chez les humains. Si vous êtes enceinte ou comptez le devenir, mentionnez-le au médecin avant de prendre du sucralfate.

Allaitement. Le sucralfate peut passer dans le lait maternel, mais on n'a pas signalé d'effet nocif sur le nourrisson. Demandez l'avis de votre médecin.

Nourrissons et enfants. Les quelques essais cliniques n'ont décelé aucun problème. Le pédiatre établira lui-même la posologie.

À surveiller. Prenez vos autres médicaments au moins 2 heures avant ou après avoir pris du sucralfate. Ne prenez pas d'antiacide dans les 30 minutes qui précèdent ou qui suivent. Pour prévenir la constipation, un effet courant, faites de l'exercice, consommez des fibres alimentaires et buvez beaucoup de liquides.

SURDOSAGE
Symptômes. Aucun symptôme spécifique n'a été signalé.

Quoi faire. Une surdose ne devrait pas mettre votre vie en danger. Néanmoins, si la dose est considérable, appelez immédiatement le médecin ou le centre antipoison, ou allez à l'urgence.

▼ INTERACTIONS

MÉDICAMENT-MÉDICAMENT
Demandez l'avis du médecin si vous prenez : ciprofloxacine, digoxine, norfloxacine, ofloxacine, phénytoïne, théophylline, antiacide ou autre médicament contenant de l'aluminium. Demandez conseil à votre médecin ou à votre pharmacien dans le cas des médicaments en vente libre.

MÉDICAMENT-ALIMENT
Pas d'interaction connue.

MÉDICAMENT-MALADIE
Il faut être prudent lorsqu'on prend du sucralfate. Demandez l'avis de votre médecin si vous souffrez ou avez déjà souffert d'une obstruction du tractus gastro-intestinal ou d'une insuffisance rénale.

SULFACÉTAMIDE

NOMS COMMERCIAUX

Cetamide, Diosulf,
Sulamyd Sodique

Présentation : Solution ophtalmique, onguent
En vente libre ? Non   **Générique disponible ?** Oui
Classe de médicaments : Anti-infectieux

▼ GÉNÉRALITÉS

INDICATIONS
Traitement de la conjonctivite bactérienne (inflammation de la muqueuse qui tapisse l'intérieur de la paupière et le blanc de l'œil) et d'autres infections oculaires.

MODE D'ACTION
Le sulfacétamide empêche la prolifération des bactéries en faisant échec à la synthèse de l'acide folique, substance nécessaire à leur croissance et leur reproduction.

▼ MODE D'EMPLOI

POSOLOGIE
Adultes et adolescents – Solution : 1 goutte, 4 à 6 fois par jour. Onguent : 3 ou 4 applications par jour. Enfants et nourrissons – Le pédiatre décidera de l'indication et de la posologie.

DÉBUT D'ACTION
Inconnu.

DURÉE D'ACTION
Inconnue.

CONSEILS NUTRITIONNELS
Pas de restrictions spéciales.

MODE DE CONSERVATION
Dans un contenant étanche, à l'abri de la chaleur, de l'humidité et de la lumière. Ne pas congeler.

OUBLI D'UNE DOSE
Appliquez-la dès que vous y pensez, à moins qu'il ne soit presque l'heure de la dose suivante. Dans ce cas, n'appliquez que cette dose, sans la doubler, et revenez à votre fréquence régulière.

ARRÊT DE LA MÉDICATION
Poursuivez le traitement pour la durée prescrite, même si vous commencez à vous sentir mieux dans l'intervalle.

USAGE PROLONGÉ
Consultez périodiquement votre médecin qui fera un suivi à l'aide d'examens et d'analyses.

▼ PRÉCAUTIONS

Plus de 60 ans. Aucun risque connu.

Conduite automobile, travaux dangereux. Le sulfacétamide ne devrait pas vous empêcher de faire ces tâches en toute sécurité.

Alcool. Pas de précautions spéciales.

Grossesse. Aucun risque connu pendant la grossesse. Si vous êtes enceinte ou avez l'intention de le devenir, mentionnez-le au médecin avant de prendre du sulfacétamide.

Allaitement. Aucun risque connu chez les nourrissons dont la mère a pris du sulfacétamide. Demandez l'avis de votre médecin.

Nourrissons et enfants. Ce médicament n'est pas recommandé aux moins de 2 mois.

À surveiller. Avant d'appliquer les gouttes ou l'onguent, commencez par vous laver les mains. Renversez un peu la tête en arrière. Appuyez légèrement sur le coin interne de la paupière et, avec l'index de la même main, tirez la paupière inférieure vers le bas pour ménager une ouverture. Pressez sur le compte-gouttes ou appliquez une petite ligne d'onguent (environ 1 cm/ ⅓ po) dans cette ouverture. Fermez l'œil et appuyez pendant 1 ou 2 minutes en vous efforçant de ne pas cligner des yeux. Lavez-vous à nouveau les mains. Prenez garde que le compte-gouttes n'entre pas en contact avec l'œil, le doigt ou toute autre surface. Si votre état ne s'est pas amélioré après quelques jours, ou s'il empire, consultez votre médecin.

SURDOSAGE
Symptômes. Aucun symptôme spécifique n'a été signalé.

Quoi faire. Une surdose ne devrait pas mettre votre vie en danger. Si vous renversez une grande quantité de sulfacétamide dans l'œil, rincez à grande eau. En cas d'ingestion accidentelle, appelez le médecin ou le centre anti-poison, ou allez à l'urgence.

▼ INTERACTIONS

MÉDICAMENT-MÉDICAMENT
Certains médicaments peuvent interagir avec le sulfacétamide. Demandez l'avis du médecin si vous utilisez une préparation contenant de l'argent, comme du nitrate d'argent.

MÉDICAMENT-ALIMENT
Pas d'interaction connue.

MÉDICAMENT-MALADIE
Il faut être prudent lorsqu'on prend du sulfacétamide. Demandez l'avis de votre médecin si vous souffrez d'une maladie quelconque.

  EFFETS INDÉSIRABLES

GRAVES
Aucun effet indésirable grave n'a été signalé.

COURANTS
Démangeaisons, rougeurs, enflures ou autres signes d'irritation de l'œil qui n'y étaient pas avant l'utilisation du médicament : cessez les applications et appelez votre médecin.

MOINS COURANTS
Aucun effet indésirable moins courant n'a été signalé.

SULFASALAZINE

Présentation : Comprimés, comprimés entérosolubles
En vente libre ? Non **Générique disponible ?** Oui
Classe de médicaments : Anti-infectieux/sulfamide ; anti-inflammatoire

▼ GÉNÉRALITÉS

INDICATIONS
Prévention et traitement des maladies inflammatoires de l'intestin (colite ulcéreuse, maladie de Crohn) ; traitement de la polyarthrite rhumatoïde.

MODE D'ACTION
Son mécanisme d'action est mal connu. On croit que la sulfasalazine agit comme agent anti-inflammatoire dans l'intestin. Ses propriétés antibiotiques pourraient entraîner une diminution de la prolifération des bactéries intestinales.

▼ MODE D'EMPLOI

POSOLOGIE
Maladies intestinales – Adultes et adolescents. Traitement : 1 à 2 g, 3 à 4 fois par jour. Prévention : 1 g, 2 ou 3 fois par jour. Enfants : la posologie varie selon le poids. Polyarthrite rhumatoïde – Comprimés entérosolubles : 1 g, 2 fois par jour.

DÉBUT D'ACTION
Inconnu.

DURÉE D'ACTION
Inconnue.

CONSEILS NUTRITIONNELS
Prenez la sulfasalazine avec le repas ou tout de suite après. Buvez chaque fois un plein verre d'eau et buvez fréquemment de l'eau au cours de la journée pour minimiser le risque d'effets indésirables.

MODE DE CONSERVATION
Dans un contenant étanche, à l'abri de la chaleur, de l'humidité et de la lumière.

OUBLI D'UNE DOSE
Prenez-la dès que vous y pensez. S'il est presque l'heure de la suivante, sautez la dose oubliée et reprenez la fréquence normale. Ne doublez pas la dose suivante.

ARRÊT DE LA MÉDICATION
Poursuivez le traitement pour la durée prescrite.

USAGE PROLONGÉ
On peut prendre de la sulfasalazine aussi longtemps que nécessaire. Consultez périodiquement votre médecin.

▼ PRÉCAUTIONS

Plus de 60 ans. Pas de risques connus.

Conduite automobile, travaux dangereux. À déconseiller tant que vous ne connaissez pas votre réaction au médicament.

Alcool. Aucune précaution spéciale.

Grossesse. Il n'y a pas eu de recherches concluantes faites durant la grossesse, mais aucun problème n'a été rapporté. Demandez l'avis de votre médecin.

Allaitement. De faibles quantités de sulfasalazine passent dans le lait maternel ; on ne recommande pas son utilisation en cours d'allaitement, à moins que les bénéfices escomptés ne justifient les risques potentiels. Demandez conseil à votre médecin.

Nourrissons et enfants. Non recommandée chez les moins de 2 ans.

À surveiller. Certaines personnes peuvent éprouver une intolérance au soleil lorsqu'elles prennent de la sulfasalazine. Prenez des mesures préventives en début de traitement : utilisez un écran solaire, portez des vêtements couvrants et évitez de vous exposer au soleil autant que possible. Faites attention quand vous vous brossez les dents ou passez la soie dentaire, car la sulfasalazine augmente le risque d'infections buccales. Le médicament peut aussi jaunir la peau, l'urine et les lentilles cornéennes.

SURDOSAGE
Symptômes. Nausées, vomissements, maux d'estomac, sang dans les urines, baisse du volume urinaire, douleurs lombaires ; dans les cas les plus graves, extrême somnolence ou convulsions.

Quoi faire. Appelez immédiatement votre médecin ou le centre antipoison, ou allez à l'urgence.

▼ INTERACTIONS

MÉDICAMENT-MÉDICAMENT
La sulfasalazine interagit avec de nombreux médicaments : antibiotiques, anticoagulants, anticonvulsivants, antidiabétiques, methénamine, digoxine, acide folique, méthotrexate, phénylbutazone, probénécide, sulfinpyrazone. Indiquez à votre médecin tous les médicaments que vous prenez.

MÉDICAMENT-ALIMENT
Pas d'interaction connue.

MÉDICAMENT-MALADIE
Consultez votre médecin en cas de : anémie, déficit en G6PD, maladie des reins ou du foie, obstruction intestinale ou urinaire, porphyrie.

EFFETS INDÉSIRABLES

GRAVES
Articulations et muscles endoloris ; douleurs dans le dos, les jambes ou l'estomac ; diarrhées sanguinolentes ; bleuissement des ongles, des lèvres ou de la peau ; douleurs thoraciques ; toux ; difficultés respiratoires ; difficultés à avaler ; fièvre ; mal de gorge ; malaise général ; perte d'appétit ; pâleur de la peau, ou rougeur, desquamation, fendillement ou flétrissement de la peau ; saignements ou ecchymoses inexpliqués ; fatigue inhabituelle ; jaunissement du blanc des yeux ou de la peau ; sensibilité accrue à la lumière du soleil.

COURANTS
Malaises ou crampes dans l'estomac ou l'abdomen, diarrhée, perte d'appétit, nausées, vomissement. Communiquez avec votre médecin : ces symptômes pourraient être soulagés en diminuant la posologie.

MOINS COURANTS
Rash cutané, démangeaisons, déficience en fer, fièvre.

SULFINPYRAZONE

Présentation : Comprimés
En vente libre ? Non   **Générique disponible ?** Oui
Classe de médicaments : Médicament antigoutte

▼ GÉNÉRALITÉS

INDICATIONS
Traitement de la goutte chronique (récidivante) et de l'arthrite goutteuse : la sulfinpyrazone prévient les accès de goutte. (Elle n'est d'aucun recours en cas de crise aiguë.)

MODE D'ACTION
L'accès de goutte se produit quand il y a accumulation d'acide urique dans le sang. Il se forme alors des cristaux, qui se déposent aux articulations et provoquent de l'inflammation en même temps que la douleur extrême et lancinante caractéristique de la goutte.

▼ MODE D'EMPLOI

POSOLOGIE
Au départ, 200 à 400 mg par jour en 2 prises fractionnées ; la posologie peut être augmentée à 800 mg par jour en 2 prises fractionnées.

DÉBUT D'ACTION
La prévention des accès de goutte peut prendre plusieurs mois avant de s'installer.

DURÉE D'ACTION
6 à 8 heures.

CONSEILS NUTRITIONNELS
On peut prendre la sulfinpyrazone à l'heure des repas ou avec du lait pour éviter d'irriter l'estomac.

MODE DE CONSERVATION
Dans un contenant étanche, à l'abri de la chaleur et de la lumière.

OUBLI D'UNE DOSE
Prenez-la dès que vous y pensez, à moins qu'il ne soit presque l'heure de la dose suivante. Dans ce cas, prenez seulement cette dose, sans la doubler, et revenez à votre fréquence régulière.

ARRÊT DE LA MÉDICATION
La décision de mettre fin au traitement devrait être prise par le médecin.

═ EFFETS INDÉSIRABLES ═

GRAVES
Essoufflement, difficultés respiratoires, constriction thoracique ; aphtes, ulcères ou taches blanches sur les lèvres ou dans la bouche ; maux de gorge et fièvre accompagnée ou non de frissons ; ganglions enflés ou douloureux ; saignements ou ecchymoses inexpliqués.

COURANTS
Douleurs dans les lombes ou les flancs, mictions douloureuses ou sanguinolentes.

MOINS COURANTS
Rash cutané ; selles noires ou sanguinolentes ; hypertension ; points rouge vif sur la peau ; baisse soudaine du débit d'urine ; enflure du visage, des doigts, des pieds ou du bas des jambes ; fatigue inhabituelle ; vomissures foncées ou sanguinolentes ; augmentation de poids.

USAGE PROLONGÉ
Consultez périodiquement votre médecin, qui fera un suivi à l'aide d'examens et d'analyses.

▼ PRÉCAUTIONS

Plus de 60 ans. Pas de risques connus.

Conduite automobile, travaux dangereux. La sulfinpyrazone ne devrait pas vous empêcher de faire de telles tâches en toute sécurité.

Alcool. À éviter.

Grossesse. Pas de risque connu. Si vous êtes enceinte ou voulez le devenir, dites-le à votre médecin avant de commencer un traitement à la sulfinpyrazone.

Allaitement. La sulfinpyrazone peut passer dans le lait maternel ; il faut exercer de la prudence. Demandez l'avis de votre médecin.

Nourrissons et enfants. On ne dispose d'aucune donnée pour ce groupe d'âge car la sulfinpyrazone est généralement réservée aux adultes.

À surveiller. Votre médecin vous conseillera peut-être de boire 10 à 12 grands verres de liquide par jour pendant votre traitement à la sulfinpyrazone, afin d'empêcher la formation de calculs d'acide urique dans les reins. La sulfinpyrazone n'apporte aucun soulagement advenant un accès de goutte aigu. Le cas échéant, on pourra vous prescrire en plus un autre médicament antigoutte.

SURDOSAGE
Symptômes. Nausées, vomissements, diarrhées, douleurs dans l'estomac, maladresse ou manque d'équilibre, convulsions, difficultés respiratoires, perte de conscience.

Quoi faire. Appelez immédiatement votre médecin ou le centre antipoison, ou allez à l'urgence.

▼ INTERACTIONS

MÉDICAMENT-MÉDICAMENT
Demandez l'avis du médecin si vous prenez : anticoagulants, céfotétane, dipyridamole, divalproex, héparine, analgésiques ou anti-inflammatoires, antidiabétiques, pentoxifylline, ticarcilline, acide valproïque, anticancéreux, AAS ou autres salicylates, nitrofurantoïne.

MÉDICAMENT-ALIMENT
Ce type d'interaction est peu probable, mais on recommande une diète renfermant peu de purines pour réduire le risque d'accès de goutte. Aliments riches en purines : anchois, sardines, légumineuses, volaille, ris de veau, foie, rognons et autres abats.

MÉDICAMENT-MALADIE
Demandez l'avis de votre médecin en cas de : maladie du sang, cancer nécessitant une chimiothérapie ou une radiothérapie, calculs rénaux ou autre maladie des reins, ulcère de l'estomac ou autre affection de l'estomac ou des intestins.

SULINDAC

Présentation : Comprimés
En vente libre ? Non   **Générique disponible ?** Oui
Classe de médicaments : Anti-inflammatoire non stéroïdien (AINS)

▼ GÉNÉRALITÉS

INDICATIONS
Soulagement de la douleur et de l'inflammation bénignes à modérées dans : tendinite, arthrite, bursite, goutte, lésions des tissus mous, migraines ou céphalées vasculaires, crampes menstruelles. Lorsqu'un patient ne répond pas à un certain AINS, on lui en fait essayer d'autres jusqu'à ce qu'on trouve ce qui convient.

MODE D'ACTION
Les AINS empêchent la formation des prostaglandines, substances qui causent l'inflammation et rendent les nerfs plus sensibles aux pulsions de la douleur. Les AINS ont d'autres modes d'action qui sont moins bien compris.

▼ MODE D'EMPLOI

POSOLOGIE
Adultes : 150 mg, 2 fois par jour, sans dépasser 200 mg, 2 fois par jour. Enfants : le pédiatre établira la posologie.

DÉBUT D'ACTION
L'effet initial exige plusieurs heures ; le plein effet met plusieurs jours à s'installer.

DURÉE D'ACTION
Variable.

CONSEILS NUTRITIONNELS
Prenez ce médicament avec de la nourriture ; continuez à manger et à boire comme d'habitude.

MODE DE CONSERVATION
Dans un contenant étanche, à l'abri de la chaleur, de l'humidité et de la lumière.

OUBLI D'UNE DOSE
Prenez-la dès que vous y pensez, à moins qu'il ne soit presque l'heure de la dose suivante. Dans ce cas, prenez seulement cette dose, sans la doubler, et revenez à votre fréquence régulière.

≡ EFFETS INDÉSIRABLES ≡

GRAVES
Essoufflement ou respiration sifflante, accompagnés ou non d'enflure des jambes ou d'autres signes de défaillance cardiaque ; douleur dans la poitrine ; ulcère peptique avec vomissements sanguinolents ; selles noires et visqueuses ; fonction rénale diminuée.

COURANTS
Nausées, vomissements, brûlures d'estomac, diarrhées, constipation, céphalées, étourdissements, somnolence.

MOINS COURANTS
Ulcères ou aphtes dans la bouche, dépression, rash ou vésication de la peau, bourdonnements d'oreilles, fourmillements ou engourdissement dans les mains et les pieds, convulsions, vision brouillée. Élévation des taux de potassium ou baisse de la numération sanguine (décelables par le médecin à partir d'analyses).

ARRÊT DE LA MÉDICATION
Cette décision devrait être prise en consultation avec votre médecin.

USAGE PROLONGÉ
Un usage prolongé peut entraîner des problèmes gastro-intestinaux comme l'ulcération et les saignements, l'insuffisance rénale et l'inflammation du foie. Demandez à votre médecin s'il vous suggère de subir des examens et des analyses de laboratoire.

▼ PRÉCAUTIONS

Plus de 60 ans. À cause des risques plus graves que posent les problèmes gastro-intestinaux chez les personnes vieillissantes, les doses d'AINS sont souvent réduites de moitié à partir de 70 ans.

Conduite automobile, travaux dangereux. À éviter tant que vous ne connaissez pas votre réaction au médicament.

Alcool. À éviter ; l'alcool augmente les risques d'irrigation gastrique.

Grossesse. Évitez ou cessez de prendre ce médicament si vous êtes enceinte ou désirez le devenir.

Allaitement. Le sulindac passe dans le lait maternel ; n'en prenez pas si vous allaitez.

Nourrissons et enfants. Le sulindac est administré dans des cas exceptionnels ; consultez votre médecin.

À surveiller. Parce que les AINS peuvent retarder la coagulation du sang, il faut cesser d'en prendre entre 4 et 7 jours avant une chirurgie.

SURDOSAGE
Symptômes. Graves nausées, vomissements, céphalées, confusion, convulsions.

Quoi faire. Appelez immédiatement votre médecin ou le centre antipoison, ou allez à l'urgence.

▼ INTERACTIONS

MÉDICAMENT-MÉDICAMENT
Ne prenez pas ce médicament avec de l'AAS ou avec un autre AINS sans l'approbation de votre médecin. Demandez aussi son avis si vous prenez : antihypertenseurs, stéroïdes, anticoagulants, antibiotiques, itraconazole ou kétoconazole, pénicillamine, acide valproïque, phénytoïne, cyclosporine, digitaliques, lithium, méthotrexate, probénécide, triamtérène ou zidovudine.

MÉDICAMENT-ALIMENT
Pas d'interaction connue.

MÉDICAMENT-MALADIE
La prudence est de mise quand on prend du sulindac. Consultez votre médecin en cas de : problèmes hémorragiques, inflammation ou ulcère de l'estomac ou de l'intestin, diabète sucré, lupus érythémateux disséminé, anémie, asthme, épilepsie, maladie de Parkinson, calculs rénaux, antécédents de maladie cardiaque ou d'alcoolisme. Le sulindac peut causer des complications en cas de maladie de foie ou des reins car ces organes contribuent à l'éliminer du système.

SUMATRIPTAN (SUCCINATE DE)

Présentation : Comprimés, injections, vaporisateur nasal
En vente libre ? Non   **Générique disponible ?** Non
Classe de médicaments : Antimigraineux/anticéphalées

▼ GÉNÉRALITÉS

INDICATIONS
Traitement des attaques de migraine, avec ou sans aura.

MODE D'ACTION
Il semblerait que le sumatriptan stimule les messagers chimiques chargés de la constriction des vaisseaux sanguins dans le cerveau, réduisant ainsi les symptômes de la migraine. Non seulement soulage-t-il la douleur, mais aussi les nausées et vomissements, l'hypersensibilité aux sons et à la lumière, et d'autres symptômes.

▼ MODE D'EMPLOI

POSOLOGIE
Comprimés – 1 dose unique de 25 à 100 mg, prise avec un grand verre d'eau, suffit généralement. En cas de récidive ou de soulagement partiel, on peut compléter avec des doses de 50 mg à intervalles d'au moins 2 heures. Ne pas dépasser 200 mg en 24 heures. Injection – Dose initiale de 6 mg, suivie d'une seconde dose de 6 mg après un intervalle d'au moins 1 heure. Vaporisateur nasal – Dose unique de 5, 10 ou 20 mg dans une narine. En cas de récidive ou de soulagement partiel, on peut compléter avec 1 dose de 20 mg 2 heures plus tard, sans dépasser 40 mg en 24 heures.

DÉBUT D'ACTION
Comprimés : en 30 minutes. Injections : en 10 à 15 minutes. Vaporisateur nasal : en 15 minutes.

DURÉE D'ACTION
Inconnue. Le plein effet se fait sentir en 1 à 4 heures.

CONSEILS NUTRITIONNELS
Ce médicament se prend avec ou sans nourriture.

⇓ EFFETS INDÉSIRABLES ⇓

GRAVES
Douleur thoracique (modérée à intense), lourdeur ou oppression dans la poitrine ; respiration haletante ou sifflante, accélérée, superficielle, irrégulière ; paupières, visage ou lèvres enflés ; urticaire ; démangeaisons intenses.

COURANTS
Douleur, sensation de brûlure ou rougeur au site d'injection ; sensation générale de chaleur ; engourdissement ou picotements ; mâchoire, bouche, langue, gorge, nez ou sinus endoloris ; étourdissements ; somnolence ; sensation de froid et de faiblesse ; bouffées de chaleur ou vertiges ; douleur, crampes ou raideur dans les muscles ; nausées ou vomissements.

MOINS COURANTS
Légère douleur thoracique, lourdeur ou pression dans la poitrine ou le cou, anxiété, sensation de fatigue ou de malaise, altération de la vue.

MODE DE CONSERVATION
Dans un contenant étanche, à l'abri de la chaleur et de la lumière. La solution ne se congèle pas.

OUBLI D'UNE DOSE
Ce médicament se prend uniquement au besoin.

ARRÊT DE LA MÉDICATION
Consultez d'abord votre médecin.

USAGE PROLONGÉ
Consultez votre médecin si vous avez pris du sumatriptan pour trois attaques de migraine sans obtenir de soulagement, ou s'il n'y a pas d'amélioration de votre état au bout de plusieurs semaines d'utilisation, ou encore si vos migraines augmentent en fréquence ou en intensité.

▼ PRÉCAUTIONS

Plus de 60 ans. Non recommandé aux personnes de plus de 65 ans.

Conduite automobile, travaux dangereux. Attendez de connaître votre réaction au médicament. Le sumatriptan peut causer de la somnolence ou des étourdissements.

Alcool. Pas de précaution spéciale, mais l'alcool peut déclencher ou aggraver une migraine.

Grossesse. Évitez ce médicament si vous êtes enceinte.

Allaitement. Évitez ce médicament si vous allaitez.

Nourrissons et enfants. Le sumatriptan n'est pas recommandé aux enfants.

À surveiller. Un risque, rare mais sérieux, de problèmes cardiaques est associé à ce médicament. Toute personne qui pourrait avoir une maladie coronarienne non décelée – homme de plus de 40 ans, femme ménopausée et personnes à haut risque de maladie cardiaque – devrait prendre sa première dose dans le bureau du médecin. Ce médicament est à proscrire en cas de symptômes de maladie cardiaque (douleur ou oppression dans la poitrine, essoufflement).

SURDOSAGE
Symptômes. Très peu de cas ont été signalés.

Quoi faire. Une surdose est peu probable, mais si la quantité ingérée est considérable, appelez aussitôt le médecin ou le centre antipoison, ou allez à l'urgence.

▼ INTERACTIONS

MÉDICAMENT-MÉDICAMENT
Ne prenez pas de sumatriptan 24 heures avant ou après un autre antimigraineux. Demandez l'avis du médecin si vous prenez : antidépresseurs, inhibiteurs sélectifs de la recapture de la sérotonine (ISRS), lithium.

MÉDICAMENT-ALIMENT
Voir Conseils nutritionnels.

MÉDICAMENT-MALADIE
Ne prenez pas de sumatriptan en cas d'antécédents de maladie coronarienne (angine, infarctus du myocarde, angine de Prinzmetal ou hypertension non soignée). Attention s'il y a maladie de foie ou grave insuffisance rénale.

TACROLIMUS

Présentation : Gélules, injection
En vente libre ? Non   **Générique disponible ?** Non
Classe de médicaments : Immunosuppresseur

▼ GÉNÉRALITÉS

INDICATIONS
Pour ralentir ou réduire la tendance naturelle du système immunitaire à rejeter les greffes hépatiques ou rénales.

MODE D'ACTION
Le tacrolimus supprime la réaction du système immunitaire contre les allogreffes en inhibant l'activité des globules blancs du sang, principal élément de l'arsenal défensif du système immunitaire.

▼ MODE D'EMPLOI

POSOLOGIE
Adultes – Gélules : 0,1 à 0,2 mg par kilogramme (2,2 lb) de poids par jour, en 2 doses fractionnées prises à 12 heures d'intervalles. Injection : posologie à déterminer par le médecin. Enfants – 0,15 à 0,2 mg par kilogramme de poids par jour, en gélules, selon un schéma semblable à celui des adultes.

DÉBUT D'ACTION
Inconnu.

DURÉE D'ACTION
Inconnue.

CONSEILS NUTRITIONNELS
Les gélules peuvent se prendre avec ou sans nourriture ; néanmoins, il faut les prendre toujours de la même façon. Ne prenez pas de tacrolimus avec du pamplemousse ou du jus de pamplemousse.

MODE DE CONSERVATION
Gélules : dans un contenant étanche, à l'abri de la chaleur, de l'humidité et de la lumière. Injection : sans objet ; le médicament est administré seulement en milieu hospitalier.

OUBLI D'UNE DOSE
Gélules : prenez-la dès que vous y pensez. S'il est presque l'heure de la suivante, sautez la dose oubliée et reprenez la fréquence normale. Ne doublez pas la dose suivante. Il est très important de ne pas sauter de dose. Injec-

tion : sans objet ; le médicament est administré en milieu hospitalier seulement.

ARRÊT DE LA MÉDICATION
Cette décision doit être prise par le médecin.

USAGE PROLONGÉ
Consultez régulièrement votre médecin qui fera un suivi avec examens et analyses.

▼ PRÉCAUTIONS

Plus de 60 ans. Risques de réactions indésirables plus fréquentes et plus graves.

Conduite automobile, travaux dangereux. À déconseiller tant que vous ne connaissez pas votre réaction au médicament.

Alcool. À éviter.

Grossesse. De très fortes doses de tacrolimus ont provoqué des anomalies congénitales chez les animaux. Il n'existe pas d'études sur les humains. Avant de prendre du tacrolimus, prévenez le médecin si vous êtes enceinte ou voulez le devenir.

Allaitement. Le tacrolimus passe dans le lait maternel. N'allaitez pas pendant que vous en prenez.

Nourrissons et enfants. Aucun problème spécial n'a été signalé, même si les doses pour enfants peuvent souvent être plus fortes que celles pour adultes.

À surveiller. Dans certains cas, le tacrolimus aurait provoqué du diabète. Consultez le médecin immédiatement si

vous notez une augmentation de la faim, de la soif et du débit urinaire.

SURDOSAGE
Symptômes. Aucun symptôme grave n'a été signalé.

Quoi faire. Appelez immédiatement le médecin ou le centre antipoison, ou allez à l'urgence.

▼ INTERACTIONS

MÉDICAMENT-MÉDICAMENT
Le tacrolimus ne doit pas être pris dans les 24 heures suivant l'administration de cyclosporine. Évitez les vaccins vivants. Demandez spécifiquement l'avis du médecin si vous prenez : bromocriptine, cimétidine, clarithromycine, danazol, érythromycine, antifongiques, méthylprednisolone, métoclopramide, bloqueurs des canaux calciques, carbamazépine, phénobarbital, phénytoïne, rifabutine, rifampine, autres immunosuppresseurs, certains vaccins, aminosides, amphotéricine B ou cisplatine.

MÉDICAMENT-ALIMENT
Ne prenez pas de tacrolimus avec des pamplemousses ou du jus de pamplemousse.

MÉDICAMENT-MALADIE
Un traitement au tacrolimus exige de la prudence. Consultez le médecin en cas d'antécédents de : hypertension, troubles cardiaques, maladie des reins ou du foie.

≣ EFFETS INDÉSIRABLES ≣

GRAVES
Ecchymoses ou saignements plus fréquents, accumulation de liquide dans les poumons provoquant fièvre, douleur thoracique, difficultés respiratoires et toux.

COURANTS
Céphalées ; fièvre ; faiblesse ; tremblements ; hypertension provoquant mal de tête et vision brouillée ; diarrhée, nausées ; baisse du débit urinaire ; hyperglycémie provoquant une augmentation de la soif, de la faim et du débit urinaire.

MOINS COURANTS
Insomnie, pieds et bas des jambes enflés, engourdissement ou picotement, constipation, perte d'appétit, douleur abdominale, ballonnement par rétention d'eau, mictions douloureuses, mal de dos, déséquilibre électrolytique avec nausées, diarrhée, faiblesse musculaire et fatigue.

TAMOXIFÈNE (CITRATE DE)

Présentation : Comprimés
En vente libre ? Non   **Générique disponible ?** Oui
Classe de médicaments : Antiœstrogène ; antinéoplasique (anticancéreux)

▼ GÉNÉRALITÉS

INDICATIONS
Traitement du cancer du sein (tumeurs porteuses de récepteurs d'œstrogène).

MODE D'ACTION
Le tamoxifène inhibe les effets de l'œstrogène sur certains organes. Comme la croissance de certains types de cancer du sein est stimulée par l'œstrogène, le tamoxifène entrave la croissance de ces tumeurs.

▼ MODE D'EMPLOI

POSOLOGIE
Dose de 20 à 40 mg par jour, en 1 ou 2 prises.

DÉBUT D'ACTION
En plusieurs semaines.

DURÉE D'ACTION
Plusieurs semaines.

CONSEILS NUTRITIONNELS
On recommande de prendre le tamoxifène après le petit-déjeuner et/ou après le repas du soir. Avalez le comprimé sans le croquer avec un verre d'eau.

MODE DE CONSERVATION
Dans un contenant étanche, à l'abri de la chaleur, de l'humidité et de la lumière.

OUBLI D'UNE DOSE
Prenez-la dès que vous y pensez et reprenez la fréquence normale.

ARRÊT DE LA MÉDICATION
Cette décision doit être prise par le médecin.

USAGE PROLONGÉ
Un suivi médical s'impose si le traitement se prolonge.

 **EFFETS INDÉSIRABLES**

GRAVES
Cancer de l'endomètre (irrégularités menstruelles, saignement vaginal non menstruel, altération des écoulements vaginaux, douleur ou constriction pelvique) ; thrombose veineuse profonde et embolie pulmonaire (douleur ou enflure dans les jambes, essoufflement, douleur thoracique subite, toux avec expulsion de sang) ; cataractes ; nouveaux nodules mammaires ; confusion, faiblesse ou somnolence ; jaunissement de la peau et des yeux.

COURANTS
Bouffées de chaleur, gain de poids, nausées, vomissements.

MOINS COURANTS
Douleur osseuse, céphalées, altération de la vue, peau sèche ou rash cutané, modification du cycle menstruel, écoulements vaginaux, démangeaisons dans la région génitale, dépression, impuissance ou baisse de la libido. Taux élevé de calcium sanguin et insuffisance hépatique (décelables par le médecin à la suite d'analyses).

▼ PRÉCAUTIONS

Plus de 60 ans. Le tamoxifène ne devrait pas causer d'effets indésirables différents.

Conduite automobile, travaux dangereux. Pas de précautions spéciales.

Alcool. Pas de risques connus, mais parlez-en à votre médecin.

Grossesse. Le tamoxifène peut provoquer avortement, anomalies congénitales, mort du fœtus et saignements vaginaux anormaux : on ne devrait pas en prendre durant la grossesse. Évitez de devenir enceinte durant les 2 mois qui suivent le traitement. Avertissez le médecin et cessez immédiatement de prendre du tamoxifène si vous devenez enceinte.

Allaitement. Le tamoxifène peut passer dans le lait maternel ; n'en prenez pas si vous allaitez.

Nourrissons et enfants. Non prescrit dans ce groupe d'âge.

À surveiller. Les patientes devraient subir régulièrement des examens gynécologiques pendant le traitement et durant les mois et les années qui suivent, car le médicament peut augmenter les risques à longue échéance de cancer de l'utérus. Le tamoxifène peut modifier ou interrompre le cycle menstruel normal de la patiente ; elle peut néanmoins demeurer fertile. Une méthode contraceptive de type barrière doit être préférée aux contraceptifs oraux durant le traitement.

Les facteurs de risque pour le cancer du sein sont les suivants : menstruations précoces, grossesse tardive, aucune grossesse, cas de cancer du sein chez de proches parents, antécédents de biopsies mammaires ou changements inquiétants dans une biopsie.

SURDOSAGE
Symptômes. Nausées, vomissements, arythmie cardiaque, tremblements, vertiges, convulsions, réflexes exagérés.

Quoi faire. Appelez immédiatement le médecin ou le centre antipoison, ou allez à l'urgence.

▼ INTERACTIONS

MÉDICAMENT-MÉDICAMENT
Vous ne devriez pas prendre de tamoxifène en prévention du cancer du sein si vous prenez des anticoagulants. Consultez le médecin si vous prenez : antiacides, cimétidine, famotidine, ranitidine, contraceptifs oraux.

MÉDICAMENT-ALIMENT
Aucune interaction connue.

MÉDICAMENT-MALADIE
Consultez le médecin en cas de : cataractes ou autres troubles de la vue, haut taux de cholestérol ou de triglycérides, caillots sanguins, insuffisance de globules blancs ou de plaquettes. Avertissez le médecin si vous avez déjà fait un caillot sanguin.

TAMSULOSINE (CHLORHYDRATE DE)

Présentation : Gélules
En vente libre ? Non   **Générique disponible ?** Non
Classe de médicaments : Agent thérapeutique de l'HBP

▼ GÉNÉRALITÉS

INDICATIONS
Traitement des symptômes urinaires de l'hyperplasie bénigne de la prostate (HBP) – hypertrophie prostatique non cancéreuse. L'HBP est très répandue chez les hommes de plus de 50 ans.

MODE D'ACTION
En bloquant un récepteur alpha, la tamsulosine détend les muscles de la prostate et de l'orifice de la vessie. Elle ne réduit pas le volume de la prostate ; les symptômes peuvent s'aggraver et la chirurgie peut devenir nécessaire. Contrairement à d'autres antagonistes des récepteurs alpha employés dans le traitement de l'HBP, la tamsulosine n'est pas indiquée pour le traitement de l'hypertension.

▼ MODE D'EMPLOI

POSOLOGIE
0,4 mg, 1 fois par jour, à prendre 30 minutes après un repas – toujours le même chaque jour. Si le patient ne répond pas à la posologie après 2 à 4 semaines de traitement, on peut la porter à 0,8 mg, 1 fois par jour.

DÉBUT D'ACTION
Inconnu.

DURÉE D'ACTION
Inconnue.

CONSEILS NUTRITIONNELS
Pas de restrictions spéciales. Néanmoins, la tamsulosine doit être prise 30 minutes après le même repas, tous les jours. Il ne faut ni broyer, ni croquer, ni ouvrir les gélules.

MODE DE CONSERVATION
Dans un contenant étanche, à l'abri de la chaleur, de l'humidité et de la lumière.

OUBLI D'UNE DOSE
Que la dose soit de 0,4 mg ou de 0,8 mg, si le traitement est abandonné ou interrompu pendant plusieurs jours, il doit être repris avec une dose quotidienne de 0,4 mg.

ARRÊT DE LA MÉDICATION
Effectuez le traitement au complet, comme il vous a été prescrit.

USAGE PROLONGÉ
Un suivi médical pour surveiller le volume de la prostate est nécessaire en cas de traitement prolongé.

▼ PRÉCAUTIONS

Plus de 60 ans. Pas de risques connus.

Conduite automobile, travaux dangereux. La tamsulosine peut avoir un effet sur le fonctionnement mental, provoquant somnolence, étourdissements ou vertiges, surtout la première fois qu'on en prend. Soyez prudent ; durant les 24 heures qui suivent la première dose, abstenez-vous de conduire un véhicule ou d'exercer toute activité demandant de la vigilance. Ces effets devraient diminuer après quelques doses.

Alcool. Peut intensifier vertiges ou évanouissements ; consommez-en modérément.

Grossesse. La tamsulosine n'est pas indiquée pour les femmes.

Allaitement. La tamsulosine n'est pas indiquée pour les femmes.

Nourrissons et enfants. La tamsulosine n'est pas indiquée pour les enfants.

À surveiller. La première dose cause fréquemment des vertiges ou des étourdissements. Prenez le médicament après le repas du soir et sortez du lit lentement le lendemain matin. Soyez prudent quand vous faites de l'exercice ou quand il fait chaud. S'il est question d'une intervention chirurgicale ou dentaire réclamant une anesthésie générale, avertissez le médecin ou le dentiste que vous prenez de la tamsulosine. Ne broyez pas, ne croquez pas et n'ouvrez pas les gélules.

SURDOSAGE
Symptômes. Une surdose est peu probable. Les symptômes en seraient, entre autres, forte céphalée ou hypotension orthostatique (voir Effets indésirables moins courants).

Quoi faire. Si la dose est beaucoup plus forte que celle prescrite, dites au patient de s'allonger et demandez immédiatement de l'aide médicale.

▼ INTERACTIONS

MÉDICAMENT-MÉDICAMENT
La tamsulosine ne doit pas être prise en même temps que certains autres médicaments de l'HBP. Consultez le médecin si vous prenez de la cimétidine ou de la warfarine : des interactions avec la tamsulosine sont possibles.

MÉDICAMENT-ALIMENT
Aucune interaction connue.

MÉDICAMENT-MALADIE
Consultez le médecin si vous souffrez d'insuffisance rénale.

  EFFETS INDÉSIRABLES

GRAVES
Érection douloureuse (priapisme).

COURANTS
Céphalées, vulnérabilité accrue aux infections, douleur articulaire, mal de dos, douleur musculaire, vertiges, écoulement nasal, diarrhée, éjaculation anormale.

MOINS COURANTS
Douleur thoracique bénigne, somnolence, insomnie, baisse de la libido, mal de gorge, toux, infection des sinus, nausées, douleur buccale, troubles de la vue. Le médicament peut aussi provoquer une hypotension orthostatique (baisse de la tension artérielle qui se produit quand on se lève rapidement après avoir été couché ou assis) causant étourdissements, vertiges, confusion ou évanouissement.

TAZAROTÈNE

Tazorac

Présentation : Gel topique
En vente libre ? Non   **Générique disponible ?** Non
Classe de médicaments : Rétinoïde

▼ GÉNÉRALITÉS

INDICATIONS
Traitement du psoriasis et de l'acné bénin à modéré.

MODE D'ACTION
On ne connaît pas le mécanisme d'action exact du tazarotène. Il semble instaurer un schéma plus normal de croissance et d'exfoliation des cellules de l'épiderme.

▼ MODE D'EMPLOI

POSOLOGIE
Psoriasis : en appliquer une mince couche sur la région affectée 1 fois par jour, le soir. Assurez-vous que l'endroit est propre et sec avant l'application. Acné : en appliquer 1 fois par jour, le soir. Lavez-vous et séchez-vous le visage avant d'étendre une mince couche de gel là où il y a présence d'acné. Évitez d'en mettre près des yeux, des paupières et de la bouche.

DÉBUT D'ACTION
En 1 à 4 semaines.

DURÉE D'ACTION
Inconnue.

CONSEILS NUTRITIONNELS
Pas de restrictions ni de recommandations spéciales.

MODE DE CONSERVATION
Dans un contenant étanche, à l'abri de la chaleur, de l'humidité et de la lumière.

OUBLI D'UNE DOSE
Si un jour vous oubliez d'appliquer le médicament, reprenez la fréquence normale le lendemain ; n'en mettez pas une couche plus épaisse pour compenser votre oubli.

ARRÊT DE LA MÉDICATION
Psoriasis : effectuez le traitement au complet, comme il vous a été prescrit par votre médecin. Acné : appliquez le médicament durant 12 semaines ou moins, selon les directives du médecin.

USAGE PROLONGÉ
Risques accrus d'effets indésirables.

▼ PRÉCAUTIONS

Plus de 60 ans. Pas de risques connus.

Conduite automobile, travaux dangereux. Le tazarotène ne devrait pas vous empêcher d'exécuter de telles tâches en toute sécurité.

Alcool. Pas de précautions spéciales.

Grossesse. N'employez pas de tazarotène si vous êtes enceinte ou voulez le devenir. Les femmes en âge d'avoir des enfants devraient utiliser une méthode contraceptive fiable durant le traitement.

Allaitement. Le tazarotène peut passer dans le lait maternel : la prudence s'impose. Demandez spécifiquement l'avis du médecin.

Nourrissons et enfants. Non recommandé chez les enfants de moins de 12 ans.

À surveiller. Si le tazarotène vient en contact avec vos yeux, lavez-les à grande eau fraîche. Si l'irritation persiste, appelez le médecin. Lavez-vous les mains après avoir appliqué le médicament. Ne couvrez pas la région traitée avec des vêtements ajustés ou un pansement. Si le médicament augmente votre sensibilité au soleil, portez des vêtements couvrants, utilisez un écran solaire et évitez de vous exposer au soleil. Abstenez-vous d'utiliser une lampe solaire. Les personnes au teint clair ou qui sont très vulnérables au soleil doivent faire preuve d'encore plus de prudence. Le vent et le froid peuvent vous irriter la peau

davantage encore durant le traitement. Quand le tazarotène est employé contre le psoriasis, vous devez éviter d'en mettre sur les régions où la peau paraît normale.

SURDOSAGE
Symptômes. Un emploi excessif du tazarotène peut causer rougeur, desquamation ou sensation de malaise.

Quoi faire. Une surdose est peu probable. Si le tazarotène est ingéré, appelez le médecin.

▼ INTERACTIONS

MÉDICAMENT-MÉDICAMENT
Des interactions médicamenteuses sont possibles. Demandez l'avis du médecin si vous prenez : suppléments de vitamine A ; autres médicaments, crèmes ou lotions pour la peau ; médicaments qui augmentent votre sensibilité au soleil (diurétiques thiazidiques, tétracyclines, antibiotiques aux fluoroquinolones, phénothiazines ou sulfamides) ; produits qui assèchent la peau (lotions astringentes ou savons médicamenteux).

MÉDICAMENT-ALIMENT
Aucune interaction connue.

MÉDICAMENT-MALADIE
Vous ne devriez pas employer de tazarotène en cas de : eczéma, autre maladie chronique de la peau, récent coup de soleil.

EFFETS INDÉSIRABLES

GRAVES
On n'a signalé aucun effet indésirable grave.

COURANTS
Psoriasis : démangeaisons, rougeur, sensation de brûlure et de piqûre, aggravation du psoriasis, irritation, douleur cutanée. Acné : exfoliation, sensation de brûlure et de piqûre, peau sèche, rougeurs, démangeaisons.

MOINS COURANTS
Psoriasis : rash cutané, exfoliation ou desquamation, risque accru de dermatite provoquée par des agents irritants externes, inflammation de la peau, fendillement, saignement, peau sèche. Acné : douleur, irritation, fendillement, enflure de la région traitée, décoloration de la peau.

TELMISARTAN

Présentation : Comprimés
En vente libre ? Non   **Générique disponible ?** Non
Classe de médicaments : Antihypertenseur/antagoniste des récepteurs de l'angiotensine II

▼ GÉNÉRALITÉS

INDICATIONS
Traitement de l'hypertension. Le médicament semble avoir les mêmes avantages que les antihypertenseurs appelés « inhibiteurs de l'ECA », sans provoquer la toux sèche (effet indésirable courant, présent chez 30 % des patients). Le telmisartan peut être utilisé seul ou en association avec quelques autres antihypertenseurs.

MODE D'ACTION
Le telmisartan s'oppose aux effets de l'angiotensine II, substance naturellement présente dans l'organisme qui provoque la contraction des vaisseaux sanguins. Le telmisartan entraîne la dilatation de ceux-ci, diminuant ainsi la tension artérielle et le travail cardiaque.

▼ MODE D'EMPLOI

POSOLOGIE
80 mg, 1 fois par jour. En présence de troubles hépatiques, 40 mg, 1 fois par jour.

DÉBUT D'ACTION
En 2 semaines.

DURÉE D'ACTION
Jusqu'à 24 heures.

CONSEILS NUTRITIONNELS
Aucune restriction, à moins que le médecin n'ait recommandé un régime hyposodique ou d'autres modifications alimentaires pour vous aider à maîtriser l'hypertension.

MODE DE CONSERVATION
Dans un contenant étanche, à l'abri de la chaleur, de l'humidité et de la lumière.

OUBLI D'UNE DOSE
Prenez-la dès que vous y pensez. S'il est presque l'heure de la suivante, sautez la dose oubliée et reprenez la fréquence normale. Ne doublez pas la dose qui suit.

ARRÊT DE LA MÉDICATION
Suivez le traitement au complet, tel que prescrit. La décision de l'interrompre doit être prise en consultation avec le médecin.

USAGE PROLONGÉ
Le traitement peut être à vie, Mais si vous modifiez vos habitudes (en faisant plus d'exercice, par exemple, ou en perdant du poids), il peut être possible de réduire les doses sous la surveillance du médecin.

▼ PRÉCAUTIONS

Plus de 60 ans. Pas de risques connus.

Conduite automobile, travaux dangereux. À déconseiller tant que vous ne connaissez pas votre réaction au médicament.

Alcool. Pas de précautions spéciales.

Grossesse. Les femmes enceintes ne devraient pas prendre de telmisartan. Cessez d'en prendre dès que vous savez que vous êtes enceinte et examinez avec le médecin d'autres modes de traitement.

Allaitement. Le telmisartan peut passer dans le lait maternel : la prudence s'impose. Demandez l'avis du médecin.

Nourrissons et enfants. Innocuité et efficacité non établies dans ce groupe d'âge.

À surveiller. Le telmisartan peut provoquer une chute excessive de la tension artérielle, accompagnée de vertiges et d'étourdissements, davantage perceptibles aux changements de position et pouvant causer évanouissement, chutes et blessures. Étendez-vous ou asseyez-vous dès que vous avez des vertiges ou des étourdissements.

Cet effet indésirable peut être accentué par l'alcool, le temps chaud, la déshydratation, le manque de sel dû à la prise de diurétiques, la fièvre, une station debout ou assise prolongée ou l'exercice.

SURDOSAGE
Symptômes. Peu de cas de surdosage ont été signalés. Si vous prenez une dose beaucoup plus importante que celle prescrite, vous pouvez souffrir d'évanouissement ou de vertiges ou avoir un pouls faible, très lent ou très rapide.

Quoi faire. Appelez immédiatement le médecin ou le centre antipoison, ou allez à l'urgence.

▼ INTERACTIONS

MÉDICAMENT-MÉDICAMENT
Aucune interaction médicamenteuse significative n'a été observée jusqu'à présent. Demandez spécifiquement l'avis du médecin si vous prenez de la digoxine ou tout autre médicament, surtout d'autres hypertenseurs. Le telmisartan peut être administré en même temps que des diurétiques ou d'autres antihypertenseurs, si le médecin l'autorise.

MÉDICAMENT-ALIMENT
Aucune interaction connue.

MÉDICAMENT-MALADIE
Les patients souffrant d'une maladie du foie ou des reins modérée à grave doivent faire preuve de prudence s'ils prennent du telmisartan.

  **EFFETS INDÉSIRABLES**

GRAVES
Aucun effet indésirable grave n'est associé au telmisartan. (Dans les essais cliniques, l'incidence des effets indésirables n'a pas été significativement plus élevée avec le médicament qu'avec un placebo.)

COURANTS
On ne connaît pas d'effet indésirable courant.

MOINS COURANTS
Céphalées, vertiges, mal de dos, infection des voies respiratoires supérieures, mal de gorge et congestion nasale.

TÉMAZÉPAM

Présentation : Gélules
En vente libre ? Non **Générique disponible ?** Oui
Classe de médicaments : Tranquillisant (benzodiazépine)

▼ GÉNÉRALITÉS

INDICATIONS
Traitement de l'insomnie (à courte durée).

MODE D'ACTION
En général, le témazépam produit un léger effet sédatif en modérant l'activité du système nerveux central. Plus spécifiquement, le témazépam semble intensifier l'effet de l'acide gamma-aminobutyrique (GABA), élément chimique naturel qui inhibe les décharges des neurones et ralentit la transmission des signaux nerveux, diminuant ainsi l'excitation nerveuse.

▼ MODE D'EMPLOI

POSOLOGIE
Adultes : 15 à 30 mg, au coucher. Personnes âgées : 15 mg, au coucher.

DÉBUT D'ACTION
En 30 minutes à 2 heures.

DURÉE D'ACTION
8 à 10 heures.

CONSEILS NUTRITIONNELS
À prendre entre 30 minutes et 2 heures avant le coucher avec un grand verre d'eau. Le témazépam peut se prendre en mangeant pour prévenir les troubles gastro-intestinaux.

MODE DE CONSERVATION
Dans un contenant étanche, à l'abri de la chaleur et de la lumière.

OUBLI D'UNE DOSE
Prenez-la dès que vous y pensez à moins qu'il ne soit tard dans la nuit. Ne prenez pas le médicament si vous ne pouvez compter sur une bonne nuit de sommeil.

ARRÊT DE LA MÉDICATION
Une interruption brusque du traitement peut produire des symptômes de sevrage (difficultés à dormir, nervosité, irritabilité, diarrhée, crampes abdominales, douleurs musculaires, troubles de la mémoire). La posologie doit être réduite graduellement selon les directives du médecin.

USAGE PROLONGÉ
Le témazépam peut perdre lentement de son efficacité et la probabilité de réactions indésirables peut augmenter. Un suivi médical s'impose si le traitement dépasse 7 à 10 jours.

▼ PRÉCAUTIONS

Plus de 60 ans. Réactions indésirables plus fréquentes et plus graves. Il peut y avoir lieu de réduire les doses.

Conduite automobile, travaux dangereux. À déconseiller tant que vous ne connaissez pas votre réaction au médicament.

Alcool. À éviter.

Grossesse. Évitez de prendre du témazépam. Avisez le médecin que vous êtes enceinte ou voulez le devenir.

Allaitement. Le témazépam passe dans le lait maternel ; n'en prenez pas si vous allaitez.

Nourrissons et enfants. Innocuité et efficacité non établies pour les moins de 18 ans.

À surveiller. Le témazépam peut entraîner de la dépendance psychologique et physiologique si les directives du médecin ne sont pas strictement respectées. Ne dépassez pas la dose quotidienne prescrite.

SURDOSAGE
Symptômes. Grande somnolence, confusion, difficultés d'élocution, réflexes lents, manque de coordination, démarche chancelante, tremblements, respiration lente, perte de conscience.

Quoi faire. Appelez aussitôt le médecin ou le centre anti-poison, ou allez à l'urgence.

▼ INTERACTIONS

MÉDICAMENT-MÉDICAMENT
Demandez l'avis du médecin si vous prenez des dépresseurs du système nerveux central (antihistaminiques, antidépressifs, antipsychotiques, barbituriques, sédatifs, antitussifs, décongestionnants et analgésiques). Signalez-lui tous les médicaments que vous prenez.

MÉDICAMENT-ALIMENT
Aucune interaction connue.

MÉDICAMENT-MALADIE
Avertissez le médecin si vous avez des antécédents de : toxicomanie ou alcoolisme, ACV ou maladie du cerveau, maladie respiratoire chronique, glaucome, hyperactivité, dépression ou autre maladie mentale, myasthénie grave, apnée du sommeil, épilepsie, porphyrie, maladie des reins ou du foie.

▒ EFFETS INDÉSIRABLES ▒

GRAVES
Difficulté à se concentrer, accès de colère, autres problèmes du comportement, dépression, hallucinations, hypotension (avec évanouissement ou confusion), troubles de la mémoire, faiblesse musculaire, rash cutané ou démangeaisons, mal de gorge, fièvre et frissons, lésions ou ulcères dans la gorge ou la bouche, ecchymoses ou saignements anormaux, fatigue extrême, jaunissement des yeux ou de la peau.

COURANTS
Incoordination, démarche mal assurée, vertiges, étourdissements, somnolence, difficultés d'élocution.

MOINS COURANTS
Crampes où douleurs gastriques, altérations de la vue, modification de la libido ou de la performance sexuelle, constipation ou diarrhée, bouche sèche ou salivation excessive, euphorie, tachycardie ou palpitations, céphalées, spasmes musculaires, nausées et vomissements, troubles urinaires, tremblements.

TÉRAZOSINE

Présentation : Comprimés
En vente libre ? Non   **Générique disponible ?** Oui
Classe de médicaments : Antihypertenseur ; agent thérapeutique de la HBP

▼ GÉNÉRALITÉS

INDICATIONS
Traitement de l'hypertension. S'emploie aussi pour traiter les troubles urinaires symptomatiques de l'hypertrophie bénigne de la prostate (HBP).

MODE D'ACTION
La térazosine aide à maîtriser l'hypertension en relaxant les vaisseaux sanguins et en leur permettant de se dilater, ce qui fait baisser la tension artérielle. Dans le traitement de l'HBP, elle aide à détendre les muscles de la prostate et du col de la vessie, améliorant ainsi le débit urinaire.

▼ MODE D'EMPLOI

POSOLOGIE
Hypertension – Adultes : au début, 1 mg au coucher, puis 1 à 5 mg, 1 fois par jour. La dose maximale ne doit pas dépasser 20 mg par jour. Enfants : posologie et fréquence sont à déterminer par le pédiatre. HBP– Au début, 1 mg au coucher, pendant 1 semaine, puis 5 à 10 mg, 1 fois par jour.

DÉBUT D'ACTION
En 15 minutes ; effet antihypertensif maximal en 2 à 3 heures. Troubles urinaires associés à la HBP : le plein effet thérapeutique peut prendre 4 à 6 semaines.

DURÉE D'ACTION
24 heures.

CONSEILS NUTRITIONNELS
Peut se prendre avant, pendant ou après les repas.

MODE DE CONSERVATION
Dans un contenant étanche, à l'abri de la chaleur, de l'humidité et de la lumière.

OUBLI D'UNE DOSE
Prenez-la dès que vous y pensez, si c'est le même jour. Si c'est le lendemain, sautez la dose oubliée et ne doublez pas la suivante. Reprenez la fréquence normale.

ARRÊT DE LA MÉDICATION
N'interrompez pas le traitement, même si vous avez des effets indésirables. Consultez le médecin. Si le traitement est interrompu pendant plusieurs jours, vous devrez peut-être le reprendre depuis le début, en revenant à la posologie initiale.

USAGE PROLONGÉ
Dans un traitement contre l'hypertension, on recommande de mesurer la tension artérielle régulièrement.

▼ PRÉCAUTIONS

Plus de 60 ans. Les personnes âgées sont plus susceptibles d'éprouver des effets indésirables, surtout quand elles se lèvent après avoir été assises ou couchées : on leur recommande de se lever lentement.

Conduite automobile, travaux dangereux. La térazosine provoque somnolence, étourdissements ou vertiges, surtout après la première dose. La prudence s'impose ; durant les 12 heures qui suivent la dose initiale ou chaque augmentation de la posologie, évitez les activités exigeant de la vigilance. Les effets devraient s'atténuer après quelques doses.

Alcool. Peut aggraver vertiges et évanouissements. Évitez d'en prendre ou faites-le avec la plus grande modération.

Grossesse. Il n'y a pas eu d'études contrôlées. Consultez le médecin si vous êtes enceinte ou voulez le devenir.

Allaitement. On ne sait pas si la térazosine passe dans le lait maternel. Demandez spécifiquement l'avis du médecin.

Nourrissons et enfants. Il n'y a pas eu d'études concluantes sur l'administration de térazosine dans ce groupe d'âge.

Évaluez avec le pédiatre les bienfaits et les risques du médicament.

À surveiller. Avertissez sans faute le médecin si vous prenez des médicaments sans ordonnance contre l'asthme, le rhume, la toux et les allergies ou pour supprimer l'appétit. Ils peuvent faire monter la tension artérielle et provoquer des complications s'ils sont associés à la térazosine.

SURDOSAGE
Symptômes. Tension artérielle très basse (hypotension) avec fatigue, faiblesse, céphalées, palpitations, évanouissement ou vertiges.

Quoi faire. Appelez aussitôt le médecin ou le centre antipoison, ou allez à l'urgence.

▼ INTERACTIONS

MÉDICAMENT-MÉDICAMENT
Plusieurs médicaments peuvent interagir avec la térazosine : vérapamil, les anti-inflammatoires (dont l'indométhacine, qui peut provoquer de la rétention hydrique et sodique), œstrogènes (qui peuvent réduire l'action antihypertensive de la térazosine). Consultez le médecin.

MÉDICAMENT-ALIMENT
Aucune interaction connue.

MÉDICAMENT-MALADIE
Avertissez le médecin que vous souffrez de maladie des reins, de maladie cardiaque grave ou de douleur thoracique causée par l'angine de poitrine : la térazosine peut aggraver la situation.

  EFFETS INDÉSIRABLES

GRAVES
On n'a rapporté aucun effet indésirable grave.

COURANTS
Vertiges.

MOINS COURANTS
Douleur thoracique, étourdissements ou évanouissements (surtout en se levant rapidement après avoir été assis ou couché) : ces symptômes, fréquents en début de traitement, diminuent avec le temps, mais peuvent réapparaître quand la posologie est augmentée. Prenez le médicament au coucher pour réduire le risque d'effets secondaires.

TERBINAFINE (CHLORHYDRATE DE)

NOMS COMMERCIAUX

Lamisil,
PMS-Terbinafine

Présentation : Comprimés, crème topique, vaporisateur topique
En vente libre ? Non   **Générique disponible ?** Oui
Classe de médicaments : Antifongique

▼ GÉNÉRALITÉS

INDICATIONS

Les comprimés servent uniquement à traiter les infections fongiques des ongles de doigts et d'orteils (tinea unguium). Les formes topiques sont employées contre les infections fongiques de la peau, comme tinea versicolor, tinea corporis (teigne), tinea cruris (eczéma marginé) et tinea pedis (pied d'athlète).

MODE D'ACTION

La terbinafine inhibe une enzyme essentielle à la production de substances vitales pour la reproduction et la survie de certains types de micro-organismes fongiques.

▼ MODE D'EMPLOI

POSOLOGIE

Comprimés : 250 mg, 1 fois par jour, pendant 6 semaines pour les champignons des ongles de doigts ; 250 mg,
1 fois par jour pendant 12 semaines pour les champignons des ongles d'orteils. Crème : appliquez une mince couche sur les régions affectées 1 ou 2 fois par jour pour la teigne ou l'eczéma marginé, 2 fois par jour pour le pied d'athlète. Effectuez le traitement pendant au moins 1 semaine, mais ne dépassez pas 4 semaines. Solution : appliquez-en 1 ou 2 fois par jour, selon l'affection traitée.

DÉBUT D'ACTION

Variable.

DURÉE D'ACTION

Inconnue.

CONSEILS NUTRITIONNELS

Pas de restrictions ni de recommandations spéciales.

MODE DE CONSERVATION

Dans un contenant étanche, à l'abri de la chaleur, de l'humidité et de la lumière. Ne congelez pas les formes liquides.

OUBLI D'UNE DOSE

Il est important de ne pas sauter une dose. Prenez-la ou appliquez-la dès que vous y pensez. Si vous n'y pensez que le lendemain, sautez la dose oubliée et reprenez la fréquence normale. Ne doublez pas la dose suivante ; et n'appliquez pas une couche plus épaisse.

ARRÊT DE LA MÉDICATION

Prenez les comprimés comme ils ont été prescrits, pour toute la durée du traitement.

USAGE PROLONGÉ

Risques accrus d'effets indésirables. Des épreuves de la fonction hépatique sont recommandées si les comprimés sont utilisés durant plus de 6 semaines.

▼ PRÉCAUTIONS

Plus de 60 ans. Pas de conseils particuliers.

Conduite automobile, travaux dangereux. Pas de précautions spéciales.

Alcool. Pas de précautions spéciales.

Grossesse. Les comprimés ne sont pas recommandés.

Allaitement. Évitez de prendre les comprimés.

Nourrissons et enfants. Non recommandé pour les moins de 18 ans.

À surveiller. Lavez-vous les mains avant et après l'application des formes topiques. Prenez soin de ne pas en mettre dans les yeux, le nez ou la bouche. Teigne : portez
des vêtements amples et bien aérés, évitez les excès de chaleur ou d'humidité. On recommande d'utiliser une poudre neutre et absorbante, comme du talc, 1 ou 2 fois par jour, quand la crème a pénétré dans la peau. Eczéma marginé : ne portez pas de sous-vêtements serrés ou en matière synthétique ; portez des sous-vêtements amples en coton. Pied d'athlète : séchez-vous bien les pieds après le bain et portez des chaussettes de coton propres, ainsi que des sandales ou des souliers aérés. Avant l'application, lavez la région à traiter au savon et à l'eau tiède.

SURDOSAGE

Symptômes. Comprimés : nausées, vomissements, douleur abdominale, vertiges, rash cutané, mictions fréquentes et céphalées.

Quoi faire. Appelez le médecin dès que possible.

▼ INTERACTIONS

MÉDICAMENT-MÉDICAMENT

Consultez le médecin si vous prenez : rifampine, cimétidine ou autre préparation topique.

MÉDICAMENT-ALIMENT

Aucune interaction connue.

MÉDICAMENT-MALADIE

La terbinafine en comprimés peut provoquer des complications chez les patients qui ont une maladie du foie ou des reins, car ces organes contribuent à éliminer le médicament de l'organisme. Consultez le médecin si vous avez des antécédents d'alcoolisme (cause possible de maladie du foie).

EFFETS INDÉSIRABLES

GRAVES

Ils sont rares. Comprimés : dysfonction hépatique, réactions cutanées graves comme le syndrome de Stevens-Johnson, troubles graves du sang avec vulnérabilité accrue aux infections, saignements incontrôlés ou autres problèmes, réaction allergique grave.

COURANTS

Céphalées, diarrhée, rash cutané, douleur gastrique, mauvaise digestion, nausées.

MOINS COURANTS

Comprimés : flatulence, démangeaisons, rash cutané, perte du goût, faiblesse, fatigue, vomissements, douleur articulaire et musculaire, chute de cheveux. Formes topiques : rougeur, démangeaisons, sensation de brûlure, vésication, enflure, suintement ou autres signes d'irritation de la peau non présents avant le traitement.

TERBUTALINE (SULFATE DE)

Présentation : Turbuhaler pour inhalation, comprimés
En vente libre ? Non   **Générique disponible ?** Non
Classe de médicaments : Bronchodilatateur/sympathomimétique

▼ GÉNÉRALITÉS

INDICATIONS
Pour dilater les voies aériennes pulmonaires rétrécies par une maladie ou une inflammation : traitement de l'asthme et de la bronchopneumopathie obstructive chronique.

MODE D'ACTION
En détendant les muscles lisses qui entourent les bronchioles, la terbutaline dilate les voies aériennes.

▼ MODE D'EMPLOI

POSOLOGIE
À employer au besoin pour soulager les difficultés respiratoires. Turbuhaler pour inhalation – Adultes et enfants de 6 ans et plus : 1 ou 2 inhalations aux 4 à 6 heures. Laissez passer 5 minutes entre la première et la seconde inhalation. Nourrissons et enfants de moins de 6 ans : non recommandé. Comprimés – Adultes : 5 mg, 3 fois par jour. Enfants de 12 à 15 ans : 2,5 mg, 3 fois par jour, si possible à intervalles de 6 heures. Enfants de moins de 12 ans : consultez le pédiatre.

DÉBUT D'ACTION
Inhalation : en moins de 5 minutes. Comprimés : en 30 minutes à 2 heures.

DURÉE D'ACTION
Inhalation : 3 à 6 heures. Comprimés : jusqu'à 8 heures.

CONSEILS NUTRITIONNELS
Mangez et buvez comme à l'ordinaire.

MODE DE CONSERVATION
Dans un contenant étanche, à l'abri de la chaleur et de la lumière. Ne réfrigérez pas les solutions pour inhalations.

EFFETS INDÉSIRABLES

GRAVES
Inhalation : un usage abusif lui fait perdre de son efficacité ; la respiration devient plus difficile et ne s'améliore pas. Symptômes : respiration sifflante, toux, essoufflement ; confusion ; bleuissement des lèvres ou des ongles ; incapacité de parler. Comprimés : douleur ou constriction thoraciques ; arythmies cardiaques, tachycardie, flutter ou palpitations ; étourdissements ; évanouissement ; faiblesse grave ; céphalées graves.

COURANTS
Insomnie, sécheresse de la bouche, mal de gorge, nervosité, agitation motrice.

MOINS COURANTS
Tremblements, transpiration, céphalées, nausées ou vomissements, bouffées congestives ou rougeur aux joues ou ailleurs, douleurs et crampes musculaires, contractions involontaires des muscles, arrière-goût désagréable ou anormal.

OUBLI D'UNE DOSE
Sautez-la et reprenez la fréquence normale. Ne doublez pas la dose suivante.

ARRÊT DE LA MÉDICATION
Il peut ne pas être nécessaire d'effectuer le traitement complet. Parlez-en au médecin.

USAGE PROLONGÉ
La thérapie peut durer des mois ou des années. L'utilisation excessive du médicament peut lui faire perdre temporairement de son efficacité.

▼ PRÉCAUTIONS

Plus de 60 ans. Risques de réactions indésirables plus fréquentes et plus graves.

Conduite automobile, travaux dangereux. À éviter tant que vous ne connaissez pas les effets du médicament sur vous.

Alcool. Pas de précautions spéciales.

Grossesse. Il n'existe pas d'études pertinentes ; il faut évaluer les bienfaits de la médication par rapport à ses risques. Demandez l'avis du médecin.

Allaitement. On ne sait pas si la terbutaline passe dans le lait maternel. Les femmes qui veulent allaiter tout en prenant ce médicament doivent en parler à leur médecin.

Nourrissons et enfants. L'aérosol pour inhalation n'est pas recommandé chez les enfants de moins de 6 ans.

À surveiller. Attention à tout problème respiratoire ou à toute crise d'asthme qui ne se calment pas après le nombre usuel d'inhalations. Demandez immédiatement de l'aide si vos poumons vous paraissent constamment obstrués, si vous dépassez le nombre de traitements ou d'inhalations recommandés par jour ou si une crise vous paraît différente des précédentes. N'exposez pas le turbuhaler à l'humidité, car il contient de la poudre.

SURDOSAGE
Symptômes. Douleur ou constriction thoraciques ; arythmies cardiaques, tachycardie, flutter ou palpitations ; vertiges ou étourdissements ; évanouissement ; faiblesse grave ; céphalées graves.

Quoi faire. Appelez aussitôt le médecin, Urgences-santé ou le centre antipoison.

▼ INTERACTIONS

MÉDICAMENT-MÉDICAMENT
Demandez l'avis du médecin si vous prenez : bêta-bloquants, ergotamine ou médicaments apparentés, antidépresseurs, digitaliques ou inhibiteurs de la mono-amine-oxydase (IMAO).

MÉDICAMENT-ALIMENT
Aucune interaction connue.

MÉDICAMENT-MALADIE
Consultez le médecin en cas de : antécédents de toxicomanie (surtout de cocaïne), convulsions, lésion cérébrale, maladie cardiaque, troubles du rythme cardiaque, hypertension, anxiété ou maladie thyroïdienne.

TERCONAZOLE

Présentation : Crème, ovules vaginaux
En vente libre ? Non   **Générique disponible ?** Non
Classe de médicaments : Antifongique

▼ GÉNÉRALITÉS

INDICATIONS
Traitement de la candidose (levures), une infection fongique du vagin.

MODE D'ACTION
Le terconazole empêche les organismes fongiques de fabriquer les substances vitales nécessaires à leur croissance et à leurs fonctions. Il n'agit que contre les infections fongiques et n'est d'aucune utilité contre les infections bactériennes ou virales.

▼ MODE D'EMPLOI

POSOLOGIE
Crème à 0,4 % : 20 mg (1 applicateur), dans le vagin, au coucher, pendant 7 nuits. Crème à 0,8 % : 40 mg (1 applicateur), dans le vagin, au coucher, pendant 3 nuits. Ovules – 80 mg (1 ovule), dans le vagin, au coucher, pendant 3 nuits. Lavez-vous les mains avant et après l'insertion ou l'application.

DÉBUT D'ACTION
Inconnu.

DURÉE D'ACTION
Inconnue.

CONSEILS NUTRITIONNELS
Le terconazole se prend sans égard à l'alimentation.

MODE DE CONSERVATION
Dans un contenant étanche, à l'abri de la chaleur, de l'humidité et de la lumière. Ne réfrigérez pas le médicament ; ne le faites pas congeler.

OUBLI D'UNE DOSE
Prenez-la dès que vous y pensez. S'il est presque l'heure de la suivante, sautez la dose oubliée et reprenez la fréquence normale. Ne doublez pas la dose suivante.

ARRÊT DE LA MÉDICATION
Effectuez le traitement au complet, comme il vous a été prescrit, même si vous vous sentez mieux avant qu'il ne se termine.

USAGE PROLONGÉ
Si les symptômes ne régressent pas après quelques jours ou si, au contraire, ils s'aggravent, consultez le médecin.

▼ PRÉCAUTIONS

Plus de 60 ans. Risques de réactions indésirables plus fréquentes et plus graves dans ce groupe d'âge.

Conduite automobile, travaux dangereux. Le terconazole ne devrait pas vous empêcher d'exécuter de telles tâches en toute sécurité.

Alcool. Pas de précautions spéciales.

Grossesse. Il n'existe pas d'études sur l'administration du terconazole durant les 3 premiers mois de la grossesse. Aucun effet secondaire n'a été signalé durant les deuxième et troisième trimestres. Utilisez l'applicateur vaginal avec prudence. Consultez le médecin.

Allaitement. Le terconazole peut passer dans le lait maternel : la prudence s'impose. Demandez l'avis du médecin.

Nourrissons et enfants. Il n'existe pas d'études sur l'administration du terconazole aux nourrissons et aux enfants.

À surveiller. Portez des serviettes hygiéniques pour ne pas tacher vos vêtements. Gardez la région affectée au frais et au sec. Portez des vêtements de coton amples et des sous-vêtements de coton ou des collants à entrejambes en coton frais lavés. Ne portez pas de sous-vêtements en tissu imperméable à l'air. Ne restez pas longtemps assise dans un maillot de bain mouillé. Évitez d'utiliser des produits d'hygiène féminine en vaporisateur. Lavez-vous tous les jours avec du savon non parfumé et séchez-vous parfaitement avec une serviette propre. N'utilisez pas de tampons durant le traitement. Le partenaire sexuel de la patiente devrait porter un condom durant les relations sexuelles ; il devrait consulter le médecin en cas de rougeur, de démangeaisons ou d'autres malaises au pénis. Poursuivez le traitement durant les menstruations.

SURDOSAGE
Symptômes. Une surdose de terconazole est peu probable.

Quoi faire. En cas d'ingestion du médicament, appelez le médecin ou le centre antipoison.

▼ INTERACTIONS

MÉDICAMENT-MÉDICAMENT
Des interactions médicamenteuses sont possibles. Demandez l'avis du médecin à l'égard de tous les médicaments que vous prenez, avec ou sans ordonnance.

MÉDICAMENT-ALIMENT
Aucune interaction connue.

MÉDICAMENT-MALADIE
N'oubliez pas de mentionner à votre médecin tous vos autres problèmes de santé.

≡ EFFETS INDÉSIRABLES ≡

GRAVES
Sensation de brûlure, démangeaisons, irritation ou écoulements non observés avant le traitement.

COURANTS
On n'a pas signalé d'effet indésirable courant.

MOINS COURANTS
Céphalées, crampes ou douleur gastriques, irritation ou sensation de brûlure au pénis du partenaire.

TESTOSTÉRONE

Présentation : Injection, gélules, timbres
En vente libre ? Non   **Générique disponible ?** Non
Classe de médicaments : Hormone mâle (androgène)

▼ GÉNÉRALITÉS

INDICATIONS

Traitement hormonal de remplacement devant une déficience en testostérone, par exemple pour déclencher la puberté chez les garçons quand il y a retard dans l'apparition du phénomène ou pour augmenter la libido chez les femmes (en concomitance avec des œstrogènes).

MODE D'ACTION

Les suppléments de testostérone remplacent la testostérone normalement libérée par l'organisme.

▼ MODE D'EMPLOI

POSOLOGIE

Quantités et fréquences varient selon le produit utilisé et la pathologie à traiter. En règle générale : Injection : 100 à 400 mg aux 1 à 6 semaines. Gélules : 40 à 160 mg par jour. Timbres : 2 nouveaux timbres au coucher.

DÉBUT D'ACTION

Le taux sanguin de testostérone atteint son sommet en 5 à 12 heures avec le timbre transdermique, en 5 heures avec les gélules et en 24 heures avec une injection intramusculaire. Certains effets prolongés, comme l'amélioration des fonctions sexuelles, peuvent exiger plusieurs semaines de thérapie. D'autres effets (comme ceux touchant la composition ou la maturation organiques) peuvent mettre des mois ou des années à s'établir.

DURÉE D'ACTION

Inconnue.

CONSEILS NUTRITIONNELS

Les gélules doivent être prises après un repas.

MODE DE CONSERVATION

Gardez les timbres transdermiques dans un contenant étanche, à l'abri de la chaleur et de la lumière.

OUBLI D'UNE DOSE

Prenez-la dès que vous y pensez. S'il est presque l'heure de la suivante, sautez la dose oubliée et reprenez la fréquence normale. Ne doublez pas la dose suivante.

ARRÊT DE LA MÉDICATION

Cette décision doit être prise par le médecin.

USAGE PROLONGÉ

Un suivi médical est nécessaire en cas d'usage prolongé.

▼ PRÉCAUTIONS

Plus de 60 ans. Risque accru de cancer dormant de la prostate. Des examens répétés avec test sanguin de l'antigène prostatique spécifique (APS) et toucher rectal effectué par le médecin sont conseillés.

Conduite automobile, travaux dangereux. À déconseiller tant que vous ne connaissez pas votre réaction au médicament.

Alcool. Une consommation modérée est acceptable.

Grossesse. On ne doit pas prendre de testostérone.

Allaitement. La testostérone passe dans le lait maternel et peut être nocive ; n'en prenez pas si vous allaitez.

Nourrissons et enfants. Non recommandée aux enfants non pubères.

À surveiller. Appliquez le timbre ailleurs que sur le scrotum et sur une peau intacte. Évitez les régions osseuses ou celles qui subissent une pression durant la nuit. Les hommes qui ont eu la peau irritée après avoir utilisé un timbre non scrotal peuvent mettre de la crème au triamcinolone à 0,1 % avant l'application.

SURDOSAGE

Symptômes. Aucun symptôme spécifique n'a été signalé.

Quoi faire. Il est peu probable qu'une surdose de testostérone mette votre vie en danger. Néanmoins, si la dose est beaucoup plus forte que celle prescrite, appelez le médecin.

▼ INTERACTIONS

MÉDICAMENT-MÉDICAMENT

Consultez le médecin si vous prenez : stéroïdes anabolisants, anticoagulants comme la warfarine (pour éclaircir le sang), agents antidiabétiques ou contraceptifs oraux.

MÉDICAMENT-ALIMENT

Aucune interaction connue.

MÉDICAMENT-MALADIE

Consultez le médecin si vous avez des antécédents de : cancer du sein (hommes ou femmes), cancer de la prostate, diabète, œdème (enflure causée par de la rétention hydrique), hypertension, maladie des reins ou du foie, hypertrophie de la prostate ou maladie cardiovasculaire.

▼ EFFETS INDÉSIRABLES

GRAVES

Hommes : érection prolongée et parfois douloureuse (pouvant causer des dommages permanents au pénis et entraîner l'impossibilité d'avoir des érections par la suite), fréquentes céphalées, soif accrue, débit urinaire accru, nausées ou vomissements, jambes ou pieds enflés, saignements anormaux, fatigue anormale, gain de poids rapide, urticaire, altérations importantes des émotions. Femmes : hypertrophie du clitoris, voix plus grave, calvitie de type masculin. Ces effets sont rares.

COURANTS

Hommes : seins hypertrophiés et douloureux, érections fréquentes, acné, mictions fréquentes ; timbre : démangeaisons. Femmes : acné, atrophie des seins, développement excessif du système pileux, menstruations irrégulières.

MOINS COURANTS

Anxiété, impuissance, altération de la libido.

TÉTRACYCLINE (CHLORHYDRATE DE)

Présentation : Gélules
En vente libre ? Non **Générique disponible ?** Oui
Classe de médicaments : Tétracycline (antibiotique)

▼ GÉNÉRALITÉS

INDICATIONS
Traitement des infections causées par des bactéries ou des protozoaires (petits micro-organismes unicellulaires) ; aussi traitement de l'acné.

MODE D'ACTION
La tétracycline tue les bactéries et les protozoaires en les empêchant de produire des protéines spécifiques, essentielles à leur existence.

▼ MODE D'EMPLOI

POSOLOGIE
Infections bactériennes et protozoaires : 500 à 2 000 mg, 1 à 4 fois par jour, selon les directives du médecin. Acné : en général, la posologie va de 250 à 1 000 mg par jour, en 2 à 4 doses fractionnées.

DÉBUT D'ACTION
Inconnu.

DURÉE D'ACTION
Inconnue.

CONSEILS NUTRITIONNELS
De préférence, prenez les gélules à jeun avec un grand verre d'eau.

MODE DE CONSERVATION
Dans un contenant étanche, à l'abri de la chaleur et de la lumière.

OUBLI D'UNE DOSE
Prenez-la dès que vous y pensez. S'il est presque l'heure de la suivante, sautez la dose oubliée et reprenez la fréquence normale. Ne doublez pas la dose qui suit.

ARRÊT DE LA MÉDICATION
Effectuez le traitement au complet, comme il vous a été prescrit, même si vous vous sentez mieux avant la fin.

USAGE PROLONGÉ
Peut augmenter votre vulnérabilité aux micro-organismes rebelles aux antibiotiques.

▼ PRÉCAUTIONS

Plus de 60 ans. On ne sait pas si la tétracycline provoque des effets indésirables différents ou plus graves.

Conduite automobile, travaux dangereux. À déconseiller tant que vous ne connaissez pas votre réaction au médicament.

Alcool. Il est conseillé d'éviter l'alcool quand vous combattez une infection.

Grossesse. La tétracycline ne devrait pas être administrée durant la grossesse.

Allaitement. La tétracycline passe dans le lait maternel. Consultez le médecin.

Nourrissons et enfants. La tétracycline ne devrait être utilisée chez les enfants de moins de 8 ans que si d'autres antibiotiques risquent de n'être pas efficaces, car elle peut tacher les dents de façon permanente.

À surveiller. Si la tétracycline augmente la sensibilité de votre peau au soleil, portez des vêtements couvrants, utilisez un écran solaire à facteur de protection de 15 ou plus et évitez de vous exposer au soleil entre 10 et 15 heures. Avant toute chirurgie, avertissez le médecin ou le dentiste que vous prenez de la tétracycline. Si vous appliquez un fond de teint, choisissez un produit à base d'eau et mettez-en le moins possible durant un traitement pour la peau. La tétracycline peut réduire l'efficacité des contraceptifs oraux : parlez-en au médecin. L'absorption de la tétracycline peut être modifiée par les antiacides.

SURDOSAGE
Symptômes. Nausées graves, vomissements, diarrhée, difficultés à avaler.

Quoi faire. Il est peu probable qu'une surdose de tétracycline mette votre vie en danger. Néanmoins, si la dose est beaucoup plus forte que celle prescrite, appelez immédiatement le médecin ou le centre antipoison, ou allez à l'urgence.

▼ INTERACTIONS

MÉDICAMENT-MÉDICAMENT
Demandez l'avis du médecin si vous prenez : antiacides, anticoagulants, suppléments de calcium, cholestyramine, choline et salicylates de magnésium, digoxine, médicaments contenant du fer, laxatifs contenant du magnésium, contraceptifs oraux.

MÉDICAMENT-ALIMENT
Évitez les produits lactés.

MÉDICAMENT-MALADIE
Consultez le médecin si vous avez des antécédents de maladie des reins ou du foie.

 EFFETS INDÉSIRABLES

GRAVES
Débit urinaire accru, soif accrue, fatigue anormale, décoloration de la peau ou des muqueuses.

COURANTS
Crampes ou malaises d'estomac, diarrhée, nausées, vomissements, sensibilité accrue de la peau au soleil, démangeaisons dans la région génitale ou anale, lésions dans la bouche ou sur la langue, vertiges, étourdissements ou manque d'équilibre.

MOINS COURANTS
On n'a pas signalé d'effets indésirables moins courants.

THÉOPHYLLINE

Présentation : Comprimés, gélules, formes à libération prolongée, élixir, liquide oral
En vente libre ? Non **Générique disponible ?** Oui
Classe de médicaments : Bronchodilatateur/xanthine

▼ GÉNÉRALITÉS

INDICATIONS
La théophylline est employée pour réduire la fréquence et la gravité des problèmes respiratoires chez les personnes souffrant d'asthme, d'emphysème, de bronchite et d'autres affections pulmonaires.

MODE D'ACTION
Une crise d'asthme éclate quand un spasme contracte les muscles lisses des bronchioles (bronchospasme). En relaxant ces muscles, la théophylline aide à dilater les voies aériennes contractées et à rétablir une respiration normale.

▼ MODE D'EMPLOI

POSOLOGIE
Adultes ne prenant aucun autre médicament à la théophylline : le médecin prescrit une dose d'attaque en fonction de votre poids. Elle est suivie d'une dose d'entretien quotidienne de 300 à 600 mg par jour, en 1 ou 2 prises fractionnées. Gélules à libération prolongée : après la dose d'attaque, prenez la moitié de la dose quotidienne totale à 12 heures d'intervalle, à moins d'avis autre du médecin. Adultes déjà sous théophylline : la posologie est fonction du taux sanguin de théophylline. Enfants : consultez le médecin.

DÉBUT D'ACTION
Variable.

DURÉE D'ACTION
Variable.

CONSEILS NUTRITIONNELS
Évitez de consommer avec excès des aliments ou des boissons contenant de la caféine, incluant les colas. Buvez et mangez normalement.

MODE DE CONSERVATION
Dans un contenant étanche, à l'abri de la chaleur, de la lumière, de l'humidité et des températures extrêmes.

OUBLI D'UNE DOSE
Prenez-la dès que vous y pensez. S'il est presque l'heure de la suivante, sautez la dose oubliée et reprenez la fréquence normale. Ne doublez pas la dose suivante.

ARRÊT DE LA MÉDICATION
Cette décision doit être prise par votre médecin.

▼ PRÉCAUTIONS

USAGE PROLONGÉ
Le traitement peut durer des mois et des années.

Plus de 60 ans. Risques de réactions indésirables plus fréquentes et plus graves.

Conduite automobile, travaux dangereux. À déconseiller tant que vous ne connaissez pas votre réaction au médicament.

Alcool. À éviter.

Grossesse. Évaluez les risques avec le médecin. En général, ce médicament ne doit être utilisé que si c'est nécessaire et si un substitut ne peut être prescrit.

Allaitement. La théophylline passe dans le lait maternel et peut être toxique pour le nourrisson ; n'allaitez pas pendant le traitement.

Nourrissons et enfants. La théophylline a été administrée à des enfants de tous les âges. Demandez au médecin d'établir la posologie. L'élixir renferme de l'alcool et ne doit pas être donné aux enfants.

À surveiller. Il vous faudra passer périodiquement des analyses du sang pour déterminer les taux de théophylline. Ne passez pas d'une marque à une autre et surtout d'une forme à libération prolongée à une forme ordinaire sans en avertir le médecin au préalable. Avisez le médecin que vous avez cessé de fumer : le tabac modifie les taux de théophylline dans le sang.

SURDOSAGE
Symptômes. Douleur abdominale ; désorientation, anxiété grave ou comportement anormal ; vomissements sanguinolents ; spasmes musculaires, tremblements ; convulsions ; tachycardie, arythmies cardiaques ou palpitations ; étourdissements, vertiges ou évanouissement.

Quoi faire. Allez immédiatement à l'urgence.

▼ INTERACTIONS

MÉDICAMENT-MÉDICAMENT
Plusieurs interactions sont possibles. Attention aux médicaments suivants : bêta-bloquants, cimétidine, ciprofloxacine, clarithromycine, énoxacine, érythromycine, fluvoxamine, mexilétine, pentoxifylline, propranolol, thiabendazole, ticlopidine, moricizine, phénytoïne ou rifampine.

MÉDICAMENT-ALIMENT
Le médecin peut vous conseiller de consommer moins de caféine.

MÉDICAMENT-MALADIE
Avertissez le médecin en cas de : antécédents de convulsions, insuffisance cardiaque, maladie du foie ou insuffisance thyroïdienne.

▼ EFFETS INDÉSIRABLES

GRAVES
Vomissements, tremblements, confusion, pouls rapide, irrégulier ou très marqué, douleur thoracique, vertiges, convulsions, rash cutané.

COURANTS
Agitation motrice, insomnie, perte d'appétit, nervosité, irritabilité, nausées.

MOINS COURANTS
Aigreurs d'estomac, diarrhée.

THIOGUANINE

Lanvis

Présentation : Comprimés
En vente libre ? Non   **Générique disponible ?** Non
Classe de médicaments : Antinéoplasique (anticancéreux)

▼ GÉNÉRALITÉS

INDICATIONS
Traitement de quelques formes de leucémie.

MODE D'ACTION
La thioguanine tue les cellules cancéreuses en intervenant dans la synthèse de leur matériel génétique, les empêchant ainsi de se multiplier. Elle peut aussi entraver la croissance et le développement d'autres cellules, provoquant ainsi des effets indésirables.

▼ MODE D'EMPLOI

POSOLOGIE
2 mg par kilogramme (2,2 lb) de poids par jour, généralement en 1 dose. La posologie peut être augmentée à 3 mg par kilogramme par jour s'il n'y a pas de réponse après 4 semaines.

DÉBUT D'ACTION
Inconnu.

DURÉE D'ACTION
Inconnue.

CONSEILS NUTRITIONNELS
Ayez un régime alimentaire nourrissant : les besoins en calories, en protéines et en vitamines augmentent chez les cancéreux. Une bonne alimentation est essentielle durant la chimiothérapie.

MODE DE CONSERVATION
Dans un contenant étanche, à l'abri de la chaleur et de la lumière.

OUBLI D'UNE DOSE
Si vous oubliez une dose, sautez-la et reprenez la fréquence normale. Ne doublez pas la dose suivante.

ARRÊT DE LA MÉDICATION
La décision doit être prise en consultation avec le médecin.

USAGE PROLONGÉ
Consultez régulièrement votre médecin qui fera un suivi avec examens et analyses.

▼ PRÉCAUTIONS

Plus de 60 ans. Pas de risques connus.

Conduite automobile, travaux dangereux. À déconseiller tant que vous ne connaissez pas votre réaction au médicament.

Alcool. Demandez au médecin si vous pouvez consommer de l'alcool durant le traitement.

Grossesse. La thioguanine peut provoquer des anomalies congénitales si le père ou la mère en prennent. Il est préférable d'utiliser une méthode contraceptive durant le traitement. Demandez spécifiquement l'avis du médecin si vous êtes enceinte ou voulez le devenir.

Allaitement. La thioguanine peut passer dans le lait maternel ; n'en prenez pas si vous allaitez.

Nourrissons et enfants. Pas de risques connus.

À surveiller. Ne vous faites pas vacciner durant le traitement sans en parler au médecin. Évitez les personnes souffrant d'infections et celles qui viennent de recevoir un vaccin oral contre la poliomyélite. Utilisez brosse à dents, soie dentaire ou cure-dents avec prudence. Demandez l'avis du médecin avant de recevoir des soins dentaires. Si vous devez subir une intervention chirurgicale, avertissez le médecin ou le dentiste que vous prenez de la thioguanine. Ne vous touchez pas les yeux ou l'intérieur du nez sans vous être lavé les mains juste avant. Prenez soin de ne pas vous couper quand vous utilisez des objets tranchants comme un rasoir. Évitez les sports de contact et toute activité susceptible de vous causer des ecchymoses. Si vous vomissez peu après avoir pris une dose de thioguanine, demandez au médecin si vous devez prendre une autre dose.

SURDOSAGE
Symptômes. Nausées, vomissements, malaise généralisé, hypertension.

Quoi faire. Appelez aussitôt le médecin ou le centre antipoison, ou allez à l'urgence.

▼ INTERACTIONS

MÉDICAMENT-MÉDICAMENT
Demandez spécifiquement l'avis du médecin si vous prenez : antithyroïdiens, azathioprine, chloramphénicol, colchicine, interféron, mercaptopurine, zidovudine, probénécide ou sulfinpyrazone.

MÉDICAMENT-ALIMENT
Aucune interaction connue.

MÉDICAMENT-MALADIE
Un traitement à la thioguanine exige de la prudence. Consultez le médecin si vous avez les affections suivantes : varicelle, zona, goutte, calculs rénaux, maladie des reins ou du foie ou toute infection.

≡ EFFETS INDÉSIRABLES ≡

GRAVES
Selles noires, goudronneuses ou sanguinolentes ; urine marquée de sang (rose ou rouge foncé) ; toux ou voix rauque ; fièvre et frissons ; douleur dans le bas du dos ou les flancs ; mictions douloureuses ou difficiles ; points rouge vif sur la peau ; saignement des gencives, du nez ou autres saignements inhabituels ; ecchymoses fréquentes ; essoufflement. Ces effets peuvent indiquer que les plaquettes et les globules du sang ont été affectés, mais aussi que les cellules immunes normales ont été touchées et qu'une infection se développe. Voyez le médecin immédiatement. Certains de ces effets indésirables peuvent apparaître après l'interruption du traitement à la thioguanine.

COURANTS
On n'a pas signalé d'effets indésirables courants.

MOINS COURANTS
Diarrhée, perte d'appétit, nausées et vomissements, rash cutané ou démangeaisons.

THIORIDAZINE (CHLORHYDRATE DE)

Présentation : Solution orale, suspension orale, comprimés
En vente libre ? Non   **Générique disponible ?** Oui
Classe de médicaments : Neuroleptique ; antipsychotique

▼ GÉNÉRALITÉS

INDICATIONS
Traitement des états psychotiques modérés à graves incluant schizophrénie, états maniaques, anxiété, dépression, troubles du sommeil et psychose médicamenteuse. Aussi traitement de troubles graves du comportement chez les enfants, ainsi que des états de confusion et d'agitation chez les personnes âgées.

MODE D'ACTION
La thioridazine inhibe les récepteurs de dopamine (élément chimique favorisant la transmission des influx nerveux) du système nerveux central et semble avoir ainsi un effet tranquillisant ou antipsychotique.

▼ MODE D'EMPLOI

POSOLOGIE
Adultes : dose d'attaque, 10 à 100 mg, 3 fois par jour. Le médecin peut augmenter les doses selon les besoins et la tolérance du patient, sans dépasser 800 mg par jour. Enfants : consultez le médecin.

DÉBUT D'ACTION
L'effet sédatif se fait sentir en quelques minutes, mais l'effet antipsychotique peut mettre des heures, des jours et même des semaines.

DURÉE D'ACTION
12 à 24 heures, mais l'effet peut persister plusieurs jours.

CONSEILS NUTRITIONNELS
Devrait être pris avec un aliment et un grand verre d'eau.

MODE DE CONSERVATION
Dans un contenant étanche, à l'abri de la chaleur et de la lumière. Ne pas faire congeler les formes liquides.

OUBLI D'UNE DOSE
Prenez-la dès que vous y pensez. S'il est presque l'heure de la suivante, sautez la dose oubliée et reprenez la fréquence normale. Ne doublez pas la dose suivante.

ARRÊT DE LA MÉDICATION
Cette décision doit être prise en consultation avec le médecin qui devra réduire graduellement les doses si vous avez pris ce médicament sur une longue période.

USAGE PROLONGÉ
Consultez régulièrement votre médecin qui fera un suivi avec examens et analyses.

▼ PRÉCAUTIONS

Plus de 60 ans. Risques de réactions indésirables plus fréquentes et plus graves.

Conduite automobile, travaux dangereux. À déconseiller tant que vous ne savez pas comment vous réagissez au médicament.

Alcool. À éviter.

Grossesse. Évitez de prendre de la thioridazine si vous êtes enceinte ou voulez le devenir.

Allaitement. Évitez de prendre de la thioridazine, si possible, ou cessez d'allaiter.

Nourrissons et enfants. Risques de réactions indésirables plus fréquentes et plus graves.

À surveiller. Évitez de vous exposer longtemps à la chaleur ou à des climats chauds. Buvez beaucoup et restez au frais en été. Ne vous exposez pas longtemps au soleil tant que vous ne savez pas si le médicament rend votre peau plus sensible aux rayons ultraviolets. On recommande de subir des examens périodiques de la vue si le traitement doit se prolonger.

SURDOSAGE
Symptômes. Somnolence extrême ou agitation motrice ou nerveuse paradoxale, troubles du rythme cardiaque ou palpitations, sécheresse de la bouche, convulsions, raideur musculaire ou mouvements musculaires involontaires, perte de conscience.

Quoi faire. Appelez immédiatement le médecin ou le centre antipoison, ou allez à l'urgence.

▼ INTERACTIONS

MÉDICAMENT-MÉDICAMENT
Demandez l'avis du médecin si vous prenez : anticholinergiques, anticonvulsivants, antidépresseurs, antihistaminiques, antihypertenseurs, bupropion, dépresseurs du système nerveux central (barbituriques), clozapine, dronabinol, lévodopa, fluoxétine, guanéthidine, lithium, méthyldopa, carbamazépine, rifampine, trihexyphénidyle.

MÉDICAMENT-ALIMENT
Aucune interaction connue.

MÉDICAMENT-MALADIE
Avertissez le médecin en cas de : maladie de Parkinson ou autres troubles du mouvement, glaucome, épilepsie, maladie du foie, du cœur ou des reins.

▬ EFFETS INDÉSIRABLES ▬

GRAVES
Tachycardie, sudation abondante, convulsions, difficulté respiratoires, raideur du cou, enflure de la langue, déglutition difficile. Risque d'un trouble rare, le syndrome malin des neuroleptiques, caractérisé par : raideur ou spasmes musculaires, forte fièvre, confusion ou désorientation.

COURANTS
Vertiges ou évanouissement, somnolence, constipation, diminution de la sudation, bouche sèche, congestion nasale, tremblements des mains, raideur, dos voûté.

MOINS COURANTS
Menstruations irrégulières, dysfonction sexuelle, lactation anormale, douleur ou hypertrophie mammaires, gain de poids inexpliqué, mictions difficiles.

THIOTHIXÈNE

Présentation : Gélules
En vente libre ? Non **Générique disponible ?** Non
Classe de médicaments : Neuroleptique ; antipsychotique

▼ GÉNÉRALITÉS

INDICATIONS
Traitement des troubles psychotiques (troubles mentaux graves, caractérisés par la distorsion des pensées, des perceptions et des émotions), comme la schizophrénie.

MODE D'ACTION
Le thiothixène inhibe les récepteurs de dopamine (élément chimique favorisant la transmission des impulsions nerveuses) dans le système nerveux central. Il semble que c'est ainsi qu'il produit un effet tranquillisant ou antipsychotique.

▼ MODE D'EMPLOI

POSOLOGIE
Dose d'attaque : 5 à 10 mg par jour. La posologie peut être augmentée jusqu'à 60 mg par jour.

DÉBUT D'ACTION
L'effet sédatif se fait sentir en quelques minutes, mais l'effet antipsychotique peut mettre des heures, des jours et même des semaines à s'établir après le début du traitement.

DURÉE D'ACTION
12 à 24 heures, mais l'effet peut persister plusieurs jours.

CONSEILS NUTRITIONNELS
Le médicament peut être pris sans égard à l'alimentation ni aux repas.

MODE DE CONSERVATION
Dans un contenant étanche, à l'abri de la chaleur et de la lumière.

OUBLI D'UNE DOSE
Prenez-la dès que vous y pensez. Mais si vous êtes à moins de 2 heures de la suivante, sautez la dose oubliée et reprenez la fréquence normale. Ne doublez pas la dose suivante.

ARRÊT DE LA MÉDICATION
La décision doit être prise en consultation avec le médecin.

USAGE PROLONGÉ
Un traitement prolongé entraîne un risque de dyskinésie tardive (mouvements involontaires de la mâchoire, des lèvres, de la langue et dans de rares cas des bras, des jambes, des mains et du corps). Demandez au médecin s'il y a lieu d'instaurer un suivi médical.

▼ PRÉCAUTIONS

Plus de 60 ans. Risques de réactions indésirables plus fréquentes et plus graves.

Conduite automobile, travaux dangereux. À déconseiller tant que vous ne connaissez pas votre réaction au médicament.

Alcool. À éviter.

Grossesse. Il n'existe pas d'études concluantes. Avant de prendre du thiothixène, avertissez le médecin que vous êtes enceinte ou voulez le devenir.

Allaitement. On ne sait pas si le thiothixène passe dans le lait maternel ; demandez l'avis du médecin.

Nourrissons et enfants. Non prescrit en général aux moins de 12 ans.

À surveiller. Évitez l'exposition prolongée à la chaleur ou à des climats chauds. Buvez beaucoup et restez au frais en été. Ne vous exposez pas longtemps au soleil tant que vous ne connaissez pas l'effet des rayons ultraviolets sur votre peau. On recommande de subir des examens périodiques de la vue si le traitement doit se prolonger.

SURDOSAGE
Symptômes. Difficultés respiratoires graves, vertiges graves, fatigue ou sédation extrêmes, rigidité ou spasmes musculaires, pupilles rétrécies, surexcitation.

Quoi faire. Appelez immédiatement le médecin ou le centre antipoison, ou allez à l'urgence.

▼ INTERACTIONS

MÉDICAMENT-MÉDICAMENT
Divers médicaments peuvent interagir avec le thiothixène. Demandez l'avis du médecin si vous prenez : anticholinergiques, anticonvulsivants, antidépresseurs, antihistaminiques, antihypertenseurs, bupropion, dépresseurs du système nerveux central (barbituriques), clozapine, dronabinol, fluoxétine, guanéthidine, lithium, méthyldopa, carbamazépine, rifampine, lévodopa ou trihexyphénidyle.

MÉDICAMENT-ALIMENT
Aucune interaction connue.

MÉDICAMENT-MALADIE
Avertissez le médecin en cas de : maladie de Parkinson ou autres troubles du mouvement, glaucome, épilepsie, maladie du foie ou des reins.

EFFETS INDÉSIRABLES

GRAVES
Tachycardie, sudation abondante, convulsions, difficultés respiratoires, raideur du cou, enflure de la langue, déglutition difficile. Risque d'un trouble rare, le syndrome malin des neuroleptiques, caractérisé par : raideur ou spasmes musculaires, forte fièvre, confusion ou désorientation.

COURANTS
Nausées, sudation réduite, sécheresse de la bouche, vision trouble, somnolence, tremblement des mains, raideur musculaire, dos voûté.

MOINS COURANTS
Mictions difficiles, menstruations irrégulières, douleur ou hypertrophie mammaires, gain de poids anormal, mouvements involontaires de la langue, fièvre, frissons, mal de gorge, ecchymoses ou saignements inhabituels, palpitations, rash cutané, démangeaisons, sensibilité accrue de la peau au soleil.

TICLOPIDINE (CHLORHYDRATE DE)

NOMS COMMERCIAUX

Alti-Ticlopidine,
Apo-Ticlopidine,
Gen-Ticlopidine,
Nu-Ticlopidine,
PMS-Ticlopidine, Ticlid

Présentation : Comprimés
En vente libre ? Non   **Générique disponible ?** Oui
Classe de médicaments : Antiplaquettaire

▼ GÉNÉRALITÉS

INDICATIONS
Pour réduire le risque d'un premier ou d'un autre accident cérébrovasculaire (ACV) chez les patients à risque ou qui en ont déjà subi un.

MODE D'ACTION
Les caillots sanguins sont la principale cause des accidents cérébrovasculaires et des infarctus du myocarde. Or, la ticlopidine prévient l'aggrégation des plaquettes en caillots sanguins, réduisant ainsi le risque d'ACV et d'infarctus.

▼ MODE D'EMPLOI

POSOLOGIE
250 mg, 2 fois par jour.

DÉBUT D'ACTION
En 2 jours.

DURÉE D'ACTION
1 à 2 semaines.

CONSEILS NUTRITIONNELS
À prendre en même temps que de la nourriture.

MODE DE CONSERVATION
Dans un contenant étanche, à l'abri de la chaleur et de la lumière.

OUBLI D'UNE DOSE
Prenez-la dès que vous y pensez. S'il est presque l'heure de la suivante, sautez la dose oubliée et reprenez la fréquence normale. Ne doublez pas la dose suivante.

ARRÊT DE LA MÉDICATION
La décision d'interrompre le traitement doit être prise par le médecin.

USAGE PROLONGÉ
Un suivi médical avec numération des globules sanguins et examen physique s'impose si vous devez prendre ce médicament sur une période prolongée.

▼ PRÉCAUTIONS

Plus de 60 ans. Pas de risques connus.

Conduite automobile, travaux dangereux. À déconseiller tant que vous ne connaissez pas votre réaction au médicament.

Alcool. À éviter.

Grossesse. Dans des études sur les animaux, la ticlopidine a provoqué des effets néfastes ; il n'existe pas d'études sur les humains. Avant de prendre le médicament, prévenez le médecin si vous êtes enceinte ou voulez le devenir.

Allaitement. On ne sait pas si la ticlopidine passe dans le lait maternel : la prudence s'impose. Demandez spécifiquement l'avis du médecin.

Nourrissons et enfants. Il n'existe pas d'études sur l'administration de la ticlopidine à ce groupe d'âge.

À surveiller. Avertissez médecins, dentistes et pharmaciens que vous prenez de la ticlopidine. Il vous faudra peut-être interrompre le traitement durant 10 à 15 jours avant de subir une intervention chirurgicale ou dentaire. La ticlopidine peut provoquer des saignements graves, surtout après une blessure. Demandez au médecin si vous devriez vous abstenir de certaines activités durant le traitement. Des analyses fréquentes du sang, c'est-à-dire toutes les semaines ou tous les 15 jours, sont nécessaires durant les 6 premiers mois du traitement.

SURDOSAGE
Symptômes. Saignements incontrôlés, fièvre, infection.

Quoi faire. Cessez de prendre le médicament ; appelez le médecin ou le centre antipoison, ou allez à l'urgence immédiatement.

▼ INTERACTIONS

MÉDICAMENT-MÉDICAMENT
Demandez spécifiquement l'avis du médecin si vous prenez : anticoagulants, cimétidine, antiacides, théophylline, AAS, dipyridamole, divalproex, héparine, médicaments contre la douleur et l'inflammation, pentoxifylline, sulfinpyrazone, ticarcilline ou acide valproïque.

MÉDICAMENT-ALIMENT
Aucune interaction connue.

MÉDICAMENT-MALADIE
Un traitement à la ticlopidine exige de la prudence. Consultez le médecin si vous avez des antécédents de : problèmes de coagulation du sang, maladie hépatique grave, ulcères d'estomac, toute maladie du sang ou maladie grave des reins.

 EFFETS INDÉSIRABLES

GRAVES
Saignements difficiles à arrêter ; ecchymoses ; vulnérabilité accrue aux infections ; lésions, ulcères ou taches blanches dans la bouche ; douleur abdominale ou gastrique grave ; mal de dos ; desquamation ou relâchement de la peau, des lèvres ou des muqueuses ; selles sanguinolentes ou goudronneuses ; sang dans l'urine ; toux avec sang ; vertiges ; fièvre ou frissons ; céphalées graves ; incoordination ; petits points rouges sur la peau ; peau épaissie ou écailleuse ; difficultés d'élocution ; flux menstruel anormalement abondant ; vomissures rouges ou noires.

COURANTS
Rash cutané, douleur gastrique bénigne, diarrhée, mauvaise digestion, nausées.

MOINS COURANTS
Flatulence ou ballonnement, vertiges, vomissements.

TIMOLOL (MALÉATE DE) OPHTALMIQUE

Présentation : Solution ophtalmique
En vente libre ? Non   **Générique disponible ?** Oui
Classe de médicaments : Antiglaucomateux ; bêtabloquant ophtalmique

▼ GÉNÉRALITÉS

INDICATIONS
Traitement du glaucome.

MODE D'ACTION
Le glaucome est un trouble qui met la vue en péril. Il se produit quand un mauvais drainage de l'humeur aqueuse (liquide logé dans l'œil) fait monter la pression dans le globe oculaire (ou pression intraoculaire), ce qui peut endommager le nerf optique et entraîner une perte progressive de la vue. Le timolol inhibe la production d'humeur aqueuse, réduisant ainsi la pression intraoculaire.

▼ MODE D'EMPLOI

POSOLOGIE
Adultes : 1 goutte, 1 ou 2 fois par jour.

DÉBUT D'ACTION
En 30 minutes.

DURÉE D'ACTION
12 à 24 heures.

CONSEILS NUTRITIONNELS
Pas de restrictions spéciales.

MODE DE CONSERVATION
Dans un contenant étanche, à l'abri de la chaleur, de l'humidité et de la lumière. Ne faites pas congeler.

OUBLI D'UNE DOSE
Appliquez la dose oubliée dès que vous y pensez. S'il est presque l'heure de la suivante, sautez la dose oubliée et reprenez la fréquence normale. Ne doublez pas la dose suivante.

ARRÊT DE LA MÉDICATION
Cette décision doit être prise par le médecin.

USAGE PROLONGÉ
Consultez régulièrement votre médecin qui fera un suivi de votre glaucome avec examens et analyses.

▼ PRÉCAUTIONS

Plus de 60 ans. Risques de réactions indésirables plus fréquentes et plus graves.

Conduite automobile, travaux dangereux. À éviter tant que vous ne savez pas si le médicament affecte votre vue.

Alcool. À consommer avec modération.

Grossesse. Le médicament n'a pas semblé causer d'anomalies congénitales chez les animaux ; il n'existe pas d'études sur les humains. Avant de prendre du timolol, prévenez le médecin si vous êtes enceinte ou désirez le devenir.

Allaitement. Le timolol peut passer dans le lait maternel ; la prudence est recommandée. Demandez l'avis du médecin.

Nourrissons et enfants. Innocuité et efficacité non établies dans ce groupe d'âge.

À surveiller. Avant l'application, lavez-vous les mains. Renversez la tête en arrière. Appuyez doucement dans l'angle interne de la paupière et avec l'index de la même main, tirez la paupière inférieure vers le bas. Laissez tomber le médicament dans l'espace ainsi créé et fermez l'œil. Appuyez pendant 1 ou 2 minutes tout en gardant l'œil fermé sans cligner. Enfin, lavez-vous les mains de nouveau. Le bout du compte-gouttes ne doit toucher ni l'œil, ni votre doigt, ni rien d'autre. Le médicament peut rendre vos yeux plus sensibles à la lumière vive. Si tel est le cas, portez des lunettes de soleil ou évitez de vous exposer à une forte lumière. Avant une chirurgie, un traitement dentaire ou une thérapie d'urgence, dites au responsable que vous prenez du timolol. Attendez au moins 15 minutes après l'application du médicament pour remettre vos verres de contact.

SURDOSAGE
Symptômes. Nervosité, douleur thoracique, battements de cœur irréguliers ou très forts, hallucinations, respiration sifflante, confusion.

Quoi faire. Si beaucoup de solution pénètre dans l'œil, lavez-le à grande eau. Si le médicament est ingéré, appelez le médecin ou le centre antipoison, ou rendez-vous à l'urgence.

▼ INTERACTIONS

MÉDICAMENT-MÉDICAMENT
N'utilisez pas deux bêtabloquants ophtalmiques en même temps. On conseille la plus grande prudence aux patients qui prennent des antidiabétiques, car le timolol peut masquer des symptômes d'hypoglycémie. Faites connaître au médecin tous les médicaments que vous prenez avec ou sans ordonnance. Si vous employez un autre médicament topique pour les yeux, laissez passer au moins 10 minutes entre les deux.

MÉDICAMENT-ALIMENT
Aucune interaction connue.

MÉDICAMENT-MALADIE
Consultez le médecin en cas de : asthme, emphysème ou autre maladie pulmonaire, hypoglycémie, maladie cardiaque ou circulatoire, hyperthyroïdie. Chez les diabétiques, le timolol peut modifier le taux de sucre sanguin ou masquer des symptômes d'hypoglycémie.

 EFFETS INDÉSIRABLES

GRAVES
Palpitations, troubles respiratoires, vertiges et faiblesse provoqués par de l'hypotension.

COURANTS
Picotements et irritation de l'œil à l'application du médicament ; larmoiement.

MOINS COURANTS
Mauvaise vision nocturne, mal aux sourcils, cils encroûtés, yeux secs, sensibilité accrue des yeux à la lumière, rougeur, picotement, brûlure, larmoiement ou autre irritation des yeux, chute de la paupière, inflammation de l'œil.

TIMOLOL (MALÉATE DE) ORAL

Présentation : Comprimés
En vente libre ? Non **Générique disponible ?** Oui
Classe de médicaments : Bêtabloquant

▼ GÉNÉRALITÉS

INDICATIONS
Traitement de l'hypertension, prévention de la récurrence des crises cardiaques et réduction des taux de mortalité qui en résultent ; contrôle de l'angine de poitrine et prévention des migraines.

MODE D'ACTION
Le timolol empêche les influx nerveux d'exercer un effet accélérateur ou intensificateur sur des organes spécifiques, notamment les vaisseaux sanguins et le cœur. Cette action ralentit le rythme cardiaque et dilate les vaisseaux sanguins, ce qui réduit la tension artérielle. En dilatant les vaisseaux sanguins du cerveau, le timolol contribue à prévenir les migraines.

▼ MODE D'EMPLOI

POSOLOGIE
Hypertension : 5 à 10 mg, 2 fois par jour, sans dépasser 60 mg par jour. Après un infarctus : 10 mg, 2 fois par jour. Angine de poitrine : 15 à 45 mg tous les jours. Prévention des migraines : 10 mg, 2 fois par jour, sans dépasser 30 mg par jour.

DÉBUT D'ACTION
En 15 à 30 minutes.

DURÉE D'ACTION
Jusqu'à 12 heures.

CONSEILS NUTRITIONNELS
Le timolol peut se prendre aux repas pour réduire le risque de dérangements d'estomac.

MODE DE CONSERVATION
Dans un contenant étanche, à l'abri de la chaleur et de la lumière.

OUBLI D'UNE DOSE
Prenez-la dès que vous y pensez. S'il est presque l'heure de la suivante, sautez la dose oubliée et reprenez la fréquence normale. Ne doublez pas la dose suivante.

ARRÊT DE LA MÉDICATION
N'arrêtez pas brusquement le traitement : vous risquez d'éprouver de graves problèmes de santé. Il faut réduire les doses graduellement, selon les directives du médecin.

USAGE PROLONGÉ
Le traitement peut durer toute la vie. Un suivi médical est nécessaire en cas d'usage prolongé.

▼ PRÉCAUTIONS

Plus de 60 ans. Risques de réactions indésirables plus fréquentes et plus graves. Vulnérabilité accrue au froid.

Conduite automobile, travaux dangereux. À déconseiller tant que vous ne connaissez pas votre réaction au médicament.

Alcool. À éviter.

Grossesse. Évaluez avec le médecin les bienfaits et les inconvénients du traitement.

Allaitement. Le timolol passe dans le lait maternel ; demandez l'avis du médecin.

Nourrissons et enfants. Innocuité et efficacité non établies dans ce groupe d'âge.

À surveiller. Attention aux vertiges et aux évanouissements par temps chaud ou durant un exercice. Prenez votre pouls régulièrement durant le traitement. S'il est inférieur à son rythme habituel ou tombe en dessous de 50 pulsations à la minute, appelez le médecin.

SURDOSAGE
Symptômes. Rythme cardiaque très rapide ou très lent, vertiges graves ou évanouissements, mauvaise circulation dans les mains (bleuissement de la peau), difficultés respiratoires, convulsions.

Quoi faire. Appelez aussitôt le médecin ou le centre antipoison, ou allez à l'urgence.

▼ INTERACTIONS

MÉDICAMENT-MÉDICAMENT
Consultez le médecin si vous prenez ; amphétamines, antidiabétiques oraux, médicaments contre l'asthme (aminophylline ou théophylline), bloqueurs des canaux calciques, clonidine, halothane, immunothérapie antiallergique (injections), insuline, IMAO, AINS, réserpine, autres bêtabloquants ou tout médicament en vente libre.

MÉDICAMENT-ALIMENT
Aucune interaction connue.

MÉDICAMENT-MALADIE
Le timolol est à utiliser avec prudence par les diabétiques, surtout insulinodépendants : le timolol peut masquer les symptômes d'une hypoglycémie. Les personnes ayant les troubles suivants devraient consulter le médecin au préalable : allergies ou asthme, maladie du cœur ou de la circulation (incluant insuffisance cardiaque et maladie vasculaire périphérique), hyperthyroïdie, bradycardie, myasthénie grave, psoriasis, troubles respiratoires (bronchite ou emphysème), maladie des reins ou du foie, antécédents de dépression.

  EFFETS INDÉSIRABLES

GRAVES
Essoufflement, respiration sifflante ; fréquence cardiaque irrégulière ou lente (50 battements à la minute ou moins) ; douleur ou oppression thoraciques ; enflure des chevilles, des pieds et du bas des jambes ; dépression.

COURANTS
Vertiges ou étourdissements (surtout quand on se lève rapidement), diminution de la capacité sexuelle, fatigue anormale, faiblesse ou somnolence, insomnie.

MOINS COURANTS
Anxiété ; irritabilité, nervosité ; constipation ; diarrhée ; yeux secs ou douloureux ; démangeaisons ; nausées ou vomissements ; cauchemars ou rêves très vifs ; engourdissement, picotements ou autres sensations anormales dans les doigts, les orteils ou le cuir chevelu.

TIMOLOL (MALÉATE DE)/HYDROCHLOROTHIAZIDE

Présentation : Comprimés
En vente libre ? Non   **Générique disponible ?** Non
Classe de médicaments : Bêtabloquant/diurétique

▼ GÉNÉRALITÉS

INDICATIONS
Traitement de l'hypertension.

MODE D'ACTION
C'est l'association d'un bêta-bloquant (le timolol) et d'un diurétique (l'hydrochloro-thiazide). Le timolol bloque certains influx nerveux qui peuvent exercer un effet accélérateur ou intensificateur sur le cœur et les vaisseaux sanguins : il ralentit donc le rythme cardiaque et dilate les vaisseaux sanguins, abaissant ainsi la tension artérielle. L'hydrochlorothiazide augmente l'excrétion de sel et d'eau dans l'urine. En réduisant le volume hydrique total de l'organisme, l'hydrochlorothiazide réduit le volume sanguin et la pression dans les vaisseaux sanguins.

▼ MODE D'EMPLOI

POSOLOGIE
1 comprimé, 1 ou 2 fois par jour.

DÉBUT D'ACTION
En 1 à 2 heures.

DURÉE D'ACTION
Jusqu'à 12 à 24 heures.

CONSEILS NUTRITIONNELS
Peut se prendre aux repas pour réduire le risque de dérangements d'estomac.

MODE DE CONSERVATION
Dans un contenant étanche, à l'abri de la chaleur, de l'humidité et de la lumière.

OUBLI D'UNE DOSE
Prenez-la dès que vous y pensez. S'il est presque l'heure de la suivante, sautez la dose oubliée et reprenez la fréquence normale. Ne doublez pas la dose suivante.

ARRÊT DE LA MÉDICATION
N'interrompez pas brusquement le traitement : vous risquez de provoquer de l'hypertension grave et de déclencher une crise d'angine ou un infarctus du myocarde chez les patients affligés d'une maladie cardiaque avancée. On conseille de réduire la posologie graduellement sur une période de 2 ou 3 semaines, sous étroite surveillance médicale.

USAGE PROLONGÉ
La thérapie peut durer toute la vie. Un suivi médical est nécessaire en cas d'utilisation prolongée.

▼ PRÉCAUTIONS

Plus de 60 ans. Risques de réactions indésirables plus fréquentes et plus graves. Vulnérabilité accrue au froid.

Conduite automobile, travaux dangereux. À déconseiller tant que vous ne connaissez pas votre réaction au médicament.

Alcool. Peut interagir avec le médicament et provoquer une chute dangereuse de la tension artérielle.

Grossesse. L'hydrochlorothiazide présent dans le médicament a provoqué des anomalies congénitales chez les animaux. Il n'existe pas d'études sur les humains. Examinez avec le médecin les bienfaits du traitement par rapport aux dangers qu'il présente.

Allaitement. Le médicament passe dans le lait maternel ; n'allaitez pas si vous en prenez.

Nourrissons et enfants. Innocuité non établie : le médicament n'est pas recommandé aux enfants.

À surveiller. Le médicament doit faire partie d'un programme thérapeutique global pour faire baisser l'hypertension : contrôle du poids, arrêt de fumer, exercice régulier et régime alimentaire pauvre en sel et en gras. Il peut provo-quer une déperdition potassique : suivez les directives du médecin concernant la consommation d'aliments riches en potassium ou de suppléments de potassium. Le médicament peut rendre la peau plus sensible au soleil : utilisez un écran solaire ou portez des vêtements couvrants. Si votre pouls descend à moins de 50 pulsations à la minute, appelez le médecin.

SURDOSAGE
Symptômes. Rythme cardiaque anormalement rapide ou lent, vertiges graves ou évanouissements, difficultés à respirer, crampes musculaires, somnolence, confusion, convulsions.

Quoi faire. Appelez aussitôt le médecin ou le centre anti-poison, ou allez à l'urgence.

▼ INTERACTIONS

MÉDICAMENT-MÉDICAMENT
Consultez le médecin si vous prenez : antidiabétiques oraux, insuline, lithium, corticostéroï-des, digitaliques, bloqueurs du canal calcique, barbituri-ques, narcotiques, autres bêtabloquants ou médica-ments sans ordonnance.

MÉDICAMENT-ALIMENT
Aucune interaction connue.

MÉDICAMENT-MALADIE
Avisez le médecin en cas de : insuffisance cardiaque, mala-die cardiaque, cœur lent ou irrégulier, asthme, maladie pulmonaire obstructive chronique, allergies (rhume des foins), diabète, hyper-thyroïdie, lupus érythémateux systémique, maladie du foie ou du rein.

EFFETS INDÉSIRABLES

GRAVES
Essoufflement, fréquence cardiaque irrégulière ou lente (50 battements à la minute ou moins), douleur ou pression thoraciques, enflure des chevilles et du bas des jambes, rash cutané, urticaire, démangeaisons intenses, enflure de la bouche et de la gorge, difficultés à respirer.

COURANTS
Fatigue, vertiges, surtout en se levant brusquement.

MOINS COURANTS
Constipation, diarrhée, nausées, céphalées, insomnie, mic-tions plus fréquentes, diminution de la libido.

TIOCONAZOLE

Présentation : Onguent vaginal, ovule vaginal, crème topique
En vente libre ? Oui   **Générique disponible ?** Non
Classe de médicaments : Antifongique

▼ GÉNÉRALITÉS

INDICATIONS
Traitement des infections fongiques (à levures) du vagin, de même que du pied d'athlète, de l'eczéma marginé et d'autres infections fongiques de la peau.

MODE D'ACTION
Le tioconazole entrave la croissance et le fonctionnement de certains micro-organismes fongiques en inhibant la production des substances nécessaires à la préservation de leurs parois cellulaires. Il est efficace contre les seules infections fongiques ; il n'agit pas contre les infections bactériennes ou virales.

▼ MODE D'EMPLOI

POSOLOGIE
Vaginal : 1 seule dose de 300 mg (1 applicateur plein) d'onguent ou 1 ovule introduit avec l'applicateur dans le vagin au coucher. Topique : appliquez la crème sur la région affectée 2 fois par jour. La durée du traitement dépend de l'affection traitée.

DÉBUT D'ACTION
Vaginal : un certain soulagement s'observe en 1 jour. Un soulagement symptomatique complet demande 7 jours. Topique : variable.

DURÉE D'ACTION
Inconnue.

CONSEILS NUTRITIONNELS
Il n'y a pas lieu de tenir compte de l'alimentation avec le tioconazole.

MODE DE CONSERVATION
Dans un contenant étanche, à l'abri de la chaleur, de l'humidité et de la lumière. Ne faites pas congeler.

OUBLI D'UNE DOSE
Sans objet. En règle générale, 1 seule dose suffit.

ARRÊT DE LA MÉDICATION
Application vaginale : 1 seule dose suffit généralement. Au besoin, on peut appliquer une seconde dose 1 à 2 semaines après la première. Application topique : aussi longtemps que dure le traitement.

USAGE PROLONGÉ
Le traitement au tioconazole est toujours de courte durée.

▼ PRÉCAUTIONS

Plus de 60 ans. Pas de risques connus.

Conduite automobile, travaux dangereux. Le tioconazole ne devrait pas vous empêcher d'exécuter de telles tâches en toute sécurité.

Alcool. Pas de précautions spéciales.

Grossesse. Il n'existe pas d'études concluantes. Consultez le médecin.

Allaitement. Consultez le médecin avant d'employer ce médicament si vous allaitez.

Nourrissons et enfants. Il n'existe pas d'études sur ce groupe d'âge. Demandez spécifiquement l'avis du médecin.

À surveiller. Le tioconazole en application vaginale peut être associé à des contraceptifs oraux et à un traitement aux antibiotiques. Portez des serviettes hygiéniques pour ne pas tacher vos vêtements. Gardez la région affectée au frais et au sec. Portez des vêtements de coton amples et des sous-vêtements de coton ou des collants à entrejambes en coton frais lavés. Ne portez pas de sous-vêtements en tissu imperméable à l'air. Ne restez pas longtemps assise dans un maillot de bain mouillé. Évitez d'utiliser des produits d'hygiène féminine en vaporisateur. Lavez-vous tous les jours avec du savon non parfumé et séchez-vous parfaitement avec une serviette propre. N'utilisez pas de tampons durant le traitement. N'ayez pas de rapports sexuels durant les 3 jours qui suivent le traitement et laissez passer encore 3 jours avant d'utiliser un condom ou un diaphragme : le médicament peut détériorer le caoutchouc. Vous pouvez employer le médicament durant les menstruations. La durée d'un traitement au tioconazole topique est de 1 à 6 semaines, selon le lieu de l'infection. Consultez le médecin.

SURDOSAGE
Symptômes. Une surdose est peu probable.

Quoi faire. Si quelqu'un ingère une grande quantité de médicament, appelez le médecin ou le centre antipoison.

▼ INTERACTIONS

MÉDICAMENT-MÉDICAMENT
Avertissez le médecin si vous utilisez une autre préparation vaginale avec ou sans ordonnance.

MÉDICAMENT-ALIMENT
Aucune interaction connue.

MÉDICAMENT-MALADIE
Aucune interaction n'a été signalée.

EFFETS INDÉSIRABLES

GRAVES
Démangeaisons, brûlure, irritation ou pertes vaginales non présentes avant le traitement.

COURANTS
On n'a rapporté aucun effet indésirable courant associé au tioconazole.

MOINS COURANTS
Céphalées, crampes ou douleurs gastriques, irritation ou sensation de brûlure affectant le pénis du partenaire. Crème topique : brûlure, démangeaisons, rash cutané.

TIZANIDINE (CHLORHYDRATE DE)

Présentation : Comprimés
En vente libre ? Non **Générique disponible ?** Non
Classe de médicaments : Relaxant musculaire

▼ GÉNÉRALITÉS

INDICATIONS
Soulagement des crampes et de la spasticité musculaires associées à la sclérose en plaques et à des lésions de la moelle épinière.

MODE D'ACTION
La tizanidine inhibe brièvement l'activité nerveuse qui cause les spasmes. À cause de ses effets indésirables, il ne faut en prendre qu'au moment de la journée où la réduction de la spasticité est le plus important.

▼ MODE D'EMPLOI

POSOLOGIE
Dose initiale : 4 mg, aux 6 à 8 heures. Peut être augmentée au besoin, par paliers de 2 à 4 mg, à 8 mg aux 6 à 8 heures (sans dépasser 3 doses en 24 heures), jusqu'à obtention d'un effet thérapeutique satisfaisant. Dose maximale : 36 mg par jour.

DÉBUT D'ACTION
En 1 heure.

DURÉE D'ACTION
Jusqu'à 6 heures.

CONSEILS NUTRITIONNELS
Peut se prendre aux repas ou entre les repas. Les patients se plaignent souvent d'avoir la bouche sèche ; buvez suffisamment et sucez de la glace concassée si vous le désirez.

MODE DE CONSERVATION
Dans un contenant étanche, à l'abri de la chaleur et de la lumière.

OUBLI D'UNE DOSE
Prenez-la dès que vous y pensez. S'il est presque l'heure de la suivante, sautez la dose oubliée et reprenez la fréquence normale. Ne doublez pas la dose suivante.

ARRÊT DE LA MÉDICATION
Cette décision doit être prise par le médecin.

USAGE PROLONGÉ
Consultez régulièrement votre médecin qui fera un suivi avec examens et analyses.

▼ PRÉCAUTIONS

Plus de 60 ans. Risques de réactions indésirables plus fréquentes et plus graves.

Conduite automobile, travaux dangereux. À déconseiller tant que vous ne connaissez pas votre réaction au médicament.

Alcool. À éviter.

Grossesse. Selon certaines études sur les animaux, de fortes doses ont donné lieu à des problèmes. Il n'existe pas d'études sur les humains. Demandez l'avis du médecin.

Allaitement. La tizanidine peut passer dans le lait maternel : la prudence s'impose. Demandez l'avis du médecin.

Nourrissons et enfants. Il n'y a pas de données précises sur l'action de la tizanidine chez les enfants.

À surveiller. Les patients devraient reconnaître les signes avant-coureurs d'une hypotension importante (vertiges, évanouissement, désorientation). Dans certaines études cliniques, un petit nombre de patients ont éprouvé des hallucinations qui se sont poursuivies après l'arrêt du traitement. Des lésions oculaires (dégénération de la rétine et opacification de la cornée) liées à la posologie ont été signalées dans certaines études sur les animaux, mais n'ont pas été observées dans les essais cliniques sur les humains.

SURDOSAGE
Symptômes. Perte de conscience et insuffisance respiratoire ont été signalées ; il peut y avoir d'autres symptômes.

Quoi faire. En présence d'une surdose possible, appelez immédiatement le médecin ou le centre antipoison, ou allez à l'urgence.

▼ INTERACTIONS

MÉDICAMENT-MÉDICAMENT
Demandez spécifiquement l'avis du médecin si vous prenez des contraceptifs oraux ou tout autre médicament avec ou sans ordonnance, surtout ceux qui exercent une action sédative (benzodiazépines et baclofène) ou les antihypertenseurs.

MÉDICAMENT-ALIMENT
Aucune interaction connue.

MÉDICAMENT-MALADIE
Un traitement à la tizanidine demande de la prudence. Renseignez le médecin sur tous vos autres problèmes de santé. La tizanidine peut provoquer des complications chez les patients qui ont une maladie des reins, car les reins contribuent à éliminer le médicament de l'organisme.

EFFETS INDÉSIRABLES

GRAVES
Lésions hépatiques avec nausées, vomissements, perte d'appétit et jaunissement des yeux et de la peau (jaunisse).

COURANTS
Somnolence, sécheresse de la bouche, vertiges, bradycardie, hypotension marquée provoquant des étourdissements quand on se lève après avoir été assis ou couché.

MOINS COURANTS
Infection, constipation, tachycardie, vomissements, troubles d'élocution, vision brouillée, mictions fréquentes, syndrome grippal, nervosité, perturbation des mouvements, inflammation des muqueuses, inflammation nasale.

TOBRAMYCINE

Présentation : Injection, solution et onguent ophtalmiques, inhalation
En vente libre ? Non   **Générique disponible ?** Oui
Classe de médicaments : Aminoside (antibiotique)

▼ GÉNÉRALITÉS

INDICATIONS
Traitement de diverses infections bactériennes – os et articulations, système nerveux central, abdomen, yeux, peau et tissus mous, voies urinaires et sang – et des infections pulmonaires chez les patients atteints de fibrose kystique.

MODE D'ACTION
La tobramycine entrave le matériel génétique bactérien – et surtout l'ARN, essentiel à la synthèse des protéines. Sans ces protéines, les bactéries ne peuvent survivre.

▼ MODE D'EMPLOI

POSOLOGIE
Infection – Injection : en fonction du poids du patient et de l'infection. Infections bénignes des yeux – Adultes et adolescents : 1 goutte de solution dans l'œil affecté, ux 4 heures, ou un ruban d'onguent, aux 8 à 12 heures. Infections graves de l'œil – Appliquez la solution ou l'onguent aux 3 à 4 heures jusqu'à ce que votre état s'améliore, puis ajustez la fréquence selon les directives du médecin. Infections pulmonaires chez les patients atteints de fibrose kystique – Injection : au début, 10 mg par kilogramme (2,2 lb) de poids, 1 fois par jour, en 4 doses fractionnées. Inhalation : 300 mg, 2 fois par jour, pendant 28 jours. Suspendez le traitement pendant 28 jours, puis reprenez-le pour 28 jours. Les inhalations doivent être faites à 12 heures d'intervalle, si possible, mais jamais à moins de 6 heures d'intervalle.

DÉBUT D'ACTION
Variable.

DURÉE D'ACTION
Variable.

CONSEILS NUTRITIONNELS
Buvez beaucoup.

MODE DE CONSERVATION
À l'abri de la chaleur et de la lumière. Réfrigérez la forme pour inhalation.

⬛ EFFETS INDÉSIRABLES ⬛

GRAVES
Perte d'équilibre, vertiges ; tintements ou bourdonnements d'oreilles, sensation d'avoir l'oreille bouchée ou perte d'acuité auditive ; soif accrue, débit urinaire accru ou moindre ou mictions fréquentes, perte d'appétit, nausées ou vomissements ; spasmes musculaires ou convulsions ; rash cutané, démangeaisons, rougeur ou enflure (surtout des yeux et des paupières) non observées avant le traitement.

COURANTS
Onguent ophtalmique : vision temporairement brouillée après l'administration. Inhalation : altération de la voix.

MOINS COURANTS
Formes ophtalmiques : picotement ou brûlure des yeux.

OUBLI D'UNE DOSE
Prenez-la dès que vous y pensez. S'il est presque l'heure de la suivante (moins de 6 heures pour l'inhalation), sautez la dose oubliée et reprenez la fréquence normale. Ne doublez pas la dose suivante.

ARRÊT DE LA MÉDICATION
Effectuez le traitement au complet.

USAGE PROLONGÉ
Des tests périodiques de la fonction hépatique sont nécessaires. Consultez le médecin si votre cas ne s'est pas amélioré au bout de 7 jours (1 à 3 jours pour les infections des yeux).

▼ PRÉCAUTIONS

Plus de 60 ans. Risques de réactions indésirables plus fréquentes et plus graves.

Conduite automobile, travaux dangereux. À éviter tant que vous ignorez votre réaction au médicament.

Alcool. À éviter.

Grossesse. Évaluez avec le médecin les bienfaits et les dangers du médicament. Certaines études révèlent que la tobramycine par injection peut endommager l'ouïe, le sens de l'équilibre et les reins du nourrisson. Mais elle peut être nécessaire à la mère.

Allaitement. La tobramycine peut passer dans le lait maternel : la prudence s'impose.

Nourrissons et enfants. La posologie doit être ajustée pour eux.

À surveiller. Solution et onguent : avant l'application, lavez-vous les mains. Renversez la tête en arrière. Appuyez doucement dans l'angle interne de la paupière et avec l'index, tirez la paupière inférieure vers le bas. Laissez tomber les gouttes ou mettez un ruban d'onguent (1 cm/⅓ po) dans l'espace créé et fermez l'œil. Appuyez pendant 1 ou 2 minutes tout en gardant l'œil fermé. Lavez-vous les mains. Le compte-gouttes ou l'applicateur ne doivent toucher ni l'œil ni votre doigt.

SURDOSAGE
Symptômes. Injection : sang dans l'urine, baisse du débit urinaire, enflure des chevilles ou d'autres parties, perte de contrôle musculaire, difficultés respiratoires. Formes ophtalmiques : douleur ou rougeur oculaires, larmoiement accru, enflure et démangeaisons des yeux et des paupières. Inhalation : pas de symptômes connus.

Quoi faire. Demandez immédiatement de l'aide médicale.

▼ INTERACTIONS

MÉDICAMENT-MÉDICAMENT
Interactions possibles avec autres aminosides, capréomycine, méthoxyflurane, polymyxines, cyclosporine, dornase alfa ou vancomycine.

MÉDICAMENT-ALIMENT
Aucune interaction connue.

MÉDICAMENT-MALADIE
Consultez le médecin en cas de : perte d'audition ou d'équilibre, maladie du rein, maladie de Parkinson, myasthénie grave.

TOLBUTAMIDE

Présentation : Comprimés
En vente libre ? Non **Générique disponible ?** Oui
Classe de médicaments : Antidiabétique/sulfonylurée

▼ GÉNÉRALITÉS

INDICATIONS
Pour aider les diabétiques non insulinodépendants (diabète de type II) à maîtriser leur taux de glucose sanguin.

MODE D'ACTION
Le tolbutamide favorise la libération d'insuline par le pancréas et réduit celle du glucose par le foie.

▼ MODE D'EMPLOI

POSOLOGIE
Adultes : au début, 1 000 à 2 000 mg par jour en 2 prises fractionnées. La posologie peut être augmentée à 3 000 mg (3 g) par jour, bien qu'il y ait peu d'avantages à dépasser 2 g par jour. Enfants : posologie à établir par le pédiatre.

DÉBUT D'ACTION
En 1 heure.

DURÉE D'ACTION
6 à 12 heures.

CONSEILS NUTRITIONNELS
À prendre 30 minutes avant les repas du matin et du soir.

MODE DE CONSERVATION
Dans un contenant étanche, à l'abri de la chaleur et de la lumière.

OUBLI D'UNE DOSE
Prenez-la dès que vous y pensez. S'il est presque l'heure de la suivante, sautez la dose oubliée et reprenez la fréquence normale. Ne doublez pas la dose suivante.

ARRÊT DE LA MÉDICATION
Cette décision doit être prise par le médecin.

USAGE PROLONGÉ
Le tolbutamide peut cesser d'être efficace et le sucre sanguin augmenter sans raison apparente. Il peut y avoir lieu d'instaurer un suivi médical avec examens et analyses.

▼ PRÉCAUTIONS

Plus de 60 ans. Risques de réactions indésirables plus fréquentes et plus graves.

Conduite automobile, travaux dangereux. À éviter tant que vous ne connaissez pas les effets du médicament sur vous.

Alcool. À éviter.

Grossesse. Avant de prendre du tolbutamide, avertissez le médecin si vous êtes enceinte ou voulez le devenir. Ce médicament est rarement employé durant la grossesse.

Allaitement. Le tolbutamide peut passer dans le lait maternel : la prudence s'impose. Demandez l'avis du médecin.

Nourrissons et enfants. Innocuité et efficacité non établies.

À surveiller. Portez un bracelet ou une carte indiquant que vous avez ce type de diabète. Suivez votre régime à la lettre. Demandez au médecin quels exercices vous devriez faire. Prenez votre dose quotidienne de tolbutamide, même si vous êtes malade. Vous devrez peut-être temporairement passer à l'insuline. Vérifiez votre taux sanguin de sucre au moins aux 4 heures quand vous êtes malade.

SURDOSAGE
Symptômes. Picotements des lèvres et de la langue, léthargie, confusion, nausées, nervosité, sueurs, tremblements, faim, convulsions, perte de conscience. (La plupart d'entre eux sont provoqués par une hypoglycémie grave.)

Quoi faire. Appelez immédiatement le médecin ou le centre antipoison, ou allez à l'urgence.

▼ INTERACTIONS

MÉDICAMENT-MÉDICAMENT
Consultez le médecin si vous prenez : anticoagulants, antifongiques, AAS, chloramphénicol, cimétidine, ciprofloxacine, quinidine, ranitidine, anticonvulsivants, asparaginase, corticostéroïdes, lithium, antiasthmatiques, antiallergiques, bêtabloquants, cyclosporine, guanéthidine, inhibiteurs de la monoamine-oxydase (IMAO), octréotide, pentamidine.

MÉDICAMENT-ALIMENT
Suivez votre régime à la lettre.

MÉDICAMENT-MALADIE
Un traitement au tolbutamide exige de la prudence. Consultez le médecin en cas de : diarrhée, maladie du cœur, hyperthyroïdie, insuffisance surrénale ou hypophysaire. Le tolbutamide peut provoquer des complications chez les patients qui ont une maladie du foie ou des reins, car ces organes contribuent ensemble à éliminer le médicament de l'organisme.

 EFFETS INDÉSIRABLES

GRAVES
Convulsions, évanouissement, taux de sucre sanguin bas provoquant de l'anxiété, vision brouillée, sueurs froides, confusion, somnolence, appétit vorace, tachycardie, céphalées, nausées, nervosité, sommeil agité, essoufflement, gain de poids anormal, ecchymoses ou saignements anormaux. Autres effets graves, mais moins fréquents : fonte de la moelle osseuse, anémie hémolytique et hausse des enzymes associées au foie.

COURANTS
Altération du goût, constipation ou diarrhée, mictions plus fréquentes, céphalées, aigreurs d'estomac, augmentation ou diminution de l'appétit, nausées, douleur d'estomac ou sensation de plénitude épigastrique, vomissements.

MOINS COURANTS
Sensibilité accrue de la peau au soleil.

TOLMÉTINE SODIQUE

Présentation : Comprimés
En vente libre ? Non   **Générique disponible ?** Oui
Classe de médicaments : Anti-inflammatoire non stéroïdien (AINS)

▼ GÉNÉRALITÉS

INDICATIONS
Traitement de la douleur et de l'inflammation bénignes à modérées causées par la polyarthrite rhumatoïde, l'arthrose et certains maux de dos. Quand un AINS se révèle inefficace, le patient peut en essayer un ou plusieurs autres jusqu'à ce qu'il obtienne le soulagement recherché.

MODE D'ACTION
Les AINS entravent la formation des prostaglandines, substances naturelles qui causent l'inflammation et rendent les nerfs plus réceptifs aux impulsions douloureuses. Les AINS ont d'autres modes d'action moins bien connus.

▼ MODE D'EMPLOI

POSOLOGIE
Adultes : 400 mg, 3 fois par jour, sans dépasser 2 000 mg par jour. Enfants : consultez le pédiatre.

DÉBUT D'ACTION
De 30 minutes à plusieurs heures ou davantage.

DURÉE D'ACTION
Variable.

CONSEILS NUTRITIONNELS
À prendre avec de la nourriture ; mangez et buvez normalement.

MODE DE CONSERVATION
Dans un contenant étanche, à l'abri de la chaleur, de l'humidité et de la lumière.

OUBLI D'UNE DOSE
Prenez-la dès que vous y pensez. S'il est presque l'heure de la suivante, sautez la dose oubliée et revenez à la fréquence normale. Ne doublez pas la dose suivante.

ARRÊT DE LA MÉDICATION
La décision d'interrompre le traitement doit être prise en consultation avec le médecin.

USAGE PROLONGÉ
L'utilisation prolongée peut provoquer des troubles gastro-intestinaux, notamment ulcères et saignements, une dysfonction rénale et une inflammation du foie. Demandez au médecin s'il y a lieu d'instaurer un suivi médical avec examens et analyses.

▼ PRÉCAUTIONS

Plus de 60 ans. Étant donné les risques potentiellement plus grands d'effets indésirables gastro-intestinaux chez les patients âgés, surtout chez les plus de 70 ans, la dose est souvent réduite de moitié.

Conduite automobile, travaux dangereux. À éviter tant que vous ne connaissez pas les effets du médicament sur vous.

Alcool. À éviter ; l'alcool augmente les risques d'irritation gastrique.

Grossesse. Ne prenez pas de tolmétine si vous êtes enceinte ou voulez le devenir.

Allaitement. La tolmétine passe dans le lait maternel ; n'en prenez pas pendant que vous allaitez.

Nourrissons et enfants. La tolmétine peut être utilisée contre la polyarthrite juvénile ; parlez-en au médecin.

À surveiller. Comme les AINS peuvent nuire à la coagulation du sang, la tolmétine devrait être interrompue au moins 3 jours avant toute chirurgie.

SURDOSAGE
Symptômes. Nausées graves, vomissements, céphalées, confusion, convulsions.

Quoi faire. Appelez immédiatement le médecin ou le centre antipoison, ou allez à l'urgence.

▼ INTERACTIONS

MÉDICAMENT-MÉDICAMENT
N'associez pas ce médicament à l'AAS ou à tout autre AINS sans l'approbation du médecin. De plus, demandez conseil au médecin si vous prenez : antihypertenseurs, stéroïdes, anticoagulants, antibiotiques, itraconazole ou kétoconazole, pénicillamine, acide valproïque, phénytoïne, cyclosporine, digitaliques, lithium, méthotrexate, probénécide, triamtérène, zidovudine.

MÉDICAMENT-ALIMENT
Aucune interaction connue.

MÉDICAMENT-MALADIE
Avertissez le médecin en cas de : saignements, inflammation ou ulcères de l'estomac ou de l'intestin, diabète sucré, lupus érythémateux disséminé, anémie, asthme, épilepsie, maladie de Parkinson, calculs rénaux, antécédents de maladie cardiaque ou d'alcoolisme. La tolmétine peut entraîner des complications chez les patients atteints d'une maladie du foie ou des reins, puisque ces organes contribuent ensemble à éliminer le médicament de l'organisme.

EFFETS INDÉSIRABLES

GRAVES
Essoufflement ou respiration sifflante, avec ou sans enflure des jambes ou autres signes d'insuffisance cardiaque ; douleur thoracique ; ulcère gastro-duodénal avec vomissements de sang ; selles noires ; baisse de la fonction rénale.

COURANTS
Nausées, vomissements, aigreurs d'estomac, diarrhée, constipation, céphalées, vertiges, insomnie.

MOINS COURANTS
Lésions ou ulcères buccaux, dépression, rash cutané, ampoules sur la peau, bourdonnements d'oreilles, engourdissement ou fourmillement des mains ou des pieds, convulsions, vision brouillée. Aussi taux élevé de potassium et numération globulaire insuffisante (décelables aux analyses).

TOLNAFTATE

Présentation : Crème, poudre, solution
En vente libre ? Oui **Générique disponible ?** Oui
Classe de médicaments : Antifongique topique

▼ GÉNÉRALITÉS

INDICATIONS
Traitement d'un certain nombre d'infections fongiques de la peau, incluant tinea corporis (teigne), tinea cruris (eczéma marginé) et tinea pedis (pied d'athlète).

MODE D'ACTION
Le tolnaftate empêche les micro-organismes fongiques de fabriquer les substances nécessaires à leur croissance et à leurs fonctions. Il n'est efficace que contre les champignons de la teigne et n'est d'aucune utilité contre les bactéries ou les virus.

▼ MODE D'EMPLOI

POSOLOGIE
Toutes les formes s'appliquent sur la zone affectée, 2 fois par jour, dès qu'elle a été lavée et séchée. Lavez-vous les mains avant et après.

DÉBUT D'ACTION
Inconnu.

DURÉE D'ACTION
Inconnue.

CONSEILS NUTRITIONNELS
Pas de restrictions spéciales.

MODE DE CONSERVATION
Dans un contenant étanche, à l'abri de la chaleur, de l'humidité et de la lumière.

OUBLI D'UNE DOSE
Prenez-la dès que vous y pensez. S'il est presque l'heure de la suivante, sautez la dose oubliée et reprenez la fréquence normale. Ne doublez pas la dose suivante.

ARRÊT DE LA MÉDICATION
Le traitement devrait se prolonger durant 2 semaines après la disparition des symptômes pour que l'élimination des champignons soit complète.

USAGE PROLONGÉ
Consultez le médecin si les symptômes n'ont pas régressé 10 jours après le début du traitement.

▼ PRÉCAUTIONS

Plus de 60 ans. Pas de risques connus.

Conduite automobile, travaux dangereux. Le tolnaftate ne devrait pas vous empêcher d'exécuter de telles tâches en toute sécurité.

Alcool. Pas de recommandations spéciales.

Grossesse. Aucune étude n'a montré que le tolnaftate avait causé des problèmes aux femmes enceintes. Consultez le médecin.

Allaitement. Le tolnaftate peut passer dans le lait maternel, mais aucun problème n'a été signalé. Demandez spécifiquement l'avis du médecin.

Nourrissons et enfants. Le tolnaftate ne devrait être employé chez les enfants de moins de 2 ans que sous la surveillance étroite du médecin.

À surveiller. Évitez tout contact du médicament avec les yeux. Si l'état de la peau ne s'améliore pas ou s'aggrave après 10 jours de traitement, consultez le médecin. Le tolnaftate ne doit pas être utilisé seul contre des infections fongiques du cuir chevelu ou des ongles ; le médecin y associera un traitement supplémentaire. Si vous employez le tolnaftate contre une infection des pieds, portez des souliers correctement ajustés et bien aérés et changez de chaussures et de chaussettes tous les jours. Ne mettez pas de pansement sur la région traitée, à moins que le médecin ne vous le recommande.

SURDOSAGE
Symptômes. Aucun cas de surdosage ni aucun symptôme n'ont été signalés.

Quoi faire. Une surdose est peu probable. Néanmoins, si quelqu'un ingère le médicament, appelez immédiatement le médecin ou le centre antipoison, ou allez à l'urgence.

▼ INTERACTIONS

MÉDICAMENT-MÉDICAMENT
Certaines interactions sont possibles. Demandez l'avis du médecin à l'égard de tout médicament, avec ou sans ordonnance, que vous appliquez sur la région qui est traitée au tolnaftate.

MÉDICAMENT-ALIMENT
Aucune interaction connue.

MÉDICAMENT-MALADIE
Un traitement au tolnaftate exige de la prudence. Demandez l'avis du médecin si vous avez des antécédents d'autres affections de la peau, quelles qu'elles soient.

≣ EFFETS INDÉSIRABLES ≣

GRAVES
Irritation de la peau consécutive au traitement au tolnaftate.

COURANTS
Aucun effet courant n'a été signalé en relation avec le tolnaftate.

MOINS COURANTS
Aucun effet moins courant n'a été signalé en relation avec le tolnaftate.

TOLTÉRODINE (TARTRATE DE)

Présentation : Comprimés
En vente libre ? Non   **Générique disponible ?** Non
Classe de médicaments : Anticholinergique

▼ GÉNÉRALITÉS

INDICATIONS
Traitement de la vessie hyper-active avec symptômes de fréquence mictionnelle, d'urgence mictionnelle ou d'incontinence d'urgence.

MODE D'ACTION
La toltérodine bloque les récepteurs nerveux qui induisent les contractions de la vessie, diminuant ainsi l'urgence mictionnelle.

▼ MODE D'EMPLOI

POSOLOGIE
Adultes : 2 mg, 2 fois par jour. Le médecin peut réduire la dose à 1 mg, 2 fois par jour, selon la réponse du patient. Adultes en insuffisance hépatique : pas plus de 1 mg, 2 fois par jour.

DÉBUT D'ACTION
Le soulagement symptomatique peut n'apparaître qu'au bout de 2 semaines, mais il faut parfois compter 8 semaines pour constater le plein effet thérapeutique.

DURÉE D'ACTION
Inconnue.

CONSEILS NUTRITIONNELS
La toltérodine peut se prendre sans tenir compte de l'alimentation.

MODE DE CONSERVATION
Dans un contenant étanche, à l'abri de la chaleur, de l'humidité et de la lumière.

OUBLI D'UNE DOSE
Prenez-la dès que vous y pensez. S'il est presque l'heure de la suivante, sautez la dose oubliée et reprenez la fréquence normale. Ne doublez pas la dose suivante.

ARRÊT DE LA MÉDICATION
Cette décision doit être prise en consultation avec votre médecin.

USAGE PROLONGÉ
Un suivi médical est nécessaire en cas d'usage prolongé.

▼ PRÉCAUTIONS

Plus de 60 ans. Pas de risques connus.

Conduite automobile, travaux dangereux. La toltérodine ne devrait pas vous empêcher d'exécuter de telles tâches en toute sécurité.

Alcool. Pas de risques connus.

Grossesse. Il n'existe pas d'études spécifiques sur les humains. Avant de prendre de la toltérodine, prévenez le médecin si vous êtes enceinte ou voulez le devenir.

Allaitement. La toltérodine peut passer dans le lait maternel ; n'en prenez pas si vous allaitez. Demandez conseil au médecin.

Nourrissons et enfants. Non recommandé aux patients de moins de 18 ans.

SURDOSAGE
Symptômes. Somnolence, confusion, vertiges, incoordination, sécheresse de la bouche.

Quoi faire. On a rapporté peu de cas de surdoses. Néanmoins, si la dose est beaucoup plus forte que celle prescrite, appelez immédiatement le médecin ou le centre antipoison, ou allez à l'urgence.

▼ INTERACTIONS

MÉDICAMENT-MÉDICAMENT
Des interactions sont possibles avec les médicaments suivants : fluoxétine, macrolide (antibiotiques) ou antifongiques. Demandez l'avis du médecin si vous en prenez.

MÉDICAMENT-ALIMENT
Aucune interaction connue.

MÉDICAMENT-MALADIE
Vous ne devriez pas prendre de toltérodine si vous souffrez des troubles suivants : rétention urinaire, rétention gas-trique ou glaucome à angle fermé non contrôlé. La toltérodine doit être employée avec prudence chez les patients souffrant d'une maladie du foie ou des reins, car ces organes contribuent ensemble à éliminer le médicament de l'organisme.

≣ EFFETS INDÉSIRABLES ≣

GRAVES
Douleur thoracique.

COURANTS
Céphalées, constipation, mauvaise digestion, sécheresse de la bouche, yeux secs.

MOINS COURANTS
Engourdissement, picotement ou fourmillement, douleur abdominale, flatulence, nausées, vomissements, bronchite, toux, peau sèche, nervosité, somnolence, vision brouillée.

TOPIRAMATE

Présentation : Comprimés, gélules
En vente libre ? Non   **Générique disponible ?** Non
Classe de médicaments : Anticonvulsivant

▼ GÉNÉRALITÉS

INDICATIONS
Pour aider à maîtriser certains types de convulsions dans le traitement de l'épilepsie et autres troubles. Souvent employé en concomitance avec d'autres anticonvulsivants qui n'ont pas été efficaces seuls.

MODE D'ACTION
Le topiramate semble inhiber les décharges anormales de neurones, cause de convulsions ; néanmoins, son mode d'action n'est pas bien connu.

▼ MODE D'EMPLOI

POSOLOGIE
Adultes : 200 à 400 mg par jour, en 2 prises fractionnées. Certains cas exigent des doses plus fortes. Au début, on prescrit de faibles doses, qui peuvent ensuite être graduellement augmentées par le médecin. Enfants de 2 à 16 ans : 5 à 9 mg par kilogramme (2,2 lb) de poids par jour, en 2 prises fractionnées. Le médecin peut ajuster la posologie.

DÉBUT D'ACTION
En plusieurs heures.

DURÉE D'ACTION
L'action maximale dure 24 heures ou plus et décroît ensuite graduellement.

CONSEILS NUTRITIONNELS
À prendre avec un aliment ou du lait pour atténuer les dérangements d'estomac. À cause de leur goût amer, les comprimés doivent être avalés entiers. Les gélules peuvent être avalées entières, mais on peut aussi saupoudrer leur contenu sur une cuillerée à thé d'aliment mou. Avalez sans mastiquer.

MODE DE CONSERVATION
À l'abri de la chaleur, de l'humidité et de la lumière.

▼ EFFETS INDÉSIRABLES

GRAVES
Douleur intense dans la région lombaire (bas du dos ou flancs), signe possible de calculs rénaux, plus fréquents chez les patients qui prennent du topiramate.

COURANTS
Somnolence, fatigue, vertiges, anxiété, incoordination, mouvements anormaux des yeux, picotements, confusion, difficultés d'élocution, dépression, troubles de la concentration ou de l'attention, sautes d'humeur, troubles de la mémoire, inappétence, perte de poids, tremblements.

MOINS COURANTS
Mal de dos, nausées et vomissements, mauvaise digestion, bouche sèche, douleur abdominale, constipation, douleurs musculaires, troubles de l'audition, irrégularités menstruelles, infection des sinus, vue double. Il peut y en avoir d'autres ; consultez le médecin si le médicament provoque des effets indésirables ou anormaux qui vous inquiètent.

OUBLI D'UNE DOSE
Prenez-la dès que vous y pensez. S'il est presque l'heure de la suivante, sautez la dose oubliée et reprenez la fréquence normale. Ne doublez pas la dose suivante à moins que le médecin ne vous le recommande.

ARRÊT DE LA MÉDICATION
N'arrêtez pas abruptement la médication : vous pourriez avoir des convulsions. Dans un schéma typique, le médecin réduit graduellement la posologie sur plusieurs semaines ou plusieurs mois.

USAGE PROLONGÉ
Le médicament peut être pris à long terme. Un suivi médical est alors conseillé.

▼ PRÉCAUTIONS

Plus de 60 ans. Il peut y avoir lieu de réduire les doses pour diminuer le risque d'effets indésirables.

Conduite automobile, travaux dangereux. À éviter tant que vous ne connaissez pas les effets du médicament sur vous.

Alcool. Peut entraîner une somnolence excessive.

Grossesse. Il n'y a pas eu d'études sur les humains. Mais on sait que d'autres anticonvulsivants augmentent les risques d'anomalies congénitales ; cependant, les convulsions chez la mère peuvent aussi augmenter les risques pour le fœtus. Évaluez avec le médecin les bienfaits et les dangers du traitement. Des suppléments de folate sont conseillés 1 ou 2 mois avant la conception et durant toute la grossesse.

Allaitement. Le topiramate peut passer dans le lait maternel, mais en faible quantité. Demandez l'avis du médecin.

Nourrissons et enfants. La prudence s'impose. L'administration du médicament a été limitée dans ce groupe d'âge.

À surveiller. Comme le médicament favorise la formation de calculs rénaux, vous devriez boire beaucoup. Le médecin peut vous suggérer de porter une carte ou un bracelet signalant que vous prenez du topiramate.

SURDOSAGE
Symptômes. Aucun symptôme spécifique n'a été signalé.

Quoi faire. Appelez aussitôt le médecin ou le centre antipoison, ou allez à l'urgence.

▼ INTERACTIONS

MÉDICAMENT-MÉDICAMENT
Le topiramate interagit avec divers médicaments dont : autres anticonvulsivants, inhibiteurs de l'anhydrase carbonique (acétazolamide ou dichlorphénamide), digoxine. Pris avec des contraceptifs oraux, il peut en réduire l'efficacité.

MÉDICAMENT-ALIMENT
Aucune interaction connue.

MÉDICAMENT-MALADIE
La prudence s'impose si vous avez une maladie du foie ou des reins et des antécédents de calculs rénaux ou d'hémodialyse.

TRANDOLAPRIL

Présentation : Comprimés
En vente libre ? Non   **Générique disponible ?** Non
Classe de médicaments : Inhibiteur de l'enzyme de conversion de l'angiotensine (ECA)

▼ GÉNÉRALITÉS

INDICATIONS
Contrôle de l'hypertension ; traitement de l'insuffisance cardiaque congestive et de la dysfonction ventriculaire gauche (lésions à la chambre de pompage du cœur).

MODE D'ACTION
Les inhibiteurs de l'enzyme de conversion de l'angiotensine (ECA) bloquent une enzyme productrice d'angiotensine, substance naturelle qui contracte les vaisseaux sanguins et stimule la sécrétion d'aldostérone, hormone corticosurrénale favorisant la rétention du sodium. Les inhibiteurs de l'ECA dilatent ainsi les vaisseaux sanguins et réduisent la rétention sodique, ce qui fait baisser la tension artérielle et diminue et le travail du cœur.

▼ MODE D'EMPLOI

POSOLOGIE
Au début, 1 mg, 1 fois par jour ; certains patients ont besoin de 2 mg, 1 fois par jour. La dose maximale ne dépasse pas 8 mg par jour.

DÉBUT D'ACTION
En 4 heures.

DURÉE D'ACTION
Jusqu'à 24 heures.

CONSEILS NUTRITIONNELS
À prendre à jeun, 1 heure avant le repas. Au besoin, le trandolapril peut aussi se prendre durant ou après le repas. Suivez le régime (pauvre en sel ou en cholestérol) que vous recommande le médecin pour mieux maîtriser l'hypertension et la maladie cardiaque. Évitez les aliments riches en potassium, comme les bananes et les agrumes, fruits et jus, à moins de prendre par ailleurs des médicaments qui font baisser les taux de potassium.

MODE DE CONSERVATION
Dans un contenant étanche, à l'abri de la chaleur, de l'humidité et de la lumière.

OUBLI D'UNE DOSE
Prenez-la dès que vous y pensez. S'il est presque l'heure de la suivante, sautez la dose oubliée et reprenez la fréquence normale. Ne doublez pas la dose suivante.

ARRÊT DE LA MÉDICATION
Un arrêt brusque de la médication peut donner lieu à de graves problèmes de santé. Il faut réduire graduellement la posologie selon les instructions du médecin.

USAGE PROLONGÉ
Un suivi médical, avec examens et analyses, est nécessaire en traitement prolongé ; le trandolapril aide à maîtriser l'hypertension, mais ne la guérit pas.

▼ PRÉCAUTIONS

Plus de 60 ans. Réactions indésirables plus fréquentes et plus graves chez quelques personnes âgées ; il peut falloir réduire les doses.

Conduite automobile, travaux dangereux. Soyez prudent tant que vous ignorez votre réaction au traitement.

Alcool. Peut potentialiser l'effet du médicament et provoquer une chute excessive de la tension artérielle ; n'en buvez qu'avec modération.

Grossesse. Non recommandé durant les 6 derniers mois de la grossesse. Avisez le médecin le plus tôt possible si vous devenez enceinte.

Allaitement. On a trouvé des traces du trandolapril dans le lait maternel ; néanmoins, on n'a pas signalé d'effets nocifs chez le nourrisson. Consultez le médecin.

Nourrissons et enfants. Innocuité et efficacité non établies pour les patients de moins de 18 ans.

SURDOSAGE
Symptômes. Aucun symptôme spécifique n'a été signalé.

Quoi faire. Une surdose est peu probable. Néanmoins, si vous croyez que la dose est bien supérieure à celle prescrite, appelez immédiatement le médecin ou le centre antipoison, ou allez à l'urgence.

▼ INTERACTIONS

MÉDICAMENT-MÉDICAMENT
Consultez le médecin si vous prenez : diurétiques (surtout d'épargne potassique), suppléments de potassium ou médicaments contenant du potassium, lithium, anticoagulants, anti-inflammatoires et tout médicament en vente libre (anorexigènes, médicaments contre le rhume).

MÉDICAMENT-ALIMENT
Évitez le lait hyposodique et les succédanés du sel : plusieurs d'entre eux renferment du potassium.

MÉDICAMENT-MALADIE
Consultez le médecin dans les cas de lupus ou si vous avez déjà eu une réaction d'allergie aux inhibiteurs de l'ECA. Le trandolapril est à utiliser avec prudence par les patients atteints de maladie grave des reins ou de sténose des artères rénales (rétrécissement de l'une des artères, ou des deux, conduisant le sang aux reins).

≡ EFFETS INDÉSIRABLES ≡

GRAVES
Fièvre et frissons ; mal de gorge et voix rauque ; difficulté soudaine à respirer et à avaler ; visage, bouche, extrémités enflés ; insuffisance rénale (chevilles enflées, baisse du débit urinaire) ; confusion ; jaunissement des yeux ou de la peau (indice d'un trouble du foie) ; prurit intense ; douleur thoracique ou palpitations ; douleur abdominale.

COURANTS
Toux sèche et persistante.

MOINS COURANTS
Vertiges ou évanouissement ; rash cutané ; engourdissement ou picotements des mains, des pieds ou des lèvres ; fatigue ou faiblesse musculaire inhabituelles ; nausées ; somnolence ; perte du goût ; céphalées.

TRANYLCYPROMINE (SULFATE DE)

Présentation : Comprimés
En vente libre ? Non   **Générique disponible ?** Non
Classe de médicaments : Antidépresseur inhibiteur de la monoamine-oxydase (IMAO)

▼ GÉNÉRALITÉS

INDICATIONS
Traitement des symptômes de la dépression grave.

MODE D'ACTION
En inhibant l'activité de la monoamine-oxydase, enzyme qui rend inactifs certains éléments chimiques du cerveau (épinéphrine, norépinéphrine et dopamine), la tranyl-cypromine augmente la disponibilité de ces éléments chimiques dans le système nerveux, ce qui, croit-on, aurait un effet antidépresseur.

▼ MODE D'EMPLOI

POSOLOGIE
Adultes : dose initiale, 10 mg, 2 fois par jour ; la posologie peut être augmentée à 30 mg par jour. Personnes âgées : dose initiale, 10 mg par jour ; la posologie peut être augmentée à 20 mg par jour.

DÉBUT D'ACTION
Le plein effet thérapeutique peut mettre 4 à 6 semaines à s'établir.

DURÉE D'ACTION
Jusqu'à 10 jours après l'arrêt du traitement.

CONSEILS NUTRITIONNELS
Voir Interactions médicament-aliment.

MODE DE CONSERVATION
Dans un contenant étanche, à l'abri de la chaleur, de l'humidité et de la lumière.

OUBLI D'UNE DOSE
Prenez-la dès que vous y pensez. S'il est presque l'heure de la suivante, sautez la dose oubliée et reprenez la fréquence normale. Ne doublez pas la dose suivante.

ARRÊT DE LA MÉDICATION
Effectuez le traitement au complet, comme il vous a été prescrit. La décision de l'interrompre doit être prise en consultation avec le médecin.

USAGE PROLONGÉ
Le traitement dure normalement de 6 mois à 1 an. Certains patients peuvent tirer profit d'un traitement prolongé.

▼ PRÉCAUTIONS

Plus de 60 ans. Réactions indésirables plus fréquentes et plus graves. Il peut y avoir lieu de réduire les doses.

Conduite automobile, travaux dangereux. Soyez prudent tant que vous ignorez votre réaction au médicament.

Alcool. À éviter.

Grossesse. La tranylcypromine peut augmenter les risques d'anomalies congénitales.

Allaitement. La tranylcypromine peut passer dans le lait maternel : la prudence s'impose. Demandez spécifiquement l'avis du médecin.

Nourrissons et enfants. Non recommandé pour les patients de 16 ans et moins.

À surveiller. Avant une intervention chirurgicale, un traitement d'urgence ou un travail dentaire, avertissez le médecin ou le dentiste que vous prenez de la tranylcypromine. Le médecin peut vous conseiller de porter une carte indiquant que vous prenez de la tranylcypromine.

SURDOSAGE
Symptômes. Anxiété grave, confusion, convulsions, peau froide et moite, somnolence grave, pouls irrégulier, hallucinations, céphalées graves, évanouissement, raideur musculaire, sudation, difficultés respiratoires.

Quoi faire. Appelez immédiatement le médecin ou le centre antipoison, ou allez à l'urgence.

▼ INTERACTIONS

MÉDICAMENT-MÉDICAMENT
Demandez l'avis du médecin si vous prenez ou avez pris récemment : amphétamines, antihypertenseurs, anorexigènes, cyclobenzaprine, fluoxétine, lévodopa, maprotiline, médicaments contre l'asthme, le rhume et les allergies, mépéridine, méthylphénidate, autre IMAO, antidépresseurs tricycliques, inhibiteurs sélectif du recaptage de la sérotonine (ISRS), antidiabétiques oraux, insuline, bupropion, buspirone, carbamazépine, tout dépresseur du système nerveux central, dextrométhorphane, trazodone, tryptophane.

MÉDICAMENT-ALIMENT
Ne mangez pas d'aliments riches en tyramine : fromages ; levures ou extraits de viande ; viande, volaille ou poisson marinés ou fumés ; charcuterie comme bologne, salami et pepperoni ; choucroute. Ne buvez pas de vin rouge ou de bière sans alcool ou contenant peu d'alcool. Ne prenez pas de boissons ou d'aliments riches en caféine, comme le café ou le chocolat.

MÉDICAMENT-MALADIE
Consultez le médecin en cas de : antécédents d'alcoolisme, angine, fréquentes céphalées, asthme, bronchite, diabète sucré, épilepsie, maladie cardiaque ou récent infarctus du myocarde, maladie circulatoire, maladie du foie, maladie de Parkinson, accident cérébrovasculaire (ACV) récent, maladie des reins, hyperthyroïdie, phéochromocytome.

 EFFETS INDÉSIRABLES

GRAVES
Douleur thoracique grave, pupilles dilatées, arythmies cardiaques, sensibilité des yeux à la lumière, sudation ou fièvre, nausées et vomissements, cou raide, vertiges graves.

COURANTS
Vue trouble, baisse du débit urinaire, dysfonction sexuelle, vertiges ou étourdissements, céphalées, modification de l'appétit avec envie de sucre, gain de poids, transpiration accrue, spasmes musculaires durant le sommeil, agitation motrice, tremblements, fatigue, insomnie.

MOINS COURANTS
Frissons, constipation, baisse de l'appétit, bouche sèche.

TRAZODONE

Présentation : Comprimés
En vente libre ? Non   **Générique disponible ?** Oui
Classe de médicaments : Antidépresseur

▼ GÉNÉRALITÉS

INDICATIONS
Traitement des symptômes de la dépression grave. Le trazodone peut être associé à un inhibiteur sélectif du recaptage de la sérotonine (ISRS) comme la fluoxétine, la sertraline et la paroxétine dans les cas où ces médicaments causent de l'insomnie.

MODE D'ACTION
Le trazodone aide à équilibrer les niveaux de sérotonine, élément chimique du cerveau qui est lié à l'humeur, aux émotions et aux états psychiques.

▼ MODE D'EMPLOI

POSOLOGIE
Adultes : dose initiale, 50 mg, 3 fois par jour, ou 75 mg, 2 fois par jour, ou 100 mg au coucher. Le médecin peut augmenter graduellement la posologie à 400 mg par jour. Personnes âgées : dose initiale, 25 mg, 3 fois par jour, ou 50 mg au coucher ; le médecin peut augmenter cette posologie.

DÉBUT D'ACTION
En 4 semaines.

DURÉE D'ACTION
Inconnue.

CONSEILS NUTRITIONNELS
On peut prendre le trazodone avec un repas ou une légère collation pour réduire l'incidence des nausées et augmenter la quantité de médicament absorbée par l'organisme.

MODE DE CONSERVATION
Dans un contenant étanche, à l'abri de la chaleur, de l'humidité et de la lumière.

OUBLI D'UNE DOSE
Prenez-la dès que vous y pensez. Si vous êtes à moins de 4 heures de la dose suivante, sautez la dose oubliée, attendez l'heure de la prise suivante et reprenez la fréquence normale. Ne doublez pas la dose suivante.

ARRÊT DE LA MÉDICATION
Effectuez le traitement au complet, comme il vous a été prescrit, même si vous vous sentez mieux avant qu'il ne prenne fin. La décision d'arrêter doit être prise en consultation avec le médecin.

USAGE PROLONGÉ
Le traitement dure habituellement entre 6 mois et 1 an ; certains patients peuvent tirer profit d'une prolongation du traitement au-delà de cette période.

▼ PRÉCAUTIONS

Plus de 60 ans. Risques de réactions indésirables plus fréquentes et plus graves. Il peut y avoir lieu de réduire les doses.

Conduite automobile, travaux dangereux. Faites preuve de prudence tant que vous ne connaissez pas votre réaction au médicament. Le trazodone peut provoquer de la somnolence.

Alcool. À éviter.

Grossesse. Il n'existe pas d'études pertinentes sur l'administration du trazodone durant la grossesse. Avant de prendre ce médicament, prévenez le médecin si vous êtes enceinte ou désirez le devenir.

Allaitement. Le trazodone passe dans le lait maternel ; la prudence s'impose. Demandez spécifiquement l'avis du médecin.

Nourrissons et enfants. L'innocuité et l'efficacité du trazodone n'ont pas été établies dans ce groupe d'âge.

SURDOSAGE
Symptômes. Nausées et vomissements graves, incoordination, somnolence.

Quoi faire. Appelez immédiatement le médecin ou le centre antipoison, ou allez à l'urgence.

▼ INTERACTIONS

MÉDICAMENT-MÉDICAMENT
Les interactions suivantes sont possibles. Demandez spécifiquement l'avis du médecin si vous prenez : antihypertenseurs, dépresseurs du système nerveux central (incluant médicaments contre le rhume et les allergies, digoxine, phénytoïne, analgésiques narcotiques et relaxants musculaires), fluoxétine ou autres antidépresseurs.

MÉDICAMENT-ALIMENT
Aucune interaction connue.

MÉDICAMENT-MALADIE
Un traitement au trazodone exige de la prudence. Consultez le médecin si vous avez des antécédents d'alcoolisme ou de maladie cardiaque. Le trazodone peut entraîner des complications chez les patients qui ont une maladie du foie ou des reins, car ces organes contribuent ensemble à éliminer le médicament de l'organisme.

EFFETS INDÉSIRABLES

GRAVES
Spasmes musculaires, confusion.

COURANTS
Somnolence, bouche sèche, vertiges, étourdissements, goût bizarre, nausées et vomissements, céphalées.

MOINS COURANTS
Vision brouillée, douleurs musculaires, diarrhée, constipation, fatigue anormale.

TRÉTINOÏNE

NOMS COMMERCIAUX

Rejuva-A, Renova, Retin-A, Retisol-A, Stieva-A, Vitamin A Acid, Vitinoin

Présentation : Crème, gel, liquide
En vente libre ? Non   **Générique disponible ?** Oui
Classe de médicaments : Traitement de l'acné

▼ GÉNÉRALITÉS

INDICATIONS
Traitement de l'acné bénin ou modéré.

MODE D'ACTION
On ne connaît pas le mode d'action exact de la trétinoïne, mais elle semble agir sur les cellules de la peau pour rendre l'exfoliation plus normale et par là déloger les points noirs et les points blancs (ou comédons), premières manifestations de l'acné.

▼ MODE D'EMPLOI

POSOLOGIE
Adultes : en appliquer 1 fois par jour, au coucher.

DÉBUT D'ACTION
Variable, mais d'ordinaire en 2 à 6 semaines après le début du traitement.

DURÉE D'ACTION
L'effet persiste aussi longtemps qu'on emploie la trétinoïne.

EFFETS INDÉSIRABLES

GRAVES
Aucun effet grave n'est associé à l'application régulière de trétinoïne conformément à l'ordonnance du médecin.

COURANTS
Rougeur modérée et desquamation ou sécheresse excessive au lieu d'application.

MOINS COURANTS
Irritation ou allergie avec rougeur, enflure, ampoules, douleur, éruption ou croûtes au lieu d'application ; altération de la pigmentation de la peau (elle est plus claire ou plus foncée). Ces symptômes s'atténuent généralement quand il y a arrêt du traitement ou réduction des doses et des fréquences d'application.

CONSEILS NUTRITIONNELS
Pas de restrictions ni de recommandations spéciales.

MODE DE CONSERVATION
Dans un contenant étanche, à l'abri de la chaleur, de la lumière, de l'humidité et des températures extrêmes. Le gel est inflammable : gardez-le loin d'une source de chaleur ou de la flamme.

OUBLI D'UNE DOSE
Le médicament est appliqué 1 fois par jour, au coucher. Si un jour vous l'oubliez, reprenez la fréquence régulière le lendemain. Il n'est pas nécessaire d'en appliquer une couche plus épaisse pour compenser l'oubli d'une dose.

ARRÊT DE LA MÉDICATION
Effectuez le traitement au complet, comme il vous a été prescrit, même s'il y a des signes d'amélioration avant qu'il ne prenne fin.

USAGE PROLONGÉ
Le traitement à la trétinoïne est souvent prolongé.

▼ PRÉCAUTIONS

Plus de 60 ans. Pas de risques connus.

Conduite automobile, travaux dangereux. Pas de précautions spéciales.

Alcool. Pas de précautions spéciales.

Grossesse. Ne prenez pas de trétinoïne si vous êtes enceinte ou voulez le devenir.

Allaitement. La trétinoïne peut passer dans le lait maternel : la prudence s'impose. Demandez l'avis du médecin.

Nourrissons et enfants. Non recommandée pour eux.

À surveiller. Les personnes ayant des antécédents d'allergie à la trétinoïne ou à tout autre ingrédient du médicament ne doivent pas l'employer. N'en mettez pas une couche épaisse dans l'espoir d'accélérer ou d'améliorer le traitement : vous irriteriez les régions affectées et celles qui l'entourent. La peau brûlée par le soleil est plus sensible à la trétinoïne : n'en mettez pas à cet endroit. Durant le traitement, ne vous exposez pas avec excès au soleil ou à une lampe solaire. Ne mettez pas de trétinoïne dans les yeux, la bouche ou les narines : elle provoquerait irritation grave et rougeur. N'en appliquez pas sur une peau enflammée. Si la peau rougit et devient douloureuse, cessez d'utiliser le médicament et appelez le médecin. Si vous faites usage de cosmétiques, nettoyez doucement la peau à traiter avant d'appliquer le médicament.

SURDOSAGE
Symptômes. L'abus du médicament peut causer une irritation grave de la peau.

Quoi faire. En cas d'ingestion, appelez immédiatement le médecin ou le centre antipoison, ou allez à l'urgence.

▼ INTERACTIONS

MÉDICAMENT-MÉDICAMENT
Consultez le médecin avant d'associer à la trétinoïne, sur les mêmes régions de la peau : autres médicaments contre l'acné (notamment ceux qui sont vendus avec ou sans ordonnance et qui renferment soufre, résorcinol, acides alphahydroxylés ou acide salicylique) ; savons médicamenteux, agents abrasifs, agent nettoyants ou cosmétiques ; préparations topiques à forte teneur en alcool, lotions astringentes, extraits de lime ou d'épices et médicaments ayant un effet asséchant.

MÉDICAMENT-ALIMENT
Aucune interaction connue.

MÉDICAMENT-MALADIE
Un traitement à la trétinoïne exige de la prudence. Consultez le médecin si vous faites de l'eczéma.

TRIAMCINOLONE (INHALATION)

Présentation : Vaporisateur nasal, inhalateur oral
En vente libre ? Non **Générique disponible ?** Non
Classe de médicaments : Corticostéroïde respiratoire

▼ GÉNÉRALITÉS

INDICATIONS
Inhalation orale : traitement de l'asthme bronchique. Vaporisation nasale : traitement de la rhinite allergique (saisonnière et non saisonnière comme le rhume des foins).

MODE D'ACTION
Les corticostéroïdes respiratoires comme la triamcinolone réduisent ou préviennent l'inflammation de la muqueuse des voies aériennes (cause sous-jacente de l'asthme), réduisent la réponse allergique aux allergènes inhalés et inhibent la sécrétion de mucus dans les voies aériennes.

▼ MODE D'EMPLOI

POSOLOGIE
Adultes et enfants de 12 ans et plus – Inhalation orale : 2 inhalations de 200 µg (microgrammes) chacune, 3 ou 4 fois par jour, sans dépasser 16 inhalations par jour. Chez certains patients, l'administration de la posologie quotidienne totale en 2 prises quotidiennes convient comme posologie d'entretien. Vaporisation nasale : 2 jets (de 100 µg chacun) dans chaque narine, 1 fois par jour. La posologie peut atteindre 400 µg par jour et être administrée en 1 à 4 doses fractionnées. Quand le soulagement a été obtenu, la posologie peut être diminuée pour atteindre un minimum de 1 jet (100 µg) dans chaque narine, 1 fois par jour. Enfants de 11 ans et moins : consultez le médecin.

DÉBUT D'ACTION
Habituellement en 1 semaine, mais le plein effet thérapeutique peut mettre 3 semaines à s'installer.

DURÉE D'ACTION
Plusieurs jours.

CONSEILS NUTRITIONNELS
Pas de restrictions spéciales.

MODE DE CONSERVATION
Dans un contenant étanche, à l'abri de la chaleur et de la lumière.

OUBLI D'UNE DOSE
Prenez-la dès que vous y pensez. S'il est presque l'heure de la suivante, sautez la dose oubliée et reprenez la fréquence normale. Ne doublez pas la dose suivante.

ARRÊT DE LA MÉDICATION
La décision doit être prise en consultation avec le médecin.

USAGE PROLONGÉ
Si vous devez prendre le médicament longtemps, demandez au médecin s'il y a lieu d'instaurer un suivi médical, avec examens et analyses.

▼ PRÉCAUTIONS

Plus de 60 ans. Pas de risques connus.

Conduite automobile, travaux dangereux. La triamcinolone ne devrait pas vous empêcher d'exécuter de telles tâches en toute sécurité.

Alcool. Pas de précautions spéciales.

Grossesse. On n'a pas rapporté d'anomalies congénitales liées à des stéroïdes pris par inhalation nasale ou orale durant la grossesse. Avant d'en prendre, avertissez le médecin si vous êtes enceinte ou désirez le devenir.

Allaitement. Le médicament peut passer dans le lait maternel ; la prudence s'impose. Demandez l'avis du médecin.

Nourrissons et enfants. Rien à signaler, mais on devrait prescrire la plus petite dose possible. L'inhalation orale n'est pas recommandée aux enfants de moins de 6 ans ; la vaporisation nasale n'est pas recommandée aux enfants de moins de 4 ans.

À surveiller. Les corticostéroïdes par inhalation n'arrêtent pas une crise d'asthme déjà en cours et peuvent réduire la résistance aux infections par levures dans la bouche, la gorge ou l'appareil vocal. Contre ces infections, gargarisez-vous ou rincez-vous la bouche après chaque usage ; n'avalez pas l'eau. Apprenez à utiliser correctement le vaporisateur nasal ; lisez et respectez les directives qui l'accompagnent. Avant toute chirurgie, dites au médecin ou au dentiste que vous prenez un stéroïde.

SURDOSAGE
Symptômes. Aucun symptôme spécifique n'a été signalé.

Quoi faire. En présence d'une surdose, appelez le médecin ou le centre antipoison.

▼ INTERACTIONS

MÉDICAMENT-MÉDICAMENT
Demandez conseil au médecin si vous prenez des corticostéroïdes systémiques, d'autres corticostéroïdes par inhalation ou encore tout immunosuppresseur.

MÉDICAMENT-ALIMENT
Pas d'interaction connue.

MÉDICAMENT-MALADIE
Avertissez le médecin en cas de : ulcères des cloisons des fosses nasales, infection herpétique de l'œil ou toute infection virale systémique, fongique ou bactérienne. Avisez immédiatement le médecin si vous êtes exposé à la varicelle ou à la rougeole.

 EFFETS INDÉSIRABLES

GRAVES
On n'a pas rapporté d'effet indésirable grave.

COURANTS
Inhalation orale : mal de gorge, plaques blanches dans la bouche ou la gorge, voix rauque. Vaporisation nasale : saignements de nez ou sécrétions nasales avec sang, sensation de brûlure ou d'irritation, mal de gorge.

MOINS COURANTS
Douleur oculaire, larmoiement, altération graduelle de la vision, douleur gastrique et troubles digestifs.

TRIAMCINOLONE SYSTÉMIQUE

Présentation : Comprimés, injection
En vente libre ? Non **Générique disponible ?** Oui
Classe de médicaments : Corticostéroïde

▼ GÉNÉRALITÉS

INDICATIONS

Traitement des nombreux troubles qui entraînent de l'inflammation (réaction des tissus produisant rougeur, chaleur, enflure et douleur), soit : arthrite, réactions allergiques, asthme, certaines maladies de la peau, poussées de sclérose en plaques et autres maladies auto-immunes. Aussi traitement de certaines carences en hormones stéroïdes naturelles.

MODE D'ACTION

Cette hormone imite les effets des corticostéroïdes naturels. Elle inhibe : synthèse, libération et activité des éléments chimiques qui produisent l'inflammation ; et activité du système immunitaire.

▼ MODE D'EMPLOI

POSOLOGIE

Adultes et adolescents : 2 à 40 mg par jour, en 1 ou plusieurs doses, selon la maladie en cause. Enfants : posologie fondée sur la stature et le poids ; il appartient au médecin de la déterminer.

DÉBUT D'ACTION
Variable.

DURÉE D'ACTION
Variable.

CONSEILS NUTRITIONNELS

À prendre avec un aliment ou du lait pour réduire les dérangements d'estomac. Le médecin peut vous recommander un régime alimentaire spécial.

MODE DE CONSERVATION

Dans un contenant étanche, à l'abri de la chaleur, de l'humidité et de la lumière. Ne faites pas congeler la forme liquide.

OUBLI D'UNE DOSE

Si vous prenez plusieurs doses par jour et qu'il est presque l'heure de la suivante, doublez cette dose. Si vous ne prenez que 1 dose par jour et n'y pensez que le lendemain, sautez-la et ne doublez pas la dose qui suit.

ARRÊT DE LA MÉDICATION

Cette décision doit être prise par le médecin.

USAGE PROLONGÉ

Un usage prolongé peut causer cataractes, diabète, hypertension ou ostéoporose ; un suivi médical est nécessaire.

▼ PRÉCAUTIONS

Plus de 60 ans. Risques de réactions indésirables plus fréquentes et plus graves.

Conduite automobile, travaux dangereux. À éviter tant que vous ne connaissez pas les effets du médicament sur vous.

Alcool. Peut causer des troubles d'estomac. Évitez l'alcool, à moins que le médecin n'en permette un usage modéré à l'occasion.

Grossesse. Un usage abusif durant la grossesse peut retarder la croissance et le développement de l'enfant.

Allaitement. N'en prenez pas si vous allaitez.

Nourrissons et enfants. La triamcinolone peut retarder le développement des os et autres tissus.

À surveiller. Le médicament peut diminuer votre résistance à l'infection. Évitez les immunisations aux vaccins vivants. Les patients en traitement prolongé devrait porter un bracelet médic-alert. Appelez le médecin si vous faites de la fièvre.

SURDOSAGE

Symptômes. Fièvre, douleur musculaire ou articulaire, nausées, vertiges, évanouissement, difficultés respiratoires. Surdosage prolongé : faciès lunaire, obésité, pilosité accrue, acné, perte de libido, fonte musculaire.

Quoi faire. Appelez immédiatement le médecin ou le centre antipoison, ou allez à l'urgence.

▼ INTERACTIONS

MÉDICAMENT-MÉDICAMENT

Demandez l'avis du médecin si vous prenez : aminoglutéthimide, antiacides, barbituriques, carbamazépine, griséofulvine, mitotane, phénylbutazone, phénytoïne, primidone, rifampine, amphotéricine B injectable, antidiabétiques oraux, insuline, digitaliques, diurétiques ou médicaments renfermant du potassium ou du sodium.

MÉDICAMENT-ALIMENT
Évitez les excès de sodium.

MÉDICAMENT-MALADIE

Consultez le médecin si vous avez ou avez déjà eu : maladie osseuse, varicelle, rougeole, troubles gastro-intestinaux, troubles psychiques, diabète, infection grave récente, glaucome, maladie cardiaque, hypertension, troubles du foie ou des reins, hypercholestérolémie, troubles de la thyroïde, myasthénie grave ou lupus.

 EFFETS INDÉSIRABLES

GRAVES

Troubles de la vue, mictions fréquentes, soif accrue, saignement rectal, ampoules sur la peau, confusion, hallucinations, paranoïa, euphorie, dépression, sautes d'humeur, rougeur et enflure au point d'injection.

COURANTS

Appétit accru, digestion difficile, nervosité, insomnie, plus grande vulnérabilité aux infections, tension artérielle plus élevée, cicatrisation plus lente, gain de poids, ecchymoses fréquentes, rétention hydrique.

MOINS COURANTS

Changement de couleur de la peau, vertiges, céphalées, sudation accrue, pilosité anormale, hausse de la glycémie, ulcère gastro-duodénal, insuffisance surrénalienne, faiblesse musculaire, cataractes, glaucome, ostéoporose.

TRIAMCINOLONE TOPIQUE

Présentation : Crème, onguent, pâte dentifrice
En vente libre ? Non   **Générique disponible ?** Oui
Classe de médicaments : Corticostéroïde topique

▼ GÉNÉRALITÉS

INDICATIONS
Traitement des éruptions et des inflammations de la peau ; traitement des affections inflammatoires de la bouche.

MODE D'ACTION
La triamcinolone topique semble entraver la formation dans l'organisme de substances naturelles directement responsables du processus inflammatoire qui engendre enflure, rougeur et douleur.

▼ MODE D'EMPLOI

POSOLOGIE
Crème (concentrations de 0,025 %, 0,1 % et 0,5 %) — Adultes : 3 ou 4 fois par jour. Enfants : 1 ou 2 fois par jour (0,025 %) ; 1 fois par jour (0,1 % et 0,5 %). Onguent (concentrations de 0,025 % et 0,1 %) — Adultes : 2 à 3 fois par jour. Enfants : 1 ou 2 fois par jour (0,025 %) ; 1 fois par jour (0,1 % et 0,5 %). Pâte dentifrice (concentration de 0,1 %) — Adultes : appliquez-la sur les régions affectées de la bouche, 2 ou 3 fois par jour, après les repas et au coucher. Enfants : consultez le médecin.

DÉBUT D'ACTION
Rapide, mais il faut compter plusieurs jours avant de constater un effet.

DURÉE D'ACTION
Inconnue.

CONSEILS NUTRITIONNELS
Pas de restrictions spéciales.

MODE DE CONSERVATION
Dans un contenant étanche, à l'abri de la chaleur et de la lumière.

OUBLI D'UNE DOSE
Appliquez-la dès que vous y pensez. S'il est presque l'heure de la suivante, sautez la dose oubliée et reprenez la fréquence normale.

ARRÊT DE LA MÉDICATION
Effectuez le traitement au complet, comme il vous a été prescrit, même si vous vous sentez mieux avant la fin.

USAGE PROLONGÉ
À éviter, particulièrement si le traitement s'effectue près des yeux, sur le visage, sur les régions génitales ou rectales ou dans les replis de la peau.

▼ PRÉCAUTIONS

Plus de 60 ans. Risques de réactions indésirables plus fréquentes et plus graves.

Conduite automobile, travaux dangereux. Pas de précautions spéciales.

Alcool. Pas de précautions spéciales.

Grossesse. La triamcinolone topique ne devrait pas être utilisée en médication prolongée par les femmes enceintes ou désirant le devenir.

Allaitement. Bien qu'on ne connaisse pas de problèmes causés par le médicament, la prudence est conseillée. N'en mettez pas sur les seins avant l'allaitement. Demandez spécifiquement l'avis du médecin.

Nourrissons et enfants. La triamcinolone topique n'est pas recommandée pendant plus de 2 semaines pour les enfants et les adolescents, à moins d'avis contraire du médecin. Ne mettez pas de couche ajustée ou de culotte de plastique aux enfants si la zone traitée se situe dans la région des fesses.

À surveiller. Lavez-vous les mains après l'application. Ne couvrez pas la région traitée d'un pansement ou de vêtements ajustés à moins d'avis contraire du médecin.

SURDOSAGE
Symptômes. Aucun symptôme connu.

Quoi faire. Il est peu probable qu'une surdose de triamcinolone topique mette votre vie en danger. Néanmoins, si la dose est très forte ou si le médicament est ingéré par accident, appelez sans tarder le médecin ou le centre antipoison, ou allez à l'urgence.

▼ INTERACTIONS

MÉDICAMENT-MÉDICAMENT
Ne mélangez pas la triamcinolone topique à d'autres produits, surtout s'ils contiennent de l'alcool (eaux de Cologne, lotions après-rasage ou lotions hydratantes), parce qu'ils peuvent dessécher ou irriter la peau ou accroître les risques de réaction allergique.

MÉDICAMENT-ALIMENT
Les suppléments de potassium peuvent réduire les effets du médicament. Évitez les aliments riches en sodium.

MÉDICAMENT-MALADIE
La triamcinolone exige qu'on soit prudent. Consultez le médecin en cas de : cataractes ; diabète sucré ; glaucome ; infection, ulcères ou ulcérations de la peau ; infection ailleurs sur le corps ; tuberculose.

▧ EFFETS INDÉSIRABLES ▧

GRAVES
Les effets graves associés au médicament sont très rares.

COURANTS
Sensation de brûlure, démangeaisons, irritation, rougeur, sécheresse, acné, fendillement de la peau, engourdissement ou picotements des extrémités chez 0,5 % à 1 % des patients. Les risques augmentent si le médicament est associé à des pansements occlusifs.

MOINS COURANTS
Vésicule et pus près des follicules pileux, saignement anormal ou ecchymoses plus fréquentes, noircissement et gonflement des petites veines superficielles, vulnérabilité accrue aux infections.

TRIAMTÉRÈNE

Présentation : Comprimés
En vente libre ? Non   **Générique disponible ?** Non
Classe de médicaments : Diurétique d'épargne potassique

▼ GÉNÉRALITÉS

INDICATIONS
Traitement adjuvant et supplémentaire, en association avec d'autres diurétiques, pour épargner le potassium tout en favorisant l'excrétion du sodium et de l'eau. Administré en concomitance avec des diurétiques thiazidiques ou des diurétiques de l'anse, le triamtérène réduit le volume hydrique total de l'organisme et aide ainsi à diminuer les symptômes de cardiopathie, de maladie rénale ou de maladie hépatique.

MODE D'ACTION
Le triamtérène favorise l'excrétion du sodium et de l'eau en modifiant les enzymes du rein qui régissent la production d'urine. Contrairement à d'autres diurétiques, le triamtérène favorise l'excrétion de l'eau et du sel sans réduire les taux de potassium.

▼ MODE D'EMPLOI

POSOLOGIE
Adultes : 25 à 100 mg par jour. La posologie peut être augmentée, mais sans dépasser 300 mg par jour. Enfants : consultez le médecin.

DÉBUT D'ACTION
En 2 à 4 heures.

DURÉE D'ACTION
7 à 9 heures.

CONSEILS NUTRITIONNELS
Le triamtérène se prend de préférence après les repas, mais on peut aussi le prendre avec de la nourriture ou un grand verre de lait pour atténuer les risques de dérangements d'estomac.

MODE DE CONSERVATION
Dans un contenant étanche, à l'abri de la chaleur, de l'humidité et de la lumière.

OUBLI D'UNE DOSE
Prenez-la dès que vous y pensez. S'il est presque l'heure de la suivante, sautez la dose oubliée et reprenez la fréquence normale. Ne doublez pas la dose suivante.

ARRÊT DE LA MÉDICATION
La décision d'interrompre le traitement doit être prise par le médecin.

USAGE PROLONGÉ
Un suivi médical, avec examens et analyses, est nécessaire si le traitement doit se prolonger.

▼ PRÉCAUTIONS

Plus de 60 ans. Risques de réactions indésirables plus fréquentes et plus graves ; en particulier, divers symptômes signalant des taux trop élevés de potassium sont plus susceptibles d'apparaître chez les personnes âgées.

Conduite automobile, travaux dangereux. Le triamtérène ne devrait pas vous empêcher d'exécuter de telles tâches en toute sécurité.

Alcool. Pas de précautions spéciales.

Grossesse. Il n'existe pas d'études concluantes chez les humains. Avant de prendre du triamtérène, prévenez le médecin si vous êtes enceinte ou désirez le devenir.

Allaitement. Le triamtérène passe dans le lait maternel : la prudence s'impose. Demandez l'avis du médecin.

Nourrissons et enfants. Pas de risques connus.

À surveiller. Évitez de vous exposer au soleil tant que vous ne connaissez pas votre réaction au médicament. Avant toute intervention chirurgicale, dites au médecin et au dentiste que vous prenez du triamtérène.

SURDOSAGE
Symptômes. Vertiges ou évanouissement, nausées, vomissements, confusion, troubles du rythme cardiaque, nervosité, engourdissement ou picotement des mains, des pieds ou des lèvres, jambes faibles ou lourdes, fatigue anormale.

Quoi faire. En cas de surdose potentielle, appelez immédiatement le médecin ou le centre antipoison, ou allez à l'urgence.

▼ INTERACTIONS

MÉDICAMENT-MÉDICAMENT
Diverses interactions médicamenteuses sont possibles. Demandez spécifiquement l'avis du médecin si vous prenez : inhibiteurs de l'ECA, cyclosporine, médicaments ou suppléments renfermant du potassium, digoxine, AINS ou lithium.

MÉDICAMENT-ALIMENT
Évitez les aliments et les boissons riches en potassium comme certains succédanés du sel, les bananes et les jus d'agrumes.

MÉDICAMENT-MALADIE
Consultez le médecin si vous avez des antécédents de goutte ou de calculs rénaux. Le triamtérène peut provoquer des complications chez les patients qui ont une maladie du foie ou des reins, car ces organes contribuent ensemble à éliminer le médicament de l'organisme.

EFFETS INDÉSIRABLES

GRAVES
Rash cutané, urticaire, étourdissements, saignements anormaux.

COURANTS
Sécheresse de la bouche, irritation gastrique.

MOINS COURANTS
Vertiges, nausées, vomissements, crampes d'estomac, diarrhée, céphalées, sensibilité accrue de la peau au soleil.

TRIAZOLAM

Présentation : Gélules
En vente libre ? Non **Générique disponible ?** Oui
Classe de médicaments : Hypnotique (benzodiazépine)

▼ GÉNÉRALITÉS

INDICATIONS
Traitement de l'insomnie.

MODE D'ACTION
En général, le triazolam produit un léger effet sédatif en modérant l'activité du système nerveux central (cerveau et moelle épinière). Plus spécifiquement, le triazolam semble intensifier l'effet de l'acide gamma-aminobutyrique (GABA), élément chimique naturel qui inhibe les décharges des neurones et réduit la transmission des signaux nerveux, diminuant ainsi l'excitation nerveuse.

▼ MODE D'EMPLOI

POSOLOGIE
Adultes : 0,125 à 0,250 mg au coucher. Indications et posologie pour les moins de 18 ans doivent être déterminées par le médecin.

DÉBUT D'ACTION
Inconnu.

DURÉE D'ACTION
7 à 8 heures.

CONSEILS NUTRITIONNELS
À prendre avec un grand verre d'eau. Le triazolam peut se prendre en mangeant pour atténuer les dérangements d'estomac.

MODE DE CONSERVATION
Dans un contenant étanche, à l'abri de la chaleur et de la lumière.

OUBLI D'UNE DOSE
Prenez-la dès que vous y pensez à moins qu'il ne soit tard dans la nuit. Ne prenez pas le médicament si vous ne pouvez compter sur une bonne nuit de sommeil.

 EFFETS INDÉSIRABLES

GRAVES
Difficultés à se concentrer, accès de colère, autres problèmes de comportement, dépression, convulsions, hallucinations, hypotension (avec évanouissement ou confusion), troubles de la mémoire, faiblesse musculaire, rash cutané ou démangeaisons, mal de gorge, fièvre et frissons, lésions ou ulcères dans la gorge ou la bouche, ecchymoses ou saignements anormaux, fatigue extrême, jaunissement des yeux ou de la peau.

COURANTS
Incoordination, démarche mal assurée, vertiges, étourdissements, somnolence, difficultés d'élocution.

MOINS COURANTS
Crampes ou douleurs gastriques, altérations de la vue, modification de la libido, impuissance, constipation ou diarrhée, sécheresse de la bouche ou salivation excessive, euphorie, tachycardie ou palpitations, céphalées, spasmes musculaires, nausées et vomissements, troubles urinaires, tremblements, fatigue anormale.

ARRÊT DE LA MÉDICATION
Une interruption brusque du traitement peut produire des symptômes de sevrage (difficultés à dormir, nervosité, irritabilité, diarrhée, crampes abdominales, douleurs musculaires, troubles de la mémoire). La posologie doit être réduite graduellement selon les directives du médecin.

USAGE PROLONGÉ
Le médicament peut perdre lentement de son efficacité, et la probabilité de réactions indésirables augmenter. Un suivi médical s'impose.

▼ PRÉCAUTIONS

Plus de 60 ans. Réactions indésirables plus fréquentes et plus graves. Il peut y avoir lieu de réduire la posologie.

Conduite automobile, travaux dangereux. Le triazolam peut diminuer la vigilance et la coordination physique : réglez vos activités en conséquence.

Alcool. À éviter.

Grossesse. Évitez de prendre du triazolam durant la grossesse. Prévenez le médecin si vous êtes enceinte ou voulez le devenir.

Allaitement. Le triazolam passe dans le lait maternel ; n'en prenez pas si vous allaitez.

Nourrissons et enfants. Innocuité et efficacité non établies pour les moins de 18 ans.

À surveiller. Le triazolam peut entraîner de la dépendance psychologique et physiologique. Ne dépassez jamais la posologie quotidienne prescrite.

SURDOSAGE
Symptômes. Grande somnolence, confusion, difficultés d'élocution, réflexes lents, manque de coordination, démarche chancelante, tremblements, respiration lente, perte de conscience.

Quoi faire. Appelez immédiatement le médecin ou le centre antipoison, ou allez à l'urgence.

▼ INTERACTIONS

MÉDICAMENT-MÉDICAMENT
Divers médicaments peuvent interagir avec le triazolam. Demandez l'avis du médecin si vous prenez des dépresseurs du système nerveux central : antihistaminiques, antidépresseurs ou autres médicaments psychiatriques, barbituriques, sédatifs, antitussifs, décongestionnants et analgésiques. Signalez-lui tous les médicaments que vous prenez sans ordonnance.

MÉDICAMENT-ALIMENT
Aucune interaction connue.

MÉDICAMENT-MALADIE
Un traitement au triazolam exige de la prudence. Avertissez le médecin si vous avez des antécédents de : toxicomanie ou alcoolisme, accident cérébrovasculaire ou autre maladie du cerveau, maladie pulmonaire chronique, glaucome, hyperactivité, dépression ou autre maladie mentale, myasthénie grave, apnée du sommeil, épilepsie, porphyrie, maladie des reins ou du foie.

TRIFLUOPÉRAZINE (CHLORHYDRATE DE)

NOMS COMMERCIAUX

Apo-Trifluoperazine,
Novo-Trifluzine,
PMS-Trifluoperazine,
Terfluzine, Trifluoperazine

Présentation : Comprimés
En vente libre ? Non **Générique disponible ?** Oui
Classe de médicaments : Neuroleptique ; antipsychotique

▼ GÉNÉRALITÉS

INDICATIONS
Traitement des troubles psychotiques (troubles mentaux graves, caractérisés par la distorsion des pensées, des perceptions et des émotions), comme la schizophrénie, mais aussi des états anxieux et des nausées et vomissements.

MODE D'ACTION
Le trifluopérazine semble inhiber les récepteurs de la dopamine (élément chimique favorisant la transmission des influx nerveux) dans le système nerveux central et avoir ainsi un effet tranquillisant ou antipsychotique.

▼ MODE D'EMPLOI

POSOLOGIE
Adultes : dose d'attaque, 1 à 2 mg, 2 fois par jour. Selon les besoins et la tolérance du patient aux effets indésirables du médicament, le médecin peut augmenter la posologie jusqu'à 40 mg par jour.

DÉBUT D'ACTION
L'effet sédatif se fait sentir en quelques minutes, mais l'effet antipsychotique peut mettre des heures, des jours et même des semaines à s'établir. Effet antiémétique : en 30 minutes à 1 heure.

DURÉE D'ACTION
12 à 24 heures, mais l'effet peut persister plusieurs jours.

CONSEILS NUTRITIONNELS
Se prend avec un aliment ou un verre de lait ou d'eau.

MODE DE CONSERVATION
Dans un contenant étanche, à l'abri de la chaleur et de la lumière.

OUBLI D'UNE DOSE
Prenez-la dès que vous y pensez. S'il est presque l'heure de la suivante, sautez la dose oubliée et reprenez la fréquence normale. Ne doublez pas la dose suivante.

ARRÊT DE LA MÉDICATION
Cette décision doit être prise en consultation avec le médecin, qui réduira graduellement la posologie si vous avez pris ce médicament longtemps.

USAGE PROLONGÉ
Un usage prolongé entraîne un risque de dyskinésie tardive (mouvements involontaires de la mâchoire, des lèvres, de la langue et dans de rares cas des bras, jambes, mains et corps). Demandez au médecin s'il y a lieu d'instaurer un suivi médical, avec examens et analyses.

▼ PRÉCAUTIONS

Plus de 60 ans. Réactions indésirables plus fréquentes et plus graves. Il peut y avoir lieu de réduire la posologie.

Conduite automobile, travaux dangereux. À déconseiller tant que vous ne connaissez pas votre réaction au médicament.

Alcool. À éviter.

Grossesse. Évitez d'en prendre si vous êtes enceinte.

Allaitement. Évitez de prendre le médicament si possible ou cessez d'allaiter.

Nourrissons et enfants. Réactions indésirables plus fréquentes et plus graves.

À surveiller. Évitez de vous exposer longtemps à la chaleur ou à des climats chauds. Buvez beaucoup et restez au frais en été. Ne vous exposez pas beaucoup au soleil tant que vous ignorez si le médicament rend votre peau plus sensible aux ultraviolets.

SURDOSAGE
Symptômes. Somnolence extrême ou agitation motrice ou nerveuse paradoxale, troubles du rythme cardiaque ou palpitations, sécheresse de la bouche, convulsions, raideur musculaire ou mouvements musculaires involontaires, perte de conscience.

Quoi faire. Appelez aussitôt le médecin ou le centre antipoison, ou allez à l'urgence.

▼ INTERACTIONS

MÉDICAMENT-MÉDICAMENT
Consultez le médecin si vous prenez : amantadine, anticoagulants, antihypertenseurs, bromocriptine, déféroxamine, diurétiques, lévobunolol, médicaments pour le cœur, métipranolol, nabilone, autres antipsychotiques, pentamidine, pimozide, prométhazine, triméprazine, agents thyroïdiens, dépresseurs du système nerveux central, épinéphrine, lithium, lévodopa, méthyldopa, métoclopramide, métyrosine, pémoline, alcaloïdes de la rauwolfia ou métrizamide.

MÉDICAMENT-ALIMENT
Aucune interaction connue.

MÉDICAMENT-MALADIE
Avertissez le médecin en cas de : maladie de Parkinson ou autres troubles du mouvement, glaucome, épilepsie, maladie du foie ou des reins.

 EFFETS INDÉSIRABLES

GRAVES
Tachycardie, sudation abondante, convulsions, difficultés respiratoires, raideur du cou, enflure de la langue, déglutition difficile. Risque d'un trouble rare, le syndrome malin des neuroleptiques, caractérisé par : raideur ou spasmes musculaires, forte fièvre, confusion ou désorientation.

COURANTS
Nausées, sudation réduite, sécheresse de la bouche, vision brouillée, somnolence, tremblement des mains, raideur musculaire, dos voûté.

MOINS COURANTS
Mictions difficiles, menstruations irrégulières, douleur ou hypertrophie mammaires, gain de poids anormal, mouvements involontaires de la langue, fièvre, frissons, mal de gorge, ecchymoses ou saignements inhabituels, palpitations, rash cutané, démangeaisons, sensibilité accrue de la peau au soleil.

TRIHEXYPHÉNIDYLE (CHLORHYDRATE DE)

Présentation : Comprimés, gélules à libération prolongée, élixir
En vente libre ? Non   **Générique disponible ?** Oui
Classe de médicaments : Antiparkinsonien

▼ GÉNÉRALITÉS

INDICATIONS
Traitement de la maladie de Parkinson et des symptômes parkinsoniens induits par certains médicaments qui agissent sur le système nerveux central : ralentissement des mouvements, raideur ou rigidité musculaire, tremblement et perte d'équilibre.

MODE D'ACTION
Le mécanisme d'action du trihexyphénidyle est inconnu, mais on croit qu'il augmente la disponibilité de la dopamine, élément chimique du cerveau qui joue un rôle critique dans la maîtrise des mouvements musculaires volontaires.

▼ MODE D'EMPLOI

POSOLOGIE
Adultes : dose d'attaque, 1 mg. La posologie est augmentée de 2 mg par jour aux 3 à 5 jours. Les augmentations se font graduellement, jusqu'à obtention de l'effet thérapeutique voulu. La posologie maximale d'entretien est habituellement de 6 à 10 mg par jour, en 3 prises fractionnées. Enfants : la posologie n'a pas été établie. Demandez l'avis du pédiatre.

DÉBUT D'ACTION
Habituellement en 1 heure.

DURÉE D'ACTION
L'effet peut durer au moins 24 heures.

CONSEILS NUTRITIONNELS
Pas de restrictions spéciales. Le médicament est mieux toléré s'il est pris aux repas.

MODE DE CONSERVATION
Dans un contenant étanche, à l'abri de la chaleur, de l'humidité et de la lumière.

OUBLI D'UNE DOSE
Prenez-la dès que vous y pensez. Si vous êtes à moins de 2 heures de la suivante, sautez la dose oubliée et reprenez la fréquence normale. Ne doublez pas la dose suivante.

ARRÊT DE LA MÉDICATION
La décision de mettre fin au traitement doit être prise en consultation avec le médecin. La posologie est habituellement réduite progressivement sur une période de 7 jours.

USAGE PROLONGÉ
L'usage prolongé du trihexyphénidyle peut provoquer du glaucome (augmentation de la pression intraoculaire et cause principale de cécité) ou en accroître la gravité. Un suivi médical avec un ophtalmologiste est recommandé pour surveiller la pression intraoculaire.

▼ PRÉCAUTIONS

Plus de 60 ans. Risques de réactions indésirables plus fréquentes et plus graves. Il peut y avoir lieu de diminuer la posologie.

Conduite automobile, travaux dangereux. À éviter tant que vous ne connaissez pas les effets du médicament sur vous.

Alcool. À éviter.

Grossesse. Le trihexyphénidyle ne devrait pas être administré aux femmes enceintes.

Allaitement. Le trihexyphénidyle passe dans le lait maternel : les femmes qui allaitent ne devraient pas en prendre.

Nourrissons et enfants. L'innocuité du médicament n'a pas été établie dans ce groupe d'âge.

À surveiller. Voyez régulièrement votre ophtalmologiste pour qu'il vérifie votre pression intraoculaire et surveille les signes de glaucome. Consultez le médecin pour instaurer un suivi médical sur une base régulière.

SURDOSAGE
Symptômes. Maladresse, confusion, délire, impossibilité d'uriner, convulsions.

Quoi faire. Appelez immédiatement le médecin ou le centre antipoison, ou allez à l'urgence.

▼ INTERACTIONS

MÉDICAMENT-MÉDICAMENT
Demandez spécifiquement l'avis du médecin si vous prenez : autres antiparkinsoniens (comme la lévodopa), dépresseurs du système nerveux central (alcool, barbituriques ou autres somnifères), antidépresseurs IMAO (sulfate de phénelzine ou sulfate de tranylcypromine), analgésiques narcotiques ou antidépresseurs.

MÉDICAMENT-ALIMENT
Aucune interaction connue.

MÉDICAMENT-MALADIE
Un traitement au trihexyphénidyle exige de la prudence. Demandez l'avis du médecin en cas de : glaucome, maladie de la prostate, hypertrophie de la prostate (hyperplasie bénigne de la prostate).

 EFFETS INDÉSIRABLES

GRAVES
Confusion, hallucinations, vision brouillée, glaucome.

COURANTS
Sécheresse de la bouche, nausées.

MOINS COURANTS
Difficultés à uriner.

TRIMÉTHOPRIME

Présentation : Comprimés
En vente libre ? Non   **Générique disponible ?** Non
Classe de médicaments : Anti-infectieux

NOM COMMERCIAL

Proloprim

▼ GÉNÉRALITÉS

INDICATIONS
Traitement des infections des voies urinaires.

MODE D'ACTION
Le triméthoprime tue les bactéries en les rendant incapables de synthétiser les protéines dont elles ont besoin.

▼ MODE D'EMPLOI

POSOLOGIE
100 mg, 2 fois par jour ou 200 mg, 1 fois par jour.

DÉBUT D'ACTION
Inconnu.

DURÉE D'ACTION
Inconnue.

CONSEILS NUTRITIONNELS
Pas de restrictions spéciales.

MODE DE CONSERVATION
Dans un contenant étanche, à l'abri de la chaleur, de l'humidité et de la lumière.

OUBLI D'UNE DOSE
Prenez-la dès que vous y pensez. S'il est presque l'heure de la dose suivante, sautez la dose oubliée et reprenez la fréquence normale. Ne doublez pas la dose suivante.

ARRÊT DE LA MÉDICATION
Effectuez le traitement au complet, comme il vous a été prescrit, même si vous vous sentez mieux avant la fin.

USAGE PROLONGÉ
Ce médicament n'est généralement pas prescrit en usage prolongé. Le traitement dure tout au plus 10 jours.

▼ PRÉCAUTIONS

Plus de 60 ans. Risques de réactions indésirables plus fréquentes et plus graves.

Conduite automobile, travaux dangereux. À déconseiller tant que vous ne connaissez pas votre réaction au médicament.

Alcool. Aucun risque spécial, mais il est conseillé généralement de ne pas consommer d'alcool pendant qu'on lutte contre une infection.

Grossesse. Le triméthoprime a provoqué des anomalies congénitales chez les animaux. Il n'existe pas d'études sur les humains. Avant d'en prendre, dites au médecin que vous êtes enceinte ou voulez le devenir.

Allaitement. Le triméthoprime passe dans le lait maternel ; n'allaitez pas durant le traitement.

Nourrissons et enfants. Innocuité et efficacité non établies pour les enfants de moins de 2 mois. L'efficacité du triméthoprime en monothérapie n'a pas été étudiée de façon concluante chez les moins de 12 ans.

À surveiller. Certains patients ont une sensibilité accrue de leur peau au soleil. Prenez des mesures préventives : utilisez un écran solaire, portez des vêtements couvrants, évitez de vous exposer au soleil.

SURDOSAGE
Symptômes. Nausées, vomissements, vertiges, somnolence, dépression, céphalées, confusion.

Quoi faire. Appelez le médecin ou allez à l'urgence.

▼ INTERACTIONS

MÉDICAMENT-MÉDICAMENT
Avisez le médecin si vous prenez : diurétiques, phénytoïne, méthotrexate, warfarine.

MÉDICAMENT-ALIMENT
Aucune interaction connue.

MÉDICAMENT-MALADIE
Avertissez le médecin si vous souffrez de maladie du foie ou du rein ou d'autres troubles. Le médicament peut entraîner des complications chez les anémiques.

  EFFETS INDÉSIRABLES

GRAVES
Mal de gorge, fièvre, pâleur, ecchymoses ou saignements anormaux, jaunissement de la peau ou des yeux.

COURANTS
Réactions allergiques de la peau, démangeaisons.

MOINS COURANTS
Douleur abdominale, nausées, vomissements, sensibilité accrue au soleil.

TRIMÉTHOPRIME/SULFAMÉTHOXAZOLE

Présentation : Comprimés, suspension orale, injection
En vente libre ? Non **Générique disponible ?** Oui
Classe de médicaments : Anti-infectieux

▼ GÉNÉRALITÉS

INDICATIONS
Traitement des infections des voies urinaires et de l'oreille, bronchite chronique, pneumonie à Pneumocystis carinii (infection qui frappe souvent les patients immunodéprimés), diarrhée du voyageur et autres maladies diarrhéiques.

MODE D'ACTION
Association de deux ingrédients actifs, triméthoprime et sulfaméthoxazole, qui tuent les bactéries ou inhibent leur croissance en perturbant leur capacité de produire les protéines nécessaires.

▼ MODE D'EMPLOI

POSOLOGIE
Infections bactériennes courantes — Adultes : d'habitude 1 comprimé double force (DS) 2 fois par jour. La durée du traitement dépend de la nature de l'infection et sera fixée par le médecin. Autres dosages et posologie pour les enfants : consultez le pédiatre car la posologie peut varier beaucoup selon l'âge, le poids et la fonction rénale du patient.

DÉBUT D'ACTION
Inconnu.

DURÉE D'ACTION
Inconnue.

CONSEILS NUTRITIONNELS
Prenez les comprimés avec un grand verre d'eau ou en mangeant pour réduire les dérangements gastriques.

MODE DE CONSERVATION
Dans un contenant étanche, à température ambiante, loin de la chaleur et de la lumière.

OUBLI D'UNE DOSE
Prenez-la dès que vous y pensez. S'il est presque l'heure de la dose suivante, sautez la dose oubliée et revenez à la fréquence normale. Ne doublez pas la dose suivante.

ARRÊT DE LA MÉDICATION
Effectuez le traitement au complet, comme il vous a été prescrit, même si vous vous sentez mieux avant la fin.

USAGE PROLONGÉ
Voyez votre médecin sur une base régulière pour des examens et des analyses.

▼ PRÉCAUTIONS

Plus de 60 ans. Réactions indésirables plus probables et plus graves.

Conduite automobile, travaux dangereux. À déconseiller tant que vous ne connaissez pas votre réaction au médicament.

Alcool. Aucun risque connu, bien qu'il soit préférable de ne pas prendre d'alcool quand on combat l'infection.

Grossesse. L'association triméthoprime/sulfaméthoxazole a causé des malformations congénitales chez les animaux. Il n'existe pas d'études sur les humains. Ne l'utilisez que si les avantages escomptés l'emportent sur les risques pour le fœtus. Avant de prendre ce médicament, avertissez le médecin que vous êtes enceinte ou souhaitez le devenir.

Allaitement. Le médicament passe dans le lait maternel ; évitez ou cessez le traitement pendant que vous allaitez.

Nourrissons et enfants. Non recommandé pour les enfants de moins de 2 mois.

À surveiller. Comme certains patients souffrent de photosensibilisation accrue, prenez des mesures préventives : écrans solaires, vêtements couvrants, pas d'exposition au soleil. Les personnes atteintes du syndrome d'immunodéficience acquise (sida) peuvent avoir plus d'effets indésirables, surtout des rashs cutanés. Le médicament n'en demeure pas moins valable contre un certain nombre de troubles associés à cette maladie.

SURDOSAGE
Symptômes. Perte d'appétit, nausées, vomissements, vertiges, céphalées, somnolence, dépression, confusion, état mental altéré, fièvre, sang dans l'urine, peau ou yeux jaunes.

Quoi faire. Appelez immédiatement le médecin ou le centre antipoison, ou allez à l'urgence.

▼ INTERACTIONS

MÉDICAMENT-MÉDICAMENT
Il peut y avoir interaction avec : cyclosporine, méthotrexate, phénytoïne, procaïnamide, sulfonylurées ou warfarine. Parlez-en spécifiquement au médecin.

MÉDICAMENT-ALIMENT
Aucune interaction connue.

MÉDICAMENT-MALADIE
Le sulfaméthoxazole peut amener des complications chez les patients atteints d'une maladie du foie ou des reins, car ces organes contribuent à éliminer le médicament de l'organisme. Il peut aussi en amener chez les personnes souffrant de certains types d'anémies. Demandez l'avis du médecin si vous avez d'autres problèmes de santé.

 EFFETS INDÉSIRABLES

GRAVES
Rash cutané, mal de gorge, fièvre, douleurs articulaires, essoufflement, pâleur, points rougeâtres sur la peau, ecchymoses ou saignements inhabituels.

COURANTS
Nausées, vomissements, perte d'appétit, réactions allergiques cutanées, démangeaisons, urticaire.

MOINS COURANTS
Douleurs abdominales, diarrhée, convulsions, vertiges, bourdonnements d'oreilles, céphalées, hallucinations, dépression, photosensibilisation accrue.

TRIPROLIDINE (CHLORHYDRATE DE)

Présentation : Sirop
En vente libre ? Oui **Générique disponible ?** Oui
Classe de médicaments : Antihistaminique

▼ GÉNÉRALITÉS

INDICATIONS
Soulagement des symptômes d'allergie comme le rhume des foins, et des symptômes du rhume comme tel.

MODE D'ACTION
Le chlorhydrate de triprolidine entrave les effets de l'histamine, substance naturelle de l'organisme pouvant causer enflure, démangeaisons, éternuements, larmoiements, urticaire et autres réactions allergiques.

▼ MODE D'EMPLOI

POSOLOGIE
Adultes et enfants de 12 ans et plus : 2,5 mg aux 4 à 6 heures ; la posologie maximale est de 10 mg par jour. Enfants de 6 à 12 ans : 1,25 mg (1 c. à thé) aux 4 à 6 heures ; la posologie maximale est de 5 mg par jour. Moins de 6 ans : le médecin établira la posologie.

DÉBUT D'ACTION
En 15 à 60 minutes.

DURÉE D'ACTION
4 à 6 heures.

CONSEILS NUTRITIONNELS
Prenez ce médicament avec de la nourriture ou du lait pour ne pas irriter l'estomac.

MODE DE CONSERVATION
Contenant étanche, à l'abri de la chaleur et de la lumière. Ce médicament ne tolère pas la congélation.

OUBLI D'UNE DOSE
Prenez-la dès que vous y pensez. S'il est presque l'heure de la suivante, sautez la dose oubliée et reprenez la fréquence normale. Ne doublez pas la dose suivante.

ARRÊT DE LA MÉDICATION
Cette décision devrait être prise par votre médecin.

USAGE PROLONGÉ
Un usage prolongé ne devrait pas entraîner la tolérance, c'est-à-dire une réaction diminuée au médicament. Si le cas se présente, consultez votre médecin.

▼ PRÉCAUTIONS

Plus de 60 ans. Risques de réactions indésirables plus fréquentes et plus graves.

Conduite automobile, travaux dangereux. À déconseiller tant que vous ne connaissez pas votre réaction au médicament.

Alcool. À éviter.

Grossesse. Avant de prendre de la triprolidine, prévenez votre médecin si vous êtes enceinte ou avez l'intention de le devenir.

Allaitement. La triprolidine passe dans le lait maternel. N'en prenez pas si vous allaitez : ce médicament peut diminuer la lactation.

Nourrissons et enfants. Risques de réactions indésirables plus fréquentes et plus graves.

À surveiller. Si vous avez à subir un test d'allergie, il ne faut pas prendre de triprolidine dans les 4 jours qui précèdent ce type d'examen (confirmez avec votre spécialiste).

SURDOSAGE
Symptômes. Dépression du système nerveux central ou, paradoxalement, stimulation de ce système ; très basse tension artérielle ; difficultés respiratoires ; convulsions ; pertes de conscience ; extrême sécheresse de la bouche, du nez, de la gorge.

Quoi faire. Appelez immédiatement le médecin ou un centre antipoison, ou allez à l'urgence.

▼ INTERACTIONS

MÉDICAMENT-MÉDICAMENT
Demandez spécifiquement l'avis du médecin si vous prenez : anticholinergiques, maprotiline, phénothiazines, pimozide, antidépresseurs tricycliques, dépresseurs du système nerveux central, inhibiteurs de la monoamine-oxydase (IMAO).

MÉDICAMENT-ALIMENT
Pas d'interaction connue.

MÉDICAMENT-MALADIE
Il faut être prudent lorsqu'on prend de la triprolidine. Demandez l'avis de votre médecin en cas de : hypertrophie de la prostate, blocage des voies urinaires, miction difficile, glaucome. L'usage de la triprolidine peut entraîner des complications chez les personnes qui ont une maladie de foie car c'est cet organe qui est chargé d'éliminer le médicament du corps.

  EFFETS INDÉSIRABLES

GRAVES
Mal de gorge et fièvre, fatigue ou faiblesse inhabituelles, saignements ou ecchymoses inexpliqués.

COURANTS
Somnolence.

MOINS COURANTS
Vision brouillée ; fréquence cardiaque accélérée ; rash cutané ; épaississement du mucus ; dérangements d'estomac ; nervosité ; miction difficile ou douloureuse ; étourdissements ; sécheresse de la bouche, du nez ou de la gorge ; manque d'appétit ; cauchemars ; acouphènes ou bourdonnements d'oreilles ; agitation motrice ; irritabilité.

TROVAFLOXACINE

NOM COMMERCIAL

Trovan

Présentation : Comprimés, injection
En vente libre ? Non   **Générique disponible ?** Non
Classe de médicaments : Antibiotique

▼ GÉNÉRALITÉS

INDICATIONS
Traitement d'un certain nombre d'infections bactériennes graves (pneumonie, infections gynécologiques et infections compliquées de la peau), contractées dans un hôpital ou un centre de soins infirmiers. Le médecin jugera si ce médicament convient à votre cas.

MODE D'ACTION
La trovafloxacine inhibe l'action de deux enzymes bactériennes dont l'ADN gyrase, essentielle à la synthèse de l'ADN bactérien. Elle combat l'infection en empêchant les bactéries de se reproduire.

▼ MODE D'ACTION

POSOLOGIE
Elle varie en fonction de la nature et du lieu de l'infection. Comprimés : posologie quotidienne de 100 à 300 mg pendant 7 à 14 jours. Le médecin déterminera la posologie qui vous convient. Injection intraveineuse : administrée au besoin par un spécialiste des soins de santé.

DÉBUT D'ACTION
Inconnu.

DURÉE D'ACTION
Inconnue.

CONSEILS NUTRITIONNELS
Pas de restrictions spéciales.

MODE DE CONSERVATION
Comprimés : dans un contenant étanche, à l'abri de la chaleur, de l'humidité et de la lumière. Injection : sans objet ; elle est donnée dans un centre de soins de santé.

OUBLI D'UNE DOSE
Prenez-la dès que vous y pensez. Si un jour vous l'oubliez, reprenez la fréquence normale le lendemain. Ne doublez pas la dose suivante. Injection: parlez au médecin.

ARRÊT DE LA MÉDICATION
Effectuez le traitement au complet, comme il vous a été prescrit, même si vous vous sentez mieux avant la fin. La décision de l'interrompre doit être prise par le médecin.

USAGE PROLONGÉ
La trovafloxacine est généralement prescrite en traitement de courte durée et ne doit pas être administrée pendant plus de 14 jours.

▼ PRÉCAUTIONS

Plus de 60 ans. Pas de risques connus.

Conduite automobile, travaux dangereux. À déconseiller tant que vous ne connaissez pas votre réaction au médicament.

Alcool. Il est préférable de s'abstenir de consommer de l'alcool quand on combat une infection.

Grossesse. Il n'existe pas d'études concluantes sur les humains. Avant de prendre de la trovafloxacine, évaluez avec le médecin les bienfaits et les dangers du médicament.

Allaitement. La trovafloxacine passe dans le lait maternel : la plus grande prudence est de rigueur. Demandez l'avis du médecin.

Nourrissons et enfants. Non recommandée aux patients de moins de 18 ans.

À surveiller. Prenez la trovafloxacine en mangeant ou au coucher pour réduire les risques de vertiges. Si la sensibilité de votre peau au soleil augmente, évitez de vous exposer durant les 5 jours qui suivent ; portez des vêtements couvrant et utilisez un écran solaire.

SURDOSAGE
Symptômes. Un surdosage est peu probable.

Quoi faire. Si la dose est beaucoup plus forte que celle prescrite, appelez aussitôt le médecin ou le centre antipoison, ou allez à l'urgence.

▼ INTERACTIONS

MÉDICAMENT-MÉDICAMENT
La trovafloxacine doit être prise au moins 2 heures avant ou après les médicaments suivants : certains antiacides, sucralfate, morphine, acide citrique tamponné avec du citrate de sodium, suppléments vitaminiques ou minéraux renfermant du fer ou du calcium.

MÉDICAMENT-ALIMENT
Aucune interaction connue.

MÉDICAMENT-MALADIE
La trovafloxacine ne devrait pas être prescrite aux patients souffrant d'une maladie du foie ou ayant eu une réaction allergique aux antibiotiques de type quinolones. Le médicament doit être utilisé avec prudence en présence d'antécédents de convulsions ou de troubles du système nerveux pouvant augmenter le risque de convulsions. Avertissez le médecin de tous vos problèmes de santé.

 EFFETS INDÉSIRABLES

GRAVES
Ils sont rares. Le plus grave est l'hépatotoxicité qui peut provoquer jaunisse (jaunissement de la peau et des yeux), nausées, vomissements, douleur abdominale, fatigue, perte d'appétit et urine foncée. Une insuffisance hépatique a entraîné quelques cas de mortalité ou de greffe du foie. Autres effets graves possibles : arythmies cardiaques, diarrhée, anaphylaxie (réaction allergique grave avec enflure des lèvres, de la langue, du visage ou de la gorge ; difficultés respiratoires ; rash cutané, démangeaisons ou urticaire), convulsions, confusion ou autres troubles mentaux (agitation motrice, cauchemars et insomnie).

COURANTS
Vertiges, étourdissements, nausées, céphalées.

MOINS COURANTS
Vomissements, douleur abdominale, infection aux levures (femmes), démangeaisons, sensibilité accrue de la peau au soleil.

UNDÉCYLÉNIQUE (ACIDE)

Présentation : Mousse en aérosol, poudre en aérosol, crème, onguent, talc, solution
En vente libre ? Oui   **Générique disponible ?** Oui
Classe de médicaments : Antifongique topique

▼ GÉNÉRALITÉS

INDICATIONS
Traitement des infections fongiques de la peau. (Note : l'acide undécylénique a généralement été remplacé par des antifongiques topiques plus nouveaux et plus efficaces ; néanmoins, le médecin peut trouver avantageux de le prescrire dans certaines circonstances − par exemple si vous avez des antécédents de réaction allergique à d'autres antifongiques.)

MODE D'ACTION
L'acide undécylénique empêche la croissance et la reproduction des cellules fongiques.

▼ MODE D'EMPLOI

POSOLOGIE
Mousse et poudre en aérosol, onguent, talc ou solution : Appliquez sur la région affectée de la peau 2 fois par jour. Appliquez la poudre en aérosol et la vaporisation en aérosol à 10-15 cm (4-6 po) de la région affectée. On peut aussi mettre de la poudre dans les chaussures et les chaussettes. Appliqué sur les pieds, le talc doit être saupoudré entre les orteils, sur les pieds et dans les chaussures et les chaussettes. Crème : appliquez-la sur les régions affectées de la peau aussi souvent que c'est nécessaire.

DÉBUT D'ACTION
Inconnu.

DURÉE D'ACTION
Inconnue.

CONSEILS NUTRITIONNELS
Pas de restrictions spéciales.

MODE DE CONSERVATION
Dans un contenant étanche, à l'abri de la chaleur et de la lumière. Ne faites pas congeler les formes suivantes : aérosol, crème, onguent et solution liquide ; ne perforez pas, ne brisez pas et n'incinérez pas le contenant d'aérosol.

OUBLI D'UNE DOSE
Prenez-la dès que vous y pensez. S'il est presque l'heure de la suivante, sautez la dose oubliée et reprenez la fréquence normale. Ne doublez pas la dose suivante.

ARRÊT DE LA MÉDICATION
Effectuez le traitement au complet, tel qu'il vous a été prescrit, même si vous vous sentez mieux avant la fin. Un arrêt prématuré du traitement pourrait provoquer par la suite une infection fongique encore plus grave (appelée infection de rebond). En général, prolongez le traitement pendant 2 semaines après que les symptômes de brûlure, démangeaison et autres ont disparu.

USAGE PROLONGÉ
Si l'état de la peau ne s'améliore pas ou s'aggrave après 2 à 4 semaines de traitement, consultez le médecin.

▼ PRÉCAUTIONS

Plus de 60 ans. Il n'existe pas d'études comparées sur l'emploi de l'acide undécylénique chez les personnes âgées par rapport aux autres patients.

Conduite automobile, travaux dangereux. Pas de précautions spéciales.

Alcool. Pas de précautions spéciales.

Grossesse. L'acide undécylénique n'a pas semblé provoquer d'anomalies congénitales ni d'autres problèmes chez les humains.

Allaitement. L'acide undécylénique peut passer dans le lait maternel : la prudence s'impose. Demandez spécifiquement l'avis du médecin.

Nourrissons et enfants. Non recommandé pour les enfants de moins de 2 ans.

À surveiller. Évitez tout contact du médicament avec les yeux, le nez et la bouche. Pour prévenir toute récidive, le talc et les formes en aérosol peuvent être employés tous les jours après avoir pris un bain et vous être séché soigneusement. Ne les employez pas sur des lésions purulentes ni sur une peau gravement fendillée.

SURDOSAGE
Symptômes. Aucun symptôme spécifique n'a été signalé.

Quoi faire. Une surdose est peu probable. Néanmoins, si quelqu'un ingère le médicament, appelez immédiatement le médecin ou le centre antipoison, ou allez à l'urgence.

▼ INTERACTIONS

MÉDICAMENT-MÉDICAMENT
Demandez l'avis du médecin au sujet de tout médicament que vous appliquez, avec ou sans ordonnance, sur la région traitée.

MÉDICAMENT-ALIMENT
Aucune interaction connue.

MÉDICAMENT-MALADIE
Un traitement à l'acide undécylénique exige de la prudence. Demandez l'avis du médecin si vous avez toute autre affection de la peau.

EFFETS INDÉSIRABLES

GRAVES
Aucun effet indésirable grave n'a été signalé.

COURANTS
Aucun effet indésirable courant n'a été signalé.

MOINS COURANTS
Irritation de la peau non présente avant l'utilisation du médicament. Appelez le médecin sans tarder.

URSODIOL

Présentation : Gélules, comprimés
En vente libre ? Non **Générique disponible ?** Oui
Classe de médicaments : Agent litholytique

▼ GÉNÉRALITÉS

INDICATIONS
Pour dissoudre les lithiases (calculs) biliaires sans recourir à une ablation de la vésicule biliaire (cholécystectomie). L'ursodiol n'agit que si les calculs sont entièrement faits de cholestérol ; il agit mieux s'ils sont petits. L'ursodiol s'emploie aussi dans la maladie hépatique accompagnée d'une baisse de la sécrétion et du flux biliaires.

MODE D'ACTION
L'ursodiol est un acide biliaire naturel qui dissout en toute sécurité les calculs biliaires faits de cholestérol, en quelques mois ou en quelques années. La durée du traitement est proportionnelle à la taille des calculs ; les calculs multiples se dissolvent plus facilement qu'un seul gros calcul.

▼ MODE D'EMPLOI

POSOLOGIE
Adultes : 2 à 5 comprimés par jour, selon le poids du patient.

DÉBUT D'ACTION
Variable. Il faut compter de 6 mois à 2 ans pour que les calculs biliaires se dissolvent.

DURÉE D'ACTION
Tant qu'on continue de prendre le médicament.

CONSEILS NUTRITIONNELS
L'ursodiol doit être pris durant les repas ou immédiatement après.

MODE DE CONSERVATION
Dans un contenant étanche, à l'abri de la chaleur, de l'humidité et de la lumière.

OUBLI D'UNE DOSE
Prenez-la dès que vous y pensez ou doublez la dose suivante.

ARRÊT DE LA MÉDICATION
Effectuez le traitement au complet comme il vous a été prescrit.

USAGE PROLONGÉ
Un suivi médical est nécessaire en cas de traitement prolongé. Une exploration de la fonction hépatique (AST et ALT) doit être faite périodiquement. Le patient devra passer une échographie tous les 6 mois, la première année du traitement, pour vérifier sa réponse au traitement. Selon leur taille et leur composition, les calculs peuvent mettre de 6 mois à 2 ans à se dissoudre. Le traitement à l'ursodiol risque d'échouer si les calculs ne sont pas partiellement dis-

sous après 12 mois. Le traitement à l'ursodiol doit se prolonger pendant 3 mois après la dissolution des calculs.

▼ PRÉCAUTIONS

Plus de 60 ans. Pas de précautions spéciales.

Conduite automobile, travaux dangereux. L'ursodiol ne devrait pas vous empêcher d'exécuter de telles tâches en toute sécurité.

Alcool. Pas de précautions spéciales.

Grossesse. Il n'existe pas d'études concluantes sur les humains. Avant de prendre de l'ursodiol, prévenez le médecin si vous êtes enceinte ou voulez le devenir.

Allaitement. On ne sait pas si l'ursodiol passe dans le lait maternel : la prudence s'impose. Demandez spécifiquement l'avis du médecin.

Nourrissons et enfants. Innocuité et efficacité non établies.

À surveiller. Si vous avez une douleur importante dans l'abdomen ou l'estomac, surtout dans le haut du côté droit, ou si vous avez des nausées ou des vomissements, appelez immédiatement le médecin. Ces symptômes pourraient indiquer que vous avez d'autres troubles médicaux ou que votre vésicule biliaire exige une attention immédiate. Les calculs biliaires réapparaissent au bout de 5 ans chez la moité des patients ayant subi avec succès un traitement à l'ursodiol.

SURDOSAGE
Symptômes. Une surdose d'ursodiol est peu probable.

Quoi faire. Si la dose est beaucoup plus forte que celle prescrite, appelez le médecin ou le centre antipoison, ou allez à l'urgence.

▼ INTERACTIONS

MÉDICAMENT-MÉDICAMENT
Des interactions médicamenteuses sont possibles. La cholestyramine, le colestipol et les antiacides renfermant de l'aluminium peuvent entraver l'absorption de l'ursodiol dans l'intestin. Les œstrogènes, les contraceptifs oraux et le clofibrate (un hypocholestérolémiant) peuvent interagir avec l'ursodiol.

MÉDICAMENT-ALIMENT
Aucune interaction connue.

MÉDICAMENT-MALADIE
Un traitement à l'ursodiol est généralement contre-indiqué quand il existe une complication de la vésicule biliaire : obstruction biliaire, cholécystite (inflammation de la vésicule biliaire) ou pancréatite (inflammation du pancréas). Ces pathologies peuvent exiger une ablation de la vésicule biliaire, car les bienfaits de l'ursodiol mettraient trop de temps à se manifester.

 EFFETS INDÉSIRABLES

GRAVES
On n'a pas signalé d'effets indésirables graves.

COURANTS
On n'a pas signalé d'effets indésirables courants.

MOINS COURANTS
Diarrhée, rash cutané.

VACCIN – DIPHTÉRIE, TÉTANOS ET COQUELUCHE (DTC)

Présentation : Injection
En vente libre ? Non   **Générique disponible ?** Oui
Classe de médicaments : Agent d'immunisation active

▼ GÉNÉRALITÉS

INDICATIONS
Le vaccin DTC est un agent d'immunisation conjuguée, utilisé dans la prévention de trois maladies graves de l'enfance : la diphtérie, le tétanos et la coqueluche. La diphtérie peut provoquer des difficultés respiratoires, de la pneumonie, des troubles neurologiques, des problèmes cardiaques et même entraîner la mort. Le tétanos peut provoquer des spasmes musculaires graves. La coqueluche peut provoquer des quintes de toux aiguës qui nuisent à la respiration, mais elle peut aussi causer de la bronchite chronique, de la pneumonie, des convulsions, des troubles cérébraux et parfois même entraîner la mort.

MODE D'ACTION
Le vaccin DTC (anatoxines tétanique et diphtérique combinées à un vaccin anticoquelucheux) incite le système immunitaire à fabriquer des anticorps qui protègent l'organisme contre la diphtérie, le tétanos et la coqueluche.

▼ MODE D'EMPLOI

POSOLOGIE
Enfants de 2 mois à 7 ans : 3 doses de 0,5 ml injectées dans un muscle à intervalles de 4 à 8 semaines, suivies d'une quatrième dose de 0,5 ml injectée dans un muscle 1 an plus tard, soit à l'âge de 15 à 18 mois. Une cinquième dose (de rappel) peut être administrée à l'âge de 4 à 6 ans. Les patients de plus de 7 ans ne devraient pas recevoir un vaccin anticoquelucheux à agent entier.

DÉBUT D'ACTION
Inconnu.

DURÉE D'ACTION
Jusqu'à 10 ans.

CONSEILS NUTRITIONNELS
Pas de conseils spéciaux.

MODE DE CONSERVATION
Sans objet ; le vaccin est administré dans un centre de soins de santé.

OUBLI D'UNE DOSE
Appelez le pédiatre si votre enfant a sauté un vaccin.

ARRÊT DE LA MÉDICATION
Le schéma posologique doit être administré au complet, à moins qu'il ne survienne un problème médical.

USAGE PROLONGÉ
Pas de risques spéciaux.

▼ PRÉCAUTIONS

Plus de 60 ans. Ce vaccin ne leur est pas destiné.

Conduite automobile, travaux dangereux. Sans objet.

Alcool. Sans objet.

Grossesse. Ce vaccin n'est pas destiné aux femmes en âge d'avoir un enfant.

Allaitement. Ce vaccin n'est pas destiné aux femmes en âge d'avoir un enfant.

Nourrissons et enfants. Non recommandé aux enfants de plus de 7 ans.

À surveiller. Les patients de plus de 7 ans devraient recevoir l'anatoxine diphtérique et l'anatoxine tétanique, mais non le vaccin anticoquelucheux à agent entier. Les personnes d'âge mûr doivent recevoir des injections de rappel contre la diphtérie et le tétanos tous les 10 ans, durant toute leur vie. Le médecin vous conseillera peut-être d'administrer à l'enfant 1 ou plusieurs doses d'acétaminophène ou d'un autre médicament pour aider à prévenir la fièvre après l'administration du DTC : demandez spécifiquement l'avis du médecin. Le DTC ne devrait pas être administré à un enfant qui a déjà eu des réactions allergiques sérieuses à une vaccination au DTC.

SURDOSAGE
Symptômes. Sans objet.

Quoi faire. Aucun cas de surdosage n'a été signalé.

▼ INTERACTIONS

MÉDICAMENT-MÉDICAMENT
Il peut y avoir interaction avec certains types de médicaments. Demandez conseil au médecin si votre enfant prend un anticoagulant ou un immunosuppresseur. Le DTC peut être administré en même temps que d'autres vaccins, mais il ne devrait pas être donné 3 jours avant ou après le vaccin contre la grippe (influenza).

MÉDICAMENT-ALIMENT
Aucune interaction connue.

MÉDICAMENT-MALADIE
Consultez le médecin si l'enfant souffre des troubles suivants : maladie cérébrale, trouble du système nerveux central, épilepsie, fièvre, spasmes musculaires ou convulsions.

 EFFETS INDÉSIRABLES

GRAVES
Fièvre de 40,5 °C (105 °F) ou plus, convulsions, collapsus, respiration ou déglutition difficiles, urticaire, irritabilité anormale, perte temporaire de conscience ou de lucidité.

COURANTS
Fièvre entre 38 °C (100,4 °F) et 39 °C (102,2 °F), parfois avec perte d'appétit, somnolence, vomissements et agitation ; rougeur, enflure, masse dure, douleur ou sensibilité au point d'injection.

MOINS COURANTS
Fièvre entre 39 °C (102,2 °F) et 40 °C (104 °F) et rash cutané.

VACCIN – HAEMOPHILUS B

Présentation : Injection
En vente libre ? Non   **Générique disponible ?** Non
Classe de médicaments : Agent d'immunisation (vaccin conjugué)

▼ GÉNÉRALITÉS

INDICATIONS
Prévention de l'infection causée par la bactérie *H. influenzae* de type b (Haemophilus b) qui peut provoquer une méningite bactérienne chez les nourrissons et les jeunes enfants.

MODE D'ACTION
Avec le vaccin Haemophilus b, on introduit de petites quantités de la bactérie inactive de Haemophilus b dans l'organisme, incitant ainsi le système immunitaire à produire des anticorps contre la bactérie.

▼ MODE D'EMPLOI

POSOLOGIE
Le vaccin Haemophilus b est généralement administré aux enfants en même temps que d'autres vaccinations de routine. Programme courant de vaccination : à 2, 4 et 6 mois, avec un rappel à 18 mois. Enfants non vaccinés âgés de 7 à 11 mois : on donne une première dose, suivie d'une seconde dose 2 mois plus tard, et d'un rappel entre 15 et 18 mois (mais il faut qu'il se soit écoulé au moins 2 mois après la deuxième dose). Enfants non vaccinés âgés de 12 à 17 mois : on donne la première dose le plus tôt possible, suivie d'une dose additionnelle à l'âge de 18 mois ou plus tard (mais il faut qu'il se soit écoulé au moins 2 mois après la première dose). Enfants non vaccinés âgés de 18 à 59 mois : une seule dose le plus tôt possible.

DÉBUT D'ACTION
Après quelques jours, voire 1 semaine.

DURÉE D'ACTION
Des taux protecteurs d'anticorps sont encore présents chez les enfants de 3 ans.

CONSEILS NUTRITIONNELS
Pas de restrictions spéciales.

MODE DE CONSERVATION
Sans objet ; le vaccin est administré dans le bureau du médecin.

OUBLI D'UNE DOSE
Pour que le vaccin soit totalement efficace, les nourrissons devraient recevoir 2 doses et, s'il y a lieu, un rappel.

ARRÊT DE LA MÉDICATION
Sans objet.

USAGE PROLONGÉ
Sans objet.

▼ PRÉCAUTIONS

Plus de 60 ans. Sans objet ; le vaccin n'est administré qu'aux enfants.

Conduite automobile, travaux dangereux. Sans objet.

Alcool. Sans objet.

Grossesse. Il n'y a pas eu d'études. Le vaccin n'est pas recommandé aux personnes de plus de 6 ans.

Allaitement. Sans objet.

Nourrissons et enfants. L'innocuité et l'efficacité de ce vaccin ne sont pas connues chez les enfants de moins de 2 mois et de plus de 6 ans. Les enfants vaccinés avant l'âge de 12 mois ont besoin de recevoir un rappel.

À surveiller. Le vaccin n'est pas efficace contre les souches de *H. influenzae* autres que celles du type b. La vaccination n'entraîne pas la formation de taux protecteurs d'anticorps chez tous les enfants vaccinés. Une infection peut se déclarer au cours de la semaine qui suit la vaccination, le vaccin n'ayant pas commencer à exercer son effet protecteur. Lorsque la vaccination a lieu tout de suite après que l'enfant a été exposé à la bactérie, elle ne prévient pas l'infection. Le vaccin ne devrait pas être administré à un enfant qui a la fièvre ou une infection grave.

SURDOSAGE
Symptômes. Un surdosage est peu probable.

Quoi faire. Aucun cas de surdosage n'a été signalé.

▼ INTERACTIONS

MÉDICAMENT-MÉDICAMENT
Les enfants recevant des immunosuppresseurs peuvent être incapables de produire des taux satisfaisants d'anticorps.

MÉDICAMENT-ALIMENT
Aucune interaction connue.

MÉDICAMENT-MALADIE
Avertissez le médecin si le nourrisson ou l'enfant souffre de cancer ou d'immunodéficience.

▼ EFFETS INDÉSIRABLES

GRAVES
Réactions allergiques : déglutition difficile, peau rougie, démangeaisons, urticaire, narines, visage et yeux enflés, forte fièvre.

COURANTS
Douleur, rougeur et enflure au point d'injection, fièvre.

MOINS COURANTS
Diarrhée, vomissements, irritabilité, infection des voies respiratoires.

VACCIN – HÉPATITE A

Présentation : Injection
En vente libre ? Non   **Générique disponible ?** Non
Classe de médicaments : Agent d'immunisation active

▼ GÉNÉRALITÉS

INDICATIONS

Immunisation contre l'infection par le virus de l'hépatite A chez les sujets de plus de 1 an. Le vaccin est également recommandé aux personnes qui voyagent dans des pays où l'hygiène laisse à désirer, à celles qui vivent dans des régions à forte prévalence d'hépatite A ou qui ont l'intention de s'y installer, ainsi qu'à celles qui sont particulièrement exposées à contracter l'infection : personnel militaire, individus ayant des activités sexuelles à haut taux de risque comme les homosexuels, personnes faisant usage de drogues illégales, personnel infirmier, médical et paramédical, personnel des garderies, personnes en contact avec le virus de l'hépatite A dans des laboratoires ou avec des primates.

MODE D'ACTION

Le vaccin contre l'hépatite A stimule le système immunitaire à se protéger en produisant des anticorps contre le virus.

▼ MODE D'EMPLOI

POSOLOGIE

Toutes les doses sont administrées par des professionnels de la santé. La date du rappel varie selon la formulation utilisée. Adultes : 1 dose injectée dans un muscle du bras ; un rappel est administré 6 à 12 mois après la première dose. Enfants de 1 à 18 ans : 1 dose pédiatrique injectée dans un muscle ; un rappel est administré 6 à 18 mois plus tard.

DÉBUT D'ACTION

En 4 semaines.

DURÉE D'ACTION

Inconnue.

CONSEILS NUTRITIONNELS

Pas de restrictions spéciales.

MODE DE CONSERVATION

Sans objet ; le vaccin est administré dans un centre de soins de santé.

OUBLI D'UNE DOSE

Si vous oubliez d'aller recevoir une injection, communiquez avec le médecin.

ARRÊT DE LA MÉDICATION

Il faut prendre les deux injections, à moins de problèmes médicaux. Les deux injections sont nécessaires pour que l'immunisation soit adéquate.

USAGE PROLONGÉ

Sans objet.

▼ PRÉCAUTIONS

Plus de 60 ans. Le vaccin contre l'hépatite A n'est pas censé provoquer chez eux des effets indésirables différents ou plus graves que chez de jeunes patients. Néanmoins, chez les personnes de plus de 50 ans, les taux d'immunité peuvent être plus bas.

Conduite automobile, travaux dangereux. Le vaccin ne devrait pas vous empêcher d'exécuter de telles tâches en toute sécurité.

Alcool. Pas de précautions spéciales.

Grossesse. Il n'existe pas d'études pertinentes sur les humains. Avant de recevoir le vaccin contre l'hépatite A, dites au médecin que vous êtes enceinte ou voulez le devenir.

Allaitement. Aucun problème n'a été signalé chez le nourrisson, mais la prudence s'impose. Consultez le médecin.

Nourrissons et enfants. Non recommandé aux enfants de moins de 1 an. Aucun problème spécial n'est redouté pour les enfants de plus de 1 an.

SURDOSAGE
Symptômes. Sans objet.

Quoi faire. Aucun cas de surdosage n'a été signalé.

▼ INTERACTIONS

MÉDICAMENT-MÉDICAMENT
Aucune interaction médicamenteuse connue. Indiquez au médecin tous les médicaments que vous prenez avec ou sans ordonnance.

MÉDICAMENT-ALIMENT
Aucune interaction connue.

MÉDICAMENT-MALADIE
Consultez votre médecin si vous avez des saignements, si vous êtes immunodéprimé ou si vous avez toute autre maladie. La vaccination peut être différée pour les personnes souffrant de fièvre ou de maladie aiguë.

 EFFETS INDÉSIRABLES

GRAVES

Réaction allergique grave provoquant : déglutition ou respiration difficiles, peau rougie (surtout autour des oreilles), démangeaisons (particulièrement des mains ou des pieds), urticaire, fatigue grave et anormale, narines, visage et yeux enflés. Allez à l'urgence.

COURANTS

Douleur au point d'injection.

MOINS COURANTS

Fièvre, malaises généralisés, perte d'appétit, céphalées, nausées, sensibilité ou chaleur au point d'injection, douleurs articulaires ou musculaires, diarrhée, crampes ou douleurs à l'estomac, démangeaisons, enflure des ganglions aux aisselles ou dans le cou, vomissements, vergetures.

VACCIN – HÉPATITE A ET HÉPATITE B

Présentation : Injection
En vente libre ? Non **Générique disponible ?** Non
Classe de médicaments : Agent d'immunisation active (vaccin bivalent)

▼ GÉNÉRALITÉS

INDICATIONS
Prévention des infections causées par les virus de l'hépatite A et de l'hépatite B chez les individus vulnérables.

MODE D'ACTION
Le vaccin bivalent contre les hépatites A et B agit en introduisant de petites quantités de souches inactives du virus dans l'organisme, incitant ainsi le système immunitaire à se protéger en produisant des anticorps contre ces virus.

▼ MODE D'EMPLOI

POSOLOGIE
Toutes les doses sont administrées par des professionnels de la santé. L'immunisation comprend 3 injections. Adultes : première dose de 1 ml dans le bras (muscle deltoïde), suivie d'une deuxième dose, 1 mois plus tard et d'une troisième, 6 mois après la première. Enfants de 1 à 18 ans : une injection pédiatrique (0,5 ml) dans le bras, suivie d'une deuxième dose, 1 mois plus tard, et d'une troisième, 6 mois après la première.

DÉBUT D'ACTION
Inconnu. Généralement en moins de 15 jours.

DURÉE D'ACTION
Inconnue ; un rappel peut être nécessaire, 5 à 10 ans après la troisième injection. À ce moment-là, les vaccins contre l'hépatite A et l'hépatite B peuvent être administrés séparément.

CONSEILS NUTRITIONNELS
Pas de restrictions spéciales.

MODE DE CONSERVATION
Sans objet ; le vaccin est administré dans un centre de soins de santé.

OUBLI D'UNE DOSE
Si vous oubliez d'aller recevoir une injection, communiquez avec le médecin.

ARRÊT DE LA MÉDICATION
Il faut prendre les trois injections, à moins de problèmes médicaux. Les trois sont nécessaires pour que l'immunisation soit adéquate.

USAGE PROLONGÉ
Sans objet.

▼ PRÉCAUTIONS

Plus de 60 ans. Le vaccin n'est pas censé provoquer chez eux des effets indésirables différents ou plus graves que chez de jeunes patients. Néanmoins, chez les personnes de plus de 50 ans, les taux d'immunité peuvent être plus bas.

Conduite automobile, travaux dangereux. Le vaccin ne devrait pas vous empêcher d'exécuter de telles tâches en toute sécurité.

Alcool. Pas de précautions spéciales.

Grossesse. Il n'existe pas d'études pertinentes sur les humains. Néanmoins, on croit que les dangers pour le fœtus sont minimes. Avant de recevoir le vaccin, dites au médecin que vous êtes enceinte ou voulez le devenir.

Allaitement. Le vaccin peut passer dans le lait maternel : la prudence s'impose. Consultez le médecin.

Nourrissons et enfants. Aux doses pédiatriques recommandées, le vaccin ne provoque pas d'effets indésirables différents ou plus graves chez les nourrissons et les enfants que chez les autres patients. Il n'est pas recommandé aux enfants de moins de 1 an.

À surveiller. Il peut y avoir de petites quantités de néomycine dans le vaccin : la prudence est de mise chez les personnes qui sont allergiques à la néomycine. Le vaccin ne vous protège pas contre d'autres souches du virus de l'hépatite, comme l'hépatite C ou l'hépatite E. Les patients prenant des immunosuppresseurs ou les immunodéprimés peuvent être incapables de produire des taux satisfaisants d'anticorps. Le vaccin ne doit pas être administré aux personnes souffrant de fièvre ou d'infection grave.

SURDOSAGE
Symptômes. Sans objet.

Quoi faire. Aucun cas de surdosage n'a été signalé.

▼ INTERACTIONS

MÉDICAMENT-MÉDICAMENT
Des interactions médicamenteuses sont possibles. Indiquez au médecin tous les médicaments que vous prenez avec ou sans ordonnance.

MÉDICAMENT-ALIMENT
Aucune interaction connue.

MÉDICAMENT-MALADIE
Consultez votre médecin si vous avez des saignements, si vous êtes immunodéprimé ou si vous avez toute autre maladie modérée ou grave, avec ou sans fièvre.

 EFFETS INDÉSIRABLES

GRAVES
Réaction allergique grave provoquant : déglutition ou respiration difficiles, peau rougie (surtout autour des oreilles), démangeaisons (particulièrement des mains ou des pieds), urticaire, fatigue grave et anormale, narines, visage et yeux enflés. Allez à l'urgence. Vous devriez rester 30 minutes sous surveillance médicale après la vaccination.

COURANTS
Douleur au point d'injection.

MOINS COURANTS
Fièvre, céphalées, fatigue, nausées, vomissements.

VACCIN – HÉPATITE B

NOMS COMMERCIAUX

Engerix-B, Recombivax HB, Recombivax HB (pour adultes en dyalise)

Présentation : Injection
En vente libre ? Non   **Générique disponible ?** Non
Classe de médicaments : Agent d'immunisation (vaccin recombinant)

▼ GÉNÉRALITÉS

INDICATIONS
Immunisation contre l'infection causée par le virus de l'hépatite B.

MODE D'ACTION
Le vaccin contre l'hépatite B incite le système immunitaire à se protéger en fabriquant des anticorps.

▼ MODE D'EMPLOI

POSOLOGIE
Adultes de 20 ans et plus : une première dose de 10 µg (microgrammes) de Recombivax HB ou de 20 µg d'Engerix-B dans le bras (muscle deltoïde), suivie d'une deuxième dose 1 mois plus tard et d'une troisième, 6 mois après la première, soit 3 doses en tout. Adultes dialysés : une première dose de 40 µg de Recombivax HD, suivie d'une deuxième dose 1 mois plus tard et d'une troisième, 6 mois après la première ; certains patients peuvent recevoir la deuxième dose après 2 mois. Les patients dialysés recevant 4 doses utiliseront Engerix-B. Jeunes patients de 11 à 20 ans : une première dose de 5 µg de Recombivax HB ou de 10 µg d'Engerix-B dans le bras (muscle deltoïde), suivie d'une deuxième dose 1 mois plus tard et d'une troisième, 6 mois après la première, soit 3 doses en tout. Nourrissons et enfants de moins de 11 ans : une première dose de 2,5 µg de Recombivax HB ou de 10 µg d'Engerix-B, suivie d'une deuxième dose 1 mois plus tard et d'une troisième, 6 mois après la première, soit 3 doses en tout.

DÉBUT D'ACTION
Inconnu.

DURÉE D'ACTION
Inconnue.

CONSEILS NUTRITIONNELS
Pas de restrictions spéciales.

MODE DE CONSERVATION
Sans objet ; le vaccin est administré dans un centre de soins de santé.

OUBLI D'UNE DOSE
Si vous oubliez d'aller recevoir une injection, communiquez avec le médecin.

ARRÊT DE LA MÉDICATION
Il faut prendre les trois injections, à moins de problèmes médicaux. Elles sont toutes trois nécessaires pour que l'immunisation soit adéquate.

USAGE PROLONGÉ
Sans objet.

▼ PRÉCAUTIONS

Plus de 60 ans. Le vaccin contre l'hépatite B n'est pas censé provoquer chez eux des effets indésirables différents ou plus graves que chez de jeunes patients. Néanmoins, chez les personnes de plus de 50 ans, les taux d'immunité peuvent être plus bas.

Conduite automobile, travaux dangereux. Le vaccin contre l'hépatite B ne devrait pas vous empêcher d'exécuter de telles tâches en toute sécurité.

Alcool. Pas de précautions spéciales.

Grossesse. Il n'existe pas d'études pertinentes sur les humains. Néanmoins, on n'appréhende aucun problème durant la grossesse. Avant de recevoir le vaccin contre l'hépatite B, dites au médecin que vous êtes enceinte ou voulez le devenir.

Allaitement. Le vaccin contre l'hépatite B peut passer dans le lait maternel : la prudence s'impose. Informez-vous auprès du médecin.

Nourrissons et enfants. Aux doses recommandées, le vaccin contre l'hépatite B ne provoque pas d'effets indésirables différents ou plus graves chez les nourrissons et les enfants que chez les autres patients. Les études sur les doses à utiliser pour les patients dialysés n'ont été menées que sur des adultes. Demandez spécifiquement l'avis du pédiatre si votre enfant est sous dialyse.

SURDOSAGE
Symptômes. Sans objet.

Quoi faire. Aucun cas de surdosage n'a été signalé.

▼ INTERACTIONS

MÉDICAMENT-MÉDICAMENT
Des interactions médicamenteuses sont possibles. Indiquez au médecin tous les médicaments que vous prenez avec ou sans ordonnance.

MÉDICAMENT-ALIMENT
Aucune interaction connue.

MÉDICAMENT-MALADIE
Consultez votre médecin en cas de : maladie grave du cœur ou des poumons ; maladie quelconque, modérée ou grave, avec ou sans fièvre ; immunodéficience.

  EFFETS INDÉSIRABLES

GRAVES
Réaction allergique grave provoquant : déglutition ou respiration difficiles, peau rougie (surtout autour des oreilles), démangeaisons (particulièrement des mains ou des pieds), urticaire, fatigue grave et anormale, narines, visage et yeux enflés. Allez immédiatement à l'urgence.

COURANTS
Douleur au point d'injection.

MOINS COURANTS
Vertiges, fièvre, fatigue anormale, céphalée. Aussi sensibilité, chaleur, induration, enflure, douleur, démangeaisons ou tache mauve au point d'injection.

VACCIN – INFLUENZA

NOM COMMERCIAL

Fluzone

Présentation : Injection
En vente libre ? Non **Générique disponible ?** Non
Classe de médicaments : Agent d'immunisation active

▼ GÉNÉRALITÉS

INDICATIONS
Prévention de l'infection par le virus de l'influenza (grippe).

MODE D'ACTION
Le vaccin contre l'influenza introduit par injection dans l'organisme un virus mort (inactif) qui stimule le système immunitaire à produire des anticorps contre la maladie. Le virus utilisé pour le vaccin est toujours semblable à celui qui, selon les estimations de l'Organisation mondiale de la santé (OMS), est susceptible d'apparaître durant la saison grippale qui s'annonce : en effet, les souches d'influenza se modifiant d'une saison à l'autre et d'une année à l'autre.

▼ MODE D'EMPLOI

POSOLOGIE
Adultes et enfants de 9 ans et plus : 1 inoculation par an, dans le bras, habituellement au début de novembre.
Enfants de 6 mois à 9 ans : 1 ou 2 inoculations par an, dans la cuisse, habituellement au début de novembre.

DÉBUT D'ACTION
La plupart des patients deviennent immunisés en 2 à 4 semaines.

DURÉE D'ACTION
Inconnue. Les anticorps peuvent demeurer actifs contre une souche particulière de la grippe durant plusieurs années, mais ces anticorps ne seront efficaces que contre un virus grippal identique ou très semblable à celui qui a été inoculé au patient, lors du vaccin. Une souche différente peut être résistante à ces anticorps et donner lieu à une infection.

CONSEILS NUTRITIONNELS
Pas de restrictions spéciales.

MODE DE CONSERVATION
Sans objet ; le vaccin est inoculé dans un centre de soins de santé seulement.

OUBLI D'UNE DOSE
Sans objet.

ARRÊT DE LA MÉDICATION
Sans objet.

USAGE PROLONGÉ
Sans objet.

▼ PRÉCAUTIONS

Plus de 60 ans. Le vaccin contre l'influenza ne devrait pas provoquer dans cette catégorie d'âge d'effets indésirables différents ou plus graves. Néanmoins, l'immunité n'est pas aussi efficace chez les personnes âgées que chez les autres.

Conduite automobile, travaux dangereux. Le vaccin ne devrait pas vous empêcher d'exécuter de telles tâches en toute sécurité.

Alcool. Pas de précautions spéciales.

Grossesse. Le vaccin n'a pas semblé causer de problèmes aux femmes enceintes. Renseignez-vous auprès de votre médecin.

Allaitement. Le vaccin n'a pas semblé causer de problèmes chez les bébés nourris au sein. Demandez l'avis du médecin.

Nourrissons et enfants. Non recommandé pour les bébés de moins de 6 mois.

À surveiller. Pour diminuer le risque d'attraper la grippe, étudiez avec le médecin les mesures d'hygiène à prendre. Le vaccin n'agit pas contre toutes les souches d'influenza. La capacité qu'a le vaccin de stimuler le système immunitaire est modifiée par l'âge, par la présence d'autres maladies et par le recours à d'autres médicaments. Dans de telles circonstances, le vaccin contre la grippe peut être moins efficace. Avertissez sans faute le médecin si vous ou votre enfant êtes malades le jour de l'inoculation. Le médecin pourra décider de la reporter à une autre date.

SURDOSAGE
Symptômes. Une surdose du vaccin contre l'influenza est peu probable.

Quoi faire. Aucun cas de surdosage n'a été signalé.

▼ INTERACTIONS

MÉDICAMENT-MÉDICAMENT
D'autres médicaments peuvent interagir avec le vaccin. Informez le médecin des médicaments que vous prenez avec ou sans ordonnance.

MÉDICAMENT-ALIMENT
Aucune interaction connue.

MÉDICAMENT-MALADIE
Avisez le médecin si vous présentez l'un des troubles suivants : bronchite, pneumonie ou autres problèmes respiratoires, convulsions, allergies aux œufs ou aux antibiotiques.

≡ EFFETS INDÉSIRABLES ≡

GRAVES
Réaction allergique grave avec difficulté à avaler ou à respirer ; peau rougie, surtout autour des oreilles ; démangeaisons, surtout des mains et des pieds ; urticaire ; fatigue anormale et très importante ; enflure du visage, des yeux et des voies nasales.

COURANTS
Douleur, rougeur ou boule dure au point d'injection.

MOINS COURANTS
Fièvre, douleurs musculaires, malaise généralisé.

VACCIN – MALADIE DE LYME

Présentation : Injection
En vente libre ? Oui   **Générique disponible ?** Non
Classe de médicaments : Agent d'immunisation active (vaccin recombinant)

▼ GÉNÉRALITÉS

INDICATIONS

Pour l'immunisation active, et non le traitement, des personnes âgées de 15 à 70 ans contre la maladie de Lyme. L'immunisation est recommandée aux personnes qui vivent ou travaillent dans des régions herbeuses ou boisées infestées de tiques infectées à Borrelia burgdorferi (bactérie de la maladie de Lyme), ainsi qu'aux personnes qui prévoient voyager dans ces régions.

MODE D'ACTION

Le vaccin contre la maladie de Lyme stimule la production d'anticorps spécifiques dirigés contre une protéine de surface des tiques. Lorsque les tiques infectées mordent des sujets vaccinés, les anticorps entrent dans les tiques, attaquent B. burgdorferi, empêchant la transmission de la maladie.

▼ MODE D'EMPLOI

POSOLOGIE

Toutes les doses sont injectées par des professionnels de la santé. Adultes et adolescents : 1 dose injectée dans le muscle du bras. Des rappels sont donnés 1 mois

et 12 mois après le premier vaccin. Les trois injections sont requises pour que la protection soit optimale.

DÉBUT D'ACTION

Inconnu.

DURÉE D'ACTION

Inconnue.

CONSEILS NUTRITIONNELS

Pas de restrictions spéciales.

MODE DE CONSERVATION

À garder entre 2° et 8 °C (36° et 46 °F). Ne pas congeler.

OUBLI D'UNE DOSE

Si vous oubliez une injection, communiquez avec le médecin. Selon les centres de contrôle et de prévention de la maladie (CDC), si vous oubliez l'injection de rappel de 1 mois, prenez-la le plus tôt possible durant l'année. Les 3 injections doivent être reçus à l'intérieur de 1 an.

ARRÊT DE LA MÉDICATION

Il faut recevoir les trois injections pour que l'immunisation soit efficace. Prenez-les donc toutes les trois à moins de problème médical.

USAGE PROLONGÉ

On peut recommander d'administrer périodiquement des rappels.

≡ EFFETS INDÉSIRABLES ≡

GRAVES
Aucun effet indésirable grave n'a été signalé.

COURANTS
Sensibilité et rougeur au point d'injection.

MOINS COURANTS
Douleur musculaire, frissons, fièvre, symptômes de grippe.

▼ PRÉCAUTIONS

Plus de 60 ans. Le vaccin contre la maladie de Lyme ne devrait pas provoquer d'effets indésirables différents ou plus graves.

Conduite automobile, travaux dangereux. Le vaccin ne devrait pas vous empêcher d'exécuter de telles tâches en toute sécurité.

Alcool. Pas de précautions spéciales.

Grossesse. Il n'existe pas d'études pertinentes sur les femmes enceintes. Avant de recevoir le vaccin contre la maladie de Lyme, avisez le médecin que vous êtes enceinte ou voulez le devenir.

Allaitement. Le vaccin contre la maladie de Lyme peut passer dans le lait maternel : la prudence s'impose. Demandez l'avis du médecin.

Nourrissons et enfants. Non recommandé pour les enfants de moins de 15 ans. Aucun problème spécial à redouter pour les enfants de plus de 15 ans.

À surveiller. Une infection antérieure à B. burgdorferi ne vous immunise pas contre la maladie de Lyme. Comme il en est de tous les vaccins, celui de la maladie de Lyme peut ne pas immuniser tous les individus. Au cours des études cliniques, le vaccin s'est montré efficace dans environ 78 % des cas après l'administration des trois injections. Par ailleurs, on peut diminuer le risque d'être infecté par des tiques en portant un pantalon et une che-

mise à manches longues, en entrant le bas du pantalon dans ses chaussettes, en vaporisant ses vêtements d'insecticide, en se renseignant sur la nature des tiques en régions infestées et en enlevant les tiques qui s'attachent à soi.

SURDOSAGE

Symptômes. Sans objet.

Quoi faire. Aucun cas de surdosage n'a été signalé.

▼ INTERACTIONS

MÉDICAMENT-MÉDICAMENT

Aucune interaction n'a été signalée. Néanmoins, comme dans le cas de toute injection intramusculaire, le vaccin contre la maladie de Lyme ne devrait pas être administré aux personnes recevant des anticoagulants comme la warfarine, à moins que les bienfaits escomptés ne l'emportent sur les risques.

MÉDICAMENT-ALIMENT

Aucune interaction connue.

MÉDICAMENT-MALADIE

Aucune interaction connue. Néanmoins, comme dans le cas de toute injection intramusculaire, le vaccin contre la maladie de Lyme ne devrait pas être administré aux personnes souffrant de troubles de la coagulation du sang. L'innocuité du vaccin n'a pas été testée chez les personnes souffrant de complications articulaires ou neurologiques de la maladie de Lyme, de maladies accompagnées d'enflure chronique des articulations ou portant un stimulateur cardiaque.

VACCIN – PNEUMOCOQUE

Présentation : Injection
En vente libre ? Non **Générique disponible ?** Non
Classe de médicaments : Agent d'immunisation active

Pneumo 23,
Pneumovax 23,
Pnu-Immune 23

▼ GÉNÉRALITÉS

INDICATIONS
Prévention des infections par les pneumocoques, comme la pneumonie, la méningite et la bactériémie (infection bactérienne grave du sang).

MODE D'ACTION
Le vaccin pneumococcique (ou antipneumococcique polyvalent) incite le système immunitaire à produire des anticorps pour défendre l'organisme contre les bactéries.

▼ MODE D'EMPLOI

POSOLOGIE
Adultes et enfants de 2 ans et plus : 1 seule injection sous-cutanée ou intramusculaire dans le bras ou à mi-cuisse.

DÉBUT D'ACTION
En 2 à 3 semaines.

DURÉE D'ACTION
5 à 10 ans.

CONSEILS NUTRITIONNELS
Pas de restrictions spéciales.

MODE DE CONSERVATION
Sans objet ; le vaccin est administré dans un centre de soins de santé seulement.

OUBLI D'UNE DOSE
Sans objet.

ARRÊT DE LA MÉDICATION
Sans objet.

USAGE PROLONGÉ
Sans objet.

▼ PRÉCAUTIONS

Plus de 60 ans. Le vaccin pneumococcique est particulièrement recommandé aux plus de 65 ans et ne devrait pas provoquer des effets indésirables différents ni plus graves qu'il ne cause chez les autres patients.

Conduite automobile, travaux dangereux. À déconseiller tant que vous ne connaissez pas votre réaction à ce vaccin.

Alcool. Pas de précautions spéciales.

Grossesse. Il n'existe pas d'études sur les effets du vaccin pneumococcique sur les femmes enceintes. Néanmoins, il peut être administré au besoin seulement après les 3 premiers mois de la grossesse, mais devrait être limité aux femmes que leur état de santé rend vulnérables à l'infection ou plus susceptibles d'avoir des problèmes graves si elles contractaient une infection aux pneumocoques. Avant de recevoir le vaccin pneumococcique, avertissez le médecin que vous êtes enceinte ou voulez le devenir.

Allaitement. Le vaccin pneumococcique peut passer dans le lait maternel. Demandez spécifiquement l'avis du médecin.

Nourrissons et enfants. Ce vaccin n'est pas recommandé aux enfants de moins de 2 ans.

À surveiller. Si vous consultez plusieurs médecins, assurez-vous qu'ils savent tous que vous avez reçu ce vaccin. En règle générale, une seule injection suffit. Un rappel est recommandé aux personnes qui ont reçu le vaccin pneumococcique distribué entre 1977 et 1983 si elles présentent un risque élevé d'infection. Une injection de rappel, 3 à 5 ans après la première immunisation, peut être nécessaire aux enfants de moins de 10 ans qui sont aspléniques ou qui souffrent du syndrome néphrotique ou de drépanocytose.

SURDOSAGE
Symptômes. Une surdose de ce vaccin est peu probable.

Quoi faire. Aucun cas de surdosage n'a été signalé.

▼ INTERACTIONS

MÉDICAMENT-MÉDICAMENT
Divers médicaments peuvent entrer en interaction avec le vaccin pneumococcique. Faites connaître au médecin tous les médicaments que vous prenez avec ou sans ordonnance. Avertissez-le si vous avez déjà reçu un vaccin pneumococcique.

MÉDICAMENT-ALIMENT
Aucune interaction connue.

MÉDICAMENT-MALADIE
Avertissez le médecin si vous avez une maladie grave provoquant de la fièvre. Le vaccin doit être administré avec prudence aux patients qui reçoivent des anticoagulants. Ceux qui ont subi une chimiothérapie ou une radiothérapie intensives contre la maladie de Hodgkin ne devraient pas prendre ce vaccin.

EFFETS INDÉSIRABLES

GRAVES
Réaction allergique grave avec difficultés à avaler ou à respirer ; peau rougie, surtout autour des oreilles ; démangeaisons, particulièrement des mains ou des pieds ; urticaire ; fatigue anormale et grave ; enflure du visage, des yeux et des voies nasales ; fièvre dépassant 39 °C (102 °F).

COURANTS
Douleur, rougeur, enflure ou formation d'un nodule dur au point d'injection.

MOINS COURANTS
Fièvre, malaises ou douleurs articulaires ou musculaires, rash cutané, fatigue inhabituelle, sentiment général de maladie ou de malaise, ganglions enflés, céphalées.

VACCIN – POLIO

Présentation : Injection
En vente libre ? Non   **Générique disponible ?** Oui
Classe de médicaments : Agent d'immunisation

▼ GÉNÉRALITÉS

INDICATIONS
Prévention de la poliomyélite.

MODE D'ACTION
Le vaccin contre le poliovirus incite le système immunitaire à produire des anticorps pour défendre l'organisme contre le virus de la poliomyélite.

▼ MODE D'EMPLOI

POSOLOGIE
Le vaccin contre le virus de la poliomyélite n'est offert qu'en association avec d'autres vaccins. Le schéma habituel de vaccination est le suivant : première dose à l'âge de 8 semaines ; deuxième dose, 8 semaines plus tard ; troisième dose, 8 semaines après la deuxième ; quatrième dose, 12 mois après la troisième. Une injection de rappel est administrée au moment où l'enfant entre à l'école, soit généralement entre 4 et 6 ans. Il n'est pas nécessaire de pratiquer une vaccination de routine contre la poliomyélite pour les adultes vivant au Canada.

DÉBUT D'ACTION
En 7 à 10 jours.

DURÉE D'ACTION
Jusqu'à 12 ans.

CONSEILS NUTRITIONNELS
Pas de restrictions spéciales.

MODE DE CONSERVATION
Sans objet ; le vaccin est administré dans un centre de soins de santé seulement.

OUBLI D'UNE DOSE
Si l'enfant manque l'une des vaccinations, communiquez avec le médecin.

ARRÊT DE LA MÉDICATION
Toutes les injections doivent être administrées, à moins qu'il ne survienne un empêchement médical.

USAGE PROLONGÉ
Pas de risques connus.

▼ PRÉCAUTIONS

Plus de 60 ans. Le vaccin ne devrait pas provoquer chez eux des effets indésirables différents ou plus graves que chez les patients plus jeunes.

Conduite automobile, travaux dangereux. Pas de conseils spéciaux.

Alcool. Aucune mise en garde.

Grossesse. Le vaccin peut être administré durant la grossesse. Demandez spécifiquement l'avis du médecin.

Allaitement. On n'a pas signalé de problèmes imputables au vaccin contre le poliovirus durant l'allaitement. Demandez l'avis du médecin.

Nourrissons et enfants. Le vaccin n'est pas recommandé avant l'âge de 6 semaines.

À surveiller. Le vaccin contre la polio inactivé est recommandé aux adultes non vaccinés ou partiellement vaccinés qui sont exposés à la maladie, comme ceux qui voyagent dans des pays où la maladie n'a pas été maîtrisée, et ceux qui travaillent dans des laboratoires où sont manipulés des échantillons de poliovirus. Consultez le médecin.

SURDOSAGE
Symptômes. Une surdose est peu probable.

Quoi faire. Aucun cas de surdosage n'a été signalé.

▼ INTERACTIONS

MÉDICAMENT-MÉDICAMENT
Vous ne pouvez recevoir ce vaccin si vous avez déjà eu une réaction allergique à la streptomycine, à la polymyxine B ou à la néomycine.

MÉDICAMENT-ALIMENT
Aucune interaction connue.

MÉDICAMENT-MALADIE
Le vaccin contre le poliovirus peut se révéler moins efficace chez les patients dont le système immunitaire est déficient. Consultez le médecin.

≋ EFFETS INDÉSIRABLES ≋

GRAVES
Réaction allergique grave provoquant des difficultés à avaler ou à respirer ; peau rougie, surtout autour des oreilles ; démangeaisons, particulièrement des mains ou des pieds ; urticaire ; fatigue anormale et grave ; enflure du visage, des yeux et des voies nasales.

COURANTS
On ne connaît pas d'effets indésirables courants.

MOINS COURANTS
Effets liés à l'injection : fièvre, endolorissement, rash cutané, sensibilité ou douleur au point d'injection.

VACCIN – ROUGEOLE, OREILLONS, RUBÉOLE

Présentation : Injection
En vente libre ? Oui **Générique disponible ?** Non
Classe de médicaments : Agent d'immunisation (vaccin à virus vivants atténués)

▼ GÉNÉRALITÉS

INDICATIONS
Immunisation contre les virus de la rougeole, des oreillons et de la rubéole.

MODE D'ACTION
Le vaccin contre la rougeole, les oreillons et la rubéole introduit, par injection, dans l'organisme une dose atténuée de souches vivantes des virus, stimulant le système immunitaire à produire des anticorps qui protègent l'organisme contre ces mêmes virus.

▼ MODE D'EMPLOI

POSOLOGIE
La première dose, sous-cutanée, doit être administrée à l'âge de 12 à 15 mois. Une seconde dose doit être administrée entre soit 4 et 6 ans, soit 11 et 12 ans ; d'autres calendriers peuvent être choisis. Les adultes nés avant 1970 sont généralement considérés immunes à la rougeole et aux oreillons.

DÉBUT D'ACTION
La plupart des patients deviennent immunisés en 2 à 6 semaines.

DURÉE D'ACTION
Jusqu'à 11 ans ou davantage.

CONSEILS NUTRITIONNELS
Pas de restrictions spéciales.

MODE DE CONSERVATION
À garder entre 2° et 8 °C (36° et 46 °F), loin de la lumière.

OUBLI D'UNE DOSE
Si un enfant manque une injection, communiquez avec le médecin.

ARRÊT DE LA MÉDICATION
Le calendrier des injections doit être respecté à moins de problème médical.

USAGE PROLONGÉ
Aucun problème connu.

▼ PRÉCAUTIONS

Plus de 60 ans. Le vaccin contre la rougeole, les oreillons et la rubéole ne devrait pas provoquer d'effets indésirables différents ou plus graves.

Conduite automobile, travaux dangereux. Le vaccin ne devrait pas vous empêcher d'exécuter de telles tâches en toute sécurité.

Alcool. Pas de précautions spéciales.

Grossesse. En général, on devrait éviter de prendre le vaccin durant la grossesse. Avant de le recevoir, avertissez le médecin que vous êtes enceinte ou désirez le devenir. Un test de grossesse doit être administré avant la vaccination. Les femmes devraient se prémunir contre une grossesse durant les 3 mois suivant la vaccination.

Allaitement. Des composants du vaccin peuvent passer dans le lait maternel : la prudence s'impose. Demandez spécifiquement l'avis du médecin.

Nourrissons et enfants. Le vaccin contre la rougeole, les oreillons et la rubéole n'est pas recommandé pour les enfants de moins de 12 mois. La présence des anticorps de la mère dans l'organisme des bébés de moins de 12 mois peut empêcher le vaccin d'être efficace. Si un enfant reçoit le vaccin avant l'âge de 12 mois, on recommande de lui en administrer une autre dose entre 12 et 15 mois.

À surveiller. L'application d'une compresse chaude sur le point d'injection peut diminuer la rougeur et l'enflure. Ne recevez pas le vaccin dans les 3 mois suivant une perfu- sion d'immunoglobuline. Les médicaments immunosuppresseurs et les corticostéroïdes peuvent diminuer les effets du vaccin.

SURDOSAGE
Symptômes. Une surdose du vaccin contre la rougeole, les oreillons et la rubéole est improbable.

Quoi faire. Aucun cas de surdosage n'a été signalé.

▼ INTERACTIONS

MÉDICAMENT-MÉDICAMENT
D'autres médicaments peuvent entrer en interaction avec le vaccin contre la rougeole, les oreillons et la rubéole. Demandez l'avis du médecin sur tous les médicaments que vous prenez avec ou sans ordonnance.

MÉDICAMENT-ALIMENT
Aucune interaction connue.

MÉDICAMENT-MALADIE
Demandez l'avis du médecin en cas de : antécédents de déficit immunitaire, cancer, maladie du sang, tuberculose évolutive, réaction allergique aux œufs ou aux produits dérivés des œufs, réaction allergique à la néomycine.

 EFFETS INDÉSIRABLES

GRAVES
Réaction allergique grave avec difficultés à déglutir et à respirer ; peau rougie, surtout autour des oreilles ; démangeaisons, surtout des mains et des pieds ; urticaire ; fatigue grave ; enflure du visage, des yeux et des fosses nasales ; douleur ou sensibilité des yeux ; forte fièvre.

COURANTS
Sensation de brûlure ou de picotement au point d'injection, fièvre, rash cutané.

MOINS COURANTS
Léger mal de tête, mal de gorge, nausées, vomissements, diarrhée. Rougeur, démangeaison, enflure ou nodule au point d'injection ; malaise généralisé ; douleurs articulaires.

VACCIN – TÉTANOS

Présentation : Injection
En vente libre ? Non   **Générique disponible ?** Non
Classe de médicaments : Agent d'immunisation

▼ GÉNÉRALITÉS

INDICATIONS
Prévention, et non guérison du tétanos.

MODE D'ACTION
L'anatoxine tétanique incite le système immunitaire de l'organisme à produire des anticorps contre le tétanos.

▼ MODE D'EMPLOI

POSOLOGIE
Les injections sont données dans la partie supérieure du bras ou à mi-cuisse. Enfants de moins de 7 ans : le vaccin antitétanique est administré en même temps que d'autres vaccins pour enfants. Dans un schéma typique, il est donné à 2, 4, 6 et 18 mois et de nouveau à l'âge scolaire (4 à 6 ans). Adultes non immunisés : dose initiale à la première visite ; deuxième dose, 4 à 8 semaines plus tard ; troisième dose, 6 à 12 mois plus tard. (Des rappels doivent être administrés tous les 10 ans. En présence d'une plaie sale ou difficile à nettoyer, une injection de rappel peut être nécessaire s'il s'est écoulé plus de 5 ans depuis la dernière.)

DÉBUT D'ACTION
Dans la plupart des cas, l'immunité apparaît après la deuxième dose.

DURÉE D'ACTION
Jusqu'à 10 ans.

CONSEILS NUTRITIONNELS
Pas de conseils spéciaux.

MODE DE CONSERVATION
Sans objet ; le vaccin est administré dans un centre de soins de santé seulement.

OUBLI D'UNE DOSE
Si vous oubliez une dose, communiquez avec le médecin pour prendre un nouveau rendez-vous.

ARRÊT DE LA MÉDICATION
Suivez le schéma posologique au complet, à moins qu'un problème médical ne vous en empêche.

USAGE PROLONGÉ
Pas de risques connus.

EFFETS INDÉSIRABLES

GRAVES
Réaction allergique grave avec difficultés à avaler ou à respirer ; peau rouge, surtout autour des oreilles ; démangeaisons, surtout aux mains et aux pieds ; urticaire ; fatigue marquée et inhabituelle ; enflure du visage, des yeux ou des voies nasales.

COURANTS
Masse dure ou rougeur au point d'injection.

MOINS COURANTS
Fièvre, frissons, fatigue anormale, irritabilité ; rash cutané, douleur, démangeaisons, gonflement ou sensibilité au point d'injection.

▼ PRÉCAUTIONS

Plus de 60 ans. L'anatoxine tétanique ne devrait pas causer chez eux des effets différents ou plus graves qu'il n'en cause chez les jeunes patients. Le vaccin peut être un peu moins efficace. Les deux tiers des cas de tétanos signalés depuis quelques années ont frappé des personnes de 50 ans ou plus.

Conduite automobile, travaux dangereux. L'anatoxine tétanique ne devrait pas vous empêcher d'exécuter de telles tâches en toute sécurité.

Alcool. Pas de précautions spéciales.

Grossesse. Il n'existe pas d'études concluantes. Néanmoins, si la mère a été immunisée contre le tétanos, ses propres anticorps devraient protéger le nouveau-né à la naissance.

Allaitement. L'anatoxine tétanique n'a pas semblé causer de problèmes au nourrisson.

Nourrissons et enfants. Non recommandé aux enfants de moins de 6 semaines.

À surveiller. Quel que soit le degré d'immunisation du patient, les plaies sales doivent toujours être bien nettoyées et traitées.

SURDOSAGE
Symptômes. Aucun symptôme spécifique n'a été signalé.

Quoi faire. Si des symptômes inexpliqués se manifestent après une injection d'anatoxine tétanique, appelez le médecin ou allez à l'urgence.

▼ INTERACTIONS

MÉDICAMENT-MÉDICAMENT
Il peut se produire des interactions médicamenteuses. Demandez l'avis du médecin à l'égard de tous les médicaments que vous prenez avec ou sans ordonnance.

MÉDICAMENT-ALIMENT
Aucune interaction connue.

MÉDICAMENT-MALADIE
Consultez le médecin si vous avez eu une réaction aiguë ou une forte fièvre à la suite d'une injection précédente ou si vous avez les troubles suivants : pneumonie, bronchite ou autre maladie des poumons, toute maladie grave accompagnée de fièvre, troubles neurologiques ou antécédents de convulsions.

VACCIN – VARICELLE

Présentation : Injection
En vente libre ? Oui **Générique disponible ?** Non
Classe de médicaments : Agent d'immunisation (vaccin à virus vivant atténué)

▼ GÉNÉRALITÉS

INDICATIONS
Protection contre le virus de la varicelle.

MODE D'ACTION
Le vaccin contre la varicelle incite le système immunitaire du corps humain à fabriquer des anticorps contre la maladie.

▼ MODE D'EMPLOI

POSOLOGIE
Enfants de 12 mois à 12 ans : une seule dose (0,5 ml), administrée en même temps que les autres vaccinations de routine. Enfants de 13 ans et plus, et adultes : 2 doses (0,5 ml chacune) administrées à 4 à 8 semaines d'intervalle.

DÉBUT D'ACTION
Inconnu. La production d'anticorps contre la varicelle atteint son sommet 4 à 6 semaines après l'immunisation (après la seconde dose chez les adultes). On ne sait pas si le vaccin atténuera ou préviendra la maladie s'il est administré immédiatement après qu'une personne ait été exposée à la varicelle.

DURÉE D'ACTION
Inconnue. On estime actuellement que la protection contre la varicelle dure au moins 20 ans. On ne sait pas si un rappel est nécessaire pour que la protection s'étende au-delà de cette période.

CONSEILS NUTRITIONNELS
Pas de restrictions spéciales.

MODE DE CONSERVATION
Le transport du vaccin contre la varicelle, depuis la pharmacie jusqu'au bureau du médecin, doit se faire dans un sac isotherme ou une glacière munie d'un sac réfrigérant, pour que le vaccin se garde à une température de 2 °C à 8 °C (36 °F à 46 °F) jusqu'à son administration par le médecin.

OUBLI D'UNE DOSE
Si vous oubliez de recevoir une injection, communiquez avec le médecin.

ARRÊT DE LA MÉDICATION
Sans objet pour les enfants de moins de 12 ans. Enfants de 13 ans et plus (de même qu'adultes) : la seconde injection est essentielle à une immunisation adéquate.

USAGE PROLONGÉ
Aucun problème spécial n'est prévu.

▼ PRÉCAUTIONS

Plus de 60 ans. Le vaccin contre la varicelle n'est pas censé provoquer chez eux des effets indésirables différents ou plus graves que chez les patients plus jeunes.

Conduite automobile, travaux dangereux. Pas de précautions spéciales.

Alcool. Pas de précautions spéciales.

Grossesse. Le vaccin ne devrait pas être administré aux femmes enceintes ou à celles qui prévoient le devenir dans les 3 mois.

Allaitement. Le vaccin ne devrait pas être administré aux femmes qui allaitent.

Nourrissons et enfants. Le vaccin contre la varicelle n'est approuvé que pour les enfants de plus de 12 mois.

À surveiller. Le vaccin ne doit pas être administré si le patient a de la fièvre ou est malade, ou s'il est allergique à la néomycine. Durant au moins 6 semaines après l'immunisation, les personnes vaccinées doivent éviter d'avoir des contacts avec des femmes enceintes qui n'ont pas eu la varicelle, avec des nouveau-nés dont les mères n'ont pas eu la varicelle et avec des immunodéprimés. Environ 85 à 90 % des personnes qui ont reçu le vaccin sont protégées contre la varicelle. Si vous êtes vacciné, vous pouvez attraper la varicelle, mais la gravité des symptômes et de la maladie est nettement moindre à ce qu'elle serait si vous n'aviez pas été vacciné.

SURDOSAGE
Symptômes. Sans objet.

Quoi faire. Sans objet.

▼ INTERACTIONS

MÉDICAMENT-MÉDICAMENT
Il faut retarder d'au moins 5 mois la vaccination contre la varicelle après une transfusion de sang ou de plasma ou l'administration d'immunoglobuline. Les patients vaccinés ne doivent pas prendre de salicylates (AAS seul ou en association) durant les 6 semaines qui suivent la vaccination car on a rapporté des cas de syndrome de Reye à la suite de l'administration de salicylates chez des personnes qui avaient contracté la varicelle de façon naturelle. Toutes les personnes recevant des immunosuppresseurs ou des doses immunosuppressives de corticostéroïdes ne devraient pas recevoir le vaccin.

MÉDICAMENT-ALIMENT
Aucune interaction connue.

MÉDICAMENT-MALADIE
Demandez l'avis de votre médecin si vous avez reçu une transfusion sanguine ou si vous souffrez d'une maladie qui affaiblit le système immunitaire (VIH, sida, cancer) ou de tuberculose active.

  EFFETS INDÉSIRABLES

GRAVES
Réactions allergiques : déglutition difficile, peau rougie, démangeaisons, urticaire, narines, visage et yeux enflés.

COURANTS
Douleur et rougeur au point d'injection.

MOINS COURANTS
Fièvre (à traiter avec de l'acétaminophène), rash cutané bénin.

VALACYCLOVIR (CHLORHYDRATE DE)

Présentation : Comprimés
En vente libre ? Non **Générique disponible ?** Non
Classe de médicaments : Antiviral

▼ GÉNÉRALITÉS

INDICATIONS
Traitement du zona (herpès zoster). Aussi traitement et suppression des récidives d'herpès génital.

MODE D'ACTION
Le valacyclovir se convertit dans l'organisme en acyclovir qui inhibe l'activité des enzymes nécessaires à la réplication de l'ADN viral dans les cellules, empêchant ainsi le virus de se multiplier. Il ne guérit pas les infections herpétiques, mais en soulage les symptômes, accélère la cicatrisation des lésions et peut réduire la durée des douleurs persistantes (névralgie post-herpétique).

▼ MODE D'EMPLOI

POSOLOGIE
Zona : Adultes: 1 g (gramme), 3 fois par jour pendant 7 jours. Herpès génital récurrent : 500 mg 2 fois par jour pendant 5 jours. Prévention de la récurrence de l'herpès génital : 1 g 1 fois par jour. Chez les patients ayant 9 récidives ou moins par an : 500 mg 1 fois par jour.

DÉBUT D'ACTION
En 30 minutes.

DURÉE D'ACTION
Inconnue.

CONSEILS NUTRITIONNELS
Pas de restrictions spéciales.

MODE DE CONSERVATION
Dans un contenant étanche, à l'abri de la chaleur, de l'humidité et de la lumière.

OUBLI D'UNE DOSE
Prenez-la dès que vous y pensez. S'il est presque l'heure de la suivante, sautez la dose oubliée et revenez à la fréquence normale. Ne doublez pas la dose suivante.

ARRÊT DE LA MÉDICATION
La décision d'interrompre le traitement doit être prise en consultation avec le médecin.

USAGE PROLONGÉ
Une thérapie normale dure de 7 à 10 jours. Si elle doit être prolongée, il y a lieu de subir examens et analyses.

▼ PRÉCAUTIONS

Plus de 60 ans. Aucun risque connu quoiqu'il peut y avoir lieu de réduire les doses chez les patients ayant des antécédents d'insuffisance rénale.

Conduite automobile, travaux dangereux. Soyez prudent tant que vous ne connaissez pas votre réaction au médicament.

Alcool. Aucune précaution spéciale.

Grossesse. Il n'existe pas d'études sur les effets du valacyclovir chez les êtres humains durant la grossesse, mais aucune anomalie congénitale ni autres troubles n'ont été signalés. Avant de prendre ce médicament, avertissez le médecin que vous êtes enceinte ou souhaitez le devenir.

Allaitement. Le valacyclovir peut passer dans le lait maternel : on n'en connaît pas les risques pour le nourrisson ; aucun problème n'a été signalé. Demandez l'avis du médecin.

Nourrissons et enfants. L'innocuité et l'efficacité du médicament n'ont pas été établies.

À surveiller. Gardez les zones affectées par le zona ou l'herpès propres et sèches ; portez des vêtements amples pour éviter les irritations. Commencez le traitement dès que possible après l'apparition des symptômes, idéalement dans les 72 heures qui suivent. Ne prenez pas de valacyclovir si vous avez déjà eu des réactions allergiques aux antiviraux.

SURDOSAGE
Symptômes. Aucun cas n'a été signalé. Les symptômes d'une surdose ressembleraient à ceux d'une déficience rénale aiguë : sang dans l'urine, excrétion d'une petite quantité d'urine à la fois, enflure des chevilles, mains, visage et autres parties du corps, essoufflement, démangeaisons, fièvre et douleurs dans les flancs.

Quoi faire. Réclamez tout de suite de l'assistance médicale.

▼ INTERACTIONS

MÉDICAMENT-MÉDICAMENT
Avisez le médecin des médicaments que vous prenez avec ou sans ordonnance, en particulier la cimétidine ou le probénécide, qui ralentissent l'élimination du valacyclovir par les reins, augmentant les risques d'effets indésirables.

MÉDICAMENT-ALIMENT
Aucune interaction connue.

MÉDICAMENT-MALADIE
La prudence s'impose. Le valacyclovir peut entraîner des complications chez les patients souffrant de maladie rénale, car les reins contribuent à éliminer le médicament de l'organisme. Consultez le médecin si votre système immunitaire est affaibli, par exemple si vous êtes infecté par le virus de l'immunodéficience humaine (VIH) ou si vous prenez des immunosuppresseurs contre les risques de rejet après une greffe du rein ou de la moelle épinière. Les patients immunodéprimés qui prennent de fortes doses de valacyclovir peuvent avoir des effets indésirables aigus, parfois même mortels.

EFFETS INDÉSIRABLES

GRAVES
Un trouble rare et grave de saignement avec ecchymoses, points rouges sur la peau, sang dans l'urine, a été signalé chez des patients gravement immunodéprimés.

COURANTS
Céphalées, nausées.

MOINS COURANTS
Constipation ou diarrhée, manque d'appétit, vertiges, douleur à l'estomac, vomissements, fatigue inhabituelle.

VALPROÏQUE (ACIDE) (VALPROATE ; DIVALPROEX DE SODIUM)

Présentation : Gélules, comprimés à délitage entérique, sirop
En vente libre ? Non   **Générique disponible ?** Oui
Classe de médicaments : Anticonvulsivant

▼ GÉNÉRALITÉS

INDICATIONS
Maîtrise de certains types de convulsions dans le traitement de l'épilepsie et d'autres troubles. Traitement des épisodes de manie dans les troubles bipolaires.

MODE D'ACTION
L'acide valproïque semble inhiber l'activité de certaines parties du cerveau et entraver les décharges anormales de neurones, qui sont cause de convulsions.

▼ MODE D'EMPLOI

POSOLOGIE
Épilepsie : 15 mg par kilogramme (2,2 lb) de poids, par jour, en doses fractionnées. Le médecin peut augmenter graduellement la posologie pour obtenir le meilleur effet thérapeutique avec le moins d'effets indésirables possible.

Manie aiguë : 250 mg, 3 fois par jour.

DÉBUT D'ACTION
En plusieurs heures.

DURÉE D'ACTION
L'effet thérapeutique maximal dure 12 heures ou plus, puis décroît peu à peu.

CONSEILS NUTRITIONNELS
À prendre avec des aliments contre les dérangements d'estomac. Le sirop peut se prendre avec une boisson, mais évitez les sodas : les deux ensemble peuvent irriter la bouche et la gorge.

MODE DE CONSERVATION
Dans un contenant étanche, à l'abri de la chaleur, de l'humidité et de la lumière. Ne faites pas congeler le sirop.

OUBLI D'UNE DOSE
Prenez-la dès que vous y pensez. S'il est presque l'heure de la suivante, sautez la dose oubliée et reprenez la fréquence normale. Ne doublez pas la dose suivante sans l'approbation du médecin.

ARRÊT DE LA MÉDICATION
L'arrêt brutal du médicament peut entraîner des convulsions. Le médecin réduira graduellement la posologie sur plusieurs semaines.

USAGE PROLONGÉ
Un suivi médical, avec analyses, est conseillé en cas d'usage prolongé.

▼ PRÉCAUTIONS

Plus de 60 ans. Il peut y avoir lieu de réduire les doses pour atténuer les effets indésirables.

Conduite automobile, travaux dangereux. À déconseiller tant que vous ne connaissez pas votre réaction au médicament : l'acide valproïque peut provoquer somnolence et vertiges.

Alcool. Peut entraîner une somnolence excessive.

Grossesse. L'acide valproïque augmente les risques d'anomalies congénitales, mais les convulsions augmentent aussi les risques pour le fœtus. Évaluez avec le médecin les avantages de la médication par rapport à ses dangers. Des suppléments de folate sont conseillés 1 ou 2 mois avant la conception et durant toute la grossesse.

Allaitement. L'acide valproïque passe dans le lait maternel. Demandez conseil à votre médecin avant d'allaiter dans les circonstances.

Nourrissons et enfants. Risques de réactions indésirables plus fréquentes et plus graves chez les enfants.

À surveiller. Le médecin peut vous suggérer de porter une carte ou un bracelet signalant que vous prenez de l'acide valproïque.

SURDOSAGE
Symptômes. Agitation motrice, somnolence, hallucinations, tremblements des bras et des mains, perte de conscience.

Quoi faire. Appelez aussitôt le médecin ou le centre antipoison, ou allez à l'urgence.

▼ INTERACTIONS

MÉDICAMENT-MÉDICAMENT
Les interactions médicamenteuses sont nombreuses et incluent les médicaments suivants : autres anticonvulsivants (carbamazépine, clonazépam, éthosuximide, felbamate, lamotrigine, phénobarbital, phénytoïne, primidone), antiacides, AAS et autres AINS, barbituriques, cholestyramine, halopéridol, héparine, isoniazide, loxapine, inhibiteurs de la monoamine oxydase (IMAO), maprotiline, antidépresseurs tricycliques et warfarine.

MÉDICAMENT-ALIMENT
Aucune interaction connue.

MÉDICAMENT-MALADIE
La prudence s'impose si vous avez des antécédents de maladies du sang, du cerveau, des reins ou du foie.

 EFFETS INDÉSIRABLES

GRAVES
Douleur abdominale et vomissements graves, faiblesse musculaire et léthargie, jaunissement de la peau ou des yeux, enflure du visage, ecchymoses ou saignements anormaux, convulsions : signes possibles d'une insuffisance hépatique ou d'autres complications pouvant être fatales.

COURANTS
Nausées et vomissements, aigreurs d'estomac, diarrhée, crampes, perte d'appétit et de poids, augmentation de l'appétit et du poids, chute de cheveux, tremblement, vertiges, maladresse ou manque d'équilibre, confusion, sédation.

MOINS COURANTS
Somnolence, agitation motrice, constipation, surexcitation, rash cutané, céphalées, vue brouillée ou double, irritabilité ou autres changements d'humeur. Il y en a beaucoup d'autres : consultez le médecin si une réaction indésirable ou non habituelle vous inquiète.

VALSARTAN

Présentation : Gélules
En vente libre ? Non   **Générique disponible ?** Non
Classe de médicaments : Antihypertenseur/antagoniste des récepteurs de l'angiotensine II

▼ GÉNÉRALITÉS

INDICATIONS
Traitement de l'hypertension. Le médicament semble avoir les mêmes avantages que les antihypertenseurs appelés « inhibiteurs de l'ECA », sans provoquer l'effet indésirable courant de toux sèche, présent chez 30 p. cent des patients. Le valsartan peut être utilisé seul ou en association à d'autres antihypertenseurs.

MODE D'ACTION
Le valsartan bloque les effets de l'angiotensine II, substance naturellement présente dans l'organisme qui provoque la constriction des vaisseaux sanguins. Le valsartan entraîne leur dilatation, diminuant ainsi la tension artérielle et le travail cardiaque.

▼ MODE D'EMPLOI

POSOLOGIE
Au début, 80 mg, 1 fois par jour. La posologie peut être augmentée par le médecin jusqu'à 160 mg par jour.

DÉBUT D'ACTION
En 2 à 4 semaines.

DURÉE D'ACTION
Inconnue.

CONSEILS NUTRITIONNELS
Adoptez le régime alimentaire pauvre en sel, en gras et en cholestérol que le médecin vous conseille pour mieux maîtriser l'hypertension et prévenir la maladie cardiaque.

MODE DE CONSERVATION
Dans un contenant étanche, à l'abri de la chaleur, de l'humidité et de la lumière.

OUBLI D'UNE DOSE.
Prenez-la dès que vous y pensez. S'il est presque l'heure de la suivante, sautez la dose oubliée et reprenez la fréquence normale. Ne doublez pas la dose suivante.

ARRÊT DE LA MÉDICATION
Suivez le traitement au complet, tel que prescrit. La décision de l'interrompre doit être prise en consultation avec le médecin.

USAGE PROLONGÉ
Le traitement peut durer à vie, mais si vous modifiez vos habitudes (plus d'exercice, perte de poids), il est possible de réduire la posologie sous surveillance médicale.

▼ PRÉCAUTIONS

Plus de 60 ans. Pas de risques connus.

Conduite automobile, travaux dangereux. À déconseiller tant que vous ne connaissez pas votre réaction au médicament.

Alcool. Pas de précautions spéciales.

Grossesse. Le valsartan est semblable à une classe de médicaments qui, pris durant le deuxième ou le troisième trimestre de la grossesse, ont été nocifs pour le fœtus. Comme il y a des médicaments moins dangereux et plus efficaces pour abaisser la tension artérielle durant la grossesse et qu'il n'existe pas d'études concluantes sur l'administration de valsartan durant la grossesse, les femmes enceintes ou qui prévoient le devenir ne devraient pas en prendre.

Allaitement. Le valsartan peut passer dans le lait maternel : la prudence s'impose. Demandez l'avis du médecin.

Nourrissons et enfants. Innocuité et efficacité non établies.

À surveiller. Le valsartan peut provoquer vertiges ou étourdissements, notables aux changements de position, qui peuvent causer évanouissements, chutes et blessures. Étendez-vous ou asseyez-vous aussitôt. Cet effet indésirable peut être accentué par l'alcool, le temps chaud, la déshydratation, la fièvre, une station debout ou assise prolongée ou l'exercice physique.

SURDOSAGE
Symptômes. Évanouissement, vertiges, pouls faible qui peut être très lent ou très rapide, nausées, vomissements, confusion, douleur thoracique.

Quoi faire. Il est peu probable qu'une surdose de valsartan mette votre vie en danger. Mais si la dose est beaucoup plus forte que celle prescrite, appelez aussitôt le médecin ou le centre anti-poison, ou allez à l'urgence.

▼ INTERACTIONS

MÉDICAMENT-MÉDICAMENT
Consultez le médecin si vous prenez tout autre médicament, y compris d'autres hypertenseurs. Le valsartan peut être associé à des diurétiques ou à d'autres antihypertenseurs, si le médecin l'autorise.

MÉDICAMENT-ALIMENT
Aucune interaction connue.

MÉDICAMENT-MALADIE
Le valsartan exige de la prudence. Il peut provoquer des complications chez les patients affligés d'une maladie du foie ou des reins, car ces organes contribuent ensemble à éliminer le médicament de l'organisme.

  EFFETS INDÉSIRABLES

GRAVES
On n'a pas rapporté d'effets indésirables graves.

COURANTS
On n'a pas rapporté d'effets indésirables courants.

MOINS COURANTS
Céphalées, vertiges, infection des voies respiratoires supérieures, toux, diarrhée, rhinite, sinusite, nausées, infection virale, douleur abdominale, fatigue, œdème, douleurs articulaires, palpitations, rash cutané, constipation, sécheresse de la bouche, flatulence, anxiété, insomnie, dysfonction érectile (impuissance).

VALSARTAN/HYDROCHLOROTHIAZIDE

Présentation : Comprimés
En vente libre ? Non   **Générique disponible ?** Non
Classe de médicaments : Antihypertenseur/antagoniste des récepteurs de l'angiotensine II ; diurétique thiazidique

▼ GÉNÉRALITÉS

INDICATIONS
Traitement de l'hypertension. Le valsartan semble avoir les mêmes avantages que les antihypertenseurs appelés « inhibiteurs de l'ECA », sans provoquer l'effet indésirable courant de toux sèche, présent chez 30 p. cent des patients. Cette association médicamenteuse n'est pas prescrite en traitement initial de l'hypertension.

MODE D'ACTION
Le médicament associe un antagoniste des récepteurs de l'angiotensine II (le valsartan) et un diurétique thiazidique (l'hydrochlorothiazide). Le valsartan bloque les effets de l'angiotensine II, substance naturelle qui provoque la constriction des vaisseaux sanguins. Le valsartan se trouve à entraîner ainsi leur dilatation, ce qui diminue la tension artérielle et le travail cardiaque. L'hydrochlorothiazide (HCTZ) augmente l'excrétion de sel et d'eau dans l'urine. En réduisant le volume hydrique total de l'organisme, il diminue celui du sang et réduit la pression à l'intérieur des vaisseaux sanguins.

▼ MODE D'EMPLOI

POSOLOGIE
Dose d'attaque : 1 comprimé contenant 80 mg de valsartan et 12,5 mg de HCTZ, 1 fois par jour. La posologie peut être augmentée par le médecin, mais sans dépasser 2 de ces comprimés, ou 1 comprimé renfermant 160 mg de valsartan et 12,5 mg de HCTZ, 1 fois par jour.

DÉBUT D'ACTION
Valsartan : en 2 à 4 semaines.
HCTZ : en 2 à 4 heures.

DURÉE D'ACTION
Valsartan : inconnue.
HCTZ : 6 à 12 heures.

CONSEILS NUTRITIONNELS
Peut se prendre avec des aliments pour éviter les dérangements d'estomac.

MODE DE CONSERVATION
Dans un contenant étanche, à l'abri de la chaleur, de l'humidité et de la lumière.

OUBLI D'UNE DOSE.
Si un jour vous oubliez de prendre la dose, ne doublez pas celle du lendemain.

ARRÊT DE LA MÉDICATION
La décision doit être prise en consultation avec le médecin.

EFFETS INDÉSIRABLES

GRAVES
Il n'y a pas d'effets indésirables graves.

COURANTS
Vertiges, fatigue, céphalées.

MOINS COURANTS
Infection virale, mal de gorge, toux, diarrhée.

USAGE PROLONGÉ
Le traitement peut être à vie.

▼ PRÉCAUTIONS

Plus de 60 ans. Pas de risques connus.

Conduite automobile, travaux dangereux. Soyez prudent tant que vous ne connaissez pas votre réaction au médicament.

Alcool. Pas de précautions spéciales.

Grossesse. Comme il y a des médicaments moins dangereux et plus efficaces pour abaisser la tension artérielle durant la grossesse et qu'il n'existe pas d'études concluantes sur l'administration de ce médicament durant la grossesse, les femmes enceintes ou qui prévoient le devenir ne devraient pas en prendre, sauf sur la recommandation du médecin.

Allaitement. Compte tenu des effets indésirables possibles pour le nourrisson, évaluez avec le médecin les bienfaits et les risques du médicament.

Nourrissons et enfants. Innocuité et efficacité non établies.

À surveiller. Le valsartan peut provoquer vertiges ou étourdissements, notables aux changements de position, qui peuvent causer évanouissements, chutes et blessures. Étendez-vous ou asseyez-vous aussitôt. Cet effet indésirable peut être accentué par l'alcool, le temps chaud, la déshydratation, la fièvre, une station debout ou assise prolongée ou l'exercice physique. Le médicament peut aussi provoquer une déperdition de potassium. Néanmoins, ne consommez pas d'aliments riches en potassium, de succédanés du sel ou de suppléments de potassium sans consulter votre médecin.

SURDOSAGE
Symptômes. Peu de cas de surdosage ont été signalés. Les symptômes incluraient : évanouissement, léthargie, vertiges, somnolence, pouls faible pouvant être très lent ou très rapide, nausées, vomissements, confusion, douleur thoracique.

Quoi faire. Appelez aussitôt le médecin ou le centre antipoison, ou allez à l'urgence.

▼ INTERACTIONS

MÉDICAMENT-MÉDICAMENT
Demandez l'avis du médecin si vous prenez : anticoagulants, cholestyramine, colestipol, antidiabétiques, anti-inflammatoires non stéroïdiens, digitaliques, insuline, narcotiques, lithium.

MÉDICAMENT-ALIMENT
Aucune interaction connue.

MÉDICAMENT-MALADIE
Consultez le médecin en cas de diabète, goutte, lupus, pancréatite, maladie du cœur ou de la circulation. Le médicament doit être utilisé avec prudence chez les patients qui ont une maladie du foie ou des reins modérée à grave.

VANCOMYCINE

Présentation : Gélules, injection
En vente libre ? Non   **Générique disponible ?** Oui
Classe de médicaments : Antibiotique

▼ GÉNÉRALITÉS

INDICATIONS
Traitement des infections bactériennes graves comme la colite (infection et inflammation du côlon). S'administre avant des interventions chirurgicales ou dentaires pour prévenir l'endocardite bactérienne chez les patients vulnérables (par exemple, ayant des antécédents de fièvre rhumatismale ou portant des prothèses valvulaires) et qui sont allergiques à la pénicilline.

MODE D'ACTION
La vancomycine tue les bactéries et inhibe leur croissance en entravant la synthèse de leur paroi cellulaire.

▼ MODE D'EMPLOI

POSOLOGIE
Infections bactériennes – Gélules : Adultes et adolescents : 125 à 500 mg, 3 ou 4 fois par jour pendant 7 à 10 jours. Enfants : 40 mg par kilogramme (2,2 lb) de poids, par jour, en 3 ou 4 doses fractionnées, pendant 7 à 10 jours. Injection : Adultes et adolescents : 1 000 mg, 2 fois par jour, ou 500 mg, 4 fois par jour. Enfants et nourrissons : consultez le pédiatre. Prévention de l'endocardite bactérienne – Injection : Adultes et adolescents : 1 000 mg, 1 heure avant l'intervention chirurgicale ou dentaire, puis 1 000 mg, 8 heures plus tard. Enfants : 20 mg par kilogramme de poids, 1 heure avant l'intervention chirurgicale ou dentaire, puis 20 mg par kilo, 8 heures plus tard.

DÉBUT D'ACTION
Inconnu.

DURÉE D'ACTION
Inconnue.

CONSEILS NUTRITIONNELS
Pas de restrictions spéciales.

MODE DE CONSERVATION
Dans un contenant étanche, à l'abri de la chaleur, de l'humidité et de la lumière. Réfrigérez les formes liquides, mais ne les faites pas congeler.

OUBLI D'UNE DOSE
Prenez-la dès que vous y pensez. S'il est presque l'heure de la suivante, sautez la dose oubliée et reprenez la fréquence normale. Ne doublez pas la dose suivante.

ARRÊT DE LA MÉDICATION
Effectuez le traitement au complet, comme il vous a été prescrit, même si vous vous sentez mieux avant la fin.

USAGE PROLONGÉ
Si, après quelques jours, les symptômes ne régressent pas ou s'aggravent, voyez le médecin.

▼ PRÉCAUTIONS

Plus de 60 ans. Risques de réactions indésirables plus fréquentes et plus graves.

Conduite automobile, travaux dangereux. Pas de précautions spéciales.

Alcool. Pas de risques connus. Il est préférable cependant de ne pas consommer d'alcool quand on combat une infection.

Grossesse. Il n'existe pas d'études concluantes sur l'emploi de la vancomycine durant la grossesse, mais on ne s'attend à aucun problème. Avant d'en prendre, dites au médecin que vous êtes enceinte ou voulez le devenir.

Allaitement. La vancomycine passe dans le lait maternel : la prudence s'impose. Demandez l'avis du médecin.

Nourrissons et enfants. Consultez le médecin sur les bienfaits et les dangers du médicament pour les enfants.

À surveiller. Si vous prenez de la vancomycine pour combattre la diarrhée provoquée par d'autres antibiotiques, ne prenez aucun autre antidiarrhéique sans consulter le médecin.

SURDOSAGE
Symptômes. Perte d'acuité auditive, bourdonnements d'oreilles, vertiges.

Quoi faire. Appelez aussitôt le médecin ou le centre antipoison, ou allez à l'urgence.

▼ INTERACTIONS

MÉDICAMENT-MÉDICAMENT
Des interactions sont possibles. Consultez spécifiquement le médecin si vous prenez : cholestyramine, colestipol (avec les formes orales de vancomycine), aminosides, amphotéricine B, bacitracine, bumétanide, capréomycine, cisplatine, cyclosporine, acide éthacrynique, furosémide, paromomycine, polymixine, streptozocine.

MÉDICAMENT-ALIMENT
Aucune interaction connue.

MÉDICAMENT-MALADIE
Consultez le médecin si vous avez des antécédents de maladie rénale, affections inflammatoires intestinales ou perte d'acuité auditive.

EFFETS INDÉSIRABLES

GRAVES
Rash cutané (avec les formes orales) ; modification de la fréquence des mictions et du débit urinaire ; difficultés respiratoires ; somnolence ; soif inhabituelle ; perte d'appétit ; faiblesse ; perte d'acuité auditive ; tintements ou bourdonnements d'oreilles ; fièvre et frissons ; tachycardie ; évanouissement ; nausées ou vomissements ; démangeaisons ; rougeur du visage, du cou, du haut du dos et des bras ; fourmillements ; arrière-goût désagréable.

COURANTS
Arrière-goût amer ou désagréable, irritation de la bouche, rougeur au point d'injection.

MOINS COURANTS
On ne connaît pas d'effets indésirables moins courants.

VASOPRESSINE

Présentation : Injection, vaporisation nasale
En vente libre ? Non **Générique disponible ?** Oui
Classe de médicaments : Hormone antidiurétique

▼ GÉNÉRALITÉS

INDICATIONS

Traitement du diabète insipide, pathologie assez rare, caractérisée par une déplétion excessive d'eau dans l'urine pouvant amener de la déshydratation. La vasopressine n'est généralement prescrite que pour une courte durée et a été remplacée dans la majorité des cas par un analogue de longue durée, le DDAVP (acétate de desmopressine).

MODE D'ACTION

La vasopressine est une hormone de la fonction rénale. Elle augmente la réabsorption de l'eau avant son excrétion dans l'urine et aide à maintenir dans le corps un juste équilibre hydroélectrolytique.

▼ MODE D'EMPLOI

POSOLOGIE

Injection sous-cutanée – Adultes : 5 à 10 unités, 2 ou 3 fois par jour. Enfants : consultez le pédiatre. Vaporisation nasale – Adultes ou enfants : à vaporiser dans une narine selon les directives du médecin.

DÉBUT D'ACTION

En 1 heure.

DURÉE D'ACTION

6 à 8 heures.

CONSEILS NUTRITIONNELS

À prendre à l'heure des repas ou entre les repas. Avalez 1 ou 2 verres d'eau pour prévenir nausées, décoloration de la peau et crampes abdominales.

MODE DE CONSERVATION

Dans un contenant étanche, à l'abri de la chaleur et de la lumière.

OUBLI D'UNE DOSE

Prenez-la dès que vous y pensez. S'il est presque l'heure de la suivante, sautez la dose oubliée et reprenez la fréquence normale. Ne doublez pas la dose suivante.

ARRÊT DE LA MÉDICATION

Cette décision doit être prise par le médecin.

USAGE PROLONGÉ

Aucun problème ne semble associé à un usage prolongé de la vasopressine.

▼ PRÉCAUTIONS

Plus de 60 ans. Risques de réactions indésirables plus fréquentes et plus graves.

Conduite automobile, travaux dangereux. À déconseiller tant que vous ne connaissez pas votre réaction au médicament.

Alcool. À consommer avec modération.

Grossesse. La vasopressine n'a pas semblé provoquer d'anomalies congénitales ou d'autres problèmes chez les humains. Il n'existe pas d'études sur les animaux et les humains. Avant d'en prendre, dites au médecin que vous êtes enceinte ou voulez le devenir.

Allaitement. La vasopressine n'a pas semblé nuire au nourrisson. Consultez le médecin si vous allaitez.

Nourrissons et enfants. Risques de réactions indésirables plus fréquentes et plus graves chez les moins de 18 ans.

À surveiller. Électrocardiogrammes et épreuves de laboratoire sur l'état hydrique du patient doivent être pratiqués périodiquement durant un traitement à la vasopressine. Avertissez le médecin si vous êtes allergique à des agents de conservation ou à des teintures. La vasopressine peut aggraver les migraines.

SURDOSAGE

Symptômes. Somnolence, agitation, céphalées, confusion, incapacité d'uriner, gain de poids inattendu ou rétention hydrique.

Quoi faire. Il est peu probable qu'une surdose de vasopressine mette votre vie en danger, mais elle peut provoquer une rétention excessive d'eau (intoxication hydrique) et des spasmes des vaisseaux sanguins. Si la dose est beaucoup plus forte que celle prescrite, appelez immédiatement le médecin ou le centre antipoison ou allez à l'urgence.

▼ INTERACTIONS

MÉDICAMENT-MÉDICAMENT

Demandez l'avis du médecin si vous prenez : carbamazépine, chlorpropamide, déméclocycline, éthanol, fludrocortisone, héparine, lithium, norépinéphrine, antidépresseurs tricycliques.

MÉDICAMENT-ALIMENT

Aucune interaction connue.

MÉDICAMENT-MALADIE

Consultez le médecin si vous avez des antécédents de convulsions, migraines, asthme, maladie cardiaque ou vasculaire, insuffisance cardiaque ou maladie rénale.

 EFFETS INDÉSIRABLES

GRAVES

Réaction allergique avec éternuements ; rash cutané ; urticaire ; démangeaisons ; enflure du visage, des lèvres, des mains ou des pieds ; constriction de la gorge ; difficultés à respirer ; pouls lent ou irrégulier ; somnolence ; intoxication hydrique provoquant de l'agitation ; céphalées ; confusion ; gain de poids ; convulsions ; perte de conscience.

COURANTS

On ne connaît pas d'effet indésirable courant.

MOINS COURANTS

Tremblements, vertiges, douleur thoracique, crampes abdominales, nausées, vomissements, diarrhée, impossibilité d'uriner, pâleur autour de la bouche, transpiration abondante ou anormale, crampes utérines. Ces symptômes sont généralement associés à des doses très élevées.

VENLAFAXINE

Présentation : Comprimés, gélules, comprimés ou gélules à libération prolongée
En vente libre ? Non   **Générique disponible ?** Non
Classe de médicaments : Antidépresseur

▼ GÉNÉRALITÉS

INDICATIONS
Traitement des symptômes de la dépression grave et des troubles de l'anxiété généralisés.

MODE D'ACTION
La venlafaxine aide à équilibrer les taux de sérotonine et de norépinéphrine, éléments chimiques profondément liés aux humeurs, aux émotions et aux états psychiques.

▼ MODE D'EMPLOI

POSOLOGIE
Comprimés : Adultes : 75 mg par jour en 2 ou 3 doses fractionnées. Le médecin peut augmenter graduellement la posologie jusqu'à 375 mg par jour. Gélules à libération prolongée : dose initiale, 75 mg, 1 fois par jour. La posologie peut être augmentée par paliers de 75 mg à intervalles d'au moins 4 jours, sans dépasser 225 mg par jour.

DÉBUT D'ACTION
En 4 semaines ou plus.

DURÉE D'ACTION
Inconnue.

CONSEILS NUTRITIONNELS
La venlafaxine se prend au cours des repas.

MODE DE CONSERVATION
Dans un contenant étanche, à l'abri de la chaleur, de l'humidité et de la lumière.

OUBLI D'UNE DOSE
Comprimés : prenez la dose dès que vous y pensez. Si vous êtes à moins de 2 heures de la suivante, sautez la dose oubliée, prenez la suivante sans la doubler et revenez à la fréquence normale. Gélules à libération prolongée : si un jour vous oubliez de prendre la dose, ne doublez pas celle du lendemain.

ARRÊT DE LA MÉDICATION
Effectuez le traitement au complet, comme il vous a été prescrit.

USAGE PROLONGÉ
Un suivi médical, avec examens et analyses, s'impose en cas de traitement prolongé.

▼ PRÉCAUTIONS

Plus de 60 ans. Pas de risques connus.

Conduite automobile, travaux dangereux. À déconseiller tant que vous ne connaissez pas votre réaction au traitement.

Alcool. À éviter.

Grossesse. Il n'existe pas d'études concluantes sur les humains. Avant de prendre de la venlafaxine, avertissez le médecin si vous êtes enceinte ou désirez le devenir.

Allaitement. On ne sait pas si la venlafaxine passe dans le lait maternel : la prudence s'impose. Demandez spécifiquement l'avis du médecin.

Nourrissons et enfants. Innocuité et efficacité non établies dans ce groupe d'âge.

À surveiller. La venlafaxine peut provoquer une hausse de la tension artérielle. Il faut donc surveiller celle-ci, surtout durant les premiers mois du traitement.

SURDOSAGE
Symptômes. Somnolence ou fatigue extrêmes.

Quoi faire. Appelez immédiatement le médecin ou le centre antipoison ou allez à l'urgence.

▼ INTERACTIONS

MÉDICAMENT-MÉDICAMENT
Il faut laisser s'écouler 14 jours entre un traitement à la venlafaxine et un traitement aux inhibiteurs de la monoamine oxydase (IMAO). Il pourrait autrement en résulter de graves effets indésirables : myoclonie (spasmes musculaires incontrôlables), hyperthermie (élévation anormale de la température du corps) et raideur extrême. Demandez spécifiquement l'avis du médecin pour tous les médicaments que vous prenez avec ou sans ordonnance.

MÉDICAMENT-ALIMENT
Aucune interaction connue.

MÉDICAMENT-MALADIE
Consultez le médecin si vous avez des antécédents de : hypertension ou hypotension, alcoolisme ou toxicomanie, cardiopathie, convulsions. La venlafaxine peut entraîner des complications chez les patients affligés d'une maladie du foie ou des reins, car ces organes contribuent ensemble à éliminer le médicament de l'organisme.

 EFFETS INDÉSIRABLES

GRAVES
Céphalées, altération de la vue ou vision brouillée, baisse du désir sexuel ou impuissance, mictions difficiles, démangeaisons, rash cutané, douleur thoracique, troubles du rythme cardiaque, sautes d'humeur ou altération de l'état mental, somnolence ou fatigue extrêmes.

COURANTS
Fatigue, vertiges ou somnolence, anxiété, sécheresse de la bouche, altération du goût, perte de l'appétit, nausées, vomissements, frissons, diarrhée, constipation, picotements, aigreurs d'estomac, transpiration accrue, écoulement nasal, flatulence ou douleurs d'estomac, insomnie, rêves inhabituels.

MOINS COURANTS
Bâillements fréquents, spasmes musculaires.

VÉRAPAMIL (CHLORHYDRATE DE)

Présentation : Comprimés, gélules et comprimés à libération prolongée, injection
En vente libre ? Non **Générique disponible ?** Oui
Classe de médicaments : Bloqueur des canaux calciques

▼ GÉNÉRALITÉS

INDICATIONS
Traitement de l'hypertension, de l'angine de poitrine (douleurs dans la poitrine d'origine cardiaque) et des troubles du rythme cardiaque (arythmie).

MODE D'ACTION
En empêchant le calcium de s'infiltrer dans les cellules des muscles du cœur et dans celles des muscles lisses qui tapissent les artères, le vérapamil détend les vaisseaux sanguins (et les dilate). Il en résulte une diminution de la tension artérielle, une augmentation du flot sanguin et une réduction du travail du cœur.

▼ MODE D'EMPLOI

POSOLOGIE
Adultes : 80 à 160 mg, 3 fois par jour. Votre médecin pourra augmenter la posologie jusqu'à un maximum de 480 mg par jour. Gélules à libération prolongée : 180 à 480 mg, 1 fois par jour. Comprimés à libération prolongée : de 180 mg, 1 fois par jour, jusqu'à 240 mg, aux 12 heures. Enfants : le pédiatre établira la posologie.

DÉBUT D'ACTION
Formes orales : En 1 à 2 heures. Injections : En 1 à 5 minutes.

DURÉE D'ACTION
Gélules à libération prolongée : 24 heures. Comprimés : 8 à 10 heures. Injection : 1 à 6 heures.

CONSEILS NUTRITIONNELS
Les formes orales se prennent avec la nourriture.

MODE DE CONSERVATION
Contenant étanche, à l'abri de la chaleur et de la lumière.

OUBLI D'UNE DOSE
Prenez-la dès que vous y pensez. S'il est presque l'heure de la suivante, sautez la dose oubliée et reprenez la fréquence normale. Ne doublez pas la dose suivante.

ARRÊT DE LA MÉDICATION
Un sevrage brusque peut causer de graves problèmes de santé. Si vous devez interrompre le traitement, il faut réduire graduellement la posologie en suivant les directives du médecin.

USAGE PROLONGÉ
Un traitement au vérapamil est souvent à vie ; dans ce cas, il est important de subir régulièrement des examens médicaux et des analyses.

▼ PRÉCAUTIONS

Plus de 60 ans. Risque de réactions indésirables plus fréquentes et plus graves.

Conduite automobile, travaux dangereux. Attendez de connaître votre réaction au médicament.

Alcool. À éviter.

Grossesse. À fortes doses, on a observé des malformations congénitales chez les animaux ; il n'y a pas eu de recherche chez les humains. Avant de prendre du vérapamil, si vous êtes enceinte ou voulez le devenir, informez-en le médecin.

Allaitement. Le vérapamil passe dans le lait maternel ; il faut être prudent. Demandez l'avis de votre médecin.

Nourrissons et enfants. La posologie pour les patients de 1 à 15 ans doit être établie par le pédiatre.

À surveiller. Avec le vérapamil, suivez les conseils du médecin concernant votre poids et votre régime : il vous indiquera les facteurs les plus importants dans votre cas. Consultez-le toujours avant de modifier votre régime. Attention : les formes à libération prolongée ne doivent pas être écrasées ou mâchées.

SURDOSAGE
Symptômes. Pouls très lent et palpitations ; étourdissements ou évanouissements (dus à une hypotension).

Quoi faire. Appelez aussitôt votre médecin ou le centre antipoison, ou présentez-vous à l'urgence.

▼ INTERACTIONS

MÉDICAMENT-MÉDICAMENT
Plusieurs médicaments interagissent avec le vérapamil, dont : acétazolamide, amphotéricine B, corticostéroïdes, dichlorphénamide, diurétiques, méthazolamide, bêtabloquants, carbamazépine, cyclosporine, lithium, procaïnamide, quinidine, digitale, disopyramide, préparations oculaires suivantes : bétaxolol, lévobunolol, métipranolol, timolol. Consultez votre médecin.

MÉDICAMENT-ALIMENT
Évitez les aliments très salés.

MÉDICAMENT-MALADIE
Il faut être prudent avec le vérapamil. Consultez le médecin en cas de : anomalies du rythme cardiaque, autre problème cardiaque ou vasculaire, dépression mentale, maladie de Parkinson. Il peut y avoir des complications en cas de maladie du foie ou des reins car ces organes contribuent à éliminer le médicament de l'organisme.

 EFFETS INDÉSIRABLES

GRAVES
Difficultés respiratoires, toux ou respiration sifflante ; fréquence cardiaque irrégulière ou martelante ; douleurs dans la poitrine ; étourdissements importants ; évanouissements.

COURANTS
Céphalées ; étourdissements ; constipation ; bouffées de chaleur ; enflure des pieds, des chevilles ou des mollets ; palpitations cardiaques ; nausées.

MOINS COURANTS
Diarrhées, fatigue et faiblesse inhabituelles, rash cutané, mictions plus fréquentes, bourdonnements d'oreille, hyperplasie gingivale (développement excessif des gencives).

VITAMINE A (RÉTINOL)

Présentation : Gélules, solution orale, comprimés
En vente libre ? Oui   **Générique disponible ?** Oui
Classe de médicaments : Vitamine

▼ GÉNÉRALITÉS

INDICATIONS

Traitement des carences en vitamine A. La plupart des Canadiens tirent suffisamment de vitamine A de leur alimentation. Celle-ci est fabriquée dans l'intestin surtout à partir de la bêta-carotène alimentaire. Aliments riches en bêta-carotène : fruits et légumes jaune orange ; légumes feuillus vert foncé (épinards, laitue) ; foie ; lait enrichi. Les suppléments peuvent s'avérer nécessaires en présence de certaines maladies chroniques, d'un dérèglement du foie, d'une malabsorption intestinale liée à une diarrhée chronique, d'une maladie du pancréas ou d'une ablation de l'estomac. Une carence en vitamine A peut causer la cécité nocturne, la sécheresse des yeux, des infections oculaires ou des problèmes de peau.

MODE D'ACTION

La vitamine A joue un rôle essentiel dans la vision de nuit, la croissance et l'entretien de la peau, des os et du système reproductif.

▼ MODE D'EMPLOI

POSOLOGIE

En cas de carence grave (adultes) : 500 000 unités internationales (UI) par jour pendant 3 jours, puis 50 000 UI par jour pendant 2 semaines. Prévention des carences (apports nutritionnels recommandés/ANR) – Adultes : 2 700 à 3 330 UI par jour ; enfants : 1 300 à 3 000 UI ; nourrissons : 1 300 UI.

DÉBUT D'ACTION

Inconnu.

DURÉE D'ACTION

Inconnue.

CONSEILS NUTRITIONNELS

L'absorption de la vitamine A exige une certaine quantité de lipides dans l'alimentation.

MODE DE CONSERVATION

Dans un contenant étanche, à l'abri de la chaleur, de l'humidité et de la lumière.

OUBLI D'UNE DOSE

Prenez-la dès que vous y pensez.

ARRÊT DE LA MÉDICATION

Si vous prenez de la vitamine A à cause d'une carence, poursuivez le traitement pour toute la durée prescrite.

USAGE PROLONGÉ

De fortes doses à long terme peuvent entraîner une toxicité grave (voir Surdosage).

▼ PRÉCAUTIONS

Plus de 60 ans. Réactions indésirables plus fréquentes et plus graves en usage prolongé de fortes doses.

Conduite automobile, travaux dangereux. Aux doses recommandées, la vitamine A ne devrait pas empêcher d'exécuter de telles tâches en toute sécurité.

Alcool. Pas de précautions spéciales.

Grossesse. Un apport suffisant en vitamine A est essentiel en cours de grossesse. Mais les surdoses (plus de 6 000 UI par jour) peuvent causer des malformations congénitales, et ralentir la croissance du fœtus.

Allaitement. La vitamine A passe dans le lait maternel ; il faut être prudent. Prendre trop de vitamine A pendant qu'on allaite peut être nocif pour l'enfant.

Nourrissons et enfants. Les enfants sont plus sensibles aux effets indésirables liés à de fortes doses de vitamine A.

À surveiller. La vitamine A peut s'avérer très toxique (voir Surdose) si elle est prise à haute dose. Tenez-vous-en aux apports nutritionnels recommandés.

SURDOSAGE

Symptômes. Toxicité aiguë (ingestion accidentelle) : saignements de gencives, douleurs dans la bouche, confusion ou excitation inhabituelle, diarrhée, somnolence ou étourdissements, vision double, céphalées graves, irritabilité, desquamation (surtout des lèvres et des paumes), violents vomissements. Toxicité chronique (surdose à long terme) : sécheresse ou fendillement de la peau et des lèvres, douleurs dans les os ou les articulations, fièvre, malaise général, sensibilité accrue de la peau au soleil, mictions plus fréquentes, manque d'appétit, chute de cheveux, douleurs à l'estomac, fatigue inhabituelle, plaques orange sous les pieds, dans les mains ou sur la peau autour du nez et des lèvres.

Quoi faire. En cas de surdose aiguë, appelez immédiatement le médecin ou le centre anti-poison, ou allez à l'urgence. Si le surdosage est chronique, consultez votre médecin.

▼ INTERACTIONS

MÉDICAMENT-MÉDICAMENT

Demandez l'avis du médecin si vous prenez déjà de l'étrétinate ou de l'isotrétinoïne.

MÉDICAMENT-ALIMENT

Pas d'interaction connue.

MÉDICAMENT-MALADIE

Demandez l'avis de votre médecin si vous avez déjà souffert d'alcoolisme, d'une maladie hépatique ou d'une maladie rénale.

EFFETS INDÉSIRABLES

GRAVES

Il n'y a aucun effet indésirable grave lié à la vitamine A si l'on s'en tient aux apports recommandés (voir Surdosage).

COURANTS

Il n'y a aucun effet indésirable courant lié à la vitamine A si l'on s'en tient aux apports recommandés.

MOINS COURANTS

Il n'y a aucun effet indésirable moins courant lié à la vitamine A si l'on s'en tient aux apports recommandés.

VITAMINE B1 (THIAMINE)

Présentation : Comprimés, injection
En vente libre ? Oui   **Générique disponible ?** Oui
Classe de médicaments : Vitamine

▼ GÉNÉRALITÉS

INDICATIONS
Prévention et traitement des carences en vitamine B1. Une carence peut se traduire par le béribéri – qui affecte de nombreux tissus de l'organisme, y compris le cœur et le système nerveux, et s'accompagne de constipation, manque d'appétit, douleurs ou picotements dans les bras et les jambes, émaciation, paralysie, déficience cardiaque, déficience mentale –, ou par une grave maladie du cerveau appelée encéphalopathie de Wernicke.

MODE D'ACTION
La thiamine fait partie des vitamines du complexe B, essentielles au métabolisme et au bon fonctionnement des sytèmes cardiovasculaire et nerveux. Elle est nécessaire à la formation d'un facteur indispensable dans le fonctionnement des enzymes qui permettent de métaboliser les glucides.

▼ MODE D'EMPLOI

POSOLOGIE
Apports nutritionnels recommandés (ANR) – Nourrissons : 0,3 à 0,4 mg par jour. Enfants : 0,5 à 1 mg par jour. Adolescents et adultes : 0,8 à 1,3 mg par jour. Femmes enceintes : 1,4 mg. Femmes qui allaitent : 1,5 mg. Traitement du béribéri – Adultes et adolescents : 5 à 30 mg par jour. Enfants : 10 mg par jour.

DÉBUT D'ACTION
Inconnu.

DURÉE D'ACTION
Inconnue.

CONSEILS NUTRITIONNELS
Se prend au cours des repas ou entre les repas.

MODE DE CONSERVATION
À l'abri de la chaleur, de l'humidité et de la lumière.

OUBLI D'UNE DOSE
Prenez-la dès que vous y pensez.

ARRÊT DE LA MÉDICATION
Si la thiamine sert à traiter le béribéri, cette décision devrait être prise par votre médecin.

 EFFETS INDÉSIRABLES

GRAVES
Il n'y a aucun effet indésirable grave associé à l'utilisation de la thiamine ou vitamine B1 (sauf dans de très rares cas reliés à de fortes doses administrées par injection en milieu hospitalier).

COURANTS
Aucun effet indésirable courant n'a été signalé.

MOINS COURANTS
Sensation de chaleur, démangeaisons, faiblesse, transpiration, nausées, agitation motrice.

USAGE PROLONGÉ
Aucun problème connu.

▼ PRÉCAUTIONS

Plus de 60 ans. Aucun risque connu chez les personnes vieillissantes lesquelles, parce que leur taux sanguin est souvent bas en thiamine, ont souvent besoin d'en prendre sous forme de suppléments.

Conduite automobile, travaux dangereux. Pas de précautions spéciales.

Alcool. Un excès d'alcool abaisse les quantités de vitamine B1 dans l'organisme.

Grossesse. Des suppléments vitaminiques incluant la thiamine peuvent être conseillés, mais de trop grandes quantités peuvent s'avérer dangereuses pour la future mère ou pour le fœtus. Suivez les conseils de votre médecin.

Allaitement. Prendre des suppléments vitaminiques en grande quantité pendant que vous allaitez peut présenter un danger pour votre enfant. Suivez les conseils de votre médecin. Si on décèle une carence en thiamine chez une femme qui allaite, elle et son enfant devraient être traités.

Nourrissons et enfants. Pas de risque connu si on s'en tient à l'apport nutritionnel recommandé.

À surveiller. De bonnes habitudes alimentaires sont essentielles pour éviter les carences en vitamines. Aliments riches en thiamine : porc, abats, légumes verts feuillus, légumineuses, maïs, farine de maïs, jaunes d'œufs, riz brun, levure, céréales entières, baies et noix. L'intestin absorbe mal les suppléments dépassant 15 mg 3 fois par jour.

SURDOSAGE
Symptômes. Aucun cas de surdosage n'a été signalé.

Quoi faire. Les mesures d'urgence ne s'appliquent pas.

▼ INTERACTIONS

MÉDICAMENT-MÉDICAMENT
Demandez conseil à votre médecin si vous utilisez tout autre médicament, que ce soit sur ordonnance ou en vente libre.

MÉDICAMENT-ALIMENT
Pas d'interaction connue.

MÉDICAMENT-MALADIE
Une carence en thiamine survient surtout chez les personnes dont le régime est extrêmement faible en calories ou qui souffrent d'une affection gastro-intestinale (entraînant la malabsorption chronique), de cirrhose, d'hyperthyroïdie ou d'alcoolisme. Une carence cliniquement importante peut survenir après quelques semaines seulement d'un régime renfermant peu ou pas de thiamine.

VITAMINE B2 (RIBOFLAVINE)

Présentation : Comprimés, injection
En vente libre ? Oui **Générique disponible ?** Oui
Classe de médicaments : Supplément diététique

▼ GÉNÉRALITÉS

INDICATIONS
Traitement des carences en vitamine B2. La riboflavine doit obligatoirement faire partie des nutriments administrés par soluté intraveineux. Une carence se caractérise notamment par les symptômes suivants : photosensibilité ; yeux qui brûlent ou qui piquent ; démangeaisons et desquamation du nez et du scrotum ; ulcères à la commissure des lèvres et sur la langue. Les besoins en riboflavine sont intensifiés chez les personnes souffrant de brûlures graves, de diarrhée chronique, de cirrhose, d'alcoolisme, de cancer ou à la suite d'une ablation de l'estomac.

MODE D'ACTION
La riboflavine fait partie des vitamines du complexe B, essentielles au métabolisme et au bon fonctionnement des sytèmes cardiovasculaire et nerveux. Plus précisément, les cellules de l'organisme convertissent la riboflavine en deux produits essentiels à l'activité des enzymes qui métabolisent les glucides, les protéines et les lipides, et qui. en retour, permettent aux cellules d'utiliser l'oxygène.

▼ MODE D'EMPLOI

POSOLOGIE
Apports nutritionnels recommandés (ANR) – Adultes : 1,1 à 1,6 mg par jour. Adolescents : 1,1 à 1,4 mg par jour. Enfants : 0,7 à 1,1 mg par jour. Nourrissons : 0,3 à 0,6 mg par jour. Femmes enceintes : 1,7 à 1,9 mg par jour. Femmes qui allaitent : 2 mg par jour. Un bon régime alimentaire fournit en général un apport suffisant en vitamine B2. Pour suppléer aux carences – Adultes : 5 à 30 mg par jour.

DÉBUT D'ACTION
Inconnu.

DURÉE D'ACTION
Inconnue.

CONSEILS NUTRITIONNELS
Évitez l'alcool : il diminue l'absorption de la riboflavine par l'intestin.

MODE DE CONSERVATION
Dans un contenant étanche, à l'abri de la chaleur, de l'humidité et de la lumière.

OUBLI D'UNE DOSE
Prenez-la dès que vous y pensez. Aucun problème ne peut résulter de l'oubli d'une dose.

ARRÊT DE LA MÉDICATION
Si la riboflavine vous a été prescrite pour compenser une carence, suivez le traitement jusqu'au bout.

USAGE PROLONGÉ
Aucun problème connu.

▼ PRÉCAUTIONS

Plus de 60 ans. Pas de risques connus.

Conduite automobile, travaux dangereux. Pas de précautions spéciales.

Alcool. L'alcool peut réduire l'absorption de la vitamine B2 dans l'intestin.

Grossesse. Pas de risques connus. Les besoins en riboflavine augmentent légèrement en cours de grossesse.

Allaitement. Les apports nutritionnels recommandés pour la riboflavine comme pour d'autres vitamines sont plus élevés chez la femme qui allaite. Des doses excessives peuvent toutefois être nocives pour l'enfant. Suivez les conseils de votre médecin.

Nourrissons et enfants. Pas de risques connus.

À surveiller. Les suppléments de riboflavine peuvent colorer l'urine en jaune vif, ce qui est sans conséquence. Des régimes amaigrissants draconiens peuvent diminuer l'apport nécessaire de riboflavine. Dans ces cas, il faut compenser avec des suppléments ou augmenter la consommation d'aliments riches en riboflavine : œufs, abats, céréales complètes, pain complet, légumes feuillus verts, champignons, avocats, légumineuses (haricots rouges surtout), noix de cajou, marrons, lait, fromage.

SURDOSAGE
Symptômes. Aucun symptôme spécifique n'a été signalé.

Quoi faire. Les mesures d'urgence ne s'appliquent pas.

▼ INTERACTIONS

MÉDICAMENT-MÉDICAMENT
Demandez l'avis du médecin si vous prenez : propanthéline, phénothiazines, antidépresseurs tricycliques ou probénécide.

MÉDICAMENT-ALIMENT
Prise avec de la nourriture, la vitamine B2 est mieux absorbée.

MÉDICAMENT-MALADIE
Aucune interaction connue.

 **EFFETS INDÉSIRABLES**

GRAVES
Aucun effet indésirable grave n'a été signalé.

COURANTS
À hautes doses, la riboflavine peut colorer l'urine d'un jaune très prononcé.

MOINS COURANTS
Aucun effet indésirable moins courant n'a été signalé.

VITAMINE B3 (NIACINE)

Présentation : Comprimés, comprimés à libération prolongée
En vente libre ? Oui **Générique disponible ?** Oui
Classe de médicaments : Supplément diététique ; hypolipidémiant (abaisse les lipides)

▼ GÉNÉRALITÉS

INDICATIONS
Supplément diététique : prévention ou traitement de la pellagre – carence en niacine qui s'accompagne de dermatite, diarrhées et démence. (Une personne en santé qui s'alimente bien n'y est pas exposée.) Hypolipidémiant : la niacine à hautes doses abaisse les taux de cholestérol total, de lipoprotéines de basse densité (LDL) et de triglycérides. Elle augmente les niveaux de lipoprotéines de haute densité (HDL).

MODE D'ACTION
La niacine permet aux enzymes qui métabolisent l'énergie de bien fonctionner. Elle abaisse les taux sanguins de lipides en bloquant partiellement l'excrétion des acides gras par les tissus adipeux et en abaissant la production par le foie de lipoprotéines de très basses densités (VLDL) qui font le transport des triglycérides.

▼ MODE D'EMPLOI

POSOLOGIE
Comprimés – Apports nutritionnels recommandés (ANR) : 8 à 23 mg par jour pour les enfants ; 14 à 22 mg par jour pour les adultes. Traitement de la pellagre : 300 à 500 mg par jour. Comme hypolipidémiant : 1,5 à 6 g par jour en doses fractionnées, avec les repas.

DÉBUT D'ACTION
En 2 à 4 semaines.

DURÉE D'ACTION
Tant qu'on en prend.

CONSEILS NUTRITIONNELS
Un régime sain empêche les carences en niacine.

MODE DE CONSERVATION
Évitez la chaleur et la lumière.

EFFETS INDÉSIRABLES

GRAVES
Toxicité du foie pouvant causer une jaunisse (coloration jaune de la peau et du blanc des yeux) et fatigue (courante pour les formes à libération prolongée) ; irritation gastro-intestinale causant nausées, vomissements, douleurs abdominales ; ulcère gastroduodénal ; élévation des taux d'acide urique (accès de goutte) et des taux sanguins de glucose.

COURANTS
Démangeaisons, bouffées de chaleur, sueurs, étourdissements, souvent dans les 20 à 40 minutes qui suivent la prise de niacine. Ces symptômes, souvent réduits ou éliminés si l'on prend de l'AAS 30 minutes avant la niacine, diminuent ou disparaissent à la longue. Les formes à libération prolongée minimisent ces effets indésirables. Il peut aussi y avoir des nausées et des vomissements.

MOINS COURANTS
Peau sèche, céphalées, problèmes oculaires.

OUBLI D'UNE DOSE
Sautez la dose oubliée et reprenez l'horaire régulier. Ne doublez pas la dose suivante.

ARRÊT DE LA MÉDICATION
Si vous prenez la niacine comme hypolipidémiant, ne cessez pas sans la recommandation de votre médecin. Sitôt qu'on arrête, les lipides retournent aux mêmes taux qu'avant le traitement.

USAGE PROLONGÉ
Les effets indésirables sont plus fréquents.

▼ PRÉCAUTIONS

Plus de 60 ans. Risque accru de réactions indésirables et risque de diabète.

Conduite automobile, travaux dangereux. Pas de précautions spéciales.

Alcool. On observe des déficiences en niacine chez les alcooliques à cause de leur mauvaise alimentation. L'alcool peut augmenter les taux sanguins de triglycérides chez les personnes qui ont des anomalies lipidiennes. L'alcool peut aussi augmenter le risque de bouffées de chaleur.

Grossesse. Les besoins en niacine sont plus élevés : 16 à 24 mg par jour. Un traitement à la niacine comme hypolipidémiant devrait être interrompu à moins que votre médecin ne juge que les bénéfices justifient les risques.

Allaitement. Pendant l'allaitement, les apports recommandés sont de 17 à 25 mg par jour. Il n'y aurait pas de danger pour l'enfant si la niacine est prise comme hypolipidémiant, mais le médecin devra décider si le traitement est absolument nécessaire.

Nourrissons et enfants. Les études sur les effets de la niacine sont insuffisantes.

À surveiller. Contrôles périodiques de la fonction hépatique, des taux de glucose et des taux d'acide urique.

SURDOSAGE
Symptômes. Bouffées de chaleur, douleurs abdominales, nausées, vomissements.

Quoi faire. Appelez votre médecin.

▼ INTERACTIONS

MÉDICAMENT-MÉDICAMENT
La niacine associée avec un inhibiteur de la réductase HMG-CoA (hypolipidémiant de type statine) peut causer une myosite (inflammation des muscles) avec douleur et sensibilité des muscles. Une myosite grave peut endommager les reins et causer une insuffisance rénale. Aux premiers signes de myosite, il faut cesser la médication. Il peut y avoir des étourdissements chez les personnes qui prennent des hypotenseurs.

MÉDICAMENT-ALIMENT
Les bouffées de chaleur peuvent s'accentuer avec les aliments épicés.

MÉDICAMENT-MALADIE
La niacine ne convient pas s'il y a antécédents de goutte ou d'ulcère gastroduodénal. La prudence s'impose en cas de diabète, de taux élevé de glucose ou d'anomalie du foie.

VITAMINE B6 (PYRIDOXINE)

Présentation : Comprimés
En vente libre ? Oui   **Générique disponible ?** Oui
Classe de médicaments : Supplément diététique

▼ GÉNÉRALITÉS

INDICATIONS

Traitement ou prévention des carences en vitamine B6 qui peuvent causer : anémie, dermatite, dérèglements du système nerveux, fendillement douloureux aux commissures des lèvres. Une personne en santé qui s'alimente bien n'est pas exposée à ce type de carence. Toutefois, différentes anomalies génétiques risquent d'augmenter les besoins en vitamine B6 au-delà des apports fournis par l'alimentation. Ont aussi besoin de suppléments les personnes souffrant d'alcoolisme, d'hyperthyroïdie ou de dérèglements intestinaux associés à une malabsorption nutritionnelle. Enfin, on utilise aussi cette vitamine pour prévenir les lésions nerveuses associéss à la prise d'isoniazide.

MODE D'ACTION

La vitamine B6 sert à fabriquer une substance qui permet à certaines enzymes de métaboliser les glucides, les lipides et les protéines.

▼ MODE D'EMPLOI

POSOLOGIE

Apport nutritionnel recommandé (ANR) : Enfants : 0,3 à 2 mg par jour. Adultes : 1,6 à 2 mg par jour. Dans le cas d'une carence en vitamine B6 ou d'une anomalie génétique qui augmente les apports nécessaires, votre médecin établira la posologie.

DÉBUT D'ACTION

Inconnu.

DURÉE D'ACTION

Tant et aussi longtemps qu'on prend la vitamine.

CONSEILS NUTRITIONNELS

Suivez un régime équilibré. Aliments riches en vitamine B6 : jaunes d'œufs, viande, bananes, céréales complètes.

MODE DE CONSERVATION

Dans un endroit frais et sec.

OUBLI D'UNE DOSE

Prenez la dose suivante à l'heure prévue.

ARRÊT DE LA MÉDICATION

Si cette vitamine vous a été prescrite dans le cas d'une carence, consultez votre médecin avant de cesser d'en prendre.

USAGE PROLONGÉ

Aucun problème connu aux doses recommandées de vitamine B6.

▼ PRÉCAUTIONS

Plus de 60 ans. Aucun risque connu aux doses recommandées.

Conduite automobile, travaux dangereux. Pas de précautions spéciales.

Alcool. L'alcoolisme est l'une des causes de carence en vitamine B6. Il s'ensuit qu'une personne qui prend cette vitamine pour pallier une carence devrait éviter de prendre de l'alcool.

Grossesse. L'apport nutritionnel recommandé en vitamine B6 pendant la grossesse est de 2,2 mg par jour. De très fortes doses peuvent causer de la dépendance chez le nouveau-né.

Allaitement. L'apport nutritionnel recommandé en vitamine B6 chez une femme qui allaite est de 2,1 mg par jour.

Nourrissons et enfants. Pas de risque connu aux doses recommandées.

SURDOSAGE

Symptômes. Une surdose est extrêmement rare. On a rapporté deux cas ayant entraîné une toxicité du système nerveux central (voir Effets indésirables graves).

Quoi faire. Il y a très peu de risques de surdose, mais si vous croyez être en présence d'une telle situation, appelez votre médecin tout de suite.

▼ INTERACTIONS

MÉDICAMENT-MÉDICAMENT

La vitamine B6 s'utilise pour traiter une toxicité reliée à deux médicaments, la cyclosérine et l'isoniazide. Parmi les autres médicaments qui pourraient augmenter les besoins quotidiens en vitamine B6, il y a : hydralazine, pénicillamine, immunodépresseurs, contraceptifs oraux et œstrogènes.

MÉDICAMENT-ALIMENT

Pas d'interaction connue.

MÉDICAMENT-MALADIE

Pas d'interaction connue.

≡ EFFETS INDÉSIRABLES ≡

GRAVES

Sur une période de plusieurs mois, la vitamine B6 prise à haute dose (2 à 6 g par jour) peut causer des dommages irréversibles aux nerfs. Parmi les symptômes, on note : engourdissements, picotements ou fourmillements dans les pieds ; perte de la dextérité manuelle ; démarche chancelante.

COURANTS

Aucun effet indésirable courant connu si l'on s'en tient aux apports recommandés.

MOINS COURANTS

Nausées, céphalées, somnolence.

VITAMINE B12 (CYANOCOBALAMINE)

Présentation : Comprimés, comprimés à libération prolongée, gélules, injection
En vente libre ? Oui   **Générique disponible ?** Oui
Classe de médicaments : Supplément diététique

▼ GÉNÉRALITÉS

INDICATIONS

La cyanocobalamine est la forme synthétique de la vitamine B12 qu'on prescrit pour combler une carence en vitamine B12 et contrer les effets d'une telle carence (anémie et lésions nerveuses). Parmi les nombreuses causes possibles de carence en vitamine B12, on retrouve : régime pauvre en protéines animales, anémie pernicieuse, malabsorption intestinale, ablation chirurgicale d'une portion de l'estomac ou de l'intestin grêle, certains médicaments (colchicine, néomycine, aminosalicylate de sodium) et incapacité à combler des besoins accrus, par exemple en période de grossesse ou lors d'efforts physiques intenses.

MODE D'ACTION

La vitamine B12 est essentielle à la production des plaquettes sanguines et des globules blancs et rouges, à la fabrication de substances vitales au fonctionnement des cellules et au métabolisme des nutriments servant à la croissance des cellules.

▼ MODE D'EMPLOI

POSOLOGIE

Apports nutritionnels recommandés (ANR) – Adultes : 1 µg (microgramme). Femmes enceintes ou qui allaitent : 1,2 µg. Enfants : 0,5 à 1 µg. Nourrissons : 0,3 à 0,4 µg. Traitement d'une carence en vitamine B12 – Le médecin établira la posologie en fonction de l'individu. En cas d'anémie pernicieuse ou d'un mauvais fonctionnement de l'intestin, on a recours à la vitamine B12 sous forme d'injection.

DÉBUT D'ACTION

Immédiat.

DURÉE D'ACTION

Tant et aussi longtemps que l'on prend le supplément.

CONSEILS NUTRITIONNELS

Suivez un régime alimentaire bien équilibré. Aliments riches en vitamine B12 : protéines animales (contenues dans le bœuf, l'agneau et le veau), huîtres et palourdes, foie, poisson, lait et jaunes d'œufs.

MODE DE CONSERVATION

Dans un contenant étanche, à l'abri de la chaleur, de l'humidité et de la lumière.

OUBLI D'UNE DOSE

Prenez la dose suivante à l'heure prévue.

ARRÊT DE LA MÉDICATION

Si cette vitamine vous a été prescrite pour combler une carence, consultez votre médecin avant de cesser de la prendre.

USAGE PROLONGÉ

Le traitement peut durer des semaines ou des mois. Il est à vie dans le cas d'une anémie pernicieuse ou à la suite de certains types de chirurgie gastro-intestinale. Aucun problème spécial n'est associé à un usage prolongé si l'on respecte la posologie.

▼ PRÉCAUTIONS

Plus de 60 ans. Pas de risques connus aux doses recommandées.

Conduite automobile, travaux dangereux. Pas de précautions spéciales.

Alcool. L'alcoolisme peut entraîner une insuffisance pancréatique et une malabsorption de la vitamine B12.

Grossesse. L'apport nutritionnel quotidien doit être augmenté à 1,2 µg.

Allaitement. L'apport nutritionnel quotidien doit en être augmenté à 1,2 µg.

Nourrissons et enfants. Pas de risque connu aux doses recommandées.

À surveiller. Une carence en vitamine B12 risque très peu de se produire chez une personne en santé qui peut suivre un régime normal et bien équilibré. Il faut toutefois songer aux suppléments pour une personne malade ou affaiblie par une radiothérapie, une chimiothérapie ou toute condition qui entrave la consommation normale de liquides et de solides. Les suppléments vitaminiques ne sont pas des substituts à un bon régime alimentaire.

SURDOSAGE

Symptômes. Une surdose est extrêmement rare.

Quoi faire. Bien qu'une surdose ait peu de chance de se produire, appelez immédiatement votre médecin si vous croyez être en présence d'une telle situation.

▼ INTERACTIONS

MÉDICAMENT-MÉDICAMENT

Demandez l'avis du médecin si vous prenez : méthotrexate, anticonvulsivants, antiacides, analgésiques, antibiotiques, colchicine, acide folique, ou autres suppléments vitaminiques.

MÉDICAMENT-ALIMENT

Pas d'interaction connue.

MÉDICAMENT-MALADIE

Consultez votre médecin si vous souffrez de la maladie de Leber (névrite rétrobulbaire héréditaire), maladie très rare qui s'attaque à l'œil.

 EFFETS INDÉSIRABLES

GRAVES

Difficultés respiratoires ; fièvre ; urticaire ; rash cutané ; enflure du visage, de la bouche, des lèvres, de la gorge et de la langue. Ce sont les signes d'une réaction allergique rare mais potentiellement grave.

COURANTS

Aucun effet indésirable courant n'a été signalé aux doses recommandées.

MOINS COURANTS

Légères réactions allergiques, diarrhées, démangeaisons.

VITAMINE C (ACIDE ASCORBIQUE)

Présentation : Comprimés, comprimés mâchables, gélules, liquide, injection
En vente libre ? Oui   **Générique disponible ?** Oui
Classe de médicaments : Supplément diététique

▼ GÉNÉRALITÉS

INDICATIONS

Prévention ou traitement d'une carence en vitamine C qui cause le scorbut. Celui-ci se caractérise par des hémorragies sous-cutanées, l'enflure et le saignement des gencives, une mauvaise cicatrisation, de la faiblesse musculaire et de la lassitude. Une personne en santé qui suit un régime équilibré ne court pas le risque d'une carence en vitamine C. Les besoins en vitamine C sont plus élevés chez les fumeurs et chez les personnes atteintes de SIDA, ou qui souffrent d'alcoolisme, d'hyperthyroïdie, d'infection chronique ou d'une maladie intestinale impliquant la malabsorption des nutriments.

MODE D'ACTION

L'organisme a besoin de vitamine C pour faire la synthèse du collagène (qui compose le tissu des tendons, des ligaments et des autres fibres non élastiques), pour métaboliser toute une gamme de substances dans le corps et pour préserver la structure et le fonctionnement des parois cellulaires et des petits vaisseaux sanguins.

▼ MODE D'EMPLOI

POSOLOGIE

Apports nutritionnels recommandés (ANR) : 20 à 40 mg par jour pour les enfants ; 30 à 40 mg par jour pour les adultes.

DÉBUT D'ACTION

Inconnu.

DURÉE D'ACTION

Tant et aussi longtemps qu'on prend la vitamine C.

CONSEILS NUTRITIONNELS

Suivez un régime sain et bien équilibré. Aliments riches en vitamine C : agrumes et jus d'agrumes, légumes verts et tomates.

MODE DE CONSERVATION

Dans un contenant étanche, à l'abri de la chaleur, de l'humidité et de la lumière.

OUBLI D'UNE DOSE

Aucun problème connu. Prenez la dose suivante à l'heure prévue sans la doubler.

ARRÊT DE LA MÉDICATION

Si la vitamine C sert à pallier une carence ou si elle est prescrite à cause d'un problème entraînant des besoins accrus en vitamine C, consultez votre médecin avant d'arrêter d'en prendre.

USAGE PROLONGÉ

Aucun problème connu.

▼ PRÉCAUTIONS

Plus de 60 ans. Pas de risques connus.

Conduite automobile, travaux dangereux. Pas de précautions spéciales.

Alcool. L'alcoolisme peut aboutir à une carence en vitamine C.

Grossesse. L'apport nutritionnel recommandé en vitamine C est de 40 à 50 mg par jour. Des doses trop élevées peuvent être nocives au fœtus.

Allaitement. L'apport nutritionnel recommandé en vitamine C est de 55 à 65 mg par jour. La vitamine C passe dans le lait maternel, mais on n'a rapporté jusqu'à maintenant aucun problème.

Nourrissons et enfants. Pas de risque connu aux doses recommandées.

À surveiller. De façon courante, on prend de fortes doses de vitamine C pour prévenir les rhumes, le cancer et d'autres affections. Des études ont démontré que les taux sanguins de la vitamine n'augmentent pas davantage si la dose de vitamine C dépasse 250 à 500 mg par jour. De fortes doses peuvent néanmoins entraîner des calculs rénaux chez les personnes susceptibles ou chez les patients en hémodialyse à cause d'une maladie rénale.

SURDOSAGE

Symptômes. Aucun symptôme spécifique n'a été signalé.

Quoi faire. Sans objet.

▼ INTERACTIONS

MÉDICAMENT-MÉDICAMENT

Pas d'interaction connue aux doses recommandées.

MÉDICAMENT-ALIMENT

Pas d'interaction connue. Il faut tout de même mentionner que la vitamine C peut améliorer la capacité du corps à absorber le fer, surtout le fer de type non héminique (qui provient des aliments produits dans la terre).

MÉDICAMENT-MALADIE

Pas d'interaction connue.

EFFETS INDÉSIRABLES

GRAVES

Occasionnellement, il peut se développer des calculs rénaux (surtout quand la posologie dépasse 1 g par jour sur une période prolongée), lesquels entraînent des douleurs dans le dos, le côté ou le flanc.

COURANTS

Aucun effet indésirable courant n'a été signalé aux doses recommandées.

MOINS COURANTS

De fortes doses peuvent causer diarrhées, bouffées de chaleur, rougeurs de la peau, lassitude, insomnie, nausées et vomissements, céphalées.

VITAMINE D

Présentation : Gélules, solution orale, comprimés
En vente libre ? Oui   **Générique disponible ?** Oui
Classe de médicaments : Supplément diététique

▼ GÉNÉRALITÉS

INDICATIONS

La vitamine D est essentielle à la santé, surtout pour avoir des os forts et sains. On en trouve dans les aliments, et le corps en fabrique aussi quand il est exposé aux rayons du soleil. Au Canada, la carence en vitamine D est rare, mais certaines personnes, parce qu'elles sont alitées, s'alimentent mal, suivent un régime très strict ou souffrent de malabsorption intestinale, ont besoin de suppléments. On peut prescrire aussi des suppléments à des personnes qui ont un déficit chronique en calcium, aux alcooliques, aux gens de peau foncée (dont l'organisme fabrique moins de vitamine D), aux bébés nourris au sein, aux femmes enceintes qui manquent de soleil. Enfin, les suppléments de vitamine D sont souvent recommandés pour favoriser l'absorption du calcium et prévenir l'ostéoporose chez les femmes ménopausées.

MODE D'ACTION

La vitamine D facilite l'absorption du calcium par l'intestin et l'utilisation du calcium et du phosphore par le corps. Ainsi, elle assure le maintien d'une quantité suffisante de ces minéraux pour permettre aux tissus osseux de se renouveler et pour approvisionner les cellules en calcium nécessaire à leurs fonctions essentielles. Certains comprimés renferment à la fois du calcium et de la vitamine D.

▼ MODE D'EMPLOI

POSOLOGIE

Apports nutritionnels recommandés (ANR) – Adultes de 50 ans et plus : 200 unités internationales (UI). Adultes de moins de 50 ans et enfants de 7 ans et plus : 100 UI. Enfants de 2 à 6 ans : 200 UI. Enfants de moins de 2 ans : 400 UI. Femmes enceintes ou qui allaitent : 200 UI. Comme supplément en cas de carence ou d'une autre maladie : le médecin établira la posologie.

DÉBUT D'ACTION

En 12 à 24 heures ; le plein effet thérapeutique peut mettre 10 à 14 jours à s'établir.

DURÉE D'ACTION

Tant que la vitamine est prise.

CONSEILS NUTRITIONNELS

Les meilleures sources de vitamine D sont le poisson et le lait enrichi de vitamine D.

MODE DE CONSERVATION

Dans un contenant étanche, à l'abri de la chaleur et de la lumière.

OUBLI D'UNE DOSE

Si vous utilisez la vitamine D comme supplément diététique, l'oubli d'une dose est sans conséquence. Si elle vous a été prescrite à cause de votre état de santé, prenez la dose dès que vous y pensez, à moins qu'il ne soit presque l'heure de la suivante. Si c'est le cas, reprenez la fréquence normale sans doubler la dose suivante.

ARRÊT DE LA MÉDICATION

Consultez d'abord votre médecin.

USAGE PROLONGÉ

S'il vous a prescrit de la vitamine D à cause d'une carence en calcium, votre médecin vous fera subir des analyses de sang périodiques pour vérifier vos taux de calcium et de phosphore.

▼ PRÉCAUTIONS

Plus de 60 ans. Pas de risques connus.

Conduite automobile, travaux dangereux. Pas de précautions spéciales.

Alcool. Pas de conseil spécial.

Grossesse. Les besoins quotidiens en vitamine D augmentent en cours de grossesse.

Allaitement. De faibles quantités de vitamine D passent dans le lait maternel ; on n'a rapporté toutefois aucun problème. Il faut augmenter les apports quand on allaite.

Nourrissons et enfants. Les bébés qui vont peu au soleil et sont nourris au sein, surtout si leur mère a la peau foncée, peuvent avoir besoin de suppléments. On n'a pas rapporté de problème aux quantités recommandées, mais des doses excessives retarderaient la croissance.

SURDOSAGE

Symptômes. Signes avant-coureurs : constipation (surtout chez les enfants), diarrhée, bouche sèche, soif intense et mictions fréquentes, céphalées persistantes, perte d'appétit, goût métallique, nausées et vomissements, fatigue inhabituelle. Symptômes avancés : douleurs dans les os et les muscles, fréquence cardiaque irrégulière, démangeaisons persistantes, somnolence extrême, altérations mentales. Une intoxication à la vitamine D peut entraîner la mort.

Quoi faire. Consultez tout de suite votre médecin.

▼ INTERACTIONS

MÉDICAMENT-MÉDICAMENT

Consultez le médecin si vous prenez : préparation contenant du calcium, antiacides avec du magnésium, diurétiques thiazidiques, anticonvulsivants, digoxine.

MÉDICAMENT-ALIMENT

Pas d'interaction connue.

MÉDICAMENT-MALADIE

Consultez votre médecin en cas de : hypercalcémie, antécédents de maladie cardiaque ou vasculaire, pancréatite, insuffisance rénale.

≣ EFFETS INDÉSIRABLES ≣

GRAVES

De graves effets indésirables sont reliés à des doses excessives (voir Surdosage).

COURANTS

Il n'y en a pas aux doses recommandées.

MOINS COURANTS

Il n'y en a pas aux doses recommandées.

VITAMINE E (TOCOPHÉROL)

NOM COMMERCIAL

Le tocophérol est disponible uniquement sous forme générique.

Présentation : Gélules, comprimés, comprimés mâchables
En vente libre ? Oui   **Générique disponible ?** Oui
Classe de médicaments : Supplément diététique

▼ GÉNÉRALITÉS

INDICATIONS
Prévention et traitement des carences en vitamine E. Une telle carence est extrêmement rare et ne se produit pas chez les gens en santé qui suivent un régime équilibré. Elle peut toutefois résulter d'un dérèglement entraînant une mauvaise absorption des lipides dans l'intestin. La vitamine E, un antioxydant, est souvent prescrite pour prévenir l'oxydation des lipoprotéines de basses densité en vue de faire échec à l'athérosclérose (accumulation de plaques de gras dans les artères), source de la maladie coronarienne. Le succès des suppléments de vitamine E dans ce rôle reste encore à démontrer.

MODE D'ACTION
Bien qu'on la sache indispensable, on ignore la fonction exacte de la vitamine E. On connaît ses propriétés antioxydantes : elle empêche l'oxydation des acides gras dans les membranes de toutes les cellules.

▼ MODE D'EMPLOI

POSOLOGIE
Les besoins quotidiens en vitamine E sont minimes, allant de 3 unités internationales (UI) à la naissance jusqu'à 12 UI chez la femme qui allaite. De fortes doses (60 à 75 UI) sont administrées en cas de carence résultant d'une malabsorption intestinale. Pour prévenir le risque de maladie coronarienne, les doses vont de 400 à 800 UI par jour.

DÉBUT D'ACTION
Inconnu.

DURÉE D'ACTION
Inconnue.

CONSEILS NUTRITIONNELS
Suivez un régime équilibré. Aliments riches en vitamine E : huiles végétales, grains entiers, légumes feuillus verts. La cuisson et la conservation peuvent entraîner d'importantes pertes en vitamine E.

MODE DE CONSERVATION
Dans un contenant étanche, à l'abri de la chaleur, de l'humidité et de la lumière.

OUBLI D'UNE DOSE
Il n'y a rien à craindre. Prenez la dose suivante à l'heure prévue sans la doubler.

ARRÊT DE LA MÉDICATION
Si elle vous a été prescrite pour contrer une carence, n'arrêtez pas de prendre la vitamine E sans consulter votre médecin. S'il s'agit de prévenir une maladie coronarienne, il n'y a pas lieu de croire que l'arrêt de la médication aura des effets nocifs.

USAGE PROLONGÉ
Aucun problème connu.

▼ PRÉCAUTIONS

Plus de 60 ans. Pas de risques connus aux doses recommandées.

Conduite automobile, travaux dangereux. Pas de précautions spéciales.

Alcool. Pas de précautions spéciales.

Grossesse. Pas de risques connus quand on s'en tient aux doses recommandées.

Allaitement. La vitamine E passe dans le lait maternel, mais on n'a rapporté aucun problème aux doses recommandées.

Nourrissons et enfants. Pas de risque connu aux doses recommandées.

SURDOSAGE
Symptômes. Malaise d'estomac, léthargie et céphalées.

Quoi faire. Les mesures d'urgence ne s'appliquent pas.

▼ INTERACTIONS

MÉDICAMENT-MÉDICAMENT
La vitamine E à haute dose, associée à des anticoagulants telle la warfarine, peut engendrer des saignements incontrôlés.

MÉDICAMENT-ALIMENT
Pour être absorbée par l'intestin, la vitamine E requiert la présence d'une certaine quantité de lipides dans l'alimentation.

MÉDICAMENT-MALADIE
Aucune interaction connue.

 EFFETS INDÉSIRABLES

GRAVES
Aucun effet indésirable grave n'a été signalé aux quantités recommandées.

COURANTS
Aucun effet indésirable courant n'a été signalé aux quantités recommandées.

MOINS COURANTS
De fortes doses (au-delà de 300 UI par jour) peuvent entraîner : diarrhées, nausées, céphalées, vision brouillée, étourdissements et fatigue. À des doses quotidiennes dépassant 800 UI, on a rapporté un danger plus fréquent d'hémorragie, surtout chez les personnes souffrant d'une carence en vitamine K.

VITAMINE K (PHYTONADIONE)

NOM COMMERCIAL

La phytonadione est disponible uniquement sous forme générique.

Présentation : Injection
En vente libre ? Non   **Générique disponible ?** Oui
Classe de médicaments : Agent de coagulation

▼ GÉNÉRALITÉS

INDICATIONS

Prévention ou traitement des problèmes d'hémorragie résultant d'une diminution de la formation des protéines nécessaires à la coagulation. Ce défaut est attribuable parfois à une carence en vitamine K, parfois au fait que l'action de celle-ci est entravée par des anticoagulants comme la warfarine, des salicylates ou certains antibiotiques. La vitamine K ne contre pas les effets anticoagulants de l'héparine. Parce qu'elle est normalement produite par des bactéries dans l'intestin, la vitamine K fait rarement l'objet d'une carence alimentaire. Les sels biliaires sont indispensables pour qu'elle puisse être extraite de l'intestin : son absorption peut donc être déficiente si le canal cholédoque empêche le passage des sels biliaires vers l'intestin. On recommande d'administrer de la vitamine K aux nouveau-nés pour empêcher des hémorragies dues au fait que la vitamine K ne traverse pas toujours le placenta et que le bébé naissant n'a pas de bactéries dans son intestin. Chez les personnes nourries par voie intraveineuse sur une longue période de temps, on conseille des injections intramusculaires de vitamine K.

MODE D'ACTION

La présence de la vitamine K s'avère nécessaire pour qu'un certain nombre de facteurs de coagulation puisse entrer en jeu afin de prévenir ou d'enrayer l'hémorragie.

▼ MODE D'EMPLOI

POSOLOGIE

Problèmes de saignements induits par les anticoagulants – Adultes : 2,5 à 10 mg (mais jusqu'à 25 mg au besoin). Nutrition par perfusion à long terme – Adultes : 5 à 10 mg par semaine. Enfants : 2 à 5 mg par semaine.

DÉBUT D'ACTION

En 1 à 2 heures.

DURÉE D'ACTION

12 à 24 heures.

CONSEILS NUTRITIONNELS

Pas de restrictions spéciales. Aliments riches en vitamine K : légumes feuillus verts, viande et produits laitiers.

MODE DE CONSERVATION

Dans un contenant étanche, à l'abri de la chaleur et de la lumière. Les solutions à injecter ne supportent pas la congélation.

OUBLI D'UNE DOSE

Prenez-la dès que vous y pensez, à moins qu'il ne soit presque l'heure de la dose suivante. Ne doublez pas la dose suivante.

ARRÊT DE LA MÉDICATION

N'interrompez pas un traitement à la vitamine K sans directives précises de votre médecin.

USAGE PROLONGÉ

L'usage prolongé est inhabituel ; il n'y a cependant pas de risque connu aux doses recommandées.

▼ PRÉCAUTIONS

Plus de 60 ans. Il n'y a pas de données pour ce groupe d'âge.

Conduite automobile, travaux dangereux. Pas de précautions spéciales.

Alcool. Pas de conseil spécial.

Grossesse. Il n'existe pas de données sur la grossesse.

Allaitement. On n'a rapporté aucun problème.

Nourrissons et enfants. Il faut être prudent avec les injections de vitamine K aux nouveau-nés à cause des risques d'anémie et de toxicité hépatique.

À surveiller. Pour enrayer une hémorragie attribuable à une surdose d'anticoagulant, il convient de recourir à la plus petite dose efficace. Si la dose est trop importante, l'anticoagulant risque de ne pas faire effet à un autre moment. Il faut procéder à des analyses de laboratoire de la fonction de coagulation (temps de prothrombine) pour établir la dose efficace de vitamine K.

SURDOSAGE

Symptômes. Aucun symptôme spécifique n'a été signalé.

Quoi faire. Les mesures d'urgence ne s'appliquent pas.

▼ INTERACTIONS

MÉDICAMENT-MÉDICAMENT

La vitamine K peut entraver l'action de médicaments comme les salicylates et les anticoagulants. Il peut y avoir d'autres interactions avec la vitamine K : demandez l'avis de votre médecin sur tous les médicaments que vous prenez, sur ordonnance ou en vente libre.

MÉDICAMENT-ALIMENT

Pas d'interaction connue.

MÉDICAMENT-MALADIE

La prudence est conseillée aux personnes souffrant d'une maladie du foie.

EFFETS INDÉSIRABLES

GRAVES

Étourdissements, pouls rapide ou faible, souffle court, transpiration.

COURANTS

Aucun effet indésirable courant n'a été signalé aux quantités recommandées.

MOINS COURANTS

Accès de rougeur au visage, réactions au site d'injection, altérations du goût.

WARFARINE

NOMS COMMERCIAUX

Apo-Warfarin,
Coumadin,
Taro-Warfarin

Présentation : Comprimés, injection
En vente libre ? Non   **Générique disponible ?** Oui
Classe de médicaments : Anticoagulant

▼ GÉNÉRALITÉS

INDICATIONS
Prévention et traitement des caillots sanguins (thromboses) – chez des personnes qui ont une maladie cardiaque, pulmonaire ou vasculaire – qui pourraient entraîner un infarctus du myocarde, un accident cérébrovasculaire (ACV) ou d'autres problèmes.

MODE D'ACTION
La warfarine entrave l'action de la vitamine K qui contribue à la coagulation du sang.

▼ MODE D'EMPLOI

POSOLOGIE
Adultes : dose de départ, 2 à 5 mg, 1 fois par jour. À long terme, la posologie est généralement de 2 à 10 mg, 1 fois par jour. Enfants : le pédiatre établira la posologie. Il faut prendre ce médicament tous les jours à la même heure.

DÉBUT D'ACTION
En 24 heures.

DURÉE D'ACTION
24 à 96 heures.

CONSEILS NUTRITIONNELS
La warfarine peut se prendre avec une boisson ou de la nourriture.

MODE DE CONSERVATION
Contenant étanche, à l'abri de la chaleur, de l'humidité et de la lumière directe.

OUBLI D'UNE DOSE
Prenez-la dès que vous y pensez, à moins qu'il ne soit presque l'heure de la dose suivante. Dans ce cas, prenez seulement cette dose, sans la doubler, et revenez à votre fréquence régulière.

ARRÊT DE LA MÉDICATION
Poursuivez le traitement pour la durée prescrite, même si vous commencez à vous sentir mieux dans l'intervalle. La décision d'arrêter le médicament doit être prise par votre médecin.

USAGE PROLONGÉ
Des contrôles réguliers du temps de prothrombine (test élémentaire qui détermine le temps nécessaire pour accomplir l'une des étapes de la coagulation) sont indispensables lorsqu'on prend ce médicament. Les résultats de ces tests sont habituellement établis en rapport avec l'INR (ratio international normalisé).

▼ PRÉCAUTIONS

Plus de 60 ans. Risque de réactions indésirables plus fréquentes et plus graves.

Conduite automobile, travaux dangereux. À éviter si votre vision est brouillée ou si vous éprouvez des étourdissements. Évitez toute activité pouvant occasionner des blessures.

Alcool. Soyez prudent. L'alcool peut augmenter ou diminuer les effets de la warfarine. Limitez-vous autant que possible à un verre par jour.

Grossesse. La warfarine peut causer des malformations congénitales. N'en prenez pas si vous êtes enceinte.

Allaitement. La warfarine passe dans le lait maternel. N'en prenez pas aussi longtemps que vous allaitez.

Nourrissons et enfants. Non recommandée aux moins de 18 ans.

SURDOSAGE
Symptômes. Saignements de gencives, saignements de nez incontrôlables, ecchymoses multiples, sang dans les urines ou dans les selles.

Quoi faire. Appelez le médecin ou allez à l'urgence.

▼ INTERACTIONS

MÉDICAMENT-MÉDICAMENT
Il y a de très nombreuses interactions possibles avec des médicaments sur ordonnance ou en vente libre, des vitamines et des plantes médicinales. Demandez l'avis de votre médecin ou de votre pharmacien avant de prendre un nouveau médicament.

MÉDICAMENT-ALIMENT
Évitez de consommer en trop grande quantité des légumes feuillus verts et autres aliments riches en vitamine K (foie, brocoli, épinards, choufleur, chou blanc, chou frisé). Trop de vitamine K peut contrer l'effet anticoagulant de la warfarine et neutraliser le médicament. Par ailleurs, d'autres substances peuvent entraver l'absorption de la vitamine K à tel point que la coagulation normale (cicatrisation des plaies) en est affectée. De fortes doses de vitamine E peuvent avoir cet effet, de même que les suppléments d'huile de poisson et d'aliments riches en acides gras oméga-3. Toutes ces substances sont susceptibles de potentialiser l'effet des anticoagulants au point de développer une tendance à l'hémorragie.

MÉDICAMENT-MALADIE
Avant de prendre de la warfarine, demandez l'avis de votre médecin en cas de : hypertension, diabète, affection sérieuse du foie ou des reins, importante allergie.

 EFFETS INDÉSIRABLES

GRAVES
Réaction allergique (respiration sifflante ; difficultés respiratoires ; urticaire ; enflure des lèvres, de la langue et de la gorge) ; hémorragies des tissus mous ; saignements anormaux du nez, du tractus gastro-intestinal, des voies urinaires ou de l'utérus ; infection grave ; règles trop abondantes ou inattendues ; vomissures noires ; ecchymoses sur la peau. Allez tout de suite à l'urgence.

COURANTS
On n'a pas rapporté d'effet indésirable courant.

MOINS COURANTS
Perte d'appétit, perte de poids, nausées, vomissements, rash cutané, diarrhées, crampes.

YOHIMBINE

Présentation : Comprimés
En vente libre ? Non   **Générique disponible ?** Oui
Classe de médicaments : Bloqueur des récepteurs alpha-adrénergiques

▼ GÉNÉRALITÉS

INDICATIONS
Contribue au traitement de la dysfonction érectile.

MODE D'ACTION
Le mode d'action précis de la yohimbine n'a pas été encore élucidé. On croit qu'elle entrave certains récepteurs chimiques qui causent la constriction des vaisseaux sanguins. La yohimbine augmenterait ainsi le flot sanguin en direction des colonnes de tissu spongieux à l'intérieur du pénis qui contribuent à l'érection, et qu'elle empêcherait en même temps le sang de circuler en sens inverse. Il se pourrait aussi que la yohimbine ait un léger effet stimulant et qu'elle favorise la libération d'éléments chimiques du cerveau qui influent entre autres sur l'humeur, la relaxation et la libido.

▼ MODE D'EMPLOI

POSOLOGIE
Hommes : 5,4 mg, jusqu'à 3 fois par jour.

DÉBUT D'ACTION
En 2 ou 3 semaines dans la plupart des cas.

DURÉE D'ACTION
Inconnue.

CONSEILS NUTRITIONNELS
Pas de restrictions spéciales.

MODE DE CONSERVATION
Dans un contenant étanche, à l'abri de la chaleur, de l'humidité et de la lumière. Il ne faut surtout pas mettre ce médicament au réfrigérateur.

OUBLI D'UNE DOSE
Prenez-la dès que vous y pensez. S'il est presque l'heure de la dose suivante, sautez la dose oubliée et reprenez la fréquence normale. Ne doublez pas la dose suivante.

ARRÊT DE LA MÉDICATION
Cette décision devrait être prise en consultation avec votre médecin.

USAGE PROLONGÉ
Alllez régulièrement chez le médecin pour subir des examens et des analyses si vous prenez ce médicament pour une période prolongée.

▼ PRÉCAUTIONS

Plus de 60 ans. Comme les réactions indésirables sont plus fréquentes, ce médicament n'est normalement pas prescrit.

Conduite automobile, travaux dangereux. À déconseiller tant que vous ne connaissez pas votre réaction au médicament.

Alcool. Pas de restrictions spéciales. Toutefois, un excès d'alcool peut entraver la fonction sexuelle.

Grossesse. La yohimbine n'est généralement pas prescrite aux femmes et ne devrait pas être utilisée pendant la grossesse.

Allaitement. Ne s'applique pas.

Nourrissons et enfants. Ne s'applique pas.

À surveiller. Ce médicament ne s'adresse qu'aux hommes chez qui on a diagnostiqué une dysfonction érectile et qui se font traiter en conséquence.

SURDOSAGE
Symptômes. Agitation, instabilité psychomotrice, étourdissements, palpitations cardiaques.

Quoi faire. Une surdose de yohimbine est peu probable. Néanmoins, si la dose dépasse de beaucoup les quantités prescrites, appelez votre médecin ou le centre antipoison.

▼ INTERACTIONS

MÉDICAMENT-MÉDICAMENT
Demandez l'avis du médecin si vous prenez : antidépresseurs (en particulier inhibiteurs de la monoamine oxydase/IMAO) ou tout autre médicament affectant l'humeur (y compris les inhibiteurs sélectifs de la recapture de la sérotonine/ISRS) comme la fluoxétine. Avant de prendre de la yohimbine, indiquez à votre médecin tous les médicaments que vous prenez, sur ordonnance ou en vente libre, en particulier contre le rhume ou pour perdre du poids.

MÉDICAMENT-ALIMENT
La yohimbine est un léger IMAO. Il faut donc éviter les aliments et les boissons contenant de la tyramine – fromage, chocolat, bière, viande faisandée, noix – surtout en association avec des acides aminés comme la tyrosine et la phénylalanine.

MÉDICAMENT-MALADIE
Il faut être prudent lorsqu'on prend de la yohimbine. Demandez l'avis de votre médecin en cas d'antécédents de : angine de poitrine, dépression mentale ou maladie psychiatrique, maladie cardiaque, hypertension, ulcère gastroduodénal, insuffisance rénale. La yohimbine peut entraîner des complications chez les patients qui ont une maladie du foie car cet organe est chargé d'éliminer le médicament de l'organisme.

 EFFETS INDÉSIRABLES

GRAVES
Fréquence cardiaque rapide ; élévation de la tension artérielle causant des symptômes tels que céphalées persistantes ou bourdonnements d'oreilles.

COURANTS
On n'a pas rapporté d'effet indésirable courant.

MOINS COURANTS
Céphalées, étourdissements, irritabilité, nervosité, agitation motrice, rougeurs de la peau, tremblements, transpiration accrue.

ZAFIRLUKAST

Présentation : Comprimés
En vente libre ? Non **Générique disponible ?** Non
Classe de médicaments : Antagoniste des récepteurs des leucotriènes

▼ GÉNÉRALITÉS

INDICATIONS
Prévention et traitement prolongé des symptômes de l'asthme et du broncho-spasme (contraction des muscles lisses qui entourent les voies aériennes, ayant pour effet de rétrécir et d'obstruer le passage de l'air). Le zafirlukast peut être associé à d'autres médicaments et à d'autres formes de traitement de l'asthme.

MODE D'ACTION
Le zafirlukast bloque les cellules réceptrices des leucotriènes, éléments chimiques qui causent l'inflammation et la constriction des bronchioles. À la différence des bronchodilatateurs servant à soulager les symptômes d'une crise d'asthme aiguë, le zafirlukast se prend sur une base continue, quand il n'y a aucun symptôme, dans le but de réduire l'inflammation chronique des voies aériennes, qui s'avère être la cause sous-jacente de l'asthme : ceci prévient les crises aiguës d'asthme.

▼ MODE D'EMPLOI

POSOLOGIE
Adultes et adolescents :
20 mg, 2 fois par jour, généralement le matin et le soir, à jeun (au moins 1 heure avant ou 2 heures après les repas).

DÉBUT D'ACTION
En moins de 1 semaine.

DURÉE D'ACTION
Inconnue.

CONSEILS NUTRITIONNELS
Il faut prendre le zafirlukast 1 heure avant, ou 2 heures après un repas. Un repas avec lipides ou protéines réduit de 40 p. cent sa disponibilité dans l'organisme.

MODE DE CONSERVATION
Dans un contenant étanche, à l'abri de la chaleur et de la lumière.

OUBLI D'UNE DOSE
Prenez-la dès que vous y pensez. S'il est presque l'heure de la suivante, sautez la dose oubliée et reprenez la fréquence normale. Ne doublez pas la dose suivante.

ARRÊT DE LA MÉDICATION
Cette décision devrait être prise par votre médecin.

USAGE PROLONGÉ
Aucun problème connu. Il est important de prendre le zafirlukast tous les jours, même dans les périodes où il ne se manifeste aucun symptôme.

▼ PRÉCAUTIONS

Plus de 60 ans. Dans les essais cliniques, des infections légères des voies aériennes ont été observées plus souvent que la moyenne chez les personnes vieillissantes. Le taux d'infection était proportionnel à l'importance de la dose de zafirlukast. Il n'y a pas eu de différence dans la fréquence des autres effets indésirables.

Conduite automobile, travaux dangereux. À déconseiller tant que vous ne connaissez pas votre réaction au médicament.

Alcool. Pas de conseil spécial.

Grossesse. Dans quelques recherches sur les animaux, le zafirlukast a causé des malformations congénitales et d'autres problèmes. Il n'y a pas eu de recherche sur les humains. Avant de prendre du zafirlukast, prévenez votre médecin si vous êtes enceinte ou voulez le devenir.

Allaitement. Le zafirlukast passe dans le lait maternel ; n'en prenez pas si vous allaitez.

Nourrissons et enfants. L'innocuité et l'efficacité du zafirlukast n'ont pas été établies chez les moins de 12 ans.

À surveiller. Le zafirlukast n'est d'aucune utilité pendant une crise d'asthme. Dans de très rares cas, il a causé le syndrome de Churg-Strauss, un dérèglement des tissus qui survient chez les adultes asthmatiques et qui, faute de traitement, peut mener à la destruction d'organes. Les signes avant-coureurs sont la fièvre, les douleurs musculaires et la perte de poids.

SURDOSAGE
Symptômes. Aucun.

Quoi faire. En cas de doute, appelez votre médecin.

▼ INTERACTIONS

MÉDICAMENT-MÉDICAMENT
Demandez l'avis du médecin si vous prenez : AAS, carbamazépine, cyclosporine, félodipine, nifédipine, carbamazépine, phénytoïne, tolbutamide, érythromycine, théophylline ou warfarine. Si vous êtes allergique à n'importe quel médicament d'ordonnance ou en vente libre, dites-le à votre médecin avant de commencer le zafirlukast.

MÉDICAMENT-ALIMENT
La nourriture réduit l'absorption du zafirlukast.

MÉDICAMENT-MALADIE
Informez votre médecin de tout autre problème de santé. Le zafirlukast peut entraîner des complications en cas d'insuffisance du foie, cet organe étant chargé de l'éliminer de l'organisme.

 **EFFETS INDÉSIRABLES**

GRAVES
Sensation de brûlure ou de fourmillements, rash cutané. À haute dose, un effet rare est une dysfonction hépatique : douleurs abdominales, nausées, fatigue, léthargie, démangeaisons, coloration jaune de la peau et du blanc des yeux, symptômes grippaux.

COURANTS
Céphalées.

MOINS COURANTS
Faiblesse, douleurs abdominales, mal de dos, diarrhées, étourdissements, ulcères buccaux, nausées, vomissements, enflure des jambes.

ZALCITABINE (DIDÉSOXYCYTIDINE ; DDC)

Présentation : Comprimés
En vente libre ? Non   **Générique disponible ?** Non
Classe de médicaments : Antiviral/inhibiteur nucléosidique de la transcriptase inverse

▼ GÉNÉRALITÉS

INDICATIONS

Traitement du VIH (virus de l'immunodéficience humaine), en association avec d'autres médicaments antirétroviraux. Sans amener la guérison, ce type de médicament peut empêcher la réplication du virus et retarder la progression de la maladie.

MODE D'ACTION

En entravant l'activité des enzymes indispensables à la reproduction de l'ADN dans les cellules virales, la zalcitabine empêche le VIH de proliférer.

▼ MODE D'EMPLOI

POSOLOGIE

Adultes et adolescents : 0,75 mg, 3 fois par jour, en association avec d'autres antirétroviraux. Enfants : le pédiatre établira la posologie.

DÉBUT D'ACTION

Inconnu. Comme pour tous les antirétroviraux, on observe une réponse dès les premières semaines, mais le plein effet thérapeutique peut prendre 12 à 16 semaines.

DURÉE D'ACTION

Inconnue. Les effets peuvent se prolonger si la zalcitabine est utilisée en association avec d'autres médicaments efficaces et si le virus est supprimé au maximum.

CONSEILS NUTRITIONNELS

Pas de restrictions spéciales.

MODE DE CONSERVATION

Dans un contenant étanche, à l'abri de la chaleur et de la lumière.

OUBLI D'UNE DOSE

Prenez-la dès que vous y pensez, à moins qu'il ne soit presque l'heure de la dose suivante. Dans ce cas, prenez seulement cette dose, sans la doubler, et revenez à votre fréquence régulière. La prise à heures fixes est importante pour maintenir un taux constant dans l'organisme.

ARRÊT DE LA MÉDICATION

Cette décision devrait être prise en consultation avec votre médecin.

USAGE PROLONGÉ

Voyez votre médecin régulièrement pour un suivi avec des examens et des analyses.

▼ PRÉCAUTIONS

Plus de 60 ans. Il n'y a pas eu d'étude spécifique à ce groupe d'âge. Il faudra peut-être abaisser la posologie, en particulier en présence de dysfonction rénale.

Conduite automobile, travaux dangereux. À déconseiller tant que vous ne connaissez pas votre réaction au médicament.

Alcool. À éviter en présence de dysfonction hépatique.

Grossesse. On a observé des malformations congénitales chez les animaux, mais aucune recherche n'a été faite chez les humains. Néanmoins, on administre de plus en plus souvent la zalcitabine en association avec d'autres antirétroviraux pour soigner pendant leur grossesse les patientes atteintes du VIH.

Allaitement. On ignore si la zalcitabine passe dans le lait maternel. Quoi qu'il en soit, une femme atteinte du VIH doit s'abstenir d'allaiter pour ne pas transmettre le virus à son enfant non infecté.

Nourrissons et enfants. On ignore encore si la zalcitabine entraîne des effets indésirables différents ou plus graves chez les enfants que chez les autres patients. Son usage chez les jeunes exige une étroite surveillance médicale.

À surveiller. La zalcitabine n'élimine en aucun cas le risque de transmettre le VIH à d'autres : il faut prendre en tout temps les mesures de prévention appropriées.

SURDOSAGE

Symptômes. Rash cutané ; fièvre ; engourdissement, picotements ou fourmillements dans les bras et les jambes.

Quoi faire. Une surdose de zalcitabine est peu probable. Néanmoins, en cas de doute, appelez immédiatement votre médecin ou le centre anti-poison, ou allez à l'urgence.

▼ INTERACTIONS

MÉDICAMENT-MÉDICAMENT

Demandez l'avis du médecin si vous prenez : asparaginase, azathioprine, œstrogènes, furosémide, méthyldopa, pentamidine, sulfamides, sulindac, tétracyclines, diurétiques thiazidiques, acide valproïque, aminoglycoside en injections, amphotéricine B, foscarnet, antiacides, chloramphénicol, cisplatine, dapsone, didanosine, éthambutol, éthionamide, hydralazine, isoniazide, lithium, métronidazole, protoxyde d'azote, phénytoïne, stavudine, vincristine, cimétidine, probénécide ou nitrofurantoïne.

MÉDICAMENT-ALIMENT

Pas d'interaction connue.

MÉDICAMENT-MALADIE

Demandez l'avis de votre médecin en cas d'antécédents de : pancréatite, neuropathie périphérique, taux sanguins élevés de cholestérol ou de triglycérides. La zalcitabine peut entraîner des complications en cas de maladie du foie ou des reins car ces organes sont chargés de l'éliminer de l'organisme.

EFFETS INDÉSIRABLES

GRAVES

Douleur, picotements, engourdissement ou sensation de brûlures dans les mains et les pieds, fièvre, douleurs musculaires, douleurs articulaires, rash cutané, ulcères dans la bouche et la gorge, nausées, vomissements, mal de gorge, jaunissement de la peau et du blanc des yeux.

COURANTS

On n'a pas rapporté d'effet indésirable courant.

MOINS COURANTS

Diarrhées, céphalées.

ZALEPLON

Présentation : Gélules
En vente libre ? Non   **Générique disponible ?** Non
Classe de médicaments : Sédatif/hypnotique

▼ GÉNÉRALITÉS

INDICATIONS
Traitement de l'insomnie à court terme.

MODE D'ACTION
En déprimant l'activité du système nerveux central (cerveau et moelle épinière), le zaleplon cause de la somnolence et une légère sédation. Parce qu'il est plus rapidement métabolisé que d'autres médicaments de même catégorie, le zaleplon semble occasionner moins souvent des effets indésirables comme la somnolence diurne.

▼ MODE D'EMPLOI

POSOLOGIE
Votre médecin établira la posologie qui vous convient le mieux. Posologie recommandée pour les adultes : 10 mg ; pour les personnes débilitées ou de plus de 60 ans : 5 mg. Le zaleplon se prend seulement au moment du coucher ou après, si l'on n'est pas parvenu à s'endormir.

DÉBUT D'ACTION
En moins de 1 heure.

DURÉE D'ACTION
Environ 4 heures.

CONSEILS NUTRITIONNELS
Ne prenez pas ce sédatif après avoir consommé un repas lourd et gras. Les lipides retardent l'absorption du zaleplon et réduisent son efficacité.

MODE DE CONSERVATION
Dans un contenant étanche, à l'abri de la chaleur, de l'humidité et de la lumière.

OUBLI D'UNE DOSE
Si vous n'avez pas pris de zaleplon avant de vous coucher et que vous ne parvenez pas à vous endormir, vous pouvez en prendre s'il reste au moins 4 heures avant l'heure prévue de votre lever.

ARRÊT DE LA MÉDICATION
Cette décision doit être prise en consultation avec votre médecin.

USAGE PROLONGÉ
Le zaleplon est habituellement prescrit à court terme (de quelques jours à 4 semaines). Passé ce délai, il vaut mieux consulter votre médecin pour des évaluations régulières.

  EFFETS INDÉSIRABLES

GRAVES
Hallucinations, pensées ou comportement sortant de l'ordinaire, confusion ou désorientation, démarche chancelante, étourdissements, vertiges, nervosité inhabituelle, agitation, difficultés respiratoires.

COURANTS
Somnolence diurne, malaise ou douleur généralisés, problèmes de mémoire, céphalées, étourdissements.

MOINS COURANTS
Douleurs abdominales, faiblesse, fièvre.

L'insomnie est parfois le signe d'un problème de santé.

▼ PRÉCAUTIONS

Plus de 60 ans. Risques de réactions indésirables plus fréquentes. La posologie est généralement réduite.

Conduite automobile, travaux dangereux. À éviter tant que vous ne connaissez pas les effets du médicament sur vous.

Alcool. À éviter.

Grossesse. À haute dose, les recherches sur les animaux ont démontré un ralentissement dans le développement du fœtus. Il n'y a pas eu de recherche chez les humains. Le zaleplon n'est pas recommandé aux femmes enceintes. Avant d'en prendre, assurez-vous d'avertir votre médecin si vous êtes enceinte ou voulez le devenir.

Allaitement. Le zaleplon passe dans le lait maternel ; on ne connaît pas ses effets sur le nourrisson. Une femme qui allaite ne devrait pas prendre ce sédatif.

Nourrissons et enfants. Innocuité et efficacité non établies chez les moins de 18 ans.

À surveiller. À l'arrêt du zaleplon, vous pourriez éprouver de la difficulté à vous endormir les premiers soirs.

SURDOSAGE
Symptômes. Profonde somnolence, difficultés à respirer, gaucherie prononcée ou équilibre précaire, étourdisse-ments majeurs, nausées et vomissements graves, fréquence cardiaque lente, problèmes de vision.

Quoi faire. Appelez aussitôt le médecin ou le centre anti-poison, ou allez à l'urgence.

▼ INTERACTIONS

MÉDICAMENT-MÉDICAMENT
Un certain nombre de médicaments peuvent interagir avec le zaleplon. Demandez l'avis du médecin si vous prenez : rifampine, cimétidine, phénytoïne, carbamazépine, phénobarbital ou tout autre médicament qui déprime le système nerveux central (antihistaminiques, médicaments psychiatriques, barbituriques, sédatifs, médicaments contre la toux, décongestionnants et analgésiques). N'oubliez pas de mentionner aussi au médecin les médicaments en vente libre que vous prenez.

MÉDICAMENT-ALIMENT
Un repas lourd et gras ralentira l'absorption du zaleplon.

MÉDICAMENT-MALADIE
Il faut être prudent lorsqu'on prend du zaleplon. Demandez l'avis de votre médecin si vous avez déjà souffert de : alcoolisme ou toxicomanie, maladie respiratoire chronique (asthme, bronchite, emphysème), dépression mentale, apnée du sommeil. Le zaleplon peut entraîner des complications en cas d'insuffisance hépatique car le foie contribue à son élimination.

ZANAMIVIR

Présentation : Inhalateur (Rotadisk)
En vente libre ? Non   **Générique disponible ?** Non
Classe de médicaments : Antiviral

▼ GÉNÉRALITÉS

INDICATIONS
Traitement de la grippe de type A et B chez les patients qui manifestent des symptômes depuis moins de 2 jours. Le zanamivir peut réduire la sévérité des symptômes et raccourcir la durée de la grippe.

MODE D'ACTION
On croit que le zanamivir entrave la synthèse d'une enzyme virale, la neuraminidase, dont le rôle est indispensable pour que le virus puisse infecter les cellules des voies respiratoires et ailleurs dans l'organisme. Le médicament n'affecte que certaines souches des virus de la grippe A et B.

▼ MODE D'EMPLOI

POSOLOGIE
Adultes et adolescents : 2 inhalations (1 coque de 5 mg par inhalation) aux 12 heures pendant 5 jours. Toutefois, le premier jour du traitement, on recommande de prendre une deuxième dose dans la mesure du possible, pourvu qu'au moins 2 heures se soient écoulées depuis la première dose. Les jours suivants, suivez bien la posologie et la fréquence décrites plus haut. Le traitement devrait commencer au cours des deux premiers jours de l'apparition des symptômes.

DÉBUT D'ACTION
Inconnu.

DURÉE D'ACTION
Inconnue.

CONSEILS NUTRITIONNELS
Pas de restrictions spéciales.

MODE DE CONSERVATION
Dans un contenant étanche, à l'abri de la chaleur et de la lumière.

OUBLI D'UNE DOSE
Prenez-la dès que vous y pensez, à moins qu'il ne soit presque l'heure de la dose suivante. Dans ce cas, prenez seulement cette dose, sans la doubler, et revenez à votre fréquence régulière.

ARRÊT DE LA MÉDICATION
Il est très important de prendre le zanamivir pour toute la durée du traitement prescrit. Ne cessez pas le traitement avant la fin, même si vous commencez à vous sentir mieux dans l'intervalle, car vous pourriez subir une rechute.

USAGE PROLONGÉ
Si les symptômes ne s'améliorent pas au bout de quelques jours, ou s'ils empirent, consultez votre médecin.

▼ PRÉCAUTIONS

Plus de 60 ans. Pas de risques connus.

Conduite automobile, travaux dangereux. À éviter jusqu'à ce que vous sachiez comment vous réagissez au médicament.

Alcool. Aucune précaution spéciale.

Grossesse. Les recherches sur l'usage du zanamivir pendant la grossesse ne sont pas complètes. Évaluez avec votre médecin les bienfaits du médicament par rapport aux risques qu'il présente.

Allaitement. Le zanamivir peut passer dans le lait maternel, mais on ne sait pas encore s'il pose des risques au bébé. Demandez l'avis de votre médecin à ce sujet.

Nourrissons et enfants. Le zanamivir n'est pas recommandé aux enfants de moins de 12 ans.

À surveiller. Pour inhaler le zanamivir, il faut vous servir d'un inhalateur Diskhaler. Demandez à votre médecin de vous expliquer la bonne façon de l'utiliser.

SURDOSAGE
Symptômes. Aucun symptôme n'a été signalé.

Quoi faire. Si vous avez des raisons de craindre une surdose, appelez votre médecin ou le centre antipoison.

▼ INTERACTIONS

MÉDICAMENT-MÉDICAMENT
Pas d'interaction connue.

MÉDICAMENT-ALIMENT
Pas d'interaction connue.

MÉDICAMENT-MALADIE
Demandez l'avis de votre médecin si vous souffrez d'une maladie respiratoire comme une maladie pulmonaire obstructive chronique ou l'asthme.

EFFETS INDÉSIRABLES

GRAVES
Difficultés respiratoires.

COURANTS
Aucun effet indésirable courant n'est associé au zanamivir.

MOINS COURANTS
Étourdissements.

ZIDOVUDINE (AZT)

NOM COMMERCIAL

Retrovir

Présentation : Gélules, comprimés, sirop, injections
En vente libre ? Non   **Générique disponible ?** Non
Classe de médicaments : Antiviral/inhibiteur nucléosidique de la transcriptase inverse

▼ GÉNÉRALITÉS

INDICATIONS

Traitement du VIH (virus de l'immunodéficience humaine), en association avec d'autres antirétroviraux, et prévention de la transmission du virus d'une femme enceinte à son enfant. Sans amener la guérison, ce médicament peut empêcher la réplication du virus et retarder la progression de la maladie. Aussi traitement de la démence et de la thrombopénie (réduction du nombre de plaquettes sanguines) reliées au VIH.

MODE D'ACTION

En entravant l'activité des enzymes indispensables à la reproduction de l'ADN dans les cellules virales, la zidovudine empêche le VIH de proliférer.

▼ MODE D'EMPLOI

POSOLOGIE

Traitement du VIH – Adultes et adolescents. Gélules : 200 mg, 3 fois par jour, ou 300 mg, 2 fois par jour. Injections (tant que la forme orale n'est pas envisageable) : 1 à 2 mg par kilogramme (2,2 lb) de poids corporel, par perfusion intraveineuse lente aux 4 heures (6 fois par jour). Prévention de la transmission du VIH au nouveau-né – Femme enceinte : Gélules : 100 mg, 5 fois par jour, de la 14e semaine de grossesse jusqu'à l'accouchement. Injection : 2 mg par kilogramme de poids corporel en perfusion, la première heure du travail, puis 1 mg par kilogramme de poids par heure jusqu'à la naissance. Nouveau-né : Sirop : 2 mg par kilogramme de poids aux 6 heures, pendant 6 semaines, en commençant 12 heures après la naissance. Démence et thrombopénie liées au VIH : jusqu'à 1 200 mg par jour.

DÉBUT D'ACTION

Inconnu. Comme pour tous les antirétroviraux, on observe une réponse dès les premières semaines, mais le plein effet thérapeutique peut prendre 12 à 16 semaines.

DURÉE D'ACTION

Inconnue. Les effets peuvent se prolonger si la zidovudine est utilisée en association avec d'autres médicaments efficaces pour une suppresion maximale du virus.

CONSEILS NUTRITIONNELS

À prendre avec de la nourriture pour minimiser les effets indésirables.

MODE DE CONSERVATION

Dans un contenant étanche, à l'abri de la chaleur et de la lumière.

OUBLI D'UNE DOSE

Prenez-la dès que vous y pensez. S'il est presque l'heure de la suivante, sautez la dose oubliée et reprenez la fréquence normale. Ne doublez pas la dose suivante.

ARRÊT DE LA MÉDICATION

Cette décision devrait être prise en consultation avec votre médecin.

USAGE PROLONGÉ

Faites des visites régulières chez le médecin pour subir des examens et des analyses.

▼ PRÉCAUTIONS

Plus de 60 ans. Il n'y a pas eu d'études spécifiques. Une posologie réduite peut s'imposer, surtout en cas d'insuffisance rénale.

Conduite automobile, travaux dangereux. Attendez de connaître votre réaction au médicament.

Alcool. À éviter en cas de dysfonction hépatique.

Grossesse. La zidovudine peut diminuer les risques de transmettre le VIH au bébé ; les recherches animales n'ont rapporté aucun cas de malformation congénitale.

Allaitement. Une femme atteinte du VIH doit s'abstenir d'allaiter pour ne pas transmettre le virus à son enfant.

Nourrissons et enfants. L'utilisation et la posologie sont établies par le pédiatre.

À surveiller. La zidovudine n'élimine pas le risque de transmettre le VIH à d'autres : il faut prendre les mesures de prévention appropriées.

SURDOSAGE

Symptômes. Nausées et vomissements subits ; céphalées, étourdissements, somnolence.

Quoi faire. Demandez du secours médical.

▼ INTERACTIONS

MÉDICAMENT-MÉDICAMENT

Demandez l'avis de votre médecin si vous prenez : amphotéricine B (par injection), anticancéreux, médicaments thyroïdiens, azathioprine, chloramphénicol, colchicine, cyclophosphamide, flucytosine, ganciclovir, interféron, mercaptopurine, méthotrexate, plicamycine, clarithromycine, probénécide. Mentionnez au médecin tous vos autres médicaments, avec ou sans ordonnance.

MÉDICAMENT-ALIMENT

La zidovudine se tolère mieux si elle est prise en mangeant.

MÉDICAMENT-MALADIE

Il faut être prudent lorsqu'on prend de la zidovudine. Consultez votre médecin en cas de : anémie, autre maladie du sang ou affection du foie.

  EFFETS INDÉSIRABLES

GRAVES

Anémie (formule sanguine faible en globules rouges) causant pâleur, fatigue ou essoufflement ; fièvre.

COURANTS

Céphalées, nausées, douleurs musculaires, insomnie, sautes d'humeur, troubles d'estomac, perte d'appétit.

MOINS COURANTS

Plaques décolorées sur les ongles ; hépatite (inflammation du foie pouvant causer le jaunissement de la peau et du blanc des yeux).

ZINC (OXYDE DE)

Présentation : Crème, onguent
En vente libre ? Oui   **Générique disponible ?** Oui
Classe de médicaments : Écran solaire/protecteur de la peau

▼ GÉNÉRALITÉS

INDICATIONS
Prévention des brûlures du soleil. Prévention et traitement de l'érythème fessier chez les bébés.

MODE D'ACTION
L'oxyde de zinc empêche les rayons ultraviolets du soleil de pénétrer la peau. Il constitue aussi un écran protecteur pour la peau.

▼ MODE D'EMPLOI

POSOLOGIE
Écran solaire – Étendez-en un film sur la peau avant de vous exposer au soleil ; comme tout écran solaire, il s'applique uniformément sur toutes les surfaces exposées, même les lèvres. Érythème fessier – Appliquez-en tous les jours en prévention. En traitement, appliquez-en sur les régions affectées à chaque changement de couche.

DÉBUT D'ACTION
Immédiat.

DURÉE D'ACTION
L'oxyde de zinc continue de faire effet jusqu'à ce qu'il soit éliminé de la peau par la transpiration ou par l'eau.

CONSEILS NUTRITIONNELS
Rien à signaler.

MODE DE CONSERVATION
Dans un contenant étanche, à l'abri de la chaleur et de la lumière.

OUBLI D'UNE DOSE
Si vous avez oublié d'appliquer l'oxyde de zinc, faites-le dès que vous y pensez.

ARRÊT DE LA MÉDICATION
Pas de précaution spéciale.

USAGE PROLONGÉ
Aucun problème connu.

▼ PRÉCAUTIONS

Plus de 60 ans. Les recherches laissent présumer que l'usage fréquent d'un écran comme l'oxyde de zinc peut augmenter les risques d'une carence en vitamine D, entraînant en vieillissant le danger d'ostéoporose ou de fractures osseuses. On pourra recommander des suppléments oraux de vitamine D et un régime riche en aliments qui en contiennent.

Conduite automobile, travaux dangereux. L'oxyde de zinc ne devrait pas vous empêcher d'exécuter de telles tâches en toute sécurité.

Alcool. Pas de précautions spéciales.

Grossesse. Pas de risques connus.

Allaitement. Pas de risques connus.

Nourrissons et enfants. Il ne faut pas utiliser l'oxyde de zinc sur des enfants (surtout des bébés de moins de 6 mois) qui ont démontré des tendances allergiques (hypersensibilité). En dehors de cela, il est sans danger pour les enfants. Pour éviter l'ingestion accidentelle, ne laissez pas un jeune enfant appliquer lui-même le produit.

À surveiller. Écran solaire : Appliquez généreusement sur la peau avant d'aller au soleil et répétez l'application après 1 ou 2 heures, surtout si vous vous baignez ou transpirez beaucoup, de même qu'après avoir mangé ou bu. Évitez le contact avec les yeux. En cas de rash cutané, prévenez votre médecin. Exposez-vous le moins possible au soleil entre 10 et 14 heures quand les rayons du soleil sont à leur plus fort. Les meilleurs écrans solaires demeurent les obstacles matériels tels que vêtements et ombrelles ; crèmes et lotions ne les remplacent pas. Il faut être doublement vigilant au voisinage des surfaces réfléchissantes : sable, eau et béton. Érythème fessier : si l'éruption dure plus longtemps que 3 jours, consultez le médecin.

SURDOSAGE
Symptômes. Aucun symptôme spécifique n'a été signalé.

Quoi faire. Il ne peut pas y avoir de surdose. Néanmoins, en cas d'ingestion accidentelle, appelez le médecin ou le centre antipoison, ou allez à l'urgence.

▼ INTERACTIONS

MÉDICAMENT-MÉDICAMENT
Demandez l'avis du médecin si vous utilisez d'autres préparations topiques.

MÉDICAMENT-ALIMENT
Pas d'interaction connue.

MÉDICAMENT-MALADIE
Demandez l'avis de votre médecin en cas d'antécédents de : dermatite (inflammation de la peau), herpès labialis (herpès simplex de la bouche et du visage), lichen plan (problème de peau rare mais sans gravité causant une démangeaison chronique et une éruption caractéristique), lupus érythémateux disséminé, photosensibilité (forte réaction à la lumière du soleil), phytophotodermatite (dermatite causée par le contact avec certaines plantes, suivi d'une exposition au soleil), érythème polymorphe, xeroderma pigmentosum (maladie génétique rare impliquant hypersensibilité aux rayons ultraviolets, lésions cutanées parfois malignes et graves problèmes oculaires).

≡ EFFETS INDÉSIRABLES ≡

GRAVES
Acné, folliculite (sensation de brûlure, douleur, inflammation et démangeaison sur la peau là où il y a du poil ; pus à la naissance du poil) et rash cutané peuvent survenir lorsque l'oxyde de zinc bloque les pores de la peau.

COURANTS
On n'a pas rapporté d'effet indésirable courant.

MOINS COURANTS
On n'a pas rapporté d'effet indésirable moins courant.

ZINC (SULFATE DE) OPHTALMIQUE

Présentation : Solution ophtalmique
En vente libre ? Oui   **Générique disponible ?** Oui
Classe de médicaments : Astringent ophtalmique/analgésique

▼ GÉNÉRALITÉS

INDICATIONS
Soulagement temporaire de l'inconfort et de la rougeur causés par une irritation mineure de l'œil. On prescrit ce médicament en association avec d'autres comme la phényléphrine, la naphazoline et la tétrahydrozoline.

MODE D'ACTION
Le zinc est un minéral qui fait partie intégrante du fonctionnement de plusieurs enzymes importantes chargées de la cicatrisation, de l'état général et de l'hydratation de certains tissus de l'organisme. La solution de sulfate de zinc ophtalmique a de légers effets astringents (les tissus se contractent à l'endroit où on l'applique), qui peuvent aider à diminuer la taille des minuscules vaisseaux sanguins dans le blanc de l'œil (la sclérotique), donc à soulager la rougeur et l'irritation.

▼ MODE D'EMPLOI

POSOLOGIE
1 à 2 gouttes dans l'œil affecté, jusqu'à 4 fois par jour.

DÉBUT D'ACTION
Rapide.

DURÉE D'ACTION
Plusieurs heures.

CONSEILS NUTRITIONNELS
Pas de restrictions spéciales.

MODE DE CONSERVATION
Dans un contenant étanche, à l'abri de la chaleur et de la lumière. Ne mettez pas la solution au congélateur.

OUBLI D'UNE DOSE
Instillez la dose dès que vous y pensez, à moins qu'il ne soit presque l'heure de la dose suivante. Dans ce cas, sautez la dose oubliée et revenez à votre fréquence régulière. Ne doublez pas la dose suivante.

ARRÊT DE LA MÉDICATION
Vous pouvez cesser d'utiliser ces gouttes et recommencer plus tard au besoin. Il n'y a aucun risque prévu.

USAGE PROLONGÉ
Les gouttes ophtalmiques contenant du sulfate de zinc ne devraient pas être utilisées plus de 3 jours sans ordonnance d'un médecin. Si l'irritation et la rougeur persistent ou empirent, cessez d'utiliser les gouttes et communiquez immédiatement avec votre médecin ou votre ophtalmologue.

▼ PRÉCAUTIONS

Plus de 60 ans. Pas de risque connu.

Conduite automobile, travaux dangereux. L'oxyde de zinc ne devrait pas vous empêcher d'exécuter de telles tâches en toute sécurité.

Alcool. Pas de précautions spéciales.

Grossesse. Pas de risque connu. Si vous êtes enceinte ou avez l'intention de le devenir, et que vous ayez des doutes sur l'innocuité de ce médicament, demandez l'avis de votre médecin.

Allaitement. Il n'y a pas eu de recherche spécifique sur l'allaitement. Mais on n'a pas rapporté d'effets secondaires. Demandez l'avis de votre médecin.

Nourrissons et enfants. Il n'existe pas de données spécifiques à ce groupe d'âge.

À surveiller. Appelez immédiatement votre ophtalmologue ou votre médecin de famille si vous éprouvez de la douleur dans l'œil ou une altération de la vue, ou si l'irritation dure au-delà de 72 heures. Avant d'appliquer les gouttes, commencez par vous laver les mains. Renversez un peu la tête. Appuyez légèrement sur le coin interne de la paupière et, avec l'index de la même main, tirez la paupière inférieure vers le bas pour ménager une ouverture. Instillez les gouttes dans cet espace. Fermez l'œil et appuyez pendant 1 ou 2 minutes en vous efforçant de ne pas ciller. Lavez-vous à nou-

---

veau les mains. Prenez garde que le compte-goutte n'entre pas en contact avec l'œil, le doigt ou toute autre surface.

SURDOSAGE
Symptômes. On n'a rapporté aucun cas de surdosage.

Quoi faire. Une surdose est peu probable. En cas d'ingestion accidentelle, appelez aussitôt le médecin ou le centre antipoison, ou allez à l'urgence.

▼ INTERACTIONS

MÉDICAMENT-MÉDICAMENT
Pas d'interaction connue. Toutefois, la phényléphrine, la naphazoline et la tétrahydrozoline (qui sont prescrites en association avec la solution ophtalmique de sulfate de zinc) peuvent nuire à l'action de certaines gouttes contre le glaucome. Demandez d'abord l'avis de votre médecin avant de prendre tout autre médicament ophtalmique sur ordonnance ou en vente libre.

MÉDICAMENT-ALIMENT
Pas d'interaction connue.

MÉDICAMENT-MALADIE
Si vous souffrez d'un glaucome, demandez l'avis de votre médecin avant d'utiliser ce médicament. Ce n'est pas un substitut en vente libre pour des gouttes antibiotiques ou anti-inflammatoires. Consultez votre médecin si vous avez déjà souffert d'un problème oculaire ou si vous avez fait de l'allergie envers une autre préparation ophtalmique.

▼▼▼ EFFETS INDÉSIRABLES ▼▼▼

GRAVES
On n'a pas rapporté d'effet indésirable grave.

COURANTS
Un usage excessif de ce médicament peut augmenter l'irritation et la rougeur de l'œil.

MOINS COURANTS
On n'a pas rapporté d'effet indésirable moins courant.

ZOLMITRIPTAN

Présentation : Comprimés
En vente libre ? Non   **Générique disponible ?** Non
Classe de médicaments : Antimigraineux

▼ GÉNÉRALITÉS

INDICATIONS
Traitement aigu de la migraine. Le zolmitriptan n'est pas destiné à prévenir la migraine, non plus qu'à traiter d'autres types de céphalées, y compris les migraines basilaires ou hémiplégiques. Votre médecin décidera si ce médicament est celui qu'il vous faut.

MODE D'ACTION
Son mode d'action précis n'a pas encore été élucidé.

▼ MODE D'EMPLOI

POSOLOGIE
Une dose unique pouvant varier entre 1 demi-comprimé de 2,5 mg et 1 comprimé de 5 mg suffit généralement. Si la migraine reprend ou si le soulagement est incomplet, on peut répéter une fois après 2 heures, sans dépasser 10 mg en 24 heures. Comme les réactions varient selon les individus, votre médecin établira la posologie qui vous convient. La norme

est 1 comprimé de 2,5 mg comme dose de départ.

DÉBUT D'ACTION
En 30 minutes à 2 heures.

DURÉE D'ACTION
Jusqu'à 24 heures.

CONSEILS NUTRITIONNELS
Le zolmitriptan se prend avec ou sans nourriture.

MODE DE CONSERVATION
Dans un contenant étanche, à l'abri de la chaleur, de l'humidité et de la lumière.

OUBLI D'UNE DOSE
Sans objet : ce médicament se prend au besoin.

ARRÊT DE LA MÉDICATION
Consultez votre médecin avant d'abandonner le zolmitriptan.

USAGE PROLONGÉ
Aucun problème connu. Les personnes présentant un risque de maladie cardiaque devraient subir des examens et des analyses périodiques.

▼ PRÉCAUTIONS

Plus de 60 ans. Non recommandé après 65 ans.

Conduite automobile, travaux dangereux. À déconseiller tant que vous ne connaissez pas l'effet du médicament sur vous.

Alcool. Pas de conseil spécial, mais l'alcool peut déclencher ou exacerber une migraine.

Grossesse. Ne prenez pas de zolmitriptan sans consulter votre médecin si vous êtes enceinte ou pensez l'être.

Allaitement. Le zolmitriptan peut passer dans le lait maternel ; consultez votre médecin.

Nourrissons et enfants. Innocuité et efficacité non établies chez les moins de 18 ans.

À surveiller. Des problèmes cardiaques graves, mais rares, peuvent survenir. Toute personne qui présente un risque de maladie coronarienne non diagnostiquée – femmes ménopausées, hommes de 40 ans et plus – et toutes celles qui se savent à risque (hypertension, hypercholestérolémie, obésité, diabète, antécédents familiaux de maladie cardiaque, tabagisme) devraient prendre leur première dose de zolmitriptan au bureau du médecin. Le zolmitriptan est déconseillé aux personnes qui manifestent des symptômes d'affection cardiaque (douleur ou oppression thoracique, essoufflement). Au-delà de trois traitements par mois, l'innocuité du médicament n'a pas été établie.

SURDOSAGE
Symptômes. Élévation de la tension artérielle s'accompagnant de vertiges, tension dans la nuque, fatigue et perte de la coordination.

Quoi faire. Une surdose de zolmitriptan est peu probable. Néanmoins si la dose a largement dépassé la posologie, appelez aussitôt votre médecin ou le centre antipoison, ou allez à l'urgence.

▼ INTERACTIONS

MÉDICAMENT-MÉDICAMENT
Ne prenez pas de zolmitriptan dans les 24 heures après avoir pris les médicaments suivants : naratriptan, sumatriptan, rizatriptan, mésylate de dihydroergotamine ou de méthysergide, médicaments contenant de l'ergotamine. Dans les 14 jours qui précèdent ou qui suivent la prise de zolmitriptan, ne prenez pas d'IMAO tels que : phénelzine, tranylcypromine, procarbazine et sélégiline. Consultez votre médecin si vous prenez un inhibiteur sélectif de la recapture de la sérotonine (ISRS) tel que fluoxétine, fluvoxamine, paroxétine et sertraline.

MÉDICAMENT-ALIMENT
Voir Conseils nutritionnels.

MÉDICAMENT-MALADIE
Ne prenez pas de zolmitriptan si vous avez des antécédents de : angine, maladie cardiaque, ACV, hypertension non contrôlée, troubles du rythme cardiaque ou maladie vasculaire périphérique. La prudence est recommandée en cas de maladie du foie ou d'insuffisance rénale.

EFFETS INDÉSIRABLES

GRAVES
Les effets indésirables graves sont rares : crise cardiaque ; douleur ou oppression thoracique ; douleur abdominale violente et soudaine ; essoufflement ; respiration sifflante ; troubles du rythme cardiaque ; enflure des paupières, du visage ou des lèvres ; rash cutané ; urticaire.

COURANTS
Bouffées de chaleur ou frissons, engourdissements, sensations de brûlure ou de picotements, sécheresse de la bouche, étourdissements, somnolence, faiblesse.

MOINS COURANTS
Mauvaise digestion, nausées, muscles endoloris.

GLOSSAIRE DES TERMES PHARMACEUTIQUES

Vous trouverez dans cette section les définitions d'un certain nombre de termes pharmaceutiques. Les uns se rapportent à l'action des médicaments ; d'autres décrivent des méthodes pour les administrer. Il sera parfois question d'effets indésirables d'origine médicamenteuse. Le glossaire comporte également des termes se rapportant à certaines agences de santé publique, comme Santé Canada ou la Food and Drug Administration des États-Unis. Les mots sont classés par ordre alphabétique. Ceux en italique renvoient à une définition qui se trouve dans ce glossaire.

à action centrale
Médicament ou autre substance exerçant un effet thérapeutique par l'intermédiaire du *système nerveux central*.

à double insu
Les études cliniques à double insu ou double anonymat servent à comparer les effets d'un nouveau médicament par rapport à un *placebo* ou à un médicament déjà en vente. Tant que l'étude n'est pas terminée, ni les patients, ni les médecins traitants ne savent qui a reçu le nouveau médicament et qui a reçu le *placebo*. La plupart des nouveaux médicaments sont soumis à ce type d'études.

AAS
Sigle de l'acide acétylsalicilique.

accoutumance
Dépendance psychologique à un médicament.

action périphérique
Action d'un médicament qui agit à la périphérie du corps, souvent par l'intermédiaire du *système nerveux périphérique*.

adjuvant
Médicament auxiliaire destiné à renforcer l'effet du médicament principal. Seul, il peut n'avoir aucun effet.

agent antidémence
Médicament qui ralentit la progression de la maladie d'Alzheimer et autres formes apparentées de détérioration intellectuelle.

agent antireflux
Médicament qui soulage le reflux gastro-œsophagien (aigreurs d'estomac).

agoniste
Substance dont l'interaction avec une fonction cellulaire engendre des réactions biochimiques ou des processus organiques.

AINS
Sigle de l'anti-inflammatoire non stéroïdien, médicament qui réduit la douleur et l'inflammation – dans les cas d'arthrite par exemple – en inhibant la sécrétion de certains éléments chimiques semblables aux *hormones* et appelés *prostaglandines*.

allergie médicamenteuse
Réaction allergique à un médicament (comme la pénicilline) ou à une substance médicamenteuse. C'est une réaction immune qui peut être bénigne (par exemple, urticaire, démangeaisons, *rash cutané*) ou grave (état de choc ou détresse respiratoire). Les individus affligés d'une allergie médicamenteuse doivent éviter de prendre le médicament qui la provoque ainsi que ceux qui lui sont apparentés chimiquement. Ils doivent aussi révéler à leurs médecins et dentistes de même qu'au personnel médical toutes les allergies dont ils souffrent.

aminosides
Groupe d'*antibiotiques* chimiquement apparentés, servant à traiter plusieurs sortes d'infection.

amphétamines
Groupe de médicaments chimiquement apparentés à l'amphétamine et servant à stimuler le système nerveux central.

analgésique
Substance qui supprime la sensibilité à la douleur : font partie de ce groupe les *narcotiques*, les *anti-inflammatoires non stéroïdiens* (ayant par ailleurs d'autres propriétés) et divers anti-douleur comme la capsaïcine et l'acétaminophène.

anaphylaxie
Réaction allergique aiguë à un médicament ou à un venin comme celui des abeilles, pouvant provoquer l'enflure des voies aériennes et des troubles respiratoires graves.

anatoxine
Substance dérivée des bactéries, utilisée dans certaines formes de *vaccination* et capable de combattre ou de neutraliser les effets toxiques de certains micro-organismes infectieux.

androgène
Substance hormonale mâle, comme la testostérone, administrée dans certains cas de déficiences endocriniennes ou de cancer.

anémie aplasique
Effet indésirable rare mais parfois fatal, caractérisé par une fonte de la moelle osseuse rendant l'organisme incapable de produire des éléments essentiels du sang en quantité suffisante.

anesthésiant
Médicament qui élimine la perception de la douleur.

anorexie
Perte ou diminution de l'appétit. *Effet indésirable* de certains médicaments.

anorexigène
Médicament provoquant une perte de poids. On peut dire aussi antiobésité. Certains sont *sérotoninergiques*.

antagoniste
Substance qui, en inhibant l'activité chimique de certaines cellules, supprime des réactions physiologiques ou des processus organiques.

antiacide
Médicament qui, en neutralisant les acides gastriques, soulage maux d'estomac, aigreurs, ulcères gastro-duodénaux et troubles semblables.

antiangineux
Médicament, comme le *nitrate*, qui soulage la douleur thoracique caractéristique de l'angine, provoquée par un afflux insuffisant de sang au cœur.

antiarythmique
Médicament servant à régulariser les battements du cœur.

antiasthmatique
Médicament pour traiter l'asthme.

antibactérien
Médicament employé spécifiquement pour combattre les infections bactériennes et non les infections causées par d'autres micro-organismes comme les champignons et les virus. Communément appelé *antibiotique*.

antibiotique
Médicament qui inhibe la croissance des bactéries infectieuses et autres germes ou les détruit. Certains anti-

biotiques sont naturellement produits par des bactéries, des champignons et d'autres micro-organismes ; d'autres sont synthétiques (mais naturels).

antibiotique à large spectre
Antibiotique efficace contre un grand nombre de bactéries infectieuses.

anticancéreux
Médicament qui combat le cancer. On dit aussi *antinéoplasique*.

anticoagulant
Médicament qui inhibe l'activité de certains facteurs coagulants impliqués dans la production de la fibrine, protéine essentielle à la formation des caillots sanguins. Les anticoagulants peuvent empêcher la formation de caillots ou éviter qu'un caillot déjà formé se fragmente, se rende dans un petit vaisseau sanguin et bloque la circulation dans un organe important.

anticonvulsivant
Médicament servant à maîtriser les convulsions, surtout celles provoquées par l'épilepsie.

anticorps
Protéine produite par le système immunitaire pour neutraliser ou éliminer des substances étrangères à l'organisme. L'*allergie médicamenteuse* est associée à une réponse excessive d'un anticorps à un médicament.

antidépresseur
Médicament qui rend euphorique et soulage la dépression : *antidépresseur tricyclique, inhibiteur de la monoamine-oxydase (IMAO)* et *inhibiteur sélectif du recaptage de la sérotonine (ISRS)*.

antidépresseur tricyclique
Antidépresseur couramment utilisé, caractérisé par une structure chimique à trois anneaux, qui augmente l'activité

de substances cérébrales spéciales appelées catécholamines.

antidiabétique
Médicament contre le diabète sucré.

antidiarrhéique
Médicament contre la diarrhée.

antidote
Contrepoison.

antiémétique
Médicament contre les vomissements.

antiglaucomateux
Médicament servant à soigner le glaucome, maladie causée par une augmentation de la pression intraoculaire et cause fréquente de cécité chez les personnes âgées.

antigoutte
Médicament qui soulage la goutte (douleur arthritique vive dans les articulations) en limitant l'accumulation de déchets métaboliques comme l'acide urique dans l'organisme.

antihistaminique
Médicament qui entrave l'action de l'histamine et soulage allergies, rhume des foins, symptômes du rhume, urticaire, *rashs cutanés*, démangeaisons et mal des transports.

antihypertenseur
Médicament qui abaisse la tension artérielle des individus souffrant d'hypertension (tension supérieure à la normale).

antihypotenseur
Médicament qui augmente la tension artérielle des individus souffrant d'hypotension (tension inférieure à la normale).

anti-infectieux
Médicament servant à traiter des

infections et notamment celles causées par des bactéries (*antibactériens*), des champignons (*fongicides*), des virus (*antiviraux*), des parasites (*antiparasitaires*) et d'autres micro-organismes pathologiques.

anti-inflammatoire
Médicament servant à réduire enflure, rougeur ou douleur provoquées par une inflammation ou par une réaction immune à une blessure, soit interne (comme l'arthrose), soit externe (comme un *rash cutané*). Certains anti-inflammatoires sont *stéroïdiens* (leur structure de base comporte des hormones) ; d'autres sont non-stéroïdiens (on les appelle des AINS ou anti-inflammatoires non stéroïdiens).

anti-inflammatoire non stéroïdien
Voir *AINS*.

antimaniaque
Pour traiter les phases de manie (ou hyperactivité mentale et physique) chez les patients atteints de troubles bipolaires ou maniacodépressifs.

antimicrobien
Terme désignant l'ensemble des médicament contre les infections causées par divers micro-organismes : bactéries, champignons et virus. Comprend les *anti-infectieux*, les *antibiotiques*, les *fongicides* et les *antiviraux*.

antimigraineux
Médicament pour soulager ou prévenir les migraines.

antinauséeux
Médicament contre les nausées.

antinéoplasique
Médicament contre le cancer.

antipaludéen
Médicament *antiparasitaire* utilisé spécifiquement pour traiter ou prévenir le paludisme (malaria), maladie provoquée par la piqûre de moustiques qui transmettent le plasmodium.

antiparasitaire
Médicament contre les infestations de parasites incluant vers et amibes.

antiparkinsonien
Médicament contre la raideur et les tremblements associés à la maladie de Parkinson et aux troubles similaires.

antiplaquettaire
Médicament qui réduit la tendance des cellules sanguines appelées plaquettes à s'agglomérer en caillots là où le flux sanguin est perturbé. Par exemple, la circulation peut être entravée par des dépôts graisseux dans les artères coronariennes d'un individu, le prédisposant davantage à avoir un infarctus du myocarde. En petites doses, l'AAS est l'antiplaquettaire le plus souvent prescrit.

antiprolifératif
Médicament qui supprime la prolifération des cellules de l'épiderme dans des maladies de la peau (psoriasis).

antiprurigineux
Médicament pour soulager les démangeaisons.

antipsoriasique
Médicament contre le psoriasis, maladie chronique de la peau et des articulations caractérisée par des plaques rouges et squameuses. On l'emploie aussi parfois contre l'arthrite.

antipsychotique
Médicament servant à traiter les troubles psychiatriques graves, comme la schizophrénie, qui provoquent hallucinations et délire.

antipyrétique
Médicament pour faire tomber la fièvre. On dit aussi fébrifuge.

antirhumatismal
Médicament servant à traiter la polyarthrite rhumatoïde, forme persistante d'arthrite caractérisée par de l'enflure et des douleurs articulaires.

antiseptique
Médicament ou autre substance qui inhibe la croissance et l'activité des bactéries et autres micro-organismes. Aussi appelé germicide.

antispasmodique
Médicament servant à réduire les mouvements musculaires involontaires, comme ceux qui peuvent se produire dans le tractus gastro-intestinal ou dans la vessie.

antituberculeux
Médicament servant à traiter ou à prévenir la tuberculose.

antitussif
Substance qui prévient ou supprime la toux.

antiurolithique
Médicament employé dans le traitement des calculs rénaux, trouble caractérisé par la formation de petites pierres dures dans le tractus urinaire.

antiviral
Médicament contre les infections causées par des virus, comme le sida.

anxiolytique
Médicament qui soulage l'anxiété. Agit aussi comme relaxant musculaire et comme somnifère.

azalide
Antibiotique employé pour combattre les infections.

barbiturique

Groupe de médicaments apparentés, utilisés comme *hypnotiques*, *sédatifs* et *antispasmodiques* pour provoquer le sommeil, soulager l'anxiété et détendre les muscles : par exemple, le phénobarbital et l'amobarbital ; la plupart se terminent en « -ital ».

benzodiazépine

Groupe d'*anxiolytiques* apparentés, employés comme *tranquillisants* et dont font partie le diazépam et le triazolam ; la plupart se terminent en « -épam » ou en « -olam ».

bêtabloquant

Médicament qui inhibe l'activité chimique de certains récepteurs du système nerveux, les récepteurs bêta, qu'on trouve dans le cœur et les voies respiratoires. Communément utilisés comme *antihypertenseurs*, ils abaissent la tension artérielle en ralentissant le rythme cardiaque et en réduisant la force des battements du cœur. On les prescrit aussi dans les cas d'angine, de troubles du rythme cardiaque, d'anxiété et de glaucome.

biodisponibilité

Terme désignant la quantité de médicament absorbé par l'organisme et en état d'exercer un effet thérapeutique.

bioéquivalent

Terme désignant des médicaments qui, à quantité égale, ont des propriétés chimiques équivalentes et donc le même délai de libération dans l'organisme. Les génériques sont bioéquivalents aux médicaments d'origine.

bloqueur des canaux calciques

Antihypertenseur qui, en diminuant le mouvement des ions de calcium dans les membranes cellulaires, détend les muscles entourant les vaisseaux sanguins : ces vaisseaux se dilatent et la tension artérielle baisse.

bradycardie

Ralentissement du rythme cardiaque qui tombe sous la barre des 60 pulsations par minute.

bronchoconstricteur

Substance qui provoque la constriction des voies aériennes pulmonaires.

bronchodilatateur

Substance qui provoque la dilatation des bronchioles et rend la respiration plus facile. Sert principalement à traiter l'asthme et les troubles semblables.

caplets

Comprimés ovales, plus faciles à avaler que des comprimés ronds.

catécholamines

Groupe de neurotransmetteurs exerçant de nombreux effets sur l'organisme : ils accélèrent le rythme cardiaque, élèvent la tension artérielle et rendent la respiration plus rapide. Des catécholamines de synthèse s'emploient dans les urgences.

cathartique

Qui agit comme purgatif puissant : un médicament cathartique stimule les mouvements intestinaux.

céphalosporines

Groupe d'*antibiotiques* chimiquement apparentés, autrefois produits à partir d'un champignon, maintenant disponibles en versions synthétiques et très utilisés contre plusieurs infections.

chélateur

Médicament ayant, comme la pénicillamine, la propriété de se lier aux métaux et de réduire leur concentration dans les tissus. Il y a niveau toxique de métal en cas d'empoisonnement par le plomb ou d'affections comme la maladie de Wilson, trouble héréditaire caractérisé par l'accumulation de cuivre dans l'organisme.

chimiothérapie

Traitement au moyen de médicaments, comme pour le cancer.

clairance

Coefficient d'élimination d'un médicament par les reins.

classe de médicaments

Groupe de médicaments ayant des structures chimiques et des effets internes ou externes similaires. Il y a de nombreuses classes de médicaments. Bien que les membres d'une classe en particulier aient tous des propriétés semblables, il existe entre eux assez de différences pour que l'un soit plus indiqué qu'un autre dans un cas donné.

coma

État d'inconscience provoqué par un traumatisme crânien.

contraceptif

Médicament ou dispositif pour éviter la grossesse.

contre-indication

Circonstance qui empêche d'avoir recours à un médicament ou qui impose une certaine prudence lors de son administration.

corticostéroïde

Médicament anti-inflammatoire qui imite l'action de substances naturelles puissantes appelées *stéroïdes*, sécrétées par les glandes surrénales et qui ont d'amples effets dans l'organisme. Les corticostéroïdes se présentent sous la forme de préparations *ophtalmiques*, *otiques*, *topiques*, *systémiques* ou à inhaler. Ils servent notamment à traiter l'asthme, les allergies, les inflammations cutanées, les affections inflammatoires intestinales et certaines formes de cancer.

cytotoxique
Médicament qui agit en détruisant les cellules qui se divisent rapidement comme, notamment, celles du cancer.

décongestionnant
Médicament contre la congestion du nez ou des sinus provoquée par le rhume ou une allergie.

dépendance
Asservissement à un médicament ou besoin de continuer à en prendre par suite de facteurs psychologiques ou physiques. Les *narcotiques*, par exemple, provoquent de la dépendance. La dépendance psychologique fait naître le désir impérieux de consommer la substance qu'on ne peut plus se procurer. La dépendance physique peut entraîner des *symptômes de sevrage* : tremblements, sueurs, convulsions ou douleur abdominale.

dépresseur
Substance qui fait baisser la tension artérielle.

désensibilisation
Traitement médical contre l'*allergie médicamenteuse* visant à augmenter la tolérance d'une personne à un médicament par l'administration de doses de plus en plus fortes.

digitalique
Médicament qui ralentit le rythme du cœur et augmente la force du muscle cardiaque. Il améliore ainsi le pompage du cœur et combat les symptômes de l'insuffisance cardiaque. Aussi appelé glucoside cardiaque.

DIN
Tous les médicaments vendus au Canada ont un numéro d'identification (DIN ou Drug Identification Number) ou un numéro grand public (GP) qui apparaît sur leur étiquette et qui atteste que la formule, l'étiquette et la po-

sologie du médicament ont été approuvées par Santé Canada. Les préparations à base d'éléments naturels classées parmi les médicaments doivent aussi avoir un tel numéro.

diurétique
Médicament qui augmente la sécrétion et l'excrétion urinaires.

diurétique de l'anse
Groupe de *diurétiques* couramment prescrits contre l'hypertension. Les diurétiques de l'anse agissent sur une partie des reins appelée l'anse de Henle ; ils empêchent la réabsorption du sodium et de l'eau par le sang et augmentent ainsi le débit urinaire.

diurétique d'épargne potassique
Diurétique doux, prescrit contre l'hypertension. Agit sur les reins pour inhiber la réabsorption du sodium et de l'eau par le sang, augmentant ainsi le débit urinaire. Les diurétiques d'épargne potassique aident à prévenir une perte excessive de potassium, problème soulevé fréquemment par d'autres types de diurétiques.

dose fractionnée
Fraction de la posologie quotidienne d'un médicament prise à divers moments de la journée, par opposition à une dose unique.

dyskinésies tardives
Trouble nerveux caractérisé par des mouvements le plus souvent involontaires de la bouche, de la langue, du cou, des lèvres et parfois des doigts, qui survient parfois lors d'un traitement prolongé avec des *antipsychotiques* puissants.

ECA
ECA est le sigle de « enzyme de conversion de l'angiotensine ». L'inhibiteur de l'ECA est un médicament *antihypertenseur* : il entrave la

synthèse de l'angiotensine II, substance biochimique qui fait monter la tension artérielle en provoquant la constriction des vaisseaux sanguins.

écarteur
Dispositif inclus dans un *inhalateur* qui se fixe sur l'embout buccal et sert de réservoir au médicament. Il permet de diffuser une dose prémesurée de médicament dans les voies aériennes.

effet indésirable
Effet pernicieux et non recherché d'un médicament. Les effets indésirables sont des réactions connues à un médicament donné, mais en règle générale peu de patients en souffrent.

électrolyte
Tout sel chimique – calcium, potassium ou sodium – présent dans le plasma sanguin et agissant comme transmetteur dans plusieurs processus organiques. Les électrolytes sont essentiels, par exemple, au maintien du rythme cardiaque et de la fonction rénale. Certains médicaments peuvent modifier le taux des électrolytes.

élixir
Forme de médicament liquide dans lequel l'ingrédient actif est mélangé à une solution alcoolisée à laquelle on a ajouté une saveur.

émollient
Préparation médicamenteuse ou non qui calme et adoucit la peau, les lèvres ou les *muqueuses* et hydrate l'épiderme en y laissant une pellicule huileuse qui réduit l'évaporation.

empoisonnement
Surdose massive d'un médicament ou d'une *toxine* pouvant être mortelle.

en vente libre
Médicaments vendus sans ordonnance dans les pharmacies, les magasins

d'alimentation, etc. De plus en plus de médicaments d'ordonnance se retrouvent en vente libre, parfois dans des concentrations plus faibles.

enzyme

Protéine qui régule les réactions biochimiques. Chaque type de cellule organique produit des enzymes spécifiques.

épuisement d'effet

Adaptation de l'organisme à un médicament, se traduisant par une diminution de ses effets en cas d'usage prolongé. L'épuisement d'effet a ses bons côtés : un *effet indésirable* peut s'atténuer à mesure que l'organisme s'habitue au médicament. Par contre, le même phénomène peut réduire progressivement l'efficacité des analgésiques, de sorte qu'il faut en prendre des doses de plus en plus fortes.

euphorie

Impression intense de bien-être. Peut être induite par certains médicaments, mais aussi par un trouble cérébral ou un traumatisme crânien.

expectorant

Substance présente dans les médicaments pour la toux et favorisant le dégagement et le rejet de mucus ou de glaire provenant des voies respiratoires.

Fichier dosimétrique national (FDN)

Ce service renferme des fiches sur plus de 500 000 travailleurs canadiens dont l'exposition aux radiations est surveillée : dentistes, techniciens de laboratoire et travailleurs des mines d'uranium et du secteur nucléaire. Géré par le Bureau de la radioprotection de Santé Canada, le FDN publie des rapports annuels sur les radio-expositions professionnelles.

fièvre réactionnelle

Effet indésirable d'un médicament, marqué par une poussée de fièvre et provoqué par une réaction allergique ou quelque autre cause.

fongicide

Médicament qui lutte contre les infections fongiques tel le pied d'athlète. Les fongicides *topiques* s'appliquent sur la peau, le cuir chevelu ou les ongles. Les fongicides *systémiques* s'administrent oralement ou par injection contre les infections fongiques du sang, des organes ou des tissus.

Food and Drug Administration (FDA)

Agence gouvernementale américaine souvent mentionnée dans des articles ou des reportages et chargée de la sécurité des aliments et des médicaments aux États-Unis. Elle a pour fonction d'établir l'innocuité des nouveaux médicaments avant qu'ils ne soient mis en vente, de définir les médicaments d'ordonnance et ceux en vente libre, de réglementer l'étiquetage des aliments et des médicaments et de baliser le recours aux additifs.

FPS

Sigle du Facteur de protection solaire qui mesure l'efficacité avec laquelle un écran solaire bloque les rayons ultra-violets. On recommande un FPS d'au moins 15, ce qui signifie qu'un individu peut s'exposer au soleil sans brûler 15 fois plus longtemps que s'il le faisait sans écran.

g

Symbole de *gramme*.

générique ou médicament générique

Copie conforme du médicament d'origine. Les médicaments génériques sont chimiquement équivalents aux médicaments d'origine, mais moins chers. Ils ne peuvent pas être mis en marché avant l'expiration du brevet

protégeant le médicament d'origine (soit environ 20 ans) et sont généralement vendus sous le nom générique de celui-ci.

glucoside cardiaque

Voir *digitalique*.

gramme (g)

Mesure métrique de poids, parfois utilisée en pharmacologie. Il y a environ 454 grammes dans 1 livre.

hallucinogène

Substance qui provoque des hallucinations – visions et autres perceptions imaginaires d'objets et de situations. L'abus de l'alcool peut avoir un effet hallucinogène ; le sevrage peut également produire des hallucinations.

histamine

Substance produite par des cellules dans l'estomac, l'épiderme, les voies respiratoires. L'histamine, qui favorise la digestion en déclenchant la sécrétion des acides gastriques, provoque aussi des réactions allergiques : urticaire, inflammation, démangeaisons, congestion des voies respiratoires.

hormone

Substance chimique élaborée dans divers organes, transportée par le sang et exerçant ses effets à distance. Il existe quelques hormones de synthèse servant à favoriser la croissance, à régulariser le cycle menstruel et à combattre le cancer.

hormone de croissance

Hormone sécrétée par l'hypophyse qui favorise la croissance en agissant indirectement sur de nombreux tissus de l'organisme. Des versions synthétiques de cette hormone sont vendues comme médicaments et généralement administrées par injection aux enfants. Aussi appelée hormone somatotropique ou somatotropine.

hormonothérapie de substitution
Supplément d'œstrogène, une des hormones femelles produites par les ovaires, pour soulager les *effets indésirables* de la ménopause.

hypersensibilité
Réponse excessive ou réaction allergique à un médicament.

hypnotique
Médicament utilisé principalement pour provoquer le sommeil (par exemple, une *benzodiazépine*). On dit souvent aussi somnifère.

hypocholestérolémiant
Voir *hypolipidémique*.

hypoglycémiant
Médicament qui abaisse le taux de sucre sanguin ; communément utilisé pour traiter le diabète.

hypolipidémique
Médicament qui réduit le taux sanguin de mauvais cholestérol et aide à diminuer le risque de crise cardiaque. Aussi appelé hypocholestérolémiant.

hypotension orthostatique
Tension artérielle basse causée par certains antihypertenseurs et provoquant divers symptômes comme des évanouissements, des étourdissements et une perte d'équilibre, surtout quand on se lève ou qu'on s'assoit brusquement.

IMAO
Voir *inhibiteur de la monoamine-oxydase*.

immunisation
Stimulation du système immunitaire à produire des anticorps contre une maladie spécifique ; création d'un système de défense par l'administration orale ou l'injection d'un *vaccin* ou d'une *toxine* ou encore de cellules ou de plasma sanguin prélevés sur des individus infectés. Le terme est à peu près synonyme de *vaccination*.

immunosuppresseur
Médicament qui neutralise le système immunitaire. Un tel effet peut servir à empêcher le rejet d'un nouvel organe après une greffe, mais aussi à traiter le cancer, la polyarthrite rhumatoïde ou d'autres maladies graves.

implant
Capsule implantée sous la peau et qui dégage lentement un médicament durant une période prolongée.

indications
Trouble, état pathologique, maladie ou symptôme pour lequel un médicament est prescrit ou dont l'usage est approuvé par Santé Canada.

infection de rebond
Voir *surinfection*.

ingrédient actif
Ingrédient chimique d'une préparation médicamenteuse, responsable de l'effet thérapeutique recherché et constituant à proprement parler le médicament. Celui-ci renferme aussi des *ingrédients non médicinaux* comme un liant pour agglomérer les comprimés et un colorant pour leur donner une couleur distinctive.

ingrédient non médicinal
Substance – colorant, parfum, liant, gélatine d'enrobage ou agent de conservation – n'ayant aucun effet thérapeutique, mais qui est ajoutée à l'ingrédient actif durant la fabrication du médicament. La plupart des fabricants énumèrent les ingrédients non médicinaux par ordre alphabétique.

inhalant
Préparation médicamenteuse inhalée par le nez ou la bouche.

inhalateur
Dispositif pour administrer un médicament sous forme de poudre ou de fines gouttelettes dans les poumons.

inhalateur dosé
Dispositif qui transforme un médicament liquide en un jet pulvérisé et dosé qu'on inhale par la bouche pour le faire pénétrer dans les voies respiratoires.

inhibiteur de la monoamine-oxydase (IMAO)
Antidépresseur qui, en bloquant l'action d'une *enzyme* du système nerveux, la monoamine-oxydase, augmente la quantité de substances appelées monoamines dans le cerveau.

inhibiteur de l'anhydrase carbonique
Antiglaucomateux, comme l'acétazolamide, qui exerce son action en bloquant l'activité de l'anhydrase carbonique, enzyme impliquée dans la production du liquide intraoculaire.

inhibiteur de la protéase
Médicament qui inhibe la production d'une enzyme importante, la protéase, dont le virus du sida a besoin pour se reproduire.

inhibiteur de la résorption osseuse
Médicament qui fait échec à l'usure normale des os. Sert à traiter les hauts taux sanguins de calcium (hypercalcémie) ou certaines affections comme la maladie osseuse de Paget.

inhibiteur de la sérotonine
Médicament qui inhibe dans le cerveau l'action de la sérotonine, substance biochimique du système nerveux. Cet effet peut stimuler l'appétit ou soulager certains maux de tête.

inhibiteur de l'enzyme de conversion de l'angiotensine
Voir *ECA*.

inhibiteur des récepteurs H1 de l'histamine

Antihistaminique servant à traiter le rhume des foins et d'autres allergies.

inhibiteur des récepteurs H2 de l'histamine

Médicament qui se lie à un récepteur logé dans la paroi de l'estomac, appelé récepteur H2, qui prévient la libération d'*histamine*. Dans le tractus digestif, l'histamine déclenche la sécrétion d'acides gastriques. Les médicaments de ce groupe servent à soigner les aigreurs d'estomac, les ulcères et d'autres troubles gastriques.

inhibiteur sélectif du recaptage de la sérotonine (ISRS)

Tout *antidépresseur* qui lutte contre la dépression en augmentant dans le cerveau le taux d'une substance biochimique, la sérotonine.

injection à effet retard

Médicament administré par injection et spécialement formulé pour que ses substances actives s'absorbent progressivement. La période d'absorption peut durer plusieurs semaines.

injection intramusculaire

Dans un muscle. Des médicaments ou des vaccins sont administrés sous forme de solution dans un muscle, souvent celui de la fesse ou de la cuisse, d'où ils passent dans le flux sanguin.

injection intraveineuse

Dans une veine. Plusieurs médicaments, présentés en solution, sont administrés par injection ou perfusion (injection lente et prolongée) dans une veine et pénètrent immédiatement dans le flux sanguin. Le sang les disperse alors dans tout le corps.

injection sous-cutanée

Injection qui se fait sous la peau. On dit aussi injection hypodermique.

instruments médicaux

Santé Canada et la Loi sur les aliments et drogues désignent ainsi tout article utilisé à des fins médicales pour modifier une fonction organique ou une structure, diagnostiquer la gestation, prendre soin de l'être humain ou des animaux durant la gestation et prendre soin de leur progéniture. Implants mammaires, condoms et verres de contact sont classés parmi les instruments médicaux, ainsi que certains moyens anticonceptionnels.

interaction alimentaire

Effet exercé l'un sur l'autre par un aliment et un médicament et pouvant modifier la *biodisponibilité* de l'ingrédient actif. À cause de ces interactions, certains médicaments ne doivent pas être pris avec de la nourriture, ou avec un aliment spécifique.

interaction médicamenteuse

Effet exercé l'un sur l'autre par deux (ou plusieurs) médicaments et qui peut être de nature très variée. Les interactions peuvent augmenter ou diminuer la *biodisponibilité* de l'ingrédient actif, l'efficacité du médicament et la probabilité d'*effets indésirables*. Leurs conséquences peuvent être sans gravité ou mettre la vie du patient en danger.

interféron

Substance naturelle destinée à provoquer la réaction du système immunitaire. Les interférons ont été synthétisés et s'emploient notamment comme *anticancéreux*.

ISRS

Voir *inhibiteur sélectif du recaptage de la sérotonine*.

jaunisse

Trouble du foie caractérisé par le jaunissement de la peau et des yeux. La jaunisse peut être causée par une

allergie médicamenteuse, par l'*effet indésirable* d'un médicament sur le foie ou par une maladie hépatique.

kératolytique

Médicament servant à traiter certains troubles de la peau comme l'acné en provoquant la desquamation de la couche supérieure de l'épiderme constituée de cellules mortes.

kilogramme (kg)

Unité de poids métrique équivalant à 2,2 livres. Certaines doses médicamenteuses sont calculées par kilogramme de poids corporel.

lavement

Procédé par lequel un liquide est injecté dans le rectum au moyen d'une canule introduite dans l'anus. Le liquide lui-même.

laxatif

Groupe de médicaments qui soulagent la constipation en augmentant le volume des matières fécales (laxatif par effet de masse), en ramollissant les selles (*laxatif émollient*), en lubrifiant le tractus gastro-intestinal (laxatif lubrifiant) ou en augmentant la motilité du tractus gastro-intestinal (laxatif stimulant).

laxatif émollient

Laxatif qui ramollit les matières fécales, les rendant plus faciles à évacuer.

local

Médicament ne s'exerçant que sur un organe en particulier ou sur une surface restreinte du corps, soit la plupart des préparations *topiques* (appliquées sur la peau), *ophtalmiques* (appliquées dans les yeux) et des *inhalants* (administrés par les voies respiratoires). Ces préparations ont généralement des *effets indésirables* moins graves que les médicaments *systémiques* dont l'action est généralisée.

Loi sur les aliments et drogues
Loi fédérale qui, par ses règlements, définit les conditions que doivent respecter les fabricants pour vendre leurs produits au Canada. Administrée par Santé Canada, la loi s'applique aux drogues – ou substances fabriquées ou vendues pour le traitement d'une maladie chez l'être humain ou les animaux –, aux *instruments médicaux*, aux dispositifs émettant des radiations, aux *produits de santé naturels*, aux pesticides, aux aliments et aux produits de consommation.

µg
Symbole de *microgramme*.

macrolide
Groupe d'*antibiotiques* prescrits contre diverses infections par des micro-organismes et caractérisés par une structure chimique annelée.

marijuana
Plante *Cannabis sativa*. Autres dérivés de cette plante, le haschisch et l'huile de haschisch. Tous renferment un élément chimique, le delta-9-tétrahydrocannabinol (THC), qui provoque de l'*euphorie*. La plupart des témoignages voulant que la marijuana soulage la douleur chronique ainsi que les nausées et les douleurs associées au sida et aux thérapies du cancer et qu'elle soit efficace contre l'*anorexie*, l'arthrite, l'épilepsie, le glaucome, le hoquet incoercible associé au sida, la migraine et la sclérose en plaques sont purement anecdotiques : les études scientifiques sur son innocuité et son efficacité se contredisent et ne sont pas probantes. Les risques que la marijuana présente pour la santé n'ont pas été clairement définis. Elle ne fait partie, nulle part dans le monde, des drogues approuvées. Le Canada finance actuellement des recherches sur le sujet. Les Canadiens qui ont l'appui de leur médecin peuvent être autorisés à en posséder et à en cultiver à des fins thérapeutiques.

médicament d'origine ou médicament de référence
Première version d'un médicament.

médicament oral
Médicament solide (comprimé ou gélule) ou liquide à prendre par la bouche.

mEq
Symbole de *milliéquivalent*.

mg
Symbole de *milligramme*.

microgramme (µg)
Mesure métrique de poids valant un millionième de *gramme* et utilisée dans la posologie des médicaments.

milliéquivalent (mEq)
Unité de mesure chimique utilisée dans la posologie des médicaments.

milligramme (mg)
Mesure métrique de poids valant un millième de *gramme*, utilisée dans la posologie des médicaments.

millilitre (ml)
Mesure métrique de volume valant un millième de litre et utilisée dans le dosage des médicaments liquides. Une cuillerée à thé contient environ 5 ml.

minéral
Substance inorganique provenant de la croûte terrestre et essentielle aux êtres humains dans la synthèse des enzymes, la régulation du rythme cardiaque, la formation des os, la digestion et nombre de processus du métabolisme. Les aliments et l'eau fournissent les sels minéraux.

ml
Symbole de *millilitre*.

modificateur du comportement
Médicament servant à aider une personne à modifier son comportement, par exemple à cesser de boire de l'alcool avec excès ou de fumer.

mucolytique
Médicament pour fragmenter et fluidifier les sécrétions excessives de mucus dans le traitement de la toux.

muqueuse
Membrane rosée et satinée qui tapisse lèvres, bouche, vagin, paupières, estomac, tractus gastro-intestinal et urinaire et autres structures semblables. Les muqueuses sécrètent un fluide épais et visqueux, le mucus, qui les lubrifie et les protège.

mydriatique
Substance qui dilate la pupille de l'œil.

myotique
Médicament provoquant le rétrécissement de la pupille (myosis). Certains myotiques, comme la pilocarpine, sont utilisés comme *antiglaucomateux* parce qu'ils favorisent l'élimination des humeurs de l'œil et réduisent ainsi la pression intraoculaire.

narcotique
Médicament qui agit sur le *système nerveux central*. Bien qu'utilisé principalement comme *analgésique*, il a bien d'autres effets. Il provoque de la somnolence et du vide mental (sans aller jusqu'à la perte de conscience), ralentit la respiration et inhibe la motilité du tractus gastro-intestinal. Synonymes : *opiacé* et *opioïde*.

nébuliseur
Dispositif qui utilise de l'air comprimé pour disperser un médicament liquide en très fines gouttelettes pouvant être inhalées par le nez ou la bouche. On dit aussi inhalateur dosé.

néphrotoxicité

Terme désignant les dommages causés aux reins par certains médicaments (comme les *antibiotiques aminosides*) ou par les *toxines*.

neuropathie

Effet indésirable de certains médicaments provoquant des dommages aux nerfs et qui se manifeste par des sensations de brûlure, de fourmillement, de douleur ou d'engourdissement dans les doigts, les orteils, les membres ou d'autres parties du corps.

neurotoxicité

Terme désignant les dommages causés aux nerfs par suite d'un *effet indésirable* de certains médicaments ou de *toxines*.

nitrates

Groupe de médicaments *antiangineux* qui dilatent les vaisseaux sanguins du cœur.

nom commercial

Nom sous lequel un fabricant choisi de commercialiser un remède. Le Prozac, par exemple, est le nom commercial d'un *antidépresseur* dont le nom générique est fluoxétine.

nom générique

Nom scientifique d'un médicament. Il n'est pas spécifique et est connu dans le monde entier.

œstrogène

Hormone femelle aux effets multiples qui régit le cycle reproductif et provoque l'apparition des caractéristiques sexuelles secondaires. Diverses formes d'œstrogène s'emploient pour traiter notamment la ménopause et le cancer du sein.

onguent

Composition médicamenteuse molle, généralement à base de corps gras, appliquée sur la peau. On dit aussi pommade ou crème.

ophtalmique

Médicament à administrer dans les yeux ou autour des yeux.

opiacé ou opioïde

Analgésique semblable à la morphine, apparenté à l'opium. Voir *narcotique*.

ordonnance

Instructions émises par un médecin demandant à un pharmacien de préparer un médicament selon une forme et une posologie spécifiques. Les médicaments sur ordonnance, contrairement à ceux en vente libre, doivent être prescrits par le médecin.

otique

Médicament administré dans l'oreille ou sur l'oreille.

ototoxicité

Terme désignant les dommages causés aux structures internes de l'oreille et la perte d'acuité auditive que peuvent provoquer certains médicaments (par exemple les *antibiotiques aminosides*) ou des *toxines*.

parentéral

Introduit dans l'organisme par une voie autre que le tube digestif, par exemple par *injection*.

parkinsonisme

Effet indésirable de certains médicaments qui ressemble aux symptômes de la maladie de Parkinson : absence d'expression faciale, tremblement des mains, des bras ou des jambes, raideur dans l'attitude et la démarche.

PAS

Voir *Programme d'accès spécial*.

pénicilline

Groupe d'*antibiotiques* (fabriqué pour la première fois en série dans les années 1940) fréquemment utilisés contre un vaste spectre d'infections. Plusieurs dérivés de la pénicilline, comme l'ampicilline et la ticarcilline, sont maintenant synthétisés ; leurs noms se terminent en « -illine » et ils sont une cause fréquente d'*allergie médicamenteuse*.

pharmacien

Titulaire d'un diplôme en pharmacie lui donnant le droit de vendre des médicaments sur *ordonnance*.

photosensibilité

Effet indésirable de certains médicaments caractérisé par une tolérance réduite aux rayons ultraviolets du soleil et se manifestant par une tendance aux coups de soleil.

placebo

Substance dépourvue de tout ingrédient pharmaceutique actif.

prémédication

Médication administrée 1 à 2 heures avant une intervention chirurgicale.

priapisme

Érection prolongée et douloureuse du pénis provoquée par une obstruction du flux sanguin. Parfois *effet indésirable* de certains médicaments.

produits de santé naturels

Ils englobent les produits traditionnels à base de plantes médicinales, les suppléments vitaminiques et minéraux et les médicaments homéopathiques. Tous ces produits sont régis par Santé Canada.

progestérone

Hormone femelle sécrétée par les ovaires qui aide à réguler les menstruations. Des versions synthétiques de la progestérone sont employées comme *contraceptif* et pour traiter la ménopause, certains cancers et les saignements utérins anormaux.

Programme d'accès spécial (PAS)
Grâce à ce programme de Santé Canada, autrefois Programme d'autorisation des médicaments d'urgence, le médecin traitant des patients atteints de maladies graves ou mortelles ou pour lesquels les thérapies habituelles se sont révélées inefficaces, ne conviennent pas, ne sont pas disponibles ou n'offrent que des possibilités restreintes, peut accéder à des médicaments non vendus ou distribués au Canada. Lorsque le PAS approuve la demande d'accès, ceci autorise le fabricant à vendre au patient une quantité spécifiée du médicament. Le fabricant a la discrétion de fournir ou pas le produit demandé.

prostaglandine
Groupe de substances biochimiques exerçant des effets multiples sur la muqueuse gastrique, les contractions utérines durant l'accouchement et l'inflammation des tissus. Quelques prostaglandines, comme le misoprostol, sont synthétiques. Des médicaments comme les *AINS* inhibent les effets de certaines prostaglandines.

rash cutané
Réaction allergique à un médicament, apparaissant d'habitude durant les quelques jours qui suivent la première prise et pouvant être causée aussi bien par des préparations *topiques* que *systémiques*.

rétinoïde
Dérivé synthétique de la vitamine A servant à soigner l'acné et d'autres problèmes de la peau. Inclut l'acitrétine, la trétinoïne et l'isotrétinoïne.

rubéfiant
Ingrédient révulsif qui augmente le flux sanguin dans la peau et la fait rougir. Les onguents contre les douleurs musculaires contiennent parfois des rubéfiants. Ils produisent une sensation désagréable là où ils sont appliqués, détournant l'attention du patient de la douleur primaire.

Santé Canada
Ministère fédéral ayant pour mandat de promouvoir et de protéger la santé des Canadiens et qui voit à ce que médicaments, *appareils médicaux* et autres produits thérapeutiques distribués au Canada soient sûrs, efficaces et de bonne qualité.

sédatif
Médicament *tranquillisant* pour réduire l'anxiété ou la nervosité.

sérotoninergique
Médicament qui augmente le taux cérébral de sérotonine, élément biochimique du système nerveux. Certains sérotoninergiques luttent contre l'obésité en donnant aux patients une sensation de plénitude gastrique.

sirop
Médication liquide composé d'un élément actif dissous dans une solution sucrée et concentrée.

solution
Un ou plusieurs médicaments dissous dans un liquide.

stabilisant des mastocytes
Agent médicamenteux, comme le cromolyn sodique, qui prévient la libération d'*histamine* par des cellules spéciales, les mastocytes, et réduit ainsi l'inflammation des voies respiratoires. On l'emploie couramment contre l'asthme.

stabilité
Propriété chimique d'un médicament assurant qu'il ne se décompose pas durant l'entreposage, mais demeure actif et efficace jusqu'à la date de péremption.

statine
Groupe de médicaments qui fait baisser le taux de cholestérol en inhibant l'action d'une *enzyme* essentielle à la synthèse du cholestérol dans le foie. Autre appellation : inhibiteurs de la HMG-CoA réductase.

stéroïde
Substance naturellement présente dans l'organisme et jouant un rôle important dans de nombreux processus organiques. Certains stéroïdes sont des *hormones*, soit sexuelles (comme la testostérone), soit surrénales (comme la prednisone). Les termes *stéroïde* et *corticostéroïde* sont souvent utilisés l'un pour l'autre.

sublingual
Mode d'administration d'un médicament en le plaçant sous la langue. Les comprimés sublinguaux d'*antiangineux*, par exemple, pénètrent en quelques secondes dans le flux sanguin.

sulfamides
Groupe d'*antibiotiques* bactériostatiques synthétiques, apparentés à la sulfanilamide.

sulfonylurées
Groupe d'*antidiabétiques* oraux apparentés entre eux et administrés oralement pour réduire et réguler le taux de sucre dans le sang.

surdose
Dose excessive d'un médicament pouvant atteindre un taux de toxicité dangereux. Les surdoses accidentelles sont surtout à redouter chez les enfants, les vieillards et les personnes souffrant d'insuffisance rénale, hépatique ou autres et incapables, par le fait même, de métaboliser et d'excréter le médicament. Les surdoses

prémédités sont à redouter chez les personnes déprimés.

surinfection
Effet indésirable dangereux de certains *antibiotiques* caractérisé par l'apparition durant le traitement d'une infection secondaire. Elle peut survenir quand les antibiotiques altèrent l'équilibre normal des microbes dans les tractus respiratoire, gastro-intestinal ou urinaire, permettant à certains micro-organismes présents de se multiplier et de prospérer.

suspension
Médication liquide, souvent brouillée, composée d'une poudre délayée dans un milieu liquide.

sympatholytique
Antihypertenseur agissant sur le *système nerveux périphérique*; comme il bloque les signaux nerveux qui déclenchent la constriction des vaisseaux sanguins, ceux-ci se dilatent, faisant baisser la tension artérielle. Parmi les médicaments sympatholytiques se trouvent les *bêtabloquants* et d'autres *antihypertenseurs*.

sympathomimétique
Médicament qui agit sur le système nerveux pour stimuler les mouvements involontaires des organes, glandes, muscles et autres structures du corps. Le salbutamol en est un; il dilate les voies respiratoires et aide à soulager l'asthme.

symptômes de sevrage
Symptômes physiques ou psychologiques produits lorsqu'on interrompt brusquement une médication. Voir *dépendance*.

syndrome de Reye
Maladie rare mais parfois fatale frappant enfants et adolescents, caractérisée par la dégénérescence du foie et l'enflure du cerveau; on la croit liée à l'administration d'AAS aux enfants de moins de 16 ans qui ont la varicelle, la grippe ou une maladie virale semblable à la grippe.

système nerveux autonome
Système nerveux qui régit les muscles lisses (par exemple ceux qui entourent les vaisseaux sanguins) et le muscle cardiaque et qui commande plusieurs fonctions involontaires, comme les sécrétions glandulaires, les mouvements du tractus gastro-intestinal, la contraction ou la dilatation des vaisseaux sanguins. Plusieurs médicaments, dont certains hypotenseurs, agissent par l'intermédiaire du système nerveux autonome. Comme son action est très étendue, les médicaments qui l'affectent provoquent, outre l'effet thérapeutique pour lequel on a recours à eux, une vaste gamme d'*effets indésirables*.

système nerveux central (SNC)
Partie du système nerveux comprenant le cerveau et la moelle épinière.

système nerveux périphérique
Situé à l'extérieur du cerveau et de la moelle épinière, il comprend les nerfs des mains et des pieds.

systémique
Qui agit dans l'organisme entier; s'oppose à *local*. Les médicaments administrés par la bouche ou par *injection intraveineuse* sont généralement systémiques parce que le sang les distribue dans tout l'organisme. Par contre, le médicament *topique* – appliqué sur la peau ou introduit dans les oreilles ou les yeux – n'est pas systémique, mais bien plutôt *local*.

tachycardie
Rythme cardiaque supérieur à 100 battements à la minute chez l'adulte, la moyenne se situant entre 60 et 100.

tampon
Petite boule de matière absorbante, comme du coton, qui sert à éponger le sang d'une blessure ou qui peut être insérée dans une cavité du corps, le vagin par exemple, pour éponger le sang ou d'autres sécrétions.

tétracycline
Antibiotique utilisé contre diverses infections.

thérapie
Ensemble de procédés pour soigner une maladie ou une anomalie physique ou mentale. Synonyme de traitement.

thiazide
Type de *diurétique* fréquemment prescrit contre l'hypertension. Le diurétique thiazidique agit sur les reins pour bloquer la réabsorption de sodium et d'eau par le sang et augmenter ainsi le débit et l'excrétion urinaires.

thrombolytique
Médicament pour dissoudre les caillots de sang ou thrombus. Ces médicaments sont généralement administrés en milieu hospitalier par *injection intraveineuse* – par exemple pour dégager une artère coronarienne du caillot sanguin qui l'obstrue et qui provoque un infarctus du myocarde.

timbre transdermique
Pansement médicamenteux adhésif porté sur la peau et dégageant lentement une substance active.

tissu mou
Terme désignant les tissus du corps autres que les os et les articulations : peau, muscles, ligaments. Bactéries et autres micro-organismes peuvent les infecter; on les traite avec des *anti-infectieux*.

topique

Médicament qui s'applique sur une surface restreinte du corps et agit localement, par exemple une *crème* appliquée sur la peau, un *onguent* sur la paupière ou une injection *anesthésiante* sur les gencives. Les médicaments topiques ont généralement moins d'*effets indésirables* que les médicaments *systémiques* qui se répandent dans le corps entier.

toxicomanie

Terme désignant la dépendance physique d'un individu à un médicament ou à une drogue ; des facteurs psychologiques peuvent aussi favoriser la toxicomanie.

toxine

Substance toxique provoquant des effets nocifs et produite par des bactéries pathologiques, des plantes (comme les champignons) ou des animaux (comme les serpents). On traite parfois les individus intoxiqués au moyen d'inoculations d'antitoxines qui neutralisent l'effet des toxines.

tranquillisant

Médicament *anxiolytique* servant à induire une sédation et à soulager la tension nerveuse.

tyramines

Substances présentes dans des aliments et des boissons – fromages vieux, salami, sauce soja, bière et vins rouges – pouvant provoquer de l'*hypertension* grave chez les individus traités aux *IMAO*.

uricosurique

Médicament servant à prévenir les crises récurrentes de goutte en favorisant l'excrétion d'acide urique dans l'urine.

utilisation dégriffée

Liberté qu'a le médecin d'ajouter en toute légitimité des *indications* à celles officiellement approuvées par *Santé Canada*. Une fois que l'usage d'un médicament a été approuvé à l'égard d'une maladie, d'un symptôme ou d'une pathologie, le médecin est habilité à le prescrire dans d'autres cas.

vaccin

Préparation de *toxines*, de bactéries ou de virus morts ou inactivés pour inciter le système immunitaire à produire des *anticorps* persistants contre un micro-organisme infectieux.

vaccination

Administration par la bouche ou par injection de micro-organismes tués ou inactivés (*vaccins*) pour rendre un individu réfractaire à une maladie. Les termes vaccination et immunisation sont souvent employés l'un pour l'autre.

vasoconstricteur

Médicament qui provoque la constriction des vaisseaux sanguins. On le prescrit souvent contre la congestion nasale. Voir *décongestionnant*.

vasodilatateur

Médicament qui provoque la dilatation des vaisseaux sanguins pour faciliter la circulation du sang.

vasopresseur

Substance qui fait monter la tension artérielle.

vertige

État dans lequel les objets environnant un individu semblent animés d'un mouvement circulaire ou oscillatoire.

vitamines

Ce sont 13 substances organiques complexes, essentielles en petites quantités et jouant un rôle régulateur dans les fonctions cellulaires. La plupart doivent être ingérées, le corps ne les produisant pas. Elles sont heureusement présentes dans les aliments. (La vitamine D est aussi produite dans la peau exposée au soleil.) Les vitamines A (rétinol), D (calciférol), E (tocophérol) et K se trouvent surtout dans les aliments renfermant de l'huile ou de la graisse. Comme le corps les emmagasine dans le tissu adipeux, il n'est pas nécessaire d'en absorber tous les jours. Une surdose peut être toxique. Thiamine (B1), riboflavine (B2), niacine (B3), acide pantothénique (B5), pyridoxine (B6), cobalamine (B12), biotine (aussi appelée vitamine H), acide folique et vitamine C (acide ascorbique) se trouvent dans beaucoup de légumes et de viandes. Comme ces substances sont emmagasinées en petites quantités et rapidement excrétées, il faut en absorber tous les jours.

xanthine

Médicament, comme l'aminophylline et la théophylline, qui dilate les bronchioles et facilite la respiration des individus souffrant d'asthme ou de troubles connexes.

Les centres antipoison fournissent de l'information en cas de surdosage médicamenteux, de réactions indésirables ou d'absorption de substances toxiques. Les centres énumérés ci-dessous sont tous membres de l'Association canadienne des centres antipoison. Ils sont ouverts 24 heures sur 24, sept jours par semaine, et leur personnel se compose de pharmaciens ou d'infirmières spécialement formés, capables d'évaluer la gravité d'une intoxication, d'indiquer les premiers soins à donner et de vous diriger vers les centres de santé pertinents ; ils vous diront si vous devez appeler une ambulance et avertiront eux-mêmes l'hôpital ou le médecin. Plusieurs numéros sans frais ne sont utilisables que dans la province indiquée. En outre, la plupart des urgences des hôpitaux sont en mesure de vous venir en aide. Gardez à portée de la main les numéros de téléphone de l'hôpital ou du centre antipoison de votre localité en cas d'urgence.

ALBERTA

Poison and Drug Information Service
Foothills General Hospital
1403–29th Street NW
Calgary, AB T2N 2T9
Télécopieur : (403) 670-1472
Téléphone :
1 800 332-1414 (sans frais)
(403) 670-1414

COLOMBIE-BRITANNIQUE

British Columbia Drug and Poison
Information Centre
St. Paul's Hospital
1081 Burrard Street
Vancouver, BC V6Z 1Y6
Télécopieur : (604) 631-5262
Téléphone :
1 800 567-8911 (sans frais)
(604) 682-5050 (Vancouver métropolitain et littoral)
(604) 631-5262

ÎLE-DU-PRINCE-ÉDOUARD

(Voir NOUVELLE-ÉCOSSE/ÎLE-DU-PRINCE-ÉDOUARD pour l'adresse et le numéro de télécopieur du centre)
Téléphone :
1 800 565-8161 (sans frais)

MANITOBA

Provincial Poison Information Centre
Children's Hospital Health Sciences
Centre
840 Sherbrooke Street
Winnipeg, MB R3A 1S1
Télécopieur : (204) 787-1775
Téléphone : (204) 787-2591

NOUVEAU-BRUNSWICK

Moncton
Poison Information Centre
Clinidata
774 Main Street, 6th Floor
Moncton, NB E1C 9Y3
Télécopieur : (506) 867-3259
Téléphone :
(506) 857-5555
Composez 911

Saint-Jean
Téléphone :
(506) 648-6222

NOUVELLE-ÉCOSSE/ ÎLE-DU-PRINCE-ÉDOUARD

Poison Control Centre
The IWK/Grace Health Care Centre
P.O. Box 3070
Halifax, NS B3J 3G9
Télécopieur : (902) 428-3213
Téléphone :
1 800 565-8161
(902) 428-8161

NUNAVUT

Appelez Ottawa
Téléphone :
1 800 267-1373 (appel sans frais)
Pour vous renseigner sur la prévention des intoxications, écrivez au Centre d'information antipoison d'Ottawa, ci-dessous :

ONTARIO

Ottawa
Centre d'information antipoison pour la Province de l'Ontario
Children's Hospital of Eastern Ontario
401, chemin Smyth
Ottawa, ON K1H 8L1
Télécopieur : (613) 738-4862
Téléphone :
1 800 267-1373 (sans frais)
(613) 737-1100
(613) 737-2332 (malentendants)
Seul ce centre dessert la clientèle en français en Ontario.

Toronto
Ontario Regional Poison Information
The Hospital for Sick Children
555 University Avenue
Toronto, ON M5G 1X8
Télécopieur : (416) 813-7489
Téléphone :
1 800 268-9017 (sans frais)
(416) 813-5900 (appel local)
(416) 597-0215 (malentendants)

QUÉBEC

Centre antipoison du Québec
Institut national de santé publique du Québec
1050, chemin Sainte-Foy
Québec, QC G1S 4L8
Télécopieur : (418) 654-2747
Téléphone :
1 800 463-5060 (sans frais)
(418) 656-8090

SASKATCHEWAN

Poison and Drug Information Service
Foothills General Hospital
1403–29th Street NW
Calgary, AB T2N 2T9
Télécopieur : (403) 670-1472
Téléphone :
1 866 454-1212 (sans frais)

TERRE-NEUVE

Poison Control Centre
The Janeway Child Health Centre
710 Janeway Place
St. John's, NF A1A 1R8
Télécopieur : (709) 726-0830
Téléphone :
(709) 722-1110

TERRITOIRES DU NORD-OUEST

Emergency Department
Stanton Regional Hospital
P.O. Box 10
Yellowknife, NT X1A 2N1
Télécopieur : (403) 669-4171
Téléphone :
(403) 669-4100

YUKON

Emergency Department
Whitehorse General Hospital
5 Hospital Road
Whitehorse, YT Y1A 3H7
Télécopieur : (867) 667-8762
Téléphone : (867) 667-8726

Prévention des intoxications : communi-
quez avec le secrétaire-trésorier des
Centres antipoison du Canada
Tél. : (418) 654-2731, poste 211
Télécopieur : (418) 654-2747

INTOXICATION MÉDICAMENTEUSE

Pour chaque médicament analysé dans
ce guide, vous trouvez des conseils précis sur ce qu'il faut faire lorsqu'une personne, accidentellement ou non, prend
une dose supérieure à celle prescrite.

Les cas d'urgence ne sont pas toujours bien clairs. La victime peut ne pas
vouloir ou ne pas pouvoir indiquer ce
qu'elle a ingéré et en quelle quantité.

Les conseils qui suivent ont pour but
de vous aider quand vous soupçonnez
que quelqu'un a pris une surdose ou
ingéré une substance toxique ou corro-
sive sans savoir de quoi il s'agit exactement ni ce qu'il convient de faire.

Rappelez-vous qu'il faut immédiatement demander de l'assistance médicale si la victime est inconsciente ou
extrêmement confuse, si elle a cessé de
respirer, si elle vomit avec abondance
ou si elle a des convulsions.

Ramassez les flacons de médicament
ou les seringues entièrement ou partiellement vides qui se trouvent à proximité
de la victime et apportez-les à l'hôpital
ou remettez-les aux ambulanciers, de
sorte que le personnel hospitalier puisse savoir de quel médicament il s'agit
et quelle quantité a pu être ingérée.
Gardez également un échantillon de
ses vomissures.

S'il s'agit d'une intoxication par inhalation, placez la victime au grand air
avant de demander du secours. Si elle
s'est mis des substances toxiques dans
les yeux, lavez-les à grande eau tiède. Si
ces substances sont sur la peau, retirez
les vêtements qui en sont imbibés et
lavez la peau à l'eau. Dans les deux cas,
appelez le centre antipoison après les
opérations de lavage.

Ayez toujours à la maison du sirop
d'ipéca au cas où le centre antipoison
vous recommanderait de faire vomir la
victime. Mais ne lui en donnez jamais
avant d'avoir parlé au médecin ou au
centre antipoison : vous pourriez aggraver son cas. N'essayez jamais, non plus,
de faire vomir une personne qui est
inconsciente.

GARE AUX INTOXICATIONS !

Des milliers d'intoxications sont signalées aux centres antipoison chaque
année. La majorité des victimes sont
des enfants de moins de sept ans qui
ont ingéré, inhalé ou répandu sur eux
des médicaments, des articles de toilette ou des produits de nettoyage ou qui
ont mâchonné les feuilles ou les baies
de plantes toxiques.

Voici quelques précautions à prendre
pour prévenir bien des intoxications.

Rappelez-vous que cuisines, salles de
bains, garages et ateliers sont des lieux
dangereux pour les enfants curieux.

Ne rangez pas les médicaments, les
rince-bouche ou eaux de cologne
contenant de l'alcool, les nettoyants,
les diluants à peinture, l'antigel et le
lave-glace de pare-brise dans des pla-
cards que les enfants peuvent ouvrir.

Si vous utilisez un produit dangereux,
prenez-le avec vous pour répondre à la
porte ou au téléphone.

Gardez les médicaments dans des flacons à l'épreuve des enfants, mais rappelez-vous qu'ils peuvent finir par ouvrir
les couvercles censés leur résister.

Évitez de prendre vos médicaments
devant de jeunes enfants : ils ont tendance à imiter ce que vous faites.

Ne convainquez pas un enfant de
prendre un remède en disant que c'est
du bonbon : il pourrait tragiquement
confondre les deux par la suite.

Gardez les produits dangereux dans
leur emballage d'origine ; ne les mettez
pas dans des tasses, des verres ou des
bouteilles vides de soda : trop souvent,
adultes et enfants s'empoisonnent en
versant des substances toxiques dans
leurs aliments ou leurs boissons.

Frondes d'asperge, cyclamen, dief-
fenbachia, muflier, muguet, philoden-
dron et feuilles de tomate sont parmi
les plantes de maison ou de jardin qui
peuvent intoxiquer les enfants.

ORGANISMES DE SANTÉ PUBLIQUE

▼

Il existe au Canada et au Québec des centaines d'organismes qui diffusent de l'information sur les maladies, les médicaments et les traitements les plus récents, les médecins, les hôpitaux ou les groupes de soutien. Certains se spécialisent dans une affection ; d'autres offrent des conseils d'ordre général sur une vaste gamme de sujets reliés à la santé.

Si vous êtes à la recherche d'information ou de soutien, demandez conseil à votre médecin ou consultez le répertoire qui suit avant de faire un choix entre les divers organismes qui

œuvrent dans le secteur de la santé publique. La plupart des associations inscrites ci-dessous ont un numéro d'information téléphonique sans frais, un numéro de télécopie, une adresse de courrier électronique (courriel) ou un site internet. Cette liste est forcément incomplète ; mais tous ces organismes vous répondront en français. D'autres organismes que ceux-ci peuvent vous venir en aide en vous offrant l'information que vous recherchez ou en vous dirigeant vers le centre qui pourra le mieux répondre à vos questions et à vos besoins.

Alcooliques anonymes

1480, rue Bélanger Est, bureau 101
Montréal, QC H2G 1A7
Tél. : (514) 376-9230
Télécopieur : (514) 374-2250
Courriel : région87@aa-quebec.org
Internet : www.alcoholics-anonymous.org
Association internationale d'hommes et de femmes ayant déjà eu un problème d'alcool. Non professionnelle, autosuffisante, non confessionnelle, multiraciale, apolitique, ne posant aucune condition d'âge ou d'instruction. Le site internet est en français, en anglais et en espagnol.

Al-Anon Alateen pour les familles et les amis d'alcooliques

Case postale 114, Succursale C
Montréal, QC H2L 4J7
Tél. : (514) 866-9803
1 888 425-2666 (sans frais du lundi au vendredi, de 8 h à 18 h)
Courriel : wso@al-anon.org
Internet : www.al-anon.alateen.org
Affilié à Alcooliques anonymes, cet organisme s'occupe en tout premier lieu de renseigner et d'aider le grand public sur l'alcoolisme et ses conséquences sur la famille et l'entourage de l'alcoolique.

Association québécoise des allergies alimentaires

2, Complexe Desjardins
Case postale 216
Succursale Desjardins
Montréal, QC H5B 1G8
Téléphone et télécopieur : (514) 990-2575
Courriel : info@aqaa.qc.ca
Internet : www.aqaa.qc.ca
Cette association fournit soutien et information aux personnes aux prises avec des allergies alimentaires, favorise une politique de prévention et collabore avec des professionnels de la santé.

Fédération québécoise des sociétés Alzheimer

5165, rue Sherbrooke Ouest, bureau 211
Montréal, QC H4A 1T6
Tél. : (514) 369-7891
1 888 MÉMOIRE (636-6473) (sans frais)
Télécopieur : (514) 369-7900
Courriel : info.fqsa@alzheimerquebec.ca
Internet : www.alzheimerquebec.ca
La fédération regroupe au Québec plus de 21 sociétés ayant pour objectif d'alléger les conséquences personnelles et sociales de la maladie d'Alzheimer et de promouvoir la recherche médicale et psychosociale.

La société d'arthrite

2155, rue Guy, bureau 1120
Montréal, QC H3H 2R9
Tél. : (514) 846-8840
1 800 321-1433 (sans frais)
Télécopieur : (514) 846-8999
Courriel : info@arthrite.ca
Internet : www.arthrite.ca
Organisme sans but lucratif œuvrant à encourager la recherche sur les causes sous-jacentes de l'arthrite afin qu'il soit possible un jour d'élaborer des traitements qui guériront cette maladie. S'emploie aussi à renseigner le public sur les meilleurs soins à offrir aux personnes arthritiques.

Fondation québécoise du cancer

2075, rue de Champlain
Montréal, QC H2L 2T1
Tél. : (514) 527-2194
1 877 336-4443 (sans frais)
Télécopieur : (514) 527-1943
Courriel : cancerquebec.mtl@fqc.qc.ca
Internet : www.fqc.qc.ca
Organisme à but non lucratif visant à améliorer la qualité de vie des personnes souffrant de cancer en leur offrant information, soutien, documentation et hébergement pour la durée de leurs traitements. Service gratuit et bilingue de renseignements télé-

phoniques, INFO-CANCER, au 1 800 363-1163. La fondation a aussi des bureaux à Québec, à Fleurimont et à Gatineau.

Association québécoise de la fibrose kystique

425, rue Viger Ouest
Montréal, QC H2Z 1X2
Tél. : (514) 877-6161
1 800 363-2711 (sans frais)
Télécopieur : (514) 877-6116
Courriel : info@aqfk.qc.ca
Site internet : www.aqfk.qc.ca
Recueille des fonds pour financer la recherche médicale, informer le public et assurer la mise en place de réseaux d'aide aux personnes atteintes et à leur famille.

Association Diabète Québec

5635, rue Sherbrooke Est
Montréal, QC H1N 1A2
Tél. : (514) 259-342
1 800 361-3504 (sans frais)
Télécopieur : (514) 259-9286
Courriel : info@diabete.qc.ca
Site internet : www.diabete.qc.ca
Organisme à but non lucratif visant à sensibiliser le grand public et à informer les personnes atteintes de diabète ainsi que les professionnels de la santé.

Fondation d'aide directe SIDA Montréal

1442, rue Panet
Montréal, QC H2L 2Z1
Tél. : (514) 522-1993
Télécopieur : (514) 522-3686
Courriel : fadsm@sympatico.ca
Site internet : pages.infinit.net.fadsm
Apporte un soutien matériel et financier aux personnes démunies atteintes du VIH-sida en leur offrant une qualité de vie adaptée aux exigences de leur santé. La fondation s'adresse aux personnes atteintes du VIH-sida vivant au Québec et plus particulièrement dans la région de Montréal.

Association canadienne du foie
Chapitre du Québec
1200, av. McGill College, bureau 2210-a
Montréal, QC H3B 4G7
Tél. : (514) 876-4171
1 800 563-5483 (sans frais)
Télécopieur : (514) 876-4174
Courriel :
foie@fondationcanadiennedufoie.ca
Internet : www.liver.ca
Appuie financièrement la recherche médicale et apporte information et soutien aux patients atteints d'une maladie du foie.

Association pulmonaire du Québec
800, boulevard de Maisonneuve Est, bureau 800
Montréal, QC H2L 4L8
Tél. : (514) 287-7400
1 800 295-8111 (sans frais)
Télécopieur : (514) 287-1978
Courriel : asspulm@cam.org
Internet : www.pq.lung.ca
Association sans but lucratif qui se consacre à la recherche sur les maladies du poumon et à la prévention de ces maladies.

Fondation québécoise des maladies mentales
2120, rue Sherbrooke Est, bureau 401
Montréal, QC H2K 1C3
Tél. : (514) 529-5354
Télécopieur : (514) 529-9877
Internet : www.fqmm.qc.ca
La fondation démystifie les maladies mentales auprès de la population, contribue au dépistage de ces maladies, finance des programmes de recherche novateurs et pertinents sur la maladie mentale et soutient des organismes qui viennent en aide aux personnes qui en sont atteintes.

Fondation des aveugles du Québec
5112, rue de Bellechasse
Montréal, QC H1T 2A4
Tél. : (514) 259-9470
Télécopieur : (514) 254-5079
Courriel : info@aveugles.org
Internet : www.aveugles.org
S'occupe de conseiller les personnes handicapées de la vue et de les aider à mener une vie autonome à la maison, au travail et dans leurs loisirs.

Service québécois du livre adapté
1111, rue Saint-Charles Ouest
Longueuil, QC J4K 5G4
Tél. : (450) 463-2113
1 866 269-2113 (sans frais)
Télécopieur : (514) 282-1676
Courriel : info@sqla.qc.ca
Internet : www.sqla.qc.ca
Le SQLA est né d'un partenariat entre Culture et Communications Québec, l'Institut Nazareth et Louis-Braille (INLB) et La Magnétothèque. Il offre 21 000 titres en français : 11 000 en braille, 10 500 sur cassette et 200 en format électronique.

Réseau canadien pour la santé des femmes
419, avenue Graham, bureau 203
Winnipeg, MB R3C 0M3
Tél. : (204) 942-5500
1 888 818-9172 (sans frais)
Télécopieur : (204) 989-2355
Courriel : cwhn@cwhn.ca
Internet : www.cwhn.ca
Fournit des renseignements sur les groupes, les coalitions, les organismes, les ressources, les bulletins, les conférences et les articles sur la santé des femmes.

Fondation canadienne des maladies inflammatoires de l'intestin
6767, chemin de la Côte-des-Neiges, bureau 200, dir. rég. Mad. Lynn Baudard
Montréal, QC H3S 2T6
Tél. : (514) 342-0666
1 800 461-4683 (sans frais)
Télécopieur : (542) 342-1011
Courriel : lbaudard@ccfc.ca
Internet : www.ccfc.ca
La fondation s'emploie à recueillir des fonds pour la recherche médicale et à fournir de l'information aux personnes atteintes, à leur famille, aux professionnels de la santé et au grand public.

Ordre professionnel des diététistes du Québec
1425, boulevard René-Lévesque Ouest, bureau 703
Montréal, QC H3G 1T7
Tél. : (514) 393-3733
Télécopieur : (514) 393-3582
Courriel : opdq@opdq.org
Internet : www.opdq.org
Association professionnelle visant à former ses membres et à diffuser de l'information au grand public.

Association québécoise de l'épilepsie
1015, Côte du Beaver Hall, bureau 111
Montréal, QC H2Z 1S1
Tél. : (514) 875-5595
Télécopieur : (514) 875-0077
Courriel : aqe@cam.org
Internet : www.cam.org/~aqe
L'association a pour mission de renseigner le public sur l'évolution de l'épilepsie et celle des patients qui en souffrent et de réaliser l'intégration sociale et économique des personnes épileptiques.

Fondation des maladies du cœur du Québec
1434, rue Sainte-Catherine Ouest, bureau 500
Montréal, QC H3G 1R4
Tél. : (514) 871-1551
1 800 567-8563 (sans frais)
Télécopieur : (514) 871-9385
Internet : www.fmcoeur.qc.ca
Organisme sans but lucratif ayant pour objectif d'étudier, de prévenir et de réduire l'incapacité et la mortalité liées aux maladies du cœur et aux accidents vasculaires cérébraux par la recherche, l'éducation et la promotion de saines habitudes.

Clinique santé voyage
2499, rue Saint-Georges, bureau 200
Le Moyne, QC J4R 2T4
Tél. : (450) 466-6084
Télécopieur : (450) 466-2283
Courriel :
info.csr@clsc-sdchamplain.qc.ca
Internet : www.clsc-sdchamplain.qc.ca/csv
Depuis 25 ans, la clinique offre des services de consultation efficaces et personnalisés. Elle relève de la Direction de la santé publique, en lien avec le ministère de la Santé et des Services sociaux du Québec.

Organismes ayant un site sur internet
Consultez le site suivant :
www.toile.qc.ca/quebec/sciences_et_sante/sante_publique
pour trouver une liste importante d'organismes œuvrant dans le domaine de la santé publique au Québec. Consultez en particulier l'organisme suivant :
Association pour la santé publique du Québec
819, rue Roy Est
Montréal, QC H2L 1E4
Tél. : (514) 528-5811

Télécopieur : (514) 528-5590
Courriel : info@aspq.org
Internet : www.aspq.org
Constitue un forum qui rassemble divers intervenants québécois en santé publique tant sur le plan institutionnel que professionnel et communautaire, pour améliorer et maintenir la santé et le bien-être des Québécois.

Fondation canadienne du rein

Succursale du Québec
2300, boulevard René-Lévesque Ouest
Montréal, QC H3H 2R5
Tél. : (514) 938-4515
1 800 565-4515 (sans frais au Québec)
Télécopieur : (514) 938-4757
Courriel : info@reinquebec.ca
Internet : www.reinquebec.ca
Finance la recherche sur la maladie du rein et les troubles connexes, fournit des services aux patients dont la vie est affectée par une maladie rénale, publie de l'information sur les maladies du rein à l'intention des patients et du public et fait la promotion des dons d'organes.

Lupus Canada

18, Crown Steel Drive, bureau 209
Markham, ON L3R 9X8
Tél. : (905) 513-0004
1 800 661-1468 (sans frais au Canada)
Télécopieur : (905) 513-9516
Courriel : info@lupuscanada.org
Internet : www.lupuscanada.org
Organise des symposiums et fournit de la documentation sur la maladie, ses symptômes, son diagnostic et les méthodes utilisées pour la traiter.

MedicAlert Canada

2005, avenue Sheppard Est, bureau 800
Toronto, ON M2J 5B4
Tél. : 1 800 668-1507 (sans frais)
Télécopieur : (416) 696-0156
Courriel : medinfo@medicalert.ca
Internet : www.medicalert.ca
MedicAlert offre une protection à vie à toute personne ayant besoin d'une attention médicale particulière en cas d'urgence à cause d'une affection, d'allergies, de problèmes de santé particuliers ou d'une médication spéciale. Le service de base comporte un bracelet ou un pendentif personnalisé, une ligne d'urgence de 24 heures, une carte de portefeuille ainsi qu'un dossier informatisé.

Centre Conseils Grossesse

7394, 19e avenue
Montréal, QC H2A 2L7
Tél. : (514) 593-1720
1 877 593-1720 (sans frais)
Télécopieur : (514) 727-6355
Courriel :
pregnancyccgrossesse@qc.aira.com
Internet : www.multimania.com/ccgpcc
Le centre offre les services suivants : tests de grossesse gratuits, écoute et aide en temps de crise, références à d'autres organismes pour hébergement et assistance médicale, financière ou juridique, information sur les soins pour mamans et nourrissons, accompagnement lors de l'accouchement, vêtements de maternité et de bébé, suivi après la naissance, éducation sur l'avortement, information sur l'adoption et les foyers nourriciers, soutien après avortement, encouragement et soutien moral. Tous ces services sont confidentiels et gratuits. Le bureau est ouvert de 10 h à 16 h du lundi au vendredi sur rendez-vous.

Société canadienne de la sclérose en plaques, division du Québec

666, rue Sherbrooke Ouest, bureau 1500
Montréal, QC H3A 1E7
Tél. : (514) 849-7591
1 800 268-7582 (sans frais au Québec)
Télécopieur : (514) 849-8914
Courriel : info.qc@scléroseenplaques.ca
Internet : www.scléroseenplaques.ca/qc
La société offre des programmes d'information et de formation, des services d'appui et de conseils et de l'équipement spécial aux personnes aux prises avec cette maladie pour leur permettre d'améliorer leur qualité de vie.

Association canadienne de la dystrophie musculaire

1425, boulevard René-Lévesque Ouest, bureau 506
Montréal, QC H3G 1T7
Tél. : (514) 393-3522
1 800 567-2236 (sans frais)
Télécopieur : (514) 393-8113
Courriel : infoquebec@mdac.ca
Internet : www.acdm.ca
Fournit des renseignements sur les nombreuses formes de maladies neuromusculaires, aide les personnes atteintes à obtenir de l'équipement et des services et finance la recherche sur plus de 40 troubles neuromusculaires.

Douleur-canada.com

Ce site internet s'adresse aux personnes souffrant de douleur chronique et à leurs soignants. Le site contient des informations sur la douleur et donne des liens avec d'autres ressources.

Ostéoporose Québec

2100, rue Marlowe, bureau 650
Montréal, QC H4A 3L5
Tél. : (514) 369-7845
Info-ligne 1 877 369-7845 (sans frais)
Télécopieur : (514) 369-7850
Courriel : info@osteoporose.qc.ca
Internet : www.osteoporose.qc.ca
Fournit de l'information sur divers aspects de l'ostéoporose et de la santé des os. Propose des activités, des services et des outils pour aider à avoir et à garder une meilleure ossature.

Société Parkinson du Québec

1253, avenue McGill College, bureau 402
Montréal, QC H3B 2Y5
Tél. : (514) 861-4422
1 800 720-1307 (sans frais)
Télécopieur : (514) 861-4510
Courriel : information@parkinson.ca
Internet : www.parkinson.org
Appuie la recherche et offre conseils, information et services spéciaux aux personnes atteintes de la maladie de Parkinson ainsi qu'à leurs parents, amis et soignants.

Société québécoise de la schizophrénie

Hôpital Louis-H.-Lafontaine
Pavillon Bédard
7401, rue Hochelaga
Montréal, QC H1N 3M5
Tél. : (514) 251-4000, poste 3400
Télécopieur : (514) 251-6347
Courriel : info@schizophrénie.qc.ca
Internet : www.rehab-infoweb.net/
association_quebecoise_schizophrenie.htm
Groupe d'entraide pour les personnes dont un être cher est atteint de schizophrénie. La SQS veut les aider à composer avec la maladie, à se déculpabiliser, à rompre leur isolement, à doser leurs attentes et à démythifier la maladie.

Les noms génériques apparaissent en majuscules.   La lettre C devant le numéro de page renvoie au guide couleur d'identification.

Les noms génériques apparaissent en majuscules. La lettre C devant le numéro de page renvoie au guide couleur d'identification.

O

Z

REMERCIEMENTS

▼

CONSULTANTS PHARMACEUTIQUES

Lizanne Béïque, B.Pharm,
PharmD
Ottawa, Ont.

Bill Cornish, BSc Phm
Toronto, Ont.

Sherry Cudmore, BSc Phm
Toronto, Ont.

Artemis Diamantouros,
BSc Phm
Toronto, Ont.

Scott Hannay, BSc Phm
Cambridge, Ont.

Maryann Hopkins, BSP, CDE
Ottawa, Ont.

Andrew Hui, BSc Phm
Oakville, Ont.

Lori MacCallum, BSc Phm,
PharmD
Toronto, Ont.

Tom Paolone, BSc Phm
St. Catharines, Ont.

Tina Papastavros, BSc Phm,
PharmD
Toronto, Ont.

Monique Pitre, BSc Phm
Toronto, Ont.

Eric Trépanier, BSc,
PharmD
Toronto, Ont.

Alice Tseng, BSc Phm,
PharmD
Toronto, Ont.

RÉDACTEURS

Edward Edelson
Maureen O'Sullivan
Steven B. Abrams, MD

AUTRES COLLABORATEURS

Rebus Inc.

Ernest Small, PhD
Chef d'étude, Centre de
recherches de l'Est sur
les céréales et oléagineux,
Agriculture et Agroalimentaire
Canada

Pagination
Eiko Takeda, Montréal

Photographie numérique
Katz Digital Technologies
Patrick Gogarty

ILLUSTRATEUR

Enid Hatton

Ressources pharmacologiques
Andrew Chabursky, BSc Phm,
et Best Drug Mart, Toronto

Deborah Wible et le personnel du Département de pharmacie, Beth Israel Medical
Center, New York (New York)

*Compendium des produits et
spécialités pharmaceutiques*,
36ᵉ éd. : Ottawa, Association
des pharmaciens du Canada
2001

Consultants médicaux

Directeur, comité consultatif
Simeon Margolis, MD, PhD
*Professeur de médecine et de chimie biologique,
Johns Hopkins School of Medicine*

Franklin Adkinson, MD
Asthme et allergies

Frank Anania, MD
Gastroentérologie et hépatologie

Lawrence Appel, MD
Médecine interne

Paul Auwaerter, MD
Médecine interne et maladies infectieuses

William Bell, MD
Hématologie

Ivan Borrello, MD
Oncologie

Steven Brant, MD
Gastroentérologie

Richard Chaisson, MD
Maladies infectieuses

Lawrence Cheskin, MD
Gastroentérologie et nutrition

Bernard Cohen, MD
Dermatologie

David Cromwell, MD
Gastroentérologie

E. Claire Dees, MD
Oncologie

Phillip Dennis, MD
Oncologie

Adrian Dobs, MD
Endocrinologie

Christopher Earley, MD
Neurologie

David Essayan, MD
Allergie et immunologie

John Flynn, MD
Médecine interne et rhumatologie

Joel Gallant, MD
Maladies infectieuses (VIH/sida)

Mary Lawrence Harris, MD
Gastroentérologie

Bradley Hinz, MD
Ophtalmologie

Thomas Inglesby, MD
Médecine interne et maladies infectieuses

Suzanne Jan de Beur, MD
Endocrinologie

Christopher Karp, MD
Parasitologie

Beth Kirkpatrick, MD
Maladies infectieuses

Susan Koch, MD
Dermatologie

Alan Krasner, MD
Endocrinologie

Julie Krop, MD
Endocrinologie et métabolisme

Ralph Kuncl, MD
Neurologie

John Lawrence, MD
Médecine cardiovasculaire

Linda Lee, MD
Gastroentérologie

Ronald Lesser, MD
Neurologie

John Lipsey, MD
Psychiatrie

Dan Martin, MD
Médecine interne et rhumatologie

William Moss, MD
Immunologie

Patrick Murphy, MD
Maladies infectieuses

Philip Norman, MD
Allergie et immunologie

Steve O'Connell, MD
Ophtalmologie

Paul O'Donnell, MD
Oncologie

Peter Pak, MD
Cardiologie

Marco Pappagallo, MD
Neurologie (traitement de la douleur chronique)

Wendy Post, MD
Médecine cardiovasculaire

Charles Pound, MD
Urologie

Thomas Preziosi, MD
Neurologie

Peter Rabins, MD
Neuropsychiatrie

Stuart Ray, MD
Médecine interne et maladies infectieuses

Jon Resar, MD
Médecine cardiovasculaire

Beryl Rosenstein, MD
Médecine pulmonaire

Walter Royal, MD
Neurologie et virologie

Christopher Saudek, MD
Endocrinologie et métabolisme

Eduardo Sotomayor, MD
Oncologie

Jerry Spivak, MD
Hématologie

Timothy Sterling, MD
Maladies infectieuses

Francisco Tausk, MD
Dermatologie

Peter Terry, MD
Asthme et allergies

Chloe Thio, MD
Maladies infectieuses

Jason Thompson, MD
Néphrologie

Thomas Traill, MD
Médecine cardiovasculaire

Glenn Treisman, MD
Psychiatrie

John Ulatowski, MD
Neurologie

Edward Wallach, MD
Obstétrique et gynécologie

Gary Wand, MD
Endocrinologie

James Weiss, MD
Médecine cardiovasculaire

James Weisz, MD
Ophtalmologie

Elizabeth Whitmore, MD
Dermatologie